PASCAL

PASCAL JEUNE, portrait à la sanguine par Jean Domat.
Ce dessin, collé sur la feuille de garde d'un corps de droit (*Corpus juris civilis* de Justinien), porte des annotations de la main de Gilbert Domat : *Portrait de Mr Pascal par mon père. — Mon père s'est servi de ce corpus de droit pour son ouvrage des lois civiles.*

Mon pere se[s]t servit de ce
Ce droit pour son ouvr[age]
des troi cirles

Ce

[p]ortrai de Mr pascal fait par mon pere

L'intégrale

Collection dirigée par Luc Estang, assisté de Françoise Billotey

BALZAC

Préface de Pierre-Georges Castex
Présentation de Pierre Citron

LA COMÉDIE HUMAINE

1. Études de mœurs, Scènes de la vie privée (I). – 2. Scènes de la vie privée (II), Scènes de la vie de province (I). – 3. Scènes de la vie de province (II). – 4. Scènes de la vie parisienne (I). – 5. Scènes de la vie parisienne (II), Scènes de la vie politique, Scènes de la vie militaire. – 6. Scènes de la vie de campagne. Études philosophiques (I). – 7. Études philosophiques (II). Études analytiques.

BAUDELAIRE

Préface et présentation de Marcel Ruff

CORNEILLE

Préface de Raymond Lebègue
Présentation d'André Stegmann

FLAUBERT

Préface de Jean Bruneau
Présentation de Bernard Masson

1. Écrits de jeunesse, Premiers romans, La tentation de saint Antoine, Madame Bovary, Salammbô. – 2. L'éducation sentimentale, Trois contes, Bouvard et Pécuchet, Théâtre, Voyages.

VICTOR HUGO

ROMANS

Présentation d'Henri Guillemin

1. Han d'Islande, Bug-Jargal, Le dernier jour d'un condamné, Notre-Dame de Paris, Claude Gueux. – 2. Les misérables. – 3. Les travailleurs de la mer, L'homme qui rit, Quatrevingt-Treize.

POÉSIE

Préface de Jean Gaulmier
Présentation de Bernard Leuilliot

1. Des premières publications aux Contemplations. – 2. De la Légende des Siècles aux dernières publications. – 3. Posthumes.

LA FONTAINE

Préface de Pierre Clarac
Présentation de Jean Marmier

MARIVAUX

Préface de Jacques Schérer
Présentation de Bernard Dort

THÉÂTRE COMPLET

MÉMORIAL DE SAINTE-HÉLÈNE

PAR LAS CASES

Préface de Jean Tulard
Présentation de Joël Schmidt

MOLIÈRE

Préface de Pierre-Aimé Touchard

MONTAIGNE

Préface d'André Maurois
Présentation de Robert Barral
en collaboration avec Pierre Michel

MONTESQUIEU

Préface de Georges Vedel
Présentation de Daniel Oster

MUSSET

Texte établi et présenté
par Philippe van Thieghem

1. Poésies, Contes, Mélanges. – 2. Théâtre, Récits, Nouvelles.

PASCAL

Préface d'Henri Gouhier
Présentation de Louis Lafuma

RABELAIS

Présentation d'André Demerson
avec translation en français moderne

RACINE

Préface de Pierre Clarac

ROUSSEAU

Préface de Jean Fabre
Présentation de Michel Launay

1. Œuvres autobiographiques.
2 et 3. Œuvres philosophiques et politiques.

STENDHAL

Préface et présentation
de Samuel S. de Sacy

ROMANS

1. Armance, Le rouge et le noir, Lucien Leuwen. – 2. La chartreuse de Parme, Chroniques italiennes, Romans et Nouvelles, Lamiel.

VIGNY

Préface et présentation de Paul Viallaneix

ZOLA

Préface de Jean-Claude Le Blond-Zola
Présentation de Pierre Cogny

LES ROUGON-MACQUART

1. La fortune des Rougon, La curée, Le ventre de Paris, La conquête de Plassans. – 2. La faute de l'abbé Mouret, Son Excellence Eugène Rougon, L'Assommoir. – 3. Une page d'amour, Nana, Pot-Bouille. – 4. Au Bonheur des Dames, La joie de vivre, Germinal. – 5. L'œuvre, La terre, Le rêve, La bête humaine. – 6. L'argent, La débâcle, Le docteur Pascal.

PASCAL

ŒUVRES COMPLÈTES

PRÉFACE D'HENRI GOUHIER
DE L'INSTITUT

PRÉSENTATION ET NOTES DE
LOUIS LAFUMA

AUX ÉDITIONS DU SEUIL
27, rue Jacob, Paris-VIe

ISBN 2-02-000713-4

PASCAL

Blaise Pascal a vingt ans en 1643 : c'est l'année où meurt Jean Duvergier de Hauranne, abbé de Saint-Cyran, le maître spirituel de Port-Royal; l'année précédente est mort Galilée dont le disciple, Evangelista Torricelli, est alors en train de chercher des dispositifs plus commodes pour étudier expérimentalement la question du vide. Ces dates fixent et définissent la situation de Pascal dans son temps, à la convergence de deux histoires : celle qu'il rejoindra en se convertissant au christianisme austère de la Mère Angélique et de la Mère Agnès, de Singlin et de Sacy, celle où, très vite, ses premiers travaux de physicien vont inscrire son nom.

Avec cette lucidité qui fut un trait essentiel de son génie, Pascal a lui-même exprimé le sens de ces deux histoires et les problèmes qu'elles posaient devant sa conscience, ceci dans un texte qu'une copie nous a conservé sous le titre : *Préface. Sur le Traité du Vide.* L'histoire des sciences se définit comme une progression : celle de la théologie, comme une transmission. Pour les connaissances qui dépendent de la raison et de l'expérience, la perfection consiste à « augmenter ». Les vérités de la foi sont fondées sur l'autorité comme toutes celles qui relèvent de la mémoire : leur destin est de ne pas changer. C'est pourquoi, en physique, les modernes en savent plus que les anciens; au contraire, dans une question comme celle de la grâce, il faut chercher ce qu'ont pensé saint Paul et saint Augustin, la modernité étant signe d'erreur. Cette perspective explique le jugement de Pascal sur « le malheur du siècle ». Nous sommes, constate-t-il, à une époque où des physiciens invoquent l'autorité des anciens et où des théologiens inventent des opinions nouvelles; la philosophie scolastique recommande non l'étude de la nature mais la lecture d'Aristote et de ses commentateurs; les Jésuites recommandent non la lecture des Pères mais une réflexion sur les dogmes[1]. Cette double confusion condamne Pascal à n'avancer qu'en combattant : son œuvre doit toujours être à la fois positive et polémique, qu'il s'agisse des recherches sur le vide ou du service de la religion.

Les anciens sont plus jeunes que nous, un nain voit plus loin qu'un géant s'il grimpe sur ses épaules... c'est là une idée assez banale depuis le XIIe siècle. L'originalité de Pascal semble être d'avoir clairement discerné sous les formules pittoresques une conséquence nécessaire de notre condition. La vérité de la foi se reconnaît à sa perpétuité parce que ses principes sont au-dessus de notre nature : Dieu révèle aux hommes leur péché, l'Incarnation de son Fils, la Rédemption par la Croix, ce que leur raison n'aurait jamais pu découvrir; pareille révélation est évidemment complète et définitive. Non moins évidemment, un savoir qui est l'œuvre du raisonnement et de l'expérience attend sa perfection du temps et de nos efforts, voué à un progrès indéfini.

Si ce progrès est la loi même de la science, on voit la gravité du problème qui se pose devant la conscience religieuse dans le cas où la raison interprétant correctement l'expérience paraît contredire la foi. Ce ne peut être, bien sûr, qu'une apparence : mais ce sont justement des apparences aussi troublantes que favorisent les confusions des physiciens, qui défendent leur aristotélisme en invoquant l'Écriture, et des théologiens, qui se mêlent de philosophie au lieu de revenir aux sources. Or pareil cas se présente avec la grande révolution qui substitue à l'image d'un monde clos l'idée d'un monde indéfiniment ouvert [2].

Les nouvelles mathématiques nous ont appris à nous servir de l'infini en grandeur et en petitesse, faisant ainsi de ce qui est proprement incompréhensible une idée de la raison. La nouvelle physique du ciel nous a habitués à projeter cette idée dans l'espace. Nous voici donc dans un univers dont les limites reculent sans cesse devant l'imagination et l'entendement : il n'y a plus de centre puisqu'il n'y a plus de circonférence; inutile de multiplier les sphères emboîtées les unes dans les autres; on ne saurait désormais parler de *cosmos*, c'est-à-dire d'une totalité ordonnée dont l'intelligibilité est à la mesure de notre intelligence. De là ces deux conséquences pour la science et pour la religion : s'il n'y a plus de *cosmos*, il n'y a plus de cosmologie; s'il n'y a plus de cosmologie, il n'y a plus moyen de démontrer l'existence de Dieu à partir de la cosmologie.

Chose bien curieuse, pour montrer combien Pascal

1. Voir plus loin, p. 230.

2. Cf. Alexandre KOYRÉ, *From the closed world to the infinite universe*, Baltimore, 1957.

est loin de nous Paul Valéry a parfaitement décrit la situation historique qui éclaire la modernité de sa pensée.

« *Le silence éternel de ces espaces infinis m'effraie* [3]. » Il y a là un cri qui rappelle au poète « *cet aboi insupportable qu'adressent les chiens à la lune* », un cri qui indigne et le Grec et le Juif. « *Il n'y a point de silence dans l'univers*, riposte le premier par la bouche de Pythagore. *Un concert de voix éternelles est inséparable du mouvement des corps célestes... Comme les sphères obéissent à une loi, les sons qu'elles engendrent se composent dans cet accord suave et doucement variable, qui est celui des cieux avec les cieux. L'ordre du monde pur enchante tes oreilles...* » Et le Juif, par la voix du Psalmiste : « *Les cieux énoncent la gloire de Dieu, et l'ouvrage de ses mains est proclamé par le firmament...* » Mais, à l'un comme à l'autre, Pascal doit répondre : vos espaces n'étaient pas éternellement silencieux parce qu'ils n'étaient pas infinis; que signifie l'harmonie des sphères quand il n'y a plus de sphères? et comment un ouvrage dont l'ordonnance et la finalité échappent à notre esprit chanterait-il la perfection de l'ouvrier?

Que l'effroi éprouvé devant cette image nouvelle du monde soit la réaction de l'athée ou celle de Pascal lui-même, c'est là une question discutée. Il nous semble être d'abord la réaction de tout homme lorsqu'un retour sur soi lui découvre sa propre situation entre deux infinis en grandeur et en petitesse, au point mobile qui sépare deux temps éternels, passé et à venir. « ... *Je vois ces effroyables espaces de l'univers qui m'enferment... Je ne vois que des infinités de toutes parts qui m'enferment comme un atome et comme une ombre qui ne dure qu'un instant sans retour* [4]. » Qu'ensuite la foi du chrétien surmonte cet effroi, c'est certain : mais il y a là un sentiment si naturel que l'apologiste va précisément dénoncer la vanité de tout effort de la raison pour y échapper, présomption stoïcienne qui aboutirait à une hautaine résignation, ou scepticisme paresseux qui se complairait en une indifférence agrémentée de citations des *Essais*.

Ce qui est sûr, c'est que ces espaces et ces temps démesurés interdisent à la science moderne l'ambition qui dictait à Pic de la Mirandole un titre « aussi fastueux » que *De omni scibili* ou à Descartes celui de *les Principes de la philosophie* [5]. Tout savoir... connaître les principes..., bref, se hisser à la droite de Dieu pour regarder l'univers et en décrire le plan, c'est là un idéal périmé : à la fois expérimentale et mathématique, la physique explore la nature morceau par morceau; et quand elle formule une hypothèse générale, comme celle du mécanisme cartésien — « *Cela se fait par figure et mouvement* » — le mot « *vrai* » est aussitôt corrigé par « *en gros* [6] ». Ce qui est non moins sûr, c'est que cette science moderne prive l'apologétique d'arguments traditionnels. « *Eh quoi! ne dites-vous pas vous-même que le ciel et les oiseaux prouvent Dieu? — Non — Et votre religion ne le dit-elle pas? — Non...* » Plus exactement : c'est la foi qui éclaire la beauté du monde et non la beauté du monde qui nous découvre l'existence de son Auteur [7]. Là est l'erreur en même temps que l'exactitude de la boutade de Paul Valéry : « *Et cet étrange chrétien ne se trouve pas son Père dans les Cieux...* » Non : en tant qu'il est chrétien, il se trouve un Père dans les cieux; mais s'il n'était pas chrétien, et un chrétien que la grâce illumine, il aurait des yeux pour ne pas voir le Dieu du *Credo*. C'est pourquoi, dans un fragment sans doute destiné à servir d'introduction à une apologie de la religion chrétienne, Pascal déclare : « *Je n'entreprendrai pas ici de prouver par des raisons naturelles, ou l'existence de Dieu... ou l'immortalité de l'âme, ni aucune des choses de cette nature* [8]. »

Pascal ajoute aussitôt : « *Cette connaissance, sans Jésus-Christ, est inutile et stérile.* » Ici encore, on évitera la question toujours discutée de savoir si Pascal accorde à la raison le pouvoir de démontrer l'existence de Dieu, étant entendu que ses preuves ne feraient pas appel à la beauté de l'univers et que le Dieu de leur conclusion sera pleinement connu dans la révélation. Pareil pouvoir supposerait que le Dieu de la philosophie est bien déjà le Dieu de la foi mais, si l'on peut dire, à l'état d'esquisse, comme une silhouette entrevue dans un épais brouillard. Or là est précisément ce qu'il conviendrait d'établir : tout porte à croire, en effet, que, dans la pensée comme dans la vie de Pascal, le Dieu de la philosophie n'a rien de commun avec le Dieu de la foi, sauf le nom; en d'autres termes : le premier n'est pas vraiment Dieu.

Cette différence radicale est affirmée au début du *Mémorial* qui nous conserve le souvenir de la mystérieuse expérience du 23 novembre 1654. « *Feu* », lisons-nous à la première ligne. La seconde nous apprend où brûle ce feu. « *Dieu d'Abraham, Dieu d'Isaac, Dieu de Jacob* » : Ce sont là les paroles mêmes que Moïse a entendues devant le buisson ardent que la flamme ne consumait pas. Or, voici que, dans l'âme de Pascal, ce Dieu se pose en s'opposant, et ceci spontanément, dès la troisième ligne : « *Non des philosophes et des savants.* » Ainsi, à l'instant même où Pascal revit la scène du buisson ardent, une impérieuse logique dicte à sa pensée une antithèse fondamentale qui exclut toute synthèse : puisqu'il n'y a qu'un seul Dieu, si le Dieu de l'Écriture n'est pas celui de la philosophie et de la science, il faut bien en conclure que celui de la philosophie et de la science n'est pas vraiment Dieu.

3. *Pensées*, 201; voir aussi : 68, 198, 199, 427. Paul VALÉRY, *Variation sur une « pensée »*, publiée d'abord dans *La Revue hebdomadaire*, 14 juillet 1923, puis dans *Variété*, Paris, Gallimard, 1923.
4. *Pensées*, 427, p. 553.
5. *Ibid.*, 199, p. 526.
6. *Ibid.*, 84,
7. *Ibid.*, 3; cf. 449, 463 et 781.
8. *Ibid.*, 449, p. 558.

Ceci est clairement exprimé quand est enfin prononcé le nom que Moïse ne pouvait entendre : « Dieu de Jésus-Christ »; « *seul vrai Dieu* », commente aussitôt Pascal. Et ce seul vrai Dieu, continue-t-il, « *il ne se trouve*, et même, *il ne se conserve que par les voies enseignées dans l'Évangile* ». Était-il nécessaire d'ajouter : et non dans la *Physique* d'Aristote ou dans *les Principes de la Philosophie* de M. Descartes? Là, en effet, « se trouve » un Premier Moteur immobile qui meut l'univers sans y penser ou un Créateur qui est requis tout juste afin de « *donner une chiquenaude, pour mettre le monde en mouvement* [9] ». Il « s'y trouve » donc en tant qu'il exerce une fonction cosmique : la raison a besoin de sa puissance et de sa sagesse pour rendre compte de la nature, au sommet d'une chaîne de causes ou d'une pyramide de lois : son existence est démontrée dans une conclusion qui le saisit comme principe d'explication *dans son rapport aux choses*. Qu'a-t-il de commun avec le Dieu qui se manifeste dans l'histoire, dont la présence se révèle dans une parole, qui se montre vivant *dans sa relation aux hommes?*

Cette relation est d'ailleurs inscrite dans l'existence même des hommes. La connaissance de soi a le plus souvent été liée à celle de Dieu : dis-moi quel est ton Dieu et je te dirai qui tu es. Mais quand il s'agit d'un Dieu cosmique, la connaissance de l'homme implique celle du *cosmos* dont il est une partie; quand il s'agit d'un Dieu qui intervient dans l'histoire, la connaissance de l'homme implique celle de l'histoire dans laquelle son existence est engagée. C'est pourquoi, dans la mesure où elle est complémentaire d'une théologie, l'anthropologie pascalienne ne sépare pas la nature de l'histoire. Ce qui explique sans doute l'attrait qu'exerce la pensée de Pascal dans cette seconde moitié du XXe siècle. La philosophie contemporaine, en effet, insiste sur l'historicité essentielle de l'existence humaine : le sujet qu'elle considère n'est plus seulement ce *je* commun, pour ainsi dire, du *je pense* cartésien; c'est un sujet dont l'être coïncide avec sa biographie, qui est à la fois le père et le fils de ses actions; celles-ci me font tel que je suis; et par cette histoire qui est moi-même je participe à une ou mieux à plusieurs histoires qui définissent les divers milieux sociaux où se joue ma vie. Que, dans la perspective de Pascal, l'historicité essentielle à l'existence humaine soit une dimension proprement sur-naturelle, cela ne change rien au fait fondamental que le *connais-toi* socratique ne conduit plus à une réflexion sur la nature mais à la recherche d'une certaine situation créée par certains événements.

Le Dieu de la foi nous introduit dans un temps où il arrive quelque chose, où il y a une chute et une rédemption, où le passé revit dans le regret et dans le repentir, où l'avenir est pensé dans l'inquiétude et dans l'espérance, où la mort projette sur la vie entière la menace d'un commencement. A aucun moment, l'existence de Dieu ne pose un point d'interrogation qui ne concerne pas aussi la mienne. A dire vrai, ce point d'interrogation se dresse au-dessus des expériences à travers lesquelles mon existence prend conscience d'elle-même. C'est même pourquoi Pascal, artisan de la science moderne, se veut aussi champion d'une nouvelle apologétique au service d'une théologie dont pourtant il reconnaît la vérité à son antiquité.

Le Dieu de l'Écriture n'est pas une idée de la raison : on le perd ou on le rencontre; on peut même, comme Pascal pendant la période dite « mondaine » de sa vie, savoir qu'il existe dans un sentiment cruellement vif de son absence. Le trouver représente alors tout autre chose que la satisfaction d'une intelligence mathématicienne devant la solution d'un problème difficile : c'est, à la lettre, changer de vie. « *Oubli du monde et de tout, hormis Dieu* », telle est la résolution simple, complète, radicale qui, dans le *Mémorial*, suit la reconnaissance du Dieu d'Abraham, le patriarche qui avait tout oublié, même son enfant.

Or c'est ici le cercle de la conversion qui est à la fois condition et conséquence : il faut bien penser pour bien vivre, mais ne faut-il pas aussi bien vivre pour bien penser? Tel est le sens du vieux thème que Pascal reprend dans « le mystère de Jésus » : « *tu ne me chercherais pas si tu ne m'avais trouvé* [10]. » Au cours des mois qui précèdent la conversion du 23 novembre, Jacqueline, qui est alors sœur Sainte-Euphémie, nous montre son frère, dans le parloir de Port-Royal, avouant un grand dégoût du monde et déjà tendu vers le Dieu qu'il attend [11]. Pour Pascal et sa sœur, c'est la grâce divine qui fait tourner le cercle, de sorte que l'on peut se demander si une apologétique est concevable : si Dieu fait tout, que reste-t-il à l'apologiste? Mais on insistera toujours à Port-Royal sur le mystère de la prédestination. Le laboureur ne sait pas si la pluie tombera sur son champ : ce qui est sûr, c'est que, si le champ n'est pas ensemencé et labouré, il n'y aura aucune récolte, même si la pluie tombe... Agissons alors comme si la pluie de la grâce devait tomber sur nos âmes et faisons ce qui dépend de nous pour les préparer à la recevoir.

Ne cherchons pas le plan de l'ouvrage que Pascal a voulu écrire : il n'est sans doute pas lui-même arrivé au point où il pouvait le concevoir. La première section du présent classement indique du moins des directives. On ne se trompera probablement pas en conseillant au lecteur de prendre pour cadre le texte où l'auteur prévoit deux parties : il fera d'abord voir la misère de l'homme sans Dieu; l'examen de la nature même fera ainsi apparaître sa corruption; ensuite, il fera voir la félicité de l'homme avec Dieu, l'étude de l'Écriture faisant apparaître qu'il y a un réparateur [12].

9. *Ibid.*, 1001.

10. *Pensées*, 919, p. 620; cf. 929.

11. Jacqueline à sa sœur Gilberte Périer, 8 décembre 1654 et 25 janvier 1655.

12. *Pensées*, 6.

Là où l'apologétique traditionnelle cherchait à faire un bout de chemin avec le sceptique ou l'athée ou avec quiconque entend consulter la raison et l'expérience, Pascal commence par créer une situation telle que tous les chemins sont fermés sauf celui de la foi. C'est même pour cela qu'il ose, lui, un laïc, sans compétence théologique, sans mission sacerdotale, se faire le prédicateur de la bonne nouvelle. Venant du monde et ne cessant pas d'y vivre — si Pascal a visité Port-Royal des Champs pour des retraites, il ne doit en aucune façon être mis au nombre des « solitaires » —, ayant lu ce que lisent les gens du monde et connaissant leur langage, n'est-il pas plus qualifié que ses amis de Port-Royal pour leur parler ? N'oublions pas qu'il ne songe nullement à une apologétique populaire : son livre est destiné à un milieu d'hommes cultivés, capables de s'intéresser à la récente astronomie et de suivre une discussion où interviennent les infinis mathématiques. A cet égard, très significatif est l'Entretien avec M. de Sacy. Au lendemain de l'épisode de novembre 1654, le « nouveau converti », comme l'appelle sa sœur, songe à un apostolat dans un public où les uns admirent un Épictète plus ou moins christianisé, où les autres fréquentent un Montaigne plus ou moins déchristianisé : la misère de l'homme telle que la décrit le second servira à dénoncer l'orgueil qui inspire au premier l'idéal d'une sagesse inaccessible; la grandeur de l'homme qui hante les rêves du premier servira à dénoncer la paresse intellectuelle et morale qui est trop souvent la leçon des *Essais*.

La première partie de l'apologie aura pour fin de provoquer une prise de conscience de cette contradiction irréductible qu'est une vie humaine. Soyons lucides; ne laissons plus la raison ruser avec les faits : les échecs de notre volonté, la vanité de nos plaisirs, la puérilité de nos divertissements, les déguisements ou les aliénations du moi, l'injustice des lois, la souveraineté des coutumes, tout nous invite à prendre au sérieux « l'unique nécessaire » dont parle saint Luc. A la fin de cette première partie, le lecteur aurait été mis dans une situation telle que son esprit ne saurait plus se fuir lui-même ni invoquer les alibis de la philosophie, dogmatique ou sceptique, pour refuser d'écouter celui qui se mettra à genoux avant de parler. Car ses paroles ne seront plus que le commentaire de celles qui sont inspirées par le Dieu des chrétiens. Dans la seconde partie, l'apologiste va déchiffrer les deux Testaments et l'histoire de l'Église, énonçant les motifs de croire à la vérité de ce grand drame de la chute et de la Rédemption qui explique les antinomies de notre condition. Il n'a certes pas le pouvoir de déclencher l'acte de foi : du moins a-t-il celui d'éveiller un désir de cette foi, le reste étant laissé à la grâce de Dieu [13].

Que les argumentations de Pascal sur les rapports des deux Testaments, la vérification des prophéties, l'authenticité des miracles, la perpétuité de la tradition touchent moins le lecteur contemporain que sa phénoménologie de l'homme sans Dieu et l'expérience vécue de sa rencontre avec Dieu, le fait s'explique aisément si l'on songe aux progrès de l'exégèse et de l'histoire qu'accompagne un sentiment de plus en plus vif de leurs limites. Mais nos dispositions ne doivent pas nous cacher, ici encore, l'originalité de Pascal. S'il y avait quelque hardiesse dans la décision de renouveler les prolégomènes de l'apologétique en ne commençant pas par les modestes certitudes de la science et de la philosophie, que dire devant celle de cet homme du monde, physicien et mathématicien de profession, qui explique le sens spirituel des Écritures, propose une méthodologie du miracle, annonce une critique comparative des religions. Déjà, le rédacteur des *Provinciales* avait manifesté de façon assez sensationnelle, malgré l'anonymat, la vocation militante des laïcs dans l'Église des temps modernes, jouant le rôle de brillant « premier » en une affaire où les théologiens tenaient celui du « second » discret qui inspire et informe. Dans le projet d'apologie, la précision de son esprit et son talent d'écrivain seront mis directement au service d'une œuvre positive dont il invente sans doute la formule, entre le travail du spécialiste, comme dans les traités que provoque la controverse avec les protestants, et la vulgarisation, comme dans les sermons ou les livres de piété.

Trois cents ans après sa mort, ce qui frappe dans la vie et dans la pensée de Pascal, c'est qu'il n'est nullement nécessaire de l'habiller à la mode du jour pour reconnaître en lui un contemporain. Mais n'est-ce point le fait des « maîtres »? Nous n'avons pas à les rapprocher de nous : c'est nous qui devons nous approcher d'eux. Nul besoin de romancer leur vie ou de moderniser leur œuvre : suivons-les dans une époque qui n'est plus la nôtre pour découvrir leur permanente actualité au sein et même à la faveur de la différence.

Telle est, d'ailleurs, la raison profonde qui exige que l'œuvre intégrale soit mise à la disposition du lecteur. A chacun sa tâche en effet. Personne n'a le droit de décréter ce qui est mort et ce qui reste vivant dans les écrits d'un Pascal; car tout fut vivant et c'est cette totalité qui survit : à chaque lecteur de constater ensuite ce qui revit en lui.

HENRI GOUHIER
de l'Institut.

13. Cf. 482, p. 562, et 418 (le pari), p. 551.

CHRONOLOGIE

1623. Le 19 JUIN, naissance de Blaise Pascal à Clermont, rue des Grands-Grads, fils de noble Etienne Pascal (1588-1651), conseiller élu pour le roi en l'élection d'Auvergne, et d'Antoinette Begon (1596-1626). Le 27 JUIN, baptême à Saint-Pierre-de-Clermont.

1625. Le 5 OCTOBRE, naissance de Jacqueline Pascal.

1626. Mort d'Antoinette Begon. Etienne Pascal achète la charge de second président de la Cour des aides de Clermont, 31 600 livres [1].

1631. En NOVEMBRE, Etienne Pascal quitte Clermont avec ses enfants, dont Gilberte baptisée le 3 janvier 1620, et vient à Paris où il demeure rue des Juifs.

1632. Le 1er JANVIER, il s'installe rue de la Tixeranderie, paroisse Saint-Jean-en-Grève; loyer 440 livres.

1633. Le 23 MARS, il vend sa maison de Clermont, de la rue des Grands-Grads. Les 24 et 25 MAI, il fait à Paris deux emprunts pour la somme globale de 3 500 livres.

1634. Le 16 AVRIL, il s'installe rue Neuve-Saint-Lambert (rue de Condé), paroisse Saint-Sulpice, à proximité de l'Hôtel de Condé; loyer, 600 livres. Le 14 NOVEMBRE, Blaise Pascal, à qui son frère Etienne a vendu sa charge, devient vice-président de la Cour des aides de Clermont. Blaise Pascal, fils d'Etienne, fait un *Traité sur les sons*, que l'on trouve « tout à fait bien raisonné ».

1635. Le 25 JUIN, Etienne Pascal s'installe rue Brisemiche, paroisse Saint-Merri, dans une impasse, proche de l'Hôtel de Roannez; loyer 225 livres. Fondation de l'Académie mathématique du P. Mersenne, qu'Etienne Pascal, puis son fils Blaise vont fréquenter. Blaise découvre la géométrie jusqu'à la trente-deuxième proposition d'Euclide.

1636-1637. Etienne Pascal se rend en Auvergne avec Gilberte et Blaise. Il confie Jacqueline à Mme Saintot, sœur du poète Vion-Dalibray.

1638. Le 26 MARS, Etienne Pascal prend part à une réunion de protestation des rentiers de l'Hôtel de Ville. Craignant d'être arrêté il se cache chez des amis. (En 1679 Gilberte Périer possédait des titres de rente pour une valeur nominale de 3 648 livres 2 sols; à cette date l'Etat les a remboursés au sixième de leur valeur.) En SEPTEMBRE, il soigne sa fille Jacqueline, gravement atteinte de la petite vérole. Après sa guérison, il se réfugie en Auvergne.

1639. En FÉVRIER, Jacqueline Pascal, choisie par Boisrobert pour tenir le rôle principal dans une comédie, *le Prince déguisé* de Scudéry, jouée par des enfants devant Richelieu, obtient, à l'issue de la représentation, la grâce de son père, qui est invité à venir le voir, dès son retour, avec ses enfants. Quelques mois après, le cardinal confie à Etienne Pascal la charge de Commissaire pour l'impôt en Haute-Normandie.

1640. Le 2 JANVIER, Etienne Pascal arrive à Rouen avec la suite du chancelier Séguier. Il s'installe, avec ses enfants, dans une maison rue des Murs-Saint-Ouen, paroisse Sainte-Croix. Blaise publie l'*Essai pour les Coniques*. Publications de l'*Augustinus* de Jansénius et de l'*Imago primi sæculi societatis Jesu*. Le 8 DÉCEMBRE, Jacqueline obtient le prix de la Tour pour les Palinods. Quelque temps auparavant Pierre Corneille avait rendu visite à la famille Pascal et prié Jacqueline de composer des vers sur *la Conception de la Vierge*, « qui est le jour qu'on donne des prix ».

1641. Le 13 JUIN, mariage de Gilberte Pascal, avec son cousin Florin Périer, conseiller à la Cour des aides de Clermont, à Sainte-Croix-de-Saint-Ouen. Le 1er AOUT, décret de l'Inquisition condamnant l'*Augustinus*, comme renouvelant les propositions de Baius sur la Grâce.

1642. Le 15 AVRIL, baptême d'Etienne Périer, fils de Gilberte et Florin Périer, à Saint-Godard de Rouen. Blaise Pascal invente *la machine d'arithmétique.*

1. *Valeur de la livre tournois.* Avant 1914 on évaluait la livre tournois — de 1650 à 1700 — en moyenne à 4 francs. Le franc 1914 correspondant à environ 2,50 francs 1963, l'on peut donc considérer qu'elle équivaut à 10 francs 1963.

Isaac Habert, théologal de Notre-Dame, attaque Jansénius dans trois sermons, le premier et le dernier dimanche de l'Avent 1642, et le dimanche de la Septuagésime 1643.

1643. Le 19 JANVIER, bulle *In eminenti* d'Urbain VIII confirmant le décret qui condamne l'*Augustinus* et tous les écrits pour et contre lui. Le 31 JANVIER, *lettre* de Blaise Pascal, avec post-scriptum de son père, à Gilberte, qui a rejoint Clermont avec son mari, en laissant son fils Etienne à la garde de son grand-père. Le 4 MARS, François de Gondi, archevêque de Paris, interdit de traiter en chaire des problèmes qui touchent à l'*Augustinus*. Publications de *la Fréquente Communion* et de la *Théologie morale* d'Antoine Arnauld. Le 11 OCTOBRE, mort de Saint-Cyran.

1644. Le 26 FÉVRIER, lettre de Bourdelot à Pascal lui demandant de présenter la machine d'arithmétique, « la roue pascale », à Henri II de Bourbon, père du Grand Condé. *Apologie de M. Jansénius* d'Arnauld, contre les trois sermons d'Habert.

1645. *Lettre dédicatoire* de la machine d'arithmétique au chancelier Séguier. *Avis nécessaire* à ceux qui auront curiosité de voir la machine d'arithmétique et de s'en servir. *Apologie pour feu Messire Du Vergier de Hauranne*, d'Arnauld.

1646. Etienne Pascal qui s'est démis la cuisse est soigné par deux gentilshommes qui le mettent en relation avec M. Guillebert, curé de Rouville. A la suite de la lecture de divers ouvrages de piété toute la famille décide de mener une vie plus chrétienne. En OCTOBRE, Pascal procède, avec Pierre Petit, à des expériences sur le vide. Les 19 et 26 NOVEMBRE, Pierre Petit adresse à Pierre Chanut, ambassadeur de France en Suède, un procès-verbal des expériences.

1647. Les 26 et 29 JANVIER, deux conférences entre Auzoult, Hallé de Monflaines et Saint-Ange; Pascal se joint à eux lors de la deuxième. En été, Pascal malade revient à Paris, avec Jacqueline. Les 23 et 24 SEPTEMBRE, visites de Descartes à Pascal. En OCTOBRE, parution des *Expériences nouvelles touchant le vide*. Le 29 OCTOBRE, *Réponse* de Pascal à une lettre du P. Etienne Noël. Le 15 NOVEMBRE, *Lettre* de Pascal à Florin Périer pour lui demander de faire l'expérience du Puy-de-Dôme.

1648. Le 26 JANVIER, *Lettre* de Pascal à Gilberte Périer sur ses entretiens avec M. de Rebours. En MARS, *Lettre* de Pascal à Le Pailleur, à propos d'une nouvelle lettre qu'il a reçue du P. Noël. Le 1er AVRIL, *Lettre* de Pascal à Gilberte Périer sur des sujets religieux et notamment sur l'opuscule *De la vocation* de Saint-Cyran. Etienne Pascal se substitue à son fils pour répondre à la seconde lettre du P. Noël. Le 1er SEPTEMBRE, mort du P. Mersenne. Le 19 SEPTEMBRE, expérience du Puy-de-Dôme faite par Florin Périer. Le 1er OCTOBRE, Etienne Pascal, revenu à Paris s'installe rue de Touraine; loyer, 700 livres. *Récit de la grande expérience de l'équilibre des liqueurs*. Le 5 NOVEMBRE, *Lettre* de Pascal à Gilberte Périer dans laquelle il est question de la « brouillerie » de Jacqueline avec son père. *Lettre* de Pascal à Gilberte Périer à propos d'une lettre qu'il a remise de sa part à Mme de Maubuisson. Pascal renouvelle l'expérience sur le vide à la tour de l'église Saint-Jacques-de-la-Boucherie et ailleurs.

1649. Le 22 MAI, privilège royal pour la machine d'arithmétique. Départ de la famille Pascal pour Clermont. Le 1er JUILLET, Nicolas Cornet soumet à la Sorbonne sept propositions à censurer. Il n'est pas suivi.

1650. Le 11 FÉVRIER, mort de Descartes. Isaac Habert, évêque de Vabres, écrit à Innocent X pour lui demander de condamner cinq propositions qu'il attribue à Jansénius. En NOVEMBRE, retour de la famille Pascal à Paris.

1651. Le 12 JUILLET, *Lettre* de Pascal à M. de Ribeyre. Rédaction de la préface du *Traité du vide* (éd. 1779). Le 8 AOUT, nouvelle *lettre* de Pascal à M. de Ribeyre. Le 24 SEPTEMBRE, mort d'Etienne Pascal, inhumé à Saint-Etienne-des-Grés. Le 17 OCTOBRE, *lettre* de Pascal à M. et Mme Périer sur la mort de leur père. *Epitaphe* d'Etienne Pascal. En DÉCEMBRE, Gilberte vient à Paris pour le règlement de la succession d'Etienne Pascal. Le 25 DÉCEMBRE, Pascal s'installe dans un logis plus modeste, rue Beaubourg, avec « écurie et cour »; loyer, 275 livres.

1652. Le 4 JANVIER, Jacqueline entre à Port-Royal de Paris. En MARS, différends avec Jacqueline à propos de la constitution de sa dot. En AVRIL, conférence scientifique mondaine chez la duchesse d'Aiguillon, au Petit Luxembourg. En JUIN, *Lettre* de Pascal à la reine Christine de Suède. Le 8 JUILLET, donation faite à l'abbaye de Port-Royal de 4 000 livres, à prendre après décès. Le 20 SEPTEMBRE, achat du château de Bienassis, proche de Clermont, par Florin Périer, pour le prix de 32 000 livres. En NOVEMBRE, arrivée de Pascal à Bienassis. Mise au point de la succession d'Etienne Pascal. Il règle les dettes de son père, notamment à M. Champflour et à Claude Servolle, consul de Monferrand. Il constate les débuts du « mal à l'œil gauche » de sa nièce et filleule, Marguerite Périer.

1653. Le 17 AVRIL, Pascal remet à Nicolas Rave, son ancien cocher, 275 livres 4 sols de pièces d'or, qui avaient été enterrées dans son écurie de la rue Beaubourg, avant octobre 1652 sans doute, et que Domat fils avait retirées de leur cachette sur ses indications. Renvoyées à son père celui-ci les avait remises à Pascal. (Document découvert par M. Jean Mesnard dans les archives départementales du Puy-de-Dôme.) Fin MAI, Pascal rentre à Paris. Le 31 MAI, bulle *Cum occasione* d'Innocent X qui condamne les cinq propositions, sans en désigner l'auteur. Le 4 JUIN, constitution de dot pour Jacqueline. Don de Pascal à l'abbaye de Port-Royal de 5 000 livres, à charge de lui payer, « sa vie durant et à sa veuve le cas échéant », 250 livres de rente par an. Le 5 JUIN, profession de Jacqueline, à laquelle il assiste. Le 6 JUIN, *Lettre* de Pascal à M. et Mme Périer, à l'occasion de la profession. A l'automne, voyage en Poitou avec le duc de Roannez. En DÉCEMBRE (?), *la Conversion du Pécheur* (éd. 1779).

1649-1654. *Traités de l'équilibre des liqueurs et de la pesanteur de la masse de l'air* (éd. 1663). *De numeris multiplicibus. Potestatum Numericarum summa. Traité du triangle arithmétique*, avec quelques autres petits traités sur la même matière (éd. 1665).

1654. Le 9 MARS, Mazarin fait adopter par une assemblée de trente-huit évêques un texte qui condamne les cinq propositions au sens de Jansénius. Le 24 AVRIL, Pascal donne en location — 360 livres — une boutique de la Halle au Blé, de Paris, dont il était adjudicataire. (Cette boutique fut vendue par Louis et Marguerite Périer, le 29 avril 1698, pour la somme de 5 300 livres.) Le 29 JUILLET, *Lettre* de Pascal à Fermat. Le 24 AOUT, *deuxième lettre* de Pascal à Fermat. Le 25 SEPTEMBRE, *troisième lettre* de Pascal à Fermat. Le 29 SEPTEMBRE, bref d'Innocent X aux évêques précisant qu'il a condamné la doctrine de Jansénius. *Celeberrimae Matheseos Academiae Parisiensi.* Le 1er OCTOBRE, Pascal s'installe rue des Francs-Bourgeois-Saint-Michel (54, rue Monsieur-le-Prince); loyer, 350 livres. Le 23 NOVEMBRE, nuit du *Mémorial* (éd. *Recueil d'Utrecht*, 1740).

1655. (?) Abrégé de la Vie de Jésus-Christ (éd. 1846). En JANVIER, séjour à Vaumurier chez le duc de Luynes et retraite aux Granges de Port-Royal. *Entretien avec M. de Saci* (éd. 1728). *Grammaire générale et raisonnée...* (éd. 1660). Paris, chez Pierre Le Petit, 1re Part. Ch. VI, pp. 23-25. Le 24 FÉVRIER, *Lettre d'un Docteur de Sorbonne* (A. Arnauld) *à une personne de condition.* Le 15 AVRIL, participation à la Société de dessèchement des marais du Poitou. Le 2 JUIN, le R.P. Annat et de Marca rédigent un formulaire attribuant les cinq propositions à Jansénius. Le 10 JUILLET, *Seconde Lettre de M. Arnauld*, docteur de Sorbonne, à un duc et pair de France. Le 9 NOVEMBRE, cette lettre est déférée à la Sorbonne. Le 1er DÉCEMBRE, procès d'Arnauld en Sorbonne.

1656. Le 14 JANVIER, censure sur la question de fait : présence des cinq propositions dans l'*Augustinus*, mise en doute par Arnauld. Retraite de Pascal aux Granges au cours de laquelle les Messieurs de Port-Royal lui demandent de « faire quelque chose ». Le 23 JANVIER, *Première Provinciale*, et les suivantes jusqu'à la *Dixième* sont adressées à son ami « provincial ». Le 29 JANVIER, *Deuxième Provinciale.* Le 31 JANVIER, censure définitive sur la question de droit : hérésie contenue dans les propositions. Le 9 FÉVRIER, *Troisième Provinciale.* Le 15 FÉVRIER, A. Arnauld exclu de la Sorbonne. Le 25 FÉVRIER, *Quatrième Provinciale.* Le 19 MARS, dispersion des Petites Ecoles et des solitaires de Port-Royal. Le 20 MARS, *Cinquième Provinciale.* Le 24 MARS, miracle de la Sainte Epine : guérison instantanée de la fistule à l'œil gauche de Marguerite Périer, dont elle souffrait depuis trois ans et demi. Le 10 AVRIL, *Sixième Provinciale.* Le 25 AVRIL, *Septième Provinciale.* Le 12 MAI, l'Assemblée des Curés de Paris s'occupe des propositions des casuistes, signalées dans *les Provinciales.* Le 28 MAI, *Huitième Provinciale.* Le 8 JUIN, déposition de Pascal lors de l'information sur le miracle de la Sainte Epine. (Document découvert par M. Jean Mesnard dans les *Recueils de Saint-Jean-d'Angély.*) Le 3 JUILLET, *Neuvième Provinciale.* Le 2 AOUT, *Dixième Provinciale.* Le 18 AOUT, *Onzième Provinciale* et les suivantes, jusqu'à la *Seizième*, sont adressées aux R.P. Jésuites. Le 9 SEPTEMBRE, *Douzième Provinciale.* Premières notes prises par Pascal en vue de l'*Apologie* et d'une *Lettre sur les miracles. Première Lettre aux Roannez.* Le 24 SEPTEMBRE, *Deuxième Lettre aux Roannez.* Le 30 SEPTEMBRE, *Treizième Provinciale.* Le 16 OCTOBRE, bulle *Ad sacram* d'Alexandre VII sur le sens de Jansénius des cinq propositions. Le 22 OCTOBRE, sentence du Grand-vicaire sur le miracle de la Sainte Epine. Le 23 OCTOBRE, *Quatorzième Provinciale. Troisième Lettre* aux Roannez. *Quatrième Lettre* aux Roannez. Le 26 OCTOBRE, Requête des Curés de Paris et de Rouen contre les casuistes. *La Bonne foi des Jansénistes...* du R.P. F. Annat (Privilège et enregistrement le 9 octobre). Le 5 NOVEMBRE, *Cinquième Lettre* aux Roannez. Le 25 NOVEMBRE, *Quinzième Provinciale. Réponse à un écrit publié* sur le sujet des miracles qu'il a plu à Dieu de faire à Port-Royal depuis quelque temps, par une Sainte Epine de la couronne de Notre-Seigneur (rédaction A. Lemaistre). — A propos du *Rabat-joie* ou Observations sur ce qu'on dit être arrivé au sujet de la Sainte Epine, du P. Nouet S.J. *Sixième Lettre* aux Roannez. *Septième Lettre* aux Roannez. Le 4 DÉCEMBRE, *Seizième Provinciale. Huitième Lettre* aux Roannez. *Neuvième Lettre* aux Roannez.

1657. (?) *Comparaison des chrétiens des premiers temps avec ceux d'aujourd'hui* (éd. 1779). Le 23 JANVIER, *Dix-septième Provinciale*, adressée aux R.P. Annat. Le 9 FÉVRIER, *Les Provinciales* condamnées par le Parlement de Provence. Le 17 MARS, nouveau formulaire accepté par l'Assemblée du Clergé, à joindre à la bulle *Ad sacram.* Le 24 MARS, *Dix-huitième Provinciale* adressée au R.P. Annat. Fragment pour une *Dix-neuvième Provinciale.* Le 1er JUIN, *Lettre d'un avocat au Parlement* à un de ses amis (rédaction

A. Lemaistre). *Lettre* de Pascal à Florin Périer. Le 6 SEPTEMBRE, mise à l'index des *Provinciales*. En OCTOBRE, problèmes proposés par Pascal à Sluse. En DÉCEMBRE, *Apologie pour les casuistes* du R.P. Pirot. (?) *De l'esprit géométrique. Fragment d'une géométrie* (éd. 1776-1779). (?) *De l'art de persuader* (éd. 1728). (?) *Ecrits sur la grâce* (éd. 1779-1908-1947).

1658. Le 7 JANVIER, requêtes des Curés de Paris aux Vicaires généraux et au Parlement pour la condamnation de l'*Apologie pour les casuistes*. Le 25 JANVIER, rejet de la requête au Parlement, mais sentence du Lieutenant civil portant défenses de débiter, imprimer ou vendre l'ouvrage. Pascal s'occupe de l'éducation de son neveu Louis Périer. Factum pour les Curés de Paris (*Premier Ecrit*). Le 15 FÉVRIER, Factum pour les Curés de Rouen. Le 2 AVRIL, Réponse des Curés de Paris (*Deuxième Ecrit*). Le 7 MAI, *Troisième Ecrit*. Le 23 MAI, *Quatrième Ecrit*. Le 4 JUIN, Condamnation de l'*Apologie* par l'évêque d'Orléans. Le 11 JUIN, *Cinquième Ecrit. Projet de mandement* contre l'*Apologie* rédigé par Pascal (éd. 1779). *Première lettre circulaire* relative à la cycloïde. Le 5 JUILLET, Requête des Curés d'Amiens et de Nevers. Le 10 JUILLET, Requête des Curés de Beauvais. *Seconde lettre circulaire* relative à la cycloïde. Le 24 JUILLET, *Sixième Ecrit* (dernier écrit auquel Pascal a collaboré). Le 27 JUILLET, Factums des Curés d'Amiens et de Nevers. Le 4 SEPTEMBRE, *Lettre* de Pascal à Lalouère. Le 11 SEPTEMBRE, *Lettre* de Pascal à Lalouère. Le 13 SEPTEMBRE, *Lettre* de Pascal à Wren. Le 18 SEPTEMBRE, *Lettre* de Pascal à Lalouère. Le 7 OCTOBRE, *Troisième circulaire* relative à la cycloïde. Le 10 OCTOBRE, *Histoire de la Roulette*. Traduction des *Provinciales* en latin par Nicole sous le pseudonyme de Guillaume Wendrock. Le 19 OCTOBRE, censure de l'*Apologie pour les casuistes* par la faculté de théologie de Paris. Exposé de Pascal à ses amis de Port-Royal sur le dessein et le plan de son *Apologie de la Religion chrétienne*. Le 8 NOVEMBRE, censure de l'*Apologie pour les casuistes* par l'évêque de Nevers. Le 25 NOVEMBRE, *Récit de l'examen et du jugement des écrits* envoyés pour les prix de la Roulette. En DÉCEMBRE, *Lettre de A. Dettonville à M. A.D.D.S.* (Antoine Arnauld, selon M. Jean Mesnard). Le 12 DÉCEMBRE, *Suite de l'Histoire de la Roulette. Lettre de A. Dettonville à M. de Carcavi. Lettre de A. Dettonville à M. de Sluse*. Pascal est nommé exécuteur testamentaire de Louise Delfaut, ancienne domestique de son père.

1659. Le 6 JANVIER, *Lettre de Pascal à Huyghens. Lettre de A. Dettonville à M. Huyghens*. Le 20 JANVIER, *Addition* à la suite de l'Histoire de la Roulette. Le 5 FÉVRIER, *Lettre de Pascal à Carcavi*, transmise à Huyghens. Début de la maladie de langueur de Pascal. Le 8 FÉVRIER, *Septième Ecrit* des Curés de Paris : journal de ce qui s'est passé à Paris et en province. Le 25 JUIN, *Huitième Ecrit*. Réponse à l'écrit du R.P. Annat sur « les faussetés et impostures contenues dans le journal ». *Neuvième Ecrit*. Suite du précédent, énumérant cinq « plaintes » contre le R.P. Annat. *Lettre* de Pascal à Mme Périer déconseillant un projet de mariage pour Jacqueline Périer. Le 19 AOUT, mise à l'index de l'*Apologie pour les casuistes*. Interdiction des Assemblées synodales des Curés de Paris. Le 31 AOUT, Pascal loue à de nouveaux locataires sa boutique de la Halle au Blé; loyer, 360 livres. Le 22 SEPTEMBRE, lettre de Ch. Bellair à Chr. Huyghens signalant que Pascal ne peut « s'appliquer à tout ce qui a besoin de quelque contention d'esprit ». (?) *Prière pour demander à Dieu le bon usage des maladies*.

1660. Le 12 MARS, Pascal héberge son neveu Etienne Périer après la dispersion des Petites Ecoles, en attendant de le faire entrer au Collège d'Harcourt (lycée Saint-Louis). Fin MAI, départ de Pascal pour Bienassis et les eaux de Bourbon. Le 28 JUILLET, lettre de Du Gast (Saint-Gilles) à Huyghens pour lui faire savoir que « M. Pascal se porte notablement mieux qu'il ne faisait ». Le 10 AOUT, *Lettre* à Fermat. Le 23 SEPTEMBRE, arrêt du Conseil du roi contre la traduction latine des *Provinciales*. En OCTOBRE, retour de Pascal à Paris. En NOVEMBRE, *Trois discours sur la condition des Grands*. En DÉCEMBRE, *Lettre* de Pascal à Mme de Sablé au sujet du livre de Menjot.

1661. Le 9 MARS, mort de Mazarin. Le 13 AVRIL, arrêt du Conseil d'Etat rendant obligatoire la signature du formulaire, décidée le 1er février par l'Assemblée du Clergé. Expulsion des pensionnaires et des novices de Port-Royal. Le 8 JUIN, mandement des Vicaires généraux de Paris ordonnant de signer un formulaire qui permet de faire des réserves. Le 22 JUIN, les religieuses de Port-Royal signent. Le 14 JUILLET, le Conseil du roi casse le mandement du 8 juin. Le 1er AOUT, Rome le condamne. Le 4 OCTOBRE, mort de Jacqueline Pascal. Le 31 OCTOBRE, nouveau mandement des Vicaires généraux concernant un formulaire dans lequel le fait n'est plus distinct du droit. Pascal est opposé à la signature pure et simple, et rédige un *Ecrit sur le formulaire*. Le 28 NOVEMBRE, Port-Royal signe le nouveau formulaire. Pascal se retire des controverses.

1662. Le 18 MARS, inauguration des lignes de carrosses à cinq sols. Le 29 JUIN, Pascal malade va s'installer chez sa sœur Gilberte, sur les fossés de la porte Saint-Marceau (au voisinage du 75 de la rue du Cardinal-Lemoine). Le 30 JUIN, mandement des Vicaires généraux sur la signature pure et simple du formulaire. Le 3 AOUT, testament de Pascal. Le 17 AOUT, Pascal reçoit les derniers sacrements de la main du P. Beurrier, curé de Saint-Etienne-du-Mont. Le 19 AOUT mort de Pascal vers une heure du matin. Le 21 AOUT, obsèques et inhumation dans l'église de Saint-Etienne-du-Mont.

1665. Le 15 FÉVRIER, bulle *Regiminis Apostolici* d'Alexandre VII, avec formulaire, considérée comme nulle et abusive par Louis XIV. Le 24 SEPTEMBRE (et le 18 mars 1668), décrets d'Alexandre VII condamnant quarante-cinq propositions de morale relâchée.

1668. Le 23 OCTOBRE, Paix de l'Eglise.

1676. Le 30 AOUT, Leibniz retourne à Etienne Périer les six traités mathématiques de Pascal qui lui avaient été soumis.

1679. Le 11 MARS, Innocent XI condamne soixante-cinq propositions de morale relâchée, dont la plupart ont été mentionnées dans *les Provinciales*.

1687. Le 25 AVRIL, mort à Paris de Gilberte Périer.

1700. Assemblée du Clergé, au cours de laquelle Bossuet fait censurer quatre propositions jansénistes et cent vingt-trois propositions de morale relâchée, sans en désigner les auteurs.

1702. Le 20 JUILLET, quarante docteurs décident qu'un confesseur doit se contenter du « silence respectueux » du pénitent, en ce qui concerne les décisions de l'Eglise sur le fait et le droit des cinq propositions.

1703. Les 12 et 13 FÉVRIER, brefs à la chrétienté et au roi, de Clément XI qui condamne la décision des quarante docteurs.

1705. Le 15 JUILLET, bulle *Vineam Domini* de Clément XI qui exige la signature d'un nouveau formulaire.

1706. En MARS, l'Archevêque de Paris fait un mandement à ce sujet, mais les religieuses de Port-Royal ne veulent signer qu'un certificat restrictif.

1709. Le 11 JUILLET, l'Archevêque décide la suppression de l'abbaye.

1710. En JUIN, la démolition de l'abbaye est en cours.

1713. Le 8 SEPTEMBRE, bulle *Unigenitus* de Clément XI.

Parmi les écrits de Pascal, considérés comme perdus, on peut signaler le *Traité des Coniques* et divers opuscules mathématiques énumérés dans la lettre de Leibniz à Etienne Périer du 30 août 1676, ainsi que les lettres à Sluse et l'*Ecrit sur le formulaire*. Cette chronologie enregistre de nombreux documents découverts par M. Jean Mesnard au Minutier central et ailleurs. La plupart de ceux-ci ont figuré à l'exposition de la Bibliothèque Nationale, du 15 juin au 15 octobre 1962.

LA VIE DE MONSIEUR PASCAL

ÉCRITE PAR MADAME PÉRIER

SA SŒUR, FEMME DE MONSIEUR PÉRIER

CONSEILLER DE LA COUR DES AIDES DE CLERMONT

La Vie de M. Pascal *de Gilberte Périer devait servir de Préface à l'édition des* Pensées : *en fait elle ne lui fut jointe qu'à partir de la* 7e *édition de* 1686. *Deux ans auparavant, en* 1684, *la* 3e *édition hollandaise d'Abraham Wolfgang d'Amsterdam en avait déjà donné une version.*
A deux reprises, en 1668 *et en* 1677, *Arnauld et Nicole avaient en effet estimé qu'il était inopportun de la publier. Une lettre de Louis et Blaise Périer à leur mère, du* 8 *mars* 1677, *nous renseigne sur les raisons de cette opposition.*
A fin octobre 1668, *immédiatement après la Paix de l'Eglise, alors qu'ils venaient de rejoindre le Comité qui avait la charge de mettre au point l'édition des* Pensées, *ils objectèrent, sans doute, qu'en publiant des vies, en même temps que les ouvrages des auteurs, « l'on s'imagine dans le monde que les parents ne les publient que par une espèce d'ambition et de vanité ». Le duc de Roannez et du Bois en auraient cependant désiré la publication.*
En 1677, *alors que la Paix de l'Eglise se trouvait déjà fort compromise, ils estimèrent que le texte de* la Vie, *qui leur avait été communiqué, aurait fait renaître des polémiques, d'autant plus que Gilberte Périer dans sa dernière page critiquait la déclaration du P. Beurrier. Selon eux cette seule page « risquerait de faire interdire le livre ».*
Elle ne fut donc jointe à l'édition des Pensées *qu'à partir de* 1686. *A cette date, Arnauld s'était exilé en Belgique et Nicole se cachait à Paris. Les réflexions sur la déclaration du P. Beurrier n'étaient pas maintenues.*
Gilberte Périer rédigea probablement la Vie de M. Pascal *dans les mois qui suivirent la mort de son frère, peut-être au cours de la grave maladie qui l'immobilisa assez longtemps en* 1663. *Ce qui permet de le conjecturer, c'est que des paragraphes, qui figurent dans la préface des* Traités de l'équilibre des liqueurs et de la pesanteur de la masse de l'air, *dont l' « achevé d'imprimer » pour la première fois est daté du* 1er *novembre* 1663, *se retrouvent à peu près inchangés dans l'édition de* 1686.
Mais le texte de 1686 *est-il rigoureusement conforme à celui de* 1663? *On peut en douter car, déjà en* 1668, *dans une lettre que de Bridieu adresse le* 28 *juillet à Florin Périer, alors qu'il vient de recevoir une copie de* la Vie, *il lui propose « quelques corrections que l'on croit que vous ne désapprouverez pas », et il ajoute : « Si la chose n'est pas assez parfaite on y travaillera encore si vous le souhaitez ». Dix ans plus tard, dans leur lettre du* 8 *mars* 1677, *les fils Périer informent leur mère qu'Arnauld et Nicole, après avoir rejeté, pour l'instant, l'éventualité de la publication de* la Vie, *émettent l'avis « qu'il serait bon de travailler dès cette heure à* la Vie *pour la mettre en l'état que l'on voudrait qu'elle parût », dès qu'une occasion favorable se présenterait.*
Ainsi puisqu'il est question non seulement de « corrections » mais de « mise en l'état », ce qui suppose des coupures, le texte de 1686 *ne peut être conforme au texte original de* 1663. *Au reste le texte de* 1686 *et également celui de l'édition hollandaise de* 1684 *ont été pris dans des copies très fautives, où les bévues se comptent par centaines. C'est Augustin Gazier qui en fait la remarque, à l'occasion de la publication qu'il en a donné* (Pensées de Pascal, 1907), *d'après une copie de* 1684, *incontestablement meilleure à tous égards, ayant été au préalable très « travaillée ».*

Pour cette édition nous avons préféré suivre le texte du manuscrit 4546 *de la Bibliothèque Mazarine, beaucoup plus étendu que ceux connus par ailleurs, en lui adjoignant la page qui a trait à la déclaration du P. Beurrier (cf. B.N. fr.* 20945., *p.* 275.)
Nous avons en outre le sentiment de nous trouver, à diverses reprises, en présence du premier jet d'une rédaction qui n'est pas encore passée au crible des corrections. Bien que sa mise au net soit postérieure à 1672 *(cf. allusion au* Discours sur les preuves des livres de Moïse *de Filleau de la Chaise, paru en* 1672), *il est incontestable que les passages retenus de la préface de* 1663 *s'y retrouvent à peu près identiques. Pour ces mêmes passages le texte donné par Port-Royal étant également assez proche de celui du manuscrit de la Mazarine, ceci nous inclinerait à penser qu'il a pu servir de base pour faire le travail d'adaptation conseillé par Arnauld et Nicole.*
Puisque nous avons indiqué que le texte du manuscrit de la Mazarine est postérieur à 1672, *nous signalerons que Gilberte Périer a obtenu, le* 12 *mai* 1673, *un privilège de dix ans pour éditer* la Vie de M. Pascal. *Ce privilège a été enregistré, sur le Registre de la communauté des Libraires, le* 19 *juin* 1673, *avec en marge la mention :* « Veuve Pascal ».

Mon frère naquit à Clermont le 19 juin de l'année mille six cent vingt-trois. Mon père s'appelait Etienne Pascal, président à la Cour des aides. Ma mère se nommait Antoinette Begon. Dès que mon frère fut en âge qu'on lui pût parler il donna des marques d'un esprit tout extraordinaire par les petites réponses qu'il faisait fort à propos, mais encore plus par des questions sur la nature des choses qui surprenaient tout le monde. Ce commencement qui donnait de belles espérances ne se démentit jamais, car à mesure qu'il croissait en âge, il augmentait en force de raisonnement, de sorte qu'il était beaucoup au-dessus de ses forces.

Cependant, ma mère étant morte dès l'année 1626 lorsque mon frère n'avait que trois ans, mon père se voyant seul s'appliqua plus fortement au soin de sa famille et, comme il n'avait point d'autre fils que celui-là, cette qualité de fils unique et les autres qu'il reconnaissait en cet enfant lui donnèrent une si grande affection pour lui qu'il ne put se résoudre à commettre son éducation à un autre et se résolut dès lors de l'instruire lui-même comme il a fait, mon frère n'ayant jamais été en pas un collège et n'ayant jamais eu d'autre maître que mon père.

En l'année 1632 mon père se retira à Paris, nous y mena tous et y établit sa demeure. Mon frère qui n'avait alors que huit ans reçut un grand avantage dans cette retraite dans le dessein que mon père avait de l'élever, car il est sans doute que mon père n'aurait pas pu prendre le même soin dans la province, où l'exercice de sa charge et les compagnies continuelles qui abordaient chez lui l'auraient beaucoup détourné. Mais il était à Paris dans une entière liberté; il s'y appliqua tout entier et il eut tout le succès que pouvaient avoir les soins d'un père aussi intelligent et affectionné qu'on le puisse être.

La principale maxime dans cette éducation était de tenir cet enfant au-dessus de son ouvrage; c'était pour cette raison qu'il ne voulut point lui apprendre le latin qu'il n'eût douze ans, afin qu'il le fît avec plus de facilité. Durant cet intervalle, il ne le laissait pas inutile, car il l'entretenait de toutes les choses dont il le voyait capable. Il lui faisait voir en général ce que c'était que les langues; il lui montra comme on les avait réduites en grammaires sous de certaines règles, que ces règles avaient encore des exceptions qu'on avait eu soin de remarquer, et qu'ainsi on avait trouvé moyen par là de rendre toutes les langues communicables d'un pays à un autre. Cette idée générale lui débrouillait l'esprit et lui faisait voir la raison des règles de la grammaire, de sorte que quand il vint à l'apprendre il savait pourquoi il le faisait et il s'appliquait précisément aux choses où il fallait le plus d'occupation.

Après ces connaissances, mon père lui en donnait d'autres. Il lui parlait souvent des effets extraordinaires de la nature, comme de la poudre à canon et d'autres choses qui surprennent lorsqu'on les considère. Mon frère prenait un grand plaisir à ces entretiens, mais il voulait savoir la raison de toutes choses, et comme elles ne sont pas toutes connues, lorsque mon père ne les lui disait pas, ou ne lui disait que celles qu'on alléguait d'ordinaire, qui ne sont proprement que des défaites, cela ne le contentait pas. Car il a toujours eu [une] netteté d'esprit admirable pour discerner le faux et on peut dire que toujours et en toutes choses la vérité a été le seul [objet] de son esprit, puisque jamais rien n'a su et n'a pu le satisfaire que sa connaissance. Ainsi, dès son enfance, il ne pouvait se résoudre qu'à ce qui lui paraissait évidemment vrai, de sorte que, quand on ne lui donnait pas de bonnes raisons, il en cherchait lui-même et quand il s'était attaché à quelque chose, il ne la quittait point, qu'il n'en eût trouvé quelqu'une qui le pût satisfaire.

Une fois, par hasard, quelqu'un ayant frappé à table un plat de faïence avec un couteau il prit garde que cela rendit un grand son, mais qu'aussitôt qu'on eût mis la main dessus, cela l'arrêta. Il voulut en même temps en savoir la cause et cette expérience le porta à en faire beaucoup d'autres sur les sons. Il y remarqua tant de choses qu'il en fit un traité à l'âge de [onze ans] qui fut trouvé tout à fait bien raisonné.

Son génie pour la géométrie commença à paraître qu'il n'avait encore que douze ans, par une rencontre si extraordinaire qu'elle mérite bien d'être déduite en particulier. Mon père était savant dans les mathématiques et il avait habitude par là avec tous les habiles gens en cette science qui étaient souvent chez lui. Mais comme il avait dessein d'instruire mon frère dans les langues et qu'il savait que la mathématique est une chose qui remplit et satisfait l'esprit, il ne voulut point que mon frère en eût aucune connaissance, de peur que cela ne le rendît négligent pour le latin et les autres langues dans lesquelles il voulait le perfectionner. Par cette raison il avait fermé tous les livres qui en traitaient. Il s'abstenait d'en parler avec ses amis en sa présence : mais cette précaution n'empêchait pas que la curiosité de cet enfant ne fut excitée, de sorte qu'il priait souvent mon père de lui apprendre les mathématiques. Mais il lui refusait, en lui proposant cela comme une récompense. Il lui promettait qu'aussitôt qu'il saurait le latin et le grec il les lui apprendrait.

Mon frère, voyant cette résistance, lui demanda un jour ce que c'était que cette science et de quoi on y traitait. Mon père lui dit en général que c'était le moyen de faire des figures justes et de trouver les proportions qu'elles ont entre elles et en même temps lui défendit d'en parler davantage et d'y penser jamais. Mais cet esprit qui ne pouvait pas demeurer dans ces bornes, dès qu'il eut cette simple ouverture que la mathématique donne des moyens de faire des figures infailliblement justes, il se mit lui-même à rêver et à ses heures de récréation, étant venu dans une salle où il avait coutume de se divertir, il prenait du charbon et faisait des figures sur les carreaux, cherchant les moyens par exemple de faire un cercle parfaitement rond, un triangle dont les côtés et les angles fussent égaux et d'autres choses semblables.

Il trouvait tout cela lui seul sans peine; ensuite il cherchait les proportions des figures entre elles. Mais comme le soin de mon père avait été si grand de lui cacher toutes ces choses qu'il n'en savait pas même les noms, il fut contraint lui-même de s'en faire. Il appelait un cercle un rond, une ligne une barre; ainsi des autres. Après ces noms il se fit des axiomes et enfin des démonstrations parfaites et comme l'on va de l'un à l'autre dans ces choses il passa et poussa sa recherche si avant qu'il en vint jusqu'à la trente-deuxième proposition du premier livre d'Euclide. Comme il en était là-dessus mon père entra par hasard dans le lieu où il était sans que mon frère l'entendît. Il le trouva si fort appliqué qu'il fut longtemps sans s'apercevoir de sa venue. On ne peut dire lequel fut le plus surpris, ou le fils de voir son père à cause de la défense expresse qu'il lui en avait faite, ou du père de voir son fils au milieu de toutes ces choses. Mais la surprise du père fut bien plus grande lorsque, lui ayant demandé ce qu'il faisait, il lui dit qu'il cherchait telle chose qui était la trente-deuxième proposition du livre d'Euclide.

Mon père lui demanda ce qui l'avait fait penser à cela, il dit que c'était qu'il avait trouvé telle chose, et sur cela lui ayant fait la même question il lui dit encore quelques démonstrations qu'il avait faites et enfin en rétrogradant, et se servant pour les noms de ronds et de barres, il en vint à ses définitions et à ses axiomes.

Mon père fut si épouvanté de la grandeur et de la puissance de ce génie que, sans lui dire un mot, il le quitta et alla chez M. Le Pailleur qui était son ami intime et qui était aussi très savant. Lorsqu'il y fut arrivé, il demeura immobile et comme tout transporté. M. Le Pailleur voyant cela et voyant même qu'il versait des larmes fut tout épouvanté et le pria de ne lui pas celer plus longtemps la cause de son déplaisir. Mon père lui dit : « Je ne pleure pas d'affliction, mais de joie. Vous savez le soin que j'ai pris pour ôter à mon fils la connaissance de la géométrie, de peur de le détourner de ses autres études. Cependant voyez ce qu'il a fait. » Sur cela il lui montra même ce qu'il avait trouvé, par où l'on pouvait dire en quelque façon qu'il avait trouvé la mathématique.

M. Le Pailleur ne fut pas moins surpris que mon père l'avait été et lui dit qu'il ne trouvait pas juste de captiver plus longtemps cet esprit et de lui cacher encore cette connaissance; qu'il fallait lui laisser voir les livres sans le retenir davantage.

Mon père ayant trouvé cela à propos, lui donna les *Eléments d'Euclide* pour les lire à ses heures de récréation. Il les vit et les entendit tout seul sans avoir jamais eu besoin d'explication. Et pendant qu'il les voyait, il composait et allait si avant qu'il se trouvait régulièrement aux conférences qui se faisaient toutes les semaines où les plus habiles gens de Paris s'assemblaient pour porter leurs ouvrages et pour examiner ceux des autres.

Mon frère tenait fort bien son rang tant pour l'examen que pour la production, car il était un de ceux qui y portaient le plus souvent les choses nouvelles. On voyait aussi fort souvent dans ces assemblées des propositions qui étaient envoyées d'Allemagne et d'autres pays étrangers et on prenait son avis sur tout et avec autant de soin que de pas un autre; car il avait des lumières si vives qu'il est arrivé qu'il découvrait des fautes dont les autres ne s'étaient point aperçus. Cependant il n'employait à cette étude que les heures de récréation, car alors il apprenait le latin sur des règles que mon père lui avait faites exprès. Mais comme il trouvait dans cette science la vérité qu'il avait toujours cherchée si ardemment, il en était si satisfait qu'il y mettait tout son esprit, de sorte que pour peu qu'il s'y occupât, il avançait tellement qu'à l'âge de seize ans il fit un *Traité des coniques* qui passa pour un si grand effort d'esprit, qu'on disait que depuis Archimède on n'avait rien vu de cette force.

Tous les habiles gens étaient d'avis qu'on l'imprimât dès lors, parce qu'ils disaient qu'encore que ce fut un ouvrage qui serait toujours admirable, néanmoins si on l'imprimait dans le temps que celui qui l'avait inventé n'avait encore que seize ans, cette circonstance ajouterait beaucoup à sa beauté. Mais comme mon frère n'a jamais eu de passion pour la réputation il ne fit point de cas de cela et ainsi cet ouvrage n'a jamais été imprimé.

Durant tout ce temps-là il continuait d'apprendre le latin et le grec, et outre cela pendant et après le repas mon père l'entretenait tantôt de la logique, tantôt de la physique et des autres parties de la philosophie et c'est tout ce qu'il en a appris n'ayant jamais été au collège, ni eu d'autres maîtres pour cela, non plus que pour le reste.

Mon père prenait un tel plaisir qu'on peut croire de ce progrès que mon frère faisait dans toutes les sciences; mais il ne s'aperçut pas que ces grandes et continuelles applications d'esprit dans un âge si tendre pouvaient beaucoup intéresser sa santé et en effet elle commença d'être altérée dès qu'il eût atteint l'âge de dix-huit ans. Mais comme les incommodités qu'il ressentait alors n'étaient pas d'une grande force, elles ne l'empêchaient pas de continuer toutes ses occupations ordinaires, de sorte que ce fut en ce temps-là et à l'âge de dix-neuf ans qu'il inventa cette machine d'arithmétique, par laquelle non seulement on fait toutes sortes d'opérations sans plume et sans jetons, mais on les fait même sans savoir aucune règle d'arithmétique et avec une sûreté infaillible. Cet ouvrage a été considéré comme une chose nouvelle de la nature, d'avoir réduit en machine une science qui réside tout entière dans l'esprit, et d'avoir trouvé les moyens d'y faire toutes les opérations avec une entière certitude sans avoir besoin de raisonnement. Ce travail le fatigua beaucoup, non pas pour la pensée ni pour les mouvements qu'il trouva sans peine, mais pour faire comprendre aux ouvriers toutes ces choses, de sorte qu'il fut deux ans à la mettre dans la perfection où elle est présentement.

Mais cette fatigue et la délicatesse où se trouvait alors sa santé depuis quelques années le jetèrent dans des incommodités qui ne l'ont plus quitté, de sorte qu'il nous a dit quelquefois que depuis l'âge de dix-huit ans, il n'avait pas passé un jour sans douleur. Ses incommodités n'étant pas toujours dans une égale violence, dès qu'il avait un peu de relâche son esprit se portait incontinent à chercher quelque chose de nouveau.

Ce fut dans un de ces temps-là, à l'âge de vingt-trois ans, qu'ayant vu l'expérience de Torricelli, il inventa ensuite et exécuta l'autre qu'on nomme *l'expérience du vide*, qui prouve si clairement que tous les [effets] qu'on avait jusque-là attribués au vide sont causés par la pesanteur de l'air. Cette occupation fut la dernière où il occupa son esprit pour les sciences humaines, et quoiqu'il ait inventé *la roulette* après, cela ne contredit pas à ce que je dis; car il la trouva sans y penser et d'une manière qui fait bien croire qu'il n'y avait pas d'application comme je le dirai en son lieu. Immédiatement après et lorsqu'il n'avait pas encore vingt-quatre ans la Providence de Dieu ayant fait naître une occasion qui l'obligea de lire des écrits de piété, Dieu l'éclaira de telle sorte par cette sainte lecture qu'il comprit parfaitement que la religion chrétienne nous oblige à ne vivre que pour Dieu et à n'avoir point d'autre objet que lui. Et cette vérité lui parut si évidente, et si nécessaire, et si utile, qu'elle termina toutes ses recherches. De sorte que dès ce temps-là, il renonça à toutes les autres connaissances pour s'appliquer à l'unique chose que Jésus-Christ appelle nécessaire.

Il avait jusqu'alors été préservé par une protection particulière de la Providence de tous les vices de la jeunesse et, ce qui est encore plus étrange en un esprit de cette trempe et de ce caractère, il ne s'était jamais porté au libertinage pour ce qui regarde la religion, ayant toujours borné sa curiosité aux choses naturelles, et il m'a dit plusieurs fois qu'il joignait cette obligation à toutes les autres qu'il avait de mon père, qui, ayant lui-même un très grand respect pour la religion, le lui avait inspiré dès l'enfance, lui donnant pour maxime que tout ce qui est l'objet de la foi ne le saurait être de la raison.

Ces maximes qui lui étaient souvent réitérées par un père pour qui il avait une très grande estime et en qui il voyait une très grande science accompagnée d'un raisonnement fort net et fort puissant, faisaient une si grande impression sur son esprit, que, quelque discours qu'il entendît faire aux libertins, il n'en était nullement ému et quoiqu'il fût fort jeune, il les regardait comme des gens qui étaient dans le faux principe que la raison humaine est au-dessus de toutes choses et qui ne connaissaient pas la nature de la foi.

Ainsi cet esprit si grand, si vaste et si rempli de curiosité, qui cherchait avec tant de soin la cause et la raison de tout était en même temps soumis à toutes les choses de la religion comme un enfant. Et cette simplicité a régné en lui toute sa vie, de sorte que depuis même qu'il se résolut de ne faire plus d'autre étude que [celle] de la religion, il ne s'est jamais appliqué aux questions curieuses de la théologie, et il a mis toute la force de son esprit à connaître et à pratiquer la perfection de la morale chrétienne, à laquelle il a consacré tous les talents que Dieu lui avait donnés, n'ayant fait autre chose tout le reste de sa vie que méditer la loi de Dieu jour et nuit. Mais quoiqu'il n'eût pas fait une étude particulière de la scolastique, il n'ignorait pourtant pas les décisions de l'Eglise contre les hérésies qui ont été inventées par la subtilité et l'égarement de l'esprit humain et c'est contre ces sortes de recherches qu'il était le plus animé et Dieu lui donna dans ce temps-là une occasion de faire paraître le zèle qu'il avait pour la religion.

Il était pour lors à Rouen où mon père était employé au service du Roi et où il y avait en ce temps-là un homme [1] qui enseignait une nouvelle philosophie qui attirait tous les curieux. Mon frère ayant été pressé par deux jeunes hommes de ses amis il fut avec eux; mais ils furent bien surpris, dans l'entretien qu'ils eurent avec cet homme, de voir qu'en leur débitant les principes de sa philosophie, il en tirait des conséquences sur des points de la foi contraires aux décisions de l'Eglise. Il prouvait par des raisonnements que le corps de Jésus-Christ n'était pas formé du sang de la Vierge et plusieurs autres choses semblables. Ils voulurent le contredire, mais il demeura ferme dans ses sentiments. De sorte qu'ayant considéré entre eux le danger qu'il y avait de laisser la liberté d'instruire la jeunesse à un homme qui était dans des sentiments erronés, ils résolurent de l'avertir premièrement et de le dénoncer s'il résistait à leurs avis. La chose arriva ainsi car il méprisa cet avis; de sorte qu'ils crurent qu'il était de leur devoir de le dénoncer à Mgr du Bellay [2] qui faisait pour lors les fonctions épiscopales dans le diocèse de Rouen par commission de Mgr l'Archevêque. Mons[eigneur] du Bellay envoya quérir cet homme et l'ayant interrogé il en fut trompé par une confession équivoque qu'il écrivit et signa de sa main, faisant d'ailleurs peu de cas d'un avis de cette importance qui lui était donné par trois jeunes hommes. Cependant aussitôt qu'ils virent cette confession de foi, ils en connurent tout le défaut, ce qui les obligea d'aller trouver M. l'Archevêque de Rouen, à Gaillon, qui, ayant examiné toutes choses, les trouva si importantes qu'il écrivit une patente à son conseil et donna un ordre exprès à Mgr du Bellay pour faire rétracter cet homme sur tous les points dont il était accusé et de ne rien recevoir de lui que par la communication de ceux qui l'avaient dénoncé. La chose fut exécutée

1. Il s'agit de Jacques Forton, sieur de Saint-Ange-Montcard, capucin, auteur de *la Conduite du jugement naturel* (1re partie, 1637; 2e partie, 1641; 3e partie, 1645). On trouve dans le ms. 12449 de la B. N. les procès-verbaux de deux conférences de Saint-Ange avec Pascal, Auzoult et Hallé de Monflaines, signés par les intéressés (1647).

2. Il n'y a pas confusion d'appellation de la part de Gilberte Périer, car, à cette date, l'on disait indifféremment du Bellay ou de Belley pour désigner Camus, évêque démissionnaire de Belley, qui fut suppléant de François de Harlay, archevêque de Rouen, de 1646 à 1649. Il est l'auteur de plus de deux cents volumes : romans dévots, livres polémiques, ouvrages mystiques (1584-1652).

et il comparut dans le conseil de Mgr l'Archevêque et renonça à tous ses sentiments; et on peut dire que ce fut sincèrement, car il n'a jamais témoigné de fiel contre ceux qui lui avaient causé cette affaire, ce qui fait croire qu'il était lui-même trompé par les fausses conséquences qu'il tirait de ses faux principes. Aussi est-il bien vrai qu'on n'avait eu en cela aucun dessein de lui nuire ni d'autre vue que de le détromper lui-même et l'empêcher de séduire les jeunes gens qui n'eussent pas été capables de discerner le vrai d'avec le faux dans des questions si subtiles. Ainsi cette affaire se termina avec douceur. Et mon frère continuant de plus en plus de rechercher les moyens de plaire à Dieu, cet amour pour la perfection s'enflamma de telle sorte dès l'âge de vingt-quatre ans qu'il se répandit sur toute la maison. Mon père, n'ayant pas de honte de se rendre aux enseignements de son fils, embrassa dès lors une vie plus exacte par la pratique continuelle des vertus jusqu'à sa mort, qui a été tout à fait chrétienne.

Ma sœur, qui avait des talents d'esprit tout extraordinaires, dès son enfance dans une réputation où peu de filles parviennent dans un âge plus avancé, fut aussi tellement touchée des discours de mon frère, qu'elle résolut de renoncer à tous les avantages qu'elle avait tant aimés jusqu'alors, et de se consacrer tout entière à Dieu. Comme elle avait beaucoup d'esprit, dès que Dieu lui eut tourné le cœur, elle comprenait comme mon frère toutes les choses qu'il disait de la sainteté de la religion chrétienne et ne pouvant se souffrir dans l'imperfection où elle se croyait dans le monde elle se fit religieuse dans une maison très austère, au Port-Royal des Champs, et y est morte à l'âge de trente-six ans, après avoir passé par les emplois les plus difficiles et s'être consommée ainsi en peu de temps dans un mérite que les autres n'acquièrent qu'après beaucoup d'années.

Mon frère avait pour lors vingt-quatre ans; ses incommodités avaient toujours beaucoup augmenté et elles vinrent jusqu'au point qu'il ne pouvait plus rien avaler de liquide, à moins qu'il ne fût chaud, et encore ne le pouvait-il faire que goutte à goutte. Mais comme il avait outre cela une douleur de tête comme insupportable, une chaleur d'entrailles et beaucoup d'autres maux, les médecins lui ordonnèrent de se purger de deux jours l'un durant trois mois, de sorte qu'il fallut prendre toutes les médecines en la matière qu'il était capable, c'est-à-dire les faire chauffer et les avaler goutte à goutte. C'était un véritable supplice et ceux qui étaient auprès de lui en avaient horreur seulement, à les voir; mais mon frère ne s'en plaignait jamais. Il regardait tout cela comme un gain pour lui. Car, comme il ne connaissait plus d'autre science que celle de la vertu et qu'il savait qu'elle se perfectionnait dans les infirmités, il faisait avec joie de toutes ses peines le sacrifice de sa pénitence, y remarquant en toutes choses les avantages du christianisme. Il disait souvent qu'autrefois ses incommodités le détournaient de ses études et qu'il en avait de la peine, mais qu'un chrétien trouvait son compte à tout et aux souffrances encore plus particulièrement, parce qu'on y connaissait Jésus-Christ crucifié, qui doit être toute la science d'un chrétien et l'unique gloire de sa vie.

La continuation de ces remèdes avec les autres qu'on lui fit pratiquer lui donnèrent quelque soulagement, mais non pas une santé parfaite. De sorte que les médecins crurent que pour le rétablir entièrement il fallait qu'il renonçât à toute occupation d'esprit qui eût quelque suite et qu'il cherchât autant qu'il pourrait toutes les occasions de se divertir l'esprit à quelque chose qui l'appliquât et qui lui fût agréable, c'est-à-dire en un mot aux conversations ordinaires du monde; car il n'y avait point d'autres divertissements convenables à mon frère. Mais quel moyen a un homme touché comme lui de pouvoir s'y résoudre? En effet il y eut beaucoup de peine d'abord. Mais on le pressa tant de toutes parts qu'il se laissa enfin aller à la raison spécieuse de remettre sa santé : on le persuada que c'est un dépôt dont Dieu veut que nous ayons soin.

Le voilà donc dans le monde : il se trouva plusieurs fois à la Cour, où des personnages qui étaient consommés remarquèrent qu'il en prit d'abord l'air et les manières avec autant d'agrément que s'il y eût été nourri toute sa vie. Il est vrai que, quand il parlait du monde il en développait si bien tous les ressorts qu'il était aisé de concevoir qu'il était très capable de les remuer et de se porter à toutes les choses qu'il fallait faire pour s'y accommoder, autant qu'il le trouverait raisonnable.

Ce fut le temps de sa vie le plus mal employé : car, quoique par la miséricorde de Dieu il s'y soit préservé des vices, enfin, c'était toujours l'air du monde qui est bien différent de celui de l'Evangile. Dieu qui demandait de lui une plus grande perfection ne voulait pas l'y laisser longtemps et se servit pour cela de ma sœur pour le retirer, comme il s'était servi autrefois de mon frère pour retirer ma sœur des engagements où elle était dans le monde.

Depuis qu'elle était entrée en religion elle avait tous les jours augmenté en ferveur et tous ses sentiments ne respiraient qu'une sainteté sans réserve. C'est pourquoi elle ne pouvait souffrir que celui à qui elle était redevable, après Dieu, des grâces dont elle jouissait, ne fût dans la possession de ces mêmes grâces, et comme mon frère la voyait souvent elle lui en parlait souvent aussi et enfin elle le fit avec tant de force qu'elle lui persuada, ce qu'il lui avait persuadé le premier, de quitter le monde et toutes les conversations du monde, dont les plus innocentes ne sont que des inutilités continuelles, tout à fait indignes de la sainteté du christianisme à laquelle nous sommes tous appelés, et dont Jésus-Christ nous a donné l'exemple.

La raison de sa santé qui l'avait touché auparavant lui parut si pitoyable qu'il en eut honte lui-même. La lumière de la vraie sagesse lui fit voir à découvert que le salut devait être préférable à toutes choses et que c'était raisonner faux que de s'arrêter à un bien passager de notre corps quand il s'agissait du bien éternel de notre âme.

Il avait trente ans quand il résolut de quitter ces nouveaux engagements qu'il avait dans le monde; il commença à changer de quartier et pour rompre davantage toutes ces habitudes il alla à la campagne, d'où étant de retour après une retraite considérable il témoigna si bien qu'il voulait quitter le monde que le monde enfin le quitta.

Enfin il agissait toujours par principes en toutes choses : son esprit et son cœur faits comme ils étaient ne pouvaient pas avoir d'autre conduite. Ainsi ceux qu'il se proposa dans sa retraite furent ces maximes si solides de la vraie piété, l'une de renoncer à tous les plaisirs et l'autre de renoncer aussi à toutes sortes de superfluités.

Il commença d'abord, pour entrer dans la pratique de la première maxime, à se passer dès lors, comme il a toujours fait depuis, du service des domestiques autant qu'il le pouvait : il faisait son lit lui-même, il allait prendre son dîner dans la cuisine, il rapportait sa vaisselle et enfin ne se servait de son monde que pour les choses qu'il ne pouvait absolument faire lui-même.

Il n'était pas possible qu'il n'usât de ses sens; mais quand il était obligé par nécessité de leur donner quelque plaisir, il avait une adresse merveilleuse pour en détourner l'esprit afin qu'il n'y prît point de part. Nous ne lui avons jamais ouï louer en mangeant les viandes qu'on lui servait et quand on avait eu soin quelquefois de lui servir quelque chose de plus délicat, si on lui demandait s'il l'avait trouvé bon il disait simplement : « Il fallait m'en avertir auparavant, car à présent je ne m'en souviens plus et je vous avoue que je n'y ai pas pris garde », et lorsque quelqu'un, selon l'usage si ordinaire du monde, admirait la bonté de quelque viande, il ne pouvait le souffrir et appelait cela être sensuel, encore que ce ne fussent que les choses les plus communes, « parce que, disait-il, c'était une marque que l'on mangeait pour contenter son goût, ce qui était toujours un mal, ou pour le moins que l'on parlait un langage conforme à celui des hommes sensuels et qui n'était pas honnête à un chrétien, qui ne doit jamais rien dire qui n'ait même un air de sainteté ». Il n'avait point voulu permettre qu'on fît aucune sauce ni aucun ragoût, non pas même qu'on lui donnât de l'orange ni du verjus, ni rien qui excitât l'appétit, quoiqu'il aimât naturellement toutes ces choses.

Il avait réglé dans le commencement de sa retraite la quantité de nourriture qu'il fallait pour le besoin de son estomac; et depuis ce temps-là, quelque appétit qu'il eût, il ne passait jamais cette mesure et quelque dégoût qu'il eût aussi, il fallait qu'il mangeât ce qu'il avait réglé. Lorsqu'on lui demandait pourquoi il faisait cela, il répondait que c'était le besoin de l'estomac qu'il fallait satisfaire, et non celui de l'appétit.

Mais la mortification de ses sens n'allait pas seulement à se retrancher ainsi de tout ce qui pouvait leur être agréable, soit pour la nourriture, soit pour les remèdes : il a pris quatre ans de suite des consommés sans témoigner le moindre dégoût. C'était assez qu'on lui ait ordonné quelque chose, il la prenait sans peine et lorsque je m'étonnais qu'il n'avait point de répugnance à prendre certaines médecines fort dégoûtantes il se moquait de moi et me disait qu'il ne pouvait comprendre lui-même comment on pouvait témoigner de la répugnance quand on prenait une chose volontairement et après qu'on avait été averti qu'elle était mauvaise; qu'il n'y avait que la violence et la surprise qui dussent produire ces effets. Il sera aisé de remarquer dans la suite l'application qu'il avait à renoncer à toutes sortes de plaisirs de l'esprit où l'amour-propre peut avoir part.

Il n'a pas eu moins de soin de pratiquer l'autre maxime qu'il s'était proposée, de renoncer à toutes sortes de superfluités, qui est une suite de la première... Il s'était réduit peu à peu à n'avoir plus de tapisseries dans sa chambre, parce qu'il ne croyait pas cela nécessaire; et d'ailleurs n'y étant pas obligé par aucune bienséance, parce qu'il ne venait plus le voir que des gens à qui il recommandait sans [cesse] le retranchement, et qui, par conséquent, n'étaient pas surpris de voir qu'il vivait de la même manière qu'il conseillait aux autres de vivre.

[Voilà [3] comme il a passé cinq ans de sa vie, depuis trente ans jusqu'à trente-cinq, travaillant sans cesse pour Dieu ou pour le prochain, ou pour lui-même, en tâchant de se perfectionner de plus en plus; et on pourrait dire en quelque façon que c'est tout le temps qu'il a vécu; car les quatre années que Dieu lui a données après n'ont été qu'une continuelle langueur. Ce n'était pas proprement une maladie qui fût venue nouvellement, mais un redoublement de ses grandes indispositions où il avait été sujet dès sa jeunesse. Mais il en fut alors attaqué avec tant de violence, qu'enfin il y succomba; et durant tout ce temps il n'a pu du tout travailler un instant à ce grand ouvrage qu'il avait entrepris pour la religion, ni assister les personnes qui s'adressaient à lui pour avoir des avis, ni de bouche, ni par écrit : car ses maux étaient si grands, qu'il ne pouvait les satisfaire, quoiqu'il en eût un grand désir.]

Nous avons déjà remarqué qu'il s'était exempté de la superfluité des visites et il ne voulut même voir personne du tout.

Mais comme on cherche toujours un trésor partout où il est et que Dieu ne permet pas qu'une lumière qui est allumée pour éclairer soit cachée sous le boisseau, un certain nombre de gens et de personnes d'esprit, qu'il avait connus auparavant, le venaient chercher dans sa retraite et demander ses avis. D'autres qui avaient des doutes sur des matières de foi et qui savaient qu'il avait de grandes lumières là-dessus, recouraient aussi à lui; et les uns et les autres, dont plusieurs sont vivants, en revenaient toujours fort contents, et témoignent encore aujourd'hui, dans

3. Les éditions de 1684, chez Abraham Wolfgang, Amsterdam, et de 1686, chez Guillaume Desprez, Paris, placent ici ce paragraphe, absent du ms. 4546.

toutes les occasions, que c'est à ses éclaircissements et à ses conseils qu'ils sont redevables du bien qu'ils connaissent et qu'ils font.

Quoiqu'il ne fût engagé dans les conversations que par des raisons toutes de charité et qu'il veillât beaucoup sur lui-même pour ne rien perdre de ce qu'il tâchait d'acquérir dans sa retraite, il ne laissa pas pourtant d'en avoir de la peine et d'appréhender que l'amour-propre ne lui fît prendre quelque plaisir à ces conversations; et sa règle était de n'en prendre aucune où ce principe eût la moindre part. D'un autre côté il ne croyait pas pouvoir refuser à ces personnes le secours dont elles avaient besoin. Voilà donc comme un combat. Mais l'esprit de la mortification, qui est l'esprit même de la charité qui accommode toutes choses, vint au secours et lui inspira d'avoir une ceinture de fer pleine de pointes et de la mettre à nu sur sa chair toutes les fois qu'on le viendrait avertir que des Messieurs le demanderaient. Il le fit et lorsqu'il s'élevait en lui quelque esprit de vanité ou qu'il se sentait touché du plaisir de la conversation, il se donnait des coups de coude pour redoubler la violence des piqûres et se faire ensuite ressouvenir de son devoir. Cette pratique lui parut si utile qu'il en usait aussi pour se précautionner contre l'inapplication où il se vit réduit dans les dernières années de sa vie. Comme il ne pouvait dans cet état ni lire, ni écrire, il était contraint de demeurer à rien faire et de s'aller promener sans pouvoir penser à rien qui eût de la suite. Il appréhendait avec raison que ce manquement d'occupation, qui est la racine de tout mal, ne le détournât de ses vues. Et pour se tenir toujours averti il s'était comme incorporé cet ennemi volontaire qui, en piquant son corps, excitait sans cesse son esprit à se tenir dans la ferveur et lui donnait ainsi le moyen d'une victoire assurée. Mais tout cela était si secret que nous n'en savions rien du tout et nous ne l'avons appris qu'après sa mort d'une personne de très grande vertu qu'il aimait et à qui il avait été obligé de le dire [pour] des raisons qui la regardaient elle-même.

Tout le temps que la charité ne lui emportait pas en la manière que nous venons de dire, était employé à la prière et à la lecture de l'Ecriture Sainte. C'était là comme le centre de son cœur, et où il trouvait sa joie, et tout le repos de sa retraite. Il est vrai qu'il avait un don tout particulier pour goûter l'avantage de ces deux occupations si précieuses et si saintes. On pouvait même dire qu'elles n'étaient point différentes en lui : car il méditait l'Ecriture Sainte en priant. Il disait souvent que l'Ecriture Sainte n'était pas une science d'esprit, mais du cœur, qu'elle n'était intelligible que pour ceux qui ont le cœur droit et que tous les autres n'y trouvaient que de l'obscurité, que le voile qui est sur l'Ecriture pour les Juifs y est aussi pour les mauvais chrétiens, et que la charité était non seulement l'objet de l'Ecriture, mais qu'elle en était aussi la porte. Il allait plus loin et disait encore que l'on était bien disposé à entendre les Saintes Ecritures quand on se hait soi-même et qu'on aimait la vie mortifiée de Jésus-Christ. C'était dans ces dispositions qu'il lisait l'Ecriture Sainte et il s'y était si fort appliqué, qu'il la savait quasi toute par cœur, en sorte qu'on ne pouvait la lui citer à faux et qu'il disait positivement : « cela n'est pas de l'Ecriture ou cela en est », et marquait précisément l'endroit, et généralement tout ce qui pouvait servir à lui donner une intelligence parfaite de toutes les vérités tant de la foi que de la morale.

Il avait un tour d'esprit si admirable qu'il embellissait tout ce qu'il disait et quoiqu'il apprît plusieurs choses dans les livres, quand il les avait digérées à sa manière, elles paraissaient tout autres parce qu'il savait toujours s'énoncer de la manière qu'il fallait qu'elles le fussent pour entrer dans l'esprit de l'homme.

Il avait naturellement le tour de l'esprit extraordinaire; mais il s'était fait des règles d'éloquence toutes particulières qui augmentaient encore son talent. Ce n'était point ce qu'on appelle de belles pensées qui n'ont qu'un faux brillant et qui ne signifient rien : jamais de grands mots et peu d'expressions métaphoriques, rien ni d'obscur, ni de rude, ni de dominant, ni d'omis, ni de superflu. Mais il concevait l'éloquence comme un moyen de dire les choses d'une manière que tous ceux à qui l'on parle les puissent entendre sans peine et avec plaisir; et il concevait que cet art consistait dans de certaines dispositions qui doivent se trouver entre l'esprit et le cœur de ceux à qui l'on parle, et les pensées et les expressions dont on se sert, mais que les proportions ne s'ajustent proprement ensemble que par le tour qu'on y donne. C'est pourquoi il avait fort étudié le cœur de l'homme et son esprit : il en savait tous les ressorts parfaitement bien. Quand il pensait quelque chose, il se mettait en la place de ceux qui devaient l'entendre, et, examinant si toutes les proportions s'y trouvaient, il voyait ensuite quel tour il leur fallait donner et il n'était pas content qu'il ne vît clairement que l'un était tellement fait pour l'autre, c'est-à-dire qu'il avait pensé pour l'esprit de celui qu'il devait voir, que, quand cela viendrait à se joindre par l'application qu'on y aurait, il fût impossible à l'esprit de l'homme de ne s'y pas rendre avec plaisir. Ce qui était petit il ne le faisait pas grand et ce qui était grand il ne le faisait point petit. Ce n'était pas assez pour lui qu'une chose parût belle; mais il fallait qu'elle fût propre au sujet, qu'elle n'eût rien de superflu, mais rien aussi qui lui manquât. Enfin, il était tellement maître de son style qu'il disait tout ce qu'il voulait et son discours avait toujours l'effet qu'il s'était proposé. Et cette manière d'écrire naïve, juste, agréable, forte et naturelle, à même temps lui était si propre et si particulière qu'aussitôt qu'on vit paraître *les Lettres au provincial*, on jugea bien qu'elles étaient de lui, quelque soin qu'il eût pris de le cacher même à ses proches.

Ce fut en ce temps-là qu'il plut à Dieu de guérir ma fille d'une fistule lacrymale dont elle était affligée, il y avait trois ans et demi. Cette fistule était d'une si mauvaise qualité que les plus habiles chirurgiens de Paris la jugèrent incurable; et enfin Dieu s'était réservé de la guérir par l'attouchement d'une Sainte Epine qui est à Port-Royal et ce miracle fut attesté par plusieurs chirurgiens et médecins, et autorisé par le jugement solennel de l'Eglise.

Ma fille était filleule de mon frère; mais il fut plus sensiblement touché de ce miracle par la raison que Dieu y était glorifié et qu'il arrivait dans un temps où la foi dans la plupart du monde était médiocre. La joie qu'il en eut fut si grande qu'il en était tout pénétré et comme son esprit ne s'occupait jamais de rien sans beaucoup de réflexion, il lui vint à l'occasion de ce miracle particulier plusieurs pensées très importantes sur les miracles en général, tant de l'Ancien que du Nouveau Testament. S'il y a des miracles il y a donc quelque chose au-dessus de ce que nous appelons la nature. La conséquence est de bon sens : il n'y a qu'à s'assurer de la certitude et de la vérité des miracles. Or il y a des règles pour cela qui sont encore dans le bon sens et ces règles se trouvent justes pour les miracles qui sont dans l'Ancien Testament. Ces miracles sont donc vrais : il y a donc quelque chose au-dessus de la nature.

Mais ces miracles ont encore des marques que leur principe est Dieu; et ceux du Nouveau Testament en particulier que celui qui les opérait était le Messie que les hommes devaient attendre. Donc, comme les miracles tant de l'Ancien que du Nouveau Testament prouvent qu'il y a un Dieu, ceux du Nouveau, en particulier, prouvant que Jésus était le véritable Messie.

Il démêlait tout cela avec une lumière admirable, et quand nous l'entendions parler et qu'il développait toutes les circonstances de l'Ancien et du Nouveau Testament où étaient rapportés ces miracles ils nous paraissaient clairs. On ne pouvait nier la vérité de ces miracles, ni les conséquences qu'il en tirait pour la preuve de Dieu et du Messie, sans choquer les principes les plus communs sur lesquels on assure toutes les choses qui passent pour indubitables. On a recueilli quelque chose de ses pensées là-dessus; mais c'est peu et je croirais être obligée de m'étendre davantage, pour y donner plus de jour selon tout ce que nous lui en avons ouï dire, si un de ses amis ne nous avait donné une dissertation sur les œuvres de Moïse, où tout cela est admirablement bien démêlé et d'une manière qui ne serait pas indigne de mon frère. Je vous renvoie donc à cet ouvrage et j'ajoute seulement, ce qu'il est important de rapporter ici, que toutes les différentes réflexions que mon frère fit sur les miracles lui donnèrent beaucoup de nouvelles lumières sur la religion. Comme toutes les vérités sont tirées les unes des autres, c'était assez qu'il fût appliqué à une, les autres lui venaient comme à la foule et se démêlaient à son esprit d'une manière qui l'enlevait lui-même, à ce qu'il nous a dit souvent, et ce fut en cette occasion qu'il se sentit tellement animé contre les athées que, voyant dans les lumières que Dieu lui avait données, de quoi les convaincre et les confondre sans ressources, il s'appliqua à cet ouvrage, dont les parties qu'on a ramassées nous font avoir tant de regret qu'il n'ait pas pu les rassembler lui-même et avec tout ce qu'il aurait pu ajouter encore en faire un composé d'une beauté achevée. Il en était assurément très capable, mais Dieu qui lui avait donné tout l'esprit nécessaire pour un si grand dessein ne lui donna pas assez de santé pour le mettre ainsi dans sa perfection.

Il prétendait faire voir que la religion chrétienne avait autant de marques de certitude que les choses qui sont reçues dans le monde pour les plus indubitables. Il ne se servait point pour cela de preuves métaphysiques : ce n'est pas qu'il crût qu'elles fussent méprisables quand elles étaient bien mises en leur jour. Mais il disait qu'elles étaient très éloignées du raisonnement ordinaire des hommes, que tout le monde n'en était pas capable et qu'à ceux qui l'étaient elles ne servaient qu'un moment, car une heure après ils ne savaient qu'en dire et ils craignaient d'être trompés. Il disait aussi que ces sortes de preuves ne nous peuvent conduire qu'à une connaissance spéculative de Dieu et que connaître Dieu de cette sorte était ne le connaître pas. Il ne devait pas non plus se servir des raisonnements ordinaires que l'on prend des ouvrages de la nature; il les respectait pourtant, parce qu'ils étaient consacrés par l'Ecriture Sainte et conformes à la raison, mais il croyait qu'ils n'étaient pas assez proportionnés à l'esprit et à la disposition du cœur de ceux qu'il avait dessein de convaincre. Il avait remarqué, par expérience, que bien loin qu'on les emportât par ce moyen, rien n'était plus capable au contraire de les rebuter et de leur ôter l'espérance de trouver la vérité, que de prétendre de les convaincre ainsi seulement par ces sortes de raisonnements contre lesquels ils se sont si souvent raidis, que l'endurcissement de leur cœur les a rendus sourds à cette voix de la nature, et qu'enfin ils étaient dans un aveuglement dont ils ne pouvaient sortir que par Jésus-Christ, hors duquel toute communication avec Dieu nous est ôtée, parce qu'il est écrit que personne ne connaît le Père, si ce n'est le Fils et celui à qui il plaît au Fils de le révéler.

La Divinité des chrétiens ne consiste pas seulement en un Dieu simplement auteur des vérités géométriques et de l'ordre des éléments : c'est la part des païens. Elle ne consiste pas en un Dieu qui exerce sa providence sur la vie et sur les biens des hommes pour donner une heureuse suite d'années : c'est la part des Juifs. Mais le Dieu d'Abraham et de Jacob, le Dieu des chrétiens est un Dieu d'amour et de consolation : c'est un Dieu qui remplit l'âme et le cœur de ceux qui le possèdent. C'est un Dieu qui leur fait sentir intérieurement leur misère et sa miséricorde infinie, qui s'unit au fond de leur âme, qui les remplit d'humilité, de foi, de confiance et d'amour, qui les rend incapables d'autre fin que de lui-même.

Le Dieu des chrétiens est un Dieu qui fait sentir à l'âme qu'il est son unique bien, que tout son repos est en lui, qu'elle n'aura de joie qu'à l'aimer et qui lui fait en même temps abhorrer les obstacles qui la retiennent et l'empêchent de l'aimer de toutes ses forces. L'amour-propre et la concupiscence qui l'arrêtent lui sont insupportables, et Dieu lui fait sentir qu'elle a ce fonds d'amour-propre et que lui seul l'en peut guérir.

Voilà ce que c'est que connaître Dieu en chrétien. Mais pour le connaître en cette manière il faut connaître en même temps sa misère et son indignité et le besoin qu'on a d'un médiateur pour s'approcher de Dieu et s'unir à lui. Il ne faut point séparer ces connaissances, et parce qu'étant séparées elles sont non seulement inutiles mais nuisibles. La connaissance de Dieu sans celle de notre misère fait l'orgueil; celle de notre misère sans Jésus-Christ fait notre désespoir. Mais la connaissance de Jésus-Christ nous exempte de l'orgueil et du désespoir, parce que nous y trouvons Dieu seul consolateur de notre misère et la voie unique de la réparer.

Nous pouvons connaître Dieu sans connaître notre misère, ou notre misère sans connaître Dieu, ou même Dieu et notre misère sans connaître le moyen de nous délivrer des misères qui nous accablent. Mais nous ne pouvons connaître Jésus-Christ sans connaître tout ensemble et Dieu et notre misère, parce qu'il n'est pas simplement Dieu, mais un Dieu réparateur de nos misères.

Ainsi tous ceux qui cherchent Dieu sans Jésus-Christ ne trouvent aucune lumière qui les satisfasse ou qui leur soit véritablement utile, car, ou ils n'arrivent pas jusqu'à connaître qu'il y a un Dieu, ou s'ils y arrivent, c'est inutilement pour eux parce qu'ils se forment un moyen de communiquer sans médiateur avec ce Dieu qu'ils ont connu sans médiateur, de sorte qu'ils tombent dans l'athéisme et le déisme, qui sont les deux choses que la religion chrétienne abhorre presque également.

Il faut donc tendre uniquement à connaître Jésus-Christ, puisque c'est par lui seul que nous pouvons prétendre de connaître Dieu d'une manière qui nous soit utile. C'est lui qui est le vrai Dieu des hommes, des misérables et des pécheurs; il est le centre de tout et l'objet de tout et qui ne le connaît point ne connaît rien dans l'ordre de la nature du monde, ni dans soi-même, car non seulement nous ne connaissons Dieu que par Jésus-Christ, mais nous ne nous connaissons nous-mêmes que par Jésus-Christ.

Sans Jésus-Christ il faut que l'homme soit dans le vice et dans la misère; avec Jésus-Christ l'homme est exempt de vice et de misère. En lui est tout notre bonheur, notre vertu, notre vie, notre lumière, notre espérance et hors de lui il n'y a que vices, que misères, ténèbres et désespoirs, et nous ne voyons qu'obscurité et confusion dans la nature de Dieu et dans la nôtre. Ces paroles sont de lui mot pour mot et j'ai cru les devoir rapporter ici parce qu'elles nous font voir admirablement bien quel était l'esprit de son ouvrage et que la manière dont il voulait s'y prendre était sans doute la plus capable de faire impression sur le cœur des hommes.

Un des principaux points de l'éloquence qu'il s'était fait, était non seulement de ne rien dire que l'on n'entendît pas ou que l'on entendît avec peine, mais aussi de dire des choses où il se trouvât que ceux à qui nous parlions fussent intéressés, parce qu'il était assuré que pour lors l'amour-propre même ne manquerait jamais de nous y faire faire réflexion et de plus la part que nous pouvons prendre aux choses étant de deux sortes (car ou elles nous affligent ou elles nous consolent), il croyait qu'il ne fallait jamais affliger qu'on ne consolât, et que bien ménager tout, cela était le secret de l'éloquence.

Ainsi donc dans les preuves qu'il devait donner de Dieu et de la religion chrétienne, il ne voulait rien dire qui ne fût à la portée de tous ceux pour lesquels elles étaient destinées et où l'homme ne se trouvât intéressé de prendre part, ou en sentant en lui-même toutes les choses qu'on lui faisait remarquer soit bonnes ou mauvaises, ou en voyant clairement qu'il ne pouvait prendre un meilleur parti ni plus raisonnable que de croire qu'il y a un Dieu dont nous pouvous jouir et un médiateur qui, étant venu pour nous en mériter la grâce, commence à nous rendre heureux dès cette vie par les vertus qu'il nous inspire beaucoup plus qu'on ne le saurait être par tout ce que le monde nous promet et nous donne assurance que nous le serons parfaitement dans le ciel si nous le méritons par les voies qu'il nous a présentées et dont il nous a donné lui-même l'exemple.

Mais quoiqu'il fût persuadé que tout ce qu'il avait ainsi à dire sur la religion aurait été très clair et très convaincant, il ne croyait pourtant qu'il le dût être à ceux qui étaient dans l'indifférence et qui, ne trouvant pas en eux-mêmes des lumières qui les persuadassent, négligeaient d'en chercher ailleurs et surtout dans l'Eglise où elles éclatent avec plus d'abondance. Car il établissait ces deux vérités comme certaines que Dieu a mis des marques sensibles particulièrement dans l'Eglise pour se faire connaître à ceux qui le cherchent sincèrement et qui les a couvertes néanmoins de telle sorte qu'il ne sera aperçu que de ceux qui le cherchent de tout leur cœur.

C'est pourquoi, quand il avait à conférer avec quelques athées, il ne commençait jamais par la dispute ni par établir les principes qu'il avait à dire, mais il voulait connaître auparavant s'ils cherchaient la vérité de tout leur cœur, et il agissait suivant cela avec eux, ou pour les aider à trouver la lumière qu'ils n'avaient pas, s'ils la cherchaient sincèrement, ou pour les diposer à la chercher et à en faire leur plus sérieuse occupation avant que de les instruire s'ils voulaient que son instruction leur fût utile. Ce furent ses infirmités qui l'empêchèrent de travailler davantage à son dessein. Il avait environ trente-quatre ans quand il commença de s'y appliquer; il employa un an entier à s'y préparer; en la manière que ses autres occupations lui permettaient, qui était de recueillir les différentes pensées qui lui venaient là-dessus et à la fin de l'année, c'est-à-dire la trente-cinquième qui était la cinquième de sa retraite, il retomba dans ses incommodités d'une manière si accablante qu'il ne put plus rien faire les quatre années qu'il vécut encore, si l'on peut appeler vivre la langueur si pitoyable dans laquelle il les passa.

On ne peut penser à cet ouvrage sans une affliction très sensible de voir que la plus belle chose et la plus utile peut-être dans le siècle où nous sommes, n'ait pas été achevée. Je n'oserais dire que nous n'en étions pas dignes. Quoi qu'il en soit Dieu a voulu faire voir, par l'échantillon, pour ainsi dire, de quoi mon frère était capable par la grandeur de l'esprit et des talents qu'il lui avait donnés; et si cet ouvrage pouvait être accompli par un autre, je croirais qu'un si grand bien ne peut être obtenu que par beaucoup de prières nouvelles.

Ce renouvellement des maux de mon frère commença par le mal de dents qui lui ôta absolument le sommeil. Mais quel moyen a un esprit comme le sien d'être éveillé et de ne penser à rien. C'est pourquoi dans les insomnies mêmes, qui sont d'ailleurs si fréquentes et si fatigantes, il lui vint une nuit dans l'esprit quelques pensées sur la roulette. La première fut suivie d'une seconde et la seconde d'une troisième; et enfin d'une multitude de pensées qui se succédèrent les unes aux autres. Elles lui découvrirent, comme malgré lui, la démonstration de la roulette dont il fut lui-même surpris. Mais comme il y avait longtemps qu'il avait renoncé à toutes ces choses, il ne pensa pas seulement à rien écrire. Néanmoins en ayant parlé à une personne à qui il devait toutes sortes de déférences, et par respect à son mérite et par reconnaissance de l'affection dont il était honoré, cette personne forma sur cette invention un dessein qui ne regardait que la gloire de Dieu et engagea mon frère à écrire tout ce qui lui était venu dans l'esprit et à le faire imprimer.

Il est incroyable avec quelle précipitation il mit cela sur le papier, car il ne faisait qu'écrire tant que sa main pouvait aller et il eut fait en très peu de jours. Il n'en tirait point de copie, mais il donnait les feuilles à mesure qu'il les faisait. On imprimait aussi une autre chose de lui qu'il donnait de même à mesure qu'il la composait et ainsi il fournissait aux imprimeurs deux différentes choses. Ce n'était pas trop pour son esprit, mais son corps n'y put résister, car ce fut le dernier accablement qui acheva de ruiner entièrement sa santé et qui le réduisit dans cet état si affligeant que nous avons dit de ne pouvoir avaler.

Mais si ses infirmités le rendirent incapable de servir les autres elles ne furent pas inutiles pour lui-même, car il les souffrait avec tant de patience qu'il y a sujet de croire et de se consoler par cette pensée que Dieu a voulu par là le rendre tel qu'il le voulait pour paraître devant lui. En effet il ne pensa plus qu'à cela et ayant toujours devant les yeux les deux maximes qu'il s'était proposées, de renoncer à tous les plaisirs et à toutes les superfluités, il les pratiqua encore avec plus de ferveur, comme s'il eût été pressé par le poids de la charité qui sentait qu'il s'approchait du centre où il devait jouir du repos éternel.

Mais on ne peut mieux connaître les dispositions particulières dans lesquelles il souffrait toutes ses nouvelles incommodités des quatre années de sa vie, que par cette *prière* admirable que nous avons apprise de lui et qu'il fit en ce temps-là *pour demander à Dieu le bon usage des maladies*. Car on ne peut douter qu'il avait dans le cœur toutes ces choses puisqu'elles étaient dans son esprit et qu'il ne les a écrites ainsi que parce qu'il les a pratiquées. Nous pouvons même assurer que nous en avons été témoins et que si personne n'a jamais mieux écrit sur le bon usage des maladies, personne ne l'a jamais pratiqué avec plus d'édification de tous ceux qui le voyaient.

Il avait quelques années auparavant, écrit une lettre sur la mort de mon père, en laquelle on voit qu'il comprenait qu'un chrétien doit regarder cette vie comme un sacrifice et que les accidents différents qui nous surviennent ne doivent faire impression sur nous qu'à proportion qu'ils interrompent ou accomplissent ce sacrifice. C'est pourquoi l'état mourant où il fut réduit pendant les dernières années de sa vie était un moyen pour l'accomplissement de son sacrifice qui se devait faire par la mort. Il regardait cet état de langueur avec joie et nous voyions tous les jours qu'il en bénissait Dieu de toute l'étendue de sa reconnaissance. Quand il nous parlait de la mort, qu'il croyait être plus proche qu'elle ne fut en effet dans la suite, il nous parlait toujours en même temps de Jésus-Christ et il nous disait que la mort est horrible sans Jésus-Christ, mais qu'en Jésus-Christ elle est aimable, sainte, et la joie du fidèle; et qu'à la vérité si nous étions innocents l'horreur de la mort serait raisonnable, parce qu'il est contre l'ordre de la nature que l'innocent soit puni; qu'il serait juste de la haïr pour lors quand elle pourrait séparer une âme sainte d'un corps saint. Mais, qu'il était juste à présent de l'aimer parce qu'elle séparait une âme sainte d'un corps impur; qu'il aurait été juste de [la] haïr si elle rompait la paix avec l'âme et le corps, mais non pas à cette heure qu'elle en calme la dissension irréconciliable, qu'elle ôte au corps la liberté malheureuse de pécher, qu'elle met l'âme dans la nécessité bienheureuse de ne pouvoir que louer Dieu et être avec lui dans une union éternelle. Qu'il ne fallait pourtant pas condamner l'amour que la nature nous a donné pour la vie, puisque nous l'avons reçue de Dieu même; qu'il fallait l'employer pour la même vie pour laquelle Dieu nous l'avait donnée qui est une vie innocente et bienheureuse et non pas à un objet contraire. Que Jésus-Christ avait aimé sa vie parce qu'elle était innocente, qu'il avait appréhendé la mort parce qu'elle arrivait en lui à un corps agréable à Dieu. Mais que, n'en étant pas de même de notre vie qui est une vie de péché, nous devions nous porter à haïr une vie qui était contraire à celle de Jésus-Christ, à aimer et à ne pas craindre une mort qui, en finissant en nous une vie ainsi de péché et pleine de misères, nous met dans la liberté d'aller avec Jésus-Christ voir Dieu face à face, et l'adorer, bénir et aimer éternellement sans réserve.

C'était sur ces mêmes principes qu'il avait tant d'amour pour la pénitence, car il disait qu'il fallait punir un corps pécheur, et le punir sans réserve par une pénitence continuelle, parce que sans cela il était rebelle à l'esprit et contredisant tous les sentiments du salut. Mais comme nous n'avons pas ce courage de nous punir nous-mêmes, nous devions nous estimer bien obligés à Dieu quand il lui plaisait de le faire; c'est pourquoi il le bénissait sans cesse des souffrances qu'il lui avait envoyées, qu'il regardait comme un feu qui brûlait petit à petit ses péchés par un sacrifice quotidien et se préparer ainsi en attendant qu'il plût à Dieu de lui envoyer la mort qui consommât le parfait sacrifice.

Il avait toujours un si grand amour pour la pauvreté qu'elle lui était continuellement présente; de sorte que, dès qu'il voulait entreprendre quelque chose ou que quelqu'un lui demandait conseil, la première pensée qui lui montait du cœur à l'esprit était de voir si la pauvreté pouvait y être pratiquée. Mais l'amour de cette vertu s'augmenta si fort à la fin de sa vie que je ne pouvais le satisfaire davantage que de l'en entretenir et d'écouter ce qu'il était toujours prêt à nous en dire.

Il n'a jamais refusé l'aumône à personne quoiqu'il eût peu de bien et que la dépense qu'il était obligé de faire à cause de ses infirmités excédât son revenu. Il ne la fit jamais que de son nécessaire. Mais lorsqu'on voulait le lui représenter, particulièrement lorsqu'il faisait quelques aumônes considérables, il en avait de la peine et nous disait : « J'ai remarqué, que quelque pauvre que l'on soit on laisse toujours quelque chose en mourant. » Il a été quelquefois si avant qu'il a été réduit de s'obliger pour vivre, et de prendre de l'argent à rente, pour avoir donné aux pauvres tout ce qu'il avait et ne voulut pas après cela recourir à ses amis, parce qu'il avait pour maxime de ne se trouver jamais importuné des besoins de personne, mais d'appréhender toujours d'importuner les autres des siens.

Dès que l'affaire des carrosses fut établie, il me dit qu'il voulait demander mille livres par avance pour sa part pour envoyer aux pauvres de Blois et des environs, qui étaient pour lors dans une très grande nécessité. Et comme je lui disais que l'affaire n'était pas encore assurée et qu'il fallait attendre une autre année, il me répondit qu'il ne voyait pas un grand inconvénient à cela parce que, si ceux avec qui il traiterait perdaient, il le leur donnerait de son bien et qu'il n'avait garde d'attendre à une autre année parce que les besoins étaient trop pressants. Néanmoins, comme les choses ne se font pas du jour au lendemain les pauvres de Blois furent secourus d'ailleurs et mon frère n'y eût que la part de sa bonne volonté, qui nous fait voir la vérité de ce qu'il nous avait dit tant de fois, qu'il ne souhaitait avoir du bien que pour en assister les pauvres, puisqu'en même temps qu'il pensait qu'il pourrait en avoir, il commençait à le distribuer par avance, et avant même qu'il en fût assuré.

Il ne faut pas s'étonner si celui qui connaissait si bien Jésus-Christ aimait tant les pauvres, et que le disciple donnât jusqu'à son nécessaire, puisqu'il avait dans le cœur l'exemple de son maître qui s'était donné lui-même. Mais la maxime qu'il s'était proposée, de renoncer à toutes sortes de superfluités, était en lui un grand fondement de l'amour qu'il avait pour la pauvreté. Car une des choses sur quoi il s'examinait le plus dans la vue de cette maxime était sur cet excès général de vouloir exceller en tout et qui nous portait en particulier, dans l'usage des choses du monde, à en vouloir toujours avoir des meilleures, des plus belles et des plus commodes. C'est pourquoi il ne pouvait souffrir qu'on voulût se servir des meilleurs ouvriers, mais il nous disait qu'il fallait toujours chercher les plus pauvres et les plus gens de bien et renoncer à cette excellence qui n'est jamais nécessaire, et blâmait fort aussi qu'on cherchât avec tant de soin d'avoir toutes ses commodités, comme d'avoir toute chose près de soi, une chambre où rien ne manquât, et autres choses de cette sorte que l'on fait sans scrupules; parce que, se réglant sur le fondement de l'esprit de pauvreté, qui doit être dans tous les chrétiens, il croyait que tout ce qui était opposé, quand même il serait autorisé par l'usage de la bienséance du monde, était toujours un excès, à cause que nous y avons renoncé dans le baptême. Il s'écriait quelquefois : « Si j'avais le cœur aussi pauvre que l'esprit, je serais bien heureux; car je suis merveilleusement persuadé de l'esprit de pauvreté et que la pratique de cette vertu est un grand moyen pour faire son salut. »

Tous ces discours nous faisaient rentrer en nous-mêmes et quelquefois aussi ils nous portaient à chercher des règlements généraux qui pourvussent à toutes les nécessités et nous lui en faisions la proposition. Mais il ne trouvait pas cela bien et il nous disait que nous n'étions pas appelés au général mais au particulier; et qu'il croyait que la manière de servir les pauvres la plus agréable à Dieu était de servir les pauvres pauvrement, c'est-à-dire selon son pouvoir, sans se remplir de ces grands desseins qui tiennent de cette excellence dont il blâme la recherche en toutes choses, aussi bien l'esprit et la pratique. Ce n'est pas qu'il trouvât mauvais l'établissement des hôpitaux généraux, mais il disait que ces grandes entreprises étaient réservées à de certaines personnes que Dieu y destinait et qu'il y conduisait quasi invisiblement; mais que ce n'était pas la vocation commune de tout le monde, comme l'assistance particulière et journalière des pauvres.

Il eût bien voulu que je me fusse consacrée à leur rendre un service ordinaire, que je m'imposasse comme en punition de ma vie. Il m'exhortait avec grand soin, et à y porter mes enfants. Et quand je lui disais que je craignais que cela ne me détournât du soin de ma famille, il me répondit que ce n'était que faute de bonne volonté et que, comme il y a divers degrés dans l'exercice de cette vertu, on peut bien trouver du temps pour la pratiquer et ne point nuire à ses occupations domestiques, que la charité elle-même en donne l'esprit et qu'il n'y a qu'à le suivre. Il disait qu'il ne fallait point de marque particulière pour savoir si l'on y était appelé, que c'était la vocation générale de tous les chrétiens; puisque c'était sur cela que Jésus-Christ jugerait le monde, que c'était assez que les besoins fussent communs pour nous employer à y satisfaire selon tous les moyens qui sont en notre pouvoir et que, lorsque l'on voyait dans l'Evangile que la seule omission de ce devoir était la cause de la damnation éternelle, cette pensée seule devait être capable de nous porter à nous dépouiller de tout et à nous donner cent fois nous-même, si nous avions de la foi. Il disait encore souvent que la fréquentation des pauvres était extrêmement utile, parce que, voyant continuellement la misère dont ils sont accablés et que souvent même ils manquent des choses les plus nécessaires, il faudrait être bien dur pour ne pas se priver volontairement des commodités inutiles et des ajustements superflus. Voilà une partie des instructions qu'il nous donnait pour nous porter à l'amour de la pauvreté qui tenait une si grande place dans son cœur.

Sa pureté n'était pas moindre, car il avait un si grand respect pour cette vertu qu'il était continuellement en garde pour empêcher qu'elle ne fût blessée le moins du monde, soit dans lui, soit dans les autres. Il n'est pas croyable combien il était exact sur ce point. J'en étais même embarrassée dans les commencements, car il trouvait à dire presque à tous les discours qu'on faisait dans le monde et que l'on croyait les plus innocents. Si je disais par exemple, par occasion, que j'avais vu une belle femme il m'en reprenait et me disait qu'il ne fallait jamais tenir ces discours devant les laquais et de jeunes gens, parce que je ne savais pas quelle pensée cela pouvait exciter en eux. Je n'oserais dire qu'il ne pouvait même souffrir les caresses que je recevais de mes enfants. Il prétendait que cela ne pouvait que leur nuire, qu'on leur pouvait témoigner de la tendresse en mille autres manières. J'eus plus de peine à me rendre à ce dernier avis, mais je trouvais dans la suite qu'il avait autant de raison sur cela que sur le reste, et je connus par expérience que je faisais bien de m'y soumettre.

Tout cela se passait dans le domestique; mais, environ trois mois avant sa mort, Dieu voulut lui donner une occasion au dehors de faire paraître le zèle qu'il lui avait donné pour la pureté. Car, comme il revenait un jour de Saint-Sulpice où il avait entendu la Sainte Messe, il vint à lui une fille, âgée d'environ quinze ans, qui lui demanda l'aumône. Incontinent il pensa au danger où elle était exposée et ayant su d'elle qu'elle était de la campagne, que son père était mort, que ce jour-là même sa mère avait été portée à l'Hôtel-Dieu, en sorte que cette pauvre fille demeurait seule et ne savait que devenir, il crut que Dieu la lui avait envoyée, et à l'heure même il la mena au séminaire où il la confia aux soins d'un bon prêtre à qui il donna de l'argent et le pria de chercher quelque condition où elle fût en sûreté. Et pour le soulager de ce soin il lui dit qu'il lui enverrait dès le lendemain une femme qui achèterait des habits à cette fille et tout ce qui serait nécessaire pour la mettre en condition. En effet il lui envoya une femme qui travailla si bien avec ce bon prêtre que, peu de temps après, ils la mirent dans une honnête condition. Cet ecclésiastique ne savait pas le nom de mon frère, et ne pensait pas d'abord à le demander parce qu'il était occupé du soin de cette fille. Mais comme elle fut placée, il fit réflexion (sur cette action) qu'il trouva si belle qu'il voulut savoir le nom de celui qui l'avait faite. Il s'en informa de cette femme, mais elle lui dit qu'on lui avait enjoint de le lui cacher. « Obtenez-en, lui disait-il, la permission, je vous en supplie; je vous promets que je n'en parlerai jamais de toute sa vie. Mais si Dieu permettait qu'il mourut avant moi, j'aurais une grande consolation à publier cette action, car je la trouve si belle et si digne d'être sue que je ne saurais souffrir qu'elle demeure dans l'oubli. » Mais il n'obtint rien. et ainsi il vit que cette personne, qui voulait être cachée, n'était pas moins modeste que charitable, et que si elle avait du zèle pour conserver la pureté dans les autres, elle n'en avait pas moins de conserver l'humilité en elle-même.

Il avait une extrême tendresse pour ses amis et pour ceux qu'il croyait être à Dieu; et l'on peut dire que si jamais personne n'a été plus digne d'être aimé, personne n'a jamais mieux su aimer et ne l'a jamais mieux pratiqué que lui. Mais sa tendresse n'était pas seulement un effet de son tempérament, car, quoique son cœur fût toujours prêt à s'attendrir sur les besoins de ses amis, il ne s'attendrissait pourtant jamais que selon les règles du christianisme, que la raison et la foi lui mettaient devant les yeux : c'est pourquoi sa tendresse n'allait point jusqu'à l'attachement et elle était aussi exempte de tout amusement.

Il ne pouvait plus aimer personne qu'il aimait ma sœur et il avait raison. Il la voyait souvent; il lui parlait de toutes choses sans réserve; il recevait d'elle satisfaction sur toutes choses sans exception, car il y avait une si grande correspondance entre leurs sentiments qu'ils convenaient de tout; et assurément leurs cœurs n'étaient qu'un cœur et ils trouvaient l'un dans l'autre des consolations qui ne peuvent se comprendre que par ceux qui ont goûté quelque chose de ce même bonheur et qui savent ce que c'est qu'aimer et être aimé ainsi avec confiance et sans rien craindre qui divise et où tout satisfasse.

Cependant à la mort de ma sœur, qui précéda la sienne de dix mois, quand il en reçut la nouvelle, il ne dit autre chose, sinon : « Dieu nous fasse la grâce de mourir ainsi chrétiennement! » Et dans la suite il ne nous parlait que des grâces que Dieu avait faites à ma sœur durant sa vie et des circonstances et du temps de sa mort; et puis élevant son cœur au ciel, où il la croyait bienheureuse, il nous disait avec quelque transport : « Bienheureux ceux qui meurent et qui meurent ainsi au Seigneur. » Et lorsqu'il me voyait affligée (car il est vrai que je ressentis fort cette perte) il en avait de la peine et me disait que cela n'était pas bien et qu'il ne fallait pas avoir ces sentiments-là pour la mort des justes, mais que nous devions au contraire louer Dieu de ce qu'il l'avait récompensée si tôt des petits services qu'elle lui avait rendus.

C'est ainsi qu'il faisait voir qu'il aimait sans attache, et nous en avions eu encore une preuve dans la mort de mon père, pour lequel il avait sans doute tous les sentiments que doit avoir un fils reconnaissant pour un père bien affectionné : car nous voyons dans la lettre qu'il écrivit sur le sujet de sa mort que, si la nature fut touchée, la raison prit bientôt le dessus, et que, considérant cet événement dans les lumières de la foi, son âme en fut attendrie, non pas pour pleurer mon père qu'il avait perdu pour la terre, mais pour le regarder en Jésus-Christ, en qui il l'avait gagné pour le ciel.

Il distinguait deux sortes de tendresse, l'une sensible, l'autre raisonnable, avouant que la première était de peu d'utilité dans l'usage du monde. Il disait pourtant que le mérite n'y avait point de part et que les honnêtes gens ne doivent estimer que la tendresse raisonnable qu'il faisait ainsi consister à prendre part à tout ce qui arrive à nos amis en toutes les manières que la raison veut que nous y prenions part aux dépens de notre bien, de notre commodité, de notre liberté et même de notre vie si c'est un sujet qui le mérite et qu'il le mérite toujours, s'il s'agit de le servir pour Dieu qui doit être l'unique fin de toute la tendresse des chrétiens.

« Un cœur est dur, disait-il, quand il connaît les intérêts du prochain, qu'il résiste à l'obligation qui le presse d'y prendre part, et, au contraire, un cœur est tendre quand tous les intérêts du prochain entrent en lui facilement, pour ainsi dire par tous les sentiments que la raison veut qu'on ait les uns pour les autres, en semblables rencontres; qui se réjouit quand il faut se réjouir; qui s'afflige quand il faut s'affliger. » Mais il ajoutait que la tendresse ne peut être parfaite que lorsque la raison est éclairée de la foi et qu'elle nous fait agir par les règles de la charité. C'est pourquoi il ne mettait pas beaucoup de différence entre la tendresse et la charité, non plus qu'entre la charité et l'amitié. Il concevait seulement que comme l'amitié suppose une liaison plus étroite et cette liaison une application plus particulière qui fait que l'on résiste moins aux besoins de ses amis, parce qu'ils sont plutôt connus et que nous en sommes plus facilement persuadés.

Voilà comment il concevait la tendresse et c'est ce qu'elle faisait en lui sans attachement et amusement, parce que la charité ne pouvant avoir d'autre fin que Dieu elle ne pouvait s'attacher qu'à lui, ni s'arrêter non plus à rien qui amuse, parce qu'elle sait qu'il n'y a point de temps à perdre et que Dieu, qui voit et qui juge tout, nous fera rendre compte de tout ce qui sera dans notre vie qui ne sera pas un nouveau pas pour avancer dans la voie uniquement permise qui est celle de la perfection.

Mais non seulement il n'avait pas d'attache pour les autres, il ne voulait pas non plus que les autres en eussent pour lui. Je ne parle pas de ces attachements criminels et dangereux, car cela est grossier et tout le monde le voit bien; mais je parle des amitiés les plus innocentes et dont l'amusement fait la douceur ordinaire de la société humaine. C'était une des choses sur lesquelles il s'observait le plus régulièrement afin de n'y point donner lieu et d'en empêcher le cours dès qu'il en voyait quelques apparences, et comme j'étais fort éloignée de cette perfection, et que je croyais que je ne pouvais avoir trop de soin d'un frère comme lui, qui faisait le bonheur de la famille, je ne manquais à rien de toutes les applications qu'il fallait pour le servir et lui témoigner en tout ce que je pouvais mon amitié. Enfin je reconnais que j'y étais attachée et que je me faisais un mérite de m'acquitter de tous les soins que je regardais comme un devoir : mais il n'en jugeait pas de même, et comme il ne faisait pas, ce me semblait, assez de part extérieurement pour répondre à mes sentiments, je n'étais point contente et allais de temps en temps à ma sœur lui ouvrir mon cœur et peu s'en fallait que je n'en fasse des plaintes. Ma sœur me remettait le mieux qu'elle pouvait en me rappelant les occasions où j'avais eu besoin de mon frère et où il s'était appliqué avec tant de soins et d'une manière si affectionnée, que je ne devais avoir nul lieu de douter qu'il ne m'aimât beaucoup. Mais le mystère de cette conduite de réserve à mon égard ne m'a été parfaitement [expliqué] que le jour de sa mort; qu'une personne des plus considérables pour la grandeur de son esprit et de sa piété, avec qui il avait eu de grandes communications sur la pratique de la vertu, me dit qu'il lui avait fait toujours comprendre comme une maxime fondamentale de sa piété, de ne souffrir qu'on l'aimât avec attachement et que c'était une faute sur laquelle on ne s'examinait pas assez, qui avait de grandes suites, et qui était d'autant plus à craindre qu'elle nous paraît souvent moins dangereuse.

Nous eûmes encore après sa mort une preuve que ce principe était bien avant dans son cœur; car afin qu'il lui fût toujours présent il l'avait mis de sa main sur un petit papier séparé que nous avons trouvé sur lui et que nous avons reconnu qu'il lisait souvent. Voici ce qu'il portait : « Il est injuste que l'on s'attache à moi, quoiqu'on le fasse avec plaisir et volontairement. Je tromperais ceux en qui j'en ferais naître le désir; car je ne suis la fin de personne et je n'ai pas de quoi les satisfaire; ne suis-je pas près de mourir? Ainsi l'objet de leur attachement mourra. Donc comme je serais coupable de faire croire une fausseté, quoique je la persuade doucement et qu'en cela on me fît plaisir : de même suis-je coupable si je me fais aimer et si j'attire des gens à moi; car il faut qu'ils passent leur vie et leur soin à s'attacher à Dieu et à le chercher. »

C'est ainsi qu'il s'instruisait lui-même et qu'il pratiquait si bien ses instructions. C'est ainsi que j'avais été trompée en jugeant comme je le faisais de sa manière d'agir à mon égard, car j'attribuais à un défaut d'amitié ce qui était en lui une perfection de sa charité.

Mais s'il ne voulait point que les créatures, qui sont aujourd'hui, et qui ne seront peut-être pas demain, et qui d'ailleurs sont si peu capables de se rendre heureuses, s'attachassent ainsi les unes aux autres, nous voyons que c'était afin qu'elles s'attachassent uniquement à Dieu, et en effet c'est là l'ordre, et on n'en peut juger autrement quand on y fait une attention sérieuse, et que l'on veut suivre la véritable lumière. C'est pourquoi il ne faut pas s'étonner que celui qui était si éclairé et qui avait le cœur si bien ordonné se fût proposé ces règles si justes et qu'il les pratiquât si régulièrement.

Ce n'était pas seulement à l'égard de ce premier principe qui est le fondement de la morale chrétienne; mais il avait un si grand zèle pour l'ordre de Dieu dans toutes les autres choses qui en sont les suites, qu'il ne pouvait souffrir qu'elle fût violée en quoi que ce soit : c'est ce qui le rendait si ardent pour le service du roi, qu'il résistait à tout le monde dans le temps des troubles de Paris. Il appelait des prétextes toutes les raisons qu'on donnait pour autoriser la rébellion. Il disait qu'un Etat établi en République comme Venise, c'était un très grand mal de contribuer à y mettre un roi et à opprimer la liberté des peuples à qui Dieu l'a donnée; mais que dans un Etat où la puissance royale est établie, qu'on ne pouvait violer le respect qu'on lui devait sans une espèce de sacrilège, parce que la puissance que Dieu y a attachée, étant non seulement une image, mais une participation de la puissance de Dieu, on ne pouvait s'y opposer sans s'opposer manifestement à l'ordre de Dieu. Et de plus, que la guerre civile qui en est une suite étant le plus grand mal que l'on puisse commettre contre la charité du prochain, on ne pouvait assez exagérer la grandeur de cette faute, que les premiers chrétiens ne nous avaient pas appris la révolte, mais la patience, quand les princes ne s'acquittaient pas bien de leur devoir. Il disait ordinairement qu'il avait un aussi grand éloignement de ce péché que pour assassiner le monde ou voler sur les grands chemins, et qu'enfin il n'y avait rien qui fût plus contraire à son naturel et sur quoi il fût moins tenté, ce qui le porta à refuser des avantages considérables pour ne prendre point de part à ces désordres.

Ce sont là les sentiments qu'il avait pour le service du roi : il était aussi irréconciliable avec tous ceux qui s'y opposaient. Et ce qui fait voir que ce n'était pas par tempérament ni par attachement à son sens, c'est qu'il avait une douceur admirable pour ceux qui l'offensaient en son particulier; en sorte qu'il n'a jamais fait de différence de ceux-là aux autres, et il oubliait si absolument ce qui ne regardait que sa personne qu'on avait peine à l'en faire souvenir, il fallait pour cela circonstancier les choses. Et comme on l'admirait quelquefois là-dessus, il disait : « Ne vous en étonnez pas, ce n'est pas par vertu, c'est par oubli réel; je ne m'en souviens plus. » Et cependant il avait une mémoire si excellente qu'il n'avait jamais rien oublié des choses qu'il avait voulu retenir. Mais c'était dans la vérité que les offenses qui ne regardaient que sa personne ne faisaient aucune impression sur une grande âme comme la sienne, qui ne pouvait plus être touchée des choses qu'autant qu'elles avaient rapport à l'ordre éminent de la charité, tout le reste étant comme hors de lui et ne le regardant pas.

Il est vrai que je n'ai jamais vu une âme plus naturellement supérieure que la sienne à tous les mouvements humains de la corruption naturelle; et ce n'était pas seulement à l'égard des injures qu'il était ainsi comme insensible, mais il l'était aussi à l'égard de ce qui blesse tous les autres hommes et qui fait leur plus grande passion. Il avait assurément l'âme grande, mais sans ambition, ne désirant d'être grand ni puissant, ni honoré dans le monde et regardant même tout cela comme ayant plus de misère que de bonheur. Il ne souhaitait du bien que pour en faire part aux autres et son plaisir était dans la raison, dans l'ordre, dans la justice et enfin dans tout ce qui était capable de nourrir l'âme, et peu dans les choses sensibles.

Il n'était pas sans défauts, mais l'on avait une liberté tout entière de l'en avertir et il se rendait aux avis de ses amis avec une soumission très grande quand ils étaient justes; et quand ils ne l'étaient pas, il les recevait toujours avec douceur. L'extrême vivacité de son esprit le rendait si impatient qu'il avait peine à le satisfaire; mais dès aussitôt qu'on l'avertissait ou qu'il s'apercevait lui-même qu'il avait fâché quelqu'un par cette impatience de son esprit, il réparait incontinent sa faute par des traitements si honnêtes qu'il n'a jamais perdu l'amitié de personne par là.

L'amour-propre des autres n'était pas incommodé par le sien et on aurait dit même qu'il n'en avait point, ne parlant jamais de lui, ni de rien par rapport à lui; et on sait qu'il voulait qu'un honnête homme évitât de se nommer et même de se servir des mots de *je* ou de *moi*. Ce qu'il avait coutume de dire sur ce sujet est que « la piété chrétienne anéantit le moi humain et que la civilité humaine le cache et le supprime ». Il concevait cela comme une règle, et c'est justement ce qu'il pratiquait.

Il n'était pas non plus incommode à personne sur leurs défauts, mais quand il était engagé de parler des choses il en parlait toujours sans dissimulation et comme il ne savait ce que c'était de plaire par flatterie, il était incapable aussi de ne pas dire la vérité lorsqu'il était obligé de le faire. Ceux qui ne le connaissaient pas étaient surpris d'abord quand ils l'entendaient parler dans les conversations, parce qu'il semblait toujours qu'il y tenait le dessus avec quelque sorte de domination; mais c'était le même principe de la vivacité de son esprit qui en était la cause, et on n'était pas longtemps avec lui qu'on ne vît bientôt qu'en cela même il y avait quelque chose d'aimable et qu'on ne fût à la fin aussi content de sa manière de parler, que l'on l'était des choses qu'il disait.

Au reste il avait en horreur toutes sortes de mensonges et les moindres tromperies lui étaient insupportables; en sorte que, comme le caractère de son esprit était d'être pénétrant et juste, et celui de son cœur d'être droit, et sans amusement, celui de ses actions et de sa conduite était la sincérité et la fidélité.

Nous avons trouvé un billet de lui où il s'était peint lui-même sans doute, afin qu'ayant continuellement devant les yeux la voie par où Dieu le conduisait, il ne pût jamais s'en détourner. Voici ce que porte ce billet : « J'aime la pauvreté parce que Jésus-Christ l'a aimée. J'aime les biens parce qu'ils donnent le moyen d'assister les misérables. Je garde fidélité à tout le monde. Je ne rends pas le mal à ceux qui m'en font; mais je leur souhaite une condition pareille à la mienne où l'on ne reçoit pas le bien, ni le mal de la plupart des hommes. J'essaye d'être toujours sincère, véritable et fidèle à tous les hommes, et j'ai une tendresse de cœur pour ceux à qui Dieu m'a uni plus étroitement; et, quoique je sois fort à la vue des hommes, j'ai en toutes mes actions la vue de Dieu qui les doit juger et à qui je les ai toutes consacrées. Voilà quels sont mes sentiments et j'en bénis tous les jours mon rédempteur qui les a mis en moi et qui d'un homme plein de faiblesse, de misère, de concupiscences, d'ambition et d'orgueil a fait un homme exempt de tous ces maux par la force de sa grandeur, à laquelle toute la gloire est due, n'ayant de moi que la misère et l'erreur. »

On pourrait sans doute ajouter beaucoup de choses à ce portrait, si on voulait l'achever dans sa dernière perfection; mais, laissant aux autres plus capables que moi, d'y mettre les derniers traits qui n'appartiennent qu'aux maîtres, j'ajouterai seulement que cet homme si grand en toutes choses était simple comme un enfant en ce qui regarde la piété. Ceux qui le voyaient d'ordinaire en étaient surpris. Non seeulment il n'y avait ni façons, ni hypocrisie dans sa manière d'agir, mais, comme il savait s'élever dans la pénétration des plus hautes vertus, il savait s'abaisser dans la pratique des plus communes qui édifient la piété. Toutes choses étaient grandes dans son cœur quand elles servaient à honorer Dieu. Il les pratiquait comme un enfant. Son principal divertissement, surtout dans les dernières années de sa vie où il ne pouvait plus travailler, était d'aller visiter les églises où il y avait des reliques exposées, ou quelques autres solennités et il était fourni exprès d'un *Almanach spirituel* qui l'instruisait des lieux où se trouvaient toutes les dévotions; mais cela si dévotement et si simplement que ceux qui le voyaient en étaient surpris et entre autres une personne très vertueuse et très éclairée s'en expliqua par cette belle parole : Que la grâce de Dieu se fait connaître dans les grands esprits par les petites choses et dans les esprits communs par les grandes.

Il avait un amour sensible pour tout l'office (c'est-à-dire les prières du bréviaire) et s'assujettissait à le dire autant qu'il le pouvait; mais surtout les petites heures qui sont composées du Ps. CXVIII, dans lequel il trouvait tant de choses admirables, qu'il sentait toujours une nouvelle joie à le réciter; et quand il s'entretenait avec ses amis de la beauté de ce Ps. il en était transporté et enlevait comme lui tous ceux à qui il en parlait. Quand on lui envoyait tous les mois un billet, comme on fait en plusieurs endroits, il le lisait et le recevait avec beaucoup de respect, ne manquant pas tous les jours de lire la sentence. Il en était ainsi de toutes les choses qui avaient rapport à la piété, et qui pouvaient l'édifier.

M. le Curé de Saint-Etienne qui l'a vu dans sa maladie, admira aussi cette même simplicité; et il disait à toute heure : « C'est un enfant, il est humble et soumis comme un enfant. » Et, à la veille de sa mort, un ecclésiastique qui était un homme de grande science et d'une très grande vertu, l'étant venu voir et ayant demeuré une heure avec lui, il en sortit si édifié qu'il me dit : « Allez, consolez-vous, si Dieu l'appelle vous avez bien sujet de le louer des grâces qu'il lui a faites. Il meurt dans la simplicité d'un enfant. C'est une chose incomparable dans un esprit comme le sien; je voudrais de tout mon cœur être en sa place, je ne vois rien de plus beau. »

Sa dernière maladie commença par un dégoût étrange qui lui prit deux mois avant sa mort. Il avait chez lui un bonhomme et toute sa famille, et son ménage qui n'était point destiné pour lui rendre aucun service; mais qu'il gardait comme un dépôt de la Providence de Dieu dont il avait grand soin. Un des enfants de ce bonhomme tomba malade de la petite vérole et il y avait deux malades dans la maison de mon frère, savoir lui et cet enfant. Il était nécessaire que je fusse auprès de mon frère et, comme il y avait danger que je ne prisse le mauvais air de la petite vérole et que je ne le donnasse à mes enfants, on délibéra de faire sortir cet enfant, mais la charité de mon frère en décida bien autrement, car elle lui fit prendre la résolution de sortir lui-même de la maison et de venir dans la mienne. Il était déjà fort malade, mais il disait qu'il y avait moins de danger pour lui que pour cet enfant à être transporté, et ainsi il fallait que ce fût lui et non pas cet enfant. Et en effet il se fit transporter chez nous.

Cette action de charité avait été précédée par le pardon d'une offense dans une partie très sensible par une personne qui lui avait de grandes obligations. Mon frère s'en acquitta à son ordinaire, non seulement sans le moindre ressentiment, mais avec une douceur accompagnée de toutes les honnêtetés qui sont nécessaires pour gagner une personne. Et ce fut sans doute par une Providence de Dieu particulière que dans ces derniers temps où il était si près de paraître devant Dieu il eut l'occasion de pratiquer ces deux œuvres de miséricorde qui sont des marques de la prédestination dans l'Evangile, afin que, quand il viendrait à mourir, il eût incontinent dans ces deux actions de charité le témoignage que Dieu lui pardonnerait ses fautes, et lui donnerait le royaume qu'il lui avait préparé, puisqu'il lui faisait la grâce de pardonner les fautes des autres et de les assister dans le besoin avec tant de facilité. Mais nous allons voir que Dieu l'a préparé à une mort d'un vrai prédestiné par d'autres actions qui ne sont pas d'une moindre consolation.

Trois jours après qu'il fut chez nous il fut attaqué d'une colique très violente qui lui ôtait absolument le sommeil; mais comme il avait beaucoup de force d'esprit et un grand courage, il ne laissait pas de se lever tous les jours et de prendre lui-même ses remèdes sans vouloir souffrir qu'on lui rendît le moindre service.

Les médecins qui le voyaient trouvaient son mal considérable; mais comme il n'avait pas la fièvre ils ne crurent pourtant pas qu'il y eût danger. Mais mon frère, qui ne voulait rien hasarder, dès le quatrième jour de la colique, et avant même que d'être arrêté au lit, envoya quérir M. le Curé de Saint-Etienne et se confessa; mais ne communia pas encore si tôt. Cependant M. le Curé le venant voir de temps en temps selon sa vigilance ordinaire, mon frère ne perdit aucune de ces occasions de se confesser encore de nouveau; mais il ne nous en disait rien, de peur de nous effrayer. Il fut quelquefois un peu moins mal; il profita de ce temps-là pour faire son testament où les pauvres ne furent pas oubliés, et il se fit violence de ne leur pas donner davantage. Il me dit que si M. Périer eût été à Paris et qu'il y eût consenti, il aurait disposé de tout son bien en faveur des pauvres.

Enfin il n'avait rien dans le cœur et l'esprit que les pauvres et il me disait quelquefois : « D'où vient que je n'ai encore jamais rien fait pour les pauvres, quoique j'aie toujours eu un si grand amour pour eux? » Et comme je lui répondais : « C'est que vous n'avez jamais assez de bien. — Je devais donc leur donner mon temps, disait-il, et ma peine; c'est à quoi j'ai manqué. Et si les médecins disent vrai, et que Dieu permette que je relève de cette maladie, je suis résolu de n'avoir d'autres occupations ni d'autre emploi le reste de mes jours que le service des pauvres. » Ce sont les sentiments dans lesquels Dieu le prit.

Sa patience n'était pas moindre que sa charité; et ceux qui étaient auprès de lui en étaient si édifiés qu'ils disaient tous qu'ils n'avaient jamais rien vu de pareil. Quand on lui disait quelquefois qu'on le plaignait, il répondait que pour lui il n'avait point de peine de l'état où il se trouvait, qu'il appréhendait même de guérir et quand on lui en demandait la raison, il disait : « C'est que je connais le danger de la santé et les avantages de la maladie. » Et comme nous ne pouvions nous empêcher de le plaindre, surtout dans le fort de ses douleurs : « Ne me plaignez point, disait-il, la maladie est l'état naturel des chrétiens, parce qu'on est par là comme on devrait être toujours, c'est-à-dire dans les souffrances, dans les maux, dans la privation de tous les biens et les plaisirs des sens, exempt de toutes les passions, sans ambition, sans avarice et dans l'attente continuelle de la mort. N'est-ce pas ainsi que les chrétiens doivent passer leur vie? Et n'est-ce pas un grand bonheur quand on est par nécessité dans un état où on est obligé d'être? » Et en effet on voyait qu'il aimait cet état, ce que peu de personnes seraient capables de faire. Car on n'a autre chose à faire que de s'y soumettre humblement et paisiblement. C'est pourquoi il ne nous demandait autre chose que de prier Dieu qu'il lui fît cette grâce. Il est vrai qu'après l'avoir entendu on ne pouvait plus lui rien dire, et on se sentait au contraire animé du même esprit que lui de vouloir souffrir et de concevoir que c'était l'état dans lequel devraient être toujours les chrétiens.

Il souhaitait ardemment de communier, mais les médecins s'y opposaient toujours parce qu'ils ne le croyaient pas assez malade, pour recevoir la communion en viatique, et ils ne trouvaient pas à propos qu'on la fît venir la nuit pour le trouver à jeun sans une plus grande nécessité. Cependant la colique continuant toujours, ils lui ordonnèrent des eaux et elles le soulagèrent pendant quelques jours, mais au sixième de ces eaux il sentit un grand étourdissement avec une grande douleur de tête. Encore que les médecins ne s'étonnassent pas de cet accident et qu'ils disent que ce n'était que la vapeur des eaux, il ne laissa pas de se confesser et demanda avec des instances incroyables qu'on le fît communier et qu'au nom de Dieu on trouvât moyen de remédier à tous ces inconvénients qu'on lui avait allégués; et il pressa tant, qu'une personne qui se trouva présente lui dit que cela n'était pas bien, qu'il devait se rendre au sentiment de ses amis, qu'il n'avait presque plus de fièvre, et qu'il juge lui-même s'il était juste de faire apporter le Saint Sacrement à la maison, puisqu'il était mieux et s'il n'était pas plus à propos d'attendre à communier à l'Eglise, où il y avait espérance qu'il serait bientôt en état d'y aller. Il répondit : « On ne sent pas mon mal, on y sera trompé; ma douleur de tête a quelque chose d'extraordinaire. » Néanmoins voyant une si grande opposition à son désir, il n'osa plus en parler. Mais il me dit : « Puisqu'on ne veut pas m'accorder cette grâce, je voudrais y suppléer par quelque bonne œuvre, et ne pouvant pas communier dans le Chef, je voudrais bien communier dans les membres, et pour cela j'ai pensé d'avoir céans un pauvre malade à qui on rende les mêmes services qu'à moi. Car j'ai de la peine et de la confusion d'être si bien assisté pendant qu'une infinité de pauvres, qui sont plus mal que moi, manquent des choses nécessaires. Qu'on prenne une garde exprès et qu'enfin il n'y ait aucune différence de lui à moi. Cela diminuera la peine que j'ai de ne manquer de rien, et que je ne puis plus supporter, à moins que l'on ne me donne la consolation de savoir qu'il y a ici un pauvre aussi bien traité que moi; qu'on aille, je vous prie, en demander un à M. le Curé. »

J'envoyais à M. le Curé à l'heure même, qui me manda qu'il n'en avait point en état d'être transporté; mais qu'il lui donnerait aussitôt qu'il serait guéri un moyen d'exercer sa charité en le chargeant d'un vieil homme dont il prendrait le soin le reste de ses jours; car M. le Curé ne doutait point qu'il ne dût guérir.

Comme il vit qu'il ne pouvait avoir un pauvre dans sa maison avec lui, il me pria que l'on le transportât aux Incurables, parce qu'il avait un grand désir de mourir en la compagnie des pauvres. Je lui dis que les médecins ne trouveraient pas à propos de le transporter en l'état où il était. Cette réponse l'affligea sensiblement et il me fit promettre du moins que, s'il avait un peu de relâche, je lui donnerais cette satisfaction.

Mais je ne fus pas dans cette peine car sa douleur augmenta si considérablement que, dans le fort de la douleur, il me pria de faire une consultation; mais, entrant en même temps en scrupule : « Je crains, me dit-il, qu'il n'y ait trop de recherche dans cette demande. » Je ne laissai pourtant pas de la faire. Les médecins lui ordonnèrent de boire du petit lait, assurant toujours qu'il n'y avait nul danger et que ce n'était que la migraine mêlée avec la vapeur des eaux. Néanmoins quoi qu'ils pussent dire, il ne les crut jamais. Il me pria d'avoir un ecclésiastique pour passer la nuit avec lui et moi-même, je le trouvai si mal que je donnais ordre, sans rien dire, de préparer des cierges et tout ce qu'il fallait préparer pour le faire communier le lendemain au matin.

Ces apprêts ne furent pas inutiles, mais ils servirent plus tôt que nous n'avions pensé : car, environ minuit, il lui prit une convulsion si violente que, quand elle fut passée, nous crûmes qu'il était mort. Et nous avions cet extrême déplaisir, avec tous les autres, de le voir mourir sans communier, après avoir demandé si souvent cette grâce et avec tant d'insistance.

Mais Dieu qui voulait récompenser un désir si fervent et si juste suspendit comme par miracle cette convulsion, et lui rendit le jugement entier, comme dans sa parfaite santé; en sorte que, M. le Curé entrant en sa chambre avec Notre-Seigneur et lui ayant crié : « Voici Celui que vous avez tant désiré que je vous apporte », ces paroles achevèrent de l'éveiller et M. le Curé approcha pour lui donner la communion, il fit un effort et se leva seul à moitié pour la recevoir avec plus de respect; et M. le Curé l'ayant interrogé, selon la coutume, sur les principaux mystères de la foi il répondit dévotement à tout : « Oui, Monsieur, je crois tout cela et de tout mon cœur. » Et ensuite il reçut le Saint Viatique et l'extrême-onction avec des sentiments si tendres qu'il en venait des larmes. Il répondit à tout et remercia même à la fin M. le Curé et, lorsqu'il le bénit avec le Saint Sacrement il dit : « Que Dieu ne m'abandonne jamais! » qui furent comme ses dernières paroles. Car, après avoir fait son action de grâces, un moment après les convulsions le reprirent, qui ne le quittèrent plus et ne lui laissèrent plus un instant de liberté d'esprit; elles durèrent jusqu'à sa mort, qui fut vingt-quatre heures après : savoir le dix-neuvième d'août mil six cent soixante-deux à une heure du matin, âgé de trente-neuf ans et deux mois.

[4] M. le Curé de Saint-Etienne le recommanda le dimanche suivant à son prône aux prières des assistants, et il en fit un éloge qui marquait l'estime qu'il faisait de sa piété, et combien il regrettait la perte que l'on avait faite à sa mort. Il en parla de la même manière à feu M. l'Archevêque de Paris, qui lui en demanda des nouvelles, ayant su qu'il l'avait assisté à la mort. Et quoique ce qu'il lui rapporta dans la même occasion d'une conversation qu'il avait eue avec M. Pascal dans sa maladie, ait donné lieu à quelques personnes, qui auraient voulu, s'ils avaient pû, noircir sa mémoire et sa réputation, de faire courir le bruit qu'il avait fait avant que de mourir, une rétractation entre les mains de M. le Curé de Saint-Etienne. Néanmoins il y a peu de gens à présent qui ne soient entièrement désabusés de cette calomnie, dont M. le Curé de Saint-Etienne lui-même, qui est encore vivant, et qui est présentement abbé de Sainte-Geneviève et général de cet Ordre, pourra détromper tous ceux qui ne le seraient pas encore suffisamment, et qui lui en voudront demander l'éclaircissement.

Il s'en est déjà assez expliqué par avance dans plusieurs lettres qu'il nous a fait l'honneur de nous écrire sur ce sujet, et que nous avons en nos mains, par lesquelles il déclare qu'il n'a jamais dit de bouche ni par écrit à qui que ce soit que M. Pascal se fût rétracté, comme en effet cela était très faux. Et il demeure même d'accord qu'il avait pris dans un sens contraire ce que M. Pascal lui avait dit dans cet entretien, duquel il avait fait rapport à M. l'Archevêque, et qui avait donné sujet à ce faux bruit, quoique néanmoins il ne contienne rien de cela, j'ai cru qu'il était nécessaire de faire connaître la fausseté, et de justifier la mémoire d'une personne, qui n'a jamais eu des sentiments qui ne fussent très catholiques, et dont il ait eu besoin de se rétracter, qui a toujours eu un fort grand respect et une très parfaite soumission pour toutes les vérités de la foi, et dont l'entière application et l'unique travail pendant les cinq ou six dernières années de sa vie a été de combattre les ennemis de la Religion et de la morale chrétienne.

4. Le texte qui suit figure dans une copie manuscrite de 1684 et n'a pas été reproduit par A. Gazier. G. Périer l'avait rédigé pour répondre à d'éventuelles publications qui ne se sont pas produites (cf. lettre de G. Périer à M. Audigier de janvier 1682). Ce texte se trouve également dans le ms. B. N. 20945, p. 275.

ŒUVRES MATHÉMATIQUES (1640-1659)

TRAITÉ DES CONIQUES

*Dans l'*Adresse à l'Académie Parisienne (1654), *Pascal mentionne parmi les ouvrages qu'il soumet au jugement de ses membres : « l'*œuvre complète des Coniques, *comprenant et les coniques d'Apollonius et d'innombrables autres résultats, par une seule proposition ou presque; invention que j'ai faite quand je n'avais pas encore atteint l'âge de seize ans, et que plus tard j'ai mis en ordre. »*
De ce Traité des Coniques *il n'est venu jusqu'à nous que deux opuscules :*

1° *L'*Essay pour les Coniques, *qu'il a publié sous forme d'affiche, en* 1640 (*B.N. Imp. Res. V.* 859), *programme de travail, inspiré par le* Brouillon project *de G. Desargues.*

Dans cet essai figure la proposition dénommée « la Pascale » par ses contemporains et appelée aujourd'hui « le théorème de l'Hexagone » (*Hexagramme mystique*) *de Pascal. Il a tiré de ce théorème, selon Mersenne, quatre cents propositions couvrant l'ensemble de la Géométrie des Coniques, qui concerne l'antobole (ellipse), l'hyperbole et la parabole.*

2° *Le* Generatio Conisectionum, *fondement de tout le reste de sa géométrie, dont Leibniz nous a laissé une copie (Bibl. de Hanovre).*
En 1675, *en effet, Étienne Périer avait remis à Leibniz les manuscrits de Pascal touchant les coniques; il les rapporta à l'occasion d'un séjour à Paris.*
Cette remise était accompagnée d'une lettre explicative du 30 *août* 1676*; elle nous fait connaître les titres de divers opuscules du traité.*
Malgré les conseils de Leibniz, renouvelés en 1692, *ni Étienne Périer* († 1680) *ni Louis Périer* († 1713) *ne se sont souciés d'en entreprendre la publication. Tous ces opuscules sont considérés aujourd'hui comme perdus.*
Pascal, ainsi que le remarque Pierre Humbert (l'Œuvre scientifique *de B. Pascal, A. Michel,* 1947), *« a été un géomètre pur, et plus particulièrement un géomètre projectif... ». Ce n'est qu'au début du XIX*[e] *siècle, que Poncelet « porte la théorie des projections à un tel degré de perfection, que cette géométrie projective moderne, entrevue par Desargues, et cultivée avec bonheur par Pascal, est maintenant une branche de la science dont la fécondité et l'élégance ne le cèdent en rien aux autres parties des mathématiques ».*

ESSAI POUR LES CONIQUES

DÉFINITION PREMIÈRE

Quand plusieurs lignes droites concourent à même point, ou sont toutes parallèles entre elles, toutes ces lignes sont dites de même ordre ou de même ordonnance, et la multitude de ces lignes est dite ordre de lignes, ou ordonnance de lignes.

DÉFINITION II

Par le mot de section de Cône, nous entendons la circonférence du Cercle, l'Ellipse, l'Hyperbole, la Parabole et l'Angle rectiligne, d'autant qu'un Cône coupé parallèlement à sa base, ou par son sommet, ou des trois autres sens qui engendrent l'Ellipse, l'Hyperbole et la Parabole, engendre dans la superficie Conique, ou la circonférence d'un cercle, ou un Angle, ou l'Ellipse, ou l'Hyperbole, ou la Parabole.

DÉFINITION III

Par le mot de droite mis seul, nous entendons ligne droite.

LEMME I

(*Fig.* 1.) *Si dans le plan* M, S, Q *du point* M *partent les deux droites* MK, MV, *et du point* S *partent les deux droites* SK, SV, *et que* K *soit le concours des droites* MK, SK, *et* V *le concours des droites* MV, SV, *et* A *le concours des droites* MA, SA, *et* μ *le concours des droites* MV, SK, *et que par deux des quatre points* A, K, μ, V *qui ne soient point en même droite avec les points* M, S, *comme par les points* K, V, *passe la circonférence d'un cercle coupant les droites* MV, MK, SV, SK, *ès points* O, P, Q, N, *je dis que les droites* MS, NO, PQ, *sont de même ordre.*

LEMME II

Si par la même droite passent plusieurs plans, qui soient coupés par un autre plan, toutes les lignes des sections de ces plans sont de même ordre avec la droite par laquelle passent lesdits plans.

(Fig. 1.) Ces deux Lemmes posés, et quelques faciles conséquences d'iceux, nous démontrerons que les mêmes choses étant posées qu'au premier Lemme, si par les

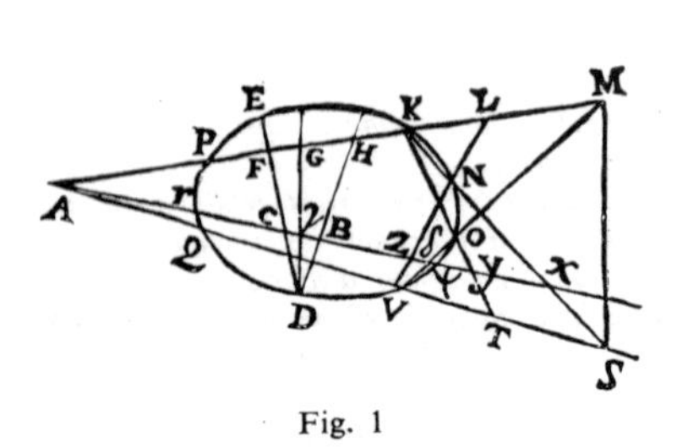

Fig. 1

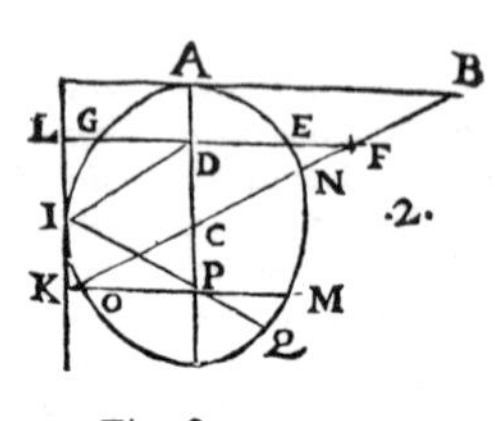

Fig. 2

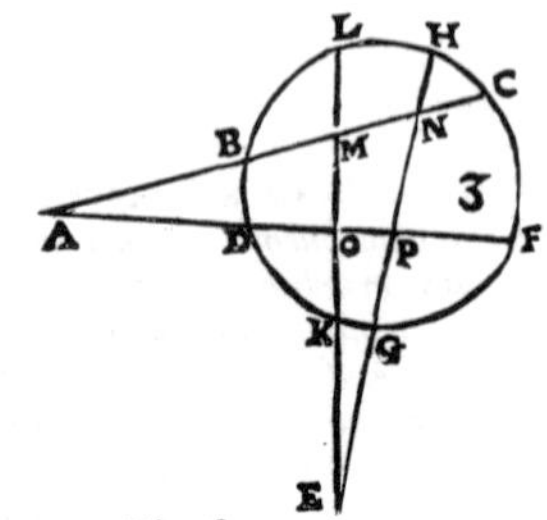

Fig. 3

points K, V *passe une quelconque section de Cône qui coupe les droites* MK, MV, SK, SV *ès points* P, O, N, Q, *les droites* MS, NO, PQ, *seront de même ordre. Cela sera un troisième Lemme.*

En suite de ces trois lemmes et de quelques conséquences d'iceux, nous donnerons des Éléments coniques complets, à savoir toutes les propriétés des diamètres et côtés droits, des tangentes, etc., la restitution du Cône presque sur toutes les données, la description des sections de Cône par points, etc.

Quoi faisant, nous énonçons les propriétés que nous en touchons d'une manière plus universelle qu'à l'ordinaire. Par exemple, celle-ci : si dans le plan MSQ, dans la section de Cône PKV, sont menées les droites AK, AV, atteignantes la section aux points P, K, Q, V; et que de deux de ces quatre points qui ne sont point en même droite avec le point A, comme par les points K, V, et par deux points N, O, pris dans le bord de la section, soient menées quatre droites KN, KO, VN, VO, coupant les droites AV, AP aux points L, M, T, S : je dis que la raison composée des raisons de la droite PM à la droite MA, et de la droite AS à la droite SQ, est la même que la composée des raisons de la droite PL à la droite LA, et de la droite AT à la droite TQ.

Nous démontrerons aussi que s'il y a trois droites DE, DG, DH que les droites AP, AR, coupent aux points F, G, H, C, γ, B, et que dans la droite DC soit déterminé le point E, la raison composée des raisons du rectangle EF en FG au rectangle de EC en Cγ, et de la droite Aγ à la droite AG, est la même que la composée des raisons du rectangle EF en FH au rectangle EC en CB, et de la droite AB à la droite AH. Et est aussi la même que la raison du rectangle des droites FE, FD, au rectangle des droites CE, CD. Partant, si par les points E, D passe une section de Cône qui coupe les droites AH, AB ès points, P, K, R, ψ, la raison composée des raisons du rectangle des droites EF, FG, au rectangle des droites EC, Cψ, et de la droite γA à la droite AG, sera la même que la composée des raisons du rectangle des droites FK, FP, au rectangle des droites CR, Cψ, et du rectangle des droites AR, Aψ, au rectangle des droites AK, AP.

(Fig. 3.) Nous démontrerons aussi que si quatre droites AC, AF, EH, EL, s'entrecoupent ès points N, P, M, O, et qu'une section de Cône coupe lesdites droites ès points C, B, F, D, H, G, L, K, la raison composée des raisons du rectangle de MC en MB, au rectangle des droites PF, PD, et du rectangle des droites AD, AF, au rectangle des droites AB, AC, est la même que la raison composée des raisons du rectangle des droites ML, MK, au rectangle des droites PH, PG, et du rectangle des droites EH, EG, au rectangle des droites EK, EL.

(Fig. 1.) Nous démontrerons aussi cette propriété, dont le premier inventeur est M. Desargues, Lyonnais, un des grands esprits de ce temps, et des plus versés aux Mathématiques, et entr'autres aux Coniques, dont les écrits sur cette matière quoiqu'en petit nombre, en ont donné un ample témoignage à ceux qui en auront voulu recevoir l'intelligence; et veux bien avouer que je dois le peu que j'ai trouvé sur cette matière à ses écrits, et que j'ai tâché d'imiter, autant qu'il m'a été possible, sa méthode sur ce sujet, qu'il a traité sans se servir du triangle par l'axe. Et traitant généralement de toutes les sections de Cône, la propriété merveilleuse dont est question est telle. Si dans le plan MSQ y a une section de Cône PQV, dans le bord de laquelle ayant pris les quatre points K, N, O, V, sont menées les droites KN, KO, VN, VO, de sorte que par un même des quatre points ne passent que deux droites, et qu'une autre droite coupe tant l'abord de la section aux points R, ψ que les droites KN, KO, VN, VO ès points X, Y, Z, δ : je dis que comme le rectangle des droites ZR, Zψ est au rectangle des droites yR, yψ, ainsi le rectangle des droites δR, $\delta\psi$ est au rectangle des droites XR, Xψ.

(Fig. 2.) Nous démontrerons aussi que, si dans le plan de l'hyperbole ou de l'ellipse, ou du cercle AGE, dont le centre est C, on mène la droite AB, touchante au point A la section, et qu'ayant mené le diamètre CA, on prenne la droite AB dont le carré soit égal au quart du rectangle de la figure, et qu'on mène CB, alors, quelque droite qu'on mène, comme DE, parallèle à la droite AB, coupante la section en E, et les droites AC, CB, ès points D, F : si la section AGE est une ellipse ou un cercle, la somme des carrés des droites DE, DF, sera égale au carré de la droite AB; et dans l'hyperbole, la différence des mêmes carrés des droites DE, DF, sera égale au carré de la droite AB.

Nous déduirons aussi quelques problèmes, par exemple: d'un point donné mener une droite touchante une section de Cône donnée.

Trouver deux diamètres conjugués en angle donné.

Trouver deux diamètres en angle donné et en raison donnée.

Nous avons plusieurs autres Problèmes et Théorèmes, et plusieurs conséquences des précédents; mais la défiance que j'ai de mon peu d'expérience et de capacité ne me permet pas d'en avancer davantage avant qu'il ait passé à l'examen des habiles gens qui voudront nous obliger d'en prendre la peine : après quoi si l'on juge que la chose mérite d'être continuée, nous essaierons de la pousser jusques où Dieu nous donnera la force de la conduire.

A Paris, M. DC. XL.

LETTRE DE LEIBNIZ A ÉTIENNE PÉRIER, NEVEU DE M. PASCAL *SUR LE TRAITÉ DES CONIQUES*

Monsieur,

Vous m'avez obligé sensiblement, en me communiquant les manuscrits qui restent de feu M. Pascal, touchant les coniques. Car, outre les marques de votre bienveillance, que j'estime beaucoup, vous me donnez moyen de profiter, par la lecture des méditations d'un des meilleurs esprits du siècle : je souhaiterais pourtant de les avoir pu lire avec un peu plus d'application; mais le grand nombre de distractions, qui ne me laissent pas disposer entièrement de mon temps, ne l'ont pas permis. Néanmoins je crois les avoir lues assez pour pouvoir satisfaire à votre demande, et pour vous dire que je les tiens assez entières et finies pour pouvoir paraître à la vue du public. Et, afin que vous puissiez juger si je parle avec fondement, je veux vous faire un récit des pièces dont elles sont composées, et de la manière que je crois qu'on les peut ranger.

I. Il faut commencer par la pièce dont l'inscription est : *Generatio conisectionum tangentium et secantium; seu projectio peripheriae, tangentium et secantium circuli, in quibuscumque oculi, plani ac tabellae positionibus.* Car c'est le fondement de tout le reste. Les figures y sont (sur des papiers détachés) insérées.

II. Après avoir expliqué la génération des sections du cône, faite optiquement par la projection d'un cercle sur un plan qui coupe le cône des rayons, il explique les propriétés remarquables d'une certaine figure, composée de six lignes droites, qu'il appelle Hexagramme Mystique et il fait voir par le moyen des projections que tout Hexagramme Mystique convient à une section conique, et que toute section conique donne un Hexagramme Mystique. J'ai mis au-devant ces mots, *De Hexagrammo mystico et conico.* Une partie de cette pièce se trouve répétée et insérée mot à mot dans une autre, savoir, les définitions (avec leurs corollaires), et les propositions (mais sans les démonstrations) qui se trouvent répétées dans le traité *De loco solido*, dont je parlerai ci-dessous. Et je vois même que les figures du traité *De loco solido* suppléeront au défaut de quelques-unes qui manquent dans celui-ci, *De Hexagrammo.*

L'usage de l'Hexagramme paraît dans les traités suivants.

Le IIIe traité doit être, à mon avis, celui qui porte cette inscription : *De quatuor tangentibus, et rectis puncta tactuum jungentibus, unde rectarum harmonice sectarum et diametrorum proprietates oriuntur.* Car c'est là-dedans que l'usage de l'Hexagramme paraît, et que les propriétés des centres et des diamètres des sections coniques sont expliquées. Je crois qu'il n'y manque rien.

Le IVe traité est : *De proportionibus segmentorum secantium et tangentium.* Car les propriétés fondamentales des sections coniques qui dépendent de la connaissance du centre et des diamètres étant expliquées dans le traité précédent, il fallait donner quelques belles propriétés universellement conçues, touchant les proportions des droites menées à la section conique; et c'est de là que dépend tout ce qu'on peut dire des ordonnées. Les figures y sont aussi, et je ne vois rien qui manque. J'ai mis après ce traité une feuille qui porte pour titre ces mots : *De correspondentibus diametrorum*, dont la troisième page traite *de summa et differentia laterum, seu de focis.*

Le Ve traité est : *De tactionibus conicis*, c'est-à-dire (afin que le titre ne trompe pas), *de punctis et rectis quas sectio conica attingit;* mais je n'en trouve pas toutes les figures.

Le VIe traité sera : *De loco solido :* j'y ai mis ce titre, parce qu'il n'y en a point : c'est pour ce sujet que Messieurs Descartes et Fermat ont travaillé, quand ils ont donné la composition du lieu solide, chacun à sa mode, Pappus leur en ayant donné l'occasion. C'est là le fruit de la doctrine des sections coniques, car les lieux solides servent à la résolution des problèmes solides. Or, je crois que M. Pascal a voulu donner ce traité à part, ou le communiquer au moins à ses amis, parce qu'il y répète beaucoup de choses du deuxième traité, mot à mot et assez au long. Et c'est pourquoi il commence par ceci : *Definitiones excerptae ex conicis;* savoir, du deuxième traité susdit, où il explique ce qu'il entend par ces mots, *hexagrammum conicum mysticum*, etc.

On peut juger par là que le premier, le second, le troisième et peut-être le cinquième traité, doivent faire proprement les coniques; et ce mot se trouve aussi au dos du premier traité. Les grandes figures dorées (illuminées) appartiennent à ce sixième traité.

J'ai mis ensemble quelques fragments. Il y a un papier imprimé dont le titre est, *Essai des Coniques;* et comme il s'y trouve deux fois tout de même, j'espère que vous permettrez, monsieur, que j'en retienne un. Il y a un fragment, *De restitutione coni*, savoir, les diamètres et paramètres étant donnés, retrouver les sections coniques. Ce discours paraît entier, et a ses figures. Il y a un autre fragment où se trouvent ces mots au commencement, *Magnum problema;* et je crois que c'est celui-ci qui y est compris : *Dato puncto in sublimi, et solido conico ex eo descripto, solidum ita secare, ut exhibeat sectionem conicam datae similem :* mais cela n'est pas mis au net.

Il y a quelques problèmes sur une autre feuille, qui sont cotés; mais il en manque le premier : on en tirera ce qu'on pourra en forme d'appendice; mais le corps de l'ouvrage, composé des IV traités, est assez net et achevé.

Je conclus que cet ouvrage est en état d'être imprimé; et il ne faut pas demander s'il le mérite; je crois même qu'il est bon de ne pas tarder davantage, parce que je vois paraître des traités qui ont quelque rapport à ce qui est dit dans celui-ci; c'est pourquoi je crois qu'il est bon de le donner au plus tôt, avant qu'il perde la grâce de la nouveauté.

J'en ai parlé plus amplement à messieurs vos frères, dont je vous dois la connaissance, et que j'ai priés de me conserver l'honneur de votre bienveillance. J'avais espéré de vous revoir un jour ici; mais je vois que vos affaires ne l'ont pas encore permis, et j'ai peu d'espérance de passer par Clermont. Je souhaiterais de vous pouvoir donner des marques plus convaincantes de l'estime que j'ai pour vous, et de la passion que j'ai pour tout ce qui regarde feu M. Pascal; mais je vous supplie de vous contenter cependant de celles-ci. Je suis,

Monsieur,

Votre très humble et très obéissant serviteur,

Leibniz

A Paris, le 30 août 1676.

GENERATIO CONISECTIONUM

DEFINITIONES

Si a puncto, extra planum circuli sumpto, ad punctum in peripheria sumptum ducta recta linea utrimque infinita circa peripheriam feratur, manente puncto illo immobili, superficies quam in sua circumvolutione describit infinita haec recta dicetur superficies conica; spatium infinitum intra superficiem conicam comprehensum vocabitur conus; circulus vero dicetur basis coni : punctum immobile, vertex; pars superficiei quae a vertice versus basim in infinitum ad alteras partes protenditur dicetur semi superficies conica; recta illo modo assumpta, in quocumque circumvolutionis suae situ constituta, verticalis dicetur.

COROLLARIUM I

Hinc patet, si a puncto verticis ad quodlibet punctum in peripheria vel in superficie conica ubicumque sumptum ducatur recta linea infinita, totam hanc rectam lineam esse in superficie conica, seu verticali.

COROLLARIUM II

Si sumantur in superficie conica duo puncta, quae recta linea jungantur, et ipsa in infinitum producta ad verticem perveniat, tota haec superficiei conicae incumbit, seu verticalis erit; si vero ad verticem non perveniat, nullum erit punctum in recta praeter duo

GÉNÉRATION DES SECTIONS CONIQUES

DEFINITION I

Si on mène une droite infinie dans les deux sens, d'un point pris hors du plan d'un cercle vers un point pris sur la circonférence, et qu'on lui fasse parcourir la circonférence, le premier point demeurant immobile, la surface que décrit cette droite dans sa circonvolution s'appellera surface conique; l'espace infini contenu à l'intérieur de cette surface conique sera nommé cône; en outre le cercle s'appellera base du cône; le point immobile, sommet; la partie de la surface qui va du sommet à l'infini vers les autres parties du côté de la base, s'appellera demi-surface conique. La droite ainsi prise, fixée dans n'importe quelle position de sa circonvolution, s'appellera génératrice.

COROLLAIRE I

Il est donc clair que, si on mène une ligne droite infinie, à partir du sommet vers un point pris n'importe où sur la circonférence ou sur la surface conique, cette ligne droite est tout entière sur la surface conique, c'est-à-dire est une génératrice.

COROLLAIRE II

Si on prend deux points sur une surface conique, si on les joint par une ligne droite, et si la droite même, prolongée à l'infini, parvient au sommet, elle est située tout entière sur la surface conique, c'est-à-dire que ce sera une génératrice; mais, si elle ne parvient pas au sommet, il n'y aura aucun point de la droite qui soit

assumpta quod sit in superficie conica : tota vero linea erit partim intra, partim extra.

COROLLARIUM III

Hinc patet 3 verticales non existere in eodem plano, eo quod tria puncta in peripheria circuli sumpta non possunt esse in eadem recta.

COROLLARIUM IV

Igitur planum infinitum ubicumque positum necessario occurret superficiei conicae ubicumque positae : quia ex tribus quibuscumque verticalibus una necessario occurret et huic plano; hic autem concursus dicetur sectio coni, seu uno verbo conisectio.

SCHOLIUM

Occurrere autem sex modis possunt planum et superficies conica. Vel enim planum occurret conicae superficiei in solo verticis puncto : tunc conisectio est punctum; vel planum per verticem transiens tangit superficiem conicam... unam ex verticalibus : talis conisectio est recta linea; vel per verticem transiens dividit totam superficiem in duas partes aequales : talis conisectio est ang. rectilineus; vel per verticem non transiens, nulli ex verticalibus parallelum est : talis conisectio est Antobola, eo quod in se ipsam redit; vel rursus per verticem non transiens, uni tantum è verticalibus parallelum est : talis conisectio dicetur Parabola; vel adhuc non transiens per verticem duabus è verticalibus parallelum est, et dicetur sectio haec Hyperbola. Sunt ergo sex conisectionum species : Punctum, Recta linea, Ang. rectilineus, Antobola, Parabola, Hyperbola.

DEFINITIO II

Recta ad punctum tendere dicitur, quae ad illud, si opus est producta, pervenit, et recta ad punctum in alia recta ad distantiam infinitam datum duci seu tendere dicitur quae ipsi parallela est.

DEFINITIO III

Duae Rectae aut plures, quomodocumque sint positae, dicuntur semper concurrere, et quidem ad distantiam vel finitam, si se in eodem puncto intersecent, vel infinitam, si sunt parallelae.

DEFINITIO IV

Recta infinita in plano conisectionis ducta, quae conisectionem secat in uno tantum puncto, dicitur monosecans.

DEFINITIO V

Recta infinita in plano conisectionis ducta, quae ipsam conisectionem non nisi ad distantiam infinitam attingit,

sur la surface conique, excepté les deux points donnés; tandis que la droite entière sera en partie à l'intérieur, en partie en dehors.

COROLLAIRE III

Il est donc clair qu'il ne peut y avoir trois génératrices dans un même plan, car trois points pris sur la circonférence du cercle ne peuvent être sur la même droite.

COROLLAIRE IV

Par conséquent un plan infini, en position quelconque, rencontre nécessairement une surface conique, en position quelconque; car, de trois génératrices quelconques, il y en a nécessairement une qui rencontre aussi ce plan. Cette intersection sera nommée section de cône, ou, en un seul mot, conique.

SCHOLIE

Un plan et une surface conique peuvent donc se rencontrer de six façons. En effet, ou le plan rencontre la surface conique en un seul point, le sommet : la section conique ainsi obtenue est un point; ou le plan passe par le sommet et touche la surface conique (suivant) une des génératrices : la section conique est une ligne droite; ou le plan passe par le sommet et divise la surface entière en deux parties égales; la section conique est un angle rectiligne; ou le plan ne passe pas par le sommet et n'est parallèle à aucune des génératrices : la section conique est [appelée] antobole parce qu'elle revient sur elle-même; ou au contraire le plan qui ne passe pas par le sommet est parallèle à une seule des génératrices : la section conique sera appelée parabole; ou encore le plan ne passe pas par le sommet et il est parallèle à deux des génératrices, et cette section sera appelée hyperbole. Il y a donc six espèces de sections coniques : le point, la ligne droite, l'angle rectiligne, l'antobole, la parabole, l'hyperbole.

DEFINITION II

On dit qu'une droite se dirige vers un point, si, prolongée au besoin, elle parvient au point; on dit qu'une droite est menée ou se dirige vers un point donné à distance infinie sur une autre droite, si elle est parallèle à cette droite même.

DEFINITION III

Deux droites ou plus, de quelque façon qu'on les place, sont toujours dites concourir, soit à distance finie, si elles se rencontrent en un même point, soit à distance infinie, si elles sont parallèles.

DEFINITION IV

Une droite infinie, menée dans le plan d'une section conique, qui coupe cette section conique en un seul point, est appelée monosécante.

DEFINITION V

Une droite infinie, menée dans le plan d'une section conique, qui n'atteint pas la section conique elle-même, si ce n'est à distance infinie, et qui est parallèle à certaines monosécantes, est appelée asymptote.

DEFINITION VI

Une droite infinie menée dans le plan du cercle, qui

et quibusdam Monosecantibus parallela est, dicitur asymptotos.

DEFINITIO VI

Recta infinita in plano circuli ducta quae ipsius peripheriam tangit vel secat, dicitur ad circulum.

COROLLARIUM

Hinc patet quod si oculus sit in vertice coni, sitque objectum peripheria circuli qui est coni basis, et tabella sit planum utrimque occurrens superficiei conicae, tunc conisectio quae ab ipso plano in superficie conica producetur, sive sit Punctum, sive sit Recta, sive Angulus, [sive Antobola], sive Parabola, sive Hyperbola, erit apparentia ipsius Peripheriae circuli.

COROLLARIUM

Iisdem positis, si planum tabellae non per verticem transiens nulli è verticalibus seu nulli radio sit parallelum, atque ideo efficiat antobolam, manifestum est, omnia puncta peripheriae projicere suas apparentias in planum tabellae conisectionis ad distantiam finitam.

SCHOLIUM

Inde fit ut Antobola in se ipsam redeat et spatium finitum complectatur.

COROLLARIUM

Iisdem positis, si planum tabellae uni tantùm è verticalibus seu uni è radiis sit parallelum, ideoque efficiat parabolam, manifestum est omnia puncta peripheriae circuli projicere suas apparentias in planum conisectionis ad distantiam finitam, dempto uno puncto, quod non apparet, nisi ad distantiam infinitam.

SCHOLIUM

Inde fit ut Parabola, in infinitum extensa, infinitum spatium suscipiat, quamvis sit apparentia peripheriae circuli quae finita est et spatium finitum complectatur.

COROLLARIUM

Iisdem positis, si planum tabellae duobus è verticalibus parallelum sit, adeoque efficiat hyperbolam, manifestum est omnia puncta in ejus peripheria suas apparentias projicere in plano visionis tanquam tabella ad distantiam finitam, demptis duobus punctis quorum apparentia, propter parallelismum, non nisi ad distantiam infinitam reperientur; ideoque vocabuntur puncta non apparentia circuli, et respecta hyperbola, puncta deficientia.

SCHOLIUM I

Indè fit ut hyperbola sit in infinitum extensa et duabus

touche ou coupe la circonférence de ce cercle même, est dite... au cercle...

COROLLAIRE

Il est donc clair que, si l'œil est au sommet du cône, et si ce qu'on présente est la circonférence du cercle qui est la base du cône, et si le tableau est le plan rencontrant de part et d'autre la surface du cône, alors la section conique qui est engendrée par ce plan même dans la surface conique, qu'elle soit un point, une droite, un angle, [une antobole], une parabole ou une hyperbole, sera l'image de la circonférence du cercle.

COROLLAIRE

Avec les mêmes données, si le plan du tableau ne passe pas par le sommet et n'est parallèle à aucune génératrice, c'est-à-dire à aucun rayon, et par conséquent engendre une antobole, il est manifeste que tous les points de la circonférence projettent leurs images sur le plan du tableau de la section conique à distance finie.

SCHOLIE

De là vient que l'antobole revient sur elle-même et entoure un espace fini.

COROLLAIRE

Avec les mêmes données, si le plan du tableau est parallèle à une seule des génératrices, c'est-à-dire à un seul rayon, et par conséquent engendre une parabole, il est manifeste que tous les points de la circonférence projettent leurs images sur le plan de la section conique à distance finie, exception faite d'un point qui n'a pas d'image, si ce n'est à distance infinie.

SCHOLIE

De là vient que la parabole s'étend à l'infini, et engendre un espace infini, bien qu'elle soit l'image de la circonférence du cercle qui est finie et qui entoure un espace fini.

COROLLAIRE

Avec les mêmes données, si le plan du tableau est parallèle à deux des génératrices, et engendre par conséquent une hyperbole, il est manifeste que tous les points de la circonférence projettent leurs images sur le plan de vision, c'est-à-dire sur le tableau, à distance finie, excepté deux points dont les images, à cause du parallélisme, ne se retrouvent nulle part, si ce n'est à distance infinie; c'est pourquoi ces deux points s'appellent les points sans image du cercle, et relativement à l'hyperbole, les points manquants.

SCHOLIE I

De là vient que l'hyperbole s'étend à l'infini et se compose de deux parties, dont chacune engendre un espace infini; l'une des deux demi-hyperboles est l'image d'une partie de la circonférence, l'autre l'image d'une autre; ainsi chacun des points de la circonférence donne son image sur l'une ou l'autre des demi-hyperboles, excepté deux points qui ne se retrouvent sur aucune des demi-hyperboles, si ce n'est à distance infinie.

constet partibus, quarum quaelibet infinitum spatium suscipit; una ex semi hyberbolis est apparentia partis unius Peripheriae, altera alterius; sic singula puncta peripheriae dant suas apparentias in alterutra semi-hyperbolarum, demptis duobus punctis, quae in neutra semi hyperbola reperiuntur, nisi ad distantiam infinitam.

SCHOLIUM II

Ex tribus praecedentibus corollariis patet duo esse puncta deficientia in Hyperbola, unicum in Parabola, nullum in Antobola.

COROLLARIUM

Iisdem positis, si planum secans superficiem conicam Antobolam efficiat, omnes rectae quae circuli periph. secant projicient in planum conisectionis apparentias suas; quae quidem secabunt Antobolam in duobus punctis.

COROLLARIUM

Si planum superficiem conicam secans omnes rectae quae circuli periph. secant, projicient apparentias in planum conisectionis; quod si recta secans peripheriam ad punctum quod apparentia caret non pertineat, ipsius apparentia in plano tabellae secabit parabolam in duobus punctis; si vero recta ipsa periph. secans ad ipsum punctum apparentia carens pertineat, ipsius rectae apparentia erit parallela radio et Parabolam in uno tantùm puncto secabit.

COROLLARIUM

Si Planum conicam superficiem secans efficiat hyperbolam, omnis recta quae circuli peripheriam secat et ad neutrum punctorum apparentia carentium pertineat, projicit in planum conisectionis apparentiam suam, quae secat conisectionem in duobus punctis. Si vero recta ipsa ad alterutrum punctorum apparentia carentium pertineat, ipsius apparentia secabit hyperbolam et in uno tantùm puncto secabit triangulum; denique si ipsa recta jungat ambo puncta quae carent apparentia, ipsius rectae apparentia in plano conisectionis non erit nisi ad distantiam infinitam.

COROLLARIUM

Iisdem adhuc positis quae supra, si planum tabellae efficiat Antobolam, omnes tangentes peripheriam projicient suas apparentias in planum tabellae tangentes Antobolam in puncto ad distantiam finitam.

COROLLARIUM

Si Planum tabellae efficiat parabolam, omnes tangentes peripheriam, una tantùm dempta quae ad punctum non apparens pertinet, projicient suas apparentias in planum tabellae, quae quidem tangent parabolam in puncto ad distantiam finitam, quod erit puncti contactus in peripheria apparentia.

SCHOLIUM

Est ergo in parabola recta deficiens, quae quidem vice fungitur tangentis, cum tangentis sit apparentia.

SCHOLIE II

D'après les trois précédents corollaires, il est clair qu'il y a deux points manquants sur l'hyperbole, un seul sur la parabole, aucun sur l'antobole.

COROLLAIRE

Avec les mêmes données, si le plan coupant la surface conique engendre une antobole, toutes les droites qui coupent la circonférence du cercle projettent leurs images sur le plan de la section conique, et par conséquent ces images coupent l'antobole en deux points.

COROLLAIRE

Si un plan coupant la surface du cône (engendre une parabole), toutes les droites qui coupent la circonférence du cercle projettent leurs images sur le plan de la section conique; si donc la droite coupant la circonférence n'atteint pas le point sans image, l'image de la droite même coupe la parabole en deux points; mais si cette droite coupe la circonférence précisément au point qui n'a pas d'image, l'image de la droite sera parallèle à un rayon et coupera la parabole en un seul point.

COROLLAIRE

Si le plan coupant la surface conique engendre une hyperbole, toute droite qui coupe la circonférence du cercle et qui n'atteint aucun des deux points sans image, projette son image sur le plan de la section conique, et cette image coupe la section conique en deux points. Mais si la droite atteint l'un ou l'autre des points sans image, sa propre image coupe l'hyperbole et coupe en un seul point le triangle; enfin si cette droite joint les deux points sans image, l'image de cette droite ne sera pas dans le plan de la section conique, si ce n'est à distance infinie.

COROLLAIRE

Avec les mêmes données que ci-dessus, si le plan du tableau engendre une antobole, toutes les tangentes à la circonférence projettent leurs images sur le plan de vision suivant des droites qui touchent l'antobole en un point à distance finie.

COROLLAIRE

Si le plan du tableau engendre une parabole, toutes les tangentes à la circonférence, excepté seulement celle qui atteint le point sans image, projettent leurs images sur le plan du tableau et celles-ci touchent en fait la parabole en un point à distance finie, qui sera l'image du point de contact sur la circonférence.

SCHOLIE

Il y a donc sur la parabole une droite manquante qui joue vraiment le rôle d'une tangente, puisqu'elle est l'image d'une tangente.

COROLLARIUM

Si planum tabellae efficiat hyperbolam, omnes tangentes periph. projicient suas apparentias in planum tabellae, etiamsi ad puncta non apparentia pertineant; et quidem si ipsae tangentes peripheriam ad puncta non apparentia non pertineant, ipsarum apparentiae tangent hyperbolam in puncto ad distantiam finitam : si vero ducantur tangentes ad puncta non apparentia, ipsarum apparentia non nisi ad distantiam infinitam hyperbolam attingent et parallelae erunt alterutri radiorum.

SCHOLIUM I

Colligendum hinc asymptotos censeri et sumi pro tangentibus ad distantiam infinitam.

SCHOLIUM II

Colligitur quoque ex praecedentibus in parabola esse unam seriem rectarum inter se parallelarum secantium parabolam in uno tantùm puncto.

SCHOLIUM III

Colligitur quoque in hyperbola esse duas series rectarum inter se parallelarum quarum in utraque una recta est quae non nisi ad distantiam infinitam hyperbolam attingit, seu quae est asymptotos. Denique patet Parabolam esse medium inter Antobolam et hyperbolam, nam :

IN ANTOBOLA	PARABOLA	HYPERBOLA
Verticalis parall. nequidem una;	*Una est parallela.*	*Duae verticales parallelae :*
punctum deficiens nequidem unum.	*Unum è punctis deficiens.*	*Duo puncta deficientia.*
Constat finita linea una.	*Una linea infinita.*	*Constat duobus lineis infinitis.*
Comprehendit, spatium finitum unum.	*Unum spatium infinitum.*	*Spatia duo infinita.*
Series parallel. nulla.	*Una series monosecantium.*	*Duae series monosecantium.*

COROLLAIRE

Si le plan de vision engendre une hyperbole, toutes les tangentes à la circonférence projettent leurs images sur le plan du tableau, même si elles atteignent un point sans image; et, en fait, si ces tangentes à la circonférence n'atteignent pas les points sans image, leurs propres images touchent l'hyperbole en un point à distance finie; mais si les tangentes sont menées à un point sans image, les images de ces mêmes droites n'atteindront pas l'hyperbole si ce n'est à distance infinie et elles seront parallèles à l'un ou l'autre des rayons.

SCHOLIE I

On doit conclure de là que les asymptotes jouent le rôle de tangentes à distance infinie et doivent compter comme telles.

SCHOLIE II

On doit conclure aussi de ce qui précède qu'il y a dans la parabole une série de droites parallèles entre elles, qui coupent la parabole en un seul point.

SCHOLIE III

On doit conclure aussi qu'il y a dans l'hyperbole deux séries de droites parallèles entre elles qui coupent l'hyperbole en un seul point, et que, dans l'une et l'autre série, il y a une droite qui n'atteint pas l'hyperbole si ce n'est à distance infinie, c'est-à-dire qui est une asymptote. Enfin il est clair que la parabole est à mi-chemin entre l'antobole et l'hyperbole, car :

DANS L'ANTOBOLE	LA PARABOLE	L'HYPERBOLE
Aucune génératrice parallèle [au plan de la conique];	Il y en a une de parallèle;	Deux génératrices parallèles;
aucun point manquant.	un des points est manquant.	deux points manquants.
Elle est formée d'une ligne finie.	[Elle est formée] d'une ligne infinie.	Elle est formée de deux lignes infinies.
Elle entoure un espace fini.	Un espace infini.	Deux espaces infinis.
Pas de série de parallèles.	Une série de monosécantes.	Deux séries de monosécantes.

LA RÈGLE DES PARTIS

Ce sont deux problèmes de jeu posés par le chevalier de Méré, et peut-être aussi par Damien Mitton, à Pascal, qui sont à l'origine de ses recherches sur la Règle des partis *et de sa correspondance avec Fermat.*
« Mais alors que Fermat organise des solutions sur les combinaisons, la méthode de Pascal est plus courte et plus sûre : c'est la récurrence. Elle consiste à analyser d'abord les situations les plus simples et à montrer que de proche en proche on peut « composer les aléas » et décider le parti à prendre dans des situations de plus en plus compliquées. Ce sont les recherches de Pascal et de Fermat qui marquent la naissance du calcul des probabilités... » (cf. Catalogue, *exposition B.N. de Pascal,* 1962, p. 51).

Mais si leurs méthodes étaient différentes ils parvinrent au même résultat.
Ainsi la géométrie du hasard *était née et, comme l'écrira Pascal, « désormais ces faits demeurés rebelles à l'expérience ne peuvent plus échapper à l'empire de la raison ».*
A signaler qu'une lettre de Pascal à Fermat, antérieure à la première que nous possédons, est perdue. Elle répondait à une lettre de Fermat, également perdue, qui exposait la solution du savant toulousain. Deux passages de la première lettre sont, ici, traduits pour la première fois en français.
Pour la correspondance échangée entre Pascal et Fermat se reporter au 1er Recueil Guerrier *(gros in* 4°*) p.* 97-102 *et à* Varia Opera mathematica. *D. Petri de Fermat. Toulouse. J. Peck.* 1679.

LETTRE DE PASCAL A FERMAT

Le 29 juillet 1654.

Monsieur,

L'impatience me prend aussi bien qu'à vous et, quoique je sois encore au lit, je ne puis m'empêcher de vous dire que je reçus hier au soir, de la part de M. de Carcavi, votre lettre sur les partis, que j'admire si fort que je ne puis vous le dire. Je n'ai pas le loisir de m'étendre, mais, en un mot, vous avez trouvé les deux partis des dés et des parties [1] dans la parfaite justesse; j'en suis tout satisfait, car je ne doute plus maintenant que je ne sois dans la vérité, après la rencontre admirable où je me trouve avec vous.

J'admire bien davantage la méthode des partis que celle des dés; j'avais vu plusieurs personnes trouver celle des dés, comme M. le Chevalier de Méré, qui est celui qui m'a proposé ces questions et aussi M. de Roberval : mais M. de Méré n'avait jamais pu trouver la juste valeur des partis ni de biais pour y arriver, de sorte que je me trouvais seul qui eusse connu cette proportion.

Votre méthode est très sûre et est celle qui m'est la première venue à la pensée dans cette recherche; mais parce que la peine des combinaisons est excessive, j'en ai trouvé un abrégé et proprement une autre méthode bien plus courte et plus nette, que je voudrais pouvoir vous dire ici en peu de mots : car je voudrais désormais vous ouvrir mon cœur, s'il se pouvait, tant j'ai de joie de voir notre rencontre. Je vois bien que la vérité est la même à Toulouse et à Paris.

Voici à peu près comme je fais pour savoir la valeur de chacune des parties, quand deux joueurs jouent, par exemple, en trois parties, et chacun a mis 32 pistoles au jeu :

Posons que le premier en ait deux et l'autre une; ils jouent maintenant une partie, dont le sort est tel que, si le premier la gagne, il gagne tout l'argent qui est au jeu, savoir, 64 pistoles; si l'autre la gagne, ils sont deux parties à deux parties, et par conséquent, s'ils veulent se séparer, il faut qu'ils retirent chacun leur mise, savoir, chacun 32 pistoles.

Considérez donc, Monsieur, que si le premier gagne, il lui appartient 64; s'il perd, il lui appartient 32. Donc s'ils veulent ne point hasarder cette partie et se séparer sans la jouer, le premier doit dire : « Je suis sûr d'avoir 32 pistoles, car la perte même me les donne; mais pour les 32 autres, peut-être je les aurai, peut-être vous les aurez; le hasard est égal; partageons donc ces 32 pistoles par la moitié et me donnez, outre cela, mes 32 qui me sont sûres. » Il aura donc 48 pistoles et l'autre 16.

Posons maintenant que le premier ait deux parties et l'autre point, et ils commencent à jouer une partie. Le sort de cette partie est tel que, si le premier la gagne, il tire tout l'argent, 64 pistoles; si l'autre la gagne, les voilà revenus au cas précédent, auquel le premier aura deux parties et l'autre une.

Or, nous avons déjà montré qu'en ce cas il appartient à celui qui a les deux parties, 48 pistoles : donc, s'ils

1. Voir p. 57, III, ce que Pascal entend par là.

veulent ne point jouer cette partie, il doit dire ainsi : « Si je la gagne, je gagnerai tout, qui est 64; si je la perds, il m'appartiendra légitimement 48 : donc donnez-moi les 48 qui me sont certaines au cas même que je perde, et partageons les 16 autres par la moitié, puisqu'il y a autant de hasard que vous les gagniez comme moi. » Ainsi il aura 48 et 8, qui sont 56 pistoles.

Posons enfin que le premier n'ait qu'*une* partie et l'autre point. Vous voyez, Monsieur, que, s'ils commencent une partie nouvelle, le sort en est tel que, si le premier la gagne, il aura deux parties à point, et partant, par le cas précédent, il lui appartient 56; s'il la perd, ils sont partie à partie : donc il lui appartient 32 pistoles. Donc il doit dire : « Si vous voulez ne la pas jouer, donnez-moi 32 pistoles qui me sont sûres, et partageons le reste de 56 par la moitié. De 56 ôtez 32, reste 24; partagez donc 24 par la moitié, prenez-en 12, et moi 12, qui, avec 32, font 44. »

Or, par ce moyen, vous voyez, par les simples soustractions, que, pour la première partie, il appartient sur l'argent de l'autre 12 pistoles; pour la seconde, autres 12; et pour la dernière, 8.

Or, pour ne plus faire de mystère, puisque vous voyez aussi bien tout à découvert et que je n'en faisais que pour voir si je ne me trompais pas, la valeur (j'entends la valeur sur l'argent de l'autre seulement) de la dernière partie de deux est double de la dernière partie de trois et quadruple de la dernière partie de quatre et octuple de la dernière partie de cinq, etc.

Mais la proportion des premières parties n'est pas si aisée à trouver : elle est donc ainsi, car je ne veux rien déguiser, et voici le problème dont je faisais tant de cas, comme en effet il me plaît fort :

Étant donné tel nombre de parties qu'on voudra, trouver la valeur de la première.

Soit le nombre des parties donné, par exemple, 8. Prenez les huit premiers nombres pairs et les huit premiers nombres impairs, savoir : 2, 4, 6, 8, 10, 12, 14, 16, et 1, 3, 5, 7, 9, 11, 13, 15.

Multipliez les nombres pairs en cette sorte : le premier par le second, le produit par le troisième, le produit par le quatrième, le produit par le cinquième, etc.; multipliez les nombres impairs de la même sorte : le premier par le second, le produit par le troisième, etc.

Le dernier produit des pairs est le dénominateur et le dernier produit des impairs est le numérateur de la fraction qui exprime la valeur de la première partie de *huit* : c'est-à-dire que, si on joue chacun le nombre des pistoles exprimé par le produit des pairs, il en appartiendra sur l'argent de l'autre le nombre exprimé par le produit des impairs.

Ce qui se démontre, mais avec beaucoup de peine, par les combinaisons telles que vous les avez imaginées, et je n'ai pu le démontrer par cette autre voie que je viens de vous dire, mais seulement par celle des combinaisons. Et voici les propositions qui y mènent, qui sont proprement des propositions arithmétiques touchant les combinaisons, dont j'ai d'assez belles propriétés.

Si d'un nombre quelconque de lettres, par exemple, de 8 : A, B, C, D, E, F, G, H, vous en prenez toutes les combinaisons possibles de 4 lettres et ensuite toutes les combinaisons possibles de 5 lettres, et puis de 6, de 7, et de 8, etc., et qu'ainsi vous preniez toutes les combinaisons possibles depuis la multitude qui est la moitié de la toute jusqu'au tout, je dis que, si vous joignez ensemble la moitié de la combinaison de 4 avec chacune des combinaisons supérieures, la somme sera le nombre tantième de la progression quaternaire à commencer par le binaire, qui est la moitié de la multitude.

Par exemple, et je vous le dirai en latin, car le français n'y vaut rien :

Si quotlibet litterarum, verbi gratia octo :

A, B, C, D, E, F, G, H,

sumantur omnes combinationes quaternarii, quinquenarii, senarii, etc., usque ad octonarium, dico, si jungas dimidium combinationis quaternarii, nempe 35 (dimidium 70) cum omnibus combinationibus quinquenarii, nempe 56, plus omnibus combinationibus senarii, nempe 28, plus omnibus combinationibus septenarii, nempe 8, plus omnibus combinationibus octonarii, nempe 1, factum esse quartum numerum progressionis quaternarii cujus origo est 2 : dico quartum numerum, quia 4 octonarii dimidium est.

Sunt enim numeri progressionis quaternarii cujus origo est 2, isti :

2, 8, 32, 128, 512, etc.,

Quorum 2 primus est, 8 secundus, 32 tertius, et 128 quartus, cui 128 aequantur :

+ 35 dimidium combinationis 4 litterarum
+ 56 combinationis 5 litterarum
+ 28 combinationis 6 litterarum
+ 8 combinationis 7 litterarum
+ 1 combinationis 8 litterarum

[Si, de tant de lettres que l'on voudra, par exemple huit,

A, B, C, D, E, F, G, H,

l'on prend toutes les combinaisons quaternaires, quinquenaires, senaires, etc., jusqu'à l'octonaire, je dis que si l'on ajoute à la moitié de la combinaison quaternaire, c'est-à-dire 35 (moitié de 70), toutes les combinaisons quinquenaires, c'est-à-dire 56, toutes les combinaisons senaires, c'est-à-dire 28, toutes les combinaisons septenaires, c'est-à-dire 8, toutes les combinaisons octonaires, c'est-à-dire 1, on a le quatrième nombre d'une progression quaternaire d'origine 2 : je dis le quatrième nombre parce que 4 est la moitié de l'octonaire.

Les nombres de la progression quaternaire d'origine 2 sont en effet les suivants :
2, 8, 32, 128, 512, etc.,
dont 2 est le premier, 8 le second, 32 le troisième, et 128 le quatrième, auquel 128 égalent :

+ 35 moitié de la combinaison 4 des lettres,
+ 56 combinaison 5 des lettres,
+ 28 combinaison 6 des lettres,
+ 8 combinaison 7 des lettres,
+ 1 combinaison 8 des lettres [2]]

2. Le nombre des combinaisons de 8 lettres 4 à 4 est en effet 70 et les autres nombres indiqués sont les nombres des combinaisons des lettres 5 à 5, 6 à 6, 7 à 7, 8 à 8.

La propriété énoncée ici par Pascal résulte des propositions VII et IX du traité *Combinationes*, en remarquant la symétrie due à la proposition I dans la répartition des combinaisons. (Traduction et note de P. Costabel.)

Voilà la première proposition, qui est purement arithmétique; l'autre regarde la doctrine des partis et est telle :

Il faut dire auparavant : si on a une partie de 5, par exemple, et qu'ainsi il en manque 4, le jeu sera infailliblement décidé en 8, qui est double de 4.

La valeur de la première partie de 5 sur l'argent de l'autre est la fraction qui a pour numérateur la moitié de la combinaison de 4 sur 8 (je prends 4 parce qu'il est égal au nombre des parties qui manque, et 8 parce qu'il est double de 4) et pour dénominateur ce même numérateur plus toutes les combinaisons supérieures.

Ainsi, si j'ai une partie de 5, il m'appartient, sur l'argent de mon joueur, $\frac{35}{128}$ c'est-à-dire que, s'il a mis 128 pistoles, j'en prends 35 et lui laisse le reste, 93.

Or, cette fraction $\frac{35}{128}$ est la même que celle-là : $\frac{105}{384}$ laquelle est faite par la multiplication des pairs pour le dénominateur et la multiplication des impairs pour le numérateur.

Vous verrez bien sans doute tout cela, si vous vous en donnez tant soit peu la peine : c'est pourquoi je trouve inutile de vous en entretenir davantage. Je vous envoie néanmoins une de mes vieilles tables [3]; je n'ai pas le loisir de la copier. Je la referai. Vous y verrez comme toujours que la valeur de la première partie est égale à celle de la seconde, ce qui se trouve aisément par les combinaisons.

Vous verrez de même que les nombres de la première ligne augmentent toujours; ceux de la seconde de même; ceux de la troisième de même.

Mais ensuite ceux de la quatrième diminuent; ceux de la cinquième, etc. Ce qui est étrange.

Je n'ai pas le temps de vous envoyer la démonstration d'une difficulté qui étonnait fort M..., car il a très bon esprit, mais il n'est pas géomètre (c'est, comme vous savez, un grand défaut) et même il ne comprend pas qu'une ligne mathématique soit divisible à l'infini et croit fort bien entendre qu'elle est composée de points en nombre fini, et jamais je n'ai pu l'en tirer. Si vous pouviez le faire, on le rendrait parfait.

Il me disait donc qu'il avait trouvé fausseté dans les nombres par cette raison :

Si on entreprend de faire un six avec un dé, il y a avantage de l'entreprendre en 4, comme de 671 à 625.

Si on entreprend de faire Sonnez avec deux dés, il y a désavantage de l'entreprendre en 24.

Et néanmoins 24 est à 36 (qui est le nombre des faces des deux dés) comme 4 à 6 (qui est le nombre des faces d'un dé).

Voilà quel était son grand scandale qui lui faisait dire hautement que les propositions n'étaient pas constantes et que l'arithmétique se démentait : mais vous en verrez bien aisément la raison par les principes où vous êtes.

Je mettrai par ordre tout ce que j'en ai fait, quand j'aurai achevé des traités géométriques où je travaille il y a déjà quelque temps.

J'en ai fait aussi d'arithmétiques, sur le sujet desquels je vous supplie de me mander votre avis sur cette démonstration.

Je pose le lemme que tout le monde sait : que la somme de tant de nombres qu'on voudra de la progression continue depuis l'unité comme

$$1,\ 2,\ 3,\ 4,$$

étant prise deux fois, est égale au dernier, 4, mené dans le prochainement plus grand, 5 : c'est-à-dire que la somme des nombres contenus dans A, étant prise deux fois, est égale au produit de A in (A + 1)[4].

Maintenant je viens à ma proposition :

Duorum quorumlibet cuborum proximorum differentia, unitate demptâ, sextupla est omnium numerorum in minoris radice contentorum.

Sint duae radices, S unitate differentes : dico

$$R^3 - S^3 - 1.$$

aequari summae numerorum in S contentorum sexies sumptae.

Etenim S vocetur A; ergo R est

$$A + 1.$$

Igitur cubus radicis R, seu A + 1, est

$$A^3 + 3A^2 + 3A + 1^3.$$

Cubus vero S, seu A, est

$$A^3;$$

et horum differentia est

$$3A^2 + 3A + 1^3$$

id est

$$R^3 - S^3.$$

Igitur si auferatur unitas,

$$3A^2 + 3A \text{ aeq. } R^3 - S^3 - 1.$$

Sed duplum summae numerorum in A seu S contentorum aequatur ex lemmate,

$$A \text{ in } (A + 1), \text{ hoc est } A^2 + A :$$

igitur sextuplum summae numerorum in A contentorum aequatur

$$3\,A^2 + 3A.$$

Sed

$$3\,A^2 + 3\,A \text{ aeq. } R^3 - S^3 - 1; \text{ igitur}$$

$R^3 - S^3 - 1$ aeq. sextuplo summae numerorum in A seu S contentorum.

Quod erat demonstrandum.

[De deux cubes quelconques consécutifs, la différence, retranchée l'unité, est sextuple de tous les nombres contenus dans la plus petite racine.

Soient deux racines R, S différant d'une unité.

Je dis que $R^3 - S^3 - 1$ est égal à la somme des nombres contenus dans S comptée 6 fois.

Soit en effet S appelé A. Donc R est A + 1.

Donc le cube de la racine R, ou A + 1, est

3. Voir ci-dessous, page 46.

4. « *In* » signifie ici « *multiplié par* ». On rencontre ainsi tout au long des Œuvres mathématiques soit « *in* » (latin), soit « *en* » (français) avec le sens de « *par* », « *multiplié par* ».

$$A^3 + 3\,A^2 + 3\,A + 1^3$$

Le cube de S, ou A, est, il est vrai, A^3
et leur différence est $3\,A^2 + 3\,A + 1^3$, et c'est

$$R^3 - S^3$$

Donc, si on enlève l'unité, $3\,A^2 + 3\,A$ égale $R^3 - S^3 - 1$.

Mais le double de la somme des nombres contenus dans A ou S, d'après le lemme, est égal à $A\,(A + 1)$, c'est-à-dire $A^2 + A$.

Donc le sextuple de la somme des nombres contenus dans A est égal à $3\,A^2 + 3\,A$.

Mais $3\,A^2 + 3\,A$ égale $R^3 - S^3 - 1$.

Donc $R^3 - S^3 - 1$ est égal au sextuple de la somme des nombres contenus dans A ou S.

C.q.f.d. [5].]

On ne m'a pas fait de difficulté là-dessus, mais on m'a dit qu'on ne m'en faisait pas par cette raison que tout le monde est accoutumé aujourd'hui à cette méthode; et moi je prétends que, sans me faire grâce, on doit admettre cette démonstration comme d'un genre excellent : j'en attends néanmoins votre avis avec toute soumission.

Tout ce que j'ai démontré en arithmétique est de cette nature; voici encore deux difficultés :

J'ai démontré une proposition plane en me servant du cube d'une ligne, comparé au cube d'une autre : je prétends que cela est purement géométrique, et dans la sévérité la plus grande.

De même j'ai résolu le problème :

De quatre plans, quatre points et quatre sphères, quatre quelconques étant donnés, trouver une sphère qui, touchant les sphères données, passe par les points donnés, et laisse sur les plans des portions de sphères capables d'angles donnés, et celui-ci;

De trois cercles, trois points, trois lignes, trois quelconques étant donnés, trouver un cercle qui, touchant les cercles et les points, laisse sur les lignes un arc capable d'angle donné.

J'ai résolu ces problèmes pleinement, n'employant dans la construction que des cercles et des lignes droites; mais, dans la démonstration, je me sers de lieux solides, de paraboles ou hyperboles : je prétends néanmoins qu'attendu que la construction est plane, ma solution est plane et doit passer pour telle.

C'est bien mal reconnaître l'honneur que vous me faites de souffrir mes entretiens, que de vous importuner si longtemps; je ne pense jamais vous dire que deux mots, et si je ne vous dis pas ce que j'ai le plus sur le cœur, qui est que plus je vous connais, plus je vous admire et vous honore et que, si vous voyiez à quel point cela est, vous donneriez une place dans votre amitié à celui qui est, etc.

PASCAL.

5. Application simple de la 3e diagonale du triangle arithmétique, qui permet de construire la table des cubes à l'aide des nombres triangulaires successifs et d'évaluer la somme des cubes des nombres entiers.

Relier au problème IV du « *De Numericis ordinibus Tractatus* ». (Traduction et note de P. Costabel.)

TABLE

DONT IL EST FAIT MENTION DANS LA LETTRE PRECEDENTE

Si on joue chacun 256, *en*

Il m'appartient sur les 256 pistoles de mon joueur, pour la	6 Parties.	5 Parties.	4 Parties.	3 Parties.	2 Parties.	1 Partie.
1re Partie.	63	70	80	96	128	256
2e Partie.	63	70	80	96	128	
3e Partie.	56	60	64	64		
4e Partie.	42	40	32			
5e Partie.	24	16				
6e Partie.	8					

Si on joue 256, *chacun, en*

Il m'appartient sur les 256 pistoles de mon joueur, pour	6 Parties.	5 Parties.	4 Parties.	3 Parties.	2 Parties.	1 Partie.
La 1re Partie.	63	70	80	96	128	256
Les 2 Ires Parties.	126	140	160	192	256	
Les 3 Ires Parties.	182	200	224	256		
Les 4 Ires Parties.	224	240	256			
Les 5 Ires Parties.	248	256				
Les 6 Ires Parties.	256					

LETTRE DE PASCAL A FERMAT

Du 24 août 1654.

Monsieur,

Je ne pus vous ouvrir ma pensée entière touchant les parties de plusieurs joueurs par l'ordinaire passé, et même j'ai quelque répugnance à le faire, de peur qu'en ceci cette admirable convenance, qui était entre nous et qui m'était si chère, ne commence à se démentir, car je crains que nous ne soyons de différents avis sur ce sujet. Je vous veux ouvrir toutes mes raisons, et vous me ferez la grâce de me regresser, si j'erre, ou de l'affermir, si j'ai bien rencontré. Je vous le demande tout de bon et sincèrement, car je ne me tiendrai pour certain que quand vous serez de mon côté.

Quand il n'y a que deux joueurs, votre méthode, qui procède par les combinaisons, est très sûre, mais quand il y en a trois, je crois avoir démonstration qu'elle est mal juste, si ce n'est que vous y procédiez de quelque autre manière que je n'entends pas. Mais la méthode que je vous ai ouverte et dont je me sers partout est commune à toutes les conditions imaginables de toutes sortes de partis, au lieu que celle des combinaisons (dont je ne me sers qu'aux rencontres particulières où elle est plus courte que la générale) n'est bonne qu'en ces seules occasions et non pas aux autres.

a a a a	1
a a a b	1
a a b a	1
a a b b	1
a b a a	1
a b a b	1
a b b a	1
a b b b	2
b a a a	1
b a a b	1
b a b a	1
b a b b	2
b b a a	1
b b a b	2
b b b a	2
b b b b	2

Je suis sûr que je me donnerai à entendre, mais il me faudra un peu de discours, et à vous un peu de patience.

Voici comment vous procédez quand il y a deux joueurs :

Si deux joueurs, jouant en plusieurs parties, se trouvent en cet état qu'il manque deux parties au premier et trois au second, pour trouver le parti, il faut (dites-vous), voir en combien de parties le jeu sera décidé absolument.

Il est aisé de supputer que ce sera en quatre parties, d'où vous concluez qu'il faut voir combien quatre parties se combinent entre deux joueurs et voir combien il y a de combinaisons pour faire gagner le premier et combien pour le second et partager l'argent suivant cette proportion. J'eusse eu peine à entendre ce discours-là, si je ne l'eusse su de moi-même auparavant; aussi vous l'aviez écrit dans cette pensée. Donc, pour voir combien quatre parties se combinent entre deux joueurs, il faut imaginer qu'ils jouent avec un dé à deux faces (puisqu'ils ne sont que deux joueurs), comme à croix et pile, et qu'ils jettent quatre de ces dés (parce qu'ils jouent en quatre parties); et maintenant il faut voir combien ces dés peuvent avoir d'assiettes différentes. Cela est aisé à supputer : ils peuvent en avoir seize, qui est le second degré de quatre, c'est-à-dire le carré. Car figurons-nous qu'une des faces est marquée a, favorable au premier joueur, et l'autre b, favorable au second; donc ces quatre dés peuvent s'asseoir sur une de ces seize assiettes : aaaa... bbbb.

Et parce qu'il manque deux parties au premier joueur, toutes les faces qui ont deux a le font gagner : donc il y en a 11 pour lui; et parce qu'il manque trois parties au second, toutes les faces où il y a trois b le peuvent faire gagner : donc il y en a 5. Donc il faut qu'ils partagent la somme comme 11 à 5.

Voilà votre méthode quand il y a deux joueurs; sur quoi vous dites que, s'il y en a davantage, il ne sera pas difficile de faire les partis par la même méthode.

Sur cela, Monsieur, j'ai à vous dire que ce parti pour deux joueurs, fondé sur les combinaisons, est très juste et très bon; mais que, s'il y a plus de deux joueurs, il ne sera pas toujours juste et je vous dirai la raison de cette différence.

Je communiquai votre méthode à nos messieurs, sur quoi M. de Roberval me fit cette objection :

Que c'est à tort que l'on prend l'art de faire le parti sur la supposition qu'on joue en quatre parties, vu que, quand il manque deux parties à l'un et trois à l'autre, il n'est pas de nécessité que l'on joue quatre parties, pouvant arriver qu'on n'en jouera que deux ou trois, ou, à la vérité peut-être quatre :

Et ainsi qu'il ne voyait pas pourquoi on prétendait de faire le parti juste sur une condition feinte qu'on jouera quatre parties, vu que la condition naturelle du jeu, est qu'on ne jouera plus dès que l'un des joueurs aura gagné, et qu'au moins, si cela n'était faux, cela n'était pas démontré, de sorte qu'il avait quelque soupçon que nous avions fait un paralogisme.

Je lui répondis que je ne me fondais pas tant sur cette méthode des combinaisons, laquelle véritablement n'est pas en son lieu en cette occasion, comme sur mon autre méthode universelle, à qui rien n'échappe et qui porte sa démonstration avec soi, qui trouve le même parti précisément que celle des combinaisons; et de plus je lui démontrai la vérité du parti entre deux joueurs par les combinaisons en cette sorte :

N'est-il pas vrai que, si deux joueurs, se trouvant en cet état de l'hypothèse qu'il manque deux parties à l'un et trois à l'autre, conviennent maintenant de gré à gré qu'on joue quatre parties complètes, c'est-à-dire qu'on jette les quatre dés à deux faces tous à la fois, n'est-il pas vrai, dis-je, que s'ils ont délibéré de jouer les quatre parties, le parti doit être tel que nous avons dit, suivant la multitude des assiettes favorables à chacun?

Il en demeura d'accord et cela en effet est démonstratif; mais il niait que la même chose subsistât, en ne s'astreignant pas à jouer les quatre parties. Je lui dis donc ainsi :

N'est-il pas clair que les mêmes joueurs, n'étant pas astreints à jouer les quatre parties, mais voulant quitter le jeu dès que l'un aurait atteint son nombre, peuvent, sans dommage ni avantage, s'astreindre à jouer les quatre parties entières et que cette convention ne change en aucune manière leur condition? Car, si le premier gagne les deux premières parties de quatre et qu'ainsi il ait gagné, refusera-t-il de jouer encore deux parties, vu que, s'il les gagne, il n'a pas mieux gagné, et s'il les perd, il n'a pas moins gagné, car ces deux que l'autre a gagnées ne lui suffisent pas, puisqu'il lui en faut trois, et ainsi il n'y a pas assez de quatre parties pour faire qu'ils puissent tous deux atteindre le nombre qui leur manque.

Certainement il est aisé de considérer qu'il est absolument égal et indifférent à l'un et à l'autre de jouer en la condition naturelle à leur jeu, qui est de finir dès qu'un aura son compte, ou de jouer les quatre parties entières : donc, puisque ces deux conditions sont égales et indifférentes, le parti doit être tout pareil en l'une et en l'autre. Or, il est juste quand ils sont obligés de jouer quatre parties, comme je l'ai montré : donc il est juste aussi en l'autre cas.

Voilà comment je le démontrai et, si vous y prenez garde, cette démonstration est fondée sur l'égalité des deux conditions, vraie et feinte, à l'égard de deux joueurs, et qu'en l'une et en l'autre un même gagnera toujours et, si l'un gagne ou perd en l'une, il gagnera ou perdra en l'autre et jamais deux n'auront leur compte.

Suivons la même pointe pour trois joueurs et posons qu'il manque une partie au premier, qu'il en manque deux au second et deux au troisième. Pour faire le parti, suivant la même méthode des combinaisons, il faut chercher d'abord en combien de parties le jeu sera décidé, comme nous avons fait quand il y avait deux joueurs : ce sera en trois, car ils ne sauraient jouer trois parties sans que la décision soit arrivée nécessairement.

Il faut voir maintenant combien 3 parties se combinent entre trois joueurs et combien il y en a de favorables à l'un, combien à l'autre et combien au dernier et, suivant cette proportion, distribuer l'argent de même qu'on a fait en l'hypothèse de deux joueurs.

Pour voir combien il y a de combinaisons en tout, cela est aisé : c'est la troisième puissance de 3, c'est-à-dire son cube 27. Car si on jette trois dés à la fois (puisqu'il faut jouer trois parties) qui aient chacun trois faces (puisqu'il y a trois joueurs) l'une marquée a favorable au premier, l'autre b pour le second, l'autre c pour le troisième, il est manifeste que ces trois dés jetés ensemble peuvent s'asseoir sur 27 assiettes différentes, savoir :

Ou, il ne manque qu'une partie au premier : donc toutes les assiettes où il y a un a sont pour lui : donc il y en a 19.

a a a	1		
a a b	1		
a a c	1		
a b a	1		
a b b	1	2	
a b c	1		
a c a	1		
a c b	1		
a c c	1		3
b a a	1		
b a b	1	2	
b a c	1		
b b a	1	2	
b b b		2	
b b c		2	
b c a	1		
b c b		2	
b c c			3
c a a	1		
c a b	1		
c a c	1		3
c b a	1		
c b b		2	
c b c			3
c c a	1		3
c c b			3
c c c			3

Il manque deux parties au second : donc toutes les assiettes où il y a deux b sont pour lui : donc il y en a 7.

Il manque deux parties au troisième : donc toutes les assiettes où il y a deux c sont pour lui : donc il y en a 7.

Si de là on concluait qu'il faudrait donner à chacun suivant la proportion de 19, 7, 7, on se tromperait trop grossièrement et je n'ai garde de croire que vous le fassiez ainsi; car il y a quelques faces favorables au premier et au second tout ensemble, comme abb, car le premier y trouve un a qu'il lui faut, et le second deux b qui lui manquent; ainsi acc est pour le premier et le troisième.

Donc il ne faut pas compter ces faces qui sont communes à deux comme valant la somme entière à chacun, mais seulement la moitié. Car, s'il arrivait l'assiette acc, le premier et le troisième auraient même droit à la somme, ayant chacun leur compte; donc ils partageraient l'argent par la moitié; mais s'il arrive l'assiette aab, le premier gagne seul. Il faut donc faire la supputation ainsi :

Il y a 13 assiettes qui donnent l'entier au premier et 6 qui lui donnent la moitié et 8 qui ne lui valent rien : donc, si la somme entière est une pistole, il y a 13 faces qui lui valent chacune une pistole, il y a 6 faces qui lui valent chacune $\frac{1}{2}$ pistole, et 8 qui ne valent rien.

Donc, en cas de parti, il faut multiplier

13 par une pistole, qui font 13
6 par une demi, qui font. 3
8 par zéro, qui font 0
Somme 27 Somme 16

et diviser la somme des valeurs, 16, par la somme des assiettes, 27, qui fait la fraction $\frac{16}{27}$, qui est ce qui appartient au premier en cas de parti, savoir 16 pistoles de 27.

Le parti du second et du troisième joueur se trouvera de même :

Il y a 4 assiettes qui lui valent 1 pistole :
multipliez 4
Il y a 3 assiettes qui lui valent $\frac{1}{2}$ pistole :
multipliez . . . . $1\frac{1}{2}$
Et 20 assiettes qui ne lui valent rien. . . 0
Somme 27 Somme $5\frac{1}{2}$

Donc il appartient au second joueur 5 pistoles et $\frac{1}{2}$ sur 27, et autant au troisième, et ces trois sommes, $5\frac{1}{2}$, $5\frac{1}{2}$ et 16, étant jointes, font les 27.

Voilà, ce me semble, de quelle manière il faudrait faire les partis par les combinaisons suivant votre méthode, si ce n'est que vous ayez quelque autre chose sur ce sujet que je ne puis savoir. Mais si je ne me trompe, ce parti est mal juste.

La raison en est qu'on suppose une chose fausse, qui est qu'on joue en trois parties infailliblement, au lieu que la condition naturelle de ce jeu-là est qu'on ne joue que jusqu'à ce qu'un des joueurs ait atteint le nombre de parties qui lui manque, auquel cas le jeu cesse.

Ce n'est pas qu'il ne puisse arriver qu'on joue 3 parties; mais il peut arriver aussi qu'on n'en jouera qu'une ou deux, et rien de nécessité.

Mais d'où vient, dira-t-on, qu'il n'est pas permis de faire en cette rencontre la même supposition feinte que quand il y avait deux joueurs? En voici la raison :

Dans la condition véritable de ces trois joueurs, il n'y en a qu'un qui peut gagner, car la condition est que, dès qu'un a gagné, le jeu cesse. Mais, en la condition feinte, deux peuvent atteindre le nombre de leurs parties : savoir, si le premier en gagne une qui lui manque, et un des autres deux qui lui manquent; car ils n'auront joué que trois parties, au lieu que, quand il n'y avait que deux joueurs, la condition feinte et la véritable convenaient pour les avantages des joueurs en tout; et c'est ce qui met l'extrême différence entre la condition feinte et la véritable.

Que si les joueurs, se trouvant en l'état de l'hypothèse, c'est-à-dire s'il manque une partie au premier et deux au second et deux au troisième, veulent maintenant de gré à gré et conviennent de cette condition qu'on jouera trois parties complètes, et que ceux qui auront atteint le nombre qui leur manque prendront la somme entière, s'ils se trouvent seuls qui l'aient atteint, ou, s'il se trouve que deux l'aient atteint, qu'ils la partageront également, en ce cas, le parti se doit faire comme je viens de le donner, que le premier ait 16, le second $5\frac{1}{2}$, le troisième $5\frac{1}{2}$ de 27 pistoles, et cela porte sa démonstration de soi-même en supposant cette condition ainsi.

Mais s'ils jouent simplement à condition, non pas qu'on joue nécessairement trois parties, mais seulement jusqu'à ce que l'un d'entre eux ait atteint ses parties, et qu'alors le jeu cesse sans donner moyen à un autre d'y arriver, alors il appartient au premier 17 pistoles, au second 5, au troisième 5, de 27.

Et cela se trouve par ma méthode générale qui détermine aussi qu'en la condition précédente il en faut 16 au premier, $5\frac{1}{2}$ au second, et $5\frac{1}{2}$ au troisième, sans se servir des combinaisons, car elle va partout et sans obstacle.

Voilà, Monsieur, mes pensées sur ce sujet, sur lequel je n'ai d'autre avantage sur vous que celui d'y avoir beaucoup plus médité; mais c'est peu de chose à votre égard, puisque vos premières vues sont plus pénétrantes que la longueur de mes efforts.

Je ne laisse pas de vous ouvrir mes raisons pour en attendre le jugement de vous. Je crois vous avoir fait connaître par là que ma méthode des combinaisons est bonne entre deux joueurs par accident, comme elle l'est aussi quelquefois entre trois joueurs, comme quand il manque une partie à l'un, une à l'autre et deux à l'autre, parce qu'en ce cas le nombre des parties dans lesquelles le jeu sera achevé ne suffit pas pour en faire gagner deux; mais elle n'est pas générale et n'est bonne généralement qu'au cas seulement qu'on soit astreint à jouer un certain nombre de parties exactement.

De sorte que, comme vous n'aviez pas ma méthode quand vous m'avez proposé le parti de plusieurs joueurs, mais seulement celle des combinaisons, je crains que nous ne soyons de sentiments différents sur ce sujet.

Je vous supplie de me mander de quelle sorte vous procédez en la recherche de ce parti. Je recevrai votre réponse avec respect et avec joie, quand même votre sentiment me serait contraire. Je suis, etc.

PASCAL.

LETTRE DE PASCAL A FERMAT

Du 27 octobre 1654.

Monsieur,

Votre dernière lettre m'a parfaitement satisfait. J'admire votre méthode pour les partis, d'autant mieux que je l'entends fort bien; elle est entièrement vôtre, et n'a rien de commun avec la mienne, et arrive au même but facilement. Voilà notre intelligence rétablie.

Mais, Monsieur, si j'ai concouru avec vous en cela, cherchez ailleurs qui vous suive dans vos inventions numériques, dont vous m'avez fait la grâce de m'envoyer les énonciations. Pour moi, je vous confesse que cela me passe de bien loin; je ne suis capable que de les admirer, et vous supplie très humblement d'occuper votre premier loisir à les achever. Tous nos messieurs les virent samedi dernier et les estimèrent de tout leur cœur : on ne peut pas aisément supporter l'attente de choses si belles et si souhaitables. Pensez-y donc, s'il vous plaît, et assurez-vous que je suis, etc.

PASCAL.

TRAITÉ DU TRIANGLE ARITHMÉTIQUE ET TRAITÉS CONNEXES

Ces traités étaient rédigés en 1654, *puisque certains sont mentionnés dans l'*Adresse à l'Académie Parisienne. *Une partie fut trouvée déjà composée dans les papiers laissés par Pascal. Ils n'ont été publiés qu'en* 1665, *chez Guillaume Desprez, sous le titre,* Traité du triangle arithmétique, avec quelques autres traités sur le même sujet, 4 *parties en* 1 *vol. in* 4°.
Pascal expose d'abord les conséquences principales du triangle arithmétique, au nombre de dix-neuf. Il passe ensuite à ses usages principaux et développe certaines propriétés dans plusieurs traités annexes, éléments de base de l'analyse combinatoire.
A la suite de ces traités on a publié deux écrits en latin, sans doute antérieurs à 1654 :
1° De numeris multiplicibus. *Il est question des caractères de divisibilité d'un nombre déduits de la somme de ses chiffres. C'est l'occasion de donner une démonstration de la preuve par neuf et d'en généraliser le principe.*
2° Potestatum numericarum summa. *Dans ses conclusions Pascal s'est arrêté au seuil du calcul intégral.*
La disposition numérique du triangle n'était pas nouvelle, puisque Michel Stifel (1543) *et Nicolas Tartaglia* (1556) *en avaient donné une figure à peu près identique. Mais allant plus loin que ses prédécesseurs Pascal en donne la théorie, en introduisant le raisonnement par récurrence. Il montre l'utilité de son triangle pour de nombreux problèmes d'arithmétique et de probabilité.*
Parmi les traités soumis par Pascal à la docte assemblée de l'Académie Parisienne (1654) *se trouve mentionné un* Traité des nombres magiquement magiques. *Ce traité ne nous étant pas parvenu nous publions, à la suite des* Traités connexes du Triangle arithmétique, *l'opuscule qu'a rédigé A. Arnauld sur* les carrés magiques, *car nous estimons vraisemblable qu'il nous rapporte un écho des entretiens qu'il a pu avoir avec Pascal sur ce sujet. Nous le publions au même titre que l'on publie l'*Entretien avec M. de Saci *ou les* Trois discours sur la condition des Grands.

TRAITÉ DU TRIANGLE ARITHMÉTIQUE

DÉFINITIONS

J'appelle *Triangle arithmétique*, une figure dont la construction est telle.

Je mène d'un point quelconque, G, deux lignes perpendiculaires l'une à l'autre, GV, Gζ, dans chacune desquelles je prends tant que je veux de parties égales et continues, à commencer par G, que je nomme 1, 2, 3, 4, etc.; et ces nombres sont *les exposants* des divisions des lignes.

Ensuite je joins les points de la première division qui sont dans chacune des deux lignes par une autre ligne qui forme un triangle dont elle est *la base*.

Je joins ainsi les deux points de la seconde division par une autre ligne, qui forme un second triangle dont elle est *la base*.

Et joignant ainsi tous les points de division qui ont un même exposant, j'en forme autant *de triangles et de bases*.

Je mène, par chacun des points de division, des lignes parallèles aux côtés, qui par leurs intersections forment de petits carrés, que j'appelle *cellules*.

Et les cellules qui sont entre deux parallèles qui vont de gauche à droite s'appellent *cellules d'un même rang parallèle*, comme les cellules G, σ, π, etc., ou φ, ψ, θ, etc.

Et celles qui sont entre deux lignes qui vont de haut

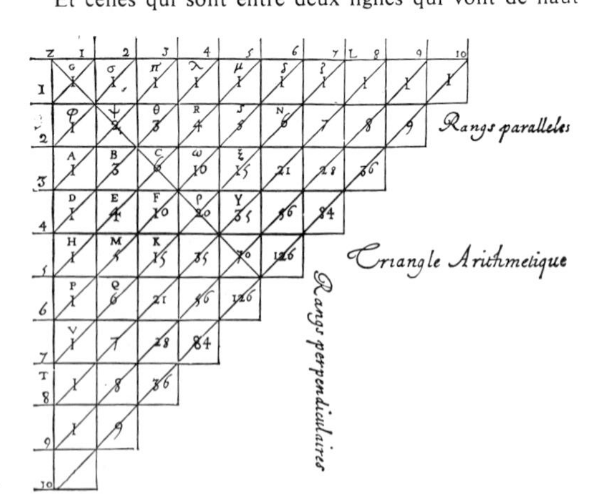

en bas s'appellent *cellules d'un même rang perpendiculaire*, comme les cellules G, φ, A, D, etc., et celles-ci, σ, ψ, B, etc.

Et celles qu'une même base traverse diagonalement sont dites *cellules d'une même base*, comme celles qui suivent, D, B, θ, λ, et celles-ci, A, ψ, π.

Les cellules d'une même base également distantes de ses extrémités sont dites *réciproques*, comme celles-ci, E, R et B, θ, parce que l'exposant du rang parallèle de l'une est le même que l'exposant du rang perpendiculaire de l'autre, comme il paraît en cet exemple, où E est dans le second rang perpendiculaire et dans le quatrième parallèle, et sa réciproque R est dans le second rang parallèle, et dans le quatrième perpendiculaire réciproquement; et il est bien facile de démontrer que celles qui ont leurs exposants réciproquement pareils sont dans une même base et également distantes de ses extrémités.

Il est aussi bien facile de démontrer que l'exposant du rang perpendiculaire de quelque cellule que ce soit, joint à l'exposant de son rang parallèle, surpasse de l'unité l'exposant de sa base.

Par exemple, la cellule F est dans le troisième rang perpendiculaire, et dans le quatrième parallèle, et dans la sixième base, et ces deux exposants des rangs 3 + 4 surpassent de l'unité l'exposant de la base 6, ce qui vient de ce que les deux côtés du triangle sont divisés en un pareil nombre de parties; mais cela est plutôt compris que démontré.

Cette remarque est de même nature, que chaque base contient une cellule de plus que la précédente, et chacune autant que son exposant d'unités; ainsi la seconde $\varphi\sigma$ a deux cellules, la troisième $A\psi\pi$, en a trois, etc.

Or, les nombres qui se mettent dans chaque cellule se trouvent par cette méthode :

Le nombre de la première cellule qui est à l'angle droit est arbitraire; mais celui-là étant placé, tous les autres sont forcés; et pour cette raison il s'appelle le *générateur* du triangle. Et chacun des autres est spécifié par cette seule règle :

Le nombre de chaque cellule est égal à celui de la cellule qui la précède dans son rang perpendiculaire, plus à celui de la cellule qui la précède dans son rang parallèle. Ainsi la cellule F, c'est-à-dire le nombre de la cellule F, égale la cellule C, plus la cellule E, et ainsi des autres.

D'où se tirent plusieurs conséquences. En voici les principales, où je considère les triangles dont le générateur est l'unité; mais ce qui s'en dira conviendra à tous les autres.

CONSÉQUENCE PREMIÈRE

En tout Triangle arithmétique, toutes les cellules du premier rang parallèle et du premier rang perpendiculaire sont pareilles à la génératrice.

Car par la construction du Triangle, chaque cellule est égale à celle qui la précède dans son rang perpendiculaire, plus à celle qui la précède dans son rang parallèle. Or, les cellules du premier rang parallèle n'ont aucunes cellules qui les précèdent dans leurs rangs perpendiculaires, ni celles du premier rang perpendiculaire dans leurs rangs parallèles : donc elles sont toutes égales entre elles et partant au premier nombre générateur.

Ainsi φ égale G + zéro, c'est-à-dire, φ égale G.

Ainsi A égale φ + zéro, c'est-à-dire, φ.

Ainsi σ égale G + zéro, et π égale σ + zéro.

Et ainsi des autres.

CONSÉQUENCE SECONDE

En tout Triangle arithmétique, chaque cellule est égale à la somme de toutes celles du rang parallèle précédent, comprises depuis son rang perpendiculaire jusqu'au premier inclusivement.

Soit une cellule quelconque ω : je dis qu'elle est égale à $R + \theta + \psi + \varphi$, qui sont celles du rang parallèle supérieur depuis le rang perpendiculaire de ω jusqu'au premier rang perpendiculaire.

Cela est évident par la seule interprétation des cellules par celles d'où elles sont formées.

Car $$\omega \text{ égale } R + \underbrace{C.}_{\theta + \underbrace{B}_{\psi + \underbrace{A}_{\varphi,}}}$$

car A et φ sont égaux entre eux par la précédente.

Donc ω égale $R + \theta + \psi + \varphi$.

CONSÉQUENCE TROISIÈME

En tout Triangle arithmétique, chaque cellule égale la somme de toutes celles du rang perpendiculaire précédent, comprises depuis son rang parallèle jusqu'au premier inclusivement.

Soit une cellule quelconque C : je dis qu'elle est égale à $B + \psi + \sigma$, qui sont celles du rang perpendiculaire précédent, depuis le rang parallèle de la cellule C jusqu'au premier rang parallèle.

Cela paraît de même par la seule interprétation des cellules.

Car $$C \text{ égale } B + \underbrace{\theta.}_{\psi + \underbrace{\pi}_{\sigma,}}$$

car π égale σ par la première.

Donc C égale $B + \psi + \sigma$.

CONSÉQUENCE QUATRIÈME

En tout Triangle arithmétique, chaque cellule diminuée de l'unité est égale à la somme de toutes celles qui sont comprises entre son rang parallèle et son rang perpendiculaire exclusivement.

Soit une cellule quelconque ξ : je dis que $\xi - G$ égale $R + \theta + \psi + \varphi + \lambda + \pi + \sigma + G$, qui sont tous les nombres compris entre le rang $\xi\omega CBA$ et le rang $\xi S\mu$ exclusivement.

Cela paraît de même par l'interprétation.

Car $$\xi \text{ égale } \lambda + R + \underbrace{\omega.}_{\pi + \theta + \underbrace{C}_{\sigma + \psi + \underbrace{B}_{G + \varphi + \underbrace{A}_{G.}}}}$$

Donc ξ égale

$$\lambda + R + \pi + \theta + \sigma + \psi + G + \varphi + G.$$

Avertissement

J'ai dit dans l'énonciation : chaque cellule diminuée de l'unité, *parce que l'unité est le générateur; mais si c'était un autre nombre, il faudrait dire :* chaque cellule diminuée du nombre générateur.

CONSÉQUENCE CINQUIÈME

En tout Triangle arithmétique, chaque cellule est égale à sa réciproque.

Car dans la seconde base $\varphi\sigma$, il est évident que les deux cellules réciproques φ, σ, sont égales entre elles et à G.

Dans la troisième A, ψ, π, il est visible de même que les réciproques π, A, sont égales entre elles et à G.

Dans la quatrième, il est visible que les extrêmes D, λ, sont encore égales entre elles et à G.

Et celles d'entre deux, B, θ, sont visiblement égales, puisque B égale $A + \psi$, et θ égale $\psi + \pi$; or $\pi + \psi$ sont égales à $A + \psi$ par ce qui est montré; donc, etc.

Ainsi l'on montrera dans toutes les autres bases que les réciproques sont égales, parce que les extrêmes sont toujours pareilles à G, et que les autres s'interpréteront toujours par d'autres égales dans la base précédente qui sont réciproques entre elles.

CONSÉQUENCE SIXIÈME

En tout Triangle arithmétique, un rang parallèle et un perpendiculaire qui ont un même exposant sont composés de cellules toutes pareilles les unes aux autres.

Car ils sont composés de cellules réciproques.

Ainsi le second rang perpendiculaire $\sigma\psi$BEMQ est entièrement pareil au second rang parallèle $\varphi\psi\theta$RSN.

CONSÉQUENCE SEPTIÈME

En tout Triangle arithmétique, la somme des cellules de chaque base est double de celles de la base précédente.

Soit une base quelconque $DB\theta\lambda$. Je dis que la somme de ses cellules est double de la somme des cellules de la précédente $A\psi\pi$.

Car les extrêmes.	D,	λ,
égalent les extrêmes	A,	π,
et chacune des autres	B,	θ,
en égale deux de l'autre base	$A + \psi$,	$\psi + \pi$.

Donc $D + \lambda + B + \theta$ égale $2A + 2\psi + 2\pi$.

La même chose se démontre de même de toutes les autres.

CONSÉQUENCE HUITIÈME

En tout Triangle arithmétique, la somme des cellules de chaque base est un nombre de la progression double qui commence par l'unité dont l'exposant est le même que celui de la base.

Car la première base est l'unité.

La seconde est double de la première, donc elle est 2.

La troisième est double de la seconde, donc elle est 4.

Et ainsi à l'infini.

Avertissement

Si le générateur n'était pas l'unité, mais un autre nombre, comme 3, *la même chose serait vraie; mais il ne faudrait pas prendre les nombres de la progression double à commencer par l'unité, savoir* 1, 2, 4, 8, 16, *etc., mais ceux d'une autre progression double à commencer par le générateur* 3, *savoir,* 3, 6, 12, 24, 48, *etc.*

CONSÉQUENCE NEUVIÈME

En tout Triangle arithmétique, chaque base diminuée de l'unité est égale à la somme de toutes les précédentes.

Car c'est une propriété de la progression double.

Avertissement

Si le générateur était autre que l'unité, il faudrait dire : chaque base diminuée du générateur.

CONSÉQUENCE DIXIÈME

En tout Triangle arithmétique, la somme de tant de cellules continues qu'on voudra de sa base, à commencer par une extrémité, est égale à autant de cellules de la base précédente, plus encore à autant hormis une.

Soit prise la somme de tant de cellules qu'on voudra de la base $D\lambda$, par exemple, les trois premières, $D + B + \theta$.

Je dis qu'elle est égale à la somme des trois premières de la base précédente $A + \psi + \pi$, plus aux deux premières de la même base $A + \psi$.

Car

	D.	B.	θ.
égalent	A.	$A + \psi$.	$\psi + \pi$.

Donc $D + B + \theta$ égale $2A + 2\psi + \pi$.

DÉFINITION

J'appelle cellules de la dividente *celles que la ligne qui divise l'angle droit par la moitié traverse diagonalement, comme les cellules* G, ψ, C, ρ, etc.

CONSÉQUENCE ONZIÈME

Chaque cellule de la dividente est double de celle qui la précède dans son rang parallèle ou perpendiculaire.

Soit une cellule de la dividente C. Je dis qu'elle est double de θ, et aussi de B.

Car C égale $\theta + B$, et θ égale B, par la cinquième conséquence.

Avertissement

Toutes ces conséquences sont sur le sujet des égalités qui se rencontrent dans le Triangle arithmétique. On en va voir maintenant les proportions, dont la proposition suivante est le fondement.

CONSÉQUENCE DOUZIÈME

En tout Triangle arithmétique, deux cellules contiguës étant dans une même base, la supérieure est à l'inférieure comme la multitude des cellules depuis la supérieure jusqu'au haut de la base à la multitude de celles depuis l'inférieure jusqu'en bas inclusivement.

Soient deux cellules contiguës quelconques d'une même base, E, C : je dis que :

E est à	C comme	2	à	3
infé-rieure,	*supé-rieure,*	*parce qu'il y a deux cellules depuis* E *jusqu'en bas; savoir,* E,H;	*parce qu'il y a trois cellules depuis* C *jusqu'en haut; savoir,* C, R, μ.	

Quoique cette proposition ait une infinité de cas, j'en donnerai une démonstration bien courte, en supposant 2 lemmes.

Le 1, qui est évident de soi-même, que cette proportion se rencontre dans la seconde base; car il est bien visible que ψ est à σ comme 1 à 1.

Le 2, que si cette proportion se trouve dans une base quelconque, elle se trouvera nécessairement dans la base suivante.

D'où il se voit qu'elle est nécessairement dans toutes les bases : car elle est dans la seconde base par le premier lemme; donc par le second elle est dans la troisième base, donc dans la quatrième, et à l'infini.

Il faut donc seulement démontrer le second lemme, en cette sorte. Si cette proportion se rencontre en une base quelconque, comme en la quatrième Dλ, c'est-à-dire si D est à B comme 1 à 3, et B à θ comme 2 à 2, et θ à λ comme 3 à 1, etc.; je dis que la même proportion se trouvera dans la base suivantes, Hμ, et que, par exemple, E est à C comme 2 à 3.

Car D est à B comme 1 à 3, par l'hypothèse.

Donc $\underbrace{D + B}_{E}$ est à B comme $\underbrace{1 + 3}_{4}$ à 3.

De même B est à θ comme 2 à 2, par l'hypothèse.

Donc $\underbrace{B + \theta}_{C}$ à B, comme $\underbrace{2 + 2}_{4}$ à 2.

Mais B à E, comme 3 à 4.

Donc, par la proportion troublée, C est à E comme 3 à 2. C.q.f.d.

On le montrera de même dans tout le reste, puisque cette preuve n'est fondée que sur ce que cette proportion se trouve dans la base précédente, et que chaque cellule est égale à sa précédente, plus à sa supérieure, ce qui est vrai partout.

CONSÉQUENCE TREIZIÈME

En tout Triangle arithmétique, deux cellules continues étant dans un même rang perpendiculaire, l'inférieure est à la supérieure comme l'exposant de la base de cette supérieure à l'exposant de son rang parallèle.

Soient deux cellules quelconques dans un même rang perpendiculaire, F, C. Je dis que

F est à	C comme	5	à	3
l'inférieure,	la supérieure,	exposant de la base de C,		*exposant du rang parallèle de* C.

Car E est à C comme 2 à 3.

Donc $\underbrace{E + C}_{F}$ est à C comme $\underbrace{2 + 3}_{5}$ à 3.

CONSÉQUENCE QUATORZIÈME

En tout Triangle arithmétique, deux cellules continues étant dans un même rang parallèle, la plus grande est à sa précédente comme l'exposant de la base de cette précédente à l'exposant de son rang perpendiculaire.

Soient deux cellules dans un même rang parallèle F, E : je dis que

F est à	E comme	5	à	2
la plus grande,	précédente,	exposant de la base de E,		*exposant du rang perpendiculaire de* E.

Car E est à C comme 2 à 3.

Donc $\underbrace{E + C}_{F}$ est à E comme $\underbrace{2 + 3}_{5}$ à 2.

CONSÉQUENCE QUINZIÈME

En tout Triangle arithmétique, la somme des cellules d'un quelconque rang parallèle est à la dernière de ce rang comme l'exposant du triangle est à l'exposant du rang.

Soit un triangle quelconque, par exemple le quatrième GDλ : je dis que quelque rang qu'on y prenne, comme le second parallèle, la somme de ses cellules, savoir φ + ψ + θ, est à θ comme 4 à 2. Car φ + ψ + θ égale C, et C est à θ comme 4 à 2, par la treizième conséquence.

CONSÉQUENCE SEIZIÈME

En tout Triangle arithmétique, un quelconque rang parallèle est au rang inférieur comme l'exposant du rang inférieur à la multitude de ses cellules.

Soit un triangle quelconque, par exemple le cinquième, μGH : je dis que, quelque rang qu'on y prenne, par exemple le troisième, la somme de ses cellules est à la somme de celles du quatrième, c'est-à-dire A + B + C est à D + E comme 4, exposant du rang quatrième, à 2, qui est l'exposant de la multitude se ses cellules, car il en contient 2.

Car A + B + C égale F, et D + E égale M.

Or F est à M comme 4 à 2, par la douzième conséquence.

Avertissement

On pourrait l'énoncer aussi de cette sorte :

Chaque rang parallèle est au rang inférieur, comme l'exposant du rang inférieur à l'exposant du triangle moins l'exposant du rang supérieur.

Car l'exposant d'un triangle, moins l'exposant d'un de ses rangs, est toujours égal à la multitude des cellules du rang inférieur.

CONSÉQUENCE DIX-SEPTIÈME

En tout Triangle arithmétique, quelque cellule que ce soit jointe à toutes celles de son rang perpendiculaire, est à la même cellule jointe à toutes celles de son rang parallèle, comme les multitudes des cellules prises dans chaque rang.

Soit une cellule quelconque B : je dis que B + ψ + σ est à B + A, comme 3 à 2.

Je dis 3, parce qu'il y a trois cellules ajoutées dans l'antécédent, et 2, parce qu'il y en a deux dans le conséquent.

Car B + ψ + σ égale C, par la troisième conséquence; et B + A égale E, par la seconde conséquence.

Or C est à E comme 3 à 2, par la douzième conséquence.

CONSÉQUENCE DIX-HUITIÈME

En tout Triangle arithmétique, deux rangs parallèles également distants des extrémités, sont entre eux comme la multitude de leurs cellules.

Soit un triangle quelconque GVζ, et deux de ses rangs également distants des extrémités, comme le sixième P + Q, et le second φ + ψ + θ + R + S + N : je dis que la somme des cellules de l'un est à la somme des cellules de l'autre, comme la multitude des cellules de l'un est à la multitude des cellules de l'autre.

Car, par la sixième conséquence, le second rang parallèle φψθRSN est le même que le second rang perpendiculaire σψBEMQ, duquel nous venons de démontrer cette proportion.

Avertissement

On peut l'énoncer ainsi :

En tout Triangle arithmétique, deux rangs parallèles, dont les exposants joints ensemble excèdent de l'unité l'exposant du triangle, sont entre eux comme leurs exposants réciproquement.

Car ce n'est qu'une même chose que ce qui vient d'être énoncé.

CONSÉQUENCE DERNIÈRE

En tout Triangle arithmétique, deux cellules continues étant dans la dividente, l'inférieure est à la supérieure prise quatre fois, comme l'exposant de la base de cette supérieure à un nombre plus grand de l'unité.

Soient deux cellules de la dividente ρ, C : je dis que ρ est à 4C comme 5, exposant de la base de C, à 6.

Car ρ est double de ω, et C de θ; donc 4 θ égalent 2C.

Donc 4 θ sont à C comme 2 à 1.

Or ρ est à 4 C comme ω à 4 θ, ou en raison

composée de	ω à C +[6]	C à 4 θ
par les conséquences précédentes . . .	5 à 3	1 à 2 ou 3 à 6
	5 à 6	

Donc ρ est à 4 C comme 5 à 6. C.q.f.d.

Avertissement

On peut tirer de là beaucoup d'autres proportions que je supprime, parce que chacun les peut facilement conclure, et que ceux qui voudront s'y attacher en trouveront peut-être de plus belles que celles que je pourrais donner. Je finis donc par le problème suivant, qui fait l'accomplissement de ce traité.

PROBLÈME

Etant donnés les exposants des rangs perpendiculaire et parallèle d'une cellule, trouver le nombre de la cellule, sans se servir du Triangle arithmétique.

Soit, par exemple, proposé de trouver le nombre de la cellule ξ du cinquième rang perpendiculaire et du troisième rang parallèle.

Ayant pris tous les nombres qui précèdent l'exposant du perpendiculaire 5, savoir 1, 2, 3, 4, soient pris autant de nombres naturels, à commencer par l'exposant du parallèle 3, savoir 3, 4, 5, 6.

Soient multipliés les premiers l'un par l'autre, et soit le produit 24. Soient multipliés les autres l'un par l'autre, et soit le produit 360, qui, divisé par l'autre produit 24, donne pour quotient 15. Ce quotient est le nombre cherché.

Car ξ est à la première de sa base V en raison composée de toutes les raisons des cellules d'entre-deux, c'est-à-dire, ξ est à V,

en raison composée de . . .	ξ à ρ +	ρ à K +	K à Q +[6]	Q à V
ou par la douzième conséq. . .	3 à 4	4 à 3	5 à 2	6 à 1

Donc ξ est à V comme 3 en 4 en 5 en 6 à 4 en 3 en 2 en 1.

Mais V est l'unité; donc ξ est le quotient de la division du produit de 3 en 4 en 5 en 6 par le produit de 4 en 3 en 2 en 1.

Avertissement

Si le générateur n'était pas l'unité, il eût fallu multiplier le quotient par le générateur.

DIVERS USAGES DU TRIANGLE ARITHMÉTIQUE
DONT LE GÉNÉRATEUR EST L'UNITÉ

Après avoir donné les proportions qui se rencontrent entre les cellules et les rangs des Triangles arithmétiques, je passe à divers usages de ceux dont le générateur est l'unité; c'est ce qu'on verra dans les traités suivants. Mais j'en laisse bien plus que je n'en donne; c'est une chose étrange combien il est fertile en propriétés. Chacun peut s'y exercer; j'avertis seulement ici que, dans toute la suite, je n'entends parler que des Triangles arithmétiques dont le générateur est l'unité.

6. Le signe + n'est pas ici celui de l'addition.

I
USAGE DU TRIANGLE ARITHMÉTIQUE
POUR LES ORDRES NUMÉRIQUES

On a considéré dans l'arithmétique les nombres des différentes progressions; on a aussi considéré ceux des différentes puissances et des différents degrés; mais on n'a pas, ce me semble, assez examiné ceux dont je parle, quoiqu'ils soient d'un très grand usage : et même ils n'ont pas de nom; ainsi j'ai été obligé de leur en donner;

et parce que ceux de progression, de degré et de puissance sont déjà employés, je me sers de celui d'*ordres*.

J'appelle donc *nombres du premier ordre* les simples unités :

1, 1, 1, 1, 1, etc.

J'appelle *nombres du second ordre* les naturels qui se forment par l'addition des unités :

1, 2, 3, 4, 5, etc.

J'appelle *nombres de troisième ordre* ceux qui se forment par l'addition des naturels, qu'on appelle triangulaires,

1, 3, 6, 10, etc.

C'est-à-dire, que le second des triangulaires, savoir 3, égale la somme des deux premiers naturels, qui sont 1, 2; ainsi le troisième triangulaire 6 égale la somme des trois premiers naturels, 1, 2, 3, etc.

J'appelle *nombres du quatrième ordre* ceux qui se forment par l'addition des triangulaires, qu'on appelle pyramidaux :

1, 4, 10, 20, etc.

J'appelle *nombres du cinquième ordre* ceux qui se forment par l'addition des précédents auxquels on n'a pas donné de nom exprès, et qu'on pourrait appeler triangulo-triangulaires :

1, 5, 15, 35, etc.

J'appelle *nombres du sixième ordre* ceux qui se forment par l'addition des précédents :

1, 6, 21, 56, 126, 252, etc.

Et ainsi à l'infini, 1, 7, 28, 84, etc.

1, 8, 36, 120, etc.

Or, si on fait une table de tous les ordres des nombres, où l'on marque, à côté les exposants des ordres, et au-dessus les racines, en cette sorte :

Racines

		1	2	3	4	5	etc.
Unités	Ordre 1	1	1	1	1	1	etc.
Naturels	Ordre 2	1	2	3	4	5	etc.
Triangul	Ordre 3	1	3	6	10	15	etc.
Pyramid	Ordre 4	1	4	10	20	35	etc.
	etc.						

on trouvera cette table pareille au Triangle arithmétique.

Et le premier ordre des nombres sera le même que le premier rang parallèle du triangle;

Le second ordre des nombres sera le même que le second rang parallèle; et ainsi à l'infini.

Car dans le Triangle arithmétique, le premier rang est tout d'unités, et le premier ordre des nombres est de même tout d'unités.

Ainsi dans le Triangle arithmétique, chaque cellule, comme la cellule F, égale C + B + A, c'est-à-dire qu'elle égale sa supérieure, plus toutes celles qui précèdent cette supérieure dans son rang parallèle; comme il a été prouvé dans la 2e conséquence du traité de ce triangle. Et la même chose se trouve dans chacun des ordres des nombres. Car, par exemple, le troisième des pyramidaux 10 égale les trois premiers des triangles 1 + 3 + 6, puisqu'il est formé par leur addition.

D'où il se voit manifestement que les rangs parallèles du triangle ne sont autre chose que les ordres des nombres et que les exposants des rangs parallèles sont les mêmes que les exposants des ordres, et que les exposants des rangs perpendiculaires sont les mêmes que les racines. Et ainsi le nombre, par exemple, 21, qui dans le Triangle arithmétique se trouve dans le troisième rang parallèle, et dans le sixième rang perpendiculaire, étant considéré entre les ordres numériques, il sera du troisième ordre, et le sixième de son ordre, ou de la sixième racine.

Ce qui fait connaître que tout ce qui a été dit des rangs et des cellules du Triangle arithmétique convient exactement aux ordres des nombres, et que les mêmes égalités et les mêmes proportions qui ont été remarquées aux uns se trouveront aussi aux autres; il ne faudra seulement que changer les énonciations, en substituant les termes qui conviennent aux ordres numériques, comme ceux de racine et d'ordre, à ceux qui convenaient au Triangle arithmétique, comme de rang parallèle et perpendiculaire. J'en donnerai un petit traité à part, où quelques exemples qui y sont rapportés feront aisément apercevoir tous les autres.

II
USAGE DU TRIANGLE ARITHMÉTIQUE
POUR LES COMBINAISONS

Le mot de *Combinaison* a été pris en plusieurs sens différents, de sorte que, pour ôter l'équivoque, je suis obligé de dire comment je l'entends.

Lorsque de plusieurs choses on donne le choix d'un certain nombre, toutes les manières d'en prendre autant qu'il est permis entre toutes qui sont présentées, s'appellent ici les *différentes combinaisons*.

Par exemple, si de quatre choses exprimées par ces quatre lettres, A, B, C, D, on permet d'en prendre, par exemple, deux quelconques, toutes les manières d'en prendre deux différentes dans les quatre qui sont proposées, s'appellent *Combinaisons*.

Ainsi on trouvera, par expérience, qu'il y a six manières différentes d'en choisir deux dans quatre; car on peut prendre A et B, A et C ou A et D, ou B et C, ou B et D, ou C et D.

Je ne compte pas A et A pour une des manières d'en prendre deux; car ce ne sont pas des choses différentes, ce n'en est qu'une répétée.

Ainsi je ne compte pas A et B et puis B et A pour deux manières différentes; car on ne prend en l'une et en l'autre manière que les deux mêmes choses, mais d'un ordre différent seulement; et je ne prends point garde à l'ordre : de sorte que je pouvais m'expliquer en un mot à ceux qui ont accoutumé de considérer les combinaisons, en disant simplement que je parle seulement des combinaisons qui se font sans changer l'ordre.

On trouvera de même, par expérience, qu'il y a quatre manières de prendre trois choses dans quatre; car on peut prendre ABC, ou ABD, ou ACD, ou BCD.

Enfin on trouvera qu'on n'en peut prendre quatre dans quatre qu'en une manière, savoir, ABCD.

Je parlerai donc en ces termes :

1 dans 4 se combine 4 fois.
2 dans 4 se combine 6 fois.
3 dans 4 se combine 4 fois.
4 dans 4 se combine 1 fois.

Ou ainsi :

La multitude des combinaisons de 1 dans 4 est 4.
La multitude des combinaisons de 2 dans 4 est 6.
La multitude des combinaisons de 3 dans 4 est 4.
La multitude des combinaisons de 4 dans 4 est 1.

Mais la somme de toutes les combinaisons en général qu'on peut faire dans 4 est 15, parce que la multitude des combinaisons de 1 dans 4, de 2 dans 4, de 3 dans 4, de 4 dans 4, étant jointes ensemble, font 15.

Ensuite de cette explication, je donnerai ces conséquences en formes de lemmes.

LEMME I

Un nombre ne se combine point dans un plus petit; par exemple, 4 ne se combine point dans 2.

LEMME II

1 *dans* 1 *se combine* 1 *fois.*
2 *dans* 2 *se combine* 1 *fois.*
3 *dans* 3 *se combine* 1 *fois.*

Et généralement un nombre quelconque se combine une fois seulement dans son égal.

LEMME III

1 *dans* 1 *se combine* 1 *fois.*
1 *dans* 2 *se combine* 2 *fois.*
1 *dans* 3 *se combine* 3 *fois.*

Et généralement l'unité se combine dans quelque nombre que ce soit autant de fois qu'il contient d'unités.

LEMME IV

S'il y a quatre nombres quelconques, le premier tel qu'on voudra, le second plus grand de l'unité, le troisième tel qu'on voudra, pourvu qu'il ne soit pas moindre que le second, le quatrième plus grand de l'unité que le troisième : la multitude des combinaisons du premier dans le troisième, jointe à la multitude des combinaisons du second dans le troisième, égale la multitude des combinaisons du second dans le quatrième.

Soient quatre nombres tels que j'ai dit :

Le premier tel qu'on voudra, par exemple, 1.

Le second plus grand de l'unité, savoir, 2.

Le troisième tel qu'on voudra, pourvu qu'il ne soit pas moindre que le second, par exemple, 3.

Le quatrième plus grand de l'unité, savoir, 4.

Je dis que la multitude des combinaisons de 1 dans 3, plus la multitude des combinaisons de 2 dans 3, égale la multitude des combinaisons de 2 dans 4.

Soient trois lettres quelconques, B, C, D.

Soient les mêmes trois lettres, et une de plus A, B, C, D.

Prenons, suivant la proposition, toutes les combinaisons d'une lettre dans les trois, B, C, D. Il y en aura 3, savoir, B, C, D.

Prenons dans les mêmes trois lettres toutes les combinaisons de deux; il y en aura 3, savoir, BC, BD, CD.

Prenons enfin dans les quatre lettres A, B, C, D, toutes les combinaisons de 2; il y en aura 6, savoir AB, AC, AD, BC, BD, CD.

Il faut démontrer que la multitude des combinaisons de 1 dans 3 et celles de 2 dans 3, égalent celles de 2 dans 4.

Cela est aisé, car les combinaisons de 2 dans 4 sont formées par les combinaisons de 1 dans 3, et par celles de 2 dans 3.

Pour le faire voir, il faut remarquer qu'entre les combinaisons de 2 dans 4, savoir, AB, AC, AD, BC, BD, CD, il y en a où la lettre A est employée, et d'autres où elle ne l'est pas.

Celles où elle n'est pas employée sont BC, BD, CD, qui par conséquent sont formées de deux de ces trois lettres B, C, D; donc ce sont des combinaisons de 2 dans ces trois, B, C, D. Donc les combinaisons de 2 dans ces trois lettres, B, C, D, font portion des combinaisons de 2 dans ces quatre lettres, A, B, C, D, puisqu'elles forment celles où A n'est pas employée.

Maintenant si des combinaisons de 2 dans 4 où A est employée, savoir AB, AC, AD, on ôte l'A, il restera une lettre seulement de ces trois, B, C, D, savoir B, C, D, qui sont précisément les combinaisons d'une lettre dans les trois, B, C, D. Donc si aux combinaisons d'une lettre dans les trois, B, C, D, on ajoute à chacune la lettre A, et qu'ainsi on ait AB, AC, AD, on formera les combinaisons de 2 dans 4, où A est employée; donc les combinaisons de 1 dans 3 font portion des combinaisons de 2 dans 4.

D'où il se voit que les combinaisons de 2 dans 4 sont formées par les combinaisons de 2 dans 3, et de 1 dans 3; et partant que la multitude des combinaisons de 2 dans 4 égale celle de 2 dans 3, et de 1 dans 3.

On montrera la même chose dans tous les autres exemples, comme :

La multitude des combinaisons de 29 dans 40;
Et la multitude des combinaisons de 30 dans 40 :
Égale la multitude des combinaisons de 30 dans 41.
Ainsi la multitude des combinaisons de 15 dans 55;
Et la multitude des combinaisons de 16 dans 55 :
Égale la multitude des combinaisons de 16 dans 56.
Et ainsi à l'infini. C. q. f. d.

PROPOSITION I [LEMME V]

En tout Triangle arithmétique, la somme des cellules d'un rang parallèle quelconque égale la multitude des combinaisons de l'exposant du rang dans l'exposant du Triangle.

Soit un triangle quelconque, par exemple le quatrième GDλ. Je dis que la somme des cellules d'un rang parallèle quelconque, par exemple du second, $\varphi + \psi + \theta$, égale la somme des combinaisons de ce nombre 2 qui est l'exposant de ce second rang, dans ce nombre 4, qui est l'exposant de ce triangle :

Ainsi la somme des cellules du 5e rang du 8e triangle égale la somme des combinaisons de 5 dans 8, etc.

La démonstration en sera courte, quoiqu'il y ait une infinité de cas, par le moyen de ces deux lemmes.

Le 1er, qui est évident de lui-même, que dans le premier triangle cette égalité se trouve, puisque la somme des cellules de son unique rang, savoir G, ou l'unité, égale la somme des combinaisons de 1, exposant du rang, dans 1, exposant du triangle.

Le 2e, que, s'il se trouve un Triangle arithmétique dans lequel cette proportion se rencontre, c'est-à-dire dans lequel, quelque rang que l'on prenne, il arrive que la somme des cellules soit égale à la multitude des combinaisons de l'exposant du rang dans l'exposant du triangle : je dis que le triangle suivant aura la même propriété.

D'où il s'ensuit que tous les Triangles arithmétiques ont cette égalité, car elle se trouve dans le premier triangle par le premier lemme, et même elle est encore évidente dans le second; donc par le second lemme, le suivant l'aura de même, et partant le suivant encore; et ainsi à l'infini.

Il faut donc seulement démontrer le second lemme.

Soit un triangle quelconque, par exemple le troisième, dans lequel on suppose que cette égalité se trouve, c'est-à-dire que la somme des cellules du premier rang $G + \sigma + \pi$ égale la multitude des combinaisons de 1 dans 3, et que la somme des cellules du deuxième rang $\varphi + \psi$ égale les combinaisons de 2 dans 3; et que la somme des cellules du troisième rang A égale les combinaisons de 3 dans 3; je dis que le quatrième triangle aura la même égalité, et que, par exemple, la somme des cellules du second rang $\varphi + \psi + \theta$ égale la multitude des combinaisons de 2 dans 4.

Car $\varphi + \psi + \theta$ égale $\underbrace{\varphi + \psi}$ + $\overbrace{\theta}$
+ $\overbrace{G + \sigma + \pi}$

Par l'hypothèse : ou la multitude des combinaisons de 2 dans 3. + ou la multitude des combinaisons de 1 dans 3.

Par le 4e lemme : Ou la multitude des combinaisons de 2 dans 4.

On le montrera de même de tous les autres. C. q. f. d.

PROPOSITION II

Le nombre de quelque cellule que ce soit égale la multitude des combinaisons d'un nombre moindre de l'unité que l'exposant de son rang parallèle, dans un nombre moindre de l'unité que l'exposant de sa base.

Soit une cellule quelconque, F, dans le quatrième rang parallèle et dans la sixième base : je dis qu'elle égale la multitude des combinaisons de 3 dans 5, moindres de l'unité que 4 et 6, car elle égale les cellules A + B + C. Donc par la précédente, etc.

PROBLÈME I — PROPOSITION III

Etant proposés deux nombres, trouver combien de fois l'un se combine dans l'autre par le Triangle arithmétique.

Soient les nombres proposés 4, 6; il faut trouver combien 4 se combine dans 6.

Premier moyen.

Soit prise la somme des cellules du 4e rang du 6e triangle : elle satisfera à la question.

Second moyen.

Soit prise la 5e cellule de la 7e base, parce que ces nombres 5, 7 excèdent de l'unité les données 4, 6 : son nombre est celui qu'on demande.

CONCLUSION

Par le rapport qu'il y a des cellules et des rangs du Triangle arithmétique aux combinaisons, il est aisé de voir que tout ce qui a été prouvé des uns convient aux autres suivant leur manière. C'est ce que je montrerai en peu de discours dans un petit traité que j'ai fait des Combinaisons.

III
USAGE DU TRIANGLE ARITHMÉTIQUE
POUR DÉTERMINER LES PARTIS QU'ON DOIT FAIRE ENTRE DEUX JOUEURS QUI JOUENT EN PLUSIEURS PARTIES

Pour entendre les règles des partis, la première chose qu'il faut considérer est que l'argent que les joueurs ont mis au jeu ne leur appartient plus, car ils en ont quitté la propriété; mais ils ont reçu en revanche le droit d'attendre ce que le hasard leur en peut donner, suivant les conditions dont ils sont convenus d'abord.

Mais, comme c'est une loi volontaire, ils peuvent la rompre de gré à gré; et ainsi, en quelque terme que le jeu se trouve, ils peuvent le quitter; et, au contraire de ce qu'ils ont fait en y entrant, renoncer à l'attente du hasard, et rentrer chacun en la propriété de quelque chose. Et en ce cas, le règlement de ce qui doit leur appartenir doit être tellement proportionné à ce qu'ils avaient droit d'espérer de la fortune, que chacun d'eux trouve entièrement égal de prendre ce qu'on lui assigne ou de continuer l'aventure du jeu : et cette juste distribution s'appelle le parti.

Le premier principe, qui fait connaître de quelle sorte on doit faire les partis, est celui-ci.

Si un des joueurs se trouve en telle condition que, quoi qu'il arrive, une certaine somme lui doit appartenir en cas de perte et de gain, sans que le hasard la lui puisse ôter, il n'en doit faire aucun parti, mais la prendre entière comme assurée parce que le parti devant être proportionné au hasard, puisqu'il n'y a nul hasard de perdre, il doit tout retirer sans parti.

Le second est celui-ci : si deux joueurs se trouvent en telle condition que, si l'un gagne, il lui appartiendra une certaine somme, et s'il perd, elle appartiendra à l'autre; si le jeu est de pur hasard et qu'il y ait autant de hasard pour l'un que pour l'autre et par conséquent non plus de raison de gagner pour l'un que pour l'autre, s'ils veulent se séparer sans jouer, et prendre ce qui leur appartient légitimement, le parti est qu'ils séparent la somme qui est au hasard par la moitié, et que chacun prenne la sienne.

COROLLAIRE PREMIER

Si deux joueurs jouent à un jeu de pur hasard, à condition que si le premier gagne, il lui reviendra une certaine somme, et s'il perd, il lui reviendra une moindre; s'ils veulent se séparer sans jouer, et prendre chacun ce qui leur appartient, le parti est que le premier prenne ce qui lui revient en cas de perte, et de plus la moitié de l'excès dont ce qui lui reviendrait en cas de gain surpasse ce qui lui revient en cas de perte.

Par exemple, si deux joueurs jouent à condition que, si le premier gagne, il emportera 8 pistoles, et s'il perd, il en emportera 2 : je dis que le parti est qu'il prenne ces 2, plus la moitié dont 8 surpasse 2, c'est-à-dire, plus 3, car 8 surpasse 2 de 6, dont la moitié est 3.

Car, par l'hypothèse, s'il gagne, il emporte 8, c'est-à-dire, $6 + 2$, et s'il perd, il emporte 2; donc ces 2 lui appartiennent en cas de perte et de gain : et par conséquent, par le premier principe, il n'en doit faire aucun parti, mais les prendre entières. Mais pour les 6 autres elles dépendent du hasard; de sorte que s'il lui est favorable, il les gagnera, sinon elles reviendront à l'autre; et par l'hypothèse, il n'y a pas plus de raison qu'elles reviennent à l'un qu'à l'autre : donc le parti est qu'ils les séparent par la moitié, et que chacun prenne la sienne, qui est ce que j'avais proposé.

Donc, pour dire la même chose en d'autres termes, il lui appartient le cas de la perte, plus la moitié de la différence des cas de perte et de gain.

Et, partant, si en cas de perte il lui appartient A, et en cas de gain $A + B$, le parti est qu'il prenne $A + \frac{1}{2} B$.

COROLLAIRE SECOND

Si deux joueurs sont en la même condition que nous venons de dire, je dis que le parti se peut faire de cette façon qui revient au même : que l'on assemble les deux sommes de gain et de perte et que le premier prenne la moitié de cette somme; c'est-à-dire qu'on joigne 2 avec 8 et ce sera 10, dont la moitié 5 appartiendra au premier.

Car la moitié de la somme de deux nombres est toujours la même que le moindre, plus la moitié de leur différence.

Et cela se démontre ainsi :

Soit A ce qui revient en cas de perte, et $A + B$ ce qui revient en cas de gain. Je dis que le parti se fait en assemblant ces deux nombres, qui sont $A + A + B$, et en donnant la moitié au premier, qui est $\frac{1}{2} A + \frac{1}{2} A + \frac{1}{2} B$. Car cette somme égale $A + \frac{1}{2} B$, qui a été prouvée faire le parti juste.

Ces fondements étant posés, nous passerons aisément à déterminer le parti entre deux joueurs, qui jouent en tant de parties qu'on voudra, en quelque état qu'ils se trouvent, c'est-à-dire quel parti il faut faire quand ils jouent en deux parties, et que le premier en a une à point, ou qu'ils jouent en trois, et que le premier en a une à point, ou quand il en a deux à point, ou quand il en a deux à une; et généralement en quelque nombre de parties qu'ils jouent, et en quelque gain de parties qu'ils soient, et l'un et l'autre.

Sur quoi la première chose qu'il faut remarquer est que deux joueurs qui jouent en deux parties, dont le premier en a une à point, sont en même condition que deux autres qui jouent en trois parties, dont le premier en a deux, et l'autre une : car il y a cela de commun que, pour achever, il ne manque qu'une partie au premier, et deux à l'autre : et c'est en cela que consiste la différence des avantages, et qui doit régler les partis; de sorte qu'il ne faut proprement avoir égard qu'au nombre des parties qui restent à gagner à l'un et à l'autre, et non pas au nombre de celles qu'ils ont gagnées, puisque, comme nous avons déjà dit, deux joueurs se trouvent en même état quand, jouant en deux parties, l'un en a une à point, que deux qui jouent en douze parties, l'un en a onze à dix.

Il faut donc proposer la question en cette sorte :

Étant proposés deux joueurs, à chacun desquels il manque un certain nombre de parties pour achever, faire le parti.

J'en donnerai ici la méthode, que je poursuivrai seulement en deux ou trois exemples qui seront si aisés à continuer, qu'il ne sera pas nécessaire d'en donner davantage.

Pour faire la chose générale sans rien omettre, je la prendrai par le premier exemple qu'il est peut-être mal à propos de toucher, parce qu'il est trop clair; je le fais pourtant pour commencer par le commencement; c'est celui-ci :

Premier cas.

Si à un des joueurs il ne manque aucune partie, et à l'autre quelques-unes, la somme entière appartient au premier. Car il l'a gagnée, puisqu'il ne lui manque aucune des parties dans lesquelles il la devait gagner.

Second cas.

Si à un des joueurs il manque une partie, et à l'autre une, le parti est qu'ils séparent l'argent par la moitié, et que chacun prenne la sienne : cela est évident par le second principe. Il en est de même s'il manque deux parties à l'un et deux à l'autre; et de même quelque nombre de parties qui manque à l'un s'il en manque autant à l'autre.

Troisième cas.

Si à un des joueurs il manque une partie, et à l'autre deux, voici l'art de trouver le parti.

Considérons ce qui appartiendrait au premier joueur (à qui il ne manque qu'une partie) en cas de gain de la partie qu'ils vont jouer, et puis ce qui lui appartiendrait en cas de perte.

Il est visible que si celui à qui il ne manque qu'une partie, gagne cette partie qui va se jouer, il ne lui en manquera plus : donc tout lui appartiendra par le premier cas. Mais, au contraire, si celui à qui il manque deux parties gagne celle qu'ils vont jouer, il ne lui en manquera plus qu'une; donc ils seront en telle condition, qu'il en manquera une à l'un, et une à l'autre. Donc ils doivent partager l'argent par la moitié par le deuxième cas.

Donc si le premier gagne cette partie qui va se jouer, il lui appartient tout, et s'il la perd, il lui appartient la moitié; donc, en cas qu'ils veuillent se séparer sans jouer cette partie, il lui appartient $\frac{3}{4}$ par le second corollaire.

Et si on veut proposer un exemple de la somme qu'ils jouent, la chose sera bien plus claire.

Posons que ce soit 8 pistoles; donc le premier en cas de gain, doit avoir le tout, qui est 8 pistoles, et en cas de perte, il doit avoir la moitié qui est 4; donc il lui appartient en cas de parti la moitié de 8+4, c'est-à-dire, 6 pistoles de 8; car 8+4 font 12, dont la moitié est 6.

Quatrième cas.

Si à un des joueurs il manque une partie et à l'autre trois, le parti se trouvera de même en examinant ce qui appartient au premier en cas de gain et de perte.

Si le premier gagne, il aura toutes ses parties, et partant tout l'argent, qui est, par exemple, 8.

Si le premier perd, il ne faudra plus que 2 parties à l'autre à qui il en fallait 3. Donc ils seront en état qu'il faudra une partie au premier et deux à l'autre; et partant, par le cas précédent, il appartiendra 6 pistoles au premier.

Donc en cas de gain, il lui en faut 8, et en cas de perte 6; donc, en cas de parti, il lui appartient la moitié de ces deux sommes, savoir, 7; car 6+8 font 14, dont la moitié est 7.

Cinquième cas.

Si à un des joueurs il manque une partie et à l'autre quatre, la chose est de même.

Le premier, en cas de gain, gagne tout, qui est, par exemple, 8; et en cas de perte, il manque une partie au premier et trois à l'autre; donc il lui appartient 7 pistoles de 8; donc en cas de parti, il lui appartient la moitié de 8, plus la moitié de 7, c'est-à-dire $7\frac{1}{2}$.

Sixième cas.

Ainsi, s'il manque une partie à l'un et cinq à l'autre; et à l'infini.

Septième cas.

De même, s'il manque deux parties au premier, et trois à l'autre; car il faut toujours examiner les cas de gain et de perte.

Si le premier gagne, il lui manquera une partie, et à l'autre trois; donc par le quatrième cas il lui appartient 7 de 8.

Si le premier perd, il lui manquera deux parties, et à l'autre deux, donc par le deuxième cas, il appartient à chacun la moitié, qui est 4; donc, en cas de gain, le premier en aura 7 et en cas de perte, il en aura 4; donc en cas de parti, il aura la moitié de ces deux ensemble, savoir, $5\frac{1}{2}$.

Par cette méthode on fera les partis sur toutes sortes de conditions, en prenant toujours ce qui appartient en cas de gain et ce qui appartient en cas de perte, et assignant pour le cas de parti la moitié de ces deux sommes.

Voilà une des manières de faire les partis.

Il y en a deux autres, l'une par le Triangle arithmétique, et l'autre par les combinaisons.

MÉTHODE POUR FAIRE LES PARTIS ENTRE DEUX JOUEURS QUI JOUENT EN PLUSIEURS PARTIES PAR LE MOYEN DU TRIANGLE ARITHMÉTIQUE.

Avant que de donner cette méthode, il faut faire ce lemme.

LEMME

Si deux joueurs jouent à un jeu de pur hasard, à condition que, si le premier gagne, il lui appartiendra une portion quelconque sur la somme qu'ils jouent, exprimée par une fraction, et que, s'il perd, il lui appartiendra une moindre portion sur la même somme, exprimée par une autre fraction : s'ils veulent se séparer sans jouer, la condition du parti se trouvera en cette sorte. Soient réduites les deux fractions à même dénomination, si elles n'y sont pas; soit prise une fraction dont le numérateur soit la somme des deux numérateurs, et le dénominateur double des précédents : cette fraction exprime la portion qui appartient au premier sur la somme qui est au jeu.

Par exemple, qu'en cas de gain il appartienne les $\frac{3}{5}$ de la somme qui est au jeu, et qu'en cas de perte, il lui en appartienne $\frac{1}{5}$. Je dis que ce qui lui appartient en cas de parti se trouvera en prenant la somme des numérateurs, qui est 4, et le double du dénominateur, qui est 10, dont on fait la fraction $\frac{4}{10}$.

Car, par ce qui a été démontré au corollaire 2, il fallait assembler les cas de gain et de perte, et en prendre la moitié; or la somme des deux fractions $\frac{3}{5}+\frac{1}{5}$ est $\frac{4}{5}$, qui se fait par l'addition des numérateurs, et sa moitié se trouve en doublant le dénominateur, et ainsi l'on a $\frac{4}{10}$. C. q. f. d.

Or, ces règles sont générales et sans exception, quoi qui revienne en cas de perte ou de gain; car si, par exemple, en cas de gain, il appartient $\frac{1}{2}$, et en cas de perte, rien, en réduisant les deux fractions à même dénominateur, on aura $\frac{1}{2}$ pour le cas de gain, et $\frac{0}{2}$ pour le cas de perte; donc, en cas de parti, il faut cette fraction $\frac{1}{4}$, dont le numérateur égale la somme des autres, et le dénominateur est double du précédent.

Ainsi, si en cas de gain il appartient tout, et en cas de perte, $\frac{1}{3}$, en réduisant les fractions à même dénomination, on aura $\frac{3}{3}$ pour le cas de gain, et $\frac{1}{3}$ pour celui de la perte; donc en cas de parti, il appartient $\frac{4}{6}$.

Ainsi, si en cas de gain il appartient tout et en cas de perte rien, le parti sera visiblement $\frac{1}{2}$; car le cas de gain est $\frac{1}{1}$, et le cas de perte $\frac{0}{1}$; donc le parti est $\frac{1}{2}$.

Et ainsi de tous les cas possibles.

PROBLÈME I — PROPOSITION I

Étant proposés deux joueurs, à chacun desquels il manque un certain nombre de parties pour achever, trouver par le Triangle arithmétique le parti qu'il faut faire (s'ils veulent se séparer sans jouer), eu égard aux parties qui manquent à chacun.

Soit prise dans le triangle la base dans laquelle il y a autant de cellules qu'il manque de parties aux deux ensemble; ensuite soient prises dans cette base autant de cellules continues à commencer par la première, qu'il manque de parties au premier joueur, et qu'on prenne la somme de leurs nombres. Donc il reste autant de cellules qu'il manque de parties à l'autre. Qu'on prenne encore la somme de leurs nombres. Ces sommes sont l'une à l'autre comme les avantages des joueurs réciproquement; de sorte que si la somme qu'ils jouent est égale à la somme des nombres de toutes les cellules de la base, il en appartiendra à chacun ce qui est contenu en autant de cellules qu'il manque de parties à l'autre; et s'ils jouent une autre somme, il leur en appartiendra à proportion.

Par exemple, qu'il y ait deux joueurs, au premier desquels il manque deux parties, et à l'autre 4 : il faut trouver le parti.

Soient ajoutés ces deux nombres 2 et 4, et soit leur somme 6; soit prise la sixième base du Triangle arithmétique Pδ, dans laquelle il y a par conséquent six cellules P, M, F, ω, S, δ. Soient prises autant de cellules, à commencer par la première P, qu'il manque de parties au premier joueur, c'est-à-dire les deux premières P, M; donc il en reste autant que de parties à l'autre, c'est-à-dire 4, F, ω, S, δ.

Je dis que l'avantage du premier est à l'avantage du second, comme $F+\omega+S+\delta$ à $P+M$, c'est-à-dire que, si la somme qui se joue est égale à $P+M+F+\omega+S+\delta$, il en appartient à celui à qui il manque deux parties la somme des quatre cellules $\delta+S+\omega+F$ et à celui à qui il manque 4 parties, la somme des deux cellules $P+M$. Et s'ils jouent une autre somme, il leur en appartient à proportion.

Et, pour le dire généralement, quelque somme qu'ils jouent, il en appartient au premier une portion exprimée par cette fraction $\frac{F+\omega+S+\delta}{P+M+F+\omega+S+\delta}$ dont le numérateur est la somme des 4 cellules de l'autre et le dénominateur la somme de toutes les cellules; et à l'autre une portion exprimée par cette fraction,

$$\frac{P+M}{P+M+F+\omega+S+\delta}$$

dont le numérateur est la somme des deux cellules de l'autre, et le dénominateur la même somme de toutes les cellules.

Et, s'il manque une partie à l'un, et 5 à l'autre, il appartient au premier la somme des 5 premières cellules $P+M+F+\omega+S$, et à l'autre la somme de la cellule δ.

Et s'il manque 6 parties à l'un, et 2 à l'autre, le parti s'en trouvera dans la huitième base, dans laquelle les six premières cellules contiennent ce qui appartient à celui à qui il manque deux parties, et les deux autres ce qui appartient à celui à qui il en manque six; et ainsi à l'infini.

Quoique cette proposition ait une infinité de cas, je la démontrerai néanmoins en peu de mots par le moyen de deux lemmes.

Le 1er, que la seconde base contient les partis des joueurs auxquels il manque deux parties en tout.

Le 2e, que si une base quelconque contient les partis de ceux auxquels il manque autant de parties qu'elle a de cellules, la base suivante sera de même, c'est-à-dire qu'elle contiendra aussi les partis des joueurs auxquels il manque autant de parties qu'elle a de cellules.

D'où je conclus, en un mot, que toutes les bases du Triangle arithmétique ont cette propriété : car la seconde l'a par le premier lemme; donc, par le second lemme, la troisième l'a aussi, et par conséquent la quatrième; et à l'infini. C. q. f. d.

Il faut donc seulement démontrer ces 2 lemmes.

Le 1er est évident de lui-même; car s'il manque une partie à l'un et une à l'autre, il est évident que leurs conditions sont comme φ à σ, c'est-à-dire comme 1 à 1, et qu'il appartient à chacun cette fraction :

$$\frac{\sigma}{\varphi+\sigma} \text{ qui est } \frac{1}{2}.$$

Le 2e se démontrera de cette sorte.

Si une base quelconque, comme la quatrième Dλ, contient les partis de ceux à qui il manque quatre parties, c'est-à-dire que, s'il manque une partie au premier, et trois au second, la portion qui appartient au premier sur la somme qui se joue, soit celle qui est exprimée par cette fraction $\frac{D+B+\theta}{D+B+\theta+\lambda}$ qui a pour dénominateur la somme des cellules de cette base, et pour numérateur ses trois premières; et que, s'il manque deux parties à l'un, et deux à l'autre, la fraction qui appartient au premier soit $\frac{D+B}{D+B+\theta+\lambda}$; et que, s'il manque trois parties au premier, et une à l'autre, la fraction du premier soit $\frac{D}{D+B+\theta+\lambda}$, etc.

Je dis que la cinquième base contient aussi les partis de ceux auxquels il manque cinq parties; et que s'il manque, par exemple, deux parties au premier, et trois à l'autre, la portion qui appartient au premier sur la somme qui se joue, est exprimée par cette fraction :

$$\frac{H+E+C}{H+E+C+R+\mu}.$$

Car pour savoir ce qui appartient à deux joueurs à chacun desquels il manque quelques parties, il faut prendre la fraction qui appartiendrait au premier en cas de gain, et celle qui lui appartiendrait en cas de perte, les mettre à même dénomination, si elles n'y sont pas, et en former une fraction, dont le numérateur soit la somme des deux autres, et le dénominateur double de l'autre, par le lemme précédent.

Examinons donc les fractions qui appartiendraient à notre premier joueur en cas de gain et de perte.

Si le premier, à qui il manque deux parties, gagne celle qu'ils vont jouer, il ne lui manquera plus qu'une partie, et à l'autre toujours trois; donc il leur manque quatre parties en tout : donc, par l'hypothèse, leur parti se trouve en la base quatrième, et il appartiendra au premier cette fraction $\frac{D+B+\theta}{D+B+\theta+\lambda}$.

Si au contraire le premier perd, il lui manquera toujours deux parties, et deux seulement à l'autre; donc, par l'hypothèse, la fraction du premier sera $\frac{D+B}{D+B+\theta+\lambda}$. Donc, en cas de parti, il appartiendra au premier cette fraction :

$$\frac{D+B+\theta+D+B}{2D+2B+2\theta+2\lambda}, \text{ c'est-à-dire, } \frac{H+E+C}{H+E+C+R+\mu}.$$

C. q. f. d.

Ainsi cela se démontre entre toutes les autres bases sans aucune différence, parce que le fondement de cette preuve est qu'une base est toujours double de sa précédente par la septième conséquence, et que, par la dixième conséquence, tant de cellules qu'on voudra d'une même base sont égales à autant de la base précédente (qui est toujours le numérateur de la fraction en cas de gain) plus encore aux mêmes cellules, excepté une (qui est le numérateur de la fraction en cas de perte); ce qui étant vrai généralement partout, la démonstration sera toujours sans obstacle et universelle.

PROBLÈME II — PROPOSITION II

Étant proposés deux joueurs qui jouent chacun une même somme en un certain nombre de parties proposé, trouver dans le Triangle arithmétique la valeur de la dernière partie sur l'argent du perdant.

Par exemple, que deux joueurs jouent chacun trois pistoles en quatre parties : on demande la valeur de la dernière partie sur les 3 pistoles du perdant.

Soit prise la fraction qui a l'unité pour numérateur et pour dénominateur la somme des cellules de la base quatrième, puisqu'on joue en quatre parties : je dis que cette fraction est la valeur de la dernière partie sur la mise du perdant.

Car si deux joueurs jouant en quatre parties, l'un en a trois à point, et qu'ainsi il en manque une au premier, et quatre à l'autre, il a été démontré que ce qui appartient au premier pour le gain qu'il a fait de ses trois premières parties, est exprimé par cette fraction $\frac{H+E+C+R}{H+E+C+R+\mu}$ qui a pour dénominateur la somme des cellules de la cinquième base, et pour numérateur ses quatre premières cellules; donc, il ne reste sur la somme totale des deux mises que cette fraction $\frac{\mu}{H+E+C+R+\mu}$, laquelle serait acquise à celui qui a déjà les trois premières parties en cas qu'il gagnât la dernière; donc la valeur de cette dernière sur la somme des deux mises est

$$\frac{\mu}{H+E+C+R+\mu} \text{ c'est-à-dire, } \frac{\text{l'unité}}{2D+2B+2\theta+2\lambda}.$$

Or, puisque la somme totale des mises est $2D+2B+2\theta+2\lambda$, la somme de chaque mise est $D+B+\theta+\lambda$; donc la valeur de la dernière partie sur la seule mise du perdant est cette fraction $\frac{1}{D+B+\theta+\lambda}$ double de la précédente, et laquelle a pour numérateur l'unité, et pour dénominateur la somme des cellules de la quatrième base. C. q. f. d.

PROBLÈME III — PROPOSITION III

Étant proposés deux joueurs qui jouent chacun une même somme en un certain nombre de parties donné, trouver dans le Triangle arithmétique la valeur de la première partie sur la mise du perdant.

Par exemple, que deux joueurs jouent chacun 3 pistoles en quatre parties, on demande la valeur de la première sur la mise du perdant.

Soit ajouté au nombre 4 le nombre 3, moindre de l'unité, et soit la somme 7; soit prise la fraction qui ait pour dénominateur toutes les cellules de la septième base, et pour numérateur la cellule de cette base qui se rencontre dans la dividente, savoir, cette fraction :

$$\frac{\rho}{V+Q+K+\rho+\xi+N+\zeta}$$

je dis qu'elle satisfait au problème.

Car si deux joueurs jouant en quatre parties, le premier en a une à point, il en restera trois à gagner au premier, et quatre à l'autre; donc il appartient au premier sur la somme des deux mises cette fraction $\frac{V+Q+K+\rho}{V+Q+K+\rho+\xi+N+\zeta}$ qui a pour dénominateur toutes les cellules de la septième base, et pour numérateur ses quatre premières cellules.

Donc il lui appartient $V+Q+K+\rho$ sur la somme totale des deux mises, exprimée par $V+Q+K+\rho+\xi+N+\zeta$; mais cette dernière somme étant l'assemblage de deux mises, il en avait mis au jeu la moitié, savoir $V+Q+K+\frac{1}{2}\rho$ (car $V+Q+K$ sont égaux à $\zeta+N+\xi$).

Donc il a $\frac{1}{2}\rho$, c'est-à-dire ω, plus qu'il n'avait en entrant au jeu; donc il a gagné sur la somme totale des deux mises une portion exprimée par cette fraction $\frac{\omega}{V+Q+K+\rho+\xi+N+\zeta}$; donc il a gagné sur la mise du perdant une portion qui sera double de celle-là, savoir celle qui est exprimée par cette fraction :

$$\frac{\rho}{V+Q+K+\rho+\xi+N+\zeta}.$$

Donc le gain de la première partie lui a acquis cette fraction; donc sa valeur est telle.

Corollaire

Donc la valeur de la première partie de deux sur la mise du perdant est exprimée par cette fraction $\frac{1}{2}$.

Car en prenant cette valeur suivant la règle qui vient d'en être donnée, il faut prendre la fraction qui a pour dénominateur les cellules de la troisième base (parce que le nombre des parties en quoi on joue est deux, et le nombre moindre de l'unité est 1, qui avec 2 fait 3), et pour numérateur la cellule de cette base qui est dans la dividente; donc on aura cette fraction $\frac{\psi}{A+\psi+\pi}$.

Or le nombre de la cellule ψ est 2, et les nombres des cellules $A+\psi+\pi$, sont $1+2+1$. Donc on a cette fraction $\frac{2}{1+2+1}$, c'est-à-dire $\frac{2}{4}$, c'est-à-dire $\frac{1}{2}$.

Donc le gain de la première partie lui a acquis cette fraction; donc sa valeur est telle. C. q. f. d.

PROBLÈME IV — PROPOSITION IV

Étant proposés deux joueurs qui jouent chacun une même somme en un certain nombre de parties donné, trouver par le Triangle arithmétique la valeur de la seconde partie sur la mise du perdant.

Soit le nombre donné des parties dans lesquelles on joue, 4; il faut trouver la valeur de la deuxième partie sur la mise du perdant.

Soit prise la valeur de la première partie par le problème précédent. Je dis qu'elle est la valeur de la seconde.

Car deux joueurs jouant en quatre parties, si l'un en a deux à point, la fraction qui lui appartient est celle-ci, $\frac{P+M+F+\omega}{P+M+F+\omega+S+\delta}$ qui a pour dénominateur la somme des cellules de la sixième base, et pour numérateur la somme des quatre premières; mais il en avait mis au jeu cette fraction :

$$\frac{P+M+F}{P+M+F+\omega+S+\delta}$$

savoir, la moitié du tout. Donc il lui reste de gain cette fraction : $\frac{\omega}{P+M+F+\omega+S+\delta}$ qui est la même chose que celle-ci :

$$\frac{\rho}{V+Q+K+\rho+\xi+N+\zeta};$$

donc il a gagné sur la moitié de la somme entière, c'est-à-dire sur la mise du perdant, cette fraction :

$$\frac{2\rho}{V+Q+K+\rho+\xi+N+\zeta}$$

double de la précédente.

Donc le gain des deux premières parties lui a acquis cette fraction sur l'argent du perdant, qui est le double de ce que la première partie lui avait acquis par la précédente; donc la seconde partie lui en a autant acquis que la première.

CONCLUSION

On peut aisément conclure, par le rapport qu'il y a du Triangle arithmétique aux partis qui doivent se faire entre deux joueurs, que les proportions des cellules qui ont été données dans le Traité du Triangle, ont des conséquences qui s'étendent à la valeur des partis, qui sont bien aisées à tirer, et dont j'ai fait un petit discours en traitant des partis, qui donne l'intelligence et le moyen de les étendre plus avant.

IV
USAGE DU TRIANGLE ARITHMÉTIQUE
POUR TROUVER LES PUISSANCES DES BINOMES ET DES APOTOMES

S'il est proposé de trouver la puissance quelconque, comme le quatrième degré, d'un binôme, dont le premier nom soit A, l'autre l'unité, c'est-à-dire qu'il faille trouver le carré-carré de $A+1$, il faut prendre dans le Triangle arithmétique la base cinquième, savoir, celle dont l'exposant 5 est plus grand de l'unité que 4, exposant de l'ordre proposé. Les cellules de cette cinquième base sont 1, 4, 6, 4, 1, dont il faut prendre le premier nombre 1 pour coefficient de A au degré proposé, c'est-à-dire de A^4; ensuite, il faut prendre le second nombre de la base, qui est 4, pour coefficient de A au degré prochainement inférieur, c'est-à-dire de A^3, et prendre le nombre suivant de la base, savoir 6, pour coefficient de A au degré inférieur, savoir A^2, et le nombre suivant de la base, savoir 4, pour coefficient de A au degré inférieur, savoir A racine, et prendre le dernier nombre de la base 1 pour nombre absolu : et ainsi on aura $1A^4+4A^3+6A^2+4A+1$ qui sera la puissance carré-carrée du binôme $A+1$. De sorte que si A (qui représente tout nombre) est l'unité, et qu'ainsi le binôme $A+1$ soit le binaire, cette puissance $1A^4+4A^3+6A^2+4A+1$ sera maintenant $1.1^4+4.1^3+6.1^2+4.1+1$;

c'est-à-dire une fois le carré-carré de l'unité A, *c'est-à-dire*	1
Quatre fois le cube de 1, *c'est-à-dire*	4
Six fois le carré de 1, *c'est-à-dire*	6
Quatre fois l'unité, c'est-à-dire	4
Plus l'unité	1
Qui ajoutés font	16

Et en effet le carré-carré de 2 est 16.

Si A est un autre nombre, comme 4, et partant que le binôme $A+1$ soit 5, alors son carré-carré sera toujours, suivant cette méthode, $1A^4+4A^3+6A^2+4A+1$, qui signifie maintenant :

$$1.4^4+4.4^3+6.4^2+4.4+1;$$

c'est-à-dire une fois le carré-carré de 4, *savoir* . . . 256
Quatre fois le cube de 4, *savoir* 256
Six fois le carré de 4 96
Quatre fois la racine 4 16
Plus l'unité 1
dont la somme 625

fait le carré-carré de 5 : et en effet le carré-carré de 5 est 625.

Et ainsi des autres exemples.

Si on veut trouver le même degré du binôme A+2, il faut prendre de même

$$1A^4+4A^3+6A^2+4A+1$$

et ensuite écrire ces quatre nombres 2, 4, 8, 16, qui sont les quatre premiers degrés de 2, sous les nombres 4, 6, 4, 1; c'est-à-dire sous chacun des nombres de la base, en laissant le premier en cette sorte :

$$\begin{array}{ccccc} 1A^4+ & 4A^3+ & 6A^2+ & 4A+ & 1 \\ & 2 & 4 & 8 & 16 \end{array}$$

et multiplier les nombres qui se répondent l'un par l'autre :

$$\begin{array}{ccccc} 1A^4+ & 4A^3+ & 6A^2+ & 4A+ & 1 \\ & 2 & 4 & 8 & 16 \end{array}$$

en cette sorte : $1A^4+8A^3+24A^2+32A+16$

Et ainsi on aura le carré-carré du binôme A+2; de sorte que si A est l'unité, ce carré-carré sera tel :

Une fois le carré-carré de l'unité A 1
Huit fois le cube de l'unité 8
$24, 1^2$ 24
32, 1 32
Plus 16
Dont la somme 81

sera le carré-carré de 3. Et en effet 81 est le carré-carré de 3.

Et si A est 2, alors A+2 sera 4, et son carré-carré sera :

Une fois le carré-carré de A *ou de* 2, *savoir* . . 16
$8, 2^3$ 64
$24, 2^2$ 96
32, 2 64
Plus le carré-carré de 2 16
dont la somme 256

sera le carré-carré de 4.

De la même manière on trouvera le carré-carré de A+3, en mettant de la même sorte :

$$1A^4+\ 4A^3\ +6A^2+\ 4A+\ 1$$

et au-dessous
les nombres 3 9 27 81

$$1A^4+12A^3+54A^2+108A+81$$

qui sont les 4 premiers degrés de 3; et multipliant les nombres correspondants, on trouvera le carré-carré de A+3.

Et ainsi à l'infini. Si au lieu du carré-carré on veut le carré-cube, ou le cinquième degré, il faut prendre la base sixième et en user comme j'ai dit de la cinquième et ainsi de tous les autres degrés.

On trouvera de même les puissances des apotomes A—1, A—2, etc. La méthode en est toute semblable, et ne diffère qu'aux signes, car les signes de + et de — se suivent toujours alternativement, et le signe de + est toujours le premier.

Ainsi le carré-carré de A—1 se trouvera de cette sorte. Le carré-carré de A+1 est par la règle précédente $1A^4+4A^3+6A^2+4A+1$. Donc en changeant les signes comme j'ai dit, on aura $1A^4-4A^3+6A^2-4A+1$. Ainsi le cube de A—2 se trouvera de même. Car le cube de A+2, par la règle précédente, est $A^3+6A^2+12A+8$. Donc le cube de A—2 se trouvera en changeant les signes $A^3-6A^2+12A-8$. Et ainsi à l'infini.

Je ne donne point la démonstration de tout cela, parce que d'autres en ont déjà traité, comme Hérigone, outre que la chose est évidente d'elle-même.

TRAITÉ DES ORDRES NUMÉRIQUES

Je présuppose qu'on a vu le traité du Triangle arithmétique, et son usage pour les ordres numériques; autrement j'y renvoie ceux qui veulent voir ce discours, qui en est proprement une suite.

J'y ai donné la définition des ordres numériques, et je ne la répéterai pas.

J'y ai montré aussi que le Triangle arithmétique n'est autre chose que la table des ordres numériques; en suite de quoi il est évident que toutes les propriétés qui ont été données dans le Triangle arithmétique entre les cellules ou entre les rangs, conviennent aux ordres numériques; de sorte que, si peu qu'on ait l'art d'appliquer les propriétés des uns aux autres, il n'y a point de proposition dans le traité du Triangle qui n'ait pas ses conséquences touchant les divers ordres. Et cela est tout ensemble et si facile et si abondant que je suis fort éloigné de vouloir tout donner expressément; j'aimerais mieux laisser tout à faire, puisque la chose est si aisée; mais pour me tenir entre ces deux extrémités, j'en donnerai seulement quelques exemples, qui ouvriront le moyen de trouver tous les autres.

Par exemple : de ce qui a été dit dans une des conséquences du traité du Triangle, que chaque cellule égale celle qui la précède dans son rang parallèle, plus celle qui la précède dans son rang perpendiculaire, j'en forme cette proposition touchant les ordres numériques :

PROPOSITION I

Un nombre, de quelque ordre que ce soit, égale celui qui le précède dans son ordre, plus son coradical de l'ordre précédent. Et par conséquent, le quatrième, par exemple, des pyramidaux égale le troisième pyramidal, plus le quatrième triangulaire, ainsi le cinquième triangulo-triangulaire égale le quatrième triangulo-triangulaire, plus le cinquième pyramidal, etc.

Autre exemple. De ce qui a été montré dans le Triangle : que *chaque cellule, comme* F, *égale* $E+B+\psi+\sigma$, *c'est-à-dire celle qui la précède dans son rang parallèle, plus toutes celles qui précèdent cette précédente dans son rang perpendiculaire*, je forme cette proposition :

PROPOSITION II

Un nombre, de quelque ordre que ce soit, égale tous ceux tant de son ordre que de tous les précédents, dont la racine est moindre de l'unité que la sienne, et partant le quatrième des pyramidaux, par exemple, égale le troisième des pyramidaux, plus le troisième des triangulaires, plus le troisième des naturels, plus le troisième des unités, c'est-à-dire l'unité.

D'où on peut maintenant tirer d'autres conséquences, comme celle-ci que je donne pour ouvrir le chemin à d'autres pareilles.

PROPOSITION III

Chaque nombre, de quelque ordre que ce soit, est composé d'autant de nombres qu'il y a d'ordres depuis le sien jusqu'au premier inclusivement, chacun desquels nombres est de chacun de ces ordres. Ainsi un triangulo-triangulaire est composé d'un autre triangulo-triangulaire, d'un pyramidal, d'un triangulaire, d'un naturel et de l'unité.

Et si on en veut faire un problème, il pourra s'énoncer ainsi :

PROPOSITION IV — PROBLÈME

Étant donné un nombre d'un ordre quelconque, trouver un nombre dans chacun des ordres depuis le premier jusqu'au sien inclusivement, dont la somme égale le nombre donné.

La solution en est facile : il faut prendre dans tous ces ordres les nombres dont la racine est moindre de l'unité que celle du nombre donné.

Autre exemple. De ce que les cellules correspondantes sont égales entre elles, il se conclut :

PROPOSITION V

Que deux nombres de différents ordres sont égaux entre eux, si la racine de l'un est le même nombre que l'exposant de l'ordre de l'autre. Et partant, le troisième pyramidal est égal au quatrième triangulaire. Le cinquième du huitième ordre est le même que le huitième du cinquième ordre.

On n'aurait jamais achevé. Par exemple :

PROPOSITION VI

Tous les quatrièmes nombres de tous les ordres sont les mêmes que tous les nombres du quatrième ordre, etc.

Parce que les rangs parallèles et perpendiculaires qui ont un même exposant sont composés de cellules toutes pareilles.

Par cette méthode, on trouvera un rapport admirable en tout le reste, comme celui-ci :

PROPOSITION VII

Un nombre, de quelque ordre que ce soit, est au prochainement plus grand dans le même ordre, comme la racine du moindre est à cette même racine jointe à l'exposant de l'ordre, moins l'unité.

Ce qui s'ensuit de la quatorzième conséquence du Triangle, où il est montré que chaque cellule est à celle qui la précède dans son rang parallèle comme l'exposant de la base de cette précédente à l'exposant de son rang perpendiculaire.

Et afin de ne rien cacher de la manière dont se tirent ces correspondances, j'en montrerai le rapport à découvert : il est un peu plus difficile ici que tantôt, parce qu'on ne voit point de rapport de la base des triangles avec les ordres des nombres; mais voici le moyen de le trouver. Au lieu de *l'exposant de la base* dont j'ai parlé dans cette quatorzième conséquence, il faut substituer *l'exposant du rang parallèle, plus l'exposant du rang perpendiculaire moins l'unité.* Ce qui produit le même nombre, et avec cet avantage qu'on connaît le rapport qu'il y a de ces exposants avec les ordres numériques : car on sait qu'en ce nouveau langage, il faut dire : *l'exposant de l'ordre plus la racine, moins l'unité.* Je dis tout ceci afin de faire toucher la méthode pour faire et pour faciliter ces réductions.

Ainsi on trouvera que :

PROPOSITION VIII

Un nombre, de quelque ordre que ce soit, est à son coradical de l'ordre suivant, comme l'exposant de l'ordre du moindre est à ce même exposant joint à leur racine commune moins l'unité.

C'est la treizième conséquence du Triangle. Ainsi on trouvera encore que :

PROPOSITION IX

Un nombre, de quelque ordre que ce soit, est à celui de l'ordre précédent, dont la racine est plus grande de l'unité que la sienne, comme la racine du premier à l'exposant de l'ordre du second.

Ce n'est que la même chose que la douzième conséquence du Triangle arithmétique.

J'en laisse beaucoup d'autres, chacune desquelles, aussi bien que de celles que je viens de donner, peut encore être augmentée de beaucoup par de différentes énonciations : car au lieu d'exprimer ces proportions comme j'ai fait, en disant *qu'un nombre est à un autre comme un troisième à un quatrième*, ne peut-on pas dire que *le rectangle des extrêmes est égal à celui des moyens?* et ainsi multiplier les propositions et non sans utilité; car étant regardées d'un autre côté, elles donnent d'autres ouvertures.

Par exemple, si on veut tourner autrement cette dernière proposition, on peut l'énoncer ainsi :

PROPOSITION X

Un nombre, de quelque ordre que ce soit, étant mul-

tiplié par la racine précédente, égale l'exposant de son ordre multiplié par le nombre de l'ordre suivant procédant de cette racine.

Et parce que, quand quatre nombres sont proportionnels, le rectangle des extrêmes ou des moyens, étant divisé par un des deux autres, donne pour quotient le dernier, on peut dire ainsi :

PROPOSITION XI

Un nombre, de quelque ordre que ce soit, étant multiplié par la racine précédente et divisé par l'exposant de son ordre, donne pour quotient le nombre de l'ordre suivant qui procède de cette racine.

Les manières de tourner une même chose sont infinies : en voici un illustre exemple, et bien glorieux pour moi. Cette même proposition que je viens de rouler en plusieurs sortes est tombée dans la pensée de notre célèbre conseiller de Toulouse, M. de Fermat; et, ce qui est admirable, sans qu'il m'en eût donné la moindre lumière, ni moi à lui, il écrivait dans sa Province ce que j'inventais à Paris, heure pour heure, comme nos lettres écrites et reçues en même temps le témoignent. Heureux d'avoir concouru en cette occasion, comme j'ai fait encore en d'autres d'une manière tout à fait étrange, avec un homme si grand et si admirable, et qui, dans toutes les recherches de la plus sublime géométrie, est dans le plus haut degré d'excellence, comme ses ouvrages, que nos longues prières ont enfin obtenus de lui, le feront bientôt voir à tous les géomètres de l'Europe, qui les attendent! La manière dont il a pris cette même proposition est telle :

En la progression naturelle qui commence par l'unité, un nombre quelconque, étant mené dans le prochainement plus grand, produit le double de son triangle.

Le même nombre, étant mené dans le triangle du prochainement plus grand, produit le triple de sa pyramide.

Le même nombre, mené dans la pyramide du prochainement plus grand, produit le quadruple de son triangulo-triangulaire; et ainsi à l'infini, par une méthode générale et uniforme.

Voilà comment on peut varier les énonciations. Ce que je montre en cette proposition s'entendant de toutes les autres, je ne m'arrêterai plus à cette manière accommodante de traiter les choses, laissant à chacun d'exercer son génie en ces recherches où doit consister toute l'étude des géomètres : car si on ne sait pas tourner les propositions à tous sens, et qu'on ne se serve que du premier biais qu'on a envisagé, on n'ira jamais bien loin : ce sont ces diverses routes qui ouvrent les conséquences nouvelles, et qui, par des énonciations assorties au sujet, lient des propositions qui semblaient n'avoir aucun rapport dans les termes où elles étaient conçues d'abord. Je continuerai donc ce sujet en la manière dont on a accoutumé de traiter la géométrie, et ce que j'en dirai sera comme un nouveau traité des ordres numériques; et même je le donnerai en latin, parce qu'il se rencontre que je l'ai écrit ainsi en l'inventant.

DE NUMERICIS ORDINIBUS TRACTATUS

Trianguli Arithmetici tractatum, ipsiusque circa numericos ordines usum, supponit tractatus iste, ut et plerique è sequentibus : huc ergo mittitur lector horum cupidus; ibi noscet quid sint ordines numerici, nempe unitates, numeri naturales, trianguli, pyramides, triangulo-trianguli, etc. Quae cum perlegerit, facilè haec assequetur.

Hic propriè ostenditur connexio inter numerum cujusvis ordinis cum suâ radice et exponente sui ordinis, quae talis est ut, ex his tribus datis duobus quibuslibet, tertius inveniatur. Verbi gratiâ, datâ radice et exponente ordinis, numerus ipse datur; sic, dato numero et sui ordinis exponente, radix elicitur; necnon ex dato numero et radice, exponens ordinis invenitur : haec constituunt tria priora problemata : quartum de summâ ordinum agit.

TRAITÉ DES ORDRES NUMÉRIQUES

Dans ce traité et dans la plupart des suivants on suppose connus le Traité du triangle arithmétique et l'Usage du triangle arithmétique pour les ordres numériques : j'y renvoie le lecteur curieux de ce sujet : il trouvera là la définition des ordres numériques, savoir des unités, nombres naturels, triangulaires, pyramidaux, triangulo-triangulaires, etc., — définitions qu'il s'assimilera sans peine à première lecture.

Ici, on se propose en particulier de déterminer la relation qui existe entre un nombre d'ordre quelconque, sa racine et l'exposant de son ordre. Grâce à cette relation on peut, lorsque deux de ces trois éléments sont donnés, trouver le troisième. Par exemple on peut déterminer un nombre, connaissant sa racine et l'exposant de son ordre; ou, connaissant un nombre et l'exposant de son ordre, trouver la racine; ou déterminer l'exposant de l'ordre d'un nombre connaissant ce nombre et sa racine. Nous allons d'abord résoudre ces trois problèmes : nous traiterons, en quatrième lieu, de la sommation des nombres des divers ordres numériques.

DE NUMERICORUM ORDINUM COMPOSITIONE
PROBLEMA I

Datis numeri cujuslibet radice et exponente ordinis, componere numerum.

Productus numerorum qui praecedunt radicem dividat productum totidem numerorum quorum primus sit exponens ordinis : Quotiens erit quaesitus numerus.

Propositum sit invenire numerum ordinis verbi gratiâ tertii, radicis verò quintae.

Productus numerorum 1, 2, 3, 4, qui praecedunt radicem 5, nempe 24, dividat productum totidem numerorum continuorum 3, 4, 5, 6, quorum primus sit exponens ordinis 3, nempe 360 : Quotiens 15 est numerus quaesitus.

Nec difficilis demonstratio : eâdem enim prorsus constructione, inventa est, ad finem tractatus Triang. Arith., cellula quintae seriei perpendicularis, tertiae vero seriei parallelae; cujus cellulae numerus idem est ac numerus quintus ordinis tertii, qui quaeritur.

Potest autem et sic resolvi idem problema.

Productus numerorum qui praecedunt exponentem ordinis dividat productum totidem numerorum continuorum quorum primus sit radix : Quotiens est quaesitus.

Sic, in proposito exemplo, productus numerorum 1, 2, qui praecedunt exponentem ordinis 3, nempe 2, dividat productum totidem numerorum 5, 6, quorum primus sit radix 5, nempe 30. Quotiens, 15, est numerus quaesitus.

Nec differt haec constructio à praecedente, nisi in hoc solo, quod in alterâ idem fit de radice, quod fit in alterâ de exponente ordinis : perindè ac si idem esset invenire, quintum numerum ordinis tertii, ac tertium numerum ordinis quinti; quod quidem verum esse jam ostendimus.

Hinc autem obiter colligere possumus arcanum numericum : cum enim ambo illi quotientes 15 sint iidem, constat divisores esse inter se ut dividendos. Animadvertemus itaque :

Si sint duo quilibet numeri, productus omnium numerorum primum ex ambobus propositis praecedentium, est ad productum totidem numerorum quorum primus est secundus ex his ambobus, ut productus ex omnibus qui praecedunt secundum ex illis ambobus ad productum totidem numerorum continuorum quorum primus est primus ex iis ambobus propositis.

Haec qui prosequeretur, et demonstraret, et novi fortassis tractatus materiam reperiret : nunc autem quia extra rem nostram sunt, sic pergimus.

DE NUMERICORUM ORDINUM RESOLUTIONE
PROBLEMA II

Dato numero, ac exponente sui ordinis, invenire radicem.

Potest autem et sic enuntiari.

Dato quolibet numero, invenire radicem maximi numeri ordinis numerici cujuslibet propositi, qui in dato numero contineatur.

COMPOSITION DES ORDRES NUMÉRIQUES
PROBLÈME I

Trouver un nombre, connaissant sa racine et l'exposant de son ordre.

Considérons le produit des nombres naturels qui précèdent la racine donnée, et, d'autre part, le produit d'un nombre égal de facteurs consécutifs dont le premier soit l'exposant proposé : le quotient du deuxième produit par le premier sera le nombre demandé.

Soit, par exemple, proposé de trouver le nombre du troisième ordre dont la racine est 5.

Par le produit 24 des nombres 1, 2, 3, 4 inférieurs à 5, on divisera le produit 360 des quatre facteurs consécutifs 3, 4, 5, 6, dont le premier, 3, est l'exposant de l'ordre : le quotient 15 sera le nombre cherché.

La démonstration de cette règle est aisée. Le calcul ne diffère pas en effet de celui qui a été fait à la fin du *Traité du triangle arithmétique* pour trouver la cellule commune au cinquième rang perpendiculaire et au troisième rang parallèle : le nombre de cette cellule est précisément le nombre du troisième ordre qui a pour racine 5.

Le même problème peut encore être résolu comme il suit :

Considérons le produit des nombres qui précèdent l'exposant de l'ordre et, d'autre part, le produit d'un nombre égal de facteurs consécutifs dont le premier soit la racine proposée : le quotient du deuxième produit par le premier sera le nombre demandé.

Dans le cas de l'exemple cité plus haut, on divisera par le produit 2 des nombres 1, 2 qui précèdent l'exposant de l'ordre 3, le produit 30 des deux facteurs 5, 6, dont le premier est la racine donnée 5 : le quotient 15 sera le nombre cherché.

Cette seconde règle ne diffère de la première que par la substitution de la racine à l'exposant de l'ordre : en sorte que déterminer le cinquième nombre du troisième ordre revient à déterminer le troisième nombre du cinquième ordre : effectivement, nous avons déjà constaté que ces deux nombres sont égaux.

Nous pouvons tirer de là, en passant, un théorème d'arithmétique. Puisque les deux quotients 15 sont égaux, les deux dividendes doivent être dans le même rapport que les deux diviseurs. D'où l'énoncé :

Deux nombres quelconques étant donnés, le produit de tous les nombres naturels qui précèdent le premier est au produit d'un nombre égal de facteurs consécutifs commençant par le second, comme le produit de tous les nombres naturels qui précèdent le second est au produit d'un nombre égal de facteurs consécutifs commençant par le premier.

En poursuivant et démontrant les conséquences de ce principe on trouverait peut-être la matière d'un nouveau traité : mais nous ne nous y arrêterons pas plus longtemps, afin de ne pas nous écarter de notre sujet.

RÉSOLUTION DES ORDRES NUMÉRIQUES
PROBLÈME II

Étant donné un nombre et l'exposant de son ordre, trouver sa racine.

Le problème peut encore être énoncé comme il suit :

Étant donné un nombre quelconque, trouver la racine

Sit datus numerus quilibet, v. g., 58, ordo verò numericus quicumque propositus, v. g., sextus. Oportet igitur invenire radicem sexti ordinis numeri, 58.

Exhibeatur ex unâ parte exponens ordinis, 6.	Et continuò	*Exponatur ex alterâ parte numerus datus,* 58.
Multiplicetur ipse 6 per numerum 7, proximè majorem, sitque productus, 42.	Et continuò	*Multiplicetur ipse numerus per 2, sitque productus,* 116.
Multiplicetur iste productus per proximè sequentem multiplicatorem 8, sitque productus, 336.	Et continuò	*Multiplicetur ipse productus per proximè sequentem multiplicatorem 3, sitque productus,* 348.
Multiplicetur iste productus per proximè sequentem multiplicatorem 9, sitque productus, 3024.	Et continuò	*Multiplicetur iste productus per proximè sequentem multiplicatorem 4, sitque productus,* 1392.

Et sic in infinitum, donec ultimus productus exponentis 6, *nempe* 3024, *major evadat quam ultimus productus numeri dati, nempe,* 1392*; et tunc absoluta est operatio : ultimus enim multiplicator dati numeri, nempe* 4, *est radix quae quaerebatur.*

Igitur dico numerum sexti ordinis cujus radix est 4, nempe 56, maximum esse ejus ordinis qui in numero dato contineatur; seu dico numerum sexti ordinis cujus radix est 4, nempe 56, non esse majorem dato numero 58; numerum verò ejusdem ordinis proximè majorem, seu cujus radix est 5, nempe 126, esse majorem numero dato, 58.

Etenim productus ille ultimus numeri dati, nempe 1392, factus est ex numero dato, 58, multiplicato per productum numerorum 1, 2, 3, 4, nempe 24; productus verò praecedens hunc ultimum, nempe 348, factus est ex numero dato, 58, multiplicato per productum numerorum 1, 2, 3, nempe 6.

Ergo productus numerorum 6, 7, 8, non est major producto numerorum 1, 2, 3, multiplicato per 58. Productus verò numerorum 6, 7, 8, 9 est major producto numerorum 1, 2, 3, 4, multiplicato per 58, *ex constructione.*

Jàm numerus ordinis sexti cujus radix est 4, nempe 56, multiplicatus per numeros 1, 2, 3, aequatur producto numerorum 6, 7, 8, ex demonstratis in tractatu de ordinibus numericis. Sed productus numerorum 6, 7, 8, non est major *ex ostensis* producto numerorum 1, 2, 3, multiplicato per datum 58. Igitur productus numerorum 1, 2, 3, multiplicatus per 56, non est major quam idem productus numerorum 1, 2, 3 multiplicatus per datum 58. Igitur 56 non est major quam 58.

Jam sit 126, numerus ordinis sexti cujus radix est 5. Igitur ipse 126, multiplicatus per productum numerorum 1, 2, 3, 4, aequatur producto numerorum 6, 7, 8, 9, ex tractatu de ord. numer. Sed productus ille nume-

du plus grand nombre (appartenant à un ordre numérique donné quelconque) que contient le nombre proposé.

Soit proposé un nombre quelconque, par exemple 58, *et soit donné, également, un ordre numérique arbitraire, par exemple le sixième. Il s'agit de trouver la racine du sixième ordre du nombre* 58.

Considérons d'une part l'exposant de l'ordre, 6.	puis	*Prenons d'autre part le nombre donné,* 58.
Multiplions-le par le nombre immédiatement supérieur, 7, *le produit est* 42.	puis	*Multiplions-le par* 2, *le produit est* 116.
Multiplions ce produit par le multiplicateur suivant, 8 *: nous obtenons* 336.	puis	*Multiplions ce produit par le multiplicateur suivant,* 3 *: le produit est* 348.
Multiplions ce produit par le multiplicateur suivant, 9 *: nous obtenons* 3024.	puis	*Multiplions ce produit par le multiplicateur suivant, le produit est* 1392.

On continue ainsi jusqu'à ce que l'on obtienne un multiple, 3024, *de l'exposant* 6, *supérieur au multiple correspondant,* 1392, *du nombre donné. L'opération est alors achevée, et le dernier multiplicateur du nombre donné,* 4, *est la racine cherchée.*

Ainsi, je dis que le nombre du sixième ordre qui a pour racine 4, savoir 56, est le plus grand nombre de cet ordre que contienne le nombre proposé; je dis, en d'autres termes, que le nombre du sixième ordre dont la racine est 4, savoir 56, n'est pas supérieur au nombre donné, 58, tandis que le nombre suivant du même ordre (savoir celui, 126, dont la racine est 5) surpasse 58.

En effet : le dernier multiple du nombre donné, 1392, est égal au nombre donné, 58, multiplié par le produit 24 des facteurs 1, 2, 3, 4; de même, le multiple précédent, 348, est égal au nombre 58, multiplié par le produit 6 des facteurs 1, 2, 3.

Nous concluons donc de nos calculs que le produit des nombres 6, 7, 8 ne surpasse pas le produit $1 \times 2 \times 3$, multiplié par 58, tandis que le produit des nombres 6, 7, 8, 9 est supérieur au produit $1 \times 2 \times 3 \times 4$, multiplié par 58.

Or, il a été démontré dans le *Traité des Ordres numériques* que le nombre du sixième ordre dont la racine est 4, savoir 56, multiplié par $1 \times 2 \times 3$, donne un produit égal au produit des facteurs 6, 7, 8. Nous venons de voir, d'autre part, que le produit des nombres 6, 7, 8 ne surpasse pas le produit $1 \times 2 \times 3$, multiplié par le nombre donné, 58. Donc le produit $1 \times 2 \times 3$, multiplié par 56, est inférieur au nombre 58, multiplié par le produit $1 \times 2 \times 3$: en d'autres termes, 56 est inférieur à 58.

Considérons maintenant le nombre 126, nombre du sixième ordre dont la racine est 5. Le produit de ce nombre par $1 \times 2 \times 3 \times 4$ est égal, d'après le *Traité des ordres numériques*, au produit des nombres 6, 7, 8, 9. Mais ce dernier produit surpasse le produit de 58 par les facteurs successifs 1, 2, 3, 4. Donc le nombre 126, multiplié par $1 \times 2 \times 3 \times 4$ est supérieur au nombre donné 58, multiplié, lui aussi, par $1 \times 2 \times 3 \times 4$. Donc, enfin, 126 est plus grand que 58.

En résumé, le nombre 56, nombre du sixième ordre dont la racine est 4, n'est pas supérieur au nombre donné; au contraire, le nombre 126 (nombre du même ordre dont la racine 5 est immédiatement supérieure) lui est supérieur.

rorum 6, 7, 8, 9, est major quam numerus datus 58 multiplicatus per productum numerorum 1, 2, 3, 4, *ex ostensis*. Igitur, numerus 126, multiplicatus per productum numerorum 1, 2, 3, 4, est major quam numerus datus 58 multiplicatus per eumdem productum numerorum 1, 2, 3, 4. Igitur numerus 126 est major quam numerus datus 58.

Ergo numerus 56 sexti ordinis cujus radix est 4, non est major quam numerus datus; numerus verò 126, ejusdem ordinis cujus radix 5 est proximè major, major est quam datus numerus.

Ergo ipse numerus 56 maximus est ejus ordinis qui in dato contineatur et ejus radix 4 inventa est.

Q. e. f. e. d.

DE NUMERICORUM ORDINUM RESOLUTIONE
PROBLEMA III

Dato quolibet numero, et ejus radice, invenire ordinis exponentem.

Non differt hoc problema à praecedente; radix enim et exponens ordinis reciprocè convertuntur, ita ut dato numero, v. g., 58, et ejus radice 4, reperietur exponens sui ordinis 6, eâdem methodo ac si dato numero ipso, 58, et exponente ordinis 4, radix 6 esset invenienda; quartus enim numerus sexti ordinis idem est ac sextus quarti, ut jam demonstratum est.

DE NUMERICORUM ORDINUM SUMMA
PROBLEMA IV

Propositi cujuslibet ordinis numerici tot quot imperabitur priorum numerorum summam invenire.

Propositum sit invenire summam quinque, v. g. priorum numerorum ordinis, verbi gratiâ sexti.

Inveniatur ex praecedente numerus quintus (quia quinque priorum numerorum summa requiritur) ordinis septimi, nempe ejus qui propositum sextum proximè sequitur : ipse satisfaciet problemati.

Numericorum enim ordinum generatio talis est ut numerus cujusvis ordinis aequetur summae eorum omnium ordinis praecedentis quorum radices non sunt suâ majores; ita ut quintus septimi ordinis aequetur, ex naturâ et generatione ordinum, quinque prioribus numeris sexti ordinis, quod difficultate caret.

CONCLUSIO

Methodus quâ ordinum resolutionem expedio est generalissima; verum ipsam diù quaesivi; quae prima sese obtulit ea est.

Si dati numeri quaerebatur radix tertii ordinis, ita procedebam : *Sumatur duplum numeri propositi, istius dupli radix quadrata inveniatur : haec quaesita est, aut saltem ea quae unitate minor erit.*

Si dati numeri quaeritur radix quarti ordinis : *Multi-*

On en conclut que 56 est le plus grand nombre du sixième ordre que contienne le nombre donné; et l'on en déduit la valeur, 4, de la racine cherchée.

RÉSOLUTION DES ORDRES NUMÉRIQUES
PROBLÈME III

Étant donné un nombre quelconque et sa racine, trouver l'exposant de son ordre.

Ce problème ne diffère pas du précédent. Il y a en effet réciprocité entre la racine et l'exposant de l'ordre : la même méthode permet, étant donné un nombre, par exemple 58, et sa racine 4, de trouver l'exposant de son ordre 6, — ou, au contraire, étant donné le nombre 58 et l'exposant 4, de trouver la racine 6. C'est là une conséquence de ce fait que le quatrième nombre du sixième ordre coïncide avec le sixième nombre du quatrième ordre, ainsi qu'il a été démontré.

SOMMATION DES ORDRES NUMÉRIQUES
PROBLÈME IV

Étant donné un ordre numérique quelconque, trouver la somme des premiers nombres de cet ordre jusqu'à l'un quelconque d'entre eux.

Soit proposé, par exemple, de trouver la somme des cinq premiers nombres du sixième ordre.

Cherchons, d'après ce qui précède, le cinquième nombre (puisque c'est la somme des cinq premiers nombres qui est requise) du septième ordre (c'est-à-dire de l'ordre qui suit le sixième) : ce nombre est la somme demandée.

En effet, les nombres des divers ordres sont formés de telle façon que l'un quelconque d'entre eux est égal à la somme de tous les nombres de l'ordre précédent dont la racine ne surpasse point sa propre racine; ainsi, le cinquième nombre du septième ordre est égal (d'après la nature et la génération des ordres numériques) à la somme des cinq premiers nombres du sixième ordre : on le voit sans difficulté.

CONCLUSION

La méthode que j'ai donnée pour la résolution des ordres numériques est tout à fait générale. Cependant je ne l'ai trouvée qu'après bien des recherches. Voici celle qui m'était d'abord venue à l'esprit.

Pour trouver la racine d'un nombre donné appartenant au troisième ordre numérique, je procédais ainsi : *je prenais le double du nombre donné et j'en extrayais la racine carrée : cette racine carrée est la racine cherchée ou la surpasse d'une unité.*

Soit à trouver, d'autre part, la racine d'un nombre donné du quatrième ordre : pour l'obtenir, *on multiplie le nombre donné par* 6, *c'est-à-dire par* $1 \times 2 \times 3$: *puis on extrait la racine cubique du produit : cette racine est égale à la racine cherchée ou la surpasse d'une unité.*

Soit encore à trouver la racine d'un nombre donné du cinquième ordre : *on multiplie le nombre donné par* 24, *c'est-à-dire par* $1 \times 2 \times 3 \times 4$; *puis on extrait la racine quatrième du produit : cette racine surpasse d'une unité la racine cherchée.*

Et de même pour les ordres suivants : je cherchais ainsi les racines non pas suivant une règle générale mais suivant une règle appropriée à chaque ordre particulier. Cependant ce défaut ne me paraissait pas rédhibitoire. La méthode qui sert à la résolution des puissances n'est-elle pas tout aussi dépourvue de géné-

plicetur numerus datus per 6, *nempe per productum numerorum* 1, 2, 3; *producti inveniatur radix cubica; ipsa, aut ea quae unitate minor est, satisfaciet.*

Si dati numeri quaeritur radix quinti ordinis : *Multiplicetur datus numerus per* 24, *nempe per productum numerorum* 1, 2, 3, 4, *productique inveniatur radix* 4. *gradus : ipsa, unitate minuta, satisfaciet problemati,*

Et itâ reliquorum ordinum radices quaerebam. constructione non generali, sed cuique propriâ ordini; nec tamen ideò mihi omninò displicebat; illa enim quâ resolvuntur potestates non generalior est; aliter enim extrahitur radix quadrata, aliter cubica, etc., quamvis ab eodem principio viae illae differentes procedant. Ut ergo nondum generalis potestatum resolutio data erat, sic et vix generalem ordinum resolutionem assequi sperabam : conatus tamen expectationem superantes eam quam tradidi praebuerunt generalissimam, et quidem amicis meis, universalium solutionum amatoribus doctissimis, gratissimam; à quibus excitatus et generalem potestatum purarum resolutionem tentare, ad instar generalis ordinum resolutionis, obtemperans quaesivi, et satis feliciter mihi contigit reperisse, ut infrà videbitur.

ralité? Pour extraire une racine carrée, une racine cubique, etc., on suit des règles qui sont différentes, quoique déduites du même principe. Puis donc qu'on ne connaît pas encore de règle générale pour la résolution des puissances, je n'osais guère espérer en trouver une pour la résolution des ordres : mais le résultat de mes efforts a dépassé mon attente, et j'ai trouvé la méthode que j'ai exposée plus haut, méthode tout à fait générale, et qui fut fort goûtée de mes savants amis, amateurs de solutions universelles. Ce sont eux qui m'ont conseillé de tenter une résolution générale des puissances numériques à l'instar de la résolution générale des ordres. J'ai suivi leur avis, et je n'ai pas trop mal réussi, ainsi qu'on pourra s'en rendre compte plus bas.

DE NUMERORUM CONTINUORUM PRODUCTIS
SEU DE NUMERIS QUI PRODUCUNTUR EX MULTIPLICATIONE NUMERORUM SERIE NATURALI PROCEDENTIUM

Numeri qui producuntur ex multiplicatione numerorum continuorum à nemine, quod sciam, examinati sunt. Ideo nomen eis impono, nempe *producti continuorum.*

Sunt autem qui ex duorum multiplicatione formantur, ut iste, 20, qui ex 4 in 5 oritur, et possent dici *secundae speciei.*

Sunt qui ex trium multiplicatione formantur, ut iste 120, qui ex 4 in 5 in 6 oritur, et dici possent *tertiae speciei.*

Sic *quartae speciei* dici possent qui ex quatuor numerorum continuorum multiplicatione formantur, et sic in infinitum : ita ut, ex multitudine *multiplicatorum*, species nominationem exponentis sortiretur; et sic nullus esset productus primae speciei, nullus est enim productus ex uno tantum numero.

Primum hujus tractatuli theorema illud est quod obiter in praecedente tractatu annotavimus, quod quaerendo, reliqua invenimus imò et generalem potestatum resolutionem : adeò strictâ connexione sibi mutuo cohaerent veritates.

DES PRODUITS DE NOMBRES CONSÉCUTIFS
OU DES NOMBRES OBTENUS EN FAISANT LE PRODUIT DE PLUSIEURS TERMES CONSÉCUTIFS DE LA SÉRIE NATURELLE

Les nombres que l'on obtient en faisant le produit de plusieurs nombres consécutifs n'ont été, que je sache, étudiés par personne. C'est pourquoi je leur donne un nom : je les appelle *produits de nombres consécutifs.*

Il en est qui résultent de la multiplication de deux facteurs : ainsi 20, produit de 4 par 5. On peut les appeler produits de *seconde espèce.*

Il en est qui résultent de la multiplication de *trois facteurs :* ainsi 120, produit de 4 par 5 par 6. On peut les appeler produits de *troisième espèce.*

De même on peut appeler produits de *quatrième espèce* les produits résultant de la multiplication de quatre facteurs; et ainsi de suite. L'espèce d'un produit sera donnée par le nombre des facteurs qui le composent; et, comme il n'existe pas de produits formés d'un seul facteur, il n'y a pas de produits de première espèce.

Le premier théorème que nous exposerons dans ce petit traité est celui dont nous avons en passant donné l'énoncé dans le traité précédent. C'est en en cherchant la démonstration que nous avons trouvé tous les autres, et même la résolution générale des puissances : tant

PROPOSITIO I

Si sint duo numeri quilibet, productus omnium numerorum primum praecedentium est ad productum totidem numerorum continuorum à secundo incipientium, ut productus omnium numerorum secundum praecedentium ad productum totidem numerorum continuorum à primo incipientium.

Sint duo numeri quilibet, 5, 8. Dico productum numerorum 1, 2, 3, 4, qui praecedunt 5, nempe 24, esse ad productum totidem continuorum numerorum 8, 9, 10, 11, nempe 7920, ut productum numerorum 1, 2, 3, 4, 5, 6, 7, qui praecedunt 8, nempe 5040, ad productum totidem continuorum numerorum 5, 6, 7, 8, 9, 10, 11, nempe 1 663 200.

Etenim productus numerorum 5, 6, 7, ductus in productum istorum 1, 2, 3, 4, efficit productum horum 1, 2, 3, 4, 5, 6, 7. Et idem productus numerorum 5, 6, 7, ductus in productum numerorum 8, 9, 10, 11, efficit productum horum 5, 6, 7, 8, 9, 10, 11; ergo, ut productus numerorum 1, 2, 3, 4, ad productum numerorum 1, 2, 3, 4, 5, 6, 7 ita productus numerorum 8, 9, 10, 11, ad productum numerorum 5, 6, 7, 8, 9, 10, 11.

Q. e. d.

PROPOSITIO II

Omnis productus à quotlibet numeris continuis est multiplex producti à totidem numeris continuis quorum primus est unitas, et quotiens est numerus figuratus.

Sit productus quilibet, à tribus v. g. numeris continuis 5, 6, 7, nempe 210, et productus totidem numerorum ab unitate incipientium 1, 2, 3, nempe 6 : dico ipsum 210 esse multiplicem ipsius 6, et quotientem esse numerum figuratum.

Etenim ipse 6, ductus in quintum numerum ordinis quarti, nempe 35, aequatur ipsi producto ex 5, 6, 7, ex demonstratis in tractatu de ordinibus numericis.

PROPOSITIO III

Omnis productus à quotlibet numeris continuis est multiplex numeri cujusdam figurati, nempe ejus cujus radix est minimus ex his numeris, exponens verò ordinis est unitate major quam multitudo horum numerorum.

Hoc patet ex praecedente. Et unica utrique convenit demonstratio.

MONITUM

Ambo divisores in his duabus propositionibus ostensis tales sunt, ut alter alterius sit quotiens. Ita ut quilibet productus à quotlibet numeris continuis, divisus per productum totidem numerorum ab unitate incipientium, ut secunda propositio docet fieri posse, quotiens sit numerus figuratus in tertiâ propositione enuntiatus.

PROPOSITIO IV

Omnis productus à quotlibet numeris continuis ab

les vérités sont étroitement enchaînées les unes aux autres!

PROPOSITION I

Deux nombres quelconques étant donnés, le produit de tous les nombres naturels qui précèdent le premier est au produit d'un égal nombre de facteurs consécutifs commençant par le second, comme le produit de tous les nombres naturels qui précèdent le second est au produit d'un égal nombre de facteurs consécutifs commençant par le premier.

Soient les deux nombres 5 et 8 : je dis que le produit 24 des quatre facteurs naturels 1, 2, 3, 4, qui précèdent 5 est au produit 7920 des quatre facteurs consécutifs 8, 9, 10, 11, comme le produit 5040 des sept facteurs naturels 1, 2, 3, 4, 5, 6, 7, qui précèdent 8, est au produit 1 663 200 des sept facteurs consécutifs 5, 6, 7, 8, 9, 10, 11.

En effet, si l'on multiplie le produit $5 \times 6 \times 7$ par le premier produit considéré $1 \times 2 \times 3 \times 4$, on obtient le produit des nombres consécutifs 1, 2, 3, 4, 5, 6, 7. De même, le produit $5 \times 6 \times 7$, multiplié par le produit $8 \times 9 \times 10 \times 11$ donne le produit des nombres consécutifs 5, 6, 7, 8, 9, 10, 11. Il en résulte que le produit des nombres 1, 2, 3, 4 est au produit des nombres 1, 2, 3, 4, 5, 6, 7 comme le produit des nombres 8, 9, 10, 11, est au produit des nombres 5, 6, 7, 8, 9, 10, 11.

C. q. f. d.

PROPOSITION II

Tout produit de facteurs consécutifs (en nombre quelconque) est divisible par le produit d'un nombre égal de facteurs consécutifs commençant par l'unité. Le quotient de la division est un nombre figuré.

Considérons par exemple le produit des trois nombres consécutifs 5, 6, 7, soit 210, et le produit d'un nombre égal de facteurs 1, 2, 3 commençant par l'unité, soit 6. Je dis que 210 est un multiple de 6, et que le quotient est un nombre figuré.

En effet, d'après ce qui a été démontré dans le *Traité des ordres numériques*, le produit de 6 par le cinquième nombre du quatrième ordre, savoir 35, est égal au produit $5 \times 6 \times 7$.

PROPOSITION III

Tout produit de facteurs consécutifs (en nombre quelconque) est divisible par le nombre figuré dont la racine est égale au plus petit de ces facteurs et dont l'exposant est supérieur d'une unité au nombre des facteurs.

Cette proposition résulte de la précédente. La même démonstration les établit l'une et l'autre.

REMARQUE

Les diviseurs des deux divisions dont il est question dans les propositions précédentes sont réciproquement égaux aux quotients de ces divisions. Ainsi tout produit de facteurs consécutifs (en nombre quelconque), divisé par le produit d'un nombre égal de facteurs consécutifs commençant par l'unité (conformément à la deuxième proposition) admet pour quotient le nombre figuré dont parle l'énoncé de la troisième proposition.

PROPOSITION IV

Tout produit de facteurs consécutifs (en nombre quel-

unitate incipientibus est multiplex producti à quotlibet numeris continuis etiam ab unitate incipientibus, quorum multitudo minor est.

Sint quotlibet numeri continui ab unitate 1, 2, 3, 4, 5, quorum productus 120, quotlibet autem ex ipsis ab unitate incipientes 1, 2, 3, quorum productus 6 : dico 120 esse multiplicem 6.

Etenim productus numerorum 1, 2, 3, 4, 5, fit ex producto numerorum 1, 2, 3, multiplicato per productum numerorum 4, 5.

PROPOSITIO V

Omnis productus à quotlibet numeris continuis est multiplex producti à quotlibet numeris continuis ab unitate incipientibus, quorum multitudo minor est.

Etenim productus continuorum quorumlibet est multiplex totidem continuorum ab unitate incipientium *ex secundâ;* sed *ex quartâ* productus continuorum ab unitate est multiplex producti continuorum ab unitate quorum multitudo minor est. Ergo, etc.

PROPOSITIO VI

Productus quotlibet continuorum est ad productum totidem proximè majorum, ut minimus multiplicatorum ad maximum.

Sint quotlibet numeri 4, 5, 6, 7, quorum productus 840; et totidem proximè majores 5, 6, 7, 8, quorum productus 1680. Dico 840 esse ad 1680 ut 4 ad 8.

Etenim productus numerorum 4, 5, 6, 7, est factus ex producto continuorum 5, 6, 7, multiplicato per 4; productus verò continuorum 5, 6, 7, 8, factus est ex eodem producto continuorum 5, 6, 7, multiplicato per 8. Ergo, etc.

PROPOSITIO VII

Minimus productus continuorum cujuslibet speciei ille est cujus multiplicatores ab unitate incipiunt.

V. g. minimus productus ex quatuor continuis factus ille est qui producitur ex quatuor his continuis 1, 2, 3, 4, qui quidem multiplicatores, 1, 2, 3, 4, ab unitate incipiunt. Hoc ex se et ex praecedentibus patet.

PRODUCTA CONTINUORUM RESOLVERE SEU RESOLUTIO NUMERORUM QUI EX NUMERIS PROGRESSIONE NATURALI PROCEDENTIBUS PRODUCUNTUR PROBLEMA

Dato quocumque numero, invenire tot quot imperabitur numeros continuos ex quorum multiplicatione factus numerus sit maximus ejus speciei qui in dato numero contineatur.

Oportet autem datum numerum non esse minorem producto totidem numerorum ab unitate continuorum.

Datus sit numerus, verbi gratiâ 4335, oporteatque reperire, verbi gratiâ, *quatuor* numeros continuos ex quorum multiplicatione factus numerus sit maximus, qui in dato 4335 contineatur, eorum omnium qui producuntur ex multiplicatione *quatuor* numerorum continuorum.

conque) commençant par l'unité est divisible par tout produit d'un nombre moindre de facteurs consécutifs commençant par l'unité.

Soit une suite quelconque de nombres consécutifs partant de l'unité : 1, 2, 3, 4, 5, dont le produit est 120; et, dans cette suite, soit une autre suite de nombres partant de l'unité : 1, 2, 3, dont le produit est 6; je dis que 120 est un multiple de 6.

En effet le produit des nombres 1, 2, 3, 4, 5 est égal au produit des nombres 1, 2, 3 multiplié par le produit des nombres 4, 5.

PROPOSITION V

Tout produit de facteurs consécutifs (en nombre quelconque) est divisible par le produit d'un nombre moindre de facteurs consécutifs commençant par l'unité.

En effet, d'après la *seconde proposition*, le produit d'un nombre quelconque de facteurs consécutifs est divisible par le produit d'un nombre égal de facteurs consécutifs partant de l'unité; d'après la *quatrième*, d'autre part, ce produit de facteurs consécutifs partant de l'unité est divisible par le produit d'un nombre moindre de facteurs partant de l'unité. Donc, etc.

PROPOSITION VI

Le produit d'un nombre quelconque de facteurs consécutifs est au produit d'un égal nombre de facteurs immédiatement supérieurs comme le plus petit de tous les facteurs est au plus grand.

Soit une suite quelconque de nombres 4, 5, 6, 7, dont le produit est 840. Considérons les nombres immédiatement supérieurs 5, 6, 7, 8 dont le produit est 1680. Je dis que 840 est à 1680 comme 4 est à 8.

En effet le produit des nombres 4, 5, 6, 7 est formé du produit des nombres consécutifs 5, 6, 7, multiplié par 4; d'autre part le produit des nombres consécutifs 5, 6, 7, 8 est formé du même produit des nombres, 5, 6, 7, multiplié par 8. Donc, etc.

PROPOSITION VII

Le plus faible produit de nombres consécutifs d'une espèce quelconque est le produit dont les facteurs commencent par l'unité.

Ainsi le plus faible produit formé de quatre nombres consécutifs est le produit des quatre nombres consécutifs 1, 2, 3, 4, lesquels commencent par l'unité. C'est là une conséquence, d'ailleurs évidente par elle-même, des propositions précédentes.

RÉSOLUTION DES PRODUITS DE NOMBRES CONSÉCUTIFS OU RÉSOLUTION DES NOMBRES OBTENUS EN MULTIPLIANT DES TERMES CONSÉCUTIFS DE LA SÉRIE NATURELLE

PROBLÈME

Étant proposé un nombre quelconque, trouver un produit formé de facteurs consécutifs en nombre donné, et qui soit le plus grand produit de son espèce contenu dans le nombre proposé.

Pour que le problème soit possible il faut que le nombre proposé ne soit pas inférieur au produit formé de facteurs consécutifs, en nombre égal à l'espèce donnée, à partir de l'unité.

Soit, par exemple, 4335 le nombre donné, et soit à trouver un produit, formé par exemple de quatre facteurs consécutifs, qui soit le plus grand produit de quatre facteurs consécutifs contenus dans 4335.

Sumantur ab unitate tot numeri continui quot sunt numeri inveniendi, nempe *quatuor* in hoc exemplo, 1, 2, 3, 4, quorum per productum, 24, dividatur numerus datus, sitque quotiens 180. Ipsius quotientis inveniatur radix ordinis numerici non quidem *quarti*, sed sequentis, nempe *quinti*, sitque ea 6. Ipse 6 est primus numerus, secundus 7, tertius 8, quartus 9.

Dico itaque productum *quatuor* numerorum 6, 7, 8, 9, esse maximum numerum qui in dato contineatur, id est : Dico productum *quatuor* numerorum 6, 7, 8, 9, nempe 3024, non esse majorem quam numerum datum 4335; productum verò *quatuor* proximè majorum numerorum 7, 8, 9, 10, nempe 5040, esse majorem numero dato 4335.

Etenim, ex demonstratis in tractatu de ordinibus numericis, constat productum numerorum, 1, 2, 3, 4, seu 24, ductum in numerum quinti ordinis cujus radix est 6, nempe 126, efficere numerum aequalem producto numerorum 6, 7, 8, 9, nempe 3024; similiter et eumdem productum numerorum 1, 2, 3, 4, nempe 24, ductum in numerum ejusdem ordinis quinti cujus radix est 7, efficere numerum aequalem producto numerorum 7, 8, 9, 10, nempe 5040.

Jam verò numerus quinti ordinis cujus radix est 6, nempe 126, cum sit maximus ejus ordinis qui in 180 contineatur, ex constr. patet ipsum 126 non esse majorem quam 180, numerum verò quinti ordinis cujus radix est 7, nempe 210, esse majorem quam ipsum 180.

Cum verò numerus 4335, divisus per 24, dederit 180, quotientem patet 180 ductum in 24, seu 4320, non esse majorem quam 4335, sed aut aequalem esse, aut differre numero minore quam 24.

Itaque, cum sit 210 major quam 180, ex constr. patet 210 in 24, seu 5040, majorem esse quam 180 in 24 seu 4320, et excessum esse ad minimum 24; numerus verò datus 4335, aut non excedit ipsum 4320, aut excedit numero minore quam 24. Ergo, numerus 5040, major est quam datus 4335; id est productus numerorum 7, 8, 9, 10, major est dato numero.

Jam numerus 126 non est major quam 180, ex constr. Igitur 126 in 24 non est major quam 180 in 24; sed 180 in 24 non est major dato numero ex ostensis. Ergo 126 in 24, seu productus numerorum 6, 7, 8, 9, non est major numero dato; productus autem numerorum 7, 8, 9, 10, ipso major est. Ergo, etc. Q. e. f. e. d.

Sic ergo exprimi potest et enuntiatio, et generalis constructio :

Invenire tot quot imperabitur numeros progressione naturali continuos, ex quorum multiplicatione ortus numerus sit maximus ejus speciei qui in dato numero contineatur.

Dividatur numerus datus per productum totidem numerorum ab unitate serie naturali procedentium quot sunt numeri inveniendi; inventoque quotiente, assumatur ipsius radix ordinis numerici cujus exponens est unitate major quam multitudo numerorum inveniendorum. Ipsa radix est primus numerus, reliqui per incrementum unitatis in promptu habentur.

Prenons à partir de l'unité autant de nombres consécutifs qu'il doit y avoir de facteurs, savoir *quatre*, 1, 2, 3, 4, pour l'exemple considéré; puis divisons le nombre proposé par le produit 24 de ces nombres; le quotient est 180. De ce quotient déterminons la racine, non pas du *quatrième* ordre numérique, mais de l'ordre suivant (*cinquième*); cette racine est 6. Le premier facteur cherché sera alors 6, le second 7, le troisième 8, le quatrième 9.

Je dis qu'en effet le produit des *quatre* nombres 6, 7, 8, 9 est le plus grand produit de quatrième espèce que contienne le nombre proposé : en d'autres termes, je dis que le produit 3024 des *quatre* nombres 6, 7, 8, 9 est inférieur au nombre proposé 4335, tandis que le produit des quatre nombres immédiatement supérieurs 7, 8, 9, 10, savoir 5040, est supérieur à 4335.

Il résulte en effet de ce qui a été établi dans le *Traité des Ordres numériques* que le produit 24 des facteurs 1, 2, 3, 4, multiplié par le nombre du cinquième ordre dont la racine est 6, savoir le nombre 126, donne un nombre égal au produit des facteurs 6, 7, 8, 9, c'est-à-dire égal à 3024; pareillement, le produit 24 des facteurs 1, 2, 3, 4, multiplié par le nombre du même-ordre dont la racine est 7, donne un produit égal au produit des facteurs 7, 8, 9, 10, c'est-à-dire à 5040.

Mais, par hypothèse, le nombre du cinquième ordre dont la racine est 6, savoir 126, est le plus grand de son ordre qui soit contenu dans 180 : il est donc inférieur à 180; au contraire le nombre du cinquième ordre dont la racine est 7, savoir 210, est supérieur à 180.

D'autre part, puisque 4335 divisé par 24 donne 180, il est clair que le quotient 180 multiplié par 24, c'est-à-dire 4320, n'est pas supérieur à 4335, mais ou bien est égal à ce nombre, ou en diffère de moins de 24.

Et ainsi, comme, d'après ce qui précède, 210 est plus grand que 180, on voit que 210 × 24, soit 5040, est plus grand que 180 × 24 ou 4320, et que la différence de ces deux produits est au moins égale à 24. Mais, d'autre part, le nombre donné, 4335, ou bien ne surpasse pas 4320, ou bien le surpasse de moins de 24. Donc le nombre 5040 est supérieur à 4335; en d'autres termes, le produit des facteurs 7, 8, 9, 10 est plus grand que le nombre proposé.

Pareillement, le nombre 126 est par hypothèse inférieur à 180; donc 126 × 24 est inférieur à 180 × 24; mais, d'après ce qui précède, le nombre proposé n'est pas inférieur à 180 × 24. Donc 126 × 24, c'est-à-dire le produit des facteurs 6, 7, 8, 9, ne surpasse pas le nombre proposé; au contraire, le produit des facteurs 7, 8, 9, 10 surpasse ce nombre. Donc, etc. C. q. f. d.

On peut donc énoncer en ces termes le problème et sa solution générale :

Trouver une suite de facteurs consécutifs en nombre donné, dont le produit soit le plus grand de son espèce que contienne un nombre proposé.

Divisons le nombre proposé par le produit d'autant de nombres de la série naturelle, partant de l'unité, que doit contenir le produit inconnu; puis déterminons celle des racines du quotient qui appartient à l'ordre numérique dont l'exposant surpasse d'une unité le nombre des facteurs cherchés : cette racine est le premier facteur du produit; les facteurs suivants s'obtiennent en ajoutant chaque fois une nouvelle unité.

MONITUM

Haec omnia ex naturâ rei demonstrari poterant, absque trianguli arithmetici aut ordinum numericorum auxilio; non tamen fugienda illa connexio mihi visa est, praesertim cum ea sit quae lumen primum dedit. Et, quod amplius est, alia demonstratio laboriosior esset, et prolixior.

REMARQUE

On aurait pu démontrer ces divers résultats directement, sans faire usage du triangle arithmétique et des ordres numériques. Mais j'ai préféré me référer à ces théories, parce que ce sont elles qui m'ont éclairé au début de mes recherches. La démonstration directe eût d'ailleurs été plus pénible et plus longue.

NUMERICARUM POTESTATUM GENERALIS RESOLUTIO

Generalem Numericarum Potestatum Resolutionem inquirenti, haec mihi venit in mentem observatio : nihil aliud esse quaerere *radicem v. g. quadratam dati numeri* quam quaerere *duos numeros aequales quorum productus aequetur numero dato*. Sic et quaerere *radicem cubicam* nihil aliud esse quam quaerere *tres numeros aequales quorum productus sit datus*, et sic de caeteris.

Itaque potestatis cujuslibet resolutio est indagatio totidem numerorum aequalium quot exponens potestatis continet unitates, quorum productus aequetur dato numero. Potestates enim ipsae nihil aliud sunt quam aequalium numerorum producti.

Sicut enim in praecedenti tractatu egimus de numeris qui producuntur ex multiplicatione numerorum naturali progressione procedentium, sic, et in hoc de potestatibus tractatu, agitur de numeris qui producuntur ex multiplicatione numerorum aequalium.

Visum est itaque quam proximos esse ambos hos tractatus, et nihil esse vicinius producto ex aequalibus quam productum ex continuis solius unitatis incremento differentibus.

Quapropter potestatum resolutionem generalem, seu *productorum ex aequalibus* resolutionem, non mediocriter provectam esse censui, cum eam *productorum ex continuis* generalis resolutio praecesserit.

Dato enim numero, cujus radix cujusvis gradus quaeritur, verbi gratiâ *quarti*, quaeruntur *quatuor* numeri aequales quorum productus aequetur dato; si ergo inveniantur ex praecedente tractatu *quatuor* continui quorum productus aequetur dato, quis non videt inven-

RÉSOLUTION GÉNÉRALE DES PUISSANCES NUMÉRIQUES

En réfléchissant sur le problème général de la résolution des puissances numériques, je fis cette remarque : *chercher une racine, par exemple, la racine carrée d'un nombre donné, c'est en réalité chercher deux nombres égaux dont le produit soit égal au nombre donné. De même, chercher une racine cubique, c'est en réalité chercher trois nombres égaux dont le produit ait une valeur donnée*. Et ainsi de suite.

En d'autres termes, la résolution d'une puissance quelconque revient à trouver une pluralité de nombres égaux — autant que l'exposant de la puissance contient d'unités — dont le produit soit égal à un nombre donné : en effet les puissances ne sont pas autre chose que des produits de facteurs égaux.

Tandis que dans le précédent traité nous nous occupions de produits formés par la multiplication d'une suite de nombres naturels consécutifs, il s'agira — dans ce traité concernant les puissances — des nombres produits par la multiplication des facteurs égaux.

Il m'a paru qu'entre deux traités ainsi conçus il y avait un rapport étroit, et que rien ne ressemble davantage à un produit de facteurs égaux qu'un produit de facteurs consécutifs déduits les uns des autres par l'addition d'unités successives.

C'est pourquoi j'ai pensé que j'avais fait avancer d'un grand pas la résolution générale des puissances numériques ou *produits de facteurs égaux*, en donnant auparavant la résolution générale des *produits de facteurs consécutifs*.

En effet, lorsque l'on veut trouver une racine d'un nombre donné, par exemple la racine *quatrième*, on cherche *quatre* facteurs égaux dont le produit soit égal au nombre donné; si donc on est parvenu, d'après le traité précédent, à trouver *quatre* facteurs consécutifs dont le produit soit égal à ce nombre donné, qui ne voit que l'on a trouvé la racine cherchée, laquelle est évidemment l'un des quatre facteurs consécutifs obtenus? Et en effet, le plus petit de ces *quatre* facteurs, multiplié *quatre* fois par lui-même, est évidemment inférieur au produit des quatre facteurs; au contraire le plus grand facteur, multiplié *quatre* fois par lui-même, est sûrement supérieur au produit des quatre facteurs : donc la racine cherchée est bien l'un de ces facteurs.

Mais nous ne savons pas encore lequel des facteurs consécutifs est égal à la racine inconnue : il nous reste à choisir et à distinguer celui qui satisfait à la question.

Peut-être n'ai-je pas encore assez médité cette dernière partie de la solution; je la donnerai néanmoins

tam esse radicem quaesitam, cum ea sit unus ex his *quatuor* continuis? Minimus enim ex his *quatuor*, *quater* sumptus et toties multiplicatus, manifestè minor est producto continuorum; maximus verò ex his *quatuor*, *quater* sumptus ac toties multiplicatus, manifestè major est producto continuorum; radix ergo quaesita unus ex illis est.

Verùm latet adhuc ipsâ in multitudine; reliquum est igitur ut eligatur, et discernatur quis ex continuis satisfaciat quaestioni.

Huic perquisitioni nondum forte satis incubui; crudam tamen meditationem proferam, alias, si digna videatur, diligentius elaborandam.

POSTULATUM

Hoc autem praenotum esse postulo : quae sit radix *quadrata* numeri 2, nempe 1; *etenim* 1, *est radix maximi quadrati in* 2 *contenti*. Sic et quae sit radix *cubica* numeri 6, *scilicet qui ex multiplicatione trium numerorum* 1, 2, 3, *oritur*, nempe 1. Sic et quae sit radix *quarti* gradus numeri 24, *scilicet qui ex multiplicatione quatuor numerorum* 1, 2, 3, 4, *oritur*, nempe 2, et sic de caeteris gradibus. In unoquoque enim peto nosci radicem, istius gradus, numeri qui producitur ex multiplicatione tot numerorum continuorum ab unitate quot exponens gradus propositi continet unitates. Sic ergo in investigatione radicis, v. g., *decimi* gradus, postulo notam esse radicem istius *decimi* gradus, numeri 3 628 800, qui producitur ex multiplicatione *decem* priorum numerorum 1, 2, 3, 4, 5, 6, 7, 8, 9, 10, nempe 5. Et hoc uno verbo dici potest. In unoquoque gradu, postulo notam esse radicem istius gradus minimi producti totidem continuorum quot exponens gradus continet unitates; minimus enim productus continuorum quotlibet ille est cujus multiplicatores ab unitate sumunt exordium.

Nec sane molesta haec petitio est; in unoquoque enim gradu *unius* tantum numeri radicem suppono, in vulgari autem methodo, multo gravius, in unoquoque gradu, *novem* priorum characterum potestates exiguntur.

Notum sit ergo :

Producti numerorum 1, 2, *nempe* 2 *rad. quadr. esse* 1
Producti numeror. 1, 2, 3, *nempe* 6 *rad. cub. esse* 1
Producti num. 1, 2, 3, 4, *nempe* 24 *rad.* 4 *grad. esse* 2
Prod. num. 1, 2, 3, 4, 5, *nempe* 120 *rad.* 5 *grad. esse* 2
Pr. num. 1, 2, 3, 4, 5, 6, *nempe* 720 *rad.* 6 *grad. esse* 2
Pr. n. 1, 2, 3, 4, 5, 6, 7, *nempe* 5040 *rad.* 7 *grad. esse* 3
etc.

PROBLEMA

Dato quolibet numero, invenire radicem propositae potestatis maximae quae in dato contineatur.

Sit datus numerus, v. g. 4335, et invenienda sit radix gradus, v. g. *quarti*, maximi numeri *quarti* gradus seu *quadrato-quadrati* qui in dato numero contineatur.

Inveniantur, ex praecedente tractatu, *quatuor* numeri continui, quia *quartus* gradus proponitur, quorum pro-

telle que je l'ai trouvée, quitte à la reprendre une autre fois avec plus de soin, si elle en semble digne.

POSTULAT

Je supposerai connues : la racine *carrée* du nombre 2, savoir 1; en effet 1 est la racine du plus grand carré contenu dans 2; la racine *cubique*, 1, du nombre 6 *obtenu en faisant le produit des trois facteurs* 1, 2, 3; la racine *quatrième*, 2, du nombre 24 *obtenu en faisant le produit des quatre facteurs* 1, 2, 3, 4; et ainsi de suite : d'une manière générale j'admettrai, pour chaque degré, qu'on sache quelle est la racine du produit d'autant de facteurs consécutifs à partir de 1 qu'il y a d'unités dans le degré considéré. Ainsi, par exemple, s'il s'agit de chercher une racine *dixième*, je suppose que l'on connaît la racine *dixième*, 5, du nombre 3 628 800 obtenu en faisant le produit des *dix* premiers nombres 1, 2, 3, 4, 5, 6, 7, 8, 9, 10. On peut énoncer ce postulat d'un mot en disant que, pour chaque degré, je demande que l'on connaisse la racine du produit minimum formé d'autant de facteurs consécutifs qu'il y a d'unités dans le degré considéré : on sait en effet que le produit minimum d'un nombre donné quelconque de facteurs consécutifs est le produit dont les facteurs commencent par l'unité.

Le postulat que je viens d'énoncer n'est certes pas exagéré : je ne suppose connu, pour chaque degré, que la racine d'*un* nombre unique, au lieu que la méthode ordinaire, bien plus exigeante, oblige à connaître, pour chaque degré, les puissances des *neuf* premiers nombres.

Ainsi, on se rappellera que :

La racine carrée du produit 2 *des facteurs* 1, 2, *est* . . 1.
La racine cubique du produit 6 *des facteurs* 1, 2, 3 . . 1.
La racine quatrième du produit 24 *des facteurs* 1, 2, 3, 4 . . . . 2.
La racine cinquième du produit 120 *des facteurs* 1, 2, 3, 4, 5 . . . . 2.
La racine sixième du produit 720 *des facteurs* 1, 2, 3, 4, 5, 6. . . . . 2.
La racine septième du produit 5040 *des facteurs* 1, 2, 3, 4, 5, 6, 7, *etc* . . . . 3.

PROBLÈME

Étant proposé un nombre quelconque, trouver la racine de la plus grande puissance d'un degré donné que contient ce nombre.

Soit par exemple proposé le nombre 4335 et soit à trouver la racine *quatrième* du plus grand nombre du *quatrième* degré, autrement dit du plus grand nombre *quaro-carré*, que contient ce nombre 4335.

On cherchera, d'après le traité précédent, les *quatre* facteurs consécutifs (*quatre* parce que le degré proposé est égal à 4) dont le produit est le plus grand de son espèce contenu dans 4335 : ces facteurs sont 6, 7, 8, 9.

La racine cherchée se trouve être l'un de ces quatre nombres; pour savoir lequel, on procédera comme il suit :

Considérons (en vertu du postulat) la racine *quatrième* du produit des *quatre* premiers nombres 1, 2, 3, 4, c'est-à-dire la racine *quatrième* du nombre 24, qui est 2; ajoutant ce nombre 2 au plus petit, 6, des facteurs consécutifs trouvés plus haut, diminué lui-même d'une unité (ajoutant, par conséquent, 2 à 5) nous obtenons 7.

ductus sit maximus ejus speciei qui in 4335 contineatur, sintque ipsi 6, 7, 8, 9.

Radix quaesita est unus ex his numeris. Ut vero discernatur, sic procedendum est.

Sumatur ex postulato radix *quarti* gradus numeri qui producitur ex multiplicatione *quatuor* priorum numerorum 1, 2, 3, 4, nempe radix *quadrato-quadrata* numeri 24 quae est 2; ipse 2 cum minimo continuorum inventorum 6 unitate minuto, nempe 5, efficiet 7.

Hic 7 est minimus qui radix quaesita esse possit; omnes enim inferiores sunt necessario minores radice quaesitâ.

Jam triangulus numeri 4, qui exponens est propositi gradus *quarti*, nempe 10, dividatur per ipsum exponentem 4, sitque quotiens 2 (*superfluum divisionis non curo*) : ipse quotiens 2, cum minimo continuorum 6 junctus, efficit 8.

Ipse 8 est maximus qui radix esse possit; omnes enim superiores sunt necessario majores radice quaesitâ.

Deniq. constituantur *in quarto* gradu ipsi extremi numeri 7, 8, nempe 2401, 4096, necnon et omnes qui inter ipsos interjecti sunt, *quod ad generalem methodum dictum sit, hic enim nulli inter 7 et 8 interjacent, sed in remotissimis potestatibus quidam, quamvis perpauci, contingent.*

Harum potestatum, illa quae aequalis erit dato numero, *si ita eveniat*, aut saltem quae proximè minor erit dato numero, nempe 4096, satisfaciet problemati. Radix enim 8 unde orta est, ea est quae quaeritur.

Sic ergo institui et enuntiatio et generalis constructio.

Invenire numerum qui, in gradu proposito constitutus, maximus sit ejus gradus qui in dato numero contineatur.

Inveniantur, ex tract. praeced., *tot numeri continui, quot sunt unitates in exponente gradus propositi, quorum productus sit maximus ejus speciei qui in dato numero contineatur. Et, assumpto producto totidem continuorum ab unitate, inveniatur ejus radix gradus propositi*, ex postulato *ipsa radix jungatur cum minimo continuorum inventorum unitate minuto ;* hic erit minimus extremus.

Jam triangulus exponentis ordinis per ipsum exponentem divisus quemlibet praebeat quotientem, qui cum minimo continuorum inventorum jungatur ; hic erit maximus extremus.

Ambo hi extremi ac numeri inter eos interpositi in gradu proposito constituantur.

Harum potestatum, ea quae dato numero erit aut aequalis aut proximè minor, satisfacit problemati. Radix enim unde orta est, radix quaesita est.

Horum demonstrationem, paratam quidem, sed prolixam etsi facilem, ac magis taediosam quam utilem supprimimus, ad illa quae plus afferunt fructus quam laboris vergentes.

Ce nombre 7 est le plus petit nombre qui puisse satisfaire aux conditions du problème; car tous les nombres inférieurs sont sûrement plus petits que la racine cherchée.

Prenons maintenant le triangle du nombre 4 (exposant du degré 4), qui est 10, et divisons ce nombre par l'exposant 4; le quotient est 2 (je ne m'occupe pas du reste) : ce quotient 2, ajouté au plus petit, 6, des facteurs consécutifs trouvés plus haut, donne 8.

Le nombre 8 est le plus grand nombre qui puisse être la racine cherchée, car tous les nombres supérieurs à 8 sont nécessairement plus grands que cette racine.

Élevons enfin à la quatrième puissance les valeurs minima et maxima trouvées, 7 et 8 (ce qui donne 2 401 et 4 096) ainsi que les nombres compris entre ces valeurs (ceci soit dit en vue du cas général : dans l'exemple ici traité, il n'y a pas de nombres compris entre les limites 7, 8; mais il pourra s'en rencontrer — fort peu il est vrai — dans l'extraction des racines de degrés élevés).

Parmi les puissances ainsi trouvées, celle (s'il en est une) qui est égale au nombre proposé, ou du moins celle qui est immédiatement inférieure, ici 4 096, satisfait à l'énoncé du problème. La racine 8 qui a conduit à cette puissance est alors la racine cherchée.

Nous pouvons dès lors formuler en ces termes l'énoncé et la solution générale du problème :

Trouver le nombre qui, élevé à une puissance de degré donné, soit le plus grand nombre de ce degré contenu dans un nombre proposé.

On cherchera, d'après le traité précédent, le produit de facteurs consécutifs en nombre égal au degré proposé qui est le plus grand produit de son espèce contenu dans le nombre donné. Puis, prenant à partir de l'unité un même nombre de facteurs consécutifs, on déterminera (d'après le postulat) la racine de leur produit; on ajoutera cette racine au plus petit des facteurs consécutifs trouvés, diminué d'une unité : on obtiendra ainsi une limite inférieure de la racine cherchée.

D'autre part, on prendra le nombre triangulaire qui a pour exposant d'ordre le degré proposé; on le divisera par ledit degré et l'on ajoutera le quotient au plus petit des nombres consécutifs trouvés : le nombre obtenu sera une limite supérieure de la racine cherchée.

Élevons maintenant au degré proposé les deux limites et les nombres qu'elles comprennent.

Celle des puissances obtenues qui sera ou égale ou immédiatement inférieure au nombre proposé satisfera à la question : la racine qui lui donne naissance est la racine cherchée.

Je supprime la démonstration de cette règle, que j'ai toute prête, mais qui est longue, quoique aisée, et plus ennuyeuse qu'utile : laissons-la donc, et tournons-nous vers un sujet qui promet de rapporter plus de fruits qu'il n'exigera d'efforts.

COMBINATIONES

DEFINITIONES [7]

Combinationis nomen diversè a diversis usurpatur; dicam itaque quo sensu intelligam.

Si exponatur multitudo quaevis rerum quarumlibet, ex quibus liceat aliquam multitudinem assumere, v. g., si ex *quatuor* rebus per litteras A, B, C, D expressis, liceat *duas* quasvis ad libitum assumere, singuli modi quibus possunt eligi *duae* differentes ex his *quatuor* oblatis vocantur hîc *combinationes*.

Experimento igitur patebit, *duas* posse assumi, inter *quatuor*, *sex* modis; potest enim assumi A et B, vel A et C, vel A et D, vel B et C, vel B et D, vel C et D.

Non constituo A et A inter modos eligendi duas, non enim essent differentes; nec constituo A et B et deinde B et A tanquam differentes modos, ordine enim solummodo differunt; *ad ordinem autem non attendo* : ita ut uno verbo dixisse potuerim combinationes hîc considerari quae non mutato ordine procedunt.

Similiter experimento patebit, *tria*, inter *quatuor*, *quatuor* modis assumi posse, nempe ABC, ABD, ACD, BCD.

Sic et *quatuor* in *quatuor unico* modo assumi posse, nempe ABCD.

His igitur verbis utar :

1 *in* 4 *combinatur* 4 *modis seu combinationibus.*
2 *in* 4 *combinatur* 6 *modis seu combinationibus.*
3 *in* 4 *combinatur* 4 *modis seu combinationibus.*
3 *in* 4 *combinatur* 1 *modo seu combinatione.*

Summa autem omnium combinationum quae fieri possunt in 4 est 15; summa enim combinationum 1 in 4, et 2 in 4, et 3 in 4, et 4 in 4, est 15.

LEMMA I

Numerus quilibet non combinatur in minore.

V. g., 4 non combinatur in 2.

LEMMA II

1 *in* 1 *combinatur* 1 *combinatione.*
2 *in* 2 *combinatur* 1 *combinatione.*
3 *in* 3 *combinatur* 1 *combinatione.*

Et sic generaliter omnis numerus semel tantum in aequali combinatur.

LEMMA III

1 *in* 1 *combinatur* 1 *combinatione.*
1 *in* 2 *combinatur* 2 *combinationibus.*
1 *in* 3 *combinatur* 3 *combinationibus.*

Et generaliter unitas in quovis numero toties combinatur quoties ipse continet unitatem.

LEMMA IV

Si sint quatuor numeri, primus ad libitum, secundus unitate major quam primus, tertius ad libitum, modo non sit minor secundo, quartus unitate major quam tertius : multitudo combinationum primi in tertio, plus multitudine combinationum secundi in tertio, aequatur multitudini combinationum secundi in quarto.

Sint quatuor numeri ut dictum est :

Primus ad libitum, verbi gratîa 1
Secundus unitate major, nempe. 2
Tertius ad libitum, modo non sit minor quam secundus 3
Quartus unitate major quam tertius, nempe 4

Dico multitudinem combinationum 1 in 3, plus multitudine combinationum 2 in 3, aequari multitudini combinationum 2 in 4. *Quod ut paradigmate fiat evidentius :*

Assumantur *tres* characteres, nempe B, C, D; jam vero assumantur iidem *tres* characteres et *unus* praeterea, A, B, C, D; deinde assumantur combinationes *unius* litterae in *tribus*, B, C, D, nempe B, C, D; assumantur quoque omnes combinationes *duarum* litterarum in *tribus* B, C, D, nempe BC, BD, CD; denique assumantur omnes combinationes *duarum* litterarum in *quatuor* A, B, C, D, nempe AB, AC, AD, BC, BD, CD.

Dico itaque, tot esse combinationes *duarum* litterarum in *quatuor* A, B, C, D, quot sunt *duarum* in *tribus* B, C, D, et insuper quot *unius* in *tribus* B, C, D.

Hoc manifestum est ex generatione combinationum; combinationes enim *duarum* in *quatuor* formantur, partim ex combinationibus *duarum* in *tribus*, partim ex combinationibus *unius* in *tribus;* quod ita evidens fiet :

Ex combinationibus *duarum* in *quatuor*, nempe AB, AC, AD, BC, BD, CD, quaedam sunt in quibus ipsa littera A usurpatur, ut istae AB, AC, AD quaedam quae ipsâ A carent, ut istae BC, BD, CD.

Porro, combinationes illae BC, BD, CD, *duarum* in *quatuor* A, B, C, D, quae ipso A carent, constant ex residuis *tribus* B, C, D; sunt ergo combinationes *duarum* in *tribus* B, C, D; igitur combinationes *duarum* in *tribus* B, C, D, sunt quoque combinationes *duarum* in *quatuor* A, B, C, D, nempe illae quae carent ipso A.

Illae verò combinationes AB, AC, AD, *duarum* in *quatuor* A, B, C, D, in quibus A usurpatur, si ipso A spolientur, relinquent residuas litteras B, C, D, quae sunt ex *tribus* litteris B, C, D, suntque combinationes *unius* litterae in *tribus* B, C, D; igitur combinationes *unius* litterae in *tribus* B, C, D, nempe B, C, D, ascito A, efficiunt AB, AC, AD, quae constituunt combinationes *duarum* litterarum in *quatuor* A, B, C, D, in quibus A usurpatur.

Igitur combinationes *duarum* litterarum in *quatuor* A, B, C, D, formantur partim ex combinationibus *unius* in *tribus* B, C, D, partim ex combinationibus *duarum* in *tribus* B, C, D. Quare multitudo primarum aequatur multitudini reliquarum. Q. e. d.

Eodem prorsus modo in reliquis ostendetur exemplis, verbi gratiâ :

Tot esse combin. numeri . . . . 29 in 40
quot sunt comb. numeri. . . . . 29 in 39
et insuper quot sunt comb. numeri . . . . . 28 in 39

Quatuor enim numeri 28, 29, 39, 40, conditionem requisitam habent.

Sic tot sunt comb. numeri. . . . . 16 in 56
quot sunt comb. numeri. . . . . 16 in 55
ac insuper quot sunt comb. numeri. . . . . 15 in 55
etc.

LEMMA V

In omni Triangulo Arith. summa cellularum seriei cujuslibet aequatur multitudini combinationum exponentis seriei in exponente trianguli.

Sit triangulus quilibet, v. g. *quartus* GDλ : dico summam cellularum seriei cujusvis, v. g. *secundae* $\varphi+\psi+\theta$, aequari multitudini combinationum numeri 2, *exponentis secundae seriei*, in numero 4, *exponente quarti trianguli.*

Sic dico summam cellularum seriei, v. g. *quintae*,

7. Ce passage se trouve en texte français plus haut, page 55, *Usage du triangle arithmétique pour les combinaisons.*

trianguli, v. g. *octavi*, aequari multitudini combinationum numeri 5 in numero 8, etc.

Quamvis infiniti sint hujus propositionis casus, sunt enim infiniti trianguli, breviter tamen demonstrabo, positis duobus assumptis.

Primo, quod ex se patet, *in primo triangulo eam proportionem contingere :* summa enim cellularum unicae suae seriei, nempe numerus primae cellulae G. id est unitas, aequatur multitudini combinationum exponentis seriei in exponente trianguli; hi enim exponentes sunt unitates; unitas verò in unitate unico modo ex *lemm.* 2 *hujus* combinatur.

Secundo : *si ea proportio in aliquo triangulo contingat, id est si summa cellularum uniuscujuscumque seriei trianguli cujusdam aequetur multitudini combinationum exponentis seriei in exponente trianguli, dico et eamdem proportionem in triangulo proximè sequenti contingere.*

His assumptis, facilè ostendetur in singulis triangulis eam proportionem contingere; contingit enim in primo, *ex primo assumpto;* immò et manifesta quoque ipsa est in secundo triangulo; ergo *ex secundo assumpto* et in sequenti triangulo contingit, quare et in sequenti et in infinitum.

Totum ergo negotium in secundi assumpti demonstratione consistit, quod ita expedietur.

Sit triangulus quilibet, v. g. *tertius*, in quo supponitur haec proportio, id est : summam cellularum seriei *primae* $G+\sigma+\pi$ aequari multitudini combinationum numeri 1, *exponentis seriei*, in numero 3, *exponente trianguli*, summam verò cellularum *secundae seriei* $\varphi+\psi$ aequari multitudini combinationum numeri 2, *exponentis seriei*, in numero 3, *exponente trianguli*, summam verò cellularum *tertiae seriei*, nempe cellulam A, aequari combinationibus numeri 3, *exponentis seriei*, in 3, *exponente trianguli :* Dico et eamdem proportionem contingere et in sequenti triangulo *quarto*, id est : summam cellularum, v. g. *secundae* seriei, $\varphi+\psi+\theta$, aequari multitudini combinationum numeri 2, *exponentis seriei*, in numero 4, *exponente trianguli.*

Etenim $\varphi+\psi$ aequatur multitudini combinationum numeri 2 in 3 *ex hypoth.;* cellula vero θ aequatur, *ex generatione trianguli arith.*, cellulis $G+\sigma+\pi$; hae verò cellulae aequantur *ex hypoth.* multitudini combinationum numeri 1 in 3. Ergo cellulae $\varphi+\psi+\theta$ aequantur multitudini combinationum numeri 2 in 3, plus multitudini combinationum numeri 1 in 3; hae autem multitudines aequantur, *ex quarto lemmate hujus*, multitudini combinationum numeri 2 in 4. Ergo summa cellularum $\varphi+\psi+\theta$ aequatur multitudini combinationum numeri 2 in 4.

Q. e. d.

IDEM LEMMA V
PROBLEMATICE ENUNTIATUM

Datis duobus numeris inaequalibus, invenire in triangul. arith. quot modis minor in majore combinetur.

Propositi sint duo numeri, v. g., 4 et 6 : oportet reperire in triangulo arith. quot modis 4 combinetur in 6.

Prima methodus.

Summa cellularum *quartae* seriei *sexti* trianguli satisfacit, *ex praeced., nempe cellulae* $D+E+F$.

Hoc est numeri $1+4+10$, seu 15. Ergo 4 in 6 combinatur 15 modis.

Secunda methodus.

Cellula *quinta* basis *septimae* K satisfacit; *illi numeri* 5, 7, *sunt proximè majores his* 4, 6.

Etenim illa cellula, nempe K, seu 15, aequatur summae cellularum *quartae* seriei *sexti* trianguli $D+E+F$, ex generatione.

MONITUM

In basi *septimà* sunt *septem* cellulae, nempe V, Q, K, ρ, ξ, N, ζ, ex quibus *quinta* assumenda est; potest autem ipsa duplici modo assumi; sunt enim duae basis extremitates $V\zeta$: si ergo ab extremo V inchoaveris, erit V prima, Q secunda, K tertia, ρ quarta, ξ quinta quaesita. Si verò à ζ incipias, erit ζ prima, N secunda, ξ tertia, ρ quarta, K quinta quaesita : sunt igitur duae quae possunt dici *quintae;* sed quoniam ipsae sunt aequè ab extremis remotae, ideoque reciprocae, sunt ipsae eaedem; quare indifferenter assumi alterutra potest, et ab alterutrâ basis extremitate inchoari.

MONITUM

Jam satis patet quam bene conveniant combinationes et triangulus arithmeticus, et, ideò, proportiones inter series aut inter cellulas trianguli observatas ad combinationum rationes protendi, ut in sequentibus videre est[8].

PROPOSITIO I

Duo quilibet numeri aequè combinantur in eo quod amborum aggregatum est.

Sint duo numeri quilibet 2, 4, quorum aggregatum 6 : dico numerum 2 toties combinari in 6, quoties ipse 4 in eodem 6 combinatur, *nempe singulos modis* 15.

Hoc nihil aliud est quam consect. 4[9] *triang. arith. et potest hoc uno verbo demonstrari :* cellulae enim reciprocae sunt eaedem. *Si vero ampliori demonstratione egere videatur, haec satisfaciet.*

8. Ce passage se trouve en texte français page 55.

9. Lire : *consect. 5*, au lieu de *consect. 4*, et de même plus loin : *consect. 18* et non 17, 11 et non 10, etc. On peut penser que Pascal a remanié le *Traité du triangle arithmétique* postérieurement à cet écrit. Les références exactes sont portées dans la traduction française.

DES COMBINAISONS

PROPOSITION I

Deux nombres quelconques se combinent le même nombre de fois dans un troisième nombre égal à leur somme.

Soient les deux nombres 2 et 4, dont la somme est 6; je dis que le nombre des combinaisons de 2 dans 6 est égal au nombre des combinaisons de 4 dans 6.

Cette proposition n'est autre que la conséquence 5 *du Traité du triangle arithmétique*, et on peut la démontrer d'un mot en disant que chaque cellule est égale à sa réciproque. Voici d'ailleurs, pour qui la juge nécessaire, une démonstration plus développée.

Le nombre des combinaisons de 2 dans 6 est égal,

Multitudo combinationum numeri 2 in 6 aequatur, ex *V lemm.*, seriei *secundae* trianguli *sexti*, nempe cellulis φ+ψ+θ+R+S, seu cellulae ξ; sic multitudo quoque combinationum numeri 4 in 6 aequatur, ex eodem, seriei *quartae* trianguli *sexti*, nempe cellulis D+E+F, seu cellulae K; ipsa verò K, est reciproca ipsius ξ, ideoque ipsi aequalis : quare et multitudo combinationum numeri 2 in 6 aequatur multitudini combinationum numeri 4 in 6. Q. e. d.

COROLLARIUM

Ergo omnis numerus toties combinatur in proximè majori quot sunt unitates in ipso majori.

Verbi gratiâ, numerus 6 in 7 combinatur *septies*, et 4 in 5 *quinquies*, etc. Ambo enim numeri 1, 6, aequè combinantur in aggregato eorum 7, ex *prop. hac* 1; sed 1 in 7 combinatur septies, ex *lemm. III*. Igitur 6 in 7 combinatur quoque septies.

PROPOSITIO II

Si duo numeri combinentur in numero quod amborum aggregatum est unitate minuto, multitudines combinationum erunt, inter se, ut ipsi numeri reciprocè.

Hoc nihil aliud est quam consect. 17 *trianguli arithmetici.*

Sint duo quilibet numeri 3, 5, quorum summa 8, unitate minuta, est 7 : dico multitudinem combinationum numeri 3 in 7 esse ad multitudinem combinationum numeri 5 in 7 ut 5 ad 3.

Multitudo enim combinationum numeri 3 in 7 aequatur, ex *V lemm.*, *tertiae* seriei *septimi* trianguli arith., nempe A+B+C+ω+ξ, seu 35; multitudo autem combinationum numeri 5 in 7 aequatur, *ex eodem*, *quintae* seriei ejusdem *septimi* trianguli, nempe H+M+K, seu 21; in triangulo autem *septimo*, series *quinta* et *tertia* sunt inter se ut 3 ad 5, *ex consect.* 17 *triang. arith.*; aggregatum enim exponentium serierum 5, 3, nempe 8, aequatur exponenti trianguli 7 unitate aucto.

PROPOSITIO III

Si numerus combinetur primo in numero qui sui duplus *est, deinde in ipsomet numero* duplo *unitate minuto, prima combinationum multitudo secundae dupla erit.*

Hoc nihil aliud est quam consect. 10 *triang. arith.*

Sit numerus quilibet 3, cujus duplus 6, qui unitate minutus, est 5 : dico multitudinem combinationum numeri 3 in 6 duplam esse multitudinis combinationum numeri 3 in 5.

Possem uno verbo dicere; omnis enim cellula dividentis dupla est praecedentis corradicalis : *sic autem demonstro.*

Multitudo enim combinationum numeri 3 in 6 aequatur, *ex V lemm.*, cellulae 4 basis 7, nempe ρ, seu 20; quae quidem ρ medium basis occupat locum, *quod inde*

d'après le lemme V, à la somme des cellules de la *seconde* série du *sixième* triangle [10], savoir φ + ψ + θ + R + S, ou à la cellule ξ; pour la même raison le nombre des combinaisons de 4 dans 6 est égal à la somme des cellules de la *quatrième* série du *sixième* triangle, savoir D + E + F, ou à la cellule K. Mais les cellules K et ξ sont réciproques, et par suite égales; donc enfin le nombre des combinaisons de 2 dans 6 est égal au nombre des combinaisons de 4 dans 6.

COROLLAIRE

Tout nombre se combine dans le nombre immédiatement supérieur, autant de fois qu'il y a d'unités dans ce dernier.

Par exemple 6 se combine *sept* fois dans 7, et 4 se combine *cinq* fois dans 5. Car, d'après la première proposition, les deux nombres 6 et 1 se combinent le même nombre de fois dans 7; mais 1 se combine sept fois dans 7, d'après le lemme III, donc 6 et 7 se combinent aussi sept fois.

PROPOSITION II

Si l'on combine deux nombres donnés dans un nombre égal à leur somme diminuée d'une unité, les multitudes de combinaisons obtenues sont dans un rapport égal à l'inverse du rapport des nombres eux-mêmes.

Cette proposition n'est autre que la conséquence 18 *du Traité du triangle arithmétique.*

Soient les nombres 3 et 5, dont la somme, diminuée d'une unité est égale à 7. Je dis que la multitude des combinaisons de 3 dans 7 est à la multitude des combinaisons de 5 dans 7, comme 5 est à 3.

En effet, la multitude des combinaisons de 3 dans 7 est égale, d'après le lemme V, à la somme des cellules de la *troisième* série du *septième* triangle arithmétique, savoir A + B + C + ω + ξ, ou 35. De même la multitude des combinaisons de 5 dans 7 est égale à la somme des cellules de la *cinquième* série du *septième* triangle, savoir H + M + K, ou 21. Mais dans ce *septième* triangle, les sommes des nombres de la *cinquième* et de la *troisième* série sont entre elles comme 3 est à 5, d'après la conséquence 18 du *Traité du triangle arithmétique;* car la somme des exposants 3 et 5, savoir 8, est égale à l'exposant 7 du triangle augmenté d'une unité. Donc, etc.

PROPOSITION III

Si l'on combine un nombre donné, d'abord dans son double, ensuite dans ce double diminué d'une unité, la première multitude de combinaisons obtenue sera double de la seconde.

Cette proposition n'est autre que la conséquence 11 du Triangle arithmétique.

Soit le nombre 3, dont le double est 6, lequel double diminué d'une unité donne 5. Je dis que la multitude des combinaisons de 3 dans 6 est égale à deux fois la multitude des combinaisons de 3 dans 5.

Je pourrais dire d'un mot que *chaque cellule de la dividente est double de la précédente cellule coradicale.* Mais voici comment je le démontre.

D'après le lemme V, la multitude des combinaisons de 3 dans 6 est égale à la quatrième cellule de la septième base, savoir ρ ou 20; or ρ se trouve au milieu de la base, car 3 est la moitié de 6, d'où résulte que 4, nombre immédiatement supérieur à 3, se trouve au milieu du nombre 7 immédiatement supérieur à 6. Ainsi la *qua-*

10. Le terme de *triangle* désigne tantôt un nombre de l'ordre triangulaire, tantôt, comme dans le cas présent, un triangle dans le triangle arithmétique. *Série :* rangée horizontale.

procedit quod 3 *sit dimidium* 6, *unde fit ut* 4, *proximè major quam* 3, *medium occupet locum in numero* 7 *proximè majori quam* 6. Igitur ipsa cellula *quarta* ρ est in dividente; quare dupla est cellulae F, seu ω, *ex* 10 *consec. triang. arith.* quae quidem ω est quoque *quarta* cellula basis *sextae*, ideòque *ex lemm. V.* Ipsa ω seu F aequatur multitudini combinationum numeri 3 in 5; ergo multitudo combinationum 3 in 6 dupla est multitudinis combinationum 3 in 5. Q. e. d.

PROPOSITIO IV

Si sint duo numeri proximi, et alius quilibet in utroque combinetur, multitudo combinationum quae fiunt in majore erit ad alteram multitudinem ut major numerus ad ipsummet majorem dempto eo qui combinatus est.

Sint duo numeri unitate differentes 5, 6, et alius quilibet 2 combinetur in 5, et deinde in 6 : dico multitudinem combinationum ipsius 2 in 6 esse ad multitudinem combinationum ipsius 2 in 5 ut 6 ad 6—2.

Hoc ex 13 *consect. trianguli arithmetici est manifestum et sic ostendetur.*

Multitudo enim combinationum ipsius 2 in 6 aequatur summae cellularum seriei 2 trianguli 6, nempe φ+ψ+θ+R+S, ex *lemm. V.* hoc est cellulae ξ, seu 15. Sed, ex eodem, multitudo combinationum ejusdem 2 in 5 aequatur summae cellularum seriei 2 trianguli 5, nempe φ+ψ+θ+R, seu cellulae ω, seu 10 : est autem cellula ξ ad ω ut 6 ad 4, hoc est ut 6 ad 6 — 2, *ex* 13 *consect. triang. arith.*

PROPOSITIO V

Si duo numeri proximi in alio quolibet combinentur, erit multitudo combinationum minoris ad alteram ut major numerus combinatus ad numerum in quo ambo combinati sunt, dempto minore numero combinato.

Sint duo quilibet numeri proximi 3, 4, et alius quilibet 6 : dico multitudinem combinationum *minoris* 3 in 6 esse ad multitudinem combinationum *majoris* 4 in 6 ut 4 ad 6 — 3.

Hoc cum 11 *consect. tr. convenit et sic ostendetur.*

Multitudo enim combinationum numeri 3 in 6 aequatur, ex *lemm. V*, summae cellularum seriei 3 trianguli 6, nempe A+B+C+ω seu cellulae ρ, seu 20. Multitudo vero combinationum numeri 4 in 6 aequatur, ex eodem, summae cellularum seriei 4 trianguli 6, nempe D+E+F, seu cellulae K, seu 15; est autem ρ ad K ut 4 ad 3, seu ut 4 ad 6 — 3, *ex* 11 *consect. tr. arith.*

PROPOSITIO VI

Si sint duo numeri quilibet quorum minor in majore combinetur, sint autem et alii duo his proximè majores quorum minor in majore quoque combinetur : erunt multitudines combinationum inter se ut hi ambo ultimi numeri.

Sint duo quilibet numeri 2, 4, alii vero his proximè majores 3, 5 : dico multitudinem combinationum numeri 2 in 4 esse ad multitudinem combinationum numeri 3 in 5 ut 3 ad 5.

Consect. 12 *triang. arith. hanc continet et sic demonstratur.*

trième cellule ρ fait partie de la dividente, et, d'après la conséquence 11 du triangle arithmétique, elle est double de la cellule F ou ω, laquelle ω est *quatrième* cellule de la *sixième* base; dès lors, d'après le lemme V, ω ou F est égal à la multitude des combinaisons de 3 dans 5; donc la multitude des combinaisons de 3 dans 6 est double de la multitude des combinaisons de 3 dans 5.

PROPOSITION IV

Étant donnés deux nombres consécutifs dans lesquels on combine un troisième nombre quelconque, la multitude des combinaisons obtenues dans le plus grand des nombres donnés sera à la multitude des combinaisons obtenues dans le plus petit comme le plus grand nombre est à son excès sur le nombre qui est combiné.

Soient deux nombres consécutifs 5, 6; nous combinons un autre nombre quelconque 2, d'abord dans 5, puis dans 6 : je dis que la multitude des combinaisons de 2 dans 6 est à la multitude des combinaisons de 2 dans 5 comme 6 est à 6-2.

C'est là un fait qui résulte immédiatement de la conséquence 14 *du Triangle arithmétique et que l'on établira comme il suit.*

La multitude des combinaisons de 2 dans 6 est égale, d'après le lemme V, à la somme des cellules de la seconde série du triangle 6, soit à φ + ψ + θ + R + S, par suite à la cellule ξ ou 15. Mais, d'après le même lemme, la multitude des combinaisons de 2 dans 5 est égale à la somme des cellules de la seconde série du triangle 5, soit à φ + ψ + θ + R, par suite à la cellule ω ou 10. Or, d'après la conséquence 14 du triangle arithmétique, la cellule ξ est à ω comme 6 est à 4, c'est-à-dire comme 6 est à 6-2.

PROPOSITION V

Si l'on combine deux nombres consécutifs dans un troisième nombre quelconque, la multitude des combinaisons du plus petit nombre sera à la multitude des combinaisons du plus grand comme le plus grand est à l'excès sur le plus petit du nombre dans lequel on combine.

Soit deux nombres consécutifs quelconques 3, 4, et un autre nombre quelconque 6 : je dis que la multitude des combinaisons du *plus petit* nombre 3 dans 6 est à la multitude des combinaisons du *plus grand* nombre 4 dans 6 comme 4 est à 6-3.

C'est là un fait qui découle de la conséquence 12 *du Triangle arithmétique et que l'on établira comme il suit.*

La multitude des combinaisons de 3 dans 6 est égale, d'après le lemme V, à la somme des cellules de la 3e série du triangle 6, soit à A + B + C + ω, par suite à la cellule ρ ou 20. Mais, d'autre part, la multitude des combinaisons de 4 dans 6 est égale, d'après le même lemme, à la somme des cellules de la quatrième série du triangle 6, soit à D + E + F, par suite à la cellule K ou 15. Or, d'après la conséquence 12 du triangle arithmétique, ρ est à K comme 4 est à 3, c'est-à-dire comme 4 est à 6-3.

PROPOSITION VI

Deux nombres quelconques étant donnés, combinons le plus petit dans le plus grand; prenant ensuite les nombres qui suivent respectivement les deux nombres donnés, combinons encore le plus petit dans le plus grand : les

Multitudo enim combinationum ipsius 2 in 4 aequatur, ex *lemm. V*, summae cellularum seriei 2 trianguli 4, nempe $\varphi+\psi+\theta$, seu cellulae C, seu 6. Multitudo verò combinationum numeri 3 in 5 aequatur, ex eodem, summae cellularum seriei 3 trianguli 5, nempe A+B+C, seu cellulae F, seu 10 : est autem C ad F ut 3 ad 5, *ex* 12 *consect. triang. arith.*

LEMMA VI

Summa omnium cellularum basis triang. cujuslibet arithmetici unitate minuta aequatur summae omnium combinationum quae fieri possunt in numero qui proximè minor est quam exponens basis.

Sit triangulus quilibet arithmeticus, v. g., *quintus* GHμ; dico summam cellularum suae basis H+E+C +R+μ, minus unitate *seu minus una ex extremis* H *vel* μ, aequari summae omnium combinationum quae fieri possunt in numero 4, qui proximè minor est quam exponens basis 5. Id est : dico summam cellularum R+C+E+H (*supprimo enim extremam* μ) id est 4+6 +4+1, seu 15, aequari multitudini combinationum numeri 1 in 4, nempe 4; plus multitudine combinationum numeri 2 in 4, nempe 6; plus multitudine combinationum numeri 3 in 4, nempe 4; plus multitudine combinationum numeri 4 in 4, nempe 1. *Quae quidem sunt omnes combinationes quae fieri possunt in* 4; *superiores enim numeri*, 5, 6, 7, *etc.*, *non combinantur in numero* 4 : *major enim numerus in minore non combinatur.*

Multitudo enim combinationum numeri 1 in 4 aequatur, *ex V lemm.*, cellulae 2 basis 5, nempe R, seu 4. Multitudo verò combinationum numeri 2 in 4 aequatur cellulae 3 basis 5, nempe C, seu 6. Multitudo quoque combinationum numeri 3 in 4 aequatur cellulae 4 basis 5, nempe E, seu 4. Multitudo denique combinationum numeri 4 in 4 aequatur cellulae 5 basis 5, nempe H, seu 1. Igitur summa cellularum basis *quintae*, demptâ extremâ seu unitate, aequatur summae omnium combinationum quae possunt fieri in 4.

PROPOSITIO VII

Summa omnium combinationum quae fieri possunt in numero quolibet, unitate aucta, est numerus progressionis duplae quae ab unitate sumit exordium, quippe ille cujus exponens est numerus proximè major quam datus.

Sit numerus quilibet, v. g., 4 : dico summam omnium combinationum quae fieri possunt in 4, nempe 15, unitate auctam, nempe 16, esse numerum *quintum* (nempe proximè majorem quam *quartum*) progressionis duplae quae ab unitate sumit exordium.

Hoc nihil aliud est quam 7 consect. triang. arith. et sic uno verbo demonstrari posset : omnis enim basis est numerus progressionis duplae; *sic tamen demonstro.*

Summa enim combinationum omnium quae fieri possunt in 4, unitate aucta, aequatur, *ex lemm VI*, summae cellularum basis *quintae;* ipsa verò basis est *quintus*

multitudes des combinaisons obtenues seront entre elles comme les deux derniers nombres considérés.

Considérons deux nombres quelconques 2, 4, et les deux nombres immédiatement supérieurs, 3, 5 : je dis que la multitude des combinaisons de 2 dans 4 est à la multitude des combinaisons de 3 dans 5 comme 3 est à 5.

C'est là un corollaire de la conséquence 13 *du Triangle arithmétique qui se démontre comme il suit.*

La multitude des combinaisons de 2 dans 4 est égale, d'après le lemme V, à la somme des cellules de la seconde série du triangle 4, soit $\varphi + \psi + \theta$, par suite de la cellule C ou 6. Mais, d'autre part, la multitude des combinaisons de 3 dans 5 est égale, d'après le même lemme, à la somme des cellules de la troisième série du triangle 5, soit à A + B + C, par suite à la cellule F ou 10. Or, d'après la conséquence 13 du triangle arithmétique, C est à F comme 3 est à 5.

LEMME VI

La somme de toutes les cellules de la base d'un triangle arithmétique quelconque, diminuée d'une unité, est égale à la somme de toutes les combinaisons que l'on peut faire dans le nombre immédiatement inférieur à l'exposant de la base.

Soit donné un triangle arithmétique quelconque, par exemple le *cinquième GH*μ : je dis que la somme des cellules de la base, H + E + C + R + μ, diminuée d'une unité ou (ce qui revient au même) diminuée de l'une des cellules extrêmes H ou μ, est égale à la somme de toutes les combinaisons que l'on peut faire dans le nombre 4, nombre immédiatement inférieur à l'exposant de la base 5. En d'autres termes, je dis que la somme des cellules R + C + E + H (*la cellule extrême* μ *étant supprimée*), c'est-à-dire la somme 4 + 6 + 4 + 1 ou 15, égale : la multitude des combinaisons de 1 dans 4, soit 4; plus la multitude des combinaisons de 2 dans 4, soit 6; plus la multitude des combinaisons de 3 dans 4, soit 4; plus la multitude des combinaisons de 4 dans 4, soit 1. *Ce sont bien là toutes les combinaisons que l'on peut faire dans* 4, *car les nombres supérieurs*, 5, 6, 7, *etc.*, *ne se combinent pas dans* 4, *puisqu'on ne saurait combiner un nombre dans un nombre plus petit.*

En effet la multitude des combinaisons de 1 dans 4 est égale, d'après le lemme V, à la deuxième cellule de la cinquième base, c'est-à-dire à R ou à 4. Mais, d'autre part, la multitude des combinaisons de 2 dans 4 est égale à la troisième cellule de la cinquième base, c'est-à-dire à C ou à 6. Pareillement la multitude des combinaisons de 3 dans 4 est égale à la quatrième cellule de la cinquième base, c'est-à-dire à E ou à 4. Enfin la multitude des combinaisons de 4 dans 4 est égale à la cinquième cellule de la cinquième base, c'est-à-dire à H ou à 1. Donc la somme des cellules de la cinquième base, lorsqu'on y supprime une cellule extrême ou l'unité, égale la somme de toutes les combinaisons que l'on peut faire dans 4.

PROPOSITION VII

La somme de toutes les combinaisons que l'on peut faire dans un nombre, augmentée d'une unité, se trouve égale à celui des termes de la progression double commençant par 1 *dont l'exposant est immédiatement supérieur au nombre proposé.*

Soit donné un nombre quelconque, par exemple 4 : je dis que la somme de toutes les combinaisons que l'on peut faire dans 4, savoir 15, étant augmentée d'une unité,

numerus progressionis duplae quae ab unitate sumit exordium, *ex 7 consect. trianguli arithmetici.*

PROPOSITIO VIII

Summa omnium combinationum quae fieri possunt in numero quolibet, unitate aucta, dupla est summae omnium combinationum quae fieri possunt in numero proximè minore, unitate auctae.

Hoc convenit cum 6 consect. triang. arith., nempe omnis basis dupla est praecedentis; *sic autem ostendemus.*

Sint duo numeri proximi 4, 5 : dico summam combinationum quae fieri possunt in 5, nempe 31, unitate auctam, nempe 32, esse duplam summae combinationum quae fieri possunt in 4, nempe 15, unitate auctae, nempe 16.

Summa enim combinationum quae fieri possunt in 5, unitate aucta, aequatur, ex praecedente, *sexto* numero progressionis duplae. Summa verò combinationum quae fieri possunt in 4, unitate aucta, aequatur, ex eâdem, *quinto* numero progressionis duplae. *Sextus* autem numerus progressionis duplae duplus est proximè praecedentis, nempe *quinti.*

PROPOSITIO IX

Summa omnium combinationum quae fieri possunt in quovis numero, unitate minuta, dupla est summae combinationum quae fieri possunt in numero proximè minori.

Haec cum praecedente omnino convenit.

Sint duo numeri proximi 4, 5 : dico summam omnium combinationum quae fieri possunt in 5, nempe 31, unitate minutam, nempe 30, esse duplam omnium combinationum quae fieri possunt in 4, nempe 15.

Etenim, *ex praeced.* summa combinationum quae fiunt in 5, unitate aucta, dupla est summae combinationum quae fiunt in 4, unitate auctae : si ergo ex *minori* summâ auferatur unitas, et ex *duplâ summâ* auferantur duae unitates, reliquum summae *duplae*, nempe *summa combinationum quae fiunt in 5 unitate minuta*, remanebit *dupla* residui alterius summae, nempe *summae combinationum quae fiunt in* 4.

PROPOSITIO X

Summa omnium combinationum quae fieri possunt in quolibet numero, minuta ipsomet numero, aequatur summae omnium combinationum quae fieri possunt in singulis numeris proposito minoribus.

Haec cum 8 consect. triang. arith. concurrit, quae sic habet : basis quaelibet unitate minuta aequatur summae omnium praecedentium. *Sic autem ostendo.*

Sit numerus quilibet 5 : dico summam omnium combinationum quae possunt fieri in 5, nempe 31, ipso 5 minutam, nempe 26, aequari summae omnium combinationum quae possunt fieri in 4, nempe 15; plus summâ omnium quae possunt fieri in 3, nempe 7; plus summâ omnium quae possunt fieri in 2, nempe 3; plus eâ quae potest fieri in 1, nempe 1; quorum aggregatus est 26.

Etenim, proprium numerorum hujus progressionis

ce qui donne 16, est le *cinquième* terme (terme qui suit immédiatement le *quatrième*) de la progression double qui commence par l'unité.

Cette proposition n'est autre que la conséquence 8 *du triangle arithmétique, et on pourrait la démontrer d'un mot en disant :* toute base est un nombre de la progression double; *mais je l'établirai comme il suit.*

La somme de toutes les combinaisons que l'on peut faire dans 4, augmentée d'une unité, égale, d'après le lemme VI, la somme des cellules de la *cinquième* base; or cette base est, d'après la conséquence 8 du triangle arithmétique, le *cinquième* nombre de la progression double qui commence par l'unité.

PROPOSITION VIII

La somme de toutes les combinaisons que l'on peut faire dans un nombre, augmentée d'une unité, donne le double de la somme de toutes les combinaisons que l'on peut faire dans le nombre immédiatement inférieur, augmentée elle-même d'une unité.

Cette proposition résulte de la conséquence 7 *du triangle arithmétique*, puisque toute base est double de la précédente; *mais nous l'établirons comme il suit.*

Soient donnés deux nombres consécutifs 4, 5 : je dis que la somme des combinaisons que l'on peut faire dans 5, savoir 31, étant augmentée d'une unité, ce qui donne 32, est le double de la somme des combinaisons que l'on peut faire dans 4, savoir 15, augmentée elle-même d'une unité, c'est-à-dire le double de 16.

En effet la somme des combinaisons que l'on peut faire dans 5, augmentée d'une unité, égale, d'après ce qui précède, le *sixième* terme de la progression double. Mais la somme des combinaisons que l'on peut faire dans 4, augmentée d'une unité, égale pareillement le *cinquième* terme de la progression double. Or le *sixième* terme de la progression double est double du précédent (*cinquième*) terme.

PROPOSITION IX

La somme de toutes les combinaisons que l'on peut faire dans un nombre quelconque, diminuée d'une unité, donne le double de la somme des combinaisons que l'on peut faire dans le nombre immédiatement inférieur.

Cette proposition n'est qu'une répétition de la précédente.

Soient donnés deux nombres consécutifs 4, 5 : je dis que la somme de toutes les combinaisons que l'on peut faire dans 5, savoir 31, étant diminuée d'une unité, ce qui donne 30, est le double de la somme des combinaisons que l'on peut faire dans 4, savoir 15.

En effet, d'après la proposition précédente, la somme des combinaisons que l'on fait dans 5, augmentée d'une unité, est le double de la somme des combinaisons que l'on fait dans 4, augmentée elle-même d'une unité. Si donc de la *plus petite* somme on retranche une unité, et de la somme *double* deux unités, le reste donné par la somme *double*, c'est-à-dire *la somme des combinaisons que l'on peut faire dans* 5, *diminuée d'une unité*, se trouvera double du reste donné par la première somme, c'est-à-dire de *la somme des combinaisons que l'on peut faire dans* 4.

PROPOSITION X

La somme de toutes les combinaisons que l'on peut faire dans un nombre, diminuée de ce même nombre, égale la somme de toutes les combinaisons que l'on peut

duplae illud est, ut quilibet ex ipsis, v. g., sextus 32, exponente suo minutus, nempe 6, id est 26, aequetur summae inferiorum numerorum hujus progressionis, nempe 16+8+4+2+1, unitate minutorum, nempe 15+7+3+1+0, nempe 26. Unde facilis est demonstratio hujus propositionis.

PROBLEMA I

Dato quovis numero, invenire summam omnium combinationum quae in ipso fieri possunt. Absque triang. arith.

Numerus progressionis duplae quae ab unitate sumit exordium, cujus exponens proximè major est quam numerus datus, satisfaciet problemati, modo unitate minuatur.

Sit numerus datus, v. g., 5; quaeritur summa omnium combinationum quae in 5 fieri possunt.

Numerus *sextus* progressionis duplae quae ab unitate incipit, nempe 32, unitate minutus, nempe 31, satisfacit, ex lemm. VI.; ergo possunt fieri 31 combinationes in numero 5.

PROBLEMA II

Datis duobus numeris inaequalibus, invenire quot modis minor in majore combinetur. Absque triang. arithm.

Hoc est propriè ultimum Problema Tractatus triang. arith., quod sic resolvo.

Productus numerorum qui praecedunt differentiam datorum unitate auctam dividat productum totidem numerorum continuorum, quorum primus sit minor datorum unitate auctus : quotiens est quaesitus.

Sint dati numeri 2, 6 : oportet invenire quot modis 2 combinetur in 6.

Assumatur eorum differentia 4, quae unitate aucta est 5. Jam assumantur omnes numeri qui praecedunt ipsum 5, nempe 1, 2, 3, 4, quorum productus sit 24. Assumantur totidem numeri continui quorum primus sit 3, *nempe proximè major quam* 2 *qui minor est ex ambobus datis*, nempe 3, 4, 5, 6, quorum productus 360 dividatur per praecedentem productum 24 : quotiens 15 est numerus quaesitus. *Ita ut numerus* 2 *combinetur in* 6 *modis* 15 *differentibus.*

Nec difficilis demonstratio. Si enim quaeratur in triangulo arithmetico quot modis 2 combinetur in 6, assumenda est cellula 3 basis 7, *ex lemm. V*, nempe cellula ξ, et ipsius numerus exponet multitudinem combinationum numeri 2 in 6. Ut autem inveniatur numerus cellulae ξ cujus radix est 5 et exponens seriei 3, oportet, *ex probl. triang. arith., ut productus numerorum qui praecedunt* 5, *dividat productum totidem numerorum continuorum primus sit* 3, *et quotiens erit numerus cellulae* ξ*;* sed idem divisor ac idem dividendus in constructione hujus propositus est, quare et eumdem quotientem sortita est divisio; ergo in hâc constructione repertus est numerus cellulae ξ, quare et exponens multitudinis combinationum numeri 2 in 6, quae quaerebatur.

Q. e. f. e. d.

faire dans l'ensemble des nombres inférieurs au nombre proposé.

Cette proposition résulte de la conséquence 9 *du triangle arithmétique, d'après laquelle* une base quelconque, diminuée d'une unité, égale la somme de toutes les bases précédentes. *Mais voici comment nous raisonnerons.*

Soit donné un nombre 5 : je dis que la somme de toutes les combinaisons que l'on peut faire dans 5, savoir 31, étant diminuée de 5, ce qui donne 26, se trouve égaler : la somme des combinaisons que l'on peut faire dans 4, soit 15; plus la somme des combinaisons que l'on peut faire dans 3, soit 7; plus la somme des combinaisons que l'on peut faire dans 2, soit 3; plus la combinaison que l'on peut faire dans 1, soit 1; somme égale à 26.

En effet, c'est une propriété des termes de la progression double que l'un quelconque de ses termes, par exemple le sixième 32, étant diminué de son exposant 6, ce qui donne 26, se trouve égaler la somme des termes qui le précèdent dans la progression, savoir 16 + 8 + 4 + 2 + 1, respectivement diminués (chacun) d'une unité, ce qui donne 26. De là on tirera facilement la démonstration de la proposition énoncée.

PROBLEME I

Étant donné un nombre quelconque, trouver la somme de toutes les combinaisons que l'on peut faire dans ce nombre (sans se servir du triangle arithmétique).

Dans la progression double commençant par l'unité, prenons le terme dont l'exposant est immédiatement supérieur au nombre donné. Ce terme, diminué d'une unité, satisfera aux conditions du problème.

Soit donné un nombre tel que 5 : on demande quelle est la somme de toutes les combinaisons que l'on peut faire dans 5.

Le *sixième* terme, 32, de la progression double commençant par l'unité, étant diminué d'une unité, ce qui donne 31, satisfait à la question, d'après le lemme VI; on peut donc faire 31 combinaisons dans le nombre 5.

PROBLEME II

Étant donnés deux nombres inégaux, trouver de combien de manières le plus petit se combine dans le plus grand (sans se servir du triangle arithmétique).

La question n'est autre que le dernier problème du traité du triangle arithmétique, que je résous comme il suit.

Considérons le produit des nombres qui précèdent la différence des nombres proposés, augmentée d'une unité; puis divisons par ce produit le produit d'un même nombre de termes consécutifs commençant par le plus petit des nombres donnés, augmenté lui-même d'une unité : le quotient sera le nombre cherché.

Soient donnés deux nombres 2, 6 : on veut trouver de combien de manières 2 se combine dans 6.

Considérons la différence 4 des deux nombres et augmentons-la d'une unité, ce qui donne 5. Puis prenons tous les nombres qui précèdent 5, savoir 1, 2, 3, 4, et formons leur produit 24. Prenons ensuite, à partir de 3 (3 *étant immédiatement supérieur au plus petit des nombres donnés*, 2), un même nombre de termes consécutifs, savoir 3, 4, 5, 6, et formons leur produit 360. Nous diviserons ce produit par le produit précédent, 24 : le quotient 15 sera le nombre cherché. *En sorte que le nombre 2 se combine dans 6 de 15 manières différentes.*

MONITUM

Hoc problemate tractatum hunc absolvere constitueram, non tamen omninò sine molestiâ, cum multa alia parata habeam; sed ubi tanta ubertas, vi moderanda est fames; his ergo pauca haec subjiciam.

Eruditissimus ac mihi charissimus D. D. de Ganieres, circa combinationes, assiduo ac perutili labore, more suo, incumbens, ac indigens facili constructione ad inveniendum quoties numerus datus in alio dato combinetur, hanc ipse sibi praxim instituit.

Datis numeris, v. g. 2, 6, *invenire quot modis* 2 *combinetur in* 6.

Assumatur, inquit, *progressio* duorum *terminorum*, quia minor numerus est 2, *inchoando a majore* 6, *ac retrogrediendo, seu detrahendo unitatem ex unoquoque termino, hoc modo* 6, 5; *deinde assumatur altera progressio inchoando ab ipso minore* 2 *ac similiter retrogrediendo hoc modo* 2, 1. *Multiplicentur invicem numeri primae progressionis* 6, 5, *sitque productus* 30. *Multiplicentur et numeri secundae progressionis* 2, 1, *sitque productus* 2. *Dividatur major productus per minorem : quotiens est quaesitus.*

Excellentem hanc solutionem ipse mihi ostendit, ac etiam demonstrandam proposuit; ipsam ego sanè miratus sum, sed difficultate territus vix opus suscepi, et ipsi auctori relinquendum existimavi; attamen trianguli arithmetici auxilio, sic proclivis facta est via.

In V lemm. hujus, ostendi numerum cellulae ξ, exponere multitudinem combinationum numeri 2 in 6; quare ipsius reciproca cellula K eumdem numerum continebit. *Verum cellula ipsa K est quotiens divisionis in quâ productus numerorum* 1, 2, *qui praecedunt* 3 *radicem cellulae K, dividit productum totidem numerorum continuorum quorum primus est* 5 *exponens seriei cellulae K continuorum quorum primus est* 5 *exponens seriei cellulae K, nempe numerorum* 5, 6. Sed ille divisor ac dividendus sunt iidem ac illi qui in constructione amici sunt propositi; igitur eumdem quotientem sortitur divisio, quare ipse exponit multitudinem combinationum numeri 2 in 6, quae quaerebatur. Q. e. d.

Hac demonstratione assecutâ, jam reliqua quae invitus supprimebam libenter omitto, adeò dulce est amicorum memorari.

La démonstration est aisée. En effet, pour trouver dans le triangle arithmétique le nombre des combinaisons de 2 dans 6, il faut prendre, d'après le lemme V, la troisième cellule de la septième base, soit ξ : le nombre de cette cellule donne la multitude des combinaisons de 2 dans 6. D'ailleurs, pour trouver le nombre de la cellule ξ qui a 5 pour racine et 3 pour exposant de série, il faut, *d'après le problème relatif au triangle arithmétique, que le produit des nombres qui précèdent* 5 *divise le produit d'un même nombre de termes consécutifs partant de* 3 : *le quotient est le nombre de la cellule* ξ. Mais le diviseur et le dividende de cette division sont précisément ceux qu'indique la méthode donnée ci-dessus; le quotient sera donc le même que tout à l'heure, et notre méthode fournit bien le nombre de la cellule ξ, c'est-à-dire le nombre des combinaisons de 2 dans 6. C. q. f .d.

REMARQUE

C'est par ce problème que j'avais décidé d'achever mon traité, non sans regret, je dois le dire, car j'ai en ma possession bien des résultats encore; mais, devant une telle abondance, je suis bien forcé de me limiter; je me contenterai donc d'ajouter à ce qui précède les quelques indications suivantes.

Un savant érudit, et qui m'est très cher, M. de Gagnières, s'étant occupé des combinaisons avec la patience et le succès dont il est coutumier, voulut connaître une méthode simple donnant la multitude des combinaisons d'un nombre dans un autre; il fut ainsi conduit à la règle suivante.

Étant donnés deux nombres, par exemple 2, 6, *trouver de combien de manières* 2 *se combine dans* 6.

Prenons, dit-il, *à partir du plus grand nombre*, 6, *une progression de* deux *termes* (deux, parce que le plus petit nombre donné est 2), *cette progression étant décroissante* (*ce qui veut dire que chaque terme s'obtient en retranchant une unité du terme précédent*) : *nous obtenons ainsi* 6, 5. *Prenons ensuite, à partir du plus petit nombre* 2, *une seconde progression également décroissante qui nous donne* 2, 1. *Multiplions l'un par l'autre les termes* 6, 5 *de la première progression : leur produit est* 30. *Multiplions de même les termes* 2, 1 *de la seconde progression : leur produit est* 2. *Divisons enfin le plus grand produit obtenu par le plus petit : le quotient sera le nombre cherché.*

M. de Gagnières me communiqua lui-même cette excellente solution et me proposa même d'en chercher la démonstration; j'admirai le problème, mais, effrayé par la difficulté, je pensai qu'il convenait d'en laisser la démonstration à son auteur; cependant, grâce au triangle arithmétique, une voie aisée me fut ouverte pour y parvenir.

J'ai montré, dans le lemme V du présent traité, que le nombre de la cellule ξ donne la multitude des combinaisons de 2 dans 6. La cellule K, réciproque de ξ, fournira donc aussi le même nombre. *Or la cellule K est le quotient de la division par le produit des nombres* 1, 2 (*qui précèdent la racine* 3 *de la cellule* K) *du produit d'un même nombre de termes consécutifs*, 5, 6, *partant du terme* 5, *exposant de la série de la cellule K.* Le diviseur et le dividende de cette division étant précisément ceux qu'indique la construction de mon ami, leur quotient sera le même et donnera bien la multitude des combinaisons de 2 dans 6. C.q.f.d.

Ce point étant acquis, je renonce volontiers à publier les résultats qu'il me coûtait d'abord de supprimer : tant il m'est doux de pouvoir rappeler ici le travail d'un ami.

DE NUMERIS MULTIPLICIBUS

EX SOLA CHARACTERUM NUMERICORUM ADDITIONE AGNOSCENDIS

MONITUM

Nihil tritius est apud arithmeticos quàm numeros numeri 9 multiplices constare characteribus quorum aggregatum est quoque ipsius 9 multiplex. Si enim ipsius v. g. dupli, 18, characteres numericos, 1+8, jungas, aggregatum erit 9. Ita ut ex solâ additione characterum numericorum numeri cujuslibet liceat agnoscere utrum sit ipsius 9 multiplex; v. g. si numeri 1719 characteres numericos jungas 1+7+1+9, aggregatum 18 est ipsius 9 multiplex; unde certo colligitur et ipsum 1719 ejusdem 9 esse multiplicem. Vulgata sanè illa observatio est; verùm ejus demonstratio à nemine quod sciam data est, nec ipsa notio ulteriùs provecta. In hoc autem Tractatulo non solùm istius, sed et variarum aliarum observationum generalissimam demonstrationem dedi, ac methodum universalem agnoscendi, ex solâ additione characterum numericorum propositi cujusvis numeri, utrum ille sit alterius propositi numeri multiplex. Et non solum in progressione denariâ, quâ numeratio nostra procedit, (denaria enim ex instituto hominum, non ex necessitate naturae ut vulgus arbitratur, et sanè satis inepte, posita est); sed in quâcumque progressione instituatur numeratio, non fallet hîc tradita methodus, ut in paucis mox videbitur paginis.

PROPOSITIO UNICA

Agnoscere, ex solâ additione characterum dati cujuslibet numeri, an ipse sit alterius dati numeri multiplex.

Ut haec solutio fiat generalis, litteris utemur vice numerorum. Sit ergo divisor numerus quilibet expressus per litteram A; dividendus autem numerus expressus per litteras TVNM, quarum ultima M exprimit numerum quemlibet in unitatum columnâ collocatum; N, verò, numerum quemlibet in denariorum columnâ; V, numerum quemlibet in columnâ centenariorum; T, autem, numerum quemlibet in columnâ millenariorum, et sic deinceps in infinitum : ita ut, si litteras in numeros convertere velis, assumere possis loco ipsius M quemlibet ex novem primis characteribus, verbi gratiâ, 4, loco N quemlibet numerum ut 3, loco V quemlibet numerum ut 5; et loco T quemlibet numerum ut 6; et collocando singulos illos characteres numericos in propriâ columnâ, prout collocatae sunt litterae quae illos exprimunt, proveniet hic numerus, 6534; divisor

DES CARACTÈRES DE DIVISIBILITÉ DES NOMBRES DÉDUITS DE LA SOMME DE LEURS CHIFFRES

REMARQUE PRELIMINAIRE

Rien de plus connu en arithmétique que la proposition d'après laquelle un multiple quelconque de 9 se compose de chiffres dont la somme est elle-même un multiple de 9. Si, par exemple, on additionne les chiffres dont se compose 18, double de 9, on trouve $1 + 8 = 9$. De même, en additionnant les chiffres d'un nombre quelconque, on reconnaîtra si ce nombre est divisible par 9. Ainsi 1719 est un multiple de 9, parce que la somme $1 + 7 + 1 + 9$ ou 18 de tous ses chiffres est elle-même divisible par 9. Bien que cette règle soit communément employée, je ne crois pas que personne jusqu'à présent en ait donné une démonstration ni ait cherché à en généraliser le principe. Dans ce petit traité, je justifierai le caractère de divisibilité par 9 et plusieurs autres analogues; j'exposerai aussi une méthode générale qui permet de reconnaître, à la simple inspection de la somme de ses chiffres, si un nombre donné est divisible par un autre nombre quelconque; cette méthode ne s'applique pas seulement à notre système décimal de numération (système qui repose sur une convention, d'ailleurs assez malheureuse, et non sur une nécessité naturelle, comme le pense le vulgaire), mais elle s'applique encore sans défaut à tout système de numération ayant pour base tel nombre qu'on voudra, ainsi qu'on le verra dans les pages qui suivent.

PROPOSITION UNIQUE

Reconnaître, à la seule inspection de la somme de ses chiffres, si un nombre donné est divisible par un autre nombre donné.

Pour plus de généralité nous remplacerons les nombres par des lettres. Soit donc un diviseur quelconque que nous représenterons par la lettre A, et soit un dividende TVNM dans lequel les lettres M, N, V, T représentent respectivement les chiffres des unités simples, des dizaines, des centaines, des unités de mille, et ainsi de suite : de telle sorte que, pour passer des quantités littérales aux quantités numériques, il suffirait de remplacer chacune des lettres par l'un des 9 premiers nombres, par exemple M par 4, N par 3, V par 5, T par 6, ce qui donnerait pour dividende 6534, le diviseur A étant un nombre quelconque tel que 7. Mais nous laisserons de côté les exemples particuliers afin de comprendre tous les cas possibles dans une même solution générale. Etant donné donc le dividende TVNM et un diviseur quelconque A il s'agit de reconnaître, à la seule inspection de la somme de ses chiffres, si ce dividende est exactement divisible par A.

Écrivons sur une même ligne, et dans l'ordre décroissant, les nombres de la suite naturelle, puis au dessous, une autre suite de nombres, de manière à former le tableau :

10	9	8	7	6	5	4	3	2	1
K	I	H	G	F	E	D	C	B	1

autem A erit numerus quilibet ut 7. Missis autem peculiaribus his exemplis, generali istâ enuntiatione omnia amplectimur.

Dato quocumque dividendo TVNM, et quocumque divisore A, agnoscere ex solâ additione characterum numericorum T, V, N, M, utrum ipse numerus TVNM exactè dividatur per ipsum numerum A.

Ponantur seorsim numeri serie naturali continui 1, 2, 3, 4, 5, 6, 7, 8, 9, 10, 11, etc. à dextrâ ad sinistram sic :

etc. 10 9 8 7 6 5 4 3 2 1
etc. K I H G F E D C B 1.

Jam ipsi primo numero, 1, subscribatur unitas.

Ex ipsâ unitate *decies* sumptâ, seu ex 10 auferatur A quoties fieri poterit, et supersit B qui sub 2 subscribatur.

Ex B *decies* sumpto, seu ex 10 B, auferatur A quoties poterit, et supersit C qui ipsi 3 subscribatur.

Ex 10 C, auferatur A quoties poterit, et supersit D qui ipsi 4 subscribatur.

Ex 10 D, auferatur A, etc. in continuum.

Nunc sumatur ultimus character dividendi M, qui quidem et primus est à dextrâ ad sinistram, scribaturque seorsim semel : *primo enim numero* 1, *subjacet unitas*.

M
N in B
V in C
T in D

Jam sumatur secundus character N, et toties repetatur quot sunt unitates in B, *qui secundo numero subjacet*, hoc est multiplicetur N per B, et sub M ponatur productus.

Jam sumatur tertius character V, et toties repetatur quot sunt unitates in C, *sub tertio numero subjecto*, seu multiplicetur V per C, et productus sub primis ponatur.

Sic denique multiplicetur quartus T per D, et sub aliis scribatur. Et sic in infinitum.

Dico prout summa horum numerorum, M, + N in B, + V in C, + T in D, est ipsius A multiplex aut non, et quoque ipsum numerum TVNM esse ejusdem multiplicem, vel non.

Etenim si propositus dividendus *unicum* haberet characterem M, sanè prout ipse esset multiplex ipsius A, numerus quoque M esset ejusdem A multiplex, cum sit ipse numerus totus.

Si verò constet *duobus* characteribus NM :

Dico quoque, prout M, + N in B est multiplex A, et ipsum numerum NM ejusdem multiplicem esse.

Etenim character N in columnâ denarii aequatur 10 N,

Verum ex constructione, est 10 — B multiplex A.

Quare ducendo 10 — B in N est 10 N — B in N multiplex A,

Si ergo contingit et esse M + B in N multiplicem A,

Ergo ambo ultimi multiplices juncti 10 N + M erunt mult. A.

Id est N in columnâ denarii et M in columnâ unitatis, seu numerus NM est multiplex A.

Q. e. d.

Dans ce tableau, les nombres de la seconde ligne sont formés comme il suit :

Au-dessous de l'unité on place l'unité.

De celle-ci prise *dix fois*, c'est-à-dire du nombre 10, on retranche le diviseur A autant de fois que possible, et l'on écrit le reste B sous le nombre 2.

De B pris *dix fois* on retranche de même le diviseur A autant de fois que possible, et l'on écrit le reste C sous le nombre 3.

De 10 C on retranche encore le diviseur A autant de fois que possible, et l'on écrit le nouveau reste D sous le nombre 4.

Et ainsi de suite.

Prenons maintenant le dernier chiffre du dividende, M, qui est le premier à partir de la droite, et multiplions-le par l'unité (qui dans notre tableau se trouve placé sous le chiffre 1).

Prenons ensuite le second chiffre, N, et multiplions-le par le nombre B, qui dans notre tableau se trouve placé sous le chiffre 2; puis écrivons le produit au-dessous de M.

Prenons encore le troisième chiffre V, multiplions-le par C (nombre placé sous le chiffre 3), et écrivons le produit sous les produits précédents.

M
$N \times B$
$V \times C$
$T \times D$

Opérons de même pour T, et ainsi de suite.

Je dis que, pour que le nombre proposé TVNM soit divisible par A, il faut et il suffit que la somme $M + N \times B + V \times C + T \times D$, etc., soit elle-même divisible par A.

Il est évident que si le nombre proposé n'a qu'*un* seul chiffre M, M est divisible par A, car le nombre tout entier se réduit à M.

Soit maintenant un nombre de *deux* chiffres, représenté par NM; je dis que, pour qu'il soit divisible par A, il faut et il suffit que la somme $M + N \times B$ le soit.

En effet, le chiffre N, placé dans la colonne des dizaines, équivaut à 10 N.

Or, d'après le calcul, 10—B est un multiple de A.

Multipliant par N, 10 N—B $\times$ N sera aussi un multiple de A.

Si donc il arrive que $M + B \times N$ soit un multiple de A,

La somme de ces deux dernières quantités, savoir 10 N + M, sera elle-même un multiple de A.

Donc 10 N + M, c'est-à-dire le nombre proposé NM est un multiple de A. C.q.f.d.

Soit encore un nombre de *trois* chiffres VNM. Pour qu'il soit divisible par A, je dis qu'il faut et suffit que la somme $M + N \times B + V \times C$ soit elle-même divisible par A.

En effet, le chiffre V, placé dans la colonne des centaines, équivaut à 100 V.

Or, d'après le calcul, 10—B est un multiple de A;

Multipliant 10—B par 10, 100—10 B sera aussi un multiple de A;

Multipliant encore par V, 100 V—10 B $\times$ V sera multiple de A;

Mais d'après le calcul, 10 B—C est un multiple de A;

Multipliant par V, 10 B $\times$ V—C $\times$ V sera multiple de A;

Et, comme on vient d'établir que 100 V—10 B $\times$ V est un multiple de A,

la somme de ces deux dernières quantités, savoir 100 V —C $\times$ V, sera elle-même un multiple de A;

Si numerus dividendus constet *tribus* characteribus, VNM :

Dico quoque ipsum esse aut non esse multiplicem A, prout M, + N in B, + V in C, erit ipsius A multiplex, vel non.

Etenim character V, in columnâ centenarii, aequatur 100 V.

At ex constructione, est 10 — B, multiplex A;

Quare multiplicando 10 — B per 10. 100 — 10 B, mult. A;

Et ducendo ipsos in V, 100 V — 10 B in V, mult. A;

Sed est etiam ex constructione, 10 B — C, mult. A;

Quare ducendo in V, 10 B in V — C in V, mult. A;

Sed ex ostensis, 100 V — 10 B in V, mult. A;

Ergo juncti duo ultimi, 100 V — C in V, mult. A;

Jam verò ostendemus ut in secundo casu, 10 N — B in N, mult. A;

Ergo juncti duo ultimi, 100 V + 10 N — C in V — B in N, mult. A;

Ergo si contingat hos numeros, C in V + B in B + M, esse mult. A;

Ambo ultimi juncti, nempe, 100 V + 10 N + M. et mult. A;

Seu V, in columnâ centenarii, N denarii et M unitatis, hoc est numerus VNM, est multiplex A. Q. e. d.

Non secus demonstrabitur de numeris ex *pluribus* characteribus compositis. Quare prout, etc.

Q.e.d.

Exemplis gaudeamus.

Quaero, qui sint numeri multiplices numeri 7. Scriptis continuis 1, 2, 3, 4, 5, etc. subscribo 1 sub 1 :

10	9	8	7	6	5	4	3	2	1
6	2	3	1	5	4	6	2	3	1

Ex unitate decies sumptâ, seu :

Ex 10 aufero 7 quoties potest, superest 3 quem pono sub 2.

Ex 3 decies sumpto, seu :

Ex 30 aufero 7 quoties potest, superest 2 quem pono sub. 3.

Ex 20 aufero 7 quoties potest, superest 6 et pono sub 4;

Ex 60 aufero 7 quoties potest, superest 4 et pono sub 5;

Ex 40 aufero 7 quoties potest, superest 5 et pono sub 6;

Ex 50 aufero 7 quoties potest, superest 1 et pono sub 7;

Ex 10 aufero 7 quoties potest, et redit 3 et pono sub 8;

Ex 30 aufero 7 quoties potest, et redit 2 et pono sub 9;

Et sic redit numerorum 1, 3, 2, 6, 4, 5, in infinitum.

Jam proponatur numerus quilibet, 287 542 178, de quo quaeritur utrum exactè dividatur per 7; hoc sic agnoscetur.

Sumatur *semel* ejus character qui primus est à dextrà ad sinistram, nempe 8, *primo enim numero seriei conti-*

Mais nous montrerons comme dans le second cas que 10 N—B × N est un multiple de A;

Donc la somme des deux dernières quantités, savoir 100 V + 10 N—C × V—B × N, sera un multiple de A;

Si donc il arrive que C × V + N × B + M soit un multiple de A; la somme des deux dernières quantités écrites, savoir 100 V + 10 N + M, sera encore un multiple de A;

Mais 100 V + 10 N + M, c'est le nombre proposé VNM; donc ce nombre est un multiple de A. C.q.f.d.

La démonstration serait la même si le nombre donné se composait de plus de trois chiffres.

Exemples

Soit à chercher quels sont les multiples du nombre 7. J'écris la suite des dix premiers nombres, et je forme le tableau

10	9	8	7	6	5	4	3	2	1
6	2	3	1	5	4	6	2	3	1

en procédant comme il suit :

J'écris l'unité sous l'unité.

De l'unité, prise 10 fois, je retranche 7 autant de fois que possible, et je place le reste 3 sous le chiffre 2.

Je multiplie le reste 3, par 10 et du produit 30 je retranche 7 autant de fois que possible; je place le nouveau reste 2 sous le chiffre 3.

De 20 je retranche 7 autant de fois que possible; il reste 6 que j'écris sous 4.

De 60 je retranche 7 autant de fois que possible; il reste 4 que j'écris sous 5.

De 40 je retranche 7 autant de fois que possible; il reste 5 que j'écris sous 6.

De 50 je retranche 7 autant de fois que possible; il reste 1 que j'écris sous 7.

De 10 je retranche 7 autant de fois que possible, ce qui me fait retomber sur le premier reste obtenu, savoir 3, que j'écris sous 8.

De 30 je retranche 7 autant de fois que possible; je retrouve le second reste obtenu, savoir 2, que j'écris sous 9.

Les restes déjà obtenus, savoir 1, 3, 2, 6, 4, 5, se retrouvent donc dans le même ordre, et ainsi indéfiniment.

Soit alors à reconnaître si un nombre quelconque 287 542 178 est un multiple de 7.

Je prends le premier chiffre du nombre à partir de la droite, et je le multiplie par l'unité (qui dans notre tableau est placée sous le nombre 1). J'écris donc le produit de 8 par l'unité, c'est-à-dire. 8

J'écris ensuite le produit de 7 par le chiffre 3 placé sous 2 dans notre tableau, soit 21

Puis le produit de 1 par 2 2

le produit de 2 par 6 12

le produit de 4 par 4 16

le produit de 5 par 5 25

le produit de 7 par 1 7

le produit de 8 par 3 24

le produit de 2 par 2 4

et je fais la somme 119

Si 119 est divisible par 7, le nombre proposé 287 542 178 le sera aussi.

La même méthode peut encore servir à reconnaître si 119 est un multiple de 7.

nuae subjacet unitas. Quare ponatur ille 8, primus character *semel*. . . . . 8.

Secundus, qui est 7, *ter* sumatur, seu per 3 multiplicetur, *secundo enim numero seriei subjacet* 3, sitque productus . . . . 21.

Tertius *bis* sumatur, *subjacet enim* 2 *ipsi* 3, quare tertius character qui est 1, per 2 multiplicatus, sit. . . . . 2.

Quartus eâdem ratione per 6 multiplicatus . . . 12.
Quintus per 4 multiplicatus. . . . . 10.
Sextus per 5 multiplicatus. . . . . 25.
Septimus *semel, septimo enim subjacet* 1 . . . . 7.
Octavus ter sumptus. . . . . 24.
Nonus bis sumptus . . . . 4.

Et sic deinceps si superessent. Jungantur hi numeri. 119.

Si ipse aggregatus 119 est multiplex ipsius 7, numerus quoque propositus, 287 542 178, ejusdem 7 multiplex erit.

Potest autem dignosci eâdem methodo, utrum ipse 119 sit multiplex 7, scilicet sumendo semel primum characterem. . . . . 9.
secundum characterem ter . . . . 3.
et praecedentem bis. . . . . 2.
14.

Si enim summa 14 est multiplex 7, erit et 119 ejusdem multiplex.

Sed et si, curiositate potius quam necessitate moti, velimus agnoscere utrum 14 sit multiplex 7, sumatur character ultimus semel . . . . 4.
et praecedens ter . . . . 3.
7.

Si summa est multiplex ipsius 7, erit et 14 multiplex 7, quare et 14, et 119, et 287 542 178.

Vis agnoscere quinam numeri dividantur per 6.

Scriptis, ut saepius dictum est, numeris naturalibus 1, 2, 3, 4, 5, etc., et 1 sub 1 posito,

etc. 4 3 2 1
etc. 4 4 4 1,

Ex 10 aufer 6, reliquum 4 sub 2 ponito,
Ex 40 aufer 6, reliquum 4 sub 3 ponito,
Ex 40 aufer 6, reliquum 4 sub 4 ponito.
Et sic semper redibit 4, quod agnosci potuit ubi semel rediit.

Ergo, si proponatur numerus quilibet, de quo quaerebatur utrum sit dividendus per 6, nempe 248 742, sume ultimam ejus figuram semel. . . . . 2.
praecedentem quater . . . . 16.
praecedentem quater, etc. . . . . 28.
et, uno verbo, primam semel, reliquarum verò . . 32.
summam quater . . . . 16.
. . . . 8.
102.

Si summa 102 dividatur per 6, dividetur et ipse numerus propositus 248 742 per eumdem 6.

On multipliera 9 par l'unité, ce qui donne 9
Puis 1 par 3 3
Et enfin 1 par 2 2
Et l'on fera la somme 14

Si cette somme est divisible par 7, 119 le sera également.

Enfin, et par curiosité plutôt que par nécessité, on pourra traiter encore le nombre 14 comme on a traité 119, c'est-à-dire :
Multiplier 4 par l'unité, ce qui donne. 4
Puis 1 par 3. 3
Et faire la somme. 7

Celle-ci étant évidemment divisible par 7, le nombre 14 le sera aussi; partant 119 le sera, et par suite, enfin, le nombre proposé 287 542 178 sera lui-même un multiple de 7.

Soit à chercher quels sont les nombres divisibles par 6.

Les nombres naturels étant encore écrits les uns à côté des autres, je forme le tableau

4 3 2 1
4 4 4 1

en procédant comme il suit :

Je pose l'unité sous l'unité; je retranche 6 de 10, et je place le reste 4 sous 2; je retranche ensuite 6 de 40 autant de fois que possible, et je place le reste 4 sous 3; et ainsi de suite : le reste 4 se reproduira indéfiniment.

Soit alors à chercher si un nombre donné quelconque, 248 742, est divisible par 6.

J'écris le dernier chiffre du nombre. 2
puis le chiffre précédent multiplié par 4. 16
puis le chiffre précédent multiplié par 4, etc.. . . 28
puis. 32
. . . . 16
. . . . 8
102

Si la somme 102 est divisible par 6, le nombre 248 742 sera lui-même divisible par 6.

Un nombre quelconque étant donné, reconnaître s'il est divisible par 3.

On construira, comme dans les exemples précédents, le tableau :

5 4 3 2 1
1 1 1 1 1

Pour cela, on pose l'unité sous l'unité; on retranche 3 de 10 autant de fois que possible et on place le reste 1 sous 2; puis on retranche 3 de 10 autant de fois que possible et on place le reste 1 sous 3; et ainsi de suite indéfiniment.

Soit alors à reconnaître si un nombre donné quelconque 2 451, est divisible par 3. J'écris
le dernier chiffre 1
le précédent 5
puis. 4
. . . . 2
12

Si la somme 12 est divisible par 3, il en sera de même du nombre proposé.

Un nombre étant donné, reconnaître s'il est divisible par 9.

Vis agnoscere utrum numerus dividatur per 3.

Scriptis, ut prius, numeris naturalibus, et 1 sub 1 posito,

5 4 3 2 1
1 1 1 1 1,

Ex 10 aufer 3 quoties potest, reliquum 1 sub 2 ponito,
Ex 10 aufer 3 quantum potest, reliquum 1 sub 3 ponito, et sic in infinitum.

Ergo si proponatur numerus quilibet, 2 451, ut scias utrum dividatur per 3 :

sume semel ultimam figuram . . . . 1.
praecedentem semel . . . . 5.
et semel singulas. . . . . 4.
2.
12.

Si summa dividatur per 3, dividetur et numerus propositus per 3.

Vis agnoscere utrum numerus dividatur per 9.

Scriptis numeris 1, 2, 3, etc., et 1 sub 1 posito,

Ex 10 aufer 9, et quoniam superest 1, patet *unitatem* contingere singulis numeris. Ergo, si numeri propositi singuli characteres simul sumpti dividantur per 9, dividetur et ipse.

Vis agnoscere utrum numerus dividatur per 4.

Scriptis numeris naturalibus, ut mos est, et posito 1 sub 1,

4 3 2 1,
0 0 2 1,

Ex 10 aufer 4 quantum potest, reliquum 2 pone sub 2,
Ex 20 aufer 4 quantum potest, reliquum 0 pone sub 3,
Ex 00 aufer 4, superest semper 0.

Quare si proponatur numerus dividendus, 2 486,
pono ultimum characterem semel . . . . 6.
praecedentem bis, *subjacet enim* 2 *sub* 2 . . . . . 16.
22.

Praecedens per 0 multiplicatus facit zero et sic de reliquis; quare ad ipsos non attendito; et si summa priorum, nempe 22, per 4 dividatur, dividetur et ipse, secus autem, non.

Sic numeri quorum ultimus character semel, praecedens bis, praecedens quater (*reliquis neglectis, zero enim sortiuntur*), simul juncti numerum efficiunt multiplicem 8, sunt ipsi et ejusdem 8 multiplices, secus autem, non.

In exemplum autem dabimus et illud.

Agnoscere qui numeri dividantur per 16.

Scriptis, ut dictum est, numeris naturalibus 1, 2, 3, 4, 5, 6, 7, etc., et 1 sub 1 posito

7 6 5 4 3 2 1
0 0 0 8 4 10 1

Ex 10 aufer 16 quantum potest, superest ipse 10; *ex minore enim numero major numerus subtrahi non potest; quare ipsemet numerus* 10 *ponatur sub* 2.

Ex ipso 10 decies sumpto, ut mos est, seu ex 100, aufero 16 quantum potest; superest 4 quem pono sub 3.

Ici encore, si on forme le tableau obtenu en plaçant l'unité sous l'unité, retranchant 9 de 10, etc., on voit que le reste 1 se répète indéfiniment. Donc, pour qu'un nombre quelconque soit divisible par 9, il suffit que la somme de ses chiffres le soit.

Un nombre étant donné, reconnaître s'il est divisible par 4.

Comme dans les exemples précédents, on forme le tableau :

4 3 2 1
0 0 2 1

Pour cela, on pose l'unité sous l'unité; on retranche 4 de 10 autant de fois que possible et on place le reste 2 sous 2; de 20 on retranche 4 autant de fois que possible, et on place le reste 0 sous 3; de 0 on retranche 4 : il reste toujours 0.

Soit alors donné le nombre 2 486. J'écris
le dernier chiffre 6
le précédent multiplié par 2. 16
22

Le chiffre précédent multiplié par 0 donne 0; et ainsi de suite. La condition nécessaire et suffisante pour que le nombre donné soit divisible par 4 est donc que la somme 22 le soit.

On trouvera de même que, pour qu'un nombre soit divisible par 8, il faut et il suffit que la somme formée du chiffre des unités, du double de celui des dizaines et du quadruple de celui des centaines (les autres chiffres étant négligés comme donnant 0), soit un multiple de 8.

Prenons un dernier exemple.

Soit à chercher quels sont les nombres divisibles par 16.

Les nombres naturels 1, 2, 3, 4, ... étant écrits, je forme le tableau

7 6 5 4 3 2 1
0 0 0 8 4 10 1

en procédant comme il suit :

J'écris l'unité sous l'unité. De 10 je retranche 16 autant de fois que possible : il reste 10 (en effet d'un nombre donné on ne peut pas retrancher un nombre plus grand); j'écrirai donc sous 2 le nombre 10 lui-même. De 10 pris 10 fois suivant la règle habituelle, c'est-à-dire de 100, je retranche 16 autant de fois que possible : il reste 4 que je pose sous 3. De 40 je retranche 16 autant de fois que possible : je pose le reste 8 sous 4. De 80 je retranche 16 autant de fois que possible : il reste 0.

Donc, pour qu'un nombre soit divisible par 16, il faut et il suffit qu'en ajoutant ensemble le chiffre des unités, 10 fois celui des dizaines, 4 fois celui des centaines et 8 fois celui des unités de mille, la somme obtenue soit elle-même divisible par 16.

On reconnaîtra de même que tous les nombres pour lesquels le décuple de l'avant-dernier chiffre, ajouté à tous les autres chiffres (chiffre des unités, chiffre des centaines, etc.), pris une fois chacun, donne une somme divisible par 45, 18, 15, 30, ou 90, c'est-à-dire par l'un des diviseurs à deux chiffres de 90, seront eux-mêmes des multiples de ce diviseur.

Il serait facile d'étendre encore ces exemples : mais il suffit d'avoir ouvert la route et éclairé par une démonstration précise ce sujet nouveau et assez obscur. Les caractères de divisibilité des nombres déduits de la somme de leurs chiffres reposent à la fois sur la nature

Ex 40 aufero 16 quantum potest, reliquum 8 pono sub 4.

Ex 80 aufero 16 quantum potest, superest 0.

Ideò omnis numerus cujus ultimus character semel sumptus, penultimus decies, praecedens quater, et praecedens octies, efficiunt numerum multiplicem 16, erit et ipse ipsius 16 multiplex.

Sic reperies omnes numeros, quorum penultimus character decies, reliqui autem omnes, scilicet ultimus, ante penultimus, praeante penultimus, et reliqui semel sumpti, efficiunt numerum divisibilem per 45, vel 18, vel 15, vel 30, vel 90, et uno verbo omnes divisores numeri 90 duobus constantes characteribus, dividi quoque et ipsos per hos divisores.

Non difficilis inde ad alia progressus; sed intentatam huc usque materiam aperuisse, et satis obscuram lucidissimâ demonstratione illustravisse, sufficit. Ars etenim illa, quâ ex additione characterum numeri noscitur per quos sit divisibilis, ex imâ numerorum naturâ, et ex eorum denariâ progressione vim suam sortitur : si enim aliâ progressione procederent, verbi gratiâ duodenariâ (quod sanè gratum foret) et sic ultra primas novem figuras, aliae duae institutae essent, quarum altera denarium, altera undenarium exhiberet : tunc non amplius contingeret numeros quorum omnes characteres simul sumpti efficiunt numerum multiplicem 9, esse et ipsos ejusdem 9 multiplices.

Sed methodus nostra, necnon et demonstratio, et huic progressioni et omnibus possibilibus convenit.

Si enim in hac duodenariâ progressione proponitur agnoscere an numerus dividatur per 9.

Instituemus, ut antea, numeros naturali serie continuos, 1, 2, 3, 4, 5, etc., et 1 sub 1 posito

$$\begin{matrix} 4 & 3 & 2 & 1 \\ 0 & 0 & 3 & 1 \end{matrix}$$

Ex unitate jam duodecies sumptâ seu ex 10 (qui jam potest *duodecim*, non autem *decem*) auferendo 9 quantum potest, superest 3, quem pono sub 2.

Ex 30 (qui jam potest *triginta sex*, scilicet *ter duodecim*) aufer 9 quantum potest, et superest nihil, continetur enim 9 quater exactè in *triginta sex;* pono igitur 0 sub 3.

Et ideò, zero sub reliquis characteribus continget.

Unde colligo, omnes numeros, quorum ultimus character semel sumptus, penultimus verò ter (*de caeteris non curo quales sint, zero enim sortiuntur*) efficiunt numerum divisibilem per 9, dividi quoque per 9, in duodenariâ progressione.

Sic in hac progressione duodenariâ omnes numeri quorum singuli characteres simul sumpti efficiunt numerum divisibilem per 11, sunt et divisibiles per eumdem.

In nostrâ vero progressione denariâ, contingit omnes numeros divisibiles per 11, ita se habere, ut ultimus semel sumptus, penultimus decies, praecedens semel, praecedens decies, praecedens semel, praecedens decies, et sic in infinitum, conflare numerum multiplicem 11.

Haec et alia facili studio, ex istâ methodo, quisque colliget; tetigimus quidem quonium intentata placent, relinquimus vero ne nimia perscrutatio taedium pariat.

intime des nombres et sur leur représentation dans le système de numération décimale. Dans tout autre système, par exemple dans le système duodécimal (système fort commode sans doute) qui, outre les neuf premiers chiffres, emploie deux figures nouvelles pour désigner, l'une le nombre 10, l'autre le nombre 11, dans ce mode de numération, il ne serait plus vrai que tout nombre dont la somme des chiffres est un multiple de 9 est lui-même divisible par 9.

Mais la méthode que j'ai fait connaître et la démonstration que j'en ai donnée, conviennent encore à ce système ainsi qu'à tout autre.

Veut-on, dans le système duodécimal, reconnaître si un nombre est divisible par 9, on écrit, comme on l'a fait plus haut, la suite des nombres naturels, puis on forme le tableau

$$\begin{matrix} 4 & 3 & 2 & 1 \\ 0 & 0 & 3 & 1 \end{matrix}$$

en procédant comme il suit : sous l'unité on place l'unité; de l'unité prise 12 fois, c'est-à-dire de 10 (qui maintenant veut dire *douze*, et non plus *dix*) on retranche 9 et l'on écrit le reste 3 sous le nombre 2; du produit 30 (lisez *trente-six* ou *trois fois douze*) on retranche encore 9 autant de fois que possible, ce qui donne pour reste zéro, car trente-six contient quatre fois exactement le nombre 9. Les restes suivants seront nuls. Il viendra donc 0 sous tous les chiffres restants.

D'où l'on conclut que tous les nombres, écrits dans le système duodécimal, pour lesquels la somme du premier chiffre de droite et du triple du second (il n'est pas besoin de s'occuper des autres puisqu'ils donnent 0) sera divisible par 9, seront eux-mêmes des multiples de 9.

On reconnaîtra aussi que, dans le même système de numération, tous les nombres dont la somme des chiffres est divisible par 11, sont eux-mêmes des multiples de 11.

Dans notre système décimal au contraire, pour qu'un nombre fût divisible par 11, il faudrait que la somme formée par le dernier chiffre, puis le décuple de l'avant-dernier, puis le chiffre précédent, puis le décuple du précédent, etc., donnât un multiple de 11.

Il serait facile de justifier ces deux règles et d'en obtenir d'autres. Mais si j'ai touché ce sujet c'est parce que je cédais volontiers à l'attrait de la nouveauté; maintenant je m'arrête de peur de fatiguer le lecteur en entrant dans trop de détails.

POTESTATUM NUMERICARUM SUMMA

MONITUM

Datis, ab unitate, quotcumque numeris continuis, v. g. 1, 2, 3, 4, invenire summam quadratorum eorum, nempe 1+4+9+16, id est 30, tradiderunt veteres, imo etiam et summam cuborum eorumdem; ad reliquas vero potestates non protraxerunt suas methodos, his solummodo gradibus proprias. Hic autem exhibetur, non solum summa quadratorum, et cuborum, sed et quadrato-quadratorum, et reliquarum in infinitum potestatum. Et non solum à radicibus ab unitate continuis, sed à quolibet numero initium sumentibus, verbi gratiâ, numerorum 8, 9, 10, etc. Et non solum numerorum qui progressione naturali procedunt, sed et eorum omnium qui progressione, verbi gratiâ cujus differentia est 2, aut 3, aut 4, aut alius quilibet numerus, formantur ut istorum 1, 3, 5, 7, etc., vel horum 2, 4, 6, 8, qui per incrementum binarii augentur, aut horum 1, 4, 7, etc. qui per incrementum ternarii, et sic de caeteris; sed, *et quod amplius est*, à quolibet numero exordium sumat illa progressio, sive incipiat ab unitate, ut isti 1, 4, 7, 10, 13, etc., qui sunt ejus progressionis quae per incrementum ternarii procedit et ab unitate sumit exordium; sive ab aliquo hujus progressionis numero incipiat ut isti 7, 10, 13, 16, 19; sive, quod ultimum est, à numero qui non sit ejus progressionis, ut isti 5, 8, 11, 14, quorum progressio per ternarii differentiam procedit, et à numero 5, ipsi progressioni extraneo, exordium sumit. Et, quod sane feliciter inventum est, tam multos differentes casus, unicâ ac generalissimâ resolvit methodus; adeo simplex, ut absque litterarum auxilio, quibus difficiliores egent enuntiationes, paucis lineis contineatur : ut ad finem problematis sequentis patebit.

DEFINITIO

Si binomium, cujus alterum nomen sit A, *alterum verò numerus quilibet ut* 3, *nempe A* + 3, *ad quamlibet constituatur potestatem ut ad quartum gradum, cujus haec sit expositio :*

$$A^4 + 12, A^3 + 54, A^2 + 108, A + 81;$$

ipsi numeri 12, 54, 108, *per quos ipse* A *multiplicatur in singulis gradibus, quique partim ex numeris figuratis, partim ex numero* 3 *qui binomii est secundum nomen, formantur, vocabuntur* Coefficientes *ipsius* A.

Erit ergo in hoc exemplo 12 coefficiens A cubi, et 54 coefficiens A quadrati, et 108 coefficiens A radicis.

Numerus verò 81 numerus absolutus dicetur.

LEMMA

Sit radix quaelibet 14; altera verò sit binomium 14+3

SOMMATION DES PUISSANCES NUMÉRIQUES

Remarque.

Étant donnés, à partir de l'unité, plusieurs nombres consécutifs, par exemple 1, 2, 3, 4, on sait trouver, par les méthodes que les anciens nous ont fait connaître, la somme de leurs carrés, et même la somme de leurs cubes; mais ces méthodes, applicables au second et au troisième degré seulement, ne s'étendent pas aux degrés supérieurs. Dans ce traité, j'enseignerai à calculer non seulement la somme des carrés et des cubes, mais aussi la somme des quatrièmes puissances et celles des puissances supérieures jusqu'à l'infini : et cela, non seulement pour une suite de nombres consécutifs partant de l'unité, mais pour une suite commençant par un nombre quelconque, telle que la suite 8, 9, 10, ... Et je ne me bornerai pas à la suite naturelle des nombres : ma méthode s'appliquera encore à une progression ayant pour raison 2, 3, 4, ou un autre nombre quelconque, — c'est-à-dire à une suite de nombres différant de deux unités comme 1, 3, 5, 7, ..., 2, 4, 6, 8, ..., ou différant de trois unités comme 1, 4, 7, 10, 13, ... Et cela qui plus est, quel que soit le premier terme de la suite : que ce premier terme soit 1, comme dans la suite de raison *trois*, 1, 4, 7, 10, ...; ou qu'il soit un autre terme de la progression, comme dans la suite 7, 10, 13, 16, 19; ou même qu'il soit étranger à la progression, comme dans la suite de raison *trois*, 5, 8, 11, 14... commençant par 5. Chose remarquable, une méthode unique et générale suffira pour traiter tous ces cas différents. Cette méthode est si simple qu'elle sera exposée en quelques lignes, et sans cet appareil de notations algébriques auquel doivent recourir les démonstrations difficiles. On en jugera après avoir lu le problème qui va suivre.

DEFINITION

Soit un binôme A+3, *dont le premier terme soit la lettre* A, *et le second un nombre : élevons ce binôme à une puissance quelconque, à la quatrième par exemple, ce qui donne*

$$A^4+12.A^3+54.A^2+108.A+81;$$

les nombres 12, 54, 108 *qui multiplient les diverses puissances de* A *et sont formés par la combinaison des nombres figurés avec le second terme*, 3, *du binôme, seront appelés* coefficients *de* A.

Ainsi, *dans l'exemple cité*, 12 *sera le coefficient du cube de* A; 54, *celui du carré, et* 108, *celui de la première puissance.*

Quant au nombre 81, on l'appellera *nombre absolu.*

LEMME

Soit un nombre quelconque 14, et un binôme 14+3, dont le premier terme soit 14 et le second un nombre quelconque 3, de telle sorte que la différence des nombres 14 et 14+3 soit égale à 3. Élevons ces nombres à une même puissance, la quatrième par exemple : la quatrième puissance de 14 est 14^4, celle du binôme, 14+3, est

$$14^4+12.14^3+54.14^2+108.14+81.$$

cujus primum nomen sit 14, alterum verò alius quilibet numerus 3, ita ut harum radicum 14, et 14+3, differentia sit 3. Constituantur ipsae in quolibet gradu ut in quarto : ergo quartus gradus radicis 14 est 14^4; quartus verò gradus binomii 14+3 est

$$14^4 + 12,\ 14^3 + 54,\ 14^2 + 108,\ 14 + 81.$$

Cujus quidem binomii primum nomen, 14, *eosdem coefficientes sortitur in singulis gradibus quos* A *sortitus est in similibus gradibus in expositione ejusdem gradus binomii* A+3, *quod rationi consentaneum est;* harum verò potestatum, nempe hujus 14^4 et hujus 14^4+12, 14^3+54, 14^2+108, $14+81$, differentia est 12, 14^3+54, 14^2+108, $14+81$; quae quidem constat : Primo, ex radice 14 constitutâ in singulis gradibus proposito gradui *quarto* inferioribus, nempe in *tertio*, in *secundo* et in *primo*, et in unoquoque multiplicatâ per *coefficientes* quos A sortitur in similibus gradibus in expositione ejusdem gradus binomii A+3; deinde ex ipso numero 3, *qui est differentia radicum*, constituto in proposito *quarto* gradu; *numerus enim absolutus* 81 *est quartus gradus radicis* 3. Hinc igitur elicietur *Canon iste :*

Duarum similium potestatum differentia aequatur differentiae radicum constitutae in eodem gradu in quo sunt potestates propositae; Plus minori radice constitutâ in singulis gradibus proposito gradui inferioribus ac in unoquoque multiplicatâ per coefficientes quos A *sortiretur in similibus gradibus, si binomium cujus primum nomen esset* A, *alterum vero esset differentia radicum, constitueretur in eâdem potestate propositâ.*

Sic ergo differentia inter 14^4 et 11^4, erit

$$12,\ 11^3 + 54,\ 11^2 + 108,\ 11 + 81.$$

Differentia enim radicum est 3.
Et sic de caeteris.

AD SUMMAM POTESTATUM CUJUSLIBET PROGRESSIONIS INVENIENDAM UNICA AC GENERALIS METHODUS

Datis quotcumque numeris, in qualibet progressione, à quovis numero inchoante, invenire quarumvis potestatum eorum summam.

Quilibet numerus, 5, sit initium progressionis quae per incrementum cujusvis numeri, verbi gratiâ ternarii, procedat, et in eâ progressione dati sint quotlibet numeri, verbi gratiâ isti 5, 8, 11, 14, qui omnes in quâcumque potestate constituantur, ut in tertio gradu seu cubo. Oportet invenire summam horum cuborum, nempe $5^3+8^3+11^3+14^3$.

Cubi illi sunt 125+512+1331+2744, *quorum summa est* 4712 *quae quaeritur et sic invenitur.*

Exponatur binomium A+3 cujus primum nomen sit A, alterum vero sit numerus 3 qui est differentia progressionis.

Constituatur binomium hoc A+3 in gradu quarto qui proximè superior est proposito tertio, sitque haec ejus expositio

$$A^4 + 12,\ A^3 + 54,\ A^2 + 108,\ A + 81.$$

Jam assumatur numerus 17, qui in progressione propositâ proximè sequitur ultimum progressionis terminum datum 14. Et constituto ipso 17 in eodem gradu quarto, nempe 83 521 auferantur ab eo haec :

Dans cette expression, les puissances du premier terme, 14, *du binôme sont évidemment affectées des mêmes coefficients que les puissances de A dans le développement de* $(A+3)^4$. Cela posé, la différence des deux quatrièmes puissances, 14^4 et

$$14^4 + 12.14^3 + 54.14^2 + 108.14 + 81,$$

est $12.14^3+54.14^2+108.14+81$; cette différence comprend : d'une part, les puissances de 14 dont le degré est inférieur au degré proposé 4, ces puissances étant affectées des coefficients qu'ont les mêmes puissances de A dans le développement de $(A+3)^4$; d'autre part, le nombre 3 (*différence des nombres proposés*) élevé à la *quatrième* puissance (car le *nombre absolu* 81 est la *quatrième* puissance du nombre 3). De là nous déduisons la *Règle suivante :*

La différence des puissances semblables de deux nombres comprend : la différence de ces nombres élevée à la puissance proposée; plus la somme de toutes les puissances de degré inférieur du plus petit des deux nombres, ces puissances étant respectivement multipliées par les coefficients qu'ont les mêmes puissances de A dans le développement d'un binôme élevé à la puissance proposée et ayant pour premier terme A et pour second terme la différence des nombres donnés.

Ainsi, la différence de 14^4 et 11^4 sera

$$12.11^3 + 54.11^2 + 108.11 + 81,$$

puisque la différence des puissances premières est 3. Et ainsi de suite.

MÉTHODE UNIQUE ET GÉNÉRALE POUR TROUVER LA SOMME DES PUISSANCES SEMBLABLES DES TERMES D'UNE PROGRESSION QUELCONQUE

Étant donnée, à partir d'un terme quelconque, une suite quelconque de termes d'une progression arbitraire, trouver la somme des puissances semblables de ces termes élevés à un degré quelconque.

Soit pris un nombre quelconque 5 comme premier terme d'une progression dont la raison, choisie arbitrairement, sera par exemple *trois;* soient considérés, dans cette progression, autant de termes que l'on voudra, par exemple les termes 5, 8, 11, 14, et soient ces termes élevés à une puissance arbitraire, mettons au cube. Il s'agit de trouver la somme des cubes $5^3+8^3+11^3+14^3$.

Ces cubes sont 125, 512, 1331, 2744; et leur somme est 4712. Voici comment on trouvera cette somme.

Considérons le binôme A+3 qui a pour premier terme A et pour second terme la différence de la progression.

Élevons ce binôme à la quatrième puissance, puissance immédiatement supérieure au degré proposé trois; nous obtenons l'expression

$$A^4 + 12.A^3 + 54.A^2 + 108.A + 81.$$

Cela posé, considérons le nombre 17, qui, dans la progression proposée, suit immédiatement le dernier terme considéré 14. Prenons la *quatrième* puissance de 17, savoir 83 521, et retranchons-en :

Premièrement : la somme 38 des termes considérés 5+8+11+14, multipliée par le nombre 108 qui est le coefficient de A;

Primo, summa numerorum propositorum

$$5+8+11+14,$$

nempe 38 multiplicata per numerum 108, qui est coefficiens ipsius A radicis;

Secundo, summa quadratorum eorumdem numerorum 5, 8, 11, 14 multiplicata per numerum 54, qui est coefficiens A quadrati.

Et sic deinceps procedendum esset si superessent gradus alii inferiores ipsi gradui tertio qui propositus est.

Deinde auferatur primus terminus propositus 5 in quarto gradu constitutus.

Denique auferatur numerus 3 qui est differentia progressionis in eodem gradu quarto constitutus, ac toties sumptus, quot sunt numeri propositi, nempe quater in hoc exemplo.

Residuum erit multiplex summae quaesitae, eamque toties continebit quoties numerus 12 qui est coefficiens ipsius A cubi, seu A in gradu tertio proposito, continet unitatem.

Si ergo ad praxim methodus reducatur, numerus 17 constituendus est in 4 gradu, nempe 83 521, et ab eo haec auferenda sunt :

Primo, summa numerorum propositorum $5+8+11+14$, nempe 38, multiplicata per 108, unde oritur productus 4 104.

Deinde, summa quadratorum numerorum propositorum, id est, $5^2+8^2+11^2+14^2$, nempe $25+64+121+196$, quorum summa est 406, quae multiplicata per 54 efficit 21 924.

Deinceps auferendus est numerus 5 in *quarto* gradu, nempe 625.

Denique auferendus est numerus 3 in *quarto* gradu, nempe 81, *quater* sumptus, nempe 324. Numeri ergo auferendi illi sunt, 4 104, 21 924, 625, 324; quorum summa est 26 977, quâ ablatâ à numero 83 521, superest 56 544.

Hoc ergò *residuum* continebit summam quaesitam, nempe 4 712, multiplicatam per 12; et profectò 4 712 per 12 multiplicata efficit 56 544.

Paradigma facile est construere : hoc autem sic demonstrabitur.

Etenim numerus 17 in *quarto* gradu constitutus, qui quidem sic exprimitur : 17^4, aequatur

$$17^4-14^4+14^4-11^4+11^4-8^4+8^4-5^4+5^4.$$

Solus enim 17^4 *signum affirmationis solum sortitur, reliqui autem affirmantur ac negantur.*

Sed differentia radicum 17, 14, est 3, eademque est differentia radicum 14, 11, eademque radicum 11, 8, ac etiam radicum 8, 5. Igitur ex praemisso lemmate :

17^4-14^4 aequatur $12,\ 14^3+54,\ 14^2+108,\ 14+81$.

Sic 14^4-11^4 aequatur $12,\ 11^3+54,\ 11^2+108,\ 11+81$.

Sic 11^4-8^4 aequatur $12,\ 8^3+54,\ 8^2+108,\ 8+81$.

Sic 8^4-5^4 aequatur $12,\ 5^3+54,\ 5^2+108,\ 5+81$.

Non interpretor 5^4.

Igitur 17^4 aequatur his omnibus :

Deuxièmement : la somme des carrés des mêmes termes 5, 8, 11, 14, multipliée par le nombre 54, qui est le coefficient de A^2.

Et ainsi de suite, au cas où il y aurait encore des puissances de A de degré inférieur au degré proposé *trois*.

Ces soustractions faites, on retranche encore la *quatrième* puissance du premier terme proposé, 5.

Enfin l'on retranche le nombre 3 (raison de la progression) élevé lui-même à la *quatrième* puissance et pris autant de fois que l'on considère de termes dans la progression, ici *quatre* fois.

Le reste de la soustraction sera un multiple de la somme cherchée; ce sera le produit de cette somme par le nombre 12, qui est le coefficient de A^3, c'est-à-dire le coefficient du terme A élevé à la puissance proposée *trois*.

Ainsi, dans la pratique, on devra former la quatrième puissance de 17, soit 83 521, puis en retrancher successivement :

Premièrement, la somme des termes proposés $5+8+11+14$, soit 38, multipliée par 108, c'est-à-dire le produit 4 104;

Puis la somme des carrés des mêmes termes, $5^2+8^2+11^2+14^2$, ou $25+64+121+196$, ou encore 406, qui, multipliée par 54, donne 21 924;

Puis le nombre 5 à la *quatrième* puissance, soit 625;

Enfin le nombre 3 à la *quatrième* puissance, soit 81, multiplié par *quatre*, ce qui donne 324. En résumé on doit retrancher les nombres 4 104, 21 924, 625, 324, dont la somme est 26 977. Otant cette somme de 83 521, il reste 56 544.

Le reste ainsi obtenu est égal à la somme cherchée, 4 712, multipliée par 12; et, de fait, 4 712 multiplié par 12 égale 56 544.

La règle est, on le voit, d'une application facile. Voici maintenant comment on la démontre.

Le nombre 17 élevé à la *quatrième* puissance, que l'on écrit 17^4, est égal à

$$17^4-14^4+14^4-11^4+11^4-8^4+8^4-5^4+5^4.$$

Dans cette expression, le *seul terme* 17^4 *figure avec le seul signe* + ; *les autres termes sont tour à tour ajoutés et retranchés.*

Mais la différence des termes 17 et 14 est 3; de même la différence des termes 14 et 11, et des termes 11 et 8, et des termes 8 et 5. Dès lors, d'après notre lemme préliminaire :

$$17^4-14^4 \text{ égale } 12.14^3+54.14^2+108.14+81.$$

De même

$$14^4-11^4 \text{ égale } 12.11^3+54.11^2+108.11+81.$$

De même

$$11^4-8^4 \text{ égale } 12.\ 8^3+54.\ 8^2+108.\ 8+81.$$

De même

$$8^4-5^4 \text{ égale } 12.\ 5^3+54.\ 5^2+108.\ 5+81.$$

Le terme 5^4 n'a pas besoin d'être transformé.

On trouve alors comme valeur de 17^4 :

$$\begin{aligned}&12.14^3+54.14^2+108.14+81\\&+12.11^3+54.11^2+108.11+81\\&+12.\ 8^3+54.\ 8^2+108.\ 8+81\\&+12.\ 5^3+54.\ 5^2+108.\ 5+81\\&+5^4,\end{aligned}$$

ou, *en intervertissant l'ordre des termes :*

$5+8+11+14$ multipliés par 108,

$12,\ 14^3+54,\ 11^2+108,\ +14+81$
$+12,\ 11^3+54,\ 11^2+108,\ +11+81$
$+12,\ 8^3+54,\ 8^2+108,\ +\ 8+81$
$+12,\ 5^3+54,\ 5^2+108,\ +\ 5+81$
$+5^4$.

Hoc est, *mutato ordine*, 17^4 aequatur his

$5+8+11+14$ multiplicatis per 108,
$+5^2+8^2+11^2+14^2$ multiplicatis per 54,
$+5^3+8^3+11^3+14^3$ multiplicatis per 12,
$+81+81+81+81$,
$+5^4$;

Ablatis undique his

$5+8+11+1$ multiplicatis per 108,
$+5^2+8^2+11^2+14^2$ multiplicatis per 54,
$+81+81+81+81$,
$+5^4$;

Remanet 17^4 minus his, nempe

$-5-8-11-14$ multiplicatis per 108,
$-5^2-8^2-11^2-14^2$ multiplicatis per 54,
$-81-81-81-81$;
-5^4;

aequalis $5^3+8^3+11^3+14^3$ multiplicatis per 12. Q. e. d.

Sic ergo potest institui enuntiatio et generalis constructio.

SUMMA POTESTATUM

Datis quotcumque numeris, in quâlibet progressione, a quovis numero initium sumente, invenire summam quarumvis potestatum eorum.

Exponatur binomium, cujus primum nomen sit A, alterum vero sit numerus qui differentia progressionis est, et constituatur hoc binomium in gradu qui proximè superior est gradui proposito, et in expositione potestatis ejus notentur coefficientes quos A sortitur in singulis gradibus.

Constituatur et in eodem gradu superiori numerus qui in eâdem progressione propositâ proximè sequitur ultimum progressionis terminum propositum. Et ab eo auferantur haec :

Primo, primus terminus progressionis datus, seu minimus numerus datorum in eodem superiori gradu constitutus;

Secundo, numerus qui differentia est progressionis in eodem superiori gradu constitutus, ac toties sumptus quot sunt termini dati;

Tertio, auferantur singuli numeri dati, in singulis gradibus proposito gradui inferioribus constituti, ac in unoquoque gradu multiplicati per jam notatos coefficientes quos A sortitur in iisdem gradibus in expositione hujus superioris gradus binomii primo assumpti.

Reliquum est multiplex summae quaesitae, eamque toties continet quoties coefficiens quem A in gradu proposito sortitur continet unitatem.

MONITUM

Praxes jam particulares sibi quisque pro genio suppeditabit. Verbi gratiâ, si quaeris summam quotlibet numerorum progressionis naturalis à quotlibet inchoantis, hic, ex methodo generali, elicietur *Canon :*

$+\ 5^2+\ 8^2+11^2+14^2$ multipliés par 54,
$+\ 5^3+\ 8^3+11^3+14^3$ multipliés par 12,
$+81+81+81+81$
$+\ 5^4$.

Si donc on retranche de part et d'autre, la somme :

$5+8+11+14$ multipliés par 108,
$+\ 5^2+\ 8^2+11^2+14^2$ multipliés par 54,
$+81+81+81+81$
$+\ 5^4$;

Il reste 17^4 diminué des quantités précédentes savoir :

$-\ 5-\ 8-11-14$ multipliés par 108,
$-\ 5^2-\ 8^2-11^2-14^2$ multipliés par 54,
$-81-81-81-81$
$-\ 5^4$,

qui se trouve égal à la somme $5^3+8^3+11^3+14^3$ multipliée par 12. C. Q. F. D.

On peut donc présenter comme il suit l'énoncé et la solution générale du problème proposé.

SOMME DES PUISSANCES

Étant donnée, à partir d'un terme quelconque, une suite quelconque de termes d'une progression arbitraire, trouver la somme des puissances semblables de ces termes supposés élevés à un degré arbitraire.

Formons un binôme ayant pour premier terme A et pour second terme la différence de la progression donnée; élevons ce binôme au degré immédiatement supérieur au degré proposé, et considérons dans le développement obtenu les coefficients des diverses puissances de A.

Élevons maintenant au même degré le terme qui, dans la progression donnée, suit immédiatement le dernier terme considéré. Puis retranchons du nombre obtenu les quantités suivantes :

Premièrement : Le premier terme donné dans la progression, — c'est-à-dire le plus petit des termes donnés, — élevé lui-même à la même puissance (immédiatement supérieure au degré proposé).

Deuxièmement : La différence de la progression, élevée à la même puissance, et prise autant de fois que l'on considère de termes dans la progression.

Troisièmement : Les sommes des termes donnés, élevés aux divers degrés moindres que le degré proposé, ces sommes étant respectivement multipliées par les coefficients des mêmes puissances de A dans le développement du binôme formé plus haut.

Le *reste* de la soustraction ainsi effectuée est un multiple de la somme cherchée : il la contient autant de fois qu'il y a d'unités dans le coefficient de la puissance de A dont le degré est égal au degré proposé.

AVIS

Le lecteur déduira lui-même les règles pratiques qui sont applicables dans chaque cas particulier. Supposons, par exemple, que l'on veuille trouver la somme d'un certain nombre de termes de la suite naturelle à partir d'un nombre arbitraire : voici la règle que l'on déduira de notre méthode générale :

Dans une progression naturelle partant d'un nombre quelconque, le carré du nombre immédiatement supérieur au dernier terme, diminué du carré du premier terme

In progressione naturali à quovis numero inchoante, differentia inter quadratum minimi termini et quadratum numeri qui proximè major est ultimo termino, minuta numero qui exponit multitudinem, dupla est aggregati ex omnibus.

Sint quotlibet numeri naturali progressione continui, quorum primus sit ad libitum, v. g., *quatuor* isti 5, 6, 7, 8. Dico 9^2—5^2—4 aequari duplo 5+6+7+8.

Similes canones et reliquarum potestatum summis inveniendis et reliquis progressionibus facilè aptabuntur, quos quisque sibi comparet.

CONCLUSIO

Quantum haec notitia ad spatiorum curvilineorum dimensiones conferat, satis norunt qui in indivisibilium doctrinâ tantisper versati sunt. Omnes enim omnium generum Parabolae illicò quadrantur, et alia innumera facillimè mensurantur.

Si ergo illa, quae hac methodo in numeris reperimus, ad quantitatem continuam applicare libet, hi possunt institui canones.

CANONES AD NATURALEM PROGRESSIONEM QUAE AB UNITATE SUMIT EXORDIUM.

Summa linearum est ad quadratum maximae, ut . . . . 1 *ad* 2.

Summa quadratorum est ad cubum maximae, ut . . . . 1 *ad* 3.

Summa cuborum est ad (quartum) gradum maximae, ut . . . . 1 *ad* 4.

CANON GENERALIS AD PROGRESSIONEM NATURALEM QUAE AB UNITATE SUMIT EXORDIUM.

Summa omnium in quolibet gradu est ad maximam in proximè superiori gradu, ut unitas ad exponentem superioris gradus.

Non de Reliquis disseram, quia hîc locus non est : haec obiter notavi; reliqua facili negotio penetrantur, eo posito principio, *in continuâ quantitate, quotlibet quantitates cujusvis generis quantitati superioris generis additas nihil ei superaddere.* Sic puncta lineis, lineae superficiebus, superficies solidis nihil adjiciunt : seu, *ut numericis, in numerico tractatu, verbis utar,* radices quadratis, quadrata cubis, cubi quadrato-quadratis, etc., nihil apponunt. Quare, inferiores gradus, nullius valoris existentes, non considerandi sunt. Haec, quae indivisibilium studiosis familiaria sunt, subjungere placuit, ut nunquam satis mirata connexio, quâ ea etiam quae remotissima videntur in unum addicat unitatis amatrix natura, ex hoc exemplo prodeat, in quo, *quantitatis continuae dimensionem,* cum *numericarum potestatum summâ* conjunctam contemplari licet.

et du nombre des termes donnés, est égal au double de la somme desdits termes.

Soit donnée une suite quelconque de nombres consécutifs dont le premier est arbitraire, par exemple les *quatre* nombres 5, 6, 7, 8 : je dis que 9^2—5^2—4 est égal au double de 5+6+7+8.

On obtiendra facilement des règles analogues donnant les sommes des puissances de degrés plus élevés et s'appliquant à toutes les progressions.

CONCLUSION

Ceux qui sont tant soit peu au courant de la doctrine des *indivisibles* ne manqueront pas de voir quel parti on peut tirer des résultats qui précèdent pour la détermination des aires curvilignes. Ces résultats permettront de carrer immédiatement tous les genres de paraboles et une infinité d'autres courbes.

Si donc nous étendons aux quantités continues les résultats trouvés pour les nombres, par la méthode ci-dessus exposée, nous pourrons énoncer les règles suivantes :

RÈGLES RELATIVES A LA PROGRESSION NATURELLE QUI COMMENCE PAR L'UNITÉ

La somme d'un certain nombre de lignes[11] *est au carré de la plus grande, comme* 1 *est à* 2.

La somme des carrés des mêmes lignes est au cube de la plus grande, comme 1 *est à* 3.

La somme de leurs cubes est à la quatrième puissance de la plus grande, comme 1 *est à* 4.

RÈGLE GÉNÉRALE RELATIVE A LA PROGRESSION NATURELLE QUI COMMENCE PAR L'UNITÉ

La somme des mêmes puissances d'un certain nombre de lignes est à la puissance de degré immédiatement supérieur de la plus grande d'entre elles, comme l'unité est à l'exposant de cette même puissance.

Je ne m'arrêterai pas aux autres cas, parce que ce n'est pas ici le lieu de les étudier. Il me suffira d'avoir énoncé en passant les règles qui précèdent. On découvrira les autres sans difficulté en s'appuyant sur ce principe qu'*on n'augmente pas une grandeur continue lorsqu'on lui ajoute, en tel nombre que l'on voudra, des grandeurs d'un ordre d'infinitude inférieur.* Ainsi les points n'ajoutent rien aux lignes, les lignes aux surfaces, les surfaces aux solides; ou — pour parler en nombres comme il convient dans un traité arithmétique, — les racines ne comptent pas par rapport aux carrés, les carrés par rapport aux cubes et les cubes par rapport aux carro-carrés. En sorte qu'on doit négliger, comme nulles, les quantités d'ordre inférieur.

J'ai tenu à ajouter ces quelques remarques, familières à ceux qui pratiquent les indivisibles, afin de faire ressortir la liaison, toujours admirable, que la nature, éprise d'unité, établit entre les choses les plus éloignées en apparence. Elle apparaît dans cet exemple, où nous voyons le calcul des *dimensions des grandeurs continues* se rattacher à la *sommation des puissances numériques.*

11. Pascal est au seuil du calcul intégral et, possédant déjà la notion des « ordres de grandeur », il a en vue la détermination des aires et volumes, par sommation d'éléments calculables. Ici, sommation de surfaces élémentaires déterminées par des ordonnées successives qui sont les « *lignes* » dont les longueurs forment la progression 1, 2, 3,...n.

SOLUTION D'UN DES PLUS CÉLÈBRES ET DES PLUS DIFFICILES PROBLÈMES D'ARITHMÉTIQUE, APPELÉ COMMUNÉMENT *LES CARRÉS MAGIQUES*[12]

I
CE QUE C'EST QUE CE PROBLÈME

Ayant un carré de cellules pair ou impair :

Et l'ayant rempli de chiffres, ou selon l'ordre naturel des nombres 1, 2, 3, 4, etc.

Ou de quelque autre progression arithmétique que ce soit, comme 2, 5, 8, 11, 14, etc.

Disposer tous ces chiffres dans un autre carré de cellules semblable à celui-là, en sorte que tous les chiffres de chaque bande soit de gauche à droite, soit de haut en bas, soit même les deux diagonales, fassent toujours la même somme.

Soient pris pour exemples les carrés de 11 pour les impairs, et de 12 pour les pairs, comme on les peut voir dans les figures qui sont à la fin de ce Traité. (*Planche VIII*, *fig.* 1, 2, 3, 4, voir p. 96.)

II
CONSIDÉRATIONS SUR LES CARRÉS NATURELS

J'appelle *carrés naturels* ceux où les chiffres sont disposés en progression arithmétique, en commençant par les plus petits.

SUR LES CARRÉS IMPAIRS

Dans le milieu du carré impair il y a une cellule qui en est le centre. Le chiffre qui est dans cette cellule soit nommé *centre* et marqué par *c*.

De tous les autres chiffres la moitié sont plus petits et les autres plus grands que le centre. Les uns soient appelés simplement *petits* et les autres *grands*.

Les cellules autour du centre soient appelées première *enceinte*.

Autour de la première enceinte, seconde *enceinte*.

Autour de la seconde enceinte, troisième *enceinte*.

Et ainsi de suite.

Les enceintes première, troisième, cinquième, septième, neuvième, etc. soient appelées *enceintes impaires*.

Les seconde, quatrième, sixième, huitième, dixième, etc. *enceintes paires*.

Il est important de considérer dans chaque enceinte où sont les petits chiffres, et où sont les grands.

Les petits sont premièrement dans toute la bande d'en haut, qui est de 3 dans la première enceinte, de 5 dans la seconde, de 7 dans la troisième, etc.

Secondement dans la bande à gauche les plus hauts jusqu'à celui qui est vis-à-vis le centre *inclusivè*.

Troisièmement dans la bande à droite les plus hauts jusqu'à celui qui est vis-à-vis le centre *exclusivè*.

SUR LES CARRÉS PAIRS

Il n'y a point de cellule qui soit au centre. Mais on doit prendre pour centre la moitié de la somme que font le premier et le dernier chiffre.

Et cette somme entière s'appellera 2 *c*.

La moitié des bandes, savoir celles qui sont les plus hautes, contiennent les petits chiffres, et les plus basses les grands.

Les quatre cellules du milieu font la première *enceinte*.

Les cellules autour de ces quatre, la seconde *enceinte*.

Celles autour de la seconde, la troisième *enceinte*.

Et ainsi de suite.

Les enceintes première, troisième, cinquième, septième, neuvième, etc. soient aussi appelées *les enceintes impaires*.

Et les seconde, quatrième, sixième, etc. *les paires*.

Les petits chiffres sont,

1° Dans la bande d'en haut de chaque enceinte.

2° Au côté gauche depuis la bande d'en haut jusqu'à la bande où commencent les grands chiffres.

3° Et de même au côté droit.

III
PRÉPARATION

Le plus grand mystère de la solution de ce Problème consiste à marquer par lettres quelques-uns des petits chiffres de chaque bande.

CARRÉS IMPAIRS

Dans toutes les enceintes généralement marquer le coin à gauche de la bande d'en haut par *e*.

Le coin à droite de la même bande par *o*.

Le milieu de cette bande par *m*.

La cellule à gauche qui est vis-à-vis le centre par α.

Marquer de plus dans les enceintes paires :

Deux cellules dans la bande d'en haut également distantes l'une de *e*, l'autre de *o*, par les mêmes lettres accentuées :

L'une par *è*.

L'autre par *o*.

Et la cellule à gauche au-dessous de *e* par ω.

Et au côté droit celle qui est au-dessus de la cellule qui est vis-à-vis le centre par β.

DANS LES CARRÉS PAIRS

Ne rien marquer dans les première et seconde enceintes.

Dans toutes les autres généralement marquer :

Le coin à gauche d'en haut par *e*.

12. D'après A. Arnauld, *Œuvres*, Paris-Lausanne, chez Sigismond d'Arnay, t. XLII, pp. 345-366.

A droite par *o*.

Le plus bas des petits nombres à droite par α.

Le plus bas des petits nombres à gauche par β.

Marquer de plus dans les enceintes impaires, à commencer par la troisième (qui est celle qui a six cellules dans la bande d'en haut) :

Quatre cellules dans la bande d'en haut, deux par { *è*. *ò*.

Et deux par { *ê*. *ô*.

Selon ce qui a été dit *supra* :

A gauche marquer la cellule au-dessous de *e* par ω.

Et à droite celle au-dessus de α par γ.

IV

MAXIMES POUR LA DÉMONSTRATION DE L'OPÉRATION

Deux chiffres, l'un *petit*, l'autre *grand*, également distants du centre, et qui se joignent par une ligne passant par le centre, font une somme égale à deux fois le centre.

Quand un *petit* chiffre est marqué par une lettre, son grand soit nommé (quand on le voudra exprimer), par la majuscule de la même lettre, quoiqu'elle ne soit pas marquée.

Géometrie Pl 8

QUARRE NATUREL DE XI. *Fig 1.*

1 e	2	3	4	5	6 m	7	8	9	10	11 o
12	13 e	14 ė	15	16	17 m	18	19	20 ȯ	21 o	22
23	24 ω	25 e	26	27	28 m	29	30	31 o	32	33
34	35	36	37 e	38 ė	39 m	40 ȯ	41 o	42	43	44
45	46	47	48 ω	49 e	50 m	51 o	52 β	53	54 β	55
56 α	57 α	58 α	59 α	60 α	61	62	63	64	65	66
67	68	69	70	71	72	73	74	75	76	77
78	79	80	81	82	83	84	85	86	87	88
89	90	91	92	93	94	95	96	97	98	99
100	101	102	103	104	105	106	107	108	109	110
111	112	113	114	115	116	117	118	119	120	121

QUARRÉ MAGIQUE DE XI *Fig. 2.*

58	26	30	95	93	97	47	42	86	69	28
35	37	12	45	84	63	82	99	88	39	87
43	100	60	119	118	73	5	2	50	22	79
90	67	7	13	102	65	108	17	115	55	32
76	74	10	98	56	121	6	24	112	48	46
31	41	51	21	11	61	111	101	71	81	91
107	70	114	68	116	1	66	54	8	52	15
103	33	113	105	20	57	14	109	9	89	19
18	44	72	3	4	49	117	120	62	78	104
16	83	110	77	38	59	40	23	34	85	106
94	96	92	27	29	25	75	80	36	53	64

QUARRE NATUREL DE XII *Fig 3*

1 e	2 ė	3	4	5	6	7	8	9	10	11 ȯ	12 o
13	14 e	15 ė	16 ė	17	18	19	20	21 ȯ	22 ȯ	23 o	24
25	26 ω	27 e	28 ė	29	30	31	32	33 ȯ	34 o	35	36
37	38	39	40 e	41 ė	42 ė	43 ȯ	44 ȯ	45 o	46	47	48
49	50	51	52 ω	53	54	55	56	57 γ	58	59 γ	60
61 β	62 β	63 β	64 β	65	66	67	68	69 α	70 α	71 α	72 α
73	74	75	76	77	78	79	80	81	82	83	84
85	86	87	88	89	90	91	92	93	94	95	96
97	98	99	100	101	102	103	104	105	106	107	108
109	110	111	112	113	114	115	116	117	118	119	120
121	122	123	124	125	126	127	128	129	130	131	132
133	134	135	136	137	138	139	140	141	142	143	144

QUARRE MAGIQUE DE XII *Fig 4*

118	28	116	39	94	30	31	99	58	113	33	111
17	52	24	109	104	69	45	101	97	60	64	128
127	57	92	8	11	54	55	136	135	89	88	18
126	40	2	26	130	23	71	123	62	143	105	19
20	13	5	59	144	6	7	133	86	140	132	125
63	120	65	14	61	79	78	72	131	80	25	82
75	108	77	129	73	67	66	84	16	68	37	70
38	49	142	124	12	138	139	1	21	3	96	107
95	103	141	83	15	122	74	22	119	4	42	50
47	102	56	137	134	91	90	9	10	53	43	98
110	81	121	36	41	76	100	44	48	85	93	35
34	117	29	106	51	115	114	46	87	32	112	27

Ainsi *e.* E. font deux fois le centre.
Et de même α. A. ou β. B. ou *o.* O.

SECONDE MAXIME

Quatre chiffres dans la même bande, dont le premier est autant distant du second que le troisième du quatrième sont en proportion arithmétique [: :].

Et par conséquent la somme des extrêmes est égale à la somme de ceux du milieu.

EXEMPLES

e. è. : : *ò. o.* Donc *e. o.* = *è. ò.*

D'où il s'ensuit que partout où sont ensemble *e. o.* ou bien *ê. ô.* ou leurs majuscules E. O. on peut supposer, lorsqu'il s'agit de trouver des égalités avec d'autres chiffres, que c'est comme si c'était *e. o.* E. O.; parce que si l'égalité s'y trouve en supposant que c'est *e. o.* elle ne sera pas troublée en mettant *è. ò.* en la place de *e. o.;* puisque les deux d'une part valent autant que les deux de l'autre.

Semblablement pour les carrés impairs en particulier, *e. m.* : : *m. o.* Donc *e. o.* = *m. m.*

Dans les carrés pairs.

e. ω. : : β. A. Donc *e.* A. = ω. β.
Pour trouver A voyez *supra.*

TROISIÈME MAXIME

Lorsque quatre cellules sont un parallélogramme rectangle ou non rectangle, leurs quatre chiffres sont en proportion arithmétique. Et par conséquent la somme des extrêmes est égale à la somme de ceux du milieu.

EXEMPLES

Dans les carrés impairs.

e. m. : : α. *c.* Donc *e. c.* = *m.* α.
m. o. : : α. *c.* Donc *m. c.* = *o.* α.
ω. *m.* : : *c.* β. Donc ω. β. = *m. c.*

Dans les pairs.

e. o. : : β. α. Donc *e.* α. = *o.* β.
ω. β. : : *o.* γ. Donc ω. γ = β. *o.*

V

MÉTHODE POUR DISPOSER MAGIQUEMENT LE CARRÉ NATUREL

Cette méthode consiste en fort peu de règles : les unes générales, les autres particulières; selon lesquelles il faut transporter les chiffres du carré naturel dans le magique.

PREMIÈRE RÈGLE GÉNÉRALE

Il faut disposer les chiffres par enceintes, ceux d'une enceinte en l'enceinte semblable; et tout le soin qu'on doit avoir d'abord, est de savoir où l'on doit mettre les petits nombres de l'enceinte, parce que la situation des *petits* donne celle des *grands*, selon les deux règles suivantes.

SECONDE RÈGLE GÉNÉRALE

Quand on a placé un *petit* chiffre dans un coin, il faut placer son *grand* dans le coin diagonalement opposé.

Ainsi α étant placé dans le coin gauche de la bande d'en haut, il faudra mettre A dans le coin droit de la bande d'en bas.

TROISIÈME RÈGLE GÉNÉRALE

Hors les coins, il faut placer les grands vis-à-vis des petits de la bande opposée.

C'est pourquoi il faut observer de ne mettre jamais deux petits en des bandes opposées vis-à-vis l'un de l'autre.

COROLLAIRE DE CES RÈGLES

Les chiffres étant disposés selon ces règles,

Il s'ensuit, 1° que les chiffres de deux bandes opposées pris ensemble valent autant de fois *c* qu'il y a de chiffres dans les deux bandes. Car un petit et un grand valent deux fois *c*. Or il y a autant de *petits* que de *grands*. Donc, etc.

Il s'ensuit, 2° que lorsqu'on a prouvé que les chiffres d'une bande après cette disposition valent autant de fois le centre qu'il y a de chiffres, cette bande est égale à son opposée.

Il s'ensuit, 3° que quand il y a autant de petits chiffres dans une bande que dans l'opposée, et que la somme des uns est égale à la somme des autres, c'est une marque assurée que la bande est égale à la bande (opposée).

La preuve en est facile sans que je m'arrête à l'expliquer.

QUATRIÈME RÈGLE GÉNÉRALE

Il ne faut se mettre en peine d'abord que de placer les petits chiffres qui sont marqués par des lettres; car cela fait, le reste se trouve sans peine par cette raison.

Dans la bande d'en haut, dans quelques carrés et quelques enceintes que ce soit, outre les cellules marquées par des lettres,

Ou il ne reste rien :

Ou il reste toujours des cellules non marquées en nombre pairement pair; c'est-à-dire, 4, 8, 12, 16, etc.

Et de plus, les chiffres de ces cellules sont toujours 4 à 4 en proportion arithmétique.

Donc prenant les extrêmes et les mettant dans une bande, et ceux du milieu dans l'opposée, ils ne troubleront point l'égalité qui y était déjà par les chiffres marqués de lettres.

Il en est de même des deux côtés droit et gauche. Car les petits chiffres qui restent (s'il en reste outre les marqués) sont toujours en nombre pairement pair, 4, 8, 12, 16, etc. et de 4 en 4 en proportion arithmétique.

Donc comme ci-dessus.

Il n'y a donc plus à se mettre en peine que de disposer les lettres. Ce qui se fait par les règles particulières.

VI
RÈGLES PARTICULIÈRES POUR LES CARRÉS IMPAIRS

Il y a deux règles pour ces carrés; l'une pour les enceintes impaires, et l'autre pour les paires.

POUR LES ENCEINTES IMPAIRES

Au coin gauche de la bande d'en haut mettre α.
Au coin droit de la même bande m.
A la bande d'en bas en quelque cellule que ce soit, hors les coins, e.
A la bande du côté de α, o.
(*Voyez Pl. VII. Carrés magiques, fig.* 1.)

Démonstration.

Il est requis premièrement à démontrer que dans la bande d'en haut α. E. m. valent trois fois le centre. D'où il s'ensuivra qu'elle sera égale à la bande d'en bas, par *supra* (Corollaire 2°). (*Voyez Pl. VII. Carrés magiques, fig.* 2.)

Or $e.\ c. = \alpha.\ m.$
Donc $e.\ c.$ E. $= \alpha.$ E. $m.$
Or $e.\ c.$ E. $= 3\ c.$
Donc $\alpha.$ E. $m. = 3\ c.$ Ce qu'il fallait démontrer.

Requis secondement à démontrer que $\alpha.\ o.$ M. valent 3 c. D'où il s'ensuivra que cette bande sera égale à l'opposée.

Or $\alpha.\ o. = m.\ c.$
Donc $m.\ c.$ M. $= \alpha.\ o.$ M.
Or $m.\ c.$ M. $= 3\ c.$
Donc $\alpha.\ o.$ M. $= 3\ c.$

POUR LES ENCEINTES PAIRES

Il suffira de les figurer tout d'un coup. (*Voyez Pl. VII. Carrés magiques, fig.* 3.)

Démonstration.

Requis premièrement à démontrer que la bande d'en bas M. $\grave{e}.\ \alpha.\ \grave{o}.$ E. $= 5\ c.$ C'est-à-dire, qu'elle vaut ensemble cinq fois le centre. (*Voyez Pl. VII. Carrés magiques fig.* 4.)

Ce qui se prouve ainsi :

$\alpha.\ o. = m.\ c.$
Donc $e.\ \alpha.\ o. = e.\ m.\ c.$
Donc $e.\ m.\ c.$ M. E. $= \grave{e}.\ \alpha.\ \grave{o}.$ M. E.
Or $e.\ m.\ c.$ M. E. $= 5\ c.$
Donc M. $\grave{e}.\ \alpha.\ \grave{o}.$ E. $= 5\ c.$ Ce qu'il fallait démontrer.

Requis secondement, à démontrer que dans la bande droite m. O. $\beta.\ \omega.$ E. $= 5\ c.$

Ce qui se prouve ainsi :

$e.\ o. = m.\ m.$

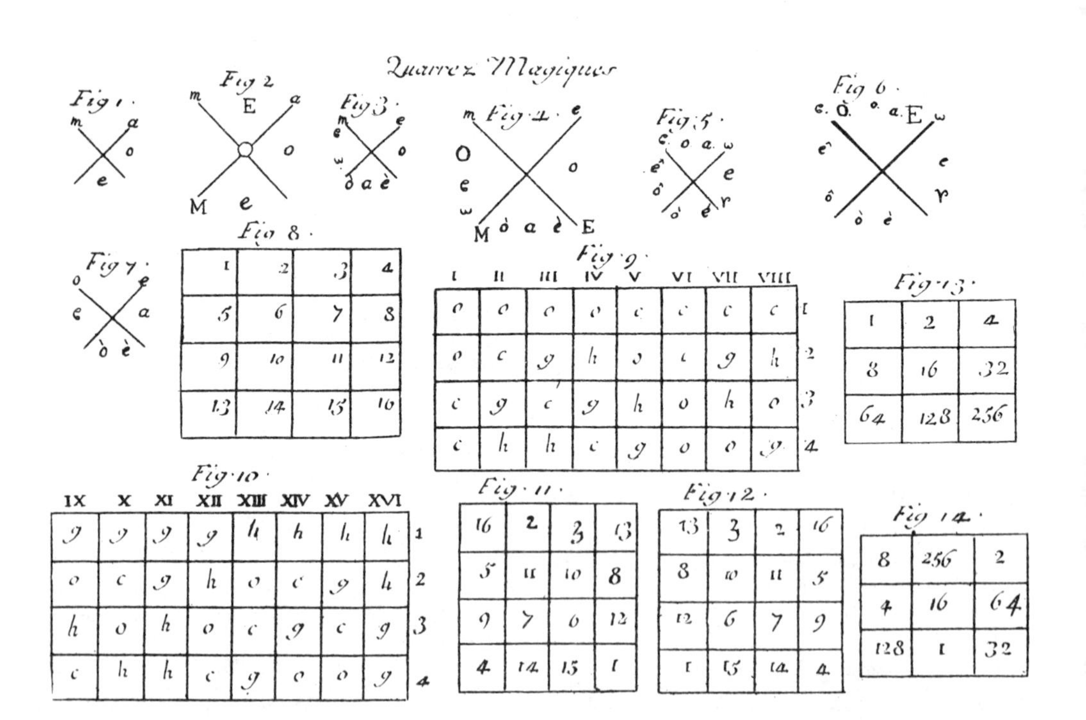

Fig 8

1	2	3	4
5	6	7	8
9	10	11	12
13	14	15	16

Fig 9

I	II	III	IV	V	VI	VII	VIII	
o	o	o	o	c	c	c	c	1
o	c	g	h	o	c	g	h	2
c	g	c	g	h	o	h	o	3
c	h	h	c	g	o	o	g	4

Fig 10

IX	X	XI	XII	XIII	XIV	XV	XVI	
g	g	g	g	h	h	h	h	1
o	c	g	h	o	c	g	h	2
h	o	h	o	c	g	c	g	3
c	h	h	c	g	o	o	g	4

Fig 11

16	2	3	13
5	11	10	8
9	7	6	12
4	14	15	1

Fig 12

13	3	2	16
8	10	11	5
12	6	7	9
1	15	14	4

Fig 13

1	2	4
8	16	32
64	128	256

Fig 14

8	256	2
4	16	64
128	1	32

Donc $e.\ o.\ c. = m.\ m.\ c.$
Or $m.\ m.\ c. = m.\ \omega.\ \beta.$
Parce que $m.\ c. = \omega.\ \beta.$
Donc $e.\ o.\ c. = \omega.\ m.\ \beta.$
Donc $e.\ o.\ c.\ E.\ O. = m.\ \omega.\ \beta.\ E.\ O.$
Or $e.\ o.\ c.\ E.\ O. = 5\,c.$
Donc $m.\ O.\ \omega.\ \beta.\ E. = 5\,c.$ Ce qu'il fallait démontrer.

VII

POUR LES CARRÉS PAIRS

On laisse à part les deux premières enceintes, qui ont leur règle particulière.

POUR LES AUTRES ENCEINTES IMPAIRES

La disposition s'en figure ainsi... (*Voyez Pl. VII. Carrés magiques fig.* 5.)

Démonstration.

Requis 1° à démontrer que les six chiffres de la bande d'en haut dont quatre sont *petits*, et deux *grands* qui viennent de *è* et *ò* qu'on a mis en bas, valent six fois le centre. (*Voyez Pl. VII. Carrés magiques fig.* 6.) Ce qui se prouve ainsi :

$\alpha.\ A.\ o.\ O.\ e.\ E. = 6\,c.$

Or ces six lettres sont égales aux six, $\omega.\ E.\ \alpha.\ o.\ O.\ \beta.$

Car ôtant les mêmes qui se trouvent de part et d'autre; savoir $\alpha.\ o.\ O.\ E.$ il ne restera d'un côté que $A.\ e.$ et de l'autre que $\omega.\ \beta.$

Or $A.\ e. = \omega.\ \beta.$

Donc les six lettres $\omega.\ E.\ \alpha.\ o.\ O.\ \beta. = 6\,c.$

Requis 2° à démontrer que $\omega.\ e.\ \gamma. = \beta.\ \grave{e}.\ \grave{o}.$ Car si cela est, les grandes seront aussi égales aux grandes, et le tout au tout.

Supposant donc que $\hat{e}.\ \hat{o}.$ soient $e.\ o.$ (*supra*) et ôtant e et e de part et d'autre, reste d'une part $\omega.\ \gamma.$ et de l'autre $\beta.\ o.$ qui sont des sommes égales.

Donc $\omega.\ e.\ \gamma. = \beta.\ \hat{e}.\ \hat{o}.$

Donc la bande est égale à la bande.

POUR LES ENCEINTES PAIRES

La disposition en est très facile, et se figure ainsi. (*Voyez Pl. VII. Carrés magiques fig.* 7.)

Démonstration.

Elle est si facile que je ne m'amuse pas à l'expliquer.

Cette enceinte se peut encore faire en transposant les coins, etc.

VIII

RÈGLE PARTICULIÈRE POUR LA PREMIÈRE ET SECONDE ENCEINTE DES CARRÉS PAIRS

Ces deux enceintes ne sont autre chose que le carré de 4 qui fait 16, dans lequel il y a deux sortes de bandes. Quatre qui sont la seconde enceinte, et qu'on peut appeler les bandes *extérieures*. Et quatre autres qui coupent le carré, et qu'on peut appeler *transversales :* savoir la seconde et la troisième de haut en bas. (*Voyez Pl. VII. Carrés magiques fig.* 8.)

Et la seconde et la troisième de gauche à droite.

Ce qui est cause que ces deux enceintes ne se peuvent pas disposer par les règles des autres, c'est que les quatre chiffres du milieu faisant en divers sens quatre bandes de deux chacune en ligne droite, et deux en diagonale, les bandes droites ne sauraient faire des sommes égales, mais seulement les diagonales.

Or ces seize chiffres se pouvant disposer en tant de manières que cela est presque incroyable, savoir en plus de 20 millions de millions :

20 922 789 888 000

il n'y en a proprement que seize qui soient magiques; c'est-à-dire, où toutes les bandes fassent des sommes égales (car je ne compte pas pour différentes dispositions celles qui ne viennent que de la différente situation du même carré).

Et voici comme on les trouve.

Il faut prendre toujours les chiffres 4 à 4 en cet ordre :

1° Les quatre du dedans ou intérieurs.

2° Les quatre coins extérieurs.

3° Les deux du milieu de la bande d'en haut, avec les deux du milieu de celle d'en bas.

4° Les deux du milieu de la bande à gauche, avec les deux du milieu de celle à droite.

Or chacun de ces chiffres pris ainsi 4 à 4 (et qu'on nommera dans la suite, par 1, 2, 3, 4) peuvent :

Ou être laissés en leur même place; ce qui se marquera par *o*.

Ou être transportés en croix Saint-André; ce qui se marquera par *c*.

Ou directement de gauche à droite; ce qui se marquera par *g*.

Ou directement de haut en bas; ce qui se marquera par *h*.

Suivant ces remarques, et se souvenant de ce que signifient les 4 nombres (1, 2, 3, 4) et les 4 lettres (*o. c. g. h*), les deux tables feront trouver sans peine les 16 dispositions magiques du carré de 4 : ou, ce qui est la même chose, des deux premières enceintes de tous les carrés pairs. (*Voyez Pl. VII. Carrés magiques fig.* 9 *et* 10.)

De ces 16 dispositions magiques du carré de 4 il y en a deux, savoir la première et la sixième, où on ne change que 8 chiffres.

Deux, savoir la onzième et la seizième où on les change tous 16.

Et douze où on en change 12.

Voici un exemple de la sixième disposition, et un autre de la seizième. On laisse à trouver les autres. (*Voyez Pl. VII. Carrés magiques fig.* 11 *et* 12.)

DÉMONSTRATION

Chaque bande tant extérieure que transversale du carré de quatre (ou du carré composé des deux premières enceintes de tous les carrés pairs) est de quatre chiffres en proportion arithmétique.

Et par conséquent la somme des extrêmes est égale à la somme des moyens.

Soit donc, par exemple, la somme des extrêmes de la bande d'en haut appelée *b* : la somme des moyens qui lui est égale pourra être aussi appelée *b*, et ainsi toute la bande sera $b+b$.

Et par la même raison la bande d'en bas pourra être $f+f$.

Cela étant, on peut faire ces bandes égales par deux voies.

La première, en transposant les extrêmes de l'une à l'autre sans changer les moyens. Car alors l'une deviendra $f+b$;

Et l'autre $b+f$; et ainsi seront égales.

La seconde en transposant les moyens sans changer les extrêmes. Car alors l'une deviendra $b+f$; et l'autre $f+b$; et ainsi seront encore égales.

Il ne faut qu'appliquer ceci à chacune de ces seize dispositions, et l'on verra que les transpositions que l'on y fait les doivent rendre magiques.

IX
DIVERS MOYENS DE VARIER LES CARRÉS MAGIQUES

De ces moyens j'omets ceux qui sont trop faciles à trouver, et je n'en marquerai que deux qui sont plus importants, et qu'on a pratiqués dans les deux exemples qu'on a donnés des carrés magiques.

PREMIER MOYEN

Nous avons supposé qu'on transporterait les chiffres de la première enceinte du carré naturel dans la première enceinte du carré magique; et ceux de la seconde dans la seconde; et de la troisième dans la troisième, etc. Mais cela n'est pas nécessaire. Car pour les chiffres marqués de lettres, il suffit de ne les transporter que d'une enceinte impaire à une autre quelconque qui soit impaire, comme de la cinquième à la première; et d'une enceinte paire à une paire, comme de la sixième à la quatrième.

SECOND MOYEN

Et pour tous les autres chiffres non marqués de lettres, on les peut transporter de quelque enceinte que ce soit à quelque autre enceinte que l'on voudra; pourvu qu'on en prenne quatre ensemble qui soient en proportion arithmétique, et qu'on ait soin de mettre les extrêmes dans une bande, et les moyens dans la bande opposée.

CONCLUSION

Je pense pouvoir conclure de tout ceci, qu'il n'est pas possible de trouver une méthode plus facile, plus abrégée et plus parfaite pour faire les carrés magiques, qui est un des plus beaux Problèmes d'Arithmétique.

Ce qu'elle a de singulier, c'est 1° qu'on n'écrit les chiffres que deux fois.

2° Qu'on ne tâtonne point, mais qu'on est toujours assuré de ce que l'on fait.

3° Que les plus grands carrés ne sont pas plus difficiles à faire que les plus petits.

4° Qu'on les varie autant que l'on veut.

5° Qu'on ne sait rien dont on n'ait démonstration.

6° A quoi on peut ajouter, que cette méthode est si générale, que sans y rien changer, on pourrait résoudre sans aucune peine par la même voie cet autre Problème qui paraît encore plus merveilleux.

Ayant mis dans un carré naturel tous les nombres que l'on voudra en progression géométrique, comme 1, 2, 4, 8, 16, *etc. les disposer de telle sorte dans un carré semblable que tous les nombres de chaque bande, multipliés les uns par les autres, fassent une somme égale à celle que font les nombres de toute autre bande, multipliés aussi les uns par les autres.*

En voici un exemple dans le carré de 3. (*Voyez Pl. VII. Carrés magiques, fig.* 13 *et* 14.)

ADRESSE A L'ACADÉMIE PARISIENNE

1654

Cette adresse figure dans le 1er Recueil Guerrier (p. 232) *et Leibniz en possédait une copie (Bibliothèque royale de Hanovre). Elle a été publiée pour la première fois par Bossut* (1779).

Datée de 1654 *elle est probablement d'une date voisine de la* 3e Lettre *de Pascal à Fermat, qui est du 27 octobre. Elle est en tout cas antérieure à la nuit du* Mémorial (23 *novembre*).

Cette Académie Parisienne avait été fondée en 1635 *par le P. Mersenne. A sa mort* (1648), *Le Pailleur en devint l'animateur; lui-même décéda fin* 1653 *ou au début de* 1654. *L'Académie n'en continua pas moins son activité, puisque Michel de Marolles nous apprend dans ses* Mémoires (*éd.* 1755, *t. II, p.* 116) *qu'il se rendit un ou plusieurs samedis chez feu M. Le Pailleur, et qu'il y rencontra « Messieurs Gassendi, Bouillaud, Pascal, Roberval, Desargues, Carcavi et d'autres illustres ». Parmi les opuscules que Pascal soumet au jugement de la docte assemblée l'on peut remarquer la chaleur avec laquelle il parle d'un traité tout à fait nouveau, au titre « stupéfiant » de* Géométrie du hasard *qu'il vient de mettre au point d'une autre manière que Fermat.*

Ainsi que Pascal le lui dit dans sa 3e Lettre, *il a soumis ses inventions numériques à ces messieurs (de l'Académie) qui « les virent samedi dernier et les estimèrent de tout leur cœur ».*

CELEBERRIMÆ MATHESEOS ACADEMIÆ PARISIENSI

Haec vobis, doctissimi ac celeberrimi viri, aut dono, aut reddo : vestra enim esse fateor quae non, nisi inter vos educatus, mea fecissem; propria autem agnosco quae adeo praecellentibus Geometris indigna video. Vobis enim nonnisi magna & egregiè demonstrata placent. Paucis verò genium audax inventionis, paucioribus (uti reor) genium elegans demonstrationis, paucissimis utrumque. Silerem itaque, nihil vobis congruum habens, nisi ea benignitas quae me a junioribus annis in erudito Lyceo sustinuit, & haec oblata, qualiacumque sint, exciperet.

Horum opusculorum primum, magna ex parte agit de ambitibus seu peripheriis numerorum quadratorum, cuborum, quadrato quadratorum et in quocumque gradu constitutorum; et ideò *de numericarum potestatum ambitibus* inscribitur.

Secundum circa *numeros aliorum multiplices* versatur, et ut ex solâ additione characterum numericorum agnoscantur methodum tradit.

Deinceps autem, si juvat Deus, prodibunt & alii tractatus, quos omnino paratos habemus, et quorum sequuntur tituli :

De numeris magico magicis; seu methodus ordinandi numeros omnes in quadrato numero contentos, ita ut non solum quadratus totus sit magicus, sed, & quod difficilius sane est, ut ablatis singulis ambitibus reliquum

A LA TRÈS ILLUSTRE ACADÉMIE PARISIENNE DE SCIENCE

Ces travaux, savants très illustres, je vous les donne ou je vous les rends : en effet je considère comme vôtres ceux que je n'aurais pas faits miens si je n'avais pas été formé parmi vous; mais je reconnais comme mon bien propre ceux que je considère jusqu'ici comme indignes de Géomètres éminents. En effet seuls vous plaisent les résultats importants et démontrés excellemment. Mais en vérité le génie audacieux de l'invention est donné à peu de gens, à moins encore (à mon avis) le génie délicat de la démonstration, et très rares sont ceux doués des deux à la fois. Je me serais donc tu, n'ayant rien qui soit digne de vous, si je n'avais su que cette bienveillance, qui m'a soutenu dès mes plus jeunes années dans votre docte Assemblée, accueillerait même ces offrandes, quoi qu'elles puissent valoir.

Le premier de ces opuscules traite principalement des enceintes ou contours des nombres, carrés, cubiques, bicarrés, ou de degré quelconque; et pour cette raison il est intitulé *traité des enceintes des puissances numériques.*

Le second s'occupe des *nombres multiples d'autres* et donne une méthode pour les reconnaître par la seule addition de leurs chiffres.

semper magicum remaneat, idque omnibus modis possibilibus, nullo omisso.

Promotus Apollonius Gallus, id est tactiones circulares, non solum quales veteribus notae, & à Vieta restitutae, sed et adeò ulterius promotae ut vix eundem patiantur titulum.

Tactiones sphaericae, pari amplitudine dilatae, eadem quippe methodo tractatae. Utrarumque autem methodus, singula earum problemata per plana resolvens, ex singulari Conicarum sectionum proprietate oritur, quae aliis multis difficillimis problematibus succurrit; et vix unicam adimplet paginam.

Tactiones etiam conicae : ubi ex quinque punctis et quinque rectis datis quinque quibuslibet, conisection...

Loci solidi, cum omnibus casibus et omni ex parte absolutissimi.

Loci plani, non solum illi quos a veteribus tempus abripuit, nec solum illi quos his restitutis perillustris hujus aevi geometra subjunxit, sed & alii huc usque non noti, utrosque complectentes, & multò latius exuberantes, methodo, ut conjicere est, omnino novâ, quippe nova praestante, viâ tamen longè breviori.

Conicorum opus completum, & conica Apollonii & alia innumera unicâ ferè propositione amplectens; quod quidem nondum sexdecimum aetatis annum assecutus excogitavi, & deinde in ordinem congessi.

Perspectivae methodus, quâ nec inter inventas, nec inter inventu possibiles ulla compendiosior esse videtur, quippe quae puncta ichnographica per duarum solummodo rectarum intersectionem praestet, quo sane nihil brevius esse potest.

Novissima autem ac penitus intentatae materiae tractatio, scilicet de compositione aleae in ludis ipsi subjectis, quod gallico nostro idiomate dicitur *faire les partis des jeux*, ubi anceps fortuna aequitate rationis ita reprimitur ut utrique lusorum quod jure competit exactè semper assignetur. Quod quidem eô fortius ratiocinando quaerendum, quò minus tentando investigari possit. Ambiguae enim sortis eventus fortuitae contingentiae potius quam naturali necessitati meritò tribuuntur. Ideò res hactenus erravit incerta; nunc autem quae experimento rebellis fuit rationis dominium effugere non potuit. Eam quippè tantâ securitate in artem per Geometriam reduximus, ut certitudinis ejus particeps facta, jam audacter prodeat; & sic matheseos demonstrationes cum aleae incertitudine jungendo, et quae contraria videntur conciliando, ab utraque nominationem suam accipiens, stupendum hunc titulum jure sibi arrogat : *aleae Geometria*.

Non de Gnomoniâ loquor, nec de innumeris miscellaneis quae satis in promptu habeo; verùm nec parata, nec parari digna.

De vacuo quoque subticeo, quippe brevi typis man-

Mais ensuite, s'il plaît à Dieu, paraîtront aussi d'autres traités entièrement préparés, et dont les titres suivent.

Traité des nombres magiquement magiques, ou méthode pour disposer des nombres tous contenus dans un carré de façon que non seulement le carré entier soit magique, mais, ce qui est beaucoup plus difficile, qu'il demeure toujours magique quand on enlève une par une les enceintes, et cela de toutes les façons possibles, sans exception.

Généralisation de l'Apollonius francais, c'est-à-dire les contacts circulaires, non seulement tels que les connaissaient les anciens et que Viète les a restitués, mais encore généralisés au point qu'ils supportent avec peine le même titre.

Les contacts sphériques, aussi largement généralisés, puisque traités par la même méthode. En effet la méthode des uns et des autres résout chacun de leurs problèmes par le plan, et tire son origine d'une propriété remarquable des sections coniques, qui est d'un grand secours pour beaucoup d'autres problèmes très difficiles; et la démonstration tient à peine une seule page.

Les contacts coniques aussi, où, cinq éléments étant pris à volonté parmi cinq points et cinq droites, [on restitue] la section conique [passant par les points et tangente aux droites].

Les lieux solides, entièrement complets, dans tous les cas et à tous égards.

Les lieux plans, non seulement ceux que le temps a arrachés aux anciens, non seulement ceux que le plus illustre géomètre de notre âge a maîtrisés, après avoir restitué les premiers, mais d'autres encore, inconnus jusqu'à ce jour, qui embrassent les précédents et les débordent largement, par une méthode qu'il est permis de croire absolument nouvelle, puisqu'elle apporte des résultats nouveaux, par une voie cependant beaucoup plus courte.

L'œuvre complète des coniques, comprenant et les coniques d'Apollonius et d'innombrables autres résultats, par une seule proposition ou presque; invention que j'ai faite quand je n'avais pas encore atteint l'âge de seize ans, et que plus tard j'ai mise en ordre.

Une méthode de perspective : aucune de celles déjà inventées, ou qu'on puisse inventer, ne peut être considérée comme plus brève et avantageuse que celle-là, puisqu'elle fournit les points du dessin par l'intersection de deux droites seulement; il est absolument impossible d'être plus rapide.

Et puis un traité tout à fait nouveau, d'une matière absolument inexplorée jusqu'ici, savoir : la répartition du hasard dans les jeux qui lui sont soumis, ce qu'on appelle en français *faire les partis des jeux;* la fortune incertaine y est si bien maîtrisée par l'équité du calcul qu'à chacun des joueurs on assigne toujours exactement ce qui s'accorde avec la justice. Et c'est là certes ce qu'il faut d'autant plus chercher par le raisonnement, qu'il est moins possible d'être renseigné par l'expérience. En effet les résultats du sort ambigu sont justement attribués à la contingence fortuite plutôt qu'à la nécessité naturelle. C'est pourquoi la question a erré incertaine jusqu'à ce jour; mais maintenant, demeurée rebelle à l'expérience, elle n'a pu échapper à l'empire de la raison. Et, grâce à la géométrie, nous l'avons réduite avec tant de sûreté à un art exact, qu'elle participe de sa certitude et déjà progresse audacieusement. Ainsi, joignant la rigueur des démonstrations de la science à l'incertitude du hasard, et conciliant ces choses en apparence contraires, elle peut, tirant

dandum, et non tantum vobis ut ista sed et cunctis proditurum : non tamen sine nutu vestro, quem si mereatur nihil metuendum : quod equidem aliquando alias expertus sum, maxime in instrumento illo Arithmetico quod timidus inveneram, et, vobis hortantibus exponens, agnovi approbationis vestrae pondus.

Illi sunt Geometriae nostrae maturi fructus : felices et immane lucrum facturi, si hos impertiendo quosdam ex vestris reportemus.

Datum Parisiis, 1654.

son nom des deux, s'arroger à bon droit ce titre stupéfiant : *La Géométrie du Hasard.*

Je ne parlerai pas du Gnomon, ni de recherches variées et sans nombre que j'ai assez bien en main; à la vérité elles ne sont ni achevées ni dignes de l'être.

Je passe aussi sous silence mon travail sur le Vide, car il doit être imprimé bientôt, et je dois le produire non seulement devant vous, comme ceux-ci, mais devant tous. Je ne le ferai cependant pas sans votre assentiment, car je sais qu'on n'a rien à craindre si on le mérite : j'en ai fait naguère l'expérience en d'autres occasions, et très spécialement pour cette machine d'Arithmétique, dont j'étais le timide inventeur; je la fis connaître sur vos instances, et j'ai connu alors le poids de votre approbation.

Tels sont les fruits mûrs de notre Géométrie : heureux et immensément bénéficiaires, si, pour vous les avoir communiqués, nous ramenions en échange quelques-uns des vôtres.

Fait à Paris, 1654.

LA ROULETTE ET TRAITÉS CONNEXES

*Dans l'excellent volume que Pierre Humbert a consacré à l'*Œuvre scientifique de Blaise Pascal (*Albin Michel, Paris,* 1947), *il essaye de faire comprendre aux lecteurs non initiés aux mathématiques en quoi consistent les travaux de Pascal sur ce sujet et quelles nouveautés ils apportent. Ensuite, pour les initiés, il les examine au point de vue mathématique. Nous ne saurions donc mieux faire que de conseiller aux uns et aux autres de s'y reporter.*

Dans sa Vie de M. Pascal, *Gilberte Périer nous conte comment, au cours de ses insomnies du début de* 1658, *il lui était venu quelques pensées sur la roulette (la cycloïde), et que progressivement il était parvenu à trouver à son sujet un ensemble de démonstrations « dont il fut lui-même surpris ».*

Cette courbe qui « n'est, comme le dit Pascal, autre chose que le chemin que fait en l'air le clou d'une roue quand elle roule de son mouvement ordinaire », était à l'ordre du jour depuis que Galilée, Roberval, Descartes, Fermat, Torricelli en avaient abordé l'étude.

Pascal ayant trouvé des solutions à des problèmes que personne jusqu'à ce jour n'avait su résoudre, son ami, le duc de Roannez, lui suggéra de les soumettre à tous les géomètres du monde, sous forme d'un concours doté de prix. En juin 1658 *il lança donc, tout en gardant l'anonymat, une* première circulaire *dans laquelle il propose six problèmes. Les concurrents ont trois mois pour répondre, le concours devant être clos le* 1er *octobre. Le prix était de* 40 *pistoles (environ* 4 400 *francs* 1963) *et un second prix de* 20 *pistoles était prévu. Le délai expiré l'anonyme publierait ses solutions.*

Un mois après, une seconde circulaire *précisait qu'il s'agissait de la cycloïde ordinaire et non de la cycloïde allongée ou raccourcie, soit l'extérieur ou l'intérieur de la courbe. Roberval ayant informé Pascal qu'il avait déjà dans ses cartons les solutions des quatre premiers problèmes, celui-ci décida, sans le dire expressément, qu'il jugerait seulement sur les deux derniers.*

Les autres documents Réflexions sur les conditions des prix, Histoire de la roulette, Récit de l'examen et du jugement *nous renseignent sur l'histoire et les résultats du concours.*

*Il faut toutefois signaler que dans l'*Histoire de la roulette *il fait « preuve d'une extrême partialité vis à vis de Roberval et d'une grande injustice envers Torricelli ». Il y a tout lieu de penser que c'est Roberval qui lui en a fourni la documentation.*

Nous apprenons également les raisons pour lesquelles les deux prétendants aux prix, le mathématicien Wallis et le P. Lalouère n'ont pas obtenu les suffrages de la commission, présidée par Carcavi, chargée d'étudier les mémoires présentés.

Enfin la Lettre de A. Dettonville à Monsieur de Carcavy *nous fait connaître les résultats et les méthodes qui ont conduit Pascal à résoudre les problèmes posés.*

Lors de la publication de la Lettre *en janvier* 1659, *chez Guillaume Desprez, Carcavi en a profité pour lui adjoindre quelques petits traités connexes sous le titre général,* Lettres de A. Dettonville contenant quelques-unes de ses inventions de Géométrie.

Ce volume, si l'on en croit Marguerite Périer, a été imprimé à 120 *exemplaires, grâce aux* 60 *pistoles non distribuées.*

Nous avons tenu compte des corrections apportées par M. Kokiti Hara, de l'Université d'Osaka, aux diverses éditions déjà parues des Textes mathématiques (*Cf.* Gallia *nos VI et VII,* 1961).

PROBLEMATA DE CYCLOIDE PROPOSITA MENSE JUNII 1658

Quum ab aliquot mensibus, quaedam circa cycloïdem, ejusque centra gravitatis, meditaremur, in propositiones satis arduas ac difficiles, ut nobis visum est, incidimus, quarum solutionem a praestantissimis toto orbe geometris supplices postulamus, proposito ipsis praemio, non mercedis gratia (quod absit!) sed in obsequii nostri, aut potius meriti eorum qui haec invenerint, publicum argumentum.

Quae vero proponimus sunt ejus modi. Dato puncto quolibet Z in quacumque cycloide ABCD, ex quo ducta sit ZY basi AD parallela quae axem CF secet in puncto Y; quaeruntur :

Dimensio spatii CZY ; ejusdemque centrum gravitatis ; solida genita ex circumvolutione dicti spatii CZY, tam circa ZY quam circa CY ; et horum solidorum centra gravitatis.

Quod si eadem solida plano per axem ducto secentur ; et sic fiant utrimque duo solida, duo scilicet ex solido circa basim ZY, et duo ex solido circa axem CY genito, cujusque horum solidorum quaerimus etiam centra gravitatis.

Quia vero quaesitorum demonstratio forsan adeo prolixa evadet, ut vix intra praestitutum tempus exsequi satis commode possit, genio et otio doctissimorum geometrarum consulentes, ab his tantum postulamus, ut demonstrent, vel more antiquorum, vel certe per doctrinam indivisibilium (hanc enim demonstrandi viam amplectimur) omnia quae quaesita sunt, data esse : ita ut facile ex demonstratis, quaelibet puncta quaesita ex datis in hypothesibus, possint inveniri.

PROBLÈMES SUR LA CYCLOIDE PROPOSÉS EN JUIN 1658

Nous étant occupé, il y a quelques mois, de diverses questions touchant la cycloïde et son centre de gravité, plusieurs problèmes, dont la résolution nous semble devoir exiger quelques efforts, vinrent se présenter à notre esprit. Nous en demandons instamment la solution aux géomètres les plus illustres de l'univers, offrant à ceux qui l'auront un prix, non pour rémunérer leurs efforts (loin de nous cette pensée!), mais pour leur témoigner notre déférence et rendre publiquement hommage à leur mérite.

Voici ces problèmes :

Par un point Z, pris sur une cycloïde quelconque, on trace parallèlement à la base AD une droite ZY qui coupe l'axe CF au point Y. On propose de trouver :

L'aire CZY et son centre de gravité; les volumes des solides engendrés par la révolution de CZY autour de ZY et autour de CY, ainsi que les centres de gravité de ces solides; enfin les centres de gravité des quatre solides partiels obtenus en coupant chacun des deux précédents, savoir celui qui est de révolution autour de la base ZY et celui qui est de révolution autour de l'axe CY, par un plan conduit suivant cet axe.

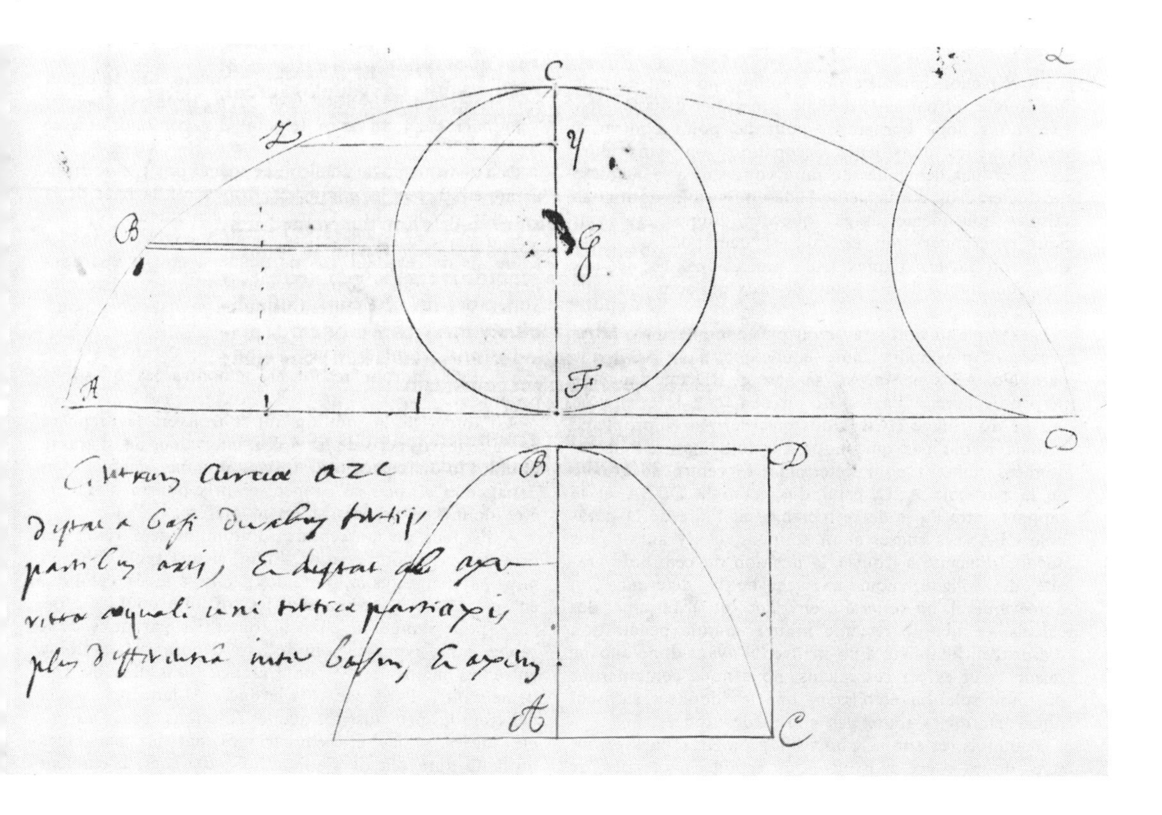

Et ut apertius mentem meam explicem, nec subsit aliquid ambiguum, exemplo rem illustro. Proponatur, verbi gratia, parabola ABC, cujus axis AB, basis AC, tangens BD, perpendicularis axi AB. Inveniendum sit centrum gravitatis trilinei DCB. Satis factum esse problemati censerem, si demonstretur, datum esse centrum gravitatis parabolae ABC, necnon et centrum gravitatis rectanguli CDBA, et proportionem hujus rectanguli cum parabola CBA; ideoque datum esse centrum gravitatis quaesitum trilinei CDB. Nam etsi praecise punctum in quo reperitur centrum gravitatis non exhibeatur, demonstratum tamen est datum esse, quum ea ex quibus invenitur data sint; resque eo deducta erit ut nihil aliud supersit praeter calculum, in quo nec vis ingenii nec peritia artificis requiruntur; ideoque non is a nobis calculus exigitur, cur enim in iis immoraremur? Sed tantummodo petimus demonstrari res quae proponuntur datas esse.

Verum doctissimi geometrae prorsus necessarium judicabunt, et ab his postulamus, duarum propositionum, vel duorum casuum integram constructionem, seu integrum calculum.

Primus casus est quum punctum Z constituitur in A.

Secundus, quum idem punctum Z datur in B, in quo transit parallela GB ducta a puncto G, centro circuli genitoris cycloïdis.

Quod si aliquis error calculi in his duobus casibus subrepserit, eum libenter condonamus, et veniam quam ipsi peteremus facile promerebuntur.

Quisquis superius proposita, intra primam diem mensis octobris anni 1658, solverit et demonstraverit, magnus erit nobis Apollo.

Et primus quidem consequetur valorem quadraginta duplorum aureorum Hispanicorum quos ipsi Hispani *doblones*, et Galli *pistoles* vocant; vel certe, si mavult, ipsos duplos aureos.

Secundus vero viginti ejusmodi duplos aureos. Si unus tantum solverit, sexaginta solus habebit.

Et quia serio rem agimus, dictos sexaginta duplos aureos illustrissimo domino de Carcavi, regio consiliario Parisiis commoranti apud celsissimum dominum ducem de Liancourt deponi curavimus, qui eos exsolvet statim ac demonstrationes quae ad ipsum mittentur, verae ac geometricae, a viris ab ipso ad id deputatis, judicabuntur. Et quum illustrissimum consiliarium, jam a multis annis virum probum, et matheseos amantissimum agnoverimus, audacter pollicemur rem sincere et absque fallacia exsequendam.

Quod si his circiter tribus elapsis mensibus nullus inveniatur qui quaesita nostra solverit, non denegabimus quae ipsi invenimus, nec aliis invidebimus unde majora jam inventis nanciscantur, et ex quibus forsan apud posteros gratiam inibimus.

Hoc unum restat ut lineae cycloïdis descriptionem exhibeamus, a qua brevitatis causa abstinendum arbitrabamur, quum haec linea jam pridem Galileo, Toricellio, et aliis innotuerit; sed quia eorum libri omnibus non sunt obnoxii, ideo hanc ex Toricellio damus.

La rédaction complète des solutions pouvant devenir fort longue, et par suite difficile à terminer dans le délai fixé, nous nous bornerons, pour ne point contrarier les géomètres dans leurs occupations ou dans leurs loisirs, à leur demander de faire voir, soit à la manière des anciens, soit par la méthode des indivisibles dont nous faisons nous-même usage, que les données suffisent pour déterminer tout ce qui est demandé; en sorte qu'il soit facile, d'après leurs indications, de déduire l'un quelconque de ces points de ceux qui sont contenus dans l'énoncé.

L'exemple suivant fera savoir plus complètement notre pensée et préviendra toute équivoque. Soit ABC une parabole, AB son axe, AC sa base et BD une tangente perpendiculaire à l'axe AB; on demande le centre de gravité du triligne DCB. Nous regarderions ce problème comme résolu par quiconque aurait démontré que les données suffisent pour déterminer le centre de gravité de la parabole ABC, celui du rectangle CDBA et le rapport entre l'aire de ce rectangle et l'aire de la parabole CBA; ces choses étant connues, il n'y aurait plus aucune difficulté à trouver la position du centre de gravité du triligne; pour en achever la détermination numérique il ne resterait, en effet, qu'à terminer les calculs, ce qui ne réclame ni une grande pénétration d'esprit, ni l'habileté d'un maître. N'ayant donc aucune raison pour exiger ces calculs, nous nous contenterons de toute solution établissant que les données suffisent pour déterminer toutes les choses demandées.

Toutefois, et sur ce point les géomètres partageront sans doute notre avis, il nous semble nécessaire de réclamer, soit la démonstration complète, soit le calcul complet de deux propositions ou cas particuliers, à savoir:

Premièrement, du cas où le point Z se confondrait avec A;

Deuxièmement, de celui où ce même point Z se trouverait en B, sur la parallèle GB menée à la base de la cycloïde par le centre G du cercle générateur.

Si quelque erreur de calcul venait à se glisser dans les solutions de ces deux cas particuliers, nous la pardonnerions de grand cœur, excusant volontiers chez les autres ce que nous désirerions qu'on excusât chez nous-même.

Les prix seront décernés à ceux qui, avant le 1er octobre 1658, auront résolu et démontré les questions proposées.

A l'auteur de la solution qui se trouvera la première en date, il sera accordé un prix d'une valeur de quarante doubles d'or espagnols, qu'on nomme *doublons* en Espagne et *pistoles* en France; ce prix pourra d'ailleurs être donné en espèces si on le préfère.

A l'auteur de la seconde solution, il sera remis un prix de vingt doubles d'or. Enfin, si une seule solution nous parvient dans la limite des délais assignés, celui qui en sera l'auteur recevra seul les soixante doubles d'or.

Et pour donner à chacun toutes les garanties désirables, nous avons eu soin de faire déposer cette somme entre les mains de M. de Carcavi, conseiller du roi, demeurant à Paris chez M. le duc de Liancourt, lequel délivrera les prix aussitôt que les solutions reçues auront été jugées vraies et géométriques par les personnes qu'il lui aura plu de s'adjoindre à cet effet. L'éminent

DESCRIPTIO CYCLOIDIS. — Concipiatur super manentè recta linea DA, circulus DL, contingens rectam DA, in puncto D, noteturque punctum D, tanquam fixum in peripheria circuli DL : tum intelligatur super manente recta DA converti circulum DL motu circulari simul et progressivo versus partes A, ita ut subinde aliquo sui puncto rectam lineam DA semper contingat, quousque fixum punctum D iterum ad contactum revertatur, puta in A. Certum est quod punctum D fixum in peripheria circuli rotantis DL, aliquam lineam describet, surgentem primo a subjecta linea DA, deinde culminantem versus C, postremo pronam descendentemque versus punctum A : et talis linea vocata est cycloïs.

DE EODEM ARGUMENTO ADDITAMENTUM

Quum circa ea quae de cycloïde proposuimus, duo orta esse dubia, nobis illustrissimus D. D. de Carcavi significaverit, his statim occurrendum duximus, et ita occurrimus.

Prius inde oritur, quod in proponendis nostris de cycloïde problematis hac voce usi fuerimus, *in quacumque cycloïde :* quum tamen unius tantum speciei cycloïdis definitionem attulerimus. Verum nihil aliud intelleximus praeter solam illam simplicem, naturalem ac primariam cycloïdem, cujus ex Toricellio descriptionem dedimus; quum enim quae de illa resolvuntur facile sit ad omnes alias species protrahere, qui nostra problemata de hac sola solverit, nobis omnino satisfecerit.

Posterius in eo consistit, quod a nobis non sit praecise positum an supponamus datam esse rationem basis cycloïdis AD cum sua altitudine, seu cum diametro circuli genitoris FC; sed ipsam datam esse rationem pro concesso usurpandum arbitrabamur, et, ut omnino aequum est, datam esse supponimus.

Nihil ergo jam superest obscuritatis. Unum tamen restare videtur, ut doctissimos geometras ad propositiones nostras commodius et libentius investigandas invitemus; scilicet ea omnia removere quae a perspicacitate ingenii, quam solam magni facimus, et explorare ac coronare instituimus, sunt aliena, qualia sunt tam calculus integer multorum casuum quem postulabamus, quam absoluta solutionum conscriptio; quum ea non a viribus ingenii, sed ab aliis circumstantiis pendeant. Hoc itaque tantummodo jam instituimus, ut sola problematum difficultas remaneat superanda. Nempe :

Qui publico instrumento, intra praestitutum tempus, illustrissimo domino de Carcavi significaverit se eorum quae quaesita sunt demonstrationem penes se habere; et aut ipsammet demonstrationem quantumvis compendiosam ad ipsum miserit : aut si cartae mandare nondum per otium licuerit, saltem ad confirmandam suae assertionis veritatem, casus quem mox designabimus calculum dederit; seque paratum esse professus fuerit omnia omnino demonstrare ad ipsius D. de Carcavi nutum, hunc nobis satisfecisse declaramus; et consentimus, primum qui haec fecerit primo, secundum secundo, praemio donandum, si sua solutio ab ipso D. de Carcavi virisque ad id secum adhibitis, quum ipsi visum fuerit, exhibita, geometrica ac vera judicetur, salvo semper erroris calculo.

Casus autem, cujus solius sufficiet calculus, ille est. Si semicycloïs ACF circa basim AF convertatur, et solidum inde genitum secetur plano per ipsam AF (quae jam hujus solidi axis est) ducto, quod quidem solidum dividet in duo semisolida paria : alterutrius horum semisolidorum centrum gravitatis assignari postulamus.

conseiller nous étant connu depuis de longues années comme un homme de la plus haute honorabilité et comme un grand ami des sciences, nous pouvons affirmer avec une entière certitude que les choses seront faites en conscience, et que toute fraude sera écartée.

Enfin, le 1er octobre venu, si personne n'a résolu nos problèmes, nous publierons les solutions que nous avons trouvées nous-même, laissant ensuite à chacun le droit de s'en servir pour arriver à des résultats plus importants; peut-être la postérité nous saura-t-elle quelque gré de les avoir fait connaître.

Il ne nous reste plus qu'à donner la description de la cycloïde, description que, pour abréger, nous avions cru devoir omettre, parce qu'elle a été donnée il y a longtemps déjà par Galilée, par Torricelli et par d'autres encore. Toutefois, les ouvrages de ces géomètres n'étant pas à la portée de tous, j'emprunterai à Torricelli la définition suivante.

DESCRIPTION DE LA CYCLOIDE. — Concevez sur une ligne droite immobile DA un cercle DL tangent à cette droite en un point D que vous regarderez comme fixé à la circonférence du cercle; imaginez ensuite que ce cercle, roulant sur DA et restant toujours en contact avec cette droite par un de ses points, s'avance vers l'extrémité A jusqu'à ce que le point fixe D revienne une seconde fois en contact, ce qui arrivera par exemple en A. Le point D aura décrit dans ce trajet une ligne courbe qui, s'élevant d'abord de plus en plus au-dessus de la base DA, atteindra son point culminant en C, pour redescendre ensuite vers le point A : cette ligne courbe a reçu le nom de cycloïde.

ADDITION AU MÊME SUJET

M. de Carcavi nous ayant fait savoir que deux difficultés avaient été soulevées au sujet des problèmes que nous avons proposés sur la cycloïde, nous avons cru devoir leur faire réponse sans tarder.

On nous fait observer, premièrement, que dans les énoncés de nos problèmes nous nous sommes servi des mots, *dans une cycloïde quelconque (in quacumque cycloïde)*, tandis que nous ne définissions qu'une seule espèce de cycloïde. Nous n'avons entendu parler en effet que de cette cycloïde simple, naturelle et première, dont nous avons donné la description d'après Torricelli; et comme il est facile d'étendre à toutes les autres espèces ce qui est démontré pour celle-ci, nous nous regarderons comme entièrement satisfait par quiconque aura résolu sur cette dernière les problèmes que nous avons proposés.

On objecte en second lieu que nous n'avons pas spécifié explicitement si nous supposions donné ou non le rapport entre la base AD de la cycloïde et sa hauteur, laquelle est égale au diamètre FC du cercle générateur. Nous pensions que chacun se croirait en droit de traiter ce rapport comme donné; nous le supposerons tel, ce qui est de toute justice.

Nulle obscurité ne subsiste donc. Une chose cependant nous reste à faire encore, afin de rendre plus commode et plus agréable aux géomètres l'invitation que nous leur avons adressée de résoudre nos propositions; c'est d'écarter de notre programme toutes les choses, telles que développement complet des calculs dans les cas particuliers ou rédaction entière des solutions, qui ne réclament aucune pénétration d'esprit; cette dernière qualité étant la seule dont nous fassions cas, que nous recherchions et que nous désirions couronner. Quant au surplus, l'exécution en dépend plutôt de circonstances étrangères que des savants eux-mêmes. Afin donc de ne laisser subsister d'autre difficulté que celle qui dépend du fond même de la question, nous nous bornerons à poser en ces termes les conditions du concours :

Celui qui, par acte public et dans le délai fixé, aura fait savoir à M. de Carcavi qu'il possède la solution des questions proposées; qui lui en aura envoyé, soit une démonstration abrégée, soit au moins, pour prouver la vérité de son assertion, si le temps nécessaire pour achever la rédaction lui avait fait défaut, le calcul d'un cas particulier que nous indiquerons plus bas, et se sera fait fort de donner l'entière démonstration de tous les autres cas sur l'invitation de M. de Carcavi; celui-là, disons-nous, aura satisfait aux conditions du concours. Le premier prix sera accordé à celui qui les aura remplies le premier; le second prix, à celui qui sera le second en date, si toutefois les solutions produites sont reconnues géométriques et vraies par M. de Carcavi et par les juges qu'il se sera adjoints à cet effet.

CORRESPONDANCE
ÉCHANGÉE A PROPOS DES PROBLÈMES SUR LA CYLOIDE

RÉSUMÉ D'UNE LETTRE DE PASCAL AU PÈRE LALOUÈRE DU 4 SEPTEMBRE 1658 [13]

Quartâ septembris proximè lapsi die, primas ad me dedit literas D. Pascal, ut me doceret quas ego edideram viginti propositiones de cycloïde non attigisse problematum ab Anonymo propositorum difficillima; et quæ ego ex illis solvissem, si comparentur ad solidum circa axem cycloïdeos magnæ vel parvæ, esse ut elementa Euclidis collata cum Archimedeis operibus. Præterea, tam longè adhuc distare inventionem solidorum istorum circa axem genitorum ab inventione centri gravitatis solidorum proposita, quam procul remoti sunt ejusdem Euclidis libri de inventis Lucæ Valerii aut Archimedis. Ut autem intra inventorum infimum gradum potentius me cohiberet, subjecit in infimo illo loco esse quadraturam cyclocylindricæ, quam ego tamen in literis ad D. Carcavi tantopere extollo, eamque jam repertam esse etiam à me ipso quamvis insciente; conscius enim mihi eram istius inventi : ostendit autem à me inventam esse quod cycloideos parvæ quadraturam dederim in duodecima primi libri jam tunc editi (*propositione*); illa autem cyclocylindrica expansa, quando describitur intervallo diametri baseos cylindricæ, sit ipsa (quod demonstrare, inquit, paratus sum, si opus fuerit) cycloïdes parva.

[*Lalouère ajoute :*] Ita sincerè narravi ut constet quid me doceri de cyclocylindrica figura curavit Anonymus; at certè nihil; expectabam tamen quadraturam cyclocylindricæ cujuslibet, quam eruditâ ista ætate dignam existimabam tunc et etiam nunc existimo.

[[14] Le 4 septembre dernier, le Sr Pascal m'envoya une première lettre pour m'informer que les vingt propositions sur la cycloïde que j'avais officiellement fait connaître n'atteignaient pas les plus difficiles des problèmes proposés par l'Anonyme, et que ceux que j'avais résolus, comparés au solide autour de l'axe de la grande ou petite cycloïde [15], étaient comme les Éléments d'Euclide par rapport aux œuvres d'Archimède. En outre qu'il y avait encore aussi loin de la découverte de ces solides engendrés autour de l'axe à la détermination demandée du centre de gravité des solides, que de distance entre les Livres du même Euclide et les découvertes de Luca Valerio ou d'Archimède. Afin aussi de me tenir plus fortement au plus bas degré des découvertes, il insinuait que c'était là le rang à accorder à la quadrature de la cyclocylindrique [16] que je mets cependant si haut dans ma lettre au Sr Carcavi, et que je l'avais déjà trouvée moi-même, encore que ce soit, il est vrai, sans m'en rendre compte, or j'étais conscient de ce qui concerne ce genre de découverte, mais il montrait que je l'avais trouvée du fait que j'avais donné la quadrature de la petite cycloïde [17] dans la 12e (proposition) du premier livre déjà édité alors, et que la cyclocylindrique éten-

13. Le résumé qu'on va lire a été donné par Lalouère même en 1660, dans son ouvrage *De Cycloïde*, p. 30.

14. Première traduction parue et notes de P. Costabel.

15. Il s'agit de deux courbes qui se déduisent de la cycloïde ordinaire en ajoutant ou en retranchant à l'abscisse du point courant le sinus de l'angle de rotation du cercle générateur.

16. Cette courbe est celle que l'on peut tracer sur un cylindre avec un compas dont la pointe est placée sur le cylindre : c'est en somme la courbe tracée sur un cylindre avec la même définition qu'un cercle dans le plan. Mersenne l'avait déjà considérée : Cf. *Harmonie Universelle*, 1637. Mais Lalouère l'a certainement ignoré puisqu'il dit dans son *De Cycloïde* s'être occupé de cette courbe à l'instigation de Fermat.

17. La quadrature de la petite cycloïde, appelée par Roberval « compagne de la Roulette », est en effet très facile et Roberval l'avait utilisée en 1637 pour trouver l'aire de la cycloïde elle-même.

due [18] lorsqu'elle est décrite avec une ouverture (de compas) égale au diamètre de base du cylindre, n'est autre que la petite cycloïde (ce que, disait-il, il était prêt à démontrer si besoin était).

J'ai aussi raconté avec sincérité ce que, de fait, l'Anonyme prit soin de m'apprendre touchant la figure cyclocylindrique, mais rien de plus absolument. J'attendais cependant la quadrature de la cyclocylindrique quelconque, que j'estimais alors [19] digne de notre époque savante et que j'estime toujours de même.]

FRAGMENT D'UNE LETTRE DE PASCAL AU PÈRE LALOUÈRE

(11 septembre 1658.)

Mon Révérend Père,

Je voudrais que vous vissiez la joie que votre dernière lettre me donne, où vous dites que vous avez trouvé la dimension du solide sur l'axe tant de la cycloïde que de son segment. Je vous supplie de croire qu'il n'y a personne qui publie plus hautement les mérites des personnes que moi; mais il faut, à la vérité, qu'il y ait sujet de le faire; c'est une chose rare, et surtout en ceux qui font profession des sciences, que d'avoir cette sincérité dont je me vante et que je ferai bien paraître à votre sujet, car je vous assure que j'ai autant de joie de publier que vous avez résolu les plus difficiles problèmes de la géométrie que j'avais de regret en disant que ceux que vous avez résolus étaient peu auprès de ceux-là. Il est certain, mon Père, que c'est un grand problème, et je souhaiterais fort de savoir par où vous y êtes arrivé; car enfin M. de Roberval, qui est assurément fort habile, a été six ans à le trouver et vous avez la solution générale dont sa méthode ne donne qu'un cas qui est celui de la cycloïde entière.

LETTRE DE PASCAL A WREN [20]

[13 septembre 1658.]

Absentia communis amici nostri D. de Carcavi qui tuas ad me misit Epistolas causa est cur non ille, sed ego, quamvis ignotus audeam respondere...

...Unum tibi dicere habeo, scilicet hic receptas esse ab eximio ex vestris Geometra epistolas in quibus omnium quæ de Cycloïde problematum sunt proposita solutionem tradit. Et ipsi suum ordinem religiose servandum ab illo die, scilicet quo recepta fuerunt, nempe à decimo die hujus mensis stilo novo. Sic enim habetur intentio Anonymi proponentis ut, qua die D. de Carcavi excipit solutionem alicujus, eo die ordo ejus sumatur. Et quidem conformius fuisset Anonymi ipsius intentioni ut per Notarios Parisienses attestatio facta fuisset quam per Oxonienses. Parisienses enim fidem facerent receptionis D. de Carcavi, unde ordo sumitur; Oxonienses vero nihil ad hoc facere possunt... Qui publico instrumento ante praestitutum tempus illustrissimo D. de Carcavi significaverit [21], id est, per Notarios Parisienses, per extraneos enim nihil significari potest D. de Carcavi; et in hoc est aliquantulum plus gratiæ in Gallos quam in alios Geometras; sic autem voluit Anonymus, suæ legis dominus; itaque, quicquid ante Calendas Octob. ad D. de Carcavi mittetur, ordinem obtinebit; quod autem postea, non recipietur, quamvis probaretur actum fuisse ante Calendas Octobris; significatio enim facta ad D. de Carcavi, seu ejus receptio, sola valet ad ordinem præmii. Et si quis è regione magis remota jam mittat solutionem actam ante 29 Augusti (qua die acta est solutio vestri dicti Geometræ), ipsa, quamvis prior, posterior habebitur, utpote posterius recepta.

[[22] L'absence de notre commun ami le Sr de Carcavi, qui m'a envoyé votre lettre, est la raison pourquoi ce n'est pas lui, mais moi qui, bien qu'inconnu, ose vous répondre...

... Je n'ai qu'une chose à vous dire, à savoir que la lettre du Géomètre si éminent parmi les vôtres, où il donne la solution de tous les problèmes qui ont été proposés sur la cycloïde, a bien été reçue, Et qu'il doit lui-même observer son rang de ce jour où elle a été reçue, c'est-à-dire le 10e de ce mois, nouveau style. L'intention de l'Anonyme promoteur du concours a été en effet ainsi : que le rang d'un participant fût fixé par le jour même où le Sr Carcavi recevrait sa solution. Et certes il était plus conforme à l'intention de cet Anonyme que l'attestation soit faite par les notaires parisiens plutôt que par ceux d'Oxford. Les Parisiens en effet feraient foi de la réception par le Sr Carcavi, réception d'où résulte l'ordre du concurrent, alors que les notaires d'Oxford n'en pourraient mais, en vérité, à cet égard...

... qui aura signifié avant le temps fixé au très illustre Sr de Carcavi par instrument public [21], c'est-à-dire par acte des notaires parisiens; rien ne peut être signifié au Sr de Carcavi par les notaires étrangers; et en cela, il y a un léger avantage pour les géomètres français par rapport aux autres, mais ainsi l'a voulu l'Anonyme, maître de son règlement. Donc tout ce qui est envoyé au Sr de Carcavi avant les Calendes d'Octobre, prendra rang. Ce qui sera postérieur ne sera pas retenu, quand bien même on prouverait qu'il s'agit d'un écrit fait avant les Calendes d'Octobre. Seule vaut en effet pour l'ordre de la récompense la signification faite au Sr de Carcavi, ou la réception par lui. Et si quelqu'un envoie d'une région plus éloignée que votre pays une solution exécutée avant le 29 Août (c'est la date marquée par votre dit géomètre pour sa solution), celle-là, bien qu'antérieure, sera classée après en tant que reçue plus tard.]

18. Il s'agit de la courbe obtenue en appliquant le cylindre sur un plan.

19. Lalouère avait exprimé le souhait d'avoir la quadrature de la cyclocylindrique *quelconque*. Il distinguait donc d'une manière plus ou moins claire entre le cas particulier évoqué par Pascal et le cas général. La raillerie de Pascal ne lui accorde rien à cet égard. Ce que confirme le passage de l'Histoire de la Roulette où Pascal parle de la question.

20. Le fragment suivant a été publié en 1659 par Wallis, dans son *Tractatus de Cycloïde*. Sir Christophe Wren (1632-1723) était alors professeur au *Gresham College* de Londres.

21. Pascal cite ici en marge les termes de sa première lettre circulaire relative à la cycloïde, à laquelle il se réfère.

22. Première traduction parue, de P. Costabel.

FRAGMENT D'UNE LETTRE DE PASCAL AU PÈRE LALOUÈRE

(18 septembre 1658.)

Mon Très Révérend Père,

Je ne puis vous témoigner combien nous avons d'impatience de voir le biais par où vous vous êtes pris à trouver les solides de la cycloïde sur l'axe. J'avais eu tort de craindre qu'il y eût erreur à votre calcul. Il n'y en a point. Je l'ai vérifié... Pour revenir à vous, mon Révérend Père, je ne serai point en repos que vous ne m'ayez fait la grâce de me mander par où vous êtes venu à ces solides de la Cycloïde. J'en ai une grande curiosité...

RÉFLEXION SUR LES CONDITIONS DES PRIX
ATTACHÉS A LA SOLUTION DES PROBLÈMES CONCERNANT LA CYCLOIDE

LETTRE CIRCULAIRE DU 7 OCTOBRE 1658

Le premier octobre étant arrivé, auquel expirait le temps destiné pour recevoir les solutions de ceux qui prétendaient aux prix des problèmes de la Roulette, appelée en latin *Cycloïde* ou *Trochoïde*, nous en ouvririons dès à présent l'examen, si l'absence de M. de Carcavy, qui a eu la bonté d'envoyer nos écrits et d'en recevoir les réponses, ne nous obligeait à retarder jusqu'à son retour, qui doit être dans peu de temps. Mais nous avons jugé à propos de répondre cependant à deux sortes de personnes qui s'efforcent de traverser cet examen par des interprétations ridicules qu'ils font de mes paroles, qu'ils tournent entièrement contre leur sens naturel et contre celui que j'ai eu, essayant, par ces chicaneries, de frustrer ceux qui auraient envoyé les véritables solutions, des prix qu'ils auraient mérités.

Les premiers sont des gens qui, écrivant de pays fort éloignés, mandent par leur lettres du mois d'août qu'ayant reçu les écrits que nous leur envoyâmes au mois de juin, ils vont travailler à cette recherche; mais que, pour ouvrir l'examen à Paris, on doit attendre non seulement le 1er octobre 1658, mais encore 3 ou 4 mois, ou même 8 et peut-être un an : n'étant pas impossible, disent-ils, que leurs lettres, quoique écrites avant le 1er octobre, soient très longtemps en chemin, soit par les incommodités de la saison, soit par celles de la guerre, soit enfin par les tempêtes de mer qui peuvent arrêter, ou même faire périr les vaisseaux qui les portent, auquel cas ils seraient recevables d'envoyer de secondes lettres, pourvu qu'ils eussent de bonnes attestations de leurs officiers publics, qu'elles fussent conformes aux premières, écrites avant le 1er octobre.

Certainement, si mon intention avait été telle, et si les paroles de mon écrit le marquaient, je serais bien suspect d'avoir proposé une chimère, en proposant les prix, puisque j'aurais pu ne les donner jamais, et que quiconque se fût présenté au 1er octobre avec ses solutions, j'aurais toujours pu le remettre, dans l'attente de quelque vaisseau qui, ayant eu le vent favorable en portant mes écrits, pouvait l'avoir contraire, ou même être péri, en rapportant les réponses. Et même ceux qui auraient gagné les prix en se trouvant les premiers entre ceux dont on aurait reçu les solutions au 1er octobre, ne seraient jamais en assurance d'en pouvoir jouir, puisqu'ils leur pourraient toujours être contestés par d'autres solutions qui pourraient arriver tous les jours, premières en date, et qui les excluraient sur la foi des signatures des bourgmestres et officiers de quelque ville à peine connue, du fond de la Moscovie, de la Tartarie, de la Cochinchine ou du Japon. Et même il y eût eu trop de tromperies à craindre sur cet article; il n'y eût eu aucune sûreté à produire ces résolutions à l'examen, puisque des plagiaires auraient pu les déguiser et les dater d'auparavant en les faisant ainsi venir de quelque île bien éloignée.

J'ai voulu agir avec bien plus de clarté, de sûreté et de promptitude, et c'est pourquoi j'ai établi un jour et un lieu fixe : le lieu est Paris; le jour est le premier octobre, auquel, le temps étant expiré, l'ouverture de l'examen des solutions reçues jusqu'alors doit commencer sans attendre davantage, et le prix accordé au premier qui se trouvera alors en date, sans qu'il puisse être troublé en sa possession par ceux qui viendront après, lesquels seraient toujours, ou suspects, ou au moins trop tard arrivés, et ne sont plus recevables pour le prix.

Je sais bien qu'en cela il y a quelque avantage pour les Français et surtout pour ceux de Paris; mais, en faisant faveur aux uns, je n'ai pas fait d'injustice aux autres. Je laisse à tous ceux qui viendront l'honneur de leur invention. Je ne dispose pas de la gloire; le mérite la donne; je n'y touche pas : je ne règle autre chose que la dispensation des prix, lesquels venant de ma pure libéralité, j'ai pu disposer des conditions avec une entière liberté. Je les ai établies de cette sorte; personne n'a sujet de s'en plaindre; je ne devais rien aux Allemands, ni aux Moscovites; je pouvais ne les avoir offerts qu'aux seuls Français; j'en puis proposer d'autres pour les seuls Flamands, ou pour qui je voudrai. J'y ai néanmoins agi le plus également que j'ai pu; et si les conditions sont plus favorables aux Français qu'aux autres, ce n'a été que pour éviter de plus grandes difficultés et des injustices toutes évidentes comme celle que je viens de représenter. Et ainsi, ayant été nécessaire pour les éviter, de déterminer un temps et un lieu, j'ai cru que trois mois et demi suffisaient, et que Paris était le lieu le plus propre pour avoir réponse de toutes parts. Et c'est pourquoi en faisant mes écrits au mois de juin, j'ai donné jusqu'au 1er octobre, *intra primam diem octobris;* et j'ai déclaré que si dans ce temps d'environ trois mois et demi il ne se trouvait personne qui eût résolu mes questions, je les résoudrais alors moi-même, sans attendre davantage : *quod si, his circiter tribus elapsis mensibus, nullus inveniatur qui quaesita nostra solverit, non denegabimus quae ipsi invenimus.* Par où il est si visible que je ne voulais laisser passer que le temps de ces trois mois pour attendre les solutions, qu'il est ridicule de m'imputer cet autre sens, qui, comme j'ai dit, eût rendu les promesses des prix vaines et chimériques : et mon second écrit le marque encore trop clairement; car voici les règles que j'y ai établies : que ceux-là seuls seront admis qui dans le temps prescrit auront fait signifier à M. de Carcavy, par un acte public, qu'ils ont les solutions, en lui en envoyant, ou une démonstration abrégée, ou au moins le calcul d'un certain cas, par où il parût qu'ils ont tout résolu. *Qui, publico instrumento, intra praestitutum tempus, illustrissimo domino de Carcavy significaverit se eorum quae quaesita sunt solutionem penes se habere, et aut demonstrationem quantumvis compendiosam ad ipsum miserit, aut saltem ad confirmandam suae assertionis veritatem casus quem mox designabimus calculum dederit, hunc nobis satisfecisse declaramus.*

Voilà mes termes, qui assurément ne souffrent aucune équivoque et par lesquels j'ai établi les conditions les plus équitables que j'ai pu m'imaginer; car ayant établi qu'on prendrait date du jour qu'on aurait signifié et délivré à M. de Carcavy même la démonstration ou le calcul proposé, j'ai retranché toutes les disputes sur la primauté, qui seraient nées, si on avait pris date du jour de l'envoi, ce qui les aurait fait demeurer indécises durant plusieurs mois ou plusieurs années, comme il a déjà été dit. En exigeant qu'on fît cette signification par un acte public, j'ai arrêté de même les soupçons et les disputes qui auraient pu naître entre les prétendants sur des écrits de main privée, chacun ayant intérêt d'être non seulement premier, mais encore seul, et ayant sujet de demander des preuves plus authentiques que des écrits de main privée pour croire qu'il en est venu d'autres dans le temps, soit devant, soit après soi. Aussi M. de Carcavy, ni moi, ne voulant pas qu'on nous en crût sur notre parole, nous avons averti de prendre des actes publics. Et enfin, en me contentant ou d'une démonstration abrégée ou au moins du calcul d'un seul cas pour donner date, en attendant qu'on envoyât la démonstration entière avec plus de loisir, j'ai soulagé les géomètres autant qu'il était possible de le faire, puisqu'on ne pouvait pas leur moins demander, et que néanmoins ce que j'ai demandé est à peu près suffisant, ce calcul étant si difficile et dépendant tellement du fond de la question qu'on peut juger que qui l'aura trouvé a tout résolu en soi-même, et ne manque plus que de loisir pour l'écrire et l'achever. En quoi je crois avoir gardé un assez juste tempérament : car, d'une part, il n'était pas juste d'exiger une démonstration entière et écrite au long et de faire dépendre la primauté du loisir qu'il faut pour cela; et de l'autre côté, il eût été bien plus injuste de ne pas exiger des preuves certaines qui marquassent qu'on a résolu les questions, et d'accorder le premier rang à ceux qui n'auraient donné aucune marque de les avoir résolues; de sorte que j'ai satisfait à tout, en demandant le véritable calcul de ce cas.

Et c'est pourquoi je ne puis assez admirer la vaine imagination de quelques autres, qui ont cru qu'il leur suffirait d'envoyer un calcul faux et fabriqué au hasard pour prendre date du jour qu'ils l'auraient donné, sans avoir produit autre marque qui fasse connaître s'ils ont résolu les problèmes : ce qui est une imagination si ridicule que j'ai honte de m'amuser à la réfuter. Cependant, encore qu'ils sachent fort bien que leur calcul est faux (car cela est visible à l'œil même), qu'ils l'aient mandé eux-mêmes par leurs lettres, et qu'ils n'en aient envoyé aucun autre, ils ne laissent pas, par la plus plaisante imagination du monde, de se croire en état d'être mis en ordre depuis le jour qu'ils ont produit ce faux calcul, prétendant que ce que j'ai dit en d'autres occasions, toutes différentes, du peu d'égard qu'on doit avoir aux erreurs de calcul (savoir quand la démonstration entière et géométrique est envoyée en même temps; car alors la chose est sans doute) doit aussi avoir lieu lorsqu'on n'envoie autre chose qu'un faux calcul, en laquelle occasion je n'ai jamais dit un seul mot de pardonner ces erreurs. Et il faudrait avoir perdu le sens pour le dire, car il n'est pas difficile d'entendre quelle différence il y a entre deux personnes qui veulent montrer qu'elles ont résolu une question, dont l'une apporte pour preuve de son discours une démonstration parfaite et géométrique sans aucun défaut, à quoi elle ajoute encore quelques calculs, et dont l'autre ne produit autre chose qu'un seul calcul sans aucune sorte de preuve. Qui ne voit la différence qui se trouve entre les conditions de ces deux hommes, en ce qui regarde les erreurs de calcul? et qu'il est toujours juste de les pardonner à celui qui donne en même temps les démonstrations entières et parfaites qui rendent le calcul superflu, qui enseignent l'art de le bien faire, qui apprennent à en reconnaître et corriger les défauts, et qui enfin toutes seules convainquent invinciblement qu'on a résolu les questions; mais que la condition de l'autre est toute différente, puisque, n'ayant donné pour toutes marques de ses solutions qu'un seul calcul pour laisser à juger, selon qu'il sera vrai ou faux, qu'il a résolu les questions ou non, s'il se trouve faux en toutes ses parties, que restera-t-il par où on puisse connaître qu'il a trouvé la vérité? Y a-t-il rien de si faible que de vouloir qu'on lui pardonne toutes les erreurs qui s'y trouveront, et qu'encore qu'il soit faux en tout et qu'il ne contienne rien de vrai, au lieu d'en conclure qu'il n'a pas trouvé la vérité, on en conclue au contraire qu'il possédait la vérité depuis le jour qu'il a produit sa fausseté? C'est assurément ce qu'on ne peut non plus conclure d'un faux calcul, que d'une fausse démonstration; car ce que les paralogismes sont en démonstration, les erreurs de calcul le sont quand le calcul est seul. Et il n'y a que deux manières de montrer qu'on a résolu des questions, savoir de donner, ou la solution sans paralogisme, ou le calcul sans erreur; et c'est aussi une de ces deux choses que j'ai exigée pour pouvoir prendre date. Mais n'est-ce pas une plaisante prétention de vouloir passer pour avoir découvert la vérité par cette seule raison qu'on a produit une fausseté, et de se faire préférer aux autres qui auraient produit les véritables calculs, parce qu'on aurait donné une fausseté avant eux, et que la règle que j'aurais établie pour reconnaître qui serait le premier qui aurait résolu les questions fût de voir qui serait le premier qui eût fabriqué une fausseté ? Si cela était ainsi, il eût été bien facile à toutes sortes de personnes d'en fabriquer au hasard et à leur fantaisie, et, en les envoyant à M. de Carcavy, prendre date dès lors; en quoi, sans courir aucun risque, puisqu'ils pouvaient se rétracter à leur volonté, ils se fussent acquis cet avantage que, s'ils avaient pu ensuite découvrir la vérité, et même après le temps expiré, ou bien avoir quelques lumières des solutions déjà données quand on les examinerait, ils auraient été assurés d'être les premiers en date en vertu de la fausseté qu'ils auraient les premiers produite; et de cette manière il serait arrivé que l'honneur de la première invention, qui est la principale chose qu'on considère en ces matières, n'aurait pas dépendu de la première production de la vérité, mais de la première production qu'on aurait faite à sa fantaisie d'une fausseté, ce qui est la chose du monde la plus extravagante.

Je serais bien fâché qu'on me crût capable d'avoir donné pour loi une condition si injuste et si impertinente. Mais elle est aussi éloignée de mon sens que de mes paroles. Quand j'ai dit qu'il suffirait pour passer pour premier d'envoyer une démonstration abrégée, ou au moins le calcul d'un seul cas, je n'ai pas dit une seule parole de pardonner les erreurs de calcul, comme mes paroles que j'ai déjà rapportées le témoignent : *aut saltem ad confirmandam suae assertionis veritatem calculum unius casus miserit*. Et c'est être ridicule de rapporter à ce lieu, où je n'en parle en aucune sorte, ce que je dis sur un autre sujet, savoir quand le reste des démonstrations et les solutions entières sont à loisir apportées à l'examen, auquel cas si les juges les trouvent toutes véritables et géométriques, on y pardonnera sans doute les erreurs de calcul (quoique ce soit toujours une grâce) : *si solutio exhibita domino de Carcavy virisque secum ad hoc adhibitis geometrica ac vera judicetur salvo semper errore calculi :* lesquelles, comme j'ai déjà dit, il est toujours aussi juste de pardonner en n'agissant pas à la rigueur, quand la démonstration est présente, qu'il est hors de raison d'y penser quand on ne produit qu'un seul calcul, faux en toutes ses parties.

Il n'est donc que trop visible que ceux qui ont produit ces calculs faux ne l'ont fait que pour gagner par là le temps de chercher à loisir ce qu'ils n'avaient pas encore trouvé, et ce qu'ils veulent être réputés avoir trouvé depuis le jour qu'ils avaient envoyé leur fausseté, s'ils y peuvent arriver ensuite par quelque voie, en quelque temps que ce soit. Mais c'est en vain qu'ils ont tenté cette finesse; car la règle est écrite : il fallait envoyer le calcul dans le temps, s'ils l'eussent eu; et un calcul faux en toutes ses parties n'est en aucune sorte un calcul; et ainsi quand ils les auraient envoyés même signés par un notaire, ce ne seraient que des erreurs signées par notaire, et ils seront réputés comme n'ayant rien envoyé.

Leurs calculs sont donc justement réputés nuls, puisqu'il n'y avait que deux mesures à désigner, et qu'ils les ont données toutes deux fausses, et chacune d'environ de la moitié. Cependant quelques-uns de ceux-là qui déclarent franchement qu'ils savent bien qu'elles sont fausses, mais en ne laissant pas de prétendre d'en avoir acquis leur rang, disent aussi qu'ils en ont maintenant un autre *calcul* qu'ils assurent être le véritable; mais ils ne l'envoient pas, ce qui ne fait que trop paraître leur finesse; car s'ils l'avaient en effet, que ne l'envoyaient-ils en même temps ? vu même qu'il ne fallait pas quatre lignes pour l'écrire, et qu'au lieu de cela, ils emploient des pages entières à dire qu'ils l'enverront si on leur demande; mais ce n'était pas cela qu'il fallait faire; il fallait l'envoyer s'ils l'avaient, la règle n'étant pas de le promettre dans le temps, mais de l'envoyer réellement. C'est cela qui fait foi; mais pour les simples promesses qu'ils font, on n'est pas plus obligé de les croire, qu'en ce qu'ils promettent avec une pareille certitude dans les mêmes lettres, qu'ils enverront aussi dans peu de temps la quadrature du cercle, et même en deux manières différentes; de toutes lesquelles choses il sera cependant fort permis de douter, jusqu'à ce qu'il en paraisse d'autres preuves que des paroles. Et ainsi, puisqu'ils ont laissé passer le temps sans envoyer ni le vrai calcul demandé, ni aucune solution, ni aucune autre chose, et qu'ils nous ont ainsi laissés entièrement dans le doute s'ils ont en effet résolu nos questions, ou en quel temps ils les ont résolues, leurs faux calculs ne nous en donnant aucune marque, nous leur déclarons, sans les nommer, ni les marquer en aucune manière, qu'ils ne sont plus recevables quant aux prix; que le temps en est passé à leur égard; que nous allons examiner les calculs et les solutions des autres qui ont été reçues dans le temps; et que pour eux, qui ne peuvent plus prétendre ni aux prix, ni à l'honneur de la première invention, il leur reste au moins celle de corriger leurs erreurs après l'avertissement qu'on leur en donne; ce qui leur sera d'autant plus facile que le véritable calcul commence maintenant d'être divulgué.

Car comme je m'étais engagé par mon premier écrit de le publier aussitôt que le temps serait expiré, j'ai commencé à le faire dans le commencement d'octobre; et parce que je ne sais pas encore si entre tous ceux qui ont déjà envoyé les leurs à M. de Carcavy, il y en a qui l'aient rencontré, et que s'il s'en trouve il est juste que je le laisse publier sous leur nom, je n'ai pas voulu encore l'imprimer sous le mien; mais parce qu'il n'est pas juste aussi que d'autres s'en attribuent désormais l'invention, le temps où je me suis obligé de le laisser chercher étant fini, je l'ai donné écrit à la main à plusieurs personnes dignes de foi, et entre autres à M. de Carcavy, à M. de Roberval, professeur royal des mathématiques, à M. Gallois, notaire royal à Paris, et à plusieurs personnes de France et d'ailleurs très considérables par leurs qualités et par leur science, afin que, comme je l'ai déjà dit, si ceux dont on a reçu les solutions l'ont trouvé, je leur en quitte la gloire, sinon, qu'on sache qui en est le premier inventeur.

Voilà ce que nous avions à dire généralement pour tous ceux dont les calculs et les solutions qu'on a reçues dans le temps se trouveront évidemment fausses dans l'examen et pour tous ceux qui prétendraient qu'on devrait désormais en recevoir de nouvelles.

Ce 7 octobre 1658.

J'espère donner dans peu de jours la manière dont on est venu à la connaissance de cette ligne, et qui est le premier qui en a examiné la nature; c'est ce que j'appellerai l'*Histoire de la Roulette.*

ANNOTATA IN QUASDAM SOLUTIONES PROBLEMATUM DE CYCLOIDE

Elapso tempore praemiis comparandis destinato, et ad Kalendas Octobris terminato, verum calculum casus à me propositi hucusque latentem novissimè evulgare coepi, ut si, in examinandis solutionibus quae à diversis geometris intra praestitutum tempus missae sunt, quaedam reperiatur quae eodem inciderit, ejus author praemio et gloriâ inventionis potiatur; sin verò, ego meo nomine publici tunc juris faciam illum quem interim manuscriptum ad plurimos jam undequaque misi; et inter caeteros ad Illustrissimum D. de Carcavy, ad clarissimum ac insignissimum geometram D. de Roberval, Regium Mathematicorum Professorem, ad Integerrimum virum D. Galloys, Notarium Regium, ac ad diversos alios tum dignitate, tum scientiâ praecellentissimos viros, qui rogati sunt diem quo eum receperunt annotare et subsignare.

Deinde solutiones apud D. de Carcavy missas ab eo tempore quo Lutetiam deseruit, examinare aggressus sum (quae enim ante abscessum suum receperat in arculis clausas reliquit, nec ante suum reditum poterunt perpendi). Ab ea ergo, ex iis quas apud eum reperi, incipere visum est, quae gravissima est, quippe quae absque ullâ demonstratione in solo calculo consistit casus quem designaveram; quem quidem calculum postulaveram ut ex eo, prout verus aut falsus esset, dignosci possit, an ejus author absolvisset necne quae se absolvisse profiteretur problemata. Sic enim locutus eram : Qui questiones resolverit, significabit intra praestitutum tempus D. de Carcavy, et quidem instrumento publico, se solutiones habere. Et quia simplex illa assertio, omni probatione destituta, vana prorsus fuisset et jus nullum authori suo dedisset cur aliis praeferretur, subjunxi : *Et ad confirmandam suae assertionis veritatem, aut demonstrationem compendiosam miserit, aut saltem calculum istius casus*, ex cujus nempe veritate de veritate assertionis judicaretur.

Hic igitur author calculum suum hujus casus misit in indicium veritatis à se repertae. At vero calculus iste suus nimium falsus est, et nihil prorsùs veri continet. Duas enim solum mensuras profert, et ambas falsas, et, ut dictum est, nimium falsas : ita ut calculus ille, quem author *ad confirmandam suae assertionis veritatem* juxtà

NOTES SUR QUELQUES SOLUTIONS DES PROBLÈMES DE LA CYCLOIDE

[23] La période réservée à la distribution des prix est passée. Elle finissait le 1er octobre. Aussi j'ai entrepris tout dernièrement de publier le calcul non résolu jusqu'à ce jour du problème que j'avais proposé; au cas où dans l'examen des solutions envisagées par divers géomètres dans les délais imposés, on en trouverait une qui revînt au même, j'ai agi en sorte que son auteur puisse obtenir un prix et de la célébrité pour l'avoir trouvée; dans le cas contraire, moi je publierai en mon nom, le manuscrit qu'entre-temps j'ai déjà fait parvenir ici et là à nombre de personnes; entre autres au très célèbre M. de Carcavy, au géomètre très célèbre et très remarquable M. de Roberval, Professeur Royal de Mathématiques, à cet homme très scrupuleux M. Galloys, notaire du Roi et à divers autres, qui se distinguent fort par leur dignité et par leur science : on leur a demandé de noter le jour où ils l'ont reçu et de signer.

Puis j'ai entrepris d'examiner les solutions envoyées chez M. de Carcavy depuis le moment qu'il a quitté Paris (en effet il a laissé chez lui enfermées dans un coffre, celles qu'il avait reçues avant son départ et on ne pourra les examiner avant son retour). D'où, parmi celles que j'ai trouvées chez lui, il m'a paru bon de commencer par ce qu'il y a de plus important, c'est-à-dire ce qui, mise à part toute démonstration, consiste dans le calcul que j'avais indiqué. J'avais demandé ce calcul afin que par lui, dans la mesure où il serait bon ou mauvais, on puisse s'apercevoir si son auteur avait résolu ou non les problèmes qu'il aurait prétendu avoir résolus. Voici ce que j'avais dit : qui aura résolu les questions fera savoir à M. de Carcavy, dans le délai prescrit et au besoin par une publication, qu'il a les solutions. Et parce que cette assertion simple, dont on n'exigeait aucune preuve, eût été totalement inutile et n'aurait donné aucun droit à son auteur de le faire passer avant les autres, j'avais ajouté : *Pour confirmer l'exactitude de son affirmation, il enverra ou bien une démonstration détaillée, ou tout au moins le calcul de ce problème*, grâce auquel on jugerait sans aucun doute par son calcul de la vérité de son assertion.

Voici donc un auteur qui a envoyé son calcul relatif à ce problème afin de prouver que sa solution est juste. En fait, ce calcul, qui est le sien, contient trop d'erreurs et même rien de vrai : Car il propose seulement deux mesures, et toutes les deux fausses et, comme on l'a dit, trop fausses; si bien que ce calcul que l'auteur a envoyé dans le délai prescrit *pour confirmer l'exactitude de*

23. Première traduction française par l'éditeur.

praescriptam legem misit, nihil aliud confirmet nisi ipsum vanè asseruisse se demonstrationem penes se habere. Falsus enim calculus, in indicium solutionis adductus, falsitatem potius quam veritatem solutionis indicat. Adeóque miror hunc authorem, ea quae de calculi erroribus condonandis in illâ omninò occasione diximus ad istam trahere voluisse : non intelligens quanta sit differentia inter eum qui, asserens se cujusvis quaestionis solutionem habere, nullam demonstrationem affert, sed solummodo calculum, ex quo solo suadere nititur se verè rem absolvisse, et eum qui totius quaestionis solutionem omni ex parte geometricè demonstratam profert, et simul cum hac solidâ demonstratione etiam superaddit calculum. Magnum sanè est inter utrumque discrimen quantum ad errores calculi attinet. Qui enim solutionem geometricè demonstratam exhibet, nullum de suâ solutione dubium relinquit, eique aequum est semper condonare errores calculi qui praesenti demonstrationis luce evanescunt et corriguntur.

Alter verò qui nihil aliud quam calculum sine ullâ demonstratione porrigit, si erroneus sit, et nullam veram mensuram habeat, quid ei supererit unde patefaciat se rem resolvisse? An sola falsitas repertae veritatis indicium est? Ut ergo demonstratione falsâ non ostenderetur detectam esse veritatem, sic et nec ex falso calculo ostenditur. Quod enim paralogismus est in demonstratione, hoc error calculi est in calculo solo, et demonstratione destituto. Nec aliter quis judicare potest se quaestionem resolvisse, nisi aut demonstrationem paralogismis purgatam, aut saltem calculum erroris expertem proferendo.

Et ideó, cùm apud me statuissem experiri ac certo dignoscere quis futurus esset primus, qui quaestiones nostras absolveret, haec indicia flagitavi, ut intra praestitutum tempus, aut demonstratio ipsa, quantumvis compendiosa, aut saltem calculus illius quem designaveram casus, prodiret : quibus verbis quis aliud intelliget quàm verum calculum, non autem falsum? Falsus enim calculus non est calculus. Et quid stultius fuisset quàm ex calculo falso, et nihil veri habente, concludere authorem suum veram possidere demonstrationem, ipsique primas dare, et jus concedere ut, omnibus aliis posthabitis, prior habeatur solutionis inventor? Non planè ea mihi intentio fuit, et, si ita esset, liberum cuilibet fuisset, statim atque scripta nostra vulgata sunt, calculum fictitium quantumvis erroneum ad libitum componere, et ex eo tamen ordinem sibi ascribere ac, nullum damnum metuendo, inde securitatem adipisci ut si quâ deinde viâ problemata etiam ultimo loco solvisset, ad prima tamen praemia veniret, quia falsum calculum primus protulisset. Et ita foret ut primae inventionis honor, qui his in rebus praecipuus est, non à primâ veritatis detectione, sed à primâ falsitate pro arbitratu fabricata, penderet. Absit ut tam iniquam et ineptam conditionem pro lege dederim! Hoc certè longe abest sicut à mente mea, sic et à verbis meis, quae ita se habent :

Qui publico instrumento, intra praestitutum tempus, illustrissimo D. de Carcavy significaverit se eorum quae quaesita

son assertion, ne confirme rien sinon qu'il a fait lui-même une assertion inutile en disant qu'il possédait la démonstration. En effet un calcul faux, quand on cherche à donner la solution, prouve que cette solution est plus fausse que vraie. Je m'étonne donc que cet auteur ait voulu dans cette circonstance profiter des erreurs de calcul que nous avions décidé de tolérer uniquement en ce cas; il ne se rend pas compte de la différence qui existe entre celui qui, affirmant avoir la solution de quelque problème, n'en apporte aucune démonstration mais seulement un calcul par lequel il essaye de faire croire qu'il a vraiment résolu la question et celui qui offre la solution de toute la question par une démonstration entièrement géométrique et qui à cette solide démonstration ajoute le calcul. Il y a une assez grande différence alors entre eux en ce qui regarde les erreurs de calcul. En effet celui qui propose une solution démontrée par la géométrie ne laisse aucun doute sur sa solution et il est normal de lui passer toujours des erreurs de calcul qui peuvent s'évanouir et se corriger à la lumière de la présente démonstration.

L'autre, au contraire, qui n'avance rien d'autre qu'un calcul, sans aucune démonstration, pour peu qu'il se trompe et qu'il n'ait aucune mesure juste, que lui restera-t-il pour prouver qu'il a résolu le problème? A moins que seule l'erreur puisse prouver qu'on a trouvé la vérité? De même que par une démonstration fausse, il ne serait pas prouvé qu'on a la vérité, de même ce n'est pas non plus prouvé par un faux calcul. Car puisqu'il y a un paralogisme dans la démonstration, l'erreur de calcul est dans le calcul, même quand il n'est pas démontré. Personne ne peut avoir résolu la question autrement qu'en présentant une démonstration sans paralogisme ou tout au moins un calcul sans erreur.

C'est pourquoi comme j'avais décidé d'en faire l'expérience quant à moi et de reconnaître avec certitude quel serait le premier qui résoudrait nos questions, je suis allé à la recherche de ces preuves, afin que dans les délais imposés, ou bien la démonstration elle-même si elle est détaillée, ou tout au moins le calcul du problème que j'avais indiqué fût trouvé par l'auteur : par ces mots, qui pourrait comprendre autre chose que le vrai calcul, et non un faux? Un faux calcul n'est pas un calcul. Qu'y aurait-il de plus sot que de conclure d'un calcul faux et qui ne contient rien de vrai, que son auteur possède la véritable démonstration, lui donner la première place et lüi donner le droit d'être pris comme le premier découvreur de la solution, quand on aurait mis en second tous les autres? Certes, cela n'a pas été mon intention et s'il en était ainsi, il aurait été libre à quiconque, aussitôt que nos écrits ont été publiés, de faire un calcul factice et quelque peu erroné selon sa fantaisie et par lui s'arroger cependant un rang et sans craindre le moindre blâme, se trouver en sécurité comme s'il avait résolu même en dernier lieu, en quelque sorte, les problèmes et ainsi obtenir le premier prix pour avoir été le premier à produire un calcul faux. Et il arriverait alors ceci que l'honneur de la première découverte, qui ici n'est pas à dédaigner, ne reposerait pas sur une première découverte de la vérité, mais sur une erreur première fabriquée de toute pièce, à sa guise. Loin de moi d'avoir institué une telle iniquité et une telle ineptie, comme règlement!

sunt demonstrationem penes se habere; et aut ipsammet demonstrationem ad ipsum miserit, aut saltem, ad confirmandam suae assertionis veritatem, casus quem mox designabimus calculum dederit (ibi nulla prorsus facta est, ut nec fieri potuit, de condonandis erroribus mentio), *seque paratum esse professus fuerit omnia omninò demonstrare ad ipsius D. de Carcavy nutum, hunc nobis satisfecisse declaramus; et consentimus primum qui haec fecerit primo secundum secundo praemio donandum.* Haec ergo prima est conditio, ut aut ipsa abbreviata solutio mittatur, aut saltem calculus, nulla de condonandis erroribus facta mentione. Quia vero hic calculus etiam verus non omninò sufficiebat ad praemia obtinenda, hanc secundam conditionem, ut aequum erat, subjunxi : *si sua solutio ab ipso D. de Carcavy virisque ad id secum adhibitis, cùm ipsi visum fuerit, exhibita, geometrica ac vera judicetur, salvo semper errore calculi.* Ibi sane, ubi de examinandis demonstrationibus agitur, jurè condonantur errores calculi; cùm enim adest demonstratio, ita eos negligere semper justum est, ac ridiculum foret cùm calculus solus exhibetur, qui si nihil veri habeat, calculus non est, ut jam satis diximus.

Talis est autem calculus authoris illius de quo hic agitur, nec quicquam veri continet, ipsiusque falsitatem author ipsemet agnovit, illumque posterioribus litteris revocavit, nec ullum alium misit, et sic reverâ nihil misisse censendus est. Se tamen alium calculum penes se habere scribit, quem verum esse asserit; cujus novae assertionis cùm nullum hucusque indicium protulerit, sed mera tantùm verba, non plus in hâc re fidei meretur quàm cùm in eisdem epistolis pari fiduciâ promittit se brevi missurum quadraturam circuli et hyperboles duabus diversis methodis expeditam; de quibus omnibus periti quiq[ue] interim non temere dubitabunt. Si enim calculum quaesitum revera haberet, cur non intra tempus constitutum misisset non video : hoc enim promptius fuisset quam fusis quibus utitur verbis polliceri. Calculum autem verum promittendo, et non mittendo, spatium quaerendi sibi praeparare videtur, ut si forte etiam extra tempus reperiat, aut aliquo modo illius quem jam ad multos misimus notitiam habere possit, illum ipse sibi fortassis, et quasi à se jamdiù repertum, et intra debitum tempus, ascribat. Meliùs tamen de ipso sentimus; haec enim frustra et inaniter tentaret. Oportebat quippe, si habuisset, intra tempus destinatum misisse; scripta namque lex instat : *qui intrà praestitutum tempus publico instrumento calculum saltem miserit.* Ille autem nihil ex iis implevit; non enim instrumentum publicum, sed privatas cartulas adduxit, quas sanè reliqui authores qui publicas, ut postulatum est, attulerunt, respuent, sive posteriores sint, ut ei praeponantur, sive priores fuerint, ut soli et sine socio habeantur; quibus cùm ego debitor sim, resistere non possem : non enim privatis scripturis fides adhibetur, nec ut ipsi verbis meis credant auderem aut vellem petere; et ideo publicum instrumentum flagitaveram fide ex se ipso dignum. Author autem

C'est à coup sûr bien loin de ma pensée de même que de mes paroles, qui sont les suivantes :

Celui qui par un acte public, dans le délai fixé, aura fait savoir au très illustre M. de Carcavy qu'il possède la démonstration des questions posées, et qui de sa propre main lui aura envoyé la démonstration, ou tout au moins lui aura donné le calcul que nous indiquerons bientôt, pour confirmer la vérité de son affirmation (il n'y a ici aucune mention des erreurs admissibles, comme on ne pouvait le faire), *et aura prétendu qu'il est prêt de tout démontrer en détail dès que M. de Carcavy lui en fera signe, nous déclarons que cet homme nous a donné satisfaction, et nous sommes d'accord pour donner le premier prix, au premier qui aura fait ainsi et le second au second.* Il s'ensuit que là est la première condition, à savoir qu'une solution même abrégée soit envoyée ou au moins le calcul, sans faire aucune mention des erreurs admissibles. Et parce que ce calcul, même vrai, ne suffirait pas absolument pour obtenir les récompenses j'ai ajouté, comme cela était normal, cette seconde condition : *Dans la mesure où il aura posté à M. de Carcavy lui-même et aux personnes qui lui sont adjointes dans ce but que la solution est trouvée, géométrique et vraie, elle sera jugée telle sans tenir compte d'une faute de calcul.* Dans ce cas, c'est évident, lorsqu'il s'agit d'examiner les démonstrations, c'est à bon droit que l'on pardonne les erreurs de calcul; car, lorsqu'il y a démonstration, il est toujours juste de les négliger et en outre ce serait ridicule, lorsque le calcul seul est présenté, parce que s'il n'a rien de vrai ce n'est plus un calcul, comme nous l'avons assez répété.

Tel est justement le calcul de l'auteur dont il s'agit. Il ne contient rien de vrai. De lui-même l'auteur a reconnu qu'il est faux. Puis, dans une lettre suivante, il l'a nié et il n'a pas envoyé d'autre calcul, et ainsi on doit considérer qu'il n'a absolument rien envoyé. Pourtant, il écrit qu'il possède un autre calcul, qu'il dit bon. Puisque jusqu'à ce jour il n'a apporté aucune preuve de cette nouvelle prétention, mais seulement de simples mots, il ne mérite pas plus de confiance en cela que lorsque dans les mêmes lettres il promet, avec la même bonne foi, qu'il enverra sous peu la preuve de la quadrature du cercle et des hyperboles, par deux méthodes différentes; ceux qui sont au courant de toutes ces questions auront des doutes justifiés. S'il possédait en toute vérité le calcul demandé, je ne comprends pas pourquoi il ne l'aurait pas envoyé dans le délai; c'aurait été plus rapide que de faire des promesses en termes confus. En promettant le vrai calcul et en ne l'envoyant pas il semble se réserver un temps de recherche, afin, si par hasard il pouvait faire des découvertes en dehors du délai, ou s'il pouvait avoir de quelque façon connaissance du calcul que déjà nous avons envoyé à beaucoup de gens, de se l'attribuer à lui-même, comme s'il l'avait trouvé depuis longtemps et dans le temps voulu. Mais nous avons une meilleure opinion de lui; car ce serait une tentative vaine et stupide. Il fallait, s'il l'avait eu, l'envoyer dans le délai prévu; le règlement écrit est formel : *celui qui dans le délai imposé aura au moins envoyé le calcul par la poste.* Celui-là n'a rempli aucune des conditions; il n'a pas utilisé la poste, mais l'a envoyé par lettres privées, moyen que le reste des auteurs qui firent parvenir des lettres postées, comme cela a été demandé, refusent d'admettre, afin de lui être préférés si leurs travaux sont arrivés après, ou pour être seuls considérés et sans concurrent, dans le cas où ils

ille nec tale instrumentum validum attulit, sed et nec verum calculum dedit, solam verò falsitatem, et sic cùm nobis omnino dubium reliquerit an quaestiones resolverit, aut à quo tempore resolverit, quidquid de hâc quaestione scripsit, tanquam aut inane aut falsum, et quasi non fuisset, habendum est; et cùm jam elapsum sit tempus, ipse author jure ab ipsâ palaestrâ, quantum ad praemia attinet, exclusus est.

Ipse verò cùm jam ad primae inventionis honorem, divulgato a nobis vero calculo, pervenire non possit, suos saltem errores corrigendi gloriam monitus conetur adipisci. Dat. 9. Oct. 1658.

seraient arrivés avant. Étant le débiteur de ces auteurs, je ne pourrais leur faire aucune opposition, car on n'ajoute pas foi à des lettres privées et je n'oserais ni ne voudrais demander qu'ils croient en mes paroles; c'est pourquoi j'avais demandé à la poste de faire foi par elle-même. Mais cet auteur n'a pas employé ce moyen digne de foi, et de plus il n'a pas donné le bon calcul, mais seulement un faux; aussi il faut considérer tout ce qu'il a écrit au sujet de cette question comme ou nul ou faux, et comme inexistant, puisqu'il nous a laissés entièrement dans le doute de savoir s'il a résolu les questions, et dans quel temps il les a résolues; et puisque le délai est déjà passé, l'auteur lui-même s'est exclu de droit du concours dans la mesure où il visait au prix.

Puisqu'il ne peut remporter l'honneur de la première découverte depuis que nous avons publié le véritable calcul, il essaiera, après avoir été informé, d'obtenir au moins la gloire de corriger ses erreurs. Le 9 octobre 1658.

HISTORIA TROCHOIDIS

SIVE CYCLOIDIS, GALLICÈ, LA ROULETTE
IN QUA NARRATUR QUIBUS GRADIBUS AD INTIMAM ILLIUS LINEAE NATURAM COGNOSCENDAM PERVENTUM SIT

Inter infinitas linearum curvarum species, si unam circularem excipias, nulla est quae nobis frequentius occurrat quam Trochoïdes (gallice *la Roulette*) : ut mirum sit quod illa priscorum seculorum geometras latuerit, apud quos de tali linea nihil prorsùs reperiri certum est.

Describitur à clavo Rotae in sublimi delato, dum Rota ipsa, motu rotis peculiari, secundùm orbitam suam rectà fertur simul et circumvolvitur, initio motus sumpto dum clavus orbitam tangit, usquedum absolutâ unâ conversione clavus idem iterum eamdem tangat orbitam. Supponimus autem hîc ad Geometriae speculationem, Rotam esse perfectè circularem; clavum, punctum in circumferentia illius assumptum; iter rotae, perfectè planum; orbitam denique perfectè rectam, quam circumferentia Rotae continuò tangat; ambabus, orbitâ inquam et circumferentiâ, in uno eodemque plano inter movendum ubique existentibus.

Hanc lineam primus omnium advertit Mersennus, ex Minimorum ordine, circa annum 1615, dum rotarum motus attentiùs consideraret; atque inde Rotulae ei nomen indidit; post ille naturam ejus et proprietates inspicere voluit, sed irrito conatu.

Erat huic viro ad excogitandas arduas ejusmodi quaestiones singulare quoddam acumen, et quo omnes in eo genere facilè superaret : quanquam autem in iisdem dissolvendis, quae praecipua hujusce negotii laus est, non eâdem felicitate utebatur, tamen hoc nomine de litteris optime meritus est, quod permultis iisque pulcherrimis inventis occasionem praebuerit, dum ad eorum inquisitionem eruditos de illis neque cogitantes excitaret.

Ergo naturam Trochoïdis omnibus quos huic operi credidit pares, indagandam proposuit, in primisque Galileo : at nemini res ex sententia cessit, omnesque de nodi illius dissolutione desperarunt.

Sic viginti proximè abierunt anni ad usque 1634. quo Mersennus, quùm multas ac praeclaras propositiones à Robervallio, regio Matheseos professore, solvi quotidie videret, ab eodem suae quoque Trochoïdis solutionem speravit.

HISTOIRE DE LA ROULETTE

APPELÉE AUTREMENT TROCHOIDE OU CYCLOIDE
OU L'ON RAPPORTE PAR QUELS DEGRÉS ON EST ARRIVÉ A LA CONNAISSANCE DE LA NATURE DE CETTE LIGNE

La Roulette est une ligne si commune, qu'après la droite et la circulaire, il n'y en a point de si fréquente; et elle se décrit si souvent aux yeux de tout le monde qu'il y a lieu de s'étonner qu'elle n'ait point été considérée par les anciens, dans lesquels on n'en trouve rien : car ce n'est autre chose que le chemin que fait en l'air le clou d'une roue, quand elle roule de son mouvement ordinaire, depuis que ce clou commence à s'élever de terre, jusqu'à ce que le roulement continu de la roue l'ait rapporté à terre, après un tour entier achevé : supposant que la roue soit un cercle parfait, le clou un point dans sa circonférence, et la terre parfaitement plane.

Le feu P. Mersenne, Minime, fut le premier qui la remarqua environ l'an 1615, en considérant le roulement des roues, ce fut pourquoi il l'appela *La Roulette*. Il voulut ensuite en reconnaître la nature et les propriétés, mais il n'y put pénétrer.

Il avait un talent tout particulier pour former de belles questions; en quoi il n'avait peut-être pas de semblable : mais encore qu'il n'eût pas un pareil bonheur à les résoudre, et que ce soit proprement en ceci que consiste tout l'honneur, il est vrai néanmoins qu'on lui a obligation, et qu'il a donné l'occasion de plusieurs belles découvertes, qui peut-être n'auraient jamais été faites s'il n'y eût excité les savants.

Il proposa donc la recherche de la nature de cette ligne à tous ceux de l'Europe qu'il en crut capables, et entre autres à Galilée. Mais aucun n'y put réussir, et tous en désespérèrent.

Plusieurs années se passèrent de cette sorte jusqu'en 1634, que le Père voyant résoudre à M. de Roberval, professeur royal ès mathématiques, plusieurs grands problèmes, il espéra de tirer de lui la solution de la Roulette.

En effet M. de Roberval y réussit. Il démontra que l'espace de la roulette est triple de la roue qui la forme. Ce fut alors qu'il commença de l'appeler par ce nom tiré du grec, *Trochoïdes*, correspondant au français *Roulette*. Il dit au Père que sa question était résolue, et lui déclara même cette raison triple, en exigeant néanmoins qu'il la tiendrait secrète durant un an, pendant lequel il proposerait de nouveau cette question à tous les géomètres.

Le Père, ravi de ce succès, leur écrivit à tous, et les pressa d'y repenser, en leur ajoutant que M. de Roberval l'avait résolue, sans leur dire comment.

L'année et plus étant passée sans qu'aucun en eût

Nec verò eum sua spes frustata est. Felici enim inquisitionis suae successu usus Robervallius, Trochoïdis spatium spatii Rotae à quâ describitur triplum esse demonstravit : ac tùm primùm huic figurae Trochoïdis nomen è graeco deductum imposuit, quod gallico *la Roulette* aptissimè respondet. Mox ille Mersenno solutum à se problema, ac triplam illam rationem ostendit, acceptâ ab eo fide, id per totum adhuc annum iri compressum, dum eamdem rursùs quaestionem omnibus Geometris proponeret.

Laetus hoc eventu Mersennus mittit rursùs ad omnes Geometras : rogat ut de integro in eam inquisitionem incumbant; addit etiam solutum à Robervallio problema : sed de modo nihil adhuc indicat.

Anno et ampliùs elapso, cùm nullus propositae quaestioni satisfaceret, tertiam ad geometras scribit Mersennus, ac tunc, anno scilicet 1635, rationem Trochoïdis ad rotam ut 3. ad 1. esse patefecit.

Hoc novo adjuti subsidio, problematis demonstrationem invenerunt duo, inventamque eodem fermè tempore ad Mersennum transmiserunt, alteram Fermatius, supremae Tholosanae Curiae Senator, alteram Cartesius nunc vitâ functus; utramque, et alteram ab altera, et à Robervallii item demonstratione diversam : ita tamen ut, qui eas omnes videat, illicò illius demonstrationem internoscat qui primus problema dissolvit. Etenim singulari quodam charactere insignitur; ac tam pulchrâ et simplici viâ ad veritatem ducit, ut hanc unam naturalem ac rectam esse facilè scias. Et certè eâdem illâ viâ Robervallius ad operosiores multò circa idem argumentum dimensiones pervenit, ad quas per alias methodos nemo forsan perveniat.

Ita res brevi percrebuit; neminique in tota Gallia Geometriae studiosiori ignotum fuit demonstrationem Trochoïdis acceptam Robervallio referendam. Huic autem ille duas sub idem ferme tempus adjunxit; una est solidorum circa basim ejus mensio : altera tangentium inventio, cujus ipse methodum et invenit et statim evulgavit, tam generalem illam ac latè patentem, ut ad omnium curvarum tangentes pertineat. Motuum compositione methodus illa innititur.

Anno autem 1638. J. de Beaugrand, cum illas de plano Trochoïdis demonstrationes collegisset, quarum ad ipsum multa exemplaria pervenerant, itémque egregiam methodum Fermatii de maximis et minimis, utrumque ad Galileum misit, tacitis authorum nominibus; ac sibi quidem illa nominatim non adscripsit : iis tamen usus est verbis, ut minùs attentè legentibus, quò minùs se istorum profiteretur authorem, solâ demum impeditus modestiâ videretur. Itaque ad rem paululùm interpolandam, mutatis nominibus, Trochoïdem in Cycloïdem commutavit.

Non multò post Galileus et ipse de Beaugrand vitâ cesserunt. Successit Galileo Toricellius, nactusque est inter illius manuscripta, quae omnia ad ipsum delata erant, ista de Trochoïde sub Cycloïdis nomine proble-

trouvé la solution, le Père leur écrivit pour la troisième fois, et leur déclara alors la raison de la Roulette à la roue comme 3 à 1. En 1635, sur ce nouveau secours, il s'en trouva deux qui en donnèrent la démonstration : on reçut leurs solutions presque en même temps, l'une de M. de Fermat, conseiller au Parlement de Toulouse, l'autre de feu M. Descartes; et toutes deux différentes l'une de l'autre, et encore de celle de M. de Roberval, de telle sorte néanmoins qu'en les voyant toutes il n'est pas difficile de reconnaître quelle est celle de l'auteur, car il est vrai qu'elle a un caractère particulier, et qu'elle est prise par une voie si belle et si simple qu'on connaît bien que c'est la naturelle. Et c'est en effet par cette voie qu'il est arrivé à des dimensions bien plus difficiles sur ce sujet, à quoi les autres méthodes n'ont pu servir.

Ainsi la chose devint publique, et il n'y eut personne en France, de ceux qui se plaisent à la géométrie, qui ne sût que M. de Roberval était l'auteur de cette solution; à laquelle il en ajouta en ce même temps deux autres : l'une fut la dimension du solide à l'entour de la base; l'autre, l'invention des touchantes de cette ligne, par une méthode qu'il trouva alors, et qu'il divulgua incontinent, laquelle est si générale qu'elle s'étend aux touchantes de toutes les courbes : elle consiste en la composition des mouvements.

En 1638, feu M. de Beaugrand ayant ramassé les solutions du plan de la Roulette, dont il y avait plusieurs copies, avec une excellente méthode *de maximis et minimis* de M. de Fermat, il envoya l'une et l'autre à Galilée, sans en nommer les auteurs : il est vrai qu'il ne dit pas précisément que cela fût de lui; mais il écrivit de sorte qu'en n'y prenant pas garde de près, il semblait que ce n'était que par modestie qu'il n'y avait pas mis son nom; et, pour déguiser un peu les choses, il changea les premiers noms de *Roulette*, et *Trochoïde*, en celui de *Cycloïde*.

Galilée mourut bientôt après, et M. de Beaugrand aussi. Torricelli succéda à Galilée et, tous ses papiers lui étant venus entre les mains, il y trouva entre autres ces solutions de la Roulette sous le nom de cycloïde, écrites de la main de M. de Beaugrand, qui paraissait en être l'auteur; lequel étant mort, il crut qu'il y avait assez de temps passé pour faire que la mémoire en fût perdue, et ainsi il pensa à en profiter.

Il fit donc imprimer son livre en 1644, dans lequel il attribue à Galilée ce qui est dû au P. Mersenne, d'avoir formé la question de la Roulette; et à soi-même ce qui est dû à M. de Roberval, d'en avoir le premier donné la résolution : en quoi il fut non seulement inexcusable, mais encore malheureux; car ce fut un sujet de rire en France, de voir que Torricelli s'attribuait en 1644 une invention qui était publiquement et sans contestation reconnue depuis huit ans pour être de M. de Roberval, et dont il y avait, outre une infinité de témoins vivants, des témoignages imprimés, et entre autres un écrit de M. Desargues, imprimé à Paris au mois d'août en 1640, avec privilège, où il est dit, et que la Roulette est de M. de Roberval, et que la méthode *de maximis et minimis* est de M. de Fermat.

M. de Roberval s'en plaignit donc à Torricelli par une lettre qu'il lui écrivit la même année; et le P. Mersenne en même temps, mais encore plus sévèrement. Il lui donna tant de preuves, et imprimées, et de toutes

mata, ipsius de Beaugrand manu sic exarata quasi eorum author esset. Cognitâ ergo illius morte Toricellius, abolitam jam temporis spatio rei memoriam ratus, ea omnia securè jam ad se transferri posse arbitratus est.

Itaque anno 1644. librum edidit, in quo excitatam de Trochoïde quaestionem Galileo tribuit, quae Mersenno debebatur, sibi primam ejus dissolutionem arrogat, quam Robervallii esse certum erat : in quo sanè, ut candoris aliquid Toricellio defuit, sic et aliquid felicitatis. Neque enim sine quorumdam risu exceptus est in Gallia, qui anno 1644. hoc sibi ascivisset inventum, cujus parens in vivis constanter jam per octo annos Robervallius agnoscebatur, qui quod suum erat non modò compluribus testibus adhuc viventibus posset revincere, sed etiam excusis Typo testimoniis, in quibus est quoddam scriptum G. Desargues anno 1640, Aug. mense, Parisiis editum : in quo nominatim habetur Trochoïdis problemata Robervallii esse, methodum de maximis et minimis, Fermatii.

Ergo hanc injuriam cum ipso Toricellio litteris expostulavit Robervallius; ac severiùs etiam Mersennus, qui tot ipsum argumentis omnigenisque testimoniis, etiam excusis, coarguit, ut veris victus Toricellius, hoc invento cedere illudque ad Robervallium transcribere coactus sit : quod litteris propriâ manu scriptis praestitit, quae etiamnum asservantur.

Verùm, quia passim in manibus est Toricellii liber, contra ejus, ut ita loquar, recantatio paucis innotuit, Robervallio tam parùm de famâ suâ extendendâ sollicito ut nihil de ea recantatione emiserit in vulgus, multi inde in errorem, et ipsemet etiam inductus sum. Hinc factum est ut in prioribus scriptis ita sim de Trochoïde locutus, quasi eam princeps Toricellius invenerit. Quo errore cognito, faciendum duxi ut quod jure Robervallio debetur, hoc ipsi scripto restituerem.

Usus hoc infortunio Toricellius, cùm jam nec dimensionem spatii Cycloïdis, nec solidi circa basim, primus invenisse existimari posset ab iis quibus perspecta rei veritas esset, solidi circa axem Cycloïdis mensionem aggressus est; ibi verò non mediocrem difficultatem offendit : est enim illud altissimae cujusdam et operosissimae inquisitionis problema; in quo cùm veram assequi non posset, verae proximam solutionem misit; ac solidum illud ad suum Cylindrum esse dixit sicut 11. ad 18. ratus errorem illum à nemine refelli posse. Verùm nihilo fuit hoc etiam in loco felicior; nam Robervallius, qui veram ac geometricam dimensionem invenerat, non modò suum illi errorem, sed etiam veram problematis resolutionem indicavit.

Toricellius non multò post fato concessit. At Robervallius, solâ simplicis Trochoïdis ejusque solidorum dimensione non contentus, omnes omninò Trochoïdes sive protractas sive contractas inquisitione complexus est, easque excogitavit methodos, quae ad omnem Trochoïdis speciem pertinerent; eâdemque facilitate tangentes darent; plana et planarum partes dimetirentur;

sortes, qu'il l'obligea d'y donner les mains, et de céder cette invention à M. de Roberval, comme il fit par ses lettres que l'on garde écrites de sa main du même temps.

Cependant comme son livre est public et que son désaveu ne l'est pas, M. de Roberval ayant si peu de soin de se faire paraître qu'il n'en a jamais rien fait imprimer, beaucoup de monde y a été surpris, et je l'avais été moi-même; ce qui a été cause que par mes premiers écrits je parle de cette ligne comme étant de Torricelli, et c'est pourquoi je me suis senti obligé de rendre par celui-ci à M. de Roberval ce qui lui appartient véritablement.

Torricelli ayant reçu cette petite disgrâce, et ne pouvant plus passer auprès de ceux qui savaient la vérité pour auteur de la dimension de l'espace de la Roulette, ni même de celle du solide autour de la base, M. de Roberval la lui ayant déjà envoyée, il essaya de résoudre celui à l'entour de l'axe. Mais ce fut là qu'il trouva bien de la difficulté; car c'est un problème d'une haute, longue et pénible recherche. Ne pouvant donc y réussir, il en envoya une solution assez approchante, au lieu de la véritable, et manda que ce solide était à son cylindre comme 11 à 18, ne pensant pas qu'on pût le convaincre. Mais il ne fut pas plus heureux en cette rencontre qu'en l'autre; car M. de Roberval, qui en avait la véritable et géométrique dimension, lui manda non seulement son erreur, mais encore la vérité. Torricelli mourut un peu de temps après.

M. de Roberval ne s'arrêta pas à la seule dimension de la première et simple Roulette et de ses solides; mais il étendit ses découvertes à toutes sortes de Roulettes, *allongées* ou *accourcies*, pour toutes lesquelles ses méthodes sont générales, et donnent, avec une même facilité, les touchantes, la dimension des plans et de leurs parties, leurs centres de gravité et les solides, tant autour de la base qu'autour de l'axe. Car encore qu'il ne l'ait donné au long que des Roulettes entières, sa méthode s'étend, sans rien y changer, et avec autant de facilité, aux parties. Et ce serait chicaner que de lui en disputer la première résolution.

La connaissance de la Roulette ayant été portée jusque-là par M. de Roberval, la chose était demeurée en cet état depuis 14 ans, lorsqu'une occasion imprévue m'ayant fait penser à la géométrie que j'avais quittée il y avait longtemps, je me formai des méthodes pour la dimension et les centres de gravité des solides, des surfaces planes et courbes, et des lignes courbes, auxquelles il me sembla que peu de choses pourraient échapper : et pour en faire l'essai sur un sujet des plus difficiles, je me proposai ce qui restait à connaître de la nature de cette ligne; savoir les centres de gravité de ses solides et des solides de ses parties; la dimension et les centres de gravité des surfaces de tous ces solides; la dimension et les centres de gravité de la ligne courbe même de la Roulette et de ses parties.

Je commençai par les centres de gravité des solides et des demi-solides, que je trouvai par ma méthode, et qui me parurent si difficiles par toute autre voie, que, pour savoir s'ils l'étaient en effet autant que je me l'étais imaginé, je me résolus d'en proposer la recherche à tous les géomètres, et même avec des prix. Ce fut alors que je fis mes écrits latins, lesquels ont été envoyés partout. Et, pendant qu'on cherchait ces

centra gravitatis planorum, ac postremò solida circa basim et circa axem, patefacerent. Quamvis enim integras tantùm Trochoïdes dimensus sit, tamen ad Trochoïdum partes nihil mutata ejus methodus non minùs expeditè adhiberi potest; ut qui illud Robervallio inventum abjudicet, meritò cavillator habendus sit.

Nec verò ea omnia apud se celavit Robertvallius, sed scriptis mandata publicè, privatimque, atque etiam in celebri selectorum virorum matheseos peritissimorum coetu, per complures dies legit, et cupientibus describenda permisit.

Eò perductâ Robervallii industriâ Trochoïdis cognitione, ibi per 14. annos substiterat, cùm me ad abdicata pridem Geometriae studia repetenda improvisa occasio compulit. Tum verò eas mihi paravi methodos ad dimensionem, et centra gravitatis solidorum, planarum et curvarum superficierum, curvarum item linearum, ut illas vix quicquam effugere posse videretur : atque adeò, ut id in materiâ vel difficillimâ periclitarer, ad ea quae de Trochoïde vestiganda supererant aggressus sum; nempe centra gravitatis solidorum Trochoïdis et solidorum ex ejus partibus exsurgentium; dimensionem et centra gravitatis superficierum omnium istorum solidorum; ac postremò dimensionem et centra gravitatis ipsiusmet lineae curvae Cycloïdis ejusque partium.

Ac primùm centra gravitatis solidorum et semisolidorum indagavi, et ope meae methodi assecutus sum; quod mihi sic arduum est visum quasvis alias insistentibus vias, ut, periculum facturus an ita res esset quemadmodum mihi persuaseram, hanc omnibus Geometris, etiam constituto praemio, inquisitionem proponere decreverim.

Tunc scilicet latina illa scripta quaquaversùm missa vulgavi; ac, dum illa de solidis problemata investigantur, reliqua ego omnia dissolvi, quemadmodum sub hujus scriptionis finem exponam, ubi de Geometrarum responsis priùs dixero.

Illa verò responsa duplicis sunt generis, quippe diversi sunt scribentium genii. Quidam soluta à se problemata, atque ita jus sibi in praemium esse contendunt. Horum scripta legitimo examine propediem excutientur. Alii ad problematum quidem solutionem non aspirant, sed suas tantùm in Cycloïdem commentationes exponunt.

Horum in litteris multa praeclara, et eximiae dimetiendi Cycloïdis plani rationes habentur, imprimisque in epistolis Sluzii Leodiensis Ecclesiae Canonici; Richii Romani; Hugenii Batavi, qui primus omnium detexit eam plani Trochoïdis portionem trilineam, quae his tribus lineis comprehenditur, scilicet quartâ parte axis ad verticem terminatâ, rectâ ad axem ab initio illius quartae partis perpendiculariter ordinatâ usque ad Trochoïdem, et portione curvae Trochoïdis inter duas praedictas rectas terminatâ, spatio rectilineo dato aequalem esse, atque adeò illi aequale quadratum absolutè exhiberi : quod idem in epistolâ Wren Angli eodem ferè tempore scriptâ reperi.

problèmes touchant les solides, j'ai résolu tous les autres, comme on verra à la fin de ce discours, quand j'aurai parlé des réponses qu'on a reçues des géomètres sur le sujet de mes écrits.

Elles sont de deux sortes. Les uns prétendent d'avoir résolu les problèmes proposés, et ainsi avoir droit aux prix; et les écrits de ceux-là seront vus dans l'examen régulier qui s'en doit faire. Les autres n'ont point voulu prétendre à ces solutions, et se sont contentés de donner leurs premières pensées sur cette ligne.

J'ai trouvé de belles choses dans leurs lettres, et des manières fort subtiles de mesurer le plan de la Roulette, et entre autres dans celles de M. Sluze, chanoine de la cathédrale de Liège, de M. Richi, Romain, de M. Huyghens, Hollandais, qui a le premier produit que la portion de la Roulette retranchée par l'ordonnée de l'axe, menée du premier quart de l'axe du côté du sommet, est égale à un espace rectiligne donné. Et j'ai trouvé la même chose dans une lettre de M. Wren, Anglais, écrite presque en même temps.

On a vu aussi la dimension de la Roulette et de ses parties, et de leurs solides à l'entour de la base seulement, du R. P. Lalouère, Jésuite de Toulouse, et comme il l'envoya toute imprimée, j'y fis plus de réflexion; et je fus surpris de voir que tous les problèmes qu'il y résout, n'étant autre chose que les premiers de ceux que M. de Roberval avait résolus depuis si longtemps, il les donnait néanmoins sous son nom, sans dire un seul mot de l'auteur. Car encore que sa méthode soit différente, on sait assez combien c'est une chose aisée, non seulement de déguiser des propositions déjà trouvées, mais encore de les résoudre d'une manière nouvelle par la connaissance qu'on a déjà eue une fois de la première solution.

Je priai donc instamment M. de Carcavy, non seulement de faire avertir le R. Père que tout cela était de M. de Roberval, ou au moins enfermé manifestement dans ses moyens, mais encore de lui découvrir la voie par laquelle il y est arrivé. (Car on ne doit pas craindre de s'ouvrir entre les personnes d'honneur.) Je lui fis donc mander que cette voie de la première découverte était la quadrature que l'auteur avait trouvée depuis longtemps, d'une figure qui se décrit d'un trait de compas sur la surface d'un cylindre droit, laquelle surface, étant étendue en plan, forme la moitié d'une ligne qu'il a appelée *la compagne de la Roulette*, dont les ordonnées à l'axe sont égales aux ordonnées de la Roulette, diminuées de celles de la roue. En quoi je crus faire un plaisir particulier au R. Père, parce que, dans ses lettres que nous avons, il parle de la quadrature de cette figure, qu'il appelle Cycloï-cylindrique, comme d'une chose très éloignée de sa connaissance, et qu'il eût fort désiré connaître. M. de Carcavy, n'ayant pas eu assez de loisir, a fait mander tout cela, et fort au long, par un de ses amis au R. P. qui y a fait réponse.

Mais entre tous les écrits qu'on a reçus de cette sorte, il n'y a rien de plus beau que ce qui a été envoyé par M. Wren; car outre la belle manière qu'il donne de mesurer le plan de la Roulette, il a donné la comparaison de la ligne courbe même et de ses parties avec la ligne droite. Sa proposition est que la ligne de la Roulette est quadruple de son axe, dont il a envoyé l'énonciation sans démonstration. Et comme il est le premier qui l'a produite, c'est sans doute à lui que

Cycloïdis etiam, ejusdem partium, itémque solidorum circa basim tantùm dimensionem accepimus ab Allouero, è Societate Jesu, Tholosano; quam, quia ille typis editam misit, attentiùs inspiciens, non sine admiratione cognovi cuncta illa quae ibi habentur problemata, etsi non alia sint quàm quae jam pridem à Robervallio soluta sunt, tamen ab illo nullâ prorsus Robervallii factâ mentione, quasi à se primum soluta, proferri. Quanquam enim diversam secutus est methodum, neminem tamen fugit quàm promptum ac proclive sit jam inventas propositiones novâ specie habituque producere; tùm ex cognita illarum solutione, novas solvendi vias comminisci.

Egi igitur sedulò cum Carcavio, tùm ut Allouerum moneret, quod pro suò venditabat Robervallii esse, vel nullo negotio ex ejus inventis elici, tùm etiam ut viam ipsi explanaret qua eò Robervallius pervenerat; nam haec inter honestos viros citra periculum communicantur. Me igitur annitente scriptum est ad Allouerum, illam qua Robervallium eò perduxerat methodum cujusdam figurae quadraturâ niti, ab eodem pridem inventâ, quam figuram delineat circini ductus in recti Cylindri superficie, quae superficies, in planum porrecta, mediam cujusdam lineae efficit partem, quam Robervallius Trochoïdis Sociam sive Gemellam dixit, ex quâ quae ad axem rectae ad angulos rectos ducuntur aequales sunt dictis ex Trochoïde, demptis illis quae ex Rotâ ducuntur. In hoc vero non mediocrem me ab Allouero gratiam iniisse credidi; quandoquidem ipse in suis litteris quae adhuc habentur, de istius figurae quam Cycloï-Cylindricam appellat, quadraturâ ita loquitur, quasi quae à suâ notitiâ longè absit et quam nosse vehementer expetat.

Haec pro Carcavio, cui tam multa scribere non vacabat, quidam ipsius amicus ad Allouerum scripsit, cui vicissim rescripsit Allouerus.

Sed, inter missa à Geometris scripta, nullum ipsius Wren scripto praestantius. Nam praeter egregiam dimetiendi Cycloïdis plani rationem, etiam curvae et ejus partium cum rectâ comparationem aggressus est. Propositio ejus est, Trochoïdem ad suum axem esse quadruplam; hujus ille enuntiationem sine demonstratione misit; et, quia primus protulit, inventoris laudem promeritus est.

Nihil tamen de illius honore detractum iri puto si quod verissimum est dixero, quosdam è Gallia geometras ad quos illa enuntiatio perlata est, et in iis Fermatium, ejus non difficulter demonstrationem invenisse. Dicam insuper Robervallium nihil sibi novum afferri planè ostendisse; statim ac enim de eâ propositione audiit, integram ejus demonstrationem continuò subjecit, cum pulcherrimâ methodo ad omnium linearum curvarum dimensionem, quam methodum ipse, dum alia inde graviora consectaria sperat eruere, diu occultam habuerat. Et certe eâdem ille methodo usus erat ad comparandas Spirales lineas cum Parabolicis, quâ de re in operibus Mersenni nonnulla reperias.

Haec Methodus compositione item motuum innititur,

l'honneur de la première invention en appartient.

Je ne croirai pas pourtant lui rien ôter pour dire, ce qui est aussi véritable, que quelques géomètres de France, auxquels cette énonciation a été communiquée, en ont trouvé la démonstration sur-le-champ, et entre autres M. de Fermat. Et je dirai de plus que M. de Roberval a témoigné que cette connaissance ne lui était pas nouvelle. Car aussitôt qu'on lui en parla, il en donna la démonstration entière, avec une très belle méthode pour la dimension de toutes les courbes, laquelle il n'avait point encore voulu publier, espérant d'en tirer quelques connaissances encore plus considérables, comme en effet c'était par là qu'il avait comparé depuis longtemps les lignes spirales aux paraboliques : on en voit quelque chose dans les Œuvres du R. P. Mersenne.

Cette méthode est encore tirée de la composition des mouvements, de même que celle des touchantes. Car comme la direction du mouvement composé donne la touchante, ainsi sa vitesse donne la longueur de la courbe, dont voici la première publication.

Voilà ce que j'ai trouvé de plus remarquable dans les écrits de ceux qui ne prétendent point aux prix. Quant aux autres, je n'en parlerai qu'après l'examen qui s'en devait s'ouvrir le 1er octobre, mais que nous sommes obligés de remettre au retour de M. de Carcavy qu'on attend de jour en jour.

C'est alors qu'on jugera de ceux qui auront satisfait aux quatre conditions portées par mes Écrits publiés au mois de juin, savoir :

1. Que la solution ait été reçue et signifiée chez M. de Carcavy dans le 1er octobre, qui est le temps prescrit. *Qui intra praestitutum tempus illustrissimo D. de Carcavy significaverit, etc.*

2. Qu'elle soit accompagnée d'un acte public, *instrumento publico*, pour ôter tout soupçon.

3. Qu'elle contienne, ou une démonstration abrégée, ou au moins le calcul d'un cas que je demande pour reconnaître, par la qualité de ce calcul, si celui qui l'envoie avait en effet dès lors la résolution nette et parfaite des problèmes, *aut saltem ad confirmandam suae assertionis veritatem casus quem mox designabimus calculum dederit*, ce qui paraîtrait être vrai ou faux, selon que le calcul serait vrai ou faux.

4. Que l'on enverrait ensuite et à loisir l'entière démonstration de tous les autres cas proposés, *omnia omnino demonstrare;* et qu'elle soit jugée vraie et géométrique en toutes ses parties, par ceux que M. de Carcavy voudra nommer. Et j'ai même pardonné les erreurs de calcul qui se trouveront dans ces dernières et entières démonstrations de tous les cas généralement; parce que, quand les démonstrations sont présentes, les calculs ne sont jamais nécessaires, et les erreurs y sont toujours pardonnables.

S'il s'en trouve qui soient dans ces conditions, le premier aura le premier prix; et le second, le second : s'il n'y en a qu'un, il les aura tous deux. Mais ceux qui ne les auront pas toutes accomplies seront exclus des prix, quoiqu'ils ne le soient pas de l'honneur, qui leur appartiendra toujours par le mérite des écrits qu'ils pourront produire. Car je n'ai pas mis des conditions à la dispensation de l'honneur, dont je ne dispose pas, mais seulement à celle des prix dont j'ai pu disposer à mon gré.

ut et illa tangentium. Nam sicuti motus compositi directio tangentem dat, sic ejus celeritas curvae longitudinem efficit, quod sane nunc primum reseratur.

Haec sunt quae in eorum qui praemium non respiciunt scriptis animadversione dignissima reperi : de caeteris, peractâ demùm discussione, dicemus; quam quidem primâ octobris die aperiri constitutum erat, sed ad reditum usque Carcavii, qui jamjam affuturus nuntiatur, rejicere necesse fuit. Tum verò judicabitur an aliqui quatuor illis legibus satisfecerint, quas nos editis Mense Junio scriptis promulgavimus.

1. Ut solutio Carcavio denuntiata et apud eundem rescripta sit intra praestitutum tempus, nimirùm primum Octob. diem : *qui intra* (haec nostra verba) *praestitutum tempus D. de Carcavy significaverit.*

2. Ut illa denuntiatio instrumento publico fiat, ad tollendam fraudis suspicionem.

3. Ut demonstratio compendiaria, vel saltem certi cujusdam casus calculus, offeratur, ex quo intelligi possit an qui eum mittit jam tum veram problematis solutionem tenere credendus sit : *Aut certè ad confirmandam assertionis veritatem casus quem mox designabimus calculum miserit.* At, misso calculo solo, tunc de vero aut falso omninò statuendum veniet, prout calculus verus vel falsus judicatus fuerit.

4. Ut deinde per otium omnium propositorum casuum demonstratio mittatur, eaque vera et omnibus partibus Geometrica ab iis judicetur, quos Carcavius arbitros asciverit. Si quis tamen error calculi in integras illas omnium casuum demonstrationes irrepserit, eum putavimus condonandum : quia calculi necessitas cessat ubi adest demonstratio : adeòque tunc semper ignoscendus est error in calculo interveniens.

Si duo his conditionibus satisfecerint, primus primum praemium, secundus secundum accipiet; si unus modo, solus utrumque obtinebit. At qui vel uni illarum legum defuerit, excidet ille quidem praemio, non item honore, quem, pro scriptorum quae ille publicare poterit praetio, meritum consequetur; non enim ullas dispensando honori leges apposui, qui prorsus mei juris non erat; sed tantùm praemiis, quorum mihi plena et soluta potestas fuit.

Quod si, re legitimè discussâ, nullus problemata dissolvisse reperiatur, tunc meas ipse solutiones proferam, uti me in scriptis meis, postquam praestituta ad id prima Octobris dies advenisset, facturum esse pollicitus sum. Itaque calculum meum jam evulgare coepi, multisque illum fide dignissimis personis tradidi manuscriptum, et inter alios Carcavio, Robervallo, D. Galois, Regio Tabellioni Parisiis degenti, ac compluribus aliis Galliae viris dignitate et eruditione praestantibus, qui diem accepti à me calculi diligenter annotarunt.

Hunc verò propterea statim edendum non censui ut, si qui in ipsa discussione eum invenisse reperti sint, id ab ipsis ante vulgatam solutionem meam factum praedicem : sin minùs, à nemine inventa publicabo.

Quin etiam, quò tota Trochoïdis natura pernoscatur, sequentia adjungam problemata, quorum nonnulla mihi videntur non minùs ad solvendum difficilia quàm quae hucusque proposita sunt.

Que s'il ne se trouve personne dans l'examen qui ait résolu les problèmes, je les donnerai alors moi-même, comme je me suis obligé par mes écrits de le faire, quand le temps serait expiré, c'est-à-dire au 1er octobre. Et j'ai en effet déjà commencé à divulguer mon calcul, que j'ai donné écrit à la main à plusieurs personnes dignes de foi, et entre autres, à M. de Carcavy, à M. de Roberval, à M. Gallois, notaire royal à Paris, et à plusieurs autres personnes de France et d'ailleurs très considérables par leur qualité et par leur science, qui ont marqué le jour qu'ils l'ont reçu. J'ai cru à propos d'en user ainsi, et de ne le pas faire encore imprimer, afin que si dans l'examen il s'en trouve qui l'aient déjà rencontré, je publie qu'ils l'ont résolu avant que j'eusse divulgué ma solution; sinon je donnerai publiquement ce que personne n'aura trouvé. Et j'y ajouterai encore les problèmes suivants, qui restent sur la nature de la Roulette, dont quelques-uns ne me semblent pas moins difficiles.

1. Le point Z étant donné où l'on voudra dans la Roulette simple, trouver non seulement la dimension de la ligne courbe ZA, comprise entre le point Z et le sommet (ce que M. Wren a résolu), mais encore le centre de gravité de cette portion de la ligne courbe.

2. Trouver la dimension de la surface décrite par cette portion de la ligne courbe, tournée tant autour de la base (ce qui est facile) qu'autour de l'axe, d'un tour entier, ou d'un demi, ou d'un quart, ou de telle partie de tour que l'on voudra.

3. Trouver le centre de gravité de cette surface, ou demi-surface, ou quart de surface, etc.; ce qui est le plus difficile et proprement le seul que je propose.

Dans tous lesquels problèmes je suppose la quadrature du cercle, où il est nécessaire de la supposer.

Voilà ce qui restait à découvrir sur la nature de cette ligne, et dont je tiendrai la solution secrète jusqu'au dernier décembre de cette année 1658, afin que si quelqu'un en trouve la résolution dans ce temps, il ait l'honneur de l'invention. Mais ce temps expiré, si personne ne la donne, je la donnerai alors; et même la dimension générale des lignes courbes de toutes les cycloïdes allongées ou accourcies; lesquelles ne sont pas égales à des lignes droites, mais à des ellipses.

C'est là que j'ai fini de considérer la nature de cette ligne. Et pour reprendre, en peu de mots, toute cette histoire, il paraît :

Que le premier qui a remarqué cette ligne en la nature, mais sans en pénétrer les propriétés, a été le P. Mersenne.

Que le premier qui en a connu la nature, trouvé les touchantes, mesuré les plans et les solides, et donné le centre de gravité du plan et de ses parties, a été M. de Roberval.

Que le premier qui en a mesuré la ligne courbe, a été M. Wren.

Et qu'enfin j'ai trouvé le centre de gravité des solides et demi-solides de la ligne et de ses parties, tant autour de la base, qu'autour de l'axe; le centre de gravité des surfaces, demi-surfaces, quarts de surface, etc., décrites par la ligne et par ses parties, tournées autour de la base et autour de l'axe; et la dimension de toutes les lignes courbes des Roulettes allongées ou accourcies.

Ce 10 octobre 1658.

1. Puncto Z dato quocumque in Trochoïde simplici, invenire centrum gravitatis curvae ZA inter assignatum punctum Z et verticem A interceptae.

2. Invenire dimensionem superficiei curvae ab eadem curva ZA descriptae, dum ipsa ZA circumvolvitur, vel circa basim, qui casus facilis est, vel circa axem : et sive conversio proponatur integra, sive dimidiata, vel ejus quaecumque pars.

3. Omnium praedictarum superficierum à curva ZA descriptarum, tam partium quam integrarum, centra gravitatis assignare.

Et hoc quidem tertium omnium inventu difficillimum mihi exstitit. Esto ergo idem solum ac unicum prae caeteris ad discutiendum propositum.

In omnibus autem illis problematibus supponitur circuli quadratura, ubicumque supponenda fuit.

Haec sunt quae de naturâ Trochoïdis retegendâ restabant, quorum solutionem ad ultimum usque Decembris diem hujus anni 1658. comprimemus; ut si quis ea intra id tempus invenerit, inventionis gloriâ potiatur. At, hoc elapso, si nemo attulerit, ipsimet afferemus, atque ipsam etiam generalem dimensionem omnium linearum curvarum cujusvis Trochoïdis vel protractae vel contractae, quae non rectis lineis, sed Ellipsibus aequales ostendentur.

Hic nostrae in hujus lineae naturâ rimandâ pervestigationis limes fuit; quare, ut totam hanc narrationem in summam contraham :

Primus Mersennus hanc lineam in natura rerum advertit, nec tamen ejus naturam pervidere valuit.

Primus Robervallius et naturam retexit, et tangentes assignavit, ac plana et solida dimensus est, et centra gravitatis, tum plani, tum plani partium, invenit.

Primus Wren lineam curvam dimensus est.

Ego denique, primus, solidorum, ac semisolidorum Trochoïdis et ejus partium, tum circa basim, tum circa axem, centra gravitatis inveni. Primus ipsiusmet lineae centrum gravitatis. Primus dimensionem superficierum curvarum praedicta solida, semisolida, eorumque partes comprehendentium. Primus centra gravitatis talium superficierum integrarum et diminutarum. Ac primus dimensionem omnium linearum curvarum cujusvis Trochoïdis, tam protractae, quam contractae.

Decim. Octob. 1658.

RÉCIT DE L'EXAMEN ET DU JUGEMENT DES ÉCRITS

ENVOYÉS POUR LES PRIX PROPOSÉS PUBLIQUEMENT SUR LE SUJET DE LA ROULETTE, OU L'ON VOIT QUE CES PRIX N'ONT POINT ÉTÉ GAGNÉS, PARCE QUE PERSONNE N'A DONNÉ LA VÉRITABLE SOLUTION DES PROBLÈMES

L'absence de M. de Carcavi ayant retardé l'examen des écrits qu'il a reçus sur les problèmes proposés touchant la Roulette, aussitôt qu'il fut de retour, il assembla, le 24 novembre, des personnes très savantes en Géométrie, lesquelles il pria de vouloir examiner ces écrits : et leur dit qu'encore qu'on lui en eût envoyé plusieurs, il y en avait peu néanmoins à examiner, parce que la plupart avaient été retirés par les Auteurs qui avaient prié qu'on ne les soumît pas à l'examen, et qu'ainsi il ne lui en restait que de deux personnes qu'il ne voulut point nommer.

Que l'un de ces écrits consistait en un simple calcul d'un cas proposé, lequel lui fut envoyé signé par l'Auteur en date du 15 septembre 1658, et porté chez lui le 23, par une personne qui demanda qu'on marquât sur le paquet le jour de la réception, en disant qu'il était question d'un prix; ce qui fut fait. Mais qu'il reçut incontinent après des lettres du même Auteur, du 21 septembre, par lesquelles il mandait que son calcul était faux : en quoi il persista par d'autres des mois de septembre, d'octobre et de novembre, sans néanmoins envoyer d'autre calcul, mais déclarant aussi qu'il ne prétendait point aux prix destinés à ceux qui auraient résolu les problèmes dans le temps déterminé. De toutes lesquelles choses M. de Carcavi conclut qu'encore que cet Auteur ne lui eût pas mandé qu'on ne soumît point son calcul à l'examen, il jugeait néanmoins que cela n'était pas nécessaire, un Auteur étant le meilleur juge des défauts de son propre ouvrage : de sorte qu'on ne fut pas obligé d'y apporter beaucoup d'attention; et même on vit d'abord qu'il en fallait peu pour en juger, parce que les mesures qui y sont données sont différentes des véritables, chacune presque de la moitié; et que dans un solide aigu par une extrémité, et qui va toujours en s'élargissant vers l'autre, il assigne le centre de gravité vers l'extrémité aiguë, ce qui est visiblement contre la vérité. On jugea aussi que, ce calcul ayant été envoyé seul, pour faire juger, selon qu'il serait vrai ou faux, que l'Auteur avait ou n'avait pas les méthodes pour la résolution des problèmes au temps qu'il l'avait envoyé, les erreurs qui s'y trouvaient lui donnaient l'exclusion, et ne devaient pas être mises au rang de ces autres simples erreurs de calcul que l'Anonyme avait bien voulu excuser à ceux qui enverraient en même temps les démonstrations ou les Méthodes entières et véritables, auxquelles si les calculs ne se trouvaient pas conformes, il paraîtrait assez que ces erreurs ne seraient que de calcul et non pas de méthode; sur quoi l'Anonyme avait dit, *salvo semper errore calculi :* au lieu que, quand le calcul est seul, on ne saurait juger si l'erreur qui s'y trouve est de méthode ou de calcul, dont aussi l'Anonyme n'a dit en aucune manière, *salvo errore calculi;* et qu'il y a apparence que c'est une erreur de méthode lorsqu'ayant reconnu que le calcul est faux, on n'en envoie ensuite aucun autre. Mais on

jugea en même temps qu'il fallait laisser à l'Auteur de ce calcul l'avantage d'avoir reconnu le premier sa faute, puisqu'il l'avait en effet écrit incontinent après l'avoir envoyée.

M. de Carcavi dit ensuite qu'il ne restait donc à examiner que l'écrit d'un autre Auteur, daté du 19 août style ancien, et signé par un Notaire le même jour, où l'Auteur prétend donner une méthode entière pour la résolution de tous les problèmes avec les solutions et démonstrations en 54 articles; que le paquet en fut délivré à Paris au commencement de septembre, et qu'il avait reçu depuis trois autres lettres du même Auteur; l'une du 3 septembre, par laquelle il corrige quelques erreurs qu'il avait remarquées dans son écrit, et il ajoute même qu'*il n'est pas encore pleinement assuré du reste, ne l'ayant pas jusqu'à ce temps-là assez exactement examiné;* l'autre du 16 septembre, par laquelle il ne fait qu'avertir de l'envoi des premières; et la dernière du 30 septembre, où il dit en général, et sans rien marquer en particulier, qu'outre les corrections qu'il a envoyées, il peut y en avoir d'autres à faire : par où il semble être en défiance de ses solutions. Et ce qui le marque encore davantage est qu'il demande, par la même lettre, *si on ne se contenterait pas d'une solution approchante de la véritable.* Or, il n'y a guère d'apparence qu'une personne qui croirait avoir donné les solutions exactes et géométriques demandât si on ne se contenterait pas des approchantes; mais néanmoins, comme il ne révoque pas les siennes en propres termes, quoiqu'il y ait eu beaucoup de temps pour le faire s'il l'eût voulu, on jugea qu'on ne pouvait pas sur cela refuser d'examiner des écrits envoyés avec acte public, et qui n'avaient pas été expressément révoqués : vu même qu'il dit par une de ses lettres, *que les défauts qui pouvaient être dans ses solutions, et qu'il appelle des erreurs de calcul, n'empêchaient pas, selon son avis, que la difficulté des problèmes ne fût suffisamment surmontée.*

On s'y appliqua donc, et on jugea que, ni dans son premier écrit, ni dans ses corrections, il n'avait trouvé, ni la véritable dimension des solides autour de l'axe, ni le centre de gravité de la demi-Roulette ni de ses parties (ce qui avait été résolu depuis longtemps par M. de Roberval), ni aucun des centres de gravité des solides ni de leurs parties, tant autour de la base qu'autour de l'axe, qui étaient proprement les seuls problèmes proposés par l'Anonyme avec la condition des prix, comme n'ayant encore été résolus par personne; et l'on trouva qu'outre les erreurs qu'il avait corrigées par sa lettre, il en avait laissé d'autres, et qu'il y en avait de nouvelles dans sa correction même, lesquelles se rencontrent dans presque tous les articles, depuis le trentième jusqu'au dernier.

On jugea aussi que ces erreurs n'étaient point de calcul, mais de méthode, et proprement des paralogismes : parce que les calculs qu'il y donne sont très conformes à ses méthodes, mais que ces méthodes mêmes sont fausses. Et on remarqua qu'une de ses erreurs les plus considérables consiste en ce qu'il raisonne de certaines surfaces indéfinies en nombre, et qui ne sont pas également distantes entre elles, de même que si elles l'étaient; ce qui fait qu'ayant à mesurer la somme de ces surfaces, ou la somme de forces de leurs poids (à quoi se réduit toute la difficulté et tout le secret), il n'en trouve que de fausses mesures, ses méthodes n'allant point aux véritables.

C'est ce qui le mène à comparer, comme nombre à nombre, des quantités qui sont entre elles comme des arcs de cercle au diamètre, ou comme leurs puissances; et c'est ainsi que, voulant donner la raison du solide de la Roulette à l'entour de l'axe à la Sphère de sa Roue (ou de son cercle générateur), après l'avoir donnée comme 23 à 2 dans son premier écrit, il la donne comme 37 à 4 dans sa correction par un calcul très conforme à ses méthodes; au lieu que la véritable raison, que M. de Roberval a donnée de ce même solide à son cylindre de même hauteur et de même base, est *comme les trois quarts du carré de la demi-base de la Roulette, moins le tiers du carré du diamètre de la Roue, au carré de cette demi-base.*

Il n'est pas moins éloigné du véritable centre de gravité des solides à l'entour de la base, et encore plus de ceux à l'entour de l'axe, à cause d'un nouveau paralogisme qu'il y ajoute, en prenant mal les centres de gravité de certains solides élevés perpendiculairement sur des trapèzes, dont il se sert presque partout, et coupés par des plans qui passent par l'axe. Et on jugea que les erreurs de ces écrits donnaient encore sans difficulté l'exclusion.

Le jugement de ces écrits ayant été ainsi arrêté, il fut conclu que, puisqu'on n'avait reçu aucune véritable solution des problèmes que l'Anonyme avait proposés dans le temps qu'il avait prescrit, il ne devait à personne les prix qu'il s'était obligé de donner à ceux dont on aurait reçu les solutions dans ce temps; et qu'ainsi il était juste que M. de Carcavi lui remît les prix qu'il avait mis en dépôt entre ses mains, puisqu'ils n'avaient été gagnés par personne, ce qui a été exécuté.

A Paris, le 25 novembre 1658.

HISTORIAE TROCHOIDIS SIVE CYCLOIDIS CONTINUATIO

IN QUA VIDERE EST CUJUSDAM VIRI MACHINAMENTA QUI SE AUTHOREM PROBLEMATUM SUPER HAC RE PROPOSITORUM ERAT PROFESSUS

Tantum in rebus Geometricis severitatis inest ut peropportunum sit aliquid intervenire, quo possit earum asperitas aliquantulum mitigari. Nescio quid hujusmodi Trochoïdis historia desiderabat, quae sensim elanguisset, si nihil aliud lectores ex eâ didicissent nisi quaedam à me problemata ad explicandum proposita, certaque explicaturis praemia constituta : quae quum nemo esset adeptus, tandem eorum solutionem à meipso proditam. Hac narratione quid tristius, si nullus eam jocularis eventus hilarasset? Percommodè igitur accidit is quem hic exposituri sumus.

Audiebat quidam, cujus nomen à me tacebitur, omnium quae olim Robervallio dissoluta erant problematum longè illud difficillimum esse, quo solidum circa trochoïdis axem dimensus est. Ergo cum et hujus problematis solutionem, et vias quibus ad eam pervenerat Robervallius accepisset, sibi quoque solutionis istius gloriam asserere meditatus est, quasi suâ ipsius industriâ repertae : magnum aliquid ratus si ad hanc laudem ante annos viginti duos ab altero praereptam socius accederet. Sed consilium suum ipse pervertit, tam rudibus artificiis rem aggressus, ut omnibus palam foret nullam hujus inventionis partem ipsi deberi. Quam enim protulit enuntiationem, quamque adoptabat in suam, Robervallianae simul conjunctam emisit, à quâ solis duntaxat vocibus distinguebatur, ut si dixeris, rectangulum ex basi et altitudine, pro eo quod est, duplicatum trianguli spatium. In hac porrò Epistolâ fatebatur se falsam quidem enuntiationem ante id temporis evulgasse, de hujus autem posterioris veritate confidere se, quia Robervallianae congruebat.

Haec in hominum mentes planè contrariam de illo opinionem injecere. Nam si certae quaedam methodi, ac geometricae demonstrationes ipsi fuissent in manibus, an ille de solutione suâ ex hac tantùm similitudine certior factus foret? ac non potius de solutione tum suâ, tum etiam Robervallii, ex propriis rationibus judicaret? Patuit ergo virum alieno lumine usum, non suo : nec satis justè visus est postulare ut ipsi demum affirmanti crederemus suâ se operâ uniusque Archimedis

SUITE DE L'HISTOIRE DE LA ROULETTE OU L'ON VOIT LE PROCÉDÉ D'UNE PERSONNE QUI S'ÉTAIT VOULU ATTRIBUER L'INVENTION DES PROBLÈMES PROPOSÉS SUR CE SUJET

Les matières de géométrie sont si sérieuses d'elles-mêmes qu'il est avantageux qu'il s'offre quelque occasion pour les rendre un peu divertissantes. L'histoire de la *Roulette* avait besoin de quelque chose de pareil, et fût devenue languissante si on n'y eût vu autre chose sinon que j'avais proposé des problèmes avec des prix, que personne ne les avait gagnés, et que j'en eusse ensuite donné moi-même les solutions, sans aucun incident qui égayât ce récit, comme est celui que l'on va voir dans ce discours.

Une personne, que je ne nomme point, ayant appris qu'entre les problèmes que M. de Roberval avait résolus autrefois, la dimension du solide de la Roulette à l'entour de l'axe était sans comparaison le plus difficile, il fit dessein, après avoir reçu l'énonciation de ce problème, et les moyens par lesquels M. de Roberval y était arrivé, de se faire passer pour y être aussi venu de lui-même, et par ses méthodes particulières, espérant que cette estime lui serait assez glorieuse, quoique ce ne fût que 22 ans après. Mais la manière dont il s'y prit détruisit sa prétention, et fit voir trop clairement qu'il n'avait point de part de lui-même à cette invention. Car l'énonciation qu'il envoya, et qu'il voulait faire passer pour sienne, était accompagnée de celle de M. de Roberval, dont elle ne différait que de termes, comme qui dirait, *le rectangle de la base et de la hauteur*, au lieu de dire, *le double de l'espace du triangle*. Et il reconnaissait, dans la même lettre, qu'une autre énonciation qu'il avait donnée auparavant était fausse; mais qu'il s'assurait que cette dernière était véritable par cette raison qu'elle était conforme à celle de M. de Roberval.

Ce discours fit juger le contraire de ce qu'il voulait, puisque, s'il eût eu en main des méthodes et des démonstrations géométriques de la vérité, ce n'eût pas été par cette conformité qu'il se fût assuré de sa solution, mais qu'il en eût jugé plutôt, et de celle de M. de Roberval même, par ses propres preuves. On connut donc qu'il n'avait en cela de lumière qu'empruntée; et ainsi on s'étonna de la prière qu'il faisait en même temps, qu'on s'assurât et qu'on crût sur sa parole qu'il était arrivé à cette connaissance de soi-même, et par la seule balance d'Archimède. A quoi on répondit que son énonciation était véritable et très conforme à celle de M. de Roberval; mais qu'il était bon qu'il envoyât ses méthodes pour voir si elles étaient différentes.

Il ne satisfit point sur cette demande, mais continua à prier qu'on s'assurât, sur sa parole, qu'il avait trouvé ce problème par la balance d'Archimède, sans mander

bilancis auxilio ad eam cognitionem esse perductum. Unde et responsum est de prolatae ab ipso enuntiationis veritate, deque illius cum Robervallianâ congruentiâ, dubitare quidem neminem, non alienum tamen fore si suas quoque methodos proferret, quo faciliùs cerneretur an propriae ipsi ac peculiares essent.

Nil ille ad ista postulata reponere, de methodis suis nullam mentionem facere, nec minus tamen enixè instare, ut ipsum solâ Archimedis bilance usum omnes sibi persuaderent. Quorsum haec tenderent satis superque innotuit, nec id obscure ipsi litteris significatum. Haud tamen segniùs perrexit quò occoeperat, atque etiam ubi historiam Trochoïdis typis evulgatam inspexit, seque illic Robervallio aequiparatum minime repperit, gravem sibi factam injuriam apertè conquestus est.

Ego verò hujus expostulationis novitate perculsus, homini scribendum curavi, me quidem non modò iniquum in eo nullo modo fuisse, sed contra potius summae iniquitatis reum futurum si solutionis istius gloriam, quam praeter Robervallium nemo meritus videretur, cum alio quovis communicassem. Rem sanè totam meâ nihil interesse, mihi tamen aequo cum omnibus jure agendum, et unumquemque pro suarum inventionum merito ornandum fuisse. Ad hanc cognitionem si suâ se operâ pervenisse demonstrasset, id me prompto animo praedicaturum. Sed cum ab eo nil quidquam simile esset effectum, ac cuivis enuntiationem ementiri, eamque solâ Archimedis bilance inventam jactare, promptum esset, non potuisse me sine summâ injuriâ ullum Robervallio comitem adjungere.

Haec animum ejus non satis placaverunt, nec etiam tum destitit acriter postulare jus suum; ita ut paulò severiùs admonendus fuerit officii sui. Denuntiatum est igitur eam esse inventionis semel evulgatae conditionem, ut illam se nemo proprio acumine comprehensurum fuisse fidem vel sibi vel aliis facere possit. Hac quippe cognitione menti novum lumen novasque cogitationes inseri; necquicquam autem peculiares quasdam vias ostentari, cum liqueat tam facilè problemata jam resoluta novis rationibus explicari quàm aegre primum solvi et expediri : adeoque totam primis solutionibus gloriam deberi; suspicione caeteras non carere, quam ut amoliantur, honesti homines, qui res istas ut par est aestimant, sua statim inventa sponte premunt, si fortè ab altero jam prolata rescierint, quibuslibet argumentis constet haec ipsis penitus ignota fuisse. Multò enim malunt istius gloriolae jacturam facere quàm in tam molestae opinionis periculum venire. Norunt scilicet in problemate non solvendo nullum dedecus, levissimum in solvendo honorem, in alienis verò foetibus sibi arrogandis gravissimum esse flagitium.

Quemvis alium paulò ingenio erectiorem, et Geometricis rebus aliquanto superiorem, vel una existis caeterisque quae ipsi allatae sunt rationibus ab omnibus hujusmodi problematis alienasset. At ille de suâ spe nihil remisit, cui etiamnum inhaeret pertinacissimè. En quâ ille ratione super illis solutionibus Robervallianis se gesserit, ubi mihi demirari subiit quo vana illa laudis

en aucune sorte ses moyens. Ce qui ne fit que trop connaître son dessein, et on le lui témoigna assez clairement par plusieurs lettres : mais il y demeura si ferme que, quand il vit l'Histoire de la Roulette imprimée, sans qu'il y fût en parallèle avec M. de Roberval, il se plaignit hautement de moi, comme si je lui eusse fait une extrême injustice.

Sa plainte me surprit, et je lui fis mander que, bien loin d'avoir été injuste en cela, j'aurais cru l'être extrêmement d'ôter à M. de Roberval l'honneur d'avoir seul résolu ce problème, n'ayant aucune marque que personne y eût réussi. Que je n'avais point d'intérêt en cette affaire; mais que je devais y agir équitablement, et donner à tous ceux qui avaient produit leurs inventions sur ce sujet ce qui leur était dû. Que s'il avait montré qu'il fût en effet arrivé à cette connaissance sans secours, je l'aurais témoigné avec joie : mais que, n'ayant rien fait d'approchant, et n'y ayant personne qui ne pût, aussi bien que lui, donner une énonciation déguisée, et se vanter de l'avoir trouvée soi-même par la balance d'Archimède, j'aurais failli de donner à M. de Roberval un compagnon dans ses inventions.

Ces raisons ne le satisfirent point et il persista à écrire qu'on ne lui rendait pas justice; de sorte qu'on fut obligé de lui mander plus sévèrement les sentiments qu'on en avait. On lui fit donc entendre que, dès qu'on a vu ûne invention publiée, on ne peut persuader les autres qu'on l'aurait trouvée sans ce secours, ni s'en assurer soi-même, parce que cette connaissance change les lumières et la disposition de l'esprit, qui ne sont plus les mêmes qu'auparavant; et quand on aurait pris de nouvelles voies, ce n'en serait pas une marque, parce qu'on sait qu'il est aussi facile de réduire à d'autres méthodes ce qui a été une fois découvert, qu'il est difficile de le découvrir la première fois. Qu'ainsi tout l'honneur consiste en la première production, que toutes les autres sont suspectes, et que c'est pour éviter ce soupçon que les personnes qui prennent les choses comme il faut suppriment leurs propres inventions, quand ils sont avertis qu'un autre les avait auparavant produites, quelques preuves qu'il y ait qu'ils n'en avaient point eu de connaissance, aimant bien mieux se priver de ce petit avantage que de s'exposer à un reproche si fâcheux, parce qu'ils savent qu'il n'y a point assurément de déshonneur à n'avoir point résolu un problème, qu'il y a peu de gloire à y réussir, et qu'il y a beaucoup de honte à s'attribuer des inventions étrangères.

La moindre de ces raisons, et de toutes les autres qu'on lui écrivit, eût été capable, ce me semble, de faire renoncer à tous les problèmes de la géométrie ceux qui sont au-dessus de ces matières : mais pour lui il n'en rabattit rien de sa prétention, et il y persiste encore maintenant. Voilà quel a été son procédé sur les problèmes de M. de Roberval, où j'admirai à quoi cette fantaisie de l'honneur des sciences porte ceux qui veulent en avoir, et qui n'ont pas de quoi en acquérir d'eux-mêmes.

Mais il n'en demeura pas là, et, pendant qu'on l'exhortait à quitter cette entreprise, il s'engagea à une autre, qui fut de se vanter d'avoir résolu tous les problèmes que j'avais proposés publiquement : en quoi il se trouva dans un étrange embarras, et bien plus grand qu'aupa-

ex scientiâ petitae cupiditas impelleret jejunos animos, gloriae avidos, sed minores.

Utinam verò hic stetisset! At longe ultra provectus est. Quippe, dum illum ab hoc consilio deterrent omnes, aliud, et id longè operosius, aggressus est. Palam siquidem praedicavit quaecumque proposueram problemata dissolvisse se. Quod quidem ipsum in incredibiles quasdam multoque prioribus difficiliores conjecit angustias. Siquidem antea enuntiationes Robervallianae in promptu erant, nec arduum erat similes aliquas easque veras emittere, ac certis et arcanis comprehensas methodis jactitare, nunc verò nihil prorsus praeter unius duntaxat capitis enuntiationem penes illum poterat esse, quae paucis insuper à me credita ad ipsum forte non pervenit. Cum ergo hinc quascumque enuntiationes et pollicitus praestare minimè posset, nec eas suâ vel alienâ ope comparare, illinc saepius compelleretur ab omnibus ut vel unam saltem ex iis ostenderet, fieri aliter non potuit quin nobis identidem provocantibus turpiter deesset, ac multum de se risum excitaret, ut solent qui majora viribus temere audent. Hoc qua ratione contigerit jam exponam.

Mense Septembri occoeperat scribere omnia haec se problemata dissolvisse. Res ad me statim delata est. Nec mediocriter animum percussit minuta hominis ambitio. Noveram enim vires ipsius, et problematum meorum difficultatem, et ex caeteris quae ad hunc diem ille protulerat satis ipsum huic oneri imparem esse conjiciebam. Ratus sum igitur illum aut decipi, atque adeò, si suum spontè fateretur errorem, summâ cum humanitate tractandum, aut id agere ut nos deciperet ac problematum meorum evulgationem manere, ut ea deinceps sibi arrogaret, ipsumque animi causâ reum fraudis istius esse peragendum; quod quidem mihi pronum erat ac proclive, penes quem totum hujus evulgationis stabat arbitrium. Itaque nonnullis suspiciones meas palam testatus, curavi ut omnes motus ejus incessusque servarentur.

Ac primùm nondum exactâ praemiorum die venit ab eo cujusdam propositionis calculus tot et tantis undequaque confertus erroribus, ut ab ipso per proximum statim Cursorem fuerit abdicandus, non eâ sane quâ debuerat moderatione, sed quâ poterat lepidissimâ pinguissimâque ferociâ. Fatebatur enim priorem quidem calculum falsum esse, sibi verò tum alterum omni ex parte verum, universasque simul propositiones complexum, tum demonstrationes omnes serie descriptas, et ad edendum paratas esse in manibus, quas tamen in publicum exire non esset passurus, nisi meis antea vulgatis, quod per illud temporis, ineunte scilicet Octobre, praestiturum me professus eram.

Quid haec sibi vellent satis intellexi, nec cuiquam ampliùs dubitatum est quin ipsissimum illud esset quod futurum esse denuntiaram. Placuit igitur ad extremas hunc angustias deducere. Et quò manifestiùs liqueret nihil ipsum nisi me praeeunte promere posse, tres in menses ad Kalendas nempe Januarias vulgationem problematum meorum in historiâ Trochoïdis rejeci, eas alioquin Kalendis Octobris, quod et ipse sibi pollicebatur, daturus in lucem.

ravant; car, dans sa première prétention, il avait en main les énonciations de M. de Roberval, et pouvait ainsi en produire de semblables et véritables, en assurant qu'il y était arrivé par des moyens qu'il voulait tenir secrets : au lieu que, dans sa seconde prétention, il ne pouvait avoir au plus que l'énonciation d'un seul cas, que j'ai communiquée à quelques personnes, et qui n'est peut-être pas venue jusqu'à lui : de sorte qu'étant dans l'impuissance entière de produire toutes les énonciations dont il se vantait, n'y pouvant arriver, ni par sa propre invention, ni par communication, il se mit dans la nécessité de succomber à tous les défis qu'on lui a faits d'en faire paraître aucune, et, par ce moyen, en état de nous donner tout le divertissement qu'on peut tirer de ceux qui s'engagent en de pareilles entreprises, comme cela est arrivé en cette sorte.

Ce fut dans le mois de septembre qu'il commença à écrire qu'il avait résolu tous ces problèmes : on me le fit savoir, et je fus surpris de sa petite ambition; car je connaissais sa force et la difficulté de mes problèmes, et je jugeais assez, par tout ce qu'il avait produit jusqu'ici, qu'il n'était pas capable d'y arriver. Je m'assurai donc, ou qu'il s'était trompé lui-même, et qu'en ce cas il le fallait traiter avec toute la civilité possible, s'il le reconnaissait de bonne foi, ou qu'il voulait nous tromper, et attendre que j'eusse publié mes problèmes pour se les attribuer ensuite, et qu'alors il fallait en tirer le plaisir de le convaincre, qui était en mon pouvoir, puisque la publication de mes problèmes dépendait de moi. Je témoignai donc mon soupçon, et je priai qu'on observât ses démarches. La première qu'il fit fut d'envoyer, avant que le terme des Prix fût expiré, un calcul d'un cas proposé, si étrangement faux en toutes ses mesures, que lui-même le révoqua par le premier courrier d'après : mais, bien loin de le faire avec modestie, il y agit avec la fierté du monde la plus plaisante et la moins fine; car il manda qu'à la vérité son calcul était faux, mais qu'il en avait un autre bien véritable, et même de tous les cas généralement, avec toutes les démonstrations écrites au long en l'état qu'il les voulait faire paraître, et toutes prêtes à donner à l'imprimeur; mais que néanmoins il ne voulait pas les produire avant que j'eusse imprimé les miennes, comme je devais le faire en ce temps-là, qui était le commencement d'octobre.

Je l'entendis assez, et il ne fut pas difficile à tout le monde de voir que c'était justement ce que j'avais prédit. On résolut donc de le pousser à l'extrémité, et, pour montrer parfaitement qu'il ne pouvait rien donner qu'après moi, je promis publiquement, dans l'histoire de la Roulette, de différer de trois mois, savoir jusqu'au 1er janvier, la publication de mes problèmes; au lieu qu'il s'était attendu que je les donnerais au 1er octobre, comme je l'eusse fait en effet sans cela.

Cette remise, qui lui eût été si favorable s'il eût eu véritablement ces solutions, trahit son mystère et lui devint insupportable parce qu'il ne les avait pas et qu'il voyait bien qu'on allait juger de lui par l'usage qu'il ferait de ce délai. Cela le mit donc en colère, et il fut si naïf dans sa mauvaise humeur qu'il le témoigna franchement par ses lettres, où il mandait que c'était

Hac quidem prolatione nihil ipsi fuerat commodius, si modo solutiones istae praestò fuissent. Illae vero procul aberant, ideoque et hanc velut infensam et mysteriorum suorum enuntiatricem tulit aegerrimè. Noverat enim ita de se sententiam laturos omnes ut hac morâ uteretur. Illud, inquam, homini stomachum fecit, quem ille tam candidè ac non dissimulanter aperuit, ut scribere non veritus sit, novum planè sibi videri me meorum problematum editionem tres totos in menses sine causâ distulisse. Responsum est summâ illum injuriâ mihi succensere; nil ipsi commodius et opportunius; quin potius occasionem oblatam arriperet ac primae inventionis honorem sibi assereret, dum ego quasi constrictis mihimet manibus otiosus sederem; posse illum, si modò quod antea praedicaverat in promptu esset opus suum, illud geminis vel etiam tribus ante alterum quemlibet mensibus producere, atque ita unum fore, quem constaret inventa sua à nemine mutuatum; denique quaecumque alio loco ad ipsum deterrendum dicta erant, nunc ad ipsum excitandum stimulandumque repetita sunt.

His rationibus nihil validius quicquam. Nihilominus homini conscio infirmitatis suae altera quaedam suberat ineluctabilis quâ ad dissentiendum cogebatur. Iterùm ergo rescripsit fixum esse sibi nihil omninò nisi post editas propositiones meas edere. Haec responsio sic accepta est ut dignum erat : visum est nullâ circuitione jam utendum.

Planè ergo et apertè significatum est ejus rationem iniquissimam esse, nec commodas de ipso suspiciones omnium animis insedisse; missum ante fallacem ab illo calculum, veri, si modò ipsi praestò esset, mittendi necessitatem afferre, siquidem honori suo consultum vellet; at rem semper in diem trahere, et tam multis compellationibus exstimulatum silere, denique nullas mittere solutiones nisi alienis priùs inspectis, id verò vel tardioribus ingeniis fidem facere nullas reverà solutiones ipsi suppetere. Postremò itaque denuntiatum est ut intra finem vertentis anni vel methodos suas, vel calculos mitteret, si non expressis verbis conceptos, saltem aliquibus notis involutos; nullum jam tergiversandi locum relictum esse; eam enim demùm et securissimam et frequentissimam esse viam, quâ quis sibi posset alicujus inventionis gloriam vindicare, nec aliis rapiendam exponere. Quae si conditiones ipsi arriderent, reliquum esse ut alicui suorum mense Decembris notas suas mitteret; meas dudum paratas; utrasque simul productum iri, ut cujus notae expositae veritati congruere deprehenderentur, hic genuinus istorum problematum interpres haberetur : contra, cujus expositae notae errore censerentur implicitae, is inventionis palmâ excideret, nec ad eam alienis deinceps solutionibus cognitis aspirare posset.

His conditionibus nihil aequius praecisiusque visum; quas si refugeret ille, sedulò commonitus est, et severitate quantam humanitatis leges ferre poterant maximâ, certo istud indicio futurum omnibus eas illum solutiones nunquam habuisse, nunquam alioquin primae inventionis laudem cuiquam concessurum fuisse. Quod si, repudiatis

une chose étrange que je voulusse ainsi sans raison différer de trois mois entiers la publication de mes solutions. A quoi on lui répondit qu'il avait le plus grand tort du monde de s'en plaindre; que rien ne lui était plus avantageux; qu'il devait bien en profiter, et s'assurer par là l'honneur de la première production, pendant que je m'étais lié les mains moi-même, et que, si son ouvrage était prêt, il le pouvait faire paraître deux ou trois mois avant qu'aucun autre. Qu'ainsi, étant le premier de si loin, il n'y aurait que lui dont il fût certain qu'il ne tînt ses inventions de personne : et enfin on lui dit alors, en sa faveur, tout ce qu'on avait dit contre lui en l'autre occasion.

Ces raisons étaient les meilleures du monde; mais il en avait une invincible qui le forçait à n'y point consentir, et à mander encore qu'il était résolu de ne rien produire qu'après moi. Cette réponse fut reçue de la manière qu'on peut penser et on délibéra là-dessus de ne plus le flatter; de sorte qu'on lui écrivit nettement : Que son procédé n'était pas soutenable; qu'on lui donnait avis de la défiance où l'on était de lui; qu'après avoir donné un faux calcul, il était engagé d'honneur de se hâter de donner le véritable, s'il l'avait; mais que de demeurer si longtemps sans le faire, après tant de défis, et de n'en vouloir point produire avant que d'avoir vu les solutions d'un autre, c'était montrer aux moins clairvoyants qu'il n'en avait point; et qu'ainsi on lui déclarait pour la dernière fois qu'il devait envoyer avant le 1er janvier, ou ses méthodes, ou ses calculs; et, s'il ne voulait pas les donner à découvert, qu'au moins il les donnât en chiffre; que cet expédient ne pouvait être refusé, sous quelque prétexte que ce fût; que c'était la manière la plus sûre et la plus ordinaire dont on se servît en ces rencontres pour s'assurer l'honneur d'une invention sans que personne en pût profiter; que, s'il acceptait cette condition, il n'avait qu'à envoyer son chiffre à un de ses amis dans le mois de décembre; que le mien était déjà fait, et qu'on les produirait ensemble; qu'ensuite son explication et la mienne paraîtraient aussi ensemble; et que celui dont le chiffre expliqué se trouverait contenir la vérité, serait reconnu pour avoir résolu les problèmes de lui-même et sans secours; mais que celui dont le chiffre expliqué se trouverait faux, serait exclu de l'honneur de l'invention, sans pouvoir ensuite y prétendre, après avoir vu les solutions de l'autre à découvert.

Voilà l'expédient décisif qu'on lui proposa; et on lui ajouta, le plus sévèrement que la civilité le peut permettre, que, s'il le refusait, il paraîtrait à toute la terre qu'il n'avait point ces solutions; qu'autrement il ne céderait pas à un autre l'avantage de la première invention; et que si, ensuite de ce refus, et après que j'aurais produit les miennes, il entreprenait d'en produire ensuite, il ne passerait que pour les avoir pris de moi, et acquerrait toute la méchante opinion que méritait un procédé de cette nature. On attendit la réponse à tout cela comme devant servir de dernière preuve de l'esprit avec lequel il agissait; et on la reçut peu de temps après, qui portait ce que j'avais tant prédit; qu'il ne voulait donner ni discours, ni chiffre, ni autre chose, ni accepter aucune condition; qu'il voulait voir mes inventions publiées et à découvert, avant que de rien produire; qu'il ne me disputait ni les prix ni l'honneur de la première invention; qu'il

quae ipsi oblatae fuerant conditionibus, meisque exinde solutionibus vulgatis, aliquas etiam vulgandi consilium resumeret, manifestum apud omnes plagiarium habitum iri, debitamque his factis opinionem sibi accersiturum. Suspensis omnium animis expectabatur ejus responsio, tanquam ultimum ingenii ejus specimen datura. Nec multo post tempore advenit illa quidem auguriorum meorum confirmatrix certissima. Enimverò rescribebat ille : necquicquam à se vel scripta vel notas vel aliud quidpiam exigi; conditiones nullas se recipere; nec quidlibet editurum, priusquam mea inventa edita inspexisset; de praemiis laudibusve nihil mecum certare : id unum sibi esse in animo, ut problemata mea videret, nonnullaque similia promeret; fixum illud sibi ac immotum; nec quidquam ampliùs de his omnibus auditorum libenter.

Plana haec erant et aperta, nec quidlibet efflagitari potuit, quo pleniùs convinceretur, nisi reum se ingenue confiteretur, quod ab ipso sperari non poterat. Hac igitur omnium conditionum declinatione satis superque convictus judicatus est : ego verò nequicquam meorum problematum editionem prorogaturus, quandoquidem ille nullos nisi me praeeunte gressus facturum se professus, me quoque cunctante cunctaturus foret, ac res sic in immensum processura. Ratus sum itaque rem ultra praestitutum Kalendarum Jan. tempus protrahendam non esse, sed ubi quid primum otii nactus essem, totum id post tantas prolationes absolvendum, ac sic votis tot eruditorum hominum, quibus hae quaestiones non injucundae fuerunt, faciendum satis.

Interim haud abs re visum est mihi ut haec narratio velut praecurreret, si fortè solutiones meas ille in se transferre moliretur, omnium oculis expositura veritatem. Id unum hoc scripto perfectum volui, non autem virum ullatenùs infamatum, quem equidem omnibus officiis lubentissime colerem, cujus et dignitati honorem habeo quamplurimum. Ideoque nomini ejus peperci; quod ille si modò haec inventa sibi arrogando revelaverit, sibi tribuat quicquid dedecoris inde contraxerit. Nec dubitet ille futurum ut ejus artes omnium oculis subjiciantur.

Neque verò effugium sibi speret emendicato alicujus amici chirographo, testificantis forsan visum sibi ante Kalend. Jan. librum ejus manu exaratum. Haud ita omninò ista tractantur. Sola editio fidem facit. Non negaverim quin si de calculo quodam tribus versibus comprehenso disceptaretur, plura ac inter se congruentia ejus exemplaria multis ante tradita, nonnihil fidei factura essent. At quum de integro volumine, de centum Geometriae propositionibus earumque calculis agitur, ubi nihil aequè facile est ac numeros pro numeris, notas pro notis substituere, ludicrum sanè ac lepidum amici afferre chirographum, asserentis hunc librum hac vel istâ die sibi inspectum, praesertim si ostendi posset ab ipso nec lectum illum nec excussum. Nemo sibi tantum jure tribuerit, ut ad dubitationes omnes tollendas sola sua auctoritas sufficiat. In Geometricis sola demùm manifesta creduntur. Sex septemve menses concessi ut sua ederet.

ne prétendait autre chose, sinon de voir mes problèmes, et en publier ensuite de semblables; que c'était sa dernière résolution, et qu'il ne voulait plus parler sur ce sujet.

Cette réponse, la plus claire du monde, fit voir son impuissance aussi parfaitement qu'il était possible, à moins que de la confesser en propres termes, ce qu'il ne fallait pas espérer de lui. Et ainsi on jugea que ce refus absolu de donner ni discours ni chiffre le convainquait pleinement, et qu'il me serait inutile de remettre encore à un nouveau terme la publication de mes problèmes, puisque ayant déclaré qu'il ne produirait rien qu'après moi, ses remises suivraient toujours les miennes, et que la chose irait à l'infini. Je crus donc qu'il ne fallait point différer après le terme du 1er janvier, et qu'alors je devais à ma première commodité terminer cette affaire qui a assez duré, et donner à tant de personnes savantes qui se sont plu à ces questions, la satisfaction qu'ils attendent. Mais il me sembla qu'il était bon de faire voir ce récit par avance, afin qu'après que j'aurais donné mes solutions, s'il arrivait qu'il fût si mal conseillé que de les déguiser, tout le monde connût la vérité. C'est la seule chose que j'ai voulu faire par ce discours, et non pas décrier sa personne; car je voudrais le servir, et je respecte sa qualité de tout mon cœur. Aussi j'ai caché son nom; mais, s'il le découvre après cela lui-même, pour s'attribuer ces inventions, il ne devra se prendre qu'à lui de la mauvaise estime qu'il s'attirera; car il doit bien s'assurer que ses artifices seront parfaitement connus et relevés.

Et qu'il n'espère pas s'en sauver par l'attestation d'un ami qu'il pourrait mendier, qui certifierait d'avoir vu son livre en manuscrit avant le 1er janvier. Ce n'est pas ainsi qu'on agit en ces matières, où la seule publication fait foi. S'il n'était question que d'un simple calcul de trois lignes, dont on eût donné les copies à plusieurs personnes, qui se trouvassent toutes conformes ce serait quelque chose. Mais quand il s'agit d'un livre entier et de cent propositions de géométrie avec leurs calculs, où il n'y a rien de si facile que de mettre un nombre ou un caractère pour un autre, c'est une plaisante chose de prétendre que ce serait assez de produire le certificat d'un ami qui attesterait d'avoir vu ce manuscrit un tel jour; et principalement si on avait de quoi montrer que cet ami ne l'aurait ni lu ni examiné en donnant ce certificat. Il n'y a personne qui dût prétendre que son autorité pût arrêter ainsi tous les doutes : on ne croit en géométrie que les choses évidentes. Je lui ai donné six ou sept mois pour en produire : il ne l'a point fait; et il lui a été aussi impossible de le faire qu'il serait aisé de déguiser les vraies solutions quand elles seront une fois publiées.

Mais on ne doit pas être surpris de son procédé en cette rencontre, ni de ce qu'il avait entrepris sur les problèmes de M. de Roberval; car il agit de même en toutes occasions. Et il y a plusieurs années qu'il se vante et qu'il répète souvent qu'il a trouvé la quadrature du cercle, et qu'il la donnera à son premier loisir, résolue en deux manières différentes, et aussi celle de l'hyperbole : d'où l'on peut juger s'il y a sujet de croire sur sa parole qu'il ait les choses dont il se vante.

A Paris, le 12 décembre 1658.

Nihil edidit. Atque hoc ipsi non minus arduum fuit quàm pronum esset veras solutiones jam prolatas interpolare.

Sed haec cave ne nova illi ac inusitata existimes, nec quos etiam in Robervalliana problemata fecit incursus. Ita enim ubique homo est : adeò ut jam plures annos ambitiosè effutiat quadraturam circuli à se inventam, eamque ubi tempus tulerit à se proditum iri, simul cum hyperboles quadraturâ. I nunc, et homini, quantum de se praedicat, credulus largitor.

ADDITION A LA SUITE DE L'HISTOIRE DE LA ROULETTE

A Paris, le 20 janvier 1659.

Depuis que cette pièce a été faite, j'ai publié mon Traité de la Roulette, et le premier jour de janvier j'en envoyai le commencement à cette même personne dont j'ai parlé dans cet écrit, afin qu'il y vît le calcul du cas que j'avais proposé, et où il s'était trompé; sur quoi il n'a pas manqué de dire que c'était justement ainsi qu'il avait réformé le sien, et il s'est hasardé de plus de faire davantage et d'envoyer les calculs de quelques autres cas dans une feuille imprimée du 9 janvier, où il assure qu'elle est toute conforme au manuscrit qu'il en avait donné depuis longtemps à des gens de créance, pour servir de preuve qu'il avait tout trouvé sans moi. Mais outre que, quand ses calculs seraient justes, cela lui serait maintenant inutile après la lumière que ce que je lui ai envoyé lui a pu donner, il se trouve de plus que ceux de ses calculs que je viens d'examiner en les recevant, sont tellement faux que cela est visible à l'œil, et entre autres le centre de gravité du solide autour de l'axe, qu'il place tout contre le quart de l'axe. Il ne donne pas moins mal à propos la distance entre l'axe et le centre de gravité du demi-solide de la partie supérieure de la Roulette autour de l'axe. De sorte que cette pièce qu'il dit être si conforme à son manuscrit, et laquelle il vient de produire pour soutenir sa prétention, est ce qui lui ferme absolument la bouche, et qui montre le mieux le besoin qu'il avait de voir mes solutions et mes méthodes, que je lui ai toutes envoyées maintenant, sur lesquelles il lui sera aussi facile de corriger encore ses nouvelles fautes après l'avis que je lui en donne, et de trouver les véritables calculs, qu'il lui serait inutile de se les attribuer désormais.

LETTRE DE M. DE CARCAVI A M. DETTONVILLE

Monsieur,

Personne n'ayant donné les solutions des problèmes que vous avez proposés depuis si longtemps, vous ne pouvez plus refuser de paraître pour les donner vous-même, comme la promesse que vous en avez faite vous y engage. Je sais que ce vous sera de la peine d'écrire tant de solutions et de méthodes; mais aussi c'est toute celle que vous y aurez : car, pour l'impression, je ne songe pas à vous la proposer; j'ai des personnes qui en auront soin. Et il s'offre encore un soulagement à votre travail, en ce qu'il ne sera pas nécessaire de vous étendre sur les problèmes que vous avez proposés comme faciles, tels que sont *le centre de gravité de la ligne courbe* de la Roulette et de ses parties, et *la dimension des surfaces des solides;* de sorte que vous n'aurez presque qu'à donner ceux que vous avez proposés comme difficiles, c'est-à-dire, *le centre de gravité des solides et des demi-solides* de la Roulette et de ses parties, tant autour de la base qu'autour de l'axe, auxquels vous aviez attaché les prix dans votre premier écrit; et *les centres de gravité de surfaces de ces solides et demi-solides* — desquels vous avez dit, en les proposant dans l'histoire de la roulette, *que c'étaient ceux que vous estimiez difficiles, et proprement les seuls que vous proposiez.*

Ce sont donc aussi proprement les seuls que nous vous prions de donner et dont nous avons considéré le succès avec attention. Car, comme ils paraissent si difficiles par la seule énonciation, et que vous, qui les connaissiez à fond, vous m'aviez dit plusieurs fois que vous en jugiez la difficulté si grande, je crus qu'elle était extrême; et quand je les eus un peu considérés en effet, il me sembla, selon le peu de lumière que j'en ai, que le moins qu'on en pouvait dire était qu'il n'avait été résolu rien de plus caché dans toute la géométrie, soit par les anciens, soit par les modernes, et je ne fus pas seul dans ce sentiment.

Ainsi, lorsque le terme du premier octobre fut arrivé, nous fûmes bien aise de voir que vous le prolongeâtes jusqu'au premier janvier, parce que nous espérâmes de mieux reconnaître, par un plus long espace de temps, si le jugement que nous en faisions était véritable. Et le succès confirme bien notre pensée : car une attente de sept ou huit mois sans solution en est une marque considérable, en un temps où se trouvent d'aussi grands géomètres, et en plus grand nombre à la fois qu'on ait jamais vu, et où l'on a résolu les problèmes les plus difficiles. Car, encore que pour la grandeur du génie aucun des anciens n'ait peut-être surpassé Archimède, il est certain néanmoins que pour la difficulté des problèmes, ceux d'aujourd'hui surpassent de beaucoup les siens, comme il se voit par la comparaison des figures toutes uniformes qu'il a considérées à celles que l'on considère maintenant, et surtout à la Roulette et à ses solides, à l'escalier, aux triangles cylindriques, et aux surfaces et solides dont vous avez découvert les propriétés.

Il n'y a donc jamais eu de temps si propre que celui-ci

à éprouver la difficulté des propositions de géométrie. Or nous n'avons vu la solution d'aucune de celles que vous avez proposées comme difficiles. On a bien envoyé celle des problèmes que vous aviez déclaré être plus faciles, savoir *le centre de gravité de la ligne courbe* et *la Dimension des surfaces des solides*, laquelle M. Wren nous envoya dans ses lettres du 12 octobre, et M. de Fermat aussi dans les siennes, où il donne une méthode fort belle et générale pour la dimension des surfaces rondes. Mais pour ces *centres de gravité des solides et demi-solides, et de leurs surfaces*, nous n'en avons point vu de résolution.

Je dirai à tout autre qu'à vous, MONSIEUR, ce que cela a fait juger de la difficulté de vos problèmes, et de ce qu'il fallait être pour les résoudre; et je ne vous parlerai ici que du désir que nous en avons, et de la nécessité où nous sommes d'avoir recours à vous pour des choses que nous ne pouvons avoir que de vous. N'espérez donc pas fuir nos importunités. Je suis résolu de ne cesser jamais de vous en faire, non plus que de rechercher les occasions de vous témoigner combien je suis, etc.

De Paris, ce 10 décembre 1658.

LETTRE DE M. DETTONVILLE A M. DE CARCAVI
CI-DEVANT CONSEILLER DU ROI EN SON GRAND CONSEIL

Monsieur,

Puisque je suis enfin obligé de donner moi-même la résolution des problèmes que j'avais proposés, et que la promesse que j'en ai faite m'engage nécessairement à paraître, je veux, en découvrant mon nom, faire connaître en même temps à tout le monde combien celui qui le porte a de respect et d'estime pour votre personne, et de reconnaissance pour toute la peine que vous avez voulu prendre en cette occasion. Je souhaiterais qu'elle pût être en quelque façon récompensée par ce discours que je vous donne : où vous verrez non seulement la résolution de ces problèmes, mais encore les méthodes dont je me suis servi, et la manière par où j'y suis arrivé. C'est ce que vous m'avez témoigné souhaiter principalement, et sur quoi je vous ai souvent ouï plaindre de ce que les anciens n'en ont pas usé de même, ne nous ayant laissé que leurs seules solutions sans nous instruire des voies par lesquelles ils y étaient arrivés, comme s'ils nous eussent envié cette connaissance.

Je ne me contenterai donc pas de vous donner les calculs, desquels voici celui du cas que j'avais proposé : *Le Centre de gravité du demi-solide de la demi-Roulette, tournée à l'entour de la base, est distant de la base d'une droite qui est au diamètre du cercle générateur comme sept fois le diamètre à six fois la circonférence, et est distant de l'axe d'une droite égale au quart de la circonférence du cercle générateur, moins seize quinzièmes parties de la distance qui est entre le centre du cercle générateur et le centre de gravité de son demi-cercle.*

Mais je vous découvrirai de plus ma méthode générale pour les centres de gravité, qui vous plaira d'autant plus qu'elle est plus universelle; car elle sert également à trouver les centres de gravité des plans, des solides, des surfaces courbes et des lignes courbes. J'ai besoin, pour vous l'expliquer, de cette définition :

S'il y a tant de quantités qu'on voudra A, B, C, D, lesquelles on prenne en cette sorte : premièrement, la somme de toutes A, B, C, D; puis la somme des mêmes, excepté la première, savoir B, C, D; puis la somme des mêmes excepté les deux premières, savoir C, D; et ainsi toujours, comme on les voit ici marquées :

J'appelle la somme de ces quantités, prises de cette sorte, la *somme triangulaire de ces mêmes quantités, à commencer par* A; car on pourrait prendre la somme de ces mêmes quantités, à commencer par D, et qui ne serait pas la même.

A B C D
B C D
C D
D

Cela posé, je vous dirai les pensées qui m'ont mené à cette connaissance. J'ai considéré une balance B, A, C,

B ——— ——— ——— ——— •——— ——— A ——— C
4 5 3 9 8

suspendue au point A, et ses bras de telle longueur qu'on voudra AB, AC, divisés en parties égales de part et d'autre, avec des poids pendus à chaque point de division, savoir, au bras AB, les poids 3, 5, 4, et au bras AC, les poids 9, 8; et supposant la balance être en équilibre en cet état, j'ai tâché de comprendre quel rapport il y avait entre les poids d'un bras et ceux de l'autre, pour faire cet équilibre. Car il est visible que ce n'est pas que la somme des uns soit égale à celle des autres. Mais voici le rapport nécessaire pour cet effet.

Pour faire que les poids d'un bras soient en équilibre avec ceux de l'autre, *il faut que la somme triangulaire des uns soit égale à la somme triangulaire des autres*, à commencer toujours du côté du point A. Et la démonstration en sera facile par le moyen de ce petit lemme, dont vous verrez un assez grand usage dans la suite.

Si les quatre quantités A, B, C, D, sont prises en cette sorte; la première une fois, la seconde deux fois, la troisième trois fois, etc., je dis que la somme de ces quantités prises de cette sorte est égale à leur somme triangulaire en commençant du côté A.

D C B A
4 3 2 1

A B C D
B C D
C D
D

Car, en prenant leur somme triangulaire, on ne fait autre chose que les combiner en telle sorte, qu'on prenne A une fois, B deux fois, C trois fois, etc.

Venons maintenant à ce que je propose de la balance. On sait assez en géométrie que les forces des poids sont en raison composée des poids et des bras, et qu'ainsi le poids 4 en la troisième distance a une force triple; que le poids 5 en la seconde distance a une force double, etc. Donc la force dcs poids des bras se doit considérer en prenant celui qui est à la première distance une fois, celui qui est à la seconde deux fois, etc. Ainsi, pour faire qu'ils soient en équilibre de part et d'autre, il faut que la somme des poids d'un bras étant pris de cette sorte, savoir le premier une fois, le second deux fois, etc, soit égale à la somme des poids de l'autre pris de la même sorte; c'est-à-dire (par le lemme précédent), que la somme triangulaire des uns soit égale à la somme triangulaire des autres. C.q.f.d.

Vous voyez, Monsieur, que je suis entré dans le style géométrique; et, pour le continuer, je ne vous parlerai plus que par propositions, corollaires, avertissements, etc. Permettez-moi donc de m'expliquer en cette sorte sur ce que je viens de vous dire, afin qu'il ne reste aucune ambiguïté.

AVERTISSEMENT

J'entends toujours que les deux extrémités de la balance passent pour des points de division; et ainsi quand je dis que des poids soient pendus à tous les points de division, j'entends qu'il y en ait aussi aux deux extrémités de la balance.

J'entends aussi que le bras AB puisse être égal ou inégal à l'autre bras AC, *et que chacune des parties égales du bras* AB *soit égale à chacune des parties égales du bras AC, et que les parties d'un bras ne diffèrent au plus des parties de l'autre bras que par leur multitude. Or, de cette égalité de chacune des parties, il s'ensuit que le poids* 3, *étant pris, par exemple, de trois livres, et pesant simplement comme trois livres sur la première distance, le poids* 5, *étant de cinq livres sur la seconde distance, aura la force de dix livres, c'est-à-dire, double de celle qu'il aurait sur la première distance; et le poids* 4, *sur la troisième distance, aura la force de douze livres, c'est-à-dire triple de celle qu'il aurait sur la première distance. De même sur l'autre bras, le poids* 9, *sur la première distance, aura simplement la force de neuf livres, et le poids* 8, *la force de seize livres; et ainsi à l'infini, les poids seront multipliés autant de fois qu'il y aura de parties égales dans leurs bras, à compter du centre de gravité commun* A, *auquel la balance est suspendue.*

Il faut aussi remarquer que cette propriété de la balance que j'ai donnée, savoir l'égalité des sommes triangulaires des poids de chaque bras, est générale, encore qu'il y ait des points de division sans poids, au lieu desquels en mettant un zéro, il ne laissera pas d'être employé en prenant les sommes triangulaires, comme on voit en cet exemple.

Soit une balance BAC *suspendue au point* A, *et divisée en parties égales comme il a été dit; et soit sur la première distance du bras* AC *le poids* 9 *et sur la seconde le poids* 8 : *et sur la première distance du bras* AB, *le poids* 4; *sur la seconde distance, nul poids ou zéro; sur la troisième le poids* 7 :

B ——— ——— ——— A ——— ——— C
7 0 4 • 9 8

Je dis que si la somme triangulaire des poids 4, 0, 7, *est égale à la somme triangulaire des poids* 9, 8 (*à commencer toujours du côté* A), *la balance sera en équilibre sur le centre* A ; *la démonstration en est la même que la précédente.*

7.0.4.	9.8.
7.0.	8.
7.	
25.	25.

De cette propriété je démontre les trois propositions suivantes.

PROPOSITION I

Soit CAB une balance divisée en tant de parties égales qu'on voudra aux points C, D, A, E, F, B, auxquelles soient

B F E A D C
7 0 4 5 9 8

pendus les poids 8, 9, 5, 4, 0, 7; de tous lesquels ensemble le centre de gravité commun soit au point A (l'un de ces points).

Je dis que la somme triangulaire de tous ces poids, à commencer du côté qu'on voudra, par exemple du côté C, *c'est-à-dire, la somme triangulaire des poids* 8, 9, 5, 4, 0, 7, *est égale à la simple somme de ces poids,* 8, 9, 5, 4, 0, 7 (*c'est-à-dire, à la somme de ces poids pris chacun une fois*), *multipliée autant de fois qu'il y a de points dans le bras* CA (*puisqu'on a commencé par le côté* C), *c'est-à-dire trois fois en cette figure.*

7.0.4.5.9.8.	7. 0. 4. 5. 9. 8.
7.0.4.5.9.	7. 0. 4. 5. 9. 8.
7.0.4.5.	7. 0. 4. 5. 9. 8.
7.0.4.	
7.0.	
7.	
99.	99.

Car la somme triangulaire des poids 4, 0, 7, pendus au bras AB (qui est distinguée du reste par une barre dans la première partie de la figure), est égale à la petite somme triangulaire des poids 9, 8, pendus à l'autre bras AC (qui est aussi distinguée du reste dans l'autre partie de la figure). Et les restes sont les mêmes de part et d'autre.

AVERTISSEMENT

Je sais bien que cette manière de démontrer n'est pas commune; mais comme elle est courte, nette et suffisante à ceux qui ont l'air de la démonstration, je la préfère à d'autres plus longues que j'ai en main.

PROPOSITION II

Les mêmes choses étant posées :

Je dis que la simple somme des poids, multipliée autant de fois qu'il y a de points en toute la balance, est à la somme triangulaire de tous les poids, à commencer par le côté qu'on voudra, par exemple par le côté C, *comme le nombre des points qui sont dans la balance entière au nombre des points qui sont dans le bras par où on a commencé à compter; c'est-à-dire (en cet exemple) dans le bras* CA.

7.0.4.5.9.8.	7.0.4.5.9.8.
7.0.4.5.9.	7.0.4.5.9.8.
7.0.4.5.	7.0.4.5.9.8.
7.0.4.	7.0.4.5.9.8.
7.0.	7.0.4.5.9.8.
7.	7.0.4.5.9.8.
99.	198.

Je dis que la somme triangulaire, 99, est à la somme des poids multipliée par leur multitude, 198, comme la multitude des points du bras CA, savoir 3, à la multitude de tous les points, savoir 6.

Car (dans la figure) la somme triangulaire de tous les poids est égale (par la précédente) à la simple somme des poids multipliée par la multitude des points qui sont dans le bras AC, et qui sont ici au-dessus de la barre. Or la somme des poids, multipliée par cette multitude des points du bras AC, est visiblement à la même somme des poids, multipliée par la multitude des points de la balance entière, comme une de ces multitudes est à l'autre.

PROPOSITION III

Les mêmes choses étant posées : je dis que la somme triangulaire des poids, à commencer par un des côtés, comme par le côté C, *est à la somme triangulaire des mêmes poids, à commencer par l'autre côté* B, *comme le nombre des points qui sont dans le bras* AC, *par où l'on a commencé la première fois, au nombre des points qui sont dans le bras* BA, *par où l'on a commencé la seconde fois :*

7.0.4.5.9.8.	7.0.4.5.9.8.
7.0.4.5.9.	0.4.5.9.8.
7.0.4.5.	4.5.9.8.
7.0.4.	5.9.8.
7.0.	9.8.
7.	8.
99.	132.

Je dis que la somme triangulaire 99, en commençant par 8, est à l'autre somme triangulaire 132, en commençant par 7, comme la multitude des points du bras 8, savoir 3, à la multitude des points de l'autre bras 7, savoir 4.

Car chacune de ces sommes triangulaires est (par la précédente) à la simple somme de tous les poids multipliés par leur multitude comme la multitude des points de chaque bras à la multitude de tous les points de la balance entière. Donc, etc. C. q. f. d.

AVERTISSEMENT

Comme toutes les choses que je viens de démontrer sur le sujet des poids d'une balance doivent s'appliquer à toutes sortes de grandeurs, c'est-à-dire aux lignes courbes, aux surfaces planes et courbes et aux solides, il me semble à propos, pour faciliter cette application, de donner quelques exemples de la manière dont on doit prendre les sommes triangulaires dans ces grandeurs.

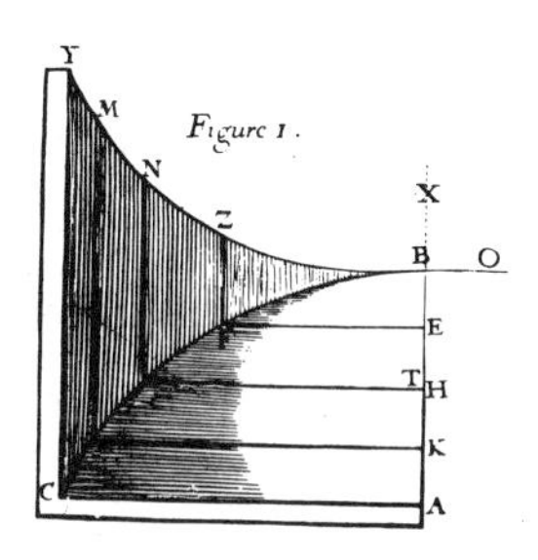

Soit donc (dans la première figure) une ligne courbe quelconque CB *divisée comme on voudra en parties égales ou inégales aux points* I, G, F. *Pour prendre la somme triangulaire des portions* CI, IG, GF, FB, *à commencer du côté de* C, *il faudra prendre la toute* CFB, *plus la portion* IFB, *plus la portion* GFB, *plus la portion* FB.

Car (par la définition) la somme triangulaire de toutes les portions CI, IG, GF, FB *se trouve en les prenant en cette sorte : premièrement, toutes ensemble, et ensuite toutes ensembles excepté la première, et puis toutes ensemble excepté les deux premières, etc., en cette sorte :*

	CI + IG + GF + FB	*ou la ligne* CFB.
plus	IG + GF + FB	*ou la ligne* IFB.
plus	GF + FB	*ou la ligne* GFB.
plus	FB	*ou la ligne* FB.

Pareillement la somme triangulaire de ces mêmes portions BF, FG, GI, IC, *à commencer par* B, *se trouvera en prenant la ligne entière* BIC, *plus la portion* FIC, *plus la portion* GIC, *plus la portion* IC; *ce qui paraît de même en cette sorte :*

	BF + FG + GI + IC	*ou la ligne* BIC.
plus.	FG + GI + IC	*ou la ligne* FIC.
plus.	GI + IC	*ou la ligne* GIC.
plus.	IC	*ou la ligne* IC.

De la même sorte, si le triligne CAB *est divisé en tant de parties qu'on voudra, par les droites* IK, GH, FE, *la somme triangulaire de ses portions* CIKA, IGHK, GFEH, FBE, *à commencer du côté de* CA, *se trouvera en prenant le triligne* CBA, *plus le triligne* IBK, *plus le triligne* GBH, *plus le triligne* FBE.

Ce qui paraît par la somme de ces portions prises en la manière accoutumée, comme on voit ici :

	CIKA + IGHK + GFEH + FBE	*ou le triligne* BCA.
plus . .	IGHK + GFEH + FBE	*ou l'espace* IBK.
plus	GFEH + FBE	*ou l'espace* GBH.
plus	FBE	*ou l'espace* FBE.

On prendra de même sorte la somme triangulaire des portions des surfaces courbes et celle des solides, sans qu'il soit besoin d'en donner davantage d'exemples.

MÉTHODE GÉNÉRALE

POUR LES CENTRES DE GRAVITÉ DE TOUTES SORTES DE LIGNES, DE SURFACES ET DE SOLIDES

Étant proposée une ligne courbe, ou un plan, ou une surface courbe, ou un solide : en trouver le centre de gravité.

Soit entendue une multitude indéfinie de plans parallèles entre eux et également distants (c'est-à-dire que la distance du premier au second soit égale à la distance du second au troisième, et à celle du troisième au quatrième, etc.), lesquels plans coupent toute la grandeur proposée en une multitude indéfinie de parties comprises chacune entre deux quelconques de ces plans voisins.

Maintenant, si de tous ces plans on en considère principalement trois, savoir les deux extrêmes, qui comprennent la grandeur proposée, et celui qui passe par le centre de gravité de la grandeur proposée, et qu'on entende qu'une droite quelconque menée perpendiculairement d'un des plans extrêmes à l'autre rencontre le plan du centre de gravité, lequel la divise en deux portions : cette droite entière, qui mesure la distance d'entre les plans extrêmes, sera appelée *la balance* de la grandeur proposée, et ses deux portions, qui mesurent la distance entre le centre de gravité de la grandeur proposée et les plans extrêmes, s'appelleront *les bras* de la balance. Et la raison d'un de ces bras à l'autre se trouvera en cette sorte :

Je dis qu'un des bras est à l'autre (c'est-à-dire que la distance entre le centre de gravité de la figure et l'un des plans extrêmes est à la distance entre le même centre de gravité et l'autre plan extrême) comme la somme triangulaire de toutes les portions de la figure, à commencer par le premier plan extrême, à la somme triangulaire de ces mêmes portions, à commencer par l'autre plan extrême.

AVERTISSEMENT

Afin qu'il ne reste ici aucune ambiguïté, je m'expliquerai plus au long.

Soit donc proposée, premièrement, une ligne courbe CB *(dans la première figure), laquelle soit coupée en un nombre indéfini de parties aux points* C, I, G, F, B, *par une multitude indéfinie de plans parallèles et également distants, ou, si l'on veut, par une multitude indéfinie de droites parallèles et également distantes* CA, IK, GH, FE, BO *(car les droites suffisent ici, et les plans n'ont été mis dans l'énonciation générale que parce que les droites ne suffiraient pas en tous les cas). Soit maintenant menée AB où l'on voudra, perpendiculaire à toutes les parallèles, laquelle coupe les extrêmes aux points* B, A, *et celle qui passe par le centre de gravité de la ligne proposée au point* T. *Cette droite* BA *sera appelée* la balance, *et les portions* TA, TB *seront appelées* les bras *de la balance.*

Je dis que le bras TB *sera au bras* TA *comme la somme triangulaire des portions de la ligne, savoir des portions* BF, FG, GI, IC, *à commencer du côté de* B, *à la somme triangulaire des mêmes portions, à commencer du côté de* C.

Soit maintenant la grandeur proposée un plan, comme le triligne CBA, *coupé par les mêmes parallèles* CA, IK, GH, FE, BO, *et que la même perpendiculaire* BA *le coupe comme il a été dit, et rencontre celle qui passe par le centre de gravité du plan proposé* CAB *au point T :*

Je dis que le bras TB *sera au bras* TA, *comme la somme triangulaire des portions du triligne,* BFE, EFGH, GIHK, CIKA, *à commencer du côté de* BO, *à la somme triangulaire des mêmes portions, à commencer du côté de* AC.

Soit maintenant la grandeur proposée une surface courbe CYZBFC, *coupée par les mêmes plans parallèles* ACY, KIM, HGN, EFZ, OBX, *qui coupent la surface donnée et y produisent, par leurs communes sections, les lignes* CY, IM, GN, FZ, *etc., et que la balance* BA *mesure toujours la distance entre les plans extrêmes, et coupe celui qui passe par le centre de gravité de cette surface courbe au point* T :

Je dis que le bras TB *sera au bras* TA *comme la somme triangulaire des portions de la surface, savoir* ZFB, FZNG, NGIM, MICY, *à commencer du côté de* B, *c'est-à-dire la somme des surfaces* BCY, ZFCY, NGCY, MICY, *à la somme triangulaire des mêmes portions, à commencer du côté de* CY, *c'est-à-dire des surfaces* CYB, IMB, GNB, FZB.

Enfin, si la grandeur proposée est un solide YCFBAC, *coupé par les mêmes plans parallèles, et que la balance* BA *mesure de même la distance entre les plans extrêmes, et coupe celui qui passe par le centre de gravité du solide, au point* T : *le bras* TB *sera toujours au bras* TA *comme la somme triangulaire des portions du solide, à commencer par* B, *à la somme triangulaire des mêmes portions à commencer par* C.

DÉMONSTRATION DE CETTE MÉTHODE

La démonstration en est facile, puisque ce n'est que la même chose que ce que j'ai donné de la balance.

Car soit considérée la droite BA comme une balance divisée en un nombre indéfini de parties égales aux points A, K, H, E, B, auxquels pendent pour poids les portions de la grandeur proposée, et à l'un desquels se rencontre le point T, qui sera le centre de gravité de la balance comme cela est visible par la doctrine des indivisibles, laquelle ne peut être rejetée par ceux qui prétendent avoir rang entre les géomètres.

Donc (par la troisième proposition de la balance) la somme triangulaire des poids (ou des portions de la figure), à commencer du côté B, est à la somme triangulaire des mêmes poids, à commencer du côté AC, comme le nombre des points (ou des parties) du bras BT au nombre des points (ou des parties) du bras AT, c'est-à-dire comme BT à TA. C. q. f. d.

AVERTISSEMENT

Je sais bien que ces portions de la grandeur proposée ne pendent pas précisément aux points de division de la balance BA, *mais je n'ai pas laissé de le dire, parce que c'est la même chose. Car en divisant chacune de ces parties égales de la balance* BA *par la moitié, ces nouvelles divisions donneront une nouvelle balance qui ne différera de la première que d'une grandeur moindre qu'aucune donnée (puisque la multitude des parties est indéfinie), et le centre de gravité de la balance se trouvera encore à une de ces nouvelles divisions, ou n'en sera éloigné que d'une distance moindre qu'aucune donnée, ce qui ne changera point les raisons ; et les portions de la grandeur proposée pendront précisément aux points de ces nouvelles divisions, en considérant au lieu des portions de la grandeur proposée, qui seront peut-être irrégulières, les portions régulières qu'on leur substitue en géométrie, et qui ne changent point les raisons (c'est-à-dire en substituant aux portions de la ligne courbe leurs cordes; aux portions du triligne, les rectangles compris de chaque ordonnée et d'une des petites portions égales de l'axe; et de même aux solides : ce qui ne change rien, puisque la somme des portions substituées ne diffère de la somme des véritables que d'une quantité moindre qu'aucune donnée).*

Donc on conclura nécessairement dans cette nouvelle balance la proportion dont il s'agit, et par conséquent elle se conclura aussi dans l'autre.

J'ai voulu faire cet avertissement pour montrer que tout ce qui est démontré par les véritables règles des indivisibles se démontrera aussi à la rigueur et à la manière des anciens; et qu'ainsi l'une de ces méthodes ne diffère de l'autre qu'en la manière de parler : ce qui ne peut blesser les personnes raisonnables quand on les a une fois averties de ce qu'on entend par là.

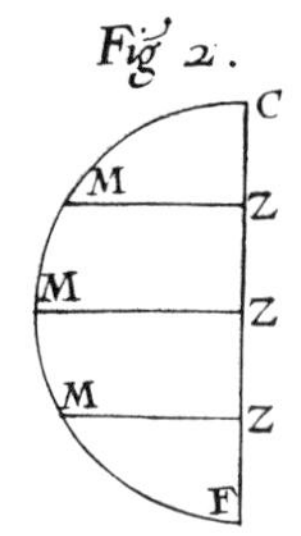

Et c'est pourquoi je ne ferai aucune difficulté dans la suite d'user de ce langage des indivisibles, la somme des lignes, *ou* la somme des plans; *et ainsi quand je considérerai par exemple* (*dans la fig.* 2) *le diamètre d'un demi-cercle divisé en un nombre indéfini de parties égales aux points* Z, *d'où soient menées les ordonnées* ZM, *je ne ferai aucune difficulté d'user de cette expression,* la somme des ordonnées, *qui semble n'être pas géométrique à ceux qui n'entendent pas la doctrine des indivisibles, et qui s'imaginent que c'est pécher contre la géométrie que d'exprimer un plan par un nombre indéfini de lignes; ce qui ne vient que de leur manque d'intelligence, puisqu'on n'entend autre chose par là sinon la somme d'un nombre indéfini de rectangles faits de chaque ordonnée avec chacune des petites portions égales du diamètre, dont la somme est certainement un plan, qui ne diffère de l'espace du demi-cercle que d'une quantité moindre qu'aucune donnée.*

Ce n'est pas que ces mêmes lignes ZM *ne puissent être multipliées par d'autres portions égales d'une autre ligne quelconque qui soit par exemple double de ce diamètre, comme en la figure* 3; *et alors la somme de ces lignes* ZM *formera un espace double du demi-cercle, savoir, une demi-ellipse; et ainsi la somme des mêmes lignes* ZM *formera un espace qui sera plus ou moins grand selon la grandeur de la ligne droite par les portions égales de laquelle on entend qu'elles soient multipliées, c'est-à-dire selon la distance qu'elles garderont entre elles. De sorte que quand on parle de* la somme d'une multitude indéfinie de lignes, *on a toujours égard à une certaine droite, par les portions égales et indéfinies de laquelle elles soient multipliées. Mais quand on n'exprime point cette droite (par les portions égales de laquelle on entend qu'elles soient multipliées), il faut sous-entendre que c'est celle des divisions de laquelle elles sont nées, comme en l'exemple de la figure* 2, *où, les ordonnées* ZM *du demi-cercle étant nées des divisions égales du diamètre, lorsqu'on dit simplement* la somme des lignes ZM, *sans exprimer quelle est la droite par les portions de laquelle on les veut multiplier, on doit entendre que c'est le diamètre même, parce que c'est le naturel : et si on les voulait multiplier par les portions d'une autre ligne, il le faudrait alors exprimer.*

Il faut entendre la même chose quand toutes les lignes seraient courbes, tant celles dont on considère la somme, que celle par les portions de laquelle on les multiplie : ou quand les unes sont droites et les autres courbes, comme, par exemple en la figure 2, *si l'on dit simplement ainsi,* la somme de tous les arcs CM, *compris entre le point* C *et chacune des ordonnées, on doit entendre la somme des rectangles compris de chacun de ces arcs* CM, *étendus en ligne droite, et de chacune des petites portions égales du diamètre* ZZ, ZZ, *etc.*

Ainsi en la figure 4, *où l'arc de* 90 *degrés* BC *est divisé en un nombre indéfini d'arcs égaux aux points* D, *d'où sont menés les sinus droits* DE, *si on dit simplement ainsi,* la somme des sinus DE, *on entendra par là la somme des rectangles compris de chaque sinus* DE *et de chacun des petits arcs égaux* DD (*considérés comme étendus en ligne droite*)*; parce que ces sinus sont nés de divisions égales de l'arc. Et, si on voulait les multiplier par les portions égales d'une autre ligne, il faudrait l'exprimer, et dire,* la somme des sinus multipliés par les portions égales d'une telle ligne.

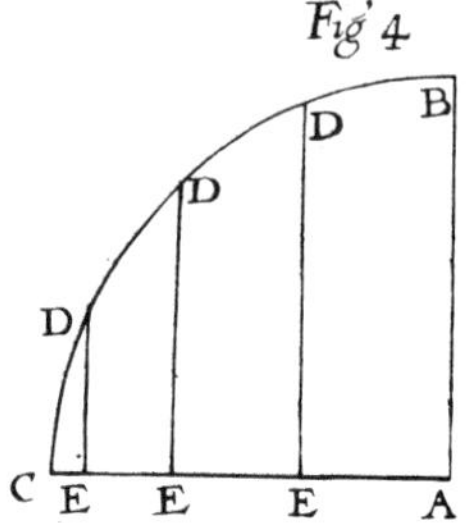

Il faut entendre la même chose de la somme des carrés de ces lignes et de leurs cubes, etc. Ainsi, si on dit dans la même figure 4, la somme des carrés des sinus DE, *il faut entendre la somme des solides faits du carré de chaque sinus multiplié par l'un des petits arcs égaux* DD, *et si dans la figure* 2, *on dit,* la somme des carrés des arcs CM, *il faut entendre la somme des solides faits du carré de chaque arc* CM (*étendu en ligne droite*) *multiplié par chacune des petites portions égales* ZZ. *Et ainsi en toutes sortes d'exemples.*

En voilà certainement plus qu'il n'était nécessaire pour faire entendre que le sens de ces sortes d'expressions, la somme des lignes, la somme des plans, *etc., n'a rien que de très conforme à la pure géométrie.*

LA MÊME MÉTHODE GÉNÉRALE POUR LES CENTRES DE GRAVITÉ, ÉNONCÉE AUTREMENT

Une grandeur quelconque étant proposée, comme il a été dit, et le même ordre de plans qui la coupent :

Je dis que la somme de toutes les portions de cette grandeur comprises entre un des plans extrêmes et un chacun de tous les plans est à la grandeur entière prise autant de fois, c'est-à-dire multipliée par sa balance, comme le bras sur l'autre plan extrême, c'est-à-dire comme la distance entre son centre de gravité et cet autre plan extrême est à la balance entière.

AUTREMENT ENCORE :

Je dis que la somme de toutes les portions de la grandeur comprises entre un des plans extrêmes et un chacun de tous les plans, est égale à la grandeur entière multipliée par son bras sur l'autre plan extrême.

Soit proposée, par exemple, la ligne CFB (fig. 1). Je dis que la somme des portions CFB, IFB, GFB, FB, est égale à la ligne entière CFB, multipliée par le bras TA.

Car la somme de ces lignes n'est autre chose que la somme triangulaire des portions CI, IG, GF, FB, à commencer par C. Donc la droite BA est une balance divisée en un nombre indéfini de parties égales aux points E, H, etc., auxquels points de division (comme il a déjà été dit) pendent pour poids les petites portions CI, IG, GF, FB, et à l'un desquels points de division se rencontre le centre de gravité T. Donc (par la seconde proposition de la balance) la somme triangulaire de ces portions à commencer par C, c'est-à-dire la simple somme des portions CFB, IFB, GFB, FB, est égale à la simple somme des petites portions CI, IG, GF, FB, c'est-à-dire la ligne CFB, prise autant de fois qu'il y a de points (ou de parties) dans le bras TA, c'est-à-dire multipliée par le bras TA. C. q. f. d.

On démontrera de même, si la grandeur proposée est le triligne ABC, que la somme des espaces BCA, EFCA, HGCA, KICA, est égale à l'espace BCA, multiplié par le bras TB. Et de même pour les solides, etc.

AVERTISSEMENT

Quand j'ai parlé de la somme des lignes CFB, IFB, GFB, FB, *on n'a dû entendre autre chose sinon la somme des rectangles compris de chacune de ces lignes et de chacune des petites portions égales* BE, EH, *etc. (c'est-à-dire avec chacune des distances égales d'entre les plans voisins); et qu'ainsi cette multitude indéfinie de petits rectangles de même hauteur forment un plan. C'est ce que j'ai déjà assez dit dans les avertissements précédents.*

De même, quand j'ai parlé de la somme des espaces BCA, EFCA, HGCA, KICA, *on a dû entendre que chacun de ces espaces fût multiplié par chacune de ces petites distances égales d'entre les plans voisins* BE, EH, *etc. et formassent ainsi une multitude indéfinie de petits solides prismatiques, tous de même hauteur, la somme desquels formera un solide, qui est celui que l'on considère quand on a parlé de la somme de ces plans.*

On doit entendre la même chose par la somme des solides; car il faut entendre de même qu'ils soient tous multipliés par ces mêmes portions égales, ou au moins (si l'on ne veut pas admettre une quatrième dimension) qu'on prenne autant de lignes droites qui soient entre elles en même raison que ces solides, lesquelles étant multipliées chacune par chacune de ces parties égales BE, EH, *etc., elles formeront un plan qui servira de même à trouver la raison cherchée. Ce qu'il ne sera plus nécessaire de redire.*

COROLLAIRE I

De cette méthode s'ensuit ce corollaire.

Si la grandeur est donnée et la somme de toutes ses portions comprises entre un des plans extrêmes et chacun des autres plans, et que la balance soit aussi donnée :

Je dis que les deux bras seront aussi donnés.

Soit proposée, par exemple (fig. 5), la ligne courbe de la demi-roulette AYC, laquelle soit supposée être donnée de grandeur et qu'on sache qu'elle est double de l'axe CF qui soit aussi donné. Soit aussi supposé qu'ayant mené les ordonnées ZY, coupant l'axe en Z, en un nombre indéfini de parties égales, et la roulette aux points Y, la somme de toutes les portions CY de la courbe soit aussi donnée :

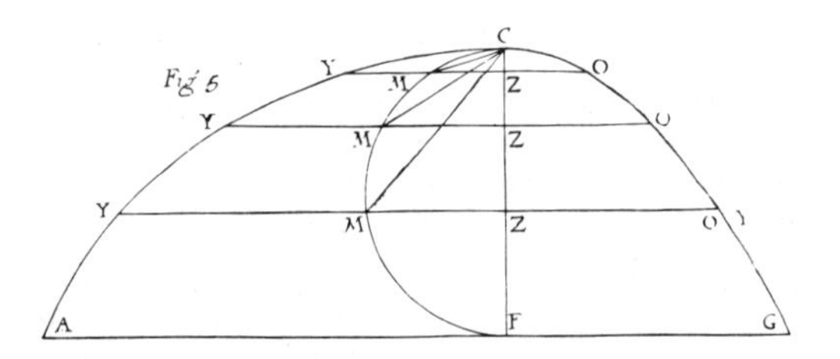

Je dis que la distance entre le centre de gravité de cette courbe AYC et la droite AF sera donnée.

Car la somme de toutes les courbes CY est donnée par l'hypothèse; et on sait en effet d'ailleurs que cette somme est double de la somme des droites CM, menées de C aux points où les ordonnées coupent la circonférence, ou de la somme des droites ZO (qui soient les ordonnées de la parabole COG, dont CF soit l'axe, et dont le côté droit soit égal à la même CF; car alors chaque CM carré, ou FC en CZ, c'est-à-dire le rectangle FCZ, sera égal à ZO carré) : et ainsi la somme des lignes courbes CY est double de l'espace de la parabole CFG, lequel étant les deux tiers de CF carré, la somme des courbes CY sera égale aux quatre tiers du carré CF.

Mais (par la précéd.) la même somme est égale au rectangle compris de la courbe CA (ou de deux fois la droite CF) et du bras de la courbe sur AF. Donc quatre tiers du carré de CF sont égaux à deux fois CF, multipliée par le bras cherché sur AF; donc ce bras est donné, et égal aux deux tiers de CF, puisque les deux tiers de CF, multipliés par deux fois CF, sont égaux à quatre tiers du carré de CF.

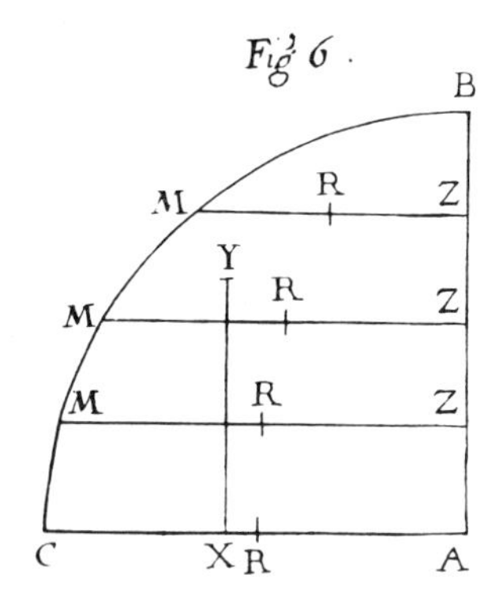

COROLLAIRE II

La converse de ce corollaire sera aussi véritable, savoir : *Si une grandeur est donnée et les bras de la balance, aussi la somme de ses portions comprises entre un des plans extrêmes et chacun des autres sera donnée.*

Soit donné, par exemple (fig. 6), l'arc de cercle de 90 degrés BMC, duquel je suppose que le centre de gravité étant Y, son bras YX soit aussi donné.

Je dis que la somme des arcs BM, compris entre le point B et chacune des ordonnées (menées des divisions égales et indéfinies du rayon BA) est aussi donnée.

Car la somme de ces arcs sera égale au rectangle compris de l'arc entier BC et de YX, lequel rectangle étant égal (comme on le connaît d'ailleurs) au carré du rayon AB, il s'ensuit aussi que la somme des arcs BM est égale au même carré du rayon AB.

AVERTISSEMENT

J'ai voulu donner ces exemples de l'usage de cette méthode, tant pour connaître les bras de la balance par la connaissance de la somme de ces portions, que pour connaître la somme de ces portions par la connaissance des bras. J'en donnerais bien ici d'autres exemples plus considérables; mais on les verra dans la suite, et je ne veux donner ici que les propositions qui servent comme de lemmes au reste du discours.

DÉFINITION

S'il y a tant de quantités qu'on voudra A, B, C, lesquelles on prenne en cette sorte :

A B C
B C
C

B C
C

C

1 3 6

Premièrement, la somme triangulaire de toutes, savoir, ABC, BC, C; et ensuite la somme triangulaire de toutes, excepté la première, savoir, BC, C; et puis la somme triangulaire de toutes, excepté les deux premières, savoir, C, etc. :

J'appelle la somme de ces quantités prises de cette sorte, *la somme pyramidale* de ces mêmes quantités.

En voici la figure, où l'on voit que *la somme pyramidale n'est autre chose que la somme des sommes triangulaires* qui sont ici séparées par des barres.

A B C
B C
C

B C
C

C

A B C
B C
C

B C
C

C

1 4 9

Or il est à remarquer que la nature de cette sorte de combinaison est telle, que, si on prend deux fois cette même somme pyramidale, comme on voit ici, et qu'on en ôte la première somme triangulaire qui est séparée du reste par une double barre, il arrivera dans ce reste que la première quantité A s'y trouvera une fois; la seconde B, 4 fois; la troisième C, 9 fois; et ainsi toujours selon la suite des nombres carrés.

Et cela est aisé à démontrer par la nature des combinaisons qui forment ces sommes triangulaires et pyramidales, qui est telle :

Dans les sommes triangulaires, la première grandeur se prend une fois, la seconde 2 fois, la troisième 3 fois, etc., selon l'ordre des nombres naturels. Et dans les sommes pyramidales, la première grandeur se prend 1 fois, la seconde 3 fois, la troisième 6 fois, etc., selon l'ordre des nombres triangulaires. Or tout nombre triangulaire, pris deux fois et diminué de son exposant, est le même que le carré de son exposant; comme, par exemple, le troisième nombre triangulaire 6, étant doublé, est 12, qui diminué de l'exposant 3, il reste 9, qui est le carré de 3.

Cela est aisé par Maurolic et de là paraît la vérité de ma proposition.

D'où il s'ensuit que s'il y a tant de quantités qu'on voudra A, B, C, dont la première soit multipliée par le carré de 1, la seconde par le carré de 2, la troisième par le carré de 3, etc., leur somme prise de cette sorte sera égale à deux fois leur somme pyramidale, moins leur somme triangulaire.

AVERTISSEMENT

On verra dans la suite l'usage de cette propriété, dans l'application qui s'en fera aux lignes droites ou courbes. Et, pour faciliter l'intelligence de cette application, j'en donnerai ici quelques exemples.

Soit donc dans la première figure, par exemple, l'axe BA *du triligne* BAC *divisé en un nombre indéfini de parties égales, aux points* K, H, E, *d'où soient menées les ordonnées : on est assez averti par les choses précédentes que la simple somme de ces ordonnées est égale à l'espace du triligne.*

Je dis maintenant que la somme triangulaire de ces ordonnées IK, GH, FE, *etc., à commencer du côté de la base* CA, *est la même chose que la somme des rectangles compris de chaque ordonnée et de sa distance de la base; c'est-à-dire, la somme des rectangles* IK *en* KA, GH *en* HA, FE *en* EA.

Ce qui est bien aisé à démontrer en cette sorte. Puisque les distances AK, KH, HE, *sont égales, et qu'ainsi en prenant* AK *pour* 1, AH *sera* 2, AE 3, *etc., il s'ensuit que la somme des rectangles* IK *en* KA, GH *en* HA, FE *en* EA, *etc., n'est autre chose que* IK *multiplié par* 1, GH *par* 2, FE *par* 3, *etc.; ce qui n'est que la même chose que la somme triangulaire de ces droites* IK, GH, FE, *comme je l'ai montré dans le commencement.*

Je dis de même que deux fois la somme pyramidale de ces mêmes ordonnées, à commencer du côté de la base CA, *est égale à la somme des solides faits de ces mêmes ordonnées multipliées chacune par le carré de sa distance de la base; c'est-à-dire à* IK *en* KA *carré*+GH *en* HA *carré, etc.*

Car ces carrés étant 1, 4, 9, *etc., il s'ensuit que la somme des ordonnées, multipliées chacune par chacun de ces carrés, est la même chose que leur somme pyramidale prise deux fois, moins leur somme triangulaire prise une fois. Or cette somme triangulaire n'est qu'un indivisible à l'égard des sommes pyramidales, puisqu'il y a une dimension de moins, et que c'est la même chose qu'un point à l'égard d'une ligne, ou qu'une ligne à l'égard d'un plan, ou qu'un plan à l'égard d'un solide, ou enfin qu'un fini à l'égard de l'infini; ce qui ne change point l'égalité.*

Car il faut remarquer que, comme la simple somme de ces lignes fait un plan, ainsi leur somme triangulaire fait un solide, qui est composé d'autant de plans qu'il y a de divisions dans l'axe; lesquels plans sont formés chacun par les simples sommes particulières (*des ordonnées*) *dont la somme totale fait la somme triangulaire. Car la somme triangulaire de ces ordonnées se prend ainsi : premièrement, en les prenant toutes ensemble* CA, IK, GH, FE, *ce qui fait un plan égal au triligne; ensuite en les prenant toutes, excepté la première, c'est-à-dire,* IK, GH, FE, *ce qui fait un autre plan égal au triligne* BIK; *et ensuite* GH, FE, *ce qui fait un autre plan égal au triligne* BGH, *etc. De sorte qu'il y a autant de plans que de divisions, chacun desquels plans, étant multiplié par les petites portions de l'axe, forme autant de petits solides prismatiques, d'égale hauteur, tous lesquels ensemble font un solide, comme je l'ai dit ailleurs.*

De la même sorte, la somme pyramidale des mêmes ordonnées fait un plan-plan, composé d'autant de solides qu'il y a de portions dans l'axe, lesquels solides sont formés chacun par les sommes triangulaires particulières, dont la somme totale fait la somme pyramidale. Car leur somme pyramidale se prend ainsi : premièrement, en prenant la somme triangulaire de toutes, qui fait un solide, comme nous venons de dire; et ensuite la somme triangulaire de toutes, excepté la première, qui fait un autre solide, etc. Et ainsi, autant qu'il y aura de divisions, il y aura aussi de solides, lesquels, étant multipliés chacun par une des petites divisions de l'axe, formeront autant de petits plan-plans de même hauteur, qui tous ensemble font le plan-plan dont il s'agit.

Et l'on ne doit pas être blessé de cette quatrième dimension, puisque, comme je l'ai dit ailleurs, en prenant des plans au lieu des solides, ou même de simples droites, qui soient entre elles comme les sommes triangulaires particulières qui font toutes ensemble la somme pyramidale, la somme de ces droites fera un plan qui tiendra lieu de ce plan-plan.

Il faut entendre la même chose des lignes courbes BF, BFG, BFI, BFC, *et de leurs sommes triangulaires et pyramidales. Car tout cela est général pour toutes sortes de grandeurs, chacune selon sa nature.*

Je viens maintenant aux problèmes proposés publiquement touchant la roulette, desquels voici ceux que je proposai dans le premier écrit au mois de juin. Étant donnée (fig. 5), une portion quelconque CZY, de la demi-roulette, retranchée par une quelconque ordonnée à l'axe, trouver :

1° La dimension et le centre de gravité de l'espace CZY.

2° La dimension et le centre de gravité de son demi-solide autour de la base ZY, c'est-à-dire du solide fait

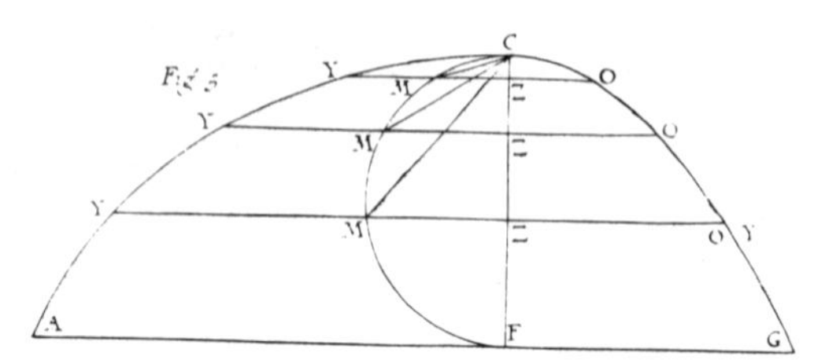

par le triligne CZY tourné autour de la base ZY d'un demi-tour seulement.

3° La dimension et le centre de gravité de son demi-solide autour de l'axe CZ.

Et ceux que je proposai au commencement d'octobre dans l'histoire de la roulette sont ceux-ci :

1° Trouver le centre de gravité de la ligne courbe CY.

2° Trouver la dimension et le centre de gravité de la surface de son demi-solide autour de la base.

3° Trouver la dimension et le centre de gravité de la surface de son demi-solide autour de l'axe.

Pour résoudre ces problèmes, la première chose que je fais, est de substituer à ces demi-solides des onglets qui y ont un grand rapport, et dont voici la définition.

DÉFINITION

Soit un triligne rectangle ABC (fig. 10), composé des deux droites AB, AC, dont celle qu'on voudra, comme AB, sera l'axe, et l'autre la base, faisant angle droit, et de la courbe quelconque BC. Soient divisées en un nombre indéfini de parties égales, tant AB aux points D, que AC aux points E, et encore la courbe même BC aux points L; et que chacune des parties de AB soit égale à chacune des parties de AC, et encore à chacune des parties de la courbe BC (car il ne faut pas craindre l'incommensurabilité, puisqu'en ôtant d'une de deux grandeurs incommensurables une quantité moindre qu'aucune donnée, on les rend commensurables). Soient maintenant des points D menées des perpendiculaires à l'axe jusqu'à la courbe; elles s'appelleront *les ordonnées à l'axe*. Soient menées des points E des perpendiculaires à la base jusqu'à la courbe;

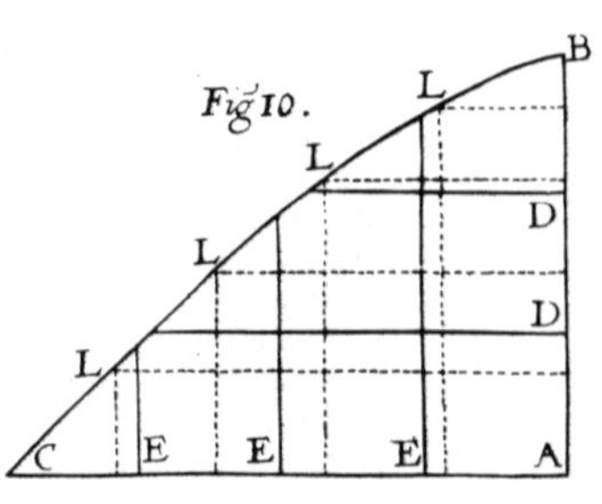

elles s'appelleront *les ordonnées à la base.* Soient maintenant menées des points L des perpendiculaires à la base; elles s'appelleront les *sinus sur la base.* Soient enfin menées des mêmes points L des perpendiculaires à l'axe; elles s'appelleront *les sinus sur l'axe.*

AVERTISSEMENT

On suppose ici toujours que le triligne est une figure plane, et que la courbe est de telle sorte que tant les sinus que les ordonnées ne la rencontrent qu'en un point. Et les portions de l'axe, de la base et de la courbe sont toutes égales tant entre elles que les unes aux autres.

Il faut aussi remarquer que les sinus diffèrent des ordonnées, en ce que les sinus naissent des divisions égales de la courbe, et les ordonnées des divisions égales de l'axe ou de la base.

Soient maintenant entendues des perpendiculaires élevées sur le plan de tous les points du triligne, qui forment un solide prismatique infini, qui aura le triligne pour base, lequel soit coupé par un plan incliné passant par l'axe ou par la base du triligne. La portion de ce solide retranchée par le plan s'appellera onglet.

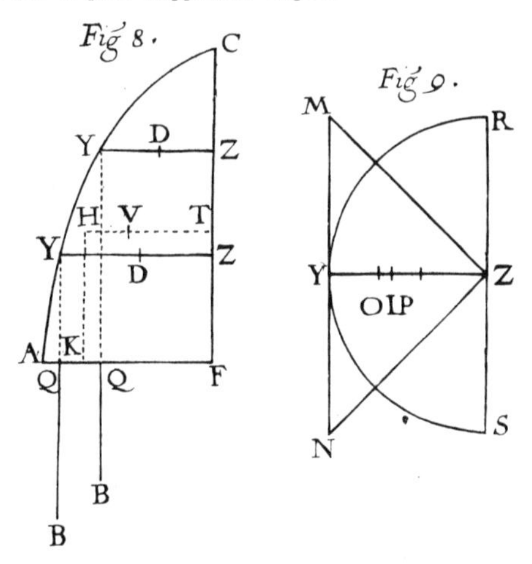

Que si l'on fait au-dessous du triligne ce que je viens de figurer au-dessus, c'est-à-dire que les perpendiculaires de tous les points du triligne soient prolongées de l'autre part, et coupées par un autre plan également incliné de l'autre part, il se formera au-dessous du plan du triligne un autre onglet, égal et semblable à celui du dessus, et tous deux ensemble s'appelleront le double onglet.

Or il est visible que tant l'onglet que le double onglet sera compris de trois plans et d'une portion de la surface cylindracée, laquelle portion s'appellera la surface courbe de l'onglet *ou du* double onglet.

Et l'onglet ou le double onglet qui seront retranchés par des plans inclinés passant par la base du triligne, s'appelleront l'onglet *ou* le double onglet de la base.

Et l'onglet ou le double onglet qui seront retranchés par des plans passant par l'axe, s'appelleront l'onglet *ou* le double onglet de l'axe.

J'avertis que je suppose toujours ici, que le plan qui retranche les onglets est incliné à celui du triligne de 45 degrés.

Je donnerai maintenant ici les rapports qu'il y a entre le double onglet de l'axe, par exemple, et le demi-solide du triligne tourné à l'entour de l'axe.

Je dis donc, premièrement, que le double onglet est au demi-solide comme le rayon au quart de la circonférence.

Car soit entendu, fig. 8, *le triligne* CFA *tourné à l'entour de l'axe* CF, *et que le solide qui en sera formé soit coupé par un plan passant par l'axe* CF, *perpendiculaire au plan du triligne, qui coupe le solide en deux demi-solides égaux, dont je considérerai celui qui est du côté du triligne. Maintenant soit divisé l'axe en un nombre indéfini de parties égales aux points* Z, *d'où soient menées les ordonnées* ZY. *Soit aussi dans la fig.* 9 *un demi-cercle quelconque* RYS *et le rayon* ZY, *perpendiculaire au diamètre* RS. *Soit aussi la touchante menée du point* Y, *dans laquelle soient prises* YM, YN, *égales chacune au rayon. Donc chacune des droites* ZM, ZN, *fera avec* YZ *un angle de* 45 *degrés (qui est l'angle d'inclination des plans qui engendrent le double onglet sur le plan du triligne) et l'angle entier MZN sera droit.*

Maintenant (dans la fig. 8) *soient entendus des plans élevés sur chacune des ordonnées* ZY, *perpendiculairement au plan du triligne, qui coupent tant le double onglet que le demi-solide. Il est visible que la figure entière* MYNZRS *représentera la section que chacun de ces plans perpendiculaires, passant par les ordonnées* ZY, *formera tant dans le double onglet que dans le demi-solide autour de l'axe; c'est-à-dire que les sections que chacun de ces plans formera dans le double onglet seront des triangles rectangles et isocèles, dont les angles droits seront aux points* Z *(et qui seront semblables au triangle rectangle* MZN); *et la base de chacun de ces triangles sera double de chaque ordonnée* ZY *(de même que* MN *est double de* ZY). *Et le contenu de chaque triangle sera égal au carré de son ordonnée, c'est-à-dire de l'ordonnée sur laquelle il est formé (de même que le triangle* MZN *est égal au carré de* ZY).

Il est aussi visible que les sections que ces mêmes plans formeront dans le demi-solide, seront des demi-cercles (qui auront pour rayons les mêmes ordonnées ZY) *et qui seront semblables au demi-cercle* RYS; *et lesquels auront partout aux triangles du double onglet, chacun au sien, la même raison que le demi-cercle* RYS *au triangle* MZN.

D'où il paraît que, les sections formées par les plans sur les droites ZY *étant toutes semblables tant entre elles qu'à la figure* MYNZRS, *il arrivera que tous les triangles ensemble, formés dans le double onglet, seront à tous les demi-cercles ensemble, formés dans le demi-solide, comme le triangle* MZN *au demi-cercle* RYS, *ou comme le rayon au quart de la circonférence, et qu'ainsi le double onglet sera au demi-solide, en la même raison du rayon au quart de la circonférence.* *C.q.f.d.*

Je dis 2° *que les centres de gravité, tant du double onglet (lequel soit au point* H), *que du demi-solide (lequel soit au point* V) *seront sur le plan du triligne.*

Cela est visible, puisque le plan du triligne sépare en

deux parties égales et toutes pareilles tant le double onglet que le demi-solide.

Je dis 3° que ces deux centres de gravité du double onglet et du demi-solide, et même celui du solide entier à l'entour de l'axe, sont tous également distants de la base.

Car tous les triangles qui forment l'onglet sont entre eux en même raison que les demi-cercles qui forment le demi-solide; et partant, en considérant CF *comme une balance, à laquelle soient pendus les triangles de l'onglet, ses deux bras seront en mêmes raisons que les deux bras de la même balance, en considérant qu'au lieu des triangles de l'onglet, on y pende les demi-cercles du demi-solide, ou même les cercles entiers qui formeraient le solide entier à l'entour de l'axe; et par conséquent les centres de gravité du solide entier, et du demi-solide, et du double onglet, sont tous également distants de la base* AF.

Je dis 4° que le bras HT *(ou la distance entre le centre de gravité du double onglet et l'axe* CF) *est au bras* VT *(ou à la distance entre le centre de gravité du demi-solide et le même axe* CF), *comme le quart de la circonférence d'un cercle à son rayon.*

Car en entendant (comme tantôt) les plans élevés perpendiculairement sur chaque ordonnée, ils formeront des sections dans l'onglet et dans le demi-solide, semblables au triangle MZN *et au demi-cercle* RYS; *et il arrivera que le centre de gravité de chaque triangle du double onglet divisera toujours l'ordonnée en même raison, savoir aux deux tiers depuis* Z : *et qu'aussi le centre de gravité de chaque demi-cercle divisera toujours l'ordonnée en même raison, savoir de* ZP *à* ZY (*fig.* 9), *où le point* P *est le centre de gravité du demi-cercle* RYS. *Donc puisque toutes les ordonnées* ZY *sont divisées aux deux tiers par les centres de gravité des triangles, qui sont les portions du double onglet, de même que* ZY *est divisée aux deux tiers au point* O, *et que les mêmes ordonnées* ZY *sont aussi toutes divisées par les centres de gravité des demi-cercles, qui sont les portions du demi-solide, en même raison que* ZY *est divisée au point* P : *il s'ensuit que le bras de chaque triangle est au bras de chaque demi-cercle, toujours en la même raison que* OZ *(qui est le bras du triangle* MZN *sur* RS) *à* PZ *(qui est aussi le bras du demi-cercle* RYS, *à l'égard de* RS). *Et, par conséquent, le bras* HT *de tous triangles ensemble, c'est-à-dire du double onglet, est au bras* VT *de tous les demi-cercles ensemble, c'est-à-dire du demi-solide, en la même raison que* OZ *à* PZ, *laquelle on sait être la même que le quart de la circonférence au rayon.*

Je dis 5° que la surface courbe du double onglet est à la surface du demi-solide comme le rayon au quart de la demi-circonférence.

Car, soit maintenant la courbe AYC *divisée en un nombre indéfini de parties égales aux points* Y, *d'où soient menées les perpendiculaires ou sinus* YZ; *et soient entendus de même des plans élevés perpendiculairement au triligne, passant par chacun des sinus* ZY, *lesquels plans coupent tant la surface courbe du double onglet que celle du demi-solide : il est visible que les sections que ces plans formeront dans la surface courbe du double onglet seront des lignes droites, doubles des sinus* ZY, *comme* MN *est double de* YZ; *et que les sections que ces mêmes plans formeront dans la surface du demi-solide seront des demi-circonférences, lesquelles seront partout aux droites formées dans la surface du double onglet, chacune à la sienne, comme la demi-circonférence* RYS, *à la droite* MN; *et par conséquent, que toutes les droites ensemble de la surface courbe du double onglet seront à toutes les demi-circonférences ensemble en la même raison que la droite* MN *à la demi-circonférence* RYS, *ou comme le rayon au quart de la circonférence; mais la somme de toutes les droites de la surface de l'onglet (c'est-à-dire, la somme des rectangles compris de chacune de ces droites et des portions égales de la courbe* AYC, *des divisions de laquelle elles sont menées) compose la surface même; et la somme de ces demi-circonférences de la surface du demi-solide compose cette surface même comme d'autres l'ont démontré, et entre autres le P. Tacquet.*

Donc la surface courbe du double onglet est à la surface du demi-solide comme le rayon au quart de la circonférence.

Je dis 6° que le centre de gravité de la surface courbe du double onglet, et le centre de gravité de la surface du demi-solide, et même celui de la surface du solide entier autour de l'axe, sont tous sur le plan du triligne, et tous également distants de la base AF.

Ce qui se démontrera de même qu'on a vu pour les centres de gravité de leurs solides.

Je dis 7° que le point H *étant maintenant le centre de gravité de la surface courbe du double onglet, et le point* V, *étant le centre de gravité de la surface du demi-solide, le bras* HT *sera au bras* VT *comme le quart de la circonférence au rayon.*

Car en prenant (fig. 9) *le point* I, *qui soit le centre de gravité de la demi-circonférence, on démontrera de même (fig.* 8) *que les sinus* YZ *seront tous divisés par les centres de gravité de chaque demi-circonférence en même raison que* ZY *de la fig.* 9 *l'est au point* I. *Et il est visible que dans la fig.* 8 *les points* Y *sont les centres de gravité de chacune des droites du double onglet, et qu'ainsi les sinus* YZ *seront leurs bras. Donc les bras des droites du double onglet sont aux bras des demi-circonférences du demi-solide, chacune à la sienne, toujours en la même raison de* YZ *à* ZI (*fig.* 9). *Donc le bras de toutes les droites ensemble (ou de la surface courbe du double onglet) sera au bras de toutes les demi-circonférences ensemble (ou de la surface du demi-solide) en la même raison que* YZ *à* ZI; *laquelle on sait d'ailleurs être la même que du quart de la circonférence au rayon.*

AVERTISSEMENT

Puisque celle qu'on veut des deux droites d'un triligne est prise pour l'axe, et l'autre pour la base, tout ce qui a été dit de l'onglet de l'axe à l'égard du solide autour de l'axe, sera de même véritable de l'onglet de la base à l'égard du solide à l'entour de la base, et se démontrera de même, puisqu'il ne faudra qu'appeler axe *la droite qui était appelée* base *et appeler* base *celle qui était appelée* axe.

Voilà les rapports qui sont entre les demi-solides et les onglets; par où il paraît que, si on connaît la dimension et les centres de gravité des onglets et de leurs surfaces courbes, on connaîtra la même chose dans les demi-solides, par la comparaison du rayon au quart de la circonférence, dont on suppose ici que la raison est donnée.

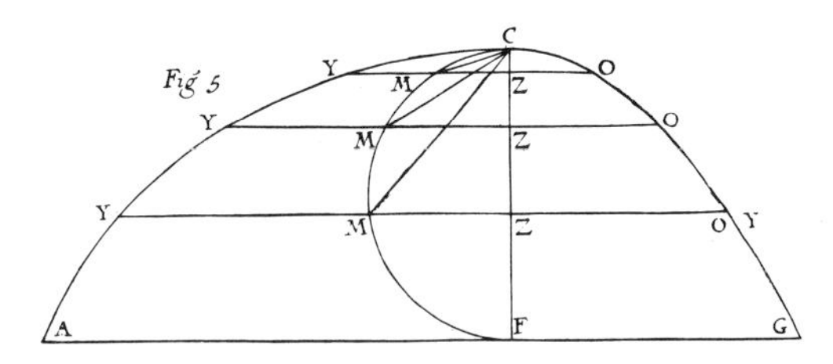

Ainsi, pour résoudre tous les problèmes proposés, il suffira de trouver ces trois choses : 1° La dimension et le centre de gravité d'une portion quelconque de la roulette CZY (*fig.* 5); 2° *Le centre de gravité de sa ligne courbe* CY; 3° *La dimension et le centre de gravité des doubles onglets, tant de la base que de l'axe, et la dimension et le centre de gravité de leurs surfaces courbes.*

Ce sont donc là les problèmes que vous verrez ici.

Or, pour arriver à ces connaissances sur le sujet des portions de la roulette en particulier, je donnerai des propositions universelles pour connaître toutes ces choses en toutes sortes de trilignes généralement.

C'est, Monsieur, ce que j'ai cru devoir vous dire avant que d'entrer en matière, et que j'aurais pu peut-être mettre en moins de place, si j'y avais travaillé davantage; mais j'ai eu une raison particulière de démêler de petites difficultés qui embarrassent ceux qui n'entendent pas la science des indivisibles, auxquels ayant voulu proportionner ce discours, j'ai mis dans les avertissements ce qui pouvait leur être nécessaire, mais en autre caractère, afin de ne point ennuyer les autres qui n'auront qu'à les passer sans les lire. Je n'ai donc plus qu'à vous prier d'excuser les défauts que vous verrez ici, ce que j'espère de votre bonté et de la connaissance que vous avez du peu de loisir que j'ai de m'appliquer à ces sortes d'études; ce qui fait que je vous envoie ce discours à mesure que je l'écris : de sorte qu'il pourra bien m'arriver de répéter plus d'une fois les mêmes choses, et peut-être que je l'ai déjà fait, ne me souvenant pas assez de ce que j'ai une fois envoyé.

Il me reste encore à vous dire que, dans la suite de ce discours, je me servirai souvent de cette expression, une multitude indéfinie, *ou* un nombre indéfini *de grandeurs, ou de parties, etc., par où je n'entends autre chose, sinon une multitude ou un nombre plus grand qu'aucun nombre donné.*

Je vous avertirai encore que j'use indifféremment de ces deux termes, donné *ou* connu, *pour signifier une même chose; ce n'est pas que je ne sache qu'il y a de la différence, en ce que, selon Euclide et les Anciens, une grandeur est* donnée, *quand on peut y en donner une égale, et qu'ainsi l'espace du cercle est donné quand son rayon est donné; au lieu qu'on ne peut pas dire absolument qu'il soit* connu, *parce que le mot de* connu *enferme quelque autre chose. Mais dans ce discours j'appelle* un espace donné, *ou* connu, *celui qui a raison donnée à un carré connu; et de même j'appelle* un solide donné *ou* connu *celui qui a raison donnée à un parallélépipède connu. Et j'appelle* raison donnée *ou* connue *la raison de nombre connu à nombre connu ou de droite connue à droite connue, ou de la circonférence d'un cercle à une portion connue de son diamètre, et je n'en reçois aucune autre pour* donnée *ou* connue.

Il m'arrivera souvent de marquer un même point par plusieurs lettres comme par exemple, figure 29, où le diamètre FM *étant divisé en un nombre indéfini de parties égales aux points* O *d'où sont menées toutes les ordonnées, entre lesquelles je considère particulièrement celle qui part d'un point donné* P. *Je marque de la lettre* A *tous les points où les ordonnées coupent la demi-circonférence. Et je marque encore de la lettre* R *les points où les ordonnées* OA *qui sont entre* P *et* M, *coupent la circonférence. Et je marque de la lettre* I *les points où les ordonnées* OA *qui sont entre* P *et* F, *coupent la circonférence. Et ainsi, quand je dis les ordonnées* OA, *je les comprends toutes généralement. Quand je dis les ordonnées* OR, *je n'entends que celles qui sont entre* P *et* M; *et de même quand je dis* OC, *j'entends celles qui sont entre* G *et* P, *parce que le point* C *est marqué particulièrement pour celles-là, comme on le voit dans la figure.*

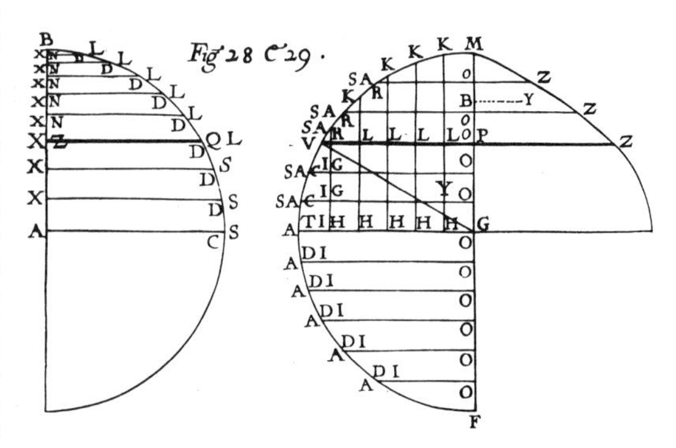

Je crois aussi avoir oublié de vous dire, en définissant les trilignes rectangles qu'encore que la ligne BC, *qui joint les extrémités des deux droites perpendiculaires* AB, AC (*et qui est comme l'hypoténuse du triligne*) *ne soit pas une ligne courbe, mais une ligne droite, ou ligne mixte, ce serait toujours un triligne rectiligne ou mixtiligne : pourvu que cette condition s'y rencontre que les ordonnées, tant à l'axe qu'à la base, ne coupent jamais*

l'hypoténuse du triligne en deux points. Ainsi un triangle rectangle sera un triligne rectiligne. Et ainsi (dans la fig. 11) *le triangle* BACFB *est un triligne mixtiligne, dont les deux droites sont* BA, AC; *et l'hypoténuse mixte est* CFB, *composée de la courbe* CF, *et de la droite* FB *parallèle à la base* AC : *toutes lesquelles sortes de trilignes sont considérées ici généralement, le discours devant s'entendre de tous sans exception.*

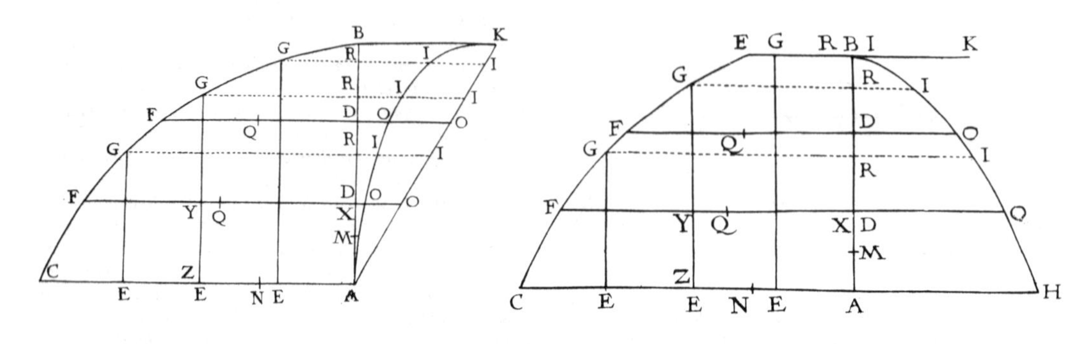

Fig 11.

TRAITÉ DES TRILIGNES RECTANGLES ET DE LEURS ONGLETS

LEMME GÉNÉRAL

Soit un triligne rectangle quelconque (fig. 11) tel qu'il a été défini dans la lettre précédente ABC, dont les ordonnées à l'axe soient DF, et les ordonnées à la base soient EG, coupant la courbe en G; d'où soient réamenées des perpendiculaires GR à l'axe, prolongées infiniment, et lesquelles j'appelle les *contre-ordonnées.* Soient aussi prolongées indéfiniment les ordonnées à l'axe. Et soit, sur l'axe AB, et de l'autre côté du triligne, une figure quelconque BKOA, dans le même plan, comprise entre les parallèles extrêmes CA, BK (cette figure s'appellera l'*adjointe* du triligne). Que cette figure adjointe soit coupée par les ordonnées FD aux points O, et par les contre-ordonnées GR, aux points I.

Je dis que la somme des rectangles FD *en* DO, *compris de chaque ordonnée du triligne et de chaque ordonnée de la figure adjointe, est égale à la somme des espaces* ARI, *qui sont les portions de l'adjointe, comprises depuis chacune des contre-ordonnées jusqu'à l'extrémité de l'adjointe du côté de A.*

Car soit entendu le triligne BAC être multiplié par la figure BAOK, et former par ce moyen un certain solide, c'est-à-dire, soient de tous les points du triligne ABC élevées des perpendiculaires au plan, qui forment un solide prismatique infini, ayant le triligne ABC pour base. Soit aussi entendue la figure BAOK, tournant sur l'axe BA, relevée perpendiculairement au plan du triligne ABC; et soit enfin entendue la base AC s'élever toujours parallèlement à soi-même, le point A parcourant toujours le bord de la figure relevée AOIKB, jusqu'à ce qu'elle retombe au point B : la portion du solide prismatique infini, retranchée par la surface décrite par la ligne CA dans son mouvement, sera le solide que l'on considère ici, laquelle sera comprise de quatre surfaces, entre lesquelles le triligne tiendra lieu de base.

Soient maintenant entendus deux ordres de plans perpendiculaires à celui du triligne; les uns passant par les ordonnées DF à l'axe (lesquels, coupant le solide, donneront pour sections les rectangles FD en DO, compris de chaque ordonnée DF et de chaque ordonnée DO de la figure adjointe); et les autres plans passant par les ordonnées GE, lesquels seront parallèles à l'adjointe BAOK (relevée comme il a été dit) et coupant le même solide, formeront pour sections des figures égales et toutes semblables aux portions RIA, comprises depuis chaque contre-ordonnée RI, jusqu'à l'extrémité de la ligne du côté de A (ce qui paraît par les parallélismes, tant de chacun de ces plans avec l'adjointe relevée, que de la ligne AC avec soi-même dans tout son mouvement). Or, il est visible que les sommes des sections faites par chacun de ces ordres de plans sont égales chacune au solide, et par conséquent entre elles (puisque les portions indéfinies AE, EE, etc., de la base, sont égales, tant entre elles qu'aux portions égales et indéfinies AD, DD, etc., de l'axe); c'est-à-dire que la somme de tous les rectangles FD en DO est égale à la somme de toutes les portions RIA. C. q. f. d.

LEMME

Soit ABK (fig. 12) un triangle rectangle et isocèle, dont B soit l'angle droit; soit aussi AIK une parabole dont A soit le sommet, AB la touchante au sommet, et AB ou BK le côté droit; et soit une droite quelconque RIV, parallèle à BK, coupant AB en R, la parabole en I, et la droite AK en V.

Je dis 1° *que le triangle isocèle* ARV *est égal à la moitié de* AR *carré, cela est visible.*

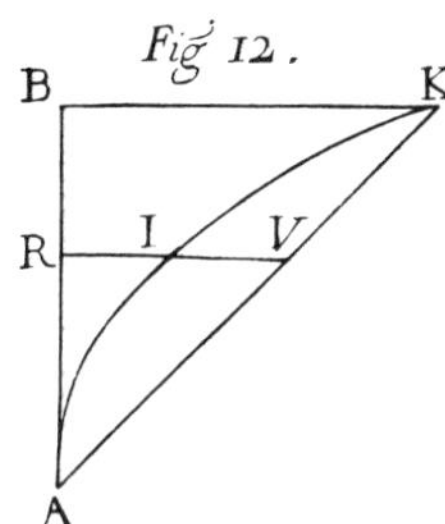

Je dis 2° *que le triligne parabolique* ARI *multiplié par* AB, *est égal au tiers de* AR *cube.*

Car le triligne ARI (par la nature de la parabole) est le tiers du rectangle AR en RI. Donc en multipliant le tout par AB, le triligne ARI, multiplié par AB, sera le tiers du solide de AR en RI en AB; c'est-à-dire de AR cube, puisque RI en AB est égal à AR carré.

Je dis 3° *que si* AIK *est une parabole cubique* (*c'est-à-dire que les cubes des ordonnées soient entre eux comme les portions de l'axe, ou, ce qui est la même chose, que* AB *carré en* RI *soit toujours égal à* AR *cube*), *le triligne* ARI, *multiplié par* AB *carré, sera égal au quart de* AR *carré-carré.*

Car, par la nature de cette parabole, le triligne ARI est le quart du rectangle AR en RI; donc, en multipliant le tout par AB carré, on démontrera le reste comme en l'article précédent.

Et de même pour les autres paraboles carrées-carrées, carrées-cubiques, etc.

RAPPORTS
ENTRE LES ORDONNÉES A L'AXE ET LES ORDONNÉES A LA BASE D'UN TRILIGNE RECTANGLE QUELCONQUE

PROPOSITION I

La somme des ordonnées à la base est la même que la somme des ordonnées à l'axe.

Car l'une et l'autre est égale à l'espace du triligne.

PROPOSITION II

La somme des carrés des ordonnées à la base est double des rectangles compris de chaque ordonnée à l'axe et de sa distance de la base.

C'est-à-dire, figure 11, que la somme de tous les EG carré est double de la somme de tous les rectangles FD en DA.

Car si le triligne ABC a pour adjointe un triangle rectangle et isocèle ABK, dont les côtés AB, BK soient égaux entre eux, et la base AK une ligne droite qui soit coupée par les ordonnées FD aux points O, et par les contre-ordonnées GR aux points I, il arrivera, comme il a été démontré, que la somme de tous les rectangles FD en DO, ou FD en DA (puisque partout DO sera égal à DA) sera égale à la somme de tous les triangles ARI; c'est-à-dire, par le lemme précédent, à la moitié de la somme de tous les AR carré, ou de tous les EG carré.

COROLLAIRE

Donc la somme des carrés des ordonnées à la base est double de la somme triangulaire des ordonnées à l'axe, à commencer par la base.

Car la somme des rectangles FD en DA est la même chose que la somme triangulaire des ordonnées FD, à commencer du côté de A, comme il a été démontré dans la lettre à M. de Carcavy.

PROPOSITION III

La somme des cubes des ordonnées à la base est triple des solides compris de chaque ordonnée à l'axe et du carré de sa distance de la base.

La somme de tous les EG *cube est triple de la somme de tous les* FD *en* DA *carré.*

Car si la figure adjointe ABK est composée des deux droites perpendiculaires AB, BK et de la parabole AOK, telle qu'elle a été supposée dans le lemme précédent, il arrivera toujours (par le lemme général) que la somme des rectangles FD en DO sera égale à la somme des portions ARI (qui seront ici des trilignes paraboliques). Donc, en multipliant le tout par BA, la somme des solides FD en DO en AB, ou FD en DA carré, sera égale à la somme des trilignes ARI, multipliés par AB; c'est-à-dire (par le lemme précédent) au tiers de la somme des AR cube, ou des EG cube.

COROLLAIRE

Donc la somme des cubes des ordonnées à la base est égale à six fois la somme pyramidale des ordonnées à l'axe, à commencer par la base.

Car la somme des EG cube est triple de la somme des FD en DA carré; et la somme des FD en DA carré est double de la somme pyramidale des ordonnées FD, à commencer du côté de A, comme il a été démontré dans la même lettre.

PROPOSITION IV

On démontrera de même que la somme des carrés-carrés des ordonnées à la base est quadruple de la somme des ordonnées à l'axe, multipliées chacune par le cube de sa distance de la base; et ainsi toujours.

AVERTISSEMENT

Puisque celle qu'on veut des deux droites d'un triligne est prise pour l'axe, et l'autre pour la base, tout ce qui a été dit des ordonnées à la base à l'égard des ordonnées à l'axe se pourra dire de même des ordonnées à l'axe à l'égard des ordonnées à la base.

PROPOSITION V

La somme des solides compris du carré de chaque ordonnée à la base, et de sa distance de l'axe est égale à la somme des solides compris du carré de chaque ordonnée à l'axe et de sa distance de la base.

Je dis que la somme des solides de tous les EG *carré en* EA *est égale à la somme des solides de tous les* DF *carré en* DA.

Ou, ce qui est la même chose :

La somme triangulaire des carrés des ordonnées à la base est égale à la somme triangulaire des carrés des ordonnées à l'axe, en commençant toujours du côté du centre du triligne ; c'est-à-dire du point où l'axe et la base se coupent.

Je dis que la somme triangulaire de tous les EG carré est égale à la somme triangulaire de tous les DF *carré, en commençant toujours du côté de* A.

Car, si on entend que le double onglet de la base soit formé sur le triligne CAB, dont le centre de gravité soit au point Y, d'où soient menées les perpendiculaires YX, YZ, qui seront les bras sur l'axe et sur la base, et qu'on entende que ce double onglet soit coupé par des plans perpendiculaires au triligne, passant par les ordonnées EG, il est visible que les sections que ces plans donneront dans le double onglet, seront des triangles rectangles et isocèles, égaux chacun au carré de son ordonnée EG; comme on l'a vu dans la lettre sur les figures 8 et 9 où il a été montré que le triangle rectangle et isocèle MZN, qui représente les triangles de ces sections, est égal au carré de ZY, qui représente les ordonnées.

Maintenant soit entendu le même double onglet coupé par un autre ordre de plans perpendiculaires à celui du triligne, et passant par les ordonnées DF, lesquels donneront pour sections dans le double onglet des rectangles qui auront la base chacun égale à son ordonnée DF, et la hauteur égale à deux fois AD; tous lesquels rectangles seront coupés en deux également par les ordonnées DF; et partant les centres de gravité de ces rectangles seront au point Q, où chaque ordonnée est coupée par la moitié, et les droites QD seront leurs bras sur BA, c'est-à-dire la distance entre leur centre de gravité et BA.

Or il est visible que la somme de ces rectangles compose le solide du double onglet; et que la somme des triangles formés par l'autre ordre de plans EG, compose aussi le même solide du double onglet; et qu'ainsi la somme des uns n'est que la même chose que la somme des autres; et que chacune des deux n'est que la même chose que le solide du double onglet; d'où il paraît qu'aussi la somme triangulaire des portions du solide comprises entre tous les plans voisins du premier ordre EG est la même chose que la somme triangulaire des triangles formés par les plans EG; et que ce n'est encore que la même chose que la somme triangulaire des portions des rectangles formés par les plans FD, comprises toujours entre tous les mêmes plans voisins du premier ordre EG.

Mais (par la méthode générale des centres de gravité) la somme triangulaire des portions de chacun de ces rectangles, comprises entre les plans EG, est égale à chaque rectangle multiplié par son bras QD sur l'axe AB. Donc la somme de ces rectangles, multipliés chacun par QD, est égale à la somme triangulaire des triangles formés par les plans EG (à commencer toujours du côté de AB).

Mais chacun de ces triangles formés par les plans EG est égal à chaque EG carré, et chacun des rectangles formés par les plans FD est égal à 2 fois chaque AD en DF. Donc la somme triangulaire de tous les EG carré est égale à la simple somme, de deux fois tous les AD en DF multipliés par DQ; c'est-à-dire à la simple somme de tous les AD en DF carré; ou (ce qui n'est que la même chose, puisque le premier AD est 1, le second AD 2, etc.) à la somme triangulaire de tous les DF carré.

C. q. f.d.

AVERTISSEMENT

On a été assez averti dans la lettre que la quatrième dimension n'est point contre la pure géométrie, puisqu'en substituant, tant aux EG *carré qu'aux rectangles* AD *en* DF, *des droites qui soient entre elles en même raison que ces carrés et ces rectangles, on démontrera la même chose par la même manière, sans aucun changement et sans quatrième dimension.*

RAPPORTS

ENTRE LES SINUS SUR LA BASE D'UN TRILIGNE QUELCONQUE ET LES PORTIONS DE SA LIGNE COURBE COMPRISES ENTRE LE SOMMET ET LES ORDONNÉES A L'AXE

DÉFINITION

On appelle ici *arcs* non seulement les portions des circonférences de cercle, mais encore les portions de toutes sortes de lignes courbes.

HYPOTHÈSE GÉNÉRALE

Soit un triligne rectangle quelconque BAH (fig. 13), et soit le même triligne BAP, renversé de l'autre part de

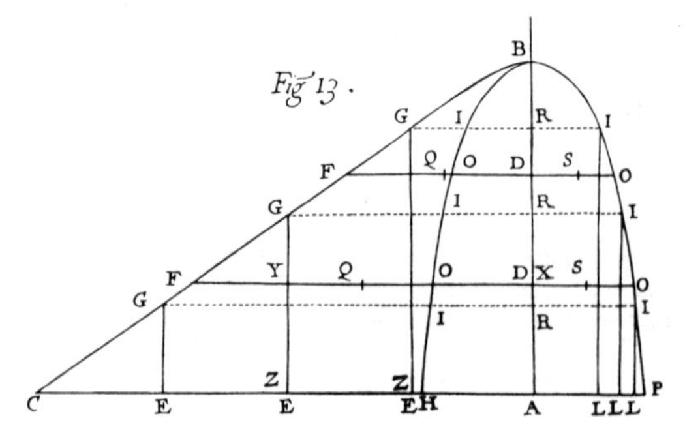

l'axe BA, et qu'ainsi les deux bases égales HA, AP, ne fassent qu'une même ligne droite; soit divisé tant l'axe que la courbe BP en un nombre indéfini de parties toutes égales entre elles; c'est-à-dire que les parties de l'axe BD, DD, etc., soient égales tant entre elles qu'aux parties égales de la courbe BI, II, etc.; soient menées les ordonnées DO à l'axe, et les sinus IL sur la base.

Les rapports qui se trouvent entre la somme des sinus IL, et la somme des arcs ou des portions BO de la courbe (comprises entre le point B et chacune des ordonnées à l'axe) seront les suivants.

PROPOSITION VI

La somme des arcs de la courbe compris entre le sommet et chaque ordonnée à l'axe est égale à la somme des sinus sur la base.

C'est-à-dire que la somme de tous les arcs BO, *est égale à la somme des sinus* IL.

PROPOSITIONS VII

La somme des carrés de ces mêmes arcs BO *est égale à deux fois la somme triangulaire des mêmes sinus* IL, *à commencer par* A.

PROPOSITION VIII

La somme des cubes de ces mêmes arcs BO *est égale à six fois la somme pyramidale des mêmes sinus* IL, *à commencer par* A.

PROPOSITION IX

La somme triangulaire des mêmes arcs BO, *à commencer par A, est égale à la moitié de la somme des carrés des mêmes sinus* IL.

PROPOSITION X

La somme pyramidale des mêmes arcs BO, *à commencer par* A, *est égale à la sixième partie des cubes des mêmes sinus* IL.

PROPOSITION XI

La somme triangulaire des carrés des mêmes arcs BO, *à commencer par* A, *est égale à la somme triangulaire des carrés des mêmes sinus* IL, *à commencer par* A.

PROPOSITION XII

Je dis maintenant qu'en menant les sinus sur l'axe, savoir les perpendiculaires IR, *la somme des rectangles compris de chacun des mêmes arcs et de l'ordonnée qui le termine, savoir la somme de tous les rectangles* BO *en* OD, *est égale à la somme des portions du triligne comprises entre chaque sinus sur l'axe et la base, savoir à la somme de toutes les portions* IRAP.

PROPOSITION XIII

La somme des carrés de chaque arc, multipliés chacun par son ordonnée, c'est-à-dire de tous les BO *carré en* OD, *est double de la somme triangulaire de ces mêmes portions* IRAP *du triligne, entre la base et chaque sinus sur l'axe, à commencer du côté de* B.

PROPOSITION XIV

La somme triangulaire des rectangles de chaque ordonnée avec son arc, c'est-à-dire la somme triangulaire de tous les BO *en* OD, *à commencer par* A, *ou (ce qui est la même chose) la somme de tous les solides* AD *en* DO *en* OB, *compris de chaque arc, de son ordonnée, et de la distance entre l'ordonnée et la base, est égale à la somme de ces portions* IRAP *du triligne, multipliées chacune par son bras sur la base* AP, *c'est-à-dire par la perpendiculaire menée sur* AP *du centre de gravité de chaque portion* IRAP.

PROPOSITION XV

La somme des arcs multipliés chacun par le carré de son ordonnée, c'est-à-dire de tous les BO *en* OD *carré, est double de la somme de ces portions* IRAP *du triligne, multipliées chacune par son bras sur l'axe* AB, *c'est-à-dire par la perpendiculaire sur* AB *menée du centre de gravité de chaque portion* IRAP.

PRÉPARATION A LA DÉMONSTRATION, FIG. 13.

Soit prise, dans la droite AH prolongée, la portion AC égale à la ligne courbe BIP ou BOH; et, ayant divisé AC en autant de parties égales qu'il y en a dans la courbe BIP, aux points E, et qu'ainsi chacune des portions AE, EE, etc., soit égale à chacun des arcs BI, II, etc., soient des points E menées des perpendiculaires EG, qui rencontrent les sinus IR sur l'axe (prolongés s'il le faut) aux points G; de sorte que chacune des droites EG soit égale à chacun des sinus IL sur la base, et que par tous les points B, G, G, C, soit entendue passer une ligne courbe, dont les droites EG seront les ordonnées à la base, et les droites GR en seront les contre-ordonnées. La nature de cette ligne sera telle que, quelque point qu'on y prenne G, d'où on mène les droites GE, GRI, parallèles à l'axe et à la base, il arrivera toujours que la portion AE, ou la droite RG, sera égale à l'arc BI, et la portion restante EC à l'arc restant IP : et par ce moyen les ordonnées DO à l'axe étant prolongées, et la coupant, en F, chacune des droites DF sera égale à chacun des arcs BO compris entre l'ordonnée même DF et le sommet.

Cela posé, la démonstration des propositions VI, VII, VIII, IX, X, XI, XII, XIII, XIV, XV, qui viennent d'être énoncées sera facile.

DÉMONSTRATION DE LA PROPOSITION VI

Je dis que la somme de tous les arcs BO est égale à la somme des sinus IL.

Car tous les arcs BO sont les mêmes que toutes les ordonnées DF à l'axe, dont la somme est égale à celle des ordonnées EG, par la proposition I, c'est-à-dire à la somme des sinus IL.

DÉMONSTRATION DE LA PROPOSITION VII

Je dis que la somme des arcs BO carré est double de la somme triangulaire des sinus IL, à commencer par A, ou que la somme des DF carré est double de la somme triangulaire des ordonnées EG, à commencer par A : ce qui est démontré par le corollaire de la proposition II.

DÉMONSTRATION DE LA PROPOSITION VIII

Je dis que la somme des arcs BO cube est égale à six fois la somme pyramidale des mêmes sinus IL, à commencer par A, ou que la somme de tous les DF cube est égale à six fois la somme pyramidale de toutes les EG, à commencer par A : ce qui a été démontré par la IIIe.

DÉMONSTRATION DE LA PROPOSITION IX

Je dis que la somme triangulaire des arcs BO, à commencer par A, est égale à la moitié de la somme des carrés des sinus IL, ou que la somme triangulaire des ordonnées DF, à commencer par A, est égale à la moitié de la somme des carrés des ordonnées EG : ce qui est démontré par le même corollaire de la IIe.

DÉMONSTRATION DE LA PROPOSITION X

Je dis que la somme pyramidale des arcs BO, à commencer par A, est égale à la sixième partie de la somme des cubes des sinus IL, ou que la somme pyramidale des ordonnées DF, à commencer par A, est égale à la sixième partie de la somme des cubes des ordonnées EG : ce qui a été démontré par le corollaire de la IIIe.

DÉMONSTRATION DE LA PROPOSITION XI

Je dis que la somme triangulaire des arcs BO carré est égale à la somme triangulaire des sinus IL carré, à commencer toujours par A, ou que la somme triangulaire des ordonnées DF carré est égale à la somme triangulaire des ordonnées EG carré, à commencer toujours par A : ce qui a été démontré par la Ve.

DÉMONSTRATION DE LA PROPOSITION XII

Je dis que la somme des rectangles BO en OD, ou FD en DO est égale à la somme des portions IRAP.

C'est la même chose que ce qui a été démontré dans le lemme général. Car en considérant le triligne BAP comme étant la figure adjointe du triligne BAC, il s'ensuit (par ce qui a été démontré dans ce lemme) que la somme des rectangles FD en DO (compris de chaque ordonnée DF du triligne BAC, et de chaque ordonnée DO du triligne BAP), est égale à la somme des portions ARIP de la figure adjointe (comprises entre chaque contre-ordonnée RI et la droite AP), et que les unes et les autres composent un même solide.

DÉMONSTRATION DE LA PROPOSITION XIII

Je dis que la somme de tous les BO carré en OD, ou FD carré en DO, est double de la somme triangulaire des mêmes portions ARIP, à commencer du côté de B : ou que cette somme triangulaire des portions ARIP est égale à la somme des solides QD en FD en DO (qui sont la moitié des FD carré en DO, chaque FD étant divisée par la moitié en Q).

Car soit entendue la figure adjointe BAP relevée perpendiculairement au plan du triligne BAC, et former le solide dont il a été parlé dans le lemme général, qui soit coupé par deux ordres de plans perpendiculaires au triligne, les uns passant par les droites EG, et les autres par les droites DF; les uns donnant pour sections des figures pareilles aux espaces ARIP, et les autres donnant pour sections les rectangles FD en DO, comme cela a été dit dans le lemme général. Et ainsi ce solide sera composé de la somme des espaces ARIP, et le même solide est aussi composé de la somme des rectangles FD en DO : d'où il s'ensuit que la somme des portions ARIP, élevées perpendiculairement au plan ABC sur les droites EG, et la somme des rectangles FDO, élevés aussi perpendiculairement au même plan ABC, ne sont qu'une même chose, tant entre elles qu'avec le solide; et, par conséquent, que la somme triangulaire des portions du solide comprises entre tous les plans EG, à commencer du côté de AB, est la même chose que la somme triangulaire des espaces ARIP; et que c'est aussi la même chose que la somme triangulaire des portions de chaque rectangle FD en DO, comprises entre tous les mêmes plans EG.

Mais (par la méthode générale des centres de gravité) la somme triangulaire des portions de chacun de ces rectangles comprises entre les plans EG, à commencer du côté de AB, est égale à chaque rectangle multiplié par son bras QD sur AB; donc aussi la somme des rectangles FDO, multipliés chacun par son bras QD, est égale à la somme triangulaire des portions ARIP, à commencer par B. C. q. f. d.

DÉMONSTRATION DE LA PROPOSITION XIV

Je dis que la somme triangulaire de tous les BO en OD, ou FD en DO, à commencer par A, est égale à la somme de ces espaces IRAP, multipliés chacun par son bras sur la base AP.

Car en relevant le triligne adjoint BAP, qui formera le solide coupé par les deux ordres de plans (comme en l'article précédent), desquels les uns forment pour sections les espaces pareils à ARIP, et les autres les rectangles FD en DO, la somme de chacun, c'est-à-dire tant des espaces ARIP que des rectangles FD en DO, ne sont qu'une même chose que le solide. D'où il est évident que la somme triangulaire des portions du solide comprises entre tous les plans FD est la même chose que la somme triangulaire de tous les rectangles FD en DO; et que c'est aussi la même chose que la somme triangulaire des portions des espaces ARIP, comprises entre tous les mêmes plans FD.

Mais la somme triangulaire de chaque espace ARIP, compris entre les plans FD, à commencer du côté de AP, est égale (par la méthode générale des centres de gravité) à chaque espace ARIP, multiplié par son bras sur AP; donc aussi la somme de ces espaces ARIP, multipliés chacun par son bras sur AP, est égale à la somme triangulaire des rectangles FDO; à commencer par A. C. q. f. d.

DÉMONSTRATION DE LA PROPOSITION XV

Je dis que la somme de tous les DO carré en OB, ou de tous les FD en DO carré, est double de la somme des portions ARIP, multipliées chacune par son bras sur l'axe BA; ou que la somme des solides FD en DO en DS, qui est la moitié des FD en DO carré (chaque DO étant divisée par la moitié en S) est égale à la somme des espaces ARIP multipliés chacun par son bras sur l'axe AB.

Car soit relevé de même le triligne adjoint BAP, qui formera un solide coupé par les deux ordres de plans sur EG et DF, qui donnent pour sections dans le solide les rectangles FDO, et les espaces ARIP, qui sont tels que la somme des rectangles FDO et la somme des espaces ARIP ne sont qu'une même chose, tant entre elles qu'avec le solide.

Soit maintenant entendu un 3ᵉ ordre de plans, parallèles à celui du triligne et élevés au-dessus du plan du triligne, et tous en distances égales l'un de l'autre; en sorte qu'ils divisent la droite AP (relevée perpendiculairement au plan du triligne) en un nombre indéfini de parties égales : et qu'ainsi ils coupent le solide en un nombre indéfini de parties comprises chacune entre deux quelconques plans voisins.

Donc, puisque ces trois choses ne sont qu'une même, savoir la somme des rectangles FDO relevés sur les droites FD, la somme des espaces ARIP relevés sur les droites EG, et le solide : il s'ensuit que la somme triangulaire de toutes les portions des espaces ARIP, comprises entre tous les plans voisins de ce troisième ordre, est la même que la somme triangulaire de toutes les portions des rectangles FD en DO, comprises entre les mêmes plans voisins de ce même troisième ordre, à commencer toujours du côté d'en bas, c'est-à-dire du côté du triligne ABC, qui sert de base au solide.

Mais la somme triangulaire des portions de chaque espace ARIP, comprises entre les plans voisins du troisième ordre, est égale à chaque espace ARIP, multiplié par son bras sur l'axe AB : et de même la somme triangulaire des portions de chaque rectangle FDO, comprises entre les mêmes plans du 3ᵉ ordre, est égale à chaque rectangle FDO, multiplié par son bras sur l'axe, ou à chaque rectangle FDO, multiplié par SD, car SD est le bras sur l'axe, c'est-à-dire à chaque solide FD en DO en DS.

Donc la somme de tous les FD en DO en DS est égale à la somme des espaces ARIP, multipliés chacun par son bras sur l'axe AB. C. q. f. d.

MÉTHODE GÉNÉRALE

POUR TROUVER LA DIMENSION ET LE CENTRE DE GRAVITÉ D'UN TRILIGNE QUELCONQUE ET DE SES DOUBLES ONGLETS, PAR LA SEULE CONNAISSANCE DES ORDONNÉES A L'AXE OU A LA BASE

Pour trouver la dimension, tant du triligne que de ses doubles onglets, et leurs centres de gravité, c'est-à-dire la distance entre leurs centres de gravité et la base du triligne, et la distance entre leurs mêmes centres de gravité et l'axe du triligne, ou, ce qui est la même chose, leurs bras sur la base et sur l'axe, je me suis servi d'une méthode qui réduit tous ces problèmes à la connaissance des seules ordonnées, c'est-à-dire à la connaissance de leurs sommes simples, triangulaires et pyramidales, ou de leurs puissances, comme on le va voir ici.

Je dis donc que, si on connaît dans un triligne toutes les choses suivantes :

1. La somme des ordonnées à l'axe;
2. La somme des carrés de ces ordonnées;
3. La somme des cubes de ces ordonnées;
4. La somme triangulaire de ces ordonnées;
5. La somme triangulaire des carrés de ces ordonnées;
6. La somme pyramidale de ces ordonnées,

on connaîtra aussi la dimension et les centres de gravité, tant du triligne que de ses doubles onglets; c'est-à-dire qu'on connaîtra aussi les choses suivantes :

1. La dimension de l'espace du triligne;
2. Le bras du triligne sur l'axe;
3. Le bras du triligne sur la base;
4. La dimension du double onglet de la base;
5. Le bras de cet onglet sur la base;
6. Le bras de cet onglet sur l'axe;
7. La dimension du double onglet de l'axe;
8. Le bras de cet onglet sur la base;
9. Le bras de cet onglet sur l'axe,

car, pour le premier point, la somme des ordonnées étant connue, l'espace du triligne sera aussi connu, puisqu'il lui est égal.

Pour le deuxième, soit le triligne BAC (fig. 11), dont AB soit l'axe et AC la base; DF les ordonnées à l'axe, dont on connaisse la simple somme, la somme des carrés, et les autres choses qui ont été supposées : soient EG les ordonnées à la base; et soit Y le centre de gravité du triligne, et soient les deux bras YD, YE sur l'axe et sur la base :

Je dis que le bras YD sur l'axe sera connu.

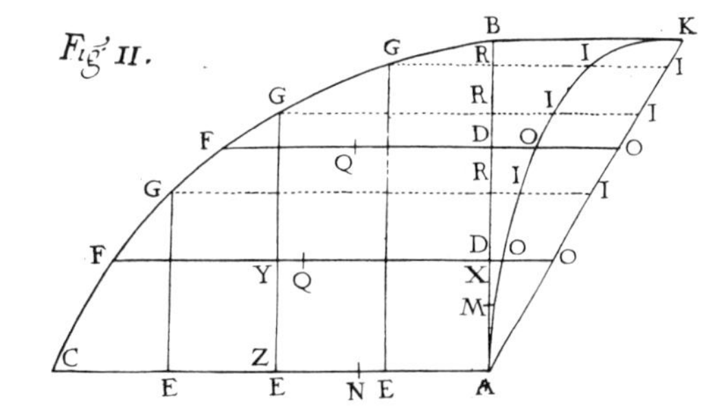

Car, puisque la somme des DF carrée est connue par l'hypothèse, la somme triangulaire des ordonnées EG, à commencer par A, le sera aussi (puisqu'elle en est la moitié, par le coroll. de la prop. II). Et par conséquent le bras YD sera aussi connu, puisqu'il a été montré par la lettre que cette somme triangulaire des ordonnées EG (laquelle est connue) est égale au solide fait du triligne ABC, multiplié par son bras YD sur AB, lequel solide sera par conséquent connu. Mais l'espace du triligne ABC est connu par le premier article. Donc aussi YD sera connu.

Pour le troisième, savoir que le bras YE du triligne sur la base sera connu, cela est visible, puisque la somme triangulaire des ordonnées FD (qui est connue par l'hyp.) est égale au solide fait du triligne, multiplié par son bras YE; lequel solide sera par conséquent connu; mais l'espace du triligne est connu (par le 1er art.). Donc aussi le bras YE sera connu.

Pour le quatrième, je dis que le contenu du double onglet de la base sera connu.

Car le contenu de ce double onglet est composé de deux fois la somme des rectangles FD en DA, ou de tous les EG carré, comme cela a été assez montré dans la proposition V, où l'on a fait voir que, si on entend que le double onglet soit coupé par un ordre de plans perpendiculaires à celui du triligne, passant par les ordonnées FD, et s'étendant infiniment de part et d'autre, leurs sections dans le double onglet seront des rectangles, dont chacun sera double de chaque rectangle AD en DF; et qu'en coupant ce même double onglet par un autre ordre de plans perpendiculaires, passant par toutes les droites EG, leurs sections dans le double onglet seront des triangles rectangles, dont chacun sera égal au carré de chaque ordonnée EG.

Donc, si la somme des EG carré est connue, le contenu du double onglet le sera aussi. Or la somme, tant de ces carrés EG que de deux fois la somme de ces rectangles FD en DA, est connue, puisque (par le coroll. de la IIe) c'est la même chose que deux fois la somme triangulaire des ordonnées DF, à commencer par A (qui est donnée par l'hyp.).

D'où il s'ensuit que le contenu du double onglet est aussi connu.

Pour le cinquième, soit maintenant Y le centre de gravité du double onglet de la base. Je dis que son bras YE sur la base sera connu; et que le double onglet, multiplié par le bras YE, est égal à quatre fois la somme pyramidale des ordonnées DF, à commencer par A, ou, ce qui est la même chose (comme on l'a vu dans la lettre) à deux fois la somme de tous les AD carré en DF; ce qui se démontrera ainsi.

La somme de tous les AD carré en DF est la même chose que la somme de tous les rectangles AD en DF, multipliés chacun par son côté AD, c'est-à-dire (puisque le premier AD est 1, le second 2, etc.) la somme triangulaire de tous les AD en DF, à commencer par A. Donc aussi le double de la somme des AD carré en DF sera la même chose que la somme triangulaire de deux fois tous les AD en DF, c'est-à-dire la somme triangulaire des rectangles ou sections formées dans le double onglet par les plans perpendiculaires passant par DF; mais la somme triangulaire de ces sections du double onglet, à commencer du côté de AC, est égale (par la méthode générale des centres de gravité) au double onglet multiplié par son bras YE sur AC. Donc aussi le double de la somme des AD carré en DF est égal au double onglet multiplié par YE. Mais deux fois la somme des AD carré en DF, ou quatre fois la somme pyramidale des ordonnées DF, est connue par l'hyp.

Donc ce produit du double onglet, multiplié par YE, est aussi connu; mais on connaît le contenu du double onglet; donc on connaîtra aussi le bras YE.

Pour le sixième, je dis que le bras YD sur l'axe sera aussi connu, et que le double onglet, multiplié par le bras YD, est égal à la somme triangulaire des EG carré à commencer par A, ou, ce qui est la même chose, à la somme triangulaire des FD carré, à commencer toujours par A : ce qui sera montré ainsi.

Si on entend que le double onglet soit coupé par des plans perpendiculaires à celui du triligne, passant par les ordonnées EG, ils y formeront pour sections des triangles rectangles et isocèles égaux chacun à EG carré (comme il a été dit). Or, par la méthode générale des centres de gravité, la somme triangulaire de ces sections ou des carrés EG, à commencer par A, est égale au double onglet multiplié par son bras YD : mais la somme triangulaire des EG carré est connue, puisque la somme triangulaire des DF carré est connue par l'hypothèse : donc le produit du double onglet, multiplié par YD, est connu; mais le contenu du double onglet est connu; donc YD est connu.

Pour le septième, je dis que le contenu du double onglet sera connu.

Car, puisque la somme des DF carré est connue par l'hypothèse, le double onglet de l'axe l'est aussi, puisqu'il en est composé.

Pour les huitième et neuvième : soit maintenant Y le centre de gravité du double onglet de l'axe : je dis que ses deux bras YE, YD sur la base et sur l'axe seront connus.

Car, puisque tous les AE carré en EG sont connus, étant égaux par la troisième au tiers de tous les DF cube, dont la somme est connue par l'hypothèse, on en conclura que le bras YD sera connu : et de même, puisque la somme triangulaire des DF carré est connue par l'hypothèse, on en conclura que le bras YE sera aussi connu, de la même sorte qu'on l'a conclu des deux bras du double onglet de la base dans les art. 5 et 6 par le moyen des données semblables à l'égard de ce double onglet de la base.

COROLLAIRE

1. L'espace du triligne est égal à la somme des ordonnées à la base, ou à la somme des ordonnées à l'axe.

2. Le triligne, multiplié par son bras sur l'axe, est égal à la somme triangulaire des ordonnées à la base, en commençant par l'axe;

Ou à la moitié de la somme des carrés des ordonnées à l'axe.

Cela est démontré dans le second article.

3. Le triligne, multiplié par son bras sur la base, est égal à la somme triangulaire des ordonnées à l'axe, à commencer par la base;

Ou à la moitié des carrés des ordonnées à la base. C'est la même chose que le précédent.

4. Le double onglet de la base est égal à la somme des carrés des ordonnées à la base;

Ou au double de la somme des ordonnées à l'axe, multipliées chacune par sa distance de la base;

Ou à deux fois la somme triangulaire des ordonnées à l'axe, à commencer par la base.

Cela est montré dans le quatrième article.

5. Le double onglet de la base, multiplié par son bras sur la base, est égal à deux fois la somme des ordonnées à l'axe, multipliées chacune par le carré de sa distance de la base;

Ou à quatre fois la somme pyramidale des ordonnées à l'axe, à commencer par la base;

Ou au double de la somme triangulaire des rectangles compris de chaque ordonnée et de sa distance de l'axe, à commencer du côté de la base;

Ou aux deux tiers des cubes des ordonnées à la base.

Cela s'ensuit du cinquième article.

6. Le double onglet de la base, multiplié par son bras sur l'axe, est égal à la somme triangulaire des carrés des ordonnées à la base, à commencer du côté de l'axe;

Ou à la somme triangulaire des carrés des ordonnées à l'axe, à commencer du côté de la base;

Ou à la simple somme des carrés des ordonnées à la base, multipliés chacun par sa distance de l'axe;

Ou à la simple somme des carrés des ordonnées à l'axe, multipliés chacun par sa distance de la base.

Cela s'ensuit du sixième article.

Il faut entendre la même chose du double onglet de l'axe, sans autre différence que de mettre *axe* au lieu de *base*, et *base* au lieu de *axe*.

On peut tirer de là plusieurs autres corollaires : comme par exemple, les converses des choses démontrées dans tous ces articles : savoir que, si on connaît la dimension et le centre de gravité, tant du triligne que de ses onglets, on connaîtra aussi : 1° la somme des ordonnées à l'axe; 2° la somme des carrés de ces ordonnées; 3° la somme des cubes de ces ordonnées; 4° la somme triangulaire de ces ordonnées; 5° la somme triangulaire des carrés des ordonnées; 6° la somme pyramidale des ordonnées.

Et on connaîtra la même chose à l'égard des ordonnées à la base.

On en peut encore tirer d'autres conséquences, mais un peu plus recherchées, et entre autres celle-ci, qui peut être d'un grand usage.

CONSÉQUENCE

Si un triligne est tourné, premièrement sur la base, et ensuite sur l'axe, et qu'il forme ainsi deux solides, l'un autour de la base et l'autre autour de l'axe : je dis que la distance entre l'axe et le centre de gravité du solide autour de la base est à la distance entre la base et le centre de gravité du solide autour de l'axe comme le bras du triligne sur l'axe au bras du triligne sur la base.

D'où il paraît que, si on connaît le centre de gravité du triligne et d'un de ses solides, celui de l'autre sera aussi connu.

Soit un triligne rectangle BAC (fig. 11) dont le centre de gravité soit Y, et les bras sur l'axe et sur la base soient YX, YZ; soit aussi M le centre de gravité du solide autour de l'axe, et soit N le centre de gravité du solide autour de la base :

Je dis que AM est à AN comme AX à AZ, ou comme YZ à YX : et qu'ainsi, si AX, AZ et AN sont connus, AM le sera aussi.

Car, en coupant le solide sur l'axe par des plans perpendiculaires, passant par les ordonnées DF, ils donneront pour sections des cercles, dont les ordonnées DF seront les rayons; et, en coupant ensuite le solide autour de la base par des plans perpendiculaires passant par les ordonnées EG, qui donneront aussi pour sections des cercles, dont les ordonnées EG seront les rayons, il arrivera que la somme triangulaire des cercles DF, à commencer par A, sera égale au solide autour de l'axe, multiplié par son bras AM (par la méthode générale des centres de gravité); et, par la même méthode, la somme triangulaire des cercles EG, à commencer par A, sera aussi égale au solide autour de la base, multiplié par son bras AN; mais la somme triangulaire des cercles DF est égale à la somme triangulaire des cercles EG, à commencer toujours par A, puisque les sommes triangulaires de leurs carrés sont égales entre elles. Donc le solide autour de l'axe, multiplié par son bras AM, est égal au solide autour de la base, multiplié par son bras AN; donc AM est à AN comme le solide autour de la base au solide autour de l'axe, c'est-à-dire comme le bras YZ au bras YX.

Car on sait assez que le solide autour de la base est au solide autour de l'axe comme le bras YZ du triligne sur la base au bras YX du triligne sur l'axe; ce qui est encore une conséquence qui se tire des propositions précédentes, et qui se démontrera ainsi.

Le solide autour de la base est au solide autour de l'axe comme la somme des cercles EG à la somme des cercles DF ou comme la somme des EG carré à la somme des DF carré; c'est-à-dire (par le corollaire de la 2e) comme la somme triangulaire des ordonnées DF à la somme triangulaire des ordonnées EG, à commencer toujours par A, c'est-à-dire (par la méthode générale des centres de gravité), comme le triligne, multiplié par son bras AX ou YZ, au triligne multiplié par son bras AZ ou YX, c'est-à-dire comme YZ à YX. C. q. f. d.

MÉTHODE

POUR TROUVER LA DIMENSION ET LE CENTRE DE GRAVITÉ DE LA SURFACE COURBE DES DOUBLES ONGLETS, PAR LA SEULE CONNAISSANCE DES SINUS SUR L'AXE

Si on connaît dans un triligne :

1. La grandeur de sa ligne courbe;
2. La somme des sinus sur l'axe;
3. La somme des carrés de ces sinus sur l'axe;
4. La somme des rectangles de ces mêmes sinus sur l'axe multipliés chacun par leur distance de la base :

Je dis qu'on connaîtra aussi la dimension de la surface courbe du double onglet de l'axe et le centre de gravité de cette surface courbe, c'est-à-dire le bras de cette surface sur la base, et le bras de cette même surface sur l'axe.

Car (fig. 8) si la courbe AYC est divisée en un nombre indéfini de parties égales aux points Y, d'où soient

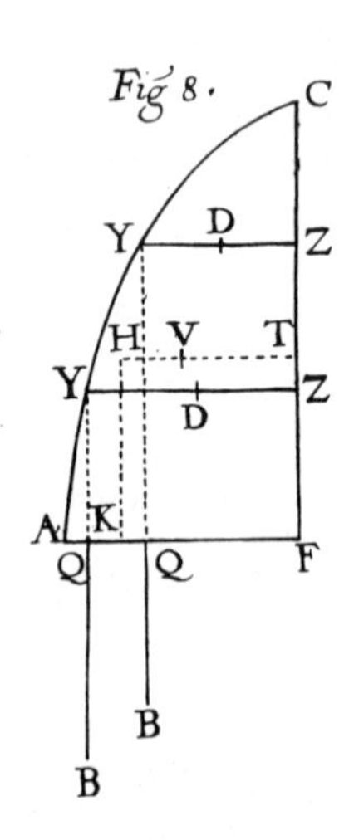

menés les sinus sur l'axe, et que, comme il a été dit vers la fin de la lettre, des plans soient entendus élevés perpendiculairement au plan du triligne, passant par chacun des sinus YZ : les sections qu'ils donneront dans la surface du double onglet seront des droites perpendiculaires au plan du triligne, qui seront doubles chacune de chaque sinus YZ; comme il a été montré dans la lettre.

Or il est visible que la somme de ces perpendiculaires formées dans cette double surface compose la surface courbe, étant perpendiculaires à la courbe AYC. Donc, si on connaît la somme de ces perpendiculaires, c'est-à-dire le double de la somme des sinus ZY, et qu'on connaisse aussi la grandeur de la ligne courbe, on connaîtra aussi la surface courbe : ce qu'il fallait premièrement démontrer.

Je dis maintenant que, si on connaît la somme des rectangles FZ en ZY, compris de chaque sinus et de sa distance de la base, on connaîtra aussi le bras TF ou HK, le point H étant pris pour le centre de gravité de la surface courbe du double onglet;

Et que la somme des sinus ZY, étant multipliée par le bras TF, est égale à la somme de tous les rectangles YZ en ZF.

Car il est visible que le même bras TF, qui mesure la distance d'entre le centre de gravité H de la surface courbe du double onglet et la base FA, mesurera aussi la distance qui est entre le centre de gravité commun de tous les sinus ZY, placés comme ils se trouvent et la même base AF; d'autant que chaque sinus ZY est éloigné de la base AF de la même distance que chacune des perpendiculaires au plan du triligne, passant par les points Y, et que chaque sinus est à chaque perpendiculaire toujours en même raison, savoir comme 1 à 2.

Or il sera montré incontinent que la somme des rectangles ZY en ZF, compris de chaque YZ et de sa distance du point F, est égale à la somme des mêmes YZ, multipliée par la distance d'entre la base et le centre de gravité commun de toutes les ZY, placées comme elles se trouvent. Mais la somme des rectangles YZ en ZF est est donnée par l'hypothèse. Donc la somme des sinus, multipliée par la distance entre leur centre de gravité commun et la base, sera aussi donnée; mais la somme des sinus est aussi donnée par l'hypothèse. Donc la distance entre leur centre de gravité commun et la base sera aussi donnée;

Et par conséquent aussi la distance entre la base et le centre de gravité de la surface courbe du double onglet, puisqu'elle est la même.

Maintenant on montrera le lemme qui a été supposé, en cette sorte :

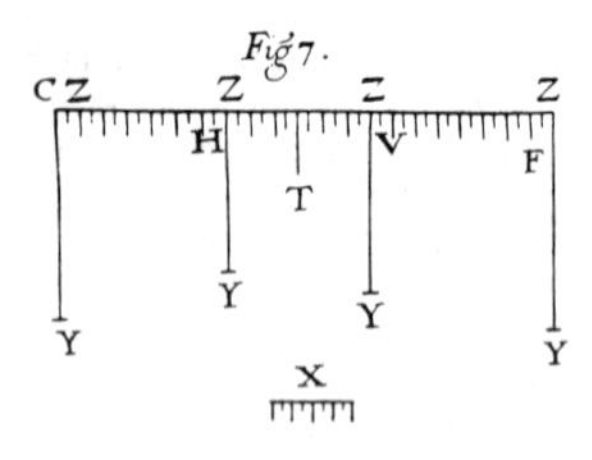

Soit, fig. 7, FC une balance horizontale divisée comme on voudra en parties égales ou inégales aux points Z, où pendent pour poids des droites perpendiculaires ZY, de telle longueur qu'on voudra. Soit enfin le centre de gravité commun de toutes au point T, auquel la balance soit suspendue en équilibre.

Je dis que la somme des rectangles YZ en ZF, compris de chaque perpendiculaire YZ et de sa distance de l'extrémité de la balance F, est égale à la somme des rectangles compris du bras TF et de chacune des perpendiculaires ZY.

Car, en prenant la droite X si petite que le rectangle compris de cette droite X et de la plus grande des droites ZY soit moindre qu'aucun espace donné, et divisant cette droite X en parties égales qui soient en plus grand nombre que la multitude des droites ZY : il est visible que la somme des rectangles compris de chaque ZY et de chacune des petites portions de X sera moindre qu'aucun espace donné, puisque, par la construction, le rectangle compris de la plus grande des ZY et de l'entière X est moindre qu'aucun espace donné.

Maintenant soit divisée la balance entière FC en parties égales, chacune à chacune, des petites parties de X. Donc les points Z se rencontreront aux points de ces divisions (ou la différence n'altérera point l'égalité qui est proposée, puisque la somme de toutes les ZY, multipliées chacune par une de ces petites parties de la balance, est moindre qu'aucun espace donné).

Et par conséquent FC sera une balance divisée en parties égales, et aux points de division pendent des poids : savoir aux uns les perpendiculaires ZY, et aux autres pendent pour poids des zéros : et le centre de gravité commun de tous ces poids est au point T. Donc (par ce qui a été démontré dans la lettre), la somme de tous les poids multipliés par le bras FT (c'est-à-dire la somme des rectangles compris des FT et de chacune des ZY) est égale à la somme triangulaire de tous les poids, à commencer par F. Or, en prenant cette somme triangulaire, il est visible qu'on prendra la première ZY, ou VY, autant de fois qu'il y a de parties dans la distance FV, et qu'on prendra de même la seconde ZY, ou HY, autant de fois qu'il y a de parties dans la distance FH; et ainsi toujours. Donc la somme triangulaire de ces poids, à commencer par F, n'est autre chose que la somme des produits des poids multipliés chacun par son propre bras sur FY, c'est-à-dire la somme des rectangles FZ en ZY, qui sera partant égale à la somme des rectangles compris de chaque ZY et du bras commun TF.

AVERTISSEMENT

De là paraît la démonstration de cette méthode assez connue, que la somme des poids, multipliée par le bras commun de tous ensemble, est égale à la somme des produits de chaque poids, multiplié par son propre bras à l'égard d'un même axe de balancement.

Je ne m'arrête pas à l'expliquer davantage, parce que je ne m'en sers point : ce n'est pas que je n'eusse pu démontrer par cette méthode les propositions 5, 13, 14, 15. Mais, ma méthode m'ayant suffi partout, j'ai mieux aimé n'en employer point d'autre.

Je dis maintenant que, si on connaît (fig. 8) la somme des carrés, on connaîtra aussi le bras HT ou KF, c'est-à-dire la distance entre l'axe CF et le centre de gravité H de la surface courbe du double onglet;

Et que la somme des sinus ZY, étant multipliée par le bras KF, sera égale à la somme des carrés des mêmes sinus ZY.

Car, en menant de tous les points Y les perpendiculaires YQ sur la base AF, et en les prolongeant de l'autre côté de la base jusqu'en B, en sorte que chaque QB soit égale à chaque ZY, il est visible que le même bras HT ou KF, qui mesure la distance d'entre l'axe et le centre de gravité H de la surface courbe du double onglet, mesurera aussi la distance qui est entre le même axe CF et le centre de gravité de toutes les perpendiculaires QB, placées comme elles se trouvent, par la même raison qu'en l'article précédent : savoir, que chaque QB est toujours en même distance de l'axe CF que la perpendiculaire correspondante élevée dans la surface courbe sur le point Y, et qu'elles sont toujours en même raison entre elles.

Or (par le lemme précéd.) le centre de gravité commun des perpendiculaires QB, placées comme elles sont, est distant de l'axe CF de telle sorte que la somme des rectangles QB en QF, compris de chaque QB et de sa distance du point F, est égale à la somme des mêmes QB, multipliée par la distance d'entre leur centre de gravité commun et l'axe. Mais la somme de ces rectangles QB en QF, ou des QB carré (chaque QB étant faite égale à chaque ZY), ou des ZY carré, est connue par l'hyp. Donc on connaîtra aussi la somme des droites QB, multipliée par la distance d'entre leur centre de gravité commun et l'axe. Mais la somme des QB ou des ZY est aussi connue par l'hyp. Donc on connaîtra aussi la distance d'entre l'axe et le centre de gravité commun des droites QB, placées comme elles sont, c'est-à-dire la distance d'entre l'axe et le centre de gravité de la surface courbe du double onglet.

AVERTISSEMENT

Il faut entendre la même chose du double onglet de la base, et cela se démontrera de même, en mettant simplement *base* au lieu de *axe*, et *axe* au lieu de *base;* c'est-à-dire que si on connaît la somme des sinus sur la base, et la somme de leurs carrés, et la somme des rectangles compris de chaque sinus et de sa distance de l'axe, on connaîtra aussi la dimension et le centre de gravité de la surface courbe du double onglet de la base.

Or il est visible que les sinus sur la base ne sont autre chose que les distances entre la même base et les sinus sur l'axe, et que les sinus sur l'axe ne sont aussi autre chose que les distances d'entre l'axe et les sinus sur la base.

Donc si on connaît :

1. La somme des sinus sur l'axe;
2. La somme des carrés de ces sinus;
3. La somme des distances entre ces sinus et la base;
4. La somme des carrés et des distances;
5. La somme des rectangles compris de chaque sinus sur l'axe et de sa distance de la base;

Et qu'on connaisse outre cela la grandeur de la ligne courbe :

On connaîtra aussi la dimension et le centre de gravité, tant de la surface courbe du double onglet de l'axe, que de la surface courbe du double onglet de la base.

Et on connaîtra aussi le centre de gravité de la ligne courbe.

Car la ligne courbe multipliée par son bras sur la base, c'est-à-dire entre son centre de gravité et la base, est égale à la somme des sinus sur la base; ce qui est visible par ces deux propositions qui sont démontrées dans les choses précédentes : l'une, que la somme des sinus sur la base est égale à la somme triangulaire des portions de la ligne courbe comprise entre le sommet et chacune des ordonnées à l'axe, à commencer par la base; l'autre, que cette somme triangulaire est égale à la ligne courbe entière multipliée par son bras sur la base.

Et la même chose sera véritable à l'égard de l'axe, en prenant l'*axe* pour *base* et la *base* pour *axe*.

PROPRIÉTÉS DES SOMMES SIMPLES
TRIANGULAIRES ET PYRAMIDALES

AVERTISSEMENT

On suppose ici que ces trois lemmes soient connus :

I. *Si une droite quelconque* AF *est divisée comme on voudra au point* H *: Je dis que* AF *carré est égal à deux fois le rectangle* FA *en* AH, *moins* AH *carré, plus* HF *carré.*

A H F

II. *Je dis aussi que* AF *cube est égal à* AH *cube, plus* HF *cube, plus* 3AH *carré en* HF, *plus* 3HF *carré en* HA.

III. *Je dis que* 3AF *en* HA *carré, plus* 3AF *en* HF *carré, moins* AF *cube, moins* 2FH *cube, sont égaux à* 2AH *cube.*

PROPRIÉTÉ I

Soit une multitude indéfinie de grandeurs telles qu'on voudra A, B, C, D, *desquelles on connaisse la somme simple, la somme triangulaire, et la somme pyramidale, à commencer par* A.

Je dis qu'on connaîtra aussi leur somme triangulaire et pyramidale, à commencer par D.

Car, soit prise, fig. 14, la ligne droite AF, de telle grandeur qu'on voudra, laquelle soit divisée en un nombre indéfini de parties égales, aux points H, et que de tous les points de division on élève des perpendiculaires HD qui soient entre elles comme les grandeurs proposées, c'est-à-dire que la première HD (qui est la plus proche du point A) soit à la seconde HD comme A est à B, etc.

Maintenant, puisqu'on connaît tant la droite AF, par la construction, que la somme des droites HD,

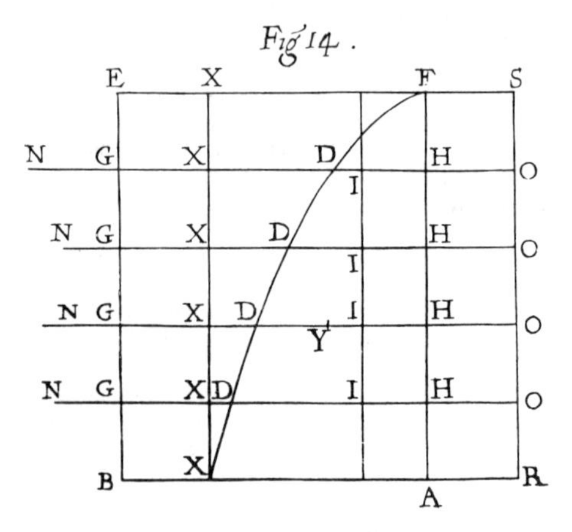

par l'hypothèse, on connaîtra la somme de tous les rectangles compris de AF et de chacune des HD; mais la somme des rectangles AH en HD est donnée (puisque la première AH étant 1, la seconde AH 2, etc., la somme des rectangles AH en HD n'est autre chose que la somme triangulaire de toutes les HD, à commencer par A, laquelle est donnée par l'hypothèse). Donc la somme des rectangles restant FH en HD sera donnée, c'est-à-dire la somme triangulaire des HD, à commencer par F, et par conséquent aussi la somme triangulaire des grandeurs proposées A, B, C, D, à commencer par D.

De même, puisque AF carré est donné, et aussi la somme de tous les HD, il s'ensuit que la somme de tous les AF carré en HD est donnée; c'est-à-dire, la somme des solides compris de chaque HD et de AF carré. Mais par les lemmes supposés dans l'avertissement, AF carré est égal à deux fois FA en AH, moins AH carré, plus HF carré. Et cela est toujours vrai, quelque point que l'on considère d'entre les points H : donc tous les DH en AF carré sont égaux à deux fois tous les DH en HA en AF, moins tous les DH en HA carré, plus tous les DH en HF carré; mais tous les DH en AH en AF sont donnés (puisque AF est donnée, et aussi tous les AH en HD, comme on vient de voir) et tous les DH en AH carré sont aussi donnés, puisque c'est la même chose que la somme pyramidale des HD, à commencer par A (laquelle est donnée par l'hyp.). Donc aussi tous les restants, savoir tous les DH en HF carré, seront par conséquent donnés; c'est-à-dire la somme pyramidale des HD, à commencer par F; et partant aussi la somme pyramidale des grandeurs proposées, à commencer par la dernière D. C.q.f.d.

PROPRIÉTÉ II

Les mêmes choses étant posées, si on ajoute à chacune des grandeurs proposées A, B, C, D, *une même grandeur commune* E, *laquelle soit aussi connue, en sorte que chacune des grandeurs* A, B, C, D, *avec l'ajoutée* E, *ne soit plus considérée que comme une même : et qu'ainsi il y ait maintenant autant de grandeurs nouvelles qu'auparavant, savoir* A *plus* E, B *plus* E, C *plus* E, D *plus* E, *etc. :*

Je dis que la somme triangulaire, et la somme pyramidale de ces grandeurs ainsi augmentées, sera aussi connue, de quelque côté que l'on commence.

Car, en prenant la figure AHFD comme auparavant, et prolongeant chacune des perpendiculaires DH jusqu'en O, en sorte que l'ajoutée commune HO soit à chacune des HD comme la grandeur ajoutée E est à chacune des autres A, B, C, D, il est visible que, puisque HO est donnée, et aussi la somme de toutes les AH (car elles sont égales à la moitié de AF carré), la somme des rectangles AH en HO sera donnée; mais la somme des rectangles AH en HD est aussi donnée; donc la somme des rectangles AH en DO est aussi donnée, c'est-à-dire la somme de tous les rectangles RO en OD, c'est-à-dire la somme triangulaire des OD; et partant aussi la somme triangulaire des grandeurs augmentées, A plus E, B plus E, C plus E, D plus E. C.q.f.d. premièrement.

On montrera de même que la somme pyramidale des OD est donnée; ou, ce qui est la même chose, la somme des RO carré en OD : car la somme des RO carré est donnée (savoir le tiers de RS cube ou AF cube); mais HO est donnée; donc tous les RO carré en OH sont donnés; mais tous les RO carré, ou AH carré en HD, sont aussi donnés, comme il a été dit : donc tous les RO carré en OD sont donnés; donc, etc.

PROPRIÉTÉ III

Les mêmes choses étant posées, si les grandeurs proposées A, B, C, D, *sont des lignes droites, ou courbes, desquelles les sommes simples, triangulaires et pyramidales soient données, comme il a été déjà supposé, et outre cela, la somme simple de leurs carrés, la somme triangulaire de leurs carrés et la somme simple de leurs cubes :*

Je dis que la ligne commune E *leur étant ajoutée, comme il a été supposé, et qu'ainsi chacune d'elles avec leur ajoutée ne soit plus considérée que comme une seule ligne, la somme des carrés de ces lignes augmentées sera donnée, et aussi la somme triangulaire de leurs carrés, et la simple somme de leurs cubes.*

Car soient comme auparavant les perpendiculaires HD égalées aux lignes proposées A, B, C, D, chacune à la sienne, et la droite HO à la ligne ajoutée E : donc, par l'hypothèse, la simple somme des HD sera donnée; et la somme de leurs carrés; et la somme de leurs cubes; et aussi la somme triangulaire des droites HD, ou la somme des AH en HD; et la somme triangulaire de leurs carrés, ou la somme des AH en HD carré; et la somme pyramidale des HD, ou des AH carré en HD.

Il faut maintenant démontrer que la somme des OD carré est donnée; et aussi la somme des OD cube; et enfin la somme triangulaire des OD carré, ou la somme des RO en OD carré. Ce qui sera aisé en cette sorte.

Chaque OD carré étant égal à deux fois OH en HD, plus OH carré, plus HD carré, il s'ensuit que la somme des OD carré sera donnée si la somme des OH en HD deux fois est donnée, et la somme des OH carré et la somme des HD carré. Or, puisque OH est donnée, et aussi la somme des HD, la somme des rectangles OH en HD est donnée; et partant aussi deux fois la somme de ces mêmes rectangles OH en HD; mais la somme des OH carré est donnée, et aussi la somme des HD carré, par l'hyp. Donc la somme des OD carré est donnée. Ce qui est le premier article.

Maintenant chaque OD cube étant égal à trois fois OH carré en HD, plus trois fois OH en HD carré, plus OH cube, plus HD cube, il s'ensuit que la somme des OD cube sera donnée si trois fois la somme des OH carré en HD est donnée, plus trois fois la somme des HO en HD carré, plus la somme des HO cube, plus la somme des HD cube. Or, puisque HO carré est donnée, et aussi la somme des HD, la somme des HO carré en HD sera aussi donnée; et partant aussi le triple de cette somme. De même, puisque HO est donnée, et aussi la somme des HD carré, la somme des OH en HD carré sera aussi donnée, et partant aussi le triple de cette somme. Mais tous les OH cube sont encore donnés, et tous les HD cube sont aussi donnés par l'hypothèse. Donc la somme des OD cube sera donnée, ce qui est le second article.

Enfin, pour montrer que la somme des RO en OD carré est donnée, il faut montrer que la somme des RO en OH carré est donnée, plus la somme des RO en HD carré, plus la somme des RO en OH en HD. Or, la somme des RO ou AH en HD carré est donnée par l'hyp. Et, puisque HO carré est donné, et aussi la somme de tous les RO, il s'ensuit que la somme de tous les RO en OH carré est donnée. Et de même, puisque HO est donnée, et aussi tous les AH en HD par l'hyp., tous les AH en HD en HO le seront aussi; ou tous les RO en OH en HD : et partant aussi le double de cette somme. Donc tous les RO en OD carré sont aussi donnés, ce qui est le dernier article.

PROPRIÉTÉ IV

Les mêmes choses étant posées :

Si on applique à chacune des lignes proposées une ligne quelconque, comme DN, *qui sera appelée sa* coefficiente, *et que chaque coefficiente* DN *ait telle raison qu'on voudra avec sa ligne* DH, *soit que ces raisons soient partout les mêmes, ou qu'elles soient différentes; et qu'on connaisse la simple somme des coefficientes* DN; *et la simple somme de leurs carrés; et la somme triangulaire des droites* DN, *ou, ce qui est la même chose, la somme des* RO *en* DN :

Je dis 1° *que si la somme des* HD *en* DN *est donnée, c'est-à-dire la somme des rectangles compris de chaque ligne et de sa coefficiente, ainsi la somme des* OD *en* DN *sera donnée, c'est-à-dire la somme des rectangles compris de chaque ligne augmentée et de sa coefficiente.*

Car tous les OD en DN sont égaux à tous les HD en DN (qui sont donnés par l'hyp.), plus tous les OH en DN, qui sont donnés, puisque OH est donné, et aussi la somme des DN par l'hypothèse.

Je dis 2° *que, si la somme des* HD en DN *carré est donnée, la somme des* OD *en* DN *carré sera aussi donnée.*

Car la somme des OH en DN carré est aussi donnée, puisque OH est donnée, et aussi la somme des DN carré par l'hyp.

Je dis 3° *que si la somme des* HD *carré en* DN *est donnée, et aussi la somme des* HD *en* DN, *la somme des* OD *carré en* DN *sera aussi donnée.*

Car la somme des HD carré en DN est donnée par l'hyp.; et la somme des HO carré en DN est aussi donnée (puisque HO carré est donné, et aussi la somme des DN), et la somme des OH en HD en DN est aussi donnée, puisque OH est donnée, et aussi la somme des HD en DN par l'hyp., et partant aussi le double de cette somme.

Je dis 4° *que si la somme triangulaire des rectangles* HD *en* DN *est donnée, ou, ce qui est la même chose, si la somme des* AH *en* HD *en* DN *est donnée, ou des* RO *en* HD *en* DN, *la somme triangulaire des* OD *en* DN *sera aussi donnée, ou, ce qui est la même chose, la somme des* RO *en* OD *en* DN.

Car la somme des RO en OH en DN est aussi donnée, puisque OH est donnée, et aussi la somme des RO en DN par l'hyp.

AVERTISSEMENT

Si au lieu d'ajouter la grandeur commune E, ou HO, à chacune des grandeurs proposées DH, comme on a fait ici, pour en former les toutes OD, on ôte au contraire de chacune des grandeurs HD la grandeur commune HI, on conclura des restes DI tout ce qui a été conclu des entières OD. Et si on prend au contraire une grandeur quelconque HG, de laquelle on ôte chacune des grandeurs proposées HD, on conclura encore des restes GD les mêmes choses : et de même si on prend AX (égale à la plus grande des grandeurs proposées) pour la grandeur commune, de laquelle on ôte chacune des autres HD, on conclura toujours la même chose des restes DX. Car il n'y a de différence, en tous ces cas, que dans les signes de *plus* et de *moins*. Et la démonstration en sera semblable, et n'aura nulle difficulté, principalement après les lemmes marqués dans l'avertissement devant la première de ces propriétés.

D'où il paraît que, s'il y a une ligne quelconque droite

ou couroe, donnée de grandeur RS[24], *coupée comme on voudra aux points* T, *en parties égales ou inégales, et qu'elle soit prolongée du côté de* S *jusqu'en* P, *et du côté de* R *jusqu'en* Q *et que les lignes ajoutées* SP, QR, *soient données de grandeur; si on connaît toutes ces choses, savoir : la somme de leurs carrés; la somme de leurs cubes; la somme triangulaire des mêmes lignes* TP; *la somme pyramidale des mêmes lignes; et la somme triangulaire de leurs carrés, à commencer toujours du côté de* R : *il arrivera aussi que les mêmes choses seront données à l'égard des lignes* TQ; *c'est-à-dire la somme des lignes* TQ; *la somme de leurs carrés, la somme de leurs cubes, la somme triangulaire des mêmes lignes* TQ; *leur somme pyramidale, et la somme triangulaire de leurs carrés, à commencer maintenant du côté de S.*

Car en prenant les droites HD de la grandeur des droites PT, c'est-à-dire que la première PT, ou PR, soit égale à la première HD, c'est-à-dire à la plus proche du point A, et que la seconde PT soit égale à la seconde HD, etc., et, prenant HG, égale à PQ, il est visible, puisque toutes les sommes supposées sont données à l'égard des droites TP, à commencer par la grande RP, *que* les mêmes sommes seront données dans les droites HD qui leur sont égales, à commencer du côté de la grande HD, ou du côté du point A. Et par conséquent les mêmes sommes seront données à l'égard des mêmes HD, à commencer du côté de F (par la première de ces propriétés). Et partant les mêmes sommes seront données à l'égard des restes GD, à commencer du côté de F; c'est-à-dire que les mêmes choses seront données à l'égard des droites TQ, à commencer du côté de S; puisque chaque TQ est égal à chaque DG, des choses égales étant ôtées de choses égales.

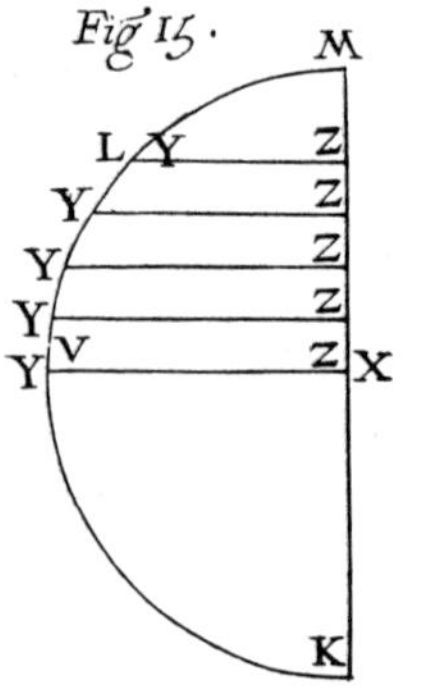

Il faut entendre la même chose dans les portions des figures planes, comme on va voir dans cet exemple.

Soit une figure plane quelconque (fig. 15) LZZV donnée de grandeur, et divisée comme on voudra par les droites YZ, et qu'on y ajoute d'une part la figure MLZ, et de l'autre la figure KVZ, qui soient aussi toutes deux données de grandeur :

Je dis que, si on connaît la somme des espaces MYZ, *et aussi leur somme triangulaire, à commencer du côté de* VZ, *on connaîtra aussi la somme des espaces* KYZ, *et leur somme triangulaire.*

Et on le montrera de la même sorte, en prenant de même les droites HD qui représentent les espaces MYZ; c'est-à-dire que la première HD représente le plus grand MYZ, ou MVX, et la seconde le second, etc.; et que la droite HG représente l'espace entier MVX, c'est-à-dire que ces droites soient entre elles en même raison que ces espaces.

De toutes les propriétés qui sont ici données se tirent plusieurs conséquences, et entre autres celles-ci.

Que s'il y a un triligne quelconque FDXA *fig.* 14, *dont on connaisse l'espace, le solide autour de l'axe* FA, *et le centre de gravité de ce demi-solide, lequel centre de gravité soit* Y : *je dis que, quelque droite qu'on prenne dans le même plan, parallèle à* FA, *et qui ne coupe point le triligne, comme* RS, *laquelle soit éloignée de* FA *d'une distance donnée, et qu'on entende que le plan tout entier soit tourné autour de cette droite* RS : *on connaîtra aussi le solide formé par le triligne dans ce mouvement, et aussi le solide formé dans le même mouvement par le triligne* FDXX (*qui est le reste du rectangle circonscrit* FAXX), *et aussi les centres de gravité de ces solides et de leurs demi-solides.*

Cela se conclut des propriétés précédentes; car on a ici les grandeurs HD, desquelles on connaît la somme simple, et la somme de leurs carrés (puisque l'espace AFDX et son solide autour de AF sont donnés); donc en leur ajoutant pour grandeur commune la distance HO (qui est aussi donnée par l'hyp.), il s'ensuit de ce qui a été montré dans ces propriétés que la somme des OD carré sera donnée, et partant aussi le solide formé par la figure entière SFDXAR, tournée autour de RS, sera donné. Mais le cylindre formé par le rectangle SFAR sera aussi donné. Donc le solide annulaire restant formé par le triligne FDXA autour de RS sera aussi donné.

On montrera de même que le solide annulaire formé par le triligne FDXX *sera aussi donné, puisque le cylindre de* SXXR *est donné.*

Et pour leur centre de gravité, cela se montrera ainsi.

Puisque le centre de gravité du demi-solide formé par le triligne FXA autour de FA est donné, ou (ce qui est la même chose en supposant la quadrature du cercle) le centre de gravité du double onglet de l'axe, il s'ensuit que la somme des HD cube est donnée, et aussi la somme triangulaire des HD carré; donc, puisque la grandeur commune HO est aussi donnée, la somme des OD cube sera aussi donnée, et aussi la somme triangulaire des OD carré. Donc le centre de gravité du demi-solide de la figure entière SFDXAR, tournant autour de SR d'un demi-tour, sera aussi donné. Mais le centre de gravité du demi-cylindre de SFAR est aussi donné (en supposant toujours la quadrature du cercle quand il le faut); donc le centre de gravité du demi-solide annulaire restant, formé par le triligne FXA autour de la même SR, sera aussi donné, la raison du cylindre au solide annulaire étant donnée.

On le montrera de même du solide annulaire FDXX. *Et on montrera aussi la même chose en faisant tourner tout le plan autour de* XX *ou de* BE, *etc.*

24. La figure correspondante n'a pas été établie par Pascal.

TRAITÉ DES SINUS DU QUART DE CERCLE

LEMME

Soit ABC *un quart de cercle, dont le rayon* AB *soit considéré comme axe, et le rayon perpendiculaire* AC *comme base; soit* D *un point quelconque dans l'arc, duquel soit mené le sinus* DI *sur le rayon* AC; *et la touchante* DE, *dans laquelle soient pris les points* E *où l'on voudra, d'où soient menées les perpendiculaires* ER *sur le rayon* AC;

Je dis que le rectangle compris du sinus DI *et de la touchante* EE', *est égal au rectangle compris de la portion de la base (enfermée entre les parallèles) et le rayon* AB.

Car le rayon AD est au sinus DI comme EE' à RR' ou à EK : ce qui paraît clairement à cause des triangles rectangles et semblables DIA, EKE', l'angle EE'K ou EDI étant égal à l'angle DAI.

PROPOSITION I

La somme des sinus d'un arc quelconque du quart de cercle est égale à la portion de la base comprise entre les sinus extrêmes, multipliée par le rayon.

PROPOSITION II

La somme des carrés de ces sinus est égale à la somme des ordonnées au quart de cercle, qui seraient comprises entre les sinus extrêmes, multipliées par le rayon.

PROPOSITION III

La somme des cubes des mêmes sinus est égale à la somme des carrés des mêmes ordonnées comprises entre les sinus extrêmes, multipliées par le rayon.

PROPOSITION IV

La somme des carrés-carrés des mêmes sinus est égale à la somme des cubes des mêmes ordonnées comprises entre les sinus extrêmes, multipliées par le même rayon.

Et ainsi à l'infini.

PRÉPARATION A LA DÉMONSTRATION

Soit un arc quelconque BP, divisé en un nombre indéfini de parties aux points D, d'où soient menés les sinus PO, DI, etc. : soit prise dans l'autre quart de cercle la droite AQ, égale à AO (qui mesure la distance entre les sinus extrêmes de l'arc BAPO) : soit AQ divisée en un nombre indéfini de parties égales aux points H, d'où soient menées les ordonnées HL.

DÉMONSTRATION DE LA PROPOSITION I

Je dis que la somme des sinus DI *(multipliés chacun par un des arcs égaux* DD, *comme cela s'entend de soi-même) est égale à la droite* AO *multipliée par le rayon* AB.

Car en menant de tous les points D les touchantes DE, dont chacune coupe sa voisine aux pointes E, et ramenant les perpendiculaires ER, il est visible que chaque sinus DI, multiplié par la touchante EE, est égal à chaque distance RR multipliée par le rayon AB. Donc tous les rectangles ensemble des sinus DI, multipliés chacun par sa touchante EE (lesquelles sont toutes égales entre elles) sont égaux à tous les rectangles ensemble faits de toutes les portions RR avec le rayon AB; c'est-à-dire (puisqu'une des touchantes EE multiplie chacun des sinus, et que le rayon AB multiplie chacune des distances) que la somme des sinus DI, multipliée chacun par une des touchantes EE, est égale à la somme des distances RR, ou à AO multipliée par AB. Mais chaque touchante EE est égale à chacun des arcs égaux DD. Donc la somme des sinus multipliés par un des petits arcs égaux est égale à la distance AO, multipliée par le rayon.

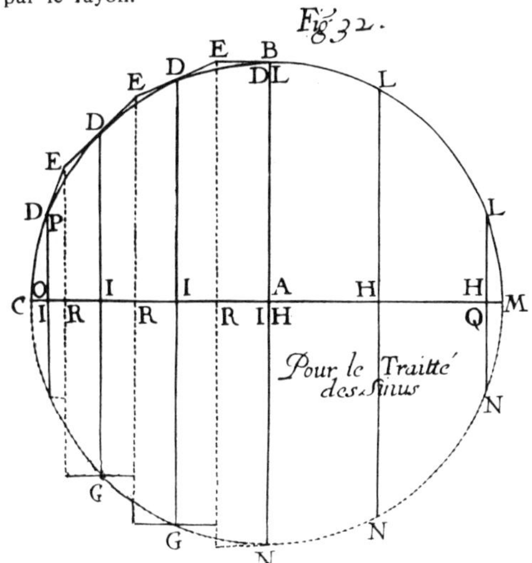

AVERTISSEMENT

Quand j'ai dit que toutes les distances ensemble RR *sont égales à* AO, *et de même que chaque touchante* EE *est égale à chacun des petits arcs* DD, *on n'a pas dû en être surpris, puisqu'on sait assez qu'encore que cette égalité ne soit pas véritable quand la multitude des sinus est finie, néanmoins l'égalité est véritable quand la multitude est indéfinie; parce qu'alors la somme de toutes les touchantes égales entre elles,* EE, *ne diffère de l'arc entier* BP, *ou de la somme de tous les arcs égaux* DD, *que d'une quantité moindre qu'aucune donnée : non plus que la somme des* RR *de l'entière* AO.

DÉMONSTRATION DE LA PROPOSITION II

Je dis que la somme des DI *carré (multipliés chacun par un des petits arcs égaux* DD) *est égale à la somme des* HL, *ou à l'espace* BAQL, *multiplié par le rayon* AB.

Car, en prolongeant, tant les sinus DI, que les ordonnées HL, de l'autre côté de la base, jusqu'à la circonférence de l'autre part de la base qui les coupe aux points G et N, il est visible que chaque DI sera égal à chaque IG, et HN à HL.

Maintenant, pour montrer ce qui est proposé, que tous les DI carré en DD sont égaux à tous les HL en AB. il suffit de montrer que la somme de tous les HL en AB, ou tous les HN en AB, ou l'espace AQNN, multiplié par AB, est égal à tous les GI en ID en EE, ou à tous les GI en RR en AB (puisque ID en EE est égal à chaque RR en AB). Donc, en ôtant la grandeur commune AB, il faudra montrer que l'espace AQNN est égal à la somme des rectangles GI en RR : ce qui est visible, puisque la somme des rectangles compris de chaque GI et de chaque RR ne diffère que d'une grandeur moindre qu'aucune donnée de l'espace AOGN, qui est égal à l'espace AQNN, puisque la droite AQ est prise égale à la droite AO. C.q.f.d.

DÉMONSTRATION DE LA PROPOSITION III

Je dis que la somme des DI *cube est égale à la somme des* HL *carré, multipliés par le rayon* AB.

Car soit décrite la ligne CGNNM de telle nature que, quelque perpendiculaire qu'on mène à la base, comme DIG, ou LHN, il arrive toujours que chaque DI carré soit égal à IG en AB, et la démonstration sera pareille à la précédente, en cette sorte.

Il est proposé de montrer que la somme des HL carré en AB carré, ou des HN en AB carré, ou de l'espace AQNN multiplié par AB carré, est égale à la somme des DI cube, multipliée par chaque arc DD, ou à la somme des DI carré en DI en EE, ou des GI en AB en RR en AB, ou des AB carré en GI en RR. Donc en ôtant de part et d'autre le multiplicateur commun AB carré, il faudra montrer que l'espace AMNN est égal à la somme des rectangles GI en RR : ce qui est visible par la même raison qu'en la précédente.

DÉMONSTRATION DE LA PROPOSITION IV

Je dis que la somme des DI *carré-carré est égale à la somme des* HL *cube, multipliés par* AB.

Car en décrivant une figure CGNM, dont la nature soit telle que, quelque perpendiculaire qu'on y mène, comme DIG, il arrive toujours que DI cube soit égal à IG en AB carré, la démonstration sera semblable à la précédente, parce que cette figure sera toujours coupée en deux portions égales et semblables par l'axe ABN, de même que le demi-cercle CMB. Et ainsi à l'infini.

COROLLAIRE

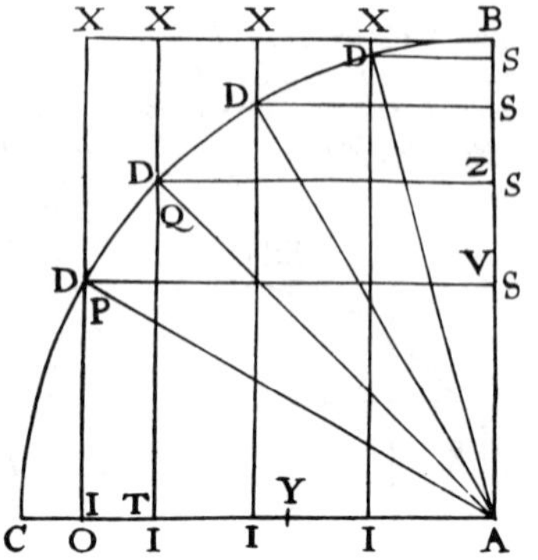

De la première proposition il s'ensuit que la somme des sinus verses d'un arc est égale à l'excès dont l'arc surpasse la distance d'entre les sinus extrêmes, multiplié par le rayon.

Fig 16.

X X X X B S S Z S V S D D D D Q P I T Y C O I I I A

Je dis (fig.16) que la somme des sinus verses DX *est égale à l'excès dont l'arc* BP *surpasse la droite* AO, *multiplié par* AB.

Car les sinus verses ne sont autre chose que l'excès dont le rayon surpasse les sinus droits. Donc la somme des sinus verses DX est la même chose que le rayon AB pris autant de fois, c'est-à-dire multiplié par tous les petits arcs égaux, DD, c'est-à-dire multiplié par l'arc entier BP, moins la somme des sinus droits DI, ou le rectangle BA en AO. Et par conséquent la somme des sinus verses DX est égale au rectangle compris du rayon AB et de la différence entre l'arc BP et la droite AO.

PROPOSITION V

Le centre de gravité de tous les sinus d'un arc quelconque, placés comme ils se trouvent, est dans celui qui divise en deux également la distance d'entre les extrêmes.

Soit, figure 16, un arc quelconque BP, et soit AO la distance entre les sinus extrêmes, coupée en deux également en Y.

Je dis que le point Y sera le centre de gravité de tous les sinus DI de l'arc BP.

Car si on entend que AO soit divisée en un nombre indéfini de parties égales, d'où soient menées des ordonnées, et que l'on considère chaque somme des sinus qui se trouve entre deux quelconques des ordonnées voisines, il est visible que toutes ces petites sommes particulières de sinus seront toutes égales entre elles, puisque les distances d'entre les ordonnées voisines sont prises toutes égales entre elles, et que chaque somme de sinus est égale au rectangle fait de chacune de ces distances égales, multipliées par le rayon. Donc la droite AO est divisée en un nombre indéfini de parties égales, et ces parties égales entre elles sont toutes chargées de poids égaux entre eux (qui sont les petites sommes de ces sinus, comprises entre les ordonnées voisines).

Donc le centre de gravité de tous ces poids, c'est-à-dire de tous les sinus placés comme ils sont, se trouvera au point du milieu Y : C.q.f.d.

PROPOSITION VI

La somme des rectangles compris de chaque sinus sur la base et de la distance de l'axe, ou du sinus sur l'axe, est égale à la moitié du carré de la distance d'entre les sinus extrêmes sur la base, multipliée par le rayon, lorsque l'arc est terminé au sommet.

Soit l'arc BP, terminé au sommet B, et soient DS les sinus sur l'axe. Je dis que la somme des rectangles DI en IA, ou DI en DS, est égale à la moitié du carré de AO multiplié par AB.

Car il a été démontré, à la fin du traité des trilignes, que la somme des rectangles AI en ID est égale à la somme des sinus ID, multipliés par AY (qui est la distance entre le dernier AB et leur centre de gravité commun Y); mais la somme des sinus est égale à AB en AO : donc la somme des rectangles AI en ID est égale à AB en AO en AY, c'est-à-dire à la moitié du carré de AO, multiplié par AB.

PROPOSITION VII

La somme triangulaire des sinus sur la base d'un arc quelconque terminé au sommet, à commencer par le moindre des sinus extrêmes, est égale à la somme des sinus du même arc sur l'axe, multipliée par le rayon, ou, ce qui est la même chose, à la différence d'entre les sinus extrêmes sur l'axe, multipliée par le carré du rayon.

Je dis que la somme triangulaire des sinus DI, à commencer du côté de PO, est égale à la somme des sinus DS multipliée par le rayon, ou à BV (qui est la différence entre BA et PO) multipliée par BA carré, ce qui n'est visiblement que la même chose, puisque la somme des sinus DS est égale au rectangle VB en BA par la première de ce Traité.

Car la somme triangulaire des sinus DI, à commencer par DO, n'est autre chose, par la définition, que la simple somme de tous les DI compris entre les extrêmes BA, DO, plus la somme de tous les DI, excepté le premier PO, c'est-à-dire compris entre le second QT et AB, et ainsi de suite. Mais la somme des sinus compris entre DO et BA est égale à OA ou PV en AB; et la somme des sinus compris entre DT et AB est de même égale au rectangle TA ou QS en AB, et ainsi toujours. Donc la somme triangulaire des sinus DI, à commencer par DO, est égale à la somme des sinus PV, QS, DS, etc., multipliés par AB. C.q.f.d.

PROPOSITION VIII

La somme pyramidale des sinus d'un arc quelconque terminé au sommet, à commencer par le moindre, est égale à la somme des sinus verses du même arc multipliée par le carré du rayon : ou, ce qui est la même chose, à l'excès dont l'arc surpasse la distance entre les sinus extrêmes, multiplié par le cube du rayon.

Je dis que la somme pyramidale des sinus DI, *à commencer par* DO, *est égale à la somme des sinus verses* DX, *multipliée par* BA *carré : ou, ce qui est la même chose, par le corollaire, à l'arc* BP, *moins la droite* AO, *en* AB *cube.*

Car cette somme pyramidale n'est autre chose que la somme triangulaire des sinus DI compris entre PO et AB, plus la somme triangulaire de tous les sinus compris entre DT et AB, et ainsi de suite. Mais la première de ces sommes triangulaires est égale, par la précédente, à BV ou PX en AB carré. Et la seconde de ces sommes triangulaires est égale, par la même raison, à BZ ou QX en AB carré. Donc toutes les sommes triangulaires ensemble, c'est-à-dire la somme pyramidale des sinus DI, à commencer par PO, est égale à la somme des sinus verses DX multipliés par AB carré. C.q.f.d.

PROPOSITION IX

La somme des espaces compris entre l'axe et un chacun des sinus d'un arc terminé au sommet est égale, étant prise quatre fois, au carré de l'arc, plus le carré de la distance entre les sinus extrêmes, multiplié chacun par le rayon.

Je dis que la somme des espaces DIAB, *prise quatre fois, est égale au carré de l'arc* BP, *multiplié par* AB, *plus le carré de la droite* AO, *multiplié aussi par* AB.

Car ces espaces DIAB ne sont autre chose que les secteurs ADB, plus les triangles rectangles AID. Or chaque secteur ADB est égal à la moitié du rectangle compris de l'arc BD et du rayon. Donc le secteur pris deux fois est égal au rectangle compris de l'arc et du rayon : et partant tous les secteurs ensemble pris deux fois sont égaux à tous les arcs BD multipliés par AB, ou à la moitié du carré de l'arc entier BP, multiplié par AB (puisque tous les arcs ensemble BD sont égaux à la moitié du carré de l'arc entier BP, parce qu'il est divisé en parties égales). Donc la somme des secteurs, prise quatre fois, est égale au carré de l'arc BP multiplié par le rayon. Et chaque triangle rectangle AID est la moitié du rectangle de AI en ID; et partant tous les triangles ensemble AID, pris deux fois, sont égaux à tous les rectangles AI en ID, c'est-à-dire (par la VIe), à la moitié du carré AO en AB. Donc quatre fois la somme des triangles AID est égale au carré AO multiplié par AB. Donc quatre fois la somme des espaces DIAB est égale au carré de l'arc BP, plus au carré de AO, multiplié chacun par AB. C.q.f.d.

PROPOSITION X

La somme triangulaire des mêmes espaces prise quatre fois, à commencer par le moindre sinus, est égale au tiers du cube de l'arc; plus la moitié du solide compris de l'arc et du carré du rayon; moins la moitié du solide compris du moindre sinus et de la distance d'entre les extrêmes et du rayon ; le tout multiplié par le rayon.

Je dis que la somme triangulaire des espaces DIAB, *à commencer par* PO, *prise quatre fois, est égale au tiers du cube de l'arc* BP, *multiplié par* AB; *plus la moitié de l'arc* BP, *multiplié par* AB *cube; moins la moitié du rectangle* AO *en* OP, *multiplié par* AB *carré.*

Car la somme triangulaire de ces espaces, à commencer par DO, se forme en prenant : premièrement, la somme simple de tous ces espaces, dont le quadruple est égal (par la précéd.) au carré de l'arc BP multiplié par AB, plus AO carré multiplié aussi par AB et en prenant ensuite la somme de tous les espaces, excepté le premier BPOA, savoir la somme de tous les espaces BQTA, BDIA, etc., dont le quadruple est égal (par la précéd.) à l'arc BQ carré, multiplié par AB, plus TA carré multiplié par AB; et ainsi toujours. Donc quatre fois cette somme triangulaire des espaces BDIA est égale à la somme de tous les arcs BD carré multipliés par AB; c'est-à-dire au tiers du cube de l'arc entier BP, multiplié par AB, plus la somme de tous les IA carré, ou de tous les DS carré (qui sont les sinus sur l'axe) multipliés par AB. Mais la somme des sinus DS carré est égale à l'espace BPV, multiplié par AB (par la seconde de ces propositions), et en prenant AB pour commune hauteur, la somme des DS ou IA carré, multipliés par AB, sera égale à l'espace BPV multiplié par AB carré.

Donc la somme triangulaire de tous les espaces DIAB, prise quatre fois, est égale au tiers du cube de l'arc BP, multiplié par AB; plus à l'espace BPV, multiplié par AB carré; mais l'espace BPV est égal au secteur BPA, moins le triangle AVP; c'est-à-dire la moitié du rectangle compris de l'arc BP et du rayon BA, moins la moitié du rectangle de AO en OP. Donc cette somme triangulaire, prise quatre fois, est égale au tiers du cube de l'arc BP, multiplié par AB, plus la moitié de l'arc multiplié par AB cube, moins la moitié de AO en OP, multiplié par AB carré. C.q.f.d.

PROPOSITION XI

La somme triangulaire des carrés des sinus d'un arc quelconque, terminé au sommet, à commencer par le moindre sinus, est égale, étant prise quatre fois, au carré de l'arc, plus au carré de la distance entre les sinus extrêmes, multipliés chacun par le carré du rayon.

Je dis que la somme triangulaire des DI *carré, prise quatre fois, à commencer par* PO, *est égale au carré de l'arc* BP, *plus au carré de la droite* AO, *multipliés chacun par* AB *carré.*

Car cette somme triangulaire des DI carré se trouve en prenant premièrement la simple somme de tous les DI carré, qui est égale (par la IIe) à l'espace BDOA, multiplié par AB, et en prenant ensuite la somme des mêmes carrés, excepté le premier PO, savoir QT carré, DI carré, etc., qui sont égaux (par la même IIe) à l'espace QTAB, multiplié par AB; et ainsi toujours. Donc la somme triangulaire de tous les DI carré est égale à la somme des espaces DIAB, multipliée par AB. Donc aussi leurs quadruples seront égaux; mais la somme de ces espaces, prise quatre fois, est égale au carré de l'arc BP, plus au carré AO, multipliés par AB : et, en multipliant encore le tout par AB, la somme des espaces DIAB, prise quatre fois, et multipliée par AB, sera égale au carré de l'arc BP, plus au carré AO, multipliés par AB carré. Donc aussi la somme triangulaire des DI carré, prise quatre fois, sera égale au même arc BP carré, plus au même AO carré, multipliés de même par AB carré. C.q.f.d.

TRAITÉ DES ARCS DE CERCLE

DÉFINITION

J'appelle triligne circulaire toutes les portions d'un quart de cercle retranchées par une ordonnée quelconque au rayon.

Soit (fig. 17) un quart de cercle ABC, dont A soit le *centre*, AB un des rayons qui sera appelé *l'axe*, AC l'autre rayon perpendiculaire au premier qui sera appelé la *base*, et le point B sera le sommet, ZM une ordonnée quelconque à l'axe. L'espace ZMB sera appelé un *triligne circulaire*. Sur quoi il faut remarquer que le quart de cercle entier est aussi lui-même un triligne circulaire.

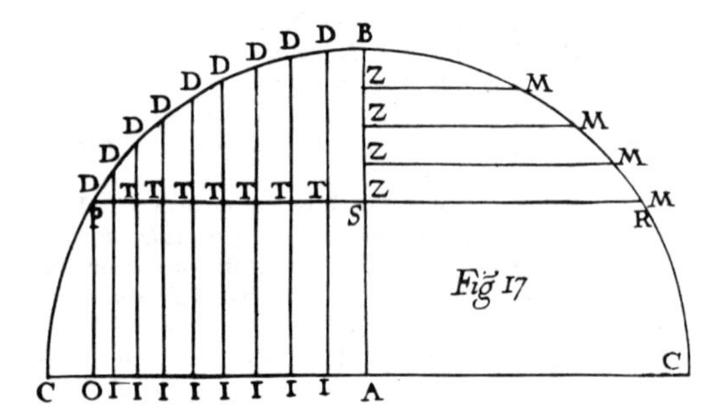

AVERTISSEMENT

On suppose dans tout ce discours que la raison de la circonférence au diamètre est connue, et que, quelque point qu'on donne dans le rayon BA, *comme* S, *d'où on mène l'ordonnée* SR, *coupant l'arc en* R, *l'arc* BR *retranché par l'ordonnée (et qui s'appelle l'arc de l'ordonnée) est aussi donné; et de même que, quelque point qui soit donné dans l'arc, comme* R, *d'où on mène* RS *perpendiculaire à* BA, *les droites* RS, SB *sont aussi données.*

PROPOSITION I

Soit (fig. 17) BSR *un triligne circulaire quelconque donné, dont l'axe* BS *étant divisé en un nombre indéfini de parties égales en* Z, *les ordonnées* ZM *coupent l'arc en* M.

Je dis que toutes ces choses seront aussi données, savoir 1. *La somme de tous les arcs* BM; 2. *La somme des carrés de ces arcs;* 3. *La somme des cubes de ces arcs;* 4. *La somme triangulaire de ces arcs;* 5. *La somme trian-*

gulaire des carrés de ces arcs; 6. *La somme pyramidale de ces arcs.*

Car, en menant les sinus sur la base de ce même arc, ou de l'arc pareil BP, pris de l'autre part (pour rendre la figure moins confuse), lesquels sinus coupent l'arc en D, la base SP du triligne en T, et le rayon AC en I, il a été démontré dans le traité des trilignes, que la connaissance de toutes les sommes cherchées dans les arcs BM dépend de la connaissance des mêmes sommes dans les sinus DT, et on en a donné toutes les raisons; en sorte que la connaissance des uns enferme aussi celle des autres. Donc il suffira de montrer que toutes ces sommes sont données dans les sinus DT pour montrer qu'elles le sont aussi dans les arcs BM.

Mais toutes ces sommes seront connues dans les sinus DT, si elles le sont dans les sinus entiers DI; parce que la droite TI ou SA, qui est donnée (comme on l'a vu dans l'avertissement), est une grandeur commune, qui est retranchée de toutes les autres DI; et partant, par le traité des sommes simples, triangulaires, etc., ces sommes seront données dans les restes DT, si elles le sont dans les entières DI.

Or toutes ces sommes sont données dans les droites DI, comme il s'ensuit facilement des propositions I, II, III, VII, VIII, XI, du traité des sinus du quart de cercle.

Car 1. La somme des droites DI est donnée; puisqu'il est montré qu'elle est égale au rectangle compris du rayon donné AB et de la droite donnée AO ou SP.

2. La somme des carrés DI est donnée; puisqu'il est montré qu'elle est égale à l'espace donné BPOA multiplié par le rayon donné AB.

3. La somme des DI cubes est donnée, puisqu'il est montré qu'elle est égale à la somme des carrés des ordonnées au rayon AC, comprises entre les sinus extrêmes BA, PO, multipliés par AB. Or AB est connu, et aussi la somme des carrés de ces ordonnées, puisque l'espace BPOA est ici donné, et que son solide autour de AO l'est aussi par Archimède.

4. La somme triangulaire de ces sinus DI est aussi donnée; puisqu'il est montré qu'elle est égale à la différence d'entre les sinus extrêmes BA, TO, c'est-à-dire à PS qui est donnée, multipliée par le carré du rayon.

5. La somme pyramidale des mêmes sinus DI est aussi donnée; puisqu'il est montré qu'elle est égale à l'excès dont l'arc donné BP surpasse la droite donnée AO ou SP, multiplié par le cube du rayon.

6. Enfin la somme triangulaire des DI carré est donnée; puisqu'il est montré qu'étant prise quatre fois, elle est égale au carré de l'arc donné BP, plus au carré de la droite donnée AO ou PS, multipliés chacun par le carré du rayon.

PROPOSITION II

Soit maintenant dans le diamètre du demi-cercle (fig. 18), ABCF *la portion BH donnée plus grande que le rayon* BA, *laquelle étant divisée en un nombre indéfini de parties égales, aux points* Z, *soient menées les ordonnées* ZD.

Je dis que les mêmes sommes que dans la précédente seront données dans les arcs BD *: c'est-à-dire la somme simple des arcs; celle de leurs carrés et celle de leurs cubes; la somme triangulaire des arcs; la somme triangulaire de leurs carrés; et la somme pyramidale des arcs.*

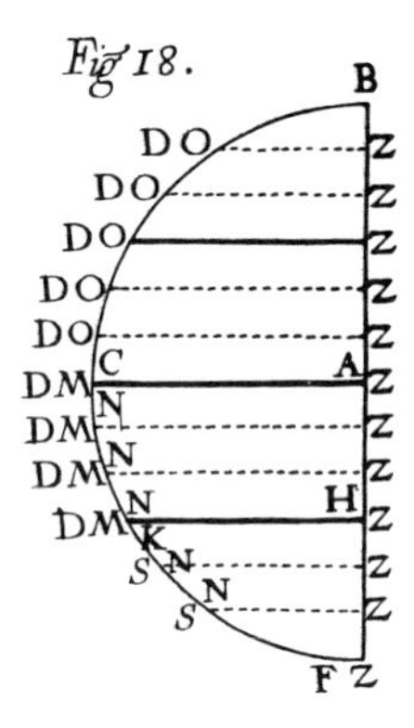

Car, en achevant de diviser la portion restante HF aux points Z en parties égales aux parties de la portion HB, et menant les ordonnées ZS : il s'ensuit (par la précéd.), que toutes ces sommes sont données, tant dans les arcs FN, compris entre les points F et C, que dans les arcs FS, compris entre les points F et K (puisque FHK est un triligne circulaire, et que le quart de cercle FAC en est un autre, desquels le point F est le sommet). Donc aussi les mêmes sommes seront données dans les arcs FM, puisque si de tous les arcs FN on ôte les arcs FS, il restera les arcs FM. Donc l'arc CK sera une ligne donnée, divisée comme on voudra en un nombre indéfini de parties aux points D, ou M, ou N (car toutes ces lettres ne marquent qu'un même point), à laquelle sont ajoutées de part et d'autre des portions données KF, CB; et il arrive que toutes les sommes proposées sont données dans les lignes FM; donc elles le seront aussi dans les arcs BM (par ce qui est montré à la fin des propriétés des sommes simples, triangulaires, etc.). Mais les mêmes sommes sont données (par la précédente) dans les arcs BO du quart de cercle BCA : donc (en ajoutant les deux ensemble) les mêmes sommes seront données dans tous les arcs BD, puisque la somme des arcs BD n'est autre chose que la somme des arcs BO, plus la somme des arcs BM.

C.q.f.d.

COROLLAIRE

De ces propositions, il paraît que, si la portion quelconque AH *donnée est divisée en un nombre indéfini de parties égales, en* Z, *d'où soient menées les ordonnées* ZM, *on connaîtra la somme des arcs* FN, *et leurs sommes triangulaires, et leurs sommes pyramidales, etc.*

LEMME

Soit une figure plane quelconque (fig. 25) ACQT, *dont le centre de gravité soit* Y. *Soit divisée cette figure en tant de parties qu'on voudra, et telles qu'on voudra, comme en deux parties* AQT, AQC, *desquelles les centres de gravité soient* R, V, *d'où soient menées les perpendiculaires* VS, RK, *sur une droite quelconque* AC *(laquelle* AC *ne coupe pas la figure proposée* ACQT *: mais, ou qu'elle la borne, ou qu'elle en soit entièrement dehors), et soit, sur la même* AC, *menée la perpendiculaire* YO *du centre de gravité de la figure entière* ACQT.

Je dis que le solide fait de la figure entière ACQT, *multipliée par son bras* YO, *est égal à tous les solides ensemble faits des parties, multipliées chacune par son bras particulier, c'est-à-dire au solide de la figure* AQT, *multipliée par son bras,* RK, *plus au solide de la figure* QAC, *multipliée par son bras* VS.

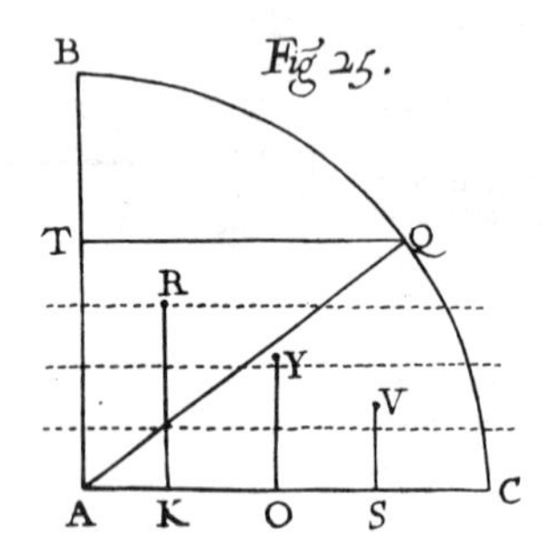

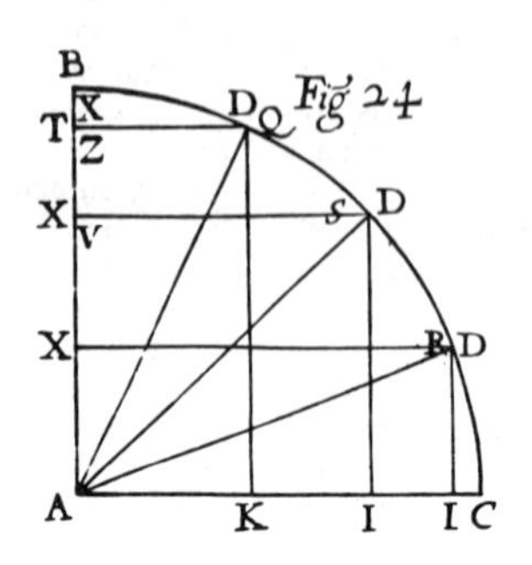

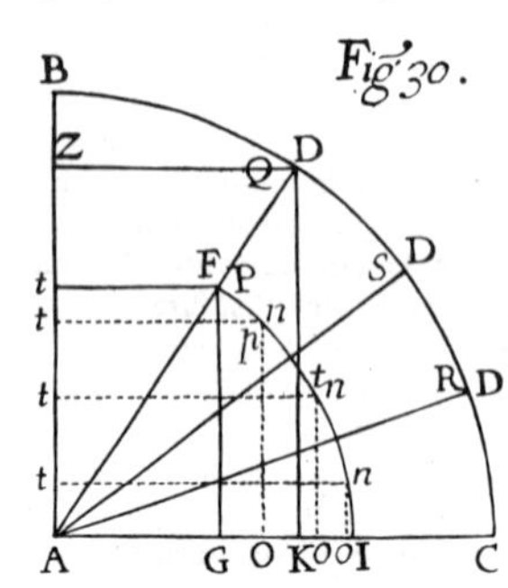

Car, si on entend une multitude indéfinie de droites parallèles à AC, et toutes éloignées chacune de sa voisine d'une même distance moindre qu'aucune donnée, et qui coupent ainsi toute la figure, comme il a été supposé dans la méthode des centres de gravité : il est visible, par cette méthode, que la somme triangulaire des portions de cette figure entière ACQT, comprises entre les parallèles voisines, est égale à la figure multipliée par son bras YO; et que de même la somme triangulaire des portions de la petite figure TAQ, comprises entre les mêmes parallèles, est égale à cette figure TAQ, multipliée par son bras RK; et enfin que la somme triangulaire des portions de l'autre petite figure AQC, comprises, entre les mêmes parallèles, est égale à cette même portion AQC multipliée par son bras VS. Mais les portions de la figure entière ACQT, comprises entre les mêmes parallèles, ne sont autre chose que les portions de sa partie ATQ, plus les portions de sa partie AQC, comprises entre les mêmes parallèles. Et de même la somme triangulaire des portions de la figure entière n'est autre chose que la somme triangulaire des portions de la partie AQT, plus la somme triangulaire des portions de l'autre figure AQC. Donc aussi la figure entière ACQT, multipliée par son bras YO, est égale à la partie AQT multipliée par son bras RK, plus à la partie AQC multipliée par son bras VS.

COROLLAIRE

De là il s'ensuit que la figure entière ATQC multipliée par son bras YO, plus la même figure entière, moins sa première portion AQT, savoir la portion AQC, multipliée par son bras SV, est égale à la première partie AQT, multipliée par son bras RK, plus à la seconde portion de la figure AQC, multipliée par deux fois son bras VS. Ce qui paraît par l'égalité démontrée dans le lemme, puisqu'on ne fait qu'y ajouter de part et d'autre le solide de la partie AQC, multipliée par son bras VS.

Et si la figure était divisée en trois parties, comme le secteur AQC, fig. 24, lequel est divisé en trois parties, qui sont les secteurs QAS, SAR, RAC : on montrera de même que la figure entière QAC, multipliée par son bras sur AC; plus la figure entière moins sa première portion QAS, c'est-à-dire la figure restante SAC, multipliée par son propre bras sur la même AC; plus la figure entière QAC, diminuée de ses deux premières portions QAS, SAR, c'est-à-dire la portion restante RAC multipliée aussi par son propre bras sur la même AC, sont égales à la première portion QAS, multipliée par son propre bras sur AC; plus la seconde portion SAR multipliée par deux fois son bras sur AC; plus la troisième portion RAC multipliée par trois fois son bras sur AC.

Et ainsi à l'infini, en quelque nombre de portions que la figure soit divisée.

LEMME III

Soit (*fig.* 30) *un secteur quelconque, qui ne soit pas plus grand qu'un quart de cercle,* DAC *divisé en un nombre indéfini de petits secteurs égaux* QAS, SAR, RAC, *desquels les centres de gravité soient* p, t, n, *et les bras sur* AC *soient* po, to, no :

Je dis que tous les points p, t, n, *sont dans un arc de cercle concentrique à l'arc* QDC, *et que les petits arcs* nn *sont tous égaux entre eux, comme les petits arcs* DD *sont aussi égaux entre eux; et que chacun des petits arcs* nn *est à chacun des arcs* DD *comme le rayon* FA *de l'arc* ptn *au rayon* DA *de l'arc* QDC; *et que le rayon* FA *est les deux tiers du rayon* DA.

Cela est visible de soi-même, puisque ces secteurs étant en nombre indéfini, ils doivent être considérés comme des triangles isocèles, desquels le centre de gravité est aux deux tiers de la droite qui divise l'angle par la moitié.

COROLLAIRE

De là il paraît que les bras no *des secteurs* DAD *sont les sinus de l'arc* FnI, *dont le rayon est les deux tiers du rayon* AD.

PROPOSITION III

Soit (*fig.* 30) *un quart de cercle donné* ABC, *dans l'arc duquel soit donné le point* Q, *tel qu'on voudra, et ayant divisé l'arc* QC *en un nombre indéfini d'arcs égaux aux points* D, *d'où soient menés les rayons* AD :

Je dis que la somme des secteurs ADC *est donnée, et égale au quart du carré de l'arc* QC *multiplié par le rayon* AB.

Car chaque secteur ADC est égal à la moitié de l'arc DC, multiplié par le rayon AB. Or, puisque l'arc QC est divisé en parties égales, la somme de tous les arcs DC sera égale à la moitié du carré de l'arc entier QC; et partant la moitié de la somme des mêmes arcs DC sera égale au quart du carré de l'arc QC. Et, en multipliant le tout par AB, la moitié de tous les arcs DC, multipliés par AB, c'est-à-dire la somme des secteurs ADC, sera égale au quart du carré de l'arc QC multiplié par AB. C.q.f.d.

PROPOSITION IV

Les mêmes choses étant posées : je dis que la somme triangulaire des mêmes secteurs ADC, *à commencer du côté de* QA, *est donnée, et égale à la douzième partie du cube de l'arc* QC, *multiplié par le rayon.*

Car la somme triangulaire des secteurs ADC, à commencer du côté de AQ, n'est autre chose que la simple somme de tous les secteurs ADC prise une fois, c'est-à-dire (par la précédente) le quart de QC carré en AB, plus la simple somme des mêmes secteurs ADC, excepté le premier QAC, c'est-à-dire la somme des secteurs SAC, RAC, etc., qui sont égaux (par la précédente) au quart de SC carré en AB, et ainsi des autres. D'où il paraît que la somme triangulaire des secteurs ADC est égale au quart des carrés de tous les arcs DC en AB. Mais la somme des carrés de tous les arcs DC est égale au tiers du cube de l'arc entier QC; donc la somme triangulaire des secteurs ADC est égale à la douzième partie du cube de l'arc entier QC, multiplié par AB. C.q.f.d.

PROPOSITION V

Soit (*fig.* 30) *le point* Q *donné où l'on voudra dans l'arc* BC *du quart de cercle donné* BAC; *et soit l'arc* QC *divisé en un nombre indéfini d'arcs égaux, aux points* D, *d'où soient menés les rayons* DA :

Je dis que la somme des solides compris de chaque secteur ADC, *et de son propre bras sur* AC, *est connue et égale au tiers de l'arc* DC, *moins le tiers de la droite* QK (*en menant le sinus* QK) *multiplié par* AB *cube.*

Car pour connaître la somme de ces solides, il suffira de connaître la somme de ces autres solides qui leur sont égaux (par le lemme 2), savoir, le petit secteur QAS multiplié par son propre bras po, plus l'autre petit secteur SAR multiplié par deux fois son propre bras to, plus le petit secteur RAC multiplié par trois fois son propre bras no, et ainsi toujours; c'est-à-dire le petit secteur QAS, ou le rectangle compris du rayon AB et de la moitié du petit arc QS ou DD, multiplié par po pris une fois, plus par to pris deux fois, plus par l'autre no pris trois fois, et ainsi toujours; c'est-à-dire, la somme triangulaire des bras no, à commencer par PO, multipliés chacun par la moitié des petits arcs DD, et le tout multiplié par AB.

Or le rayon AB est connu : donc, si on connaît encore la somme triangulaire des bras no (multipliés chacun par la moitié des petits arcs DD), on connaîtra la somme de tous les solides proposés.

Mais (par le lemme précéd.), tous ces bras no sont les sinus de l'arc FnI, desquels la somme triangulaire est connue par le traité des sinus, et égale au solide compris de AF carré et de la différence dont l'arc FnI surpasse la droite GF (lorsque les sinus no sont multipliés par les petits arcs nn). Et partant cette somme triangulaire des sinus no sera à la somme triangulaire des mêmes sinus no multipliés par les petits arcs DD en raison donnée, savoir comme AF carré à AQ, ou AB carré (parce que la somme triangulaire de ces sinus, multipliés par ces petits arcs, est un solide duquel les arcs donnent deux dimensions). Donc cette somme triangulaire des sinus no, multipliés par les arcs DD, est égale à l'arc FNI, moins la droite FG, multiplié par AB carré, ou aux deux tiers de l'arc QC, moins les deux tiers de la droite QK, multipliés par AB carré. Et par conséquent la somme triangulaire des mêmes sinus no, multipliés par la moitié des petits arcs DD, est égale à un tiers de l'arc QC, moins un tiers de la droite QK, multiplié par AB carré. En en multipliant le tout par AB, le tiers de l'arc QC, moins le tiers de la droite QK, multipliés par AB cube, sera égal à la somme triangulaire des mêmes sinus no multipliés par la moitié des petits arcs DD, et le tout multiplié par AB; ce qui est montré être égal aux solides proposés à connaître.

PROPOSITION VI

Les mêmes choses étant posées : je dis que la somme des solides compris de chaque secteur ADC, *et de son bras sur* AB, *est donnée, et égale au tiers de la droite* CK *multiplié par* AB *cube.*

Car en menant les bras nt sur AB, qui seront aussi des sinus, on démontrera de même que la somme des solides proposés est égale à la somme triangulaire des bras ou sinus nt, à commencer par Pt, multipliés chacun par la moitié des petits arcs DD, et le tout multiplié par AB.

Et, d'autant que la somme triangulaire des sinus nt (multipliés chacun par les petits arcs nn) est égale, par le traité des sinus, à la droite IG, multipliée par AF carré, on conclura, comme en la précéd., que la somme triangulaire des mêmes sinus nt, multipliés par la moitié des petits arcs DD, et le tout multiplié par AB, est égale au tiers de la droite CK multipliée par AB cube.

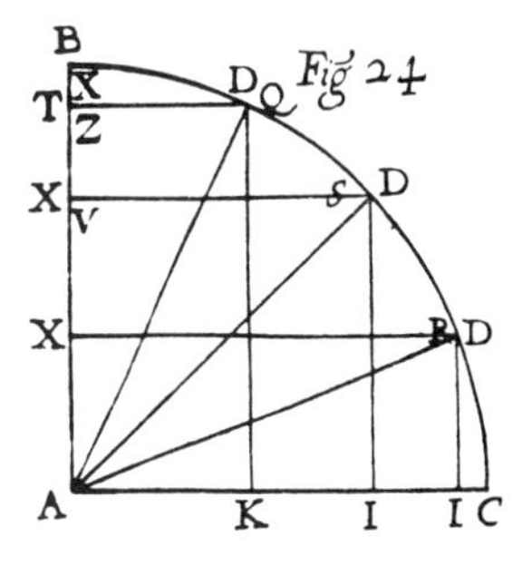

PROPOSITION VII

Soit donné (*fig.* 24) *le même quart de cercle* ABC, *et un point* Q *dans son arc, d'où soient menés les sinus* DX *et les rayons* DA.

Je dis que la somme des triangles AXD *est donnée, et égale au quart du carré de la droite* AZ, *qui mesure la distance entre les sinus extrêmes, multipliée par le rayon.*

Car tous ces triangles AXD sont la moitié des rectangles AX en XD, la somme desquels est démontrée (dans le traité des sinus) être égale à la moitié du carré de la droite AZ, multipliée par AB. Donc, etc.

PROPOSITION VIII

Les mêmes choses étant posées : Je dis que la somme triangulaire des mêmes triangles AXD, *à commencer du côté de* QX, *est donnée et égale à la huitième partie de l'arc* QC, *multipliée par* AB *cube, moins la huitième partie du rectangle compris du dernier sinus* QZ *et de* ZA *(qui est sa distance du point* A), *multipliée par* AB *carré.*

Car la somme triangulaire des triangles AXD, à commencer du côté de ZQ, n'est autre chose que la simple somme de tous, c'est-à-dire (par la précéd.), un quart de AZ carré multiplié par AB, plus la somme des mêmes triangles AXD, excepté le premier AZQ, qui sera égale (par la précéd.), au quart de AV carré multiplié par AB. Et ainsi toujours. De sorte que la somme triangulaire de ces triangles est égale au quart de la somme des carrés AX multipliés par AB; ou au quart des carrés DI, multipliés par AB; ou au quart de l'espace QKC multiplié par AB carré (car la somme des carrés des sinus DI est égale à l'espace QKC multiplié par AB, par le Traité des sinus); c'est-à-dire au quart du secteur AQC multiplié par AB carré, moins le quart du triangle AKQ multiplié par AB carré. Ce qui est la même chose qu'un huitième de l'arc QC, multiplié par AB cube, moins un huitième du rectangle QZ en ZA, multiplié par AB carré.

PROPOSITION IX

Soit un quart de cercle (fig. 24) *donné, dans l'arc duquel soit donné le point quelconque* Q; *et l'arc* QC *étant divisé en un nombre indéfini d'arcs égaux, aux points* D, *d'où soient menés les sinus* DX *et les rayons* DA :

Je dis que la somme des solides, compris de chaque triangle AXD *et de son bras sur* AC, *est donnée et égale au tiers de la portion* AZ *en* AB *cube, moins le tiers de la somme des carrés des ordonnées à la portion* AZ *(qui sont donnés, puisque l'espace* AZQC *et son solide autour de* AZ *sont donnés par Archimède) multipliés par* AB.

Car le bras de chacun de ces triangles sur AC est les deux tiers de chaque AX. Donc la somme des solides proposés n'est autre chose que la somme des triangles AXD, multipliés chacun par les deux tiers de son côté AX. Or chaque triangle rectangle AXD, multiplié par les deux tiers de son côté AX, est égal au tiers de AX carré en XD, c'est-à-dire (chaque AX carré étant AD carré, moins DX carré), au tiers de chaque AD carré en DX, moins le tiers de chaque DX cube. Donc tous les triangles ensemble AXD, multipliés chacun par les deux tiers de AX, sont égaux au tiers de tous les DX multipliés par AD ou AB carré, moins le tiers de la somme de tous les DX cubes; c'est-à-dire (puisque tous les DX sont égaux à AZ en AB, et que tous les DX cubes sont égaux aux carrés des ordonnées à la portion AZ, multipliés par AB) au tiers de la portion AZ en AB cube, moins le tiers de la somme des carrés des ordonnées à la portion AZ, multipliés par AB. C. q. f. d.

PROPOSITION X

Les mêmes choses étant posées : Je dis que la somme des solides compris de chacun des triangles AXD, *multiplié par son bras sur* AB, *est donnée, et égale à un sixième de* CK *(qui est la différence entre les sinus extrêmes), multiplié par* AB *cube, moins un sixième de la somme des carrés des ordonnées à la portion* CK *(laquelle est donnée, puisque l'espace* QKC *et son solide sont donnés par Archimède) multipliée par* AB *carré.*

Car chacun de ces triangles est la moitié du rectangle AX en XD, et le bras de chacun sur AB est le tiers de XD. Donc la somme de ces triangles multipliée par ces bras est la moitié des rectangles AX en XD, multipliée par un tiers de XD; c'est-à-dire un sixième des solides AX en XD carré; ou (puisque chaque XD carré est égal à AD carré, moins AX carré) un sixième des solides de AX en AD carré, moins un sixième des AX cube, ou un sixième des solides des DI en AD carré, moins un sixième des DI cube; c'est-à-dire (puisque la somme des DI est égale à CK en AB, et que la somme des DI cube est égale à la somme des carrés des ordonnées à la portion CK, multipliées par AB) un sixième de la portion CK en AB cube, moins un sixième de la somme des carrés des ordonnées à la portion CK, multipliée par AB carré.

COROLLAIRE I

Si le point donné Q *est au point* B, *c'est-à-dire si on considère tout le quart de cercle entier, au lieu de n'en considérer que la portion* AZQC : *on y conclura les mêmes choses qu'on a faites jusqu'ici, puisque ce n'est qu'un cas de la proposition générale, et que même ce cas est toujours le plus facile.*

Il faudra entendre la même chose dans les propositions suivantes.

COROLLAIRE II

De toutes ces propositions, il s'ensuit que s'il y a un quart de cercle donné (fig. 24) ABC, *dans l'arc duquel soit donné le point* Q, *et que l'arc* QC *étant divisé en un nombre indéfini d'arcs égaux en* D, *on en mène les sinus* DX *et les rayons* DA : *il arrivera :*

1. *Que la somme des espaces* AXDC *sera donnée, puisque chacun de ces espaces est composé du secteur* AQC *et du triangle* AXD, *et que la somme de ces parties est donnée; c'est-à-dire, tant la somme des secteurs* AQC, *que celle des triangles* AXD, *est donnée par les précéd.*

2. *Que la somme triangulaire des mêmes espaces* AXDC *est donnée. Car elle est égale aux sommes triangulaires de leurs parties qui sont données par les précéd.*

3. *Que la somme de ces espaces* AXDC, *multipliés chacun par son bras sur* AC, *est donnée : car la somme de leurs parties (savoir de ses secteurs et de ses triangles), multipliées chacune par leurs bras sur* AC, *est donnée par les propositions précéd. Et il a été montré par les lemmes précéd., que la figure entière, multipliée par son*

bras sur AC, *est égale à ses parties multipliées chacune par leurs bras sur la même* AC.

4. *Que la somme des mêmes espaces* AXDC, *multipliés chacun par son bras sur* AB, *est donnée. Car elle est égale à la somme de leurs parties multipliées par leurs bras sur la même* AB, *qui est donnée par les propositions précédentes.*

PROPOSITION XI

Soit (fig. 29, *p.* 165) *un quart de cercle donné* MTG, *dans le rayon duquel étant donné le point quelconque* P, *d'où soit menée l'ordonnée* PV, *et la portion* PM *divisée en un nombre indéfini de parties égales aux points* O, *d'où soient menées les ordonnées* OR :

Je dis que la somme des rectangles compris de chaque ordonnée OR *et de son arc* RM (*compris entre l'ordonnée et le sommet* M), *est donnée.*

Car en prenant dans un autre quart de cercle pareil ABC (fig. 28) le point correspondant Z, et menant les sinus QZ, et divisant l'arc entier BQC, aux points D, en un nombre indéfini d'arcs égaux, tant entre eux qu'aux portions égales OO de la droite MP, d'où soient menés les sinus DX : il a été démontré dans le traité des trilignes, prop. XII (p. 145), que la somme des rectangles compris de chaque OR et de l'arc RM, est égale à la somme des espaces QZLN (compris entre le sinus QZ et chacun des autres sinus DN, ou LN, qui sont entre les points Q, B).

Or la somme de ces espaces est donnée. Car si de la somme des espaces AXDC (compris entre AC et le point B), qui est donnée par les propositions précédentes, on ôte la somme des espaces AXSC (compris entre AC et ZQ), qui est aussi donnée par les corollaires précédents, les portions restantes ANLC seront aussi données; c'est-à-dire (en prenant les portions au lieu du total) la somme des portions ZNLQ, plus la portion AZQC prise autant de fois, c'est-à-dire multipliée par l'arc BLQ : mais cette portion AZQC, multipliée par l'arc BQ, est donnée, puisque tant la portion que l'arc sont donnés. Donc la somme des portions ZNLQ sera donnée. Et partant aussi la somme des rectangles compris de chaque OR et de l'arc RM. C. q. f. d.

PROPOSITION XII

Les mêmes choses étant posées, je dis que la somme des solides compris de chaque OR *et du carré de l'arc* RM *est donnée.*

Car, en reprenant la même figure, il a été démontré dans le traité des trilignes, prop. XIII (p. 145), que la somme de ces solides est double de la somme triangulaire des portions ZNLQ, à commencer par B.

Il suffira de montrer que cette somme triangulaire est donnée, et on le montrera en cette sorte.

Si de la somme triangulaire de toutes les portions AXDC, qui est donnée par les coroll. précédents, on ôte la somme triangulaire de toutes les portions AXSC, qui est aussi donnée par les mêmes propositions, la somme triangulaire restante des portions ANLC sera donnée : c'est-à-dire (en prenant les parties au lieu du total) la somme triangulaire des portions ZNLQ, plus la portion AZQC, prise autant de fois, ou multipliée par la moitié du carré de l'arc BQ (car la somme triangulaire d'un nombre indéfini de points est égale à la moitié du carré de leur somme simple); mais la portion AZQC est donnée, et aussi la moitié du carré de l'arc BQ. Donc la somme triangulaire des ZNLQ l'est aussi. C. q. f. d.

PROPOSITION XIII

Les mêmes choses étant posées, je dis que la somme des carrés des ordonnées RO, *multipliés chacun par l'arc* RM, *est donnée.*

Car, par la prop. XV des trilignes (p. 145), la somme de ces solides est double de la somme des solides compris de chaque espace ZNLQ, multiplié par son bras sur AB. Donc il suffira de connaître la somme de ces derniers solides : ce qui se fera en cette sorte.

Si de la somme des solides compris de chaque espace AXDC et de son bras sur AB, qui est donnée par le corollaire précédent, on ôte la somme des solides compris de chaque espace AXSC et de son bras sur AB, on aura la somme des solides compris de chacun des espaces restants ANLC et de son bras sur AB; c'est-à-dire (en prenant les portions au lieu du total) qu'on connaîtra la somme des solides compris de chaque espace ZNLQ et de son bras sur AB, plus l'espace AZQC pris autant de fois, ou multiplié par l'arc BQ, et le tout multiplié par le bras de cet espace AZQC sur AB; (car il a été démontré, dans les lemmes de ce traité, que l'espace entier quelconque ANLC, multiplié par son bras sur AB, est égal à la portion AZQC, multipliée par son bras sur AB, plus à la portion restante ZNLQ, multipliée toujours par son bras sur la même AB).

Or on connaît l'espace AZQC, multiplié par BQ, et le tout multiplié par son bras sur AB, puisqu'on connaît l'arc BQ, l'espace AZQC, et son bras sur AB. Donc on connaît la somme restante des espaces ZNLQ, multipliés chacun par son bras sur AB. C. q. f. d.

PROPOSITION XIV

Les mêmes choses étant posées : je dis que la somme triangulaire des rectangles compris de chaque ordonnée OR *et de son arc* RM *est donnée; ou, ce qui est la même chose, la somme des* PO *en* OR *en* RM.

Car cette somme est égale, par la prop. XIV des trilignes (p. 145), à la somme des solides compris de chaque espace ZNLQ et de son bras sur ZQ. Donc il suffira de connaître cette dernière somme, ou même il suffira de connaître la somme des solides compris de chacun des mêmes espaces ZNLQ et de son bras sur AC; puisque chaque bras sur ZQ diffère du bras sur AC d'une droite égale à ZA, et que la somme des espaces ZNLQ, multipliés chacun par ZA, est donnée (ZA étant donnée, et aussi la somme des espaces ZNLQ). Or on connaîtra cette somme des espaces ZNLQ, multipliés chacun par son bras sur AC, en cette sorte :

Si de la somme des espaces AXDC, multipliés chacun par son bras sur AC qui est donnée par le corollaire précédent, on ôte la somme des espaces AXSC, multipliés chacun par leurs bras sur AC, qui est aussi donnée par le même corollaire, la somme restante des espaces

ALNC, multipliés par leurs bras sur AC, sera connue : c'est-à-dire (en prenant les portions au lieu du total), la somme des portions ZNLQ, multipliées chacune par son bras sur AC, plus AZQC, pris autant de fois (ou multiplié par l'arc BQ), et le tout multiplié par le bras de l'espace AZQC sur AC. Or on connaît ce dernier produit de l'espace AZQC, multiplié de cette sorte (puisqu'on connaît l'espace AZQC, et son bras sur AC, et l'arc QB).

Donc on connaît la somme des espaces ZNLQ, multipliés chacun par son bras sur AC. Donc, etc. C. q. f. d.

PROPOSITION XV

Soit donné un demi-cercle MTF (*fig.* 29, *p.* 165), *dont* G *soit le centre, et dont le diamètre* MF *soit divisé en un nombre indéfini de parties égales, aux points* O, *d'où soient menées les ordonnées* OA, *et soit donnée une ordonnée quelconque* PV, *menée du point donné* P *dans le demi-diamètre* GM.

Je dis que la somme des rectangles compris de toutes les ordonnées OI (*qui sont entre l'ordonnée* PV *et le point* F, *qui est l'extrémité de l'autre demi-diamètre* GF) *et de l'arc* IF (*entre chaque ordonnée et le point* F) *est donnée.*

Car si on ôte la somme des rectangles OR en RM (compris de toutes les ordonnées depuis PV jusqu'à M, et de leurs arcs), qui est donnée par la précédente, de la somme des rectangles OS en SM (compris des ordonnées, depuis le rayon GT jusqu'à M, et de leurs arcs), qui est aussi donnée par la même précéd., les rectangles restants OC en CM, compris des ordonnées OC en GT et PV, et de leurs arcs, seront connus.

Donc, par les propriétés des sommes simples triangulaires, etc., en considérant l'arc TV comme une ligne donnée, divisée en un nombre indéfini de telles parties qu'on voudra, aux points C, à laquelle sont ajoutées de part et d'autre les lignes données VRM, TDF, et en prenant les droites CO pour *coefficientes :* il s'ensuit que, puisque la somme des rectangles OC en CM est donnée, aussi la somme des rectangles OC en CF (compris de chaque CO et de l'arc CDF) sera donnée.

Mais la somme des rectangles OD en DF (compris des ordonnées entre GT et F, et de leurs arcs DF) est donnée, par la précéd. Donc la somme, tant des rectangles OC en CF, que des rectangles OD en DF, est donnée, c'est-à-dire la somme des rectangles OI en IF. C. q. f. d.

PROPOSITION XVI

Les mêmes choses étant posées : je dis que la somme triangulaire des mêmes rectangles OI *en* IF (*compris des ordonnées qui sont entre* P *et* F, *et de leurs arcs jusqu'à* F) *est donnée; et aussi la simple somme des* OI *carré en* IF, *et la simple somme des* OI *en* IF *carré.*

Car on montrera de même qu'en la précédente, que la somme triangulaire des rectangles OS en SM est donnée (compris des ordonnées qui sont entre GT et M, et de leurs arcs jusqu'à M); et aussi la simple somme de tous les OS carré en SM; et celle de tous les OS en SM carré.

Et on montrera aussi de même que la somme triangulaire des OR en RM est donnée (compris des ordonnées qui sont entre PV et M, et de leurs arcs); et aussi la simple somme des OR carré en RM; et aussi celle des OR en RM carré.

D'où on conclura de même qu'en la précéd. que la somme triangulaire des OC en CM (compris des ordonnées qui sont entre G et P, et de leurs arcs jusqu'à M) est donnée; et aussi la simple somme des OC carré en CM; et aussi celle des OC en CM carré.

Et de là on conclura, par la propriété des sommes simples, triangulaires, etc., que puisqu'on connaît la somme des ordonnées OC, qui sont les coefficientes, et aussi leurs sommes triangulaires, et aussi la simple somme de leurs carrés (car l'espace GTVP est connu et partant la somme des ordonnées OC; et le centre de gravité de cet espace GTVP est aussi connu; et partant la somme triangulaire des OC, ou la somme des rectangles GO en OC; et aussi le solide de l'espace GTVP tourné autour de GP, et partant la somme des carrés OC) : il s'ensuit qu'on connaîtra aussi la somme triangulaire des OC en CF, compris des mêmes OC et de leurs arcs jusqu'à F; et aussi la simple somme des OC carré en CF; et aussi celle des OC en CF carré. Mais on connaît par la précéd., la somme triangulaire des OD en DF, compris des ordonnées qui sont entre G et F, et de leurs arcs jusqu'à F; et aussi la simple somme des OD carré en DF, et celle des OD en DF carré.

Donc, en ajoutant les deux ensemble, on aura la somme triangulaire des OI en IF, compris des ordonnées entre P et F, et de leurs arcs jusqu'à F; et aussi la simple somme des OI carré en IF, et celle des OI en IF carré. C.q.f.d.

PETIT TRAITÉ DES SOLIDES CIRCULAIRES

1. *Soit donné le point* V, *où l'on voudra* (*fig.* 29), *dans la demi-circonférence donnée* MTF; *soit le rayon* GT *perpendiculaire au diamètre* MF; *et soit menée* VP *parallèle à* GT, *et ayant divisé le diamètre entier* FM *en un nombre indéfini de parties égales, aux points* O, *d'où soient menées les ordonnées* OA :

J'ai supposé dans tout le discours précédent, comme je suppose encore ici, qu'on sache que l'espace GTVP est donné, et aussi son centre de gravité; parce qu'en menant le rayon GV, le triangle GVP est donné et son centre de gravité; et aussi le secteur GTV, et son centre de gravité, comme cela peut être démontré si facilement,

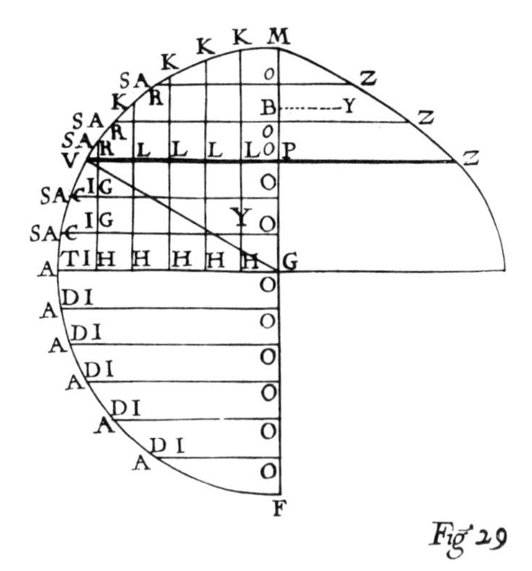
Fig 29

et comme cela l'a été par plusieurs personnes, et entre autres par Guldin : on supposant toujours la quadrature du cercle quand il le faut.

J'ai supposé de même que l'espace VPM et l'espace VTFP sont donnés, et aussi leurs centres de gravité; ce qui n'est que la même chose.

J'ai supposé encore que les solides de ces espaces tournés autour du diamètre MF sont encore donnés; ce qui a été démontré par Archimède.

De toutes lesquelles choses j'ai pris pour supposé qu'on sût que la somme des ordonnées OC entre G et P est donnée, et que la somme de leurs carrés le sera aussi; et de même la somme triangulaire de ces mêmes droites OC, ou la somme des espaces VCOP; ce qui n'est que la même chose (comme on l'a assez vu dans la lettre à M. de Carcavy) parce que la somme des droites OC n'est autre chose que l'espace GTVP, et que la somme triangulaire des OC est égale à cet espace multiplié par son bras sur GT; et que le solide de la figure GTVP autour de GP étant donné, la somme des cercles dont OC sont les rayons est donnée; et partant aussi la somme des carrés OC.

Il faut entendre la même chose des ordonnées OR, qui sont entre P et M, et des ordonnées OI, qui sont entre P et F.

2. *Je dis maintenant que le centre de gravité du solide de l'espace* VMP, *tourné autour de* MP, *est donné.*

Car, en prolongeant les ordonnées RO jusqu'en Z, en sorte que toutes les OZ soient entre elles comme les carrés OR, l'espace MZP sera une portion de parabole, et son centre de gravité Y sera donné par Archimède. D'où, menant YB perpendiculaire à PM, le point B sera visiblement le centre de gravité du solide MVP autour de MP : puisque MP étant une balance, aux points O de laquelle pendent pour poids les perpendiculaires OZ, et qu'elle est en équilibre au point B, elle sera en équilibre au même point B si on entend qu'au lieu des perpendiculaires OZ, on y pende pour poids les cercles qui leur sont proportionnels et qui composent ce solide, et dont les OR sont les rayons. Et elle sera encore en équilibre au même point B si on y pend pour poids les OR carré.

D'où il paraît que la somme triangulaire des OR carré est aussi donnée; puisqu'elle est égale, par la méthode générale des centres de gravité, à la somme des OR carré, multipliés par leurs bras BP.

Il faut entendre la même chose par la même raison des solides des espaces PVTG et PVF, et de la somme triangulaire des carrés de leurs ordonnées.

3. *Je dis aussi que le solide de l'espace* MVP, *tourné autour de* PV, *sera donné; et aussi son centre de gravité.*

Car en divisant PV en un nombre indéfini de parties égales, en L, d'où l'on mène les perpendiculaires KLH, il est visible, par ce qui vient d'être dit, que la somme des HK est donnée, et leur somme triangulaire, et la somme de leurs carrés, et la somme triangulaire de leurs carrés. Et partant, en ôtant de toutes la grandeur commune HL, la somme des carrés des restantes LK sera donnée, et la somme triangulaire de ces carrés; et partant le solide PVM autour de PV sera donné, et aussi son centre de gravité; puisque, son bras sur PM multipliant la somme des carrés LK, le produit en est égal à la somme triangulaire des carrés LK. Il faut toujours entendre la même chose des espaces VTGP et VFP.

4. *Je dis de même de la somme des* OR *carré-carré est donnée.*

Car en menant la même parabole MZZ, dont le côté droit soit le rayon GM, et qu'ainsi chaque RO carré soit égal à chaque OZ en GM; et partant aussi chaque RO carré-carré à chaque OZ carré en GM carré : il est visible que, puisque tant le plan MZP que son centre de gravité sont donnés, le solide de MZP autour de MP sera aussi donné; et partant aussi la somme des carrés OZ; mais GM carré est aussi donné. Donc la somme des OZ carré en GM carré sera donnée et par conséquent la somme des OR carré-carré, qui lui est égale.

5. *Je dis enfin que la somme des* RO *cube sera donnée; ou, ce qui est la même chose, que le centre de gravité du demi-solide de l'espace* MVP *autour de* MP *sera donné.*

Car si le centre de gravité du demi-solide du secteur MVG, tourné autour de MG, est donné, celui du demi-solide de MVP sera aussi donné; puisqu'on sait que le solide du demi-cône du triangle GVP, tournant autour de GP, est donné, et qu'on connaît la raison de ce cône au solide de MVP. Or le centre de gravité du demi-solide du secteur MVG autour de MG sera connu, si on connaît le centre de gravité de la surface sphérique de ce demi-solide, décrite par l'arc MV, tournant d'un demi-tour autour de MG. Car de même que Guldin et d'autres ont démontré que, si du centre de gravité de l'arc MV on mène une droite au centre G, les deux tiers de cette droite, depuis G, donneront le centre de gravité du secteur MVG, parce qu'il est composé d'une multitude indéfinie d'arcs semblables à l'arc MV, qui sont entre eux comme les nombres naturels 1, 2, 3, etc. : ainsi, et sans aucune différence, on démontrera que, si du centre de gravité de la surface décrite par l'arc MV on mène une droite au centre G, les trois quarts de cette droite depuis G donneront le centre de gravité du solide décrit par le secteur MVG dans le même mouvement : parce que ce solide est composé d'un nombre indéfini de portions de surfaces sphériques, semblables à celle qui est décrite par l'arc MV, qui sont entre elles comme les carrés des nombres naturels 1, 2, 3, etc.

Or le centre de gravité de la surface de ce demi-solide sera connu (par la fin du traité des trilignes) si en divisant l'arc en un nombre indéfini d'arcs égaux, d'où on mène les sinus sur MP, il arrive qu'on puisse connaître la somme de ces sinus, et la somme de leurs carrés, et la somme des rectangles compris de chaque sinus et de sa distance de VP.

Et toutes ces choses sont connues; car (par le traité des sinus) l'arc TV étant donné, la somme de ces sinus est donnée; et aussi la somme des carrés de ces sinus; et la somme des rectangles compris de ces sinus et de leurs distances de TG. Mais la somme des sinus de l'arc entier TM est donnée, et la somme des carrés de ces sinus, et la somme des rectangles compris de chaque sinus et de sa distance de TG. Donc, en ôtant les uns des autres, la somme des sinus de l'arc VM sera donnée, et la somme des carrés de ces sinus, et la somme des rectangles compris de ces sinus et de leurs distances de TG; et partant aussi la somme des rectangles compris des mêmes sinus et de leurs distances de VP, puisqu'ils ne diffèrent de la somme des autres rectangles compris des mêmes sinus et de leurs distances de la droite TG que d'une quantité égale à la somme des mêmes sinus multipliés par PG; laquelle somme est donnée, puisque PG est donnée, et aussi la somme des sinus de l'arc VM.

Donc le centre de gravité de cette demi-surface sera donné; et partant celui du demi-solide du secteur MVG; et aussi celui du demi-solide MVP; et partant aussi la somme des OR cube.

Et, par la même raison, la somme des cubes des ordonnées du quart de cercle GTM et GTF, sera donnée. Et partant aussi la somme des cubes des ordonnées de l'espace GTVP, puisque ces ordonnées ne sont que les restes de celles du quart de cercle, quand on en a ôté celles de l'espace PVM. Et de même les cubes des ordonnées de l'espace PVF sont donnés, puisque ce n'est qu'y ajouter le quart du cercle.

6. *On montrera de même que la somme des* lK *cube* (*fig.* 31) *est donnée, puisque la somme des* lK *cube est donnée par l'article précéd., et que la droite* hl *est une grandeur commune, ôtée de toutes les* hK.

7. *Il s'ensuit aussi de toutes ces choses que, tant dans l'espace* TVPG, *que dans le quart de cercle entier, la somme des* Go *cube en* oC *est donnée, puisqu'en divisant* (*fig.* 31) *tout le rayon* GT *en un nombre indéfini de parties égales aux points* h *et* q, *et menant les perpendiculaires* hl *jusqu'à* PV, *et* qq *jusqu'à l'arc; et considérant* TVPG *comme un triligne mixte dont* TG *et* GP *sont les droites, et* TVP *la ligne mixte composée de l'arc* TV *et de la droite* VP : *la somme de tous les* Go *cube en* oC, *prise quatre fois, est égale à la somme des carré-carrés des droites* hl *et* qq. *Or la somme des* hl *carré-carrés est donnée, puisque tant* hl, *ou* GP, *que* PV *sont données; et la somme des* qq *carré-carré est donnée, par ce qui a été dit ici article* 4.

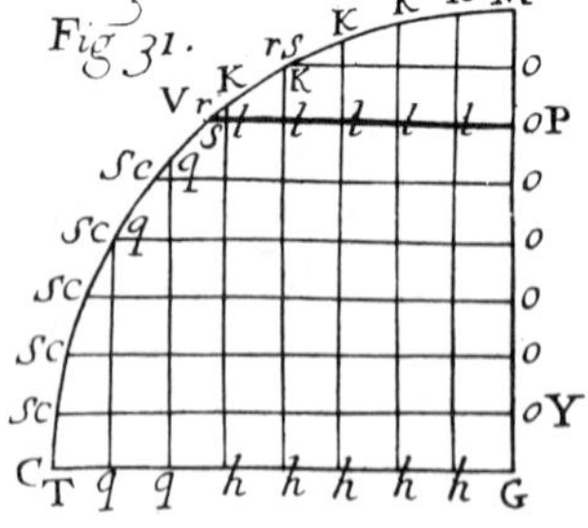

Il faut entendre la même chose de tous les Go cube en oS, c'est-à-dire dans tout le quart de cercle GTM.

8. *Il paraît aussi, par tout ce qui a été dit, que la somme des* Go *carré en* oS *est donnée, puisque, étant prise trois fois, elle est égale (par le traité des trilignes) à la somme des cubes des droites* hK, qq, *qui est donnée par le* 5ᵉ *article. Et de même la somme des* Go *carré en* oc *sera donnée, puisque, étant prise trois fois, elle est égale à la somme des cubes des droites* hl, qq, *qui est donnée, puisque la somme des* qq *cube est donnée par le* 5ᵉ *article, et que la somme des* hl *cube est donnée,* hl, *ou* PG, *et* PV *étant données.*

9. *Il paraît aussi par là que la somme pyramidale des* oc *est donnée, ou, ce qui est la même chose, la somme triangulaire des espaces* VcoP (*comme on verra dans l'avertissement suivant*) *puisque le double en est donné, savoir* Go *carré en* oc. *Il faut dire le même de la somme pyramidale des* os, *ou de la somme triangulaire des espaces* Mos, *et de même pour la somme pyramidale des* oD (*fig.* 29). *Et partant (par la fin du traité des sommes simples, triangulaires, etc.), la somme pyramidale, tant des droites* or *entre* P *et* M, *que des droites* oI *entre* P *et* F, *sera donnée, puisque les espaces* MVP, TFG *sont donnés, et qu'ainsi la somme triangulaire des espaces* Fco *sera donnée. Mais la somme triangulaire des espaces* FDo *est aussi donnée (puisque ce n'est que la somme pyramidale des droites* oD). *Donc, en ajoutant les deux ensemble, la somme triangulaire des espaces* FIo *sera donnée, c'est-à-dire la somme pyramidale des droites* oI. *On le montrera de même de celle des droites* oR.

AVERTISSEMENT

On a dit en un mot que la somme pyramidale des droites oc *est la même chose que la somme triangulaire des espaces* VcoP; *et on a dit aussi dans le commencement que la somme triangulaire des mêmes* oc *est la même chose que la simple somme des espaces* VcoP; *parce que l'un et l'autre est visible, et assez expliqué par la lettre à M. de Carcavy.*

Car la somme triangulaire des oc, *à commencer par* G, *n'est autre chose que la simple somme de ces lignes, c'est-à-dire l'espace* GTVP, *plus la simple somme de ces mêmes lignes, excepté la première* GT, *c'est-à-dire l'espace* ycVP; *et ainsi toujours. De sorte que la somme triangulaire entière est proprement la somme de tous les espaces* VcoP.

Et de même la somme pyramidale des mêmes co *n'est*

autre chose que la somme des sommes triangulaires des mêmes lignes; c'est-à-dire : premièrement, la somme triangulaire de toutes les lignes co, *laquelle (par ce qui vient d'être dit) est la même chose que la simple somme de tous les espaces* VcoP; *secondement, la somme triangulaire de toutes les lignes* oc, *excepté la première* TG, *laquelle n'est autre chose que la somme de tous les espaces* VcoP, *excepté le premier* VTGP; *troisièmement, la somme triangulaire des mêmes droites* oc, *excepté les deux premières* TG, yc, *ce qui est encore la même chose que la somme des espaces* VcoP, *excepté les deux premiers* VTGP, VcyP; *et ainsi toujours. Or cette manière de prendre les espaces* VcoP, *en les prenant premièrement tous, et ensuite tous excepté le premier, et puis tous excepté les deux premiers, etc., est ce qu'on appelle en prendre la somme triangulaire; et ainsi la somme pyramidale des* oc *n'est autre chose que la somme triangulaire des espaces* VcoP.

Et de même la somme triangulaire des espaces MRo (*fig.* 29) *est la même chose que la somme pyramidale des droites* Ro, *et la somme triangulaire des espaces* FIo *est la même chose que la somme pyramidale des droites* Io.

Toutes ces choses viennent de ce que les droites oI *sont des ordonnées, c'est-à-dire qu'elles sont également distantes, et partent des divisions égales et indéfinies du diamètre; ce qui fait que la simple somme des ordonnées est la même chose que l'espace compris entre les extrêmes. Mais cela ne serait pas véritable des sinus, parce que les distances d'entre les voisins ne sont pas égales entre elles, et qu'ainsi la somme des sinus n'est pas égale à l'espace compris entre les extrêmes; à quoi il ne faut pas se méprendre.*

TRAITÉ GÉNÉRAL DE LA ROULETTE

OU PROBLÈMES TOUCHANT LA ROULETTE PROPOSÉS PUBLIQUEMENT ET RÉSOLUS PAR A. DETTONVILLE

AVERTISSEMENT

On suppose ici qu'on sache la définition de la Roulette, et qu'on soit averti des écrits qui ont été envoyés sur ce sujet à tous les Géomètres pour leur proposer les Problèmes suivants.

PROBLÈMES PROPOSÉS AU MOIS DE JUIN 1658

Étant donnée (*fig.* 19) *une portion quelconque de la roulette* COS, *retranchée par une ordonnée quelconque* OS *à l'axe* CO : *trouver la dimension et le centre de gravité, tant du triligne* COS, *que de ses demi-solides formés par ce triligne, tourné premièrement autour de sa base* OS, *et ensuite autour de son axe* CO, *d'un demi-tour seulement: en supposant qu'on connaisse la raison de la base de la Roulette* AF *à son axe* FC, *c'est-à-dire de la circonférence au diamètre.*

PROBLÈMES PROPOSÉS AU MOIS D'OCTOBRE

Trouver la dimension et le centre de gravité des surfaces de ces deux demi-solides.

RÉSOLUTION DES PROBLÈMES

TOUCHANT LA DIMENSION ET LE CENTRE DE GRAVITÉ DU TRILIGNE ET DE SES DEMI-SOLIDES

Il a été démontré à la fin de la lettre à M. de Carcavy que, pour résoudre tous ces problèmes, il suffit de connaître la dimension et le centre de gravité tant du triligne COS que de ses deux doubles onglets sur l'axe et sur la base. Et il a été démontré dans le traité des trilignes que, pour connaître la dimension et le centre de gravité de ce triligne et de ses doubles onglets, il suffit de connaître ces six choses : savoir, en divisant l'axe CO en un nombre indéfini de parties égales, en Z, d'où soient menées les ordonnées ZY :

1. La somme des ordonnées ZY.
2. La somme de leurs carrés.
3. La somme de leurs cubes.
4. La somme triangulaire des mêmes lignes ZY.
5. La somme triangulaire de leurs carrés.
6. La somme pyramidale des mêmes lignes ZY.

Or, pour connaître toutes ces sommes, je me sers d'une seule propriété de la roulette, qui réduit la roulette à son seul cercle générateur. La voici :

Chaque ordonnée à l'axe de la demi-roulette est égale à l'ordonnée du demi-cercle générateur, plus à l'arc du même cercle, compris entre l'ordonnée et le sommet.

Soit CRF *le demi-cercle générateur de la demi-roulette* CYAF, *et que les ordonnées à la demi-roulette* ZY *coupent la demi-circonférence en* M : *je dis que chaque ordonnée* ZY *est égale à l'ordonnée* ZM, *plus à l'arc* MC.

Cette propriété est trop facile pour s'arrêter à la démontrer. Or il paraît par là qu'on trouve la roulette entière dans son seul cercle générateur, puisqu'en considérant toujours chaque arc CM et son ordonnée MZ comme une seule ligne mixte ZMC, on trouvera toutes les ordonnées ZY de la demi-roulette dans toutes les lignes mixtes ZMC.

Donc tous ces problèmes proposés touchant la roulette, qui viennent d'être réduits à la connaissance des six sommes des ordonnées à l'axe, se réduiront maintemant à la connaissance des six mêmes sommes des lignes mixtes ZMC. Et ainsi tous ces problèmes de la roulette se réduiront aux problèmes suivants, où l'on ne parlera point de roulette et où l'on ne considérera qu'un seul demi-cercle.

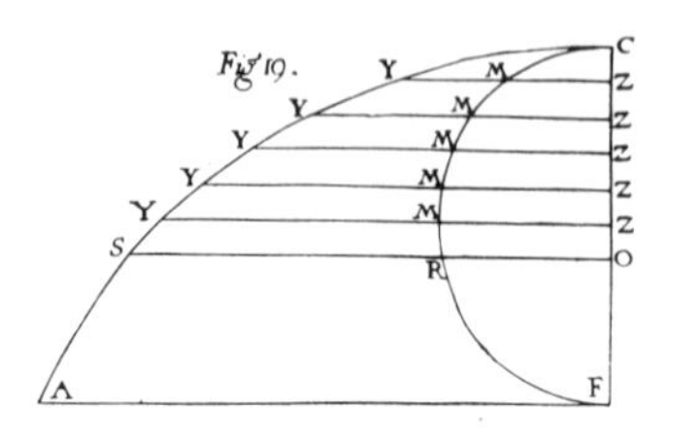

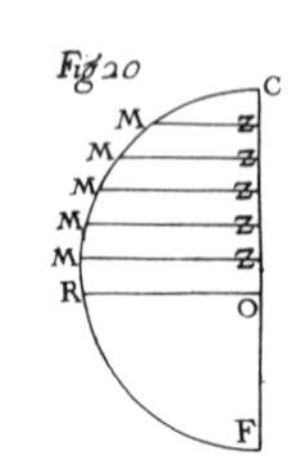

Étant donné (fig. 20) un demi-cercle CRF, et la portion quelconque CO de son diamètre, laquelle étant divisée en un nombre indéfini de parties égales aux points Z, d'où soient menées les ordonnées ZM, chacune desquelles, avec son arc MC, soit considérée comme une seule et même ligne mixte ZMC : Trouver

1. La somme des lignes mixtes ZMC.
2. La somme des carrés de ces lignes mixtes ZMC.
3. La somme des cubes de ces lignes mixtes ZMC.
4. La somme triangulaire des lignes mixtes ZMC.
5. La somme triangulaire des carrés de ces mêmes lignes ZMC.
6. La somme pyramidale des lignes mixtes ZMC.

Or tous ces problèmes vont être facilement résolus par le moyen des traités précédents, en cette sorte :

1. *Pour connaître la somme des lignes mixtes* ZMC.

Il faut connaître la somme de leurs parties, savoir, la somme des ordonnées ZM, plus la somme des arcs CM. Or la somme des ordonnées est connue puisque l'espace COR est connu. Et la somme des arcs CM est donnée par le traité des arcs de cercle. Donc la somme des lignes mixtes ZMC est donnée.

2. *Pour connaître la somme des carrés des lignes mixtes* ZMC.

Il faut connaître la somme de leurs parties, savoir, la somme des carrés ZM (qui est donnée, puisque l'espace CRO est donné, et aussi son solide autour de CO par Archimède), plus la somme des carrés des arcs CM (qui est donnée par le traité des arcs de cercle), plus deux fois la somme des rectangles CM en MZ compris de chaque arc et de son ordonnée (qui est donnée par le traité des arcs de cercle). Donc, puisque toutes les parties sont données, le tout sera donné; c'est-à-dire la somme des carrés des lignes mixtes ZMC.

3. *Pour connaître la somme des cubes des lignes mixtes* ZMC.

Il faut connaître la somme de leurs parties, savoir, la somme des ZM cube (qui est donnée par le traité des solides circulaires), plus la somme des CM cube (qui est donnée par le traité des arcs), plus trois fois la somme des ZM carré en MC (qui est donné par le traité des arcs), plus trois fois la somme des ZM en MC carré (qui est donnée par le même traité des arcs). Donc, les parties étant données, le tout est donné.

4. *Pour connaître la somme triangulaire des lignes mixtes* ZMC.

Il faut connaître la somme triangulaire des parties, savoir, la somme triangulaire des ZM (qui est donnée par le traité des solides circulaires), plus la somme triangulaire des arcs CM (qui est donnée par le traité des arcs de cercle). Donc, les parties étant données, etc.

5. *Pour connaître la somme triangulaire des carrés des lignes mixtes* ZMC.

Il faut connaître la somme triangulaire des parties, savoir, la somme triangulaire des ZM carré (qui est donnée par le traité des solides circulaires), plus la somme triangulaire des CM carré (qui est donnée par le traité des arcs de cercle), plus deux fois la somme triangulaire des rectangles ZM en MC (qui est donnée par le traité des arcs, etc.). Donc, etc.,

6. *Pour connaître la somme pyramidale des lignes mixtes* ZMC.

Il faut connaître la somme pyramidale des parties, savoir, la somme pyramidale des ordonnées ZM (qui est donnée par le traité des solides circulaires), plus la somme pyramidale des arcs CM (qui est donnée par le traité des arcs de cercle). Donc, etc.

Et par conséquent on connaît toutes les choses proposées à trouver par les premiers problèmes, touchant la dimension et le centre de gravité de la demi-roulette et de ses portions et de leurs demi-solides.

Je viens maintenant aux derniers pour lesquels j'ai besoin de ces deux lemmes.

LEMME I

Soit CDF *un demi-cercle* (*fig.* 23) *dont* FC *soit le diamètre. Soit* FCEZ *un autre demi-cercle, dont* CF *prolongée et doublée soit le diamètre.*

Je dis que, quelque droite qu'on mène du point F, *comme* FDN, *coupant les deux circonférences en* D, N, *d'où on mène la droite* DC *au point* C, *et les droites* NK, NM, *perpendiculaires, l'une à* FC, *l'autre au rayon* FE *qui est perpendiculaire à* CZ : *il arrivera toujours que* NM *sera égale à* FK; *ce qui est visible : et que* NK *sera égale à* CD; *ce qui se voit par la similitude des triangles rectangles* FKN, FDC, *ayant les côtés* FC, FN *égaux entre eux. Je dis enfin que l'arc* CN *sera égal à l'arc* CD.

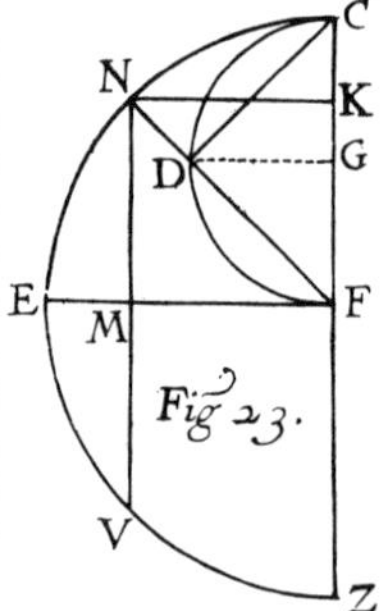

Car ces arcs sont entre eux en raison composée de la raison des rayons FC, GC (G étant le centre du demi-cercle CDF), et de la raison des angles NFC, DGC. Or un de ces angles est double de l'autre, et réciproquement un des rayons est double de l'autre, et ainsi la raison composée de ces deux raisons, dont l'une est double et l'autre sous-double, est la raison d'égalité.

LEMME II

Soit CDF *un demi-cercle* (*fig.* 22) *dont* FC *soit le diamètre. Soit* FCEZ *un autre demi-cercle, dont* CF *prolongée et doublée soit le diamètre. Soit* CHK *une parabole, dont* CF *soit l'axe,* C *le sommet, et dont le côté droit soit égal à* CF, *et partant à la base* FK. *Soit donnée une portion quelconque* CO *du diamètre, et soit* OR *perpendiculaire au diamètre. Soient accommodées à l'arc* CR *un nombre indéfini de droites* CD, *dont la première soit* 1, *la seconde* 2, *et ainsi toujours selon l'ordre des nombres naturels, toutes terminées au point* C, *et coupant la circonférence aux points* D : *d'où soient menées les droites* DG *perpendiculaires à* CF, *coupant la parabole en* H. *Soient aussi menées les droites* DF, *du point* F, *par tous les points* D, *coupant l'arc* CE *en* N, *d'où soient menées* NMV, *parallèles à* CF, *recoupant en* V *la circonférence, et en* M *le rayon* FE *perpendiculaire à* FC :

Je dis que toutes les droites FM *seront égales à toutes les droites* CD, *chacune à la sienne; et qu'ainsi la plus grande* FM *sera coupée en un nombre indéfini de parties égales aux points* M. *Cela est visible par le lemme précédent.*

Je dis de même que toutes les MN *ou* MV *seront égales à toutes les* FD, *chacune à la sienne. Ce qui est aussi visible par le lemme précédent.*

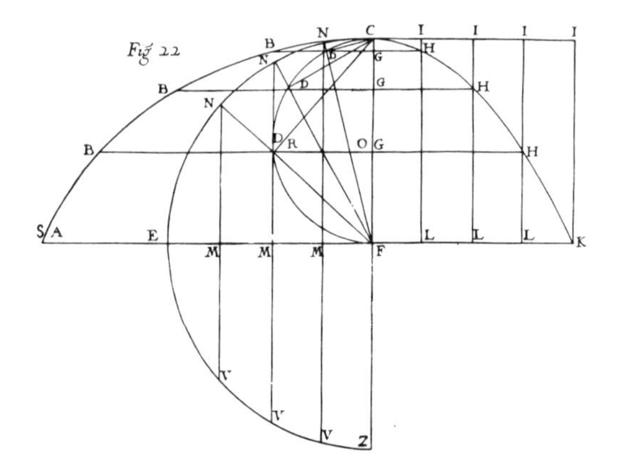

Je dis de même que les droites FL *seront égales aux droites* CD, *chacune à la sienne; et qu'ainsi la plus grande* FL *sera coupée en un nombre indéfini de parties égales aux points* L.

Car par la nature du cercle chaque CD carré est égale à chaque rectangle CF, en CG, c'est-à-dire, par la nature de la parabole, à chaque GH carré; et partant CD est égale à chaque GH, ou à chaque FL.

Je dis aussi que tous les rectangles compris de CF *et de chaque* GD *sont égaux à tous les rectangles* FM *en* MV, *chacun au sien.*

Car FC en GD est égal à CD en DF, c'est-à-dire, par ce qui vient d'être montré, à FM en MV.

AVERTISSEMENT

Je suppose qu'on sache que, les mêmes choses étant posées que dans le lemme précédent, si le cercle CDF *est le générateur de la demi-roulette* CBAF, *et qu'on prolonge les droites* DG *jusqu'à ce qu'elles coupent la roulette au point* B : *il arrivera que toutes les portions* BB *de la courbe seront égales entre elles; parce que chaque portion de la courbe* CB *sera double de chaque droite* CD.

*C'est cette propriété dont j'ai dit, dans l'*Histoire de la Roulette, *que M. Wren l'a produite le premier; je ne m'arrête pas à la démontrer ici parce que plusieurs personnes l'ont déjà fait; car, depuis M. Wren, M. de Roberval en a produit une démonstration, et M. de Fermat ensuite, et depuis encore M. Auzoult : et j'ai moi-même démontré la même chose dans un traité à part, où j'ai fait voir que cette propriété dépend immédiatement de celle-ci, savoir, que si la demi-circonférence d'un cercle est divisée en un nombre indéfini d'arcs égaux, et que de l'extrémité du diamètre on mène des droites à chaque point de division, la somme de ces droites sera égale au carré du diamètre.*

Et cette proposition n'est encore que la même chose que celle-ci : la somme des sinus d'un quart de cercle est égale au carré du rayon (*ce qui est démontré dans le traité des sinus, Prop. I, p.* 155; *de sorte que ces trois propositions ne sont presque qu'une même chose*).

RÉSOLUTION DES DERNIERS PROBLÈMES
TOUCHANT LA DIMENSION ET LE CENTRE DE GRAVITÉ DES SURFACES DES DEMI-SOLIDES DE LA ROULETTE

Il a été démontré, à la fin de la lettre à M. de Carcavy, que, pour résoudre ces problèmes, il suffit de connaître la dimension et le centre de gravité des surfaces courbes des deux doubles onglets de l'axe et de la base. Et il a été démontré, dans le Traité des Trilignes, que, pour connaître ces choses, il suffit de connaître les cinq suivantes, savoir, en divisant (fig. 22) la ligne courbe CS de la portion donnée de la demi-roulette en un nombre indéfini de parties égales aux points B, d'où soient menés les sinus BG sur l'axe :

1. La somme des sinus BG.
2. La somme des distances GF.
3. La somme des GF carrés.
4. La somme des rectangles BG en GF.
5. La somme des BG carrés.

Or, pour connaître toutes ces sommes, je me sers de deux propriétés de la roulette. L'une est celle dont j'ai parlé, qui réduit la roulette au cercle, savoir, que chaque BG (coupant le cercle générateur en D) est égale à la ligne mixte CDG, en considérant la droite GD et l'arc DC comme une seule ligne mixte GDC. L'autre, qu'en menant les droites CD, chaque portion de la roulette CB sera égale à deux fois la droite CD.

D'où il paraît que, puisque la première portion CB de la roulette est 1, que la seconde CB est 2, et ainsi toujours selon l'ordre des nombres naturels, il arrivera

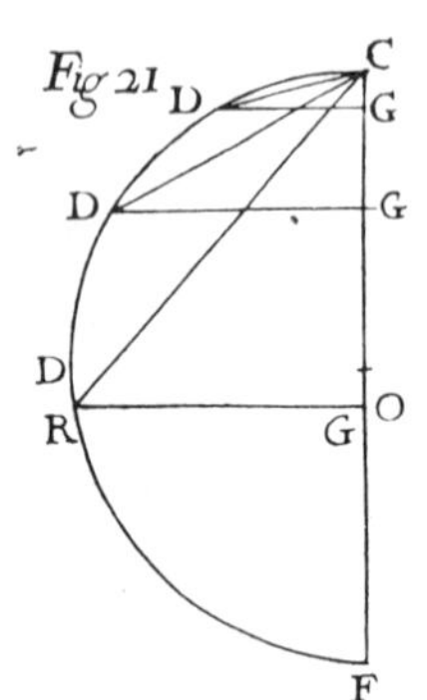

aussi que la première CD sera 1, la seconde CD, 2, et ainsi toujours selon la même suite des nombres naturels.

Donc tous les problèmes des surfaces des demi-solides de la roulette, qui viennent d'être réduits à la connaissance des droites BG et GF, se réduiront aux problèmes suivants, où l'on ne parlera plus de roulette, et où l'on ne considérera qu'un seul demi-cercle.

Étant donné (fig. 21) un demi-cercle CDF et la portion quelconque CO de son demi-diamètre, et l'ordonnée OR; et un nombre indéfini de droites CD, dont la première soit 1, la seconde 2, etc., selon l'ordre des nombres naturels, étant accommodées à l'arc CR, et toutes terminées au point C, et coupant l'arc aux points D, d'où soient menées DG perpendiculaires à l'axe; chacune desquelles DG avec son arc DC soit considérée comme une seule et même ligne mixte : il faut trouver :

1. La somme des droites FG.
2. La somme des FG carré.
3. La somme des lignes mixtes GDC.
4. La somme des carrés de ces lignes mixtes GDC.
5. La somme des rectangles compris de chaque ligne mixte GDC et de FG.

Or tous ces problèmes vont être résolus en reprenant toute la construction du lemme II, en cette sorte :

1° *Pour connaître la somme des lignes* FG.

Il suffit de connaître la somme des lignes LH (fig. 22, p. 169) qui leur sont égales. Or la somme des droites LH est connue, puisque l'entière FL étant divisée en un nombre indéfini de parties égales, la somme des HL est la même chose que l'espace parabolique FCHL, compris entre FC et la dernière HL; lequel espace est connu par Archimède.

2° *Pour connaître la somme des* FG *carré.*

Il suffit de connaître la somme des LH carré, laquelle est connue puisqu'on connaît par Archimède, tant l'espace FCHL, que son centre de gravité, et partant son solide autour de FL; ce qui donne la somme des carrés LH, et par conséquent des carrés FG.

3° *Pour connaître la somme des lignes mixtes* GDC.

Il en faut connaître les parties, savoir la somme des droites GD et la somme des arcs DC.

Or la somme des droites DG sera connue, si, en les multipliant chacune par la droite connue FC, on peut connaître la somme des rectangles FC en DG, ou la somme des rectangles CD en DF, ou la somme des rectangles FM en MV. Mais, puisque l'entière FM est divisée en un nombre indéfini de parties égales aux points M, d'où sont menées les ordonnées MV : il est évident que la somme des rectangles FM en MV est donnée (par le traité des solides circulaires); et par conséquent aussi la somme des rectangles FC en DG, et partant aussi la somme des DG.

Et quant à la somme des arcs DC, elle est la même que la somme des arcs CN. Car puisque FM est divisée en un nombre indéfini de parties égales, d'où sont menées les ordonnées MN, il s'ensuit (par le traité des arcs) que la somme des arcs EN est donnée; et partant aussi la somme des arcs CN, qui sont les restes du quart de 90 degrés. Et par conséquent aussi la somme des arcs CD qui leur sont égaux.

4° *Pour connaître la somme des carrés des lignes mixtes* GDC.

Il faut connaître la somme de leurs parties, savoir la somme des GD carré, plus la somme des arcs DC carré, plus deux fois la somme des rectangles GD en DC, compris de chaque GD et de son arc DC.

Or la somme des GD carré est connue, puisqu'elle est égale à la somme des rectangles FG en GC, ou à la somme des LH en HI, lesquels sont donnés puisque leur somme doublée est égale à la somme des entières LI carré (qui est donnée), moins la somme des LH carré (qui est aussi donnée, comme il a été dit), moins encore la somme des HI carré, qui est aussi donnée, puisque ce sont les restes de l'entière LI qui est donnée par les propriétés des sommes simples, sommes triangulaires, etc.

Et quant à la somme des arcs CD carré, ou des arcs CN carré, elle est visiblement donnée par le traité des sommes simples, etc., puisque ce sont les arcs restants du quart du cercle, et que la somme des carrés de leurs compléments EN est donnée par le traité des arcs.

Enfin la somme des rectangles de chaque GD et de son arc DC sera connue si, en multipliant le tout par la droite connue CF, il arrive qu'on connaisse la somme des CF en GD en l'arc DC, ou des FM en MN en l'arc NC.

Or la somme de ces derniers est connue, puisque (chaque arc NC étant égal à CE moins EN) cette somme des FM en MN en NC n'est autre chose que la somme des FM en MN, multipliée par l'arc EC (qui est donnée, puisqu'on connaît tant l'arc EC que la somme des FM en MN), moins la somme des FM en MN en NE, ou la somme triangulaire des rectangles MN en NE, qui est aussi donnée par le traité des arcs de cercle.

5° *Pour connaître la somme des rectangles compris de chaque ligne mixte* CDG *et de* GF.

Il faut connaître la somme de leurs parties, savoir la somme des rectangles FG en GD, plus la somme des rectangles FG en arc DC.

Or on connaîtra la somme des FG en GD si on connaît la somme des CG en GD (puisque ce sont les restes de la somme des CF en GD qui est connue, puisqu'on connaît tant la droite CF que la somme des droites DG); et l'on connaîtra la somme des CG en GD si, en les multipliant par le carré connu de CF, on peut connaître la somme des CF carré en CG en GD, ou des CF en CG en CF en GD, ou des droites CD carré en CD en DF, ou des droites CD cube en DF, ou des FM cube en MV, laquelle est connue par le traité des solides circulaires.

Et quant à la somme des rectangles FG en arc DC, on montrera de même qu'elle est connue si on peut connaître la somme des GC en arc CD; et on connaîtra la somme des GC en arc CD si, en multipliant le tout par la droite connue CF, on peut connaître la somme des CF en CG en arc DC, ou la somme des droites CD carré en arc CD, ou la somme de FM carré en arc NC, c'est-à-dire (puisque la première FM est 1, la seconde 2, et ainsi toujours) la somme pyramidale des arcs CN; laquelle somme pyramidale des arcs CN est donnée par le traité des sommes simples, triangulaires, etc., puisque la somme pyramidale des arcs restant EN est donnée par le traité des arcs de cercle.

Donc on connaît toutes les choses cherchées touchant la dimension et le centre de gravité des surfaces des demi-solides de la demi-roulette et de ses portions. Mais la dimension et le centre de gravité des demi-solides sont déjà donnés. Et par conséquent tous les problèmes touchant la roulette sont entièrement résolus.

Il sera sur cela facile à tout le monde de trouver les calculs de tous ces cas, par le moyen de ces méthodes.

DIMENSION DES LIGNES COURBES

A la suite des problèmes de la cycloïde ont été joints, dans le même volume, des petits traités dont les énoncés indiquent l'objet.
La Lettre sur l'égalité des lignes spirale et parabolique *est adressée à Monsieur A.D.D.S. Ce n'était pas un personnage imaginaire comme certains l'avaient cru, mais, ainsi que l'a démontré M. Jean Mesnard, le destinataire était Monsieur Arnauld, Docteur de Sorbonne* (*cf.* Annales, Université de la Sarre, *II*, 1/2, 1953), *qui ne l'était plus officiellement depuis le* 15 *février* 1656.
La Bibliothèque de l'Université de Montpellier possède l'exemplaire des Lettres de A. Dettonville *que Pascal lui avait remis.*
La Lettre *à M. de Sluse* sur l'escalier, les triangles cylindriques et la spirale autour d'un cône *intéresse des problèmes que Pascal lui avait promis « depuis si longtemps », à propos desquels il lui avait sans doute écrit, en* 1657.

La Lettre *à M. Huyghens de Zulichem concerne* la dimension des lignes de toutes sortes de roulettes. *Dans une lettre, du début de février* 1659, *postérieure à la publication de ces traités, Pascal prie Carcavi de transmettre à M. Huyghens sa réponse à une lettre qu'il lui avait adressée.*
Il n'est désormais plus en mesure de s'occuper de ces problèmes. Pendant plus d'un an sa maladie de langueur lui interdira toute « contention d'esprit ». Et lorsqu'à partir de juillet 1660 *son état de santé s'améliorera progressivement, il consacrera son activité intellectuelle à des études fort éloignées du métier de géomètre, « le plus beau métier du monde; mais enfin ce n'est qu'un métier »* (*cf. Lettre à Fermat*, 10 *août* 1660).
Huyghens, qui eut l'occasion, lors d'un séjour à Paris, de rencontrer Pascal, à deux reprises, les 5 *et* 13 *décembre* 1660, *a pu constater cet état d'esprit, avec regret, sans aucun doute.*

LETTRE DE A. DETTONVILLE A MONSIEUR A. D. D. S. EN LUI ENVOYANT LA DÉMONSTRATION A LA MANIÈRE DES ANCIENS DE *L'ÉGALITÉ DES LIGNES SPIRALE ET PARABOLIQUE*

A Paris, M.D.C.LVIII.

Monsieur,

J'ai reçu la lettre que vous m'avez fait l'honneur de m'écrire, avec le petit traité de géométrie qu'il vous a plu m'envoyer; et je prends pour un effet de votre civilité l'ordre que vous me donnez de l'examiner; car vous le pouviez faire facilement vous-même, puisque ce qui est une étude pour les autres n'est qu'un divertissement pour vous. Mais puisque vous voulez en savoir mon sentiment, je vous dirai, Monsieur, que l'auteur y touche une difficulté où beaucoup d'autres ont heurté : et c'est une chose étrange de voir qu'en une matière de géométrie il se rencontre tant de contestation. Il y a environ quinze ans que M. Hobbes crut que la ligne courbe d'une parabole donnée était égale à une ligne droite donnée. M. de Roberval ensuite dit qu'elle était égale à la ligne courbe d'une spirale donnée; mais sans en donner de démonstration autrement que par les mouvements, dont on voit quelque chose dans le livre des hydrauliques du R. P. Mersenne : et comme cette manière de démontrer n'est pas absolument convaincante, d'autres géomètres crurent qu'il s'était trompé, et publièrent que cette ligne parabolique était égale à la demi-circonférence d'un cercle donné; et le livre que vous m'envoyez maintenant soutient de nouveau la même chose. Cette diversité d'avis m'ayant étonné, je voulus reconnaître lequel était le véritable; car quelque nombre de géomètres qu'il y eût contre M. de Roberval, je n'en conclus rien contre lui. Et au contraire, si on jugeait de la géométrie par ces sortes de conjectures, la connaissance que j'ai de lui m'aurait fait pencher de son côté, le voyant persister dans son sentiment; mais comme ce n'est pas par là qu'on en doit juger, je résolus d'examiner moi-même si la ligne à laquelle on peut comparer la ligne parabolique donnée est une ligne droite ou une spirale, ou une circonférence de cercle : c'est ce que je voulus chercher comme si personne n'y avait pensé; et sans m'arrêter, ni aux méthodes des mouvements, ni à celles des indivisibles, mais en suivant celles des anciens, afin que la chose pût être désormais ferme et sans dispute. Je l'ai donc fait, et j'ai trouvé que M. de Roberval avait eu raison, et que la ligne parabolique et la spirale sont égales l'une à l'autre; c'est ce que vous verrez. La démonstration est entière et exactement accomplie, et vous pourra plaire d'autant qu'elle est la seule de cette espèce, aucune autre n'ayant encore paru à la manière des anciens de la comparaison de deux lignes de différente nature. Ainsi je puis dire avec certitude que la ligne parabolique est égale à la spirale, et je m'assure que cette preuve arrêtera toutes les contradictions. Voilà ce que vous avez demandé de moi : je souhaite que cela vous agrée, et que ce vous soit au moins une marque du désir que j'ai de vous satisfaire et de vous témoigner que je suis de tout mon cœur, etc.

De Paris, ce 10 décembre 1658.

PROPRIÉTÉS DU CERCLE

I

Si la touchante EV (*dans la fig.* 33) *est perpendiculaire au rayon* AE, *et que, l'arc* EB *étant pris moindre qu'un quart de cercle, on incline* BV, *faisant avec la touchante l'angle* BVE *aigu :*

Je dis que toute la portion BV *sera hors du cercle.*

Car en menant la touchante BZ, elle fera angle obtus avec EZ (puisque l'arc BE est moindre qu'un quart de cercle). Donc l'angle BZE sera plus grand que l'angle BVE : donc le point Z est entre les points E, V : donc l'angle ABV est obtus; donc la portion BV sera hors du cercle.

C. q. f. d.

II

Si d'une extrémité du diamètre (*dans la fig.* 35) *est menée la touchante* SN, *et de l'autre extrémité* G *la droite* GN, *qui la coupe en* N, *et le cercle en* X :

Je dis que la droite SN *est plus grande que l'arc* SX.

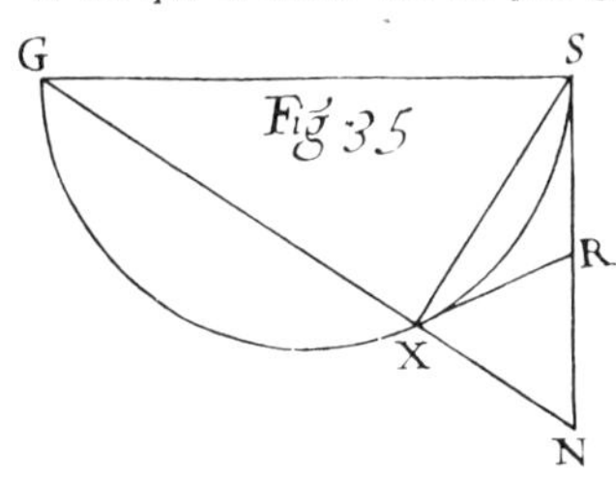

Car, en menant la touchante XR, les deux touchantes XR, RS, seront égales tant entre elles qu'à RN (à cause que l'angle SXN est droit) : donc SN est égale à SR, plus RX, qui sont ensemble plus grandes que l'arc SX. C. q. f. d.

III

Si la touchante SL (*dans la fig.* 34) *étant perpendiculaire au diamètre* SG, *est égale à l'arc* SX *moindre qu'un quart de cercle :*

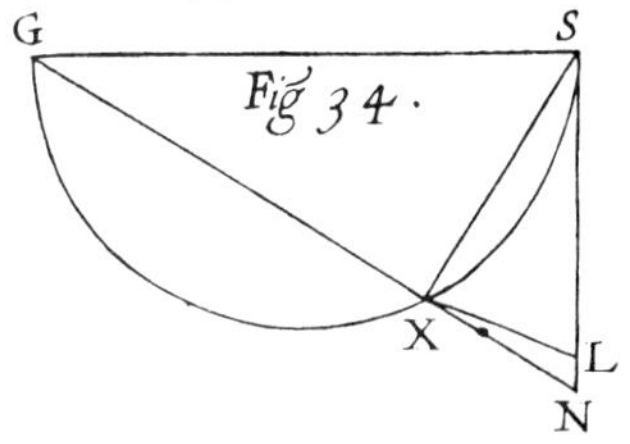

Je dis qu'en menant les droites SX, XL, *les trois angles du triangle* XSL *sont aigus.*

Car en menant la droite GXN, l'angle XSL l'est visiblement, puisqu'il est égal à l'angle G : l'angle SXL l'est aussi, puisqu'il divise l'angle droit SXN (par la précéd.); et l'angle SLX l'est à plus forte raison, le côté SL qui est égal à l'arc SX étant plus grand que la droite SX.

C. q. f. d.

IV

Si la touchante S8 (*fig.* 36) *étant prise plus grande que le diamètre* SG, *auquel elle est perpendiculaire, l'on mène au centre la droite* 8T, *coupant le cercle au point* Y :

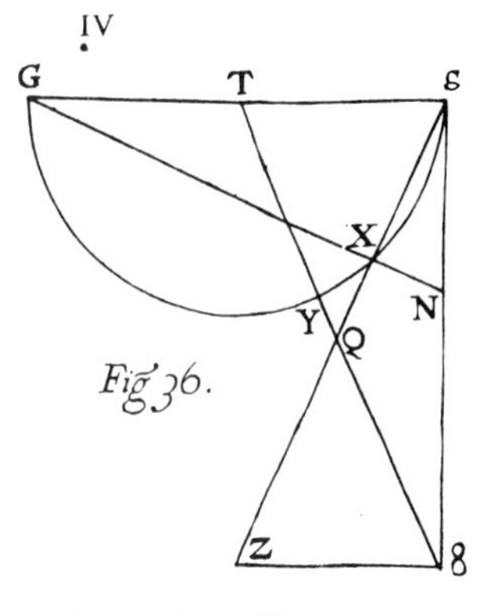

Je dis que, quelque point qu'on prenne dans l'arc SX, *comme* X, *dont on mène* SX *coupant* T8 *en* Q, *la portion* 8Q *est plus grande que l'arc* SX.

Car, en menant 8Z parallèle à ST, les triangles rectangles Z8S, NGS, seront semblables (à cause de l'égalité des angles G et 8SZ); donc les côtés seront proportionnels. Mais GS est posée moindre que S8; donc SN est aussi moindre que Z8 : mais Z8 est moindre que 8Q (puisque ST est moindre que TQ, le point Q étant hors du cercle); donc SN est moindre que 8Q, mais l'arc SX est moindre que SN (par ce qui a été démontré); donc à plus forte raison l'arc SX est moindre que 8Q.

C. q. f. d.

V

Si l'arc du cercle EB (*fig.* 37) *moindre qu'un quart de cercle, est égal à la touchante* EV, *perpendiculaire au rayon* AE :

Je dis que l'angle EAV *sera plus grand que la moitié de l'angle* EAB.

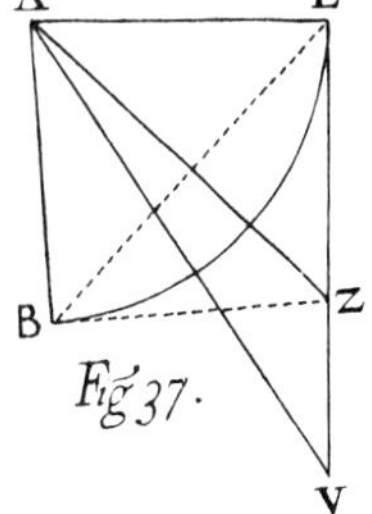

Car soit menée la droite AZ, qui coupe l'angle EAB en deux parties égales, et la touchante EV au point Z. Il est visible que la portion EZ est moindre que la corde EB (puisque l'angle EZB est obtus, l'arc étant moindre qu'un quart de cercle); mais la corde EB est moindre que l'arc EB, et partant moindre que EV : donc à plus forte raison ZE est moindre que EV : donc l'angle EAZ est moindre que l'angle EAV. C. q. f. d.

PROPRIÉTÉS DE LA SPIRALE

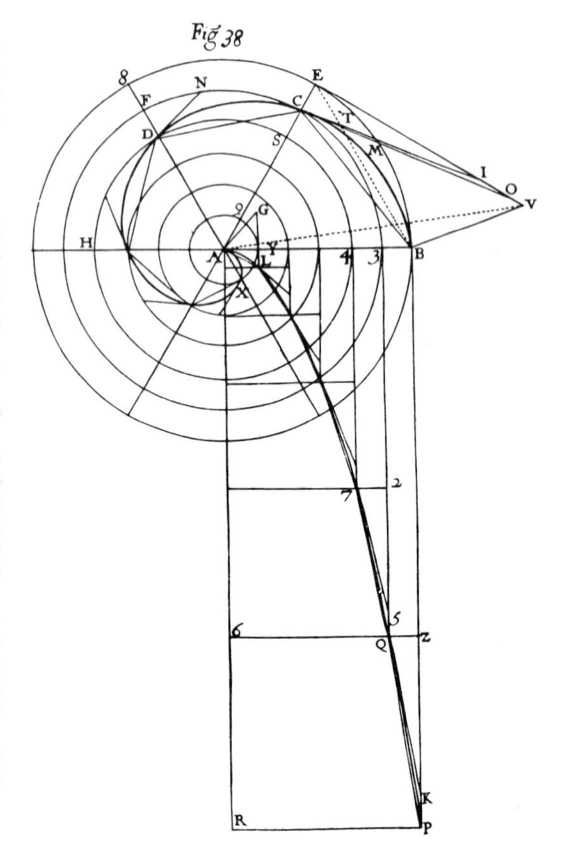

Si le rayon AB (fig. 38), qui est le commencement de la spirale de la première révolution BCDXA, est divisé en tant de portions égales qu'on voudra aux points A, Y, 4, 3, B : et les arcs menés de ces points autour du centre commun A, coupant la spirale aux points, C, D, X, etc. :

Je suppose qu'on sache toutes les propriétés suivantes :

1. Que l'arc quelconque 3C est à l'arc 4D comme le rectangle B3 *in* 3A au rectangle B4 *in* 4A.
2. Que les rayons AB, AE, A8, etc., font tous des angles égaux entre eux, et divisent les arcs en tant de portions égales entre elles que le rayon AB : et qu'ainsi telle partie que la première portion B3 est du rayon, telle partie l'arc BE l'est de sa circonférence, et l'arc CF, ou 3C, de la sienne : et telle partie est encore l'angle BAE de quatre angles droits.
3. Que le rayon entier BA est à une portion quelconque A3 comme la circonférence entière BEB à l'arc E8B, qui contient autant de portions égales du cercle que A3 contient de portions égales du rayon, ou comme telle autre circonférence qu'on voudra 3C3 à l'arc correspondant CF3.
4. Que tous les arcs BE, 3C, 4S, compris entre deux rayons prochains AB, AE (qui comprennent un des arcs égaux) sont tous en proportion arithmétique : et que le moindre de ces arcs Y9, qui part du point Y le plus proche du centre, est égal à la différence dont chacun des autres diffère de son voisin : et qu'ainsi si le premier est 2 le second est 4, le troisième est 6 : et ainsi toujours en suivant les nombres pairs.
5. Que ce moindre arc Y9, pris autant de fois que l'arc BE est dans sa circonférence, est égal au plus grand arc BE.
6. Que ce moindre arc Y9 est égal au dernier arc extérieur de la spirale XY.
7. Que l'angle aigu que fait la touchante à un point quelconque de la spirale C avec son rayon AC, se trouvera en faisant un triangle rectangle dont la base soit ce rayon AC, et la hauteur soit égale à l'arc extérieur CF3. Car alors l'angle de la touchante avec son rayon sera égal à l'angle que l'hypoténuse d'un tel triangle rectangle fait avec sa base.

CONSÉQUENCES

8. *Que la touchante de la spirale au point A est la même que le rayon* AB, *et que les touchantes aux autres points font toujours avec les rayons menés de ces points des angles d'autant plus grands que le point d'attouchement est plus proche de* B, *parce que la raison du rayon à l'arc extérieur en est d'autant moindre, y ayant moindre raison de* AC *à l'arc* CF3 *que de* AD *à l'arc* DH4, *puisqu'en changeant et en renversant, il y a plus grande raison de l'arc* CF3 *à l'arc* DH4 *que de* CA *ou* AD *à* AS, *c'est-à-dire que du même arc* CF3 *à* SD4.
9. *Qu'ainsi si on mène des touchantes de tous les points où la spirale est coupée par les rayons qui divisent la circonférence en arcs égaux, le plus grand angle que ces touchantes fassent avec les rayons est celui de la touchante menée du point* B, *où le premier rayon coupe la spirale, lequel est égal à celui d'une hypoténuse avec sa base, la base étant à la hauteur comme le rayon à la circonférence. Et le moindre de ces angles est celui de la touchante menée du point* X, *où le dernier rayon coupe la spirale.*
10. *Que le moindre des angles des touchantes avec leurs rayons est plus grand que la moitié de l'angle compris par deux rayons prochains qui enferment l'un des arcs égaux : savoir la moitié de l'angle* BAE.

Car l'angle de la touchante au point X est celui de l'hypoténuse d'un triangle avec sa base (la base étant à la hauteur comme AX à l'arc extérieur XY, ou comme AY à l'arc Y9); donc en faisant la perpendiculaire YG égale à l'arc Y9, l'angle GAY sera celui de la touchante au point X avec son rayon. Or cet angle GAY est plus grand que la moitié de l'angle YA9, ou BAE (par la dernière propriété du cercle); et menant la touchante EV égale à l'arc EB, et menant aussi l'hypoténuse AV, l'angle EAV sera égal à cet angle (qui est le moindre de tous) de la dernière touchante au point X avec son rayon : mais l'angle EAV est plus grand que la moitié de l'angle BAE (par ce qui a été démontré) : donc l'angle de la touchante au point X est aussi toujours plus grand que la moitié de l'angle BAE.

C. q. f. d.

PROPRIÉTÉS DE LA PARABOLE

Soit AB (*fig.* 40) *la touchante au sommet d'une parabole, divisée en tant de parties égales qu'on voudra aux points* 3, 4, Y, *d'où soient menés les diamètres ou les parallèles à l'axe, coupant la parabole en* Q, 7, L. *Et de ces points soient menées les touchantes jusqu'aux diamètres prochains* QK, 75, LT, *etc. :*

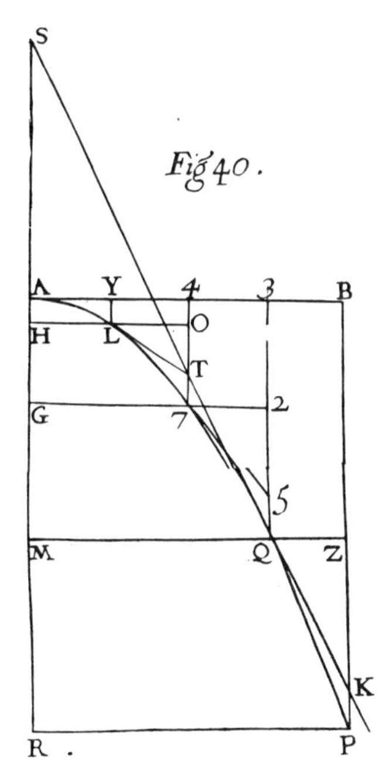

Je dis que toutes les portions des diamètres PK, Q5, 7T, LY, *etc., comprises entre les touchantes et la parabole, sont égales entre elles.*

Car chacune, comme PK, par exemple, sera montrée égale à la première LY, en cette sorte :

Soit prolongée KQ (puisque PK est prise en exemple) jusqu'à l'axe au point S, et menée l'ordonnée QM.

Donc, par la nature de la parabole, puisque les deux diamètres SA, KP sont coupés par la touchante SK, il arrivera que :

SA est à PK comme QS carré à QK carré, ou comme 3 A carré, à 3 B carré, ou comme 3 A carré, à AY carré, ou comme 3 Q carré, à LY carré, ou MA.

Mais (à cause de la touchante) SA est égale à MA : donc PK est égale à LY. C. q. f. d.

Je suppose qu'on sache cette autre propriété de la parabole :

Que si on mène les ordonnées par tous ces mêmes points, PR, QM, 7G, LH, toutes les portions de l'axe comprises entre ces ordonnées, savoir RM, MG, GH, HA, seront en proportion arithmétique : et que leur différence sera double de la première HA (il faut dire de même des droites qui leur sont égales, PZ, Q2, 7O, LY). De sorte que si la dernière LY est 1, la seconde est 3, la troisième 5, etc.; ainsi toujours par les nombres impairs.

AVERTISSEMENT

Je démontre l'égalité de la ligne spirale avec la parabolique en inscrivant et circonscrivant, tant à la spirale qu'à la parabole, des figures desquelles je considère seulement le tour, ou la somme des côtés.

La manière dont je me sers pour inscrire et circonscrire ces figures est telle.

POUR INSCRIRE UNE FIGURE EN LA PARABOLE

Soit (en la fig. 38) une parabole dont AR soit l'axe, RP la base, AB la touchante au sommet, divisée en tant de parties égales qu'on voudra, aux points 3, 4, etc., d'où soient menées les parallèles à l'axe, qui coupent la parabole aux points 7, Q, P, etc. : Les accommodées PQ, Q7, etc., font une figure inscrite en la parabole, et c'est celle de laquelle je me sers, dont le tour est visiblement moindre que celui de la parabole, puisque (par la nature de la ligne *droite*) chaque accommodée est moindre que la portion de la parabole qu'elle sous-tend.

AVERTISSEMENT

Je suppose le principe d'Archimède : *Que si deux lignes sur le même plan ont les extrémités communes, et sont courbes vers la même part, celle qui est contenue sera moindre que celle qui la contient.*

POUR CIRCONSCRIRE UNE FIGURE A LA PARABOLE

Soient (dans la même figure 38) des points Q, 7, etc., menées des touchantes QK, 75, etc., qui coupent les diamètres prochains en K, 5, etc.; la figure PKQ57, etc., composée des touchantes KQ, 57, etc., et des portions extérieures des diamètres PK, Q5, etc., font une figure circonscrite à la parabole, qui est celle dont je me sers, et dont le tour est visiblement plus grand que celui de la parabole, puisque les deux quelconques côtés liés QK, plus KP (dont l'un est la touchante, et l'autre la portion extérieure du diamètre) sont plus grands que la portion de la parabole qu'ils enferment, puisqu'ils ont les extrémités P, Q, communes, et que la parabole est courbe vers la même part.

CONSÉQUENCE

De cette description et de la propriété que nous avons démontrée de la parabole, il s'ensuit : qu'en toute figure circonscrite à la parabole en la manière qui est ici marquée, les portions des parallèles à l'axe PK, Q5, LY, sont toutes égales entre elles.

POUR INSCRIRE UNE FIGURE EN LA SPIRALE

Soit le rayon AB le commencement d'une spirale de la première révolution, divisé en parties égales aux points 3, 4, etc., d'où soient menés les cercles 3C, 4DH, etc., concentriques au grand, qui coupent la spirale en C, D, etc. Les accommodées BC, CD, etc., formeront une figure inscrite en la spirale, qui est celle dont je me sers, et dont le tour est visiblement moindre que celui de la spirale, puisque, par la nature de sa ligne droite, chaque accommodée est moindre que la portion de la spirale qu'elle sous-tend.

POUR CIRCONSCRIRE UNE FIGURE A LA SPIRALE

Soient des points C, D, etc., menées les touchantes de la spirale, jusqu'aux cercles prochains qu'elles coupent en M, N, etc.; la figure BMCND, composée des portions extérieures des arcs BM, CN, etc., et des touchantes MC, ND, etc., qui sera circonscrite à la spirale, est celle dont je me sers, et dont le tour est visiblement plus grand que celui de la spirale, puisque deux quelconques côtés liés BM, plus MC (dont l'un est un arc de cercle extérieur, et l'autre la touchante de la spirale), sont plus grands que la portion de la spirale qu'ils enferment, ces figures étant partout courbes vers la même part, et ayant les extrémités B, C, communes.

DÉFINITIONS

Soit (dans la même fig. 38), la droite AB le commencement d'une spirale de la première révolution; et soit la même droite AB la touchante au sommet d'une parabole, dont l'axe AR soit égal à la moitié de la circonférence du grand cercle BEB, et la base RP égale au rayon AB. Cette parabole et cette spirale ayant cette condition seront dites *correspondantes*.

Soit maintenant divisée AB en tant de portions égales qu'on voudra aux points 3, 4, Y, etc., d'où soient menés autant de cercles ayant le centre commun en A, qui coupent la spirale en C, D, etc., que des lignes droites parallèles à l'axe, qui coupent la parabole en Q, 7, etc. (Donc chaque point du rayon, comme 3, donnera un point dans la parabole par la parallèle à l'axe 3Q, et un point dans la spirale par l'arc de cercle 3 C.) Ces points sont dits *correspondants*. Et la portion de la parabole entre Q et P *correspond* à la portion de la spirale entre B et C. Et les inscrites CB, PQ, sont *correspondantes :* et par la même raison les inscrites DC, Q7.

Et, si de ces points Q, 7, etc., sont menées les ordonnées QZ, 72, etc., la portion QZ *correspond* à la portion CE, et 72 à DF, etc. Et la première portion PZ (égale à la première portion de l'axe, comprise entre les deux premières ordonnées) *correspond* à l'arc BE du premier cercle, compris entre les deux premiers rayons. Et la seconde portion Q2, comprise entre la seconde et la troisième *correspond* à l'arc du second cercle CF, compris entre le second et le troisième rayon; et ainsi des autres. Et le triangle rectangle PQZ *correspond* au triligne BEC, fait de l'arc BE et les droites BC, CE : et de même le triangle Q72 *correspond* au triligne CFDC. Et les touchantes de la parabole et de la spirale QK, CM, sont *correspondantes*, étant menées des points correspondants Q, C; et la portion PK à l'arc BM, etc.

RAPPORTS ENTRE LA PARABOLE ET LA SPIRALE

QUI ONT LA CONDITION SUPPOSÉE POUR ÊTRE DITES CORRESPONDANTES

I

Si une parabole et une spirale sont en la condition supposée :

Je dis que, quelque point qu'on prenne dans la touchante AB, *comme* 3, *la portion du diamètre extérieur, ou bien* 3Q, *comprise entre le point* 3 *et la parabole, est égale à la moitié de l'arc* 3FC, *passant par le même point* 3 *et extérieur à la spirale.*

Car, par la nature de la spirale, la circonférence entière BEB est à l'arc extérieur CF3 comme BA carré à A3 carré (puisque l'entière BEB est à l'arc CF3 en raison composée de l'entière BEB à l'entière 3C3, ou de BA à A3, et de l'entière 3C3 à l'arc CF3, qui est encore comme BA à A3). Donc leurs moitiés sont aussi en même raison, et partant BP (qui est la moitié de la circonférence BEB) est à la moitié de l'arc CF3 comme BA carré à A3 carré, ou, par la nature de la parabole, comme la même BP à 3Q; donc 3Q est égale à la moitié de l'arc CF3. C. q. f. d.

COROLLAIRE

D'où il s'ensuit que le moindre des arcs Y9, *compris entre deux rayons prochains, est double du dernier diamètre extérieur* YL.

Car ce moindre arc Y9 est égal au dernier extérieur YX, lequel est double de sa portion YL par cette proposition.

II

Les mêmes choses étant posées :

Je dis que les angles que les touchantes de la spirale font avec leurs rayons sont égaux aux angles que les touchantes de la parabole font avec leurs ordonnées aux points correspondants;

Ou, ce qui est le même, que quelque point qu'on prenne dans la spirale, comme C, son correspondant Q dans la parabole, l'angle ECM *du rayon avec la touchante sera égal à l'angle* ZQK *de l'ordonnée* ZQ *avec la touchante* QK.

Car la portion de la touchante comprise entre le point Q et l'axe est l'hypoténuse d'un triangle rectangle, dont la base est l'ordonnée Q6 (égale à A3 ou AC) et la hauteur est double de A6 ou de Q3, et partant égale à l'arc extérieur CF3 (qui est double de la même Q3) : mais (par la 7e proposition de la spirale) l'angle ECM de la touchante au point C avec son rayon est aussi égal à l'angle de l'hypoténuse avec la base, qui soit à la hauteur comme le même rayon AC au même arc extérieur CF3. Donc l'angle ECM est égal à l'angle ZQK. C. q. f. d.

III

Les mêmes choses étant posées :

Je dis que chacun des arcs 8E, CF, *etc.* (*qui sont les mêmes que les arcs* BE, 3C, 4S, *etc.*, *compris entre les deux rayons prochains*), *diminué de la moitié du dernier* Y9, *est égal à chacune des portions de l'axe qui lui correspond*, PZ, Q2, *etc.* (*et qui sont les mêmes que les portions de l'axe entre les ordonnées*).

Car toutes ces portions sont entre elles comme les nombres impairs; et tous les arcs BE, CF ou 3 C, sont entre eux comme les nombres pairs : mais le plus petit des arcs Y9 est double de la première portion YL (par le coroll. du rapport premier); donc, si YL est 1, l'arc sera 2 : et partant toutes les portions PZ, Q2, etc., étant 1, 3, 5, 7, 9, etc., et les arcs BE, 3C, etc., étant 2, 4, 6, 8, etc., il s'ensuit que chacun diffère de son correspondant de l'unité, c'est-à-dire de la moitié de Y9. C. q. f. d.

LEMME

Si une grandeur A *est moindre que quatre autres ensemble* B, C, D, E :

Je dis que la différence entre la première A *et deux quelconques des autres, comme* B, *plus* C, *sera moindre que les quatre ensemble* B, C, D, E,

Cela est manifeste.

PROBLÈME

Étant données une parabole et une spirale en la condition supposée, inscrire et circonscrire en l'une et en l'autre des figures, en sorte que le tour de l'inscrite en la parabole ne diffère du tour de l'inscrite en la spirale que d'une ligne moindre qu'une quelconque donnée Z; *et de même pour les circonscrites.*

Soit pris dans une figure séparée (fig. 39) le rayon *ts* plus grand que le rayon AB, et ayant élevé *s*8 perpendiculairement égale à la circonférence dont *ts* est le rayon, soit menée 8*t*, coupant son cercle en *y*. Soit maintenant de 8Y retranchée 8*a* de telle grandeur qu'on voudra, pourvu qu'elle soit moindre qu'un tiers de Z; et ayant mené *as* coupant l'arc en *d*, soit divisée la circonférence en tant d'arcs égaux qu'on voudra, pourvu que chacun, comme *sx*, soit moindre que l'arc *sd*.

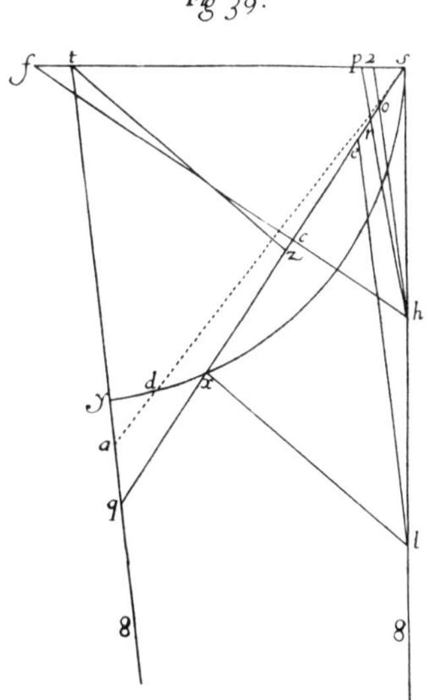

Je dis qu'en divisant le cercle BEB *en autant d'arcs égaux, et le rayon* AB *de même en autant de portions égales aux points* 3, 4, *etc.*, *d'où soient menés à l'ordinaire des cercles et des parallèles à l'axe, qui, coupant la spirale et la parabole, y donneront les points pour inscrire et circonscrire des figures en la manière qui a été marquée : ces figures satisferont au problème.*

PREMIÈRE PARTIE DE LA DÉMONSTRATION

Que la différence entre les deux inscrites est moindre que Z.

Pour prouver que la somme des côtés de l'inscrite en la parabole diffère de celle des côtés de l'inscrite en la spirale d'une ligne moindre que Z, on fera voir que chaque côté de l'une ne diffère de son correspondant que d'une ligne qui, prise autant de fois qu'il y a de côtés (ou qu'il y a d'arcs en la circonférence) est moindre que Z. D'où il s'ensuit nécessairement que toutes ces différences ensemble, prises chacune une fois, sont moindres que Z.

Je dis que la différence entre BC, *par exemple* (*fig.* 38, p. 174) *et son correspondant* PQ, *prise autant de fois qu'il y a d'arcs en la circonférence, est moindre que* Z.

Car en menant du point E (puisque BC est prise en exemple) la perpendiculaire EV égale à l'arc EB, et retranchant EO égale à ZP (et qu'ainsi l'excès VO soit égal au demi-arc Y9), il est manifeste que CO sera égale à PQ, CE étant égale à QZ; donc il suffira de montrer que la différence entre CO et CB, prise autant de fois qu'il y a d'arcs, est moindre que Z. Mais cette différence entre BC et CO est moindre que la somme des deux droites BV, VO (car la différence des côtés BC, CO, est moindre que la base BO, laquelle BO est moindre que les côtés ensemble BV, VO). Donc il suffira *a fortiori* de montrer que les deux côtés ensemble BV, VO, pris autant de fois qu'il y a d'arcs, sont moindres que Z. Et cela est aisé, puisque chacun, pris autant de fois qu'il y a d'arcs, est moindre qu'un demi et même qu'un tiers de Z.

Car cela est visible de VO, puisque étant égale à un demi Y9, il est clair qu'étant prise autant de fois qu'il y a d'arcs, elle ne sera égale qu'au demi-arc BE, et partant, bien moindre qu'un demi Z : l'arc BE étant moindre qu'un demi Z, puisqu'il est moindre que l'arc *sx* de la figure séparée (fig. 39), (le rayon AB étant moindre que *ts*), lequel arc *sx* est moindre que 8q par le lemme IV des spirales, et *a fortiori*, que 8a, qui a été pris moindre qu'un tiers de Z.

Il ne reste donc qu'à montrer la même chose de BV, et cela sera aisé en cette sorte :

Soit prise dans la figure séparée la portion *sl* égale à l'arc *sx*, et soit menée *le* parallèle à *t*8, et *tz* parallèle à *lx*. Donc, puisque l'angle *lxs* est aigu par la 3e propriété du cercle, l'angle *tzs* sera obtus, et partant *tz* sera moindre que *ts* ou *ty*, et *a fortiori* que *tq* : donc aussi, à cause des parallèles, *lx* sera moindre que *le* : mais *le* est à 8*q* comme *ls* à *s*8 : donc *lx* a moindre raison à 8*q* que *ls* à *s*8, ou que l'arc *lx* à la circonférence : donc *lx* prise autant de fois que l'arc *sx* est en sa circonférence, ou l'arc BE dans la sienne, est moindre que 8*q*, et *a fortiori* qu'un tiers de Z.

Donc BV *a fortiori*, prise autant de fois, sera moindre

qu'un tiers de Z, puisqu'elle est moindre que *lx*, le rayon AB étant moindre que le rayon *ts*, et toutes choses proportionnelles. C. q. f. d.

DEUXIÈME PARTIE DE LA DÉMONSTRATION

Que la différence entre les deux circonscrites est moindre que Z.

Pour prouver que la somme des côtés de la circonscrite à la spirale ne diffère de celle des côtés de la circonscrite à la parabole que d'une ligne moindre que Z, on montrera que deux quelconques côtés liés, circonscrits à la spirale, comme l'arc BM, plus la touchante MC, ne diffèrent des deux côtés correspondant en la parabole, PK, plus QK, que d'une ligne qui, prise autant de fois qu'il y a d'arcs en la circonférence, est moindre que Z. D'où il s'ensuit nécessairement que toutes les différences prises chacune une fois seront moindres que Z.

Je dis donc que la différence entre deux quelconques côtés liés BM, *plus* MC, *et les correspondants* PK, *plus* KQ, *prise autant de fois qu'il y a d'arcs, est moindre que* Z.

Car puisque CE est égale à QZ, que les angles Z et CEV sont droits et que les angles ECI (du rayon avec la touchante de la spirale) et ZQK (de l'ordonnée avec la touchante de la parabole) sont égaux : il s'ensuit que EI est égal à ZK, et CI à QK, et OI à KP ou à YL ou au demi-arc Y9.

Maintenant, puisque EV touche le cercle BE en E, la portion IV est toute hors le cercle; et, puisque BV est inclinée en angle aigu, et aussi CI (l'angle au point E étant droit), il s'ensuit, par la première propriété du cercle, que les droites BV, MI sont toutes hors le cercle; donc les trois droites BV, VI, IM, étant toutes hors le cercle, l'arc BM (par le principe d'Archimède), sera moindre que les trois droites, ou que ces quatre droites BV, VO, OI, IM; donc, par le lemme précédent, la différence entre l'arc BM et les deux quelconques OI, plus IM, sera moindre que les quatre BV, VO, OI, IM, ou que les trois BV, VI, IM. Donc la différence (qui est toute la même), entre l'arc BM, plus MC, et les deux OI, plus IMC, ou les deux PK, plus KQ, est moindre que BV, plus VI, plus IM.

Donc, pour montrer que la différence entre BM, plus MC, et PK, plus KQ, prise autant qu'il y a d'arcs, est moindre que F, il suffira *a fortiori*, de montrer que ces trois ensemble BV, plus VI, plus IM, prises autant de fois, sont moindres que Z. Et cela est aisé, puisque chacune d'elles prise autant de fois est moindre qu'un tiers de Z.

Car cela est déjà montré de BV.

Cela est aussi aisé de VI, puisqu'elle est égale à l'arc Y9 (chacune des deux VO, OI étant montrée égale à un demi Y9), et qu'ainsi VI, étant prise autant qu'il y a d'arcs, ne sera qu'égale à l'arc BE, et partant moindre qu'un tiers de Z.

Il ne reste donc qu'à le montrer de IM, en cette sorte.

Soit prise dans la figure séparée (fig. 39) *sh* égale à EI; et soient menées *ho*2 parallèle à *t*8, et *hcf* perpendiculaire à *scq*. Soit maintenant menée *hrp*, faisant l'angle *hps* égal à l'angle ICE de la grande figure (fig. 38) : donc elle tombera entre *hf* et *h*2, puisque l'angle *hps* ou ECI (du rayon avec la touchante de la spirale) est moindre que l'angle *s*2*h* ou *st*8 (à cause qu'au triangle rectangle *st*8, la base est à la hauteur comme le rayon à la circonférence) et plus grand que la moitié de l'angle BAE, ou que l'angle IEB, ou *hsx*, ou *hfs* : mais l'angle c est droit; donc l'angle *hro* est obtus : et partant *hr* est moindre que *ho*; mais *ho* est à 8*q* comme *hs* à *s*8. Donc il y a moindre raison de *hr* à 8*q* que de *hs* à *s*8 : donc *a fortiori* il y a moindre raison de *hr* à un tiers de Z que de *hs* ou EI à la circonférence BEB, moindre que *s*8, et, *a fortiori*, que de EV ou l'arc BE à la circonférence. Donc *hr*, prise autant de fois que l'arc BE est en sa circonférence, est moindre qu'un tiers de Z.

Et partant IT (qui est égal à *hs*, toutes choses étant pareilles), et *a fortiori* IM, pris autant qu'il y a d'arcs, sera moindre qu'un tiers de Z. C. q. f. d.

COROLLAIRE

Il s'ensuit de cette même construction que la figure inscrite en la parabole ne diffère de la circonscrite à la même parabole que d'une ligne moindre que Z.

Car en tout triangle rectangle ou amblygone, l'excès dont les deux côtés ensemble surpassent le plus grand est toujours moindre que chacun des côtés. D'où il s'ensuit que deux des côtés liés quelconques, de la figure circonscrite, comme PK, plus KQ, surpassent l'inscrite PQ d'une ligne moindre que le côté PK (puisque l'angle de la touchante avec la parallèle à l'axe est toujours obtus, si ce n'est au sommet où il est droit); donc tous les excès ensemble, dont les côtés liés de la circonscrite surpassent les côtés liés de l'inscrite, sont moindres que tous les côtés PK ensemble, c'est-à-dire moindres que YL, pris autant de fois qu'il y a d'inscrites, ou qu'il y a d'arcs en la circonférence; or, YL, ou la moitié de Y9, prise autant de fois, est moindre que Z; donc tous les excès ensemble, dont les côtés circonscrits surpassent les inscrits, sont moindres que Z.

THÉORÈME

Si une parabole et une spirale sont en la condition supposée :

Je dis que la ligne parabolique est égale à la ligne spirale.

Car si elles ne sont pas égales, soit X la différence, et soit Z le tiers de X, et soient inscrites et circonscrites à la parabole et à la spirale des figures comme en la précédente, en sorte que la différence entre les inscrites soit moindre que Z, et que la différence entre les circonscrites soit aussi moindre que Z.

Maintenant, puisque la ligne spirale est moindre que le tour de la figure qui lui est circonscrite, et plus grande que le tour de l'inscrite : il s'ensuit que la différence entre la ligne spirale et le tour de la figure qui lui est inscrite est moindre que Z; et de même pour la parabole (puisque la différence entre l'inscrite et la circonscrite est moindre que Z, par la construction); mais la différence entre l'inscrite en la spirale et l'inscrite en la parabole est aussi moindre que Z, par le corollaire de la précédente. Donc la différence entre la ligne spirale et le tour de l'inscrite en la parabole est nécessairement moindre que deux Z. Mais la différence entre l'inscrite en la parabole et la ligne même de la parabole est moindre que Z. Donc la différence entre la ligne de la spirale et la ligne de la parabole est nécessairement moindre que trois Z, c'est-à-dire que X, contre la supposition.

On montrera toujours la même absurdité, quelque différence qu'on suppose entre les lignes spirale et parabolique. Donc il n'y en a aucune : donc elles sont égales.

C. q. f. d.

DE L'ESCALIER, DES TRIANGLES CYLINDRIQUES ET DE LA SPIRALE AUTOUR D'UN CONE

LETTRE DE M. DETTONVILLE A M. DE SLUZE CHANOINE DE LA CATHÉDRALE DE LIÈGE

Monsieur,

Je n'ai pas voulu qu'on vous envoyât mes problèmes de la roulette sans que vous en reçussiez en même temps d'autres que je vous ai promis depuis un si long temps touchant la dimension et le centre de gravité de *l'Escalier* et des *Triangles Cylindriques*. J'y ai joint aussi la résolution que j'ai faite d'un problème où il s'agit de la dimension d'un solide formé par une spirale autour d'un cône. C'est une solution que j'aime, parce que j'y suis arrivé par le moyen de vos lignes en *Perle*, et que tout ce qui vous regarde m'est cher. Cela me la rend plus considérable que sa difficulté, laquelle je ne puis désavouer, puisqu'elle avait paru si grande à M. de Roberval. Car il dit qu'il avait résolu ce problème depuis longtemps, mais qu'il n'en a jamais rien voulu communiquer à qui que ce soit, voulant le réserver pour s'en servir en cas de nécessité; de même qu'il en tient encore secrets d'autres fort beaux pour le même dessein. Sur quoi je suis obligé de reconnaître la sincérité de sa manière d'agir en ces rencontres : car aussitôt qu'il sut que je l'avais résolu, il déclara qu'il n'y prétendait plus, et qu'il n'en ferait jamais rien paraître : par cette raison que, ne l'ayant jamais produite, il la devait quitter à celui qui l'avait produite le premier. Je voudrais bien que tout le monde en usât de cette sorte, et qu'on ne vît point entre les géomètres cette humeur toute contraire de vouloir s'attribuer ce que d'autres ont déjà produit, et qu'on ne trouve qu'après eux. Pour vous, Monsieur, vous en êtes bien éloigné, puisque vous ne voulez pas avoir même l'honneur de vos propres inventions. Car je crois que pour faire savoir que vous avez trouvé, par exemple, cette parabole, qui est le lieu qui donne les dimensions des surfaces des solides de la roulette autour de la base, il faudrait que ce fût moi qui le dise, aussi bien que les merveilles de votre nouvelle analyse, et tant d'autres choses que vous m'avez fait l'honneur de me communiquer avec cette bonté que vous avez pour moi, qui m'engage d'être toute ma vie, etc.

POUR LA DIMENSION ET LE CENTRE DE GRAVITÉ DE L'ESCALIER

DÉFINITION

Soit (fig. 24) l'arc de cercle quelconque CQ divisé en un nombre indéfini d'arcs égaux, aux points D, d'où soient menés les rayons DA; et soit entendu le premier secteur ASC élevé au-dessus du plan du secteur entier AQC, et parallèlement à ce même plan; en sorte que chaque point du secteur ASC élevé réponde perpendiculairement au même secteur ASC dans le plan du cercle; c'est-à-dire que le point A élevé soit dans la perpendiculaire au plan du cercle mené du centre A; et de même le point C au-dessus du point C, etc. Et soit la distance d'entre le plan du cercle et le secteur ASC élevé égale à un des petits arcs DD.

Soit le second secteur ARC élevé de même parallèlement au plan de la base, et distant de ce même plan de deux petits arcs DD. Et soit le troisième secteur élevé de même de la distance de trois petits arcs. Et ainsi toujours.

Le solide composé de ces secteurs s'appellera *escalier*. Et le rayon AQ s'appellera le commencement ou le premier degré; et AC sera le dernier degré de l'escalier; et le secteur AQC en sera la base.

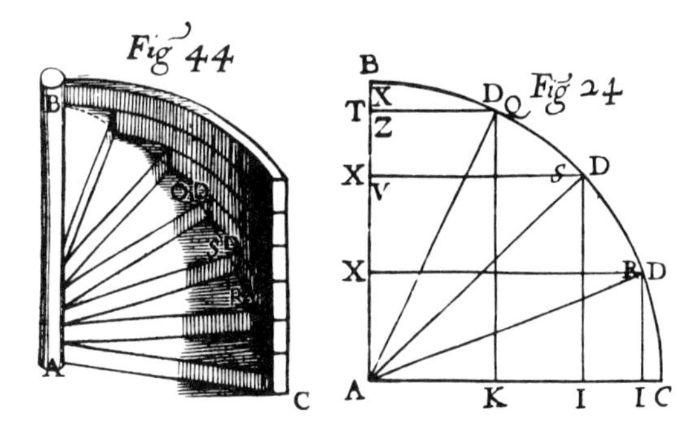

PROPOSITION I

Trouver la dimension d'un escalier donné, en supposant toujours la quadrature du cercle quand il le faut.

L'escalier est égal au quart du carré de l'arc de sa base multiplié par le rayon.

Cela est visible, et démontré dans le traité des arcs, proposition III.

PROPOSITION II

Trouver le centre de gravité d'un escalier donné.

Le centre de gravité de l'escalier est élevé au-dessus de la base du tiers de l'arc de la base.

Cela est visible de soi-même, et s'ensuit aussi du traité des arcs, proposition IV.

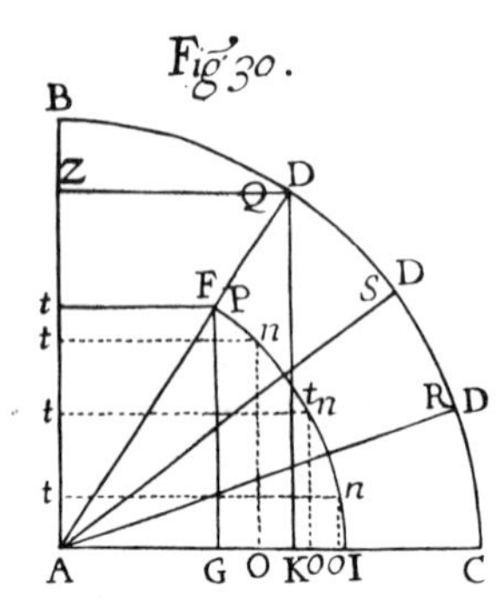

Et si de ce centre de gravité on baisse une perpendiculaire sur la base, le point où elle tombera sera donné, puisque les distances tant de la droite AB que de la droite AC (fig. 24 ou 30) sont données par les Ve et VIe propositions des arcs.

Car la distance de la droite AC multipliant l'escalier est égale à la somme des solides compris de chaque secteur ADC, et de son bras sur AC; laquelle somme est donnée (par la proposition V des arcs).

Et sa distance de la droite AB multipliant de même l'escalier est égale à la somme des solides compris de chaque secteur ADC et de son propre bras sur AB, laquelle somme est donnée (par la proposition VI).

Le calcul en est trop facile à faire, puisqu'on connaît l'escalier et les sommes de ces solides (par les propositions V et VI). Et si on cherche selon cette méthode le centre de gravité de l'escalier qui a pour base le quart de cercle, on trouvera qu'il est élevé au-dessus du plan de la base de la douzième partie de la circonférence; et que le point où tombe cette perpendiculaire sur la base est distant du premier degré AB d'une droite qui est au rayon comme quatre fois le carré du rayon à trois fois le carré de l'arc de nonante degrés; et distant du dernier degré AC d'une droite qui est à sa distance de AB comme l'arc de nonante moins le rayon est au rayon.

POUR LA DIMENSION ET LE CENTRE DE GRAVITÉ DES TRIANGLES CYLINDRIQUES

DÉFINITION

Si trois points quelconques sont pris comme on voudra sur la surface d'un cylindre droit, et qu'on les joigne par des lignes planes (lesquelles seront nécessairement ou des droites, ou des arcs de cercle, ou des portions d'ellipse) : la portion de la surface cylindrique comprise de ces trois lignes s'appellera *triangle cylindrique.*

Et si de deux points pris dans la circonférence de la base inférieure d'un cylindre droit on mène les côtés du cylindre jusqu'à la base supérieure : la portion de la surface cylindrique comprise entre ces deux côtés et les arcs des deux bases s'appellera *rectangle cylindrique.*

AVERTISSEMENT

Je ne m'arrête pas à démontrer qu'en supposant la quadrature du cercle, on connaît le centre de gravité et la dimension d'un rectangle cylindrique donné.

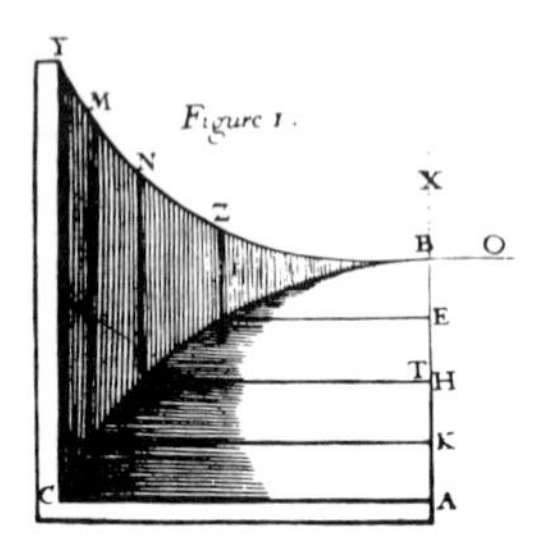

Et je ne m'arrête pas aussi à montrer qu'on aura la dimension et le centre de gravité d'un triangle cylindrique quelconque si on connaît la dimension et le centre de gravité d'une sorte de triangle cylindrique, que j'appelle de la première espèce; savoir de ceux qui, comme ZFB (*fig.* 1), *sont composés de l'arc* BF *de la base, d'un côté* FZ *du cylindre, mené d'une des extrémités* F *de l'arc* BF, *et d'une portion d'ellipse* ZB, *engendrée dans la surface cylindrique par le plan* ZBA *passant par le rayon* BA, *mené de l'autre extrémité* B *de l'arc* BF.

Car si on veut s'y appliquer, on verra incontinent qu'un triangle cylindrique quelconque se divisera toujours en plusieurs petits triangles qui seront ou la somme ou la différence de triangles cylindriques de cette espèce, ou de rectangles cylindriques : de la même sorte qu'un triangle rectiligne quelconque se divisera toujours en plusieurs petits triangles, lesquels seront les sommes ou les différences de triangles rectangles donnés : et qu'ainsi, en connaissant la dimension et le centre de gravité des seuls triangles rectangles, on connaîtrait aussi la dimension et le centre de gravité de toutes sortes de triangles rectilignes donnés.

Ainsi on connaîtra la dimension et le centre de gravité de toutes sortes de triangles cylindriques si on connaît ces choses, tant dans les rectangles cylindriques (où elles sont connues d'elles-mêmes, comme il est déjà dit), que dans les triangles cylindriques de la première espèce, dans lesquels on va le résoudre dans la proposition suivante.

PROPOSITION

Étant donné un triangle cylindrique ZFB *de la première espèce, en trouver la dimension et le centre de gravité.*

Cette proposition est déjà résolue dans le traité des solides circulaires. Car ce triangle cylindrique n'est autre chose que la surface courbe de l'onglet du triligne circulaire BFE. Or dans ce traité on a donné la dimension et le centre de gravité de la surface de son double onglet. Et il est visible que le centre de gravité de la surface d'un des onglets est dans la perpendiculaire au plan du triligne menée du centre de gravité de la surface du double onglet : de sorte qu'il ne reste qu'à trouver la longueur de cette perpendiculaire, laquelle est aisée, puisque la surface de l'onglet multipliée par cette perpendiculaire est égale à la moitié de la somme des carrés des sinus de l'arc FB (quand le plan qui retranche l'onglet est incliné de 45 degrés : et quand on l'a dans cette inclination, on l'a aussi dans toutes les autres, puisqu'elle est toujours en même raison à la hauteur ZF). Or la moitié de la somme des carrés de ces sinus est connue, et égale (par le traité des sinus, proposition II) à la moitié de l'espace BFE multiplié par le rayon BA.

On suppose ici que dans la figure 1, ABC est un quart de cercle, dont A est le centre, et que la surface BFCYZB est une portion de la surface du cylindre droit, retranchée par le plan YZBA, passant par le rayon BA, et formant dans la surface cylindrique la portion d'ellipse BZY.

DIMENSION D'UN SOLIDE FORMÉ PAR LE MOYEN D'UNE SPIRALE AUTOUR D'UN CONE

Soit un cercle donné ABCD, dont A soit le centre, et AB un demi-diamètre; soit BG perpendiculaire au plan du cercle, de quelque grandeur que ce soit, par

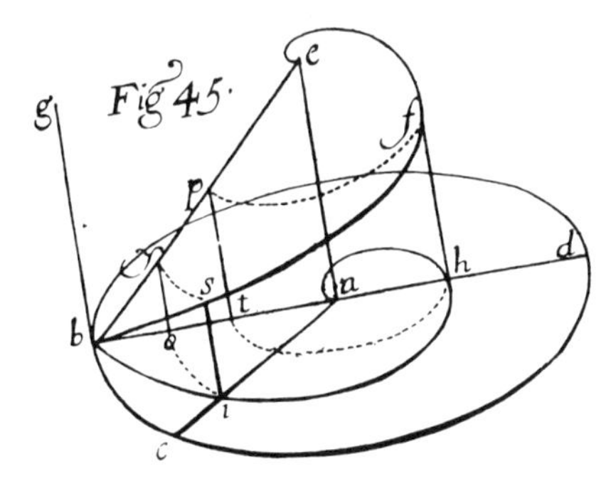

exemple égale à AB, et soit entendu, en un même temps, la ligne AB se tourner uniformément à l'entour du centre A, et la ligne BG se porter en même temps et par un mouvement uniforme le long du demi-diamètre BA; et soit encore entendu en même temps le point B monter uniformément vers G; en sorte qu'en un même temps le point B arrive à l'extrémité de la ligne BG, la ligne BG au centre A, et le demi-diamètre AB au point B d'où il était parti.

Par ces mouvements, la ligne BG décrira une spirale BIHA dans le plan du cercle; et le point B, en montant, décrira une espèce de spirale en l'air, ou autour d'un cône, BFE, qui se terminera au point E, d'où la perpendiculaire AE est égale à BG.

On demande la proportion de la sphère, dont le cercle donné est un grand cercle, avec le solide spiral décrit par ces mouvements et terminé par quatre surfaces : savoir la spirale BIHA décrite dans le plan du cercle, la portion de surface conique bornée par la droite BE et par l'espèce de spirale BFE, le triangle rectiligne BAE, et la surface cylindrée décrite par BG portée autour de la spirale BIHA.

SOLUTION

Soit coupée BA en un nombre indéfini de parties égales, aux points O : et soit le point T celui du milieu, d'où soit mené le demi-cercle TH qui, comme il est aisé de l'entendre, coupera le diamètre prolongé en H au même point où arrive la spirale.

Soit sur ce demi-cercle élevée la surface cylindrique TPFH, qui coupe les surfaces qui bornent le solide et y donnent pour communes sections TPFH, qui sera composée de quatre lignes : savoir la ligne TP, qui se trouvera dans le plan BAE, la ligne FH dans la surface cylindracée égale à TP, le demi-cercle PF dans la surface supérieure, et le demi-cercle de la base TH égal au précédent PF, comme tout cela est évident; et ainsi la figure TPFH sera un rectangle cylindrique.

Soit maintenant d'un des points O mené l'arc OI à l'entour du centre A, qui coupe la spirale en I, et soit élevé de même le rectangle cylindrique OYSI. Je dis (et cela sera incontinent démontré) que ce rectangle cylindrique OYSI sera au premier PTHF comme BO carré en OA à BT carré en TA.

Ce qui étant toujours véritable en quelque lieu que soit le point O, il s'ensuit que tous les rectangles cylindriques ensemble (c'est-à-dire le solide proposé) sera à celui du milieu PTHF pris autant de fois (c'est-à-dire au demi-cylindre qui a le cercle donné pour base et pour hauteur TP, qui est la moitié du demi-diamètre) comme tous les BO carré en OA ensemble à BT carré en TA, ou à BT cube pris autant de fois, c'est-à-dire comme la perle du troisième ordre au rectangle de l'axe et de l'ordonnée du milieu; laquelle raison M. de Sluze a donnée, non seulement dans la perle du troisième ordre, mais encore dans celle de tous les ordres, où cette raison est toujours comme nombre donné à nombre donné.

Donc le solide proposé est au demi-cylindre du cercle donné et de la hauteur TP en raison donnée; donc il est aussi en raison donnée au cylindre entier de même base et de la hauteur quadruple savoir du diamètre entier BD, et par conséquent à la sphère qui est les deux tiers du cylindre. C. q. f. d.

Or, que le rectangle cylindrique YOIS soit au rectangle cylindrique PTHF comme BO carré en OA à BT carré en TA, cela se prouve ainsi :

Je dis, premièrement, que l'arc OI est à l'arc TH comme le rectangle BO, OA, au rectangle BT, TA; car ces arcs OI, TH sont en raison composée des demi-diamètres AO, AT, et des angles, ou des arcs BC, BCD, qui sont, par la nature de la spirale, comme CI ou BO à DH ou BT; donc ces arcs sont en raison composée de BO à BT et de OA à TA, c'est-à-dire comme le rectangle BO, OA, au rectangle BT, TA.

Venons maintenant aux rectangles cylindriques YOIS, PTHF. Il est visible qu'ils sont en raison composée des hauteurs et des bases, c'est-à-dire en raison composée de OY à TP, ou BO à BT, et de l'arc OI à l'arc TH, c'est-à-dire (comme on l'a vu) du rectangle BO, OA, au rectangle BT, TA : mais la raison composée de BO à BT et du rectangle BO, OA au rectangle BT, TA est la même que la raison de BO carré en OA à BT carré en TA. Donc, etc. C. q. f. d.

Les solides des autres spirales des ordres supérieurs se trouveront de même par le moyen des lignes en perle des ordres supérieurs.

DIMENSION DES LIGNES COURBES DE TOUTES LES ROULETTES

LETTRE DE M. DETTONVILLE A M. HUYGHENS DE ZULICHEM

Monsieur,

Comme j'ai su que M. de Carcavy vous devait envoyer mes solutions des problèmes que j'avais proposés touchant la roulette, je l'ai prié d'y joindre la dimension des courbes de toutes sortes de roulettes, que je lui ai donnée pour vous l'adresser, parce qu'il m'a dit que vous avez témoigné d'avoir quelque envie de la voir. Je voudrais, monsieur, que ce vous pût être une marque de l'estime que j'ai toujours faite de votre mérite. Je croyais qu'on n'y pouvait rien ajouter : mais vous l'avez encore augmentée par cet horloge incomparable, et par ces merveilleuses dimensions des surfaces courbes des conoïdes, que vous venez de produire, et qui sont un sujet d'admiration à tous nos géomètres. Pour moi, je vous avoue que j'en ai été ravi, par la part toute particulière que je prends à ce qui peut agrandir votre réputation, et par la passion avec laquelle je suis, etc.

DIMENSION DES LIGNES COURBES DE TOUTES LES ROULETTES

Je n'ai qu'une seule méthode pour la dimension des

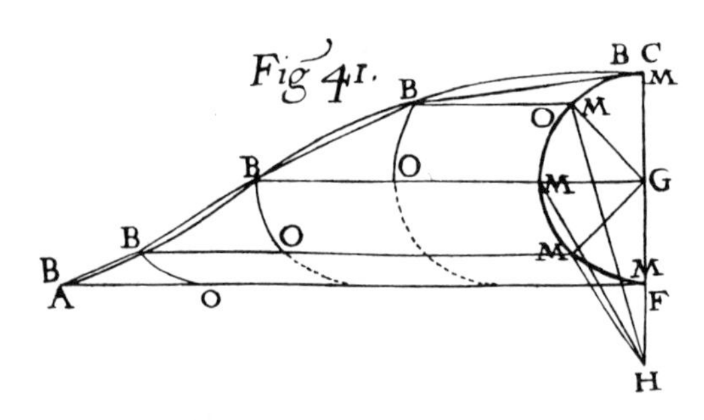

lignes de toutes sortes de roulettes; en sorte que, soit qu'elles soient simples, allongées ou raccourcies, ma construction est toujours pareille, en cette manière :

Soit, fig. 41, une roulette de quelque espèce que ce soit, dont AF soit la base, FC l'axe, et CMF la circonférence du cercle générateur, laquelle ait telle raison qu'on voudra à la base FA, et, ayant divisé sa circonférence en un nombre indéfini d'arcs égaux aux points M, je mène de tous les points de division des droites MB, parallèles à la base, qui coupent la courbe de la roulette chacune en un point B, et je joins tous les points voisins BB.

Je suppose que les divisions de la circonférence soient en si grand nombre que la somme de ces droites BB (lesquelles sont les sous-tendantes de la roulette) ne diffère de la courbe de la roulette que d'une ligne moindre qu'aucune donnée.

J'ai aussi besoin qu'on sache (et je le montrerai en peu de mots) que si on fait, comme la circonférence du cercle générateur à la base de la roulette, ainsi le rayon FG à la portion GH de l'axe prise depuis le centre, et que de l'extrémité H de cette portion on mène toutes les droites HM : il arrivera que toutes ces droites seront entre elles comme les sous-tendantes BB de la roulette, et qu'elles les représentent : et c'est pourquoi je les appelle les *représentantes*.

Cela sera visible, si on entend que le cercle générateur soit placé à tous les points B, lequel coupe chaque parallèle BM voisine au point O; en sorte qu'on n'en considère que les arcs BO, lesquels seront égaux tant entre eux qu'aux arcs MM, et les portions BO des parallèles seront égales entre elles. Et ainsi chaque arc BO sera à la portion OB de la parallèle comme la circonférence FMC à la base AF, ou comme GM à GH. Et il arrivera ainsi que chacun des petits triangles BOB sera semblable à chacun des triangles MGH : chacun des angles HGM étant égal à chacun des angles BOB, ou BMC, faits de chaque parallèle et de la circonférence. Et partant chaque BB sera à chaque arc BO comme chaque HM à MG. Et toutes les BB ensemble, c'est-à-dire la courbe, sera à tous les arcs égaux ensemble OB ou MM, c'est-à-dire à la circonférence CMF, comme la somme des HM à la somme des GM, ou au rayon multiplié par la circonférence CMF. Donc, en multipliant les deux premiers termes par le rayon, la courbe multipliée par le rayon est à la circonférence CMF, multipliée par le rayon, comme la somme des représentantes HM au rayon multiplié par la circonférence CMF; mais les deux conséquents sont égaux : donc la courbe multipliée par le rayon est égale à la somme des représentantes HM (multipliées chacune par les petits arcs MM); mais le rayon est donné : donc, si la somme des HM est donnée, la courbe le sera aussi.

Donc toute la difficulté de la dimension des roulettes est réduite à ce problème.

La circonférence d'un cercle donné étant divisée en un nombre indéfini d'arcs égaux, et ayant mené des droites d'un point quelconque donné dans le plan du cercle à tous les points de division : trouver la somme de ces droites.

Ce problème est aisé à résoudre, quand le point donné est dans la circonférence (comme il arrive quand la roulette est simple; c'est-à-dire quand la base AF est égale à la circonférence CMF) : car alors la somme de ces droites est égale au carré du diamètre parce que c'est la même chose que la somme des sinus droits du quart d'un autre cercle, dont le rayon sera double.

Et si on résout ce problème quand le point donné est au dehors, il sera résolu en même temps quand le point est au dedans.

Car, s'il y a deux cercles concentriques, dont les circonférences soient divisées chacune en un nombre indéfini d'arcs égaux : la somme des droites menées d'un point quelconque de la grande circonférence à tous les points de division de la petite sera la même que la somme des droites menées d'un point quelconque, pris dans la petite circonférence, à tous les points de division de la grande. Et chacune des droites d'une multitude sera égale à chacune des droites de l'autre multitude, parce qu'elles sont les bases de triangles égaux et semblables. Et ainsi la somme des unes sera égale à la somme des autres, pourvu qu'elles soient multipliées par les mêmes arcs. Mais si on entend qu'elles soient multipliées chacune par les arcs auxquels elles se terminent, alors la somme de celles qui sont menées aux divisions de la grande circonférence sera à la somme des autres comme la grande circonférence est à l'autre, ou comme le grand rayon au petit. Et ainsi, si la somme des unes est donnée, la somme des autres le sera aussi, les deux cercles étant donnés.

Or j'ai ce théorème général.

La circonférence d'un cercle donné étant divisée en un nombre indéfini d'arcs égaux, et un point quelconque étant pris où l'on voudra, soit en la circonférence, soit dedans, soit dehors, soit sur le plan, soit hors du plan, d'où soient menées des droites à tous les points de division : je dis que la somme de ces droites sera égale à la surface d'un cylindre oblique donné.

Et je le démontre en cette sorte dans le cas où le point est pris hors du cercle, qui est le seul dont j'ai besoin ici, et duquel s'ensuivent tous les autres.

LEMME

Soit le cercle donné ALB (*fig.* 42), *dont la circonférence soit divisée en un nombre indéfini d'arcs égaux en* L. *Soit le point* H *hors du plan, et élevé perpendiculairement sur un des points* A, *c'est-à-dire que la droite* AH *soit perpendiculaire au plan du cercle; et soient menées toutes les* HL. *Je dis que la somme des droites* HL, *multipliées chacune par chaque petit arc* LL, *est égale au quart de la surface du cylindre oblique, qui aura pour base le cercle* AMC, *dont le rayon sera de* AB, *et pour axe la droite* HB, *menée à l'autre extrémité du diamètre* AB.

Car soient les côtés du cylindre oblique MN, qui coupent la base supérieure en N; et soient MO les touchantes de la base inférieure, sur lesquelles soient menées les perpendiculaires NO. Il est visible que le quart de la surface oblique IVTC est composé des parallélogrammes compris des arcs MM et des côtés MN, ou des rectangles compris des mêmes arcs MM et des perpendiculaires NO : mais les arcs MM sont égaux tant entre eux qu'aux arcs LL : donc, si la somme des perpendiculaires NO est égale à la somme des droites HL, ce qui est proposé sera évident.

Or chaque NO est égale à chaque HL, comme il est visible par l'égalité et la similitude des triangles HBL, NMO.

Car l'axe HB est égal et parallèle au côté NM, et les droites BL, MO sont parallèles, étant perpendiculaires l'une à MB, l'autre à AL qui sont parallèles à cause de l'égalité des angles CBM, BAL.

PROPOSITION

Soit maintenant (*fig.* 43) *le point* H *donné dans le plan du cercle* ALB, *et hors le cercle, et soient menées les* HL *aux points* L *des divisions égales.*

Je dis que leur somme est égale à la surface d'un cylindre oblique.

Car en menant le cercle dont BH est le diamètre, et prenant AV en sorte que BV carré soit égal à BA carré, plus deux fois le rectangle BAH; et menant le cercle dont BV soit le diamètre; et où il arrivera aussi que, quelque droite qu'on mène du point B, comme BLIZ, le carré de BI sera égal à BL carré, plus deux fois le rectangle BLZ.

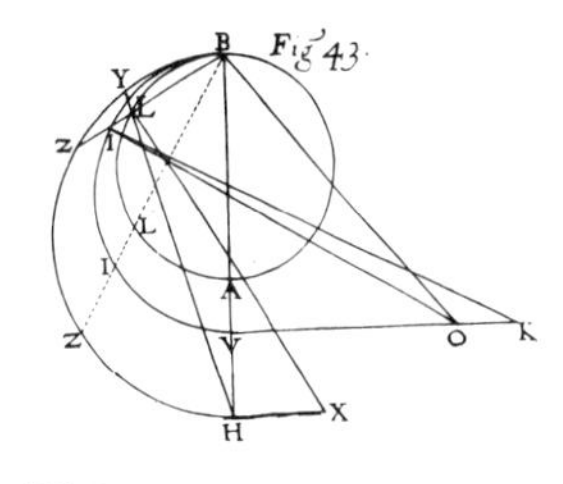

Soit aussi élevée VO perpendiculaire au plan du cercle, et soit prise BO égale à BH, et soient menées toutes les droites OI (aux points où les droites BL coupent la circonférence BIV) : je dis que chaque droite OI est égale à chaque droite HL.

Car HB carré est égal à HL carré, plus LB carré,

plus deux fois le rectangle HLY (en prolongeant HL jusqu'au cercle BZH), ou à HL carré, plus LB carré, plus deux fois le rectangle BLZ, ou à HL carré, plus BI carré : mais aussi OB carré (qui est le même que HB carré) est égal à OI carré, plus BI carré. Donc OI carré plus IB carré est égal à HL carré plus IB carré : donc aussi OI carré est égal à HL carré; et partant OI à HL.

Donc la somme des OI est la même que la somme des HL, si on les multiplie chacune par les mêmes petits arcs; mais la somme des OI (multipliées par les petits arcs II, lesquels sont égaux entre eux, puisque les arcs LL le sont par l'hypothèse) est égale au quart de la surface d'un cylindre oblique, par le lemme, puisque VO est perpendiculaire au plan du cercle BIV.

Donc la somme des HL, multipliées par les mêmes arcs II, est égale au quart de la même surface. Donc la somme des HL, multipliées par les petits arcs LL, est aussi égale à une surface d'un cylindre oblique proportionnée à l'autre. C. q. f. d.

On démontrera la même chose si le point donné X est pris hors du plan, et élevé perpendiculairement sur le point H.

Car en prenant dans la perpendiculaire VO le point K, en sorte que KO carré, plus deux fois le rectangle KOV, soit égal à HX carré : il est visible que toutes les XL seront égales à toutes les KI, chacune à la sienne, puisque chaque XL carré, ou XH carré, plus HL carré, sera égal à chaque KI carré ou OI carré (qui est égal à HL carré) plus KO carré, plus deux fois KOV, qui sont pris égaux à XH carré.

Donc la somme des XL est égale à la somme des KI, laquelle est égale à la surface d'un cylindre oblique par le même lemme.

CONCLUSION

De toutes lesquelles choses il s'ensuit que la somme (*fig.* 41) *des* représentantes HM, *étant égale à la surface d'un cylindre oblique, elle sera par conséquent égale au rectangle qui a pour hauteur l'axe du cylindre oblique, et pour base la courbe de l'ellipse engendrée dans la surface du cylindre oblique par le plan perpendiculaire à l'axe. Or, la même somme des représentantes est déjà montrée égale à la courbe de la roulette multipliée par le rayon de son cercle générateur. Donc la courbe de la roulette, multipliée par le rayon, est égale à la courbe d'une ellipse multipliée par l'axe d'un cylindre oblique donné. Donc, comme l'axe du cylindre donné est au rayon donné, ainsi la courbe de la roulette est à la courbe d'une ellipse. C. q. f. d.*

En suivant cette méthode, on trouvera le *calcul des deux axes de l'ellipse*, dont la courbe se compare à celle d'une roulette donnée. Le voici tel que je le fis envoyer à beaucoup de personnes au commencement de septembre, en Angleterre, à Liège, et ailleurs, et entre autres à M. de Roberval, et à M. de Sluze, et quelque temps après à M. de Fermat.

Soit fait comme la circonférence du cercle générateur à cette même circonférence plus la base de la roulette, ainsi le diamètre du cercle à une autre droite; cette droite soit le grand demi-axe d'une ellipse. Soit fait comme la circonférence plus la base à la différence entre la circonférence et la base, ainsi le grand demi-axe à l'autre demi-axe. La moitié de la courbe de l'ellipse qui aura ces deux demi-axes sera égale à la courbe de la roulette entière, et les parties aux parties.

On conclura aussi de tout ce qui a été montré : que deux roulettes, l'une allongée, l'autre raccourcie, ont leurs lignes courbes égales entre elles, s'il arrive de part et d'autre que la base de l'une soit égale à la circonférence du cercle générateur de l'autre.

Il me serait aisé de réduire cette méthode à la manière des anciens, et de donner une démonstration pareille à celle que j'ai faite de l'égalité des lignes spirale et parabolique. Mais, parce que cela serait un peu plus long et inutile, je la laisse, quoique je l'aie toute prête, et je me contente d'en avoir donné cet exemple de la spirale et de la parabole.

On voit aussi, par toutes ces choses, que plus la base de la roulette approche d'être égale à la circonférence du cercle générateur, plus le petit axe de l'ellipse qui lui est égale devient petit à l'égard du grand axe : et que quand la base est égale à la circonférence, c'est-à-dire quand la roulette est simple, le petit axe de l'ellipse est entièrement anéanti; et qu'alors la ligne courbe de l'ellipse (laquelle est toute aplatie), est la même chose qu'une ligne droite, savoir son grand axe. Et de là vient qu'en ce cas la courbe de la roulette est aussi égale à une ligne droite. Ce fut pour cela que je fis mander à ceux à qui j'envoyai ce calcul que les courbes des roulettes étaient toujours, par leur nature, égales à des ellipses, et que cette admirable égalité de la courbe de la roulette simple à une droite, que M. Wren a trouvée, n'était, pour ainsi dire, qu'une égalité par accident, qui vient de ce qu'en ce cas l'ellipse se trouve réduite à une droite. A quoi M. de Sluze ajouta cette belle remarque, dans sa réponse du mois de septembre dernier, qu'on devait encore admirer sur cela l'ordre de la nature, qui ne permet point qu'on trouve une droite égale à une courbe, qu'après qu'on a déjà supposé l'égalité d'une droite à une courbe. Et qu'ainsi dans la roulette simple, où l'on suppose que la base est égale à la circonférence du générateur, il arrive que la courbe de la roulette est égale à une droite.

LETTRE DE PASCAL A CARCAVI

(*février 1659*).

J'ai vu la lettre de M. Huygens et je vous y répondrai article par article.

Je suis bien fâché que nous n'ayons point eu de connaissance de la lettre qu'il avait écrite à M. Boullaud et des belles choses qu'il lui avait mandées et qui auraient bien embelli l'histoire de la Roulette, mais elles pourront trouver leurs places ailleurs.

Le centre de gravité qu'il y donne du demi-solide de la Roulette entière tourné autour de la base n'est pas des problèmes proposés par l'anonyme, qui avait proposé seulement celui de la demi-Roulette, et de ses parties, tournées autour de la base, ou de l'axe. Or, qui a le centre de gravité de ces solides-là, a aussi ceux de la Roulette entière. Mais quand on les a dans ceux de la Roulette entière, on ne les a pas pour cela dans ceux de la demi-Roulette, car on n'a qu'une des deux mesures nécessaires, et c'est celle qui est la plus facile à trouver.

C'est aussi précisément ce que M. de Roberval en avait trouvé, car il y a plus de deux mois qu'il donna cette mesure, c'est-à-dire le centre de gravité du demi-solide de la Roulette entière, mais non pas de celui de la demi-Roulette, qui était un des cas proposés par l'anonyme.

Je vous dirai néanmoins que le calcul de M. Huygens n'est pas juste, mais je m'assure que ce n'est qu'erreur de calcul; il faudrait au lieu de $\frac{133}{216}$, comme il l'a mis, mettre $\frac{126}{216}$ ou pour mettre au moindre nombre en divisant le tout par 18, mettre $\frac{7}{12}$.

Pour ces autres problèmes touchant la dimension des surfaces des conoïdes je les admire au delà de tout ce que je puis vous dire; ce sont certainement d'admirablement belles choses.

M. Dettonville en a fait le même jugement, et comme il avait déjà médité sur la dimension des surfaces il a pensé à celle du Conoïde parabolique. Et voici comme il en a fait l'analyse :

RÉSOLUTION OU ANALYSE DE LA PROPOSITION DE MONSIEUR HUYGENS

Soit une parabole donnée *b*IC, dont *b*C soit la base, *a*I l'axe.

Il faut trouver la dimension de la surface du Conoïde, décrit par la ligne parabolique tournant autour de l'axe *a*I.

Soit une parabole pareille *b*DC sur la même base et de l'autre part pour ne point brouiller la figure, ayant le même axe *a*D qui est *a*I prolongée.

Il est démontré dans le traité des trilignes que pour trouver la dimension de la surface décrite par la ligne courbe *bm*D tournée autour de *a*D il suffit de connaître la somme des sinus sur *a*D; c'est-à-dire en divisant la ligne *b*D en parties égales et indéfinies aux points *m*, et menant les perpendiculaires *mn*.

Il a été aussi démontré dans le même traité que pour connaître la somme de ces sinus *mn* il suffit (en divisant *a*C en parties indéfinies et égales aux petits arcs égaux *mm* et menant les perpendiculaires *gh* jusqu'à la courbe) de connaître la somme des courbes C*h*.

Or M. Auzout a démontré que la ligne courbe entière C*h*D, est représentée par la somme des droites *bf* (en divisant *a*E double de *a*I en un nombre indéfini de parties égales) ou à la somme de perpendiculaires *f*L, qui sont égales aux droites *bf*, et lesquelles L forment le dehors d'une hyperbole.

Et de même chaque portion D*h* sera représentée par la somme des droites *bf* ou *f*L comprises entre le point *a* et chacune des droites *f*L, c'est-à-dire que chaque D*h* sera représentée par chaque espace *af*LC. Et partant chaque portion C*h* sera représentée par chaque espace E*f*LL.

Donc la somme des C*h* est représentée par la somme des espaces E*f*LL, c'est-à-dire par la somme triangulaire des droites *f*L à commencer du côté de *a* (comme il a été montré dans la lettre à M. de Carcavi imprimée avec le traité de la Roulette) c'est-à-dire à la somme des rectangles *af* en *f*L.

Or, la somme de ces rectangles est donnée, puisque le solide de l'hyperbole tourné autour de l'axe est donné. Donc la somme des arcs C*h* est donnée. Et partant aussi la dimension de la surface du Conoïde parabolique.

Je ne vous envoie pas cela pour prétendre aucune part à cette admirable invention. Car je sais trop combien c'est peu de chose de démontrer ce qu'un autre a énoncé, outre que cette analyse ne s'étend pas aux Conoïdes hyperboliques, ni aux sphéroïdes où la chose me paraît bien difficile; ainsi je n'y penserai pas seulement, car je suis persuadé qu'il y a plutôt du blâme que de l'honneur à acquérir en travaillant sur les ouvrages d'autrui et principalement quand ils sont traités par des personnes excellentes comme M. Huygens.

FIN DES ŒUVRES MATHÉMATIQUES

ŒUVRES PHYSIQUES (1642-1651)

LA MACHINE D'ARITHMÉTIQUE

C'est à l'âge de dix-neuf ans (1642-1643), *nous dit Gilberte Pascal, que son frère inventa la machine d'arithmétique.*

On a signalé récemment que Guillaume Schickart (1624), *correspondant de Gassendi et de Bouillaud, aurait fait les plans d'une machine du même ordre, qu'il l'aurait réalisée, mais qu'elle fut détruite au cours d'un incendie. Il est évident que Pascal l'ignorait.*

La Lettre dédicatoire *au chancelier Séguier* (1645), *l'*Avis *pour ceux qui voudront se servir de la machine, le* Privilège (1649) *nous apprennent dans quelles conditions Pascal a réussi à remplacer par une machine la science des calculs.*

Dès février 1644, *à la demande de Bourdelot, il montrait un exemplaire à six roues de « la roue pascale » à Henri II de Bourbon, père du Grand Condé. Un autre prototype, à huit roues, était offert, en* 1645, *au chancelier Séguier.*

En 1646 *la reine de Pologne, Louise-Marie de Gonzague, en emporta deux et quelques amateurs en commandèrent. Mais la fabrication de ces machines ne pouvait être que très réduite, car, nous apprend Tallemant, « il n'y a qu'un ouvrier, qui est à Rouen, qui la sache faire et encore faut-il que Pascal y soit présent ».*

Le 23 *septembre* 1647, *au cours d'une visite que Descartes vint faire à Pascal, Roberval lui en expliqua le fonctionnement.*

En avril 1652 *il a l'occasion de la montrer dans le salon de la duchesse d'Aiguillon, au Petit Luxembourg. En juin* 1652 *il en offre un exemplaire à la reine Marie-Christine de Suède.*

En avance de deux siècles sur son époque, la machine d'arithmétique ne pouvait être alors qu'un objet de curiosité, en raison de son emploi très problématique, de son prix, des difficultés de sa fabrication, de l'impossibilité d'obtenir des pièces de rechange.

Mais il n'en demeure pas moins que les machines actuelles, même les plus extraordinaires, ne sont finalement que des perfectionnements de celle de Pascal et qu'elles sont établies d'après ses principes.

Aujourd'hui on signale encore l'existence de sept exemplaires de la machine d'arithmétique. Quatre sont au Conservatoire des Arts et Métiers, dont celle avec la dédicace au chancelier Séguier, une au musée de Clermont et deux dans des collections particulières.

Pour la Lettre dédicatoire *et l'*Avis *se reporter au* 1er manuscrit Guerrier (*gros in* 4° *pp.* 721 *et suiv.*); *pour le* Privilège *B.N., ms. fr.* 12988 *f.* 346 (*Recueil Thémericourt*).

LETTRE DÉDICATOIRE A MONSEIGNEUR LE CHANCELIER

SUR LE SUJET DE LA MACHINE NOUVELLEMENT INVENTÉE PAR LE SIEUR B.P. POUR FAIRE TOUTES SORTES D'OPÉRATIONS D'ARITHMÉTIQUE PAR UN MOUVEMENT RÉGLÉ SANS PLUME NI JETONS

avec un avis nécessaire à ceux qui auront curiosité de voir ladite machine et s'en servir.

1645

A MONSEIGNEUR LE CHANCELIER

Monseigneur,

Si le public reçoit quelque utilité de l'invention que j'ai trouvée pour faire toutes sortes de règles d'arithmétique par une manière aussi nouvelle que commode, il en aura plus d'obligation à Votre Grandeur qu'à mes petits efforts, puisque je ne me saurais vanter que de l'avoir conçue, et qu'elle doit absolument sa naissance à l'honneur de vos commandements. Les longueurs et les difficultés des moyens ordinaires dont on se sert m'ayant fait penser à quelque secours plus prompt et plus facile, pour me soulager dans les grands calculs où j'ai été occupé depuis quelques années en plusieurs affaires qui dépendent des emplois dont il vous a plu honorer mon père pour le service de sa Majesté en la haute Normandie, j'employai à cette recherche toute la connaissance que mon inclination et le travail de mes premières études m'ont fait acquérir dans les mathématiques; et après une profonde méditation, je reconnus que ce secours n'était pas impossible à trouver. Les lumières de la géométrie, de la physique et de la mécanique m'en fournirent le dessein, et m'assurèrent que l'usage en serait infaillible si quelque ouvrier pouvait former l'instrument dont j'avais imaginé le modèle. Mais ce fut en ce point que je rencontrai des obstacles aussi grands que ceux que je voulais éviter, et auxquels je cherchais un remède. N'ayant pas l'industrie de manier le métal et le marteau comme la plume et le compas, et les artisans ayant plus de connaissance de la pratique de leur art que des sciences sur lesquelles il est fondé, je me vis réduit à quitter toute mon entreprise, dont il ne me revenait que beaucoup de fatigues, sans aucun bon succès. Mais, Monseigneur, Votre Grandeur ayant soutenu mon courage, qui se laissait aller, et m'ayant fait la grâce de parler du simple crayon que mes amis vous avaient présenté en des termes qui me le firent voir tout autre qu'il ne m'avait paru auparavant, avec les nouvelles forces que vos louanges me donnèrent, je fis de nouveaux efforts, et, suspendant tout autre exercice, je ne songeai plus qu'à la construction de cette petite machine, que j'ai osé, Monseigneur, vous présenter, après l'avoir mise en état de faire, avec elle seule et sans aucun travail d'esprit, les opérations de toutes les parties de l'arithmétique, selon que je me l'étais proposé. C'est donc à vous, Monseigneur, que je devais ce petit essai, puisque c'est vous qui me l'avez fait faire; et c'est de vous aussi que j'en attends une glorieuse protection. Les inventions qui ne sont pas connues ont toujours plus de censeurs que d'approbateurs : on blâme ceux qui les ont trouvées, parce qu'on n'en a pas une parfaite intelligence; et, par un injuste préjugé, la difficulté que l'on s'imagine aux choses extraordinaires, fait qu'au lieu de les considérer pour les estimer, on les accuse d'impossibilité, afin de les rejeter ensuite comme impertinentes. D'ailleurs, Monseigneur, je m'attends bien que parmi tant de doctes qui ont pénétré jusque dans les derniers secrets des mathématiques, il pourra s'en trouver qui d'abord estimeront mon action téméraire, vu qu'en la jeunesse où je suis, et avec si peu de force, j'ai osé tenter une route nouvelle dans un champ tout hérissé d'épines, et sans avoir de guide pour m'y frayer le chemin. Mais je veux bien qu'ils m'accusent, et même qu'ils me condamnent, s'ils peuvent justifier que je n'ai pas tenu exactement ce que j'avais promis; et je ne leur demande que la faveur d'examiner ce que j'ai fait, et non pas celle de l'approuver sans le connaître. Aussi, Monseigneur, je puis dire à Votre Grandeur que j'ai déjà la satisfaction de voir mon petit ouvrage, non seulement autorisé de l'approbation de quelques-uns des principaux en cette véritable science, qui, par une préférence toute particulière, a l'avantage de ne rien enseigner qu'elle ne démontre, mais encore honoré de leur estime et de leur recommandation; et que même celui d'entre eux, de qui la plupart des autres admirent tous les jours et recueillent les productions, ne l'a pas jugé indigne de se donner la peine, au milieu de ses grandes occupations, d'en enseigner et la disposition et l'usage à ceux qui auront quelque désir de s'en servir. Ce sont là, véritablement, Monseigneur, de grandes récompenses du temps que j'ai employé, et de la dépense que j'ai faite pour mettre la chose en l'état où je vous l'ai présentée. Mais permettez-moi de flatter ma vanité jusqu'au point de dire qu'elles ne me satisferaient pas entièrement, si je n'en avais reçu une beaucoup plus importante et plus délicieuse de Votre Grandeur. En effet, Monseigneur, quand je me représente que cette même bouche, qui prononce tous les jours des oracles sur le trône de la Justice, a daigné donner des éloges au coup d'essai d'un homme de vingt ans, que vous l'avez jugé digne d'être plus d'une fois le sujet de votre entretien, et de le voir placé dans votre cabinet parmi tant d'autres choses rares et précieuses dont il est rempli, je suis comblé de gloire, et je ne trouve point de paroles pour faire paraître ma reconnaissance à Votre Grandeur, et ma joie à tout le monde. Dans cette impuissance, où l'excès de votre bonté m'a mis, je me contenterai de la révérer par mon silence; et toute la famille dont je porte le nom étant intéressée aussi bien que moi par ce bienfait et par plusieurs autres à faire tous les jours des vœux pour votre prospérité, nous les ferons du cœur, et si ardents et si continuels, que personne ne se pourra vanter d'être plus attachés que nous à votre service, ni de porter plus véritablement que moi la qualité, Monseigneur, de votre très humble et très obéissant serviteur.

B. PASCAL.

AVIS

NÉCESSAIRE A CEUX QUI AURONT CURIOSITÉ DE VOIR LA MACHINE D'ARITHMÉTIQUE, ET DE S'EN SERVIR

Ami lecteur, cet avertissement servira pour te faire savoir que j'expose au public une petite machine de mon invention, par le moyen de laquelle seul tu pourras, sans peine quelconque, faire toutes les opérations de l'arithmétique, et te soulager du travail qui t'a souvent fatigué l'esprit, lorsque tu as opéré par le jeton ou par la plume; je puis, sans présomption, espérer qu'elle ne te déplaira pas, après que Monseigneur le Chancelier l'a honorée de son estime, et que, dans Paris, ceux qui sont les mieux versés aux mathématiques ne l'ont pas jugée indigne de leur approbation. Néanmoins, pour ne pas paraître négligent à lui faire acquérir aussi la tienne, j'ai cru être obligé de t'éclairer sur toutes les difficultés que j'ai estimées capables de choquer ton sens lorsque tu prendras la peine de la considérer.

Je ne doute pas qu'après l'avoir vue, il ne tombe d'abord dans ta pensée que je devais avoir expliqué par écrit et sa construction, et son usage, et que, pour rendre ce discours intelligible, j'étais même obligé, suivant la méthode des géomètres, de représenter par figures les dimensions, la disposition et le rapport de toutes les pièces et comment chacune doit être placée pour composer l'instrument, et mettre son mouvement en sa perfection; mais tu ne dois pas croire qu'après n'avoir épargné ni le temps, ni la peine, ni la dépense pour la mettre en état de t'être utile, j'eusse négligé d'employer ce qui était nécessaire pour te contenter sur ce point, qui semblait manquer à son accomplissement, si je n'avais été empêché de le faire par une considération si puissante, que j'espère même qu'elle te forcera de m'excuser. Oui, j'espère que tu approuveras que je me sois abstenu de ce discours, si tu prends la peine de faire réflexion d'une part sur la facilité qu'il y a d'expliquer de bouche et d'entendre par une brève conférence la construction et l'usage de cette machine, et, d'autre part, sur l'embarras et la difficulté qu'il y eût eu d'exprimer par écrit les mesures, les formes, les proportions, les situations et le surplus des propriétés de tant de pièces différentes; lors tu jugeras que cette doctrine est du nombre de celles qui ne peuvent être enseignées que de vive voix : et qu'un discours par écrit en cette matière serait autant et plus inutile et embarrassant que celui qu'on emploierait à la description de toutes les parties d'une montre, dont toutefois l'explication est si facile, quand elle est faite bouche à bouche; et qu'apparemment un tel discours ne pourrait produire d'autre effet qu'un infaillible dégoût en l'esprit de plusieurs, leur faisant concevoir mille difficultés où il n'y en a point du tout.

Maintenant (cher lecteur), j'estime qu'il est nécessaire de t'avertir que je prévois deux choses capables de former quelques nuages en ton esprit. Je sais qu'il y a nombre de personnes qui font profession de trouver à redire partout, et qu'entre ceux-là il s'en pourra trouver qui te diront que cette machine pouvait être moins composée; c'est là la première vapeur que j'estime nécessaire de dissiper. Cette proposition ne te peut être faite que par certains esprits qui ont véritablement quelque connaissance de la mécanique ou de la géométrie, mais qui, pour ne les savoir joindre l'une et l'autre, et toutes deux ensemble à la physique, se flattent ou se trompent dans leurs conceptions imaginaires et se persuadent possibles beaucoup de choses qui ne le sont pas, pour ne posséder qu'une théorie imparfaite des choses en général, laquelle n'est pas suffisante de leur faire prévoir en particulier les inconvénients qui arrivent, ou de la part de la matière, ou des places que doivent occuper les pièces d'une machine dont les mouvements sont différents afin qu'ils soient libres et qu'ils ne puissent s'empêcher l'un l'autre. Lors donc que ces savants imparfaits te proposeront que cette machine pouvait être moins composée, je te conjure de leur faire la réponse que je leur ferais moi-même s'ils me faisaient une telle proposition, et de les assurer de ma part que je leur ferai voir, quand il leur plaira, plusieurs autres modèles, et même un instrument entier et parfait, beaucoup moins composé, dont je me suis publiquement servi pendant six mois entiers, et ainsi, que je n'ignore pas que la machine peut être moins composée, et particulièrement si j'eusse voulu instituer le mouvement de l'opération par la face antérieure, ce qui ne pouvait être qu'avec une incommodité ennuyeuse et insupportable, au lieu que maintenant il se fait par la face supérieure avec toute la commodité qu'on saurait souhaiter et même avec plaisir. Tu leur diras aussi que, mon dessein n'ayant jamais visé qu'à réduire en mouvement réglé toutes les opérations de l'arithmétique, je me suis en même temps persuadé que mon dessein ne réussirait qu'à ma propre confusion, si ce mouvement n'était simple, facile, commode et prompt à l'exécution, et que la machine ne fût durable, solide, et même capable de souffrir sans altération la fatigue du transport, et enfin que, s'ils avaient autant médité que moi sur cette matière et passé par tous les chemins que j'ai suivis pour venir à mon but, l'expérience leur aurait fait voir qu'un instrument moins composé ne pouvait avoir toutes ces conditions que j'ai heureusement données à cette petite machine.

Car pour la simplicité du mouvement des opérations, j'ai fait en sorte qu'encore que les opérations de l'arithmétique soient en quelque façon opposées l'une à l'autre, comme l'addition à la soustraction et la multiplication à la division, néanmoins elles se pratiquent toutes sur cette machine par un seul et unique mouvement.

Pour la facilité de ce même mouvement des opérations, elle est toute apparente, en ce qu'il est aussi facile de faire mouvoir mille et dix mille roues tout à la fois, si elles y étaient, quoique toutes achèvent leur mouvement très parfait, que d'en faire mouvoir une seule (je ne sais si, après le principe sur lequel j'ai fondé cette facilité, il en reste un autre dans la nature). Que si tu veux, outre la facilité du mouvement de l'opération, savoir quelle est la facilité de l'opération même, c'est-à-dire la facilité qu'il y a en l'opération par cette machine, tu le peux, si tu prends la peine de la comparer avec les méthodes d'opérer par le jeton et par la plume. Tu sais comme, en opérant par le jeton, le calculateur (surtout lorsqu'il manque d'habitude) est souvent obligé, de peur de tomber en erreur, de faire une longue suite et extension de jetons, et comme la nécessité le contraint après d'abréger et de relever ceux qui se trouvent inutilement étendus; en quoi tu vois deux peines inutiles, avec la perte de deux temps. Cette machine facilite et retranche en ses opérations tout ce superflu; le plus ignorant y trouve autant d'avantage que le plus expérimenté; l'instrument supplée au défaut de l'ignorance ou du peu d'habitude, et, par des mouvements nécessaires, il fait lui seul, sans même l'intention de celui qui s'en sert, tous les abrégés possibles à la nature, et à toutes les fois que les nombres s'y trouvent disposés. Tu sais de même comme, en opérant par la plume, on est à tous les moments obligé de retenir ou d'emprunter les nombres nécessaires, et combien d'erreurs se glissent dans ces rétentions et emprunts à moins d'une très longue habitude et en outre d'une attention profonde et qui fatigue l'esprit en peu de temps. Cette machine délivre celui qui opère par elle de cette vexation; il suffit qu'il ait le jugement, elle le relève du défaut de la mémoire; et, sans rien retenir ni emprunter, elle fait d'elle-même ce qu'il désire, sans même qu'il y pense. Il y a cent autres facilités que l'usage fait voir, dont le discours pourrait être ennuyeux.

Quant à la commodité de ce mouvement, il suffit de dire qu'il est insensible, allant de la gauche à la droite, et imitant notre méthode vulgaire d'écrire, fors qu'il procède circulairement.

Et, enfin, quant à sa promptitude, elle paraît de même, en la comparant avec celle des autres deux méthodes du jeton et de la plume : et si tu veux encore une plus particulière explication de sa vitesse, je te dirai qu'elle est pareille à l'agilité de la main de celui qui opère : cette promptitude est fondée, non seulement sur la facilité des mouvements qui ne font aucune résistance, mais encore sur la petitesse des roues que l'on meut à la main, qui fait que, le chemin étant plus court, le moteur peut le parcourir en moins de temps; d'où il arrive encore cette commodité que, par ce moyen, la machine se trouvant réduite en plus petit volume, elle en est plus maniable et portative.

Et quant à la durée et solidité de l'instrument, la seule dureté du métal dont il est composé pourrait en donner à quelque autre la certitude : mais d'y prendre une assurance entière et la donner aux autres, je n'ai pu le faire qu'après en avoir fait l'expérience par le transport de l'instrument durant plus de deux cent cinquante lieues de chemin, sans aucune altération.

Ainsi (cher lecteur), je te conjure encore une fois de ne point prendre pour imperfection que cette machine soit composée de tant de pièces, puisque sans cette composition, je ne pouvais lui donner toutes les conditions ci-devant déduites, qui toutefois lui étaient toutes nécessaires; en quoi tu pourras remarquer une espèce de paradoxe, que pour rendre le mouvement de l'opération plus simple, il a fallu que la machine ait été construite d'un mouvement plus composé.

La seconde cause que je prévois capable de te donner de l'ombrage, ce sont (cher lecteur) les mauvaises copies de cette machine qui pourraient être produites par la présomption des artisans : en ces occasions, je te conjure d'y porter soigneusement l'esprit de distinction, te garder de la surprise, distinguer entre la lèpre et la lèpre, et ne pas juger des véritables originaux par les productions imparfaites de l'ignorance et de la témérité des ouvriers : plus ils sont excellents en leur art, plus il est à craindre que la vanité ne les enlève par la persuasion qu'ils se donnent trop légèrement d'être capables d'entreprendre et d'exécuter d'eux-mêmes des ouvrages nouveaux, desquels ils ignorent et les principes et les règles; puis enivrés de cette fausse persuasion, ils travaillent en tâtonnant, c'est-à-dire sans mesures certaines et sans propositions réglées par art : d'où il arrive qu'après beaucoup de temps et de travail, ou ils ne produisent rien qui revienne à ce qu'ils ont entrepris, ou, au plus, ils font paraître un petit monstre auquel manquent les principaux membres, les autres étant informes et sans aucune proportion : ces imperfections, le rendant ridicule, ne manquent jamais d'attirer le mépris de tous ceux qui le voient, desquels la plupart rejettent — sans raison — la faute sur celui qui, le premier, a eu la pensée d'une telle invention, au lieu de s'en éclaircir avec lui et puis blâmer la présomption de ces artisans qui, par une fausse hardiesse d'oser entreprendre plus que leurs semblables, produisent ces inutiles avortons. Il importe au public de leur faire reconnaître leur faiblesse et leur apprendre que, pour les nouvelles inventions, il faut nécessairement que l'art soit aidé par la théorie jusqu'à ce que l'usage ait rendu les règles de la théorie si communes qu'il les ait enfin réduites en art et que le continuel exercice ait donné aux artisans l'habitude de suivre et pratiquer ces règles avec assurance. Et tout ainsi qu'il n'était pas en mon pouvoir, avec toute la théorie imaginable, d'exécuter moi seul mon propre dessein sans l'aide d'un ouvrier qui possédât parfaitement la pratique du tour, de la lime et du marteau pour réduire les pièces de la machine dans les mesures et proportions que par les règles de la théorie je lui prescrivais : il est de même absolument impossible à tous les simples artisans, si habiles qu'ils soient en leur art, de mettre en perfection une pièce nouvelle qui consiste — comme celle-ci — en mouvements compliqués, sans l'aide d'une personne qui, par les règles de la théorie, leur donne les mesures et les proportions de toutes les pièces dont elle doit être composée.

Cher lecteur, j'ai sujet particulier de te donner ce dernier avis, après avoir vu de mes yeux une fausse exécution de ma pensée faite par un ouvrier de la ville de Rouen, horloger de profession, lequel, sur le simple récit qui lui fut fait de mon premier modèle que j'avais fait quelques mois auparavant, eut assez de hardiesse pour en entreprendre un autre, et, qui plus est, par une autre espèce de mouvement; mais comme le bonhomme n'a d'autre talent que celui de manier adroitement ses outils, et qu'il ne sait pas seulement si la géométrie et la mécanique sont au monde, aussi (quoiqu'il soit très habile en son art, et même très industrieux en plusieurs choses qui n'en sont point) ne fit-il qu'une pièce inutile, propre véritablement, polie et très bien limée par le dehors, mais tellement imparfaite au dedans qu'elle n'est d'aucun usage; et toutefois, à cause seulement de sa nouveauté, elle ne fut pas sans estime parmi ceux qui n'y connaissaient rien, et nonobstant tous les défauts essentiels que l'épreuve y fait reconnaître, ne laissa pas de trouver place dans le cabinet d'un curieux de la même ville rempli de plusieurs autres pièces rares et curieuses. L'aspect de ce petit avorton me déplut au dernier point et refroidit tellement l'ardeur avec laquelle je faisais lors travailler à l'accomplissement de mon modèle qu'à l'instant même je donnai congé à tous les ouvriers, résolu de quitter entièrement mon entreprise par la juste appréhension que je conçus qu'une pareille hardiesse ne prît à plusieurs autres, et que les fausses copies qu'ils pourraient produire de cette nouvelle pensée n'en ruinassent l'estime dès sa naissance avec l'utilité que le public pourrait en recevoir. Mais, quelque temps après, Monseigneur le Chancelier, ayant daigné honorer de sa vue mon premier modèle et donner le témoignage de l'estime qu'il faisait de cette invention, me fit commandement de la mettre en sa perfection; et, pour dissiper la crainte qui m'avait retenu quelque temps, il lui plut de retrancher le mal dès sa racine et d'empêcher le cours qu'il pourrait prendre au préjudice de ma réputation et au désavantage du public par la grâce qu'il me fit de m'accorder un privilège, qui n'est pas ordinaire, et qui étouffe avant leur naissance tous ces avortons illégitimes qui pourraient être engendrés d'ailleurs que de la légitime et nécessaire alliance de la théorie avec l'art.

Au reste, si quelquefois tu as exercé ton esprit à l'invention des machines, je n'aurai pas grand-peine à te persuader que la forme de l'instrument, en l'état où il est à présent, n'est pas le premier effet de l'imagination que j'ai eue sur ce sujet : j'avais commencé l'exécution de mon projet par une machine très différente de celle-ci et en sa matière et en sa forme, laquelle (bien qu'en état de satisfaire à plusieurs) ne me donna pas pourtant la satisfaction entière; ce qui fit qu'en la corrigeant peu à peu j'en fis insensiblement une seconde, en laquelle rencontrant encore des inconvénients que je ne pus souffrir, pour y apporter le remède, j'en composai une troisième qui va par ressorts et qui est très simple en sa construction. C'est celle de laquelle, comme j'ai déjà dit, je me suis servi plusieurs fois, au vu et su d'une infinité de personnes, et qui est encore en état de servir autant que jamais. Toutefois, en la perfectionnant toujours, je trouvai des raisons de la changer, et enfin reconnaissant dans toutes, ou de la difficulté d'agir, ou de la rudesse aux mouvements, ou de la disposition à se corrompre trop facilement par le temps ou par le transport, j'ai pris la patience de faire jusqu'à plus de cinquante modèles, tous différents, les uns de bois, les autres d'ivoire et d'ébène, et les autres de cuivre, avant que d'être venu à l'accomplissement de la machine que maintenant je fais paraître, laquelle, bien que composée de tant de petites pièces différentes, comme tu pourras voir, est toutefois tellement solide, qu'après l'expérience dont j'ai parlé ci-devant, j'ose te donner assurance que tous les efforts qu'elle pourrait recevoir en la transportant si loin que tu voudras, ne sauraient la corrompre ni lui faire souffrir la moindre altération.

Enfin (cher lecteur), maintenant que j'estime l'avoir mise en état d'être vue, et que même tu peux, si tu en as la curiosité, la voir et t'en servir, je te prie d'agréer la liberté que je prends d'espérer que la seule pensée à trouver une troisième méthode pour faire toutes les opérations arithmétiques, totalement nouvelle et qui n'a rien de commun avec les deux méthodes vulgaires de la plume et du jeton, recevra de toi quelque estime et qu'en approuvant le dessein que j'ai eu de te plaire en te soulageant, tu me sauras gré du soin que j'ai pris pour faire que toutes les opérations, qui par les précédentes méthodes sont pénibles, composées, longues et peu certaines, deviennent faciles, simples, promptes et assurées.

Les curieux qui désireront voir une telle machine s'adresseront s'il leur plaît au sieur de Roberval, *professeur ordinaire de mathématiques au Collège Royal de France, qui leur fera voir succinctement et gratuitement la facilité des opérations, en fera vendre, et en enseignera l'usage.*

Le dit sieur de Roberval demeure au Collège Maître Gervais, rue du Foin, proche les Mathurins. On le trouve tous les matins jusqu'à huit heures, et les samedis toute l'après dînée.

PRIVILÈGE POUR LA MACHINE D'ARITHMÉTIQUE DE M. PASCAL

Louis, par la grâce de Dieu, roy de France et de Navarre, à nos amez et feaux Con[rs] les gens tenans nos Cours de Parlement, M[es] des Requestes Ordinaires de nostre hostel, Baillifs, Senechaux, Prevots, leurs Lieuten[s] et tous autres nos justiciers et officiers qu'il appartiendra, salut. Notre cher et bien amé le Sr Pascal nous a fait remontrer qu'à l'invitation du Sr Pascal, son père, nostre Cons[r] en nos conseils, et president en notre Cour des Aydes d'Auvergne, il auroit eu, dès ses plus jeunes années, une inclination particulière aux sciences Mathématiques, dans lesquelles par ses études et ses observations, il a inventé plusieurs choses, et particulièrement une machine, par le moyen de laquelle on peut faire toutes sortes de supputations, Additions, Soustractions, Multiplications, Divisions, et toutes les autres Règles d'Arithmétique, tant en nombre entier que rompu, sans se servir de plume ni jettons, par une méthode beaucoup plus simple, plus facile à apprendre, plus prompte à l'exécution, et moins pénible à l'esprit que toutes les autres façons de calculer, qui ont été en usage jusqu'à présent; et qui outre ces avantages, a encore celuy d'estre hors de tout danger d'erreur, qui est la condition la plus importante de toutes dans les calculs. De laquelle machine il avoit fait plus de cinquante modèles, tous differens, les uns composez de verges ou lamines droites, d'autres de courbes, d'autres avec des chaisnes; les uns avec des rouages concentriques, d'autres avec des excentriques, les uns mouvans en ligne droite, d'autres circulairement, les uns en cones, les autres en cylindres, et d'autres tous differens de ceux-là, soit pour la matière, soit pour la figure, soit pour le mouvement : de toutes lesquelles manières différentes l'invention principale et le mouvement essentiel consistent en ce que chaque rouë ou verge d'un ordre faisant un mouvement de dix figures arithmétiques, fait mouvoir sa prochaine d'une figure seulement. Après tous lesquels essais auxquels il a employé beaucoup de temps et de frais, il seroit enfin arrivé à la construction d'un modèle achevé qui a été reconnu infaillible par les plus doctes mathématiciens de ce temps, qui l'ont universellement honoré de leur approbation et estimé très utile au public. Mais, d'autant que ledit instrument peut estre aisément contrefait par des ouvriers, et qu'il est néanmoins impossible qu'ils parviennent à l'exécuter dans la justesse et perfection nécessaires pour s'en servir utilement, s'ils n'y sont conduits expressement par ledit Sr Pascal, ou par une personne qui ait une entière intelligence de l'artifice de son mouvement, il seroit à craindre que, s'il étoit permis à toute sorte de personnes de tenter d'en construire de semblables, les défauts qui s'y rencontreroient infailliblement par la faute des ouvriers, ne rendissent cette invention aussi inutile qu'elle doit estre profitable estant bien exécutée. C'est pourquoi il désireroit qu'il nous plût faire défenses à tous artisans et autres personnes, de faire ou faire faire ledit instrument sans son consentement, nous suppliant, à cette fin, de lui accorder nos lettres sur ce nécessaires. Et parce que ledit instrument est maintenant à un prix excessif qui le rend par sa cherté, comme inutile au public, et qu'il espère le réduire à moindre prix et tel qu'il puisse avoir cours, ce qu'il prétend faire pour l'invention d'un mouvement plus simple et qui opère néanmoins le mesme effet, à la recherche duquel il travaille continuellement, et en y stylant peu à peu les ouvriers encore peu habituez, lesquelles choses dépendent d'un temps qui ne peut estre limité; A ces causes, désirant gratifier et favorablement traitter ledit Sr Pascal fils, en considération de sa capacité en plusieurs sciences, et surtout aux Mathématiques, et pour l'exciter d'en communiquer de plus en plus les fruits à nos sujets, et ayant égard au notable soulagement que cette machine doit apporter à ceux qui ont de grands calculs à faire, et à raison de l'excellence de cette invention, nous avons permis et permettons par ces présentes signées de notre main, au dit Sr Pascal fils, et à ceux qui auront droit de luy, dès à présent et à tousjours, de faire construire ou fabriquer par tels ouvriers, de telle manière et en telle forme qu'il avisera bon estre, en tous les lieux de notre obeissance, ledit instrument par luy inventé, pour compter, calculer, faire toutes Additions, Soustractions, Multiplications, Divisions et autres Règles d'Arithmétique, sans plume ni jettons; et faisons très-expresses défenses à toutes personnes, artisans et autres, de quelque qualité et condition qu'ils soient, d'en faire, ni faire faire, vendre, ni débiter dans aucun lieu de nostre obeissance, sans le consentement dudit Sr Pascal fils, ou de ceux qui auront droit de luy, sous pretexte d'augmentation, changement de matière, forme ou figure, ou diverses manières de s'en servir, soit qu'ils fussent composez de rouës excentriques, ou concentriques, ou parallèles, de verges ou bastons et autres choses, ou que les rouës se meuvent seulement d'une part ou de toutes deux, ny pour quelque deguisement que se puisse estre; mesme à tous étrangers, tant marchands que d'autres professions, d'en exposer ni vendre en ce Royaume, quoiqu'ils eussent esté faits hors d'icelluy : le tout à peine de trois mille livres d'amende, payables sans deport par chacun des contrevenans et applicables un tiers à nous, un tiers à l'Hostel-Dieu de Paris, et l'autre tiers audit Sr Pascal, ou à ceux qui auront son droit; de confiscation des Instruments contrefaits, et de tous depens, dommages et interests. Enjoignons à cet effet à tous ouvriers qui construiront ou fabriqueront lesdits instrumens en vertu des présentes, d'y faire apposer par ledit Sr Pascal, ou par ceux qui auront son droit, telle contremarque qu'ils auront choisie, pour témoignage qu'ils auront visité lesdits instruments, et qu'ils les auront reconnus sans défaut. Voulons que tous ceux où ces formalitez ne seront pas gardées, soient confisquez, et que ceux qui les auront faits ou qui en seront trouvés saisis soient sujests aux peines et amendes susdites : à quoy ils seront contraints en vertu des présentes ou de copies d'icelles duement collationnées par l'un de nos amez et feaux Cons[rs] Secretaires, auxquelles foy sera ajoutée comme à l'original : du contenu duquel nous vous mandons que vous le fassiez jouir et user pleinement et paisiblement, et ceux auxquels il pourra transporter son droit, sans souffrir qu'il leur soit donné aucun empeschement. Mandons au premier nostre huissier ou sergent sur ce requis, de faire, pour l'exécution des présentes, tous les exploits necessaires, sans demander autre permission. Car tel est nostre plaisir : nonobstant tous Edits, Ordonnances, Declarations, Arrests, Réglemens, Privilèges et Confirmations d'iceux, Clameur de haro, Charte normande et autres lettres à ce contraires, auxquelles et aux dérogatoires des dérogatoires y contenues, nous derogeons par ces présentes : Données à Compiègne, le vingt-deuxiesme jour de May, l'an de grace mil six cent quarante-neuf, et de notre règne le septiesme.

Louis.
La Reine Régente, sa mère, présente.
Par le roy : Phelipeaux, gratis.

(Copié sur l'original en parchemin, scellé du grand sceau de cire jaune, cédé par testament de Mlle Périer aux Pères de l'Oratoire de Clermont [1].)

1. Note de Pierre Guerrier. *Ier Recueil Guerrier*, pp. 66-68.

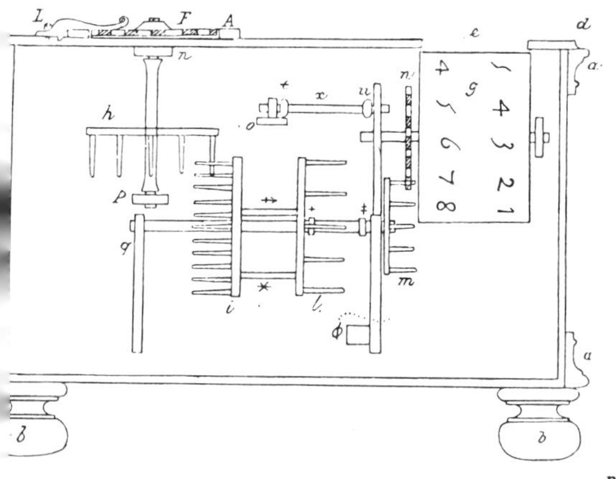

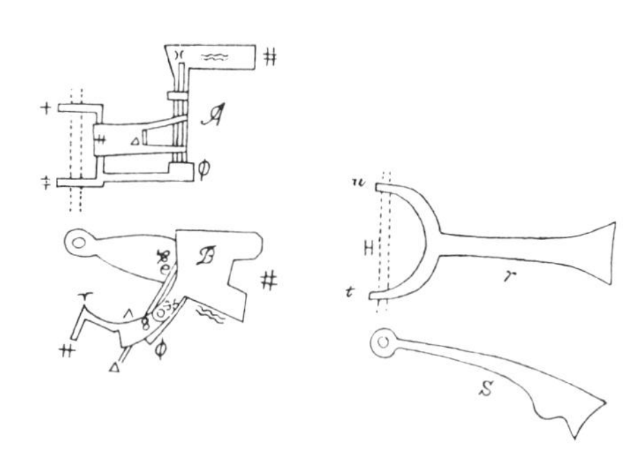

EXPLICATION DE LA MACHINE DE M. PASCAL *par laquelle on pratique l'arithmétique, adressée par Ch. Belair à Christian Huyghens en* 1659 : *seconde figure, représentant le dedans de la cassette.*

En faisant tourner la roue F, on fait aussi tourner la roue *h*, et par son moyeu, les roues *i*, *l*, *m*, qui sont sur un même axe, après quoi la roue *n* tournera, et le tambour *g*, sur lequel sont écrits les chiffres qui paraissent les uns après les autres par l'ouverture *e*.

machine d'arithmétique de ascal, modèle à 8 chiffres. ervatoire des Arts et Métiers.)

LE VIDE
L'ÉQUILIBRE DES LIQUEURS ET LA PESANTEUR DE L'AIR

En octobre 1646 *Pierre Petit, intendant des fortifications, allant à Dieppe, rendit visite aux Pascal à Rouen et s'entretint avec eux de l'expérience barométrique faite par Torricelli en* 1644. *Il fut alors décidé que, dès son retour, l'on tenterait, malgré de réelles difficultés, de la réaliser de nouveau.*

Ils réussirent dans leur entreprise, mais cette expérience posait deux problèmes, non encore résolus.

Quelle était la cause qui laissait le mercure en suspens dans le tube et qu'y avait-il dans l'espace provoqué par la descente du mercure?

Sur le premier problème nombreux étaient les savants qui estimaient que l'équilibre du mercure était le fait de la pression de l'atmosphère extérieure, mais n'en donnaient pas la preuve. Pour le second problème les savants étaient unanimement d'accord pour affirmer que l'espace en haut du tube était rempli de quelque matière (et non du vide), sur la nature de laquelle on épiloguait en vain.

Ils procédèrent donc à une série d'expériences dont un bref exposé parut en octobre 1647 *à Paris, chez Pierre Margat :* Expériences nouvelles touchant le vide.

Mais Pascal, bien que son sentiment fût en faveur de l'existence du vide dans le haut du tube, ne se croit pas encore autorisé à prendre position.

C'est alors que le P. Noël, recteur du Collège de Clermont à Paris, ayant lu son opuscule, lui adresse une lettre au cours de laquelle il prétend donner des raisons pour justifier l'inexistence du vide.

Pascal lui répond le 29 *octobre* 1647 *et c'est pour lui l'occasion de préciser les principes de la méthode à suivre pour toute recherche scientifique, et d'en définir les normes.*

Le P. Noël lui ayant adressé une seconde lettre, il ne lui répond pas pour des raisons qu'il expose à Le Pailleur dans une lettre de février-mars 1648. *C'est Etienne Pascal qui répondit au P. Noël en avril-mai.*

Mais entre-temps Pascal avait écrit — le 15 *novembre* 1647 *— à Florin Périer pour lui demander d'organiser l'expérience du Puy-de-Dôme, qu'il présumait décisive. Cette expérience eut lieu le* 19 *septembre* 1648 *et sa relation fut publiée en octobre dans le* Récit de la grande expérience de l'équilibre des liqueurs (*Paris, C. Savreux,* 1648, *in* 4°).

Des savants comme Gassendi, Rohault en vérifièrent les résultats. Ainsi toutes les objections contre le vide se trouvaient écartées.

Cependant un jésuite du Collège de Montferrand ayant mis en doute la priorité de son expérience, Pascal adresse une lettre (12 *juillet* 1651) *à M. de Ribeyre pour se justifier. « Cette expérience est de mon invention, déclare-t-il, et partant je puis dire que la nouvelle connaissance qu'elle nous a découverte est entièrement de moi. »*

Dans cette lettre à M. de Ribeyre, il l'informe qu'il termine un Traité du Vide, *dont la parution ne saurait tarder. Cependant il ne parut pas et il n'en est venu jusqu'à nous que quelques fragments et un projet de préface.*

Pascal composa vers la même époque deux traités sur l'Équilibre des liqueurs, *et* la Pesanteur de la masse de l'air, *édités par Florin Périer, chez Desprez, en* 1663.

Du premier ouvrage il ressort deux principes fondamentaux : le premier est que les liquides pèsent suivant leur hauteur, et le second est celui de la presse hydraulique.

Dans le second Pascal montre que tous les effets jadis attribués à l'horreur du vide ne sont que des cas particuliers de la règle générale de l'équilibre des liqueurs. (*Cf. Pierre Humbert,* L'œuvre scientifique de Blaise Pascal.)

Ainsi Pascal géomètre, doublé d'une imagination créatrice, s'est révélé physicien, unissant le sens de l'observation au sens de l'expérimentation et au sens critique.

Les lettres de Pascal au P. Noël, à Le Pailleur, à M. de Ribeyre, les lettres du P. Noël, la lettre d'Etienne Pascal figurent en copie dans les manuscrits B.N. Dupuy 945 *et B.N.* 12449. *Dans le ms.* 12449 *se trouve l'original de la* 1re *lettre du P. Noël.* (*f°* 799.)

EXPÉRIENCES NOUVELLES TOUCHANT LE VIDE

FAITES DANS DES TUYAUX, SERINGUES, SOUFFLETS ET SIPHONS DE PLUSIEURS LONGUEURS ET FIGURES : AVEC DIVERSES LIQUEURS, COMME VIF-ARGENT, EAU, VIN, HUILE, AIR, ETC. AVEC UN DISCOURS SUR LE MÊME SUJET, OU EST MONTRÉ QU'UN VAISSEAU SI GRAND QU'ON LE POURRA FAIRE, PEUT ÊTRE RENDU VIDE DE TOUTES LES MATIÈRES CONNUES EN LA NATURE, ET QUI TOMBENT SOUS LE SENS, ET QUELLE FORCE EST NÉCESSAIRE POUR FAIRE ADMETTRE CE VIDE. DÉDIÉ A MONSIEUR PASCAL, CONSEILLER DU ROI EN SES CONSEILS D'ÉTAT ET PRIVÉ, PAR LE SIEUR B.P. SON FILS, LE TOUT RÉDUIT EN ABRÉGÉ ET DONNÉ PAR AVANCE D'UN PLUS GRAND TRAITÉ SUR LE MÊME SUJET.

AU LECTEUR

Mon cher lecteur, quelques considérations m'empêchant de donner à présent un *Traité* entier où j'ai rapporté quantité d'expériences nouvelles que j'ai faites touchant le vide, et les conséquences que j'en ai tirées, j'ai voulu faire un récit des principales dans cet abrégé où vous verrez par avance le dessein de tout l'ouvrage.

L'occasion de ces expériences est telle : *Il y a environ quatre ans qu'en Italie on éprouva qu'un tuyau de verre de quatre pieds, dont un bout est ouvert et l'autre est scellé hermétiquement, étant rempli de vif-argent, puis l'ouverture bouchée avec le doigt ou autrement, et le tuyau disposé perpendiculairement à l'horizon, l'ouverture bouchée étant vers le bas, et plongée deux ou trois doigts dans d'autre vif-argent, contenu en un vaisseau moitié plein de vif-argent, et l'autre moitié d'eau; si on débouche l'ouverture demeurant toujours enfoncée dans le vif-argent du vaisseau, le vif-argent du tuyau descend en partie, laissant au haut du tuyau un espace vide en apparence, le bas du même tuyau demeurant plein du même vif-argent jusqu'à une certaine hauteur. Et si on hausse un peu le tuyau jusqu'à ce que son ouverture, qui trempait auparavant dans le vif-argent du vaisseau, sortant de ce vif-argent, arrive à la région de l'eau, le vif-argent du tuyau monte jusqu'en haut, avec l'eau; et ces deux liqueurs se brouillent dans le tuyau; mais enfin tout le vif-argent tombe, et le tuyau se trouve tout plein d'eau.*

Cette expérience ayant été mandée de Rome au R. P. Mersenne, Minime à Paris, il la divulgua en France en l'année 1644, non sans l'admiration de tous les savants et curieux, par la communication desquels étant devenue fameuse de toutes parts, je l'appris de M. Petit, Intendant des Fortifications, et très versé en toutes les belles-lettres, qui l'avait apprise du R. P. Mersenne même. Nous la fîmes donc ensemble à Rouen, ledit sieur Petit et moi, de la même sorte qu'elle avait été faite en Italie, et trouvâmes de point en point ce qui avait été mandé de ce pays-là, sans y avoir pour lors rien remarqué de nouveau.

Depuis, faisant réflexion en moi-même sur les conséquences de ces expériences, elle me confirma dans la pensée où j'avais toujours été que le vide n'était pas une chose impossible dans la nature, et qu'elle ne le fuyait pas avec tant d'horreur que plusieurs se l'imaginent.

Ce qui m'obligeait à cette pensée était le peu de fondement que je voyais à la maxime si reçue, que la nature ne souffre point le vide, qui n'est appuyée que sur des expériences dont la plupart sont très fausses, quoique tenues pour très constantes; et des autres, les unes sont entièrement éloignées de contribuer à cette preuve, et montrent que la nature abhorre la trop grande plénitude, et non pas qu'elle fuit le vide; et les plus favorables ne font voir autre chose, sinon que la nature a horreur pour le vide, ne montrant pas qu'elle ne le peut souffrir.

A la faiblesse de ce principe, j'ajoutais les observations que nous faisons journellement de la raréfaction et condensation de l'air, qui, comme quelques-uns ont éprouvé, se peut condenser jusqu'à la millième partie de la place qu'il semblait occuper auparavant, et qui se raréfie si fort, que je trouvais comme nécessaire, ou qu'il y eût un grand vide entre ses parties, ou qu'il y eût pénétration de dimensions. Mais comme tout le monde ne recevait pas cela pour preuve, je crus que cette expérience d'Italie était capable de convaincre ceux-là mêmes qui sont les plus préoccupés de l'impossibilité du vide.

Néanmoins la force de la prévention fit encore trouver des objections qui lui ôtèrent la croyance qu'elle méritait. Les uns dirent que le haut de la sarbacane était plein des esprits du mercure; d'autres, d'un grain d'air imperceptible raréfié; d'autres, d'une matière qui ne subsistait que dans leur imagination; et tous, conspirant à bannir le vide, exercèrent à l'envi cette puissance de l'esprit, qu'on nomme Subtilité dans les écoles, et qui, pour solution des difficultés véritables, ne donne que des vaines paroles sans fondement. Je me résolus donc de faire des expériences si convaincantes, qu'elles fussent à l'épreuve de toutes les objections qu'on y pourrait faire; et j'en fis au commencement de cette année un grand nombre, dont il y en a qui ont quelque rapport avec celle d'Italie, et d'autres qui en sont entièrement éloignées, et n'ont rien de commun avec elle; et elles ont été si exactes et si heureuses, que j'ai montré par leur moyen, qu'un vaisseau si grand qu'on le pourra faire, peut être rendu vide de toutes les matières qui tombent sous les sens, et qui sont connues dans la nature; et quelle force est nécessaire pour faire admettre ce vide. C'est aussi par là que j'ai éprouvé la hauteur nécessaire à un siphon pour faire l'effet qu'on en attend, après laquelle hauteur limitée il n'agit plus, contre l'opinion si universellement reçue dans le monde durant tant de siècles; comme aussi le peu de force nécessaire pour attirer le piston d'une seringue, sans qu'il y succède aucune matière; et beaucoup d'autres choses que vous verrez dans l'ouvrage entier, dans lequel j'ai dessein de montrer quelle force la nature emploie pour éviter le vide, et qu'elle l'admet et le souffre effectivement dans un grand espace, que l'on rend facilement vide de toutes les matières qui tombent sous les sens. C'est pourquoi j'ai divisé le Traité entier en deux parties, dont la première comprend le récit au long de toutes mes expériences avec les figures, et une récapitulation de ce qui s'y voit, divisée en plusieurs maximes. Et la seconde, les conséquences que j'en ai tirées, divisées en plusieurs propositions, où j'ai montré que l'espace vide en apparence, qui a paru dans les expériences, est vide en effet de toutes les matières qui tombent sous les sens, et qui sont connues dans la nature. Et dans la conclusion, je donne mon sentiment sur le sujet du vide, et réponds aux objections qu'on y peut faire. Ainsi, je me contente de montrer un grand espace vide, et laisse à des personnes savantes et curieuses à éprouver ce qui se fait dans un tel espace; comme : si les animaux y vivent; si le verre en diminue sa réfraction; et tout ce qu'on y peut faire : n'en faisant nulle mention dans ce Traité, dont j'ai jugé à propos de vous donner cet Abrégé par avance; parce qu'ayant fait ces expériences avec beaucoup de frais, de peine et de temps, j'ai craint qu'un autre qui n'y aurait employé le temps, l'argent, ni la peine, me prévenant, donnât au public des choses qu'il n'aurait pas vues, et lesquelles par conséquent il ne pourrait pas rapporter avec l'exactitude et l'ordre nécessaire pour les déduire comme il faut : n'y ayant personne qui ait eu des tuyaux et des siphons de la longueur des miens; et peu qui voulussent se donner la peine nécessaire pour en avoir.

Et comme les honnêtes gens joignent à l'inclination générale qu'ont tous les hommes de se maintenir dans leurs justes possessions, celle de refuser l'honneur qui ne leur est pas dû, vous approuverez sans doute que je me défende également, et de ceux qui voudraient m'ôter quelques-unes des expériences que je vous donne ici, et que je vous promets dans le Traité entier, puisqu'elles sont de mon invention; et de ceux qui m'attribueraient celle d'Italie dont je vous ai parlé, puisqu'elle n'en est pas. Car encore que je l'aie faite en plus de façons qu'aucune autre, et avec des tuyaux de douze et même de quinze pieds de long, néanmoins je n'en parlerai pas seulement dans ces écrits, parce que je n'en suis pas l'inventeur; n'ayant dessein de donner que celles qui me sont particulières et de mon propre génie.

ABRÉGÉ DE LA PREMIERE PARTIE
DANS LAQUELLE SONT RAPPORTÉES LES EXPÉRIENCES

EXPÉRIENCES

1. Une seringue de verre avec un piston bien juste, plongée entièrement dans l'eau, et dont on bouche l'ouverture avec le doigt, en sorte qu'il touche au bas du piston, mettant pour cet effet la main et le bras dans l'eau; on n'a besoin que d'une force médiocre pour le retirer, et faire qu'il se désunisse du doigt, sans que l'eau y entre en aucune façon (ce que les philosophes ont cru ne se pouvoir faire avec aucune force finie); et ainsi le doigt se sent fortement attiré et avec douleur; et le piston laisse un espace vide en apparence, et où il ne paraît qu'aucun corps ait pu succéder, puisqu'il est tout entouré d'eau qui n'a pu y avoir d'accès, l'ouverture en étant bouchée, et si on tire le piston davantage, l'espace vide en apparence devient plus grand; mais le doigt ne sent pas plus d'attraction. Et si on le tire presque tout entier hors de l'eau, en sorte qu'il n'y reste que son ouverture et le doigt qui la bouche, lors, ôtant le doigt, l'eau, contre sa nature, monte avec violence, et remplit entièrement tout l'espace que le piston avait laissé.

2. Un soufflet bien fermé de tous côtés fait le même effet, avec une pareille préparation, contre le sentiment des mêmes philosophes.

3. Un tuyau de verre de quarante-six pieds, dont un bout est ouvert, et l'autre scellé hermétiquement, étant rempli d'eau, ou plutôt de vin bien rouge, pour être plus visible, puis bouché, et élevé en cet état, et porté perpendiculairement à l'horizon, l'ouverture bouchée en bas, dans un vaisseau plein d'eau, et enfoncé dedans environ d'un pied; si l'on débouche l'ouverture, le vin du tuyau descend jusqu'à une certaine hauteur, qui est environ de trente-deux pieds depuis la surface de l'eau du vaisseau, et se vide, et se mêle parmi l'eau du vaisseau qu'il teint insensiblement, et se désunissant d'avec le haut du verre, laisse un espace d'environ treize pieds vide en apparence, où de même il ne paraît qu'aucun corps ait pu succéder. Et si on incline le tuyau, comme alors la hauteur du vin du tuyau devient moindre par cette inclination, le vin remonte jusqu'à ce qu'il vienne à la hauteur de trente-deux pieds; et enfin si on l'incline jusqu'à la hauteur de trente-deux pieds, il se remplit entièrement, en resuçant ainsi autant d'eau qu'il avait rejeté de vin : si bien qu'on le voit plein de vin depuis le haut jusqu'à treize pieds près du bas, et rempli d'eau teinte insensiblement dans les treize pieds inférieurs qui restent.

4. Un siphon scalène, dont la plus longue jambe est de cinquante pieds, et la plus courte de quarante-cinq, étant rempli d'eau, et les deux ouvertures bouchées étant mises dans deux vaisseaux pleins d'eau, et enfoncées environ d'un pied, en sorte que le siphon soit perpendiculaire à l'horizon, et que la surface de l'eau d'un vaisseau soit plus haute que la surface de l'autre, de cinq pieds : si l'on débouche les deux ouvertures, le siphon étant en cet état, la plus longue jambe n'attire point l'eau de la plus courte, ni par conséquent celle du vaisseau où elle est, contre le sentiment de tous les philo-

sophes et artisans; mais l'eau descend de toutes les deux jambes dans les deux vaisseaux, jusqu'à la même hauteur que dans le tuyau précédent, en comptant la hauteur depuis la surface de l'eau de chacun des vaisseaux. Mais ayant incliné le siphon au-dessous de la hauteur d'environ trente et un pieds, la plus longue jambe attire l'eau qui est dans le vaisseau de la plus courte; et quand on le rehausse au-dessus de cette hauteur, cela cesse, et tous les deux côtés dégorgent, chacun dans son vaisseau; et quand on le rabaisse, l'eau de la plus longue jambe attire l'eau de la plus courte comme auparavant.

5. Si l'on met une corde de près de quinze pieds avec un fil attaché au bout (laquelle on laisse longtemps dans l'eau, afin que s'imbibant peu à peu, l'air, qui pourrait y être enclos, en sorte) dans un tuyau de quinze pieds, scellé par un bout comme dessus, et rempli d'eau, de façon qu'il n'y ait hors du tuyau que le fil attaché à la corde, afin de l'en tirer, et l'ouverture ayant été mise dans un vif-argent : quand on tire la corde peu à peu, le vif-argent monte à proportion, jusqu'à ce que la hauteur du vif-argent, jointe à la quatorzième partie de la hauteur qui reste d'eau, soit de deux pieds trois pouces; car après, quand on tire la corde, l'eau quitte le haut du verre, et laisse un espace vide en apparence, qui devient d'autant plus grand, que l'on tire la corde davantage. Que si on incline le tuyau, le vif-argent du vaisseau y rentre, en sorte que, si on l'incline assez, il se trouve tout plein de vif-argent et d'eau qui frappe le haut du tuyau avec violence, faisant le même bruit et le même éclat que s'il cassait le verre, qui court risque de se casser en effet. Et pour ôter le soupçon de l'air que l'on pourrait dire être demeuré dans la corde, on fait la même expérience avec quantité de petits cylindres de bois, attachés les uns aux autres avec du fil de laiton.

6. Une seringue avec un piston parfaitement juste étant mise dans le vif-argent, en sorte que son ouverture y soit enfoncée pour le moins d'un pouce, et que le reste de la seringue soit élevé perpendiculairement au-dehors : si l'on retire le piston, la seringue demeurant en cet état, le vif-argent entrant par l'ouverture de la seringue, monte et demeure uni au piston jusqu'à ce qu'il soit élevé dans la seringue deux pieds trois pouces. Mais après cette hauteur, si l'on retire davantage le piston, il n'attire pas le vif-argent plus haut, qui, demeurant toujours à cette hauteur de deux pieds trois pouces, quitte le piston; de sorte qu'il se fait un espace vide en apparence, qui devient d'autant plus grand, que l'on tire le piston davantage : *Il est vraisemblable que la même chose arrive dans une pompe par aspiration; et que l'eau n'y monte que jusqu'à la hauteur de trente et un pieds, qui répond à celle de deux pieds trois pouces de vif-argent.* Et ce qui est plus remarquable, c'est que la seringue pesée en cet état sans la retirer du vif-argent, ni la bouger en aucune façon, pèse autant (quoique l'espace vide, en apparence, soit si petit que l'on voudra) que quand, en retirant le piston davantage, on le fait si grand qu'on voudra, et qu'elle pèse toujours autant que le corps de la seringue avec le vif-argent qu'elle contient de la hauteur de deux pieds trois pouces, sans qu'il y ait encore aucun espace vide en apparence; c'est-à-dire, lorsque le piston n'a pas encore quitté le vif-argent de la seringue, mais qu'il est prêt à s'en désunir, si on le tire tant soit peu. De sorte que l'espace vide en apparence, quoique tous les corps qui l'environnent tendent à le remplir, n'apporte aucun changement à son poids, et que, quelque différence de grandeur qu'il y ait entre ces espaces, il n'y en a aucune entre les poids.

7. Ayant rempli un siphon de vif-argent, dont la plus longue jambe a dix pieds, et l'autre neuf et demi, et mis les deux ouvertures dans deux vaisseaux de vif-argent, enfoncées environ d'un pouce chacune, en sorte que la surface de vif-argent de l'un soit plus haute de demi-pied que la surface de vif-argent de l'autre : quand le siphon est perpendiculaire, la plus longue jambe n'attire pas le vif-argent de la plus courte; mais le vif-argent, se rompant par le haut, descend dans chacune des jambes, et regorge dans les vaisseaux, et tombe jusqu'à la hauteur ordinaire de deux pieds trois pouces, depuis la surface du vif-argent de chaque vaisseau. Que si on incline le siphon, le vif-argent des vaisseaux remonte dans les jambes, les remplit, et commence de couler de la jambe la plus courte dans la plus longue, et ainsi vide son vaisseau; car cette inclinaison dans les tuyaux où est ce vide apparent, lorsqu'ils sont dans quelque liqueur, attire toujours les liqueurs des vaisseaux, si les ouvertures des tuyaux ne sont point bouchées, ou attire le doigt, s'il bouche ces ouvertures.

8. Le même siphon étant rempli d'eau entièrement, et ensuite d'une corde, comme ci-dessus, les deux ouvertures étant aussi mises dans les deux mêmes vaisseaux de vif-argent, quand on tire la corde par une de ces ouvertures, le vif-argent monte des vaisseaux dans toutes les jambes : en sorte que la quatorzième partie de la hauteur de l'eau d'une jambe, avec la hauteur du vif-argent qui y est monté, est égale à la quatorzième partie de la hauteur de l'eau de l'autre, jointe à la hauteur du vif-argent qui y est monté; ce qui arrivera tant que cette quatorzième partie de la hauteur de l'eau, jointe à la hauteur du vif-argent dans chaque jambe, soit de la hauteur de deux pieds trois pouces : car après, l'eau se divisera par le haut, et il s'y trouvera un vide apparent.

Desquelles expériences et de plusieurs autres rapportées dans le Livre entier, où se voient des tuyaux de toutes longueurs, grosseurs et figures, chargés de différentes liqueurs, enfoncés diversement dans des liqueurs différentes, transportés des unes dans les autres, pesés en plusieurs façons, et où sont remarquées les attractions différentes que ressent le doigt qui bouche les tuyaux où est le vide apparent, on déduit manifestement ces maximes :

MAXIMES

1. Que tous les corps ont répugnance à se séparer l'un de l'autre et admettre ce vide apparent dans leur intervalle; c'est-à-dire que la nature abhorre ce vide apparent.

2. Que cette horreur ou cette répugnance qu'ont tous les corps n'est pas plus grande pour admettre un grand vide apparent qu'un petit, c'est-à-dire à s'éloigner d'un grand intervalle que d'un petit.

3. Que la force de cette horreur est limitée, et pareille

à celle avec laquelle de l'eau d'une certaine hauteur, qui est environ de trente et un pieds, tend à couler en bas.

4. Que les corps qui bornent ce vide apparent ont inclination à le remplir.

5. Que cette inclination n'est pas plus forte pour remplir un grand vide apparent qu'un petit.

6. Que la force de cette inclination est limitée, et toujours pareille à celle avec laquelle de l'eau d'une certaine hauteur, qui est environ de trente et un pieds, tend à couler en bas.

7. Qu'une force plus grande, de si peu que l'on voudra, que celle avec laquelle l'eau de la hauteur de trente et un pied tend à couler en bas, suffit pour faire admettre ce vide apparent, même si grand que l'on voudra; c'est-à-dire pour faire désunir les corps d'un si grand intervalle que l'on voudra, pourvu qu'il n'y ait point d'autre obstacle à leur séparation, ni à leur éloignement, que l'horreur que la nature a pour ce vide apparent.

ABRÉGÉ DE LA DEUXIEME PARTIE

DANS LAQUELLE SONT RAPPORTÉES LES CONSÉQUENCES DE CES EXPÉRIENCES, TOUCHANT LA MATIÈRE QUI PEUT REMPLIR CET ESPACE VIDE EN APPARENCE, DIVISÉE EN PLUSIEURS PROPOSITIONS, AVEC LEURS DÉMONSTRATIONS

PROPOSITIONS

1. Que l'espace vide en apparence n'est pas rempli de l'air extérieur qui environne le tuyau, et qu'il n'y est point entré par les pores du verre.

2. Qu'il n'est pas plein de l'air que quelques philosophes disent être enfermé dans les pores de tous les corps, qui se trouverait, par ce moyen, au-dedans de la liqueur qui remplit les tuyaux.

3. Qu'il n'est pas plein de l'air que quelques-uns estiment être entre le tuyau et la liqueur qui le remplit, et enfermé dans les interstices ou atomes des corpuscules qui composent ces liqueurs.

4. Qu'il n'est pas plein d'un grain d'air imperceptible, resté par hasard entre la liqueur et le verre, ou porté par le doigt qui le bouche, ou entré par quelque autre façon, qui se raréfierait extraordinairement, et que quelques-uns soutiendraient se pouvoir raréfier assez pour remplir tout le monde, plutôt que d'admettre du vide.

5. Qu'il n'est pas plein d'une petite portion du vif-argent ou de l'eau, qui, étant tirée d'un côté par les parois du verre, et de l'autre par la force de la liqueur, se raréfie et se convertit en vapeurs; en sorte que cette attraction réciproque fasse le même effet que la chaleur qui convertit ces liqueurs en vapeur, et les rend volatiles.

6. Qu'il n'est pas plein des esprits de la liqueur qui remplit le tuyau.

7. Qu'il n'est pas plein d'un air plus subtil mêlé parmi l'air extérieur, qui, en étant détaché et entré par les pores du verre, tendrait toujours à y retourner ou y serait sans cesse attiré.

8. Que l'espace vide en apparence n'est rempli d'aucune des matières qui sont connues dans la nature, et qui tombent sous aucun des sens.

ABRÉGÉ DE LA CONCLUSION,

DANS LAQUELLE JE DONNE MON SENTIMENT

Après avoir démontré qu'aucune des matières qui tombent sous nos sens, et dont nous avons connaissance, ne remplit cet espace vide en apparence, mon sentiment sera, jusqu'à ce qu'on m'ait montré l'existence de quelle matière qui le remplisse, qu'il est véritablement vide, et destitué de toute matière.

C'est pourquoi je dirai du vide véritable ce que j'ai montré du vide apparent, et je tiendrai pour vraies les Maximes posées ci-dessus, et énoncées du vide absolu, comme elles l'ont été de l'apparent, savoir en cette sorte :

MAXIMES

1. Que tous les corps ont répugnance à se séparer l'un de l'autre, et admettre du vide dans leur intervalle; c'est-à-dire que la nature abhorre le vide.

2. Que cette horreur ou répugnance qu'ont tous les corps n'est pas plus grande pour admettre un grand vide qu'un petit, c'est-à-dire pour s'éloigner d'un grand intervalle que d'un petit.

3. Que la force de cette horreur est limitée, et pareille à celle avec laquelle de l'eau d'une certaine hauteur, qui est à peu près de trente et un pieds, tend à couler en bas.

4. Que les corps qui bornent ce vide ont inclination à le remplir.

5. Que cette inclination n'est pas plus forte pour remplir un grand vide qu'un petit.

6. Que la force de cette inclination est limitée, et toujours égale à celle avec laquelle l'eau d'une certaine hauteur, qui est environ de trente et un pieds, tend à couler en bas.

7. Qu'une force plus grande de si peu que l'on voudra, que celle avec laquelle l'eau de la hauteur de trente et un pieds tend à couler en bas, suffit pour faire admettre du vide, et même si grand que l'on voudra : c'est-à-dire, à faire désunir les corps d'un si grand intervalle que l'on voudra : pourvu qu'il n'y ait point d'autre obstacle à leur séparation, ni à leur éloignement, que l'horreur que la nature a pour le vide.

ENSUITE JE REPONDS AUX OBJECTIONS QU'ON Y PEUT FAIRE, DONT VOICI LES PRINCIPALES :

OBJECTIONS

1. Que cette proposition, qu'un espace est vide, répugne au sens commun.

2. Que cette proposition, que la nature abhorre le vide, et néanmoins l'admet, l'accuse d'impuissance, ou implique contradiction.

3. Que plusieurs expériences, et mêmes journalières, montrent que la nature ne peut souffrir du vide.

4. Qu'une matière imperceptible, inouïe et inconnue à tous les sens, remplit cet espace.

5. Que la lumière étant un accident, ou une substance, il n'est pas possible qu'elle se soutienne dans le vide, si elle est un accident; et qu'elle remplisse l'espace vide en apparence, si elle est une substance.

Paris, 8 octobre 1647.

CORRESPONDANCE
ÉCHANGÉE A PROPOS DES EXPÉRIENCES SUR LE VIDE

PREMIÈRE LETTRE DU P. NOEL A PASCAL

Monsieur,

J'ai lu vos *Expériences touchant le vide*, que j'estime fort belles et ingénieuses, mais je n'entends pas ce *vide apparent* qui paraît dans le tube après la descente, soit de l'eau, soit du vif-argent. Je dis que c'est un corps, puisqu'il a les actions d'un corps, qu'il transmet la lumière avec réfractions et réflexions, qu'il apporte du retardement au mouvement d'un autre corps, ainsi qu'on peut remarquer en la descente du vif-argent, quand le tube plein de ce vide par le haut, est renversé; c'est donc un corps qui prend la place du vif-argent. Il faut maintenant voir quel est ce corps.

Présupposons que, comme le sang qui est dans les veines d'un corps vivant est mélangé de bile, de pituite, de mélancolie et de sang, qui, pour sa plus notable quantité, donne au mélange le nom de *sang;* de même l'air que nous respirons, est mélangé de feu, d'eau, de terre et d'air, qui, pour sa plus grande quantité, lui donne le nom d'*air.* C'est le sens commun des physiciens, qui enseignent que les éléments sont mélangés.

Or, tout ainsi que ce mélange qui est dans nos veines est un mélange naturel au corps humain, fait et entretenu par le mouvement et action du corps qui le rétablit, s'il est altéré, par exemple, de crainte ou de honte; de même ce mélange qui est dans notre air, est un mélange naturel au monde, fait et entretenu par le mouvement et action du soleil, qui le rétablit, s'il est empêché par quelque violence. Donc, tout ainsi que la séparation des parties qui composent notre sang, se peut faire dans les veines par quelque accident, comme elle se fait en les ébullitions qui séparent le plus subtil dans le grossier; de même la séparation des parties qui composent notre air peut se faire dans le monde par quelque violence. J'appelle *violence* tout ce qui sépare ces corps naturellement unis et mêlés par ensemble, laquelle ôtée, les parties se rejoignent et se mêlent comme auparavant, si leur nature n'est changée par la force et longueur de cette violence.

Je dis donc que dans le mélange naturel du corps que nous respirons, il y a du feu, qui est de sa nature plus subtil et plus rare que l'air; et de l'air, lequel étant séparé de l'eau et de la terre, est plus subtil et plus rare que mélangé avec l'un et l'autre, et partant peut pénétrer des corps et passer à travers les pores, étant séparé, qu'il ne pourrait pas étant mélangé. Si donc il se trouve une cause de cette séparation, la même pourra faire passer l'air séparé par des pores trop petits pour son passage, étant mélangé. Présupposons une chose vraie, que le verre a grande quantité de pores, que nous colligeons non seulement de la lumière qui pénètre le verre plus que dans d'autres corps moins solides dont les pores sont moins fréquents, quoique plus grands mais aussi d'une infinité de petits corps différents du verre que vous remarquez dans ces triangles qui font paraître les iris, et de ce qu'une bouteille de verre bouchée hermétiquement ne se casse point en un feu lent sur des cendres chaudes.

Or, ces pores du verre si fréquents sont si petits, que l'air mélangé ne saurait passer à travers; mais étant séparé et plus épuré de la terre et de l'eau, il pourra pénétrer le verre, comme le fil de fer, tandis qu'il est un peu trop gros, ne peut passer à travers le petit trou de filière, mais étant par force et violence amenuisé, il passe facilement : l'eau boueuse ne passera pas à travers un linge bien tissu, où elle passe facilement étant séparée. La chausse d'Hippocrate et la filtration nous font toucher au doigt cette séparation des corps mélangés. Or, voici la force et la violence qui tire l'air de son mélange naturel, et le fait pénétrer le verre : le vif-argent qui remplit le tube et touche l'air subtil et igné que la fournaise a mis dans le verre, et dont les pores sont remplis, descendant par sa gravité, tire après soi quelques corps; autrement il ne descend pas, comme il appert au vif-argent, qui est retenu jusqu'à deux pieds, et à l'eau qui ne descend pas même au trentième, leur gravité n'étant pas suffisante pour tirer l'air hors de son mélange naturel. Si donc le vif-argent descend, il tire après soi un autre corps, selon votre première maxime page 19, que tous les corps ont répugnance à se séparer l'un de l'autre. Ce corps tiré et suivant n'est pas le verre, puisqu'il demeure à sa place et ne casse point; l'air qui est dans ces pores, contigu au vif-argent, peut suivre, mais il ne suit pas qu'il n'en tire un autre qui passe par les pores du verre et les remplit : pour y passer, il faut qu'il soit épuré; c'est l'ouvrage de cet air subtil qui remplissait les petits pores du verre, lequel étant tiré par une force majeure et suivant le vif-argent, tire après soi par continuité et connexité son voisin, l'épurant du plus grossier qui reste dehors dans une même constitution, constitution violente, par la séparation du plus subtil, et demeure autour du verre attaché à celui qui est entré, lequel étant dans une dilatation violente à l'état naturel qui lui est dû dans ce monde, est toujours poussé, par le mouvement et dépendance du soleil, à se rejoindre à l'autre et reprendre son mélange naturel, se joignant à cet autre qui le hérisse, poussé du même principe; et partant l'un et l'autre, sitôt que la violence est ôtée, reprend son mélange et sa place : ainsi, quand on bande un arc, on en fait sortir des esprits qui lui sont naturels par sa partie concave qui est pressée, et en fait-on entrer d'autres qui ne lui sont pas naturels par sa partie convexe qui est dilatée; les uns et les autres, demeurant à l'air, cherchent leur place naturelle; et aussitôt que la violence qui tient l'arc tendu est ôtée, les naturels rentrent, les étrangers sortent, et l'arc se redresse.

Nous avons une séparation et réunion sensible en une éponge pleine d'eau dans le fond de quelque bassin qui n'ait de l'eau que ce qui est dans l'éponge. Si vous pressez cette éponge avec violence, vous en faites sortir de l'eau qui demeure auprès d'elle séparée; sitôt que vous ôtez cette compression, le mélange se fait de l'éponge avec l'eau par la dilatation naturelle à l'éponge même par sa nature et se remplit de l'eau qui lui est présentée.

Si donc on me demande quel corps entre, le tube descendant, je dirai que c'est un air épuré qui entre par les petits pores du verre, contraint à cette séparation du grossier par la pesanteur du vif-argent descendant et tirant après soi l'air subtil qui remplissait les pores du verre, et celui-ci tiré par violence, traînant après soi le plus subtil qui lui est joint et congénère, jusqu'à remplir la partie abandonnée par le vif-argent.

Or cette séparation étant violente à l'autre air, à celui qui demeure dehors, tiré et attaché au verre et à celui qui est entré dans le tube, l'un et l'autre reprend son mélange aussitôt que cette pesanteur est ôtée; mais, tandis que cette pesanteur du vif-argent continue son effet qui est, cette attraction et épuration de l'air continue aussi, comme le poids d'une balance, élevé par un autre plus pesant, ne descend pas que cet autre poids qui l'empêche de descendre ne soit ôté.

Ce discours combat votre proposition 7 page 25 où vous dites que l'espace vide en apparence, n'est pas plein d'un air pur, subtil, mêlé parmi l'air extérieur, qui « étant détaché, et entré par les pores du verre, tendrait toujours à y retourner, ou y serait sans cesse attiré »; et votre 8, « que l'espace vide en apparence n'est rempli d'aucune des matières qui sont connues dans la nature, et qui tombent sous aucun des sens ». Si mon discours, que je vous laisse à considérer, est vrai, ces deux propositions ne le sont pas. L'air épuré est une matière connue dans la nature; et cet air prend la place du vif-argent.

Venons aux objections que vous avez mises en la page 30 et 31, contre vos sentiments. Je dis que la première est très considérable. En effet, cette proposition, qu'un espace est vide, prenant le vide pour une privation de tout corps, non seulement répugne au sens commun, mais de plus se contredit manifestement : elle dit que ce vide est espace, et ne l'est pas. On présuppose qu'il est espace; or s'il est espace, il n'est pas ce vide qui est privation de tout corps, puisque tout espace est nécessairement corps : qui entend ce qui est corps, entend comme corps, un composé de parties les unes hors les autres, les unes hautes, les autres basses, les unes à droite, les autres à gauche, un composé long, large, profond, figuré, grand ou petit; et qui entend ce qui est espace comme espace, entend, quoi qu'on dise, un composé de parties, les unes hors les autres, basses, hautes, à gauche, à droite, d'une telle longueur, largeur, profondeur, figuré entre les extrémités dont il est intervalle : de sorte que l'espace ou intervalle n'est pas seulement corps, mais corps entre deux ou plusieurs corps. Si donc, par ce mot vide, nous entendons une privation de tout corps, ce qui est le sens de l'objection, cette présupposition qu'un espace est vide, se détruit soi-même et se contredit; mais ce mot de vide, comme il se prend communément pour un espace invisible tel qu'est l'air : ainsi disons-nous d'une bourse, d'un tonneau, d'une cave, d'une chambre et autres semblables, que tout cela est vide quand il n'y a que l'air; tellement que l'air, à cause qu'il est invisible, se prend pour espace vide; mais d'autant qu'il est espace, nous concluons qu'il est corps, grand, petit, rond, carré, et ces différences qui ne s'attachent point au vide, pris pour une privation de tout corps, et par conséquent pour un néant dont Aristote parle, quand il dit : *Non entis non sunt differentiae.*

Votre deuxième objection ne vous donnera pas grand-peine : vous avouerez facilement que la nature, non pas en son total, mais en ses parties, souffre violence par le mouvement des unes qui surmontent la résistance des autres; c'est de quoi Dieu se sert pour l'ornement et la variété du monde.

La troisième que les expériences journalières font paraître que la nature ne souffre point de vide, est forte Je ne crois pas que la quatrième soit d'aucun physicien.

La cinquième est une preuve péremptoire du plein, puisque la lumière, ou plutôt l'illumination, est un mouvement luminaire des rayons, composés des corps lucides qui remplissent les corps transparents, et ne sont mus luminairement que par d'autres corps lucides, comme la poudre d'acier n'est remuée magnétiquement que par l'aimant : or cette illumination se trouve dans l'intervalle abandonné du vif-argent; il est donc nécessaire que ces intervalles soient un corps transparent. En effet c'en est un, puisqu'il est air.

Voilà, Monsieur, ce que j'ai cru devoir à votre curiosité si obligeante, qui semble demander quel corps est ce vide apparent, plutôt qu'assurer qu'il n'est pas corps : ce que j'ai dit de la violence faite par la pesanteur du vif-argent ou de l'eau, se doit entendre de toutes les autres violences qui se rencontrent dans toutes vos autres expériences, où l'entrée subtile de ces petits corps d'air et de feu qui sont partout, paraissant moins aux sens qu'à la raison, fait conjecturer un vide qui soit une privation de tout corps. Quoi qu'il en soit, vous avez examiné une vérité très importante à ceux qui font la recherche des choses naturelles, et par cet examen, obligé le public, et moi particulièrement qui suis,

Monsieur,

Votre très humble et obéissant serviteur selon Dieu,

ESTIENNE NOEL
de la Compagnie de Jésus.

RÉPONSE DE BLAISE PASCAL AU TRÈS BON RÉVÉREND PÈRE NOEL,

RECTEUR DE LA SOCIÉTÉ DE JÉSUS, A PARIS

Mon très révérend Père,

L'honneur que vous m'avez fait de m'écrire me fait rompre le dessein que j'avais fait de ne résoudre aucune des difficultés que j'ai rapportées dans mon *abrégé*, que dans le traité entier où je travaille; car, puisque les civilités de votre lettre sont jointes aux objections que vous m'y faites, je ne puis partager ma réponse, ni reconnaître les unes, sans satisfaire aux autres.

Mais, pour le faire avec plus d'ordre, permettez-moi

de vous rapporter une règle universelle, qui s'applique à tous les sujets particuliers, où il s'agit de reconnaître la vérité. Je ne doute pas que vous n'en demeuriez d'accord, puisqu'elle est reçue généralement de tous ceux qui envisagent les choses sans préoccupation; et qu'elle fait la principale de la façon dont on traite les sciences dans les écoles, et celle qui est en usage parmi les personnes qui recherchent ce qui est véritablement solide et qui remplit et satisfait pleinement l'esprit : c'est qu'on ne doit jamais porter un jugement décisif de la négative ou de l'affirmative d'une proposition, que ce que l'on affirme ou nie n'ait une de ces deux conditions : savoir, ou qu'il paraisse si clairement et si distinctement de soi-même aux sens ou à la raison, suivant qu'il est sujet à l'un ou à l'autre, que l'esprit n'ait aucun moyen de douter de sa certitude, et c'est ce que nous appelons *principes* ou *axiomes;* comme, par exemple, *si à choses égales on ajoute choses égales, les touts seront égaux;* ou qu'il se déduise par des conséquences infaillibles et nécessaires de tels principes ou axiomes, de la certitude desquels dépend toute celle des conséquences qui en sont bien tirées; comme cette proposition, *les trois angles d'un triangle sont égaux à deux angles droits*, qui, n'étant pas visible d'elle-même, est démontrée évidemment par des conséquences infaillibles de tels axiomes. Tout ce qui a une de ces deux conditions est certain et véritable, et tout ce qui n'en a aucune passe pour douteux et incertain. Et nous portons un jugement décisif des choses de la première sorte et laissons les autres dans l'indécision, si bien que nous les appelons, suivant leur mérite, tantôt *vision*, tantôt *caprice*, parfois *fantaisie*, quelquefois *idée*, et tout au plus *belle pensée*, et parce qu'on ne peut les affirmer sans témérité, nous penchons plutôt vers la négative : prêts néanmoins de revenir à l'autre, si une démonstration évidente nous en fait voir la vérité. Et nous réservons pour les mystères de la foi, que le Saint-Esprit a lui-même révélés, cette soumission d'esprit qui porte notre croyance à des mystères cachés aux sens et à la raison.

Cela posé, je viens à votre lettre, dans les premières lignes de laquelle, pour prouver que cet espace est corps, vous vous servez de ces termes : *Je dis que c'est un corps, puisqu'il a les actions d'un corps, qu'il transmet la lumière avec réfractions et réflexions, qu'il apporte du retardement au mouvement d'un autre corps*; où je remarque que, dans le dessein que vous avez de prouver que c'est un corps vous prenez pour principes deux choses : la première est qu'il transmet la lumière avec réfractions et réflexions; la seconde, qu'il retarde le mouvement d'un corps. De ces deux principes, le premier n'a paru véritable à aucun de ceux qui l'ont voulu éprouver, et nous avons toujours remarqué, au contraire, que le rayon qui pénètre le verre et cet espace n'a point d'autre réfraction que celle que lui cause le verre, et qu'ainsi, si quelque matière le remplit, elle ne rompt en aucune sorte le rayon, ou sa réfraction n'est pas perceptible; de sorte que, comme il est sans doute que vous n'avez rien éprouvé de contraire, je vois que le sens de vos paroles est que le rayon réfléchi, ou rompu par le verre, passe à travers cet espace; et que de là et de ce que les corps y tombent avec temps, vous voulez conclure qu'une matière le remplit, qui porte cette lumière et cause ce retardement.

Mais, mon Révérend Père, si nous rapportons cela à la méthode de raisonner dont nous avons parlé, nous trouverons qu'il faudrait auparavant être demeuré d'accord de la définition de l'espace vide, de la lumière et du mouvement, et montrer par la nature de ces choses une contradiction manifeste dans ces propositions : « Que la lumière pénètre un espace vide, et qu'un corps s'y meut avec temps. » Jusque-là votre preuve ne pourra subsister; et puisque outre cela la nature de la lumière est inconnue, et à vous, et à moi; que de tous ceux qui ont essayé de la définir, pas un n'a satisfait aucun de ceux qui cherchent les vérités palpables, et qu'elle nous demeurera peut-être éternellement inconnue, je vois que cet argument demeurera longtemps sans recevoir la force qui lui est nécessaire pour devenir convaincant.

Car considérez, je vous prie, comment il est possible de conclure infailliblement que la nature de la lumière est telle qu'elle ne peut subsister dans le vide, lorsque l'on ignore la nature de la lumière. Que si nous la connaissions aussi parfaitement que nous l'ignorons, nous connaîtrions, peut-être, qu'elle subsisterait dans le vide avec plus d'éclat que dans aucun autre *medium*, comme nous voyons qu'elle augmente sa force, suivant que le *medium* où elle est, devient plus rare, et ainsi en quelque sorte plus approchant du néant. Et si nous savions celle du mouvement, je ne fais aucun doute qu'il ne nous parût se faire dans le vide avec presque autant de temps, que dans l'air, dont l'inrésistance paraît dans l'égalité de la chute des corps différemment pesants.

C'est pourquoi, dans le peu de connaissance que nous avons de la nature de ces choses, si, par une semblable liberté, je conçois une pensée, que je donne pour principe, je puis dire avec autant de raison : la lumière se soutient dans le vide, et le mouvement s'y fait avec temps; or la lumière pénètre l'espace vide en apparence, et le mouvement s'y fait avec temps; donc il peut être vide en effet.

Ainsi remettons cette preuve au temps où nous aurons l'intelligence de la nature de la lumière. Jusque-là je ne puis admettre votre principe, et il vous sera difficile de le prouver; et ne tirons point, je vous prie, de conséquences infaillibles de la nature d'une chose, lorsque nous l'ignorons : autrement je craindrais que vous ne fussiez pas d'accord avec moi des conditions nécessaires pour rendre une démonstration parfaite, et que vous n'appelassiez certain ce que nous n'appelons que douteux.

Dans la suite de votre lettre, comme si vous aviez établi invinciblement que cet espace vide est un corps, vous ne vous mettez plus en peine que de chercher quel est ce corps; et pour décider affirmativement quelle matière le remplit, vous commencez par ces termes : « Présupposons que, comme le sang est mêlé de plusieurs liqueurs qui le composent, ainsi l'air est composé d'air et de feu et des quatre éléments qui entrent en la composition de tous les corps de la nature. » Vous *présupposez* ensuite que ce feu peut être séparé de l'air, et qu'en étant séparé, il peut pénétrer les pores du verre; *présupposez* encore qu'en étant séparé, il a inclinaison à y retourner, et encore qu'il y est sans cesse attiré; et vous expliquez ce discours, assez intelligible de soi-même, par des comparaisons, que vous y ajoutez.

Mais, mon Père, je crois que vous donnez cela pour une pensée, et non pas pour une démonstration; et quelque peine que j'aie d'accommoder la pensée que j'en ai avec la fin de votre lettre, je crois que, si vous vouliez donner des preuves, elles ne seraient pas si peu fondées. Car en ce temps où un si grand nombre de personnes savantes cherchent avec tant de soin quelle matière remplit cet espace; que cette difficulté agite aujourd'hui tant d'esprits : j'aurais peine à croire que, pour apporter une solution si désirée à un grand et si juste doute, vous ne donnassiez autre chose qu'une matière, dont vous supposez non seulement les qualités, mais encore l'existence même; de sorte que, qui *présupposera* le contraire, tirera une conséquence contraire aussi nécessairement. Si cette façon de prouver est reçue, il ne sera plus difficile de résoudre les plus grandes difficultés. Et le flux de la mer et l'attraction de l'aimant deviendront aisés à comprendre, s'il est permis de faire des matières et des qualités exprès.

Car toutes les choses de cette nature, dont l'existence ne se manifeste à aucun des sens, sont aussi difficiles à croire, qu'elles sont faciles à inventer. Beaucoup de personnes, et des plus savantes même de ce temps, m'ont objecté cette même matière avant vous (mais comme une simple pensée, et non pas comme une vérité constante), et c'est pourquoi j'en ai fait mention dans mes propositions. D'autres, pour remplir de quelque matière l'espace vide, s'en sont figuré une dont ils ont rempli tout l'univers, parce que l'imagination a cela de propre, qu'elle produit avec aussi peu de peine et de temps les plus grandes choses que les petites; quelques-uns l'ont faite de même substance que le ciel et les éléments; et les autres, d'une substance différente, suivant leur fantaisie, parce qu'ils en disposaient comme de leur ouvrage.

Que si on leur demande, comme à vous, qu'ils nous fassent voir cette matière, ils répondent qu'elle n'est pas visible; si l'on demande qu'elle rende quelque son, ils disent qu'elle ne peut être ouïe, et ainsi de tous les autres sens; et pensent avoir beaucoup fait, quand ils ont pris les autres dans l'impuissance de montrer qu'elle n'est pas, en s'ôtant à eux-mêmes tout pouvoir de leur montrer qu'elle est.

Mais nous trouvons plus de sujet de nier son existence, parce qu'on ne peut pas la prouver, que de la croire par la seule raison qu'on ne peut montrer qu'elle n'est pas.

Car on peut les croire toutes ensemble, sans faire de la nature un monstre, et comme la raison ne peut pencher plus vers une que vers l'autre, à cause qu'elle les trouve également éloignées, elle les refuse toutes, pour se défendre d'un injuste choix.

Je sais que vous pouvez dire que vous n'avez pas fait tout seul cette matière, et que quantité de physiciens y avaient déjà travaillé; mais sur les sujets de cette matière, nous ne faisons aucun fondement sur les autorités : quand nous citons les auteurs, nous citons leurs démonstrations, et non pas leurs noms; nous n'y avons nul égard que dans les matières historiques; si bien que si les auteurs que vous alléguez disaient qu'ils ont vu ces petits corps ignés, mêlés parmi l'air, je déférerais assez à leur sincérité et à leur fidélité, pour croire qu'ils sont véritables, et je les croirais comme historiens; mais, puisqu'ils disent seulement qu'ils pensent que l'air en est composé, vous me permettrez de demeurer dans mon premier doute.

Enfin, mon Père, considérez, je vous prie, que tous les hommes ensemble ne sauraient démontrer qu'aucun corps succède à celui qui quitte l'espace vide en apparence, et qu'il n'est pas possible encore à tous les hommes de montrer que, quand l'eau y remonte, quelque corps en soit sorti. Cela ne suffirait-il pas, suivant vos maximes, pour assurer que cet espace est vide? Cependant je dis simplement que mon sentiment est qu'il est vide, et jugez si ceux qui parlent avec tant de retenue d'une chose où ils ont droit de parler avec tant d'assurance, pourront faire un jugement décisif de l'existence de cette matière ignée, si douteuse et si peu établie.

Après avoir supposé cette matière avec toutes les qualités que vous avez voulu lui donner, vous rendez raison de quelques-unes de mes expériences. Ce n'est pas une chose bien difficile d'expliquer comment un effet peut être produit, en supposant la matière, la nature et les qualités de sa cause : cependant il est difficile que ceux qui se les figurent, se défendent d'une vaine complaisance, et d'un charme secret qu'ils trouvent dans leur invention, principalement quand ils les ont si bien ajustés, que, des imaginations qu'ils ont supposées, ils concluent nécessairement des vérités déjà évidentes.

Mais je me sens obligé de vous dire deux mots sur ce sujet; c'est que toutes les fois que, pour trouver la cause de plusieurs phénomènes connus, on pose une hypothèse, cette hypothèse peut être de trois sortes.

Car quelquefois on conclut un absurde manifeste de sa négation, et alors l'hypothèse est véritable et constante; ou bien on conclut un absurde manifeste de son affirmation, et alors l'hypothèse est tenue pour fausse; et lorsqu'on n'a pu encore tirer d'absurde, ni de sa négation, ni de son affirmation, l'hypothèse demeure douteuse; de sorte que, pour faire qu'une hypothèse soit évidente, il ne suffit pas que tous les phénomènes s'en ensuivent, au lieu que, s'il s'ensuit quelque chose de contraire à un seul des phénomènes, cela suffit pour assurer de sa fausseté.

Par exemple, si l'on trouve une pierre chaude sans savoir la cause de sa chaleur, celui-là serait-il tenu en avoir trouvé la véritable, qui raisonnerait de cette sorte : Présupposons que cette pierre ait été mise dans un grand feu, dont on l'ait retirée depuis peu de temps; donc cette pierre doit être encore chaude : or elle est chaude; par conséquent elle a été mise au feu? Il faudrait pour cela que le feu fût l'unique cause de sa chaleur; mais comme elle peut procéder du soleil et de la friction, sa conséquence serait sans force. Car comme une même cause peut produire plusieurs effets différents, un même effet peut être produit par plusieurs causes différentes. C'est ainsi que, quand on discourt humainement du mouvement, de la stabilité de la terre, tous les phénomènes des mouvements et rétrogradations des planètes, s'ensuivent parfaitement des hypothèses de *Ptolémée*, de *Tycho*, de *Copernic* et de beaucoup d'autres qu'on peut faire, de toutes lesquelles une seule peut être véritable. Mais qui osera faire un si grand discernement, et qui pourra, sans danger d'erreur, soutenir l'une au préjudice des autres, comme, dans la comparaison de la pierre, qui pourra, avec opiniâtreté maintenir que le feu ait causé sa chaleur, sans se rendre ridicule?

Vous voyez par là qu'encore que de votre hypothèse s'ensuivissent tous les phénomènes de mes expériences, elle serait de la nature des autres; et que, demeurant toujours dans les termes de la vraisemblance, elle n'arriverait jamais à ceux de la démonstration. Mais j'espère vous faire un jour voir plus au long, que de son affirmation s'ensuivent absolument les choses contraires aux expériences. Et pour vous en toucher ici une en peu de mots : s'il est vrai, comme vous le supposez, que cet espace soit plein de cet air, plus subtil et igné, et qu'il ait l'inclination que vous lui donnez de rentrer dans l'air d'où il est sorti, et que cet air extérieur ait la force de le retenir *comme une éponge pressée*, et que ce soit par cette attraction mutuelle que le vif-argent se tienne suspendu, et qu'elle le fait remonter même quand on incline le tuyau : il s'ensuit nécessairement que, quand l'espace vide en apparence sera plus grand, une plus grande hauteur de vif-argent doit être suspendue (contre ce qui paraît dans les expériences). Car puisque toutes les parties de cet air intérieur et extérieur ont cette qualité attractive, il est constant, par toutes les règles de la mécanique, que leur quantité, augmentée à même mesure que l'espace, doit nécessairement augmenter leur effet, comme une grande éponge pressée attire plus d'eau qu'une petite.

Que si, pour résoudre cette difficulté, vous faites une seconde supposition; et que vous fassiez encore une qualité exprès pour sauver cet inconvénient, qui, ne se trouvant pas encore assez juste, vous oblige d'en figurer une troisième pour sauver les deux autres sans aucune preuve, sans aucun établissement : je n'aurai jamais autre chose à vous répondre, que ce que je vous ai déjà dit, ou plutôt je croirai y avoir déjà répondu.

Mais, mon Père, quand je dis ceci, et que je préviens en quelque sorte ces dernières suppositions, je fais moi-même une supposition fausse : ne doutant pas que, s'il part quelque chose de vous, il sera appuyé sur des raisons convaincantes, puisque autrement ce serait imiter ceux qui veulent seulement faire voir qu'ils ne manquent pas de paroles.

Enfin, mon Père, pour reprendre toute ma réponse, quand il serait vrai que cet espace fût un corps (ce que je suis très éloigné de vous accorder), et que l'air serait rempli d'esprits ignés (ce que je ne trouve pas seulement vraisemblable), et qu'ils auraient les qualités que vous leur donnez (ce qui n'est qu'une pure pensée, qui ne paraît évidente ni à vous, ni à personne) : il ne s'ensuivrait pas de là que l'espace en fût rempli. Et quand il serait vrai encore qu'en supposant qu'il en fût plein (ce qui ne paraît en façon quelconque), on pourrait en déduire tout ce qui paraît dans les expériences : le plus favorable jugement que l'on pourrait faire de cette opinion, serait de la mettre au rang des vraisemblables. Mais comme on en conclut nécessairement des choses contraires aux expériences, jugez quelle place elle doit tenir entre les trois sortes d'hypothèses dont nous avons parlé tantôt.

Vers la fin de votre lettre, pour définir le corps, vous n'en expliquez que quelques accidents, et encore respectifs, comme de *haut*, de *bas*, de *droite*, de *gauche*, qui font proprement la définition de l'espace, et qui ne conviennent au corps qu'en tant qu'il occupe de l'espace. Car, suivant vos auteurs mêmes, le corps est défini *ce qui est composé de matière et de forme*; et ce que nous appelons un *espace vide*, est un espace ayant longueur, largeur et profondeur, immobile et capable de recevoir et contenir un corps de pareille longueur et figure; et c'est ce qu'on appelle *solide* en géométrie, où l'on ne considère que les choses abstraites et immatérielles. De sorte que la différence essentielle qui se trouve entre l'espace vide et le corps qui a longueur, largeur et profondeur est que l'un est immobile et l'autre mobile; et que l'un peut recevoir au-dedans de soi un corps qui pénètre ses dimensions, au lieu que l'autre ne le peut; car la maxime que la pénétration de dimensions est impossible, s'entend seulement des dimensions de deux corps matériels; autrement elle ne serait pas universellement reçue. D'où l'on peut voir qu'il y a autant de différence entre le néant et l'espace vide, que de l'espace vide au corps matériel; et qu'ainsi l'espace vide tient le milieu entre la matière et le néant. C'est pourquoi la maxime d'Aristote dont vous parlez, *que les non-êtres ne sont point différents*, s'entend du véritable néant, et non pas de l'espace vide.

Je finis avec votre lettre, où vous dites que vous ne voyez pas que la quatrième de mes objections, qui est qu'une matière inouïe et inconnue à tous les sens, remplit cet espace, *soit d'aucun physicien.* A quoi j'ai à vous répondre que je puis vous assurer du contraire, puisqu'elle est d'un des plus célèbres de votre temps, et que vous avez pu voir dans ses écrits qu'il établit dans tout l'univers une matière universelle, imperceptible et inouïe, de pareille substance que le ciel et les éléments; et de plus, qu'en examinant la vôtre, j'ai trouvé qu'elle est si imperceptible, et qu'elle a des qualités si inouïes, c'est-à-dire qu'on ne lui avait jamais données, que je trouve qu'elle est de même nature.

La période qui précède vos dernières civilités, définit la lumière en ces termes : *La lumière est un mouvement luminaire de rayons composés de corps lucides, c'est-à-dire lumineux;* où j'ai à vous dire qu'il me semble qu'il faudrait avoir premièrement défini ce que c'est que *luminaire*, et ce que c'est que *corps lucide* ou *lumineux* : car jusque-là je ne puis entendre ce que c'est que lumière. Et comme nous n'employons jamais dans les définitions le terme du *défini*, j'aurais peine à m'accommoder à la vôtre, qui dit que la *lumière* est un mouvement *luminaire* des corps *lumineux*. Voilà, mon Père, quels sont mes sentiments, que je soumettrai toujours aux vôtres.

Au reste, on ne peut vous refuser la gloire d'avoir soutenu la physique péripatéticienne, aussi bien qu'il est possible de le faire; et je trouve que votre lettre n'est pas moins une marque de la faiblesse de l'opinion que vous défendez, que de la vigueur de votre esprit.

Et certainement l'adresse avec laquelle vous avez défendu l'impossibilité du vide dans le peu de force qui lui reste, fait aisément juger qu'avec un pareil effort, vous auriez invinciblement établi le sentiment contraire dans les avantages que les expériences lui donnent.

Une même indisposition m'a empêché d'avoir l'honneur de vous voir et de vous écrire de ma main. C'est pourquoi je vous prie d'excuser les fautes qui se rencontreront dans cette lettre, surtout à l'orthographe.

Je suis de tout mon cœur,

Mon très Révérend Père,

Votre très humble et très obéissant serviteur,

PASCAL.

Paris, ce 29 octobre 1647.

SECONDE LETTRE DU P. NOEL A PASCAL

Monsieur,

Celle dont il vous a plu m'honorer, me fut rendue jeudi au soir entre cinq et six, par un de nos Pères. Je l'ai lue, avec admiration qu'en si peu de temps et incommodé de votre santé, vous ayez répondu de point en point à toute ma lettre; et avec un singulier contentement que vous procédiez à la recherche de la vérité si généreusement et si méthodiquement, et m'ayez, avec tant de civilité, fait part de vos pensées touchant le Vide. Je vous remercie très humblement et de tout mon cœur; j'aime la vérité, et la recherche sans préoccupation, dans vos sentiments, de la façon dont on traite la science dans les Écoles et de celle qui est en usage parmi les personnes qui veulent voir, et non pas croire, ce qui se peut savoir. Je me sens obligé à vous dire ce qui m'est venu en l'esprit après les lumières que m'a données la lecture de votre lettre vraiment docte, claire et courtoise : et pour commencer par la définition de l'espace vide, qui semble être le fondement de tout le reste, je rapporterai vos paroles.

« Ce que nous appelons un espace vide est un espace ayant longueur, largeur et profondeur, immobile et capable de recevoir et contenir un corps de pareille longueur et figure; et c'est ce qu'on appelle solide en géométrie, où l'on ne considère que les choses abstraites et immatérielles. De la sorte que la différence essentielle qui se trouve entre l'espace vide et le corps matériel, qui a longueur, largeur et profondeur, est que l'un est immobile et l'autre mobile, et que l'un peut recevoir au-dedans de soi un corps qui pénètre ses dimensions, au lieu que l'autre ne le peut; car la maxime que la pénétration de dimensions est impossible, s'entend seulement des dimensions de deux corps matériels : autrement elle ne serait pas universellement reçue. D'où l'on peut voir qu'il y a autant de différence entre le néant et l'espace vide, que de l'espace vide au corps; et qu'ainsi l'espace vide tient le milieu entre la matière et le néant. » Voilà, Monsieur, votre pensée de l'espace vide fort bien expliquée; je veux croire que tout cela est évident, et en avez l'esprit convaincu et pleinement satisfait, puisque vous l'affirmez, ayant dit auparavant, « qu'on ne doit jamais porter un jugement définitif de l'affirmative ou négative d'une proposition que ce que l'on affirme ou nie n'ait une de ces deux conditions, savoir ou qu'il paraisse si clairement et si invinciblement de lui-même à la raison ou au sens, suivant qu'il est sujet à l'un ou à l'autre, que l'esprit n'ait aucun moyen de douter de sa certitude; et c'est ce que nous appelons principes ou axiomes; ou qu'il se déduise par des conséquences infaillibles et nécessaires de tels principes ou axiomes ». Ce sont, Monsieur, vos sentiments touchant les conditions nécessaires pour assurer une vérité. Et quand je disais à ma lettre, que *tout ce qui est espace est corps*, je croyais dire une chose évidente et convaincante d'elle-même en matière de vide apparent ou véritable, que je présupposais comme évident, n'être ni esprit, ni accident d'aucun corps, d'où il se déduit nécessairement qu'il est corps; je vois maintenant la défectuosité de mon discours : le vide n'est ni corps matériel, ni accident du corps matériel, *mais un espace qui a longueur, largeur et profondeur, immobile et capable de recevoir et de contenir un corps.* Mais si je nie qu'il y ait aucun espace réel et capable de soutenir la lumière, de la transmettre et d'apporter du retardement au mouvement local d'un corps, qui ne soit corps matériel, je ne vois pas comment on me puisse convaincre du contraire : ma négative est appuyée sur ce que l'astronomie ne se sert point de cet espace pour expliquer les parties et mouvements de ce grand monde, ni la médecine pour l'intelligence des parties, mouvements et maladies du petit monde, ni l'art pour ses ouvrages, ni la nature pour ses opérations naturelles; et suivant la maxime que la Nature ne fait rien en vain, il faut, ou rejeter ce vide, ou, s'il est dans le monde, avouer que ces grands espaces qui sont entre nous et les cieux ne sont pas corps matériels, et que le vide véritable peut suffire à tout cela. Nous disons qu'il y a de l'eau, parce que nous la voyons et la touchons; nous disons qu'il y a de l'air dans un ballon enflé, parce que nous sentons sa résistance; qu'il y a du feu, parce que nous sentons sa chaleur. Mais ce vide véritable ne touche aucun des sens : et pour dire qu'on le sent dans un tube où le vif-argent ne paraît point, j'en attends une preuve qui me détrompe; et la plupart de ceux qui cherchent la vérité curieusement, ont jusqu'à présent cru fonder sur plusieurs expériences et bonnes raisons que dans le monde un espace vide est naturellement impossible. Cet espace et l'air seraient de natures bien différentes, celui-ci étant mobile et impénétrable, et celui-là immobile et pénétrable; et néanmoins on ne saurait connaître aucune différence entre la lumière qu'on dit passer par le vide seul, et celle qui passerait par le vide et l'air joints ensemble : si le vide suffit, c'est en vain que la nature y emploie l'air. Voyez, Monsieur, lequel de nous deux est plus croyable, ou vous qui affirmez un espace qui ne tombe point sous les sens, et qui ne sert, ni à l'art, ni à la nature, et ne l'employez que pour décider une question fort douteuse; ou moi qui le nie pour ne l'avoir jamais senti, pour le connaître inutile et impossible, par ce raisonnement, que cet espace ne serait pas corps matériel, et le serait, ayant l'essence et les propriétés du corps matériel. Mais ce vide ne serait-il point l'intervalle de ces anciens philosophes qu'Aristote a tâché de réfuter, ou bien l'espace imaginaire de quelques modernes, ou bien l'immensité de Dieu qu'on ne peut nier, puisque Dieu est partout? A la vérité, si ce vide véritable n'est autre chose que l'immensité de Dieu, je ne puis nier son existence; mais aussi ne peut-on pas dire que cette immensité n'étant autre chose que Dieu même, esprit très simple, ait des parties les unes hors des autres, qui est la définition que je donne aux corps, et non pas celle que vous dites être de mes auteurs, prise de la composition de matière et de forme. Les corps simples sont corps, et néanmoins, au jugement des plus intelligents, n'ont point cette composition : j'avoue que les mixtes l'ont, mais je la tiens trop obscure et selon qu'elle est imaginée par quelques-uns être employée à la définition des corps : c'est pourquoi je définis le corps, *ce qui est composé de parties les unes hors des autres*, et dis que *tout corps est espace, quand on le considère entre les extrémités, et que tout espace est corps, puisque tout espace est composé de parties les unes hors les autres, et que tout ce qui est composé de parties les unes hors les autres, est corps.* Si vous me dites que les espèces du saint Sacrement ont des parties les unes hors des autres, et néanmoins ne sont pas corps, je répondrai : — premièrement, par le composé des parties les unes hors des autres, on entend ce que nous appelons ordinairement long, large et profond. — 2° Que l'on peut fort bien expliquer la doctrine de l'Église Catholique et Romaine, touchant les espèces du saint Sacrement, en disant que *les petits corps qui restent dans les espèces ne sont pas la substance du pain.* C'est pourquoi le concile de Trente ne se sert jamais du mot d'accident, parlant du saint Sacrement, quoiqu'en effet ces petits corps soient vraiment les accidents du pain, selon la définition de l'accident, reçue de tout le monde : *ce qui ne détruit point le sujet soit présent, soit absent.* — Troisièmement, que, sans miracle, tout composé de parties les unes hors des autres est corps : et je crois que, pour décider la question du vide, il n'est pas besoin de recourir aux miracles, vu que nous présupposons que toutes vos expériences n'ont rien par-dessus les forces de la nature. Mais revenons à votre espace, où je ne vois ni parties, ni longueur, ni largeur, ni profondeur effective et réelle, s'il est l'immensité de Dieu, qui est pur esprit. Je sais bien que, dans l'imagination du géomètre, séparant la quantité de toutes ses conditions individuelles par une abstraction d'entendement, se retrouve un espace immobile; mais tel espace, ainsi dénué de toutes ces circonstances, n'est que dans l'esprit du géomètre, et ne peut être ce vide que vous dites paraître dans ce tube, ni l'immensité de Dieu, quoiqu'on se la figure longue, large et profonde, selon notre façon d'entendre jointe et attachée au corps. Je pense en avoir assez dit pour douter s'il y a de l'espace vide, et si, entre la matière et le corps, il y a d'autre différence qu'entre le corps qui est dans l'espace du géomètre, et celui qui est dans le monde; celui-ci est matière matérielle, mobile effectif et réel; et l'objet de celui-là qui n'a qu'un être intentionnel, et n'est que la ressemblance de l'autre, est par conséquent sans effet et sans mouvement. Néanmoins, puisque vous assurez l'existence de cet espace vide, et m'apprenez dans votre lettre que l'on ne doit rien assurer sans des convictions, ou du sens, ou de la raison, je me persuade que vous en avez, lesquelles je ne vois pas, et partant je présuppose l'existence de cet espace vide, et ne trouve pas qu'il me serve pour expliquer mes expériences, qu'en disant quatre choses : la première, qu'à la descente du vif-argent pas un corps n'entre dans le verre — la deuxième, que ce vide tient la place du vif-argent descendu — la troisième, qu'il soutient la lumière qui passe au travers — la quatrième, qu'il retarde le mouvement des corps matériels, quoi qu'il n'ait aucune résistance, étant pénétrable et immobile. Je ne doute point que vous n'ayez prévu les difficultés qu'enferment ces quatre propositions. Je m'arrête à la première, qui est la source des autres, et sur cela je propose mes difficultés, dont j'espère être satisfait par vos profondes spéculations, et courtoisie. Donc pour la première, vous dites que « tous les hommes ensemble ne sauraient démontrer qu'aucun corps succède à l'espace vide en apparence, et qu'il n'est pas possible encore à tous les hommes de montrer que, quand l'eau y remonte, quelque corps en soit sorti ». Là-dessus vous me demandez si cela ne suffirait pas, suivant mes maximes, pour assurer que cet espace est vide. Je réponds ingénument que non. Si, à moins d'une démonstration mathématique, c'est-à-dire évidente et convaincante, qu'une matière entre dans le verre à la descente du vif-argent, je dis qu'il n'y a qu'un espace vide, je pourrai, par même raison, nier que, depuis notre terre jusqu'au firmament, il y ait aucune matière, et conclure en cette sorte : tous les hommes ensemble ne sauraient démontrer mathématiquement que ces grands espaces soient remplis d'aucuns corps, et partant je dis que ces grands espaces ne sont qu'un vide immobile et pénétrable, suffisant à soutenir et transmettre la lumière des astres, et ajuster leurs mouvements. Si tel était mon discours et mon sentiment, que diriez-vous? Or, tout ainsi que les naturalistes croient avoir assez de preuves et de raisons physiques pour assurer que ces grands espaces sont remplis d'un corps impénétrable et mobile, quoiqu'ils n'aient pour cela aucune démonstration mathématique; de même, quoique je n'aie point de semblables convictions, je pense néanmoins avoir assez de preuves naturelles pour dire que par les pores du verre passe et entre dans le verre une matière qui s'appelle air subtil.

Venons aux expériences, qui me font servir de vos termes, et dire simplement *que mon sentiment est que l'air subtil entre par les pores du verre.* Et comme ces pores sont fort petits, l'air qui les remplit doit être fort subtil et séparé du plus grossier, et dans son mélange doit avoir moins de terre et moins d'eau. Que dans ce tout que nous appelons air, il y ait de la terre, nous l'expérimentons en hiver, dans un froid sec : les mains exposées à l'air, contractent une crasse composée de ces petits atomes terrestres qui le remplissent et le refroidissent : que dans ce même tout il y ait de l'eau, cela se voit manifestement en la canne à vent dont elle sort, quand vous la chargez avec vitesse; qu'il y ait aussi du feu élémentaire, c'est-à-dire, de ce feu qui, pour sa petitesse et sa rareté, est invisible, et par suite fort différent de la flamme et du charbon allumé qui est entouré d'étincelles ou petites flammes qui s'éteignent dans l'eau, et non pas le feu élémentaire incorruptible; qu'il y ait, dis-je, de ce feu-là dans l'air, on le peut connaître au foyer d'un miroir ardent qui brûle par le concours des rayons qui sont dans l'air, et par un mouchoir où se ramassent les esprits ignés que l'air qui est autour du feu lui apporte; d'où l'on voit sortir des étincelles dans un lieu obscur, quand, après l'avoir étendu et bien chauffé, et resserré tout chaud, on l'étend et passe en la main par-dessus un peu rudement; que si les feux de nos cheminées remplissent d'esprits ignés l'air d'alentour, le soleil, qui brûle par réfractions et réflexions, pourra bien épandre ses esprits solaires en tout l'air du monde, et par conséquent y avoir du feu, que M. Descartes appelle *petite matière*.

L'expérience nous apprend aussi que, dans le mélange que nous appelons *eau*, il y a de l'air; en voici une convaincante.

Faites une chambre carrée de cinq ou six pieds en tout sens, à la chaussée d'un ruisseau de même hauteur; mettez au milieu de la voûte un canal rond de trois ou quatre pouces de diamètre, long de quatre pieds, qui descende en la chambre perpendiculairement au pavé, fait au niveau par où l'eau du ruisseau coule à plomb sur le milieu d'une pierre fort dure, plate, ronde et à un pied de diamètre plus haute que le reste du pavé de trois pouces; faites à côté, dans l'une des quatre murailles, à fleur du pavé, un trou par où l'eau s'écoule; faites-en un autre, à un pied du pavé, dans la muraille qui est vis-à-vis de ce trou; naisse en dehors un canal rond et long de trois pieds qui le remplisse parfaitement, et aille s'étrécissant depuis sa naissance de la muraille, où il a neuf à dix pouces de diamètre jusqu'au bout qui sera de deux à trois pouces : l'air sortira sans cesse par ce canal avec autant d'impétuosité qu'il sort de ces grands soufflets de forge où se fond le fer des mines; cet air, mêlé, confondu et comme perdu dans ce tout, que nous appelons *eau*, et qui tombe à plomb par le canal de la voûte, se retrouve, et se sépare de l'eau grandement pressée entre la pierre qui la reçoit, et l'autre eau suivante qui la pousse; et cet air, ne trouvant en toute la chambre rien d'ouvert que ce canal qui est dans la muraille à un pied du pavé, poussé par le suivant, s'engouffre dans ce canal, et sort de même vitesse que celui de ces grands soufflets, longs de plus de quinze pieds. Voilà une preuve péremptoire de l'air mélangé avec l'eau, et de leur séparation artificielle et violente : l'eau séparée et plus grossière s'écoule par le trou d'en bas à fleur du pavé, et l'air séparé sort par son canal un pied plus haut.

Je remarque ici une différence fort notable entre l'air qui est dans l'eau (c'est le même des autres éléments) et l'air qui est mêlé avec l'eau, faisant une partie du tout, ou mélange, que nous appelons *eau* : l'air dans l'eau fait un tout à part, que nous appelons *air*, et monte toujours au-dessus de l'eau; l'air mêlé avec l'eau fait un tout avec les autres éléments, que nous appelons *eau*, et ne s'en sépare point que par quelque violence.

Le feu élémentaire se trouve aussi dans l'eau, mêlé comme les autres éléments, et ne s'en sépare que quand il est fort contraint par la compression de l'eau; celle qui est chaude, et principalement celle qui bout, est pleine d'esprits ignés que nos charbons et nos flammes lui envoient; disons de même du soleil à l'égard des eaux du monde : c'est pourquoi la nuit on voit des flammes sur la mer, que les vaisseaux et autres corps font sortir de l'eau quand ils la froissent.

Qu'il y ait de la terre dans l'eau, cela se voit dans les canaux des fontaines, et dans certaines pierres qui s'encrouent au courant de l'eau par les atomes terrestres qui se séparent d'elle étant pressés.

Les mouvements sensibles de l'eau dans le thermomètre me semblent ne pouvoir s'expliquer intelligiblement que par l'entrée ou le mouvement des esprits ignés de l'air chaud ou de la main échauffée. Voici ma pensée, que je propose tout simplement : les esprits de feu qui transpirent sans cesse de la main chaude qui touche la bouteille du thermomètre, meuvent l'air qui est dans les pores du verre par leur toucher; et cet air mû meut son voisin, et celui-ci son voisin, qui est dans l'eau beaucoup moins mobile comme si vous aviez dans une coupe d'argent plusieurs parties, dont les unes fussent carrées et les autres rondes, mêlées par ensemble, et que vous remuassiez tout ce mélange en remuant la coupe : les parties rondes, comme plus mobiles, se sépareraient des carrées, qui auraient moins de mouvement.

L'air donc, par son mouvement, se sépare de l'eau, et l'eau, par cette séparation de l'air, tient moins de place; et nous semble, à cause qu'elle se ramasse vers le bas, qu'elle descend, et à cause qu'elle quitte une partie de son rare, qui est l'air, qu'elle se condense.

Or, plus grande est la chaleur de la main, le mouvement est plus grand, et de plus de parties qui roulent les unes sur les autres; et plus grand est le mouvement, plus grande est la séparation de l'air et de l'eau.

Ces roulades ne sont pas sensibles, mais la raison nous les apprend par cet axiome, que le mouvement d'un corps arrêté par l'une de ses parties, et mû par les autres, tient du circulaire. Otez ce mouvement accidentaire des parties de l'air, et conséquemment des parties de l'eau, l'air et l'eau reprennent leur mélange naturel; et par ce mélange, l'eau s'enfle, tient plus de place, et semble monter. Si l'eau descend effectivement sans que l'air s'en sépare, nous dirons probablement que les esprits ignés entrent dans le thermomètre, et que quelques autres en sortent; car je suis l'opinion de ceux qui veulent qu'un corps simple occupe toujours un même espace dans le monde, jamais ni plus grand ni plus petit; autrement il y aurait ou de la pénétration des corps, ou du vide : pénétration, s'il occupait une plus grande place; du vide, s'il en tenait une plus petite : ainsi, ou le monde regorgerait, ou ne serait pas toujours plein. On ne peut pas nier qu'entre les corps simples, il n'y en ait de plus rares, qui, avec pareil nombre d'atomes sensibles, tiennent plus de place, et de plus denses qui en tiennent moins : le feu élémentaire est, de sa nature, plus rare et moins dense que la terre, et la terre, de sa nature, plus dense et moins rare que le feu élémentaire : le feu simple jamais moins rare, la terre simple jamais moins dense; les mixtes sont plus ou moins rares, plus ou moins denses, selon qu'ils sont plus ou moins participants du feu ou de la terre; d'où s'ensuit que le corps mêlé de terre ou de feu est en partie dense, en partie rare : si vous lui ôtez de son feu, ou lui donnez de la terre, vous le condensez; ou si vous diminuez sa terre, ou augmentez son feu, vous le raréfiez; et si vous séparez totalement le feu de la terre et la terre du feu, vous aurez du rare dans un espace du monde, et dans l'autre, du dense. Faisons que celui-ci soit d'un pied et celui-là de quatre, avec pareil nombre d'atomes naturels, les deux joints ensemble sans se mêler tiendront une place de cinq pieds : qu'ils soient mêlés et confondus par ensemble, et prenez toutes les petites places que tient le feu, elles ne feront jamais toutes ensemble qu'une place de quatre pieds; prenez toutes celles que tient la terre, elles n'en feront qu'une d'un pied, et toutes deux ensemble une de cinq pieds.

Ce qui fait croire qu'un même corps, sans rien perdre ou acquérir, ait tantôt plus, tantôt moins de place, est l'insensibilité du corps qu'il perd ou acquiert; le sens est trompé, mais il est corrigé par la raison : nous ne sentons pas ce qui est dans un ballon enflé; toutefois nous jugeons qu'il est plein de quelque corps, à cause qu'il résiste quand on le presse; et puis, cherchant quel peut être ce corps, nous trouvons que c'est celui que nous appelons air; de même, voyant que la lumière passe à travers une bouteille de verre, nous jugeons qu'elle contient en soi un corps transparent. Or, tout ainsi que le ballon s'enfle quand l'air y entre, et au contraire, quand il en sort, de même un corps mêlé tient plus de place quand il se remplit d'un autre invisible, et moins quand il le quitte.

Ces expériences ci-dessus montrent que les éléments sont mêlés, et la comparaison des liqueurs, qu'on appelle humeurs, mêlées dans nos veines, artères et autres concavités de notre corps, fait entendre ce mélange des éléments dans le grand monde, où les actions et mouvements du firmament, des étoiles et des planètes, et principalement du soleil, font voir que les éléments y doivent être mêlés, en sorte que vous ne sauriez prendre aucune partie sensible de l'un que les autres n'y soient. Le soleil envoie continuellement et par tout le monde ses esprits solaires, qui, sans cesse et insensiblement, meuvent et mêlent tout pour le bien du monde, comme le cœur envoie par tout le corps ses esprits de vie, qui remuent sans cesse et mêlent tout pour le bien du corps.

L'expérience nous apprend que les corps se tiennent les uns les autres.

Premièrement, les homogènes, s'il y en a de continus, et à faute de ceux-ci les hétérogènes contigus, et entre ceux-ci les plus faciles à mouvoir. Donc le vif-argent, mû de sa pesanteur, en descendant tirera l'air qui est dans les pores, comme le plus mobile des corps hétérogènes contigus, et l'air qui est dans les pores celui qui lui est congénère et contigu, comme l'eau tire l'eau.

Il me semble qu'en voilà suffisamment pour dire, avec le commun, que les éléments sont mêlés, que l'air se sépare de l'eau, et quitte, quand il y est contraint, son plus grossier, et qu'il passe dans le tube par les pores du verre, et que le vide véritable n'est appuyé sur la raison, ni sur l'expérience.

Disons maintenant pourquoi le vif-argent, le tube étant bouché, descend, et ne descend qu'à la hauteur de deux pieds trois pouces. Comparons le vif-argent qui est dans le tube avec celui qui est dans la cuvette, comme le poids qui est dans un bassin de la balance, avec le poids qui est dans l'autre : si celui qui est dans la cuvette pèse plus que celui qui est dans le tube, il descendra et fera monter celui du tube, comme le poids d'une balance le plus pesant descend et fait monter l'autre; au contraire, si celui qui est dans le tube est plus pesant que celui de la cuvette, il descendra, et fera monter celui de la cuvette jusqu'à l'égalité de pesanteur qui, dans l'inégalité de surface perpendiculaire à l'horizon, se rencontre en celle qui est dans la cuvette, plus basse de deux pieds trois pouces que celle du tube; et cette inégalité de surface arrive de ce que le vif-argent qui est dans le tube n'a pas assez de pesanteur pour s'égaler de surface à celui de la cuvette, s'approchant du centre autant que lui, celui-ci montant et l'autre descendant, l'avantage qu'a celui de la cuvette pardessus l'autre se prend de l'air qui pèse sur celui de la cuvette, et ne pèse pas sur celui du tube.

Cela veut dire que l'air commun que nous respirons soit pesant : on n'en doute pas, après avoir pesé une canne à vent devant et après l'avoir chargée. Celui qui couvre la surface du vif-argent dans le tube ne descend pas, soit pour être retenu par le verre qui demeure, soit pour avoir quitté son plus grossier qui le rendait pesant : d'où s'ensuit qu'il ne pèse ni ne charge point le vif-argent, petit ou grand, il n'importe, ne pesant non plus grand que petit, puisqu'il ne pèse point; mais celui qui est sur la surface du vif-argent de la cuvette pèse et le charge; et partant il est, à l'égard de celui qui est dans le tube, trop pesant pour monter. Le laissant descendre, si vous ôtez cet équilibre, qui est dans cette inégalité de surface, l'un monte et l'autre descend : pour exemple, si vous inclinez le tube en sorte que la surface du vif-argent qui est dans le tube ne soit plus élevée sur celle qui est dans la cuvette de deux pieds trois pouces, le vif-argent de la cuvette descend, et fait monter celui qui est dans le tube. Cette réponse est commune à l'eau d'environ 33 pieds.

Venons maintenant à l'expérience de la seringue. Nous avons montré que dans l'eau il y a de l'air, et partant l'air en peut être séparé, et l'air épuré peut entrer en la seringue par ses pores, quand, par la traction du piston, celui qui est dans les pores du verre est contraint de suivre; et ne pouvant suivre que tirant après soi l'eau contiguë, la serre contre le verre, dont les pores sont trop petits pour son passage, et la serrant, il en sépare et tire l'air qui le suit. La résistance qu'on ressent à la première séparation du piston, vient, et de l'air des pores qui n'est point encore dans le mouvement pour les quitter et suivre un corps qui le tire dans le verre, et de l'air qui est dans l'eau, dont la séparation résiste au mouvement qui les sépare : la difficulté diminue peu à peu, ne restant plus que la seconde résistance. La main de l'ouvrier qui tire avec une tenaille le fil de fer par la filière, sent beaucoup plus de résistance au commencement qu'à la suite : la raison physique de cette difficulté est que ce qui repose est plus éloigné du mouvement que ce qui est déjà dans le mouvement.

L'air qui est dans la seringue, subtil et mobile extrêmement, et toujours dans l'agitation par les esprits solaires qui surviennent sans cesse, comme les vitaux dans toutes les parties du corps, sort avec impétuosité sitôt que vous ôtez le doigt, et l'eau entre par la même ouverture, tirée par celui qui reste, et par ce mouvement de l'air et de l'eau se fait le mélange comme auparavant.

L'expérience de la corde s'entend assez bien, si nous disons qu'à mesure qu'elle sort du tuyau, l'eau prend sa place, et n'ayant point d'autre corps contigu plus mobile que le vif-argent, elle le fait monter jusqu'à la hauteur nécessaire à l'équilibre de celui qui est dans le tube avec celui qui est dans la cuvette.

Vous voyez, Monsieur, que toutes vos expériences ne sont point contrariées par cette hypothèse, qu'un corps entre dans le verre, et peuvent s'expliquer aussi probablement par le plein que par le vide, par l'entrée d'un corps subtil que nous connaissons, que par un espace qui n'est ni Dieu, ni créature, ni corps, ni esprit, ni substance, ni accident, qui transmet la lumière sans être transparent, qui résiste sans résistance, qui est immobile et se transporte avec le tube, qui est partout et nulle part, qui fait tout et ne fait rien : ce sont les admirables qualités de l'espace vide en tant qu'espace : il est et fait merveille en tant que vide; il n'est et ne fait rien en tant qu'espace; il est long, large et profond, en tant que vide; il exclut la longueur, la largeur et la profondeur en tant qu'espace : s'il est besoin, je montrerai toutes ces belles propriétés et conséquences.

Sur la fin de votre lettre, vous accusez d'obscurité ma définition de la lumière. Permettez-moi que je l'explique en deux mots. Par un corps lucide, que je distingue du lumineux, en tant que le corps lumineux est ce que nous voyons, et le corps lucide ne se voit pas, mais il touche la vue par son mouvement, c'est-à-dire qu'il fait voir, et ce qui fait voir est ce qui figure la partie du cerveau vivant, qui termine les nerfs optiques tout remplis de ces petits corps, qu'on appelle esprits *lucides*, ou, si ce mot vous semble moins français, *lumineux;* et cette partie du cerveau vivant est la puissance que nous appelons vue : le mouvement qui fait cette figure, est celui que j'appelle *luminaire*, et ne convient qu'à ces petits corps qui sont capables de figurer la vue; le corps que nous appelons *transparent* est toujours rempli de ces petits corps ou esprits lucides; mais ces petits corps n'ont pas toujours un mouvement luminaire, c'est-à-dire un mouvement capable de figurer la vue; et n'y a que le corps lumineux, comme la flamme, qui puisse donner ce mouvement luminaire, comme il n'y a que l'aimant qui puisse donner le mouvement magnétique à la limaille de fer; et comme l'aimant donne ce mouvement à cette poudre de fer sans la donner au corps voisin, de même la flamme ou corps lumineux ne donne son mouvement luminaire qu'aux esprits lucides, et non pas aux autres voisins. Ceci est court, mais suffisant pour des personnes capables et intelligentes comme celle à qui j'ai l'honneur d'écrire.

Cette définition, qui dit que l'illumination est un mouvement luminaire (c'est-à-dire capable de toucher et de figurer la vue) des rayons composés d'esprits lucides, ne peut convenir à la lumière qui passe par le vide, si le vide n'a les qualités d'un corps transparent.

Quand j'ai dit que la lumière pénétrait ce vide apparent avec réfractions et réflexions, je n'ai point dit qu'il y en eût d'autres sensibles que celle du verre. Je sais bien que les optiques mettent des réfractions dans l'air à la sortie du verre; mais comme elles ne peuvent être sensibles en notre vide apparent, je ne m'y arrête pas.

Au reste, Monsieur, vous pouvez, en cette réponse, voir ma franchise et docilité, que je ne suis point opiniâtre, et que je ne cherche que la vérité. Votre objection m'a fait quitter mes premières idées; prêt à quitter ce qui est dans la présente contraire à vos sentiments, si vous m'en faites paraître le défaut : vous m'avez extrêmement obligé par vos expériences, me confirmant en mes pensées, fort différentes de la plupart de celles qui s'enseignent aux Écoles : il me semble qu'elles s'ajusteraient bien aux vôtres, excepté le vide, que je ne saurais encore goûter. Si je n'étais incommodé d'une jambe, je me donnerais l'honneur de vous voir, et de vous assurer de bouche, ce que je fais par écrit, que je suis de tout mon cœur,

Monsieur,

Votre très humble et très obéissant serviteur selon Dieu,

ESTIENNE NOEL.

LETTRE DE PASCAL A M. LE PAILLEUR,

AU SUJET DU PÈRE NOEL, JÉSUITE

Monsieur,

Puisque vous désirez de savoir ce qui m'a fait interrompre le commerce des lettres où le R.P. Noël m'avait fait l'honneur de m'engager, je veux vous satisfaire promptement; et je ne doute pas que, si vous avez blâmé mon procédé avant que d'en savoir la cause, vous ne l'approuviez lorsque vous saurez les raisons qui m'ont retenu.

La plus forte de toutes est que le R.P. Talon, lorsqu'il prit la peine de m'apporter la dernière lettre du P. Noël, me fit entendre, en présence de trois de vos bons amis, que le P. Noël compatissait à mon indisposition, qu'il craignait que ma première lettre n'eût intéressé ma santé, et qu'il me priait de ne pas la hasarder par une deuxième; en un mot, de ne lui pas répondre; que nous pourrions nous éclaircir de bouche des difficultés qui nous restaient, et qu'au reste il me priait de ne montrer sa lettre à personne; que, comme il ne l'avait écrite que pour moi, il ne souhaitait pas qu'un autre la vît, et que les lettres étant des choses particulières, elles souffraient quelque violence quand elles n'étaient pas secrètes.

J'avoue que si cette proposition m'était venue d'une autre part que de celle de ces bons Pères, elle m'aurait été suspecte, et j'eusse craint que celui qui me l'eût faite, n'eût voulu se prévaloir d'un silence où il m'aurait engagé par une prière captieuse. Mais je doutai si peu de leur sincérité, que je leur promis tout sans réserve et sans crainte. J'ai ensuite tenu sa lettre secrète et sans réponse avec un soin très particulier. C'est de là que plusieurs personnes, et même de ces Pères, qui n'étaient pas bien informés de l'intention du P. Noël, ont pris sujet de dire qu'ayant trouvé dans sa lettre la ruine de mes sentiments, j'en ai dissimulé les beautés, de peur de découvrir ma honte, et que ma seule faiblesse m'a empêché de lui repartir.

Voyez, Monsieur, combien cette conjoncture m'était contraire, puisque je n'ai pu cacher sa lettre sans désavantage, ni la publier sans infidélité; et que mon honneur était également menacé par ma réponse et par mon silence, en ce que l'une trahissait ma promesse, et l'autre mon intérêt.

Cependant j'ai gardé religieusement ma parole; et j'avais remis de repartir à sa lettre dans le Traité où je dois répondre précisément à toutes les objections qu'on a faites contre cette proposition que j'ai avancée dans mon abrégé, « que cet espace n'est plein d'aucune des matières qui tombent sous les sens, et qui sont connues dans la nature ». Ainsi j'ai cru que rien ne m'obligeait de précipiter ma réponse, que je voulais rendre plus exacte, en la différant pour un temps. A ces considérations, je joignis que, comme tous les différends de cette sorte demeurent éternels si quelqu'un ne les interrompt, et qu'ils ne peuvent être achevés si une des deux parties ne commence à finir, j'ai cru que l'âge, le mérite et la condition de ce Père m'obligeaient à lui céder l'avantage d'avoir écrit le dernier sur ce sujet. Mais outre toutes ces raisons, j'avoue que sa lettre seule suffisait pour me dispenser de lui répondre, et je m'assure que vous trouverez qu'elle semble avoir été exprès conçue en termes qui ne m'obligeaient pas à lui répondre.

Pour le montrer, je vous ferai remarquer les points qu'il a traités, mais par un ordre différent du sien, et tel qu'il eût choisi sans doute dans un ouvrage plus travaillé, mais qu'il n'a pas jugé nécessaire dans la naïveté d'une lettre; car chacun de ces points se trouve épars dans tout le corps de son discours, et couché en presque toutes ses parties.

Il a dessein d'y déclarer que ma lettre lui a fait quitter son premier sentiment, sans qu'il puisse néanmoins s'accommoder au mien. Tellement que nous la pouvons considérer comme divisée en deux parties, dont l'une contient les choses qui l'empêchent de suivre ma pensée, et l'autre celles qui appuient son deuxième sentiment. C'est sur chacune de ces parties que j'espère vous faire voir combien peu j'étais obligé de répondre.

Pour la première, qui regarde les choses qui l'éloignent de mon opinion, ses premières difficultés sont que cet espace ne peut être autre chose qu'un corps, puisqu'il soutient et transmet la lumière, et qu'il retarde le mouvement d'un autre corps. Mais je croyais lui avoir assez montré, dans ma lettre, le peu de force de ces mêmes objections que sa première contenait; car je lui ai dit en termes assez clairs, qu'encore que des corps tombent avec le temps dans cet espace, et que la lumière le pénètre, on ne doit pas attribuer ces effets à une matière qui le remplisse nécessairement, puisqu'ils peuvent appartenir à la nature du mouvement et de la lumière, et que, tant que nous demeurons dans l'ignorance où nous sommes de la nature de ces choses, nous n'en devons tirer aucune conséquence, puisqu'elle ne serait appuyée que sur l'incertitude; et que comme le P. Noël conclut de l'apparence de ces effets qu'une matière remplit cet espace qui soutient la lumière et cause ce retardement, on peut, avec autant de raison, conclure de ces mêmes effets que la lumière se soutient dans le vide, et que le mouvement s'y fait avec le temps; vu que tant d'autres choses favorisaient cette dernière opinion, qu'elle était, au jugement des savants, sans comparaison plus vraisemblable que l'autre, avant même qu'elle reçût les forces que ces expériences lui ont apportées.

Mais s'il a marqué en cela d'avoir peu remarqué cette partie de ma lettre, il témoigne n'en avoir pas entendu une autre, par la seconde des choses qui le choquent dans mon sentiment; car il m'impute une pensée contraire aux termes de ma lettre et de mon imprimé, et entièrement opposée au fondement de toutes mes maximes. C'est qu'il se figure que j'ai assuré, en termes décisifs, l'existence réelle de l'espace vide; et sur cette imagination, qu'il prend pour une vérité constante, il exerce sa plume pour montrer la faiblesse de cette assertion.

Cependant il a pu voir que j'ai mis dans mon imprimé, que ma conclusion est simplement que mon sentiment sera « que cet espace est vide, jusqu'à ce que l'on m'ait montré qu'une matière le remplit »; ce qui n'est pas une assertion réelle du vide, et il a pu voir aussi que j'ai mis dans ma lettre ces mots qui me semblent assez clairs : « Enfin, mon R. P., considérez, je vous prie, que tous les hommes ensemble ne sauraient démontrer qu'aucun corps succède à celui qui quitte l'espace vide en apparence, et qu'il n'est pas possible encore à tous les hommes de montrer que, quand l'eau y remonte, quelque corps en soit sorti. Cela ne suffirait-il pas, suivant vos maximes, pour assurer que cet espace est vide? Cependant je dis simplement que mon sentiment est qu'il est vide. Jugez si ceux qui parlent avec tant de retenue d'une chose où ils ont droit de parler avec tant d'assurance, pourront faire un jugement décisif de l'existence de cette matière ignée, si douteuse et si peu établie. »

Aussi, je n'aurais jamais imaginé ce qui lui avait fait naître cette pensée, s'il ne m'en avertissait lui-même dans la première page, où il rapporte fidèlement la distinction que j'ai donnée de l'espace vide dans la lettre, qui est telle : « Ce que nous appelons espace vide, est un espace ayant longueur, largeur et profondeur, et immobile, et capable de recevoir et de contenir un corps de pareille longueur et figure; et c'est ce qu'on appelle *solide* en géométrie, où l'on ne considère que les choses abstraites et immatérielles. » Après avoir rapporté mot à mot cette définition, il en tire immédiatement cette conséquence : « Voilà, Monsieur, votre pensée de l'espace vide fort bien expliquée; je veux croire que tout cela vous est évident, et en avez l'esprit convaincu et pleinement satisfait, puisque vous l'affirmez. »

S'il n'avait pas rapporté mes propres termes, j'aurais cru qu'il ne les avait pas bien lus, ou qu'ils avaient été mal écrits, et qu'au lieu du premier mot, *j'appelle*, il aurait trouvé celui-ci, *j'assure;* mais, puisqu'il a rapporté ma période entière, il ne me reste qu'à penser qu'il conçoit une conséquence nécessaire de l'un de ces termes à l'autre, et qu'il ne met point de différence entre définir une chose et assurer son existence.

C'est pourquoi il a cru que j'ai assuré l'existence réelle du vide, par les termes mêmes dont je l'ai défini. Je sais que ceux qui ne sont pas accoutumés de voir les choses traitées dans le véritable ordre, se figurent qu'on ne peut définir une chose sans être assuré de son être; mais ils devraient remarquer que l'on doit toujours définir les choses, avant que de chercher si elles sont possibles ou non, et que les degrés qui nous mènent à la connaissance des vérités, sont la définition, l'axiome et la preuve : car d'abord nous concevons l'idée d'une chose; ensuite nous donnons un nom à cette idée, c'est-à-dire que nous la définissons; et enfin nous cherchons si cette chose est véritable ou fausse. Si nous trouvons qu'elle est impossible, elle passe pour une fausseté; si nous démontrons qu'elle est vraie, elle passe pour vérité; et tant qu'on ne peut prouver sa possibilité ni son impossibilité, elle passe pour imagination. D'où il est évident qu'il n'y a point de liaison nécessaire entre la définition d'une chose et l'assurance de son être; et que l'on peut aussi bien définir une chose impossible, qu'une véritable. Ainsi on peut appeler un triangle rectiligne et rectangle celui qu'on s'imaginerait avoir 2 angles droits, et montrer ensuite qu'un tel triangle est impossible; ainsi Euclide définit d'abord les parallèles, et montre après qu'il y en peut avoir; et la définition du cercle précède le *postulat* qui en propose la possibilité; ainsi les astronomes ont donné des noms aux cercles concentriques, excentriques et épicycles, qu'ils ont imaginés dans les cieux, sans être assurés que les astres décrivent en effet tels cercles par leurs mouvements; ainsi les péripatéticiens ont donné un nom à cette sphère de feu, dont il serait difficile de démontrer la vérité.

C'est pourquoi quand je me suis voulu opposer aux décisions du P. Noël, qui excluaient le vide de la nature, j'ai cru ne pouvoir entrer dans cette recherche, ni même en dire un mot, avant que d'avoir déclaré ce que j'entends par le mot de *vide*, où je me suis senti plus obligé, par quelques endroits de la première lettre de ce Père, qui me faisaient juger que la notion qu'il en avait n'était pas conforme à la mienne. J'ai vu qu'il ne pouvait distinguer les dimensions d'avec la matière, ni l'immatérialité d'avec le néant; et que cette confusion lui faisait conclure que, quand je donnais à cet espace la longueur, la largeur et la profondeur, je m'engageais à dire qu'il était un corps; et qu'aussitôt que je le faisais immatériel, je le réduisais au néant. Pour débrouiller toutes ces idées, je lui en ai donné cette définition, où il peut voir que la chose que nous concevons et que nous exprimons par le mot d'*espace vide*, tient le milieu entre la matière et le néant, sans participer ni à l'un ni à l'autre; qu'il diffère du néant par ses dimensions; et que son irrésistance et son immobilité le distinguent de la matière : tellement qu'il se maintient entre ces deux extrêmes, sans se confondre avec aucun des deux.

Vers la fin de sa lettre, il ramasse dans une période toutes ses difficultés, pour leur donner plus de force en les joignant. Voici ses termes : « *Cet espace qui n'est ni Dieu, ni créature, ni corps, ni esprit, ni substance, ni accident, qui transmet la lumière sans être transparent, qui résiste sans résistance, qui est immobile et se transporte avec le tube, qui est partout et nulle part, qui fait tout et ne fait rien : ce sont les admirables qualités de l'espace vide : en tant qu'espace, il est et fait merveilles; en tant que vide, il n'est et ne fait rien; en tant qu'espace, il est long, large et profond; en tant que vide, il exclut la longueur, la largeur et la profondeur. S'il est besoin, je montrerai toutes ces belles propriétés, en conséquence de l'espace vide.* »

Comme une grande suite de belles choses devient enfin ennuyeuse par sa propre longueur, je crois que le P. Noël s'est ici lassé d'en avoir tant produit; et que, prévoyant un pareil ennui à ceux qui les auraient vues, il a voulu descendre d'un style plus grave dans un moins sérieux, pour les délasser par cette raillerie, afin qu'après leur avoir fourni tant de choses qui exigeaient une admiration pénible, il leur donnât, par charité, un sujet de divertissement. J'ai senti le premier l'effet de cette bonté; et ceux qui verront sa lettre ensuite, l'éprouveront de même : car il n'y a personne qui, après avoir lu ce que je lui avais écrit, ne rie des conséquences qu'il en tire, et de ces antithèses opposées avec tant de justesse, qu'il est aisé de voir qu'il s'est bien plus étudié à rendre ses termes contraires les uns aux autres, que conformes à la raison et à la vérité.

Car pour examiner les objections en particulier : *Cet espace*, dit-il, *n'est ni Dieu, ni créature*. Les mystères qui concernent la Divinité sont trop saints pour les profaner par nos disputes; nous devons en faire l'objet de nos adorations, et non pas le sujet de nos entretiens : si bien que, sans en discourir en aucune sorte, je me soumets entièrement à ce qu'en décideront ceux qui ont droit de le faire.

Ni corps, ni esprit. Il est vrai que l'espace n'est ni corps, ni esprit; mais il est espace : ainsi le temps n'est ni corps, ni esprit : mais il est temps : et comme le temps ne laisse pas d'être, quoiqu'il ne soit aucune de ces choses, ainsi l'espace vide peut bien être, sans pour cela être ni corps, ni esprit.

Ni substance, ni accident. Cela est vrai, si l'on entend par le mot de *substance* ce qui est ou corps ou esprit; car, en ce sens, l'espace ne sera ni substance, ni accident; mais il sera espace, comme, en ce même sens, le temps n'est ni substance, ni accident; mais il est temps, parce que pour être, il n'est pas nécessaire d'être substance ou accident : comme plusieurs de leurs Pères soutiennent :

que Dieu n'est ni l'un ni l'autre, quoiqu'il soit le souverain Être.

Qui transmet la lumière sans être transparent. Ce discours a si peu de lumière, que je ne puis l'apercevoir : car je ne comprends pas quel sens ce Père donne à ce mot *transparent*, puisqu'il trouve que l'espace vide ne l'est pas. Car, s'il entend par la transparence, comme tous les opticiens, la privation de tout obstacle au passage de la lumière, je ne vois pas pourquoi il en frustre notre espace, qui la laisse passer librement : si bien que parlant sur ce sujet avec mon peu de connaissance, je lui eusse dit que ces termes : *transmet la lumière*, qui ne sont propres qu'à sa façon d'imaginer la lumière, ont le même sens que ceux-ci : *laisser passer la lumière;* et qu'il *est transparent*, c'est-à-dire qu'il ne lui porte point d'obstacle : en quoi je ne trouve point d'absurdité ni de contradiction.

Il résiste sans résistance. Comme il ne juge de la résistance de cet espace que par le temps que les corps y emploient dans leurs mouvements, et que nous avons tant discouru sur la nullité de cette conséquence, on verra qu'il n'a pas raison de dire qu'il résiste : et il se trouvera, au contraire, que cet espace ne résiste point ou qu'il est sans résistance, où je ne vois rien que de très conforme à la raison.

Qui est immuable et se transporte avec le tube. Ici le P. Noël montre combien peu il pénètre dans le sentiment qu'il veut réfuter; et j'aurais à le prier de remarquer sur ce sujet, que quand un sentiment est embrassé par plusieurs personnes savantes, on ne doit point faire d'estime des objections qui semblent le ruiner, quand elles sont très faciles à prévoir, parce qu'on doit croire que ceux qui le soutiennent y ont déjà pris garde, et qu'étant facilement découvertes, ils en ont trouvé la solution puisqu'ils continuent dans cette pensée. Or, pour examiner cette difficulté en particulier, si ces antithèses ou contrariétés n'avaient autant ébloui son esprit que charmé ses imaginations, il aurait pris garde sans doute que, quoi qu'il en paraisse, le vide ne se transporte pas avec le tuyau, et que l'immobilité est aussi naturelle à l'espace que le mouvement l'est au corps. Pour rendre cette vérité évidente, il faut remarquer que l'espace, en général, comprend tous les corps de la nature, dont chacun en particulier en occupe une certaine partie; mais qu'encore qu'ils soient tous mobiles, l'espace qu'ils remplissent ne l'est pas; car, quand un corps est mû d'un lieu à l'autre, il ne fait que changer de place, sans porter avec soi celle qu'il occupait au temps de son repos. En effet, que fait-il autre chose que de quitter sa première place immobile, pour en prendre successivement d'autres aussi immobiles? Mais celle qu'il a laissée, demeure toujours ferme et inébranlable : si bien qu'elle devient, ou pleine d'un autre corps si quelqu'un lui succède, ou vide si pas un ne s'offre pour lui succéder; mais soit ou vide ou plein, toujours dans un pareil repos, ce vaste espace, dont l'amplitude embrasse tout, est aussi stable et immobile en chacune de ses parties, comme il l'est en son total. Ainsi je ne vois pas comment le P. Noël a pu prétendre que le tuyau communique son mouvement à l'espace vide, puisque n'ayant nulle consistance pour être poussé, n'ayant nulle prise pour être tiré, et n'étant susceptible, ni de la pesanteur, ni d'aucune des facultés attractives, il est visible qu'on ne le peut faire changer. Ce qui l'a trompé est que, quand on a porté le tuyau d'un lieu à un autre, il n'a vu aucun changement au dedans; c'est pourquoi il a pensé que cet espace était toujours le même parce qu'il était toujours pareil à lui-même. Mais il devait remarquer que l'espace que le tuyau enferme dans une situation, n'est pas le même que celui qu'il comprend dans la seconde; et que, dans la succession de son mouvement, il acquiert continuellement de nouveaux espaces : si bien que celui qui était vide dans la première de ses positions, devient plein d'air, quand il en part pour prendre la seconde, dans laquelle il rend vide l'espace qu'il rencontre, au lieu qu'il était plein d'air auparavant; mais l'un et l'autre de ces espaces alternativement pleins et vides demeurent toujours également immobiles. D'où il est évident qu'il est hors de propos de croire que l'espace vide change de lieu; et ce qui est le plus étrange est que la matière dont le Père le remplit est telle, que, suivant son hypothèse même, elle ne saurait se transporter avec le tuyau; car comme elle entrerait et sortirait par les pores du verre avec une facilité tout entière sans lui adhérer en aucune sorte, comme l'eau dans un vaisseau percé de toutes parts, il est visible qu'elle ne se porterait pas avec lui, comme nous voyons que ce même tuyau ne transporte pas la lumière, parce qu'elle le perce sans peine et sans engagements, et que notre espace même exposé au soleil, change de rayons quand il change de place, sans porter avec soi, dans sa seconde place, la lumière qui le remplissait dans la première, et que, dans les différentes situations, il reçoit des rayons différents, aussi bien que des divers espaces.

Enfin, le P. Noël s'étonne qu'il *fasse tout et ne fasse rien; qu'il soit partout et nulle part; qu'il soit et fasse merveilles, bien qu'il ne soit point; qu'il ait des dimensions sans en avoir.* Si ce discours a du sens, je confesse que je ne le comprends pas; c'est pourquoi je ne me tiens pas obligé d'y répondre.

Voilà, Monsieur, quelles sont ses difficultés et les choses qui le choquent dans mon sentiment; mais comme elles témoignent plutôt qu'il n'entend pas ma pensée, que non pas qu'il la contredise, et qu'il semble qu'il y trouve plutôt de l'obscurité que des défauts, j'ai cru qu'il en trouverait l'éclaircissement dans ma lettre, s'il prenait la peine de la voir avec plus d'attention; et qu'ainsi je n'étais pas obligé de lui répondre puisqu'une seconde lecture suffirait pour résoudre les doutes que la première avait fait naître.

Pour la deuxième partie de sa lettre, qui regarde le changement de sa première pensée et l'établissement de la seconde, il déclare d'abord le sujet qu'il a de nier le vide. La raison qu'il en rapporte est que le vide ne tombe sous aucun des sens; d'où il prend sujet de dire que, comme je nie l'existence de la matière, par cette seule raison qu'elle ne donne aucune marque sensible de son être, et que l'esprit n'en conçoit aucune nécessité, il peut, avec autant de force, et davantage, nier le vide, parce qu'il a cela de commun avec elle, que pas un des sens ne l'aperçoit. Voici ses termes : « *Nous disons qu'il y a de l'eau, parce que nous la voyons et la touchons; nous disons qu'il y a de l'air dans un ballon enflé, parce que nous sentons la résistance; qu'il y a du feu, parce que nous sentons la chaleur; mais le vide véritable ne touche aucun sens.* »

Mais je m'étonne qu'il fasse un parallèle de choses si inégales, et qu'il n'ait pas pris garde que, comme il n'y a rien de si contraire à l'être que le néant, ni à l'affirmation que la négation, on procède aux preuves de l'un et de l'autre par des moyens contraires; et que ce qui fait l'établissement de l'un est la ruine de l'autre. Car que faut-il pour arriver à la connaissance du néant, que de connaître une entière privation de toutes sortes de qualités et d'effets; au lieu que, s'il en paraissait un seul, on conclurait, au contraire, l'existence réelle d'une cause qui le produirait? Et ensuite il dit : « *Voyez, Monsieur, lequel de nous deux est le plus croyable, ou vous qui affirmez un espace qui ne tombe point sous les sens, et qui ne sert ni à l'art ni à la nature, et ne l'employez que pour décider une question fort douteuse, etc.* »

Mais, Monsieur, je vous laisse à juger, lorsqu'on ne voit rien, et que les sens n'aperçoivent rien dans un lieu, lequel est mieux fondé, ou de celui qui affirme qu'il y a quelque chose, quoiqu'il n'aperçoive rien, ou de celui qui pense qu'il n'y a rien, parce qu'il ne voit aucune chose.

Après que le P. Noël a déclaré, comme nous venons de le voir, la raison qu'il a d'exclure le vide, et qu'il a pris sujet de le nier sur cette même privation de qualités qui donne si justement lieu aux autres de le croire, et qui est le seul moyen sensible de parvenir à sa preuve, il entreprend maintenant de montrer que c'est un corps. Pour cet effet, il s'est imaginé une définition du corps qu'il a conçue exprès, en sorte qu'elle convienne à notre espace, afin qu'il pût en tirer sa conséquence avec facilité. Voici ses termes : « *Je définis le corps ce qui est composé de parties les unes hors les autres, et dis que tout corps est espace, quand on le considère entre les extrémités, et que tout autre espace est corps, parce qu'il est composé de parties les unes hors les autres.* »

Mais il n'est pas ici question, pour montrer que notre espace n'est pas vide, de lui donner le nom de corps, comme le P. Noël a fait, mais de montrer que c'est un corps, comme il a prétendu faire. Ce n'est pas qu'il ne lui soit permis de donner à ce qui a des parties les unes hors les autres, tel nom qu'il lui plaira; mais il ne tirera pas grand avantage de cette liberté; car le mot de *corps*, par le choix qu'il en a fait, devient équivoque : si bien qu'il y aura deux sortes de choses entièrement différentes, et même hétérogènes, que l'on appellera *corps* : l'une, ce qui a des parties les unes hors les autres; car on l'appellera *corps*, suivant le P. Noël; l'autre, une substance matérielle, mobile et impénétrable; car on l'appellera *corps* dans l'ordinaire. Mais il ne pourra pas conclure de cette ressemblance de noms, une ressemblance de propriétés entre ces choses, ni montrer, par ce moyen, que ce qui a des parties les unes hors les autres, soit la même chose qu'une substance matérielle, immobile, impénétrable, parce qu'il n'est pas en son pouvoir de les faire convenir de nature aussi bien que de nom Comme s'il avait donné à ce qui a des parties les unes hors les autres, le nom d'*eau*, d'*esprit*, de *lumière*, comme il aurait pu faire aussi aisément que celui de *corps*, il n'en aurait pu conclure que notre espace fût aucune de ces choses : ainsi quand il a nommé *corps* ce qui a des parties les unes hors les autres, et qu'il dit en conséquence de cette définition, *je dis que tout espace est corps*, on doit prendre le mot de *corps* dans le sens qu'il vient de lui donner : de sorte que, si nous substituons la définition à la place du défini, ce qui se peut toujours faire sans altérer le sens d'une proposition, il se trouvera que cette conclusion, que tout espace est corps, n'est autre chose que celle-ci : que tout espace a des parties les unes hors les autres; mais non pas que tout espace est matériel, comme le P. Noël s'est figuré. Je ne m'arrêterai pas davantage sur une conséquence dont la faiblesse est si évidente, puisque je parle à un excellent géomètre, et que vous avez autant d'adresse pour découvrir les fautes de raisonnement, que de force pour les éviter.

Le R. P. Noël, passant plus avant, veut montrer quel est ce corps; et pour établir sa pensée, il commence par un long discours, dans lequel il prétend prouver le mélange continuel et nécessaire des éléments, et où il ne montre autre chose, sinon qu'il se trouve quelques parties d'un élément parmi celles d'un autre, et qu'ils sont brouillés plutôt par accident que par nature : de sorte qu'il pourrait arriver qu'ils se sépareraient sans violence, et qu'ils reviendraient d'eux-mêmes dans leur première simplicité; car le mélange naturel de deux corps est lorsque leur séparation les fait tous deux changer de nom et de nature, comme celui de tous les métaux et de tous les mixtes : parce que, quand on a ôté de l'or, le mercure qui entre en sa composition, ce qui reste n'est plus or. Mais dans le mélange que le P. Noël nous figure, on ne voit qu'une confusion violente de quelques vapeurs éparses parmi l'air, qui s'y soutiennent comme la poussière, sans qu'il paraisse qu'elles entrent dans la composition de l'air, et de même dans les autres mélanges. Et pour celui de l'eau et de l'air, qu'il donne pour le mieux démontrer, et qu'il dit prouver péremptoirement par ces soufflets qui se font par le moyen de la chute de l'eau dans une chambre close presque de toutes parts, et que vous voyez expliqué au long dans sa lettre : il est étrange que ce Père n'ait pas pris garde que cet air qu'il dit sortir de l'eau, n'est autre chose que l'air extérieur qui se porte avec l'eau qui tombe, et qui a une facilité tout entière d'y entrer par la même ouverture, parce qu'elle est plus grande que celle par où l'eau s'écoule : si bien que l'eau qui s'écarte en tombant dans cette ouverture, y entraîne tout l'air qu'elle rencontre et qu'elle enveloppe, dont elle empêche la sortie par la violence de sa chute et par l'impression de son mouvement; de sorte que l'air qui entre continuellement dans cette ouverture sans en pouvoir jamais sortir, fuit avec violence par celle qu'il trouve libre, et comme cette épreuve est la seule par laquelle il prouve le mélange de l'eau et de l'air, et qu'elle ne le montre en aucune sorte il se trouve qu'il ne le prouve nullement.

Le mélange qu'il prouve le moins, et dont il a le plus

affaire, est celui du feu avec les autres éléments; car tout ce qu'on peut conclure de l'expérience du mouchoir et du chat, est que quelques-unes de leurs parties les plus grasses et les plus huileuses s'enflamment par la friction, y étant déjà disposées par la chaleur. Ensuite il nous déclare que son sentiment est que notre espace est plein de cette matière ignée, dilatée et mêlée, comme il suppose sans preuves, parmi tous les éléments, et étendue dans tout l'univers. Voilà la matière qu'il met dans le tuyau; et pour la suspension de la liqueur, il l'attribue au poids de l'air extérieur. J'ai été ravi de le voir en cela entrer dans le sentiment de ceux qui ont examiné ces expériences avec le plus de pénétration; car vous savez que la lettre du grand Torricelli, écrite au seigneur Riccy il y a plus de quatre ans, montre qu'il était dès lors dans cette pensée, et que tous nos savants s'y accordent et s'y confirment de plus en plus. Nous en attendons néanmoins l'assurance de l'expérience qui s'en doit faire sur une de nos hautes montagnes; mais je n'espère la recevoir que dans quelque temps, parce que, sur les lettres que j'en ai écrites il y a plus de six mois, on m'a toujours mandé que les neiges rendent leurs sommets inacessibles.

Voilà donc quelle est sa seconde; et quoiqu'il semble qu'il y ait peu de différence entre cette matière et celle qu'il y plaçait dans sa première lettre, elle est néanmoins plus grande qu'il ne paraît, et voici en quoi.

Dans sa première pensée, la nature abhorrait le vide, et en faisait ressentir l'horreur; dans la deuxième, la nature ne donne aucune marque de l'horreur qu'elle a pour le vide, et ne fait aucune chose pour l'éviter. Dans la première, il établissait une adhérence mutuelle à tous les corps de la nature; dans la deuxième, il ôte toute cette adhérence et tout ce désir d'union. Dans la première il donnait une faculté attractive à cette matière subtile et à tous les autres corps; dans la deuxième il abolit toute cette attraction active et passive. Enfin il lui donnait beaucoup de propriétés dans sa première, dont il la frustre dans la deuxième; si bien que, s'il y a quelques degrés pour tomber dans le néant, elle est maintenant au plus proche, et il semble qu'il n'y ait que quelque reste de préoccupation qui l'empêche de l'y précipiter.

Mais je voudrais bien savoir de ce Père d'où lui vient cet ascendant qu'il a sur la nature, et cet empire qu'il exerce si absolument sur les éléments qui lui servent avec tant de dépendance, qu'ils changent de propriétés à mesure qu'il change de pensées, et que l'univers accommode ses effets à l'inconstance de ses intentions. Je ne comprends pas quel aveuglement peut être à l'épreuve de cette lumière, et comment on peut donner quelque croyance à des choses que l'on fait naître et que l'on détruit avec une pareille facilité.

Mais la plus grande différence que je trouve entre ces deux opinions, est que le P. Noël assurait affirmativement la vérité de la première, et qu'il ne propose la seconde que comme une simple pensée. C'est ce que ma première lettre a obtenu de lui, et le principal effet qu'elle a eu sur son esprit : si bien que comme j'avais répondu à sa première opinion que je ne croyais pas qu'elle eût les conditions nécessaires pour l'assurance d'une chose, je dirai sur la deuxième que, puisqu'il ne la donne que comme une pensée, et qu'il n'a ni la raison ni le sens pour témoins de la matière qu'il établit, je le laisse dans son sentiment, comme je laisse dans leur sentiment ceux qui pensent qu'il y a des habitants dans la lune, et que dans les terres polaires et inaccessibles il se trouve des hommes entièrement différents des autres.

Ainsi, Monsieur, vous voyez que le P. Noël place dans le tuyau une matière subtile répandue par tout l'univers, et qu'il donne à l'air extérieur la force de soutenir la liqueur suspendue. D'où il est aisé de voir que cette pensée n'est en aucune chose différente de celle de M. Descartes, puisqu'il convient dans la cause de la suspension du vif-argent, aussi bien que dans la matière qui remplit cet espace, comme il se voit par ses propres termes dans la page 6 où il dit que cette matière, qu'il appelle *air subtil*, est la même que celle que M. Descartes nomme *matière subtile*. C'est pourquoi j'ai cru être moins obligé de lui repartir, puisque je dois rendre cette réponse à celui qui est l'inventeur de cette opinion.

Comme j'écrivais ces dernières lignes, le P. Noël m'a fait l'honneur de m'envoyer son livre sur un autre sujet, qu'il intitule *le Plein du vide;* et a donné charge à celui qui a pris la peine de l'apporter, de m'assurer qu'il n'y avait rien contre moi, et que toutes les paroles qui paraissaient aigres ne s'adressaient pas à moi, mais au *R. P. Valerianus Magnus*, Capucin. Et la raison qu'il m'en a donnée est que ce Père soutient affirmativement le vide, au lieu que je fais seulement profession de m'opposer à ceux qui décident sur ce sujet. Mais le Père Noël m'en aurait mieux déchargé, s'il avait rendu ce témoignage aussi public que le soupçon qu'il en a donné.

J'ai parcouru ce livre, et j'ai trouvé qu'il y prend une nouvelle pensée, et qu'il place dans notre tuyau une matière approchant de la première; mais qu'il attribue la suspension du vif-argent à une qualité qu'il lui donne, qu'il appelle *légèreté mouvante*, et non pas au poids de l'air extérieur, comme il faisait dans sa lettre.

Et pour faire succinctement un petit examen du livre, le titre promet d'abord la démonstration du plein par des expériences nouvelles, et sa confirmation par les miennes. A l'entrée du livre il s'érige en défenseur de la nature, et par une allégorie peut-être un peu trop continue, il fait un procès dans lequel il la fait plaindre de l'opinion du vide, comme d'une calomnie; et sans qu'elle lui en ait témoigné son ressentiment, ni qu'elle lui ait donné charge de la défendre, il fait fonction de son avocat. Et en cette qualité, il assure de montrer l'imposture et les fausses dépositions des témoins qu'on lui confronte — c'est ainsi qu'il appelle nos expériences — et promet de donner témoin contre témoin, c'est-à-dire expérience pour expérience, et de démontrer que les nôtres ont été mal reconnues, et encore plus mal avérées. Mais dans le corps du livre, quand il est question d'acquitter ces grandes promesses, il ne parle plus qu'en doutant; et après avoir fait espérer une si haute vengeance, il n'apporte que des conjectures au lieu de convictions. Car dans le troisième chapitre, où il veut établir que c'est un corps, il dit simplement qu'il trouve beaucoup plus raisonnable de dire que c'est un corps. Quand il est question de montrer le mélange des éléments, il n'ajoute que des choses très faibles à celles qu'il avait dites dans sa lettre. Quand il est question de montrer la plénitude du monde, il n'en donne aucune preuve; et sur ces vaines apparences, il établit son *aether* imperceptible à tous les sens, avec la légèreté imaginaire qu'il lui donne.

Ce qui est étrange, c'est qu'après avoir donné des doutes, pour appuyer son sentiment, il le confirme par des expériences fausses; il les propose néanmoins avec une hardiesse telle qu'elles seraient reçues pour véritables de tous ceux qui n'ont point vu le contraire; car il dit que les yeux le font voir; que tout cela ne se peut nier; qu'on le voit à l'œil, quoique les yeux nous fassent voir le contraire. Ainsi il est évident qu'il n'a vu aucune des expériences dont il parle; et il est étrange qu'il ait parlé avec tant d'assurance de choses qu'il ignorait, et dont on lui a fait un rapport très peu fidèle. Car je veux croire qu'il ait été trompé lui-même, et non pas qu'il ait voulu tromper les autres; et l'estime que je fais de lui me fait juger plutôt qu'il a été trop crédule, que peu sincère : et certainement il a sujet de se plaindre de ceux qui lui ont dit qu'un soufflet plein de ce vide apparent, étant débouché et fermé avec promptitude, pousse au dehors une matière aussi sensible que l'air; et qu'un tuyau plein de vif-argent et de ce même vide, étant renversé, le vif-argent tombe aussi lentement dans ce vide que dans l'air, et que ce vide retarde son mouvement naturel autant que l'air, et enfin beaucoup d'autres choses qu'il rapporte; car je l'assure, au contraire, que l'air y entre, et que le vif-argent tombe dans ce vide avec une extrême impétuosité, etc.

Enfin, pour vous faire voir que le P. Noël n'entend pas les expériences de mon imprimé, je vous prie de remarquer ce trait ici entre autres : J'ai dit dans les premières de mes expériences qu'il a rapportées, « qu'une seringue de verre avec un piston bien juste, plongée entièrement dans l'eau, et dont on bouche l'ouverture avec le doigt, en sorte qu'il touche au bas du piston, mettant pour cet effet la main et le bras dans l'eau, on n'a besoin que d'une force médiocre pour l'en retirer, et faire qu'il se désunisse du doigt sans que l'eau y entre en aucune façon, ce que les philosophes ont cru ne se pouvoir faire avec aucune force finie; et ainsi le doigt se sent souvent attiré et avec douleur; et le piston laisse un espace vide en apparence, où il ne paraît qu'aucun corps ait pu succéder, puisqu'il est tout entouré d'eau qui n'a pu y avoir d'accès, l'ouverture en étant bouchée; et si on tire le piston davantage, l'espace vide en apparence devient plus grand, mais le doigt n'en sent pas plus d'attraction. » Il a cru que ces mots, *n'en sent pas plus d'attraction*, ont le même sens que ceux-ci, *n'en sent plus aucune attraction;* au lieu que, suivant toutes les règles de la grammaire, ils signifient que le doigt ne sent pas une attraction plus grande! Et comme il ne connaît les expériences que par écrit il a pensé qu'en effet le doigt ne sentait plus aucune attraction, ce qui est absolument faux, car on la ressent toujours également. Mais l'hypothèse de ce Père est si accommodante, qu'il a démontré, par une suite nécessaire de ses principes, pourquoi le doigt ne sent plus aucune attraction, quoique cela soit absolument faux. Je crois qu'il pourra rendre aussi facilement la raison du contraire par les mêmes principes. Mais je ne sais quelle estime les personnes judicieuses feront de sa façon de montrer qu'il prouve avec une pareille force l'affirmative et la négative d'une même proposition.

Vous voyez par là, Monsieur, que le P. Noël appuie cette matière invisible sur des expériences fausses, pour en expliquer d'autres qu'il a mal entendues. Aussi était-il bien juste qu'il se servît d'une matière que l'on ne saurait voir et qu'on ne peut comprendre, pour répondre à des expériences qu'il n'a pas vues et qu'il n'a pas comprises. Quand il en sera mieux informé, je ne doute pas qu'il ne change de pensée, et surtout pour sa légèreté mouvante; c'est pourquoi il faut remettre la réponse de ce livre lorsque ce Père l'aura corrigé, et qu'il aura reconnu la fausseté des faits et l'imposture des témoins qu'il oppose, et qu'il ne fera plus le procès à l'opinion du vide sur des expériences mal reconnues et encore plus mal avérées.

En écrivant ces mots, je viens de recevoir un billet imprimé de ce Père, qui renverse la plus grande partie de son livre : il révoque la légèreté mouvante de l'*æther*, en rappelant le poids de l'air extérieur pour soutenir le vif-argent. De sorte que je trouve qu'il est assez difficile de réfuter les pensées de ce Père, puisqu'il est le premier plus prompt à les changer, qu'on ne peut être à lui répondre; et je commence à voir que sa façon d'agir est bien différente de la mienne, parce qu'il produit ses opinions à mesure qu'il les conçoit; mais leurs contrariétés propres suffisent pour en montrer l'insolidité, puisque le pouvoir avec lequel il dispose de cette matière, témoigne assez qu'il en est l'auteur, et partant qu'elle ne subsiste que dans son imagination.

Tous ceux qui combattent la vérité sont sujets à une semblable inconstance de pensées, et ceux qui tombent dans cette variété sont suspects de la contredire. Aussi est-il étrange de voir parmi ceux qui soutiennent le plein, le grand nombre d'opinions différentes qui s'entrechoquent : l'un soutient l'*æther*, et exclut toute autre matière; l'autre, les esprits de la liqueur, au préjudice de l'*æther;* l'autre, l'air enfermé dans les pores des corps, et bannit toute autre chose; l'autre, de l'air raréfié et vide de tout autre corps. Enfin il s'en est trouvé qui, n'ayant pas osé y placer l'immensité de Dieu, ont choisi parmi les hommes une personne assez illustre par sa naissance et par son mérite, pour y placer son esprit et le faire remplir toutes choses. Ainsi chacun d'eux a tous les autres pour ennemis; et comme tous conspirent à la perte d'un seul, [il succombe] nécessairement. Mais comme ils ne triomphent que les uns des autres, ils sont tous victorieux, sans que pas un puisse se prévaloir de sa victoire, parce que tout cet avantage naît de leur propre confusion. De sorte qu'il n'est pas nécessaire de les combattre pour les ruiner, puisqu'il suffit de les abandonner à eux-mêmes, parce qu'ils composent un corps divisé, dont les membres contraires les uns aux autres se déchirent intérieurement, au lieu que ceux qui favorisent le vide demeurent dans une unité toujours égale à elle-même, qui, par ce moyen, a tant de rapport avec la vérité qu'elle doit être suivie, jusqu'à ce qu'elle nous paraisse à découvert. Car ce n'est pas dans cet embarras et dans ce tumulte qu'on doit la chercher; et l'on ne peut la trouver hors de cette maxime, qui ne permet que de décider des choses évidentes, et qui défend d'assurer ou de nier celles qui ne le sont pas. C'est ce juste milieu et ce parfait tempérament dans lequel vous vous tenez avec tant d'avantage, et où, par un bonheur que je ne puis assez reconnaître, j'ai été toujours élevé avec une méthode singulière et des soins plus que paternels.

Voilà, Monsieur, quelles sont les raisons qui m'ont retenu, que je n'ai pas cru vous devoir cacher davantage; et, quoiqu'il semble que je donne celles-ci plutôt à mon intérêt qu'à votre curiosité, j'espère que ce doute n'ira pas jusqu'à vous, puisque vous savez que j'ai bien moins d'inquiétude pour ces fantasques points d'honneur que de passion pour vous entretenir, et que je trouve bien moins de charme à défendre mes sentiments, qu'à vous assurer que je suis de tout mon cœur,

Monsieur,

Votre très humble et très obéissant serviteur,

PASCAL.

LETTRE D'ÉTIENNE PASCAL AU P. NOEL

Mon Révérend Père,

Il y a quelques mois que mon fils m'apprit l'honneur que vous lui aviez fait de lui écrire sur ses expériences touchant le vide. Il m'envoya votre lettre et sa réponse; depuis, je n'avais plus ouï parler de vos entretiens, sinon environ un mois. En ce temps, un homme de condition de cette ville de Rouen, me faisant l'honneur de me rendre visite, à son retour d'un voyage de Paris, me dit qu'il y avait vu votre livre intitulé *Le plein du vide*, dédié à Monseigneur le prince de Conti, dans lequel il est fait mention d'une seconde lettre que vous avez écrite à mon fils sur le même sujet.

La curiosité de la voir m'obligea de lui écrire que j'en désirais avoir part, et lui demander raison, premièrement, de ce qu'il ne me l'avait point envoyée, et secondairement, de ce qu'il ne s'était point donné l'honneur d'y repartir. A cette lettre, il me fit une réponse assez ample, par laquelle il me rend raison de ce que je désirais savoir, et me fait entendre que votre seconde lettre, ou plutôt votre réplique à sa réponse, lui fut rendue par le Père Talon, l'un des Pères de votre Société, lequel, en présence de personnes dignes de foi, lui fit prière, de votre part, de ne point faire de repartie à cette réplique, disant que s'il restait des difficultés entre vous, on pourrait s'en éclaircir de vive voix, et que vous ne désiriez pas que cette réplique (laquelle n'était écrite que pour lui seul) fût communiquée à personne, vu même qu'on ne peut publier le secret des lettres, qui sont des entretiens particuliers, sans le violer en même temps. Il ajoute ensuite qu'un de mes intimes amis, depuis trente ans et plus, plein d'honneur, de doctrine et de vertu, lui avait, quelques jours avant ma lettre, fait les deux mêmes questions; que cela lui avait donné lieu de faire réponse par écrit à cet ami, par laquelle il ne s'est pas contenté de satisfaire à sa curiosité sur ses deux demandes, mais qu'il y a de plus, par la même pièce, reparti à votre seconde lettre, laquelle il a estimé ne devoir tenir secrète plus longtemps; qu'il n'a fait aucun scrupule de la publier, après avoir vu que vous l'aviez vous-même rendue publique par votre petit livre, dans lequel vous avez pris la peine de copier et faire imprimer très fidèlement les mêmes mots et les mêmes périodes que vous avez employés en cette seconde lettre, pour vous expliquer de tout ce qui regarde la question du vide; et qu'il n'a fait aussi aucun scrupule d'y repartir, ni de communiquer aussi cette repartie à tous ses amis, après avoir appris que quelques-uns des Pères de votre Société, faute peut-être d'avoir la connaissance de la prière qui lui avait été, de votre part, portée par le Père Talon, donnaient une très rude interprétation à son silence. Et, pour prévenir la question que je lui pouvais faire, pourquoi ce n'est pas à vous-même qu'il adresse sa repartie, il me fait entendre qu'ayant lu la lettre dédicatoire de votre livret, il y a vu des discours si désobligeants, et, qui plus est, si injurieux, qu'il a cru ne pouvoir y repartir, et vous adresser sa repartie, sinon, ou en repoussant vos injures non attendues par des discours de même catégorie, ou en pratiquant le précepte de l'Évangile, de faire notre plainte et correction fraternelle à ceux-là mêmes qui nous en donnent sujet. Et voyant que la première de ces deux manières était tout à fait contraire à son inclination, et reconnaissant aussi que la seconde pouvait être accusée de présomption en sa personne, eu égard à la disparité de votre âge et du sien, il a estimé plus à propos d'adresser à cet ami sa repartie toute simple et toute naïve, et sans témoignage d'avoir aucun ressentiment de ce que vous avez écrit, de me supplier, comme il a fait, de prendre la peine de pratiquer moi-même ce précepte de l'Évangile, vous faire entendre sa juste plainte de l'avoir, sans occasion quelconque, provoqué, et le peu de convenance qu'il y a entre le genre d'écrire dont vous avez usé et la condition que vous professez, jugeant que vous recevrez cela avec plus d'agrément de ma part que de la sienne. Mais surtout il me prie de vous faire comparoir le peu d'estime qu'il pouvait espérer de vous, s'il avait été si crédule que d'ajouter foi au compliment hors de saison que vous lui avez envoyé faire, par lequel vous avez voulu lui persuader que les paroles insérées dans ce livret, qui paraissent aigres et inutiles, n'étaient pas pour lui, mais bien pour le Père Valerianus Magnus, capucin. Par la fin de sa lettre, il me promet de me faire tenir dans peu votre livret avec les copies de votre réplique ou seconde lettre, et la repartie qu'il a faite dans la lettre qu'il écrit à cet ami dont j'ai déjà parlé. En effet, peu de temps après je reçus ces trois pièces. Pour les voir exactement comme j'ai fait, et pour prendre le loisir d'écrire la présente, j'ai été obligé de dérober, à mon repos de quelques nuits, le temps que je n'aurais pu dérober à mon travail de jour, sans faire tort à mon devoir.

Par la réponse que je fis à sa lettre, je lui mandai qu'agréant la prière qu'il me fait, je prenais sur moi la charge de vous faire sa plainte sans aigreur, sans injure, sans invective, et en des termes sans doute plus convenables à ma plume qu'à la sienne : joint que je me trouvais obligé de vous écrire par la curiosité que j'avais de tirer de vous la lumière d'un certain passage de votre seconde lettre qui me paraissait obscur et fort embarrassé; que j'approuvais qu'il ne vous eût point fait l'adresse de sa repartie, vu les raisons qu'il en avait; que j'approuvais aussi qu'il eût communiqué à nos amis tous vos entretiens particuliers, et même votre dite réplique et sa dernière repartie; que je désirais néanmoins qu'il différât jusqu'au prochain mois de mettre au jour cette repartie; qu'en ce temps j'espérais faire, avec l'aide de Dieu, un petit voyage à Paris, où je demeurerais huit ou dix jours pour affaires domestiques; que, pendant ce temps, je voulais lui proposer quelques difficultés qui m'empêchaient d'acquiescer, comme il semble faire, à l'opinion touchant la suspension du vif-argent dans le tube par la pesanteur de la colonne d'air. C'est une opinion que tous les savants savent avoir été proposée par Torricelli; je ne sais pourquoi, vous servant de cette pensée, vous ne faites pas mention qu'elle est de Torricelli. Je veux aussi proposer mes difficultés à quelques autres personnes dont la doctrine et le profond raisonnement me sont connus depuis de longues années, que je vois de même incliner à cette opinion, et de laquelle je ne suis pas moi-même peu persuadé, bien que je ne le sois pas entièrement. Je ne sais pas quel sera l'événement des difficultés que j'ai à proposer; mais comme ce n'est ni l'opiniâtreté, ni l'ambition de l'empire des connaissances, qui règne dans leur esprit ni dans le mien, je sais avec assurance que la raison l'emportera. Quoi qu'il en arrive, je ne ferai plus d'obstacle après cela à la publication de cette repartie, dont j'ai déjà fait voir le manuscrit, et de toutes vos autres communications, en cette ville de Rouen, à tous ceux qui en ont eu curiosité, comme choses déjà publiques dans Paris.

Après cela, mon Père, s'il vous reste quelque doute de la raison pourquoi cette dernière repartie à votre réplique n'a point encore vu le grand jour, et comment il est arrivé que, sans avoir l'honneur d'être connu de vous, je me sois donné celui de vous écrire, je vous supplie, en un mot, d'attribuer le premier à l'obéissance du fils et le second à la condescendance du père.

Mais, avant que de m'acquitter de la charge que j'ai prise, je vous dirai, mon Père, que quand mon fils me fait remarquer, par sa lettre, que votre livret est une copie, très fidèle, et des mêmes dictions que vous avez employées dans la seconde lettre qu'il a reçue de vous, pour expliquer votre pensée sur la question du vide, il ne le fait pas pour vous en faire plainte; et quand je réitère ici cette remarque, ce n'est simplement que par forme d'histoire, et non par forme de plainte. Au contraire, je paraîtrais ingrat au dernier point, si je ne vous rendais très humblement grâces d'avoir voulu rendre cet honneur à mon fils, de lui présenter une pièce que vous avez sans doute incroyablement estimée, puisque vous avez jugé que vous pouviez, sans incivilité, en présenter une partie, quatre ou cinq mois après, à un prince très illustre, et par sa naissance, et par son mérite personnel; et certainement s'il y avait lieu de plainte, ce serait à Son Altesse, de laquelle vous êtes obligé de reconnaître la grâce qu'elle vous a faite, d'avoir daigné recevoir de vous une pièce qui n'était plus entièrement vôtre, et que vous lui avez rendue méprisable par la basse prostitution que vous en avez déjà faite; car enfin, mon Père, la prostitution, quoique secrète, ne laisse pas d'être prostitution.

Le véritable sujet de la plainte que mon fils fait de votre procédé ne consiste donc pas en cette fidèle copie; mais il consiste, mon Père, en ce que, par le titre de votre livre, et par lettre dédicatoire à Son Altesse, vous avez usé d'une façon d'écrire tellement injurieuse qu'il n'y a que vos seuls ennemis capables de l'approuver, pour vous accoutumer peu à peu à l'usage d'un style impropre à toutes choses, sinon à vous causer des déplaisirs sans nombre. Et certainement, mon Père, quoique je ne sois pas assez heureux pour avoir le bien de votre connaissance, je ne puis vous dissimuler que vous l'avez été beaucoup d'avoir entrepris, à si bon marché, de vous commettre en style d'injures contre un jeune homme qui, se voyant provoqué sans sujet, je dis sans aucun sujet, pouvait, par l'amertume de l'injure et par la témérité de l'âge, se porter à repousser vos invectives (de soi très mal établies), en termes capables de vous causer un éternel repentir. Vous me direz peut-être que vous n'eussiez pas demeuré sans repartie. Mais estimez-vous qu'il fût de sa part demeuré dans le silence? et ainsi où eût été le bout de ce beau combat? Vous n'avez donc pas été malheureux d'avoir eu affaire à un jeune homme, lequel, par une modération de nature qui ne s'accorde pas toujours avec cet âge, au lieu d'en venir à ces extrémités désavantageuses à l'un et à l'autre, mais beaucoup plus à vous, a pris une autre voie pour vous faire entendre sa plainte. Et c'est par la juste condescendance que j'ai rendue à sa prière que je vous la porte; mais sans injure, sans invective, sans user de termes de *faussetés*, d'*impostures*, d'*expériences mal reconnues et encore plus mal avérées*. Et toutefois, sur tous les passages de votre ouvrage où je trouverai qu'il a eu sujet de se plaindre de vous, je prendrai la liberté de le faire sans dissimulation, et de vous donner des avis qu'en cas pareil (si Dieu avait permis que je m'y fusse précipité) je serais prêt à recevoir de tout le monde. En tout ce discours, vous ne trouverez rien qui touche la question du vide. Je suis, il y a longtemps, très persuadé de l'opinion que j'en ai; et, comme elle m'est indifférente (sinon en ce qu'il importe à tous les hommes que la vérité soit connue), j'en laisse à vous deux, si vous avez agréable, la contestation, et le jugement aux savants du siècle présent, sauf l'appel à la postérité. Je ne m'expliquerai avec vous que de vos mépris et de vos invectives, que j'ai jugés si peu préjudiciables à celui qui en est l'objet, que je n'ai fait difficulté quelconque de les insérer ici en leur entier, pour puis après les examiner en détail.

Voici le titre de votre livre : *Le plein du vide, ou le corps dont le vide apparent des expériences nouvelles est rempli, prouvé par d'autres expériences, confirmé par les mêmes, et démontré par raisons physiques.*

Commençons, s'il vous plaît, à examiner votre titre : *Le plein du vide*. Le livret de mon fils, contre lequel vous écrivez, est ainsi intitulé : *Expériences nouvelles touchant le vide, faites dans les tuyaux, seringues, soufflets et siphons de plusieurs longueurs et figures*, etc. A ce titre simple, naïf, ingénu, sans artifice et tout naturel, vous opposez cet autre titre : *Le plein du vide*, subtil, artificieux, orné, ou plutôt composé d'une figure qu'on appelle *antithèse*, si j'ai bonne mémoire.

En conscience, mon Père, comment pouviez-vous mieux débuter pour faire un abrégé de dérision? On voit bien que ç'a été là tout votre but, sans vous soucier beaucoup des termes de cette antithèse, laquelle peut véritablement passer dans l'École, où il est non seulement permis, mais aussi nécessaire (tant la nature de l'homme est imparfaite) de commencer par mal faire, pour apprendre peu à peu à faire bien; mais certainement dans le monde, où l'on n'excuse rien, elle ne saurait passer, puisque par elle-même elle n'a point de sens parfait; et je ne doute pas que vous ne l'ayez reconnu vous-même, et que ce ne soit peut-être pourquoi vous y avez ajouté un commentaire, sans lequel, quoique française de nation et d'habillement, elle pouvait passer par toute la France pour *incognito*, et aussi mystérieuse que les nombres pythagoriciens, qu'un auteur moderne dit être pleins de mystères si cachés, que personne jusqu'ici n'en a su découvrir le secret.

Si j'osais, mon Père, prendre la liberté de parler ici de grammaire, et d'établir quelques principes pour l'antithèse, je vous dirais premièrement que l'antithèse doit contenir en soi-même un sens accompli, comme quand nous disons que *servir Dieu c'est régner*, que *la prudence humaine n'est que folie*, que *la mort est le commencement de la vie véritable*, et mille autres de cette nature. La raison de ceci est que l'antithèse, pour avoir bonne grâce, doit, par la seule énonciation de ses termes, découvrir non seulement le sens qu'elle contient, mais aussi sa pointe et sa subtilité. Que si l'antithèse est de telle nature que, combien que son sens soit parfait, il ne soit pourtant pas intelligible universellement à tous, il faut, en ce cas, faire précéder un discours qui en donne l'intelligence à tout le monde, afin qu'au même temps qu'on l'entend prononcer, on en conçoive le sens et la force. C'est avec cette précaution qu'un excellentissime auteur de ce temps en a fait une très belle, en laquelle il a, comme vous, employé le plein et le vide, en parlant des prêtres. Après avoir fait voir comme ils se devaient vider et dépouiller de toutes les affections de la terre pour être remplis de l'abondance de la grâce, il ajoute ensuite que c'est en ce sens qu'un grand saint a dit : *In apostolis multum erat pleni, quia multum erat vacui;* mais cette précaution ne peut pas servir pour les titres des ouvrages, qui ne sont précédés d'aucun discours. Secondement, je vous dirais qu'il est impossible qu'une antithèse consistant en deux adjectifs contraires puisse contenir un sens parfait, quand l'un est énoncé par le nominatif et l'autre par le génitif, comme la vôtre : *le plein du vide*, qui a tout aussi peu de sens comme celles qui seraient contenues en ces termes : *le faible du fort, le petit du grand, le riche du pauvre*. La raison pour laquelle telles antithèses n'ont point de sens accompli, est que dans les termes d'icelles il n'y a ni sujet ni attribut. Vous avez grand intérêt, mon Père, d'empêcher, si vous pouvez, que cette antithèse ingénieuse, dont vous vous servez pour frapper et rendre ridicule un ouvrage étranger, ne fasse une dangereuse répercussion sur le vôtre.

L'explication de votre antithèse est suivie d'une addition qui contient trois belles promesses, dont vous n'avez accompli une seule. Soyez assuré d'un ample remerciement, quand vous y aurez satisfait; mais jusqu'à présent, de tout votre titre, compris son explication et son addition, l'on n'en peut recueillir autre chose, sinon que, lorsque vous l'avez composé, vous étiez en très belle humeur, sans autre pensée que de rire et de vous jouer. Mais la lecture de votre Epître dédicatoire m'apprend que vous avez intention de mordre en riant, et d'égratigner en vous jouant. En voici la teneur :

A Monseigneur le Prince de Conti.

Monseigneur,

La Nature est aujourd'hui accusée de vide, et j'entreprends de l'en justifier en la présence de Votre Altesse. Elle en avait bien auparavant été soupçonnée; mais personne n'avait encore eu la hardiesse de mettre des soupçons en fait, et de lui confronter les Sens et l'Expérience. Je fais voir ici son intégrité, et montre la fausseté des faits dont elle est chargée, et les impostures des témoins qu'on lui oppose. Si elle était connue de chacun comme elle est de Votre Altesse, à qui elle a découvert tous ses secrets, elle n'aurait été accusée de personne, et on se serait bien gardé de lui faire un procès sur de fausses dépositions, et sur des expériences mal renonnues et encore plus mal avérées. Elle espère, Monseigneur, que vous lui ferez justice de toutes ces calomnies. Et si, pour une plus entière justification, il est nécessaire qu'elle paye d'expérience, et qu'elle rende témoin pour témoin, alléguant l'esprit de Votre Altesse, qui remplit toutes ses parties, et qui pénètre les choses du monde les plus obscures et les plus cachées, il ne se trouvera personne, Monseigneur, qui ose assurer qu'au moins à l'égard de Votre Altesse il y ait du vide dans la nature. Cette raison ne laisse rien à faire à toutes les expériences produites et à produire; et je ne doute point que nos adversaires n'en demeurent d'accord avec moi, qui en suis aussi persuadé que personne, et qui, par cette persuasion universelle, ajoutée à mes devoirs particuliers, suis aussi parfaitement que nul autre, Monseigneur,

de Votre Altesse,

le très humble, très obéissant et très obligé serviteur,

ESTIENNE NOEL,

de la Compagnie de Jésus.

Dieu vous maintienne longues années, mon Révérend Père, dans la joie que vous ont donnée ces belles pensées, et vous ôte de l'esprit les nuages qui la pourraient troubler, par une solide réflexion que vous pourrez quelque jour faire sur tous ces beaux discours!

Quel pouvez-vous imaginer être le jugement de tous les savants sur l'entreprise que vous faites, de vouloir faire passer pour ridicules et tourner en raillerie des expériences qu'ils ont tous très sérieusement considérées durant plusieurs mois, et qu'ils considèrent encore tous les jours avec toute la force et toute l'attention de leur esprit? *La Nature*, dites-vous, *est aujourd'hui accusée de vide*, et vous entreprenez de l'en justifier, et tout le surplus de cette Épître n'est rien qu'une continuation de cette allégorie pointue, ou plutôt piquante, et pleine de pointes satiriques et de reproches de *hardiesse*, de *fausseté* de faits, d'*impostures de témoins*, de *fausses dépositions*, d'*expériences mal reconnues et encore plus mal avérées*. Ensuite de cette allégorie vous détruisez l'effet de toutes ces expériences par une seule hyperbole, dont nous nous expliquerons, s'il vous plaît, après que nous nous serons entretenus de votre allégorie et de ses pointes.

Je ne crois pas vous avoir encore entièrement expliqué la plainte de mon fils : en un mot, mon Père, il se plaint seulement de la mauvaise volonté que vous avez fait paraître contre lui; mais il ne se plaint aucunement de l'effet. Il ne faut pas de raisonnement pour faire paraître le dessein et la volonté que vous avez eus de le provoquer; mais pour faire paraître que l'effet de votre intention n'a été capable d'offenser que vous-même et non pas lui, je suis obligé par nécessité de vous faire remarquer beaucoup de choses, que sans doute vous n'avez pas observées, afin qu'en même temps vous jugiez que votre discours n'est pas si énergique que vous avez pensé, ni assez puissant pour produire l'effet que vous vous étiez imaginé. Enfin il a, dites-vous, accusé la Nature de vide : n'est-ce pas une personne bien dangereuse, d'avoir osé accuser la Nature de vide? Car si admettre le vide n'était pas un crime métaphorique, l'opinion de l'admission du vide ne serait pas une accusation métaphorique; et vous n'entreprendriez pas de l'en justifier métaphoriquement, et tout le surplus de votre allégorie, fondée sur cette métaphore de crime, ne subsisterait pas. Car à quoi pourrait-on rapporter la *hardiesse* qu'à votre dire les accusateurs de la Nature ont pris *de lui confronter les sens et l'expérience*? Comment expliquerait-on la peine que vous vous donnez *de la justifier et de faire voir son intégrité, de montrer la fausseté des faits dont elle est chargée, et les impostures des témoins qu'on lui oppose*? Quel sens donnerait-on à ce que vous ajoutez que *si la Nature était connue d'un chacun comme elle l'est de Son Altesse, on se serait bien gardé de lui faire un procès sur de fausses dépositions*? Et à quel propos demanderiez-vous *justice* à Son Altesse *de toutes ces calomnies*? Tous ces discours auraient aussi peu de sens que l'antithèse de votre titre, si l'admission du vide n'était un crime métaphorique.

En vérité, mon Père, quand vous aurez perdu la joie que vous avez conçue d'avoir trouvé cette allégorie, c'est-à-dire dans quelque temps, que la production que vous ferez d'autres ouvrages de plus grande conséquence vous aura fait oublier que vous êtes l'auteur de celui-ci, et que vous serez en état de le considérer comme un ouvrage d'autrui, j'ai grand'peine à croire que vous en fassiez la même estime que vous en faites à présent. Vous ferez alors une réflexion sur les règles de la métaphore; vous en remarquerez au moins la principale, capable toute seule de vous ôter la bonne opinion que vous avez conçue de celle sur laquelle vous avez fondé cette allégorie, et reconnaîtrez qu'il faut que le terme métaphorique soit comme une figure ou une image du sujet réel et véritable qu'on veut représenter par la métaphore; ce qui fait que le terme métaphorique ne peut point être adapté au sujet qui est directement contraire au premier : ainsi nous appelons, par métaphore, une *langue serpentine*, quand nous parlons d'une langue médisante, parce que le venin de la langue du serpent est comme l'image et le symbole du mal et du dommage que la langue médisante apporte à l'honneur et à la réputation de celui dont elle a médit; ce qui fait que le même terme métaphorique de langue serpentine ne peut être adapté au sujet contraire, c'est-à-dire à la langue qui chante les louanges d'autrui : c'est ainsi que l'Église est appelée, par une sainte métaphore, l'*épouse de Jésus-Christ*, et c'est sur cette métaphore que roule tout le *Cantique des cantiques;* c'est ainsi que la Vierge dit dans le sien, qu'en elle le Seigneur a fait paraître *la puissance de son bras;* et l'Écriture en est toute remplie, parce que les divins mystères nous étant tellement inconnus que nous n'en savons pas seulement les véritables noms, nous sommes obligés d'user de termes métaphoriques pour les exprimer; c'est ainsi que l'Église dit que *le Fils est assis à la dextre de son Père;* que l'Écriture se sert si souvent du mot de *Royaume des cieux;* que David dit : « Lavez-moi, Seigneur, et je serai plus blanc que neige »; mais, en toutes ces métaphores, il est très certain que tous ces termes métaphoriques sont les symboles des images que nous voulons signifier, et dont nous ignorons les véritables noms.

Et pour venir à votre métaphore du crime dont vous dites que *la Nature est accusée*, considérez, je vous prie, celle que Cicéron a faite très à propos d'un autre crime, dont aussi il accuse métaphoriquement la Nature. Il dit que c'est une *marâtre et mille fois pire qu'une marâtre;* il insulte contre elle comme contre *une mère criminelle qui tourmente sans cesse, et puis qui fait criminellement mourir les plus parfaits de ses enfants*. Mais ne voyez-vous pas que le crime et la cruauté d'une mère qui tourmente sans cesse, et fait enfin mourir les plus parfaits de ses enfants, est une image qui exprime et représente naïvement, quoique par métaphore, l'action de la Nature en sa misère perpétuelle, et en la mort même qu'elle cause à tous les hommes, qui sont les plus accomplis de ses ouvrages? En un mot, mon Père, la métaphore n'est autre chose qu'un abrégé de similitude ou comparaison; et la plus universelle règle de la métaphore est qu'elle ne peut être valable si elle ne peut, par le changement de phrase, être convertie en comparaison. Considérons ensuite votre métaphore, et jugez, s'il vous plaît, vous-même que ce terme métaphorique de crime, que vous avez pris pour fondement, n'a aucun rapport à l'admission du vide, n'est point crime, ni réellement, ni métaphoriquement, parce que l'admission du vide n'a aucun rapport avec le crime qui lui peut être raisonnablement comparé. De là il s'ensuit deux notables inconvénients, qui font remarquer que votre métaphore a cela de commun avec votre antithèse, qu'elle ne peut passer que dans l'École, et non pas dans le monde.

Le premier inconvénient est que ce même terme métaphorique de crime que vous avez improprement adapté à l'admission du vide, peut être également adapté au sujet directement contraire, c'est-à-dire à l'admission de la plénitude.

Le second est que, comme vous avez adapté le terme de crime à l'admission du vide, on peut également adapter le terme de justice ou de vertu, directement contraire à celui de crime, au même sujet de l'admission du vide; tellement qu'il serait aussi bien qu'à vous permis à quiconque voudrait se jouer comme vous et tourner en raillerie votre allégorie, de tenir le vide pour une éminente vertu, et, au contraire, tenir la plénitude pour un infâme crime; et sur ces beaux fondements bâtir une autre allégorie toute pareille à la vôtre. Il pourrait introduire un chevalier métaphorique qui se présenterait les armes en la main devant Son Altesse pour défendre *l'Intégrité de la Nature* contre la plume du Père Noël qui, sous prétexte de la justifier du crime prétendu de vide (qu'il soutiendrait, au contraire, être la plus éminente de ses vertus), l'a injurieusement accusée de celui d'une plénitude si monstrueuse, qu'elle en crève de toutes parts. Il ferait (en continuant l'allégorie) que ce cavalier poserait les armes par le commandement de Son Altesse, qu'il se métamorphoserait comme vous en avocat avouant métaphoriquement pour *justifier la nature;* il parlerait hautement de l'*imposture des témoins* qu'on lui oppose; il dirait que la *matière subtile*, la *matière ignée*, la *sphère du feu*, *l'Æther*, les *esprits solaires* et la *légèreté mouvante* sont tous faux témoins, de la fausse déposition desquels le Père Noël prétend se servir pour faire le procès à cette vertueuse dame, prenant la hardiesse (ce que personne n'avait encore osé) de lui confronter tous ces imposteurs, gens de *néant*, gens inconnus au ciel et à la terre, et contre lesquels toutefois la pauvre dame ne pourra, dans la confrontation, alléguer d'autres reproches, sinon qu'elle, qui a tout produit et qui connaît toutes choses, ne les connaît point et ne les connut jamais. Alors il aurait aussi bonne grâce que vous à demander justice de toutes ces calomnies à Son Altesse, laquelle, considérant que ni le vide, ni la plénitude, ne sont ni perfection, ni imperfection, ni vice, ni vertu, ni crime, ni injure à la Nature, mettrait sans doute les parties hors de cour et de procès.

Je vous supplie très humblement, mon Père, et tous ceux qui verront ce discours, de s'assurer que je n'ignore pas combien cette façon d'écrire est peu digne de votre condition et de la mienne, et que si j'ai fait ici une très mauvaise copie de votre allégorie, je ne l'ai fait qu'avec une répugnance extrême, et sans autre dessein qu'afin que vous puissiez, sur mon ouvrage, faire une réflexion que vous n'avez su faire sur le vôtre.

Aussi certainement je me résoudrais à supprimer dans le reste de ce discours le mot même d'allégorie, si je n'avais à m'expliquer des invectives que vous avez tellement entrelacées dans la vôtre, qu'il est difficile à juger si vous avez inventé les invectives pour trouver expédient de continuer l'allégorie, ou si vous avez inventé l'allégorie pour prendre sujet d'y faire glisser ces invectives inventées. Le dernier toutefois me semble plus vraisemblable : la conclusion de l'allégorie me le fait ainsi juger; car, après avoir doctement étendu en termes de Tournelle (pour faire voir que vous savez un peu de tout) cette criminelle allégorie, vous concluez par la justification de la Nature contre ceux qui veulent lui faire son procès sur de fausses dépositions, et sur des expériences *mal reconnues et encore plus mal avérées;* ensuite vous demandez *justice* à Son Altesse *de toutes ces calomnies.* En bon français, mon Père, tout ce discours ne signifie autre chose, sinon que toutes ces expériences sont fausses et mal entendues. Paravant, je vous dirai, mon Père, que si Son Altesse vous fait justice, et qu'elle veuille se donner la peine de faire réitérer ces expériences en sa présence, on lui fera voir qu'elles sont très véritables, et que de plus elles sont très bien entendues, si ce n'est que vous ayez en ce point entendu parler de vous-même, auquel cas je ne crois pas qu'il se trouve personne en disposition de vous contredire.

Je sais bien que vous ne dites pas dans votre Épître dédicatoire que ce soit des expériences de mon fils dont vous parlez; et je sais bien aussi, comme je vous ai dit ci-devant, que vous lui en avez envoyé faire civilité, et lui dire que ce n'est pas lui dont vous entendez parler dans les paroles fâcheuses qui y sont insérées, mais bien du Père Valerianus Magnus, capucin, qui a écrit en Pologne sur le même sujet.

Mais trouviez-vous en lui sujet de croire qu'il fût si peu intelligent, que de ne pas connaître l'artifice de votre civilité à contretemps, et lieu d'espérer qu'il pût en être persuadé, après que la tissure entière de votre livret a fait si clairement voir que c'est lui et non autre que vous avez voulu provoquer, après que vous avez employé tout ce que vous avez d'industrie pour tâcher à détruire les huit expériences qu'il a faites; et qu'après votre prétendue destruction de ces huit expériences, vous avez mis fin et terminé votre livre sans plus traiter d'autres matières? Trouvez-vous que la charité soit plus offensée en la personne de mon fils qu'en celle du Père Valerianus, qui peut-être ne vous vit jamais, ni jamais n'ouïra parler de vous? Et trouvez-vous que l'offense que vous avez commise (car enfin vous avouez d'avoir piqué et provoqué) soit légitimement excusée par l'accusation que de votre propre mouvement vous faites contre vous-même d'avoir offensé le Père Valerianus? Non, mon Père, ne vous abusez point; on voit votre intention à découvert : vous avez pensé que ce ne vous serait pas peu de gloire de tâcher seulement, sans y parvenir, à détruire des expériences qui avaient été par tant d'honnêtes gens jugées dignes d'être considérées; et n'avez pas estimé de vous être dignement acquitté de votre tâche, si vous ne traitiez du haut en bas, et, qui plus est, injurieusement, et les expériences, et celui qui les a produites, et tous ceux qui les ont considérées, en les produisant à Son Altesse comme ridicules, fausses et mal entendues. Vous vous êtes imaginé que Son Altesse jugerait par la hardiesse de votre procédure et du ton que vous avez pris, que vous étiez l'oracle à qui l'on doit avoir recours en ces matières; car à moins que cela, vous n'auriez pas eu l'assurance de démentir, par une liberté qui ne vous appartient pas, les yeux et le jugement de tous les curieux et savants de Paris, qui ont vu et passé tant de fois par l'examen de leur raisonnement des choses que, par trop de chaleur et de précipitation, vous avez osé appeler fausses et mal entendues. Mais quoi que vous en ayez dit dans votre Épître, le lecteur de votre livret entier ne peut s'assurer et demeure en suspens de votre jugement propre; il a peine à le découvrir, car, d'un côté, dit-il, si le Père Noël jugeait en soi-même ces expériences aussi ridicules, fausses et mal entendues, comme il nous l'a voulu faire croire dans son Épître dédicatoire, pourquoi dans tout son livret a-t-il employé toute son industrie et toute la capacité que Dieu lui a donnée à les réfuter toutes l'une après l'autre si sérieusement? et pourquoi n'a-t-il pas essayé à les faire paraître telles, lorsqu'il travaillait de propos délibéré à cette réfutation? Et, d'autre part, si le Père Noël a jugé en soi-même que ces expériences fussent considérables et dignes d'une si sérieuse réfutation, pourquoi dans son Épître a-t-il voulu les faire passer pour ridicules, fausses et mal entendues? et pourquoi leur a-t-il donné toutes ces fameuses épithètes en un lieu qui n'était pas destiné à leur réfutation?

C'est à vous, mon Père, d'éclaircir le lecteur sur ce doute; mais, en attendant, vous me permettrez de vous dire que ces expériences, si fausses, si mal entendues et si ridicules que vous ayez voulu les figurer, vous ont désarçonné, c'est-à-dire, sans plus allégoriser, contraint de sortir hors de l'École et de la philosophie que l'on enseigne dans le Collège de Clermont; vous l'avez trouvée dans l'impuissance de pouvoir résoudre les conséquences nécessaires de ces ridicules expériences; il a fallu avoir recours à des forces étrangères. Il faut avouer que vous avez de fidèles amis, car, en très peu de temps, vous avez tiré secours de bien loin. On a vu, en très peu de temps, venir à votre assistance la sphère de feu d'Aristote, la matière subtile de Monsieur Descartes, la matière ignée, l'Æther, les esprits solaires et la légèreté mouvante. Voilà bien des puissances qui viennent à votre assistance, desquelles, si vous en étiez pris à serment, je m'assure que vous n'oseriez affirmer en connaître une seule. Il faut assurément que vous ne soyez pas de ces humains défiants, qui ne prennent confiance en qui que ce soit, vu que vous vous êtes jeté ainsi aveuglément entre les bras d'un secours inconnu. Je ne sais pourquoi vous n'avez pas voulu dire dans votre imprimé que cette matière subtile soit de l'invention de Monsieur Descartes; je ne sais si c'est afin que quelqu'un se pût imaginer que vous en étiez l'auteur, ou si vous avez voulu, par cette dissimulation affectée du nom de Monsieur Descartes, persuader à tous ceux qui liront votre livret que cette matière subtile n'est pas une chose nouvellement inventée. Quoi qu'il en soit, vous avez : premièrement fort confusément (peut-être pour faire dire que vos pensées sont détachées de celles et d'Aristote et de Monsieur Descartes et de qui que ce soit), fort artistement mélangé la sphère du feu avec la matière subtile et la matière ignée. En second lieu, vous avez encore plus industrieusement mélangé ce mélange avec un autre mélange que vous avez composé de l'Æther et des esprits solaires. En troisième lieu, vous avez, à tous ces mélanges, ajouté une certaine qualité merveilleuse que vous appelez légèreté mouvante (je ne sais si elle n'est pas de votre invention), à laquelle vous attribuez la puissance de soutenir et suspendre, par sa propre vertu, les corps les plus pesants; tellement que, pour vous débrouiller des conséquences de ces expériences puériles, vous avez été contraint de brouiller toutes ces substances inconnues à vous-même par une qualité miraculeuse. Après cela, mon Père, je vous conjure de nous dire par quel droit vous avez pris la liberté de publier que ces expériences étaient mal reconnues et encore plus mal avérées, et de tâcher ainsi à faire passer celui qui les a produites pour tout autre chose qu'il n'est très assurément. Est-ce par le droit de votre âge ou de votre condition, que vous avez pris la liberté d'invectiver ainsi? Si vous avez cru que ces choses aient été assez puissantes pour vous en donner l'autorité, votre imagination vous a fait malheureusement chopper contre la maxime générale de la société civile, qui veut qu'il n'y ait point d'autorité d'âge, point de condition, point de robe, point de magistrature, point d'érudition, point de vertu qui nous puisse donner la liberté d'invectiver contre qui que ce soit; et quand même nous avons été si malheureux que d'avoir été provoqués par invectives, la même loi ne trouve pas qu'il soit contre les bonnes mœurs de les repousser contre les auteurs publiquement, si l'invective est publique; mais elle ne nous permet jamais de nous servir d'injures réciproques. Et certainement, quand vous aurez sérieusement examiné ce que c'est que le style d'invective, vous trouverez qu'il n'est ni fort, ni persuadant, ni charitable, ni propre pour acquérir la gloire qu'on propose pour fin. Et quelle gloire peut un homme d'honneur prétendre de l'art d'invectiver, qui, de soi-même, n'est rien qu'une pure faiblesse, et tellement naturelle à l'homme, que tant s'en faut qu'il ait besoin d'étude pour y devenir docte, il lui en faut, au contraire, beaucoup pour y devenir ignorant; et toutefois si facile qu'il soit, et quelque application qu'y puisse faire un honnête homme, le plus haut degré d'honneur où il puisse aspirer est de parvenir à celle de pouvoir un jour prêter le collet à la plus faible écolière de la moins éloquente harengère de la halle!

Vous voyez, mon Père, que j'ai moi-même très soigneusement pratiqué cette maxime générale de la société, que je me suis contenté, en repoussant vos invectives, de vous faire voir que vous les avez entrelacées dans les figures de rhétorique qui ne sont pas dans des règles de la grammaire, afin que de toutes ces choses vous puissiez recueillir que nous n'avons, grâce à Dieu, aucun sujet de nous plaindre de l'effet du mépris et du traitement injurieux que vous avez, sans aucun sujet, voulu rendre à une personne qui ne pensait point à vous quand vous avez le premier recherché sa connaissance, et qui avait de sa part, par toutes les civilités et reconnaissances imaginables, cultivé cet honneur. Mais j'ai fait tout cela sans invectiver, et sans vous rendre injure pour injure. Après cela, mon Père, j'ose vous supplier très humblement de vous en abstenir désormais, si vous avez dessein de continuer avec mon fils ou avec moi l'honneur de vos communications : autrement je proteste devant Dieu de supporter et oublier nous-mêmes toutes les injures dont une mauvaise inclination ou un mauvais conseil pourraient vous rendre capable, en vous montrant, à la face de toute la France, l'exemple de la modestie, que vous devriez nous avoir enseigné.

J'attends, mon Père, cette grâce de vous; et sur cette espérance, je ne veux plus me ressouvenir de dérision, ni d'allégorie, ni d'invective, ni de tout ce qui tient ou de ce qui approche de ce malheureux nom d'injure. Laissez, s'il vous plaît, ces façons d'écrire ou de parler à ceux à qui Dieu a donné moins de lumière; ou plutôt, par raisons et corrections fraternelles, s'il y échet, et surtout par notre propre exemple, s'il nous est possible, bannissons-les du monde.

RÉCIT DE LA GRANDE EXPÉRIENCE DE L'ÉQUILIBRE DES LIQUEURS

PROJETÉE PAR LE SIEUR B. P. POUR L'ACCOMPLISSEMENT DU TRAITÉ QU'IL A PROMIS DANS SON ABRÉGÉ TOUCHANT LE VIDE ET FAITE PAR LE SIEUR F. P. EN UNE DES PLUS HAUTES MONTAGNES D'AUVERGNE

Lorsque je mis au jour mon abrégé sous ce titre : *Expériences nouvelles touchant le vide*, etc., où j'avais employé la maxime de l'horreur du vide, parce qu'elle était universellement reçue, et que je n'avais point encore de preuves convaincantes du contraire, il me resta quelques difficultés, qui me firent grandement défier de la vérité de cette maxime, pour l'éclaircissement desquelles je méditais dès lors l'expérience dont je fais voir ici le récit, qui me pouvait donner une parfaite connaissance de ce que j'en devais croire. Je l'ai nommée la *grande expérience de l'équilibre des liqueurs*, parce qu'elle est la plus démonstrative de toutes celles qui peuvent être faites sur ce sujet, en ce qu'elle fait voir l'équilibre de l'air avec le vif-argent, qui sont, l'un la plus légère, l'autre la plus pesante de toutes les liqueurs qui sont connues dans la nature. Mais pour ce qu'il était impossible de la faire en cette ville de Paris, qu'il n'y a que très peu de lieux en France propres pour cet effet, et que la ville de Clermont en Auvergne est un des plus commodes, je priai Monsieur Périer, Conseiller en la Cour des Aides d'Auvergne, mon beau-frère, de prendre la peine de l'y faire. On verra quelles étaient mes difficultés, et quelle est cette expérience, par cette lettre que je lui en écrivis alors.

COPIE DE LA LETTRE DE MONSIEUR PASCAL LE JEUNE A MONSIEUR PÉRIER, DU 15 NOVEMBRE 1647

Monsieur,

Je n'interromprais pas le travail continuel, où vos emplois vous engagent, pour vous entretenir de méditations physiques, si je ne savais qu'elles serviront à vous délasser en vos heures de relâche, et qu'au lieu que d'autres en seraient embarrassés, vous en aurez du divertissement. J'en fais d'autant moins de difficulté, que je sais le plaisir que vous recevez en cette sorte d'entretien. Celui-ci ne sera qu'une continuation de ceux que nous avons eus ensemble touchant le vide. Vous savez quel sentiment les philosophes ont eu sur ce sujet : Tous ont tenu pour maxime, que la nature abhorre le vide; et presque tous, passant plus avant, ont soutenu qu'elle ne peut l'admettre, et qu'elle se détruirait elle-même plutôt que de le souffrir. Ainsi les opinions ont été divisées; les uns se sont contentés de dire qu'elle l'abhorrait seulement, les autres ont maintenu qu'elle ne le pouvait souffrir. J'ai travaillé, dans mon *Abrégé du traité du vide*, à détruire cette dernière opinion, et je crois que les expériences que j'y ai rapportées suffisent pour faire voir manifestement que la nature peut souffrir et souffre en effet un espace, si grand que l'on voudra, vide de toutes les matières qui sont en notre connaissance, et qui tombent sous nos sens. Je travaille maintenant à examiner la vérité de la première, et à chercher des expériences qui fassent voir si les effets que l'on attribue à l'horreur du vide, doivent être véritablement attribués à cette horreur du vide, ou s'ils le doivent être à la pesanteur et pression de l'air; car, pour ouvrir franchement ma pensée, j'ai peine à croire que la nature, qui n'est point animée, ni sensible, soit susceptible d'horreur, puisque les passions présupposent une âme capable de les ressentir, et j'incline bien plus à imputer tous ces effets à la pesanteur et pression de l'air, parce que je ne les considère que comme des cas particuliers d'une proposition universelle de l'équilibre des liqueurs, qui doit faire la plus grande partie du traité que j'ai promis. Ce n'est pas que je n'eusse ces mêmes pensées lors de la production de mon abrégé; et toutefois, faute d'expériences convaincantes, je n'osai pas alors (et je n'ose pas encore) me départir de la maxime de l'horreur du vide, et je l'ai même employée pour maxime dans mon abrégé : n'ayant lors autre dessein que de combattre l'opinion de ceux qui soutiennent que le vide est absolument impossible, et que la nature souffrirait plutôt sa destruction que le moindre espace vide. En effet, je n'estime pas qu'il nous soit permis de nous départir légèrement des maximes que nous tenons de l'antiquité, si nous n'y sommes obligés par des preuves indubitables et invincibles. Mais en ce cas je tiens que ce serait une extrême faiblesse d'en faire le moindre scrupule, et qu'enfin nous devons avoir plus de vénération pour les vérités évidentes, que d'obstination pour ces opinions reçues. Je ne saurais mieux vous témoigner la circonspection que j'apporte avant que de m'éloigner des anciennes maximes, que de vous remettre dans la mémoire l'expérience que je fis ces jours passés en votre présence avec deux tuyaux l'un dans l'autre qui montre apparemment le vide dans le vide. Vous vîtes que le vif-argent du tuyau intérieur demeura suspendu à la hauteur où il se tient par l'expérience ordinaire, quand il était contrebalancé et pressé par la pesanteur de la masse entière de l'air, et qu'au contraire, il tomba entièrement, sans qu'il lui restât aucune hauteur ni suspension, lorsque, par le moyen du vide dont il fut environné, il ne fut plus du tout pressé ni contrebalancé d'aucun air, en ayant été destitué de tous côtés. Vous vîtes ensuite que cette hauteur ou suspension du vif-argent augmentait ou diminuait à mesure que la pression de l'air augmentait ou diminuait, et qu'enfin toutes ces diverses hauteurs ou suspensions du vif-argent se trouvaient toujours proportionnées à la pression de l'air.

Certainement, après cette expérience, il y avait lieu de se persuader que ce n'est pas l'horreur du vide, comme nous estimons, qui cause la suspension du vif-argent dans l'expérience ordinaire, mais bien la pesanteur et pression de l'air, qui contrebalance la pesanteur du vif-argent. Mais parce que tous les effets de cette dernière expérience des deux tuyaux, qui s'expliquent si naturellement par la seule pression et pesanteur de l'air, peuvent encore être expliqués assez probablement par l'horreur du vide, je me tiens dans cette ancienne maxime, résolu néanmoins de chercher l'éclaircissement entier de cette difficulté par une expérience décisive. J'en ai imaginé une qui pourra seule suffire pour nous donner la lumière que nous cherchons, si elle peut être exécutée avec justesse. C'est de faire l'expérience ordinaire du vide plusieurs fois en même jour, dans un même tuyau, avec le même vif-argent, tantôt en bas et tantôt au sommet d'une montagne, élevée pour le moins de cinq ou six cents toises, pour éprouver si la hauteur du vif-argent suspendu dans le tuyau se trouvera pareille ou différente dans ces deux situations. Vous voyez déjà sans doute, que cette expérience est décisive de la question, et que, s'il arrive que la hauteur du vif-argent soit moindre au haut qu'au bas de la montagne (comme j'ai beaucoup de raisons pour le croire, quoique tous ceux qui ont médité sur cette matière soient contraires à ce sentiment), il s'ensuivra nécessairement que la pesanteur et pression de l'air est la seule cause de cette suspension du vif-argent, et non pas l'horreur du vide, puisqu'il est bien certain qu'il y a beaucoup plus d'air qui pèse sur le pied de la montagne, que non pas sur son sommet; au lieu qu'on ne saurait pas dire que la nature abhorre le vide au pied de la montagne plus que sur son sommet.

Mais comme la difficulté se trouve d'ordinaire jointe aux grandes choses, j'en vois beaucoup dans l'exécution de ce dessein, puisqu'il faut pour cela choisir une montagne excessivement haute, proche d'une ville dans laquelle se trouve une personne capable d'apporter à cette épreuve toute l'exactitude nécessaire. Car si la montagne était éloignée, il serait difficile d'y porter les vaisseaux, le vif-argent, les tuyaux et beaucoup d'autres choses nécessaires, et d'entreprendre ces voyages pénibles autant de fois qu'il le faudrait, pour rencontrer au haut de ces montagnes le temps serein et commode, qui ne s'y voit que peu souvent. Et comme il est aussi rare de trouver des personnes hors de Paris qui aient ces qualités, que des lieux qui aient ces conditions, j'ai beaucoup estimé mon bonheur d'avoir, en cette occasion, rencontré l'un et l'autre, puisque notre ville de Clermont est au pied de la haute montagne du Puy-de-Dôme, et que j'espère de votre bonté que vous m'accorderez la grâce d'y vouloir faire vous-même cette expérience; et sur cette assurance, je l'ai fait espérer à tous nos curieux de Paris, et entre autres au R. P. Mersenne, qui s'est déjà engagé, par lettres qu'il en a écrites en Italie, en Pologne, en Suède, en Hollande, etc., d'en faire part aux amis qu'il s'y est acquis par son mérite. Je ne touche pas aux moyens de l'exécuter, parce que je sais bien que vous n'omettrez aucune des circonstances nécessaires pour la faire avec précision.

Je vous prie seulement que ce soit le plus tôt qu'il vous sera possible et d'excuser cette liberté où m'oblige l'impatience que j'ai d'en apprendre le succès sans lequel je ne puis mettre la dernière main au traité que j'ai promis au public, ni satisfaire au désir de tant de personnes qui l'attendent, et qui vous en seront infiniment obligées. Ce n'est pas que je veuille diminuer ma reconnaissance par le nombre de ceux qui la partageront avec moi, puisque je veux, au contraire, prendre part à celle qu'ils vous auront, et en demeurer d'autant plus, Monsieur,

Votre très humble et très obéissant serviteur,

PASCAL.

De Paris, ce 15 novembre 1647.

M. Périer reçut cette lettre à Moulins ou il était dans un emploi qui lui ôtait la liberté de disposer de soi-même; de sorte que, quelque désir qu'il eût de faire promptement cette expérience, il ne l'a pu néanmoins plus tôt qu'au mois de septembre dernier.

Vous verrez les raisons de ce retardement, la relation de cette expérience, et la précision qu'il y a apportée par la lettre suivante qu'il me fit l'honneur de m'en écrire.

LETTRE DE MONSIEUR PÉRIER
A MONSIEUR PASCAL LE JEUNE,
DU 22 SEPTEMBRE 1648

Monsieur,

Enfin j'ai fait l'expérience que vous avez si longtemps souhaitée. Je vous aurais plus tôt donné cette satisfaction; j'en ai été empêché, autant par les emplois que j'ai eus en Bourbonnais, qu'à cause que, depuis mon arrivée, les neiges ou les brouillards ont tellement couvert la montagne du Puy-de-Dôme où je la devais faire, que, même en cette saison qui est ici la plus belle de l'année, j'ai eu peine à rencontrer un jour où l'on pût voir le sommet de cette montagne, qui se trouve d'ordinaire au dedans des nuées, et quelquefois au-dessus, quoique au même temps il fasse beau dans la campagne : de sorte que je n'ai pu joindre ma commodité avec celle de la saison, avant le 19 de ce mois. Mais le bonheur avec lequel je la fis ce jour-là m'a pleinement consolé du petit déplaisir que m'avaient donné tant de retardements, que je n'avais pu éviter.

Je vous en donne ici une ample et fidèle relation, où vous verrez la précision et les soins que j'y ai apportés, auxquels j'ai estimé à propos de joindre encore la présence de personnes aussi savantes qu'irréprochables, afin que la sincérité de leur témoignage ne laissât aucun doute de la certitude de l'expérience.

RELATION DE L'EXPÉRIENCE FAITE
PAR MONSIEUR PÉRIER

La journée de samedi dernier 19 de ce mois fut fort inconstante; néanmoins, le temps paraissant assez beau sur les cinq heures du matin, et le sommet du Puy-de-Dôme se montrant à découvert, je me résolus d'y aller pour y faire l'expérience. Pour cet effet, j'en donnai avis à plusieurs personnes de condition de cette ville de Clermont, qui m'avaient prié de les avertir du jour que j'irais, dont quelques-unes sont ecclésiastiques et les autres séculières : entre les ecclésiastiques étaient le T. R. P. Bannier, l'un des Pères Minimes de cette ville, qui a été plusieurs fois correcteur, c'est-à-dire supérieur, et M. Mosnier, chanoine de l'église cathédrale de cette ville; et entre les séculiers, MM. la Ville et Begon, conseillers en la Cour des Aides, et M. la Porte, docteur en médecine et la professant ici, toutes personnes très capables, non seulement en leurs charges, mais encore dans toutes les belles connaissances, avec lesquelles je fus ravi d'exécuter cette belle partie. Nous fûmes donc ce jour-là tous ensemble sur les huit heures du matin dans le jardin des Pères Minimes, qui est presque le plus bas lieu de la ville, où fut commencée l'expérience en cette sorte.

Premièrement, je versai dans un vaisseau seize livres de vif-argent, que j'avais rectifié durant les trois jours précédents; et ayant pris deux tuyaux de verre de pareille grosseur, et longs de quatre pieds chacun, scellés hermétiquement par un bout et ouverts par l'autre, je fis, en chacun de ceux-ci, l'expérience ordinaire du vide dans ce même vaisseau, et ayant approché et joint les deux tuyaux l'un contre l'autre, sans les tirer hors de leur vaisseau, il se trouva que le vif-argent qui était resté en chacun d'eux était à même niveau, et qu'il y en avait en chacun d'eux, au-dessus de la superficie de celui du vaisseau, vingt-six pouces trois lignes et demie. Je refis cette expérience dans ce même lieu, dans les deux mêmes tuyaux, avec le même vif-argent et dans le même vaisseau deux autres fois, il se trouva toujours que le vif-argent des deux tuyaux était à même niveau et en la même hauteur que la première fois.

Cela fait, j'arrêtai à demeure l'un de ces deux tuyaux sur son vaisseau en expérience continuelle. Je marquai au verre la hauteur du vif-argent, et, ayant laissé ce tuyau en sa même place, je priai le R. P. Chastin, l'un des religieux de la maison, homme aussi pieux que capable, et qui raisonne très bien en ces matières, de prendre la peine d'y observer, de moment en moment, pendant toute la journée, s'il y arriverait du changement. Et avec l'autre tuyau, et une partie de ce même vif-argent, je fus, avec tous ces Messieurs, faire les mêmes expériences au haut du Puy-de-Dôme, élevé au-dessus des Minimes environ de 500 toises, où il se trouva qu'il ne resta plus dans ce tuyau que la hauteur de vingt-trois pouces deux lignes de vif-argent, au lieu qu'il s'en était trouvé aux Minimes, dans ce même tuyau, la hauteur de 26 pouces 3 lignes et demie, et ainsi, entre les hauteurs du vif-argent de ces deux expériences, il y eut trois pouces une ligne et demie de différence : ce qui nous ravit tous d'admiration et d'étonnement, et nous surprit de telle sorte, que, pour notre satisfaction propre, nous voulûmes la répéter. C'est pourquoi je la fis encore cinq autres fois très exactement, en divers endroits du sommet de la montagne, tantôt à couvert dans la petite chapelle qui y est, tantôt à découvert, tantôt à l'abri, tantôt au vent, tantôt au beau temps, tantôt pendant la pluie et les brouillards qui nous y venaient voir parfois, ayant à chaque fois purgé soigneusement d'air le tuyau; il s'est toujours trouvé la même hauteur de vif-argent de 23 pouces 2 lignes, qui font les 3 pouces une ligne et demie de différence d'avec les vingt-six pouces trois lignes et demie qui s'étaient trouvés aux Minimes. Ce qui nous satisfit pleinement.

Après, en descendant la montagne, je refis en chemin la même expérience, toujours avec le même tuyau, le même vif-argent et le même vaisseau, en un lieu appelé *La Font de l'Arbre*, beaucoup au-dessus des Minimes, mais beaucoup plus au-dessous du sommet de la montagne; et là je trouvai que la hauteur du vif-argent resté dans le tuyau était de 25 pouces. Je la refis une seconde fois en ce même lieu, et ledit sieur Mosnier, un des ci-devant nommés, eut la curiosité de la faire lui-même : il la fit donc aussi en ce même lieu, et il se trouva toujours la même hauteur de vingt-cinq pouces, qui est moindre que celle qui s'était trouvée aux Minimes, d'un pouce trois lignes et demie, et plus grande que celle que nous venions de trouver au haut du Puy-de-Dôme d'un pouce 10 lignes et demie ce qui n'augmentait pas peu notre satisfaction, voyant la hauteur du vif-argent se diminuer suivant la hauteur des lieux.

Enfin, étant revenus aux Minimes, j'y trouvai le vaisseau que j'avais laissé en expérience continuelle, en la même hauteur où je l'avais laissé, de 26 pouces trois lignes et demie, à laquelle hauteur le R. P. Chastin, qui y était demeuré pour l'observation, nous rapporta n'être arrivé aucun changement pendant toute la journée, quoique le temps eût été fort inconstant, tantôt serein, tantôt pluvieux, tantôt plein de brouillard, et tantôt venteux.

J'y refis l'expérience avec le tuyau que j'avais porté au Puy-de-Dôme, et dans le vaisseau où était le tuyau en expérience continuelle; je trouvai que le vif-argent était en même niveau, dans ces deux tuyaux, et à la même hauteur de 26 pouces trois lignes et demie, comme il s'était trouvé le matin dans ce même tuyau, et comme il était demeuré durant tout le jour dans le tuyau en expérience continuelle.

Je la répétai encore pour la dernière fois, non seulement dans le même tuyau où je l'avais faite sur le Puy-de-Dôme, mais encore avec le même vif-argent et dans le même vaisseau que j'y avais porté, et je trouvai toujours le vif-argent à la même hauteur de 26 pouces 3 lignes et demie, qui s'y était trouvée le matin. Ce qui nous acheva de continuer dans la certitude de l'expérience.

Le lendemain, le T. R. P. de la Mare, prêtre de l'Oratoire et Théologal de l'église cathédrale, qui avait été présent à ce qui s'était passé le matin du jour précédent dans le jardin des Minimes, et à qui j'avais rapporté ce qui était arrivé au Puy-de-Dôme, me proposa de faire la même expérience au pied et sur le haut de la plus haute des tours de Notre-Dame de Clermont, pour éprouver s'il y arriverait de la différence. Pour satisfaire à la curiosité d'un homme de si grand mérite, et qui a donné à toute la France des preuves de sa capacité, je fis le même jour l'expérience ordinaire du vide, en une maison particulière qui est au plus haut lieu de la ville, élevé par-dessus le jardin des Minimes de six ou sept toises, et à niveau du pied de la tour : nous y trouvâmes le vif-argent à la hauteur d'environ 26 pouces 3 lignes, qui est moindre que celle qui s'était trouvée aux Minimes d'environ une demi-ligne.

Ensuite je la fis sur le haut de la même tour, élevée par-dessus son pied de 20 toises, et par-dessus le jardin des Minimes d'environ 26 ou 27 toises; j'y trouvai le vif-argent à la hauteur d'environ 26 pouces une ligne, qui est moindre que celle qui s'était trouvée au pied de la tour d'environ 2 lignes, et que celle qui s'était trouvée aux Minimes d'environ 2 lignes et demie.

De sorte que, pour reprendre et comparer ensemble les différentes élévations des lieux, où les expériences ont été faites, avec les diverses hauteurs du vif-argent qui est resté dans les tuyaux, il se trouve :

Qu'en l'expérience faite au plus bas lieu, le vif-argent restait à la hauteur de 26 pouces 3 lignes et demie.

En celle qui a été faite en un lieu élevé au-dessus du plus bas d'environ 27 toises, le vif-argent s'est trouvé à la hauteur de 26 pouces une ligne.

En celle qui a été faite en un lieu élevé au-dessus du plus bas d'environ 150 toises, le vif-argent s'est trouvé à la hauteur de 25 pouces.

En celle qui a été faite en un lieu élevé au-dessus du plus bas d'environ 500 toises, le vif-argent s'est trouvé à la hauteur de 23 pouces 2 lignes.

Et partant il se trouve qu'environ sept toises d'élévation donnent de différence en la hauteur du vif-argent : une demi-ligne.

Environ 27 toises : 2 lignes et demie.

Environ 150 toises : quinze lignes et demie, qui font un pouce 3 lignes et demie.

Et environ 500 toises : 37 lignes et demie, qui font 3 pouces une ligne et demie.

Voilà au vrai tout ce qui s'est passé en cette expérience, dont tous ces Messieurs qui y ont assisté, vous signeront la relation quand vous le désirerez.

Au reste, j'ai à vous dire que les hauteurs du vif-argent ont été prises fort exactement; mais celles des lieux où les expériences ont été faites, l'ont été bien moins.

Si j'avais eu assez de loisir et de commodité, je les aurais mesurées avec plus de précision, et j'aurais même marqué des endroits en la montagne de cent en cent toises, en chacun desquels j'aurais fait l'expérience, et marqué les différences qui se seraient trouvées à la hauteur du vif-argent en chacune de ces stations, pour vous donner au juste la différence qu'auraient produite les premières cent toises, celle qu'auraient donnée les secondes cent toises, et ainsi des autres; ce qui pourrait servir pour en dresser une table, dans la continuation de laquelle ceux qui voudraient se donner la peine de le faire pourraient peut-être arriver à la parfaite connaissance de la juste grandeur du diamètre de toute la sphère de l'air.

Je ne désespère pas de vous envoyer quelque jour ces différences de cent en cent toises, autant pour notre satisfaction que pour l'utilité que le public en pourra recevoir.

Si vous trouvez quelques obscurités dans ce récit, je pourrai vous en éclaircir de vive voix dans peu de jours, étant sur le point de faire un petit voyage à Paris, où je vous assurerai que je suis,

Monsieur,

Votre très humble et très affectionné serviteur,

PÉRIER.

De Clermont, ce 22 septembre 1648.

Cette relation ayant éclairci toutes mes difficultés, je ne dissimule pas que j'en reçus beaucoup de satisfaction, et y ayant vu que la différence de vingt toises d'élévation faisait une différence de deux lignes à la hauteur du vif-argent, et que six à sept toises en faisaient environ demi-ligne, ce qu'il m'était facile d'éprouver en cette ville, je fis l'expérience ordinaire du vide au haut et au bas de la tour Saint-Jacques-de-la-Boucherie, haute de 24 à 25 toises : je trouvai plus de deux lignes de différence à la hauteur du vif-argent; et ensuite, je la fis dans une maison particulière, haute de 90 marches, où je trouvai très sensiblement demi-ligne de différence; ce qui se rapporte parfaitement au contenu en la relation de M. Périer.

Tous les curieux le pourront éprouver eux-mêmes, quand il leur plaira.

De cette expérience se tirent beaucoup de conséquences, comme :

Le moyen de connaître si deux lieux sont en même niveau, c'est-à-dire également distants du centre de la terre, ou lequel des deux est le plus élevé, si éloignés qu'ils soient l'un de l'autre, quand même ils seraient antipodes; ce qui serait comme impossible par tout autre moyen.

Le peu de certitude qui se trouve au thermomètre pour marquer les degrés de chaleur (contre le sentiment commun), et que son eau hausse parfois lorsque la chaleur augmente, et que parfois elle baisse lorsque la chaleur diminue, bien que toujours le thermomètre soit demeuré au même lieu.

L'inégalité de la pression de l'air qui, en même degré de chaleur, se trouve toujours beaucoup plus pressé dans les lieux les plus bas.

Toutes ces conséquences seront déduites au long dans le *Traité du vide*, et beaucoup d'autres, aussi utiles que curieuses.

AU LECTEUR

Mon cher lecteur. Le consentement universel des peuples et la foule des philosophes concourent à l'établissement de ce principe, que la nature souffrirait plutôt sa destruction propre, que le moindre espace vide. Quelques esprits des plus élevés en ont pris un plus modéré : car encore qu'ils aient cru que la nature a de l'horreur pour le vide, ils ont néanmoins estimé que cette répugnance avait des limites, et qu'elle pouvait être surmontée par quelque violence; mais il ne s'est encore trouvé personne qui ait avancé ce troisième : que la nature n'a aucune répugnance pour le vide, qu'elle ne fait aucun effort pour l'éviter, et qu'elle l'admet sans peine et sans résistance. Les expériences que je vous ai données dans mon *Abrégé* détruisent, à mon jugement, le premier de ces principes; et je ne vois pas que le second puisse résister à celle que je vous donne maintenant; de sorte que je ne fais plus de difficulté de prendre ce troisième : que la nature n'a aucune répugnance pour le vide, qu'elle ne fait aucun effort pour l'éviter; que tous les effets qu'on a attribués à cette horreur procèdent de la pesanteur et pression de l'air; qu'elle en est la seule et véritable cause, et que, manque de la connaître, on avait inventé exprès cette horreur imaginaire du vide, pour en rendre raison. Ce n'est pas en cette seule rencontre que, quand la faiblesse des hommes n'a pu trouver les véritables causes, leur subtilité en a substitué d'imaginaires, qu'ils ont exprimées par des noms spécieux qui remplissent les oreilles et non pas l'esprit, c'est ainsi que l'on dit que la sympathie et antipathie des corps naturels sont les causes efficientes et univoques de plusieurs effets, comme si des corps inanimés étaient capables de sympathie et antipathie; il en est de même de l'antipéristase, et de plusieurs autres causes chimériques, qui n'apportent qu'un vain soulagement à l'avidité qu'ont les hommes de connaître les vérités cachées, et qui, loin de les découvrir, ne servent qu'à couvrir l'ignorance de ceux qui les inventent, et à nourrir celle de leurs sectateurs.

Ce n'est pas toutefois sans regret, que je me dépars de ces opinions si généralement reçues; je ne le fais qu'en cédant à la force de la vie qui m'y contraint. J'ai résisté à ces sentiments nouveaux tant que j'ai eu quelque prétexte pour suivre les anciens; les maximes que j'ai employées en mon *Abrégé* le témoignent assez. Mais, enfin, l'évidence des expériences me force de quitter les opinions où le respect de l'antiquité m'avait retenu. Aussi je ne les ai quittées que peu à peu, et je ne m'en suis éloigné que par degrés : car du premier de ces trois principes, que la nature a pour le vide une horreur invincible, j'ai passé à ce second, qu'elle en a l'horreur mais non pas invincible; et de là je suis enfin arrivé à la croyance du troisième, que la nature n'a aucune horreur pour le vide.

C'est où m'a porté cette dernière expérience de l'équilibre des liqueurs, que je n'aurais pas cru vous donner entière, si je ne vous avais fait voir quels motifs m'ont porté à la rechercher; c'est pour cette raison que je vous donne ma lettre du 16 novembre dernier, adressée à M. Périer qui s'est donné la peine de la fatigue avec toute la justesse et précision que l'on peut désirer, et à qui tous les curieux qui l'ont si longtemps souhaitée, en auront l'obligation entière.

Comme, par un avantage particulier, ce souhait universel l'avait rendue fameuse avant que de paraître, je m'assure qu'elle ne deviendra pas moins illustre après sa production, et qu'elle donnera autant de satisfaction que son attente a causé d'impatience.

Il n'était pas à propos d'y laisser languir plus longtemps ceux qui la désirent; et c'est pour cette raison que je n'ai pu m'empêcher de la donner par avance, contre le dessein que j'avais de ne le faire que dans le *traité* entier (que je vous ai promis dans mon *Abrégé*), dans lequel je déduirai les conséquences que j'en ai tirées, et que j'avais différé d'achever jusqu'à cette dernière expérience, parce qu'elle y doit faire l'accomplissement de mes démonstrations. Mais comme il ne peut pas si tôt paraître, je n'ai pas voulu la retenir davantage, autant pour mériter de vous plus de reconnaissance par la précipitation, que pour éviter le reproche du tort que je croirais vous faire par un plus long retardement.

LETTRES A M. DE RIBEYRE

LETTRE DE M. PASCAL LE FILS, ADRESSANTE A M. LE PREMIER PRÉSIDENT DE LA COUR DES AIDES DE CLERMONT-FERRAND

SUR LE SUJET DE CE QUI S'EST PASSÉ EN SA PRÉSENCE DANS LE COLLÈGE DES JÉSUITES DE MONTFERRAND, AUX THÈSES DE PHILOSOPHIE QUI LUI ONT ÉTÉ DÉDIÉES ET QUI ONT ÉTÉ SOUTENUES LE 25 JUIN 1651

A Monsieur,

Monsieur Ribeyre, seigneur de Travers et de St. Sandoux, conseiller du Roi en ses Conseils, premier président en la Cour des Aides de Clermont-Ferrand.

De Paris, ce 16 juillet 1651.

Je prends la liberté de vous écrire sur le sujet des thèses qui furent dernièrement proposées dans le collège de Montferrand, et qui vous ont été dédiées, où il se fit un certain prologue, dont le principal dessein était d'imposer à toute l'assistance que je m'étais voulu dire l'auteur d'une expérience très fameuse qui n'est pas de mon invention. Voici les termes de ce prologue, qui furent recueillis à l'heure même, et qui m'ont été envoyés en substance :

Il y a de certaines personnes aimant la nouveauté, qui se veulent dire les inventeurs d'une certaine expérience dont Torricelli est l'auteur, qui a été faite en Pologne; et nonobstant cela, ces personnes se la voulant attribuer, après l'avoir faite en Normandie, sont venues la publier en Auvergne.

Vous voyez, Monsieur, que c'est moi dont on a parlé, et qu'on m'a particulièrement désigné, en spécifiant les provinces de Normandie et d'Auvergne.

Je ne vous cèle point, Monsieur, que je fus merveilleusement surpris d'apprendre que ce Père, que je n'ai point l'honneur de connaître, dont j'ignore le nom, que je n'ai aucune mémoire d'avoir jamais vu seulement, avec qui je n'ai rien du tout de commun, ni directement, ni indirectement, neuf ou dix mois après que j'ai quitté la Province, quand j'en suis éloigné de cent lieues, et lorsque je ne pense à rien moins, m'ait choisi pour le sujet de son entretien.

Je sais bien que ces sortes de contentions sont si peu importantes, qu'elles ne méritent pas une sérieuse réflexion, et néanmoins, Monsieur, si vous prenez la peine de considérer toutes les circonstances de ce procédé, dont je n'exprime pas le détail, vous jugerez sans doute qu'il est capable d'exciter quelque ressentiment. Car je présume qu'il est difficile que ceux qui ont été présents à cet Acte, aient refusé de croire une chose de fait, prononcée publiquement, composée par un Père Jésuite qu'on ne peut soupçonner d'aucune animosité contre moi. Toutes ces particularités rendent cette supposition très croyable. Mais comme j'aurais un grand déplaisir que vous, Monsieur, que j'honore particulièrement, eussiez de moi cette pensée, je m'adresse à vous plutôt qu'à tout autre, pour vous éclaircir de la vérité, pour deux raisons : l'une pour le même respect que je vous porte, l'autre, parce que vous avez été protecteur de cet Acte en tant qu'il vous a été dédié, et que partant c'est à vous, Monsieur, à réprimer le dessein de ceux qui ont entrepris d'y blesser la vérité.

Ainsi, Monsieur, comme vous avez donné une après-dînée entière à l'entretien que ce Père vous a fourni, je vous conjure de vouloir donner au mien l'espace d'un quart d'heure seulement, et que vous ayez agréable que cette lettre que je vous écris soit rendue aussi publique que les thèses que vous avez reçues.

Pour vous éclaircir pleinement de tout ce démêlé, vous remarquerez, s'il vous plaît, Monsieur, que ce bon Père vous a fait entendre deux choses : l'une, que je m'étais dit l'auteur de l'expérience de Torricelli; l'autre, que je ne l'avais faite en Normandie qu'après qu'elle avait été faite en Pologne.

Si ce bon Père avait dessein de m'imposer quelque chose, il pouvait avoir fait un choix plus heureux. Car il y a de certaines calomnies, dont il est difficile de prouver la fausseté, au lieu qu'il se rencontre ici malheureusement pour lui, que j'ai en main de quoi ruiner si certainement tout ce qu'il a avancé, que vous ne pourrez, sans un extrême étonnement, considérer d'une même vue la hardiesse avec laquelle il a débité ses suppositions, et la certitude que je vous donnerai du contraire.

C'est ce que vous verrez sur l'un et sur l'autre de ces deux points, s'il vous plaît d'en prendre la patience.

Le premier point donc est qu'il m'accuse de m'être fait auteur de l'expérience de Torricelli. Pour vous satisfaire sur ce point, il suffirait, Monsieur, de vous dire en un mot, que toutes les fois que l'occasion s'en est présentée, je n'ai jamais manqué de dire que cette expérience est venue d'Italie, et qu'elle est de l'invention de Torricelli. C'est ainsi que j'en ai usé à Paris, et en tous les lieux où je me suis trouvé, et particulièrement en Auvergne, où je l'ai publiée, soit dans les discours particuliers, soit dans nos conférences publiques, comme tous ces Messieurs, avec qui j'avais l'honneur de converser plus familièrement, le peuvent témoigner.

Mais pour vous en éclaircir plus à fond, permettez-moi, s'il vous plaît, Monsieur, de vous dire comment la chose s'est passée dès son commencement. C'est une histoire que plusieurs seront peut-être bien aises de savoir.

En l'année 1644, on écrivit d'Italie au R. P. Mersenne, Minime à Paris, que cette expérience dont il s'agit, y avait été faite, sans spécifier en aucune sorte qui en était l'auteur, si bien que cela demeura inconnu entre nous.

Le Père Mersenne essaya de la répéter à Paris, et n'y ayant pas entièrement réussi, il la quitta et n'y pensa plus.

Depuis, ayant été à Rome pour d'autres affaires, et s'étant exactement informé du moyen de l'exécuter, il en revint pleinement instruit.

Ces nouvelles nous ayant été en l'année 1646 portées à Rouen, où j'étais alors, nous y fîmes cette expérience d'Italie sur les mémoires du P. Mersenne, laquelle ayant très bien réussi, je la répétai plusieurs fois; et par cette fréquente répétition, m'étant assuré de sa vérité, j'en tirai des conséquences, pour la preuve desquelles je fis de nouvelles expériences très différentes de celle-là, en présence de plus de cinq cents personnes de toutes sortes de conditions, et entre autres de cinq ou six Pères Jésuites du collège de Rouen.

Le bruit de mes expériences étant répandu dans Paris, on les confondit avec celles d'Italie; et dans ce mélange les uns, me faisant un honneur qui ne m'était pas dû, m'attribuaient cette expérience d'Italie; et les autres, par une injustice contraire, m'ôtaient celles que j'avais faites.

Pour rendre aux autres et à moi-même la justice qui nous était due, je fis imprimer, en l'année 1647, les expériences qu'un an auparavant j'avais faites en Normandie : et afin qu'on ne les confondît plus avec celles d'Italie, j'énonçai celles d'Italie, non pas dans le corps du discours qui contient les miennes, mais à part dans l'avis que j'adresse au lecteur, et de plus en caractères italiques, au lieu que les miennes sont en romain; et ne m'étant pas contenté de les distinguer par toutes ces marques, j'ai déclaré en mots exprès, dans cet avis au lecteur : *Que je ne suis pas l'inventeur de celle-là; qu'elle a été faite en Italie quatre ans avant les miennes;* que même *elle a été l'occasion qui me les a fait entreprendre*. Voici mes propres termes :

« *Mon cher lecteur : quelques considérations m'empêchant de donner à présent un traité entier, où j'ai rapporté quantité d'expériences nouvelles que j'ai faites touchant le vide, et les conséquences que j'en ai tirées, j'ai voulu faire un récit des principales dans cet abrégé, où vous verrez par avance le dessein de tout l'ouvrage.* L'occasion de ces expériences est telle. Il y a environ quatre ans qu'en Italie on éprouva *qu'un tuyau de verre de quatre pieds, dont un bout est ouvert, et l'autre scellé hermétiquement, étant rempli de vif-argent, puis l'ouverture bouchée avec le doigt ou autrement, et le tuyau disposé perpendiculairement à l'horizon, l'ouverture bouchée étant vers le bas, et plongée deux ou trois doigts dans d'autre vif-argent, contenu en un vaisseau moitié plein de vif-argent, et l'autre moitié d'eau, si on le débouche (l'ouverture demeurant enfoncée dans le vif-argent du vaisseau), le vif-argent du tuyau descend en partie, laissant au haut du tuyau un espace vide en apparence, le bas du même tuyau demeurant plein du même vif-argent jusqu'à une certaine hauteur. Et si on hausse un peu le tuyau jusqu'à ce que son ouverture, qui trempait auparavant dans le vif-argent du vaisseau, sortant de ce vif-argent, arrive à la région de l'eau, le vif-argent du tuyau monte jusqu'en haut avec l'eau, et ces deux liqueurs se brouillent dans le tuyau; mais enfin tout le vif-argent tombe, et le tuyau se trouve tout plein d'eau.* »

Voilà, Monsieur, la même expérience que ce bon Père prétend que je me suis attribuée, et laquelle, au contraire, je déclare avoir été faite en Italie quatre ans avant les miennes.

Mais les paroles par lesquelles je conclus cet avis au lecteur sont encore plus expresses; les voici :

« *Et comme les honnêtes gens joignent à l'inclination générale qu'ont tous les hommes de se maintenir dans leurs justes possessions, celle de refuser l'honneur qui ne leur est pas dû, vous approuverez sans doute que je me défende également, et de ceux qui voudraient m'ôter quelques-unes des expériences que je vous donne ici, et que je vous promets dans le traité entier, puisqu'elles sont de mon invention, et de ceux* qui voudraient m'attribuer celle d'Italie, dont je vous ai parlé, puisqu'elle n'en est pas. *Car encore que je l'aie faite en plus de façons qu'aucune autre, et avec des tuyaux de 12 et même de 15 pieds de long, néanmoins* je n'en parlerai pas seulement *dans cet écrit*, parce que je n'en suis pas l'inventeur, *n'ayant dessein de donner que celles qui me sont particulières et de mon propre génie.* »

Voyez, Monsieur, s'il est possible d'expliquer plus clairement et plus nettement que je ne suis pas l'auteur de cette expérience d'Italie.

Mais afin que vous ne croyiez pas que cette vérité ait été tenue secrète, je ne dois pas vous taire que j'envoyai des exemplaires de ce petit livret à tous nos amis de Paris, et entre autres aux R.R.P.P. Jésuites (qui certainement me font l'honneur de me traiter d'une manière tout autre que celui de Montferrand). Quelques-uns même d'entre eux prirent sujet d'en écrire; et le R. P. Noël, lors recteur du collège de Clermont, en fit un livret qu'il intitula : *Le Plein de vide*, où il rapporte mot à mot la plupart de mes expériences.

Je ne me contentai pas d'en envoyer à nos amis de Paris; j'en fis tenir en toutes les villes de France où j'avais l'honneur de connaître des personnes curieuses de ces matières.

Et j'en envoyai même 15 ou 30 en la seule ville de Clermont, où je ne doute pas qu'il ne s'en trouve encore; et c'est ce qui me donne lieu de prier M. le conseiller Périer, mon beau-frère, par une lettre que je lui écris, de prendre la peine d'en chercher un pour vous le donner avec la présente; et s'il n'en trouve point, je lui en enverrai un d'ici pour vous le présenter.

Et enfin le P. Mersenne, ne se contentant pas d'en voir par toute la France, m'en demanda plusieurs pour les envoyer, comme il fit, en Suède, en Hollande, en Pologne, en Allemagne, en Italie et de tous les côtés.

De sorte que je crois que ce bon Père de Montferrand est le seul entre les curieux de toute l'Europe qui n'en a point eu de connaissance. Je ne sais par quel malheur, si ce n'est qu'il fuit le commerce et la communication des savants, pour des raisons que je ne pénètre pas.

Vous voyez, Monsieur, que, bien loin de m'attribuer une gloire qui ne m'est pas due, j'ai fait tous mes efforts pour la refuser, lorsqu'on me l'a voulu donner.

Et je crois même que sans cet aveu public que j'en ai fait, elle aurait passé pour être de mon invention, car les avis qu'on en avait reçus d'Italie avaient beaucoup moins éclaté que mes expériences faites à Rouen en présence de tant de personnes.

Que si vous désirez savoir pourquoi je n'ai pas déclaré dans mon petit livret le nom de l'auteur de cette expérience, je vous dirai, Monsieur, que la raison en est, que nous n'en avions pas alors eu connaissance, comme je l'ai dit déjà : si bien que n'en sachant pas le véritable auteur, et voulant faire savoir cependant à tout le monde que je ne l'étais pas, je fis ce qui était en moi, en déclarant, comme vous avez vu, que *Je n'en suis pas l'inventeur, et qu'elle avait été faite en Italie quatre ans avant mon écrit.*

Mais comme nous étions tous dans l'impatience de savoir qui en était l'inventeur, nous en écrivîmes à Rome au cavalier *Del Posso*, lequel nous manda (longtemps après mon imprimé), qu'elle est véritablement du grand Torricelli, professeur du duc de Florence aux mathématiques. Nous fûmes ravis d'apprendre qu'elle venait d'un génie si illustre, et dont nous avions déjà reçu des productions en géométrie, qui surpassent toutes celles de l'antiquité. Je ne crains pas d'être désavoué de cet éloge par aucun de ceux qui sont capables d'en juger.

Depuis que nous avons eu cette connaissance, nous avons tous publié, et moi comme les autres, que Torricelli en est l'auteur; et je suis certain que ce bon Père n'a jamais ouï dire de moi le contraire, et véritablement je ne suis pas assez imprudent pour me l'être attribuée, ayant moi-même envoyé de toutes parts un si grand nombre d'exemplaires de ce livret, où je dis le contraire si ponctuellement.

Aussi, si ce bon Père de Montferrand avait un peu plus de commerce avec Paris, il saurait que c'est une chose qui y est si connue, qu'il serait aussi peu possible de s'attribuer l'expérience de Torricelli, que l'invention des lunettes d'approche; et qu'il est si peu à craindre que personne prenne cette fantaisie, qu'il est même ridicule d'en soupçonner qui que ce soit.

J'estime, Monsieur, que vous êtes maintenant satisfait sur le premier point, et que vous voyez évidemment que je n'ai eu aucun prurit de m'attribuer l'invention de cette expérience. Et quant au second point, je vous y satisferai aussi pleinement.

Ce second point est, que ce bon Père prétend que cette expérience a été faite en Pologne avant que je la fisse en Normandie. C'est ce qu'il a avancé hardiment et sans hésiter : mais le bonhomme est aussi mal instruit sur ce point que sur le précédent.

Pour vous le témoigner, Monsieur, je mets en fait qu'il ne sait aucune particularité de l'histoire de ces expériences, et que si vous prenez la peine de lui demander seulement le nom de celui qui a fait cette expérience en Pologne, il n'y saurait répondre; et que, si vous lui demandez encore en quel temps j'ai fait les miennes, et en quel temps ont été faites celles de Pologne, vous verrez un homme très honteux et très embarrassé et cependant il s'ingère d'avancer hardiment que les miennes sont postérieures.

Pour l'en mieux informer, et lui donner moyen de paraître plus intelligent qu'il n'est dans ce qui se passe parmi les personnes des lettres, il saura :

En premier lieu, que celui qui a fait en Pologne les expériences dont il a voulu parler, est un Père Capucin, nommé *Valérien Magni*, et dans ses livres latins faits sur ce sujet, *Valerianus Magnus.*

Il saura, en second lieu, que le Père Valérien n'a fait aucune chose que répéter l'expérience de Torricelli, sans y rien ajouter de nouveau.

Il saura, en troisième lieu, qu'il n'a fait en Pologne cette expérience dont il s'agit que longtemps après moi; et pour lui dire combien de temps après, il saura que je fis cette expérience en l'année 1646; que cette même année j'y en ajoutai beaucoup d'autres; qu'en 1647 je fis imprimer le récit de toutes; que mon imprimé fut envoyé en Pologne comme ailleurs en la même année 1647 et qu'un an après mon écrit imprimé, le Père Valérien fit en Pologne cette expérience de Torricelli. Si ce bon Père Jésuite a connaissance de mon écrit et de celui du Père Capucin (ce que je ne crois pas), qu'il prenne la peine de les confronter, il verra la vérité de ce que je dis.

Il saura, en quatrième lieu, que le bon Père Valérien fit imprimer le récit de cette expérience qu'il avait faite : que cet imprimé nous fut envoyé incontinent après sa production; et que nous fûmes très surpris d'y voir que ce bon Père s'attribuait cette même expérience de Torricelli.

Et enfin, pour comble de conviction, ce bon Père Jésuite saura, en dernier lieu, que la prétention du P. Valérien fut incontinent repoussée par chacun de nous, et particulièrement par M. de Roberval, professeur aux mathématiques, qui se servit de mon imprimé comme d'une preuve indubitable pour le convaincre, comme il fit par une belle lettre latine imprimée qu'il lui adressa, par laquelle il lui fit passer cette démangeaison, en lui mandant qu'il ne réussirait pas dans sa prétention; que dès l'année 1644 on savait en France que cette expérience avait été faite en Italie; qu'en 1646 elle avait été faite en France par plusieurs personnes et en plusieurs lieux; qu'en la même année j'y en avais ajouté plusieurs autres; qu'en 1647 j'en avais fait imprimer le récit, dans lequel j'avais énoncé cette même expérience comme faite en Italie quatre ans auparavant; que mes imprimés avaient été vus dès la même année 1647 en toute l'Europe, et même en Pologne; qu'enfin il était indubitable qu'il ne l'avait faite que sur l'énonciation qu'il en avait vue dans mon imprimé envoyé en Pologne; et qu'ainsi si longtemps après mon écrit, il n'était pas supportable de s'en dire l'auteur.

Cette lettre lui ayant été envoyée par l'entremise de M. Desnoyers, secrétaire des commandements de la Reine de Pologne, homme très savant et très digne de la place qu'il tient auprès de cette grande princesse, ce bon Père n'y fit aucune réponse et se désista de cette prétention, de sorte qu'on n'en a plus ouï parler depuis.

Ainsi, Monsieur, vous remarquerez, s'il vous plaît, combien il est peu véritable, ni que j'aie voulu m'approprier l'expérience de Torricelli ni que je l'aie faite après le Père Valérien (qui sont les deux points que ce Père Jésuite m'impose), puisque c'est de mes expériences et de mon récit où elles sont énoncées, que M. de Roberval a tiré sa principale conviction contre le Père Valérien, quand il a voulu s'attribuer la gloire de cette invention.

Si ce Père Jésuite de Montferrand connaît M. de Roberval, il n'est pas nécessaire que j'accompagne son nom des éloges qui lui sont dus, et s'il ne le connaît pas, il se doit abstenir de parler de ces matières, puisque c'est une preuve indubitable, qu'il n'a aucune entrée aux hautes connaissances, ni de la physique, ni de la géométrie.

Après tous ces témoignages, j'espère, Monsieur, que vous agréerez la très humble prière que je vous fais, que par votre moyen et par l'autorité que ce bon Père Jésuite vous a lui-même donnée sur lui, en ce sujet, quand il vous a dédié ses thèses, je puisse apprendre d'où lui viennent ces impressions qu'il a prises de moi.

Car il est indubitable, ou que c'est l'effet du rapport de quelques personnes qu'il a crues dignes de foi, ou que c'est l'ouvrage de son propre esprit.

Si c'est le premier, je vous supplierai, Monsieur, d'avoir la bonté pour ce bon Père de lui remontrer l'importance de la légèreté de sa créance.

Et si c'est le second, je prie Dieu dès à présent de lui pardonner cette offense, et je l'en prie d'aussi bon cœur que je la lui pardonne moi-même; et je supplie tous ceux qui en ont été témoins, et vous-même, Monsieur, de la lui pardonner pareillement.

Maintenant, Monsieur, sans plus parler de tout ce différend, que je veux oublier, je vous achèverai la suite de cette histoire; et vous dirai que dès l'année 1647 nous fûmes avertis d'une très belle pensée qu'eut Torricelli, touchant la cause de tous les effets qu'on a jusqu'à présent attribués à l'horreur du vide. Mais comme ce n'était qu'une simple conjecture, et dont on n'avait aucune preuve pour en reconnaître ou la vérité, ou la fausseté, je méditai dès lors une expérience que vous savez avoir été faite en 1648 par M. Périer en haut et au bas du Puy-de-Dôme, dont on a aussi envoyé des exemplaires de toutes parts, où elle a été reçue avec joie, comme elle avait été attendue avec impatience.

Il est véritable, Monsieur, et je vous le dis hardiment, que cette expérience est de mon invention; et partant, je puis dire que la nouvelle connaissance qu'elle nous a découverte, est entièrement de moi.

Les conséquences en sont très belles et très utiles. Je ne m'arrêterai pas à les déduire en ce lieu, espérant que vous les verrez bientôt, Dieu aidant, dans un traité que j'achève, et que j'ai déjà communiqué à plusieurs de nos amis, où l'on connaîtra quelle est la véritable cause de tous les effets qu'on a attribués à l'horreur du vide, et où, par occasion, on verra distinctement qui sont les véritables auteurs de toutes les nouvelles vérités qui ont été découvertes en cette matière. Et dans ce détail, on trouvera exactement et séparément ce qui est de l'invention de Galilée, ce qui est de celle du grand Torricelli, et ce qui est de la mienne. Et enfin il paraîtra par quels degrés on est arrivé aux connaissances que nous avons maintenant sur ce sujet, et que cette dernière expérience du Puy-de-Dôme fait le dernier de ces degrés.

Et comme je suis certain que Galilée et Torricelli eussent été ravis d'apprendre de leur temps qu'on eût passé outre la connaissance qu'ils ont eue, je vous proteste, Monsieur, que je n'aurai plus jamais de joie que de voir que quelqu'un passe outre celle que j'ai donnée.

Aussitôt que ce traité sera en état, je ne manquerai pas de vous en faire offrir, pour reconnaître en quelque sorte l'obligation que je vous ai d'avoir souffert l'importunité que je vous donne, et pour vous servir de témoignage de l'extrême désir que j'ai d'être, toute ma vie,

Monsieur,

Votre très humble et très obéissant serviteur,

PASCAL.

RÉPONSE DE M. PASCAL LE FILS A MONSIEUR DE RIBEYRE

De Paris, ce 8 août 1651.

MONSIEUR,

Je me sens tellement honoré de la lettre qu'il vous a plu m'écrire, que, bien loin de conserver quelque reste de déplaisir de l'occasion qui m'a procuré cet honneur, je souhaiterais, au contraire, qu'il s'en offrît souvent de pareilles, pourvu qu'elles fussent suivies d'un succès aussi favorable. Je vous proteste, Monsieur, que le seul regret que j'en ai, après celui de la peine que vous en avez reçue, est de voir que l'affaire devienne plus publique que vous n'auriez désiré, et que M. Périer et moi en soyons cause, sans toutefois que ni l'un ni l'autre ayons eu le moindre dessein de manquer au respect et obéissance que nous vous devons. Aussi, Monsieur, il ne me sera pas difficile d'excuser envers vous l'un et l'autre; et c'est ce que je vous prie d'agréer que je fasse par cette lettre.

Avant toutes choses, je vous supplie très humblement, Monsieur, de tenir pour constant qu'il n'y a personne au monde qui puisse vous honorer plus parfaitement que nous faisons, et qu'il faudrait que nous eussions perdu tout respect pour Monsieur mon père, contre l'exemple et l'instruction qu'il nous a toujours donnés, si nous manquions jamais à ce devoir.

Sur ce fondement, je vous conjure, Monsieur, de considérer, pour ce qui me regarde, que parmi toutes les personnes qui font profession de lettres, ce n'est pas un moindre crime de s'attribuer une invention étrangère qu'en la société civile d'usurper les possessions d'autrui; et qu'encore que personne ne soit obligé d'être savant non plus que d'être riche, personne n'est dispensé d'être sincère : de sorte que le reproche de l'ignorance n'a rien d'injurieux que pour celui qui le profère; mais celui de larcin est de telle nature, qu'un homme d'honneur ne doit point souffrir de s'en voir accuser, sans s'exposer au péril que son silence tienne lieu de conviction. Ainsi étant très ponctuellement averti comme j'étais, non seulement des paroles, mais encore des gestes et de toutes les circonstances de cet acte, jugez, Monsieur, si je pouvais m'en taire à mon honneur; et, puisque cet acte avait été public, si je ne devais pas repousser cette injure de la même manière.

Je vous avoue, Monsieur, que dans le ressentiment où j'étais lors, je n'eus aucune pensée que vous auriez la bonté de désirer que cette affaire fût assoupie : de sorte que, laissant agir mon génie, et considérant d'ailleurs que ma lettre perdrait sa grâce et sa force en différant de la publier, je priai M. Périer, avec grande instance et grande précision, d'en hâter l'impression; et je fortifiai même ma prière par celle que je fis à mon père d'y joindre la sienne. Mais je puis vous protester véritablement, Monsieur, que si j'eusse prévu ce que votre lettre m'a appris, j'eusse agi d'une autre sorte, et que j'aurais donné avec joie mon intérêt à votre satisfaction.

Voilà, Monsieur, la vérité naïve pour ce qui me regarde. Et pour ce qui concerne M. Périer, si vous aviez vu la lettre qu'il nous a écrite, où il témoigne le déplaisir qu'il a eu en cette occasion, je m'assure que vous plaindriez la violence qu'il a soufferte, quand il s'est vu, d'une part, sollicité par la prière d'une personne qu'il honore et qu'il respecte comme vous; et, de l'autre part, il s'est vu engagé à exécuter les ordres qui lui avaient été donnés par une personne qui lui tient lieu d'un autre père.

Après cela, Monsieur, j'espère que vous n'imputerez qu'à la distance des lieux et à la difficulté de la communication, cette petite conjoncture, et il ne me reste qu'à vous conjurer de vouloir m'honorer de la continuation des sentiments avantageux que vous témoignez avoir pour moi; et quoique je n'aie rien en moi qui les mérite, j'en espère néanmoins la durée parce que je m'assure bien plus sur votre bonté, à qui je les dois, qu'à aucune qualité qui soit en moi; car je suis également éloigné de les pouvoir mériter et de les pouvoir reconnaître. Mais j'espère, Monsieur, que le même esprit qui vous fait voir des vertus dans mes propres défauts, vous fera remarquer l'extrême désir que j'ai de vous honorer toute ma vie dans ce faible témoignage que je vous en donne, en vous assurant que je suis,

Monsieur,

Votre très humble et très obéissant serviteur,

PASCAL.

PRÉFACE SUR LE TRAITÉ DU VIDE

Le respect que l'on porte à l'antiquité étant aujourd'hui à tel point, dans les matières où il doit avoir moins de force, que l'on se fait des oracles de toutes ses pensées, et des mystères même de ses obscurités; que l'on ne peut plus avancer de nouveautés sans péril, et que le texte d'un auteur suffit pour détruire les plus fortes raisons...

Ce n'est pas que mon intention soit de corriger un vice par un autre, et de ne faire nulle estime des anciens, parce que l'on en fait trop.

Je ne prétends pas bannir leur autorité pour relever le raisonnement tout seul, quoique l'on veuille établir leur autorité seule au préjudice du raisonnement...

Pour faire cette importante distinction avec attention, il faut considérer que les unes dépendent seulement de la mémoire et sont purement historiques, n'ayant pour objet que de savoir ce que les auteurs ont écrit; les autres dépendent seulement du raisonnement, et sont entièrement dogmatiques, ayant pour objet de chercher et découvrir les vérités cachées.

Celles de la première sorte sont bornées, autant que les livres dans lesquels elles sont contenues...

C'est suivant cette distinction qu'il faut régler différemment l'étendue de ce respect. Le respect que l'on doit avoir pour...

Dans les matières où l'on recherche seulement de savoir ce que les auteurs ont écrit, comme dans l'histoire, dans la géographie, dans la jurisprudence, dans les langues et surtout dans la théologie, et enfin dans toutes celles qui ont pour principe, ou le fait simple, ou l'institution divine ou humaine, il faut nécessairement recourir à leurs livres, puisque tout ce que l'on en peut savoir y est contenu : d'où il est évident que l'on peut en avoir la connaissance entière, et qu'il n'est pas possible d'y rien ajouter.

S'il s'agit de savoir qui fut le premier roi des Français; en quel lieu les géographes placent le premier méridien; quels mots sont usités dans une langue morte, et toutes les choses de cette nature, quels autres moyens que les livres pourraient nous y conduire? Et qui pourra rien ajouter de nouveau à ce qu'ils nous apprennent, puisqu'on ne veut savoir que ce qu'ils contiennent?

C'est l'autorité seule qui nous en peut éclaircir. Mais où cette autorité a la principale force, c'est dans la théologie, parce qu'elle y est inséparable de la vérité, et que nous ne la connaissons que par elle : de sorte que pour donner la certitude entière des matières les plus incompréhensibles à la raison, il suffit de les faire voir dans les livres sacrés (comme pour montrer l'incertitude des choses les plus vraisemblables, il faut seulement faire voir qu'elles n'y sont pas comprises); parce que ses principes sont au-dessus de la nature et de la raison, et que, l'esprit de l'homme étant trop faible pour y arriver par ses propres efforts, il ne peut parvenir à ces hautes intelligences s'il n'y est porté par une force toute-puissante et surnaturelle.

Il n'en est pas de même des sujets qui tombent sous le sens ou sous le raisonnement : l'autorité y est inutile; la raison seule a lieu d'en connaître. Elles ont leurs droits séparés : l'une avait tantôt tout l'avantage; ici l'autre règne à son tour. Mais comme les sujets de cette sorte sont proportionnés à la portée de l'esprit, il trouve une liberté toute entière de s'y étendre : sa fécondité inépuisable produit continuellement, et ses inventions peuvent être tout ensemble sans fin et sans interruption...

C'est ainsi que la géométrie, l'arithmétique, la musique, la physique, la médecine, l'architecture, et toutes les sciences qui sont soumises à l'expérience et au raisonnement, doivent être augmentées pour devenir parfaites. Les anciens les ont trouvées seulement ébauchées par ceux qui les ont précédés; et nous les laisserons à ceux qui viendront après nous en un état plus accompli que nous ne les avons reçues.

Comme leur perfection dépend du temps et de la peine, il est évident qu'encore que notre peine et notre temps nous eussent moins acquis que leurs travaux, séparés des nôtres, tous deux néanmoins joints ensemble doivent avoir plus d'effet que chacun en particulier.

L'éclaircissement de cette différence doit nous faire plaindre l'aveuglement de ceux qui apportent la seule autorité pour preuve dans les matières physiques, au lieu du raisonnement ou des expériences, et nous donner de l'horreur pour la malice des autres, qui emploient le raisonnement seul dans la théologie au lieu de l'autorité de l'Écriture et des Pères. Il faut relever le courage de ces timides qui n'osent rien inventer en physique, et confondre l'insolence de ces téméraires qui produisent des nouveautés en théologie. Cependant le malheur du siècle est tel, qu'on voit beaucoup d'opinions nouvelles en théologie, inconnues à toute l'antiquité, soutenues avec obstination et reçues avec applaudissement; au lieu que celles qu'on produit dans la physique, quoique en petit nombre, semblent devoir être convaincues de fausseté dès qu'elles choquent tant soit peu les opinions reçues : comme si le respect qu'on a pour les anciens philosophes était de devoir, et que celui que l'on porte aux plus anciens des Pères était seulement de bienséance! Je laisse aux personnes judicieuses à remarquer l'importance de cet abus qui pervertit l'ordre des sciences avec tant d'injustice; et je crois qu'il y en aura peu qui ne souhaitent que cette [liberté] s'applique à d'autres matières, puisque les inventions nouvelles sont infailliblement des erreurs dans les matières que l'on profane impunément; et qu'elles sont absolument nécessaires pour la perfection de tant d'autres sujets incomparablement plus bas, que toutefois on n'oserait toucher.

Partageons avec plus de justice notre crédulité et notre défiance, et bornons ce respect que nous avons pour les anciens. Comme la raison le fait naître, elle doit aussi le mesurer; et considérons que, s'ils fussent demeurés dans cette retenue de n'oser rien ajouter aux connaissances qu'ils avaient reçues, et que ceux de leur temps eussent fait la même difficulté de recevoir les nouveautés qu'ils leur offraient, ils se seraient privés eux-mêmes et leur postérité du fruit de leurs inventions.

Comme ils ne se sont servis de celles qui leur avaient été laissées que comme de moyens pour en avoir de nouvelles, et que cette heureuse hardiesse leur avait ouvert le chemin aux grandes choses, nous devons prendre celles qu'ils nous ont acquises de la même sorte, et à leur exemple en faire les moyens et non pas la fin de notre étude, et ainsi tâcher de les surpasser en les imitant.

Car qu'y a-t-il de plus injuste que de traiter nos anciens avec plus de retenue qu'ils n'ont fait pour ceux qui les ont précédés, et d'avoir pour eux ce respect inviolable qu'ils n'ont mérité de nous que parce qu'ils n'en ont pas eu un pareil pour ceux qui ont eu sur eux le même avantage?...

Les secrets de la nature sont cachés; quoiqu'elle agisse toujours, on ne découvre pas toujours ses effets : le temps les révèle d'âge en âge, et quoique toujours égale en elle-même, elle n'est pas toujours également connue.

Les expériences qui nous en donnent l'intelligence multiplient continuellement; et, comme elles sont les seuls principes de la physique, les conséquences multiplient à proportion.

C'est de cette façon que l'on peut aujourd'hui prendre d'autres sentiments et de nouvelles opinions sans mépris et sans ingratitude, puisque les premières connaissances qu'ils nous ont données ont servi de degrés aux nôtres, et que dans ces avantages nous leur sommes redevables de l'ascendant que nous avons sur eux; parce que, s'étant élevés jusqu'à un certain degré où ils nous ont portés, le moindre effort nous fait monter plus haut, et avec moins de peine et moins de gloire nous nous trouvons au-dessus d'eux. C'est de là que nous pouvons découvrir des choses qu'il leur était impossible d'apercevoir. Notre vue a plus d'étendue, et, quoiqu'ils connussent aussi bien que nous tout ce qu'ils pouvaient remarquer de la nature, ils n'en connaissaient pas tant néanmoins, et nous voyons plus qu'eux.

Cependant il est étrange de quelle sorte on révère leurs sentiments. On fait un crime de les contredire et un attentat d'y ajouter, comme s'ils n'avaient plus laissé de vérités à connaître.

N'est-ce pas indignement traiter la raison de l'homme, et la mettre en parallèle avec l'instinct des animaux, puisqu'on en ôte la principale différence, qui consiste en ce que les effets du raisonnement augmentent sans cesse, au lieu que l'instinct demeure toujours dans un état égal? Les ruches des abeilles étaient aussi bien mesurées il y a mille ans qu'aujourd'hui, et chacune d'elles forme cet hexagone aussi exactement la première fois que la dernière. Il en est de même de tout ce que les animaux produisent par ce mouvement occulte. La nature les instruit à mesure que la nécessité les presse; mais cette science fragile se perd avec les besoins qu'ils en ont : comme ils la reçoivent sans étude, ils n'ont pas le bonheur de la conserver; et toutes les fois qu'elle leur est donnée, elle leur est nouvelle, puisque, la nature n'ayant pour objet que de maintenir les animaux dans un ordre de perfection bornée, elle leur inspire cette science nécessaire, toujours égale, de peur qu'ils ne tombent dans le dépérissement, et ne permet pas qu'ils y ajoutent, de peur qu'ils ne passent les limites qu'elle leur a prescrites. Il n'en est pas de même de l'homme, qui n'est produit que pour l'infinité. Il est dans l'ignorance au premier âge de sa vie; mais il s'instruit sans cesse dans son progrès : car il tire avantage non seulement de sa propre expérience, mais encore de celle de ses prédécesseurs, parce qu'il garde toujours dans sa mémoire les connaissances qu'il s'est une fois acquises, et que celles des anciens lui sont toujours présentes dans les livres qu'ils en ont laissés. Et comme il conserve ces connaissances, il peut aussi les augmenter facilement; de sorte que les hommes sont aujourd'hui en quelque sorte dans le même état où se trouveraient ces anciens philosophes, s'ils pouvaient avoir vieilli jusqu'à présent, en ajoutant aux connaissances qu'ils avaient celles que leurs études auraient pu leur acquérir à la faveur de tant de siècles. De là vient que, par une prérogative particulière, non seulement chacun des hommes s'avance de jour en jour dans les sciences, mais que tous les hommes ensemble y font un continuel progrès à mesure que l'univers vieillit, parce que la même chose arrive dans la succession des hommes que dans les âges différents d'un particulier. De sorte que toute la suite des hommes, pendant le cours de tous les siècles, doit être considérée comme un même homme qui subsiste toujours et qui apprend continuellement : d'où l'on voit avec combien d'injustice nous respectons l'antiquité dans ses philosophes; car, comme la vieillesse est l'âge le plus distant de l'enfance, qui ne voit que la vieillesse dans cet homme universel ne doit pas être cherchée dans les temps proches de sa naissance, mais dans ceux qui en sont le plus éloignés? Ceux que nous appelons anciens étaient véritablement nouveaux en toutes choses, et formaient l'enfance des hommes proprement; et comme nous avons joint à leurs connaissances l'expérience des siècles qui les ont suivis, c'est en nous que l'on peut trouver cette antiquité que nous révérons dans les autres.

Ils doivent être admirés dans les conséquences qu'ils ont bien tirées du peu de principes qu'ils avaient, et ils doivent être excusés dans celles où ils ont plutôt manqué du bonheur de l'expérience que de la force du raisonnement.

Car n'étaient-ils pas excusables dans la pensée qu'ils ont eue pour la Voie de lait, quand, la faiblesse de leurs yeux n'ayant pas encore reçu le secours de l'artifice, ils ont attribué cette couleur à une plus grande solidité en cette partie du ciel, qui renvoie la lumière avec plus de force?

Mais ne serions-nous pas inexcusables de demeurer dans la même pensée, maintenant qu'aidés des avantages que nous donne la lunette d'approche, nous y avons découvert une infinité de petites étoiles, dont la splendeur plus abondante nous a fait reconnaître quelle est la véritable cause de cette blancheur?

N'avaient-ils pas aussi sujet de dire que tous les corps corruptibles étaient renfermés dans la sphère du ciel de la lune, lorsque durant le cours de tant de siècles, ils n'avaient point encore remarqué de corruptions ni de générations hors de cet espace?

Mais ne devons-nous pas assurer le contraire, lorsque toute la terre a vu sensiblement les comètes s'enflammer et disparaître bien loin au-delà de cette sphère?

C'est ainsi que, sur le sujet du vide, ils avaient droit de dire que la nature n'en souffrait point, parce que toutes leurs expériences leur avaient toujours fait remarquer qu'elle l'abhorrait et ne le pouvait souffrir.

Mais si les nouvelles expériences leur avaient été connues, peut-être auraient-ils trouvé sujet d'affirmer ce qu'ils ont eu sujet de nier par là que le vide n'avait point encore paru. Aussi dans le jugement qu'ils ont fait que la nature ne souffrait point de vide, ils n'ont entendu parler de la nature qu'en l'état où ils la connaissaient; puisque, pour le dire généralement, ce ne serait assez de l'avoir vu constamment en cent rencontres, ni en mille, ni en tout autre nombre, quelque grand qu'il soit; puisque s'il restait un seul cas à examiner, ce seul suffirait pour empêcher la définition générale, et si un seul était contraire, ce seul... Car dans toutes les matières dont la preuve consiste en expériences et non en démonstrations, on ne peut faire aucune assertion universelle que par la générale énumération de toutes les parties ou de tous les cas différents. C'est ainsi que, quand nous disons que le diamant est le plus dur de tous les corps, nous entendons de tous les corps que nous connaissons, et nous ne pouvons ni ne devons y comprendre ceux que nous ne connaissons point; et quand nous disons que l'or est le plus pesant de tous les corps, nous serions téméraires de comprendre dans cette proposition générale ceux qui ne sont point encore en notre connaissance, quoiqu'il ne soit pas impossible qu'ils soient en nature.

De même quand les anciens ont assuré que la nature ne souffrait point de vide, ils ont entendu qu'elle n'en souffrait point dans toutes les expériences qu'ils avaient vues, et ils n'auraient pu sans témérité y comprendre celles qui n'étaient pas en leur connaissance. Que si elles y eussent été, sans doute ils auraient tiré les mêmes conséquences que nous et les auraient par leur aveu autorisées à cette antiquité dont on veut faire aujourd'hui l'unique principe des sciences.

C'est ainsi que, sans les contredire, nous pouvons assurer le contraire de ce qu'ils disaient et, quelque force enfin qu'ait cette antiquité, la vérité doit toujours avoir l'avantage, quoique nouvellement découverte, puisqu'elle est toujours plus ancienne que toutes les opinions qu'on en a eues, et que ce serait ignorer sa nature de s'imaginer qu'elle ait commencé d'être au temps qu'elle a commencé d'être connue.

TRAITÉS DE L'ÉQUILIBRE DES LIQUEURS ET DE LA PESANTEUR DE LA MASSE DE L'AIR

CONTENANT L'EXPLICATION DES CAUSES DE DIVERS EFFETS DE LA NATURE QUI N'AVAIENT POINT ÉTÉ BIEN CONNUS JUSQUES ICI ET PARTICULIÈREMENT DE CEUX QUE L'ON AVAIT ATTRIBUÉS A L'HORREUR DU VIDE [2]

PRÉFACE

CONTENANT LES RAISONS QUI ONT PORTÉ A PUBLIER CES DEUX TRAITÉS APRÈS LA MORT DE MONSIEUR PASCAL, ET L'HISTOIRE DES DIVERSES EXPÉRIENCES QUI Y SONT EXPLIQUÉES

Encore que plusieurs personnes intelligentes qui ont lu ces deux *Traités* en aient fait un jugement très avantageux et que l'on y voie un grand nombre des plus merveilleux effets de la nature expliqués, non par des conjectures incertaines, mais par des raisons claires, sensibles, et démonstratives, on peut dire néanmoins, avec vérité, que le nom de M. Pascal fait beaucoup plus d'honneur à ces ouvrages, que ces ouvrages n'en font au nom de M. Pascal.

Ce n'est pas que ces *Traités* ne soient achevés en leur genre, ni qu'il soit guère possible d'y mieux réussir, mais c'est que ce genre même est tellement au-dessous de lui, que ceux qui n'en jugeront que par ces écrits ne se pourront former qu'une idée très faible et très imparfaite de la grandeur de son génie et de la qualité de son esprit.

Car encore qu'il fût autant capable qu'on le peut être de pénétrer dans les secrets de la nature, et qu'il y eût des ouvertures admirables, il avait néanmoins tellement connu depuis plus de dix ans avant sa mort la vanité et le néant de toutes ces sortes de connaissances et il en avait conçu un tel dégoût qu'il avait peine à souffrir que des personnes d'esprit s'y occupassent et en parlassent sérieusement.

Il a toujours cru depuis ce temps-là qu'il n'y avait que la seule religion qui fût un digne objet de l'esprit de l'homme; que c'était une des preuves de la bassesse où il a été réduit par le péché, de ce qu'il pouvait s'attacher avec ardeur à la recherche de ces choses qui ne peuvent en rien contribuer à le rendre heureux : et il avait accoutumé de dire sur ce sujet : *Que toutes ces sciences ne le consoleraient point dans le temps de l'affliction; mais que la science des vérités chrétiennes le consolerait en tout temps, et de l'affliction, et de l'ignorance de ces sciences.*

Il croyait donc que s'il y avait quelque avantage et quelque engagement par la coutume de s'instruire de ces choses, et d'apprendre ce que l'on en peut dire de plus raisonnable et de plus solide, il était absolument nécessaire d'apprendre à ne les priser qu'à leur juste prix; et que s'il était meilleur de les savoir en les estimant peu, que de les ignorer, il valait beaucoup mieux les ignorer que de les savoir en les estimant trop, et en s'y appliquant comme à des choses fort grandes et fort relevées.

C'est pourquoi encore que ces deux traités fussent tout prêts à imprimer il y a plus de douze ans, comme le savent plusieurs personnes qui les ont vus dès ce temps-là, il n'a jamais néanmoins voulu souffrir qu'on les publiât, tant par l'éloignement qu'il a toujours eu de se produire, qu'à cause du peu d'état qu'il faisait de ces sciences.

Mais il n'est pas étrange que ses amis qui se voient privés par sa mort de l'espérance de plusieurs ouvrages très considérables auxquels il avait dessein de s'employer tout entier pour le service de l'Église, regardent d'une autre manière le peu d'écrits qu'il leur a laissés; et qu'ainsi ils se soient plus facilement portés à les donner au public.

Car, dans le regret de la perte qu'ils ont faite, tout ce qui leur reste de lui leur est précieux; parce qu'il leur renouvelle le souvenir d'une personne qui leur a été si chère par tant de raisons, et qu'ils y entrevoient toujours quelques traits de cette éloquence inimitable avec laquelle il parlait et écrivait sur les sujets qui en sont capables. Il est vrai que la connaissance particulière qu'ils ont eue de l'esprit de M. Pascal leur y fait découvrir plusieurs choses qui ne seront pas aperçues par ceux qui ne l'ont pas connu comme eux : on croit néanmoins que toutes les personnes habiles y remarqueront une adresse à mettre les choses dans leur jour qui n'est pas commune, et qu'ils reconnaîtront facilement que cette clarté extraordinaire qui paraît dans ces écrits vient de ce qu'il concevait les choses avec une netteté qui lui était propre.

Que s'ils portent cette vue plus loin et qu'ils se représentent ce que pouvaient produire une lumière et une pénétration d'esprit admirables, jointes à une abondance prodigieuse de pensées rares et solides, et d'expressions vives et surprenantes lorsqu'il avait pour objet, non des spéculations peu utiles, comme celle de ces deux *Traités*, mais les plus grandes et les plus hautes vérités de notre religion, ils se pourront former quelque idée de ce qu'eût pu faire M. Pascal, s'il eût vécu plus longtemps, dans les ouvrages qu'il s'était proposé de faire, et dont il n'a laissé que de légers commencements qui ne laisseront pas d'être admirés si on les donne jamais au public.

C'est l'usage que l'on doit faire de ceux que l'on donne maintenant : on ne les doit pas considérer en

2. Pour l'édition de ce volume un privilège de sept ans est donné à Florin Périer le 8 avril 1663. Il le cède à Guillaume Desprez le 8 juin 1663. L'achevé d'imprimer pour la première fois est du 1er novembre 1663.

eux-mêmes, ni borner l'idée que l'on doit avoir de celui qui en est auteur à ce que l'on voit de lui dans ses écrits; mais en les regardant comme des jeux et des divertissements de sa jeunesse, et comme des choses qu'il a méprisées lui-même autant que personne, on doit s'en servir seulement pour concevoir ce qu'on avait sujet d'attendre de lui dans les matières sérieuses et importantes auxquelles il avait résolu de travailler pendant le reste de sa vie.

C'est aussi dans ce même dessein que je crois devoir dire quelque chose de l'ouverture qu'il avait pour les Mathématiques, et de la manière dont il les apprit, parce que c'est une chose aussi rare et aussi étrange qu'on en ait peut-être jamais ouï dire de personne et qu'elle peut beaucoup contribuer à faire connaître la qualité de son esprit.

M. Pascal n'eut jamais d'autre maître que monsieur son père, qui crut ne pouvoir mieux employer le loisir qu'il s'était procuré en quittant sa charge de Président de la Cour des Aides de Clermont, qu'en instruisant lui-même son fils dont la vivacité lui faisait concevoir des espérances très avantageuses. Ce fut la principale raison qui l'obligea à quitter la province pour s'établir à Paris, dont le séjour lui paraissait plus favorable pour son dessein. On remarquait surtout dans cet enfant une intelligence admirable pour pénétrer le fond des choses, et pour discerner les raisons solides de celles qui ne consistent qu'en mots; de sorte que lorsqu'on lui en alléguait de cette dernière sorte son esprit était incapable de se satisfaire, et demeurait dans une continuelle agitation jusqu'à ce qu'il en eût découvert les véritables raisons. Une fois entre autres, lorsqu'il n'avait encore que onze ans, quelqu'un ayant à table, sans y penser, frappé un plat de faïence avec un couteau, il prit garde que cela rendait un grand son, mais qu'aussitôt qu'on mettait la main dessus ce son s'arrêtait; il voulut en même temps en savoir la cause, et cette expérience l'ayant porté à en faire beaucoup d'autres sur les sons, il y remarqua tant de choses qu'il en fit un petit *Traité* qui fut jugé très ingénieux et très solide.

Cette étrange inclination qu'il avait pour les choses de raisonnement causa une juste défiance à monsieur son père qui était un des habiles hommes de France dans les Mathématiques, que s'il lui donnait quelque entrée dans la Géométrie, il ne s'y portât plus qu'il ne voudrait, et que cela ne l'empêchât d'apprendre les langues. Il se résolut donc de lui en ôter autant qu'il pourrait toutes sortes de connaissances : il serra tous les livres qui en traitaient, et il s'abstenait même d'en parler en sa présence avec ses amis : mais ces précautions ne firent qu'exciter la curiosité de son fils, de sorte qu'il conjurait souvent son père de lui apprendre les Mathématiques, et, ne le pouvant obtenir, il le pria au moins de lui dire ce que c'était que cette science. M. le président Pascal lui répondit en général que c'était une science qui enseignait le moyen de faire des figures justes, et de trouver les proportions qu'elles ont entre elles, et, en même temps, lui défendit d'en parler et d'y penser davantage : mais c'était commander une chose impossible à un esprit tel que celui de son fils. Aussi, sur cette simple ouverture, il se mit néanmoins à rêver à ses heures de récréation, et, étant seul dans une salle où il avait accoutumé de se divertir, il prenait du charbon et faisait des figures sur les carreaux, cherchant les moyens, par exemple, de faire un cercle parfaitement rond, un triangle dont les côtés et les angles fussent égaux, et autres choses semblables. Il trouvait tout cela facilement, ensuite il cherchait les proportions des figures entre elles. Mais comme le soin que monsieur son père avait eu de lui cacher toutes ces choses avait été si grand qu'il n'en savait pas même les noms, il fut contraint de se faire lui-même des définitions. Il appelait un cercle, un rond, une ligne, une barre; et ainsi des autres. Après ces définitions il se fit des axiomes; et, enfin, il fit des démonstrations parfaites; et comme l'on va de l'un à l'autre dans cette science, il poussa ses recherches si avant, qu'il en vint jusqu'à la 32e proposition du premier livre d'Euclide.

Comme il en était là-dessus, monsieur son père entra par hasard dans le lieu où il était, et le trouva si fort appliqué qu'il fut longtemps sans s'apercevoir de sa venue. On ne peut dire lequel fut le plus surpris, ou du fils de voir son père, à cause de la défense expresse qu'il lui avait faite, ou du père de voir son fils au milieu de toutes ces figures. Mais la surprise du père fut bien plus grande lorsque, lui ayant demandé ce qu'il faisait, il lui dit qu'il cherchait telle chose qui était justement la 32e proposition du premier livre d'Euclide. Il lui demanda ensuite ce qui l'avait fait penser à cela, et il répondit que c'était qu'il avait trouvé telle autre chose; et ainsi, en rétrogradant et expliquant toujours par ses noms de barre et de rond, il en vint jusqu'aux définitions et aux axiomes qu'il s'était formés.

M. Pascal père fut tellement épouvanté de la grandeur et de la force du génie de son fils qu'il le quitta sans lui pouvoir dire un mot, et il alla sur l'heure chez M. Le Pailleur son ami intime, qui était aussi très habile dans les Mathématiques. Lorsqu'il y fut arrivé, il y demeura immobile, comme un homme transporté. M. Le Pailleur, voyant cela, et s'apercevant même qu'il versait quelques larmes, en fut tout effrayé, et le pria de ne lui pas celer plus longtemps la cause de son déplaisir. « Je ne pleure pas, lui dit M. Pascal, d'affliction mais de joie : Vous savez les soins que j'ai pris pour ôter à mon fils la connaissance de la Géométrie, de peur de le détourner de ses autres études; cependant voyez ce qu'il a fait. » Sur cela, il lui conta tout ce que je viens de dire, et lui dit tout ce que son fils avait trouvé de lui-même. M. Le Pailleur n'en fut pas moins surpris que le père même, et lui dit qu'il ne trouvait pas juste de captiver plus longtemps cet esprit et de lui cacher ces sciences; qu'il fallait lui laisser voir les livres qui en traitaient sans le contraindre davantage. M. Pascal se laissa vaincre à ces raisons, et donna les *éléments d'Euclide* à son fils qui n'avait encore que douze ans. Jamais enfant ne lut un roman avec plus d'avidité et plus de facilité qu'il lut ce livre, lorsqu'on le lui eut mis entre les mains. Il le vit et l'entendit tout seul sans avoir jamais eu besoin d'aucune explication, et il y entra d'abord si avant qu'il se trouvait dès lors régulièrement aux conférences qui se faisaient toutes les semaines, où tous les plus habiles gens de Paris, s'assemblaient pour y porter leurs ouvrages, ou pour examiner ceux des autres. Le jeune M. Pascal y tint dès lors sa place aussi bien qu'aucun autre, soit pour l'examen, soit pour la production. Il y portait aussi souvent que personne des choses nouvelles, et il est arrivé quelquefois qu'il a découvert des fautes dans des propositions qu'on examinait, dont les autres ne s'étaient pas aperçus. Cependant, il n'employait à l'étude de la Géométrie que ses heures de récréation, apprenant alors les langues que son père lui montrait. Mais comme il trouvait dans ces sciences la vérité qu'il aimait en tout avec une extrême passion, il y avançait tellement, pour peu qu'il s'y occupât, qu'à l'âge de seize ans il fit un *Traité des Coniques* qui passa au jugement des plus habiles pour un des plus grands efforts d'esprit qu'on se puisse imaginer. Aussi M. Descartes, qui était en Hollande depuis longtemps, l'ayant lu et ayant ouï dire qu'il avait été fait par un enfant âgé de seize ans, aima mieux croire que M. Pascal, le père, en était le véritable auteur, et qu'il voulait se dépouiller de la gloire qui lui appartenait légitimement pour la faire passer à son fils, que de se persuader qu'un enfant de cet âge fût capable d'un ouvrage de cette force, faisant voir par cet éloignement qu'il témoigna de croire une chose qui était très véritable, qu'elle était en effet incroyable et prodigieuse.

A l'âge de dix-neuf ans, il inventa cette machine admirable d'Arithmétique qui a été estimée une des plus extraordinaires choses qu'on ait jamais vue. Et ensuite, à l'âge de vingt-trois ans, ayant vu l'expérience de Torricelli, il en inventa, et en fit un très grand nombre d'autres nouvelles. Et comme ce sont celles dont il a composé les deux *Traités de l'Équilibre des liqueurs*, et *de la Pesanteur de l'Air*, et qui en sont le sujet, il est nécessaire d'en faire ici l'histoire plus exactement, et de reprendre la chose de plus haut.

HISTOIRE DES EXPÉRIENCES DU VIDE

Galilée est celui qui a remarqué le premier que les pompes aspirantes ne pouvaient élever l'eau plus haut que 32 ou 33 pieds, et que le reste du tuyau, s'il était plus haut demeurait apparemment vide. Il en avait seulement tiré cette conséquence que la nature n'a horreur du vide que jusqu'à un certain point, et que l'effort qu'elle fait pour l'éviter est fini, et peut être surmonté, sans se détromper encore de la fausseté du principe même. Ensuite, en l'an 1643, Torricelli, Mathématicien du Duc de Florence, et successeur de Galilée, trouva qu'un tuyau de verre de quatre pieds ouvert seulement par un bout et fermé par l'autre, étant rempli de vif-argent, l'ouverture en étant bouchée avec le doigt ou autrement, et le tuyau disposé perpendiculairement à l'horizon, l'ouverture bouchée étant vers le bas, et plongée de deux ou trois doigts dans d'autre vif-argent contenu en un vaisseau moitié plein de vif-argent, et l'autre moitié d'eau; si on le débouche (l'ouverture demeurant enfoncée dans le vif-argent du vaisseau), le vif-argent du tuyau descend en partie, laissant au haut du tuyau un espace vide en apparence, le bas du même tuyau demeurant plein du même vif-argent jusqu'à une certaine hauteur : et si on hausse un peu le tuyau, jusqu'à ce que son ouverture qui trempait auparavant dans le vif-argent du vaisseau, sortant de ce vif-argent arrive à la région de l'eau, le vif-argent du tuyau monte jusqu'en haut avec l'eau, et ces deux liqueurs se brouillent dans le tuyau, mais enfin tout le vif-argent tombe, et le tuyau se trouve tout plein d'eau.

C'est là la première expérience qui a été faite sur cette matière qui est devenue depuis si célèbre par les suites qu'elle a eues, et que l'on a toujours appellée l'expérience du Vide.

Ce fut le R. P. Mersenne, Minime de Paris qui en eut le premier la connaissance en France; on la lui manda d'Italie en l'année 1644, et, ayant été par son moyen divulguée et rendue fameuse dans toute la France, avec l'admiration de tous les savants, M. Pascal l'apprit de M. Petit, Intendant des Fortifications et très habile dans ces sortes de sciences, qui l'avait apprise du P. Mersenne même; et l'ayant faite ensemble à Rouen, en l'année 1646, de la même sorte qu'elle avait été faite en Italie, ils trouvèrent de point en point ce qui avait été mandé de ce pays-là.

Depuis, M. Pascal ayant réitéré plusieurs fois cette même expérience, et s'en étant entièrement assuré, il en tira plusieurs conséquences pour la preuve desquelles il fit plusieurs nouvelles expériences en présence des personnes les plus considérables de la ville de Rouen où il était alors, monsieur son père y faisant la fonction d'Intendant de Justice et des Finances. Et entre autres il en fit une avec un tuyau de verre de quarante-six pieds de haut, ouvert par un bout, et scellé hermétiquement par l'autre, qu'il remplit d'eau ou plutôt de vin rouge pour être plus visible; et l'ayant fait élever en cet état en bouchant l'ouverture et poser perpendiculairement à l'horizon, l'ouverture en bas étant dans un vaisseau plein d'eau, et enfoncée dedans environ d'un pied; en la débouchant, le vin du tuyau descendait jusqu'à la hauteur d'environ trente-deux pieds depuis la surface de l'eau du vaisseau, à laquelle il demeurait suspendu, laissant au haut du tuyau un espace de treize pieds, vide en apparence : et, en inclinant le tuyau, comme alors la hauteur du vin du tuyau devenait moindre par cette inclination, le vin remontait jusqu'à ce qu'il vînt jusqu'à la hauteur de 32 pieds : et enfin en l'inclinant jusqu'à la hauteur de trente-deux pieds, il se remplissait entièrement en resuçant ainsi autant d'eau qu'il avait rejetté de vin; en sorte qu'on le voyait plein de vin depuis le haut jusqu'à treize pieds près du bas, et rempli d'eau dans les treize pieds inférieurs, parce que l'eau est plus pesante que le vin.

Il y fit encore un grand nombre de toutes sortes d'expériences avec des siphons, seringues, soufflets, et toutes sortes de tuyaux, de toutes longueurs, grosseurs, et figures, chargés de différentes liqueurs, comme vif-argent, eau, vin, huile, air, etc.

Il les fit imprimer en l'année 1647, et en fit un petit livret qu'il envoya par toute la France, et ensuite dans les pays étrangers, comme en Suède, en Hollande, en Pologne, en Allemagne, en Italie, et de tous les côtés, ce qui rendit ces expériences célèbres parmi tous les savants de l'Europe.

Cette même année 1647, M. Pascal fut averti d'une pensée qu'avait eue Torricelli que l'air était pesant, et que sa pesanteur pouvait être la cause de tous les effets qu'on avait jusqu'alors attribués à l'horreur du vide. Il trouva cette pensée tout à fait belle; mais comme ce n'était qu'une simple conjecture et dont on n'avait aucune preuve, pour en connaître ou la vérité ou la fausseté, il fit plusieurs expériences : l'une des plus considérables fut celle du vide dans le vide, qu'il fit avec deux tuyaux l'un dans l'autre, vers la fin de l'année 1647, comme on le peut juger par ce qui en est dit dans le récit de l'expérience du Puy-de-Dôme (p. 170) qui fut imprimé en 1648. Il n'en est pas néanmoins parlé dans les deux Traités que l'on publie maintenant, parce que l'effet est tout pareil à celui de l'expérience, qui est rapportée dans le Traité de la Pesanteur de l'Air, chap. 6, p. 105, qui ne diffère de l'autre qu'en ce que l'une se fait avec un simple tuyau et l'autre avec deux tuyaux l'un dans l'autre.

Mais cette expérience ne le satisfaisant pas encore entièrement, il médita dès la fin de cette même année 1647, l'expérience célèbre qui fut faite en 1648, au haut et au bas d'une montagne d'Auvergne, appelée le Puy-de-Dôme, dont il fit imprimer la *Relation* qu'il envoya aussi de toutes parts.

Le succès de cette expérience qu'il réitéra depuis plusieurs fois, au haut et au bas de plusieurs tours, comme de celles de Notre-Dame de Paris, de Saint-Jacques-de-la-Boucherie, etc., au grenier et à la cave d'une maison, y remarquant toujours la même proportion, le confirma tout à fait dans la pensée de Torricelli de la pesanteur de l'air, et lui donna lieu ensuite d'en tirer plusieurs conséquences très belles et très utiles, et de faire encore plusieurs autres expériences qu'il mit dans un grand Traité qu'il composa en ce temps-là, où il expliquait à fond toute cette matière, et où il résolvait toutes les objections que l'on faisait contre lui. Mais ce Traité a été perdu; ou plutôt, comme il aimait fort la brièveté, il l'a réduit lui-même en ces deux petits Traités que l'on donne maintenant, dont l'un est intitulé : *De l'Équilibre des Liqueurs*, et l'autre : *De la Pesanteur de la masse de l'Air*.

Il est seulement resté de cet autre plus long écrit quelques fragments qui se verront à la fin de ce livre 3 et on y a joint aussi la *Relation de l'Expérience du Puy de Dôme* dont nous venons de parler.

Ce fut incontinent après ce temps-là que des études plus sérieuses auxquelles M. Pascal se donna tout entier, le dégoûtèrent tellement des Mathématiques et de la Physique qu'il les abandonna absolument. Car quoiqu'il ait fait depuis un *Traité de la Roulette* sous le nom d'Ettonville, cela n'est pas contraire à ce que je dis, parce qu'il trouva tout ce qu'il contient comme par hasard et sans s'y appliquer, et qu'il ne l'écrivit que pour le faire servir à un dessein entièrement éloigné des Mathématiques et de toutes les sciences curieuses comme on le pourra dire quelque jour.

Mais quoique, depuis l'année 1647 jusqu'à sa mort, il se soit passé près de quinze ans, on peut dire néanmoins qu'il n'a vécu que fort peu de temps depuis, ses maladies et ses incommodités continuelles lui ayant à peine laissé deux ou trois ans d'intervalle, non d'une santé parfaite, car il n'en a jamais eue, mais d'une langueur plus supportable, et dans laquelle il n'était pas entièrement incapable de travailler.

C'est dans ce petit espace de temps qu'il a écrit ce que l'on a de lui, tant ce qui a paru sous d'autres noms que ce que l'on a trouvé dans ses papiers, qui ne consiste presque qu'en un amas de pensées détachées pour un grand ouvrage qu'il méditait, lesquelles il produisait dans les petits intervalles de loisir que lui laissaient ses autres occupations, ou dans les entretiens qu'il en avait avec ses amis. Mais, quoique ces pensées ne soient rien en comparaison de ce qu'il eût fait s'il eût travaillé tout de bon à ces ouvrages, on s'assure néanmoins que si le public les voit jamais, il ne se tiendra pas peu obligé à ceux qui ont pris le soin de les recueillir, et de les conserver, et qu'il demeurera persuadé que ces Fragments tout informes qu'ils sont, ne se peuvent trop estimer, et qu'ils donnent des ouvertures aux plus grandes choses, et auxquelles peut-être on n'aurait jamais pensé.

I
TRAITÉ DE L'ÉQUILIBRE DES LIQUEURS

CHAPITRE 1er. *Que les liqueurs pèsent suivant leur hauteur.*

Si l'on attache contre un mur plusieurs vaisseaux, l'un tel que celui de la première figure; l'autre penché, comme en la seconde; l'autre, fort large, comme en la troisième; l'autre étroit, comme en la quatrième; l'autre qui ne soit qu'un petit tuyau qui aboutisse à un vaisseau large par en bas, mais qui n'ait presque point de hauteur, comme en la cinquième figure; et qu'on les remplisse tous d'eau jusqu'à une même hauteur, et qu'on fasse à tous des ouvertures pareilles par en bas, lesquelles on bouche pour retenir l'eau : l'expérience fait voir qu'il faut une pareille force pour empêcher tous ces tampons de sortir, quoique l'eau soit en une quantité toute différente en tous ces différents vaisseaux, parce qu'elle est à une pareille hauteur en tous; et la mesure de cette force est le poids de l'eau contenue dans le premier vaisseau, qui est uniforme en tout son corps; car si cette eau pèse cent livres, il faudra une force de cent livres pour soutenir chacun des tampons, et même celui du vaisseau cinquième, quand l'eau qui y est ne pèserait pas une once.

Pour l'éprouver exactement, il faut boucher l'ouverture du cinquième vaisseau avec une pièce de bois ronde, enveloppée d'étoupe comme le piston d'une pompe, qui entre et coule dans cette ouverture avec tant de justesse, qu'il n'y tienne pas et qu'il empêche néanmoins l'eau d'en sortir, et attacher un fil au milieu de ce piston, que l'on passe dans ce petit tuyau, pour l'attacher à un bras de balance et pendre à l'autre bras un poids de cent livres : on verra un parfait équilibre de ce poids de cent livres avec l'eau du petit tuyau qui pèse une once; et si peu qu'on diminue de ces cent livres, le poids de l'eau fera baisser le piston; et par conséquent baisser le bras de la balance où il est attaché, et hausser celui où pend le poids d'un peu moins de cent livres.

Si cette eau vient à se glacer, et que la glace ne prenne pas au vaisseau, comme en effet elle ne s'y attache pas d'ordinaire, il ne faudra à l'autre bras de la balance qu'une once pour tenir le poids de la glace en équilibre : mais si on approche du feu contre le vaisseau, qui fasse fondre la glace, il faudra un poids de cent livres pour contre balancer la pesanteur de cette glace fondue en eau, quoique nous ne la supposions que d'une once.

La même chose arriverait quand ces ouvertures que l'on bouche seraient à côté, ou même en haut; et il en serait même plus aisé de l'éprouver en cette sorte.

FIGURE VI. Il faut avoir un vaisseau clos de tous côtés, et y faire deux ouvertures en haut, une fort étroite, l'autre plus large, et souder sur l'une et sur l'autre des tuyaux de la grosseur chacun de son ouverture; et on verra que si on met un piston au tuyau large, et qu'on verse de l'eau dans le tuyau menu, il faudra mettre sur le piston un grand poids, pour empêcher que le poids de l'eau du petit tuyau ne le pousse en haut; de la même sorte que dans les premiers exemples, il fallait une force de cent livres pour empêcher que le poids de l'eau ne les poussât en bas, parce que l'ouverture était en bas; et si elle était à côté, il faudrait une pareille force pour empêcher que le poids de l'eau ne repoussât le piston vers ce côté.

Et quand le tuyau plein d'eau serait cent fois plus large ou cent fois plus étroit, pourvu que l'eau y fût toujours à la même hauteur, il faudrait toujours un même poids pour contre-peser l'eau; et si peu qu'on diminue le poids, l'eau baissera, et fera monter le poids diminué.

Règle de la force nécessaire pour arrêter l'eau. Mais si on versait de l'eau dans le tuyau à une hauteur double, il faudrait un poids double sur le piston pour contre-peser l'eau; et de même, si on faisait l'ouverture où est le piston, double de ce qu'elle est, il faudrait doubler la force nécessaire pour soutenir le piston double : d'où l'on voit que la force nécessaire pour empêcher l'eau de couler par une ouverture, est proportionnée à la hauteur de l'eau, et non pas à sa largeur; et que la mesure de cette force est toujours le poids de toute l'eau qui serait contenue dans une colonne de la hauteur de l'eau, et de la grosseur de l'ouverture.

Ce que j'ai dit de l'eau se doit entendre de toutes autres sortes de liqueurs.

CHAPITRE II. *Pourquoi les liqueurs pèsent suivant leur hauteur.*

On voit, par tous ces exemples, qu'un petit filet d'eau tient un grand poids en équilibre : il reste à montrer quelle est la cause de cette multiplication de force; nous l'allons faire par l'expérience qui suit.

Nouvelle sorte de machine pour multiplier les forces. FIGURE VII. Si un vaisseau plein d'eau, clos de toutes parts, a deux ouvertures, l'une centuple de l'autre : en mettant à chacune un piston qui lui soit juste, un homme poussant le petit piston égalera la force de cent hommes, qui pousseront celui qui est cent fois plus large, et en surmontera quatre-vingt-dix-neuf.

Et quelque proportion qu'aient ces ouvertures, si les forces qu'on mettra sur les pistons sont comme les ouvertures, elles seront en équilibre. D'où il paraît qu'un vaisseau plein d'eau est un nouveau principe de mécanique, et une machine nouvelle pour multiplier les forces à tel degré qu'on voudra, puisqu'un homme par ce moyen pourra enlever tel fardeau qu'on lui proposera.

Et l'on doit admirer qu'il se rencontre en cette machine nouvelle cet ordre constant qui se trouve en toutes les anciennes; savoir : le levier, le tour, la vis sans fin, etc., qui est, que le chemin est augmenté en même proportion que la force. Car il est visible que, comme une de ces ouvertures est centuple de l'autre, si l'homme qui pousse le petit piston, l'enfonçait d'un pouce, il ne repousserait l'autre que de la centième partie seulement; car, comme cette impulsion se fait à cause de la continuité de l'eau, qui communique de l'un des pistons à l'autre, et qui fait que l'un ne peut se mouvoir sans pousser l'autre, il est visible que quand le petit piston s'est mû d'un pouce, l'eau qu'il a poussée, poussant l'autre piston, comme elle trouve son ouverture cent fois plus large, elle n'y occupe que la centième partie de la hauteur : de sorte que le chemin est au chemin, comme la force à la force. Ce que l'on peut prendre même pour la vraie cause de cet effet : étant clair que c'est la même chose de faire faire un pouce de chemin à cent livres d'eau, que de faire faire cent pouces de chemin à une livre d'eau; et qu'ainsi, lorsqu'une livre d'eau est tellement ajustée avec cent livres d'eau, que les cent livres ne puissent se remuer un pouce qu'elles ne fassent remuer la livre de cent pouces, il faut qu'elles demeurent en équilibre, une livre ayant autant de force pour faire faire un pouce de chemin à cent livres, que cent livres pour faire faire cent pouces de chemin à une livre.

On peut encore ajouter, pour plus grand éclaircissement, que l'eau est également pressée sous ces deux pistons; car si l'un a cent fois plus de poids que l'autre, aussi en revanche il touche cent fois plus de parties; et ainsi chacune l'est également; donc toutes doivent être en repos, parce qu'il n'y a pas plus de raison pourquoi l'un cède que l'autre : de sorte que si un vaisseau plein d'eau n'a qu'une seule ouverture, large d'un pouce, par exemple, où l'on mette un piston chargé d'un poids d'une livre, ce poids fait effort contre toutes les parties du vaisseau généralement, à cause de la continuité et de la fluidité de l'eau. Mais pour déterminer combien chaque partie souffre, en voici la règle : Chaque partie large d'un pouce, comme l'ouverture, souffre autant que si elle était poussée par le poids d'une livre (sans compter le poids de l'eau dont je ne parle pas ici, car

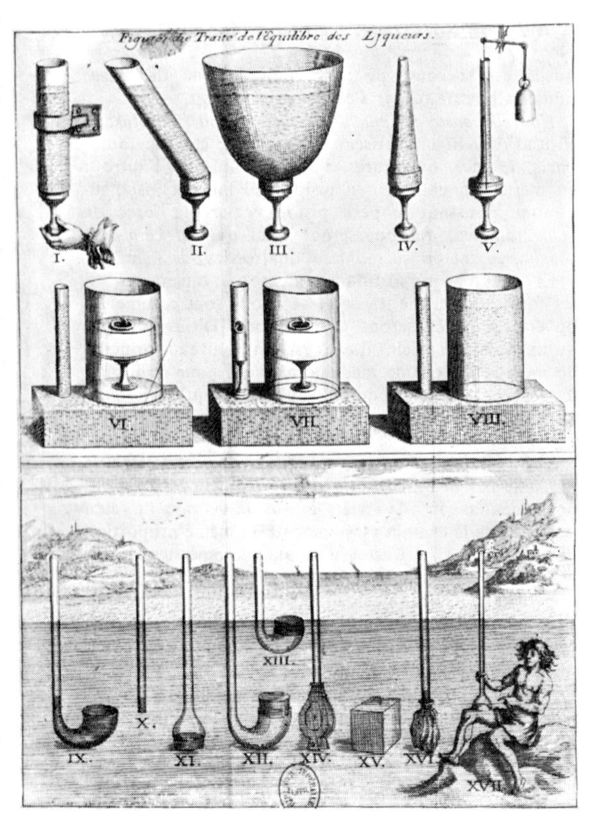

je ne parle que du poids du piston), parce que le poids d'une livre presse le piston qui est à l'ouverture, et chaque portion du vaisseau, plus ou moins grande, souffre précisément plus ou moins à proportion de sa grandeur, soit que cette portion soit vis-à-vis de l'ouverture ou à côté, loin ou près; car la continuité et la fluidité de l'eau rendent toutes ces choses-là égales et indifférentes : de sorte qu'il faut que la matière dont le vaisseau est fait, ait assez de résistance en toutes ses parties pour soutenir tous ces efforts : si sa résistance est moindre en quelqu'une, elle crève; si elle est plus grande, il en fournit ce qui est nécessaire, et le reste demeure inutile en cette occasion : tellement que si on fait une ouverture nouvelle à ce vaisseau, il faudra, pour arrêter l'eau qui en jaillirait, une force égale à la résistance que cette partie devait avoir, c'est-à-dire une force qui soit à celle d'une livre, comme cette dernière ouverture est à la première.

Voici encore une preuve qui ne pourra être entendue que par les seuls géomètres, et peut être passée par les autres.

Je prends pour principe, que jamais un corps ne se meut par son poids, sans que son centre de gravité descende. D'où je prouve que les deux pistons figurés en la figure VII sont en équilibre, en cette sorte; car leur centre de gravité commun est au point qui divise la ligne qui joint leurs centres de gravité particuliers, en la proportion de leurs poids; qu'ils se meuvent maintenant, s'il est possible : donc leurs chemins seront entre eux comme leurs poids réciproquement, comme nous avons fait voir : or, si on prend leur centre de gravité commun en cette seconde situation, on le trouvera précisément au même endroit que la première fois; car il se trouvera toujours au point qui divise la ligne qui joint leurs centres de gravité particuliers, en la proportion de leurs poids; donc, à cause du parallélisme des lignes de leurs chemins, il se trouvera en l'intersection des deux lignes qui joignent les centres de gravité dans les deux situations; donc le centre de gravité commun sera au même point qu'auparavant : donc les deux pistons, considérés comme un seul corps, se sont mus, sans que le centre de gravité commun soit descendu; ce qui est contre le principe; donc ils ne peuvent se mouvoir : donc ils seront en repos, c'est-à-dire en équilibre; ce qu'il fallait démontrer.

J'ai démontré par cette méthode, dans un petit traité de mécanique, la raison de toutes les multiplications de forces qui se trouvent en tous les autres instruments de mécanique qu'on a jusqu'à présent inventés. Car je fais voir en tous, que les poids inégaux qui se trouvent en équilibre par l'avantage des machines, sont tellement disposés par la construction des machines, que leur centre de gravité commun ne saurait jamais descendre, quelque situation qu'ils prissent : D'où il s'ensuit qu'ils doivent demeurer en repos, c'est-à-dire en équilibre.

Prenons donc pour très véritable, qu'un vaisseau plein d'eau, ayant des ouvertures, et des forces à ces ouvertures qui leur soient proportionnées, elles sont en équilibre; et c'est le fondement et la raison de l'équilibre des liqueurs, dont nous allons donner plusieurs exemples.

Cette machine nouvelle de mécanique fait entendre pourquoi les liqueurs pèsent suivant leur hauteur. Cette machine de mécanique pour multiplier les forces, étant bien entendue, fait voir la raison pour laquelle les liqueurs pèsent suivant leur hauteur, et non pas suivant leur largeur, dans tous les effets que nous en avons rapportés.

Car il est visible qu'en la figure VI l'eau d'un petit tuyau contre-pèse un piston chargé de cent livres, parce que le vaisseau du fond est lui-même un vaisseau plein d'eau, ayant deux ouvertures, à l'une desquelles est le piston large, et à l'autre l'eau du tuyau, qui est proprement un piston pesant de lui-même, qui doit contrepeser l'autre, si leurs poids sont entre eux comme leurs ouvertures.

Aussi en la figure V l'eau du tuyau menu est en équilibre avec un poids de cent livres, parce que le vaisseau du fond, qui est large, et peu haut, est un vaisseau clos de toutes parts, plein d'eau, ayant deux ouvertures, l'une en bas, large, où est le piston; l'autre en haut, menue, où est le petit tuyau, dont l'eau est proprement un piston pesant de lui-même, et contre-pesant l'autre, à cause de la proportion des poids aux ouvertures; car il n'importe pas si ces ouvertures sont vis-à-vis ou non, comme il a été dit.

Où l'on voit que l'eau de ces tuyaux ne fait autre chose que ce que feraient des pistons de cuivre également pesants; puisqu'un piston de cuivre pesant une once, serait aussi bien en équilibre avec le poids de cent livres, comme le petit filet d'eau pesant une once : de sorte que la cause de l'équilibre d'un petit poids avec un plus grand, qui paraît en tous ces exemples, n'est pas en ce que ces corps qui pèsent si peu, et qui en contre-pèsent de bien plus pesants, sont d'une matière liquide; car cela n'est pas commun à tous les exemples, puisque ceux où de petits pistons de cuivre en contre-pèsent de si pesants, montrent la même chose; mais en ce que la matière qui s'étend dans le fond des vaisseaux depuis une ouverture jusqu'à l'autre, est liquide; car cela est commun à tous, et c'est la véritable cause de cette multiplication.

Aussi dans l'exemple de la figure v si l'eau qui est dans le petit tuyau se glaçait, et que celle qui est dans le vaisseau large du fond demeurât liquide, il faudrait cent livres pour soutenir le poids de cette glace; mais si l'eau qui est dans le fond se glace, soit que l'autre se gèle ou demeure liquide, il ne faut qu'une once pour la contre-peser.

D'où il paraît bien clairement que c'est la liquidité du corps qui communique d'une des ouvertures à l'autre, qui cause cette multiplication de forces, parce que le fondement en est, comme nous avons déjà dit, qu'un vaisseau plein d'eau est une machine de mécanique pour multiplier les forces.

Passons aux autres effets, dont cette machine nous découvre la raison.

CHAPITRE III. *Exemples et raisons de l'équilibre des liqueurs...*

FIGURE VIII. Si un vaisseau plein d'eau a deux ouvertures, à chacune desquelles soit soudé un tuyau; si on verse de l'eau dans l'un et dans l'autre à pareille hauteur, les deux seront en équilibre.

Car les hauteurs étant pareilles, elles seront en la proportion de leurs grosseurs, c'est-à-dire de leurs ouvertures; donc les deux eaux de ces tuyaux sont proprement deux pistons pesants à proportion des ouvertures; donc ils seront en équilibre, par les démonstrations précédentes.

De là vient que si on verse de l'eau dans l'un de ces tuyaux seulement, elle fera remonter l'eau dans l'autre, jusqu'à ce qu'elle soit arrivée à la même hauteur, et lors elles demeureront en équilibre; car alors ce seront deux pistons pesants en la proportion de leurs ouvertures.

Pourquoi l'eau monte aussi haut que sa source. C'est la raison pour laquelle l'eau monte aussi haut que sa source.

Que si l'on met des liqueurs différentes dans les tuyaux, comme de l'eau dans un et du vif-argent dans l'autre, ces deux liqueurs seront en équilibre, quand leurs hauteurs seront proportionnées à leurs pesanteurs; c'est-à-dire quand la hauteur de l'eau sera quatorze fois plus grande que la hauteur du vif-argent, parce que le vif-argent pèse de lui-même quatorze fois plus que l'eau; car ce sera deux pistons, l'un d'eau, l'autre de vif-argent, dont les poids seront proportionnés aux ouvertures.

Et même quand le tuyau plein d'eau serait cent fois plus menu que celui où serait le vif-argent, ce petit filet d'eau tiendrait en équilibre toute cette large masse de vif-argent, pourvu qu'il eût quatorze fois plus de hauteur.

Tout ce que nous avons dit jusqu'à cette heure des tuyaux se doit entendre de quelque vaisseau que ce soit, régulier ou non; car le même équilibre s'y rencontre : de sorte que si, au lieu de ces deux tuyaux que nous avons figurés à ces deux ouvertures, on y mettait deux vaisseaux qui aboutissent aussi à ces deux ouvertures, mais qui fussent larges en quelques endroits, étroits en d'autres, et enfin tous irréguliers dans toute leur étendue, en y versant des liqueurs à la hauteur que nous avons dit, ces liqueurs seraient aussi bien en équilibre dans ces tuyaux irréguliers, que dans les uniformes, parce que les liqueurs ne pèsent que suivant leur hauteur, et non pas suivant leur largeur.

Et la démonstration en serait facile, en inscrivant en l'un et en l'autre plusieurs petits tuyaux réguliers; car on ferait voir, par ce que nous avons démontré, que deux de ces tuyaux inscrits, qui se correspondent dans les deux vaisseaux, sont en équilibre : donc tous ceux d'un vaisseau seraient en équilibre avec tous ceux de l'autre. Ceux qui sont accoutumés aux inscriptions et aux circonscriptions de la géométrie, n'auront nulle peine à entendre cela; et il serait bien difficile de le démontrer aux autres, au moins géométriquement.

FIGURE IX. Si l'on met dans une rivière un tuyau recourbé par le bout d'en bas, plein de vif-argent, en sorte toutefois que le bout d'en haut soit hors de l'eau, le vif-argent tombera en partie, jusqu'à ce qu'il soit baissé à une certaine hauteur, et puis il ne baissera plus, mais demeurera suspendu en cet état; en sorte que sa hauteur soit la quatorzième partie de la hauteur de l'eau au-dessus du bout recourbé; de sorte que si depuis le haut de l'eau jusqu'au bout recourbé, il y a quatorze pieds, le vif-argent tombera jusqu'à ce qu'il soit arrivé à un pied seulement plus haut que le bout recourbé, à laquelle hauteur il demeurera suspendu; car le poids du vif-argent qui pèse au-dedans, sera en équilibre avec le poids de l'eau qui pèse au-dehors du tuyau, à cause que ces liqueurs ont leurs hauteurs proportionnées à leurs poids, et que leurs largeurs sont indifférentes dans l'équilibre; et il est aussi indifférent par la même raison, que le bout recourbé soit large ou non, et qu'ainsi peu ou beaucoup d'eau y pèse.

Aussi, si on enfonce le tuyau plus avant, le vif-argent remonte, car le poids de l'eau est plus grand; et si on le hausse au contraire, le vif-argent baisse, car son poids surpasse l'autre; et si on penche le tuyau, le vif-argent remonte jusqu'à ce qu'il soit revenu à la hauteur nécessaire, qui avait été diminuée en le penchant; car un tuyau penché n'a pas tant de hauteur que debout.

FIGURE X. La même chose arrive en un tuyau simple, c'est-à-dire qui n'est point recourbé; car ce tuyau ouvert par en haut et par en bas, étant plein de vif-argent, et enfoncé dans une rivière, pourvu que le bout d'en haut sorte de l'eau, si le bout d'en bas est à quatorze pieds avant dans l'eau, le vif-argent tombera, jusqu'à ce qu'il n'en reste plus que la hauteur d'un pied; et là, il demeure suspendu par le poids de l'eau : ce qui est aisé à entendre; car l'eau touchant le vif-argent par-dessous, et non pas par-dessus, fait effort pour le pousser en haut, comme pour chasser un piston, et avec d'autant plus de force qu'elle a plus de hauteur; tellement que le poids de ce vif-argent ayant autant de force pour tomber, que le poids de l'eau en a pour le pousser en haut, tout demeure en contrepoids.

Aussi, si le vif-argent n'y était pas, il est visible que l'eau entrerait dans ce tuyau, et y monterait à quatorze pieds de hauteur, qui est celle de son niveau; donc ce pied de vif-argent pesant autant que ces quatorze pieds d'eau, dont il tient la place, il est naturel qu'il tienne l'eau dans le même équilibre où ces quatorze pieds d'eau la tiendraient.

Mais si on mettait le tuyau si avant dans l'eau, que le bout d'en haut y entrât, alors l'eau entrerait dans le tuyau, et le vif-argent tomberait; car l'eau pesant aussi bien au-dedans qu'au-dehors du tuyau, le vif-argent serait sans un contrepoids nécessaire pour être soutenu.

CHAPITRE IV. *De l'équilibre d'une liqueur avec un corps solide.*

Nous allons maintenant donner des exemples de l'équilibre de l'eau avec des corps massifs, comme avec un cylindre de cuivre massif; car on le fera nager dans l'eau en cette sorte.

FIGURE XI. Il faut avoir un tuyau fort long, comme de vingt pieds, qui s'élargisse par le bout d'en bas, comme ce qu'on appelle un entonnoir : si ce bout d'en bas est rond, et qu'on y mette un cylindre de cuivre fait au tour avec tant de justesse, qu'il puisse entrer et sortir dans l'ouverture de cet entonnoir, et y couler sans que l'eau puisse du tout couler entre deux, et qu'il serve ainsi de piston, ce qui est aisé à faire, on verra qu'en mettant le cylindre et cet entonnoir ensemble dans une rivière, en sorte toutefois que le bout du tuyau soit hors de l'eau, si l'on tient le tuyau avec la main, et qu'on abandonne le cylindre de cuivre à ce qui devra arriver, ce cylindre massif ne tombera point, mais demeurera suspendu, parce que l'eau le touche par-dessous et non par-dessus (car elle ne peut entrer dans le tuyau); et ainsi l'eau le pousse en haut de la même sorte qu'elle poussait le vif-argent dans l'exemple précédent, et avec autant de force que le poids de cuivre en a pour tomber en bas; et ainsi ces efforts contraires se contre-balancent. Il est vrai qu'il faut pour cet effet qu'il soit assez avant dans l'eau, pour faire qu'elle ait la hauteur nécessaire pour contre-peser le cuivre; de sorte que si ce cylindre a un pied de haut, il faut que depuis le haut de l'eau jusqu'au bas du cylindre, il y ait neuf pieds, à cause que le cuivre pèse de lui-même neuf fois autant que l'eau; aussi si l'eau n'a pas assez de hauteur, comme si on retire le tuyau plus vers le haut de l'eau, son poids l'emporte, et il tombe; mais si on l'enfonce encore plus avant qu'il ne faut, comme à vingt pieds, tant s'en faut qu'il puisse tomber par son poids, qu'au contraire il faudrait employer une grande force pour le séparer et l'arracher d'avec l'entonnoir, car le poids de l'eau le pousse en haut avec la force de vingt pieds de haut. Mais si on perce le tuyau et que l'eau y entre, et pèse aussi bien sur le cylindre comme par-dessous, lors le cylindre tombera par son poids, comme le vif-argent dans l'autre exemple, parce qu'il n'a plus le contrepoids qu'il faut pour le soutenir.

FIGURE XII. Si ce tuyau, tel que nous le venons de figurer, est recourbé et qu'on y mette un cylindre de bois, et le tout dans l'eau, en sorte néanmoins que le bout d'en haut sorte de l'eau, le bois ne remontera pas, quoique l'eau l'environne; mais, au contraire, il s'enfoncera dans le tuyau, à cause qu'elle le touche par-dessus, et non pas par-dessous; car elle ne peut entrer dans le tuyau, et ainsi elle le pousse en bas par tout son poids, et point du tout en haut; car elle ne le touche pas par-dessous.

FIGURE XIII. Que si ce cylindre était à fleur d'eau, c'est-à-dire qu'il fût enfoncé seulement en sorte que l'eau ne fût pas au-dessus de lui, mais aussi qu'il n'eût rien hors de l'eau; lors il ne serait poussé ni en haut, ni en bas, par le poids de l'eau; car elle ne le touche ni par-dessus, ni par-dessous, puisqu'elle ne peut entrer dans le tuyau; et elle le touche seulement par tous ses côtés : ainsi il ne remonterait pas, car rien ne l'élève, et il tomberait au contraire, mais par son propre poids seulement.

Que si le bout d'en bas du tuyau était tourné de côté, comme une crosse, et qu'on y mît un cylindre, et le tout dans l'eau, en sorte toujours que le bout d'en haut sorte hors de l'eau, le poids de l'eau le poussera de côté au dedans du tuyau, parce qu'elle ne le touche pas du côté qui lui est opposé, et elle agira de cette sorte avec d'autant plus de force, qu'elle aura plus de hauteur.

CHAPITRE V. *Des corps qui sont tout enfoncés dans l'eau.*

FIGURE XV. Nous voyons par là que l'eau pousse en haut les corps qu'elle touche par-dessous; qu'elle pousse en bas ceux qu'elle touche par-dessus; et qu'elle pousse de côté ceux qu'elle touche par le côté opposé : d'où il est aisé de conclure que, quand un corps est tout dans l'eau, comme l'eau le touche par-dessus, par-dessous et par tous les côtés, elle fait effort pour le pousser en haut, en bas et vers tous les côtés : mais comme sa hauteur est la mesure de la force qu'elle a dans toutes ces impressions, on verra bien aisément lequel de tous ces efforts doit prévaloir.

Car il paraît d'abord que comme elle a une pareille hauteur sur toutes les faces des côtés, elle les poussera également; et partant ce corps ne recevra aucune impression vers aucun côté, non plus qu'une girouette entre deux vents égaux. Mais comme l'eau a plus de hauteur sur la face d'en bas que celle d'en haut, il est visible qu'elle le poussera plus en haut qu'en bas, et comme la différence de ces hauteurs de l'eau est la hauteur du corps même, il est aisé d'entendre que l'eau le pousse plus en haut qu'en bas, avec une force égale au poids d'un volume d'eau pareil à ce corps.

Un corps dans l'eau est contre-pesé par un volume d'eau pareil. De sorte qu'un corps qui est dans l'eau y est porté de la même sorte, que s'il était dans un bassin de balance, dont l'autre fût chargé d'un volume égal au sien.

De là vient que quelques corps y tombent. D'où il paraît que s'il est de cuivre ou d'une autre matière qui pèse plus que l'eau en pareil volume, il tombe; car son poids l'emporte sur celui qui le contrebalance.

D'autres y montent. S'il est de bois, ou d'une autre matière plus légère que l'eau en pareil volume, il monte avec toute la force dont le poids de l'eau le surpasse.

D'autres ni ne montent ni ne descendent. Et s'il pèse également, il ne descend ni ne monte, comme la cire qui se tient à peu près dans l'eau au lieu où on la met.

De là vient que le seau d'un puits n'est pas difficile à hausser tant qu'il est dans l'eau, et qu'on ne sent son poids que quand il commence à en sortir, de même qu'un seau plein de cire ne serait non plus difficile à hausser étant dans l'eau; ce n'est pas que l'eau aussi bien que la cire ne pèsent autant dans l'eau que dehors; mais c'est qu'étant dans l'eau, ils ont un contrepoids qu'ils n'ont plus quand ils en sont tirés; de même qu'un bassin de balance chargé de cent livres n'est pas difficile à hausser, si l'autre l'est également.

Du cuivre pèse plus en l'air que dans l'eau. De là vient que quand du cuivre est dans l'eau, on le sent moins pesant précisément du poids d'un volume d'eau égal au sien; de sorte que s'il pèse neuf livres en l'air, il ne pèse que huit livres dans l'eau; parce que l'eau, en pareil volume qui le contrebalance, pèse une livre; et dans l'eau de la mer il pèse moins, parce que l'eau de la mer pèse plus, à peu près d'une quarante-cinquième partie.

Deux corps étant en équilibre en l'air, ne le sont point dans l'eau. Par la même raison, deux corps, l'un de cuivre, l'autre de plomb, étant également pesants, et par conséquent de différent volume, puisqu'il faut plus de cuivre pour faire la même pesanteur, on les trouvera en équilibre, en les mettant chacun dans un bassin de balance : mais si on met cette balance dans l'eau, ils ne sont plus en équilibre; car chacun étant contre-pesé par un volume d'eau égal au sien, le volume de cuivre étant plus grand que celui de plomb, il a un plus grand contrepoids; et partant le poids du plomb est le maître.

Ni même dans l'air humide. Ainsi deux poids de différentes matières étant ajustés dans un parfait équilibre, de la dernière justesse où les hommes peuvent arriver, s'ils sont en équilibre quand l'air est fort sec, ils ne le sont plus quand l'air est humide.

L'eau pousse tous les corps qui y sont en haut par son poids, et non pas en bas. C'est par le même principe que, quand un homme est dans l'eau, tant s'en faut que le poids de l'eau le pousse en bas, qu'au contraire elle le pousse en haut; mais il pèse plus qu'elle; et c'est pourquoi il ne laisse pas de tomber, mais avec bien moins de violence qu'en l'air, parce qu'il est contrepesé par un volume d'eau pareil au sien, qui pèse presque autant que lui; et s'il pesait autant, il nagerait. Aussi en donnant un coup à terre, ou faisant le moindre effort contre l'eau, il s'élève et nage : et dans les bains d'eau bourbeuse, un homme ne saurait enfoncer, et si on l'enfonce, il remonte de lui-même.

Par la même cause, quand on se baigne dans une cuve, on n'a point peine à hausser le bras, tant qu'il est dans l'eau; mais quand on le sort de l'eau, on sent qu'il pèse beaucoup, à cause qu'il n'a plus le contrepoids d'un volume d'eau pareil au sien, qu'il avait étant dans l'eau.

Comment les corps nagent. Enfin, les corps qui nagent sur l'eau, pèsent précisément autant que l'eau dont ils occupent la place; car l'eau les touchant par-dessous, et non par-dessus, les pousse seulement en haut.

Et c'est pourquoi une platine de plomb étant mise en figure convexe, elle nage, parce qu'elle occupe une grande place dans l'eau par cette figure; au lieu que si elle était massive, elle n'occuperait jamais dans l'eau que la place d'un volume d'eau égal au volume de sa matière, qui ne suffirait pas pour la contre-peser.

CHAPITRE VI. *Des corps compressibles qui sont dans l'eau.*

On voit, par tout ce que j'ai montré, de quelle sorte l'eau agit contre tous les corps qui y sont, en les pressant par tous les côtés : d'où il est aisé à juger que, si un corps compressible y est enfoncé, elle doit le comprimer en dedans vers le centre; et c'est aussi ce qu'elle fait, comme on va voir dans les exemples suivants.

FIGURE XIV. Si un soufflet qui a le tuyau fort long, comme de vingt pieds, est dans l'eau, en sorte que le bout du fer sorte hors de l'eau, il sera difficile à ouvrir, si on a bouché les petits trous qui sont à l'une des ailes, au lieu qu'on l'ouvrirait sans peine, s'il était en l'air, à cause que l'eau le comprime de tous côtés par son poids : mais si on y emploie toute la force qui y est nécessaire, et qu'on l'ouvre, si peu qu'on relâche de cette force, il se referme avec violence (au lieu qu'il se tiendrait tout ouvert, s'il était dans l'air), à cause du poids de la masse de l'eau qui le presse. Aussi plus il est avant dans l'eau, plus il est difficile à ouvrir, parce qu'il y a une plus grande hauteur d'eau à supporter.

FIGURE XVI. C'est ainsi que si on met un tuyau dans l'ouverture d'un ballon et qu'on lie le ballon autour du bout du tuyau long de vingt pieds, en versant du vif-argent dans le tuyau jusqu'à ce que le ballon en soit plein, le tout étant mis dans une cuve pleine d'eau, en sorte que le bout du tuyau sorte hors de l'eau, on verra le vif-argent monter du ballon dans le tuyau, jusqu'à une certaine hauteur, à cause que le poids de l'eau pressant le ballon de tous côtés, le vif-argent qu'il contient étant pressé également en tous ses points, hormis en ceux qui sont à l'entrée du tuyau (car l'eau n'y a point d'accès, le tuyau qui sort de l'eau l'empêchant), il est poussé des lieux où il est pressé vers celui où il ne l'est pas; et ainsi il monte dans le tuyau jusqu'à une hauteur à laquelle il pèse autant que l'eau qui est au-dehors du tuyau.

En quoi il arrive la même chose que si on pressait le ballon entre les mains; car on ferait sans difficulté remonter sa liqueur dans le tuyau, et il est visible que l'eau qui l'environne le presse de la même sorte.

FIGURE XVII. C'est par la même raison que, si un homme met le bout d'un tuyau de verre, long de vingt pieds, sur sa cuisse, et qu'il se mette en cet état dans une cuve pleine d'eau, en sorte que le bout d'en haut du tuyau soit hors de l'eau, sa chair s'enflera à la partie qui est à l'ouverture du tuyau, et il s'y formera une grosse tumeur avec douleur, comme si sa chair y était sucée et attirée par une ventouse, parce que le poids de l'eau comprimant son corps de tous côtés, hormis en la partie qui est la bouche du tuyau qu'elle ne peut toucher, à cause que le tuyau où elle ne peut entrer empêche qu'elle n'y arrive; la chair est poussée des lieux où il y a de la compression, au lieu où il n'y en a point; et plus il y a de hauteur d'eau, plus cette enflure est grosse; et, quand on ôte l'eau, l'enflure cesse; et de même si on fait entrer l'eau dans le tuyau; car le poids de l'eau affectant aussi bien cette partie que les autres, il n'y a pas plus d'enflure en celle-là qu'aux autres.

Cet effet est tout conforme au précédent; car le vif-argent en l'un, et la chair de cet homme en l'autre, étant pressés en toutes leurs parties excepté en celles qui sont à la bouche des tuyaux, ils sont poussés dans le tuyau autant que la force du poids de l'eau le peut faire.

Si l'on met au fond d'une cuve pleine d'eau un ballon où l'air ne soit pas fort pressé, on verra qu'il sera comprimé sensiblement; et à mesure qu'on ôtera l'eau, il s'élargira peu à peu, parce que le poids de la masse de l'eau qui est au-dessus de lui le comprime de tous côtés vers le centre, jusqu'à ce que le ressort de cet air comprimé soit aussi fort que le poids de l'eau qui le presse.

Si l'on met au fond de la même cuve pleine d'eau un ballon plein d'air pressé extrêmement, on n'y remarquera aucune compression : ce n'est pas que l'eau ne le presse : car le contraire paraît dans l'autre ballon, et dans celui où était le vif-argent, dans le soufflet et dans tous les autres exemples, mais c'est qu'elle n'a pas la force de le comprimer sensiblement, parce qu'il l'était déjà beaucoup : de la même sorte que, quand un ressort est bien raide, comme celui d'une arbalète, il ne peut être plié sensiblement par une force médiocre, qui en comprimerait un plus faible bien visiblement.

Et qu'on ne s'étonne pas de ce que le poids de l'eau ne comprime pas ce ballon visiblement, et que néanmoins on le comprime d'une façon fort considérable, en appuyant seulement le doigt dessus, quoiqu'on le presse alors avec moins de force que l'eau. La raison de cette différence est que, quand le ballon est dans l'eau, elle le presse de tous côtés, au lieu que quand on le presse avec le doigt, il n'est pressé qu'en une partie seulement : or, quand on le presse avec le doigt en une partie seulement, on l'enfonce beaucoup et sans peine, d'autant que les parties voisines ne sont pas pressées, et qu'ainsi elles reçoivent facilement ce qui est ôté de celle qui l'est; de sorte que, comme la matière qu'on chasse du seul endroit pressé, se distribue à tout le reste, chacune en a peu à recevoir; et ainsi il y a un enfoncement en cette partie, qui devient fort visible par la comparaison de toutes les parties qui l'environnent, et qui en sont exemptes.

Mais si on venait à presser aussi bien toutes les autres parties comme celle-là, chacune rendant ce qu'elle avait reçu de la première, elle reviendrait à son premier état, parce qu'elles seraient pressées elles-mêmes aussi bien qu'elle; et comme il n'y aurait plus qu'une compression générale de toutes les parties vers le centre, on ne verrait plus de compression en aucun endroit particulier; et l'on ne pourrait juger de cette compression générale, que par la comparaison de l'espace qu'il occupe à celui qu'il occupait; et comme ils seraient très peu différents, il serait impossible de le remarquer. D'où l'on voit combien il y a de différence entre presser une partie seulement, ou presser généralement toutes les parties.

Il en est de même d'un corps dont on presse toutes les parties hors une seulement; car il s'y fait une enflure par le regorgement des autres comme il a paru en l'exemple d'un homme dans l'eau avec un tuyau sur sa cuisse. Aussi, si l'on presse le même ballon entre les mains, quoiqu'on tâche de toucher chacune de ses parties, il y en aura toujours quelqu'une qui s'échappera entre les doigts, où il se formera une grosse tumeur; mais s'il était possible de le presser partout également, on ne le comprimerait jamais sensiblement, quelque effort qu'on y employât, pourvu que l'air du ballon fût déjà bien pressé de lui-même; et c'est ce qui arrive quand il est dans l'eau; car elle le touche de tous côtés.

CHAPITRE VII. *Des animaux qui sont dans l'eau. Pourquoi le poids de l'eau ne les comprime pas visiblement.*

Tout cela nous découvre pourquoi l'eau ne comprime point les animaux qui y sont, quoiqu'elle presse généralement tous les corps qu'elle environne, comme nous l'avons fait voir par tant d'exemples. Car ce n'est pas qu'elle ne les presse, mais c'est que, comme nous l'avons déjà dit, comme elle les touche de tous côtés, elle ne peut causer ni d'enflure, ni d'enfoncement en aucune partie en particulier, mais seulement une condensation générale de toutes les parties vers le centre, qui ne saurait être visible, si elle n'est grande, et qui ne peut être qu'extrêmement légère, à cause que la chair est bien compacte.

Car si elle ne les touchait qu'en une partie seulement, ou si elle les touchait en toutes, excepté en une, pourvu que ce fût en une hauteur considérable, l'effet en serait remarquable, comme nous l'avons fait voir; mais les pressant en toutes, rien ne paraît.

Pourquoi on ne sent point le poids de l'eau. Il est aisé de passer de là à la raison pour laquelle les animaux qui sont dans l'eau n'en sentent pas le poids.

Car la douleur que nous sentons, quand quelque chose nous presse, est grande, si la compression est grande; parce que la partie pressée est épuisée de sang, et que les chairs, les nerfs, et les autres parties qui la composent, sont poussés hors de leur place naturelle, et cette violence ne peut arriver sans douleur. Mais si la compression est petite, comme quand on effleure si doucement la peau avec le doigt, qu'on ne prive pas la partie qu'on touche de sang, qu'on n'en détourne ni la chair, ni les nerfs, et qu'on n'y apporte aucun changement; il n'y doit aussi avoir aucune douleur sensible; et si on nous touche en cette sorte en toutes les parties du corps, nous ne devons sentir aucune douleur d'une compression si légère.

Et c'est ce qui arrive aux animaux qui sont dans l'eau; car le poids les comprime à la vérité, mais si peu que cela n'est aucunement perceptible, par la raison que nous avons fait voir : si bien qu'aucune partie n'étant pressée, ni épuisée de sang, aucun nerf, ni veine, ni chair, n'étant détournés (car tout étant également pressé, il n'y a pas plus de raison pourquoi ils fussent poussés vers une partie que vers l'autre), et tout enfin demeurant sans changement, tout doit demeurer sans douleur et sans sentiment.

Et qu'on ne s'étonne pas de ce que ces animaux ne sentent point le poids de l'eau; et que néanmoins ils sentiraient bien si on appuyait seulement le doigt dessus, quoiqu'on les pressât alors avec moins de force que l'eau; car la raison de cette différence est que, quand ils sont dans l'eau, ils sont pressés de tous les côtés généralement; au lieu que quand on les presse avec le doigt, ils ne le sont qu'en une seule partie. Or, nous avons montré que cette différence est la cause pour laquelle on les comprime bien visiblement par le bout du doigt qui les touche; et qu'ils ne le sont pas visiblement par le poids de l'eau, quand même il serait augmenté du centuple : et comme le sentiment est toujours proportionné à la compression, cette même différence est la cause pour laquelle ils sentent bien le doigt qui les presse, et non pas le poids de l'eau.

Et ainsi la vraie cause qui fait que les animaux dans l'eau n'en sentent pas le poids, est qu'ils sont pressés également de toutes parts.

Aussi si l'on met un ver dans de la pâte, quoiqu'on le pressât entre les mains, on ne pourrait jamais l'écraser, ni seulement le blesser, ni le comprimer; parce qu'on le presserait en toutes ses parties : l'expérience qui suit le va prouver. Il faut avoir un tuyau de verre, bouché par en bas, à demi plein d'eau, où on jette trois choses; savoir : un petit ballon à demi plein d'air, un autre tout plein d'air, et une mouche (car elle vit dans l'eau tiède aussi bien que dans l'air); et mettre un piston dans ce tuyau qui aille jusqu'à l'eau. Il arrivera que, si on presse ce piston avec telle force qu'on voudra, comme en mettant des poids dessus en grande quantité, cette eau pressée pressera tout ce qu'elle enferme : aussi le ballon mou sera bien visiblement comprimé; mais le ballon dur ne sera non plus comprimé que s'il n'y avait rien qui le pressât, ni la mouche non plus, et elle ne sentira aucune douleur sous ce grand poids, car on la verra se promener avec liberté et vivacité le long du verre, et même s'envoler dès qu'elle sera hors de cette prison.

Il ne faut pas avoir beaucoup de lumière pour tirer de cette expérience tout ce que nous avions déjà démontré.

On voit que ce poids presse tous ces corps autant qu'il peut.

On voit qu'il comprime le ballon mou; par conséquent il presse aussi celui qui est à côté; car la même raison est pour l'un que pour l'autre. Mais on voit qu'il n'y paraît aucune compression.

D'où vient donc cette différence? et d'où pourrait-elle arriver? sinon de la seule chose en quoi ils diffèrent : qui est que l'un est plein d'un air pressé, qu'on y a poussé par force, au lieu que l'autre est seulement à demi plein, et qu'ainsi l'air mou qui est dans l'un est capable d'une grande compression, dont l'autre est incapable, parce qu'il est bien compact, et que l'eau qui le presse, l'environnant de tous côtés, n'y peut faire d'impression sensible, parce qu'il fait arcade de tous côtés.

On voit aussi que cet animal n'est point comprimé; et pourquoi? sinon par la même raison pour laquelle le ballon plein d'air ne l'est pas. Et enfin on voit qu'il ne sent aucune douleur, par la même cause.

Que si on mettait au fond de ce tuyau de la pâte au lieu d'eau, et le ballon et cette mouche dans cette pâte, en mettant le piston dessus et le pressant, la même chose arriverait.

Donc puisque cette condition d'être pressé de tous côtés, fait que la compression ne peut être sensible ni douloureuse, ne faut-il pas demeurer d'accord que cette raison rend le poids de l'eau insensible aux animaux qui y sont?

Qu'on ne dise donc plus que c'est parce que l'eau ne pèse pas sur elle-même, car elle pèse partout également; ou qu'elle pèse d'une autre manière que les corps solides, car tous les poids sont de même nature; et voici un poids solide qu'une mouche supporte sans le sentir.

Et si on veut encore quelque chose de plus touchant, qu'on ôte le piston, et qu'on verse de l'eau dans le tuyau, jusqu'à ce que l'eau qu'on aura mise au lieu du piston, pèse autant que le piston même : il est sans doute que la mouche ne sentira non plus le poids de cette eau que celui du piston. D'où vient donc cette insensibilité sous un si grand poids dans ces deux exemples? Est-ce que le poids est d'eau? Non; car quand le poids est solide, elle arrive de même. Disons donc que c'est seulement parce que cet animal est environné d'eau, car cela seul est commun aux deux exemples; aussi c'en est la véritable raison.

Aussi s'il arrivait que toute l'eau qui est au-dessus de cet animal vînt à se glacer, pourvu qu'il en restât tant soit peu au-dessus de lui de liquide, et qu'ainsi il en fût tout environné, il ne sentirait non plus le poids de cette glace, qu'il faisait auparavant le poids de l'eau.

Et si toute l'eau de la rivière se glaçait, à la réserve de celle qui serait à un pied près du fond, les poissons qui y nageaient ne sentiraient non plus le poids de cette glace, que celui de l'eau où elle se résoudrait ensuite.

Et ainsi les animaux dans l'eau n'en sentent pas le poids; non pas parce que ce n'est que de l'eau qui pèse dessus, mais parce que c'est de l'eau qui les environne.

II
TRAITÉ DE LA PESANTEUR DE LA MASSE DE L'AIR

Chapitre Ier. *Que la masse de l'air a de la pesanteur, et qu'elle presse par son poids tous les corps qu'elle enferme.*

On ne conteste plus aujourd'hui que l'air est pesant; on sait qu'un ballon pèse plus enflé que désenflé : cela suffit pour le conclure; car s'il était léger, plus on en mettrait dans le ballon, plus le tout aurait de légèreté; car le tout en aurait davantage qu'une partie seulement : or, puisque au contraire plus on y en met, plus le tout est pesant, il s'ensuit que chaque partie est elle-même pesante, et partant que l'air est pesant.

Ceux qui en désireront de plus longues preuves n'ont qu'à les chercher dans les auteurs qui en ont traité exprès.

Si on objecte que l'air est léger quand il est pur, mais que celui qui nous environne n'est pas l'air pur, parce qu'il est mêlé de vapeur et de corps grossiers, et que ce n'est qu'à cause de ces corps étrangers qu'il est pesant, je réponds, en un mot, que je ne connais point cet air pur, et qu'il serait peut-être difficile de le trouver; mais je ne parle, dans tout ce discours, que de l'air tel qu'il est dans l'état où nous le respirons, sans penser s'il est composé ou non; et c'est ce corps-là, ou simple, ou composé, que j'appelle l'air, et duquel je dis qu'il est pesant; ce qui ne peut être contredit; et c'est tout ce qui m'est nécessaire dans la suite.

Ce principe posé, je ne m'arrêterai qu'à en tirer quelques conséquences.

1. Puisque chaque partie de l'air est pesante, il s'ensuit que la masse entière de l'air, c'est-à-dire la sphère entière de l'air, est pesante; et comme la sphère de l'air n'est pas infinie en son étendue, qu'elle a des bornes, aussi la pesanteur de la masse de tout l'air n'est pas infinie.

2. Comme la masse de l'eau de la mer presse par son poids la partie de la terre qui lui sert de fond, et que si elle environnait toute la terre, au lieu qu'elle n'en couvre qu'une partie, elle presserait par son poids toute la surface de la terre : ainsi la masse de l'air couvrant toute la surface de la terre, ce poids la presse en toutes les parties.

3. Comme le fond d'un seau où il y a de l'eau est plus pressé par le poids de l'eau, quand il est tout plein que quand il ne l'est qu'à demi et qu'il l'est d'autant plus qu'il y a plus de hauteur d'eau : aussi les lieux élevés, comme les sommets des montagnes, ne sont pas si pressés par le poids de la masse de l'air que les lieux profonds, comme dans les vallons; parce qu'il y a plus d'air au-dessus des vallons qu'au-dessus des sommets des montagnes; car tout l'air qui est le long de la montagne pèse sur le vallon, et non pas sur le sommet : parce qu'il est au-dessus de l'un et au-dessous de l'autre.

4. Comme les corps qui sont dans l'eau sont pressés de toutes parts par le poids de l'eau qui est au-dessus, comme nous l'avons montré au *Traité de l'Équilibre des liqueurs*, ainsi les corps qui sont dans l'air sont pressés de tous côtés par le poids de la masse d'air qui est au-dessus.

5. Comme les animaux qui sont dans l'eau n'en sentent pas le poids; ainsi nous ne sentons pas le poids de l'air, par la même raison : et comme on ne pourrait pas conclure que l'eau n'a point de poids, de ce qu'on ne le sent pas quand on y est enfoncé; ainsi on ne peut pas conclure que l'air n'a pas de pesanteur, de ce que nous ne la sentons pas. Nous avons fait voir la raison de cet effet dans l'*Équilibre des liqueurs*.

6. Comme il arriverait en un grand amas de laine, si on en avait assemblé de la hauteur de vingt ou trente toises, que cette masse se comprimerait elle-même par son propre poids, et que celle qui serait au fond serait bien plus comprimée que celle qui serait au milieu, ou près du haut, parce qu'elle serait pressée d'une plus grande quantité de laine, ainsi la masse de l'air, qui est un corps compressible et pesant aussi bien que la laine, se comprime elle-même par son propre poids; et l'air qui est au bas, c'est-à-dire dans les lieux profonds, est bien plus comprimé que celui qui est plus haut, comme aux sommets des montagnes, parce qu'il est chargé d'une plus grande quantité d'air.

7. Comme il arriverait en cette masse de laine, que si on prenait une poignée de celle qui est dans le fond, dans l'état pressé où on la trouve, et qu'on la portât, en la tenant toujours pressée de la même sorte, au milieu de cette masse, elle s'élargirait d'elle-même, étant plus proche du haut, parce qu'elle aurait une moindre quantité de laine à supporter en ce lieu-là. Ainsi si l'on portait de l'air, tel qu'il est ici-bas, et comprimé comme il y est, sur le sommet d'une montagne, par quelque artifice que ce soit, il devrait s'élargir lui-même, et devenir au même état que celui qui l'environnerait sur cette montagne, parce qu'il serait chargé de moins d'air en cet endroit-là qu'il n'était au bas; et, par conséquent, si on prenait un ballon à demi plein d'air seulement, et non pas tout enflé, comme ils le sont d'ordinaire, et qu'on le portât sur une montagne, il devrait arriver qu'il serait plus enflé au haut de la montagne, et qu'il devrait s'élargir à proportion de ce qu'il serait moins chargé; et la différence en devrait être visible, si la quantité d'air qui est le long de la montagne, et de laquelle il est déchargé, a un poids assez considérable pour causer un effet et une différence sensibles.

Il y a une liaison si nécessaire de ces conséquences avec leur principe, que l'un ne peut être vrai, sans que les autres le soient également : et comme il est assuré que l'air qui s'étend depuis la terre jusqu'au haut de sa sphère a de la pesanteur, tout ce que nous en avons conclu est également véritable.

Mais quelque certitude qu'on trouve en ces conclusions, il me semble qu'il n'y a personne qui, même en les recevant, ne souhaitât de voir cette dernière conséquence confirmée par l'expérience, parce qu'elle enferme, et toutes les autres, et son principe même; car il est certain que si on voyait un ballon tel que nous l'avons figuré, s'enfler à mesure qu'on l'élève, il n'y aurait aucun lieu de douter que cette enflure ne vînt de ce que l'air du ballon était plus pressé en bas qu'en haut, puisqu'il n'y a aucune autre chose qui pût causer qu'il s'enflât, vu même qu'il fait plus froid sur les montagnes que dans les vallons; et cette compression de l'air du ballon ne pourrait avoir d'autre cause que le poids de la masse de l'air : car on l'a pris tel qu'il était au bas, et sans le comprimer, puisque même le ballon était flasque et à demi plein seulement; et partant cela prouverait absolument que l'air est pesant; que la masse de l'air est pesante; qu'elle presse par son poids tous les corps qu'elle enferme; qu'elle presse plus les lieux bas que les lieux hauts; qu'elle se comprime elle-même par son poids; que l'air est plus comprimé en bas qu'en haut. Et comme dans la physique les expériences ont bien plus de force pour persuader que les raisonnements, je ne doute pas qu'on ne désirât de voir les uns confirmés par les autres.

Mais si l'on en faisait l'expérience, j'aurais cet avantage, qu'au cas qu'il n'arrivât aucune différence à l'enflure du ballon sur les plus hautes montagnes, cela ne détruirait pas ce que j'ai conclu; parce que je pourrais dire qu'elles n'ont pas encore assez de hauteur pour causer une différence sensible : au lieu que s'il arrivait un changement extrêmement considérable, comme de la huitième ou neuvième partie, certainement elle serait toute convaincante pour moi; et il ne pourrait plus rester aucun doute de la vérité de tout ce que j'ai établi.

Mais c'est trop différer; il faut dire en un mot que l'épreuve en a été faite, et qu'elle a réussi en cette sorte.

EXPÉRIENCE FAITE EN DEUX LIEUX, ÉLEVÉS L'UN AU-DESSUS DE L'AUTRE D'ENVIRON 500 TOISES

Si l'on prend un ballon à demi plein d'air, flasque et mou, et qu'on le porte au bout d'un fil sur une montagne haute de 500 toises, il arrivera qu'à mesure qu'on montera, il s'enflera de lui-même, et quand il sera en haut, il sera tout plein et gonflé comme si on y avait soufflé de l'air de nouveau; et en redescendant, il s'aplatira peu à peu par les mêmes degrés; de sorte qu'étant arrivé au bas, il sera revenu à son premier état.

Cette expérience prouve tout ce que j'ai dit de la masse de l'air, avec une force toute convaincante : aussi était-il nécessaire de le bien établir, parce que c'est le fondement de tout ce discours.

Il ne reste qu'à faire remarquer que la masse de l'air est plus pesante en un temps qu'en un autre; savoir, quand il est plus chargé de vapeurs, ou plus comprimé par le froid.

Remarquons donc : 1° Que la masse de l'air est pesante; 2° Qu'elle a un poids limité; 3° Qu'elle est plus pesante en un temps qu'en un autre; 4° Qu'elle est plus pesante en de certains lieux qu'en d'autres, comme dans les vallons; 5° Qu'elle presse par son poids tous les corps qu'elle enferme, et d'autant plus qu'elle a plus de pesanteur.

CHAPITRE II. *Que la pesanteur de la masse de l'air produit tous les effets qu'on a jusqu'ici attribués à l'horreur du vide.*

Ce chapitre est divisé en deux sections : dans la première, est un récit des principaux effets qu'on a attribués à l'horreur du vide; et dans la seconde, on montre qu'ils viennent de la pesanteur de l'air.

SECTION PREMIÈRE
RÉCIT DES EFFETS QU'ON ATTRIBUE A L'HORREUR DU VIDE

Il y a plusieurs effets qu'on prétend que la nature produit par une horreur qu'elle a pour le vide; en voici les principaux.

I. Un soufflet, dont toutes les ouvertures sont bien bouchées, est difficile à ouvrir; et si on essaye de le faire, on y sent de la résistance, comme si ces ailes étaient collées. Et le piston d'une seringue bouchée résiste quand on essaye de le tirer, comme s'il tenait au fond.

On prétend que cette résistance vient de l'horreur que la nature a pour le vide, qui arriverait dans ce soufflet, s'il pouvait être élargi; ce qui se confirme parce qu'elle cesse dès qu'il est débouché, et que l'air s'y peut insinuer pour le remplir, quand on l'ouvrira.

II. Deux corps polis, étant appliqués l'un contre l'autre, sont difficiles à séparer et semblent adhérer.

Ainsi un chapeau étant mis sur une table, est difficile à lever tout à coup.

Ainsi un morceau de cuir mis sur un pavé, et levé promptement, l'arrache et l'enlève.

On prétend que cette adhérence vient de l'horreur que la nature a du vide, qui arriverait pendant le temps qu'il faudrait à l'air pour arriver des extrémités jusqu'au milieu.

III. Quand une seringue trempe dans l'eau, en tirant le piston, l'eau suit et monte comme si elle lui adhérait.

Ainsi l'eau monte dans une pompe aspirante, qui n'est proprement qu'une longue seringue, et suit son piston, quand on l'élève, comme si elle lui adhérait.

On prétend que cette élévation de l'eau vient de l'horreur que la nature a du vide, qui arriverait à la place que le piston quitte, si l'eau n'y montait pas, parce que l'air n'y peut entrer; ce qui se confirme, parce que si l'on fait des fentes par où l'air puisse entrer, l'eau ne s'élève plus.

De même, si on met le bout d'un soufflet dans l'eau, en l'ouvrant promptement, l'eau y monte pour le remplir, parce que l'air n'y peut succéder, et principalement si on bouche les trous qui sont à une des ailes.

Ainsi, quand on met la bouche dans l'eau, et qu'on suce, on attire l'eau par la même raison; car le poumon est comme un soufflet, dont la bouche est comme l'ouverture.

Ainsi, en respirant, on attire l'air, comme un soufflet en s'ouvrant attire l'air pour remplir sa capacité.

Ainsi, quand on met des étoupes allumées dans un plat plein d'eau, et un verre par-dessus, à mesure que le feu des étoupes s'éteint, l'eau monte dans le verre, parce que l'air qui est dans le verre, et qui était raréfié par le feu, venant à se condenser par le froid, attire l'eau et la fait monter avec soi, en se resserrant pour remplir la place qu'il quitte; comme le piston d'une seringue attire l'eau avec soi quand on le tire.

Ainsi, les ventouses attirent la chair, et forment une ampoule; parce que l'air de la ventouse, qui était raréfié par le feu de la bougie, venant à se condenser par le froid quand le feu est éteint, il attire la chair avec soi pour remplir la place qu'il quitte, comme il attirait l'eau dans l'exemple précédent.

IV. Si l'on met une bouteille pleine d'eau, et renversée le goulot en bas, dans un vaisseau plein d'eau, l'eau de la bouteille demeure suspendue sans tomber.

On prétend que cette suspension vient de l'horreur que la nature a pour le vide, qui arriverait à la place que l'eau quitterait en tombant, parce que l'air n'y pourrait succéder : et on le confirme, parce que si on fait une fente par où l'air puisse s'insinuer, toute l'eau tombe incontinent.

On peut faire la même épreuve avec un tuyau long, par exemple, de dix pieds, bouché par le bout d'en haut, et ouvert par le bout d'en bas; car s'il est plein d'eau et que le bout d'en bas trempe dans un vaisseau plein d'eau, elle demeurera toute suspendue dans le tuyau, au lieu qu'elle tomberait incontinent si on avait débouché le haut du tuyau.

On peut faire la même chose avec un tuyau pareil, bouché par en haut, et recourbé par le bout d'en bas, sans le mettre dans un vaisseau plein d'eau comme on avait mis l'autre car, s'il est plein d'eau, elle y demeurera aussi suspendue; au lieu que si on débouchait le haut, elle jaillirait incontinent avec violence par le bout recourbé en forme de jet d'eau.

Enfin, on peut faire la même chose avec un simple tuyau, sans qu'il soit recourbé, pourvu qu'il soit fort étroit par en bas : car s'il est bouché par en haut, l'eau y demeurera suspendue; au lieu qu'elle en tomberait avec violence, si on débouchait le bout d'en haut.

C'est ainsi qu'un tonneau plein de vin n'en lâche pas une goutte, quoique le robinet soit ouvert, si on ne débouche le haut pour donner vent.

V. Si l'on remplit d'eau un tuyau fait en forme de croissant renversé, ce qu'on appelle d'ordinaire un siphon dont chaque jambe trempe dans un vaisseau plein d'eau, il arrivera que si peu qu'un des vaisseaux soit plus haut que l'autre, toute l'eau du vaisseau le plus élevé montera dans la jambe qui y trempe jusqu'au haut du siphon, et se rendra par l'autre dans le vaisseau le plus bas où elle trempe; de sorte que si on substitue toujours de l'eau dans le vaisseau le plus élevé, ce flux sera continuel.

On prétend que cette élévation d'eau vient de l'horreur que la nature a du vide, qui arriverait dans le siphon, si l'eau de ces deux branches tombait de chacun dans son vaisseau, comme elle y tombe en effet quand on fait une ouverture au haut du siphon par où l'air s'y peut insinuer.

Il y a plusieurs autres effets pareils que j'omets à cause qu'ils sont tous semblables à ceux dont j'ai parlé, et qu'en tous il ne paraît autre chose, sinon que tous les corps contigus résistent à l'effort qu'on fait pour les séparer quand l'air ne peut succéder entre eux : soit que cet effort vienne de leur propre poids, comme dans les exemples où l'eau monte, et demeure suspendue malgré son poids; soit qu'il vienne des forces qu'on emploie pour les désunir, comme dans les premiers exemples.

Voilà quels sont les effets qu'on attribue vulgairement à l'horreur du vide : nous allons faire voir qu'ils viennent de la pesanteur de l'air.

SECTION SECONDE
QUE LA PESANTEUR DE LA MASSE DE L'AIR PRODUIT TOUS LES EFFETS QU'ON A ATTRIBUÉS A L'HORREUR DU VIDE

Si l'on a bien compris, dans le *Traité de l'équilibre des liqueurs*, de quelle manière elles font impression par leur poids contre tous les corps qui y sont, on n'aura point de peine à comprendre comment le poids de la masse de l'air, agissant sur tous les corps, y produit tous les effets qu'on avait attribués à l'horreur du vide; car ils sont tout à fait semblables, comme nous l'allons montrer sur chacun.

I
Que la pesanteur de la masse de l'air cause la difficulté d'ouvrir un soufflet bouché.

Pour faire entendre comment la pesanteur de la masse de l'air cause la difficulté qu'on sent à ouvrir un soufflet, lorsque l'air n'y peut entrer, je ferai voir une pareille résistance causée par le poids de l'eau. Il ne faut pour cela que se remettre en mémoire ce que j'ai dit dans l'*Equilibre des liqueurs* (FIGURE XIV), qu'un soufflet dont le tuyau est long de vingt pieds ou plus, étant mis dans une cuve pleine d'eau, en sorte que le bout du tuyau sorte hors de l'eau, il est difficile à ouvrir, et d'autant plus qu'il y a plus de hauteur d'eau; ce qui vient manifestement de la pesanteur de l'eau qui est au-dessus; car quand il n'y a point d'eau, il est très aisé à ouvrir; et à mesure qu'on y en verse, cette résistance augmente, et est toujours égale au poids de l'eau qu'il porte, parce que comme cette eau n'y peut entrer à cause que le tuyau est hors de l'eau, on ne saurait l'ouvrir sans soulever et soutenir toute la masse de l'eau; car celle qu'on écarte en l'ouvrant, ne pouvant pas entrer dans le soufflet, est forcée de se placer ailleurs, et ainsi de faire hausser l'eau, ce qui ne se peut faire sans peine; au lieu que s'il était crevé, et que l'eau y pût entrer, on l'ouvrirait et on le fermerait sans résistance, à cause que l'eau y entrerait par ces ouvertures à mesure qu'on l'ouvrirait, et qu'ainsi en l'ouvrant on ne ferait point soulever l'eau.

Je ne crois pas que personne soit tenté de dire que cette résistance vienne de l'horreur du vide, et il est absolument certain qu'elle vient du seul poids de l'eau.

Or ce que nous disons de l'eau se doit entendre de toute autre liqueur; car si on le met dans une cuve pleine de vin, on sentira une pareille résistance à l'ouvrir, et de même dans du lait, dans de l'huile, dans du vif-argent, et enfin dans quelque liqueur que ce soit. C'est donc une règle générale, et un effet nécessaire du poids des liqueurs : que si un soufflet est mis dans quelque liqueur que ce soit, en sorte qu'elle n'ait aucun accès dans le corps du soufflet, le poids de la liqueur qui est au-dessus fait qu'on ne peut l'ouvrir sans sentir de la résistance, parce qu'on ne saurait l'ouvrir sans la supporter; et par conséquent, en appliquant cette règle générale à l'air en particulier, il sera véritable que, quand un soufflet est bouché, en sorte que l'air n'y a point d'accès, le poids de la masse de l'air qui est au-dessus, fait qu'on ne peut l'ouvrir sans sentir de la résistance, parce qu'on ne saurait l'ouvrir sans faire hausser toute la masse de l'air : mais dès qu'on y fait une ouverture, on l'ouvre et on le ferme sans résistance, parce que l'air y peut entrer et sortir, et qu'ainsi en l'ouvrant on ne hausse plus la masse de l'air; ce qui est tout conforme à l'exemple du soufflet dans l'eau.

D'où l'on voit que la difficulté d'ouvrir un soufflet bouché, n'est qu'un cas particulier de la règle générale de la difficulté d'ouvrir un soufflet dans quelque liqueur que ce soit, où elle n'a point d'accès.

Ce que nous avons dit de cet effet, nous allons le dire de chacun des autres, mais plus succinctement.

II

Que la pesanteur de la masse de l'air est la cause de la difficulté qu'on sent à séparer deux corps polis, appliqués l'un contre l'autre.

Pour faire entendre comment la pesanteur de la masse de l'air cause la résistance que l'on sent, quand on veut arracher deux corps polis qui sont appliqués l'un contre l'autre, je donnerai un exemple d'une résistance toute pareille causée par le poids de l'eau, qui ne laissera aucun lieu de douter que l'air ne cause cet effet.

Il faut encore ici se remettre en mémoire ce qui a été rapporté dans l'*Equilibre des liqueurs* (FIGURE XI).

Que si l'on met un cylindre de cuivre fait au tour, à l'ouverture d'un entonnoir fait aussi au tour, en sorte qu'ils soient si parfaitement ajustés, que ce cylindre entre et coule facilement dans cet entonnoir, sans que néanmoins l'eau puisse couler entre eux; et qu'on mette cette machine dans une cuve pleine d'eau, en sorte toutefois que la queue de l'entonnoir sorte hors de l'eau, en la faisant longue de vingt pieds, s'il est nécessaire; si ce cylindre est à quinze pieds avant dans l'eau, et que tenant l'entonnoir avec la main, on lâche le cylindre, et qu'on l'abandonne à ce qui en doit arriver, on verra que non seulement il ne tombera pas, quoiqu'il n'y ait rien qui semble le soutenir; mais encore qu'il sera difficile à arracher d'avec l'entonnoir, quoiqu'il n'y adhère en aucune sorte; au lieu qu'il tomberait par son poids avec violence, s'il n'était qu'à quatre pieds avant dans l'eau, et encore plus s'il était tout à fait hors de l'eau. J'en ai aussi fait voir la raison, qui est que l'eau le touchant par-dessous, et non pas par-dessus (car elle ne touche pas la face d'en haut, parce que l'entonnoir empêche qu'elle n'y puisse arriver), elle le pousse par le côté qu'elle touche vers celui qu'elle ne touche pas, et ainsi elle le pousse en haut et le presse contre l'entonnoir.

La même chose doit s'entendre de toute autre liqueur; et par conséquent si deux corps sont polis et appliqués l'un contre l'autre, en tenant celui d'en haut avec la main, et en abandonnant celui qui est appliqué, il doit arriver que celui d'en bas demeure suspendu, parce que l'air le touche par-dessous, et non pas par-dessus; car il n'a point d'accès entre deux; et partant il ne peut point arriver à la face par où ils se touchent; d'où il s'ensuit par un effet nécessaire du poids de toutes les liqueurs en général, que le poids de l'air doit pousser ce corps en haut, et le presser contre l'autre; en sorte que si on essaye de les séparer, on y sente une extrême résistance : ce qui est tout conforme à l'effet du poids de l'eau.

D'où l'on voit que la difficulté de séparer deux corps polis, n'est qu'un cas particulier de la règle générale de l'impulsion de toutes les liqueurs en général contre un corps qu'elles touchent par une de ses faces, et non pas par celle qui lui est opposée.

III

Que la pesanteur de la masse de l'air est la cause de l'élévation de l'eau dans les seringues et dans les pompes.

Pour faire entendre comment la pesanteur de la masse de l'air fait monter l'eau dans les pompes, à mesure qu'on tire le piston, je ferai voir un effet entièrement pareil du poids de l'eau, qui en fera seulement comprendre la raison en cette sorte.

Si l'on met à une seringue un piston bien long, par exemple, de dix pieds, et creux tout au long, ayant une soupape au bout d'en bas disposée d'une telle sorte qu'elle puisse donner passage du haut en bas, et non de bas en haut; et qu'ainsi cette seringue soit incapable d'attirer l'eau, ni aucune liqueur par-dessus le niveau de la liqueur, parce que l'air peut y entrer en toute liberté par le creux du piston : en mettant l'ouverture de cette seringue dans un vaisseau plein de vif-argent, et le tout dans une cuve pleine d'eau, en sorte toutefois que le haut du piston sorte hors de l'eau, il arrivera que si on tire le piston, le vif-argent montera et le suivra, comme s'il lui adhérait; au lieu qu'il ne monterait en aucune sorte, s'il n'y avait point d'eau dans cette cuve, parce que l'air a un accès tout libre par le manche du piston creux, pour entrer dans le corps de la seringue.

Ce n'est donc pas de peur du vide; car quand le vif-argent ne monterait pas à la place que le piston quitte, il n'y aurait point de vide, puisque l'air y peut entrer en toute liberté; mais c'est seulement parce que le poids de la masse de l'eau pesant sur le vif-argent du vaisseau, et le pressant en toutes ses parties, hormis en celles qui sont à l'ouverture de la seringue (car l'eau n'y peut arriver, à cause qu'elle en est empêchée par le corps de la seringue et par le piston); ce vif-argent pressé en toutes ses parties, hormis en une, est poussé par le poids de l'eau vers celle-là, aussitôt que le piston en se levant lui laisse une place libre pour y entrer, et contre-pèse dans la seringue le poids de l'eau qui pèse au dehors.

Mais si l'on fait des fentes à la seringue par où l'eau puisse y entrer, le vif-argent ne montera plus, parce que l'eau y entre, et touche aussi bien les parties du vif-argent qui sont à la bouche de la seringue, que les autres; et ainsi tout étant également pressé, rien ne monte. Tout cela a été clairement démontré dans l'*Equilibre des liqueurs*.

On voit en cet exemple comment le poids de l'eau fait monter le vif-argent; et on pourrait faire un effet pareil avec le poids du sable, en ôtant toute l'eau de cette cuve; si au lieu de cette eau on y verse du sable, il arrivera que le poids du sable fera monter le vif-argent dans la seringue, parce qu'il le presse de même que l'eau faisait, en toutes ses parties, hormis celle qui est à la bouche de la seringue; et ainsi il le pousse et le force d'y monter.

Et si on met les mains sur le sable, et qu'on le presse, on fera monter le vif-argent au dedans de la seringue, et toujours jusqu'à une hauteur à laquelle il puisse contre-peser l'effort du dehors.

L'explication de ces effets fait entendre bien facilement pourquoi le poids de l'air fait monter l'eau dans les seringues ordinaires, à mesure qu'on hausse le piston; car l'air touchant l'eau du vaisseau en toutes ses parties, excepté en celles qui sont à l'ouverture de la seringue où il n'a point d'accès, parce que la seringue et le piston l'en empêchent, il est visible que ce poids de l'air la pressant en toutes ses parties, hormis en celle-là seulement, il l'y doit pousser et l'y faire monter, à mesure que le piston en s'élevant lui laisse la place libre pour y entrer, et contre-peser au dedans de la seringue le poids de l'air qui pèse au dehors, par la même raison et avec la même nécessité que le vif-argent montait, pressé par le poids de l'eau et par le poids du sable, dans l'exemple que nous venons de donner.

Il est donc visible que l'élévation de l'eau dans les seringues, n'est qu'un cas particulier de cette règle générale, qu'une liqueur étant pressée en toutes ses parties, excepté en quelqu'une seulement, par le poids de quelque autre liqueur, ce poids la pousse vers l'endroit où elle n'est point pressée.

IV

Que la pesanteur de la masse de l'air cause la suspension de l'eau dans les tuyaux bouchés par en haut.

Pour faire entendre comment la pesanteur de l'air tient l'eau suspendue dans les tuyaux bouchés par en haut, nous ferons voir un exemple entièrement pareil d'une suspension semblable causée par le poids de l'eau, qui en découvrira parfaitement la raison.

Et, premièrement, on peut dire d'abord que cet effet est entièrement compris dans le précédent; car comme nous avons montré que le poids de l'air fait monter l'eau dans les seringues, et qu'il l'y tient suspendue, ainsi le même poids de l'air tient l'eau suspendue dans un tuyau. Afin que cet effet ne manque pas plus que les autres d'un autre tout pareil à qui on le compare, nous dirons qu'il ne faut pour cela que se remettre à ce que nous avons dit dans l'*Equilibre des liqueurs* (FIGURE IX), qu'un tuyau long de dix pieds ou plus, et recourbé par en bas, plein de mercure, étant mis dans une cuve pleine d'eau, en sorte que le bout d'en haut sorte de l'eau, le mercure demeure suspendu en partie au-dedans du tuyau; savoir, à la hauteur où il peut contre-peser l'eau qui pèse au dehors; et que même une pareille suspension arrive dans un tuyau qui n'est point recourbé, et qui est simplement ouvert en haut et en bas, en sorte que le bout d'en haut soit hors de l'eau.

Or, il est visible que cette suspension ne vient pas de l'horreur du vide, mais seulement de ce que l'eau pesant hors du tuyau, et non pas dedans, et touchant le mercure d'un côté, et non pas de l'autre, elle le tient suspendu par son poids à une certaine hauteur : aussi si l'on perce le tuyau, en sorte que l'eau y puisse entrer, incontinent tout le mercure tombe, parce que l'eau le touche partout, et agissant aussi bien dedans que dehors le tuyau, il n'a plus de contrepoids. Tout cela a été dit dans l'*Equilibre des liqueurs*.

Ce qui étant un effet nécessaire de l'équilibre des liqueurs, il n'est pas étrange que, quand un tuyau est plein d'eau, bouché par en haut, et recourbé par en bas, l'eau y demeure suspendue; car l'air pesant sur la partie de l'eau qui est à la recourbure, et non par sur celle qui est dans le tuyau, puisque le bouchon l'en empêche, c'est une nécessité absolue qu'il tienne l'eau du tuyau suspendue au-dedans, pour contre-peser son poids qui est au-dehors, de la même sorte que le poids de l'eau tenait le mercure en équilibre dans l'exemple que nous venons de donner.

Et de même quand le tuyau n'est pas recourbé; car l'air touchant l'eau par-dessous, et non pas par-dessus, puisque le bouchon l'empêche d'y toucher, c'est une nécessité inévitable que le poids de l'air soutienne l'eau; de la même sorte que l'eau soutient le mercure dans l'exemple que nous venons de donner, et que l'eau pousse en haut et soutient un cylindre de cuivre qu'elle touche par-dessous, et non pas par-dessus; mais si on débouche le haut, l'eau tombe; car l'air touche l'eau dessous et dessus, et pèse dedans et dehors le tuyau.

D'où l'on voit que ce que le poids de l'air soutient suspendues les liqueurs qu'il touche d'un côté et non pas de l'autre, est un cas de la règle générale, que les liqueurs contenues dans quelque tuyau que ce soit, immergé dans une autre liqueur, qui les presse par un côté et non pas par l'autre, y sont tenues suspendues par l'équilibre des liqueurs.

V

Que la pesanteur de la masse de l'air fait monter l'eau dans les siphons.

Pour faire entendre comme la pesanteur de l'air fait monter l'eau dans les siphons, nous allons faire voir que la pesanteur de l'eau fait monter le vif-argent dans un siphon tout ouvert en haut, et où l'air a un libre accès; d'où l'on verra comment le poids de l'air produit cet effet. C'est ce que nous ferons en cette sorte.

Si un siphon a une de ses jambes environ haute d'un pied, l'autre d'un pied et un pouce, et qu'on fasse une ouverture au haut du siphon, où l'on insère un tuyau long de vingt pieds, et bien soudé à cette ouverture; et qu'ayant rempli le siphon de vif-argent, on mette chacune de ses jambes dans un vaisseau aussi plein de vif-argent, et le tout dans une cuve pleine d'eau, à quinze ou seize pieds avant dans l'eau, et qu'ainsi le bout du tuyau sorte hors de l'eau, il arrivera que si un des vaisseaux est tant soit peu plus haut que l'autre, par exemple d'un pouce, tout le vif-argent du vaisseau le plus élevé montera dans le siphon jusqu'en haut, et se rendra par l'autre jambe dans le vaisseau le plus bas, par un flux continuel et si on substitue toujours du vif-argent dans le vaisseau le plus haut, le flux sera perpétuel; mais si on fait une ouverture au siphon par où l'eau puisse entrer, incontinent le vif-argent tombera de chaque jambe dans chaque vaisseau, et l'eau lui succédera.

Cette élévation de vif-argent ne vient pas de l'horreur du vide, car l'air a un accès tout libre dans le siphon : aussi, si on ôtait l'eau de la cuve, le vif-argent de chaque jambe tomberait chacun dans son vaisseau, et l'air lui succéderait par le tuyau qui est tout ouvert.

Il est donc visible que le poids de l'eau cause cette élévation, parce qu'elle pèse sur le vif-argent qui est dans les vaisseaux, et non pas sur celui qui est dans le siphon; et par cette raison elle le force par son poids de monter et de couler comme il fait; mais dès qu'on a percé le siphon, et qu'elle y peut entrer, elle n'y fait plus monter le vif-argent, parce qu'elle pèse aussi bien au-dedans qu'au-dehors du siphon.

Or par la même raison et avec la même nécessité que l'eau fait ainsi monter le mercure dans un siphon quand elle pèse sur les vaisseaux, et qu'elle n'a point d'accès au dedans du siphon; aussi le poids de l'air fait monter l'eau dans les siphons ordinaires, parce qu'il pèse sur l'eau des vaisseaux où leurs jambes trempent, et qu'il n'a nul accès dans le corps du siphon, parce qu'il est tout clos; et dès qu'on y fait une ouverture, l'eau n'y monte plus : mais elle tombe, au contraire, dans chaque vaisseau, et l'air lui succède, parce qu'alors l'air pèse aussi bien au-dedans qu'au-dehors du siphon.

Il est visible que ce dernier effet n'est qu'un cas de la règle générale; et que si on entend bien pourquoi le poids de l'eau fait monter le vif-argent dans l'exemple que nous avons donné on verra en même temps pourquoi le poids de l'air fait monter l'eau dans les siphons ordinaires; c'est pourquoi il faut bien éclaircir la raison pour laquelle le poids de l'eau produit cet effet, et faire entendre pourquoi c'est le vaisseau élevé qui se vide dans le plus bas, plutôt que le plus bas dans l'autre.

Pour cela il faut remarquer que l'eau pesant sur le vif-argent qui est dans chaque vaisseau, et point du tout sur celui des jambes qui y trempent, il arrive que le vif-argent des vaisseaux est pressé par le poids de l'eau à monter dans chaque jambe du siphon jusqu'au haut du siphon, et encore plus, s'il se pouvait, à cause que l'eau a seize pieds de haut, et que le siphon n'a qu'un pied, et qu'un pied de vif-argent n'égale le poids que de 14 pieds d'eau : d'où il se voit que le poids de l'eau pousse le vif-argent dans chaque jambe jusqu'au haut, et qu'il a encore de la force de reste; d'où il arrive que le vif-argent de chaque jambe étant poussé en haut par le poids de l'eau, ils se combattent en haut du siphon, et se poussent l'un l'autre : de sorte qu'il faut que celui qui a le plus de force prévale.

Or, cela sera aisé à supputer; car il est clair que puisque l'eau a plus de hauteur sur le vaisseau le plus bas d'un pouce, elle pousse en haut le vif-argent de la longue jambe plus fortement que celui de l'autre, de la force que lui donne un pouce de hauteur; d'où il semble d'abord qu'il doit résulter que le vif-argent doit être poussé de la jambe la plus longue dans la plus courte; mais il faut considérer que le poids du vif-argent de chaque jambe résiste à l'effort que l'eau fait pour le pousser en haut, mais ils ne résistent pas également; car comme le vif-argent de la longue jambe a plus de hauteur d'un pouce, il résiste plus fortement de la force que lui donne la hauteur d'un pouce : donc le mercure de la plus longue jambe est plus poussé en haut par le poids de l'eau, de la force de l'eau de la hauteur d'un pouce; mais il est plus poussé en bas par son propre poids, de la force du vif-argent de la hauteur d'un pouce. Or un pouce de vif-argent pèse plus qu'un pouce d'eau. Donc le vif-argent de la plus courte jambe est poussé en haut avec plus de force; et partant il doit monter, et continuer à monter tant qu'il y aura du vif-argent dans le vaisseau où elle trempe.

D'où il paraît que la raison qui fait que c'est le vaisseau le plus haut qui se vide dans le plus bas, est que le vif-argent est une liqueur plus pesante que l'eau. Il en arriverait au contraire, si le siphon était plein d'huile, qui est une liqueur plus légère que l'eau, et que les vaisseaux aussi où il trempe en fussent pleins, et le tout dans la même cuve pleine d'eau; car alors il arriverait que l'huile du vaisseau le plus bas monterait, et coulerait par le haut du siphon dans le vaisseau le plus élevé, par les mêmes raisons que nous venons de dire; car l'eau poussant toujours l'huile du vaisseau le plus bas, avec plus de force, à cause qu'elle a un pouce de plus de hauteur, et l'huile de la longue jambe résistant, et pesant davantage d'un pouce qu'elle a de plus de hauteur, il arriverait qu'un pouce d'huile pesant moins qu'un pouce d'eau, l'huile de la longue jambe serait poussée en haut avec plus de force que l'autre; et partant elle coulerait, et se rendrait du vaisseau le plus bas dans le plus élevé.

Et enfin, si le siphon était plein d'une liqueur qui pesât autant que l'eau de la cuve, lors, ni l'eau du vaisseau le plus élevé ne se rendrait pas dans l'autre, ni celle du plus bas dans celle du plus élevé; mais tout demeurerait en repos, parce qu'en supputant tous les efforts, on verra qu'ils sont tous égaux.

Voilà ce qu'il était nécessaire de bien faire entendre, pour savoir à fond la raison pour laquelle ces liqueurs s'élèvent dans les siphons; après quoi il est trop aisé de voir pourquoi le poids de l'air fait monter l'eau dans les siphons ordinaires, et pourquoi du vaisseau le plus élevé dans le plus bas, sans s'y arrêter davantage, puisque ce n'est qu'un cas de la règle générale que nous venons de donner.

VI

Que la pesanteur de la masse de l'air cause l'enflure de la chair, quand on applique des ventouses.

Pour faire entendre comment le poids de l'air fait enfler la chair à l'endroit où l'on met des ventouses, nous rapporterons un effet entièrement pareil, causé par le poids de l'eau, qui n'en laissera aucun doute.

C'est celui que nous avons rapporté dans l'*Équilibre des liqueurs* (FIGURE XVII), où nous avons fait voir qu'un homme mettant contre sa cuisse le bout d'un tuyau de verre long de vingt pieds, et se mettant en cet état au fond d'une cuve pleine d'eau, en sorte que le bout d'en haut du tuyau sorte hors de l'eau; il arrive que sa chair s'enfle en la partie qui est à l'ouverture du tuyau, comme si quelque chose la suçait en cet endroit-là.

Or il est évident que cette enflure ne vient pas de l'horreur du vide, car ce tuyau est tout ouvert, et elle n'arriverait pas, s'il n'y avait que peu d'eau dans la cuve; et il est très constant qu'elle vient de la seule pesanteur de l'eau; parce que cette eau pressant la chair en toutes les parties du corps, excepté en celle-là seulement qui est à l'entrée du tuyau (car elle n'y a point d'accès), elle y renvoie le sang et les chairs qui font cette enflure.

Et ce que nous disons du poids de l'eau se doit entendre du poids de quelque autre liqueur que ce soit; car s'il se met dans une cuve pleine d'huile la même chose arrivera, tant que cette liqueur le touchera en toutes ses parties, excepté une seulement : mais si on ôte le tuyau, l'enflure cesse, parce que l'eau venant à affecter cette partie aussi bien que les autres, il n'y aura pas plus d'impression qu'aux autres.

Ce qui étant bien compris, on verra que c'est un effet nécessaire, que quand on met une bougie sur la chair et une ventouse par-dessus, aussitôt que le feu s'éteint, la chair s'enfle; car l'air de la ventouse, qui était très raréfié par le feu, venant à se condenser par le froid qui lui succède dès que le feu est éteint, il arrive que le poids de l'air touche le corps en toutes les parties, excepté en celles qui sont à la ventouse; car il n'y a point d'accès; et par conséquent la chair doit s'enfler en cet endroit, et le poids de l'air doit renvoyer le sang et les chairs voisines qu'il presse, dans celle qu'il ne presse pas par la même raison et avec la même nécessité que le poids de l'eau le faisait en l'exemple que nous avons donné, quand elle touchait le corps en toutes ses parties, excepté en une seulement : d'où il paraît que l'effet de la ventouse n'est qu'un cas particulier de la règle générale de l'action de toutes les liqueurs contre un corps qu'elles touchent en toutes ses parties, excepté une.

VII
Que la pesanteur de la masse de l'air est cause de l'attraction qui se fait en suçant.

Il ne faut plus maintenant qu'un mot pour expliquer pourquoi quand on met la bouche sur l'eau et qu'on suce, l'eau y monte : car nous savons que le poids de l'air presse l'eau en toutes les parties, excepté en celles qui sont à la bouche; car il les touche toutes, excepté celle-là; et de là vient que quand les muscles de la respiration, élevant la poitrine, font la capacité du dedans du corps plus grande, l'air du dedans ayant plus de place à remplir qu'il n'avait auparavant, a moins de force pour empêcher l'eau d'entrer dans la bouche, que l'air de dehors, qui pèse sur cette eau de tous côtés hors cet endroit, n'en a pour l'y faire entrer.

Voilà la cause de cette attraction, qui ne diffère en rien de l'attraction des seringues.

VIII
Que la pesanteur de la masse de l'air est la cause de l'attraction du lait que les enfants tètent de leurs nourrices.

C'est ainsi que quand un enfant a la bouche à l'entour du bout de la mamelle de sa nourrice, quand il suce, il attire le lait; parce que la mamelle est pressée de tous les côtés par le poids de l'air qui l'environne, excepté en la partie qui est dans la bouche de l'enfant; et c'est pourquoi aussitôt que les muscles de la respiration font une place plus grande dans le corps de l'enfant, comme on vient de dire, et que rien ne touche le bout de la mamelle que l'air du dedans, l'air du dehors qui a plus de force et qui la comprime, pousse le lait par cette ouverture, où il y a moins de résistance : ce qui est aussi nécessaire et aussi naturel que quand le lait sort, lorsqu'on presse le téton entre les deux mains.

IX
Que la pesanteur de la masse de l'air est cause de l'attraction de l'air qui se fait en respirant.

Et par la même raison, lorsqu'on respire, l'air entre dans le poumon parce que quand le poumon s'ouvre, et que le nez et tous les conduits sont libres et ouverts, l'air qui est à ces conduits, poussé par le poids de toute sa masse, y entre et y tombe par l'action naturelle et nécessaire de son poids; ce qui est si intelligible, si facile, et si naïf, qu'il est étrange qu'on ait été chercher l'horreur du vide, des qualités occultes, et des causes si éloignées et si chimériques, pour en rendre la raison, puisqu'il est aussi naturel que l'air entre et tombe ainsi dans le poumon à mesure qu'il s'ouvre, que du vin tombe dans une bouteille quand on l'y verse.

Voilà de quelle sorte le poids de l'air produit tous les effets qu'on avait jusqu'ici attribués à l'horreur du vide. J'en viens d'expliquer les principaux; s'il en reste quelqu'un, il est si aisé de l'entendre ensuite de ceux-ci, que je croirais faire une chose fort inutile et fort ennuyeuse, d'en rechercher d'autres pour les traiter en détail : et on peut même dire qu'on les avait déjà tous vus, comme en leur source, dans le Traité précédent, puisque tous ces effets ne sont que des cas particuliers de la règle générale de l'équilibre des liqueurs.

CHAPITRE III. *Que comme la pesanteur de la masse de l'air est limitée, aussi les effets qu'elle produit sont limités.*

Puisque la pesanteur de l'air produit tous les effets qu'on avait jusqu'ici attribués à l'horreur du vide, il doit arriver que, comme cette pesanteur n'est pas infinie, et qu'elle a des bornes, aussi ses effets doivent être limités; et c'est ce que l'expérience confirme, comme il paraîtra par celles qui suivent.

Aussitôt qu'on tire le piston d'une pompe aspirante ou d'une seringue, l'eau suit, et si on continue à l'élever, l'eau suivra toujours mais non pas jusqu'à quelque hauteur qu'on l'élève; car il y a un certain degré qu'elle ne passe point, qui est à peu près à la hauteur de 31 pieds; de sorte que tant qu'on n'élève le piston que jusqu'à

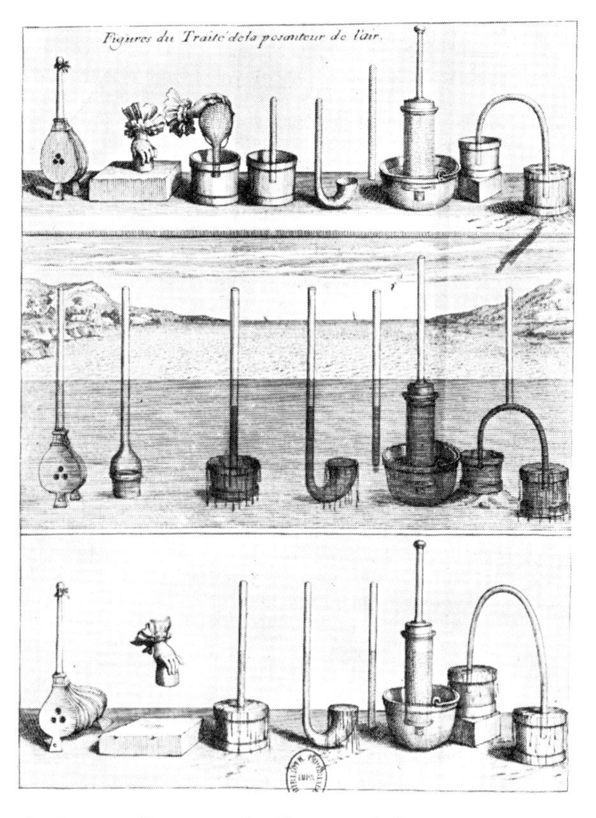

cette hauteur, l'eau s'y élève et demeure toujours contiguë au piston; mais aussitôt qu'on le porte plus haut, il arrive que le piston ne tire plus l'eau, et qu'elle demeure immobile et suspendue à cette hauteur, sans se hausser davantage; et à quelque hauteur qu'on élève le piston au-delà, elle le laisse monter sans le suivre.

Parce que le poids de la masse de l'air pèse à peu près autant que l'eau à la hauteur de 31 pieds; de sorte que comme il fait monter cette eau dans la seringue, parce qu'il pèse au-dehors et non pas au-dedans pour la contre-peser : il la fait monter jusqu'à la hauteur à laquelle elle pèse autant que lui, et lors l'eau dans la seringue et l'air dehors pesant également, tout demeure en équilibre, de la même sorte que de l'eau et du vif-argent se tiennent en équilibre, quand leurs hauteurs sont entre elles comme leurs poids, comme nous l'avons tant fait voir dans l'*Équilibre des liqueurs;* et comme l'eau ne montait que par cette seule raison, que le poids de l'air l'y forçait, quand elle est arrivée à cette hauteur, où le poids de l'air ne peut plus la faire hausser, nulle autre cause ne la mouvant, elle demeure à ce point.

Et quelque grosseur qu'ait la pompe, l'eau s'y élève toujours à la même hauteur, parce que les liqueurs ne pèsent pas suivant leur volume, mais suivant leur hauteur, comme nous l'avons montré dans l'*Équilibre des liqueurs.*

Que si on élève du vif-argent dans une seringue, il montera jusqu'à la hauteur de deux pieds trois pouces et cinq lignes, qui est précisément celle à laquelle il pèse autant que l'eau à 31 pieds, parce qu'il pèsera alors autant que la masse de l'air.

Et si on élève de l'huile dans une pompe, elle s'élèvera environ près de 34 pieds, et puis plus; parce qu'elle pèse autant à cette hauteur, que l'eau à 31 pieds et par conséquent autant que l'air; et ainsi des autres liqueurs.

Un tuyau bouché par en haut et ouvert par en bas, étant plein d'eau, s'il a une hauteur telle qu'on voudra au-dessous de 31 pieds, toute l'eau y demeurera suspendue; parce que le poids de la masse de l'air est capable de l'y soutenir.

Mais s'il a plus de 31 pieds de hauteur, il arrivera que l'eau tombera en partie, savoir : jusqu'à ce qu'elle soit baissée en sorte qu'elle n'ait plus que 31 pieds de haut; et lors elle demeurera suspendue à cette hauteur, sans baisser davantage, de la même sorte que dans l'*Équilibre des liqueurs* on a vu que le vif-argent d'un tuyau mis dans une cuve pleine d'eau tombait en partie, jusqu'à ce que le vif-argent restât à la hauteur à laquelle il pèse autant que l'eau.

Mais si on mettait dans ce tuyau du vif-argent au lieu d'eau, il arriverait que le vif-argent tomberait jusqu'à ce qu'il fût resté à la hauteur de deux pieds trois pouces cinq lignes, qui correspond précisément à 31 pieds d'eau.

Et si on penche un peu ces tuyaux où l'eau et le vif-argent sont restés suspendus, il arrivera que ces liqueurs remonteront jusqu'à ce qu'elles soient revenues à la même hauteur qu'elles avaient, et qui était diminuée par cette inclination; parce que le poids de l'air prévaut tant qu'elles sont au-dessous de cette hauteur, et est en équilibre quand elles y sont arrivées; ce qui est tout semblable à ce qui est rapporté au *Traité de l'équilibre des liqueurs*, d'un tuyau de vif-argent mis dans une cuve pleine d'eau; et en redressant ce tuyau, les liqueurs ressortent, pour revenir toujours à leur même hauteur.

C'est ainsi que dans un siphon, toute l'eau du vaisseau le plus élevé monte et se rend dans le plus bas, tant que la branche du siphon qui y trempe est d'une hauteur telle qu'on voudra au-dessous de 31 pieds; parce que, comme nous avons dit ailleurs, le poids de l'air peut bien hausser et tenir suspendue l'eau à cette hauteur; mais dès que la branche qui trempe dans le vaisseau élevé excède cette hauteur, il arrive que le siphon ne fait plus son effet; c'est-à-dire que l'eau du vaisseau élevé ne monte plus au haut du siphon pour se rendre dans l'autre, parce que le poids de l'air ne peut pas l'élever à plus de 31 pieds; de sorte que l'eau se divise en haut du siphon, et tombe de chaque jambe dans chaque vaisseau, jusqu'à ce qu'elle soit restée à la hauteur de 31 pieds au-dessus de chaque vaisseau, et demeure en repos suspendue à cette hauteur par le poids de l'air qui la contre-pèse.

Si on penche un peu le siphon, l'eau remontera dans l'une et l'autre jambe, jusqu'à ce qu'elle y soit à la même hauteur qui avait été diminuée en l'inclinant; et si on le penche en sorte que le haut du siphon n'ait plus que la hauteur de 31 pieds au-dessus du vaisseau le plus élevé, il arrivera que l'eau de la jambe qui y trempe sera au haut du siphon, de sorte qu'elle tombera dans l'autre jambe; et ainsi l'eau du vaisseau élevé lui succédant toujours, elle coulera toujours par un petit filet seulement; et si on incline davantage, l'eau coulera à plein tuyau.

Il faut entendre la même chose de toutes les autres liqueurs, en observant toujours la proportion de leur poids.

C'est ainsi que si on essaye d'ouvrir un soufflet, tant qu'on n'y emploiera qu'un certain degré de force, on ne le pourra pas; mais si on passe ce point, on l'ouvrira. Or, la force nécessaire est telle. Si ses ailes ont un pied de diamètre, il faudra, pour l'ouvrir, une force capable d'élever un vaisseau plein d'eau, d'un pied de diamètre, comme ses ailes, et long de 31 pieds, qui est la hauteur où l'eau s'élève dans une pompe. Si ses ailes n'ont que six pouces de diamètre, il faudra, pour l'ouvrir, une force égale au poids de l'eau d'un vaisseau de six pouces de diamètre et haut de 31 pieds, et ainsi du reste : de sorte qu'en pendant à une de ces ailes un poids égal à celui de cette eau, on l'ouvre, et un moindre poids ne saurait le faire, parce que le poids de l'air qui le presse est précisément égal à celui de 31 pieds d'eau.

Un même poids tirera le piston d'une seringue bouchée, et un même poids sépare deux corps polis appliqués l'un contre l'autre; de sorte que s'ils ont un pouce de diamètre, en y appliquant une force égale au poids de l'eau, d'un pouce de grosseur et de 31 pieds de hauteur, on les séparera.

Chapitre iv. *Que comme la pesanteur de la masse de l'air augmente quand il est plus chargé de vapeurs, et diminue quand il l'est moins, aussi les effets qu'elle produit augmentent et diminuent à proportion.*

Puisque la pesanteur de l'air cause tous les effets dont nous traitons, il doit arriver que comme cette pesanteur n'est pas toujours la même sur une même contrée, et qu'elle varie à toute heure, suivant les vapeurs qui arrivent, ses effets n'y doivent pas être toujours uniformes, mais, au contraire, variables à toute heure : aussi l'expérience le confirme, et fait voir que la mesure de 31 pieds d'eau que nous avons donnée pour servir d'exemple, n'est pas une mesure précise qui soit toujours exacte; car l'eau ne s'élève pas dans les pompes, et ne demeure pas toujours suspendue à cette hauteur précisément; au contraire, elle s'élève quelquefois à 31 pieds et demi, puis elle revient à 31 pieds, puis elle baisse encore de trois pouces au-dessous, puis elle remonte tout à coup d'un pied, suivant les variétés qui arrivent à l'air; et tout cela avec la même bizarrerie avec laquelle l'air se brouille et s'éclaircit.

Et l'expérience fait voir qu'une même pompe élève l'eau plus haut en un temps qu'en un autre d'un pied huit pouces. En sorte que l'on peut faire une pompe et aussi un siphon par la même raison, d'une telle hauteur, qu'en un temps ils feront leur effet, et en un autre ils ne le feront point, selon que l'air sera plus ou moins chargé de vapeurs, ou que par quelque autre raison il pèsera plus ou moins; ce qui serait une expérience assez curieuse, et qui serait assez facile, en se servant du vif-argent au lieu d'eau; car par ce moyen l'on n'aurait pas besoin de si longs tuyaux pour la faire.

De là on doit entendre que l'eau demeure suspendue dans les tuyaux à une moindre hauteur en un temps qu'en un autre, et qu'un soufflet est plus aisé à ouvrir en un temps qu'en un autre en la même proportion précisément : et ainsi des autres effets; car ce qui se dit de l'un convient exactement avec tous les autres, chacun suivant sa nature.

Chapitre V. *Que comme le poids de la masse de l'air est plus grand sur les lieux profonds que sur les lieux élevés, aussi les effets qu'elle y produit sont plus grands à proportion.*

Puisque le poids de la masse de l'air produit tous ces effets dont nous traitons, il doit arriver que, comme elle n'est pas égale sur tous les lieux du monde, puisqu'elle est plus grande sur ceux qui sont les plus enfoncés, ces effets y doivent aussi être différents : aussi l'expérience le confirme, et fait voir que cette mesure de 31 pieds, que nous avions prise pour servir d'exemple, n'est pas celle où l'eau s'élève dans les pompes, dans tous les lieux du monde; car elle s'y élève différemment en tous ceux qui ne sont pas à même niveau, et d'autant plus qu'ils sont plus enfoncés, et d'autant moins qu'ils sont plus élevés : de sorte que par les expériences qui en ont été faites en des lieux élevés l'un au-dessus de l'autre de cinq ou six cents toises, on a trouvé différence de quatre pieds trois pouces; de sorte que la même pompe qui élève l'eau en un endroit à la hauteur de 30 pieds quatre pouces ne l'élève en l'autre, plus haut d'environ 500 toises, qu'à la hauteur de 26 pieds un pouce, en même tempérament d'air; en quoi il y a différence de la sixième partie.

La même chose se doit entendre de tous les autres effets, chacun suivant sa manière, c'est-à-dire, par exemple, que deux corps polis sont plus difficiles à désunir en un vallon que sur une montagne, etc.

Or, comme 500 toises d'élévation causent quatre pieds trois pouces de différence à la hauteur de l'eau, les moindres hauteurs font de moindres différences à proportion; savoir, 100 toises, environ dix pouces; 20 toises, environ deux pouces, etc.

L'instrument le plus propre pour observer toutes ces variations est un tuyau de verre bouché par en haut, recourbé par en bas, de trois ou quatre pieds de haut, auquel on colle une bande de papier, divisée par pouces et lignes; car, si on le remplit de vif-argent, on verra qu'il tombera en partie, et qu'il demeurera suspendu en partie et on pourra remarquer exactement le degré auquel il sera suspendu; et il sera facile d'observer les variations qui y arriveront de la part des charges de l'air, par les changements du temps, et celles qui y arriveront en le portant en un lieu plus élevé; car en le laissant en un même lieu, on verra que, à mesure que le temps changera, il haussera et baissera; et on remarquera qu'il sera plus haut en un temps qu'en un autre, d'un pouce six lignes, qui répondent précisément à un pied huit pouces d'eau, que nous avons donné dans l'autre chapitre pour la différence qui arrive de la part du temps.

Et, en le portant du pied d'une montagne jusque sur son sommet, on verra que, quand on sera monté de dix toises, il sera baissé de près d'une ligne; quand on sera monté de vingt toises, il sera baissé de deux lignes; quand on sera monté de 100 toises, il sera baissé de neuf lignes; quand on sera monté de 500 toises, il sera baissé de trois pouces dix lignes. Et, redescendant, il remontera par les mêmes degrés.

Tout cela a été éprouvé sur la montagne du Puy-de-Dôme en Auvergne; et ces mesures en vif-argent répondent précisément à celles que nous venons de donner en l'eau.

La même chose se doit entendre de la difficulté d'ouvrir un soufflet, et du reste.

Où l'on voit que la même chose arrive précisément dans les effets que la pesanteur de l'air produit, que dans ceux que la pesanteur de l'eau produit; car nous avons vu qu'un soufflet immergé dans l'eau, et qui est difficile à ouvrir, à cause du poids de l'eau, l'est d'autant moins qu'on l'élève plus près de la fleur de l'eau; et que le vif-argent dans un tuyau immergé dans l'eau, se tient suspendu à une hauteur plus ou moins grande, suivant qu'il est plus ou moins avant dans l'eau; et tous ces effets, soit de la pesanteur de l'air, soit de celle de l'eau, sont des suites si nécessaires de l'équilibre des liqueurs, qu'il n'y a rien de plus clair au monde.

CHAPITRE VI. *Que, comme les effets de la pesanteur de la masse de l'air augmentent ou diminuent à mesure qu'elle augmente ou diminue, ils cesseraient entièrement si l'on était au-dessus de l'air ou en un lieu ou il n'y en eût point.*

Après avoir vu jusqu'ici que ces effets qu'on attribuait à l'horreur du vide, et qui viennent en effet de la pesanteur de l'air, suivent toujours sa proportion, et qu'à mesure qu'elle augmente, ils augmentent ; qu'à mesure qu'elle diminue, ils diminuent; et que par cette raison l'on voit que dans le tuyau plein de vif-argent il demeure suspendu à une hauteur d'autant moindre qu'on le porte à un lieu plus élevé, parce qu'il reste moins d'air au-dessus de lui; de même que celui d'un tuyau immergé dans l'eau baisse à mesure qu'on l'élève vers la fleur de l'eau, parce qu'il reste moins d'eau pour le contre-peser : on peut conclure avec assurance que, si on l'élevait jusqu'au haut de l'extrémité de l'air, et qu'on le portât entièrement hors de sa sphère, le vif-argent du tuyau tomberait entièrement, puisqu'il n'y aurait plus aucun air pour le contre-peser, comme celui du tuyau immergé dans l'eau tombe entièrement, quand on le tire entièrement hors de l'eau.

La même chose arriverait, si on pouvait ôter tout l'air de la chambre où l'on ferait cette épreuve; car n'y ayant plus d'air qui pesât sur le bout du tuyau qui est recourbé, on doit croire que le vif-argent tomberait, n'ayant plus son contrepoids.

Mais parce que l'une et l'autre de ces épreuves est impossible, puisque nous ne pouvons pas aller au-dessus de l'air, et que nous ne pourrions pas vivre dans une chambre dont tout l'air aurait été ôté, il suffit d'ôter l'air, non de toute la chambre mais seulement d'alentour du bout recourbé, pour empêcher qu'il n'y puisse arriver, pour voir si tout le vif-argent tombera, quand il n'aura plus d'air qui le contre-pèse, et on pourra facilement le faire en cette façon.

Il faut avoir un tuyau recourbé par en bas, bouché par le bout A, et ouvert par le bout B, et un autre tuyau tout droit, ouvert par les deux bouts, M et N, mais inséré et soudé par le bout M, dans le bout recourbé de l'autre, comme il paraît en cette figure.

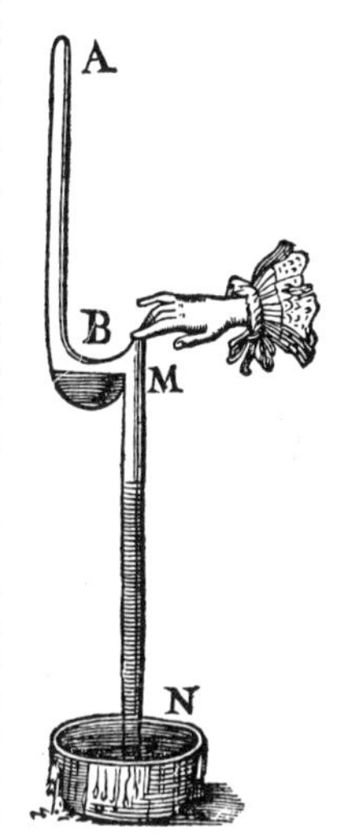

Il faut boucher B, qui est l'ouverture du bout recourbé du premier tuyau, avec le doigt ou autrement, comme avec une vessie de pourceau, et renverser ce tuyau entier; c'est-à-dire les deux tuyaux qui n'en font proprement qu'un, puisqu'ils ont communication l'un dans l'autre; le remplir de vif-argent, et puis remettre le bout A en haut, et le bout N dans une écuelle pleine de vif-argent : il arrivera que le vif-argent du tuyau d'en haut tombera entièrement, et sera tout reçu dans sa recourbure, si ce n'est qu'il y en aura une partie qui s'écoulera dans le tuyau d'en bas par le trou M; mais le vif-argent du tuyau d'en bas tombera en partie seulement, et demeurera suspendu aussi en partie, à une hauteur de 26 à 27 pouces, suivant le lieu et le temps où l'on en fait l'épreuve. Or la raison de cette différence est que l'air pèse sur le vif-argent qui est dans l'écuelle au bout du tuyau d'en bas; et ainsi il tient son vif-argent du dedans suspendu, et en équilibre : mais il ne pèse pas sur le vif-argent qui est au bout recourbé du tuyau d'en haut; car le doigt ou la vessie qui le bouche, empêchent qu'il n'y ait d'accès : de sorte que, comme il n'y a aucun air qui pèse en cet endroit, le vif-argent du tuyau tombe librement, parce que rien ne le soutient et ne s'oppose à sa chute.

Mais comme rien ne se perd dans la nature, si le vif-argent qui est dans la recourbure ne sent pas le poids de l'air, parce que le doigt qui bouche son ouverture l'en garde, il arrive, en récompense, que le doigt souffre beaucoup de douleur car il porte tout le poids de l'air qui le presse par-dessus, et rien ne le soutient par-dessous : aussi il se sent pressé contre le verre, et comme attiré et sucé au-dedans du tuyau, et une ampoule s'y forme, comme s'il y avait une ventouse, parce que le poids de l'air pressant le doigt, la main et le corps entier de cet homme de toutes parts, excepté en la seule partie qui est dans cette ouverture où il n'a point d'accès, cette partie s'enfle, et souffre par la raison que nous avons tantôt dite.

Et si on ôte le doigt de cette ouverture, il arrivera que le vif-argent qui est dans la recourbure montera tout d'un coup dans le tuyau jusqu'à la hauteur de 26 ou 27 pouces, parce que l'air, tombant tout d'un coup sur le vif-argent, le fera incontinent monter à la hauteur capable de le contre-peser, et même, à cause de la violence de sa chute, il le fait monter un peu au delà de ce terme; mais il tombera ensuite un peu plus bas, et puis il remontera encore; et après quelques allées et venues, comme d'un poids suspendu au bout d'un fil, il demeurera ferme à une certaine hauteur, à laquelle il contrepèse l'air précisément.

D'où l'on voit que quand l'air ne pèse point sur le vif-argent qui est au bout recourbé, celui du tuyau tombe entièrement, et que par conséquent, si on avait porté ce tuyau en un lieu où il n'y eût point d'air, ou, si on le pouvait, jusqu'au-dessus de la sphère de l'air, il tomberait entièrement.

CONCLUSION DES TROIS DERNIERS CHAPITRES

D'où il se conclut qu'à mesure que la charge de l'air est grande, petite ou nulle, aussi la hauteur où l'eau s'élève dans la pompe est grande, petite ou nulle, et qu'elle lui est toujours précisément proportionnée comme l'effet à sa cause.

Il faut entendre la même chose de la difficulté d'ouvrir un soufflet bouché, etc.

CHAPITRE VII. *Combien l'eau s'élève dans les pompes en chaque lieu du monde.*

De toutes les connaissances que nous avons, il s'ensuit qu'il y a autant de différentes mesures de la hauteur où l'eau s'élève dans les pompes, qu'il y a de différents lieux et de différents temps où on l'éprouve; et qu'ainsi si on demande à quelle hauteur les pompes aspirantes élèvent l'eau en général, on ne saurait répondre précisément à cette question, ni même à celle-ci : à quelle hauteur les pompes élèvent l'eau à Paris, si l'on ne détermine aussi le tempérament de l'air, puisqu'elles l'élèvent plus haut, quand il est plus chargé : mais on peut bien dire à quelle hauteur les pompes élèvent l'eau à Paris quand l'air est le plus chargé; car tout est spécifié. Mais sans nous arrêter aux différentes hauteurs où l'eau s'élève en chaque lieu, suivant que l'air est plus ou moins chargé, nous prendrons la hauteur où elle se trouve, quand il l'est médiocrement, pour la hauteur naturelle de ce lieu-là; parce qu'elle tient le milieu entre les deux extrémités, et qu'en connaissant cette mesure, on aura la connaissance des deux autres, parce qu'il ne faudra qu'ajouter ou diminuer dix pouces. Ainsi nous donnerons la hauteur où l'eau s'élève en tous les lieux du monde, quelque hauts et quelque profonds qu'ils soient, quand l'air y est médiocrement chargé.

Mais auparavant, il faut entendre qu'en toutes les pompes qui sont à même niveau, l'eau s'élève précisément à la même hauteur (j'entends toujours en un même tempérament d'air); car l'air y ayant une même hauteur, et partant un même poids, le poids y produit de semblables effets.

Et c'est pourquoi nous donnerons d'abord la hauteur où l'eau s'élève aux lieux qui sont à niveau de la mer, parce que toute la mer est précisément du même niveau, c'est-à-dire également distante du centre de la terre en tous ses points : car les liquides ne peuvent reposer autrement, puisque les points qui seraient plus hauts couleraient en bas; et ainsi la hauteur où nous trouverons que l'eau s'élève dans les pompes en quelque lieu que ce soit, qui soit au bord de la mer, sera commune à tous les lieux du monde qui sont au bord de la mer : et il sera aisé d'inférer de là à quelle hauteur l'eau s'élèvera dans les lieux plus ou moins élevés de 10 ou 20, 100, 200 ou 500 toises, puisque nous avons donné la différence qu'elles apportent.

Au niveau de la mer, les pompes aspirantes élèvent l'eau à la hauteur de 31 pieds deux pouces à peu près; il faut entendre quand l'air y est chargé médiocrement.

Voilà la mesure commune à tous les points de la mer du monde : d'où il s'ensuit qu'un siphon élève l'eau en ces lieux-là, tant que sa jambe la plus courte a une hauteur au-dessous de celle-là; et qu'un soufflet bouché s'ouvre avec le poids de l'eau de cette hauteur-là, et de la largeur de ses ailes; ce qui est toujours conforme. Il est aisé de passer de là à la connaissance de la hauteur où l'eau s'élève dans les pompes aux lieux plus élevés de dix toises : car, puisque nous avons dit que dix toises d'élévation causent un pouce de diminution à la hauteur où l'eau s'élève, il s'ensuit qu'en ces lieux-là l'eau s'élève seulement à 31 pieds un pouce.

Et par même moyen, on trouve qu'aux lieux plus élevés que le niveau de la mer de vingt toises, l'eau s'élève à 31 pieds seulement.

Dans ceux qui sont élevés au-dessus de la mer de 100 toises, l'eau monte seulement à 30 pieds quatre pouces.

Dans ceux qui sont élevés de 200 toises, l'eau monte à 29 pieds six pouces.

Dans ceux qui sont élevés d'environ 500 toises, l'eau monte à peu près à 27 pieds.

Ainsi on pourrait éprouver le reste. Et pour les lieux plus enfoncés que le niveau de la mer, on trouvera de même les hauteurs où l'eau s'élève, en ajoutant, au lieu de soustraire, les différences que ces différentes hauteurs donnent.

Conséquences

I. De toutes ces choses, il est aisé de voir qu'une pompe n'élève jamais l'eau à Paris à 32 pieds, et qu'elle ne l'élève jamais moins de 29 pieds et demi.

II. On voit aussi qu'un siphon, dont la courte jambe a 32 pieds, ne fait jamais son effet à Paris.

III. Qu'un siphon, dont la jambe la plus courte a 29 pieds et au-dessous, fait toujours son effet à Paris.

IV. Qu'un siphon dont la courte jambe a 31 pieds précisément à Paris, fait son effet quelquefois, et quelquefois ne le fait pas, selon que l'air est chargé.

V. Qu'un siphon qui a 29 pieds pour sa courte jambe, fait toujours son effet à Paris, et jamais à un lieu plus élevé, comme à Clermont en Auvergne.

VI. Qu'un siphon qui a 10 pieds de haut, fait son effet en tous les lieux du monde; car il n'y a point de montagne assez haute pour l'en empêcher; et qu'un siphon qui a 50 pieds de haut ne fait son effet en aucun lieu du monde; car il n'y a point de caverne assez creuse pour faire que l'air pèse assez pour soulever l'eau à cette hauteur.

VII. Que l'eau s'élève dans les pompes à Dieppe, quand l'air est médiocrement chargé, à 31 pieds deux pouces, comme nous avons dit, et quand l'air est chargé, à 32 pieds; qu'elle s'élève dans les pompes sur les montagnes hautes de 500 toises au-dessus de la mer, quand l'air est médiocrement chargé, à 26 pieds onze pouces; et quand il est le moins chargé, à 26 pieds un pouce : de sorte qu'il y a différence entre cette hauteur et celle qui se trouve à Dieppe, quand l'air y est le plus chargé, de cinq pieds onze pouces, qui est presque le quart de la hauteur qui se trouve sur les montagnes.

VIII. Comme nous voyons qu'en tous les lieux qui sont à même niveau, l'eau s'élève à pareille hauteur, et qu'elle s'élève moins en ceux qui sont plus élevés; aussi, par le contraire, si nous voyons que l'eau s'élève à pareille hauteur en deux lieux différents, on peut conclure qu'ils sont à même niveau; et si elle ne s'y élève pas à même hauteur, on peut juger, par cette différence, combien l'un est plus élevé que l'autre : ce qui est un moyen de niveler les lieux, quelque éloignés qu'ils soient, assez exactement et bien facilement; puisque au lieu de se servir d'une pompe aspirante qui serait difficile à faire de cette hauteur, il ne faut que prendre un tuyau de trois ou quatre pieds plein de vif-argent, et bouché par en haut, dont nous avons souvent parlé, et voir à quelle hauteur il demeure suspendu; car sa hauteur correspond parfaitement à la hauteur où l'eau s'élève dans les pompes.

IX. On voit aussi de là que les degrés de chaleur ne sont pas marqués exactement dans les meilleurs thermomètres; puisqu'on attribuait toutes les différentes hauteurs où l'eau demeure suspendue à la raréfaction ou condensation de l'air intérieur du tuyau, et que nous apprenons de ces expériences, que les changements qui arrivent à l'air extérieur, c'est-à-dire à la masse de l'air, y contribuent beaucoup.

Je laisse un grand nombre d'autres conséquences qui s'ensuivent de ces nouvelles connaissances, comme, par exemple, la voie qu'elles ouvrent pour connaître l'étendue précise de la sphère de l'air, et des vapeurs qu'on appelle l'atmosphère; puisqu'en observant exactement de cent en cent toises, combien les premières, combien les secondes et combien toutes les autres donnent de différences, on arriverait à conclure exactement la hauteur entière de l'air. Mais je laisse tout cela pour m'attacher à ce qui est propre au sujet.

CHAPITRE VIII. *Combien chaque lieu du monde est chargé par le poids de la masse de l'air.*

Nous apprenons de ces expériences que, puisque le poids de l'air et le poids de l'eau qui est dans les pompes se tiennent mutuellement en équilibre, ils pèsent précisément autant l'un que l'autre, et qu'ainsi en connaissant la hauteur où l'eau s'élève en tous les lieux du monde, nous connaissons en même temps combien chacun de ces lieux est pressé par le poids de l'air qui est au-dessus d'eux; et partant :

Que les lieux qui sont au bord de la mer sont pressés par le poids de l'air qui est au-dessus d'eux, jusqu'au haut de sa sphère, autant précisément que si au lieu de cet air on substituait une colonne d'eau de la hauteur de 31 pieds deux pouces.

Ceux qui sont élevés de dix toises, autant que s'ils portaient de l'eau de la hauteur de 31 pieds un pouce.

Ceux qui sont élevés au-dessus de la mer de 500 toises, autant que s'ils portaient de l'eau à la hauteur de 26 pieds onze pouces, et ainsi du reste.

CHAPITRE IX. *Combien pèse la masse entière de tout l'air qui est au monde.*

Nous apprenons, par ces expériences, que l'air qui est sur le niveau de la mer, pèse autant que l'eau, à la hauteur de 31 pieds deux pouces; mais parce que l'air pèse moins sur les lieux plus élevés que le niveau de la mer, et qu'ainsi il ne pèse pas sur tous les points de la terre également, et même qu'il pèse différemment partout : On ne peut pas prendre un pied fixe qui marque combien tous les lieux du monde sont chargés par l'air, le fort portant le faible; mais on peut en prendre un par conjecture bien approchant du juste; comme, par exemple, on peut faire état que tous les lieux de la terre en général, considérés comme s'ils étaient également chargés d'air, le fort portant le faible, en sont autant pressés que s'ils portaient de l'eau à la hauteur de 31 pieds; et il est certain qu'il n'y a pas un demi-pied d'eau d'erreur en cette supposition.

Or, nous avons vu que l'air qui est au-dessus des montagnes hautes de 500 toises sur le niveau de la mer, pèse autant que l'eau à la hauteur de 26 pieds 11 pouces.

Et, par conséquent, tout l'air qui s'étend depuis le niveau de la mer jusqu'au haut des montagnes hautes de 500 toises, pèse autant que l'eau à la hauteur de 4 pieds un pouce, qui étant à peu près la septième partie de la hauteur entière, il est visible que l'air compris depuis la mer jusqu'à ces montagnes, est à peu près la septième partie de la masse entière de l'air.

Nous apprenons de ces mêmes expériences, que les vapeurs qui sont épaisses dans l'air, lorsqu'il en est le plus chargé, pèsent autant que l'eau d'un pied huit pouces; puisque pour les contre-peser, elles font hausser l'eau dans les pompes à cette hauteur, par-dessus celle où l'eau contre-pesait déjà la pesanteur de l'air : de sorte que, si toutes les vapeurs qui sont sur une contrée étaient réduites en eau, comme il arrive quand elles se changent en pluie, elles ne pourraient produire que cette hauteur d'un pied huit pouces d'eau sur cette contrée. Et s'il arrive parfois des orages où l'eau de la pluie qui tombe vienne à une plus grande hauteur, c'est parce que le vent y porte les vapeurs des contrées voisines.

Nous voyons aussi de là que, si toute la sphère de

l'air était pressée et comprimée contre la terre par une force qui, la poussant par le haut, la réduisît en bas à la moindre place qu'elle puisse occuper, et qu'elle la réduisît comme en eau, elle aurait alors la hauteur de 31 pieds seulement.

Et, par conséquent, qu'il faut considérer toute la masse de l'air, en l'état libre où elle est, de la même sorte que si elle eût été autrement comme une masse d'eau de 31 pieds de haut à l'entour de toute la terre, qui eût été raréfiée et dilatée extrêmement, et convertie en cet état où nous l'appelons air, auquel elle occupe, à la vérité, plus de place, mais auquel elle conserve précisément le même poids que l'eau à 31 pieds de haut.

Et comme il n'y aurait rien de plus aisé que de supputer combien l'eau qui environnerait toute la terre à 31 pieds de haut pèserait de livres, et qu'un enfant qui sait l'addition et la soustraction le pourrait faire, on trouverait, par le même moyen, combien tout l'air de la nature pèse de livres, puisque c'est la même chose; et si on en fait l'épreuve, on trouvera qu'il pèse à peu près huit millions de millions de millions de livres.

J'ai voulu avoir ce plaisir, et j'en ai fait le compte en cette sorte.

J'ai supposé que le diamètre d'un cercle est à sa circonférence, comme 7 à 22.

J'ai supposé que le diamètre d'une sphère étant multiplié par la circonférence de son grand cercle, le produit est le contenu de la superficie sphérique.

Nous savons qu'on a divisé le tour de la terre en 360 degrés. Cette division a été volontaire; car on l'eût divisée en plus ou moins si on eût voulu, aussi bien que les cercles célestes.

On a trouvé que chacun de ces degrés contient 50.000 toises.

Les lieues autour de Paris sont de 2 500 toises; et, par conséquent, il y a 20 lieues au degré : d'autres en comptent 25, mais aussi ils ne mettent que 2 000 toises à la lieue; ce qui revient à la même chose.

Chaque toise a 6 pieds.

Un pied cube d'eau pèse 72 livres.

Cela posé, il est bien aisé de faire la supputation qu'on cherche.

Car puisque la terre a pour son grand cercle, ou pour sa circonférence . . . . 360 degrés.

Elle a par conséquent, de tour . . . . 7 200 lieues.

Et par la proportion de la circonférence au diamètre, son diamètre aura . . . . 2 291 lieues.

Donc, en multipliant le diamètre de la terre par la circonférence de son grand cercle, on trouvera qu'elle a en toute sa superficie sphérique... 16 495 200 lieues carrées.

C'est-à-dire... 103 095 000 000 000 toises carrées.

C'est-à-dire... 3 711 420 000 000 000 pieds carrés.

Et parce qu'un pied cube d'eau pèse 72 livres.

Il s'ensuit qu'un prisme d'eau d'un pied carré de base et de 31 pieds de haut, pèse 2 232 livres.

Donc si la terre était couverte d'eau jusqu'à la hauteur de 31 pieds, il y aurait autant de prismes d'eau de 31 pieds de haut, qu'elle a de pieds carrés en toute sa surface. (Je savais bien que ce ne seraient pas des prismes, mais des secteurs de sphère; et je néglige exprès cette précision.)

Et partant elle porterait autant de 2 232 livres d'eau, qu'elle a de pieds carrés en toute sa surface.

8 283 889 440 000 000 000 livres.

Donc toute la masse entière de la sphère de l'air qui est au monde, pèse ce même poids de 8 283 889 440 000 000 000 livres.

C'est-à-dire, huit millions de millions de millions, deux cent quatre-vingt trois mille huit cent quatre-vingt-neuf millions de millions, quatre cent quarante mille millions de livres.

III
CONCLUSION DES DEUX PRÉCÉDENTS TRAITÉS

J'ai rapporté dans le traité précédent tous les effets généralement qu'on a pensé jusqu'ici que la nature produit pour éviter le vide; où j'ai fait voir qu'il est absolument faux qu'ils arrivent par cette raison imaginaire. Et j'ai démontré, au contraire, que la pesanteur de la masse de l'air en est la véritable et unique cause, par des raisons et des expériences absolument convaincantes : de sorte qu'il est maintenant assuré qu'il n'arrive aucun effet dans toute la nature qu'elle produise pour éviter le vide.

Il ne sera pas difficile de passer de là à montrer qu'elle n'en a point d'horreur; car cette façon de parler n'est pas propre, puisque la nature créée, qui est celle dont il s'agit, n'étant pas animée, n'est pas capable de passion; aussi elle est métaphorique, et on n'entend par là autre chose sinon que la nature fait les mêmes efforts pour éviter le vide, que si elle en avait de l'horreur; de sorte qu'au sens de ceux qui parlent de cette sorte, c'est une même chose de dire que la nature abhorre le vide, et dire que la nature fait de grands efforts pour empêcher le vide. Donc, puisque j'ai montré qu'elle ne fait aucune chose pour fuir le vide, il s'ensuit qu'elle ne l'abhorre pas; car, pour suivre la même figure, comme on dit d'un homme qu'une chose lui est indifférente, quand on ne remarque jamais en aucune de ses actions aucun mouvement de désir ou d'aversion pour cette chose, on doit aussi dire de la nature qu'elle a une extrême indifférence pour le vide, puisqu'on ne voit jamais qu'elle fasse aucune chose, ni pour le chercher, ni pour l'éviter. (J'entends toujours par le mot de vide un espace vide de tous les corps qui tombent sous le sens.)

Il est bien vrai (et c'est ce qui a trompé les anciens) que l'eau monte dans une pompe quand il n'y a point de jour par où l'air puisse entrer, et qu'ainsi il y aurait du vide, si l'eau ne suivait pas le piston, et même qu'elle n'y monte plus aussitôt qu'il y a des fentes par où l'air peut entrer pour le remplir; d'où il semble qu'elle n'y monte que pour empêcher le vide, puisqu'elle n'y monte que quand il y aurait du vide.

Il est certain de même qu'un soufflet est difficile à ouvrir, quand ses ouvertures sont si bien bouchées que l'air ne peut y entrer, et qu'ainsi s'il s'ouvrait, il y aurait du vide; au lieu que cette résistance cesse quand l'air y peut entrer pour le remplir : de sorte qu'elle ne se trouve que quand il y aurait du vide; d'où il semble qu'elle n'arrive que par la crainte du vide.

Enfin, il est constant que tous les corps généralement font de grands efforts pour se suivre et se tenir unis toutes les fois qu'il y aurait du vide entre eux en se séparant, et jamais autrement; et c'est d'où l'on a conclu que cette union vient de la crainte du vide.

Mais pour faire voir la faiblesse de cette conséquence, je me servirai de cet exemple. Quand un soufflet est dans l'eau, en la manière que nous l'avons souvent représenté, en sorte que le bout du tuyau, que je suppose long de vingt pieds, sorte hors de l'eau et aille jusqu'à l'air, et que les ouvertures qui sont à l'une des ailes soient bien bouchées, afin que l'eau n'y puisse pas entrer; on sait qu'il est difficile à ouvrir, et d'autant plus qu'il y a plus d'eau au-dessus, et que, si on débouche ces ouvertures qui sont à une des ailes, et qu'ainsi l'eau y entre en liberté, cette résistance cesse.

Si on voulait raisonner sur cet effet comme sur les autres, on dirait ainsi : Quand les ouvertures sont bouchées, et qu'ainsi, s'il s'ouvrait, il y entrerait de l'air par le tuyau, il est difficile de le faire; et quand l'eau y peut entrer pour le remplir au lieu de l'air, cette résistance cesse. Donc, puisqu'il résiste quand il y entrerait de l'air, et non pas autrement, cette résistance vient de l'horreur qu'il a de l'air.

Il n'y a personne qui ne rie de cette conséquence, parce qu'il peut se faire qu'il y ait une autre cause de sa résistance. Et en effet, il est visible qu'on ne pourrait l'ouvrir sans faire hausser l'eau, puisque celle qu'on écarterait en l'ouvrant, ne pourrait pas entrer dans le corps du soufflet; et ainsi il faudrait qu'elle trouvât sa place ailleurs, et qu'elle fît hausser toute la masse, et c'est ce qui cause la résistance : ce qui n'arrive pas quand le soufflet a des ouvertures par où l'eau peut entrer; car alors, soit qu'on l'ouvre ou qu'on le ferme, l'eau n'en hausse ni ne baisse, parce que celle qu'on écarte entre dans le soufflet à mesure; aussi on l'ouvre sans résistance.

Tout cela est clair, et par conséquent il faut considérer qu'on ne peut l'ouvrir sans qu'il arrive deux choses : l'une, qu'à la vérité il y entre de l'air; l'autre, qu'on fasse hausser la masse de l'eau; et c'est la dernière de ces choses qui est cause de la résistance, et la première y est fort indifférente, quoiqu'elle arrive en même temps.

Disons-en de même de la peine qu'on sent à ouvrir dans l'air un soufflet bouché de tous les côtés; si on l'ouvrait par force, il arriverait deux choses : l'une, qu'à la vérité il y aurait du vide; l'autre, qu'il faudrait hausser et soutenir toute la masse de l'air, et c'est la dernière de ces choses qui cause la résistance qu'on y sent, et la première y est fort indifférente; aussi cette résistance augmente et diminue à proportion de la charge de l'air, comme je l'ai fait voir.

Il faut entendre la même chose de la résistance qu'on sent à séparer tous les corps entre lesquels il y aurait du vide; car l'air ne peut pas s'y insinuer, autrement il n'y aurait pas de vide. Et ainsi on ne pourrait les séparer, sans faire hausser et soutenir toute la masse de l'air, et c'est ce qui cause cette résistance.

Voilà la véritable cause de l'union des corps entre lesquels il y aurait du vide, qu'on a demeuré si longtemps à connaître, parce qu'on a demeuré si longtemps dans des fausses opinions, dont on n'est sorti que par degrés; de sorte qu'il y a eu trois divers temps où l'on a eu de différents sentiments.

Il y avait trois erreurs dans le monde, qui empêchaient absolument la connaissance de cette cause de l'union des corps.

La première est, qu'on a cru presque de tout temps que l'air est léger, parce que les anciens auteurs l'ont dit; et que ceux qui font profession de les croire les suivaient aveuglément, et seraient demeurés éternellement dans cette pensée, si des personnes plus habiles ne les en avaient retirés par la force des expériences : de sorte qu'il n'était pas possible de penser que la pesanteur de l'air fût la cause de cette union, quand on pensait que l'air n'a point de pesanteur.

La seconde est, qu'on s'est imaginé que les éléments ne pèsent point dans eux-mêmes sans autre raison sinon qu'on ne sent point le poids de l'eau quand on est dedans, et qu'un seau plein d'eau qui y est enfoncé n'est point difficile à lever tant qu'il y est, et qu'on ne commence à sentir son poids que quand il en sort : comme si ces effets ne pouvaient pas venir d'une autre cause, ou plutôt comme si celle-là n'était pas hors d'apparence, n'y ayant point de raison de croire que l'eau qu'on puise dans un seau pèse quand elle en est tirée, et ne pèse plus quand elle y est renversée; qu'elle perde son poids en se confondant avec l'autre, et qu'elle le retrouve quand elle en quitte le niveau. Etranges moyens que les hommes cherchent pour couvrir leur ignorance : parce qu'ils n'ont pu comprendre pourquoi on ne sent point le poids de l'eau, et qu'ils n'ont pas voulu l'avouer, ils ont dit qu'elle n'y pèse pas, pour satisfaire leur vanité, par la ruine de la vérité; et on l'a reçu de la sorte : et c'est pourquoi il était impossible de croire que la pesanteur de l'air fût la cause de ces effets, tant qu'on a été dans cette imagination; puisque quand même on aurait su qu'il est pesant, on aurait toujours dit qu'il ne pèse pas dans lui-même; et ainsi on n'aurait pas cru qu'il y produisît aucun effet par son poids.

C'est pourquoi j'ai montré, dans l'*Equilibre des liqueurs*, que l'eau pèse dans elle-même autant qu'au dehors; et j'y ai expliqué pourquoi nonobstant ce poids, un seau n'y est pas difficile à hausser et pourquoi on n'en sent pas le poids : et dans le *Traité de la pesanteur de la masse de l'air*, j'ai montré la même chose de l'air, afin d'éclaircir tous les doutes.

La troisième erreur est d'une autre nature; elle n'est plus sur le sujet de l'air, mais sur celui des effets mêmes qu'ils attribuaient à l'horreur du vide, dont ils avaient des pensées bien fausses.

Car ils s'étaient imaginé qu'une pompe élève l'eau non seulement à dix ou vingt pieds, ce qui est bien véritable, mais encore à cinquante, cent, mille, et autant qu'on voudrait, sans aucunes bornes.

Ils ont cru de même, qu'il n'est pas seulement difficile de séparer deux corps polis appliqués l'un contre l'autre, mais que cela est absolument impossible; qu'un ange, ni aucune force créée, ne le saurait faire, avec cent exagérations que je ne daigne pas rapporter; et ainsi des autres.

C'est une erreur de fait si ancienne, qu'on n'en voit point l'origine; et Héron même, l'un des plus anciens et des plus excellents auteurs qui ont écrit de l'élévation des eaux, dit expressément, comme une chose qui ne doit pas être mise en doute, que l'on peut faire passer l'eau d'une rivière par-dessus une montagne pour la faire rendre dans le vallon opposé, pourvu qu'il soit un peu plus profond, par le moyen d'un siphon placé sur le sommet, et dont les jambes s'étendent le long des coteaux, l'une dans la rivière, l'autre de l'autre côté; et il assure que l'eau s'élèvera de la rivière jusque sur la montagne, pour redescendre dans l'autre vallon, quelque hauteur qu'elle ait.

Tous ceux qui ont écrit de ces matières ont dit la même chose; et même tous nos fontainiers assurent encore aujourd'hui qu'ils feront des pompes aspirantes qui attireront l'eau à soixante pieds si l'on veut.

Ce n'est pas que ni Héron, ni ces auteurs, ni ces artisans, et encore moins les philosophes, aient poussé ces épreuves bien loin; car s'ils avaient essayé d'attirer l'eau seulement à 40 pieds, ils l'auraient trouvé impossible; mais c'est seulement qu'ils ont vu des pompes aspirantes et des siphons de six pieds, de dix, de douze, qui ne manquaient point de faire leur effet, et ils n'ont jamais vu que l'eau manquât d'y monter dans toutes les épreuves qu'il leur est arrivé de faire. De sorte qu'ils ne se sont pas imaginé qu'il y eût un certain degré après lequel il en arrivât autrement. Ils ont pensé que c'était une nécessité naturelle, dont l'ordre ne pouvait être changé; et comme ils croyaient que l'eau montait par une horreur invincible du vide, ils se sont assurés qu'elle continuerait à s'élever, comme elle avait commencé sans cesser jamais; et ainsi tirant une conséquence de ce qu'ils voyaient à ce qu'ils ne voyaient pas, ils ont donné l'un et l'autre pour également véritables.

Et on l'a cru avec tant de certitude, que les philosophes en ont fait un des plus grands principes de leur science, et le fondement de leurs *Traités du vide*. On le dicte tous les jours dans les classes et dans tous les lieux du monde, et depuis tous les temps dont on a des écrits, tous les hommes ensemble ont été fermes dans cette pensée, sans que jamais personne y ait contredit jusqu'à ce temps.

Peut-être que cet exemple ouvrira les yeux à ceux qui n'osent penser qu'une opinion soit douteuse, quand elle a été de tout temps universellement reçue de tous les hommes; puisque de simples artisans ont été capables de convaincre d'erreur tous les grands hommes qu'on appelle philosophes : car Galilée déclare dans ses *Dialogues*, qu'il a appris des fontainiers d'Italie, que les pompes n'élèvent l'eau que jusqu'à une certaine hauteur : ensuite de quoi il l'éprouva lui-même; et d'autres ensuite en firent l'épreuve en Italie, et depuis en France avec du vif-argent, avec plus de commodité, mais qui ne montrait que la même chose en plusieurs manières différentes.

Avant qu'on en fût instruit, il n'y avait pas lieu de démontrer que la pesanteur de l'air fût ce qui élevait l'eau dans les pompes; puisque cette pesanteur étant limitée, elle ne pouvait pas produire un effet infini.

Mais toutes ces expériences ne suffirent pas pour montrer que l'air produit ces effets; parce qu'encore qu'elles nous eussent tirés d'une erreur, elles nous laissaient dans une autre. Car on apprit bien par toutes ces expériences, que l'eau ne s'élève que jusqu'à une certaine hauteur; mais on n'apprit pas qu'elle s'élevât plus haut dans les lieux plus profonds. On pensait, au contraire, qu'elle s'élevait toujours à la même hauteur, qu'elle était invariable en tous les lieux du monde; et comme on ne pensait point à la pesanteur de l'air, on s'imagina que la nature de la pompe est telle, qu'elle élève l'eau à une certaine hauteur limitée, et puis plus. Aussi Galilée la considéra comme la hauteur naturelle de la pompe, et il l'appela *la Altessa limitatissima*.

Aussi comment se fût-on imaginé que cette hauteur eût été variable suivant la variété des lieux? Certainement cela n'était pas vraisemblable; et cependant cette dernière erreur mettait encore hors d'état de prouver que la pesanteur de l'air est la cause de ces effets; car comme elle est plus grande sur le pied des montagnes que sur le sommet, il est manifeste que les effets y seront plus grands à proportion.

C'est pourquoi je conclus qu'on ne pouvait arriver à cette preuve, qu'en en faisant l'expérience en deux lieux élevés l'un au-dessus de l'autre, de 400 à 500 toises. Et je choisis pour cela la montagne du Puy-de-Dôme en Auvergne, par la raison que j'ai déclarée dans un petit Écrit que je fis imprimer dès l'année 1648 aussitôt qu'elle eut réussi.

Cette expérience ayant découvert que l'eau s'élève dans les pompes à des hauteurs toutes différentes, suivant la variété des lieux et des temps, et qu'elle est toujours proportionnée à la pesanteur de l'air, elle acheva de donner la connaissance parfaite de ces effets; elle termina tous les doutes; elle montra quelle en est la véritable cause; elle fit voir que l'horreur du vide ne l'est pas; et enfin elle fournit toutes les lumières qu'on peut désirer sur ce sujet.

Qu'on rende raison maintenant, s'il est possible, autrement que par la pesanteur de l'air, pourquoi les pompes aspirantes élèvent l'eau plus bas d'un quart sur le Puy-de-Dôme en Auvergne, qu'à Dieppe.

Pourquoi un même siphon élève l'eau et l'attire à Dieppe et non pas à Paris.

Pourquoi deux corps polis, appliqués l'un contre l'autre, sont plus faciles à séparer sur un clocher que dans la rue.

Pourquoi un soufflet bouché de tous côtés est plus facile à ouvrir sur le haut d'une maison que dans la cour.

Pourquoi, quand l'air est plus chargé de vapeurs, le piston d'une seringue bouchée est plus difficile à tirer.

Enfin, pourquoi tous ces effets sont toujours proportionnés au poids de l'air, comme l'effet à la cause.

Est-ce que la nature abhorre plus le vide sur les montagnes que dans les vallons, quand il fait humide que quand il fait beau? Ne le hait-elle pas également sur un clocher, dans un grenier et dans les cours?

Que tous les disciples d'Aristote assemblent tout ce qu'il y a de fort dans les écrits de leur maître, et de ses commentateurs, pour rendre raison de ces choses par l'horreur du vide, s'ils le peuvent; sinon *qu'ils reconnaissent que les expériences sont les véritables maîtres qu'il faut suivre dans la physique;* que celle qui a été faite sur les montagnes a renversé cette créance universelle du monde, que la nature abhorre le vide, et ouvert cette connaissance qui ne saurait plus jamais périr, que la nature n'a aucune horreur pour le vide, qu'elle ne fait aucune chose pour l'éviter, et que la pesanteur de la masse de l'air est la véritable cause de tous les effets qu'on avait jusqu'ici attribués à cette cause imaginaire.

IV
FRAGMENT

D'UN AUTRE PLUS LONG OUVRAGE DE MONSIEUR PASCAL SUR LA MÊME MATIÈRE, DIVISÉ EN PARTIES, LIVRES, CHAPITRES, SECTIONS ET ARTICLES, DONT IL NE S'EST TROUVÉ QUE CECI PARMI SES PAPIERS

PART, I, LIV. III, CHAP. I, SECT. II.

SECTION SECONDE

QUE LES EFFETS SONT VARIABLES SUIVANT LA VARIÉTÉ DES TEMPS, ET QU'ILS SONT D'AUTANT PLUS OU MOINS GRANDS, QUE L'AIR EST PLUS OU MOINS CHARGÉ

Nous avons vu dans l'Introduction, sur le sujet de la pesanteur de l'air, qu'en une même région l'air pèse davantage en un temps qu'en un autre, suivant que l'air est plus ou moins chargé. Et nous allons montrer dans cette section que ces effets sont variables en une même région, suivant la variété des temps, et qu'ils sont d'autant plus ou moins grands, que l'air y est plus ou moins chargé.

Article I

Pour faire l'expérience de cette variation avec justesse, il faut avoir un tuyau de verre scellé par en haut, ouvert par en bas, recourbé par le bout ouvert, plein de mercure, tel que nous l'avons figuré plusieurs fois, où le mercure demeure suspendu à une certaine hauteur : soit ce tuyau placé à demeure dans une chambre, en un lieu où l'on puisse le voir commodément et où il ne puisse être offensé. Soit collée une bande de papier divisée par pouces et par lignes le long du tuyau, afin qu'on puisse remarquer la division à laquelle le mercure se trouve suspendu, comme on fait aux thermomètres.

On verra que dans Dieppe, quand le temps est le plus chargé, le mercure sera à la hauteur de 28 pouces 4 lignes, à compter depuis le mercure du bout recourbé.

Et quand le temps se déchargera, on verra le mercure baisser, peut-être de 4 lignes.

Le lendemain, on le verra peut-être baissé de 10 lignes; quelquefois une heure après il sera remonté de 10 lignes; quelque temps après on le verra ou haussé ou baissé, suivant que le temps sera chargé ou déchargé.

Et depuis l'une à l'autre de ses périodes, on trouvera 18 lignes de différence, c'est-à-dire qu'il sera quelquefois à la hauteur de 28 pouces 4 lignes, et quelquefois à la hauteur de 26 pouces 10 lignes.

Cette expérience s'appelle l'*expérience continuelle*, à cause qu'on l'observe, si l'on veut, continuellement, et qu'on trouve le mercure à presque autant de divers points qu'il y a de différents temps où on l'observe.

Article 2

La conformité de tous les effets attribués à l'horreur du vide, étant telle que ce qui se dit de l'un s'entend de tous les autres, nous doit faire conclure avec certitude que, puisque le mercure suspendu varie ses hauteurs suivant les variétés des temps, il arrivera aussi de semblables variétés dans tous les autres, comme dans les hauteurs où les pompes élèvent l'eau, et qu'ainsi les pompes élèvent l'eau plus haut en un temps qu'en un autre; qu'un soufflet bouché est plus difficile à ouvrir en un temps qu'en un autre, etc.

Que si l'on veut avoir le plaisir d'en faire l'épreuve en quelqu'un des autres exemples, nous en donnerons ici le moyen dans l'exemple du soufflet bouché en cette sorte.

Soit un soufflet plus étroit que les ordinaires, et dont les ailes n'aient que trois pouces de diamètre. Qu'il soit bien bouché de toutes parts sans aucune ouverture. Soit l'une de ses ailes attachée à la poutre du plancher d'une chambre. Soit à l'autre aile attachée une chaîne de fer à plusieurs chaînons qui pendent depuis le soufflet jusqu'à terre, et qui traînent même contre terre. Soit la chaîne de telle grosseur, et la distance des planchers haut et bas telle que les chaînons suspendus depuis le soufflet jusqu'à terre, sans compter ceux qui traînent, pèsent environ 120 livres.

On verra que ce poids ouvrira le soufflet; car il ne faut pour l'ouvrir qu'un poids de 113 livres, comme nous l'avons dit au livre II, chap. I, art. I.

Et le soufflet, en s'ouvrant, baissera son aile, à laquelle la chaîne qui l'entraîne est attachée; donc cette chaîne se baissera elle-même, et ses chaînons qui pendaient les plus proches de terre seront reçus à terre; et ainsi leur poids n'agira plus contre le soufflet. Ainsi il restera d'autant moins de chaînons suspendus, que le soufflet s'ouvrira davantage; donc, quand le soufflet sera tant ouvert qu'il ne restera de chaînons suspendus que jusqu'au poids de 113 livres, si le temps est alors très chargé, la chaîne ne se baissera pas davantage; mais le soufflet demeurera ainsi ouvert en partie, et la chaîne en partie suspendue et en partie rampante, et le tout en repos.

Et ce qui surprendra merveilleusement est que, quand le temps se déchargera, et qu'ainsi un moindre poids suffira pour ouvrir le soufflet, les chaînons suspendus pesant 113 livres qui étaient en équilibre avec l'air, quand il était le plus chargé, deviendront trop forts, à cause de la décharge de l'air; et ainsi entraîneront l'aile du soufflet, et l'ouvriront davantage, jusqu'à ce que les chaînons qui resteront suspendus soient en équilibre avec le poids de l'air supérieur dans le tempérament où il est; et tant plus l'air se déchargera, tant plus les chaînons se baisseront.

Mais quand l'air se chargera, on verra, au contraire, le soufflet se resserrer comme de soi-même, et en se resserrant attirer la chaîne, et la faire remonter jusqu'à ce que les chaînons suspendus soient en équilibre avec la charge de l'air supérieur en ce tempérament : de sorte que la chaîne haussera et baissera, et le soufflet s'ouvrira ou se fermera plus ou moins suivant que l'air se charge ou se décharge, et toujours les chaînons suspendus seront en équilibre avec l'air supérieur, lequel pressant le soufflet qu'il environne de toutes parts, le tiendrait serré si la chaîne ne faisait effort pour l'ouvrir. Et la chaîne, au contraire, le tiendrait toujours ouvert, si l'air ne faisait effort pour le fermer; mais ces deux efforts contraires se contrebalancent, comme nous l'avons dit.

Il reste à dire que, quand le temps est le plus chargé, les chaînons suspendus pèsent 113 livres; et quand le temps est le moins chargé, ils pèsent seulement 107 livres; et ces deux mesures périodiques de 113 et 107 livres ont un rapport parfait avec les deux mesures périodiques des hauteurs du mercure suspendu de 28 pouces 4 lignes, et de 26 pouces 10 lignes; car un cylindre de mercure de 3 pouces de diamètre, comme les ailes de ce soufflet, et de 28 pouces 4 lignes de hauteur, pèse 113 livres, et un cylindre de mercure de 3 pouces de diamètre, et de 26 pouces 10 lignes de hauteur, pèse 107 livres.

Article 3

Que si l'on veut faire ces observations avec plus de plaisir, il les faut faire en trois ou quatre de ces exemples à la fois. Par exemple il faut avoir un tuyau plein de mercure, tel que nous l'avons figuré au Ier art.,

Un soufflet bouché tel que nous venons de le figurer au deuxième art.,

Une pompe aspirante de 35 pieds de haut,

Un siphon dont la courte jambe ait environ 31 pieds de hauteur, et la longue 35 pieds.

Et on verra, en observant tous ces effets à la fois, que, quand le temps sera le plus chargé, le mercure sera dans le tuyau à 28 pouces 4 lignes, les chaînons suspendus au soufflet pèseront 113 livres.

L'eau sera dans la pompe à 32 pieds.

Le siphon jouera, puisque sa courte jambe, qui est de 31 pieds, est moindre que trente-deux pieds.

Et quand le temps se déchargera un peu, le mercure sera baissé de 12 lignes, et n'aura plus que 27 pouces et 4 lignes.

La chaîne à proportion; et il n'y aura plus de chaînons suspendus que jusqu'à la concurrence de 109 livres.

L'eau de la pompe sera baissée d'un pied, et sera ainsi haute de 31 pieds seulement.

Le siphon ne jouera plus que par un petit filet, puisque sa courte jambe a précisément 31 pieds.

Et quand le temps sera le plus déchargé, le mercure sera baissé de 18 lignes, et n'aura plus que 26 pouces 10 lignes. Les chaînons suspendus ne pèseront que 107 livres.

L'eau sera baissée d'un pied six pouces, et ne sera plus qu'à 30 pieds 4 pouces. Le siphon ne jouera plus, parce que sa courte jambe, qui est de 31 pieds, excède la hauteur de 30 pieds 4 pouces, à laquelle l'eau demeure suspendue dans la pompe dans le même temps; mais l'eau demeurera suspendue dans chacune des jambes du siphon à la même hauteur de 30 pieds 4 pouces, comme dans la pompe, suivant la règle du siphon.

Quelque temps après, le mercure et la chaîne et l'eau remonteront et le siphon jouera par un petit filet; quelque temps après tout rebaissera, puis tout rehaussera, et toujours tous à la fois recevront les mêmes différences; et le jeu continuera tant qu'on en voudra avoir le plaisir.

Que si le siphon à eau est dans une basse-cour, et que le tuyau du mercure soit dans une chambre; lorsqu'on observera que le mercure hausse dans la chambre où l'on est, on peut assurer, sans le voir, que le siphon joue dans la cour où l'on n'est pas. Et lorsqu'on verra baisser le mercure, on peut assurer, sans le voir, que le siphon ne joue plus, parce que tous ces effets sont conformes, et dépendant immédiatement de la pesanteur de l'air qui les règle tous, et les diversifie suivant ses propres diversités.

SECTION TROISIÈME

DE LA RÈGLE DES VARIATIONS QUI ARRIVENT A CES EFFETS PAR LA VARIÉTÉ DES TEMPS

Comme les variations de ces effets procèdent des variations qui arrivent dans le tempérament de l'air, et que celles de l'air sont très bizarres, et presque sans règle, aussi celles qui arrivent à ces effets sont si étranges qu'il est difficile d'y en assigner. Nous remarquerons néanmoins tout ce que nous y avons trouvé de plus certain et de plus constant, en nous expliquant de tous ces effets par un seul à l'ordinaire, comme par celui de la suspension du mercure dans un tuyau bouché par en haut, dont nous nous sommes servis ordinairement.

1. Il y a un certain degré de hauteur, et un certain degré de bassesse que le mercure n'outrepasse quasi jamais, parce qu'il y a de certaines bornes dans la charge de l'air, qui ne sont quasi jamais outrepassées, et qu'il y a des temps où l'air est si serein, qu'on ne voit jamais de plus grande sérénité, et d'autres où l'air est si chargé qu'il ne peut quasi l'être davantage. Ce n'est pas qu'il ne puisse arriver tel accident en l'air, qui le rendrait plus chargé que jamais; et en ce cas, le mercure monterait plus haut que jamais; mais cela est si rare, qu'on n'en doit pas faire de règle.

2. On voit rarement le mercure à l'un ou à l'autre de ses périodes; et pour l'ordinaire, il est entre les deux, plus proche quelquefois de l'un et quelquefois de l'autre; parce qu'il arrive aussi rarement que l'air soit entièrement déchargé ou chargé à l'excès, et que pour l'ordinaire il l'est médiocrement, tantôt plus, tantôt moins.

3. Ces vicissitudes sont sans règles dans les changements du mercure aussi bien que dans l'air : de sorte que quelquefois d'un quart d'heure à l'autre, il y a grande différence, et quelquefois durant quatre ou cinq jours il y en a très peu.

4. La saison où le mercure est le plus haut pour l'ordinaire est l'hiver. Celle où d'ordinaire il est le plus bas

est l'été. Où il est le moins variable est aux solstices; et où il est le plus variable est aux équinoxes.

Ce n'est pas que le mercure ne soit quelquefois haut en été, bas en hiver, inconstant aux solstices, constant aux équinoxes, car il n'y a point de règle certaine; mais, pour l'ordinaire, la chose est comme nous l'avons dite, parce qu'aussi, pour l'ordinaire, quoique non pas toujours, l'air est le plus chargé en hiver, le moins en été, le plus inconstant en mars et en septembre, et le plus constant aux équinoxes.

5. Il arrive aussi, pour l'ordinaire, que le mercure baisse quand il fait beau temps, qu'il hausse quand le temps devient froid ou chargé; mais cela n'est pas infaillible; car il hausse quelquefois quand le temps s'embellit, et il baisse quelquefois quand le temps se couvre, parce qu'il arrive quelquefois, comme nous l'avons dit dans l'introduction, que, quand le temps s'embellit dans la basse région, néanmoins l'air, considéré dans toutes ses régions, s'appesantit, et qu'encore que l'air se charge dans la basse région, il se décharge quelquefois dans les autres.

6. Mais il est aussi très remarquable que, quand il arrive en un même temps que l'air devienne nuageux et que le mercure baisse, on peut s'assurer que les nuées qui sont dans la basse région ont peu d'épaisseur, et qu'elles se dissiperont bientôt, et que le beau temps est proche.

Et lorsque au contraire il arrive en un même temps que le temps est serein, et que néanmoins le mercure est haut, on peut s'assurer qu'il y a des vapeurs en quantités éparses, et qui ne paraissent pas, et qui formeront bientôt quelque pluie.

Et lorsqu'on voit ensemble le mercure bas et le temps serein, on peut assurer que le beau temps durera, parce que l'air est peu chargé.

Et enfin lorsqu'on voit ensemble l'air chargé et le mercure haut, on peut s'assurer que le mauvais temps durera, parce qu'assurément l'air est beaucoup chargé.

Ce n'est pas qu'un vent survenant ne puisse frustrer ces conjectures; mais pour l'ordinaire elles réussissent, parce que la hauteur du mercure suspendu étant un effet de la charge présente de l'air, elle en est aussi la marque très certaine, et sans comparaison plus certaine que le thermomètre, ou tout autre artifice.

Cette connaissance peut être très utile aux laboureurs, voyageurs, etc., pour connaître l'état présent du temps, et le temps qui doit suivre immédiatement, mais non pas pour connaître celui qu'il fera dans trois semaines : mais je laisse les utilités qu'on peut tirer de ces nouveautés, pour continuer notre projet.

V
AUTRE FRAGMENT

SUR LA MÊME MATIÈRE, CONSISTANT EN TABLES, DONT ON N'EN A TROUVÉ QUE SEPT, INTITULÉES COMME IL S'ENSUIT

Avertissement. — Pour l'intelligence de ces tables, il faut savoir :

I. Que Clermont est la ville de Clermont, capitale d'Auvergne, élevée au-dessus de Paris, autant qu'on a pu le juger par estimation, d'environ 400 toises.

II. Que le Puy est une montagne d'Auvergne tout proche de Clermont, appelée le *Puy-de-Dôme*, élevée au-dessus de Clermont d'environ 500 toises.

III. Que Lafon est un lieu nommé *La Font de l'Arbre*, situé le long de la montagne du Puy-de-Dôme, beaucoup plus près dans la vérité de son pied que de son sommet, mais que l'on prend néanmoins, dans les tables suivantes, pour le juste milieu de la montagne, et par conséquent pour être également distant de son pied et de son sommet; savoir, d'environ 250 toises de l'un et de l'autre.

Il faut encore savoir que quand il y a *Pa.* ou *Par.* cela fait *Paris*, *Cler.* ou *Clerm.* fait *Clermont. Laf.* ou *Lafo.* fait *Lafon*, *le Pu*, fait *le Puy*. Que *médiocr.* fait *médiocrement; différ.* fait *différence; pd.* fait *pieds; pc.* fait *pouces; lig.* ou *lign.* fait *lignes; liv.* ou *livr.* fait *livres; onc.* fait onces.

SECONDE TABLE

Pour assigner un cylindre de plomb, dont la pesanteur soit égale à la résistance de deux corps polis appliqués l'un contre l'autre, quand on les sépare.

Cette résistance est égale au poids d'un cylindre de plomb, ayant pour base la face commune, et pour hauteur, *quand l'air est chargé :*

	Le plus			Médiocr.			Le moins			Différ.	
	pd.	pc.	lig.	pd.	pc.	lig.	pd.	pc.	lig.	pc.	lig.
A Paris ...	2	9	4	2	8	6	2	7	8	1	8
A Clerm ..	2	6	10	2	6		2	5	2	1	8
A Lafon ..	2	5	2	2	4	4	2	3	6	1	8
Au Puy ..	2	3	6	2	2	8	2	1	10	1	8

DIFFÉRENCES D'UN LIEU A L'AUTRE

Quand l'air est chargé :

	Le plus		Médiocr.		Le moins	
De	pc.	lig.	pc.	lig.	pc.	lig.
Par. à Clerm.	2	6	2	6	2	6
Cler. à Laf.	1	8	1	8	1	8
Laf. au Pu	1	8	1	8	1	8
Cler. au Pu..........	3	4	3	4	3	4
Par. au Pu	5	10	5	10	5	10

TROISIÈME TABLE

Pour assigner la force nécessaire pour séparer deux corps unis par une face qui a de diamètre un pied.

Quand l'air est chargé :

	Le plus livres.	Médiocr. livres.	Le moins livres.	Différ. livres.
A Paris ...	1.808	1.761	1.714	94
A Clerm ..	1.675	1.628	1.581	94
A Lafon ..	1.579	1.532	1.485	94
Au Puy ..	1.483	1.436	1.389	94

DIFFÉRENCES D'UN LIEU A L'AUTRE

Quand l'air est chargé :

De	Le plus livres.	Médiocr. livres.	Le moins livres.
Par. à Clerm.	133	133	133
Cler. à Laf.	96	96	96
Laf. au Puy	96	96	96
Cler. au Pu	192	192	192
Par. au Pu	325	325	325

QUATRIÈME TABLE

Pour assigner la force nécessaire pour désunir deux corps unis par une face qui a de diamètre six pouces.

Quand l'air est chargé :

	Le plus liv.	onc.	Médiocr. liv.	on.	Le moins liv.	on.	Différ. liv.	on.
A Paris ...	452		440	4	428	8	23	8
A Clerm ..	419	6	407	10	395	14	23	8
A Lafon ..	395	10	383	14	372	2	23	8
Au Puy ..	371	14	360	2	348	6	23	8

DIFFÉRENCES D'UN LIEU A L'AUTRE

Quand l'air est chargé :

De	Le plus liv.	onc.	Médiocr. liv.	onc.	Le moins liv.	onc.
Par. à Cler	32	10	32	10	32	10
Cler. à Laf	23	12	23	12	23	12
Laf. au Puy	23	12	23	12	23	12
Cler. au Pu	47	8	47	8	47	8
Par. au Pu	80	2	80	2	80	2

CINQUIÈME TABLE

Pour assigner la force nécessaire pour diviser deux corps unis par une face qui a de diamètre un pouce.

Quand l'air est chargé :

	Le plus liv.	onc.	Médiocr. liv.	onc.	Le moins liv.	onc.	Différ. onces
A Paris ...	12	9	12	4	11	15	10
A Clerm ..	11	11	11	6	11	1	10
A Lafon ..	11	1	10	12	10	7	10
Au Puy ..	10	7	10	2	9	13	10

DIFFÉRENCES D'UN LIEU A L'AUTRE

Quand l'air est chargé :

De	Le plus liv.	onc.	Médiocr. liv.	onc.	Le moins liv.	onc.
Par. à Cler		14		14		14
Cler. à Lafo		10		10		10
Laf. au Puy		10		10		10
Cler. au Puy..........	1	4	1	4	1	4
Par. au Puy	2	2	2	2	2	2

SIXIÈME TABLE

Pour assigner la force nécessaire pour désunir deux corps contigus par une face qui a de diamètre six lignes.

Quand l'air est chargé :

	Le plus liv.	onc.	Médiocr. liv.	onc.	Le moins liv.	onc.	Différ. onc.
A Paris ...	3	1	3		2	15	2
A Clerm ..	2	12	2	11	2	10	2
A Lafon ..	2	9	2	8	2	7	2
Au Puy ..	2	6	2	5	2	4	2

DIFFÉRENCES D'UN LIEU A L'AUTRE

Quand l'air est chargé :

De	Le plus onc.	Médiocr. onc.	Le moins onc.
Par. à Cler	5	5	5
Cler. à Lafo	3	3	3
Laf. au Puy	3	3	3
Cler. au Puy	6	6	6
Par. au Puy	11	11	11

SEPTIÈME TABLE

Pour assigner la hauteur à laquelle s'élève et demeure suspendu le mercure ou vif-argent en l'expérience ordinaire.

Quand l'air est chargé :

	Le plus			Médiocr.			Le moins			Différ.	
	pd.	pc.	lig.	pd.	pc.	lig.	pd.	pc.	lig.	pc.	lig.
A Paris ...	2	4	4	2	3	7	2	2	10	1	6
A Clerm ..	2	2	3	2	1	6	2		9	1	6
A Lafon ..	2		9	2			1	11	3	1	6
Au Puy ..	1	11	3	1	10	6	1	9	9	1	6

DIFFÉRENCES D'UN LIEU A L'AUTRE

Quand l'air est chargé :

De	Le plus		Médiocr.		Le moins	
	pc.	lig.	pc.	lig.	pc.	lig.
Par. à Cler	2	1	2	1	2	1
Cler. à Lafo	1	6	1	6	1	6
Laf. au Puy	1	6	1	6	1	6
Cler. au Puy	3		3		3	
Par. au Puy	5	1	5	1	5	1

HUITIÈME TABLE

Pour assigner la hauteur à laquelle l'eau s'élève et demeure suspendue en l'expérience ordinaire.

Quand l'air est chargé :

	Le plus		Médiocr.		Le moins		Différ.	
	pd.	pc.	pd.	pc.	pd.	pc.	pd.	pc.
A Paris ...	32		31	2	30	4	1	8
A Clerm ..	29	8	28	10	28		1	8
A Lafon ..	28		27	2	26	4	1	8
Au Puy ..	26	4	25	6	24	8	1	8

DIFFÉRENCES D'UN LIEU A L'AUTRE

Quand l'air est chargé :

De	Le plus		Médiocr.		Le moins	
	pd.	pc.	pd.	pc.	pd.	pc.
Par. à Cler	2	4	2	4	2	4
Cler. à Lafo	1	8	1	8	1	8
Laf. au Puy	1	8	1	8	1	8
Cler. au Puy	3	4	3	4	3	4
Par. au Puy	5	8	5	8	5	8

LETTRES

LETTRES AUX ROANNEZ

Augustin Gazier a montré dans une étude définitive (Mélanges, Pascal et Mlle de Roannez, *Paris,* 1904), *dont la documentation est tirée des* Mémoires *de Godefroi Hermant* (*Paris,* 1906, *Plon, t. III*) *que Pascal n'a pas décidé Charlotte de Roannez à quitter le monde, mais qu'il l'a seulement encouragée dans la résolution qu'elle avait prise d'elle-même, sans aucune pression extérieure.*
C'est à la suite d'une visite qu'elle fit à Port-Royal de Paris, le 4 août 1656, *en compagnie de sa mère Marie de Boissy et de son frère le duc de Roannez, pour baiser la Sainte Epine, qu'elle fut touchée du désir de se faire religieuse dans cette maison.*
Comme il était question à cette époque de la marier, elle informa son frère de la décision qu'elle avait prise et celui-ci, pour mettre à l'épreuve cette vocation subite, l'emmena sans retard en Poitou où leur séjour se prolongea sept mois.
Le duc ayant informé Pascal des raisons de ce brusque départ, ce fut là l'occasion de la correspondance qu'il échangea avec le frère et la sœur, de septembre 1656 *à mars* 1657.
De cette correspondance nous n'avons que neuf extraits que le P. Pierre Guerrier a transcrits dans le manuscrit Grand in-4° (*pp.* 117-140). *Ces extraits n'ont pu être communiqués que par le duc de Roannez, car les originaux ont été détruits par Charlotte, à la demande de son mari, le duc de la Feuillade, quelques jours avant sa mort, en* 1683.
La chronologie des extraits a été établie par Charles Adam dans une étude publiée par la Revue Bourguignonne de l'enseignement supérieur (1891). *Il y a en effet des allusions à « l'épître de la messe d'aujourd'hui » (II), à ce que « l'Eglise dit aujourd'hui avec saint Paul » (V). Il y a également des allusions à des événements contemporains : l'affaire du formulaire rédigé par l'Assemblée du clergé* (4 *septembre, III*), *la sentence du Grand Vicaire sur le miracle de la Sainte Epine* (22 *octobre, IV*), *la requête des curés de Paris contre la morale relâchée* (24 *novembre, VI et VII*).
M. du Gas dont il est question à deux reprises est M. Singlin.
Quelques passages de ces extraits ont figuré dans l'édition des Pensées *de* 1670, *— notamment au chapitre XXVIII des* Pensées chrétiennes (*réf. éd.* 1678 *et suiv., n*[os] 6, 7, 11, 32 *à* 39) *et au chapitre XXVII,* Pensées sur les miracles (*n*° 18).
Dans les papiers laissés par Pascal on retrouve quelques notes prises en vue de cette correspondance (*ms.* 924, 948). *Elles n'ont pas été enregistrées par* la Copie des Pensées.

I.

[Septembre 1656.]

Votre lettre m'a donné une extrême joie. Je vous avoue que je commençais à craindre ou au moins à m'étonner. Je ne sais ce que c'est que ce commencement de douleur dont vous parlez; mais je sais qu'il faut qu'il en vienne. Je lisais tantôt le 13e chapitre de saint Marc en pensant à vous écrire, et aussi je vous dirai ce que j'y ai trouvé. Jésus-Christ y fait un grand discours à ses Apôtres sur son dernier avènement; et comme tout ce qui arrive à l'Eglise arrive aussi à chaque Chrétien en particulier, il est certain que tout ce chapitre prédit aussi bien l'état de chaque personne, qui en se convertissant détruit le vieil homme en elle, que l'état de l'univers entier, qui sera détruit pour faire place à de nouveaux cieux et à une nouvelle terre, comme dit l'Ecriture [II Petr., III, 13]. Et aussi je songeais que cette prédiction de la ruine du Temple réprouvé, qui figure la ruine de l'homme réprouvé qui est en chacun de nous, et dont il est dit qu'il ne sera laissé pierre sur pierre, marque qu'il ne doit être laissé aucune passion du vieil homme. Et ces effroyables guerres civiles et domestiques représentent si bien le trouble intérieur que sentent ceux qui se donnent à Dieu, qu'il n'y a rien de mieux peint.

Mais cette parole est étonnante : *Quand vous verrez l'abomination dans le lieu où elle ne doit pas être, alors que chacun s'enfuie sans rentrer dans sa maison pour reprendre quoi que ce soit.* Il me semble que cela prédit parfaitement le temps où nous sommes, où la corruption de la morale est aux maisons de sainteté et dans les livres des théologiens et des religieux où elle ne devrait pas être. Il faut sortir après un tel désordre, et malheur à celles qui sont enceintes ou nourrices en ce temps-là, c'est-à-dire à ceux qui ont des attachements au monde qui les y retiennent. La parole d'une sainte est à propos sur ce sujet : *Qu'il ne faut pas examiner si on a vocation pour sortir du monde, mais seulement si on a vocation pour y demeurer, comme on ne consulterait point si on est appelé à sortir d'une maison pestiférée ou embrasée.*

Ce chapitre de l'Evangile que je voudrais lire avec vous tout entier, finit par une exhortation à veiller et à prier pour éviter tous ces malheurs, et en effet il est bien juste que la prière soit continuelle, quand le péril est continuel.

J'envoie à ce dessein des prières qu'on m'a demandées; c'est à trois heures après-midi. Il s'est fait un miracle depuis votre départ à une religieuse de Pontoise qui sans sortir de son couvent a été guérie d'un mal de tête extraordinaire par une dévotion à la Sainte Epine. Je vous en manderai un jour davantage; mais je vous dirai sur cela un beau mot de saint Augustin, et bien consolatif pour de certaines personnes, c'est qu'il dit que *ceux-là voient véritablement les miracles auxquels les miracles profitent*, car on ne les voit pas si on n'en profite pas.

Je vous ai une obligation que je ne puis assez vous dire du présent que vous m'avez fait. Je ne savais ce que ce pouvait être; car je l'ai déployé avant que de lire votre lettre, et je me suis repenti ensuite de ne lui avoir pas rendu d'abord le respect que je lui devais. C'est une vérité que le Saint-Esprit repose invisiblement dans les reliques de ceux qui sont morts dans la grâce de Dieu, jusqu'à ce qu'il y paraisse visiblement en la résurrection et c'est ce qui rend les reliques des saints si dignes de vénération. Car Dieu n'abandonne jamais les siens, et non pas même dans le sépulcre où leurs corps, quoique morts aux yeux des hommes, sont plus vivants devant Dieu, à cause que le péché n'y est plus, au lieu qu'il y réside toujours durant cette vie, au moins quant à sa racine, car les fruits du péché n'y sont pas toujours; et cette malheureuse racine qui en est inséparable pendant la vie, fait qu'il n'est pas permis de les honorer alors, puisqu'ils sont plutôt dignes d'être haïs. C'est pour cela que la mort est nécessaire, pour mortifier entièrement cette malheureuse racine, et c'est ce qui la rend souhaitable. Mais il ne sert de rien de vous dire ce que vous savez si bien; il vaudrait mieux le dire à ces autres personnes dont vous parlez, mais elles ne l'écouteraient pas...

II.

[24 septembre 1656.]

... Il est bien assuré qu'on ne se détache jamais sans douleur. On ne sent pas son lien quand on suit volontairement celui qui entraîne, comme dit saint Augustin. Mais quand on commence à résister et à marcher en s'éloignant, on souffre bien; le lien s'étend et endure toute la violence; et ce lien est notre propre corps qui ne se rompt qu'à la mort. Notre Seigneur a dit que, *depuis la venue de Jean-Baptiste*, c'est-à-dire depuis son avènement dans le monde, et par conséquent depuis son avènement dans chaque fidèle, *le Royaume de Dieu souffre violence, et que les violents le ravissent* [Mt, xi, 12]. Avant que l'on soit touché, on n'a que le poids de sa concupiscence, qui porte à la terre. Quand Dieu attire en haut, ces deux efforts contraires font cette violence que Dieu seul peut faire surmonter. *Mais nous pouvons tout*, dit saint Léon, *avec celui sans lequel nous ne pouvons rien*. Il faut donc se résoudre à souffrir cette guerre toute sa vie : car il n'y a point ici de paix. *Jésus-Christ est venu apporter le couteau et non pas la paix* [Mt, x, 34]. Mais néanmoins il faut avouer que comme l'Ecriture dit que *la sagesse des hommes n'est que folie devant Dieu* [I Cor., iii, 19], aussi on peut dire que cette guerre qui paraît dure aux hommes, est une paix devant Dieu; car c'est cette paix que Jésus-Christ a aussi apportée. Elle ne sera néanmoins parfaite que quand le corps sera détruit; et c'est ce qui fait souhaiter la mort, en souffrant néanmoins de bon cœur la vie pour l'amour de celui qui a souffert pour nous et la vie et la mort, et qui peut nous donner plus de biens que nous n'en pouvons ni demander ni imaginer, comme dit saint Paul, en l'épître de la Messe d'aujourd'hui [Eph., iii, 20]...

III.

[Septembre ou octobre 1656.]

Je ne crains plus rien pour vous, Dieu merci, et j'ai une espérance admirable. C'est une parole bien consolante que celle de Jésus-Christ : « *Il sera donné à ceux qui ont déjà* » [Mt, xiii, 12]. Par cette promesse, ceux qui ont beaucoup reçu ont droit d'espérer davantage, et ainsi ceux qui ont reçu extraordinairement doivent espérer extraordinairement. J'essaie autant que je puis de ne m'affliger de rien, et de prendre tout ce qui arrive pour le meilleur. Je crois que c'est un devoir, et qu'on pèche en ne le faisant pas. Car enfin, la raison pour laquelle les péchés sont péchés, c'est seulement parce qu'ils sont contraires à la volonté de Dieu : et ainsi l'essence du péché consistant à avoir une volonté opposée à celle que nous connaissons en Dieu, il est visible, ce me semble, que quand il nous découvre sa volonté par les événements, ce serait un péché de ne s'y pas accommoder. J'ai appris que tout ce qui est arrivé a quelque chose d'admirable, puisque la volonté de Dieu y est marquée. Je le loue de tout mon cœur de la continuation parfaite de ses grâces, car je vois bien qu'elles ne diminuent point.

L'affaire du ... ne va guère bien : c'est une chose qui fait trembler ceux qui ont de vrais mouvements de Dieu de voir la persécution qui se prépare non seulement contre les personnes (ce serait peu), mais contre la vérité. Sans mentir, Dieu est bien abandonné. Il me semble que c'est un temps où le service qu'on lui rend lui est bien agréable. Il veut que nous jugions de la grâce par la nature, et ainsi il permet de considérer que, comme un prince chassé de son pays par ses sujets a des tendresses extrêmes pour ceux qui lui demeurent fidèles dans la révolte publique, de même il semble que Dieu considère avec une bonté particulière ceux qui défendent aujourd'hui la pureté de la religion et de la morale qui est si fort combattue. Mais il y a cette différence entre les rois de la terre et le Roi des Rois, que les princes ne rendent pas leurs sujets fidèles, mais qu'ils les trouvent tels : au lieu que Dieu ne trouve jamais les hommes qu'infidèles, et qu'il les rend fidèles quand ils le sont. De sorte qu'au lieu que les Rois ont une obligation insigne à ceux qui demeurent dans leur obéissance, il arrive, au contraire, que ceux qui subsistent dans le service de Dieu lui sont eux-mêmes redevables infiniment. Continuons donc à le louer de cette grâce, s'il nous l'a faite, de laquelle nous le louerons dans l'éternité, et prions-le qu'il nous la fasse encore, et qu'il ait pitié de nous et de l'Eglise entière, hors laquelle il n'y a que malédiction.

Je prends part aux persécutés dont vous parlez. Je vois bien que Dieu s'est réservé des serviteurs cachés, comme il le dit à Elie. Je le prie que nous en soyons bien et comme il faut, en esprit et en vérité et sincèrement...

IV.

[Fin d'octobre 1656.]

Il me semble que vous prenez assez de part au miracle pour vous mander en particulier que la vérification en est achevée par l'Eglise, comme vous le verrez par cette sentence de M. le Grand Vicaire.

Il y a si peu de personnes à qui Dieu se fasse paraître par ces coups extraordinaires, qu'on doit bien profiter de ces occasions; puisqu'il ne sort du secret de la nature qui le couvre que pour exciter notre foi à le servir avec d'autant plus d'ardeur que nous le connaissons avec plus de certitude.

Si Dieu se découvrait continuellement aux hommes, il n'y aurait point de mérite à le croire; et, s'il ne se découvrait jamais, il y aurait peu de foi. Mais il se cache ordinairement, et se découvre rarement à ceux qu'il veut engager dans son service. Cet étrange secret, dans lequel Dieu s'est retiré, impénétrable à la vue des hommes, est une grande leçon pour nous porter à la solitude loin de la vue des hommes. Il est demeuré caché sous le voile de la nature qui nous le couvre jusqu'à l'Incarnation; et quand il a fallu qu'il ait paru, il s'est encore plus caché en se couvrant de l'humanité. Il était bien plus reconnaissable quand il était invisible, que non pas quand il s'est rendu visible. Et enfin quand il a voulu accomplir la promesse qu'il fit à ses Apôtres de demeurer avec les hommes jusqu'à son dernier avènement, il a choisi d'y demeurer dans le plus étrange et le plus obscur secret de tous, qui sont les espèces de l'Eucharistie. C'est ce Sacrement que saint Jean appelle dans l'Apocalypse [II, 17] une manne cachée; et je crois qu'Isaïe le voyait en cet état, lorsqu'il dit en esprit de prophétie : « *Véritablement tu es un Dieu caché* » [Is., XLV, 15]. C'est là le dernier secret où il peut être. Le voile de la nature qui couvre Dieu a été pénétré par plusieurs infidèles, qui, comme dit saint Paul, ont reconnu un Dieu invisible par la nature visible [Rom., I, 20]. Les Chrétiens hérétiques l'ont connu à travers son humanité et adorent Jésus-Christ Dieu et homme. Mais de le reconnaître sous des espèces de pain, c'est le propre des seuls Catholiques : il n'y a que nous que Dieu éclaire jusque-là. On peut ajouter à ces considérations le secret de l'Esprit de Dieu caché encore dans l'Ecriture. Car il y a deux sens parfaits, le littéral et le mystique; et les Juifs s'arrêtant à l'un ne pensent pas seulement qu'il y en ait un autre, et ne songent pas à le chercher; de même que les impies, voyant les effets naturels, les attribuent à la nature, sans penser qu'il y en ait un autre auteur; et comme les Juifs, voyant un homme parfait en Jésus-Christ, n'ont pas pensé à y chercher une autre nature : « *Nous n'avons pas pensé que ce fût lui* », dit encore Isaïe [LIII, 3]; et de même enfin que les hérétiques, voyant les apparences parfaites du pain, ne pensent pas y chercher une autre substance. Toutes choses couvrent quelque mystère; toutes choses sont des voiles qui couvrent Dieu. Les Chrétiens doivent le reconnaître en tout. Les afflictions temporelles couvrent les biens éternels où elles conduisent. Les joies temporelles couvrent les maux éternels qu'elles causent. Prions Dieu de nous le faire reconnaître et servir en tout. Rendons-lui des grâces infinies de ce que s'étant caché en toutes choses pour les autres, il s'est découvert en toutes choses et tant de manières pour nous...

V.

[Dimanche 5 novembre 1656.]

Je ne sais comment vous aurez reçu la perte de vos lettres. Je voudrais bien que vous l'eussiez prise comme il faut. Il est temps de commencer à juger de ce qui est bon ou mauvais par la volonté de Dieu, qui ne peut être ni injuste ni aveugle, et non pas par la nôtre propre, qui est toujours pleine de malice et d'erreur. Si vous avez eu ces sentiments, j'en serai bien content, afin que vous vous en soyez consolée sur une raison plus solide que celle que j'ai à vous dire, qui est que j'espère qu'elles se retrouveront. On m'a déjà apporté celle du 5; et quoique ce ne soit pas la plus importante, car celle de M. du Gas l'est davantage, néanmoins cela me fait espérer de ravoir l'autre.

Je ne sais pourquoi vous vous plaignez de ce que je n'avais rien écrit pour vous : je ne vous sépare point vous deux, et je songe sans cesse à l'un et à l'autre. Vous voyez bien que mes autres lettres, et encore celle-ci, vous regardent assez. En vérité, je ne puis m'empêcher de vous dire que je voudrais être infaillible dans mes jugements, vous ne seriez pas mal si cela était, car je suis bien content de vous, mais mon jugement n'est rien. Je dis cela sur la manière dont je vois que vous parlez de ce bon cordelier persécuté, et de ce que fait le... Je ne suis pas surpris de voir M. N... s'y intéresser, je suis accoutumé à son zèle, mais le vôtre m'est tout à fait nouveau; c'est ce langage nouveau que produit ordinairement le cœur nouveau. Jésus-Christ a donné dans l'Evangile cette marque pour reconnaître ceux qui ont la foi, qui est qu'ils parleront un langage nouveau [Mc, XV, 17], et en effet le renouvellement des pensées et des désirs cause celui des dicours.

Ce que vous dites des jours où vous vous êtes trouvée seule, et la consolation que vous donne la lecture, sont des choses que M. N... sera bien aise de savoir quand je les lui ferai voir, et ma sœur aussi. Ce sont assurément des choses nouvelles, mais qu'il faut sans cesse renouveler, car cette nouveauté, qui ne peut déplaire à Dieu, comme le vieil homme ne lui peut plaire, est différente des nouveautés de la terre, en ce que les choses du monde, quelque nouvelles qu'elles soient, vieillissent en durant, au lieu que cet esprit nouveau se renouvelle d'autant plus qu'il dure davantage. Notre vieil homme périt, dit saint Paul [Col., III, 9], et se renouvelle de jour en jour, et ne sera parfaitement nouveau que dans l'éternité, où l'on chantera sans cesse ce cantique nouveau dont parle David dans les Psaumes de Laudes, c'est-à-dire ce chant qui part de l'esprit nouveau de la charité.

Je vous dirai pour nouvelle de ce qui touche ces deux personnes, que je vois bien que leur zèle ne se refroidit pas; cela m'étonne, car il est bien plus rare de voir continuer dans la piété que d'y voir entrer. Je les ai toujours dans l'esprit, et principalement celle du miracle, parce qu'il y a quelque chose de plus extraordinaire, quoique l'autre le soit aussi beaucoup et quasi sans exemple. Il est certain que les grâces que Dieu fait en cette vie sont la mesure de la gloire qu'il prépare en l'autre. Aussi, quand je prévois la fin et le couronnement de son ouvrage par les commencements qui en paraissent dans les personnes de piété, j'entre en une vénération qui me transit de respect envers ceux qu'il semble avoir choisis pour ses élus. Je vous avoue qu'il me semble que je les vois déjà dans un de ces trônes où ceux qui auront tout quitté jugeront le monde avec Jésus-Christ, selon la promesse qu'il en a faite [Mtt, XIX, 28]. Mais, quand je viens à penser que ces mêmes personnes peuvent tomber, et être au contraire au nombre malheureux des jugés, et qu'il y en aura tant qui tomberont de leur gloire, et qui laisseront prendre à d'autres par leur négligence la couronne que Dieu leur avait offerte, je ne puis souffrir cette pensée; et l'effroi que j'aurais de les voir en cet état éternel de misère, après les avoir imaginés avec tant de raison dans l'autre état, me fait détourner l'esprit de cette idée, et revenir à Dieu pour le prier de ne pas abandonner les faibles créatures qu'il s'est acquises, et à lui dire pour les deux personnes que vous savez ce que l'Eglise dit aujourd'hui avec saint Paul [Phil., I, 6] : « *Seigneur, achevez vous-même l'ouvrage que vous-même avez commencé.* » Saint Paul se considérait souvent en ces deux états, et c'est ce qui lui fait dire ailleurs [I Cor., IX, 27] : « *Je châtie mon corps, de peur que moi-même, qui convertis tant de peuples, je ne devienne réprouvé.* » Je finis donc par ces paroles de [Job, XXXI, 23] : « *J'ai toujours craint le Seigneur comme les flots d'une mer furieuse et enflée pour m'engloutir.* » Et ailleurs [Ps. CXI, 1] : « *Bienheureux est l'homme qui est toujours en crainte...* »

VI.

[Novembre 1656.]

... Pour répondre à tous vos articles, et bien écrire malgré mon peu de temps.

Je suis ravi de ce que vous goûtez le livre de M. de Laval et les *Méditations sur la grâce*; j'en tire de grandes conséquences pour ce que je souhaite.

Je mande le détail de cette condamnation qui vous avait effrayée; cela n'est rien du tout, Dieu merci, et c'est un miracle de ce qu'on n'y fait pas pis, puisque les ennemis de la vérité ont le pouvoir et la volonté de l'opprimer. Peut-être êtes-vous de celles qui méritent que Dieu ne l'abandonne pas et ne la retire pas de la terre qui s'en est rendue si indigne, et il est assuré que vous servez à l'Eglise par vos prières si l'Eglise vous a servie par les siennes. Car c'est l'Eglise qui mérite, avec Jésus-Christ qui en est inséparable, la conversion de tous ceux qui ne sont pas dans la vérité; et ce sont ensuite ces personnes converties qui secourent la mère qui les a délivrées. Je loue de tout mon cœur le petit zèle que j'ai reconnu dans votre lettre pour l'union avec le Pape. Le corps n'est non plus vivant sans le chef, que le chef sans le corps. Quiconque se sépare de l'un ou de l'autre n'est plus du corps, et n'appartient plus à Jésus-Christ. Je ne sais s'il y a des personnes dans l'Eglise plus attachés à cette unité de corps que le sont ceux que vous appelez nôtres. Nous savons que toutes les vertus, le martyre, les austérités et toutes les bonnes œuvres sont inutiles hors de l'Eglise, et de la communion du chef de l'Eglise qui est le Pape.

Je ne me séparerai jamais de sa communion, au moins je prie Dieu de m'en faire la grâce; sans quoi je serais perdu pour jamais.

Je vous fais une espèce de profession de foi, et je ne sais pourquoi; mais je ne l'effacerai pas ni ne recommencerai pas.

M. du Gas m'a parlé ce matin de votre lettre avec autant d'étonnement et de joie qu'on en peut avoir : il ne sait où vous avez pris ce qu'il m'a rapporté de vos paroles; il m'en a dit des choses surprenantes et qui ne me surprennent plus tant. Je commence à m'accoutumer à vous et à la grâce que Dieu vous fait, et néanmoins je vous avoue qu'elle m'est toujours nouvelle, comme elle est toujours nouvelle en effet.

Car c'est un flux continuel de grâces que l'Ecriture

compare à un fleuve [Ps. LXIV, 10] et à la lumière que le soleil envoie incessamment hors de soi [I Jn, I, 8], et qui est toujours nouvelle, en sorte que, s'il cessait un instant d'en envoyer, toute celle qu'on aurait reçue disparaîtrait et on resterait dans l'obscurité.

Il m'a dit qu'il avait commencé à vous répondre, et qu'il le transcrirait pour le rendre plus lisible, et qu'en même temps il l'étendrait. Mais il vient de me l'envoyer avec un petit billet où il me mande qu'il n'a pu ni le transcrire ni l'étendre; cela me fait croire que cela sera mal écrit. Je suis témoin de son peu de loisir et du désir qu'il avait d'en avoir pour vous.

Je prends part à la joie que vous donnera l'affaire des... car je vois bien que vous vous intéressez pour l'Eglise; vous lui êtes bien obligée. Il y a seize cents ans qu'elle gémit pour vous. Il est temps de gémir pour elle, et pour nous tout ensemble, et de lui donner tout ce qui nous reste de vie, puisque Jésus-Christ n'a pris la sienne que pour la perdre pour elle et pour nous...

VII.

[Décembre 1656.]

Quoi qu'il puisse arriver de l'affaire de..., il y en a assez, Dieu merci, de ce qui est déjà fait pour en tirer un admirable avantage contre ces maudites maximes. Il faut que ceux qui ont quelque part à cela en rendent de grandes grâces à Dieu, et que leurs parents et amis prient Dieu pour eux, afin qu'ils ne tombent pas d'un si grand bonheur et d'un si grand honneur que Dieu leur a fait. Tous les honneurs du monde n'en sont que l'image; celui-là seul est solide et réel, et néanmoins il est inutile sans la bonne disposition du cœur. Car ce ne sont ni les austérités du corps ni les agitations de l'esprit, mais les bons mouvements du cœur qui méritent, et qui soutiennent les peines du corps et de l'esprit. Car enfin il faut ces deux choses pour sanctifier, peines et plaisirs. Saint Paul a dit que *ceux qui entreront dans la bonne vie trouveront des peines et des inquiétudes en grand nombre* [Act., XIV, 22]. Cela doit consoler ceux qui en sentent, puisque étant avertis que le chemin du ciel qu'ils cherchent en est rempli, ils doivent se réjouir de rencontrer des marques qu'ils sont dans le véritable chemin. Mais ces peines-là ne sont pas sans plaisir, et ne sont jamais surmontées que par le plaisir. Car de même que ceux qui quittent Dieu pour retourner au monde ne le font que parce qu'ils trouvent plus de douceur dans les plaisirs de la terre que dans ceux de l'union avec Dieu, et que ce charme victorieux les entraîne, et les faisant repentir de leur premier choix les rend *des pénitents du diable*, selon la parole de Tertullien : de même on ne quitterait jamais les plaisirs du monde pour embrasser la croix de Jésus-Christ, si on ne trouvait plus de douceur dans le mépris, dans la pauvreté, dans le dénuement et dans le rebut des hommes, que dans les délices du péché. Et ainsi, comme dit Tertullien, *il ne faut pas croire que la vie des Chrétiens soit une vie de tristesse*. On ne quitte les plaisirs que pour d'autres plus grands. *Priez toujours*, dit saint Paul, *rendez grâces toujours*, *réjouissez-vous toujours* [I Thess., V, 16]. C'est la joie d'avoir trouvé Dieu qui est le principe de la tristesse de l'avoir offensé et de tout changement de vie. Celui qui a trouvé le trésor dans un champ en a une telle joie, que cette joie, selon Jésus-Christ, lui fait vendre tout ce qu'il a pour l'acheter [Mtt, XII, 44]. Les gens du monde n'ont point cette joie *que le monde ne peut ni donner ni ôter*, dit Jésus-Christ même [Jn, XIV, 27; XVI, 22]. Les bienheureux ont cette joie sans aucune tristesse; les gens du monde ont leur tristesse sans cette joie, et les Chrétiens ont cette joie mêlée de la tristesse d'avoir suivi d'autres plaisirs, et de la crainte de la perdre par l'attrait de ces autres plaisirs qui nous tentent sans relâche. Et ainsi nous devons travailler sans cesse à nous conserver cette joie qui modère notre crainte, et à conserver cette crainte qui conserve notre joie; et selon qu'on se sent trop emporter vers l'une, se pencher vers l'autre pour demeurer debout. *Souvenez-vous des biens dans les jours d'affliction, et souvenez-vous de l'affliction dans les jours de réjouissance*, dit l'Ecriture [Eccli., XI, 27], jusqu'à ce que la promesse que Jésus-Christ nous a faite de rendre sa joie pleine en nous [Jn, XVI, 24] soit accomplie. Ne nous laissons donc pas abattre à la tristesse, et ne croyons pas que la piété ne consiste qu'en une amertume sans consolation. La véritable piété qui ne se trouve parfaite que dans le ciel, est si pleine de satisfactions qu'elle en remplit et l'entrée et le progrès et le couronnement. C'est une lumière si éclatante, qu'elle rejaillit sur tout ce qui lui appartient; et s'il y a quelque tristesse mêlée, et surtout à l'entrée, c'est de nous qu'elle vient et non pas de la vertu; car ce n'est pas l'effet de la piété qui commence d'être en nous, mais de l'impiété qui y est encore. Otons l'impiété, et la joie sera sans mélange. Ne nous en prenons donc pas à la dévotion, mais à nous-mêmes, et n'y cherchons du soulagement que par notre correction...

VIII.

[Décembre 1656.]

Je suis bien aise de l'espérance que vous me donnez du bon succès de l'affaire dont vous craignez de la vanité. Il y a à craindre partout, car si elle ne réussissait pas, j'en craindrais cette mauvaise tristesse dont saint Paul dit qu'elle donne la mort [II Cor., VII, 10], au lieu qu'il y en a une autre qui donne la vie.

Il est certain que cette affaire-là était épineuse, et que si la personne en sort, il y a sujet d'en prendre quelque vanité; si ce n'est à cause qu'on a prié Dieu pour cela, et qu'ainsi il doit croire que le bien qui en viendra sera son ouvrage. Mais si elle réussissait mal, il ne devrait pas en tomber dans l'abattement, par cette même raison qu'on a prié Dieu pour cela, et qu'il y a apparence qu'il s'est approprié cette affaire : aussi il le faut regarder comme l'auteur de tous les biens et de tous les maux, excepté le péché. Je lui répéterai là-dessus ce que j'ai autrefois rapporté de l'Ecriture

[Eccli., XI, 27] : *Quand vous êtes dans les biens, souvenez-vous des maux que vous méritez, et quand vous êtes dans les maux, souvenez-vous des biens que vous espérez.* Cependant je vous dirai sur le sujet de l'autre personne que vous savez, qui mande qu'elle a bien des choses dans l'esprit qui l'embarrassent, que je suis bien fâché de la voir en cet état. J'ai bien de la douleur de ses peines, et je voudrais bien l'en pouvoir soulager; je la prie de ne point prévenir l'avenir, et de se souvenir que comme dit Notre Seigneur [Mtt, VI, 34] *à chaque jour suffit sa malice.*

Le passé ne nous doit point embarrasser, puisque nous n'avons qu'à avoir regret de nos fautes. Mais l'avenir nous doit encore moins toucher, puisqu'il n'est point du tout à notre égard, et que nous n'y arriverons peut-être jamais. Le présent est le seul temps qui est véritablement à nous, et dont nous devons user selon Dieu. C'est là où nos pensées doivent être principalement comptées. Cependant le monde est si inquiet, qu'on ne pense presque jamais à la présente et à l'instant où l'on vit; mais à celui où l'on vivra. De sorte qu'on est toujours en état de vivre à l'avenir, et jamais de vivre maintenant. Notre Seigneur n'a pas voulu que notre prévoyance s'étendît plus loin que le jour où nous sommes. C'est les bornes qu'il faut garder, et pour notre salut, et pour notre propre repos. Car en vérité les préceptes chrétiens sont les plus pleins de consolation : je dis plus que les maximes du monde.

Je prévois aussi bien des peines et pour cette personne, et pour d'autres, et pour moi. Mais je prie Dieu, lorsque je sens que je m'engage dans ces prévoyances, de me renfermer dans mes limites; je me ramasse dans moi-même, et je trouve que je manque à faire plusieurs choses à quoi je suis obligé présentement pour me dissiper en des pensées inutiles de l'avenir, auxquelles, bien loin d'être obligé de m'arrêter, je suis au contraire obligé de ne m'y point arrêter. Ce n'est que faute de savoir bien connaître et étudier le présent qu'on fait l'entendu pour étudier l'avenir. Ce que je dis là, je le dis pour moi, et non pas pour cette personne, qui a assurément bien plus de vertu et de méditation que moi; mais je lui représente mon défaut pour l'empêcher d'y tomber; on se corrige quelquefois mieux par la vue du mal que par l'exemple du bien; et il est bon de s'accoutumer à profiter du mal, puisqu'il est si ordinaire, au lieu que le bien est si rare...

IX.

[Dimanche 24 décembre 1656.]

Je plains la personne que vous savez dans l'inquiétude où je sais qu'elle est, et où je ne m'étonne pas de la voir. C'est un petit jour du jugement qui ne peut arriver sans une émotion universelle de la personne, comme le jugement général en causera une générale dans le monde, excepté ceux qui se seront déjà jugés eux-mêmes, comme elle prétend faire; cette peine temporelle garantirait de l'éternelle, par les mérites infinis de Jésus-Christ, qui la souffre et qui se la rend propre; c'est ce qui doit la consoler. Notre joug est aussi le sien, sans cela il serait insupportable.

Portez, dit-il, *mon joug sur vous* [Mtt, XI, 29]. Ce n'est pas notre joug, c'est le sien, et aussi il le porte. *Sachez*, dit-il, *que mon joug est doux et léger.* Il n'est léger qu'à lui et à sa force divine. Je lui voudrais dire qu'elle se souvienne que ces inquiétudes ne viennent pas du bien qui commence d'être en elle, mais du mal qui y est encore et qu'il faut diminuer continuellement; et qu'il faut qu'elle fasse comme un enfant qui est tiré par des voleurs d'entre les bras de sa mère, qui ne le veut point abandonner; car il ne doit pas accuser de la violence qu'il souffre la mère qui le retient amoureusement, mais ses injustes ravisseurs. Tout l'Office de l'Avent est bien propre pour donner courage aux faibles, et on y dit souvent ce mot de l'Ecriture [Is., XXXV, 4] : *Prenez courage, lâches et pusillanimes, voici votre Rédempteur qui vient;* et on dit aujourd'hui à Vêpres : *Prenez de nouvelles forces, et bannissez désormais toute crainte; voici notre Dieu qui arrive, et vient pour nous secourir et nous sauver...*

LETTRES AUX PÉRIER, A LA REINE CHRISTINE A HUYGHENS, A FERMAT, A MADAME DE SABLÉ

A propos des lettres de Pascal, on est amené à faire quelques constatations.

Le P. Pierre Guerrier ayant eu l'heureuse idée de recopier, vers 1730, d'après les originaux, les papiers qui se trouvaient encore dans les archives de la famille Périer, papiers qui ont disparu à l'époque de la Révolution ou après, il en résulte que la plupart des lettres que nous connaissons se retrouvent dans ses manuscrits : 1er Recueil Guerrier *(gros in 4°) : lettres II, III, IV, VI;* 2e Recueil Guerrier *(grand in 4°) : lettres VIII, IX, XI;* 3e Recueil Guerrier *(B.N.f.fr. 13913) : lettre VII. Mais comme il n'a pas enregistré les lettres de caractère strictement familial, sans doute parce que Marguerite Périer en avait déjà donné à des amis ou qu'elle n'a pas voulu qu'on les copie, elles sont rarissimes. En fait jusqu'à ce jour on ne connaît l'existence que de deux d'entre elles :*

La lettre I a été publiée par Faugère en 1844. L'autographe a figuré dans la collection d'Arthur Meyer; on ignore aujourd'hui où elle se trouve.

La lettre V a été publiée par Victor Cousin (Des Pensées de Pascal, 3e *éd. n*o 8, 1847*). Elle lui avait été communiquée par la famille Hecquet d'Orval, descendant du médecin Hecquet.*
Les lettres que Pascal adressait à divers correspondants, autres que les Périer, ne sont également pas nombreuses, car il n'en prenait pas des copies, sauf peut-être la lettre VII à la reine Christine; beaucoup ont donc disparu. La lettre X à Huyghens est la seule dont l'autographe existe (Bibl. de Leyde, *Huyghens, n*o 45).
La lettre XII à Fermat a été publiée en 1679 *dans* Varia opera mathematica, *D. Petri de Fermat, Senatoris Tolosani-Tolosae (p.* 200*). Et enfin la lettre XIII, dictée sans doute par Pascal, se retrouve dans les* Portefeuilles Vallant *(B.N. fr.* 17041, *f*o 288*).*
Sur chacune de ces lettres on pourra trouver de plus amples renseignements dans Opuscules et lettres de Pascal *(Aubier, Paris,* 1955*).*

I. LETTRE DE PASCAL ET DE SON PERE A Mme PERIER

LA CONSEILLÈRE, A CLERMONT

De Rouen,
ce samedi dernier janvier [1643].

Ma chère Sœur,

Je ne doute pas que vous n'ayez été bien en peine du long temps qu'il y a que vous n'ayez reçu de nouvelles de ces quartiers ici. Mais je crois que vous vous serez bien doutés que le voyage des Elus en a été la cause, comme en effet. Sans cela, je n'aurais pas manqué de vous écrire plus souvent. J'ai à te dire que, MM. les commissaires étant à Gisors, mon père me fit aller faire un tour à Paris où je trouvai une lettre que tu m'écrivais, où tu me mandes que tu t'étonnes de ce que je te reproche que tu n'écris pas assez souvent, et où tu me dis que tu écris à Rouen toutes les semaines une fois. Il est bien assuré, si cela est, que tes lettres se perdent, car je n'en reçois pas toutes les trois semaines une. Etant retourné à Rouen, j'y ai trouvé une lettre de M. Périer, qui mande que tu es malade. Il ne mande point si ton mal est dangereux, ni si tu te portes mieux, et il s'est passé un ordinaire depuis sans avoir reçu de lettre, tellement que nous en sommes en une peine dont je te prie de nous tirer au plus tôt; mais je crois que la prière que je fais ici sera inutile, car, avant que tu aies reçu cette lettre ici, j'espère que nous aurons reçu des lettres de toi ou de M. Périer. Le département s'achève, Dieu merci. Si je savais quelque chose de nouveau, je te le ferais savoir. Je suis, ma chère sœur,

Votre très humble et très affectionné serviteur et frère,

PASCAL.

Ma bonne fille m'excusera si je ne lui écris comme je le désirerais, n'y ayant aucun loisir. Car je n'ai jamais été dans l'embarras à la dixième partie de ce que j'y suis à présent. Je ne saurais l'être davantage à moins d'en avoir trop ; il y a quatre mois que je ne me suis pas couché six fois devant deux heures après minuit.

Je vous avais commencé dernièrement une lettre de raillerie sur le sujet de la vôtre dernière, touchant le mariage de M. Desjeux; mais je n'ai jamais eu le loisir de l'achever. Pour nouvelles, la fille de M. de Paris, maître des comptes, mariée à M. de Neufville aussi maître des comptes, est décédée, comme aussi la fille de Belair, mariée au petit Lambert. Votre petit a couché céans cette nuit. Il se porte, Dieu grâces, très bien. Je suis toujours,

Votre bon et excellent ami,

[ÉTIENNE] PASCAL.

II. LETTRE A SA SŒUR Mme PERIER

Ce 26 janvier 1648.

Ma chère Sœur,

Nous avons reçu tes lettres. J'avais dessein de te faire réponse sur la première que tu m'écrivais il y a plus de quatre mois; mais mon indisposition et quelques autres affaires m'empêchèrent de l'achever. Depuis ce temps-là, je n'ai pas été en état de t'écrire, soit à cause de mon mal, soit manque de loisir ou pour quelque autre raison. J'ai peu d'heures de loisir et de santé tout ensemble. J'essayerai néanmoins d'achever celle-ci sans me forcer; je ne sais si elle sera longue ou courte. Mon principal dessein est de t'y faire entendre le fait des visites que tu sais, où j'espérais d'avoir de quoi te satisfaire et répondre à tes dernières lettres. Je ne puis commencer par autre chose que par le témoignage du plaisir qu'elles m'ont donné; j'en ai reçu des satisfactions si sensibles, que je ne te les pourrais pas dire de bouche. Je te prie de croire qu'encore que je ne t'aie point écrit, il n'y a point eu d'heure que tu ne m'aies été présente, où je n'aie fait des souhaits pour la continuation du grand dessein que Dieu t'a inspiré. J'ai ressenti de nouveaux accès de joie à toutes les lettres qui en portaient quelque témoignage, et j'ai été ravi d'en voir la continuation sans que tu eusses aucunes nouvelles de notre part. Cela m'a fait juger qu'il avait un appui plus qu'humain, puisqu'il n'avait pas besoin des moyens humains pour se maintenir. Je souhaiterais néanmoins d'y contribuer quelque chose, mais je n'ai aucune des parties qui sont nécessaires pour cet effet. Ma faiblesse est si grande que, si je l'entreprenais, je ferais plutôt une action de témérité que de charité, et j'aurais droit de craindre pour nous deux le malheur qui menace un aveugle conduit par un aveugle. J'en ai ressenti mon incapacité sans comparaison davantage depuis les visites dont il est question, et bien loin d'en avoir remporté assez de lumières pour d'autres, je n'en ai rapporté que de la confusion et du trouble pour moi, que Dieu peut calmer et où je travaillerai avec soin, mais sans empressement et sans inquiétude, sachant bien que l'un et l'autre m'en éloigneraient. Je te dis que Dieu le peut calmer et que j'y travaillerai, parce que je ne trouve que des occasions de le faire naître et de l'augmenter dans ceux dont j'en avais attendu la dissipation : de sorte que me voyant réduit à moi seul, il ne me reste qu'à prier Dieu qu'il en bénisse le succès. J'aurais pour cela besoin de la communication de personnes savantes et de personnes désintéressées : les premiers sont ceux qui ne le feront pas; je ne cherche plus que les autres, et pour cela je souhaite infiniment de te voir, car les lettres sont longues, incommodes et presque inutiles en ces occasions. Cependant je t'en écrirai peu de chose.

La première fois que je vis M. Rebours, je me fis connaître à lui et j'en fus reçu avec autant de civilités que j'eusse pu souhaiter; elles appartenaient toutes à monsieur mon père, puisque je les reçus à sa considération. Ensuite des premiers compliments, je lui demandai la permission de le revoir de temps en temps; il me l'accorda. Ainsi je fus en liberté de le voir, de sorte que je ne compte pas cette première vue pour visite, puisqu'elle n'en fut que la permission. J'y fus à quelque temps de là, et entre autres discours je lui dis avec ma franchise et ma naïveté ordinaires que nous avions vu leurs livres et ceux de leurs adversaires; que c'était assez pour lui faire entendre que nous étions de leurs sentiments. Il m'en témoigna quelque joie. Je lui dis ensuite que je pensais que l'on pouvait, suivant les principes mêmes du sens commun, démontrer beaucoup de choses que les adversaires disent lui être contraires, et que le raisonnement bien conduit portait à les croire, quoiqu'il les faille croire sans l'aide du raisonnement.

Ce furent mes propres termes, où je ne crois pas qu'il y ait de quoi blesser la plus sévère modestie. Mais, comme tu sais que toutes les actions peuvent avoir deux sources, et que ce discours pouvait procéder d'un principe de vanité et de confiance dans le raisonnement, ce soupçon, qui fut augmenté par la connaissance qu'il avait de mon étude de la géométrie, suffit pour lui faire trouver ce discours étrange, et il me le témoigna par une répartie si pleine d'humilité et de modestie, qu'elle eût sans doute confondu l'orgueil qu'il voulait réfuter. J'essayai néanmoins de lui faire connaître mon motif; mais ma justification accrut son doute et il prit mes excuses pour une obstination. J'avoue que son discours était si beau, que, si j'eusse cru être en l'état qu'il se le figurait, il m'en eût retiré; mais, comme je ne pensais pas être dans cette maladie, je m'opposai au remède qu'il me présentait. Mais il le fortifiait d'autant plus que je semblais le fuir, parce qu'il prenait mon refus pour endurcissement; et plus il s'efforçait de continuer, plus mes remerciements lui témoignaient que je ne le tenais pas nécessaire. De sorte que toute cette entrevue se passa dans cette équivoque et dans un embarras qui a continué dans toutes les autres et qui ne s'est pu débrouiller. Je ne te rapporterai pas les autres mot à mot, parce qu'il ne serait pas nécessaire ni à propos. Je te dirai seulement en substance le principal de ce qui s'y est dit ou, pour mieux dire, le principal de leur retenue.

Mais je te prie avant toutes choses de ne tirer aucune conséquence de tout ce que je te mande, parce qu'il pourrait m'échapper de ne pas dire les choses avec assez de justesse; et cela te pourrait faire naître quelque soupçon peut-être aussi désavantageux qu'injuste. Car enfin, après y avoir bien songé, je n'y trouve qu'une obscurité où il serait dangereux et difficile de décider, et pour moi j'en suspends entièrement mon jugement, autant à cause de ma faiblesse que pour mon manque de connaissance...

III. LETTRE DE PASCAL ET DE SA SŒUR JACQUELINE A Mme PERIER, LEUR SŒUR

Ce 1er avril 1648.

Nous ne savons si celle-ci sera sans fin aussi bien que les autres, mais nous savons bien que nous voudrions bien l'écrire sans fin. Nous avons ici la lettre de M. de Saint-Cyran, *De la vocation*, imprimée depuis peu sans approbation ni privilège et qui a choqué beaucoup de monde. Nous la lisons; nous te l'enverrons après. Nous serons bien aises d'en savoir ton sentiment et celui de monsieur mon père. Elle est fort relevée.

Nous avons plusieurs fois commencé à t'écrire, mais j'en ai été retenu par l'exemple et par les discours ou, si tu veux, par les rebuffades que tu sais; mais après nous en être éclaircis tant que nous avons pu, je crois que, s'il faut y apporter quelque circonspection, et s'il y a des occasions où l'on ne doit pas parler de ces choses, nous en sommes dispensés; car comme nous ne doutons point l'un de l'autre, et que nous sommes comme assurés mutuellement que nous n'avons dans tous ces discours que la gloire de Dieu pour objet, et presque point de communication hors de nous-mêmes, je ne vois point que nous puissions avoir de scrupule, tant qu'il nous donnera ces sentiments. Si nous ajoutons à ces considérations celle de l'alliance que la nature a faite entre nous, et à cette dernière celle que la grâce y a faite, je crois que, bien loin d'y trouver une défense, nous y trouverons une obligation; car je trouve que notre bonheur a été si grand d'être unis de la dernière sorte, que nous nous devons unir pour le reconnaître et pour nous en réjouir. Car il faut avouer que c'est proprement depuis ce temps (que M. de Saint-Cyran veut qu'on appelle le commencement de la vie) que nous devons nous considérer comme véritablement parents, et qu'il a plu à Dieu de nous joindre aussi bien dans son nouveau monde par l'esprit, comme il avait fait dans le terrestre par la chair.

Nous te prions qu'il n'y ait point de jour où tu ne

le repasses en ta mémoire, et de reconnaître souvent la conduite dont Dieu s'est servi en cette rencontre, où il ne nous a pas seulement faits frères les uns des autres, mais encore enfants d'un même père; car tu sais que mon père nous a tous prévenus et comme conçus dans ce dessein. C'est en quoi nous devons admirer que Dieu nous ait donné et la figure et la réalité de cette alliance; car, comme nous avons dit souvent entre nous, les choses corporelles ne sont qu'une image des spirituelles, et Dieu a représenté les choses invisibles dans les visibles [Rom., 1, 20]. Cette pensée est si générale et si utile, qu'on ne doit point laisser passer un espace notable de temps sans y songer avec attention. Nous avons discouru assez particulièrement du rapport de ces deux sortes de choses, c'est pourquoi nous n'en parlerons pas ici : car cela est trop long pour l'écrire et trop beau pour ne t'être pas resté dans la mémoire, et, qui plus est, nécessaire absolument, suivant mon avis. Car, comme nos péchés nous retiennent enveloppés parmi les choses corporelles et terrestres, et qu'elles ne sont pas seulement la peine de nos péchés, mais encore l'occasion d'en faire de nouveaux et la cause des premiers, il faut que nous nous servions du lieu même où nous sommes tombés pour nous relever de notre chute. C'est pourquoi nous devons bien ménager l'avantage que la bonté de Dieu nous donne de nous laisser toujours devant les yeux une image des biens que nous avons perdus, et de nous environner dans la captivité même où sa justice nous a réduits, de tant d'objets qui nous servent d'une leçon continuellement présente.

De sorte que nous devons nous considérer comme des criminels dans une prison toute remplie des images de leur libérateur et des instructions nécessaires pour sortir de la servitude; mais il faut avouer qu'on ne peut apercevoir ces saints caractères sans une lumière surnaturelle; car comme toutes choses parlent de Dieu à ceux qui le connaissent, et qu'elles le découvrent à tous ceux qui l'aiment, ces mêmes choses le cachent à tous ceux qui ne le connaissent pas. Aussi l'on voit que dans les ténèbres du monde on les suit par un aveuglement brutal, que l'on s'y attache et qu'on en fait la dernière fin de ses désirs, ce qu'on ne peut faire sans sacrilège, car il n'y a que Dieu qui doive être la dernière fin comme lui seul est le vrai principe. Car, quelque ressemblance que la nature créée ait avec son Créateur, et encore que les moindres choses et les plus petites et les plus viles parties du monde représentent au moins par leur unité la parfaite unité qui ne se trouve qu'en Dieu, on ne peut pas légitimement leur porter le souverain respect, parce qu'il n'y a rien de si abominable aux yeux de Dieu et des hommes que l'idolâtrie, à cause qu'on y rend à la créature l'honneur qui n'est dû qu'au Créateur. L'Ecriture est pleine des vengeances que Dieu a exercées sur ceux qui en ont été coupables, et le premier commandement du Décalogue, qui enferme tous les autres, défend sur toutes choses d'adorer ses images. Mais comme il est beaucoup plus jaloux de nos affections que de nos respects, il est visible qu'il n'y a point de crime qui lui soit plus injurieux ni plus détestable que d'aimer souverainement les créatures, quoiqu'elles le représentent.

C'est pourquoi ceux à qui Dieu fait connaître ces grandes vérités doivent user de ces images pour jouir de Celui qu'elles représentent, et ne demeurer pas éternellement dans cet aveuglement charnel et judaïque qui fait prendre la figure pour la réalité. Et ceux que Dieu, par la régénération, a retirés gratuitement du péché (qui est le véritable néant, parce qu'il est contraire à Dieu, qui est le véritable être) pour leur donner une place dans son Eglise qui est son véritable temple, après les avoir retirés gratuitement du néant au point de leur création pour leur donner une place dans l'univers, ont une double obligation de le servir et de l'honorer, puisque en tant que créatures ils doivent se tenir dans l'ordre des créatures et ne pas profaner le lieu qu'ils remplissent, et qu'en tant que Chrétiens, ils doivent sans cesse aspirer à se rendre dignes de faire partie du Corps de Jésus-Christ. Mais au lieu que les créatures qui composent le monde s'acquittent de leur obligation en se tenant dans une perfection bornée, parce que la perfection du monde est aussi bornée, les enfants de Dieu ne doivent point mettre de limites à leur pureté et à leur perfection, parce qu'ils font partie d'un corps tout divin et infiniment parfait; comme on voit que Jésus-Christ ne limite point le commandement de la perfection, et qu'il nous en propose un modèle où elle se trouve infinie, quand il dit : « *Soyez donc parfait comme votre Père céleste est parfait* » [Mt, v, 48]. Aussi c'est une erreur bien préjudiciable et bien ordinaire parmi les Chrétiens et parmi ceux-là mêmes qui font profession de piété, de se persuader qu'il y ait un certain degré de perfection dans lequel on soit en assurance et qu'il ne soit pas nécessaire de passer, puisqu'il n'y en a point qui ne soit mauvais si on s'y arrête, et dont on ne puisse éviter de tomber qu'en montant plus haut...

IV. LETTRE DE PASCAL ET DE SA SŒUR JACQUELINE A Mme PERIER, LEUR SŒUR

A Paris, ce 5 novembre, après-midi, 1648.

Ma chère Sœur,

Ta lettre nous a fait ressouvenir d'une brouillerie dont on avait perdu la mémoire, tant elle est absolument passée. Les éclaircissements un peu trop grands que nous avons procurés ont fait paraître le sujet général et ancien de nos plaintes, et les satisfactions que nous en avons faites ont adouci l'aigreur que mon père en avait conçue. Nous avons dit ce que tu avais déjà dit, sans savoir que tu l'eusses dit, et ensuite nous avons excusé de bouche ce que tu avais depuis excusé par écrit, sans savoir que tu l'eusses excusé; et nous n'avons su ce que tu as fait qu'après que nous l'avons eu fait nous-mêmes; car comme nous n'avions rien caché à mon père, il nous a aussi tout découvert et guéri ensuite tous nos soupçons. Tu sais combien ces embarras troublent la paix de la maison, extérieure et intérieure, et combien dans ces rencontres on a besoin des avertissements, que tu nous as donnés trop tard.

Nous avons à t'en donner nous-mêmes sur le sujet des tiens. Le premier est sur ce que tu mandes que nous t'avons appris ce que tu nous écris. 1° Je ne me souviens point de t'en avoir parlé, et si peu que cela m'a été très nouveau. Et de plus, quand cela serait vrai, je craindrais que tu ne l'eusses retenu humainement, si tu n'avais oublié la personne dont tu l'avais appris pour ne te ressouvenir que de Dieu qui peut seul te l'avoir véritablement enseigné. Si tu t'en souviens comme d'une bonne chose, tu ne saurais penser le tenir d'aucun autre, puisque ni toi ni les autres ne le peuvent apprendre que de Dieu seul. Car, encore que dans cette sorte de reconnaissance on ne s'arrête pas aux hommes à qui on s'adresse comme s'ils étaient auteurs du bien qu'on a reçu par leur entremise, néanmoins cela ne laisse point de former une petite opposition à la vue de Dieu, et principalement dans les personnes qui ne sont pas entièrement épurées des impressions charnelles qui font considérer comme source de bien les objets qui le communiquent.

Ce n'est pas que nous ne devions reconnaître et nous ressouvenir des personnes dont nous tenons quelques instructions, quand ces personnes ont droit de les faire, comme les pères, les évêques et les directeurs, parce qu'ils sont les maîtres dont les autres sont les disciples. Mais quant à nous, il n'en est pas de même; car, comme l'Ange refusa les adorations d'un saint serviteur comme lui, nous te dirons, en te priant de n'user plus de ces termes d'une reconnaissance humaine, que tu te gardes de nous faire de pareils compliments, parce que nous sommes disciples comme toi.

Le second est sur ce que tu dis qu'il n'est pas nécessaire de nous répéter ces choses, puisque nous les savons déjà bien; ce qui nous fait craindre que tu ne mettes pas ici assez de différence entre les choses dont tu parles et celles dont le siècle parle, puisqu'il est sans doute qu'il suffit d'avoir appris une fois celles-ci et de les avoir bien retenues, pour n'avoir plus besoin d'en être instruit, au lieu qu'il ne suffit pas d'avoir une fois compris celles de l'autre sorte, et de les avoir connues de la bonne manière, c'est-à-dire par le mouvement intérieur de Dieu, pour en conserver la connaissance de la même sorte, quoique l'on en conserve bien le souvenir. Ce n'est pas qu'on ne s'en puisse souvenir, et qu'on ne retienne aussi facilement une épître de saint Paul qu'un livre de Virgile; mais les connaissances que nous acquérons de cette façon aussi bien que leur continuation, ne sont qu'un effet de mémoire, au lieu que pour y entendre ce langage secret et étranger à ceux qui le sont du ciel, il faut que la même grâce, qui peut seule en donner la première intelligence, la continue et la rende toujours présente en la retraçant sans cesse dans le cœur des fidèles pour la faire toujours vivre, comme dans les bienheureux Dieu renouvelle continuellement leur béatitude, qui est un effet et une suite de la grâce, comme aussi l'Eglise tient que le Père produit continuellement le Fils et maintient l'éternité de son essence par une effusion de sa substance qui est sans interruption aussi bien que sans fin.

Ainsi la continuation de la justice des fidèles n'est autre chose que la continuation de l'infusion de la grâce, et non pas une seule grâce qui subsiste toujours; et c'est ce qui nous apprend parfaitement la dépendance perpétuelle où nous sommes de la miséricorde de Dieu, puisque, s'il en interrompt tant soit peu le cours, la sécheresse survient nécessairement. Dans cette nécessité, il est aisé de voir qu'il faut continuellement faire de nouveaux efforts pour acquérir cette nouveauté continuelle d'esprit, puisqu'on ne peut conserver la grâce ancienne que par l'acquisition d'une nouvelle grâce, et qu'autrement on perdra celle qu'on pensera retenir, comme ceux qui, voulant renfermer la lumière, n'enferment que des ténèbres. Ainsi, nous devons veiller à purifier sans cesse l'intérieur, qui se salit toujours de nouvelles taches en retenant aussi les anciennes, puisque sans le renouvellement assidu on n'est pas capable de recevoir ce vin nouveau qui ne sera point mis en vieux vaisseaux.

C'est pourquoi tu ne dois pas craindre de nous remettre devant les yeux les choses que nous avons dans la mémoire, et qu'il faut faire rentrer dans le cœur, puisqu'il est sans doute que ton discours en peut mieux servir d'instrument à la grâce que non pas l'idée qui nous en reste en la mémoire, puisque la grâce est particulièrement accordée à la prière, et que cette charité que tu as eue pour nous est une prière du nombre de celles qu'on ne doit jamais interrompre. C'est ainsi qu'on ne doit jamais refuser de lire ni d'ouïr les choses saintes, si communes et si connues qu'elles soient; car notre mémoire, aussi bien que les instructions qu'elle retient, n'est qu'un corps inanimé et judaïque sans l'esprit qui les doit vivifier. Et il arrive très souvent que Dieu se sert de ces moyens extérieurs pour les faire comprendre et pour laisser d'autant moins de matière à la vanité des hommes lorsqu'ils reçoivent ainsi la grâce en eux-mêmes. C'est ainsi qu'un livre et un sermon, si communs qu'ils soient, apportent bien plus de fruit à celui qui s'y applique avec plus de disposition, que non pas l'excellence des discours plus relevés qui apportent d'ordinaire plus de plaisir que d'instruction; et l'on voit quelquefois que ceux qui les écoutent comme il faut, quoique ignorants et presque stupides, sont touchés au seul nom de Dieu et par les seules paroles qui les menacent de l'enfer, quoique ce soit tout ce qu'ils y comprennent et qu'ils le sussent aussi bien auparavant.

Le troisième est sur ce que tu dis que tu n'écris ces choses que pour nous faire entendre que tu es dans ce sentiment. Nous avons à te louer et à te remercier également sur ce sujet; nous te louons de ta persévérance, et te remercions du témoignage que tu nous en donnes. Nous avions déjà tiré cet aveu de M. Périer, et les choses que nous lui en avions fait dire nous en avaient assurés; nous ne pouvons te dire combien elles nous ont satisfaits, qu'en te représentant la joie que tu recevrais si tu entendais dire de nous la même chose.

Nous n'avons rien de particulier à te dire sinon touchant le dessein de votre maison. Nous savons que M. Périer prend trop à cœur ce qu'il entreprend pour songer pleinement à deux choses à la fois, et que ce dessein entier est si long, que, pour l'achever, il faudrait qu'il fût longtemps sans penser à autre chose. Nous savons aussi bien que son projet n'est que pour une partie du bâtiment; mais, outre qu'elle n'est que trop longue elle seule, elle engage à l'achèvement du reste aussitôt qu'il n'y aura plus d'obstacle, de quelque résolution qu'on se fortifie pour s'en empêcher, principalement s'il emploie à bâtir le temps qu'il faudrait pour se détromper des charmes secrets qui s'y trouvent. Ainsi nous l'avons conseillé de bâtir bien moins qu'il ne prétendait et rien que le simple nécessaire, quoique sur le même dessein, afin qu'il n'ait pas de quoi s'y engager, et qu'il ne s'ôte pas aussi le moyen de le faire. Nous te prions d'y penser sérieusement, de t'en résoudre et de l'en conseiller, de peur qu'il arrive qu'il ait bien plus de prudence et qu'il donne bien plus de soin et de peine au bâtiment d'une maison qu'il n'est pas obligé de faire, qu'à celui de cette tour mystique, dont tu sais que saint Augustin parle dans une de ses lettres, qu'il s'est engagé d'achever dans ses entretiens. Adieu. B. P. — J. P.

Post-scriptum de Jacqueline : J'espère que je t'écrirai en mon nom particulier de mon affaire, dont je te manderai le détail; cependant prie Dieu pour son issue.

Si tu sais quelque bonne âme, fais-la prier Dieu pour moi aussi.

V. LETTRE A Mme PERIER, A CLERMONT (EN AUVERGNE)

[1648.]

Ma chère Sœur,

Je ne crois pas que ce soit tout de bon que tu sois fâchée; car si tu ne l'es que de ce que nous t'avons oubliée, tu ne dois point l'être du tout. Je ne te dis point de nouvelles, parce que les générales le sont trop et les particulières le doivent toujours être. J'en aurais beaucoup à te dire qui se passent dans un entier secret, mais je tiens inutile de te les mander : tout ce que je te prie est de mêler les actions de grâce aux prières que tu fais pour moi, et que je te prie de multiplier en ce temps. J'ai moi-même avec l'aide de Dieu porté ta lettre, afin qu'on la fît tenir à Mme de Maubuisson. Ils m'ont donné un petit livre où j'ai trouvé cette sentence écrite à la main. Je ne sais si elle est dans le petit livre des sentences, mais elle est belle. On me presse tellement que je ne puis plus rien dire. Ne manque pas à tes jeudis. Adieu, ma chère.

VI. LETTRE A M. ET Mme PERIER, A CLERMONT

A L'OCCASION DE LA MORT DE M. PASCAL LE PÈRE, DÉCÉDÉ A PARIS LE 24 SEPTEMBRE 1651

Paris, du 17 octobre 1651.

Puisque vous êtes maintenant informés l'un et l'autre de notre malheur commun, et que la lettre que nous avions commencée vous a donné quelque consolation, par le récit des circonstances heureuses qui ont accompagné le sujet de notre affliction, je ne puis vous refuser celles qui me restent dans l'esprit, et que je prie Dieu ee me donner, et de me renouveler de plusieurs que nous avons autrefois reçues de sa grâce, et qui nous ont été nouvellement données par nos amis en cette occasion.

Je ne sais plus par où finissait la première lettre. Ma sœur l'a envoyée sans prendre garde qu'elle n'était pas finie. Il me semble seulement qu'elle contenait seulement en substance quelques particularités de la conduite de Dieu sur la vie et sur la maladie, que je voudrais vous répéter ici, tant je les ai gravées dans le cœur, et tant elles portent de consolations solides, si vous ne les pouviez voir vous-mêmes dans la précédente lettre, et si ma sœur ne devait pas vous en faire un récit plus exact à sa première commodité. Je ne vous parlerai donc ici que de la conséquence que j'en tire, qui est que sa fin est si chrétienne, si heureuse, si sainte et si souhaitable qu'après ceux qui sont intéressés par les sentiments de la nature, il n'y a point de chrétien qui ne s'en doive réjouir.

Sur ce grand fondement, je vous commencerai ce que j'ai à dire par un discours bien consolatif à ceux qui ont assez de liberté d'esprit pour le concevoir au fort de la douleur. C'est que nous devons chercher la consolation à nos maux, non pas dans nous-mêmes, non pas dans les hommes, non pas dans tout ce qui est créé; mais dans Dieu. Et la raison en est que toutes les créatures ne sont pas la première cause des accidents que nous appelons maux, mais que la providence de Dieu en étant l'unique et véritable cause, l'arbitre et la souveraine, il est indubitable qu'il faut recourir directement à la source, et remonter jusqu'à l'origine, pour trouver un solide allégement. Que si nous suivons ce précepte, et que nous envisagions cet événement, non pas comme un effet du hasard, non pas comme une nécessité fatale de la nature, non pas comme le jouet des éléments et des parties qui composent l'homme (car Dieu n'a pas abandonné ses élus au caprice et au hasard), mais comme une suite indispensable, inévitable, juste, sainte, utile au bien de l'Eglise et à l'exaltation du nom et de la grandeur de Dieu, d'un arrêt de sa Providence conçu de toute éternité pour être exécuté dans la plénitude de son temps, en telle année, en tel jour, en telle heure, en tel lieu, en telle manière; et enfin que tout ce qui est arrivé a été de tout temps prévu et préordonné en Dieu; si, dis-je, par un transport de grâce, nous considérons cet accident, non pas dans lui-même et hors de Dieu, mais hors de lui-même et dans l'intime de la volonté de Dieu, dans la justice de son arrêt, dans l'ordre de sa Providence, qui en est la véritable cause, sans qui il ne fût pas arrivé, par qui seul il est arrivé, et de la manière dont il est arrivé; nous adorerons dans un humble silence la hauteur impénétrable de ses secrets; nous vénérerons la sainteté de ses arrêts, nous bénirons la conduite de sa Providence; et unissant notre volonté à celle de Dieu même, nous voulons avec lui, en lui, et pour lui, la chose qu'il a voulue en nous et pour nous de toute éternité.

Considérons-la donc de la sorte, et pratiquons cet enseignement que j'ai appris d'un grand homme dans le temps de notre plus grande affliction, qu'il n'y a de consolation qu'en la vérité seule. Il est sans doute que Sénèque et Socrate n'ont rien de persuasif en cette occasion. Ils ont été sous l'erreur qui a aveuglé tous les hommes dans le premier : ils ont tous pris la mort comme naturelle à l'homme; et tous les discours qu'ils ont fondés sur ce faux principe sont si futiles, qu'ils ne servent qu'à montrer par leur inutilité combien l'homme en général est faible, puisque les plus hautes productions des plus grands d'entre les hommes sont si basses et si puériles.

Il n'en est pas de même de Jésus-Christ : il n'en est pas ainsi des livres canoniques. La vérité y est découverte, et la consolation y est jointe aussi infailliblement qu'elle est infailliblement séparée de l'erreur. Considérons donc la mort dans la vérité que le Saint-Esprit nous a apprise. Nous avons cet admirable avantage de connaître que véritablement et effectivement la mort est une peine du péché, imposée à l'homme pour expier son crime, nécessaire à l'homme pour le purger du péché; que c'est la seule qui peut délivrer l'âme de la concupiscence des membres, sans laquelle les saints ne vivent point en ce monde. Nous savons que la vie, et la vie des Chrétiens, est un sacrifice perpétuel qui ne peut être achevé que par la mort; nous savons que Jésus-Christ, entrant au monde, s'est considéré et s'est offert à Dieu comme un holocauste et une véritable victime; que sa naissance, sa vie, sa mort, sa résurrection, son ascension, et sa présence dans l'Eucharistie, sa séance éternelle à la dextre n'est qu'un seul et unique sacrifice : nous savons que ce qui est arrivé en Jésus-Christ doit arriver en tous ses membres.

Considérons donc la vie comme un sacrifice; et que les accidents de la vie ne fassent d'impression dans l'esprit des Chrétiens qu'à proportion qu'ils interrompent ou qu'ils accomplissent ce sacrifice. N'appelons mal que ce qui rend la victime de Dieu victime du diable, mais appelons bien ce qui rend la victime du diable en Adam victime de Dieu; et sur cette règle examinons la nature de la mort.

Pour cette considération, il faut recourir à la personne de Jésus-Christ; car tout ce qui est dans les hommes est abominable, et comme Dieu ne considère les hommes que par le Médiateur Jésus-Christ, les hommes aussi ne devraient regarder ni les autres ni eux-mêmes que médiatement par Jésus-Christ car si nous ne passons par le milieu, nous ne trouvons en nous que de véritables malheurs, ou des plaisirs abominables; mais si nous considérons toutes choses en Jésus-Christ, nous trouverons toute consolation, toute satisfaction, toute édification.

Considérons donc la mort en Jésus-Christ, et non pas sans Jésus-Christ. Sans Jésus-Christ elle est horrible, elle est détestable, et l'horreur de la nature. En Jésus-Christ elle est tout autre : elle est aimable, sainte, et la joie du fidèle. Tout est doux en Jésus-Christ, jusqu'à la mort; et c'est pourquoi il a souffert et est mort pour sanctifier la mort et les souffrances; et que comme Dieu et comme homme il a été tout ce qu'il y a de grand et tout ce qu'il y a d'abject, afin de sanctifier en soi toutes choses, excepté le péché, et pour être le modèle de toutes les conditions.

Pour considérer ce que c'est que la mort et la mort en Jésus-Christ, il faut voir quel rang elle tient dans son sacrifice continuel et sans interruption, et pour cela remarquer que dans les sacrifices la principale partie est la mort de l'hostie. L'oblation et la sanctification qui précèdent sont des dispositions; mais l'accomplissement est la mort, dans laquelle, par l'anéantissement de la vie, la créature rend à Dieu tout l'hommage dont elle est capable, en s'anéantissant devant les yeux de sa Majesté, et en adorant sa souveraine existence, qui seule existe réellement. Il est vrai qu'il y a encore une autre partie, après la mort de l'hostie, sans laquelle sa mort est inutile : c'est l'acceptation que Dieu fait du sacrifice. C'est ce qui est dit dans l'Ecriture [Gen., VIII, 21] : *Et odoratus est Dominus suavitatem.* « *Et Dieu a odoré et reçu l'odeur du sacrifice.* » C'est véritablement celle-là qui couronne l'oblation; mais elle est plutôt une action de Dieu vers la créature, que de la créature vers Dieu, et n'empêche pas que la dernière action de la créature ne soit la mort.

Toutes ces choses ont été accomplies en Jésus-Christ. En entrant au monde, il s'est offert [Hebr., IX, 14; X, 5] : *Obtulit semetipsum per Spiritum sanctum. Ingrediens mundum, dixit : Hostiam noluisti... Tunc dixi : Ecce venio. In capite*, etc. Il s'est offert par le Saint-Esprit. En entrant au monde, il a dit : « *Seigneur, les sacrifices ne te sont point agréables; mais tu m'as donné un corps.* » Lors j'ai dit : « *Me voici, je viens pour faire, ô Dieu, ta volonté, et ta loi est dans le milieu de mon cœur.* » Voilà son oblation. Sa sanctification a été immédiate de son oblation. Ce sacrifice a duré toute sa vie, et a été accompli par sa mort Il a fallu qu'il ait passé par les souffrances, pour entrer en sa gloire [Lc, XXIV, 26]. Et quoiqu'il fût fils de Dieu, il a fallu qu'il ait appris l'obéissance. Mais au jour de sa chair, ayant crié avec grands cris à celui qui le pouvait sauver de mort, il a été exaucé pour sa révérence [Hébr., V, 7]. Et Dieu l'a ressuscité, et envoyé sa gloire, figurée autrefois par le feu du ciel qui tombait sur les victimes, pour brûler et consumer son corps, et le faire vivre spirituel de la vie de la gloire. C'est ce que Jésus-Christ a obtenu, et qui a été accompli par sa résurrection.

Ainsi ce sacrifice étant parfait par la mort de Jésus-Christ, et consommé même en son corps par sa résurrection, où l'image de la chair du péché a été absorbée par la gloire, Jésus-Christ avait tout achevé de sa part; il ne restait que le sacrifice fût accepté de Dieu, et que, comme la fumée s'élevait et portait l'odeur au trône de Dieu, aussi Jésus-Christ fût, en cet état d'immolation parfaite, offert, porté et reçu au trône de Dieu même : et c'est ce qui a été accompli en l'ascension, en laquelle il est monté, et par sa propre force, et par la force de son Saint-Esprit qui l'environnait de toutes parts : il a été enlevé comme la fumée des victimes, figures de Jésus-Christ, était portée en haut par l'air qui la soutenait, figure du Saint-Esprit : et les Actes des Apôtres nous marquent expressément qu'il fut reçu au ciel, pour nous assurer que ce saint sacrifice accompli en terre a été acceptable à Dieu, reçu dans le sein de Dieu où il brûle de la gloire dans les siècles des siècles.

Voilà l'état des choses en notre souverain Seigneur. Considérons-les en nous maintenant. Dès le moment que nous entrons dans l'Eglise, qui est le monde des fidèles et particulièrement des élus, où Jésus-Christ entra dès le moment de son incarnation par un privilège particulier au fils unique de Dieu, nous sommes offerts et sanctifiés. Ce sacrifice se continue par la vie, et s'accomplit à la mort, dans laquelle l'âme, quittant véritablement tous les vices et l'amour de la terre, dont la contagion l'infecte toujours durant cette vie, elle achève son immolation et est reçue dans le sein de Dieu.

Ne nous affligeons donc pas comme les Païens qui n'ont point d'espérance. Nous n'avons pas perdu mon père au moment de sa mort. Nous l'avions perdu pour ainsi dire dès qu'il entra dans l'Eglise par le baptême. Dès lors il était à Dieu. Sa vie était vouée à Dieu : ses actions ne regardaient le monde que pour Dieu. Dans sa mort il s'est entièrement détaché des péchés; et c'est en ce moment qu'il a été reçu de Dieu, et que son sacrifice a reçu son accomplissement et son couronnement. Il a donc fait ce qu'il avait voué : il a achevé l'œuvre que Dieu lui avait donnée à faire : il a accompli la seule chose pour laquelle il était créé. La volonté de Dieu est accomplie en lui, et sa volonté est absorbée en Dieu. Que notre volonté ne sépare donc pas ce que Dieu a uni; et étouffons ou modérons, par l'intelligence de la vérité, les sentiments de la nature corrompue et déçue qui n'a que les fausses images, et qui trouble par ses illusions la sainteté des sentiments que la vérité et l'Evangile nous doit donner.

Ne considérons donc plus la mort comme des Païens, mais comme des Chrétiens, c'est-à-dire avec l'espérance, comme saint Paul l'ordonne [I Thess., IV, 12], puisque c'est le privilège spécial des Chrétiens. Ne considérons plus un corps comme une charogne infecte, car la nature trompeuse se le figure de la sorte; mais comme le temple inviolable et éternel du Saint-Esprit, comme la foi l'apprend. Car nous savons que les corps des saints sont habités par le Saint-Esprit jusqu'à la résurrection, qui se fera par la vertu de cet Esprit qui réside en eux pour cet effet. C'est le sentiment des Pères. C'est pour cette raison que nous honorons les reliques des morts, et c'est sur ce vrai principe que l'on donnait autrefois l'Eucharistie dans la bouche des morts, parce que, comme on savait qu'ils étaient le temple du Saint-Esprit, on croyait qu'ils méritaient d'être aussi unis à ce Saint-Sacrement. Mais l'Eglise a changé cette coutume; non pas pour ce que ces corps ne soient pas saints; mais par cette raison que l'Eucharistie étant le pain de la vie et des vivants, il ne doit pas être donné aux morts.

Ne considérons plus un homme comme ayant cessé de vivre, quoi que la nature suggère; mais comme commençant à vivre, comme la vérité l'assure. Ne considérons plus son âme comme périe et réduite au néant, mais comme vivifiée et unie au souverain vivant : et corrigeons ainsi, par l'attention à ces vérités, les sentiments d'erreur qui sont si empreints en nous-mêmes, et ces mouvements d'horreur qui sont si naturels à l'homme.

Pour dompter plus fortement cette horreur, il faut en bien comprendre l'origine; et pour vous le toucher en peu de mots, je suis obligé de vous dire en général quelle est la source de tous les vices et de tous les péchés. C'est ce que j'ai appris de deux très grands et très saints personnages. La vérité qui ouvre ce mystère est que Dieu a créé l'homme avec deux amours, l'un pour Dieu, l'autre pour soi-même; mais avec cette loi, que l'amour pour Dieu serait infini, c'est-à-dire sans aucune autre fin que Dieu même, et que l'amour pour soi-même serait fini et rapportant à Dieu.

L'homme en cet état non seulement s'aimait sans péché, mais ne pouvait pas ne point s'aimer sans péché.

Depuis, le péché étant arrivé, l'homme a perdu le premier de ces amours; et l'amour pour soi-même étant resté seul dans cette grande âme capable d'un amour infini, cet amour-propre s'est étendu et débordé dans le vide que l'amour de Dieu a quitté; et ainsi il s'est aimé seul, et toutes choses pour soi, c'est-à-dire infiniment.

Voilà l'origine de l'amour-propre. Il était naturel à Adam, et juste en son innocence; mais il est devenu et criminel et immodéré, en suite de son péché.

Voilà la source de cet amour, et la cause de sa défectuosité et de son excès.

Il en est de même du désir de dominer, de la paresse, et des autres. L'application en est aisée. Venons à notre seul sujet. L'horreur de la mort était naturelle à Adam innocent, parce que sa vie étant très agréable à Dieu, elle devait être agréable à l'homme : et la mort était horrible, lorsqu'elle finissait une vie conforme à la volonté de Dieu. Depuis, l'homme ayant péché, sa vie est devenue corrompue, son corps et son âme ennemis l'un de l'autre, et tous deux de Dieu.

Cet horrible changement ayant infecté une si sainte

vie, l'amour de la vie est néanmoins demeuré : et l'horreur de la mort étant restée pareille, ce qui était juste en Adam est injuste et criminel en nous.

Voilà l'origine de l'horreur de la mort, et la cause de sa défectuosité.

Eclairons donc l'erreur de la nature par la lumière de la foi.

L'horreur de la mort est naturelle, mais c'est en l'état d'innocence : la mort à la vérité est horrible, mais c'est quand elle finit une vie toute pure. Il était juste de la haïr, quand elle séparait une âme sainte d'un corps saint : mais il est juste de l'aimer, quand elle sépare une âme sainte d'un corps impur. Il était juste de la fuir, quand elle rompait la paix entre l'âme et le corps; mais non pas quand elle en calme la dissension irréconciliable. Enfin quand elle affligeait un corps innocent, quand elle ôtait au corps la liberté d'honorer Dieu, quand elle séparait de l'âme un corps soumis et coopérateur à ses volontés, quand elle finissait tous les biens dont l'homme est capable, il était juste de l'abhorrer; mais quand elle finit une vie impure, quand elle ôte au corps la liberté de pécher, quand elle délivre l'âme d'un rebelle très puissant et contredisant tous les motifs de son salut, il est très injuste d'en conserver les mêmes sentiments.

Ne quittons donc pas cet amour que la nature nous a donné pour la vie, puisque nous l'avons reçu de Dieu; mais que ce soit pour la même vie pour laquelle Dieu nous l'a donné, et non pas pour un objet contraire.

Et en consentant à l'amour qu'Adam avait pour sa vie innocente, et que Jésus-Christ même a eu pour la sienne, et qui a paru par ses répugnances à souffrir la mort, portons-nous à haïr une vie contraire à celle que Jésus-Christ a aimée, et à n'appréhender que la mort que Jésus-Christ a appréhendée, qui arrive à un corps agréable à Dieu; mais non pas à craindre une mort contraire, qui, punissant un corps coupable et purgeant un corps vicieux, nous doit donner des sentiments tout contraires, si nous avons un peu de foi, d'espérance et de charité.

C'est un des grands principes du christianisme, que tout ce qui est arrivé à Jésus-Christ doit se passer et dans l'âme et dans le corps de chaque Chrétien; que, comme Jésus-Christ a souffert durant sa vie mortelle, est mort à cette vie mortelle, est ressuscité d'une nouvelle vie, est monté au ciel, et sied à la dextre du Père; ainsi le corps et l'âme doivent souffrir, mourir, ressusciter, monter au ciel, et seoir à la dextre.

Toutes ces choses s'accomplissent en l'âme durant cette vie, mais non pas dans le corps.

L'âme souffre et meurt au péché dans la pénitence et dans le baptême; l'âme ressuscite à une nouvelle vie dans le même baptême; l'âme quitte la terre et monte au ciel à l'heure de la mort, et sied à la dextre au temps où Dieu l'ordonne.

Aucune de ces choses n'arrive dans le corps durant cette vie; mais les mêmes choses s'y passent ensuite.

Car à la mort, le corps meurt à sa vie mortelle; au Jugement général, il ressuscitera à une nouvelle vie; après le jugement, il montera au ciel, et seoira à la dextre.

Ainsi les mêmes choses arrivent au corps et à l'âme, mais en différents temps; et les changements du corps n'arrivent que quand ceux de l'âme sont accomplis, c'est-à-dire à l'heure de la mort : de sorte que la mort est le couronnement de la béatitude de l'âme, et le commencement de la béatitude du corps.

Voilà les admirables conduites de la sagesse de Dieu sur le salut des saints; et saint Augustin nous apprend sur ce sujet que Dieu en a disposé de sorte, de peur que si le corps de l'homme fût mort et ressuscité pour jamais dans le baptême, on ne fût entré dans l'obéissance de l'Evangile que par l'amour de la vie; au lieu que la grandeur de la foi éclate bien davantage lorsque l'on tend à l'immortalité par les ombres de la mort.

Voilà certainement quelle est notre créance, et la foi que nous professons; et je crois qu'en voilà plus qu'il n'en faut pour aider votre consolation par mes petits efforts. Je n'entreprendrais pas de vous porter ce secours de mon propre, mais comme ce ne sont que des répétitions de ce que j'ai appris, je le fais avec assurance en priant Dieu de bénir ces semences, et de leur donner de l'accroissement, car sans lui nous ne pouvons rien faire, et ses plus saintes paroles ne prennent point en nous, comme il l'a dit lui-même [Mc, IV, 16].

Ce n'est pas que je souhaite que vous soyez sans ressentiment : le coup est trop sensible, il serait même insupportable sans un secours surnaturel. Il n'est donc pas juste aussi que nous soyons sans douleur comme des anges qui n'ont aucun sentiment de la nature; mais il n'est pas juste aussi que nous soyons sans consolation comme des Païens qui n'ont aucun sentiment de la grâce : mais il est juste que nous soyons affligés et consolés comme Chrétiens, et que la consolation de la grâce l'emporte par-dessus les sentiments de la nature; que nous disions comme les Apôtres : « *Nous sommes persécutés et nous bénissons* » [I Cor., IV, 12], afin que la grâce soit non seulement en nous, mais victorieuse en nous; qu'ainsi, en sanctifiant le nom de notre Père, sa volonté soit faite la nôtre; que sa grâce règne et domine sur la nature; et que nos afflictions soient comme la matière d'un sacrifice que sa grâce consomme et anéantisse pour la gloire de Dieu; et que ces sacrifices particuliers honorent et préviennent le sacrifice universel où la nature entière doit être consommée par la puissance de Jésus-Christ.

Ainsi nous tirerons avantage de nos propres imperfections, puisqu'elles serviront de matière à cet holocauste; car c'est le but des vrais Chrétiens de profiter de leurs propres imperfections, parce que tout coopère en bien pour les élus.

Et si nous y prenons garde de près, nous trouverons de grands avantages pour notre édification, en considérant la chose dans la vérité, comme nous avons dit tantôt : car puisqu'il est véritable que la mort du corps n'est que l'image de celle de l'âme, et que nous bâtissons sur ce principe, qu'en cette rencontre nous avons tous les sujets possibles de bien espérer de son salut, il est certain que si nous ne pouvons arrêter le cours du déplaisir, nous en devons tirer ce profit que, puisque la mort du corps est si terrible qu'elle nous cause de tels mouvements, celle de l'âme nous en devrait bien causer de plus inconsolables. Dieu nous a envoyé la première, Dieu a détourné la seconde. Considérons donc la grandeur de nos biens dans la grandeur de nos maux, et que l'excès de notre douleur soit la mesure de celle de notre joie.

Il n'y a rien qui la puisse modérer, sinon la crainte qu'il ne languisse pour quelque temps dans les peines qui sont destinées à purger le reste des péchés de cette vie; et c'est pour fléchir la colère de Dieu sur lui que nous devons soigneusement nous employer.

La prière et les sacrifices sont un souverain remède à ses peines. Mais j'ai appris d'un saint homme dans nos afflictions qu'une des plus solides et plus utiles charités envers les morts est de faire les choses qu'ils nous ordonneraient s'ils étaient encore au monde, et de pratiquer les saints avis qu'ils nous ont donnés et de nous mettre pour eux en l'état auquel ils nous souhaitent à présent.

Par cette pratique, nous les faisons revivre en nous en quelque sorte, puisque ce sont leurs conseils qui sont encore vivants et agissants en nous; et comme les hérésiarques sont punis en l'autre vie des péchés auxquels ils ont engagé leurs sectateurs, dans lesquels leur venin vit encore, ainsi les morts sont récompensés, outre leur propre mérite, pour ceux auxquels ils ont donné suite par leurs conseils et par leurs exemples.

Faisons-le donc revivre devant Dieu en nous de tout notre pouvoir; et consolons-nous en l'union de nos cœurs, dans laquelle il me semble qu'il vit encore, et que notre réunion nous rende en quelque sorte sa présence, comme Jésus-Christ se rend présent en l'assemblée de ses fidèles.

Je prie Dieu de former et maintenir en nous ces sentiments, et de continuer ceux qu'il me semble qu'il me donne, d'avoir pour vous et pour ma sœur plus de tendresse que jamais; car il me semble que l'amour que nous avions pour mon père ne doit pas être perdu pour nous, et que nous en devons faire une refusion sur nous-mêmes, et que nous devons principalement hériter de l'affection qu'il nous portait, pour nous aimer encore plus cordialement s'il est possible.

Je prie Dieu de nous fortifier dans ces résolutions, et sur cette espérance je vous conjure d'agréer que je vous donne un avis que vous prendriez bien sans moi; mais je ne laisserai pas de le faire. C'est qu'après avoir trouvé des sujets de consolation pour sa personne, nous n'en venions point à manquer pour la nôtre, par la prévoyance des besoins et des utilités que nous aurions de sa présence.

C'est moi qui y suis le plus intéressé. Si je l'eusse perdu il y a six ans, je me serais perdu, et quoique je croie en avoir à présent une nécessité moins absolue, je sais qu'il m'aurait été encore nécessaire dix ans, et utile toute ma vie. Mais nous devons espérer que Dieu l'ayant ordonné en tel temps, en tel lieu, et en telle manière, sans doute c'est le plus expédient pour sa gloire et pour notre salut.

Quelque étrange que cela paraisse, je crois qu'on en doit estimer de la sorte en tous les événements, et que, quelques sinistres qu'ils nous paraissent, nous devons espérer que Dieu en tirera la source de notre joie si nous lui en remettons la conduite.

Nous connaissons des personnes de condition qui ont appréhendé des morts domestiques que Dieu a peut-être détournées à leur prière, qui ont été cause ou occasion de tant de misères, qu'il serait à souhaiter qu'ils n'eussent pas été exaucés.

L'homme est assurément trop infirme pour pouvoir juger sainement de la suite des choses futures. Espérons donc en Dieu, et ne nous fatiguons pas par des prévoyances indiscrètes et téméraires. Remettons-nous à Dieu pour la conduite de nos vies, et que le déplaisir ne soit pas dominant en nous.

Saint Augustin nous apprend qu'il y a dans chaque homme un serpent, une Eve et un Adam. Le serpent sont les sens et notre nature; l'Eve est l'appétit concupiscible, et l'Adam est la raison.

La nature nous tente continuellement, l'appétit concupiscible désire souvent; mais le péché n'est pas achevé, si la raison ne consent. Laissons donc agir ce serpent et cette Eve, si nous ne pouvons l'empêcher; mais prions Dieu que sa grâce fortifie tellement notre Adam qu'il demeure victorieux; et que Jésus-Christ en soit vainqueur, et qu'il règne éternellement en nous. AMEN.

VII. LETTRE A LA SÉRÉNISSIME REINE DE SUÈDE

[Juin 1652.]

Madame,

Si j'avais autant de santé que de zèle, j'irais moi-même présenter à Votre Majesté un ouvrage de plusieurs années, que j'ose lui offrir de si loin; et je ne souffrirais pas que d'autres mains que les miennes eussent l'honneur de le porter aux pieds de la plus grande princesse du monde. Cet ouvrage, Madame, est une machine pour faire les règles d'arithmétique sans plume et sans jetons. Votre Majesté n'ignore pas la peine et le temps que coûtent les productions nouvelles, surtout lorsque les inventeurs les veulent porter eux-mêmes à la dernière perfection; c'est pourquoi il serait inutile de dire combien il y a que je travaille à celle-ci; et je ne peux mieux l'exprimer qu'en disant que je m'y suis attaché avec autant d'ardeur que si j'eusse prévu qu'elle devait paraître un jour devant une personne si auguste. Mais, Madame, si cet honneur n'a pas été le véritable motif de mon travail, il en sera du moins la récompense, et je m'estimerai trop heureux si, en suite de tant de veilles, il peut donner à Votre Majesté une satisfaction de quelques moments. Je n'importunerai pas non plus Votre Majesté du particulier de ce qui compose cette machine : si elle en a quelque curiosité, elle pourra se contenter dans un discours que j'ai adressé à M. de Bourdelot : j'y ai touché en peu de mots toute l'histoire de cet ouvrage, l'objet de son invention, l'occasion de sa recherche, l'utilité de ses ressorts, les difficultés de son exécution, les degrés de son progrès, le succès de son accomplissement et les règles de son usage. Je dirai donc seulement ici le sujet qui me porte à l'offrir à Votre Majesté, ce que je considère comme le couronnement et le dernier bonheur de son aventure. Je sais, Madame, que je pourrai être suspect d'avoir recherché de la gloire en la présentant à Votre Majesté puisqu'elle ne saurait passer que pour extraordinaire, quand on verra qu'elle s'adresse à elle, et qu'au lieu qu'elle ne devrait lui être offerte que par la considération de son excellence, on jugera qu'elle est excellente, par cette seule raison qu'elle lui est offerte. Ce n'est pas néanmoins cette espérance qui m'a inspiré ce dessein. Il est trop grand, Madame, pour avoir d'autre objet que Votre Majesté même. Ce qui m'y a véritablement porté, est l'union qui se trouve en sa personne sacrée, de deux choses qui me semblent également d'admiration et de respect, qui sont l'autorité souveraine et la science solide; car j'ai une vénération toute particulière pour ceux qui sont élevés au suprême degré, ou de puissance, ou de connaissance. Les derniers peuvent, si je ne me trompe, aussi bien que les premiers, passer pour des souverains. Les mêmes degrés se rencontrent entre les génies qu'entre les conditions; et le pouvoir des rois sur les sujets n'est, ce me semble, qu'une image du pouvoir des esprits sur les esprits qui leur sont inférieurs, sur lesquels ils exercent le droit de persuader, qui est parmi eux ce que le droit de commander est dans le gouvernement politique. Ce second empire me paraît même d'un ordre d'autant plus élevé, que les esprits sont d'un ordre plus élevé que les corps, et d'autant plus équitable, qu'il ne peut être départi et conservé que par le mérite, au lieu que l'autre peut l'être par la naissance ou par la fortune. Il faut donc avouer que chacun de ces empires est grand en soi; mais, Madame, que Votre Majesté me permette de le dire : elle n'y est point blessée, l'un sans l'autre me paraît défectueux. Quelque puissant que soit un monarque, il manque quelque chose à sa gloire, s'il n'a pas la prééminence de l'esprit; et quelque éclairé que soit un sujet, sa condition est toujours rabaissée par la dépendance. Les hommes, qui désirent naturellement ce qui est le plus parfait, avaient jusqu'ici continuellement aspiré à rencontrer ce souverain par excellence. Tous les rois et tous les savants en étaient autant d'ébauches, qui ne remplissaient qu'à demi leur attente, et à peine nos ancêtres ont pu voir en toute la durée du monde un roi médiocrement savant; ce chef-d'œuvre était réservé pour votre siècle. Et afin que cette grande merveille parût accompagnée de tous les sujets possibles d'étonnement, le degré où les hommes n'avaient pu atteindre est rempli par une jeune Reine, dans laquelle se rencontrent ensemble l'avantage de l'expérience avec la tendresse de l'âge, le loisir de l'étude avec l'occupation d'une royale naissance, et l'éminence de la science avec la faiblesse du sexe. C'est Votre Majesté, Madame, qui fournit à l'univers cet unique exemple qui lui manquait. C'est elle en qui la puissance est dispensée par les lumières de la science, et la science relevée par l'éclat de l'autorité. C'est cette union si merveilleuse qui fait que comme Votre Majesté ne voit rien qui soit au-dessus de sa puissance, elle ne voit rien aussi qui soit au-dessus de son esprit, et qu'elle sera l'admiration de tous les siècles qui la suivront, comme elle a été l'ouvrage de tous les siècles qui l'ont précédée. Régnez donc, incomparable princesse, d'une manière toute nouvelle; que votre génie vous assujettisse tout ce qui n'est pas soumis à vos armes : régnez par le droit de la naissance, durant une longue suite d'années, sur tant de triomphantes provinces; mais régnez toujours par la force de votre mérite sur toute l'étendue de la terre. Pour moi, n'étant pas né sous le premier de vos empires, je veux que tout le monde sache que je fais gloire de vivre sous le second; et c'est pour le témoigner, que j'ose lever les yeux jusqu'à ma Reine, en lui donnant cette première preuve de ma dépendance.

Voilà, Madame, ce qui me porte à faire à Votre Majesté ce présent, quoique indigne d'elle. Ma faiblesse n'a pas étonné mon ambition. Je me suis figuré qu'encore que le seul nom de Votre Majesté semble éloigner d'elle tout ce qui lui est disproportionné, elle ne rejette pas néanmoins tout ce qui lui est inférieur; autrement sa grandeur serait sans hommages et sa gloire sans éloges. Elle se contente de recevoir un grand effort d'esprit, sans exiger qu'il soit l'effort d'un esprit grand comme le sien. C'est par cette condescendance qu'elle daigne entrer en communication avec les autres hommes; et toutes ces considérations jointes me font lui protester avec toute la soumission dont l'un des plus grands admirateurs de ses héroïques qualités est capable, que je ne souhaite rien avec tant d'ardeur que de pouvoir être avoué,

Madame,
de Votre Majesté,
pour son très humble, très obéissant
et très fidèle serviteur,

BLAISE PASCAL.

VIII. EXTRAIT D'UNE LETTRE DE PASCAL A M. PERIER

De Paris, ce vendredi 6 juin 1653.

Je viens de recevoir votre lettre où était celle de ma sœur, que je n'ai pas eu loisir de lire, et de plus je crois que cela serait inutile.

Ma sœur fit hier profession, jeudi 5 juin 1653. Il m'a été impossible de retarder : MM. de Port-Royal craignaient qu'un petit retardement en apportât un grand et voulaient la hâter par cette raison qu'ils espèrent la mettre bientôt dans les charges : et partant il faut hâter, parce qu'il faut qu'elles aient pour cela plusieurs années de profession. Voilà de quoi ils m'ont payé. Enfin, je ne l'ai pu...

IX. FRAGMENT D'UNE LETTRE DE PASCAL

[Juin 1657.]

Vous me faites plaisir de me mander tout le détail de vos frondes et principalement puisque vous y êtes intéressés. Car je m'imagine que vous n'imitez pas nos frondeurs de ce pays-ci qui usent si mal, au moins en ce qui me paraît, de l'avantage que Dieu leur offre de souffrir quelque chose pour l'établissement de ses vérités. Car, quand ce serait pour l'établissement de leurs vérités, ils n'agiraient pas autrement; et il me semble qu'ils ignorent que la même Providence, qui a inspiré les lumières aux uns, les refuse aux autres; et il me semble qu'en travaillant à les persuader, ils servent un autre Dieu que celui qui permet que des obstacles s'opposent à leur progrès. Ils croient rendre service à Dieu en murmurant contre les empêchements, comme si c'était une autre puissance qui excitât leur piété, et une autre qui donnât vigueur à ceux qui s'y opposent.

C'est ce que fait l'esprit propre. Quand nous voulons par notre propre mouvement que quelque chose réussisse, nous nous irritons contre les obstacles, parce que nous sentons dans ces empêchements ce que le motif qui nous fait agir n'y a pas mis, et nous y trouvons des choses que l'esprit propre qui nous fait agir n'y a pas formées.

Mais, quand Dieu fait agir véritablement, nous ne sentons jamais rien au-dehors qui ne vienne du même principe qui nous fait agir; il n'y a point d'opposition au motif qui nous presse; le même moteur qui nous porte à agir en porte d'autres à nous résister, au moins il le permet; de sorte que, comme nous n'y trouvons point de différence et que ce n'est pas notre esprit qui combat les événements étrangers, mais un même esprit qui produit le bien et qui permet le mal, cette uniformité ne trouble point la paix d'une âme et est une des meilleures marques qu'on agit par l'esprit de Dieu, puisqu'il est bien plus certain que Dieu permet ce mal, quelque grand qu'il soit, que non pas que Dieu fait le bien en nous (et non pas quelque autre motif secret), quelque grand qu'il nous paraisse; de sorte que pour bien reconnaître si c'est Dieu qui nous fait agir, il vaut bien mieux s'examiner par nos comportements au-dehors que par nos motifs au-dedans, puisque si nous n'examinons que le dedans, quoique nous n'y trouvions que du bien, nous ne pouvons pas nous assurer que ce bien vienne véritablement de Dieu. Mais, quand nous nous examinons au-dehors, c'est-à-dire quand nous considérons si nous souffrons les empêchements extérieurs avec patience, cela signifie qu'il y a une uniformité d'esprit entre le moteur qui inspire nos passions et celui qui permet les résistances à nos passions; et comme il est sans doute que c'est Dieu qui permet les unes, on a droit d'espérer humblement que c'est Dieu qui produit les autres.

Mais quoi! on agit comme si on avait mission pour faire triompher la vérité, au lieu que nous n'avons mission que pour combattre pour elle. Le désir de vaincre est si naturel que, quand il se couvre du désir de faire triompher la vérité, on prend souvent l'un pour l'autre et on croit rechercher la gloire de Dieu en cherchant, en effet, la sienne. Il me semble que la manière dont nous supportons les empêchements en est la plus sûre marque : car enfin si nous ne voulons que l'ordre de Dieu, il est sans doute que nous souhaiterons autant le triomphe de sa justice que celui de sa miséricorde, et que, quand il n'y aura point de notre négligence, nous serons dans une égalité d'esprit, soit que la vérité soit connue, soit qu'elle soit combattue, puisqu'en l'un la miséricorde de Dieu triomphe et en l'autre sa justice.

Pater juste, mundus te non cognovit. « *Père juste, le monde ne t'a pas connu* » [Jn, XVII, 25]. Sur quoi saint Augustin dit que c'est un effet de sa justice qu'il ne soit point connu du monde. « *Prions et travaillons et réjouissons-nous de tout* », comme dit saint Paul [I Thess., V, 16].

Si vous m'aviez repris dans mes premières fautes, je n'aurais pas fait celle-ci; et je me serais modéré. Mais je n'effacerai pas non plus celle-ci que l'autre : vous l'effacerez bien vous-même si vous voulez. Je n'ai pu m'en empêcher, tant je suis en colère contre ceux qui veulent absolument que l'on croie la vérité lorsqu'ils la démontrent, ce que Jésus-Christ n'a pas fait en son humanité créée, c'est une moquerie et c'est, ce me semble, traiter le...

Je suis bien fâché de la maladie de M. de Laporte. Je vous assure que je l'honore de tout mon cœur. Je, etc.

X. LETTRE A HUYGHENS

[De Paris, le 6 janvier 1659.]

Monsieur,

J'ai reçu le présent que vous m'avez fait l'honneur de m'envoyer, et qui m'a été rendu par un gentilhomme français qui m'a fait le récit de la manière la plus obligeante et la plus civile du monde dont vous l'aviez reçu chez vous. Il m'a dit même qu'il n'était point connu de vous, et que c'était sur moi que toute cette obligation retombait. Je vous assure, Monsieur, que j'en ai eu une surprise et une joie extrêmes, car je ne pensais pas seulement que mon nom fût venu jusqu'à vous, et j'aurais borné mon ambition à avoir une place dans votre mémoire. Cependant on me veut faire croire que j'en ai même dans votre estime. Je n'ose le croire, et je n'ai rien qui le vaille, mais j'espère que vous m'en accorderez dans votre amitié, puisqu'il est certain que, si on peut la mériter par l'estime et le respect qu'on a pour vous, je la mérite autant qu'homme du monde. Je suis rempli de ces sentiments-là pour vous, et votre dernière production n'a pas peu ajouté aux autres. Elle est en vérité digne de vous, et au-dessus de toute autre. J'en ai été un des premiers admirateurs. Et j'ai cru qu'on en verrait de grandes suites.

Je voudrais bien avoir de quoi vous rendre. Mais j'en suis bien incapable. Tout ce que je puis est de vous envoyer autant qu'il vous plaira d'exemplaires du traité de la Roulette où l'Anonyme a résolu les problèmes qu'il avait lui-même proposés. Je ne vous en mets ici que quelques avant-coureurs, car le paquet serait trop gros pour la poste. Je m'informerai de nos libraires de la voie qu'il faut tenir pour en envoyer commodément. Ne croyez pas, Monsieur, que je prétende par là m'acquitter de ce que je vous dois; ce n'est au contraire que pour vous témoigner que je ne le puis faire, et que c'est véritablement de tout mon cœur que je ressens la grâce que vous m'avez faite en la personne de ce gentilhomme. Car, encore qu'il vaille bien mieux que moi, néanmoins comme vous ne le connaissiez pas, je me charge de tout et vous vous êtes acquis par là l'un et l'autre. Assurez-vous-en pleinement et que je serai toute ma vie,

Monsieur,

Votre très humble et obéissant serviteur,

PASCAL.

XI. FRAGMENT D'UNE LETTRE A MADAME PERIER

[1659.]

En gros leur avis fut que vous ne pouvez en aucune manière, sans blesser la charité et votre conscience mortellement et vous rendre coupable d'un des plus grands crimes, engager un enfant de son âge, et de son innocence, et même de sa piété, à la plus périlleuse et la plus basse des conditions du christianisme. Qu'à la vérité suivant le monde l'affaire n'avait nulle difficulté et qu'elle était à conclure sans hésiter; mais que selon Dieu, elle en avait moins de difficulté et qu'elle était à rejeter sans hésiter, parce que la condition d'un mariage avantageux est aussi souhaitable suivant le monde, qu'elle est vile et préjudiciable selon Dieu. Que ne sachant à quoi elle devait être appelée, ni si son tempérament ne sera pas si tranquillisé qu'elle puisse supporter avec piété sa virginité, c'était bien peu en connaître le prix que de l'engager à perdre ce bien si souhaitable pour chaque personne à soi-même et si souhaitable aux pères et aux mères pour leurs enfants, parce qu'ils ne le peuvent plus désirer pour eux, que c'est en eux qu'ils doivent essayer de rendre à Dieu ce qu'ils ont perdu d'ordinaire pour d'autres causes que pour Dieu.

De plus, que les maris, quoique riches et sages suivant le monde, sont en vérité de francs païens devant Dieu; de sorte que les dernières paroles de ces messieurs sont que d'engager une enfant à un homme du commun, c'est une espèce d'homicide et comme un déicide en leurs personnes.

XII. LETTRE A FERMAT

De Bienassis, le 10 août 1660.

Monsieur,

Vous êtes le plus galant homme du monde, et je suis assurément un de ceux qui sais le mieux reconnaître ces qualités-là et les admirer infiniment, surtout quand elles sont jointes aux talents qui se trouvent singulièrement en vous : tout cela m'oblige à vous témoigner de ma main ma reconnaisance pour l'offre que vous me faites, quelque peine que j'aie encore d'écrire et de lire moi-même : mais l'honneur que vous me faites m'est si cher, que je ne puis trop me hâter d'y répondre. Je vous dirai donc, Monsieur, que, si j'étais en santé, je serais volé à Toulouse, et que je n'aurais pas souffert qu'un homme comme vous eût fait un pas pour un homme comme moi. Je vous dirai aussi que, quoique vous soyez celui de toute l'Europe que je tiens pour le plus grand géomètre, ce ne serait pas cette qualité-là qui m'aurait attiré; mais que je me figure tant d'esprit et d'honnêteté en votre conversation, que c'est pour cela que je vous rechercherais. Car pour vous parler franchement de la géométrie, je la trouve le plus haut exercice de l'esprit; mais en même temps je la connais pour si inutile, que je fais peu de différence entre un homme qui n'est que géomètre et un habile artisan. Aussi je l'appelle le plus beau métier du monde; mais enfin ce n'est qu'un métier; et j'ai dit souvent qu'elle est bonne pour faire l'essai, mais non pas l'emploi de notre force : de sorte que je ne ferais pas deux pas pour la géométrie, et je m'assure fort que vous êtes fort de mon humeur. Mais il y a maintenant ceci de plus en moi, que je suis dans des études si éloignées de cet esprit-là, qu'à peine me souviens-je qu'il y en ait. Je m'y étais mis, il y a un an ou deux, par une raison tout à fait singulière, à laquelle ayant satisfait, je suis au hasard de ne jamais plus y penser, outre que ma santé n'est pas encore assez forte; car je suis si faible que je ne puis marcher sans bâton, ni me tenir à cheval. Je ne puis même faire que trois ou quatre lieues au plus en carrosse; c'est ainsi que je suis venu de Paris ici en vingt-deux jours. Les médecins m'ordonnent les eaux de Bourbon pour le mois de septembre, et je suis engagé autant que je puis l'être, depuis deux mois, d'aller de là en Poitou par eau jusqu'à Saumur, pour demeurer jusqu'à Noël avec M. le duc de Roannez, gouverneur de Poitou, qui a pour moi des sentiments que je ne vaux pas. Mais comme je passerai par Orléans en allant à Saumur par la rivière, si ma santé ne me permet pas de passer outre, j'irai de là à Paris. Voilà, Monsieur, tout l'état de ma vie présente, dont je suis obligé de vous rendre compte, pour vous assurer de l'impossibilité où je suis de recevoir l'honneur que vous daignez m'offrir, et que je souhaite de tout mon cœur de pouvoir un jour reconnaître, ou en vous, ou en messieurs vos enfants, auxquels je suis tout dévoué, ayant une vénération particulière pour ceux qui portent le nom du premier homme du monde. Je suis, etc.

PASCAL.

XIII. LETTRE A LA MARQUISE DE SABLÉ

[Décembre 1660.]

Encore que je sois bien embarrassé, je ne puis différer davantage à vous rendre mille grâces de m'avoir procuré la connaissance de M. Menjot, car c'est à vous sans doute, Madame, que je la dois. Et comme je l'estimais déjà beaucoup par les choses que ma sœur m'en avait dites, je ne puis vous dire avec combien de joie j'ai reçu la grâce qu'il m'a voulu faire. Il ne faut que lire son épître pour voir combien il a d'esprit et de jugement; et quoique je ne sois pas capable d'entendre le fond des matières qu'il traite dans son livre, je vous dirai néanmoins, Madame, que j'y ai beaucoup appris par la manière dont il accorde en peu de mots l'immatérialité de l'âme avec le pouvoir qu'à la matière d'altérer ses fonctions et de causer le délire. J'ai bien de l'impatience d'avoir l'honneur de vous en entretenir.

OPUSCULES

DISCOURS SUR LES PASSIONS DE L'AMOUR

Actuellement, on ne connaît que deux manuscrits de ce Discours. *Le premier, B.N., f. fr.* 19303, *sur lequel le copiste a porté la mention « On l'attribue à M. Pascal », a été découvert en* 1843 *par Victor Cousin. Le second, B.N., Nouv. Acq.* 4015, *a été signalé, en* 1903, *par A. Gazier : il ne porte aucune attribution. Dans un article de* la Revue des deux mondes *du* 1er *septembre* 1843, *Victor Cousin le considère comme une œuvre de Pascal. La grande majorité des universitaires partagèrent cette opinion. Seuls l'abbé Flottes* (1846), *Sainte-Beuve, F. Brunetière, A. Gazier mirent en doute ou nièrent cette attribution.*
A partir de 1920 *les opposants à l'attribution du* Discours *à Pascal se présentent plus nombreux. Des études de J. Pommier, F. Neri, G. Brunet, Ch.-H. Boudhors, Busnelli, Lafuma défendent ce point de vue.*
Comme le Discours *reproduit des expressions que l'on retrouve non seulement dans l'édition des* Pensées *de* 1670, *mais encore dans les œuvres de La Rochefoucauld* (1665), *Méré* (1669-1677) *et surtout de Malebranche* (1678), *comme en outre il s'agit d'une synthèse de réponses faites à des « questions d'amour », dont le jeu fit fureur dans les salons, à partir de* 1664, *il semble pour le moins invraisemblable que Pascal ait pu le rédiger en* 1652-1653, *comme certains critiques ont cru pouvoir le soutenir.*
Reste donc à déterminer quel peut bien en être le compositeur? Peut-être faut-il le chercher parmi les beaux esprits de la Cour?

L'homme est né pour penser : aussi n'est-il pas un moment sans le faire; mais les pensées pures, qui le rendraient heureux s'il pouvait toujours les soutenir, le fatiguent et l'abattent. C'est une vie unie à laquelle il ne peut s'accommoder; il lui faut du remuement et de l'action, c'est-à-dire qu'il est nécessaire qu'il soit quelquefois agité des passions dont il sent dans son cœur des sources si vives et si profondes.

Les passions qui sont le [1] plus convenables à l'homme et qui en renferment beaucoup d'autres sont l'amour et l'ambition: elles n'ont guère de liaison ensemble; cependant on les allie souvent; mais elles s'affaiblissent l'une l'autre réciproquement, pour ne pas dire qu'elles se ruinent.

Quelque étendue d'esprit que l'on ait, l'on n'est capable que d'une grande passion; c'est pourquoi quand l'amour et l'ambition se rencontrent ensemble, elles ne sont grandes que de la moitié de ce qu'elles seraient s'il n'y avait que l'une ou l'autre.

L'âge ne détermine point ni le commencement ni la fin de ces deux passions; elles naissent dès les premières années et elles subsistent bien souvent jusqu'au tombeau. Néanmoins, comme elles demandent beaucoup de feu, les jeunes gens y sont plus propres et il semble qu'elles se ralentissent avec les années : cela est pourtant fort rare.

La vie de l'homme est misérablement courte. On la compte depuis la première entrée dans le [2] monde. Pour moi, je ne voudrais la compter que depuis la naissance de la raison et depuis que l'on [3] commence à être ébranlé par la raison, ce qui n'arrive pas ordinairement avant vingt ans. Devant ce terme l'on est enfant, et un enfant n'est pas un homme.

Qu'une vie est heureuse quand elle commence par l'amour et qu'elle finit par l'ambition! Si j'avais à en choisir une, je prendrais celle-là. Tant que l'on a du feu, l'on est aimable; mais ce feu s'éteint, il se perd : alors, que la place est belle et grande pour l'ambition! La vie tumultueuse est agréable aux grands esprits, mais ceux qui sont médiocres n'y ont aucun plaisir; ils sont machines partout. C'est pourquoi l'amour et l'ambition commençant et finissant la vie, on est dans l'état le plus heureux dont la nature humaine est capable.

A mesure que l'on a plus d'esprit les passions sont plus grandes, parce que, les passions n'étant que des sentiments et des pensées qui appartiennent purement à l'esprit, quoiqu'elles soient occasionnées par le corps, il est visible qu'elles ne sont plus que l'esprit même, et qu'ainsi elles remplissent toute sa capacité. Je ne parle que des passions de feu : car pour les autres elles se mêlent souvent ensemble et causent

1. Ms. 19303 : les.

2. Ms. 4015 : au.
3. Ms. 19303 : qu'on.

une confusion très incommode; mais ce n'est jamais dans ceux qui ont de l'esprit.

Dans une grande âme, tout est grand.

L'on demande s'il faut aimer. Cela ne se doit pas demander, on le doit sentir; l'on ne délibère point là-dessus, l'on y est porté, et l'on a le plaisir de se tromper quand on consulte.

La netteté de l'esprit cause aussi la netteté de la passion : c'est pourquoi un esprit grand et net aime avec ardeur, et il voit distinctement ce qu'il aime.

Il y a de deux sortes d'esprit : l'un géométrique [4] et l'autre que l'on peut appeler de finesse.

Le premier a des vues lentes, dures et inflexibles; mais le dernier a une souplesse de pensées [5] qui l'applique en même temps aux diverses parties aimables de ce qu'il aime : des yeux il va jusqu'au cœur et par le mouvement du dehors il connaît ce qui se passe au-dedans.

Quand on a l'un et l'autre esprit tout ensemble, que l'amour donne de plaisir! car on possède à la fois la force et la flexibilité de l'esprit qui est très nécessaire pour l'éloquence de deux personnes.

Nous naissons avec un caractère d'amour dans nos cœurs, qui se développe à mesure que l'esprit se perfectionne, et qui nous porte à aimer ce qui nous paraît beau sans que l'on nous ait jamais dit ce que c'est. Qui doute après cela si nous sommes au monde pour autre chose que pour aimer? En effet, on [6] a beau se cacher à soi-même [7], l'on aime toujours; dans les choses mêmes où il semble que l'on ait séparé l'amour, il s'y trouve secrètement et en cachette, et il n'est pas possible que l'homme puisse vivre un moment sans cela.

L'homme n'aime pas à demeurer avec soi; cependant il aime : il faut donc qu'il cherche ailleurs de quoi aimer. Il ne le peut trouver que dans la beauté; mais, comme il est lui-même la plus belle créature que Dieu ait jamais formée, il faut qu'il trouve dans soi-même le modèle de cette beauté qu'il cherche au-dehors. Chacun peut en remarquer en soi-même les premiers rayons; et, selon que l'on s'aperçoit que ce qui est au-dehors y convient ou s'en éloigne, on se forme les idées de beau et de laid sur toutes choses. Cependant, quoique l'homme cherche de quoi remplir le grand vide qu'il a fait en sortant de soi-même, néanmoins il ne peut pas se satisfaire par toutes sortes d'objets. Il a le cœur trop vaste; il faut au moins que ce soit quelque chose qui lui ressemble et qui en approche le plus près. C'est pourquoi la beauté qui peut contenter l'homme consiste non seulement dans la convenance, mais aussi dans la ressemblance; elle la restreint et l'enferme dans la différence du sexe.

La nature a si bien imprimé cette vérité dans nos âmes que nous trouvons cela tout disposé; il ne faut point d'art ni d'étude; il semble même que nous ayons une place à remplir dans nos cœurs, et qui se remplit effectivement. Mais on le sent mieux qu'on ne le peut dire. Il n'y a que ceux qui savent brouiller et mépriser leurs idées qui ne le voient pas.

Quoique cette idée générale de la beauté soit gravée dans le fond de nos âmes avec des caractères ineffaçables, elle ne laisse pas que de recevoir de très grandes différences dans l'application particulière, mais c'est seulement par la manière d'envisager ce qui plaît. Car l'on ne souhaite pas nuement une beauté, mais l'on y désire mille circonstances qui dépendent de la disposition où l'on se trouve, et c'est en ce sens que l'on peut dire que chacun a l'original de sa beauté dont il cherche la copie dans le grand monde. Néanmoins, les femmes déterminent souvent cet original. Comme elles ont un empire absolu sur l'esprit des hommes, elles y dépeignent ou les parties des beautés qu'elles ont ou celles qu'elles estiment, et elles ajoutent par ce moyen ce qui leur plaît à cette beauté radicale. C'est pourquoi il y a un siècle pour les blondes, un autre pour les brunes, et le partage qu'il y a entre les femmes sur l'estime des unes ou des autres fait aussi le partage entre les hommes dans un même temps sur les unes et les autres.

La mode même et les pays règlent souvent ce que l'on appelle beauté. C'est une chose étrange que la coutume [8] se mêle si fort de nos passions. Cela n'empêche pas que chacun n'ait son idée de beauté sur laquelle il juge des autres et à laquelle il les rapporte; c'est sur ce principe qu'un amant trouve sa maîtresse plus belle et qu'il la propose comme exemple.

La beauté est partagée en mille différentes manières. Le sujet le plus propre pour la soutenir, c'est une femme; quand elle a de l'esprit, elle l'anime et la relève merveilleusement.

Si une femme veut plaire et qu'elle possède tous [9] les avantages de la beauté ou du moins une partie, elle y réussira; et même, si les hommes y prenaient tant soit peu garde, quoiqu'elle n'y tâchât point, elle s'en ferait aimer. Il y a une place d'attente dans leur cœur; elle s'y logerait.

L'homme est né pour le plaisir : il le sent, il n'en faut point d'autre preuve. Il suit donc sa raison en se donnant au plaisir. Mais bien souvent il sent la passion dans son cœur sans savoir par où elle a commencé.

Un plaisir vrai ou faux peut remplir également l'esprit : car qu'importe que ce plaisir soit faux, pourvu que l'on soit persuadé qu'il est vrai!

A force de parler d'amour on [10] devient amoureux; il n'y a rien si aisé : c'est la passion la plus naturelle à l'homme.

L'amour n'a point d'âge; il est toujours naissant. Les poètes nous l'ont dit; c'est pour cela qu'ils

4. Ms. 4015 : géométrie.
5. Ms. 4015 : pensée.
6. Ms. 4015 : l'on.
7. Ms. 19303 omet : à soi-même.
8. Ms. 19303 : la constance.
9. Ms. 19303 omet : tous.
10. Ms. 4015 : l'on.

nous le représentent comme un enfant. Mais sans leur [11] rien demander, nous le sentons.

L'amour donne de l'esprit et il se soutient par l'esprit. Il faut de l'adresse pour aimer. L'on épuise tous les jours les manières de plaire, cependant il faut plaire et l'on plaît.

Nous avons une source d'amour-propre qui nous représente à nous-mêmes comme pouvant remplir plusieurs places au-dehors : c'est ce qui est cause que nous sommes bien [12] aises d'être aimés. Comme on le souhaite avec ardeur, on le remarque bien vite et on le [13] reconnaît dans les yeux de la personne qui aime : car les yeux sont les interprètes du cœur; mais il n'y a que celui qui y a intérêt qui entend leur langage.

L'homme seul est quelque chose d'imparfait; il faut qu'il trouve un second pour être heureux. Il le cherche bien [14] souvent dans l'égalité de la condition, à cause que la liberté et l'occasion de se manifester s'y rencontrent plus aisément. Néanmoins, l'on va [15] quelquefois bien au-dessus [16], et l'on sent le feu s'agrandir, quoiqu'on n'ose pas le dire à celle qui l'a causé.

Quand on [17] aime une dame sans égalité de condition, l'ambition peut accompagner le commencement de l'amour; mais en peu de temps il devient le maître. C'est un tyran qui ne souffre point de compagnon : il veut être seul, il faut que toutes les passions ploient et lui obéissent.

Une haute amitié remplit bien mieux qu'une commune et égale; le cœur de l'homme est grand [18], et les petites choses flottent dans sa capacité; il n'y a que les grandes qui s'y arrêtent et qui y demeurent.

L'on écrit souvent des choses que l'on ne prouve qu'en obligeant tout le monde à faire réflexion sur soi-même et à trouver la vérité dont on parle. C'est en cela que consiste la force des preuves de ce que je dis.

Quand un homme est délicat en quelque endroit de son esprit, il l'est en amour. Car, comme il doit être ébranlé par quelque objet qui est hors de lui, s'il y a quelque chose qui répugne à ses idées, il s'en aperçoit et il le fuit [19]. La règle de cette délicatesse dépend d'une raison pure, noble et sublime. Ainsi, l'on se peut croire délicat sans qu'on le soit effectivement, et les autres ont droit de nous [20] condamner; au lieu que pour la beauté chacun a sa règle souveraine et indépendante de celle des autres. Néanmoins, entre être délicat et ne l'être point du tout, il faut demeurer d'accord que, quand on souhaite d'être délicat, l'on n'est pas loin de l'être absolument. Les femmes aiment à apercevoir une délicatesse dans les hommes, et c'est, ce me semble, l'endroit le plus tendre pour les gagner. L'on est aise de voir que mille autres sont méprisables et qu'il n'y a que nous d'estimables.

Les qualités d'esprit ne s'acquièrent point par l'habitude; on les perfectionne seulement. De là, il est aisé [21] de voir que la délicatesse est un don de [22] nature, et non pas une acquisition de l'art.

A mesure que l'on a plus d'esprit, l'on trouve plus de beautés originales; mais il ne faut pas être amoureux : car, quand l'on aime, l'on [23] n'en trouve qu'une.

Ne semble-t-il pas qu'autant de fois qu'une femme sort d'elle-même pour se caractériser dans le cœur des autres, elle fait une place vide pour les autres dans le sien? Cependant j'en connais qui disent que cela n'est pas vrai. Oserait-on appeller cela injustice? Il est naturel de rendre autant qu'on [24] a pris.

L'attachement à une même pensée fatigue et ruine l'esprit de l'homme. C'est pourquoi, pour la solidité et la durée [25] du plaisir de l'amour, il faut quelquefois ne pas savoir que l'on aime; et ce n'est pas commettre une infidélité, car l'on n'en aime pas d'autre; c'est reprendre des forces pour mieux aimer. Cela se fait sans que l'on y pense; l'esprit s'y porte de soi-même; la nature le veut; elle le commande.

Il faut pourtant avouer que c'est une misérable suite de la nature humaine et que l'on serait plus heureux si l'on n'était point obligé de changer de pensée; mais il n'y a point de remède.

Le plaisir d'aimer sans l'oser dire a ses peines [26], mais aussi il a ses douceurs. Dans quel transport n'est-on point de former toutes ses actions dans la vue de plaire à une personne que l'on estime infiniment! L'on s'étudie tous les jours pour trouver les moyens de se découvrir, et l'on y emploie autant de temps que si l'on devait entretenir celle que l'on aime. Les yeux s'allument et s'éteignent dans un même moment, et, quoique l'on [27] ne voie pas manifestement que celle qui cause tout ce désordre y prenne garde, l'on a néanmoins la satisfaction de sentir tous ces remuements pour une personne qui le mérite si bien. L'on voudrait avoir [28] langue pour se [29] faire connaître; car, comme l'on ne peut pas se servir de la parole, l'on est obligé de se réduire à l'éloquence d'action.

Jusque-là on a toujours de la joie, et l'on est dans une assez grande occupation; ainsi l'on est heureux : car le secret d'entretenir toujours une passion, c'est de ne pas laisser naître aucun vide dans l'esprit, en l'obligeant de s'appliquer sans cesse à ce qui la touche si agréablement. Mais, quand il est dans

11. Ms 19303 : lui.
12. Ms. 4015 omet : bien.
13. Ms. 4015 : l'on se.
14. Ms. 4015 : le plus.
15. Ms. 4015 : ira.
16. Ms. 4015 : quelquefois au-dessous.
17. Ms. 4015 : l'on.
18. Ms. 19303 omet : est grand.
19. Ms. 4015 : suit.
20. Ms. 4015 omet : nous.
21. Ms. 4015 : visible.
22. Ms. 4015 : de la.
23. Ms. 4015 : on.
24. Ms. 4015 : que l'on.
25. Ms. 19303 : laisse *durée* en blanc.
26. Ms. 4015 : épines.
27. Ms. 4015 : quoiqu'on.
28. Ms. 19303 : cent langues.
29. Ms. 19303 : le.

l'état que je viens de décrire, il n'y peut pas durer longtemps à cause qu'étant seul acteur dans une passion où il en faut nécessairement deux, il est difficile qu'il n'épuise bientôt tous les mouvements dont il est agité.

Quoique ce soit une même passion, il faut de la nouveauté; l'esprit s'y plaît, et qui sait se la procurer sait se faire aimer.

Après avoir fait ce chemin, cette plénitude quelquefois diminue; et, ne recevant point de secours du côté de la source, l'on décline misérablement, et les passions ennemies se saisissent d'un cœur qu'elles déchirent en mille morceaux. Néanmoins un rayon d'espérance, si bas qu'il soit, relève aussi haut qu'on [30] était auparavant. C'est quelquefois un jeu auquel les dames se plaisent; mais quelquefois en faisant semblant d'avoir compassion, elles l'ont tout de bon. Que l'on est heureux quand cela arrive!

Un amour ferme et solide commence toujours par l'éloquence d'action; les yeux y ont la meilleure part. Néanmoins il faut deviner, mais bien deviner.

Quand deux personnes sont de même sentiment, ils ne devinent point, ou du moins il y en a une qui entend [31] ce que veut dire l'autre sans que cet autre l'entende ou qu'il ose l'entendre.

Quand nous aimons, nous paraissons à nous-mêmes tout autres que nous n'étions auparavant. Ainsi nous nous imaginons que tout le monde s'en aperçoit; cependant il n'y a rien de si faux. Mais parce que la raison a sa vue bornée par la passion, l'on ne peut s'assurer, et l'on est toujours dans la défiance.

Quand l'on aime on se persuade que l'on découvrirait la passion d'un autre : ainsi l'on a peur.

Tant plus le chemin est long dans l'amour, tant plus un esprit délicat sent de plaisir.

Il y a de certains esprits à qui il faut donner longtemps des espérances, et ce sont les délicats. Il y en a d'autres qui ne peuvent pas résister longtemps aux difficultés et ce sont les plus grossiers. Les premiers aiment plus longtemps et avec plus d'agrément; les autres aiment plus vite, et avec plus de liberté, et finissent bientôt.

Le premier effet de l'amour, c'est d'inspirer un grand respect : l'on a de la vénération pour ce que l'on aime. Il est bien juste : on ne reconnait rien au monde de grand comme cela.

Les auteurs ne nous peuvent pas bien dire les mouvements de l'amour de leurs héros; il faudrait qu'ils fussent héros [32] eux-mêmes.

L'égarement à aimer en plusieurs [33] endroits est aussi monstrueux que l'injustice dans l'esprit.

En amour, un silence vaut mieux qu'un langage. Il est bon d'être interdit : il y a une éloquence de silence qui pénètre plus que la langue ne saurait [34] faire. Qu'un amant persuade bien sa maîtresse quand il est interdit, et que d'ailleurs il a de l'esprit! Quelque vivacité que l'on ait, il est des rencontres où il est bon [35] qu'elle s'éteigne. Tout cela se passe sans règle et sans réflexion, et, quand l'esprit le fait il n'y pensait pas auparavant; c'est par nécessité que cela arrive.

L'on adore souvent ce qui ne croit pas être adoré, et l'on [36] ne laisse pas [37] de lui garder une fidélité inviolable, quoiqu'il n'en sache rien; mais il faut que l'amour soit bien fin et bien pur.

Nous connaissons l'esprit des hommes et par conséquent leurs passions, par la comparaison que nous faisons de nous-mêmes avec les autres.

Je suis de l'avis de celui qui disait que dans l'amour on oubliait sa fortune, ses parents et ses amis; les grandes amitiés vont jusque-là. Ce qui fait que l'on va si loin dans l'amour, c'est que l'on [38] ne songe pas que l'on aura [39] besoin d'autre chose que de ce que l'on aime. L'esprit est plein; : il n'y a plus de place pour le soin ni pour l'inquiétude. La passion ne peut pas [40] être belle sans cet excès : de là vient qu'on ne se soucie pas de ce que dit le monde, que l'on sait déjà ne devoir pas condamner notre conduite, puisqu'elle vient de la raison. Il y a une plénitude de passion, il ne peut pas y avoir un commencement de réflexion.

Ce n'est point un effet de la coutume [41], c'est une obligation de la nature que les hommes fassent les avances pour gagner l'amitié des dames [42].

Cet oubli que cause l'amour, et cet attachement à ce que l'on aime, fait naître des qualités que l'on n'avait pas [43] auparavant. L'on [44] devient magnifique [45] sans l'avoir jamais été. Un avaricieux même qui aime devient libéral, et il ne se souvient pas d'avoir jamais eu une habitude opposée. L'on en voit la raison en considérant qu'il y a des passions qui resserrent l'âme et qui la rendent immobile, et qu'il y en a qui l'agrandissent et la font répandre au-dehors.

L'on a ôté mal à propos le nom de raison à l'amour et on les a opposés sans un bon fondement, car l'amour et la raison n'est qu'une [46] même chose : c'est une précipitation de pensées qui se porte d'un côté sans bien examiner tout, mais c'est toujours une raison, et l'on ne doit et on ne peut pas [47] souhaiter que ce soit autrement, car nous serions des machi-

30. Ms. 4015 : que l'on.
31. Ms. 19303 : devine.
32. Ms. 4015 omet : il faudroit qu'ils fussent héros. Ms. 19303 orthographie : hérauts.
33. Ms. 19303 : divers.
34. Ms. 19303 : pourroit.
35. Ms. 19303 : bon, dans certaines rencontres.
36. Ms. 4015 : on.
37. Ms. 4015 : pas que.
38. Ms. 4015 : qu'on.
39. Ms. 19303 : a.
40. Ms. 19303 : pas estre sans excez.
41. Ms. 19303 : constance.
42. Ms. 4015 : d'une dame.
43. Ms. 4015 : point.
44. Ms. 4015 : on.
45. Ms. 4015 : sans jamais l'avoir esté.
46. Ms 4015 : que la.
47. Ms. 4015 omet : pas.

nes très désagréables. N'excluons donc point la raison de l'amour puisqu'elle en est inséparable.

Les poètes n'ont donc pas eu raison de nous dépeindre l'amour comme un aveugle. Il faut lui ôter son bandeau et lui rendre désormais la jouissance de ses yeux.

Les âmes propres à l'amour demandent une vie d'action qui éclate en événements nouveaux. Comme le dedans est mouvement, il faut aussi que le dehors le soit, et cette manière de vivre est un merveilleux acheminement à la passion. C'est de là que ceux de la Cour sont mieux reçus dans l'amour que ceux de la ville, parce que les uns sont tout de feu et que les autres mènent une vie dont l'uniformité n'a rien qui frappe. La vie de tempête surprend, frappe et pénètre.

Il semble que l'on ait toute une autre âme quand on [48] aime que quand on [49] n'aime pas; on s'élève par cette passion et on devient toute [50] grandeur; il faut donc que le reste ait proportion, autrement cela ne convient pas, et partant cela est désagréable.

L'agréable et le beau n'est que la même chose, tout le monde en a l'idée; c'est d'une beauté morale que j'entends parler, qui consiste dans les paroles et dans les actions de dehors. L'on a bien une règle pour devenir agréable; cependant la disposition du corps y est nécessaire, mais elle ne se peut acquérir.

Les hommes ont pris plaisir à se former une idée d'agréable [51] si élevée que personne n'y peut atteindre. Jugeons-en mieux et disons que ce n'est que le naturel avec une facilité et une vivacité d'esprit qui surprennent [52]. Dans l'amour ces deux qualités sont nécessaires : il ne faut rien de forcé [53] et cependant il ne faut point de lenteur. L'habitude donne le reste.

Le respect et l'amour doivent être si bien proportionnés qu'ils se soutiennent sans que le [54] respect étouffe l'amour.

Les grande âmes ne sont pas celles qui aiment le plus souvent; c'est d'un amour violent que je parle. Il faut une inondation de passion pour les ébranler et pour les remplir. Mais quand elles commencent à aimer elles aiment beaucoup mieux.

L'on dit qu'il y a des nations plus amoureuses les unes que les autres; ce n'est pas bien parler ou du moins cela n'est pas vrai en tout sens.

L'amour ne consistant que dans un attachement de pensée [55], il est certain qu'il doit être le même par toute la terre. Il est vrai que se terminant [56] autre part que dans la pensée, le climat peut ajouter quelque chose, mais ce n'est que dans le corps.

Il est de l'amour comme du bon sens. Comme l'on croit avoir autant d'esprit qu'un autre on croit aussi aimer de même. Néanmoins, quand on [57] a plus de vue l'on aime jusqu'aux [58] moindres choses, ce qui n'est pas possible aux autres. (Il faut être bien fin pour remarquer cette différence.)

L'on ne peut presque faire semblant d'aimer que l'on ne soit bien près d'être amant, ou du moins que l'on aime en quelque endroit : car il faut avoir l'esprit et la pensée de l'amour pour ce semblant. Et [59] le moyen d'en [60] bien parler sans cela? La vérité des passions ne se déguise pas si aisément que les vérités sérieuses. Il faut du feu, de l'activité et un jeu [61] d'esprit naturel et prompt pour la première, les autres se cachent avec la lenteur et la souplesse : ce qu'il [62] est plus aisé de faire.

Quand on est loin de ce que l'on aime l'on prend la résolution de faire et de dire beaucoup de choses; mais quand on est près, on [63] est irrésolu. D'où vient cela? C'est que quand on [64] est loin la raison n'est pas si ébranlée, mais elle l'est étrangement en [65] la présence de l'objet. Or pour la résolution il faut de la fermeté qui est ruinée par l'ébranlement [66].

Dans l'amour on [67] n'ose hasarder, parce que l'on craint de tout perdre : il faut pourtant avancer; mais qui peut dire jusqu'où? L'on tremble toujours jusqu'à ce que l'on ait trouvé ce point. La prudence ne fait rien pour s'y maintenir quand on l'a trouvé.

Il n'y a rien de si embarrassant que d'être amant et de voir quelque chose en sa faveur sans l'oser croire. L'on est également combattu de l'espérance et de la crainte; mais enfin la dernière devient victorieuse de l'autre.

Quand on aime fortement, c'est toujours une nouveauté de voir la personne aimée. Après un moment d'absence, on la trouve de manque dans son cœur. Quelle joie de la retrouver. L'on sent aussitôt une cessation d'inquiétudes.

Il faut pourtant que cet amour soit déjà bien avancé : car, quand il est naissant et que l'on n'a fait aucun progrès, on sent bien une cessation d'inquiétudes, mais il en survient d'autres.

Quoique les maux [68] succèdent ainsi les uns aux autres, on ne laisse pas de souhaiter la présence de sa maîtresse par l'espérance de moins souffrir. Cependant, quand on la voit, on croit souffrir plus qu'auparavant. Les maux passés ne frappent plus, les présents touchent, et c'est sur ce qui touche que l'on juge. Un amant dans cet état n'est-il pas digne de compassion?

48. Ms. 4015 : l'on.
49. Ms. 4015 : l'on.
50. Ms. 4015 : tout.
51. Ms. 19303 : désagréable.
52. Ms. 4015 : surprenne.
53. Ms. 19303 : force.
54. Ms. 19303 : ce.
55. Ms. 4015 : pensées.
56. Ms. 19303 : déterminant.
57. Ms. 4015 : l'on.
58. Ms. 4015 : jusqu'aux.
59. Ms. 4015 : hé.
60. Ms. 19303 : de.
61. Ms. 19303 : feu.
62. Ms. 19303 : qui.
63. Ms. 4015 : l'on.
64. Ms. 4015 : l'on.
65. Ms. 4015 : à.
66. Ms. 19303 : le branlement.
67. Ms. 4015 : l'on.
68. Ms. 19303 : se.

SUR LA CONVERSION DU PÉCHEUR

Le texte de cet opuscule nous a été transmis par une copie du manuscrit Périer *(pp.* 80-83) *et le* 3ᵉ Recueil Guerrier *(B.N. f.fr.* 13913, *pp.* 300-304).
Le P. Pierre Guerrier l'attribue à Jacqueline Pascal; il est incontestablement de Blaise.
D'abord parce qu'il figurait dans le manuscrit Périer *et que ce manuscrit ne présente que des textes de Pascal. Ensuite l'on retrouve dans ses notes des considérations qui rappellent celles de la* Conversion du pécheur. *En voici un exemple :* Conversion : « *(l'âme du pécheur) s'effraye dans cette considération, en voyant que chaque instant lui arrache la jouissance de son bien et que ce qui lui est le plus cher s'écoule à tout moment...* »
Ms. 757 : « *Ecoulement. C'est une chose horrible de sentir s'écouler tout ce qu'on possède.* »
Cet écrit peut être daté, avec quelque vraisemblance, de fin 1653, *c'est-à-dire de l'époque où, selon sa sœur Jacqueline, Pascal commençait à ressentir* « *une aversion extrême des folies et des amusements du monde* » *(cf. lettre à Gilberte du* 25 *janvier* 1655).

La première chose que Dieu inspire à l'âme qu'il daigne toucher véritablement, est une connaissance et une vue tout extraordinaire par laquelle l'âme considère les choses et elle-même d'une façon toute nouvelle.

Cette nouvelle lumière lui donne de la crainte, et lui apporte un trouble qui traverse le repos qu'elle trouvait dans les choses qui faisaient ses délices.

Elle ne peut plus goûter avec tranquillité les choses qui la charmaient. Un scrupule continuel la combat dans cette jouissance, et cette vue intérieure ne lui fait plus trouver cette douceur accoutumée parmi les choses où elle s'abandonnait avec une pleine effusion de cœur.

Mais elle trouve encore plus d'amertume dans les exercices de piété que dans les vanités du monde. D'une part, la présence des objets visibles la touche plus que l'espérance des invisibles, et de l'autre la solidité des invisibles la touche plus que la vanité des visibles. Et ainsi la présence des uns et la solidité des autres disputent son affection; et la vanité des uns et l'absence des autres excitent son aversion; de sorte qu'il naît dans elle un désordre et une confusion qu'...

Elle considère les choses périssables comme périssantes et même déjà péries; et dans la vue certaine de l'anéantissement de tout ce qu'elle aime, elle s'effraye dans cette considération, en voyant que chaque instant lui arrache la jouissance de son bien, et que ce qui lui est le plus cher s'écoule à tout moment, et qu'enfin un jour certain viendra auquel elle se trouvera dénuée de toutes les choses auxquelles elle avait mis son espérance... De sorte qu'elle comprend parfaitement que son cœur ne s'étant attaché qu'à des choses fragiles et vaines, son âme se doit trouver seule et abandonnée au sortir de cette vie, puisqu'elle n'a pas eu soin de se joindre à un bien véritable et subsistant par lui-même, qui pût la soutenir durant et après cette vie.

De là vient qu'elle commence à considérer comme un néant tout ce qui doit retourner dans le néant, le ciel, la terre, son esprit, son corps, ses parents, ses amis, ses ennemis, les biens, la pauvreté, la disgrâce, la prospérité, l'honneur, l'ignominie, l'estime, le mépris, l'autorité, l'indigence, la santé, la maladie et la vie même; enfin tout ce qui doit moins durer que son âme est incapable de satisfaire le désir de cette âme qui recherche sérieusement à s'établir dans une félicité aussi durable qu'elle-même.

Elle commence à s'étonner de l'aveuglement où elle a vécu. Et quand elle considère d'une part le long temps qu'elle a vécu sans faire ces réflexions et le grand nombre de personnes qui vivent de la sorte, et de l'autre combien il est constant que l'âme, étant immortelle comme elle est, ne peut trouver sa félicité parmi des choses périssables, et qui lui seront ôtées au moins à la mort, elle entre dans une sainte confusion et dans un étonnement qui lui porte un trouble bien salutaire.

Car elle considère que quelque grand que soit le nombre de ceux qui vieillissent dans les maximes du monde, et quelque autorité que puisse avoir cette multitude d'exemples de ceux qui posent leur félicité au monde, il est constant néanmoins que quand les choses du monde auraient quelque plaisir solide, ce qui est reconnu pour faux par un nombre infini d'expériences si funestes et si continuelles, il est inévitable que la perte de ces choses, ou que la mort enfin nous en prive.

De sorte que l'âme s'étant amassé des trésors de biens temporels de quelque nature qu'ils soient, soit or, soit science, soit réputation, c'est une nécessité indispensable qu'elle se trouve dénuée de tous ces objets de sa félicité; et qu'ainsi, s'ils ont eu de quoi la satisfaire, ils n'auront pas de quoi la satisfaire toujours; et que si c'est se procurer un bonheur véritable, ce n'est pas se procurer un bonheur durable, puisqu'il doit être borné avec le cours de cette vie.

De sorte que par une sainte humilité, que Dieu relève au-dessus de la superbe, elle commence à s'élever au-dessus du commun des hommes. Elle condamne leur conduite, elle déteste leurs maximes, elle pleure leur aveuglement. Elle se porte à la recherche du véritable bien. Elle comprend qu'il faut qu'il ait ces deux qualités, l'une qu'il dure autant qu'elle et qu'il ne puisse lui être ôté que de son consentement, et l'autre qu'il n'y ait rien de plus aimable.

Elle voit que dans l'amour qu'elle a eu pour le monde elle trouvait en lui cette seconde qualité dans son aveuglement, car elle ne reconnaissait rien de plus aimable; mais comme elle n'y voit pas la première, elle connaît que ce n'est pas le souverain bien. Elle le cherche donc ailleurs, et connaissant par une lumière toute pure qu'il n'est point dans les choses qui sont en elle, ni hors d'elle, ni devant elle, elle commence à le chercher au-dessus d'elle.

Cette élévation est si éminente et si transcendante, qu'elle ne s'arrête pas au ciel : il n'a pas de quoi la satisfaire, ni au-dessus du ciel, ni aux anges, ni aux êtres les plus parfaits. Elle traverse toutes les créatures, et ne peut arrêter son cœur qu'elle ne se soit rendue jusqu'au trône de Dieu, dans lequel elle commence à trouver son repos et ce bien qui est tel qu'il n'y a rien de plus aimable, et qu'il ne peut lui être ôté que par son propre consentement.

Car encore qu'elle ne sente pas ces charmes dont Dieu récompense l'habitude dans la piété, elle comprend néanmoins que les créatures ne peuvent être plus aimables que le Créateur, et sa raison aidée des lumières de la grâce lui fait connaître qu'il n'y a rien de plus aimable que Dieu et qu'il ne peut être ôté qu'à ceux qui le rejettent, puisque c'est le posséder que de le désirer, et que le refuser c'est le perdre.

Ainsi elle se réjouit d'avoir trouvé un bien qui ne peut lui être ravi tant qu'elle le désirera, et qui n'a rien au-dessus de lui.

Et dans ces réflexions nouvelles elle entre dans la vue des grandeurs de son Créateur, et dans des humiliations et des adorations profondes. Elle s'anéantit en sa présence et ne pouvant former d'elle-même une idée assez basse, ni en concevoir une assez relevée de ce bien souverain, elle fait de nouveaux efforts pour se rabaisser jusqu'aux derniers abîmes du néant, en considérant Dieu dans des immensités qu'elle multiplie; enfin dans cette conception, qui épuise ses forces, elle l'adore en silence, elle se considère comme sa vile et inutile créature, et par ses respects réitérés l'adore et le bénit, et voudrait à jamais le bénir et l'adorer.

Ensuite elle reconnaît la grâce qu'il lui a fait de manifester son infinie majesté à un si chétif vermisseau; et après une ferme résolution d'en être éternellement reconnaissante, elle entre en confusion d'avoir préféré tant de vanités à ce divin maître, et dans un esprit de componction et de pénitence, elle a recours à sa pitié, pour arrêter sa colère dont l'effet lui paraît épouvantable dans la vue de ses immensités...

Elle fait d'ardentes prières à Dieu pour obtenir de sa miséricorde que comme il lui a plu de se découvrir à elle, il lui plaise de la conduire et lui faire naître les moyens d'y arriver. Car comme c'est à Dieu qu'elle aspire, elle n'aspire encore y arriver que par des moyens qui viennent de Dieu même, parce qu'elle veut qu'il soit lui-même son chemin, son objet et sa dernière fin. En suite de ces prières, elle commence d'agir et cherche entre ceux...

Elle commence à connaître Dieu, et désire d'y arriver; mais comme elle ignore les moyens d'y parvenir, si son désir est sincère et véritable, elle fait la même chose qu'une personne qui désirant arriver en quelque lieu, ayant perdu le chemin, et connaissant son égarement, aurait recours à ceux qui sauraient parfaitement ce chemin et...

Elle se résout de conformer à ses volontés le reste de sa vie; mais comme sa faiblesse naturelle, avec l'habitude qu'elle a aux péchés où elle a vécu, l'ont réduite dans l'impuissance d'arriver à cette félicité, elle implore de sa miséricorde les moyens d'arriver à lui, de s'attacher à lui, d'y adhérer éternellement...

Ainsi elle reconnaît qu'elle doit adorer Dieu comme créature, lui rendre grâce comme redevable, lui satisfaire comme coupable, le prier comme indigente.

ENTRETIEN AVEC M. DE SACI

Cet entretien fut publié pour la première fois par le P. Desmolets, en 1728, *dans la* Continuation des Mémoires de littérature et d'histoire, *tome V, part.* 2. *Il était tiré du manuscrit des* Mémoires pour servir à l'histoire de Port-Royal, *par M. Fontaine, que Tronchai édita en* 1736 *et* 1738. *Fontaine avait été le secrétaire de Saci et selon l'opinion exprimée par l'abbé d'Etemare* (20 *juin* 1728), *dans une lettre adressée à Marguerite Périer, qui l'avait questionné à propos de la publication faite par Desmolets :*

« *Il faut, écrit-il, que cet entretien de M. Pascal avec M. de Saci ait été mis par écrit sur-le-champ par M. Fontaine. Il est indubitablement de M. Fontaine pour le style, mais il porte pour le fond le caractère de M. Pascal, au point que M. Fontaine ne pouvait rien faire de pareil.* »

E. Havet estime que le fond et le style sont de Pascal. Il a cru pouvoir émettre l'hypothèse que Fontaine a utilisé des notes laissées par Pascal. C'est très vraisemblable, si l'on en juge par d'autres entretiens qu'il a

rapportés (ou imaginés) en se servant de sources écrites. En plus des textes donnés par Desmolets et Tronchai nous possédons cinq manuscrits de cet entretien. A l'aide de ces documents J. Bédier (Etudes critiques, *A. Colin,* 1903) *a essayé de reconstituer, sinon l'original, du moins l'archétype d'où procéderaient nos différentes copies.*
A l'archétype ainsi reconstitué nous préférons le texte donné par Desmolets. Si l'on en juge par d'autres publications qu'il a faites, nous estimons qu'il reproduit fidèlement l'original.
« Ce texte, écrit E. Havet, est toujours plus souple, plus obscur et plus hardi » que ceux donnés par l'édition des Mémoires *et par les copistes, qui n'hésitent pas à faire des coupures, à l'embellir et à l'expliquer.*
Si la leçon de Desmolets laisse passer quelques incorrections ou fautes d'impression, que l'on peut corriger, du moins ne contient-elle pas des infidélités volontaires. Nous suivons donc sa version qui est du reste la plus proche de l'archétype établi par J. Bédier.
Reste à déterminer dans quelles conditions Fontaine a « fabriqué » l'entretien. A la suite d'une analyse philologique très poussée des textes, Pierre Courcelle (l'Entretien de Pascal et Saci, *Libr. J. Vrin, Paris,* 1960) *en arrive aux conclusions suivantes :*
« Fontaine a utilisé diverses pièces qu'il possédait dans ses archives, et les a raccordées de son mieux... Les propos prêtés aux deux interlocuteurs Pascal et Saci correspondent à la pensée et au style de chacun d'eux... nous avons affaire à deux recueils de Testimonia, *l'un de Pascal, l'autre de Saci... qui ont le caractère de notes personnelles, concises, hâtives, à peine rédigées, nullement destinées à la publicité... »*
Les deux recueils utilisés devaient être homogènes dans leur ensemble et si Pierre Courcelle rappelle et complète les références à Epictète et Montaigne en ce qui concerne l'exposé de Pascal, il donne pour Saci de très nombreuses références aux Confessions *de saint Augustin.*
« L'artifice de Fontaine... a consisté surtout à styliser et à nous présenter un entretien unique », alors que dans son introduction il mentionne plusieurs entretiens.

M. Pascal vint aussi, en ce temps-là, demeurer à Port-Royal-des-Champs. Je ne m'arrête point à dire qui était cet homme, que non seulement toute la France, mais toute l'Europe a admiré. Son esprit toujours vif, toujours agissant, était d'une étendue, d'une élévation, d'une fermeté, d'une pénétration et d'une netteté au-delà de ce qu'on peut croire. Il n'y avait point d'homme habile dans les mathématiques qui ne lui cédât : témoin l'histoire de la roulette fameuse, qui était alors l'entretien de tous les savants. On sait qu'il semblait animer le cuivre et donner de l'esprit à l'airain. Il faisait que de petites roues sans raison, où étaient sur chacune les dix premiers chiffres, rendaient raison aux personnes les plus raisonnables, et il faisait en quelque sorte parler les machines muettes, pour résoudre en jouant les difficultés des nombres qui arrêtaient les plus savants : ce qui lui coûta tant d'application et d'effort d'esprit que, pour monter cette machine au point où tout le monde l'admirait, et que j'ai vue de mes yeux, il en eut lui-même la tête démontée pendant plus de trois ans. Cet homme admirable, enfin étant touché de Dieu, soumit cet esprit si élevé au doux joug de Jésus-Christ, et ce cœur si noble et si grand embrassa avec humilité la pénitence. Il vint à Paris se jeter entre les bras de M. Singlin, résolu de faire tout ce qu'il lui ordonnerait.

M. Singlin crut, en voyant ce grand génie, qu'il ferait bien de l'envoyer à Port-Royal-des-Champs, où M. Arnauld lui prêterait le collet en ce qui regardait les hautes sciences, et où M. de Saci lui apprendrait à les mépriser. Il vint donc demeurer à Port-Royal. M. de Saci ne put se dispenser de le voir par honnêteté, surtout en ayant été prié par M. Singlin; mais les lumières saintes qu'il trouvait dans l'Ecriture et dans les Pères lui firent espérer qu'il ne serait point ébloui par tout le brillant de M. Pascal qui charmait néanmoins et qui enlevait tout le monde.

Il trouvait en effet tout ce qu'il disait fort juste. Il avouait avec plaisir la force de son esprit et de ses discours. Mais il n'y avait rien de nouveau : tout ce que M. Pascal lui disait de grand, il l'avait vu avant lui dans saint Augustin ; et, faisant justice à tout le monde, il disait : « M. Pascal est extrêmement estimable en ce que, n'ayant point lu les Pères de l'Eglise, il avait de lui-même, par la pénétration de son esprit, trouvé les mêmes vérités qu'ils avaient trouvées. Il les trouve surprenantes, disait-il, parce qu'il ne les a vues en aucun endroit; mais pour nous, nous sommes accoutumés à les voir de tous côtés dans nos livres. » Ainsi, ce sage ecclésiastique trouvant que les anciens n'avaient pas moins de lumière que les nouveaux, il s'y tenait, et estimait beaucoup M. Pascal de ce qu'il se rencontrait en toutes choses avec saint Augustin.

La conduite ordinaire de M. de Saci, en entretenant les gens, était de proportionner ses entretiens à ceux à qui il parlait. S'il voyait par exemple M. Champaigne, il parlait avec lui de la peinture. S'il voyait M. Hamon, il l'entretenait de la médecine. S'il voyait le chirurgien du lieu, il le questionnait sur la chirurgie. Ceux qui cultivaient la vigne, ou les arbres, ou les grains, lui disaient tout ce qu'il y fallait observer. Tout lui servait pour passer aussitôt à Dieu, et pour y faire passer les autres. Il crut donc devoir mettre M. Pascal sur son fonds, de lui parler des lectures de philosophie dont il s'occupait le plus. Il le mit sur ce sujet aux premiers entretiens qu'ils eurent ensemble. M. Pascal lui dit que ses livres les plus ordinaires avaient été Epictète et Montaigne, et il lui fit de grands éloges de ces deux esprits. M. de Saci, qui avait toujours cru devoir peu lire ces auteurs, pria M. Pascal de lui en parler à fond.

« Epictète, lui dit-il, est un des philosophes du monde qui aient mieux connu les devoirs de l'homme.

Il veut, avant toutes choses, qu'il regarde Dieu comme son principal objet; qu'il soit persuadé qu'il gouverne tout avec justice; qu'il se soumette à lui de bon cœur, et qu'il le suive volontairement en tout, comme ne faisant rien qu'avec une très grande sagesse : qu'ainsi cette disposition arrêtera toutes les plaintes et tous les murmures, et préparera son esprit à souffrir paisiblement tous les événements les plus fâcheux. Ne dites jamais, dit-il : « J'ai perdu cela »; dites plutôt : « Je l'ai rendu. Mon fils est mort, je l'ai rendu. Ma femme est morte, je l'ai rendue. » Ainsi des biens et de tout le reste. « Mais celui qui me l'ôte est un méchant homme », dites-vous. De quoi vous mettez-vous en peine, par qui celui qui vous l'a prêté vous le redemande? Pendant qu'il vous en permet l'usage, ayez-en soin comme d'un bien qui appartient à autrui, comme un homme qui fait voyage se regarde dans une hôtellerie. Vous ne devez pas, dit-il, désirer que ces choses qui se font se fassent comme vous le voulez; mais vous devez vouloir qu'elles se fassent comme elles se font. Souvenez-vous, dit-il ailleurs, que vous êtes ici comme un acteur, et que vous jouez le personnage d'une comédie, tel qu'il plaît au maître de vous le donner. S'il vous le donne court, jouez-le court; s'il vous le donne long, jouez-le long, s'il veut que vous contrefassiez le gueux, vous le devez faire avec toute la naïveté qui vous sera possible; ainsi du reste. C'est votre fait de jouer bien le personnage qui vous est donné; mais de le choisir, c'est le fait d'un autre. Ayez tous les jours devant les yeux la mort et les maux qui semblent les plus insupportables et jamais vous ne penserez rien de bas, et ne désirerez rien avec excès.

« Il montre aussi en mille manières ce que doit faire l'homme. Il veut qu'il soit humble, qu'il cache ses bonnes résolutions, surtout dans les commencements, et qu'il les accomplisse en secret : rien ne les ruine davantage que de les produire. Il ne se lasse point de répéter que toute l'étude et le désir de l'homme doit être de reconnaître la volonté de Dieu et de la suivre.

« Voilà, Monsieur, dit M. Pascal à M. de Saci, les lumières de ce grand esprit qui a si bien connu les devoirs de l'homme. J'ose dire qu'il mériterait d'être adoré, s'il avait aussi bien connu son impuissance, puisqu'il fallait être Dieu pour apprendre l'un et l'autre aux hommes. Aussi comme il était terre et cendre, après avoir si bien compris ce qu'on doit, voici comment il se perd dans la présomption de ce qu'on peut. Il dit que Dieu a donné à l'homme les moyens de s'acquitter de toutes ses obligations; que ces moyens sont en notre puissance; qu'il faut chercher la félicité par les choses qui sont en notre pouvoir, puisque Dieu nous les a données à cette fin; qu'il faut voir ce qu'il y a en nous de libre; que les biens, la vie, l'estime ne sont pas en notre puissance, et ne mènent donc pas à Dieu; mais que l'esprit ne peut être forcé de croire ce qu'il sait être faux, ni la volonté d'aimer ce qu'elle sait qui la rend malheureuse; que ces deux puissances sont donc libres, et que c'est par elles que nous pouvons nous rendre parfaits; que l'homme peut par ces puissances parfaitement connaître Dieu, l'aimer, lui obéir, lui plaire, se guérir de tous ses vices, acquérir toutes les vertus, se rendre saint ainsi et compagnon de Dieu. Ces principes d'une superbe diabolique le conduisent à d'autres erreurs, comme : que l'âme est une portion de la substance divine; que la douleur et la mort ne sont pas des maux; qu'on peut se tuer quand on est si persécuté qu'on doit croire que Dieu appelle; et d'autres.

« Pour Montaigne, dont vous voulez aussi, Monsieur, que je vous parle, étant né dans un Etat chrétien, il fait profession de la religion catholique, et en cela il n'a rien de particulier. Mais comme il a voulu chercher quelle morale la raison devrait dicter sans la lumière de la foi, il a pris ses principes dans cette supposition; et ainsi en considérant l'homme destitué de toute révélation, il discourt en cette sorte. Il met toutes choses dans un doute universel et si général, que ce doute s'emporte soi-même, c'est-à-dire s'il doute, et doutant même de cette dernière supposition, son incertitude roule sur elle-même dans un cercle perpétuel et sans repos; s'opposant également à ceux qui assurent que tout est incertain et à ceux qui assurent que tout ne l'est pas, parce qu'il ne veut rien assurer. C'est dans ce doute qui doute de soi et dans cette ignorance qui s'ignore, et qu'il appelle sa maîtresse forme, qu'est l'essence de son opinion, qu'il n'a pu exprimer par aucun terme positif. Car, s'il dit qu'il doute, il se trahit en assurant au moins qu'il doute; ce qui étant formellement contre son intention, il n'a pu s'expliquer que par interrogation; de sorte que, ne voulant pas dire : « Je ne sais », il dit : « Que sais-je? » dont il fait sa devise, en la mettant sous des balances qui, pesant les contradictoires se trouvent dans un parfait équilibre : c'est-à-dire qu'il est pur pyrrhonien. Sur ce principe roulent tous ses discours et tous ses *Essais;* et c'est la seule chose qu'il prétend bien établir, quoiqu'il ne fasse pas toujours remarquer son intention. Il y détruit insensiblement tout ce qui passe pour le plus certain parmi les hommes, non pas pour établir le contraire avec une certitude de laquelle seule il est ennemi, mais pour faire voir seulement que, les apparences étant égales de part et d'autre, on ne sait où asseoir sa créance.

« Dans cet esprit il se moque de toutes les assurances : par exemple, il combat ceux qui ont pensé établir dans la France un grand remède contre les procès par la multitude et par la prétendue justesse des lois : comme si l'on pouvait couper les racines des doutes d'où naissent les procès, et qu'il y eût des digues qui pussent arrêter le torrent de l'incertitude et captiver les conjectures! C'est là que, quand il dit qu'il vaudrait autant soumettre sa cause au premier passant, qu'à des juges armés de ce nombre d'ordonnances, il ne prétend pas qu'on doive changer l'ordre de l'Etat, il n'a pas tant d'ambition; ni que son avis soit meilleur, il n'en croit aucun de bon. C'est seulement pour prouver la vanité des opinions les plus reçues; montrant que l'exclusion de toutes lois diminuerait plutôt le nombre des différends que cette multitude de lois qui ne sert qu'à l'augmenter, parce que les difficultés croissent à mesure qu'on les pèse; que les obscurités se multiplient par le commentaire; et que le plus sûr moyen pour entendre le sens d'un discours est de ne le pas examiner et de le prendre sur la première apparence : si peu qu'on l'observe, toute la clarté se dissipe. Aussi il juge à l'aventure de toutes les actions des hommes et des points d'histoire, tantôt d'une manière, tantôt d'une autre, suivant librement sa première vue, et sans contraindre sa pensée sous les règles de la raison, qui n'a que de fausses mesures; ravi de montrer par son exemple les contrariétés d'un même esprit. Dans ce génie tout libre, il lui est entièrement égal de l'emporter ou non dans la dispute, ayant toujours, par l'un et l'autre exemple, un moyen de faire voir la faiblesse des opinions; étant porté avec tant d'avantage dans ce doute universel, qu'il s'y fortifie également par son triomphe et par sa défaite.

« C'est dans cette assiette, toute flottante et chancelante qu'elle est, qu'il combat avec une fermeté invincible les hérétiques de son temps, sur ce qu'ils s'assuraient de connaître seuls le véritable sens de l'Ecriture; et c'est de là encore qu'il foudroie plus vigoureusement l'impiété horrible de ceux qui osent assurer que Dieu n'est point. Il les entreprend particulièrement dans l'*Apologie de Raymond de Sebonde;* et les trouvant dépouillés volontairement de toute révélation, et abandonnés à leurs lumières naturelles, toute foi mise à part, il les interroge de quelle autorité ils entreprennent de juger de cet Etre souverain qui est infini par sa propre définition, eux qui ne connaissent véritablement aucunes choses de la nature! Il leur demande sur quels principes ils s'appuient; il les presse de les montrer. Il examine tous ceux qu'ils peuvent produire et y pénètre si avant, par le talent où il excelle, qu'il montre la vanité de tous ceux qui passent pour les plus naturels et les plus fermes. Il demande si l'âme connaît quelque chose; si elle se connaît elle-même; si elle est substance ou accident, corps ou esprit; ce que c'est que chacune de ces choses, et s'il n'y a rien qui ne soit de l'un de ces ordres; si elle connaît son propre corps; ce que c'est que matière; si elle peut discerner entre l'innombrable variété des corps, quand on en a produit; comment elle peut raisonner, si elle est matérielle; et comment peut-elle être unie à un corps particulier et en ressentir les passions, si elle est spirituelle; quand a-t-elle commencé d'être; avec le corps ou devant; si elle finit avec lui ou non; si elle ne se trompe jamais; si elle sait quand elle erre, vu que l'essence de la méprise consiste à ne le pas connaître; si dans ces obscurcissements elle ne croit pas aussi fermement que deux et trois font six qu'elle sait ensuite que c'est cinq; si les animaux raisonnent, pensent, parlent; et qui peut décider ce que c'est que le temps, ce que c'est que l'espace ou étendue, ce que c'est que le mouvement, ce que c'est que l'unité, qui sont toutes choses qui nous environnent et entièrement inexplicables; ce que c'est que la santé, maladie, vie, mort, bien, mal, justice, péché dont nous parlons à toute heure; si nous avons en nous des principes du vrai et si ceux que nous croyons, et qu'on appelle axiomes ou notions communes, parce qu'elles sont communes dans tous les hommes, sont conformes à la vérité essentielle; et puisque nous ne savons que par la seule foi qu'un Etre tout bon nous les a donnés véritables, en nous créant pour connaître la vérité, qui saura sans cette lumière si, étant formés à l'aventure, ils ne sont pas incertains, ou si, étant formés par un être faux et méchant, il ne nous les a pas donnés faux afin de nous séduire; montrant par là que Dieu et le vrai sont inséparables, et que si l'un est ou n'est pas, s'il est incertain ou certain, l'autre est nécessairement de même. Qui sait donc si le sens commun, que nous prenons pour juge du vrai, en a l'être de celui qui l'a créé? De plus, qui sait ce que c'est que vérité, et comment peut-on s'assurer de l'avoir sans la connaître? Qui sait même ce que c'est qu'être qu'il est impossible de définir, puisqu'il n'y a rien de plus général, et qu'il faudrait, pour l'expliquer, se servir d'abord de ce mot-là même, en disant : *C'est*, être...? Et puisque nous ne savons ce que c'est qu'âme, corps, temps, espace, mouvement, vérité, bien ni même être, ni expliquer l'idée que nous nous en formons comment nous assurons-nous qu'elle est la même dans tous les hommes, vu que nous n'en avons d'autre marque que l'uniformité des conséquences, qui n'est pas toujours un signe de celle des principes? car ils peuvent bien être différents et conduire néanmoins aux mêmes conclusions chacun sachant que le vrai se conclut souvent du faux.

« Enfin il examine si profondément les sciences, et la géométrie, dont il montre l'incertitude dans les axiomes et dans les termes qu'elle ne définit point, comme d'étendue, de mouvement, etc., et la physique en bien plus de manières, et la médecine en une infinité de façons, et l'histoire, et la politique, et la morale, et la jurisprudence et le reste, de telle sorte qu'on demeure convaincu que nous ne pensons pas mieux à présent que dans quelque songe dont nous ne nous éveillons qu'à la mort, et pendant lequel nous avons aussi peu les principes du vrai que durant le sommeil naturel. C'est ainsi qu'il gourmande si fortement et si cruellement la raison dénuée de la foi, que lui faisant douter si elle est raisonnable, et si les animaux le sont ou non, ou plus ou moins, il la fait descendre de l'excellence qu'elle s'est attribuée, et la met par grâce en parallèle avec les bêtes, sans lui permettre de sortir de cet ordre jusqu'à ce qu'elle soit instruite par son Créateur même de son rang qu'elle ignore, la menaçant si elle gronde de la mettre au-dessous de tout, ce qui est aussi facile que le contraire; et ne lui donnant pouvoir d'agir cependant que pour remarquer sa faiblesse avec une humilité sincère, au lieu de s'élever par une sotte insolence. »

M. de Saci se croyant vivre dans un nouveau pays et entendre une nouvelle langue, il se disait en lui-même les paroles de saint Augustin : « O Dieu de vérité! ceux qui savent ces subtilités de raisonnement vous sont-ils pour cela plus agréables? » Il plaignait ce philosophe qui se piquait et se déchirait de toutes parts des épines qu'il se formait, comme saint Augustin dit de lui-même quand il était en cet état. Après donc une assez longue patience, il dit à M. Pascal :

« Je vous suis obligé, monsieur : je suis sûr que si j'avais longtemps lu Montaigne, je ne le connaîtrais pas autant que je fais depuis cet entretien que je viens d'avoir avec vous. Cet homme devrait souhaiter qu'on ne le connût que par les récits que vous faites de ses écrits; et il pourrait dire avec saint Augustin : *Ibi me vide, attende*. Je crois assurément que cet homme avait de l'esprit; mais je ne sais si vous ne lui en prêtez pas un peu plus qu'il n'en a, par cet enchaînement si juste que vous faites de ses principes. Vous pouvez juger qu'ayant passé ma vie comme j'ai fait, on m'a peu conseillé de lire cet auteur, dont tous les ouvrages n'ont rien de ce que nous devons principalement rechercher dans nos lectures, selon la règle de saint Augustin, parce que ses paroles ne paraissent pas sortir d'un grand fonds d'humilité et de piété. On pardonnerait à ces philosophes d'autrefois, qu'on nommait académiciens, de mettre tout dans le doute. Mais qu'avait besoin Montaigne de s'égayer l'esprit en renouvelant une doctrine qui passe maintenant aux Chrétiens pour une folie? C'est le jugement que saint Augustin fait de ces personnes. Car on peut dire après lui de Montaigne... « Il met dans tout ce qu'il dit la foi à part; ainsi nous, qui avons la foi, devons de même mettre à part tout ce qu'il dit. » Je ne blâme point l'esprit de cet auteur, qui est un grand don de Dieu; mais il pouvait s'en servir mieux, et en faire plutôt un sacrifice à Dieu qu'au démon. A quoi sert un bien, quand on en use si mal? *Quid proderat*, etc.? dit de lui-même ce saint docteur avant sa conversion. Vous êtes heureux, monsieur, de vous être élevé audessus de ces personnes qu'on appelle des docteurs plongés dans l'ivresse de la science, mais qui ont le cœur vide de vérité. Dieu a répandu dans votre cœur d'autres douceurs et d'autres attraits que ceux que vous trouviez dans Montaigne. Il vous a rappelé de ce plaisir dangereux, *a jucundidate pestifera*, dit saint Augustin, qui rend grâces à Dieu de ce qu'il a pardonné les péchés qu'il avait commis en goûtant trop la vanité. Saint Augustin est d'autant plus croyable en cela, qu'il était autrefois dans ces sentiments; et comme vous dites de Montaigne que c'est par ce doute universel qu'il combat les hérétiques de son temps, ce fut aussi par ce même doute des académiciens que saint Augustin quitta l'hérésie des Manichéens. Depuis qu'il fut à Dieu, il renonça à ces vanités qu'il appelle sacrilège, et fit ce qu'il dit de quelques autres. Il reconnut avec quelle sagesse saint Paul nous avertit de nous pas laisser séduire par ces discours. Car il avoue qu'il y a en cela un certain agrément qui enlève : on croit quelquefois les choses véritables, seulement parce qu'on les dit éloquemment. Ce sont des viandes dangereuses, dit-il, mais que l'on sert dans de beaux plats; mais ces viandes, au lieu de nourrir le cœur, elles le vident. On ressemble alors à des gens qui dorment, et qui croient manger en dormant : ces viandes imaginaires les laissent aussi vides qu'ils étaient. »

M. de Saci dit à M. Pascal plusieurs choses semblables : sur quoi M. Pascal lui dit que s'il lui faisait compliment de bien posséder Montaigne et de le savoir bien tourner, il pouvait lui dire sans compliment qu'il possédait bien mieux saint Augustin, et qu'il le savait bien mieux tourner, quoique peu avantageusement pour le pauvre Montaigne. Il lui témoigna être extrêmement édifié de la solidité de tout ce qu'il venait de lui représenter; cependant, étant encore tout plein de son auteur, il ne put se retenir et lui dit :

« Je vous avoue, Monsieur, que je ne puis voir sans joie dans cet auteur la superbe raison si invinciblement froissée par ses propres armes, et cette révolte si sanglante de l'homme contre l'homme, qui, de la société avec Dieu, où il s'élevait par les maximes [de sa faible raison], le précipite dans la nature des bêtes; et j'aurais aimé de tout mon cœur le ministre d'une si grande vengeance, si, étant disciple de l'Eglise par la foi, il eût suivi les règles de la morale, en portant les hommes, qu'il avait si utilement humiliés, à ne pas irriter par de nouveaux crimes celui qui peut seul les tirer des crimes qu'il les a convaincus de ne pouvoir pas seulement connaître.

« Mais il agit au contraire en païen de cette sorte. De ce principe, dit-il, que hors de la foi tout est dans l'incertitude, et considérant combien il y a que l'on cherche le vrai et le bien sans aucun progrès vers la tranquillité, il conclut qu'on en doit laisser le soin aux autres; et demeurer cependant en repos, coulant légèrement sur les sujets de peur d'y enfoncer en appuyant; et prendre le vrai et le bien sur la première apparence, sans les presser, parce qu'ils sont si peu solides que, quelque peu qu'on serre la main, ils s'échappent entre les doigts et les laissent vides. C'est pourquoi il suit le rapport des sens et les notions communes, parce qu'il faudrait qu'il se fît violence pour les démentir, et qu'il ne sait s'il gagnerait, ignorant où est le vrai. Ainsi il fuit la douleur et la mort, parce que son instinct l'y pousse, et qu'il ne veut pas résister par la même raison, mais sans en conclure que ce soient de véritables maux, ne se fiant pas trop à ces mouvements naturels de crainte, vu qu'on en sent d'autres de plaisir qu'on dit être mauvais, quoique la nature parle au contraire. Ainsi, il n'a rien d'extravagant dans sa conduite; il agit comme les autres; et tout ce qu'ils font dans la sotte pensée qu'ils suivent le vrai bien, il le fait par un autre principe, qui est que les vraisemblances étant pareilles d'un et d'autre côté, l'exemple et la commodité sont les contrepoids qui l'entraînent.

« Il suit donc les mœurs de son pays parce que la coutume l'emporte : il monte sur son cheval, comme un qui ne serait pas philosophe, parce qu'il le souffre mais sans croire que ce soit de droit, ne sachant pas si cet animal n'a pas au contraire celui de se servir de lui. Il se fait aussi quelque violence pour éviter certains vices; et même il garde la fidélité au mariage, à cause de la peine qui suit les désordres; mais si celle qu'il prendrait surpasse celle qu'il évite, il y demeure en repos, la règle de son action étant en tout la commodité et la tranquillité. Il rejette donc bien loin cette vertu stoïque qu'on peint avec une mine sévère, un regard farouche, des cheveux hérissés, le front ridé et en sueur, dans une posture pénible et tendue, loin des hommes, dans un morne silence, et seul sur la pointe d'un rocher : fantôme, à ce qu'il dit, capable d'effrayer les enfants, et qui ne fait là autre chose, avec un travail continuel, que de chercher le repos, où elle n'arrive jamais. La sienne est naïve, familière, plaisante, enjouée, et pour ainsi dire folâtre; elle suit ce qui la charme, et badine négligemment des accidents bons ou mauvais, couchée mollement dans le sein de l'oisiveté tranquille, d'où elle montre aux hommes, qui cherchent la félicité avec tant de peine, que c'est là seulement où elle repose, et que l'ignorance et l'incuriosité sont deux doux oreillers pour une tête bien faite, comme il dit lui-même.

« Je ne puis pas vous dissimuler, Monsieur, qu'en lisant cet auteur et le comparant avec Epictète, j'ai trouvé qu'ils étaient assurément les deux plus grands défenseurs des deux plus célèbres sectes du monde, et les seules conformes à la raison, puisqu'on ne peut suivre qu'une de ces deux routes, savoir : ou qu'il y a un Dieu, et lors il y place son souverain bien; ou qu'il est incertain, et qu'alors le vrai bien l'est aussi, puisqu'il en est incapable.

« J'ai pris un plaisir extrême à remarquer dans ces divers raisonnements en quoi les uns et les autres sont arrivés à quelque conformité avec la sagesse véritable qu'ils ont essayé de connaître. Car, s'il est agréable d'observer dans la nature le désir qu'elle a de peindre Dieu dans tous ses ouvrages, où l'on en voit quelque caractère parce qu'ils en sont les images, combien est-il plus juste de considérer dans les productions des esprits les efforts qu'ils font pour imiter la vertu essentielle, même en la fuyant, et de remarquer en quoi ils y arrivent et en quoi ils s'en égarent, comme j'ai tâché de faire dans cette étude!

« Il est vrai, Monsieur, que vous venez de me faire voir admirablement le peu d'utilité que les Chrétiens peuvent retirer de ces études philosophiques. Je ne laisserai pas, néanmoins, avec votre permission, de vous dire encore ma pensée, prêt néanmoins de renoncer à toutes les lumières qui ne viendront point de vous : en quoi j'aurai l'avantage, ou d'avoir rencontré la vérité par bonheur, ou de la recevoir de vous avec assurance. Il me semble que la source des erreurs de ces deux sectes est de n'avoir pas su que l'état de l'homme à présent diffère de celui de sa création; de sorte que l'un remarquant quelques traces de sa première grandeur, et ignorant sa corruption, a traité la nature comme saine et sans besoin de réparateur, ce qui le mène au comble de la superbe; au lieu que l'autre, éprouvant la misère présente et ignorant la première dignité, traite la nature comme nécessairement infirme et irréparable, ce qui le précipite dans le désespoir d'arriver à un véritable bien, et de là dans une extrême lâcheté. Ainsi ces deux états qu'il fallait connaître ensemble pour voir toute la vérité, étant connus séparément, conduisent nécessairement à l'un de ces deux vices, d'orgueil et de paresse, où sont infailliblement tous les hommes avant la grâce, puisque s'ils ne demeurent dans leurs désordres par lâcheté, ils en sortent par vanité, tant il est vrai ce que vous venez de me dire de saint Augustin, et que je trouve d'une grande étendue. Car en effet on leur rend hommage en bien des manières.

« C'est donc de ces lumières imparfaites qu'il arrive que l'un, connaissant les devoirs de l'homme et ignorant son impuissance, se perd dans la présomption, et que l'autre, connaissant l'impuissance et non le devoir, il s'abat dans la lâcheté; d'où il semble que, puisque l'un conduit à la vérité, l'autre à l'erreur, l'on formerait en les alliant une morale parfaite. Mais, au lieu de cette paix, il ne résulterait de leur assemblage qu'une guerre et qu'une destruction générale : car l'un établissant la certitude, l'autre le doute, l'un la grandeur de l'homme, l'autre sa faiblesse, ils ruinent la vérité aussi bien que les faussetés l'un de l'autre. De sorte qu'ils ne peuvent subsister seuls à cause de leurs défauts, ni s'unir à cause de leurs oppositions, et qu'ainsi ils se brisent et s'anéantissent pour faire place à la vérité de l'Evangile. C'est elle qui accorde les contrariétés par un art tout divin, et, unissant tout ce qui est de vrai et chassant tout ce qui est de faux, elle en fait une sagesse véritablement céleste où s'accordent ces opposés, qui étaient incompatibles dans ces doctrines humaines. Et la raison en est que ces sages du monde placent les contraires dans un même sujet; car l'un attribuait la grandeur à la nature et l'autre la faiblesse à cette même nature, ce qui ne pouvait subsister; au lieu que la foi nous apprend à les mettre en des sujets différents : tout ce qu'il y a d'infirme appartenant à la nature, tout ce qu'il y a de puissant appartenant à la grâce. Voilà l'union étonnante et nouvelle que Dieu seul pouvait enseigner, et que lui seul pouvait faire, et qui n'est qu'une image et qu'un effet de l'union ineffable de deux natures dans la seule personne d'un Homme-Dieu.

« Je vous demande pardon, Monsieur, dit M. Pascal à M. de Saci, de m'emporter ainsi devant vous dans la théologie, au lieu de demeurer dans la philosophie, qui était seule mon sujet; mais il m'y a conduit insensiblement; et il est difficile de n'y pas entrer, quelque vérité qu'on traite, parce qu'elle est le centre de toutes les vérités; ce qui paraît ici parfaitement, puisqu'elle enferme si visiblement toutes celles qui se trouvent dans ces opinions. Aussi je ne vois pas comment aucun d'eux pourrait refuser de la suivre. Car s'ils sont pleins de la pensée de la grandeur de l'homme, qu'ont-ils imaginé qui ne cède aux promesses de l'Evangile, qui ne sont autre chose que le digne prix de la mort d'un Dieu? Et s'ils se plaisaient à voir l'infirmité de la nature, leurs idées n'égalent plus celles de la véritable faiblesse du péché, dont la même mort a été le remède. Ainsi tous y trouvent plus qu'ils n'ont désiré; et ce qui est admirable, ils s'y trouvent unis, eux qui ne pouvaient s'allier dans un degré infiniment inférieur. »

M. de Saci ne put s'empêcher de témoigner à M. Pascal qu'il était surpris comment il savait tourner les choses; mais il avoua en même temps que tout le monde n'avait pas le secret comme lui de faire des lectures des réflexions si sages et si élevées. Il lui dit qu'il ressemblait à ces médecins habiles qui, par la manière adroite de préparer les plus grands poisons, en savent tirer les plus grands remèdes. Il ajouta que, quoiqu'il vît bien, parce qu'il venait de lui dire, que ces lectures lui étaient utiles, il ne pouvait pas croire néanmoins qu'elles fussent avantageuses à beaucoup de gens dont l'esprit se traînerait un peu, et n'aurait pas assez d'élévation pour lire ces auteurs et en juger, et savoir tirer les perles du milieu du fumier, *aurum ex stercore*, disait un Père. Ce qu'on pouvait bien plus dire de ces philosophes, dont le fumier, par sa noire fumée, pouvait obscurcir la foi chancelante de ceux qui les lisent. C'est pourquoi il conseillerait toujours à ces personnes de ne pas s'exposer légèrement à ces lectures, de peur de se perdre avec ces philosophes, et de devenir l'objet des démons et la pâture des vers, selon le langage de l'Ecriture, comme ces philosophes l'ont été.

« Pour l'utilité de ces lectures, dit M. Pascal, je vous dirai fort simplement ma pensée. Je trouve dans Epictète un art incomparable pour troubler le repos de ceux qui le cherchent dans les choses extérieures, et pour les forcer à reconnaître qu'ils sont de véritables esclaves et de misérables aveugles; qu'il est impossible qu'ils trouvent autre chose que l'erreur et la douleur qu'ils fuient, s'ils ne se donnent sans réserve à Dieu seul. Montaigne est incomparable pour confondre l'orgueil de ceux qui, hors la foi, se piquent d'une véritable justice; pour désabuser ceux qui s'attachent à leurs opinions, et qui croient trouver dans les sciences des vérités inébranlables; et pour convaincre si bien la raison de son peu de lumière et de ses égarements, qu'il est difficile, quand on fait un bon usage de ses principes, d'être tenté de trouver des répugnances dans les mystères : car l'esprit en est si battu, qu'il est bien éloigné de vouloir juger si l'Incarnation ou le mystère de l'Eucharistie sont possibles; ce que les hommes du commun n'agitent que trop souvent.

« Mais si Epictète combat la paresse, il mène à l'orgueil, de sorte qu'il peut être très nuisible à ceux qui ne sont pas persuadés de la corruption de la plus parfaite justice qui n'est pas de la foi. Et Montaigne est absolument pernicieux à ceux qui ont quelque pente à l'impiété et aux vices. C'est pourquoi ces lectures doivent être réglées avec beaucoup de soin, de discrétion et d'égard à la condition et aux mœurs de ceux à qui on les conseille. Il me semble seulement qu'en les joignant ensemble elles ne pourraient réussir fort mal, parce que l'une s'oppose au mal de l'autre : non qu'elles puissent donner la vertu, mais seulement troubler dans les vices : l'âme se trouvant combattue par ces contraires, dont l'un chasse l'orgueil et l'autre la paresse, et ne pouvant reposer dans aucun de ces vices par ses raisonnements ni aussi les fuir tous. »

Ce fut ainsi que ces deux personnes d'un si bel esprit s'accordèrent enfin au sujet de la lecture de ces philosophes, et se rencontrèrent au même terme, où ils arrivèrent néanmoins d'une manière un peu différente : M. de Saci y étant arrivé tout d'un coup par la claire vue du Christianisme, et M. Pascal n'y étant arrivé qu'après beaucoup de détours en s'attachant aux principes de ces philosophes.

Lorsque M. de Saci et tout Port-Royal-des-Champs étaient ainsi tout occupés de la joie que causait la conversion et la vue de M. Pascal et qu'on y admirait la force toute-puissante de la grâce qui, par une miséricorde dont il y a peu d'exemples, avait si profondément abaissé cet esprit si élevé de lui-même, etc

ABRÉGÉ DE LA VIE DE JÉSUS-CHRIST

Le chanoine Louis Périer avait déposé à l'abbaye de Saint-Germain-des-Prés, le 25 *septembre* 1711, *le manuscrit de cet opuscule. On en retrouva une copie, en* 1845, *dans les archives de la maison de Klarembourg, en Hollande, parmi les papiers laissés par l'abbé d'Etemare. Cette copie avait été faite par les soins de M*[lle] *de Thémericourt, cousine de l'abbé et amie et correspondante de Marguerite Périer.*

Pascal eut sans doute l'idée de rédiger cet Abrégé *après la lecture de la* Series vitae Jesu-Christi juxta ordinem temporum, *suite du* Tetrateuchus *de Jansénius. Comme une édition du* Tetrateuchus *a paru à Paris en* 1655, *et que d'autre part Pascal, dans son* Mémorial *du* 23 *novembre* 1654, *note que Dieu « ne se trouve » et « ne se conserve que par les voies enseignées dans l'Evangile », cela permet de conjecturer que la rédaction de l'*Abrégé *pourrait se situer en* 1655-1656.

Dans les notes qu'il a laissées, il y en a une (ms. 550*) qui semble avoir été utilisée par lui pour cet opuscule (cf.* Abrégé 246*).*

PRÉFACE

Le Verbe, lequel était de toute éternité, Dieu en Dieu, par qui toutes choses et les visibles même ont été faites, s'étant fait homme, dans la plénitude des temps est venu dans le monde qu'il a créé, pour sauver le monde; n'a pas été reçu du monde, mais de ceux-là seulement auxquels il a donné la puissance d'être faits enfants de Dieu en tant que renés du Saint-Esprit par la volonté de Dieu, et non pas en tant que nés de la chair et du sang par la volonté des hommes; et il a conversé parmi les hommes, dénué de sa gloire et revêtu de la forme d'un esclave, et a passé par beaucoup de souffrances jusqu'à la mort et à la mort de la croix, sur laquelle il a porté nos langueurs et nos infirmités, et a détruit notre mort par la sienne, et après avoir quitté volontairement son âme, qu'il avait pouvoir de laisser et de rependre, il s'est ressuscité lui-même le troisième jour, et par sa nouvelle vie a communiqué la vie à tous ceux qui sont renés en lui, comme Adam avait communiqué la mort à tous ceux qui étaient nés de lui. Et enfin étant monté des Enfers au-dessus de tous les Cieux, afin qu'il remplît toutes choses, il sied à la droite du Père d'où il viendra juger les vivants et les morts, et ramener les Elus incorporés en lui dans le sein de Dieu, auquel il est uni et demeure uni hypostatiquement à jamais.

Quand la bénignité de Dieu a paru, et que ces grandes choses ont été accomplies sur la terre, plusieurs s'offrirent de mettre par écrit l'histoire de sa vie. Mais comme une si sainte vie, de laquelle les moindres actions et mouvements méritent d'être racontés, ne pouvait être écrite que par le même esprit qui avait opéré sa naissance, ils n'y réussirent pas, parce qu'ils suivaient leur esprit propre. Et c'est pourquoi Dieu suscita quatre saints hommes contemporains de J.-C., lesquels, inspirés divinement, ont écrit les choses qu'il a dites, et qu'il a faites. Ce n'est pas qu'ils aient tout écrit, car il faudrait pour cet effet plus de volumes que le monde n'en saurait contenir, parce qu'il n'y a pas un mouvement, action, pensée qui ne mérite d'être exprimé dans toutes ses circonstances; car étant toutes dirigées à la gloire du Père, et conduites par une opération intime du Saint-Esprit. Mais les choses qui sont écrites, tout est afin que nous croyions que Jésus est le fils de Dieu et qu'en croyant nous ayons la vie éternelle par son nom.

Or, ce que les Saints Evangélistes ont écrit pour des raisons qui ne sont peut-être pas toutes connues, par un ordre où ils n'ont pas toujours eu égard à la suite des temps, nous le rédigeons ici dans la suite des temps, en rapportant chaque verset de chaque Evangéliste dans l'ordre auquel la chose qui y est écrite est arrivée, autant que notre faiblesse nous l'a pu permettre.

Si le lecteur y trouve quelque chose de bon, qu'il en rende grâces à Dieu, seul auteur de tout bien. Et ce qu'il y trouvera de mal, qu'il le pardonne à mon infirmité.

Le Verbe étant encore dans le sein de son Père, avant que d'entrer dans le monde, voulut préparer la voie au médiateur de Dieu et des hommes, par son Précurseur. Et pour annoncer ce mystère en effet :

1. Sous l'empire de César Auguste, *sous le règne d'Hérode en Judée*, le 24 septembre, quinze mois avant la naissance de Jésus-Christ *l'ange Gabriel fut envoyé à Zacharie, prêtre, lui annoncer qu'Elisabeth sa femme, quoique stérile, concevrait et enfanterait un fils, qu'il appellerait Jean, précurseur du Messie. Zacharie n'ayant pas cru devint muet.*

2. *Six mois après*, le 25 mars, neuf mois avant la naissance de Jésus-Christ, *le même Gabriel fut envoyé à une vierge nommée Marie, lui annoncer qu'elle concevrait par l'opération du Saint-Esprit en elle un fils, dont le nom est Jésus.*

3. *Elle, étant enceinte, visita Elisabeth sa parente, et loua Dieu par son Cantique.*

4. Le 24 juin, six mois avant la naissance de Jésus-Christ, *Jean naquit. Après, il fut circoncis. Zacharie recouvra la parole, et loua Dieu par son Cantique.*

5. *Cependant Joseph, étonné de la grossesse de sa femme, parce qu'ils n'avaient point encore habité ensemble, fut averti par l'Ange que ce qui était en elle était du Saint-Esprit.*

6. Le 25 décembre, an premier du salut, *naquit Jésus-Christ en Bethléem, ville de Judée.* Sa généalogie est racontée par Salomon, en Matt., I, 1, et, par Nathan, en Luc, III, 23.

7. *Les Anges annoncent sa naissance aux Pasteurs qui viennent l'adorer.*

8. *Huit jours après sa naissance*, le 1er janvier, *il fut circoncis et nommé Jésus.*

9. Le 6 [janvier], *les Mages le vinrent adorer. Hérode, alarmé de cette naissance* craignant qu'il n'usurpât son empire, *commande aux Mages de l'avertir du lieu où ils le trouveraient, mais eux, avertis par l'Ange, ne retournèrent pas à Hérode.*

10. Le 2 février, 26 jours après la naissance de Jésus-Christ, *la Vierge fut se purifier au Temple, et présente Jésus, suivant la coutume, à cause que c'était son premier-né. Siméon le tenant entre ses mains, loua Dieu par son Cantique, et prédit à Marie que le glaive de douleur percerait son cœur. Anne la prophétesse prophétise touchant Jésus-Christ.*

11. *Hérode ayant été déçu par les Mages*, ne pouvant pas déterrer Jésus, à cause que l'obscurité de sa naissance le cachait parmi la confusion du peuple, *il se résolut de faire mourir tous les enfants, afin de l'y comprendre. Mais avant que son projet fût exécuté, Joseph averti par l'Ange emmena Jésus et Marie, et fut en Egypte.*

12. *Hérode cependant fait tuer tous les enfants*, pensant envelopper Jésus-Christ dans ce meurtre universel.

13. *Ensuite Jean fut aux déserts et était fortifié en esprit.*

14. Après quelques années, *Hérode étant mort, Joseph en fut averti par l'Ange, et* [*revint*] *en la terre d'Israël. Mais comme il apprit qu'Archelaüs son fils*

régnait à sa place, c'est pourquoi il fut, par les conseils de l'Ange, en Galilée et demeura en Nazareth.

15. Après quelques années, *et douze ans après sa naissance, ses parents* (quoique Archelaüs régnât encore, car il régna 12 ans, Josèphe, 17 *Ant.*, c. 15) *le menèrent à la fête en Jérusalem et il demeura dans le Temple avec les Docteurs, disputant avec eux. Ses parents le cherchaient avec une extrême inquiétude. Il leur dit qu'il fallait qu'il accomplît les choses dont il était chargé de son Père, et étant retourné avec eux, il leur était sujet, et croissait en sagesse, en âge et en grâce devant Dieu et devant les hommes.*

Ainsi Jésus mena sa vie cachée depuis douze ans jusqu'à trente et un.

16. *En l'an 15 de l'empire de Tibère César, Ponce-Pilate étant Gouverneur en Judée, Hérode Tétrarche en Galilée, Philippe son frère Tétrarche en Iturée et Trachonite, et Lysanias Tétrarche en Abilène et Anne et Caïphe étant souverains prêtres.*

Comme le temps de la prédication de Jésus approchait, *Jean,* son Précurseur, *par un ordre exprès de Dieu, sort* de son silence et *de sa solitude, et vint au Jourdain exciter tous les peuples à préparer les voies au Messie et à se disposer à son avènement, par la prédication et le baptême de la pénitence. Et annoncer qu'il est prêt à paraître.*

17. *Et en ce temps-là Jésus vint de Galilée au Jourdain, pour être baptisé lui-même du baptême de Jean. Les cieux furent ouverts, le Saint-Esprit descendit sur lui en figure corporelle d'une colombe et se reposa sur lui, et une voix du ciel dit : « Celui-ci est mon fils bien-aimé. » Ainsi Jésus fut baptisé, malgré la résistance de Jean, qui n'osa le faire d'abord sans un commandement exprès de son maître, qui lui dit qu'il le souffrît maintenant, parce qu'il était lors à propos qu'il accomplît toute justice.* C'est-à-dire que celui qui avait la ressemblance de la chair de péché fut lavé par la ressemblance de baptême du Saint-Esprit car en effet celui qui était né du Saint-Esprit ne devait pas renaître du Saint-Esprit. Mais il nous invita, par son exemple et par son humilité, à avoir recours au baptême. Et il purifia par la pureté de sa chair les eaux, qui devaient ensuite purifier l'impureté de la nôtre, il leur communiqua par son attouchement la force de la régénération, à laquelle il les avait destinées. *Et afin que tous les peuples connussent par la descente visible du Saint-Esprit, et par le témoignage de Jean, qu'il était véritablement le Christ.*

18 *a. Jésus étant baptisé fut incontinent mené par le Saint-Esprit au désert où il jeûna durant quarante jours et quarante nuits.*

18 *b. Ensuite il fut tenté du Diable.*

18 *c. Et le Diable le laissant pour un temps, les Anges vinrent et le servirent.*

19. *Cependant Jean déclara aux Pharisiens, qui lui furent envoyés pour savoir s'il était le Christ, qu'il ne l'était point.*

20. *Le lendemain Jésus allant vers Jean, il* le montra avec son doigt, et *rendit témoignage qu'il était l'Agneau de Dieu qui porte les péchés du monde.*

21. *Le lendemain il répète le même témoignage et lors André et un autre des disciples de Jean, ayant ouï ce témoignage, suivent Jésus. Et demeurent ce jour-là avec lui. Et André ayant rencontré Simon son frère le mena à Jésus, qui le nomma Pierre.*

22. *Le lendemain, Jésus allant en Galilée, rencontra Philippe, auquel il dit : « Suis-moi. » Et Philippe le suivit, et amena Nathanaël.*

23. *Trois jours après, il arriva en Cana de Galilée, où sur l'avis de Marie sa mère, il fit son premier miracle, en changeant l'eau en vin.*

24. *Après il fut en Capharnaüm avec ses disciples,* où il demeura depuis ordinairement, de sorte que cette ville est appelée sa ville dans un Evangile.

25. *Et peu devant Pâque, il fut en Jérusalem où il chassa les marchands du Temple, et prédit la ruine et restitution de son corps sous la figure du Temple, et plusieurs crurent en lui, voyant ses miracles, mais il ne se fiait point en eux, parce qu'il connaissait leur intérieur.*

26. *Dans le temps de Pâque, Nicodème se fait instruire de nuit de la renaissance ; que l'Esprit souffle où il veut ; que nul n'est monté au ciel que le fils de Dieu, qui en est descendu et qui y est,* en quoi il signifiait sa double nature, [montrant] qu'il était Dieu et homme, puisqu'étant descendu du ciel, il ne laissait pas d'y être, et montrant dès lors qu'il n'y avait point de salut hors ce sacrement d'incorporation, c'est-à-dire que pour ceux qui par le baptême seraient incorporés en lui, puisque nul que lui ne peut monter au Ciel, *que le serpent élevé au désert était sa figure ; que Dieu a tant aimé le monde qu'il lui a donné son fils unique ; qu'il n'est pas venu condamner, mais sauver ; qu'il faut croire que la lumière est venue ; que qui fait le mal hait la lumière, etc.*

27. *De là il passa en Judée, et baptisait par ses disciples. Et les disciples de Jean, et les Juifs s'étonnant de ce que Jésus baptisait et faisait plus de disciples que lui, Jean leur dit que celui qui est venu du ciel doit croître, et que lui qui n'est fait que de terre doit diminuer ; que Dieu n'a pas donné à Jésus l'esprit par mesure, mais que toutes choses étaient en sa puissance, et qu'il fallait croire en lui pour éviter la colère de Dieu.*

28. *Et Jésus connaissant que sa réputation [s'épandait] partout, et scandalisait les Pharisiens, il laissa la Judée et se retira en Galilée. En passant par Nazareth, il fut mal reçu, et rendit témoignage que nul Prophète n'est sans honneur, sinon en son pays.*

29. Peu de temps après, *Hérode le Tétrarche, ayant été repris par Jean de ce qu'il voulait épouser sa belle-sœur, femme de Philippe, son frère, Hérode le fit mettre en prison, et ajouta ce mal à tant d'autres qu'il avait faits.*

30 *a. Ce que Jésus ayant appris, il se retira dans le désert de Galilée.*

30 *b. En chemin il passa par le milieu de Samarie, où il enseigna la Samaritaine du don de Dieu, de l'eau jaillissante en la vie éternelle, l'adoration en esprit et en vérité, etc., et qu'il est le Messie.* Et parce qu'il y avait longtemps qu'il n'avait mangé, *ses disciples lui*

en présentèrent, mais il leur dit qu'il avait une viande qui leur était inconnue. Et la Samaritaine ayant répandu sa réputation dans la ville, il y fut reçu et les instruisit durant deux jours. Après lesquels il en partit, et achevant son voyage, arriva en Galilée, où il fut honorablement reçu, à cause que plusieurs d'entre eux avaient vu, à la fête de Pâque, les miracles qu'il avait faits en Jérusalem.

De là il arriva en Cana, ville de Galilée, où il avait changé l'eau en vin, qui fut son premier miracle, *et où il fit aussi son second en rendant la santé au fils d'un seigneur,* quoique absent et *malade en Capharnaüm, à la prière de son père.*

31. En partant de là, *il se détourna de Nazareth sa patrie, et marcha vers Capharnaüm.*

32 *a. Alors Jésus commença à prêcher, disant : « Faites pénitence, car le Royaume des Cieux approche »*, qui est le sommaire de sa prédication et de celle de Jean.

32 *b. D'où il parcourut la Galilée en prêchant. Et entra un jour dans la nacelle de Pierre. Après y avoir fait le miracle de la grande pêche de poissons, dont le filet rompit.*

33. *Il appela Pierre et André, et ensuite Jacques et Jean, et leur promit, et particulièrement à Pierre, de les faire pêcheurs d'hommes, lesquels le suivirent, quittant tout.*

34. *Il vient enfin en Capharnaüm avec ses disciples où il délivra les démoniaques.*

35. *Puis entrant chez Pierre, guérit sa belle-mère de la fièvre.*

36. *Le soir,* sa renommée s'accroissant, *il guérit plusieurs malades démoniaques, à la porte.*

37. *Le lendemain au matin, il descendit de Capharnaüm dans le désert, et les disciples et le peuple le cherchant, il leur dit qu'il fallait qu'il prêchât aussi aux autres villes. Et qu'il était envoyé pour cela, et alla dans les synagogues de Galilée, prêchant et guérissant.*

38. *Puis, entrant derechef en Capharnaüm, il guérit un paralytique qui descendit par le toit, parce que la foule empêchait qu'on ne pût passer par la porte.*

39. *En partant de là, il appela Matthieu du lieu de péage, qui le suivit incontinent, quittant tout.*

40. *Matthieu lui donna à dîner chez soi, et pendant le dîner Jésus les enseignait, et aussi les disciples de Jean et les Pharisiens, touchant le vin nouveau en vaisseaux vieux, la pièce neuve à une vieille veste, etc.*

41. *Pendant qu'il leur parlait, Jaïre, prince de la synagogue, arrive, le priant de ressusciter sa fille morte.*

42. *Jésus y alla, et en chemin il guérit l'hémorroïsse par l'attouchement du bord de son habit, et ensuite il ressuscite la fille de Jaïrus morte, en la présence de Pierre, Jacques et Jean seulement.*

43. *Ensuite il partit de Capharnaüm, et en chemin il guérit deux aveugles criant : « Jésus, fils de David. »*

44. *Et ensuite on lui présenta un muet démoniaque, lequel il guérit. Et les Pharisiens imputent ce miracle à Beelzebub.*

45. *Et en allant par des villes, il exhorta ses disciples à prier Dieu qu'il envoie des moissonneurs, à cause que la moisson est grande.*

46. *A Pâque, Jésus* [*vient*] *en Jérusalem, où il guérit le paralytique, à la piscine, au sujet duquel il discourt avec les Pharisiens, touchant l'observation du sabbat.*

47. *Huit jours après, en passant par les blés avec ses disciples, qui cueillaient des épis, il les défend contre les Pharisiens.*

48. *Après il guérit la main sèche en un jour de sabbat, et défend son action contre la superstition des Pharisiens. Et parce qu'ils le voulaient faire mourir, il se retira en prêchant et guérissant partout.*

49. *Peu après,* ayant dessein d'élire douze d'entre ses disciples pour être témoins de sa résurrection, et pour porter son Evangile à tous les peuples, et à toutes les nations du monde, lequel il avait prêché aux Juifs sans fruit, avant que de faire ce choix, *il passa la nuit en prière sur une montagne.*

50. *Et le matin il en élut douze, auxquels il donna puissance sur le démon et sur les maladies.*

51. *Et incontinent il leur fit* ce beau et ample *sermon sur la montagne*, contenant l'abrégé de la perfection chrétienne.

52. *En descendant de la montagne, il guérit un lépreux.*

53. *Puis arrivant à Capharnaüm, il guérit le fils du centenier, qui lui dit : « Seigneur, je ne suis pas digne que tu entres sous mon toit. »*

54. *Après, en passant par le bourg de Naïm, il ressuscite le fils unique de la veuve.*

55. *Le bruit de ses miracles s'épandant partout, Jean, qui était ici en prison, en fut averti et envoya deux de ses disciples à Jésus, qui leur dit qu'ils rapportent à Jean que les aveugles voient et que l'Evangile est annoncé aux pauvres. Et quand ils furent partis, il dit aux troupes qu'il n'en est point né un plus grand que Jean, etc.*

56. *Il reproche l'impétinence aux Juifs, et particulièrement à Corozaïm, Betzaïde et Capharnaüm.*

57. *Il fut invité à dîner chez un Pharisien, où il remit les péchés à Madeleine, et enseigne que les péchés sont remis à proportion de l'amour qu'on a pour Dieu.*

58. *Après il enseigne l'oraison dominicale et qu'il faut persévérer en l'oraison.*

59. *Il guérit un démoniaque aveugle et muet, et les Juifs imputent ce miracle à Beelzebub ; il dit que les péchés contre lui seront pardonnés, mais que les péchés contre le Saint-Esprit ne le seront pas.*

60. *Et que l'esprit immonde étant sorti d'un corps, en trouve sept autres pires que lui.*

61. *Il leur enseigne plusieurs autres choses, et comme il leur parlait encore,*

62. *Etant invité à dîner chez un Pharisien, il invective plusieurs malédictions contre leur fausse netteté extérieure, en négligeant celle du cœur.*

63. *Cependant, ses parents pensent qu'il a perdu l'esprit et veulent le saisir. Et quand on l'avertit que ses parents le demandaient, il leur dit que ceux qui font la volonté de Dieu sont sa mère et ses frères.*

64. *Le même jour, passant auprès de la mer avec ses*

disciples, entre lesquels étaient ses apôtres, Madeleine et les autres femmes qui le suivaient, il leur enseigne plusieurs paraboles : du semeur, de l'ivraie, du grain de moutarde, du trésor, du levain, des pêches et filets.

65. *Ce jour-là même, sur le soir, il monta en une nacelle et commanda de passer à l'autre rive, et en passant la mer, il s'endormit sur un oreiller. Et la tempête s'éleva. Et la nacelle étant couverte de flots, ses disciples l'éveillèrent, et il calma la tempête.*

66. *Etant arrivé à l'autre rive, qui était le pays des Gérasenéens, il y guérit deux démoniaques et exauça la prière des démons, qui demandèrent d'aller dans les pourceaux.*

67. *Et les Gérasenéens le prièrent de les quitter et d'aller ailleurs.*

68. *De sorte qu'il fut en Nazareth, où il ne fut pas bien reçu, et n'y demeura guère, à cause de leur incrédulité, et répéta que nul prophète n'est bien reçu en son pays.*

69. *Il commence d'envoyer prêcher les Apôtres, deux à deux. Et leur donne plusieurs instructions : d'aller premièrement aux Juifs de prêcher que le royaume de Dieu est prochain, de guérir, ressusciter, etc., pour néant, comme ils l'ont reçu pour néant ; de ne porter ni argent, ni malle, ni bâton, ni deux robes ; de secouer la poudre de leurs pieds ; leur prédit les maux qu'ils souffriront, brebis au milieu des loups, prudents comme serpents, simples comme colombes ; ne craindre que Dieu, qu'il n'est pas venu porter la paix, mais le glaive ; que qui les reçoit, le reçoit, etc.*

70. *Cependant Jésus lui-même prêche par la Galilée.*

71. *Pendant que ces choses se passent, Hérode fit mourir Jean, et entendant le bruit des miracles de Jésus, croit que c'est Jean ressuscité.*

72. *Quand Jésus eut appris cette nouvelle, il se retira cependant dans le désert.*

73. *Les troupes l'ayant découvert, le suivirent.*

74. *Peu devant Pâque, les Apôtres revinrent, et rendent compte de leur prédication à Jésus.*

75. *Jésus se retire avec eux dans le désert de Betsaïde, pour être en liberté, parce que les peuples le pressaient tellement, qu'il n'avait pas seulement le loisir de manger ; mais le peuple y courut encore.*

76. *Et sur le soir, Jésus ayant pitié des troupes, fit en leur faveur le miracle des cinq pains.*

77. *Le soir, ayant commandé aux Apôtres de passer la mer, il se retira seul en la montagne pour prier.*

78. *Et pour éviter les peuples qui le voulaient faire roi.*

79. *D'où revenant, sur la quatrième veille de la nuit, il marcha sur la mer, y fait marcher Pierre, et apaise la tempête, et prend port à Génésareth,*

80. *Où il guérit plusieurs malades par l'attouchement du bord de ses habits.*

81. *Le lendemain il instruit ceux qui l'étaient venus chercher* [*à*] *Capharnaüm parce qu'il les avait* [*repus de*] *pain, de ne pas chercher la viande périssable, mais l'éternelle, que le fils de l'homme leur donnera, que Dieu* [*l'a marqué*] *de son cachet* (c'est-à-dire que Dieu lui a communiqué l'impression de la divinité, par laquelle il est fils de Dieu aussi bien que fils de l'homme); *que c'est l'ouvrage de Dieu qu'ils croient en lui* (c'est-à-dire que c'est à Dieu à opérer ce miracle); *que Moïse n'a pas donné le pain du Ciel ; que c'est Dieu qui donne le pain du Ciel ; qu'il est le pain de vie ; que tout ce que le Père lui donne vient à lui ; que personne ne peut venir à lui, s'il n'y est entraîné par le Père ; que ceux qui mangent de ce pain ne mourront point ; qu'il faut manger sa chair et boire son sang pour avoir la vie ; que sa chair est vraiment viande et son sang vraiment breuvage ; que ceux qui le mangent vivent pour lui ; que la chair ne profite de rien ; que l'esprit vivifie ; que ses paroles sont esprit et vie. Sur quoi plusieurs de ses disciples l'ayant quitté pour la dureté qu'ils trouvaient dans ce discours, il demanda aux douze s'ils voulaient aussi le quitter. Pierre, au nom des autres, dit : « Où irions-nous? Tu as la parole de la vie éternelle, etc. »*

82. A cette fête de Pâque, il ne paraît point que Jésus ait été en Jérusalem, où les Juifs le cherchaient pour le faire mourir. Et il paraît qu'incontinent après Pâque, il conversait dans la Galilée.

83. *Et les scribes et les Pharisiens venus à lui de Jérusalem, il les instruit du lavement des mains et des traditions.*

D'où allant vers les quartiers de Tyr et de Sidon, il délivra la fille de la [*Cananéenne*].

84. *Partant de Tyr, il fut vers la mer de Galilée, et passant par les quartiers de Decapolis, il guérit le sourd et muet, en disant : « Ephpheta. »*

85. *Et Jésus étant arrivé proche de la mer, guérit plusieurs malades, boiteux, aveugles, etc.*

86. *Et voyant la multitude dans le désert, en eut pitié, et fit le miracle des sept pains et peu de poissons.*

87. *Incontinent après ce miracle, il monta en une nacelle, et vint aux quartiers de Mageddan et Dalmanutha,*

88. *Où les Pharisiens et Saducéens demandent quelque signe du ciel. Mais lui, gémissant en esprit, les refusa, puis commanda de passer à l'autre rive, et là il les avertit de se garder du levain des Pharisiens et des Saducéens et d'Hérode.*

89. *De là il vint en Betsaïda, où il mena un aveugle hors de la ville pour le guérir.*

90. *Jésus, partant de Betsaïda, vint aux villages d'alentour, Césarée* [*de Philippe*], *et après avoir fait sa prière, il interroge ses disciples touchant ce qu'on dit de lui. Pierre le reconnaît pour le Christ. Il leur défend de le dire ;*

91. *Et déclare Pierre bienheureux d'avoir cette révélation, et promet d'édifier sur cette pierre son Eglise, contre laquelle les portes d'enfer ne prévaudront point.*

92. *Et lors il leur déclare qu'il faut qu'il souffre beaucoup, qu'il meure et qu'il ressuscite en Jérusalem ; Et Pierre s'opposant à ces tristes prédictions, est appelé Satan.*

93. *Et ayant appelé à soi les troupes, déclare à tous, qu'il faut que chacun porte sa croix.*

94. *Et dit qu'il y en avait de présents à ce discours,*

qui ne mourraient point avant que d'avoir vu le règne de Dieu.

95. *Six jours après* inclusivement, ou *huit jours après* exclusivement, *Jésus ayant pris avec soi Pierre, Jacques et Jean* (savoir Jacques majeur, qu'Hérode fit précipiter, et non pas Jacques mineur, frère du Seigneur, Evêque de Jérusalem, auteur de la lettre catholique; car Matthieu l'appelle frère de Jean), *il les mena en la montagne, et après avoir fait sa prière, il fut transfiguré. Et une voix du Ciel dit : « Voici mon fils bien-aimé, en qui j'ai pris mon bon plaisir. Ecoutez-le. »*

96. *En descendant de la montagne, il leur défend de parler de cette vision, jusqu'à ce qu'il fût ressuscité.*

97. *Et les disciples retinrent en eux-mêmes cette parole : « Jusqu'à ce qu'il fût ressuscité » et ne l'entendirent pas.*

98. *Ensuite ils l'interrogèrent touchant l'avènement d'Elie.*

99. *Le lendemain, étant descendu de la montagne et venu à ses disciples, il guérit un lunatique que les disciples n'avaient pu guérir, et leur dit que c'était par le manquement de foi.*

100. *Et que cette sorte de démon ne sort que par l'oraison, et le jeûne.*

101. *Ensuite il allait par la Galilée, et prédit que le fils de l'homme serait livré aux mains des hommes, mais ils n'entendirent point cette parole.*

102. *Il arriva en Capharnaüm où on lui demanda le tribut. Il déclare à Pierre qu'il en est exempt comme fils de Roi; mais de peur de les scandaliser, il fait pêcher un poisson, dans la tête duquel il prit de quoi payer le tribut.*

103. *Et étant entré en la maison en Capharnaüm, il les interroge des discours qu'ils avaient tenus en chemin, parce qu'ils avaient disputé de la primauté, et* [*appelant*] *un enfant, il les instruit de l'enfance chrétienne;*

104. *Leur défend de scandaliser ces petits, parce que leurs Anges voient la face de Dieu*, savoir les Anges commis à leur garde, *qu'il* [*est venu*] *pour sauver ce qui était péri. Il les instruit de la correction fraternelle et du pardon des offenses, par l'exemple du Roi qui fait rendre compte à ses serviteurs.*

105. *Et sur ce que Jean avait empêché quelqu'un de jeter un démon en son nom, il lui apprend que qui n'est point contre eux est pour eux.*

106. Au mois de septembre, sur la fin, *la fête des Tabernacles étant proche,*

107. *Il ne voulut point monter en Jérusalem, car ses parents, car ses frères mêmes ne croient point en lui, mais il leur dit que son temps n'était pas encore venu, et que, quant à eux, leur temps est toujours prêt, que le monde* [*ne*] *les peut haïr, mais qu'il le hait à cause qu'il témoigne le mal de leurs œuvres, qu'il ne monte pas encore en Jérusalem. Mais*, quand son temps fut prêt, *il y monta aussi. Et partit de Galilée pour y aller après eux.*

108. *Aussi, le temps de son assomption* (c'est-à-dire de sa mort, résurrection et ascension) *approchant et étant venu, il commença à affermir sa face pour aller en Jérusalem.*

109. *Il partit donc de Galilée et avança vers les quartiers de Judée.*

110. *Et comme il voulut passer par la Samarie, il n'y fut pas reçu à cause qu'ils connurent qu'il allait en Jérusalem* (et la raison pour laquelle ils le refusèrent à cause qu'il allait en Jérusalem, est qu'il y avait une dispute entre les Juifs et eux touchant le lieu où il fallait adorer, les uns prétendant que ce fût au Temple de Jérusalem, et les autres au mont Garizien. (Josèphe, 12 *Ant.*, c. 1; Jean, IV, 9); *et les disciples, indignés de ce refus, voulurent faire descendre le feu du Ciel, mais Jésus réprima leur zèle.*

112. (*sic*). *En chemin il refuse quelqu'un pour disciple.*

113. Au mois de septembre, à la fête des Tabernacles, *Jésus fut en Jérusalem.*

114. *Et il y eut des divisions parmi le peuple, touchant sa personne.*

115. *Les uns prétendant qu'il fût prophète, et les autres en médisant, mais non pas en public, car ils étaient les moins forts.*

Comme la fête était à demi passée, c'est-à-dire le quatrième jour de la fête, *Jésus fut au Temple, et enseignait* publiquement, et *se plaint de ce qu'on le veut faire mourir; les Juifs disent qu'il a le Diable, et cherchent les moyens de l'arrêter, mais ils n'osèrent. Les Pharisiens envoyèrent des gens pour le prendre adroitement, mais ils ne purent s'y résoudre. Mais en la dernière et grande journée de la fête* (qui n'est pas le septième jour, mais le huitième), *tout le peuple s'assembla pour s'en retourner : « Si quelqu'un a soif, qu'il vienne à moi et boive »* (comme pour leur donner le viatique). *Et le peuple fut divisé, les uns pour, les autres contre. Et ceux que les Pharisiens avaient envoyés*, l'entendant parler avec tant d'énergie, *ne purent se résoudre de le prendre, et dirent pour excuse aux Pharisiens* qui se plaignaient d'eux : « *Jamais homme n'a parlé de la sorte.* » *Et les Pharisiens*, pour essayer de leur ôter cette créance, *leur disaient qu'à la vérité son discours était capable de séduire le peuple, mais qu'aucun des Pharisiens et des savants* [*n'ayant*] *cru en lui, ils ne devaient pas suivre la simplicité d'un peuple ignorant. Et qu'en toute l'Ecriture, on ne trouverait pas qu'un Prophète dût venir de Galilée.*

116. *Le soir, il se retira à la montagne, et le lendemain matin, étant venu au Temple, il renvoya la femme surprise en adultère, sans la condamner, en écrivant du doigt en terre, et disant : « Que celui qui est sans péché jette contre elle la première pierre. » Ensuite il dit qu'il est la lumière du monde, et plusieurs autres choses, en la Trésorerie du Temple. Mais personne ne le prit, parce que son heure n'était pas encore venue, quoiqu'il les irritât à l'excès, en leur disant qu'ils étaient enfants du Diable, et non pas d'Abraham; qu'Abraham avait tressailli de désir de le voir : de sorte qu'enfin, étant irrités, ils prirent des pierres pour le lapider. Mais il sortit du Temple et se cacha.*

117. *En s'en allant, il guérit l'aveugle-né; les Pharisiens interrogèrent celui en qui le miracle avait été fait et voyant qu'il persistait à confesser la vérité, ils le jetèrent hors du Temple. Et Jésus le reçoit, lui demande s'il croit au fils de Dieu, lui déclare qu'il l'est, et qu'il est venu pour rendre la vue aux aveugles, c'est-à-dire qui se reconnaissent aveugles,*

Et pour aveugler ceux qui voient, c'est-à-dire ceux qui ne croient pas être aveugles.

118. *Il leur enseigne plusieurs autres choses, selon le bon Pasteur, le mercenaire, ses vraies brebis.*

119. *Dans ces temps-là, Jésus ordonna 72 disciples, qu'il envoya par tous les lieux où il devait aller lui-même, les instruisant de presque les mêmes choses dont il avait instruit les Apôtres auparavant.*

120. *A leur retour, il rend grâces à Dieu, dans une élévation d'esprit, de ce qu'il a caché ces choses aux sages du monde, et qu'il les a révélées aux petits.*

121. *Lors un scribe le tentant, il l'instruit par l'histoire du bon Samaritain, quel est son véritable prochain.*

122. *Et en voyageant, il arriva en Béthanie, où il préfère le repos de Marie, qui était à ses pieds, à l'empressement de Marthe qui s'inquiétait pour le servir, et dit que Marie a choisi la meilleure part. Et qu'une seule chose est nécessaire.*

123. *Dans ce temps il instruit les siens. Et dispute avec les Pharisiens de plusieurs choses* dites ailleurs. *Il refuse de partager l'héritage entre deux frères. Et dit : « O hommes! qui m'a constitué juge ou partageur sur vous? » Et leur donne plusieurs instructions* rapportées aussi en d'autres occasions.

124. *A cette heure-là, on lui apporte la nouvelle des Galiléens tués par Pilate. Sur ce sujet, il exhorte tout le monde à pénitence, leur proposant la parabole du figuier infertile. Il guérit ensuite la femme courbée depuis dix-huit ans. Il leur propose la parabole du grain de moutarde, du levain,* rapportée ailleurs. *Il alla ensuite par les villes et villages. On l'interrogea du nombre de ceux qui seront sauvés. Il exhorte à entrer par la porte étroite, laquelle étant une fois fermée, on heurtera en vain.*

125. *Le même jour, étant averti de se garder d'Hérode, il répond : « Dites à ce renard que ma consommation approche. »* Et ce lion de la Tribu de Juda *manda à ce renard qu'il montait hardiment en Jérusalem. Il se plaint ensuite sur Jérusalem, disant : « Jérusalem, Jérusalem, combien de fois ai-je voulu assembler tes enfants, et tu n'as pas voulu! » Mais, malgré ses résistances, il le fit quand il le voulut.*

126. *Etant invité, un jour de sabbat, à dîner chez un Pharisien, il guérit un hydropique, ce qu'il montra être permis par une comparaison. Il enseigne l'humilité. Et qu'il faut convier les pauvres et non pas les riches.*

127. *Il ajouta ensuite la parabole du festin dont les conviés s'excusèrent sous trois divers prétextes. Et où furent appelées toutes sortes de personnes. Et la parabole de la tour, et plusieurs autres choses,* la plupart rapportées aussi en d'autres occasions.

128. *Les Pharisiens murmurant de ce qu'il admettait les pécheurs, il les convainc par trois comparaisons de la brebis égarée, de la drachme perdue, et de l'enfant prodigue.*

129. *Il propose ensuite la parabole du dépensier accusé envers son maître, du mauvais riche, et autres choses* rapportées en d'autres temps.

130. *Après, il dit à ses Apôtres qu'il faut que les scandales arrivent. Ils demandent qu'il leur augmente la foi. Il dit que qui en a comme un grain de moutarde, on peut faire des prodiges..., que nous sommes tous serviteurs inutiles, etc.*

131. Au mois de décembre, *à la fête de la Dédicace, en hiver, étant à Jérusalem, au portique de Salomon, il est interrogé s'il est le Christ, et comme ils ne furent pas satisfaits de sa réponse, ils le veulent lapider. Il demande pour laquelle des bonnes actions qu'il a faites on le veut lapider. Et s'échappant de leurs mains, il fut outre le Jourdain, et demeura quelque temps au lieu même où Jean baptisait.*

132. *Etant au-delà du Jourdain,*

133. *Les Juifs viennent à lui en affluence. Il les instruit touchant l'indissolubilité du mariage,*

134. *Sur le divorce, sur ceux qui sont châtrés pour le Royaume de Dieu.*

135. *Il défend d'éloigner de lui les enfants, les reçoit entre ses bras, et les baise.*

136. *Et comme il sortait de là, un jeune prince demandant ce qu'il fallait qu'il fît pour avoir la vie éternelle, s'en retourna triste, ayant reçu le conseil de vendre tout son bien et de le donner aux pauvres.*

137. *Sur ce sujet, il déclare combien il est difficile qu'un riche soit sauvé. Et admire cette difficulté avec exclamation.*

138. *Et quelle récompense sera rendue à ceux qui auront tout quitté pour lui.*

139. *Il enseigne ensuite que plusieurs premiers seront derniers. Et au contraire,*

140. *Ce qu'il confirme par la parabole des ouvriers loués au diverses heures.*

141. *Etant alors sur les confins de la Judée, il apprend la maladie de Lazare, et l'ayant apprise, demeure deux jours sans partir. Puis il fut en Béthanie, où il trouva que le Lazare était mort il y avait quatre jours. Il pleure, exige de Marthe la reconnaissance qu'il est fils de Dieu. Il prie et ressuscite Lazare, qui puait déjà. Ce miracle ayant attiré plusieurs personnes à la foi,* à cause que Lazare était un homme connu et de considération *et que Béthanie était proche de Jérusalem, les Pharisiens le craignent. Et, la haine qu'ils avaient pour lui fortifiée par le sujet qu'ils eurent que le peuple ne le suivît à cause de ces miracles, résolurent de le prendre et de le faire périr. Caïphe même prophétise, à cause qu'il était Grand Prêtre, qu'il était expédient qu'il mourût pour le peuple. Et Jésus se retira en Ephrem.*

142. La fête de Pâque approchant, *Jésus se mit en chemin pour aller en Jérusalem. En chemin, il rencontre dix lépreux, dont un était Samaritain. Il les guérit tous, et le Samaritain seul le reconnaît.*

143. *En chemin, il appela les douze, et leur dit qu'il*

serait moqué, craché, fouetté, crucifié, qu'il mourrait et ressusciterait le troisième jour.

144. *Mais ils n'entendirent point ce discours.*

145. *Au contraire, les fils de Zébédée ayant compris par là que son Royaume approchait, ils demandèrent, par leur mère, qu'ils fussent assis, l'un à sa droite, l'autre à sa gauche.*

146. *Les dix autres, indignés de cette ambition, Jésus les appelle tous à soi, et leur dit qu'entre eux, ceux qui voudront être les plus grands seront les plus petits.*

147. *En approchant de* [*Jéricho*], *il rendit la vue à un aveugle.*

148. *Après ces discours, ils arrivent en Jéricho.*

149. *En allant par la ville, Zachée tâcha de le voir, monté sur un sycomore, parce qu'il était trop petit. Jésus l'appelle, et est reçu chez lui en joie, et Jésus l'instruit de la parabole des dix marcs donnés à dix serviteurs, etc.*

150. *Il sortit de Jéricho, et en sortant il guérit deux aveugles, dont l'un s'appelait Bartimée.*

151. Le 9 mars, *six jours avant Pâque, Jésus vint en Béthanie, où il soupa chez Simon le lépreux, où Marie l'oignit de ses parfums, dont les disciples murmurant, sont repris, et Judas, irrité, résolut de le livrer aux Pharisiens.*

152. *Et les Princes des Prêtres résolurent dès lors de faire mourir et lui et Lazare, à cause qu'un grand nombre de personnes suivaient Jésus à sa considération.*

153. *Le lendemain*, savoir le dimanche, 10 mars, auquel on choisissait l'agneau de Pâque, qu'on destinait au sacrifice, et où l'on le conduisait au lieu de l'immolation pour l'y garder jusqu'au 14ᵉ, *Jésus*, le véritable agneau de Dieu, qui devait être sacrifié pour les péchés du monde et le véritable accomplissement de cette figure légale, *voulut se rendre ce jour-là même en Jérusalem*, qui était le lieu destiné à son immolation, pour y demeurer jusqu'au 14ᵉ, auquel il devait être sacrifié. *Et en y allant, il passa par Bethphagé, près la montagne des Olives, d'où il envoya querir un ânon et une ânesse.*

154. *Ses disciples n'entendent pas son dessein.*

155. *Et Jésus monté sur l'ânesse, tout le peuple étendit des manteaux et des palmes dans le chemin et criaient : « Hosanna! » Dans ces acclamations publiques il passe par le mont des Olives.*

156. *Et les Pharisiens*, impatients de cette joie universelle, dont ils n'étaient pas maîtres, *prièrent Jésus de les faire cesser. Mais il leur dit que s'ils se taisaient, les pierres crieraient.*

157. *Les Pharisiens, ne pouvant empêcher ces acclamations, furent dans une extrême peine.*

158. *Cependant Jésus, dans cette pompe, approche de Jérusalem, et en approchant, il pleura sur elle de ce qu'elle n'avait point connu le temps de sa visitation et des choses qui servaient à sa paix. Et prédit sa destruction*, savoir par Tite et Vespasien.

159. *Enfin il entre en Jérusalem.*

160. *Cependant les Gentils souhaitent de le voir, et en pressent les Apôtres sur ce sujet. Il leur donne des instructions diverses* rapportées en d'autres occasions. *Et une voix du Ciel vient à sa prière, disant : « Je l'ai glorifié, et derechef je le glorifierai. » Jésus dit qu'il n'est pas venu pour lui, mais pour eux. Jésus prédit sa mort et les exhorte de marcher tandis qu'ils ont la lumière. Et nonobstant tous ces signes, ils ne crurent pas en lui. Ce n'est pas que plusieurs des Princes des Prêtres mêmes ne crussent. Mais ils eurent crainte, et préférèrent la gloire des hommes à celle de Dieu.*

161. *Et le soir étant venu, Jésus les laissa, et fut en Béthanie avec les Apôtres.*

162. *Le lendemain*, lundi 11 mars, *Jésus vint en la ville, et ayant faim dans le chemin, chercha des figues au figuier, et n'y en trouva point, car il n'en était pas la saison, et le maudit.*

163. *Il entra dans la ville et fut au Temple, d'où il chassa les vendeurs.*

164. *Et guérit les aveugles et boiteux, et répond au murmure des scribes.*

165. *Et le soir venu, il se retira en Béthanie.*

166. *Le lendemain*, mardi 12 mars, *au matin, les Apôtres, repassant auprès du figuier, s'étonnent de le voir séché. Sur quoi il leur enseigne la force de la foi de Dieu.*

167. *Etant venu dans le Temple, il fut interrogé d'où il tenait sa puissance, à quoi il répond par une autre interrogation, savoir d'où Jean tenait la sienne.*

168. *Puis il dit la parabole de deux fils qui avaient reçu commandement de leur Père.*

169. *Ensuite il dit la parabole des laboureurs qui tuèrent le fils héritier de la vigne.*

170. *Après il leur expose la similitude de la pierre angulaire.*

171. *Toutes ces paraboles leur ayant fait entendre qu'il parlait contre eux* et qu'il leur prédisait la translation du Royaume de Dieu, *ils s'irritèrent et n'osèrent pourtant pas mettre les mains sur lui.*

172. *Et Jésus, continuant ses paraboles, il leur fit celle du festin, dont les conviés s'excusent sous trois divers prétextes*, rapportés ailleurs. Mais il y ajoute *la circonstance de celui qui n'avait point la robe nuptiale.*

173. *Les scribes et Pharisiens*, jugeant bien qu'ils ne pourraient le surprendre sur l'explication des Ecritures, *le tentent sur le sujet de la politique, pour le faire tomber entre les mains du Gouverneur.*

174. *Ainsi ils l'interrogèrent touchant le tribut dû à César, Mais il les confond par sa réponse, ensuite de laquelle les Saducéens* voulurent encore le tenter sur la religion, et *lui proposent une difficulté sur les mariages après la résurrection, laquelle étant facilement résolue, il leur en propose une autre lui-même, savoir si le Christ est fils de David, et met en évidence les vices cachés des scribes.*

175. *De sorte que dès lors personne n'osa plus l'interroger.*

176. *Il ordonne néanmoins d'ouïr les scribes, quelque méchants qu'ils fussent, parce qu'ils sont assis sur la chaire de Moïse. Il défend à tous de se faire appeler*

maître, et défend d'appeler qui que ce soit père, et invective par huit malédictions contre eux.

177. *Après ce dicours, étant assis auprès du tronc, il préfère l'aumône de la veuve à celle des riches.*

178. *Les disciples, en sortant du Temple, en admirent la structure, mais il en prédit la ruine.*

179. *Et étant arrivé sur la montagne des Olives, il s'assit vis-à-vis du Temple. Là les disciples l'interrogent des signes de son dernier avènement. Il les déclare amplement et exhorte tout le monde à veiller et à prier. Il leur enseigne que pour éviter ces maux il faut toujours prier, et confirme ce précepte par l'exemple du Juge inique importuné par la veuve ; et qu'il faut prier avec humilité et avec un véritable sentiment de son indigence, ce qu'il confirme par l'exemple du Pharisien et du Publicain,*

180. *Et par la parabole des dix vierges, et par celle des talents donnés aux serviteurs pour les faire profiter.*

Et finit ce discours en déclarant la forme du dernier jugement.

181. *Il passe toute la nuit sur le mont des Olives.*

182. Le mercredi 13 mars, *au matin, il avertit que la Pâque doit être célébrée deux jours après,* savoir la nuit d'entre le jeudi au vendredi, suivant la loi, entre le 14 et 15 mars.

183. *Le même jour, Satan entra en Judas Iscarioth qui fut trouver les Princes des Prêtres, qui cherchaient tous les moyens de prendre Jésus, et fit marché avec eux pour le livrer.*

184. Le jeudi 14 mars, *premier jour des pains sans levain, auquel il fallait sacrifier l'agneau de Pâque, etc.* Et auquel Jésus mangea la Pâque pour obéir à la loi, et institua sa Pâque pour accomplir la loi, et fut immolé et sacrifié lui-même (savoir la nuit d'entre le jeudi et vendredi), *il envoie deux de ses disciples pour lui préparer la Pâque, donnant pour signe du lieu où il devait aller un homme portant une cruche d'eau.*

185. *Le soir, quand l'heure fut venue,*

186. *Jésus mangea l'agneau de Pâque avec ses disciples.*

187. *Il leur déclare le grand désir qu'il a eu de manger cette Pâque avec eux.*

188. *Après souper, il leur lave les pieds, ce que Pierre refuse d'abord, puis y consent.*

189. *Ensuite il institue et leur confère le sacrement de son corps et de son sang, et leur dit qu'il n'en boira plus, jusqu'à ce qu'il le boive de nouveau au Royaume de Dieu.*

190. *Puis il fut troublé en esprit.*

191. *Et prédit que Judas le trahirait.*

192. *Et qu'il serait meilleur à cet homme-là de n'être point né. Jean se repose sur la poitrine de Jésus.*

193. *Judas demande s'il parle de lui. Jésus l'avoue.*

194. *Et après que Judas eut pris le morceau trempé, le Diable entra en lui.* Ce morceau n'était pas le corps du Seigneur, car il l'avait déjà reçu. (Aug. *Tract.* 62. *Conc. Bracarens. tertium. Cant.* I.)

Et Jésus lui dit : « Fais bientôt ce que tu as à faire. » (Non pas en commandant, mais en permettant, comme quand il dit aux Juifs : « Abattez le Temple, et je le relèverai, » et comme Elisée dit à ceux qui s'obstinaient à envoyer chercher Elie : « Envoyez. » Et comme Cyprien, prêt à mourir, dit : « Fais promptement ce qui t'est commandé. » Car Jésus céda aux desseins de Judas afin qu'il le pût, mais il ne fit pas qu'il le voulût.)

195. *Judas sort, et Jésus dit incontinent que maintenant il est glorifié, et Dieu en lui et que Dieu le glorifiera encore.*

196. *Et leur donna le nouveau commandement d'amour mutuel, pour marque et sceau de christianisme.*

197. *Puis leur prédit qu'ils seront tous scandalisés cette nuit en lui, mais qu'il ressuscitera, et qu'il ira devant en Galilée.*

198. *Sur cela, ils disputent entre eux de la primauté* (peut-être parce qu'ils croient, comme tantôt, que son règne approchait).

199. *Jésus les reprend et leur dit que le plus grand sera le moindre.*

200. *Et* néanmoins *préfère Pierre* (peut-être parce qu'il n'est pas de ceux qui aspiraient à la primauté) *en s'adressant à lui, disant : « Simon, Simon, voici, Satan a demandé de vous cribler comme le blé, mais j'ai prié pour toi, afin que ta foi ne défaille point. »* Pour lui faire entendre que sa persévérance en la foi serait un don de Dieu et non un pur effet de sa propre force.

201. *Mais Pierre,* plein de sentiments que la nature inspire et n'ayant pas encore reçu le Saint-Esprit, *lui dit,* s'assurant sur ses propres forces, *qu'encore que les autres le quittent, il le suivra partout. Mais Jésus lui prédit son triple reniement. Et ensuite leur ordonne de porter des bourses et des épées, et ensuite prédit encore sa mort.*

202. *Pierre et les autres persistent à maintenir leur fidélité.*

203. *Enfin Jésus prêt à partir, pour la dernière fois il console et confirme ses apôtres, il leur ouvre de grands mystères, la venue du Saint-Esprit consolateur. Et sa victoire sur le Prince du Monde,* par cet ample discours qu'il fit pour son adieu.

204. *Il couronne cet adieu par cette excellente prière qu'il fait à Dieu pour les recommander à sa providence, quand il n'y sera plus. Et prie non seulement pour eux, mais encore pour tous ceux qui doivent croire à l'Evangile. Et ne prie point pour le monde.*

205. *Il sort* de la maison *pour aller au mont des Olives, et ayant passé le torrent de Cedron,*

206. *Il vint en un jardin de Gethsemani,*

207. *Et laissant ses disciples, fut au mont des Olives à son ordinaire.*

208. *Il prend avec soi Pierre, Jacques et Jean, et étant en tristesse, leur dit que son âme est triste jusqu'à la mort.*

209. *Il s'éloigne un peu d'eux,*

210. *D'environ le jet d'une pierre.*

211. *Il prie.*

212. *La face en terre.*

213. *Trois fois.*

214. *A chaque fois, il vient à ses disciples et les trouve dormants.*

215. *L'ange le conforte* (dans la destitution de toute consolation et divine et humaine, où sa nature humaine était réduite). *Et dans cette agonie, il sue le sang.*

216. *Judas s'approche, et ses troupes.*

217. *Jésus les renverse tous d'une parole.*

218. *Judas le baise, Jésus se livre. Pierre coupe l'oreille de Malchus. Jésus l'en reprend,*

219. *Et le guérit.*

220. *Jésus, en se livrant, prie qu'on laisse aller les siens.*

221. Jésus est *amené, et les disciples s'enfuient. Et un jeune homme le suivant nu dans un drap, on le veut prendre. Il quitte son drap et s'enfuit nu.*

222. *Jésus est premièrement mené à Anne.*

223. *Puis à Caïphe, et Pierre suivait de long.*

224. Et Jean *suivait aussi, lequel ayant connaissance chez le Pontife, n'eut pas de peine à entrer, et introduisit aussi Pierre.*

225. *Aussi Pierre entre et se chauffe, car il faisait froid.*

226. *Jésus est interrogé de sa doctrine et de ses disciples.*

227. *Reçoit un soufflet et s'en plaint.*

228. *Cependant les Princes des Prêtres tiennent conseil, et suscitent de faux témoignages contre Jésus.*

229. *Jésus ne répond rien sur leurs fausses dépositions.*

230. *Ces témoignages n'étant ni suffisants, ni conformes entre eux*, les Princes des Prêtres et Caïphe... délibèrent toute la nuit, et résolurent de tirer de sa bouche s'il se dit le Christ, pour le condamner par ses propres discours.

231. Pendant que ces choses se passaient dans le conseil, *Pierre était dans la cour, où il fut reconnu à la lueur du feu, par les domestiques, et renia hautement Jésus.*

232. *Le coq chante incontinent, il sort et pleure amèrement.*

233. *Après que Jésus l'eut regardé* (savoir, intérieurement car Jésus et Pierre étaient en différents lieux, d'où ils ne pouvaient pas se voir. Ambr.)

234. *Cependant les soldats l'outragent et le jouent.*

235. Le vendredi 15 mars, *au matin, Caïphe et les autres*, suivant leur délibération, *le font entrer dans le Conseil et lui demandent s'il est le Christ; Jésus l'avoue et est jugé digne de mort.*

236. *Et lors il fut craché, moqué, souffleté, joué par les soldats.*

237. *Ainsi il est mené lié à Pilate, gouverneur.*

238. *Judas, le voyant condamné, ému de repentir, jette son argent, dont on acheta le champ d'un potier pour la sépulture des étrangers, et se pendit.*

239. *Pilate demande aux Juifs de quoi ils accusent Jésus. Les Prêtres* qui s'en étaient rendus Juges, *ne voulurent pas s'en rendre parties.* Et Pilate ne voulait point le condamner sans connaissance de cause.

240. Enfin *ils furent contraints de l'accuser, et lui imposent plusieurs crimes, comme d'avoir voulu émouvoir le peuple, se disant Roi soi-même.*

241. *Sur quoi étant interrogé par Pilate, s'il était Roi, il l'avoue.*

242. *Mais que son Royaume n'est pas de ce monde.*

243. *Pilate*, voyant que sa prétention n'était pas contraire au gouvernement temporel ni à l'autorité de César, *dit qu'il ne trouve point de crime en lui.*

244. *Les Juifs*, qui voulaient sa mort, voyant que cette première accusation n'était pas suffisante, *en ajoutèrent d'autres* tumultuairement sans forme et en état de sédition plutôt que de justice réglée. *Mais Jésus n'y répondit plus mot.*

245. *Et Pilate admira sa retenue.*

246. *Enfin ils insistent à l'accuser d'avoir voulu émouvoir le peuple*, et pour colorer leur accusation de quelque circonstance vraisemblable, *ils disent qu'il a commencé par la Galilée, sur quoi Pilate ayant connu qu'il était du ressort d'Hérode, qui était lors en Jérusalem, il s'en décharge et le lui envoie. Hérode le reçoit avec joie, car il désirait de le voir et de l'ouïr, pour lui voir faire quelque signe, mais Jésus ne dit mot, et Hérode le méprisant, le renvoya, vêtu de blanc, à Pilate, pour le rendre ridicule. Et Hérode et Pilate devinrent amis :* la raison temporelle en est que l'un et l'autre s'étaient rendu une déférence civile en cette occasion, mais la raison mystique est que Jésus devant réconcilier en sa personne les deux peuples Juif et Gentil en détruisant les inimitiés en sa personne par sa croix, voulut pour marque de cette paix réconcilier dans l'occasion de sa passion ces deux pour amis.

247. *Pilate, voyant qu'Hérode ne l'avait pas condamné, dit aux Juifs qu'il ne le condamnerait point aussi, et qu'il le relâcherait après une légère punition.*

248. Et, le peuple s'obstinant à demander sa mort, *tenta un autre moyen pour sa délivrance, en leur proposant la coutume de délivrer un prisonnier à Pâque. Et* pour cet effet, *leur mit en parallèle Jésus et Barabbas, meurtrier*, espérant qu'ils préféreraient Jésus.

249. *Les Princes des Prêtres*, craignant le succès de cet artifice, *briguent puissamment pour Barabbas,*

250. (*Cependant Pilate étant au siège présidial, sa femme le sollicite de s'abstenir de cette cause.*)

251. *De sorte que tout le peuple, d'une voix, demande la liberté de Barabbas. Et la mort de Jésus.*

252. *Pilate ne pouvant faire réussir le dessein de sa délivrance, le fit flageller* pour le rendre un objet de pitié.

253. *Ainsi, étant livré aux soldats, il fut dépouillé, vêtu de pourpre, couronné d'épines, un roseau en sa main.*

254. *Et en cet état, Pilate l'expose au peuple* pour le fléchir.

255. *Mais eux autres*, par la fausse piété, et par

l'ardente sollicitation des Prêtres, l'accusent de plus en plus, et disent à Pilate, *qu'il s'est fait fils de Dieu et par là, qu'il mérite la mort. Pilate l'ayant interrogé sur ce fait, Jésus ne répond point. Pilate lui dit qu'il a sur lui la puissance de vie et de mort*, et le presse par cette considération de lui répondre. *Jésus lui dit qu'il tient cette puissance d'en haut. Pilate* ne pouvant trouver en lui de crime, *s'efforce plus que jamais de le délivrer.*

256. *Il sortit trois fois vers les Juifs pour calmer le peuple, parce qu'il voyait clairement qu'ils l'avaient livré par envie. Mais ce fut en vain.*

257. Cependant Pilate ne put se résoudre à le condamner sur leurs accusations. Et [voyant] que l'intérêt de la Religion, qui les piquait, et qui intéressait les Prêtres, ne touchait pas Pilate pour le porter à cette injustice, ils le piquèrent d'intérêt, et *lui dirent qu'il ne pouvait éviter la colère de César, s'il le relâchait, parce qu'il avait attenté à se faire Roi.* Cette considération vainquit Pilate. *Et néanmoins, s'étant mis en son siège Présidial, il fit encore un effort pour sa délivrance. Mais le peuple continua à lui représenter qu'il ne reconnaissait point d'autre Roi que César.*

258. *Et la voix du peuple se renforçant pour demander sa mort,*

259. *Pilate prit de l'eau et se lava les mains du sang de ce Juste. Le peuple demande que son sang soit sur eux et sur leurs enfants.*

260. *Sur quoi Pilate, pour se concilier la bonne volonté du peuple, le juge et le livre pour être crucifié.*

261. *Ils prirent donc Jésus, et le menèrent hors de la ville chargé de sa croix.*

262. *Etant hors la ville, ils trouvèrent un nommé Simon Cyrénéen, qu'ils contraignirent de porter sa croix.*

263. *Le peuple le suivait en foule, et des femmes, qui pleuraient sur lui, auxquelles il dit qu'elles pleurent sur elles-mêmes, et leur prédit les malheurs qui approchaient.*

264. *Etant arrivé au mont de Calvaire, on lui présenta à boire du vinaigre.*

265. *Mêlé avec du fiel, et quand il en eut goûté, il n'en voulut pas boire.*

266. *A midi* ou à six heures selon les Juifs, *on l'attache à la croix.*

267. *Pendant qu'on lui perce les pieds et les mains, il prie pour ses bourreaux.*

268. *Cependant la terre fut couverte de ténèbres, depuis midi jusqu'à trois heures.*

269. *On met à sa croix le titre de sa condamnation : J. N. R. J.*

270. *Lequel Pilate ayant écrit, il ne le voulut pas changer.*

271. Pour augmenter son ignominie, *on crucifia avec lui deux larrons à ses deux côtés.*

272. *Les soldats partissent son vêtement et le jettent au sort.*

273. *Ils en firent quatre parties, à chacun la sienne, et parce que la robe était sans couture, ils ne la coupèrent, mais la mirent au sort.*

274. *Le peuple et les Princes des Prêtres même, qui le regardaient, et les soldats se moquaient de lui dans son agonie.*

275. *Et les passants, et le Souverain Prêtre,*

276. *Et les deux larrons crucifiés avec lui, tous le blasphémaient.*

277. *Mais l'un des deux larrons, converti soudainement, pendant que l'autre continue à blasphémer, il le reprend, reconnaît Jésus, le prie qu'il se souvienne de lui. Et Jésus lui promet qu'il sera ce jour-là même avec lui en paradis.*

278. *Il recommande sa mère au disciple qu'il aimait.*

279 *a. Et environ à trois heures*, ou, suivant les Hébreux, à neuf heures, *Jésus cria : « Eli, Eli, lamma sabbactani? » c'est-à-dire : « Mon Dieu, mon Dieu, pourquoi m'avez-vous délaissé? »* savoir en sa nature humaine, abandonnée à tous les tourments des bourreaux, et de ses ennemis, sans consolation. Et il s'adresse à Dieu pour demander la cause de cet abandon, par conséquent [on voit] que c'est le péché des hommes qu'il expiait dans sa chair innocente. Néanmoins, ce péché n'est pas bien connu des hommes, et son horreur n'est bien connue que de Dieu seul. Et même ce discours peut être entendu comme une prière que Jésus fait au Père de se souvenir de la fin pour laquelle il l'afflige et l'abandonne; comme disant : « Mon Dieu, mon Dieu, pourquoi m'avez-vous délaissé? vous savez, mon Dieu, que c'est pour le salut du monde, appliquez donc le fruit de ce sacrifice au genre humain, auquel vous l'avez destiné. » Et ces paroles sont pleines d'espérance et non pas de désespoir, car il dit : « Mon Dieu, mon Dieu! » or, Dieu n'est point le Dieu des morts, ni des désespérés.

279 *b. Il dit aussi : « J'ai soif. »*

280. *Lors les soldats tournant ces mystères en raillerie, lui présentent du vinaigre.*

281. *Et disent qu'il appelle Elie.*

282. *Et Jésus, ayant pris du vinaigre, dit : « Tout est consommé »*, c'est-à-dire tout ce qu'il devait faire en cette vie.

283. *Et derechef Jésus criant,*

284. *A haute voix : « In manus, etc. »*

285. *Il inclina la tête.*

286. *Et rendit l'esprit*, entre les mains de son père, à qui il l'avait recommandé, et *mourut*, non pas par une nécessité naturelle mais par sa propre volonté, ce qui paraît, et parce qu'il l'a dit lui-même, et par la manière dont il est mort, par son cri, lequel ne pouvait pas être naturel, car ceux qui meurent de faiblesse perdent la voix longtemps auparavant, et *il cria à haute voix* immédiatement. Aussi *le centenier le reconnut fils de Dieu à cette marque.* Quand il baissa la tête, il le fit par sa volonté et pleine puissance, au lieu que les autres le font après la mort, par faiblesse. *Il attendit que toutes choses fussent consommées, et lors il mourut.*

287. *Cependant* celui qui peu auparavant avait été

défié de faire des miracles, en fit après sa mort... *Car le soleil fut obscurci.*

288. *Le voile du Temple se fendit par le milieu,*

289. *Depuis le haut jusqu'en bas.*

290. *La terre trembla, les monuments s'ouvrirent, les corps des saints ressuscitèrent après la résurrection du Seigneur, et entrèrent en la sainte cité, apparurent à plusieurs*, et ils ressuscitèrent pour la gloire éternelle, après le Seigneur, car il est les prémices des morts, et apparurent à ceux qui étaient dignes de voir des corps glorieux, pour leur confirmer la vérité de la résurrection du Seigneur. Et leur donner l'espérance, le gage, et la certitude de la résurrection générale, dont ils ont été les avant-coureurs, et Jésus l'auteur.

291. *Le centenier reconnaît qu'il est fils de Dieu, parce qu'il le vit mourir, et crier en mourant.*

292. *Et parce qu'il voit tous ces prodiges qui suivirent sa mort.*

293. *Et les troupes qui le gardaient s'en retournèrent, convertis* [sic] *à ce spectacle et frappant leur poitrine.*

294. *Les Juifs cependant, à cause du sabbat, demandent qu'on rompe les os aux crucifiés pour les faire mourir avant le sabbat, ce qu'on fit aux larrons, mais non pas à Jésus, parce qu'il était déjà mort* et qu'il avait prévenu par sa puissance celle du bourreau (Tert.). *Mais on lui perça le côté, d'où sortit sang et eau,* de peur qu'il ne fût pas mort entièrement, ce qui est très miraculeux, car il ne peut sortir de sang d'un corps mort, en quelque lieu qu'on le perce, et encore moins de l'eau, suivant le consentement des médecins, et cependant il en sortit de l'eau véritable, suivant l'Evangile, et suivant que le pape Innocent III, *in Decret, de celeb. miss.*, le déclare.

295. *Comme le soir fut venu, Joseph d'Arimathie demande permission d'ensevelir le corps à Pilate.*

296. *Pilate s'étonne qu'il soit sitôt mort, et s'en étant informé du centenier,*

297. *Il le leur accorde.*

298. *Ils le descendent de la croix,*

299. *Et ayant acheté un linceul net, ils oignent le corps, l'enveloppent du linceul, et le mirent dans un sépulcre neuf, où jamais personne n'avait été mis,*

300. *Taillé dans le roc, et* [*mettent*] *à l'entrée du monument une pierre,*

301. *Fort grosse.*

302. *Nicodème aussi apporta cent livres de parfum.*

303. *Les femmes observent de loin ce qui se passe, et le lieu où l'on le met.*

304. *Et elles préparent des parfums, et se reposèrent, parce que le sabbat commençait,* dans le dessein d'aller oindre le corps dès le lendemain du sabbat, savoir le dimanche.

305. *Le jour de la Pâque des Juifs,* savoir le samedi 16 mars, *les Princes des Prêtres craignant que les disciples n'enlevassent le corps et qu'ils ne le publiassent ressuscité, ils demandent à Pilate que le sépulcre fût gardé ; Pilate l'accorde, et ils allèrent eux-mêmes sceller le sépulcre, et y poser des gardes.*

306. *Le dimanche* 17 mars, *Madeleine et les autres femmes achetèrent encore des parfums.*

307. *Et de grand matin, vinrent pour oindre le corps de Jésus.*

308. *Et en chemin, elles étaient en peine comment elles pourraient rouler la pierre, car elle était fort grosse.*

309. *Et un grand tremblement de terre arriva, car l'ange descendit et roula la pierre, et s'assit sur elle. Et les gardes en devinrent comme morts.*

310. *Et ainsi les femmes, approchant du sépulcre, virent la pierre roulée.*

311. *Et l'ange parla aux femmes et leur dit qu'elles ne craignent point,* c'est-à-dire que les gardes ont eu raison de craindre sa vue, parce qu'il n'y a point de proportion entre eux et des esprits célestes, mais quant à elles, qu'elles ne doivent pas craindre, puisqu'elles voient leurs confrères et leurs concitoyens, *et leur dit que Jésus est ressuscité ; les fait entrer, leur montre le lieu où il avait été mis, et leur donne charge d'aller l'annoncer aux disciples et à Pierre.*

312. *Ainsi elles ne trouvent point le corps du Seigneur.*

313. *Ces aventures les remplissent d'une joie incertaine, et mêlée de crainte.*

314. *Et comme elles partaient en grande perplexité, elles virent deux anges. Cette vision les trouble. Elles baissent la face en terre. Les anges leur disent que Jésus est ressuscité, qu'il a fallu qu'il mourût et qu'il ressuscitât. Ces paroles remettent en mémoire à ces femmes les paroles que Jésus avait dites durant sa vie.*

315. *De sorte qu'elles se rassurent et vont en porter la nouvelle aux Apôtres, et particulièrement à Pierre, et à Jean.*

316. *Ils prennent ce récit, que les femmes leur font, pour une rêverie.*

317. *Et néanmoins Pierre,*

318. *Et Jean courent au sépulcre. Et Jean arrive le premier.*

319. *Et ils ne virent point le corps.*

320. *Et Pierre ensuite vit les linges* et non pas le corps.

321. *Et Jean entra après Pierre au sépulcre. Et Jean, quand il eut vu que le corps n'y était pas, crut qu'il était ressuscité ; car il ne connaissait pas encore cette vérité par la foi, et par l'Ecriture. Et s'en retournèrent.*

322. *Ensuite Marie allant au sépulcre en pleurant, et voulant se baisser pour regarder dans le sépulcre, elle voit deux anges, l'un à la tête, l'autre au pied du lieu où Jésus avait été mis, qui la consolent, et en s'en retournant elle voit Jésus en forme de jardinier.*

323. *Jésus lui dit : « Ne me touche pas* (d'autant que je suis maintenant d'une dignité plus grande qu'autrefois. Et si je me laisse toucher les pieds tantôt, aux femmes et à toi-même. ce n'est que pour être adoré. Et si je donne mes mains à toucher, ce n'est que pour convaincre les incrédules) *mais va annoncer à mes frères que je monte à mon père et à leur père, à mon Dieu et à leur Dieu.* » Il ne dit pas à notre père et à notre Dieu, car Dieu est autrement père et Dieu

de J.-C. que de nous, puisqu'il est fils par nature, et nous par adoption; et que Dieu est son Dieu par la communication de sa divinité, et qu'il est notre Dieu par la communication de sa grâce.

324. *Et elle fut*, avec les femmes, *l'annoncer aux Apôtres, qu'elle l'avait vu ressuscité*, au lieu que la première fois elle n'avait vu sinon que le corps n'y était pas.

325. *En chemin, elles trouvent Jésus à la rencontre.* Et Madeleine était mieux instruite, et les autres, à son exemple, *se jettent à ses pieds et les adorent. Il leur ordonna d'aller dire à ses frères qu'ils aillent en Galilée et qu'ils l'y verront.*

326. *Cependant, les soldats qui avaient été posés au sépulcre vont dire aux Prêtres ce qui s'était passé, lesquels leur donnent de l'argent, pour dire que pendant qu'ils dormaient, on avait enlevé le corps.*

327. *Les Apôtres ne croient pas le rapport des femmes.*

328. *Jésus ensuite se montre à Pierre.*

329. *Et aussi à deux disciples allant en Emmaüs,*

330. *Auxquels il explique toutes les Ecritures qui parlaient de lui. Mais ils ne le connurent qu'à la fraction du pain*, c'est-à-dire en la manducation de son corps (Aug. *serm.* 140 *de temp. c.* 3 *et lib.* 3 *de consensu, c.* 35); pour recommander ce divin sacrement. Et parce que personne ne doit mettre en doute que la participation à ce sacrement nous introduise en la connaissance du Seigneur *(Epist.* 59 *quaest.* 8*)*. Car ce mot de fraction du pain signifie le repas de l'Eucharistie dans le Nouveau Testament, comme il paraît par les Actes et par saint Paul : « Le pain que nous rompons n'est-il pas la participation du corps du Seigneur? »

331. *Et les deux disciples le furent annoncer aux autres, assemblés en Jérusalem avec les autres.*

332. *Mais ils ne le crurent pas.*

333. *Enfin, le jour du dimanche*, comme les deux disciples faisaient leur retour,

334. *Jésus lui-même apparut au milieu d'eux.*

335. *Le soir* du dimanche, *les portes étaient fermées, de peur des Juifs ; il entra sans ouvrir les portes*, contre nos hérétiques : car il était bien en la puissance de celui qui était né sans l'ouverture des flancs maternels, d'entrer, les portes étant fermées, puisque rien n'est impénétrable à un corps uni à la divinité.

336. *Il leur donna sa paix, et leur inspira le Saint-Esprit par son souffle*, qui en était le symbole extérieur, qui marque qu'il procède aussi de lui (Aug., Cyrill., Hil.). Mais pour montrer qu'il ne leur donnait pas l'Esprit sans mesure, mais par mesure, il leur dit la fin pour laquelle il le leur donne, *en disant qu'ils auront pouvoir de remettre et retenir les péchés.*

337. *Et parce qu'ils doutaient*, non pas par une obstination malicieuse, mais *par un excès de joie, qu'ils avaient peine de croire, et qu'ils pensaient que ce fût un esprit, il leur montre ses pieds et ses mains*, où étaient encore les cicatrices ouvertes, non pas saignantes, mais saines (Aug., Cyrill., Léon), lesquelles il a voulu porter dans le ciel à la droite du père, pour les lui exposer éternellement comme le prix de notre liberté, et l'éternel trophée de sa victoire (Ambr.). Car ce ne sont point des défauts, mais des marques de vertu, *Et leur dit qu'il était le même.* Et parce qu'ils doutaient encore, pour dernière preuve *il mangea*, non que ce qu'il mangea se convertît en sa substance, mais il fut dans l'estomac [consumé]. Car il n'avait plus besoin de manger. Car un corps ressuscité aurait une puissance imparfaite, s'il n'avait le pouvoir de manger, et aurait une puissance imparfaite, s'il en avait besoin.

Thomas lors était absent, et ne crut point aux dix autres.

338. *Huit jours après*, savoir le dimanche 24 mars, *Jésus apparut aux onze étant ensemble, les portes étant fermées, et donna ses mains et son côté à manier à saint Thomas, qui crut, et dit : « Mon Seigneur et mon Dieu »*, reconnaissant la divinité et humanité en sa personne (Ambr.).

339 *a. Il leur donna la forme du baptême, et les signes qui suivront ceux qui croiront, c'est-à-dire les miracles par lesquels il confirmera leur prédication, Et attirera la créance des peuples*, lesquels il [*disperserait*] par son Eglise, de la même sorte qu'il les a dispersés dans son corps mortel, c'est-à-dire non pas en tous lieux généralement, mais dans les lieux et dans les temps où il sera nécessaire, suivant l'utilité de l'Eglise, qui est la fin des miracles. Aussi ils ont été fréquents au commencement, et rares néanmoins, de peur que la coutume ne refroidît l'ardeur que la nouveauté avait allumée. (Greg. *Hom.* 29 *in. Ev.*). Et ces miracles peuvent aussi être entendus mystiquement. Et sont très bénins et utiles, et non pas comme ceux de Moïse.

339 *b. Ensuite il apparut aux sept pêchant à la mer de Tibériade, et fit le miracle de la pêche des poissons où le filet ne se rompit point :* où saint Augustin remarque de grands mystères sur la différence de cette pêche à l'autre, celle-ci après la résurrection, celle-là avant la résurrection. Celle-là marque l'état de l'Eglise avant la résurrection générale, celle-ci l'état de l'Eglise après. Là les rets sont jetés de tous côtés à l'aventure, ici seulement à droit; là, les rets rompus [marquent] les divisions, schismes, et ici, leur intégrité [marque] l'unité; là les poissons sont mis en deux navires, savoir des Gentils et des Juifs, tous deux prêts à périr; ici au port, c'est-à-dire dans l'assurance de l'éternité. Là sont pris les grands et petits; ici seulement les grands. *Ensuite, suit le* [*repas*] *etc.*

Jean reconnaît Jésus le premier. Jésus exige de Pierre un triple témoignage de son amour. Il lui commet le soin de ses brebis, c'est-à-dire des brebis de Jésus-Christ, et non de Pierre, *et lui prédit le genre de mort qui l'attend et qui le mènera où il ne veut pas.* Ce qui marque la volonté de la nature et celle de la grâce, de l'homme extérieur et de l'homme intérieur, qui a paru mort en Jésus-Christ.

339 *c. Jésus apparut aussi à près de cinq cents disciples et à Jacques.*

340. *Enfin il apparut aux onze, en Galilée, allant à la montagne qu'il leur avait assignée. Et leur dit que toute puissance lui est donnée au ciel et en la terre,*

c'est-à-dire partout, suivant la façon de parler des Hébreux, comprenant toutes choses en deux mots, comme celui-là, [le bien et] le mal, de [trop] et assez, etc. *Et les envoie prêcher et baptiser par toute la terre, et leur promet d'être avec eux jusqu'à la consommation des siècles*, par sa grâce, son autorité et son esprit. En quoi il promet deux choses, l'une que jamais l'Eglise ne périra et ne sera destituée de pasteurs, pour montrer son économie; l'autre que jamais elle ne sera destituée de la connaissance de la vérité, Car si l'un de ces deux manquait, cette promesse serait nulle. (Hyeron.)

341. Le 26 avril, 40 *jours après la résurrection, il les mena en Béthanie.*

342. *Et étant prêt à disparaître, les Apôtres lui demandèrent,*

343. *Quand il reviendra.*

344. *Mais Jésus reprit leur curiosité.*

345. *Ayant dit ces choses, il éleva ses mains*, non pas comme pour prier, mais pour les bénir, suivant la coutume (Levit, IX, 22), et comme on fait dans l'Eglise, et comme les Apôtres ont fait. Et peut-être que cette coutume de l'Eglise, et des Apôtres, procède de cette action de Jésus-Christ. (Hyeron., *in* v. 19 c. 66. Isaïe), dit que Jésus nous a laissé le [signe] du tau sur notre front, en montant à son père, comme la source de toute bénédiction. Et Jésus les bénit, et cette bénédiction les conserva jusqu'à la Pentecôte. *Et eux le regardant, il fut enlevé et monta au ciel.*

346. *Et une nuée le soulevant, ils le perdirent de vue... Et comme ils le regardaient aller au ciel, deux anges se présentèrent à eux, qui leur dirent, que de la même sorte qu'ils l'avaient vu monter, de la même sorte il reviendrait.*

347. *Et il monta au-dessus de tous les cieux*, afin qu'il remplît tout (Ephes. IV), *et fut reçu au ciel et sied maintenant à la droite du Père...*, dans une égalité parfaite au Père, et dans une plénitude de puissance. Car cette session à la droite est opposée au ministère des anges comme inférieur, Hebr. I. [13 et 14] Philipp. II, 9, Ephes. I, 20, [I] Corinth. XV. 25, etc., où l'Apôtre entend par la session à la droite, la pleine puissance qu'il n'a jamais manqué d'avoir, mais qu'il a paru avoir [reçue] en ce jour. Et quoique le fils soit à la droite du père, ce n'est pas à dire que le père soit à la senestre du fils. Car dans le Ps. *Dixit Dominus*, où il est dit que le fils est à la droite du père, il est dit aussi que le père est à la droite du fils. Mais c'est que parlant de [chaque] personne [il faut] lui donner tout et quasi plus, de peur qu'on ne lui donne moins. Ambr... Et de là il régit et conduit son Eglise avec pleine puissance et providence.

348. *Les Apôtres s'en retournent en Jérusalem en grande joie, et étaient toujours au Temple, louant Dieu.*

349. *Et persévéraient d'un accord avec Marie, mère de Jésus, en l'oraison*, en attendant le Saint-Esprit promis.

350. *Et ayant reçu le Saint-Esprit* dix jours après, savoir le 7 mai, *ils ont porté l'Evangile par toute la terre, le Seigneur confirmant leur prédication par leurs miracles.*

351. *Et demeure avec l'Eglise jusqu'à la consommation du siècle, suivant sa promesse.*

352. Alors il reviendra, au même état où il est monté,

353. Juger les vivants et les morts, et séparer les méchants d'avec les bons; Et envoyer les injustes au feu éternel; Et les bons en son Royaume, suivant la forme qu'il en a prédite, et demeurera dans le sein [Jn, I, 18].

354. Et ce Royaume sera sans fin, où Dieu sera tout en tous,

Et où il demeurera uni à Dieu dans le sein de Dieu et ses élus en lui, en l'éternité. Amen.

ÉCRITS SUR LA GRACE

Au folio B du Recueil Original *(B.N., f. fr.* 9202*) figure un certificat signé de Louis Périer, attestant que le* 25 *septembre* 1711 *il a déposé un volume dans la Bibliothèque de Saint-Germain-des-Prés :*
« ... le présent volume contenant ... pages, dont il y en a plusieurs en blanc, a été trouvé après la mort de M. Pascal, mon oncle, parmi ses papiers et est en partie écrite de sa main et partie qu'il a fait copier au net sur sa minute, lequel volume contient plusieurs pièces imparfaites sur la grâce et le Concile de Trente...»
Ces originaux ont disparu, mais le P. Pierre Guerrier nous en laisse des copies dans le manuscrit B.N., f. fr. 12449 *(f*os 615-758*) et dans son* 1er Recueil, *gros in* 4° (14-30, 145-227). *En outre une* Copie du manuscrit Périer *nous fait connaître (f*os 14-25*) la seconde partie du* Premier Ecrit *dans sa totalité, car dom Clemencet dans son* Histoire littéraire de Port-Royal *n'en avait donné qu'un résumé, au cours du chapitre qu'il a consacré à Blaise Pascal (cf. E. Jovy*, la Vie inédite de Blaise Pascal, *par dom Clemencet, pp.* 47-51, *Librairie Vrin,* 1933*).*
Etant donné le désordre dans lequel se trouvaient les Ecrits sur la Grâce *dans les Copies de Pierre Guerrier, Bossut en a le premier tenté un classement* (Œuvres de B. Pascal, *t. II,* 1779*). F. Gazier, au tome XI du* Pascal *des Grands Ecrivains (Hachette* 1914*) en pré-*

sente un autre. De son côté, E. Jovy avait publié antérieurement ce qui restait des deux premiers écrits (Pascal inédit, *Société des sciences et arts, Vitry-le-François, XXV,* 1908). *Pour notre part, nous suivrons les groupements établis par Jacques Chevalier dans Pascal,* Œuvres complètes, *Bibliothèque de la Pléiade,* 1954.

Selon la remarque faite par M. Jean Mesnard ces Ecrits *sont « l'une des clefs de toute l'œuvre de Pascal ». Dans son* Traité de la Grâce générale (1er *Part,* Discours *qui peut servir de préface...* 1691), *Nicole, dont l'inclination était « d'ôter un air de dureté qui éloigne bien des gens » de la doctrine de saint Augustin, nous apprend quelles étaient les intentions de Pascal lorsqu'il entreprit d'exposer ses vues sur la grâce et de savoir si les commandements sont impossibles aux justes.*

« Quoiqu'il fut la personne du monde la plus raide et la plus inflexible pour les dogmes de la grâce efficace, il disait néanmoins que s'il avait eu à traiter cette matière, il espérait de réussir à rendre cette doctrine si plausible, et de la dépouiller tellement d'un certain air farouche qu'on lui donne, qu'elle serait proportionnée au goût de toutes sortes d'esprits.

«... Il m'a même dit quelquefois, que s'il eût disposé de son esprit et que ses maladies continuelles ne lui en eussent pas ravi l'usage, il n'aurait pu s'empêcher de s'y appliquer et d'essayer de rendre toutes ces matières si plausibles et si populaires que tout le monde y aurait entré sans peine... »

Selon son habitude Pascal s'efforce de simplifier et de clarifier les problèmes qu'il aborde, en suivant les principes et les méthodes qu'il a exposés dans l'Art de persuader. *Ces* Ecrits *nous le montrent mieux informé sur les dogmes de la grâce qu'il ne l'était au début des* Provinciales. *Leur rédaction se situe donc en* 1657-1658.

PREMIER ÉCRIT

I

Il est constant qu'il y a plusieurs des hommes damnés et plusieurs sauvés. Il est constant encore que ceux qui sont sauvés ont voulu l'être et que Dieu aussi l'a voulu; car si Dieu ne l'eût pas voulu, ils ne l'eussent pas été, et s'ils ne l'eussent pas aussi voulu eux-mêmes, ils ne l'eussent pas été. Celui qui nous a faits sans nous ne peut pas nous sauver sans nous. Il est aussi véritable que ceux qui sont damnés ont bien voulu faire les péchés qui ont mérité leur damnation, et que Dieu aussi a bien voulu les condamner.

Il est donc évident que la volonté de Dieu et celle de l'homme concourent au salut et à la damnation de ceux qui sont sauvés ou damnés. Et il n'y a point de question en toutes ces choses.

Si donc on demande pourquoi les hommes sont sauvés ou damnés, on peut en un sens dire que c'est parce que Dieu le veut et en un sens dire que c'est parce que les hommes le veulent.

Mais il est question de savoir laquelle de ces deux volontés, savoir de la volonté de Dieu ou de la volonté de l'homme, est la maîtresse, la dominante, la source, le principe et la cause de l'autre.

Il est question de savoir si la volonté de l'homme est la cause de la volonté de Dieu, ou la volonté de Dieu la cause de la volonté de l'homme. Et celle qui sera dominante et maîtresse de l'autre sera considérée comme unique en quelque sorte : non pas qu'elle le soit, mais parce qu'elle enferme le concours de la volonté suivante. Et l'action sera rapportée à cette volonté première et non à l'autre. Ce n'est pas qu'elle ne puisse être aussi en un sens rapportée à la volonté suivante : mais elle l'est proprement à la volonté maîtresse, comme à son principe. Car la volonté suivante est telle qu'on peut dire en un sens que l'action provient d'elle, puisqu'elle y concourt, et en un sens qu'elle n'en provient pas, parce qu'elle n'en est pas l'origine; mais la volonté primitive est telle qu'on peut bien dire d'elle que l'action en provient, mais on ne peut en aucune sorte dire d'elle que l'action n'en provient pas.

C'est ainsi que saint Paul dit : *Je vis, non pas moi, mais Jésus-Christ vit en moi* [Gal. II, 20]. Certainement le premier mot qu'il a dit : *Je vis,* n'est pas faux, car il était vivant, et non seulement de la vie corporelle (dont il ne s'agit pas en cet endroit) mais de la vie spirituelle, car il était en grâce, et il dit ailleurs lui-même en plusieurs endroits [Eph. II, 5] : *Nous étions morts, et nous sommes vivifiés,* etc. Mais encore qu'il soit très vrai qu'il fût vivant, il le désavoue incontinent en disant : *Je ne suis pas vivant,* « *Non ego vivo* ».

L'apôtre n'est point menteur; il est donc vrai qu'il est vivant puisqu'il dit : *Je suis vivant.* Il est donc aussi véritable qu'il n'est pas vivant puisqu'il dit : « *Jam non ego* », *je ne suis pas vivant.* Et ces deux vérités subsistent ensemble parce que sa vie, quoiqu'elle lui soit propre, ne vient pas originellement de lui. Il n'est vivant que par Jésus-Christ, la vie de Jésus-Christ est la source de sa vie. Ainsi il est vrai en un sens qu'il est vivant, puisqu'il a la vie; il est vrai aussi en un sens qu'il n'est pas vivant, puisqu'il ne l'est que de la vie d'un autre. Mais il est vrai que Jésus-Christ est vivant et on ne peut pas dire qu'il ne l'est pas.

C'est ainsi que Jésus-Christ dit lui-même (Jésus-Christ ne veut pas être principe, et vous le voulez être) : *Ce n'est pas moi qui fais les œuvres, mais le Père qui est en moi,* et néanmoins il dit ailleurs : *Les œuvres que j'ai faites* [Jn, XIV, 10, 12]. Jésus-Christ n'est point menteur, et son humilité n'a point fait tort à sa vérité. On peut donc dire, puisqu'il l'a dit, qu'il a fait des œuvres et qu'il ne les a pas faites; mais il est constant que la divinité les a faites en lui, et on ne peut pas dire qu'elle ne les a point faites.

Ainsi le Prophète dit : *O Seigneur, vous avez fait en nous toutes nos œuvres* [Is., XXVI, 12]. Donc ces œuvres sont de Dieu, puisqu'il les a faites, et ces œuvres sont de nous, puisqu'elles sont nôtres.

Ainsi saint Paul dit : *J'ai travaillé, non pas moi, mais la grâce de Jésus-Christ qui est avec moi* [I Cor., xv, 10]. Comment est-ce qu'il a travaillé, et qu'il n'a pas travaillé, mais que c'est la grâce qui était avec lui qui a travaillé, sinon parce que son travail peut être dit sien, puisque sa volonté y a concouru; et peut n'être pas dit sien, puisque sa volonté n'a pas été la source de ses propres désirs? mais la grâce de Dieu a été celle dont on peut dire qu'elle a travaillé, car elle a préparé sa volonté, car elle a opéré en lui le vouloir et l'action, et l'on ne peut pas dire d'elle qu'elle n'a pas travaillé, puisqu'elle a été l'origine et la source de son travail.

C'est ainsi qu'il dit ailleurs [Rom., vii, 20] : *Non ego, sed quod inhabitat in me peccatum*, en parlant des mouvements indélibérés de sa volonté.

Il y a un grand nombre d'exemples dans les Ecritures de ces manières de discours qui nous font voir que, quand deux volontés concourent à un effet, si l'une est dominante, maîtresse, et cause infaillible de l'autre, l'action peut être attribuée et ôtée à la volonté suivante et peut être attribuée à la dominante, mais ne peut pas ne lui pas être attribuée.

Nous considérons donc la volonté dominante comme unique, quoiqu'elle ne le soit pas, parce qu'elle est l'unique à qui l'on puisse tout ensemble attribuer l'action et à qui on ne puisse la refuser. Suivant ce style, il est question de savoir :

Si ce qu'il y a des hommes sauvés et damnés procède de ce que Dieu le veut ou de ce que les hommes veulent.

C'est-à-dire que :

Il est question de savoir si Dieu, se soumettant les volontés des hommes, a eu une volonté absolue de sauver les uns et de damner les autres; et, si, en conséquence de ce décret, il incline au bien les volontés des élus, et au mal celles des réprouvés, pour les conformer ainsi les uns ou les autres à la volonté absolue qu'il a de les sauver ou de les perdre.

Ou si, soumettant au libre arbitre des hommes l'usage de ses grâces, il a prévu de quelle sorte les uns ou les autres en voudraient user, et que suivant leurs volontés il ait formé celle de leur salut ou de leur condamnation.

Voilà la question qui est aujourd'hui agitée entre les hommes, et qui est diversement décidée par trois avis.

Les premiers sont les Calvinistes, les seconds sont les Molinistes, les derniers sont les disciples de saint Augustin.

Calvinistes.

L'opinion des Calvinistes est :

Que Dieu, en créant les hommes, en a créé, les uns pour les damner et les autres pour les sauver, par une volonté absolue et sans prévision d'aucun mérite.

Que, pour exécuter cette volonté absolue, Dieu a fait pécher Adam, et non seulement permis, mais causé sa chute.

Qu'il n'y a aucune différence en Dieu entre *faire* et *permettre*.

Que Dieu, ayant fait pécher Adam et tous les hommes en lui, il a envoyé Jésus-Christ pour la rédemption de ceux qu'il a voulu sauver en les créant, et qu'il leur donne la charité et le salut indubitablement.

Que Dieu abandonne et prive, durant tout le cours de leur vie, de la charité ceux qu'il a résolu de damner en les créant.

Voilà l'opinion épouvantable de ces hérétiques, injurieuse à Dieu et insupportable aux hommes. Voilà les blasphèmes par lesquels ils établissent en Dieu une volonté absolue et sans aucune prévision de mérite ou de péché pour damner ou pour sauver ses créatures.

Molinistes.

En haine de cette opinion abominable et des excès qu'elle enferme, les Molinistes ont pris un sentiment non seulement opposé, ce qui suffisait, mais absolument contraire. C'est que Dieu a une volonté conditionnelle de sauver généralement tous les hommes. Que pour cet effet Jésus-Christ s'est incarné pour les racheter tous sans en excepter aucun, et que ses grâces étant données à tous, il dépend de leur volonté et non de celle de Dieu, d'en bien ou d'en mal user. Que Dieu, ayant prévu de toute éternité le bon ou le mauvais usage qu'on ferait de ces grâces par le seul libre arbitre, sans le secours d'une grâce discernante, a voulu sauver ceux qui en useraient bien, et damner ceux qui en useraient mal, n'ayant pas eu de sa part de volonté absolue ni de sauver, ni de damner aucun des hommes.

Cette opinion, contraire à celle des Calvinistes, produit un effet tout contraire. Elle flatte le sens commun que l'autre blesse. Elle le flatte en le rendant maître de son salut ou de sa perte. Elle exclut de Dieu toute volonté absolue, et fait que le salut et la damnation procèdent de la volonté humaine, au lieu que dans celle de Calvin l'un et l'autre procèdent de la volonté divine.

Voilà quelles sont les erreurs contraires entre lesquelles les disciples de saint Augustin, marchant avec plus de retenue et de considération, établissent leur sentiment de la sorte.

Disciples de saint Augustin.

Ils considèrent deux états dans la nature humaine :

L'un est celui auquel elle a été créée dans Adam, saine, sans tache, juste et droite, sortant des mains de Dieu, duquel rien ne peut partir que pur, saint et parfait;

L'autre est l'état où elle a été réduite par le péché et la révolte du premier homme, et par lequel elle est devenue souillée, abominable et détestable aux yeux de Dieu.

Dans l'état d'innocence, Dieu ne pouvait avec justice damner aucun des hommes, Dieu ne pouvait même leur refuser les grâces suffisantes pour leur salut.

Dans l'état de corruption, Dieu pouvait avec justice damner toute la masse entière; et ceux qui naissent encore aujourd'hui sans en être retirés par le baptême sont damnés et privés éternellement de la vision béatifique, ce qui est le plus grand des maux.

Suivant ces deux états si différents, ils forment deux sentiments différents touchant la volonté de Dieu pour le salut des hommes.

Ils prétendent que, pour l'état d'innocence, Dieu a eu une volonté générale et conditionnelle de sauver tous les hommes, pourvu qu'ils le voulussent par le libre arbitre aidé des grâces suffisantes qu'il leur donnait pour leur salut, mais qui ne les déterminaient pas infailliblement à persévérer dans le bien.

Mais qu'Adam, ayant par son libre arbitre mal usé de cette grâce et s'étant révolté contre Dieu par un mouvement de sa volonté et sans aucune impulsion de Dieu (ce qui serait détestable à penser), a corrompu et infecté toute la masse des hommes, en sorte qu'elle a été le juste objet de la colère et de l'indignation de Dieu. Ils entendent que Dieu a séparé cette masse toute également coupable et toute entière digne de damnation, qu'il en a voulu sauver une partie par une volonté absolue fondée sur sa miséricorde toute pure et gratuite, et que, laissant l'autre dans la damnation où elle était et où il pouvait avec justice laisser la masse entière, il a prévu ou les péchés particuliers que chacun commettait, ou au moins le péché originel dont ils sont tous coupables, et qu'ensuite de cette prévision il les a voulu condamner.

Que pour cet effet Dieu a envoyé Jésus-Christ pour sauver absolument et par des moyens très efficaces ceux qu'il a choisis et prédestinés de cette masse, qu'il n'y a que ceux-là à qui il ait voulu absolument mériter le salut par sa mort et qu'il n'a pas eu cette même volonté pour le salut des autres qui n'ont pas été délivrés de cette perdition universelle et juste.

Que néanmoins quelques-uns de ceux qui ne sont pas prédestinés ne laissent pas d'être appelés pour le bien des élus, et ainsi de participer à la Rédemption de Jésus-Christ. Que c'est la faute de ces personnes de ce qu'ils ne persévèrent pas; qu'ils le pourraient, s'ils le voulaient, mais que n'étant pas du nombre des élus, Dieu ne leur donne pas ces grâces efficaces sans lesquelles ils ne le veulent jamais en effet. Et partant qu'il y a trois sortes d'hommes : les uns qui ne viennent jamais à la foi; les autres qui y viennent et qui, ne persévérant pas, meurent dans le péché mortel; et les derniers qui viennent à la foi et y persévèrent dans la charité jusqu'à la mort. Jésus-Christ n'a point eu de volonté absolue que les premiers reçussent aucune grâce par sa mort, puisqu'ils n'en ont point en effet reçu.

Il a voulu racheter les seconds; il leur a donné des grâces qui les eussent conduits au salut, s'ils en eussent bien usé, mais il ne leur a pas voulu donner cette grâce singulière de la persévérance, sans laquelle on n'en use jamais bien.

Mais, pour les derniers, Jésus-Christ a voulu absolument leur salut, et il les y conduit par des moyens certains et infaillibles.

Que tous les hommes du monde sont obligés de croire, mais d'une créance mêlée de crainte et qui n'est pas accompagnée de certitude, qu'ils sont de ce petit nombre d'élus que Jésus-Christ veut sauver, et de ne juger jamais d'aucun des hommes qui vivent sur la terre quelque méchants et impies qu'ils soient, tant qu'il leur reste un moment de vie, qu'ils ne sont pas du nombre des prédestinés, laissant dans le secret impénétrable de Dieu le discernement des élus d'avec les réprouvés. Ce qui les oblige de faire pour eux ce qui peut contribuer à leur salut.

Voilà leur sentiment, suivant lequel on voit que Dieu a une volonté absolue de sauver ceux qui sont sauvés, et une volonté conditionnelle et par prévision de damner les damnés; et que le salut provient de la volonté de Dieu, et la damnation de la volonté des hommes.

Voilà le sentiment des disciples de saint Augustin, ou plutôt celui des Pères et de toute la tradition et par conséquent de l'Eglise, les autres ne devant être considérés que comme des égarements de l'esprit humain. Or, quoique ce soit un déplaisir bien sensible à l'Eglise de se voir déchirée par des erreurs contraires qui combattent les plus saintes vérités, et qu'elle ait sujet de se plaindre et des Molinistes et des Calvinistes, néanmoins elle reconnaît qu'elle reçoit moins d'injures de ceux qui, s'égarant par leurs erreurs, demeurent dans son sein que de ceux qui s'en sont séparés pour faire autel contre autel, sans avoir plus de tendresse ni pour sa voix maternelle qui les appelle, ni de déférence pour ses décisions qui les condamnent. Si l'erreur des Molinistes l'afflige, leur soumission la console, mais l'erreur des Calvinistes, jointe à leur rébellion, lui fait crier à Dieu : *J'ai nourri des enfants et ils m'ont méprisée.* Elle sait que, pour les Molinistes, il suffit qu'elle parle par la bouche de ses papes et de ses Conciles, que la tradition de l'Eglise leur est en vénération, qu'ils n'entreprennent pas de donner aux paroles de l'Ecriture des interprétations particulières et qu'ils ont dessein de suivre celles que la foule et la suite de ses saints docteurs et de ses papes et de ses Conciles y ont données.

Mais, pour les Calvinistes, leur rébellion la rend inconsolable. Il faut qu'elle agisse avec eux comme d'égal à égal, et qu'en mettant à part son autorité, elle se serve de la raison. Elle les appelle néanmoins tous à elle, et se prépare à les convaincre chacun suivant ses propres principes.

Elle se console en ce que ces erreurs contraires établissent sa vérité; qu'il suffit de les abandonner à eux-mêmes pour les détruire, et que les armes que ces divers ennemis employent contre elle ne lui peuvent nuire, et ne peuvent que les ruiner.

Ce n'est pas en cette seule rencontre qu'elle éprouve des ennemis contraires. Elle n'a quasi jamais été sans ce double combat. Et, comme elle a éprouvé cette contrariété en la personne de Jésus-Christ, son chef, que les uns ont fait homme seulement, et les autres Dieu seulement, elle en a senti presque en tous les autres points de sa créance. Mais, en imitant aussi son chef, elle tend les bras aux uns et aux autres pour les appeler tous et les embrasser ensuite ensemble pour former une heureuse union.

II

Elle s'adresse donc à vous et vous demande le sujet de vos plaintes, et premièrement à vous *Molinistes*, comme étant ses enfants..

Dieu a eu une pareille volonté égale, générale et conditionnelle de les sauver tous, pourvu qu'ils veuillent, laissant à leur libre arbitre de le vouloir ou de ne le vouloir pas, par le moyen de la grâce suffisante qu'il donne à tous les hommes par les miracles de Jésus-Christ. Ainsi, ce que les uns sont sauvés et les autres ne le sont pas ne vient pas de la volonté absolue de Dieu, mais de la volonté des hommes...

En cela consiste leur erreur...

Calvinistes. Que Dieu en créant les hommes en Adam a eu une volonté absolue avant la prévision d'aucun mérite ou démérite d'en sauver une partie, et d'en damner l'autre. Que pour cet effet Dieu a fait pécher Adam et tous les hommes en lui, afin que, tous étant criminels, il pût damner avec justice ceux qu'il avait résolu de damner en les créant, et a envoyé Jésus-Christ pour la rédemption de ceux-là seulement qu'il avait résolu de sauver en les créant. Tout cela est plein d'erreur.

Voilà les trois opinions qui sont aujourd'hui en vigueur. Celle des Calvinistes est si horrible, et frappe d'abord l'esprit avec tant de force par la vue de la cruauté de Dieu envers ses créatures, qu'elle est insupportable. Celle des Molinistes, au contraire, est si douce, si conforme au sens commun, qu'elle est très agréable et très charmante. Celle de l'Eglise tient le milieu, et elle n'est ni si cruelle que celle de Calvin ni si douce que celle de Molina. Mais, parce que ce n'est pas sur les apparences qu'il faut juger de la vérité, il faut les examiner à fond.

Pour commencer cet examen, il faut se remplir l'esprit de la grandeur du péché originel et de la plaie qu'il a apportée au genre humain. Il faut considérer combien l'état des hommes en leur création diffère de l'état des hommes après le péché.

Les hommes en Adam au jour de leur création étaient justes, agréables à Dieu et soumis.

Les mêmes hommes en Adam après sa prévarication sont pécheurs, abominables et révoltés contre Dieu. Et le péché d'Adam transmis à toute sa postérité est si énorme qu'encore qu'on n'en puisse concevoir la grandeur, il suffit de dire qu'il a fallu, pour l'expier, qu'un Dieu se soit incarné et qu'il ait souffert jusqu'à la mort pour faire entendre la grandeur du mal en le mesurant à la grandeur du remède.

C'est pour cette raison que l'Eglise considérant les hommes dans ces deux états différents a deux pensées bien différentes touchant la volonté de Dieu pour leur salut et damnation.

Elle reconnaît en Dieu une volonté égale, générale et conditionnelle pour le salut des hommes en leur création.

Mais elle reconnaît en Dieu une volonté absolue d'en sauver quelques-uns infailliblement après le péché, et d'en laisser quelques autres après le même péché, sans vouloir les sauver.

Et le manque de discerner ces deux états est la source de l'erreur des uns et des autres. Et comme l'esprit de singularité a conduit ces hommes infirmes qui les ont inventés, les uns, considérant la volonté de Dieu à l'égard des hommes criminels comme unique, ont établi en Dieu une volonté absolue de damner les uns et de sauver les autres au point de la création. Et les autres, considérant la volonté de Dieu sur les hommes innocents, l'ont étendue aussi sur les hommes criminels, et ont établi en Dieu une volonté générale et conditionnelle de les sauver tous.

Ainsi les Molinistes et nous sommes conformes en la créance de la volonté de Dieu pour le salut des hommes en leur création, sans aucune différence, mais nous différons en la volonté de Dieu après la chute d'Adam.

Et les Calvinistes diffèrent horriblement de nous en la volonté de Dieu en la création de l'homme, et nous sommes conformes de paroles en la volonté absolue de Dieu en la rédemption, mais différents en sens, en ce que nous entendons que le décret de Dieu est postérieur à la prévision du péché d'Adam et donné sur les hommes criminels, et eux prétendent que ce décret est non seulement prieur, mais cause du péché d'Adam et donné sur les hommes encore innocents.

Ainsi, les Molinistes prétendent que la prédestination et la réprobation sont par la prévision des mérites et des péchés des hommes. Les Calvinistes prétendent que la prédestination et la réprobation sont par la volonté absolue de Dieu. Et l'Eglise prétend que la prédestination vient de la volonté absolue de Dieu et la réprobation de la prévision du péché.

Ainsi les Molinistes posent la volonté des hommes pour source du salut et de la damnation. Ainsi les Calvinistes posent la volonté de Dieu pour source du salut et de la damnation. Ainsi l'Eglise pose que la volonté de Dieu est la source du salut, et que la volonté des hommes est la source de la damnation.

L'état de ces opinions étant ainsi éclairci, il faut maintenant voir la vérité de l'opinion de l'Eglise et la fausseté des autres.

La règle que nous prendrons pour cet effet sera la tradition successive de cette doctrine depuis Jésus-Christ jusqu'à nous. Nous montrerons que nous l'avons apprise de nos Pères, eux de ceux qui les ont précédés, ceux-là des autres, ceux des anciens Pères qui l'ont tenue des apôtres, qui l'ont reçue immédiatement de Jésus-Christ même qui est la vérité.

Ainsi nous nous fonderons sur la pierre inébranlable de l'Evangile et des saintes Ecritures : mais nous ne l'expliquerons pas suivant notre esprit propre, mais suivant celui des anciens Pères, des Papes, des Conciles, des prières de l'Eglise.

Voilà la règle que nous tiendrons, et qui est propre à l'Eglise catholique, à l'exclusion des hérétiques qui s'appuient à la vérité sur les Ecritures, mais dont ils détournent le sens par leurs explications particulières, comme ils font aujourd'hui sur le sujet de la réalité du corps de Jésus-Christ en l'Eucharistie, par le refus qu'ils font d'acquiescer à la tradition des Pères et des Conciles.

Ensuite nous ferons voir la nouveauté des opinions de Molina et de Calvin reconnues par eux-mêmes, afin que la comparaison de l'antiquité de l'opinion de l'Eglise avec la nouveauté des autres donne le sentiment qu'on doit avoir des uns et des autres, et que le respect de cette foule des saints défenseurs de l'Eglise [inspire] dans l'esprit des fidèles la créance [qu'ils] étaient uniques dans leurs sentiments lorsqu'ils les ont produits.

Et quoiqu'il ne soit pas nécessaire d'alléguer d'autres preuves de la vérité et de la fausseté de ces opinions, nous ne laisserons pas de répondre aux passages de l'Ecriture que les uns et les autres errants expliquent suivant leur sens, et qui semblent les favoriser. Et, quoique le sens commun ne doive pas entrer en concurrence avec une matière de foi, nous ne laisserons pas de répondre aux objections des uns et des autres. Et enfin nous ferons voir combien cette doctrine est conforme au sens commun même.

La question principale dont il s'agit est de savoir si Dieu a une volonté générale de sauver tous les hommes, et s'il n'y en a point que Dieu ne veuille pas sauver. Ou, ce qui est la même chose : si Dieu donne des grâces suffisantes à tous les hommes pour leur salut, ou s'il n'y en a pas à qui Dieu refuse ses grâces. Ou, ce qui est la même chose, si la prédestination est un effet de la volonté absolue de Dieu qui veut sauver l'un et non pas l'autre.

C'est pourquoi il faut faire voir par la suite de la tradition que tous les Docteurs en tous les temps ont établi comme une vérité constante que Dieu ne veut pas sauver tous les hommes ou que Dieu ne donne pas à tous les hommes des grâces suffisantes pour leur salut, ou que la prédestination est sans la prévision des œuvres.

Premièrement nous avons ce grand nombre de savants et illustres défenseurs de la doctrine de saint Augustin dont ce siècle est honoré par un don particulier de Dieu à son Eglise, et qui sont ceux qui défendent aujourd'hui cette proposition contre les Molinistes qui la veulent abolir.

Ceux-ci ont été précédés par un grand nombre d'autres, entre lesquels un des principaux est Florent Conrius, archevêque d'Hibernie, qui l'a soutenue et déduite au long dans son livre imprimé depuis peu, intitulé *Peregrinus Hiericontinus*.

Environ ce même temps l'ordre des Prémontrés entier résolut par un Chapitre provincial approuvé par le général : *Que dans la matière de la grâce tous suivraient les sentiments de saint Augustin*, lequel sans doute est celui-ci comme il paraîtra. Peu auparavant, les deux célèbres Facultés de Louvain et de Douai censurèrent les nouvelles opinions des Molinistes que les Jésuites de leur temps soutenaient.

Voici une des propositions censurées : « *Depuis le premier péché originel, Dieu a eu la volonté de donner à Adam et à toute sa postérité des moyens suffisants contre les péchés et des secours pour acquérir la vie éternelle.* » Laquelle la Faculté de Douai a censuré en ces termes : « *Les termes de cette assertion répugnent aux saintes Ecritures et aux Pères, et même paraissent détruire la propre et véritable grâce de J.-C., laquelle, suivant saint Augustin, n'est pas commune aux bons et aux méchants, mais discerne les bons d'avec les méchants.* »

Et ensuite elle ajoute : « *J.-C. n'a pas prié pour tous et tous ne sont pas donnés à J.-C. par le Père, car il est dit :* Je ne prie point pour le monde, mais pour ceux que vous m'avez donnés. *Donc tous n'ont pas un secours suffisant pour acquérir leur salut de la part de Dieu, puisqu'autrement ils pourraient acquérir leur salut sans que J.-C. priât pour eux et sans que le Père les eût donnés à J.-C., ce que nul catholique ne peut dire.* »

Ces savants théologiens tiennent donc que Dieu ne donne pas à tous les hommes des secours suffisants pour acquérir leur salut; donc, suivant eux, Dieu ne veut pas sauver tous les hommes, puisqu'il ne leur donne pas seulement de secours suffisants pour leur salut; et c'est ce que nous voulions montrer.

Autre proposition des Jésuites de ce temps-là : « *Toute l'Ecriture est pleine de préceptes et d'exhortations afin que les pécheurs se convertissent à Dieu; or Dieu ne commande pas des choses impossibles, donc il leur donne des secours suffisants pour se pouvoir convertir.* »

Voici de quelle manière ces très savants théologiens censurèrent cette proposition : « *Cette conséquence est ridicule; car celui-là même qui nous commande de faire nous commande aussi de demander ce que nous ne pouvons faire, c'est-à-dire ce que nous n'avons pas un moyen suffisant d'accomplir : et c'est pourquoi saint Augustin dit :* Dieu nous commande des choses impossibles, afin que nous connaissions ce que nous lui devons demander. *Que si quelques-uns de ceux qui le demandent ne le peuvent pas combien moins le pourront ceux qui ne le demandent pas, et moins ceux qui ne veulent pas le demander, moins encore ceux qui ne reconnaissent pas seulement celui à qui ils doivent le demander.*

« *Que, s'il est vrai qu'il est présent à tous et même avant qu'on le demande il faut retrancher la plus grande partie de l'oraison dominicale et des prières de l'Eglise, car, comme dit saint Augustin :* Qu'y a-t-il de plus ridicule que de demander, que de prier, pour accomplir ce qui est en notre puissance. »

Il paraît en cette censure combien ces grands docteurs [tenaient] que Dieu ne donne pas à tous ses grâces, et partant que Dieu ne veut pas sauver tous les hommes sans exception, puisqu'on ne peut être sauvé sans grâce.

Voici une autre proposition des mêmes Jésuites :

« *Dieu a voulu donner J.-C. pour la rédemption de tous sans en excepter un seul, donc il a voulu donner à tous des secours suffisants par J.-C., car J.-C. n'est rédempteur de tous qu'en tant qu'il leur donne des secours suffisants pour se relever de leurs péchés; puisque, si ces secours suffisants ne leur étaient pas donnés, il ne serait pas leur vrai rédempteur puisqu'il ne le serait ni quant à la suffisance ni quant à l'efficace.* »

Et voici la censure de cette illustre Faculté : « *La suffisance que demande la rédemption générale de J.-C. consiste dans le prix de son sang, mais non pas dans un secours qui soit donné à tous, comme le prétend cette proposition, puisqu'autrement il faudrait aussi attribuer le secours aux enfants auxquels on ne peut pas subvenir par le baptême, ou pour le moins il faudrait dire que J.-C. ne s'est pas donné en rédemption pour eux, et ainsi il ne s'est pas donné en rédemption pour tous.* »

Il paraît bien manifeste, par cette proposition, que Jésus-Christ ne s'est pas donné en rédemption pour tous, Dieu ne veut pas que tous les hommes soient sauvés, suivant ces théologiens.

Autre proposition des mêmes Jésuites molinistes : « *Les endurcis et les aveuglés ont un secours suffisant de la part de Dieu pour se convertir.* » Et ensuite plus bas : « *Tous les infidèles ont un secours suffisant de la part de Dieu, toujours et en tous lieux.* »

Voilà les maximes de ceux qui prétendent que Dieu veut sauver tous les hommes, et voici les censures faites par cette même Faculté : « *Toute cette proposition doit être rejetée comme faisant une grande injure au bienfait de la grâce singulière de J.-C., laquelle n'est pas donnée à tous et qui néanmoins est nécessaire à tous pour se convertir et pour se sauver.* »

Il paraît donc que, puisque cette grâce de Jésus-Christ nécessaire pour le salut n'est pas donnée à tous, Dieu ne veut pas sauver ceux à qui il la refuse suivant ces théologiens.

Toutes ces censures confirmées par la même Faculté furent envoyées au Pape en 1591, sur quelque bruit qu'on fit courir qu'elle avait changé d'avis, et enfin en 1613 elle confirma de nouveau sa censure par l'avis unanime de tous ses docteurs, et dans cet acte elle déclare : « *D'autant que le bruit s'est répandu en Italie, et en Espagne et ailleurs, que la Faculté de Louvain a changé d'opinion en la matière de la grâce, et qu'elle s'est rétractée de son ancienne censure qu'elle avait ci-devant envoyée au Pape, et qu'elle l'avait fait par la force des arguments de Lessius tant de vive voix que par un livre imprimé, la Faculté voulant s'opposer au progrès de ce faux bruit, et faire savoir la vérité à tous ceux qui voudraient s'en informer, étant assemblée et le serment prêté dans le petit chapitre de saint Pierre le* 13 *juillet après vêpres l'an* 1613, *nul des docteurs ne contredisant, la Faculté entière a déclaré et attesté uniformément qu'elle a de tout temps tenu et tient encore de présent, qu'elle a toujours persisté et persiste encore à présent en ses anciens sentiments, lesquels elle a tenus et déclarés dans cette censure et que jamais elle ne s'en éloignera avec l'aide de Dieu. Si ce n'est qu'il soit autrement décidé et ordonné de croire autrement par le Pape et la sainte Eglise romaine à la censure et correction de laquelle elle soumet humblement tout ce qui est contenu en ladite censure, et tout ce qu'elle a dit d'ailleurs, comme aussi tout ce qu'elle dira à l'avenir. Elle déclare outre que tant s'en faut que les arguments de Lessius l'aient retirée de ses opinions, qu'au contraire, comme elle a improuvé autrefois plusieurs choses qu'il avait dites, de même elle improuve maintenant ses livres et ce qu'il a imprimé sur cette matière. Et la Faculté a permis et voulu que la copie de cet acte fût donnée à toute personne qui la demanderait et envoyée de toutes parts.* »

Il paraît trop manifestement que ces deux Facultés de Louvain et de Douai ont été dans le sentiment que Dieu ne donne pas ses grâces à tous les hommes et que c'est la même chose de dire qu'il ne veut pas que tous les hommes soient sauvés.

Voyons ce qu'en dit la Faculté de Paris au bout du Maître des Sentences et dans la bibliothèque des Pères. Ces deux propositions sont condamnées : « *Que Dieu a prédestiné quelques-uns de toute éternité à cause de quelques bonnes œuvres qu'ils devaient faire.* » Et celle-ci : « *Que Dieu n'a pas prédestiné si gratuitement celui qu'il a prédestiné que ce ne soit en considération ou des bonnes œuvres qu'il devait faire ou de celles d'un autre.* »

Il paraît donc qu'en ce temps-là la Faculté de Paris tenait la prédestination avant la prévision du mérite des hommes, et partant, puisqu'elle ne procédait pas des volontés des hommes, elle procédait de la volonté simple de Dieu.

« *S. Thomas,* 1ª *p. q.* 23. *a.* 5. *ad* 3. *Que Dieu choisit les uns et réprouve les autres sans qu'on puisse trouver d'autres causes de ces différences que sa seule volonté.*

« 2ª 2ªᵉ *q.* 2. *a.* 5. *ad* 1. *Que Dieu, en punition du péché actuel ou originel, refuse par sa justice des grâces sans lesquelles on ne peut faire les choses auxquelles on est obligé, comme d'aimer Dieu et de croire les articles de foi.*

« 1ª 2ªᵉ *q.* 106. *a.* 3. *in c. Que la loi nouvelle qui est la loi de grâce n'a été donnée que fort tard, afin que l'homme fût abandonné à lui-même dans la vieille loi et que tombant par lui-même il reconnût le besoin qu'il avait de la grâce.*

« *Que tous les hommes ont mérité* [en] *punition du premier péché d'être privés du secours de la grâce, et qu'ainsi Dieu fait justice quand il ne la donne pas et miséricorde quand il la donne.*

« *Ibid. ad* 3. *Que Dieu pourvoit suffisamment aux hommes pour ce qui regarde la vie corporelle, parce que la nature n'est point détruite par le péché; mais qu'il n'agit pas de même pour ce qui regarde la vie de la grâce et la vie spirituelle parce que la grâce a été détruite par le péché.*

« 3ª *p. q.* 22. *a.* 4. *ad* 2. *J.-C. n'a fait aucune prière qui n'ait été exaucée, et qu'ainsi il n'a point prié son Père de donner la vie éternelle à tous ceux qui l'ont crucifié, ni à tous ceux qui croiront en lui, mais aux seuls prédestinés.* »

Donc, suivant saint Thomas, cette opinion que la

grâce suffisante n'est pas donnée à tous les hommes n'est pas hérétique, mais au contraire très catholique, contre les Molinistes. Mais cette volonté de Dieu de n'en pas sauver quelqu'un prend sa force et son origine du péché originel, contre les Calvinistes.

Pierre Lombard. Voyons ce qu'en a pensé Pierre Lombard, évêque de Paris et Maître des Sentences.

Lib. Sent. dist. 41. § 46. *Il rejette comme une opinion très fausse le sentiment de ceux qui disent que Dieu veut que tous les hommes généralement soient sauvés sans en excepter un seul; et il ne reconnaît point que Dieu ait cette volonté envers d'autres, qu'envers ceux qui sont sauvés en effet.* Et ailleurs : *Que la prédestination ne dépend que de la volonté de Dieu. Qu'il a élu ceux qu'il a voulu par une miséricorde toute gratuite.*

Ibid. Comme le don de la grâce est un effet de la prédestination, ainsi en quelque sorte l'endurcissement est un effet de la réprobation éternelle : mais Dieu n'endurcit pas, comme dit saint Augustin à Sixte, en départissant la malice, mais en ne départissant pas la grâce, et il est dit qu'il les endurcit, non pas qu'il les pousse à pécher, mais qu'il n'en prend pas pitié, et il ne prend pas pitié de ceux auxquels il a jugé de ne donner point sa grâce par une justice très occulte et très éloignée du sens humain, laquelle l'Apôtre ne nous [dit] *pas, mais qu'il a admirée quand il s'écrit : O Altitudo etc.*

Je crois que les plus aveugles voient manifestement que Dieu a prédestiné sans prévision de mérites et réprouvé quelques autres auxquels il ne donne pas sa grâce, suivant le Maître des Sentences et de l'Ecole.

DEUXIÈME ÉCRIT

DOCTRINE DE SAINT AUGUSTIN

Saint Augustin distingue les deux états des hommes avant et après le péché et a deux sentiments convenables à ces deux états.

Avant le péché d'Adam.

Dieu a créé le premier homme, et en lui toute la nature humaine.

Il l'a créé juste, sain, fort.

Sans aucune concupiscence.

Avec le libre arbitre également flexible au bien et au mal.

Désirant sa béatitude, et ne pouvant pas ne pas la désirer.

Dieu n'a pu créer aucun des hommes avec la volonté absolue de les damner.

Dieu n'a pas créé les hommes avec la volonté absolue de les sauver.

Dieu a créé les hommes dans la volonté conditionnelle de les sauver tous généralement s'ils observaient ses préceptes.

Sinon, de disposer d'eux comme maître, c'est-à-dire de les damner ou de leur faire miséricorde suivant son bon plaisir.

L'homme innocent et sortant des mains de Dieu ne pouvait, quoique fort et sain et juste, observer les commandements sans grâce de Dieu.

Dieu ne pouvait avec justice imposer des préceptes à Adam et aux hommes innocents sans leur donner la grâce nécessaire pour les accomplir.

Si les hommes en leur création n'avaient eu une grâce suffisante et nécessaire pour accomplir les préceptes, ils n'auraient point péché en les transgressant.

Dieu donna à Adam une grâce suffisante, c'est-à-dire outre laquelle aucune autre n'était nécessaire pour accomplir les préceptes et demeurer dans la justice. Par le moyen de laquelle il pouvait persévérer ou ne persévérer pas, suivant son bon plaisir.

De sorte que son libre arbitre pouvait, comme maître de cette grâce suffisante, la rendre vaine ou efficace, suivant son bon plaisir.

Dieu laissa et permit au libre arbitre d'Adam le bon ou le mauvais usage de cette grâce.

Si Adam, par le moyen de cette grâce, eût persévéré, il eût mérité la gloire, c'est-à-dire d'être éternellement confirmé en grâce sans péril de pécher jamais : comme les bons Anges l'ont mérité par le mérite d'une grâce pareille.

Et chacun de ses descendants fût né dans la justice, et avec une grâce suffisante pareille à la sienne, par laquelle il eût pu ou persévérer, ou non, suivant son bon plaisir, et mériter, ou non, la gloire éternelle, comme Adam.

Adam tenté par le Diable succomba à la tentation, se révolta contre Dieu, enfreignit ses préceptes, voulut être indépendant de Dieu et égal à lui.

Après le péché d'Adam.

Adam, ayant péché et s'étant rendu digne de mort éternelle,

pour punition de sa rébellion,

Dieu l'a laissé dans l'amour de la créature.

Et sa volonté, laquelle auparavant n'était en aucune sorte attirée vers la créature par aucune concupiscence, s'est trouvée remplie de concupiscence que le Diable y a semée, et non pas Dieu.

La concupiscence s'est donc élevée dans ses membres et a chatouillé et délecté sa volonté dans le mal, et les ténèbres ont rempli son esprit de telle sorte que sa volonté, auparavant indifférente pour le bien et le mal, sans délectation ni chatouillement ni dans l'un ni dans l'autre, mais suivant, sans aucun appétit prévenant de sa part, ce qu'il connaissait de plus convenable à sa félicité, se trouve maintenant charmée par la concupiscence qui s'est élevée dans ses membres. Et son esprit très fort, très juste, très éclairé, est obscurci et dans l'ignorance.

Ce péché ayant passé d'Adam à toute sa postérité, qui fut corrompue en lui comme un fruit sortant d'une mauvaise semence, tous les hommes sortis d'Adam naissent dans l'ignorance, dans la concupiscence, coupables du péché d'Adam et dignes de la mort éternelle.

Le libre arbitre est demeuré flexible au bien et au mal; mais avec cette différence, qu'au lieu qu'en Adam il n'avait aucun chatouillement au mal, et qu'il lui suffisait de connaître le bien pour s'y pouvoir porter, maintenant il a une suavité et une délectation si puissante dans le mal par la concupiscence qu'infailliblement il s'y porte de lui-même comme à son bien, et qu'il le choisit volontairement et très librement et avec joie comme l'objet où il sent sa béatitude.

Tous les hommes étant dans cette masse corrompue également dignes de la mort éternelle et de la colère de Dieu, Dieu pouvait avec justice les abandonner tous sans miséricorde à la damnation.

Et néanmoins il plaît à Dieu de choisir, élire et discerner de cette masse également corrompue, et où il ne voyait que de mauvais mérites, un nombre d'hommes de tout sexe, âges, conditions, complexions, de tous les pays, de tous les temps, et enfin de toutes sortes.

Que Dieu a discerné ses élus d'avec les autres par des raisons inconnues aux hommes et aux anges et par une pure miséricorde sans aucun mérite.

Que les élus de Dieu font une universalité, qui est tantôt appelée *monde* parce qu'ils sont répandus dans tout le monde, tantôt *tous*, parce qu'ils font une totalité, tantôt *plusieurs*, parce qu'ils sont plusieurs entre eux, tantôt *peu*, parce qu'ils sont peu à proportion de la totalité des délaissés.

Que les délaissés font une totalité qui est appelée *monde*, *tous* et *plusieurs*, et jamais *peu*.

Que Dieu, par une volonté absolue et irrévocable, a voulu sauver ses élus, par une bonté purement gratuite, et qu'il a abandonné les autres à leurs mauvais désirs où il pouvait avec justice abandonner tous les hommes.

Pour sauver ses élus, Dieu a envoyé Jésus-Christ pour satisfaire à sa justice, et pour mériter de sa miséricorde la grâce de Rédemption, la grâce médicinale, la grâce de Jésus-Christ, qui n'est autre chose qu'une suavité et une délectation dans la loi de Dieu, répandue dans le cœur par le Saint-Esprit, qui non seulement égalant, mais surpassant encore la concupiscence de la chair, remplit la volonté d'une plus grande délectation dans le bien, que la concupiscence ne lui en offre dans le mal, et qu'ainsi le libre arbitre, charmé par les douceurs et par les plaisirs que le Saint-Esprit lui inspire, plus que par les attraits du péché, choisit infailliblement lui-même la loi de Dieu par cette seule raison qu'il y trouve plus de satisfaction et qu'il y sent sa béatitude et sa félicité.

De sorte que ceux à qui il plaît à Dieu de donner cette grâce, se portent d'eux-mêmes par leur libre arbitre à préférer infailliblement Dieu à la créature. Et c'est pourquoi on dit indifféremment ou que le libre arbitre s'y porte de soi-même par le moyen de cette grâce, parce qu'en effet il s'y porte, ou que cette grâce y porte le libre arbitre, parce que toutes les fois qu'elle est donnée, le libre arbitre s'y porte infailliblement.

Et ceux à qui il plaît à Dieu de la donner jusqu'à la fin persévèrent infailliblement dans cette préférence, et ainsi choisissant jusqu'à la mort par leur propre volonté d'accomplir la loi plutôt que de la violer, parce qu'ils y sentent plus de satisfaction, ils méritent la gloire et par le secours de cette grâce qui a surmonté la concupiscence, et par leur propre choix et le mouvement de leur libre arbitre qui s'y est porté de soi-même volontairement et librement.

Et tous ceux à qui cette grâce n'est pas donnée, ou n'est pas donnée jusqu'à la fin, demeurent tellement chatouillés et charmés par leur concupiscence, qu'ils aiment mieux infailliblement pécher que ne pécher pas, par cette raison qu'ils y trouvent plus de satisfaction;

Et ainsi, mourant en leurs péchés, méritent la mort éternelle, puisqu'ils ont choisi le mal par leur propre et libre volonté.

De sorte que les hommes sont sauvés ou damnés, suivant qu'il a plu à Dieu de les choisir pour leur donner cette grâce dans la masse corrompue des hommes, dans laquelle il pouvait avec justice les abandonner tous.

Tous les hommes étant également coupables de leur part, lorsque Dieu les a discernés.

OPINIONS DES RESTES DES PÉLAGIENS

Les restes des Pélagiens s'accordaient facilement avec saint Augustin touchant l'état d'innocence, à savoir : que Dieu créa l'homme juste avec une grâce suffisante par laquelle il pouvait, s'il voulait, persévérer ou non; et que Dieu avait en la création une volonté conditionnelle de les sauver tous, pourvu qu'ils usassent bien de cette grâce; que l'usage en étant laissé à son libre arbitre, Adam pécha et en lui toute la nature humaine; qu'il fut puni de la concupiscence et de l'ignorance; que toute sa postérité naît digne de damnation avec les deux fléaux de l'ignorance et de la concupiscence. En toutes ces choses ils s'accordent. Mais ils diffèrent touchant la conduite de Dieu envers les hommes après le péché. Et voici leur sentiment :

Que Dieu eût été injuste s'il n'avait pas voulu sauver tous les hommes (en la masse corrompue), et s'il ne leur avait donné à tous les secours suffisants pour se sauver.

Qu'il n'aurait pu sans indiscrétion en discerner les uns d'avec les autres s'ils n'avaient donné de leur part quelque occasion à ce discernement.

Que Dieu ne saurait sans blesser leur libre arbitre vouloir d'une volonté absolue faire en sorte qu'ils accomplissent les préceptes par sa grâce.

Et, sur ces fondements, ils avancent que Dieu a eu une volonté générale, égale, et conditionnelle, de sauver tous les hommes (en la masse corrompue) comme en la création, savoir, pourvu qu'ils voulussent accomplir les préceptes. Mais parce qu'ils avaient besoin d'une nouvelle grâce à cause de leur péché, que Jésus-Christ s'est incarné pour leur mériter et offrir à tous, sans exception d'un seul, et durant tout le cours de la vie sans interruption, une grâce suffisante seulement pour croire en Dieu, et pour prier Dieu de les aider.

Que ceux qui n'usent pas de cette grâce, et qui, malgré ce secours, demeurent dans leur péché jusqu'à la mort, sont justement abandonnés de Dieu, punis et condamnés.

Que ceux qui usant bien de cette grâce croient en Dieu ou le prient, donnent en cela à Dieu l'occasion de les discerner des autres, et de leur fournir d'autres secours, les uns disent efficaces, les autres seulement suffisants, pour se sauver.

De sorte que tous ceux qui usent bien de cette grâce générale et suffisante obtiennent de la miséricorde de Dieu des grâces pour faire de bonnes œuvres et pour arriver au salut.

Et ceux qui n'usent pas bien de cette grâce demeurent dans la damnation.

Ainsi les hommes sont sauvés ou damnés suivant qu'il plaît aux hommes de rendre vaine ou efficace cette grâce suffisante donnée à tous les hommes pour croire ou pour prier, Dieu ayant une volonté égale de les sauver tous, de sa part.

OPINION DE CALVIN

Calvin n'a aucune conformité avec saint Augustin, et en diffère en toutes choses depuis le commencement jusqu'à la fin.

Il prétend que Dieu, ayant créé Adam et tous les hommes en lui, n'a pas eu, en les créant, une volonté conditionnelle pour les sauver. Que la fin qu'il s'est proposée en créant la plus noble de ses créatures n'a pas été ambiguë, mais qu'il en a créé les uns dans la volonté absolue de les damner, les autres dans la volonté absolue de les sauver. Que Dieu l'a ainsi décrété pour sa gloire. Que partant ce décret est juste quoiqu'il ne nous paraisse pas comment, puisque tout ce qui lui donne de la gloire est juste, étant juste qu'il ait toute gloire.

Que néanmoins Dieu ne pouvant pas par sa justice les damner sans péché, il n'a pas permis, mais décrété et ordonné le péché d'Adam. Qu'Adam, ayant péché nécessairement par le décret de Dieu, il a été digne de la mort éternelle. Qu'il a perdu son libre arbitre. Qu'il n'a plus eu aucune flexibilité au bien, même avec la grâce efficacissime.

Que le péché d'Adam s'est communiqué à toute sa postérité, non pas naturellement, comme le vice d'une semence au fruit qu'elle produit, mais par un décret de Dieu, par lequel tous les hommes naissent coupables du péché de leur premier père, sans libre arbitre, sans flexibilité aucune au bien, même avec la grâce efficace, et dignes de mort éternelle.

Que tous les hommes étant coupables, Dieu en a disposé comme maître. Qu'il n'a voulu sauver que ceux qu'il avait créés pour les sauver. Qu'il a voulu damner ceux qu'il avait créés pour les damner. Que pour cet effet Jésus-Christ s'est incarné pour mériter le salut de ceux qui avaient été choisis dans la masse encore innocente avant la prévision du péché.

Que Dieu donne à ceux-là, et à ceux-là seulement, la grâce de Jésus-Christ, laquelle ils ne perdent jamais depuis qu'ils l'ont reçue, qui porte leur volonté au bien (non pas qui fait que la volonté s'y porte, mais qui l'y porte malgré sa répugnance) comme une pierre, comme une scie, comme une matière morte en son action et sans capacité aucune de se mouvoir avec la grâce et d'y coopérer, parce que le libre arbitre est perdu et mort entièrement.

De sorte que la grâce opère seule; et quoiqu'elle demeure et opère jusqu'à la mort de bonnes œuvres, ce n'est point le libre arbitre qui les fait et qui s'y porte par son choix; au contraire, pendant que la grâce opère en lui ces bonnes œuvres, il mérite la mort éternelle. Que Jésus-Christ mérite seul, et que, n'y ayant aucun mérite des justes, les mérites de Jésus-Christ leur sont seulement imputés, appliqués et ainsi sauvés.

Ainsi ceux à qui cette grâce est une fois donnée, sont infailliblement sauvés, non par leurs bonnes œuvres ou bonne volonté, car ils n'en ont aucune, mais par les mérites de Jésus-Christ qui leur sont appliqués.

Et ceux à qui cette grâce n'est point donnée sont infailliblement damnés pour les péchés qu'ils commettent par l'ordre et décret de Dieu qui les y incline pour sa gloire.

De sorte que les hommes sont sauvés ou damnés, suivant qu'il a plu à Dieu de les choisir dans Adam au point de leur création, et qu'il a plu à Dieu de les incliner ou au bien ou au mal pour sa gloire.

Tous les hommes étant également innocents de leur part, lorsque Dieu les a discernés.

TROISIÈME ÉCRIT

LETTRE SUR LA POSSIBILITÉ DES COMMANDEMENTS, LES CONTRADICTIONS APPARENTES DE SAINT AUGUSTIN, LA THÉORIE DU DOUBLE DÉLAISSEMENT DES JUSTES, ET LE POUVOIR PROCHAIN

(*Ms.* 12449, *f*[os] 615-626.) Je n'ai ni loisir, ni livres, ni suffisance pour vous répondre aussi exactement que je voudrais : je le ferai néanmoins suivant ce que je puis maintenant, afin que voyant par écrit des choses que je vous ai souvent dites, elles fassent plus d'impression sur vous, sans que vous ayez besoin que je vous les répète.

Vous me demandez que je réponde à ces paroles du chap. XI de la sess. 6 du Concile de Trente : *Que les commandements ne sont pas impossibles aux justes.* Je vais vous satisfaire selon mon pouvoir.

Cette proposition : *Les commandements sont possibles aux justes*, a deux sens tout différents et éloignés l'un de l'autre. Ce n'est pas ici une distinction d'école; elle est solide et réelle, et dans la nature de la chose, et dans les termes du Concile.

Le premier sens qui s'offre d'abord, et que vous croyez être celui du Concile en cet endroit, ce que vous verrez bien n'être pas vrai, est que le juste, considéré en un instant de sa justice, a toujours le pouvoir prochain d'accomplir les commandements dans l'instant suivant, ce qui est l'opinion du reste des Pélagiens et que l'Eglise a toujours combattue, et particulièrement dans ce Concile.

L'autre sens qui ne s'offre pas avec tant de promptitude, et qui est néanmoins celui du Concile en cet endroit, est que le juste agissant comme juste et par un mouvement de charité, peut accomplir les commandements dans l'action qu'il fait par charité. Je sais bien qu'il y a si peu de lieu de douter que ces actions faites par charité ne soient conformes aux préceptes, que l'on a peine à croire que le Concile ait voulu définir une chose si claire : mais quand vous penserez que les Luthériens soutenaient formellement que les actions des justes, même faites par la charité, sont nécessairement toujours des péchés, et que la concupiscence, qui règne toujours en cette vie, ruine si fort l'effet de la charité que, quelque justes que soient les hommes et par quelques mouvements de la charité qu'ils agissent, la convoitise y a toujours tant de part, que non seulement ils n'accomplissent pas les préceptes, mais qu'ils les violent, et qu'ainsi ils sont absolument incapables de les observer, de quelque grâce qu'ils soient secourus, vous jugerez sans doute qu'il était nécessaire que le Concile prononçât contre une erreur si insupportable.

Vous voyez combien ces deux sens sont différents : en l'un, on entend proprement que les justes ont le pouvoir de persévérer dans la justice : en l'autre, on entend proprement que les commandements sont possibles à la charité, telle qu'elle est dans les justes en cette vie : et quoique ces deux sens soient exprimés ici par des paroles si différentes, ils peuvent néanmoins tous deux être exprimés par ces paroles : *les commandements sont possibles aux justes.*

Mais comme cette proposition est équivoque, vous ne trouverez pas étrange qu'on puisse l'accorder en un sens et la nier en l'autre. Aussi elle a eu des hérétiques contraires dans les deux sens.

Les restes des Pélagiens soutiennent les commandements toujours possibles aux justes, au premier sens; l'Eglise le nie.

Les Luthériens soutiennent les commandements impossibles au second sens; l'Eglise le nie.

Ainsi le Concile ayant à combattre deux erreurs si différentes, puisqu'il est aussi hérétique de soutenir que les commandements sont toujours possibles au premier sens, que de les soutenir impossibles au second, comme ce sont des matières toutes séparées, il les réfute séparément. Il combat celle de Luther dans ce chapitre onzième, qui n'est fait que contre cet hérésiarque, et dans les canons dix-huit et vingt-cinq, qui en sont formés : et il combat celle des semi-Pélagiens dans le chapitre XIII et dans les canons 16 et 22 qui en sont formés. Ainsi son objet, dans ce chapitre XI est seulement de faire voir que le juste agissant par l'amour de Dieu peut faire des œuvres exemptes de péché; et qu'ainsi il peut observer les commandements, s'il agit par charité, et non pas qu'il a toujours le pouvoir prochain de conserver cette charité qui les rend possibles.

Et son objet, dans le chapitre XIII, est de déclarer qu'il est faux que les justes aient toujours le pouvoir prochain de persévérer, condamnant d'anathème dans le canon 22 qui en est formé, ceux qui disent que le juste a le pouvoir de persévérer dans la justice sans un secours spécial et partant qui n'est pas commun à tous les justes.

Et quoiqu'en cela le Concile établisse que les justes, non seulement n'ont pas la persévérance actuelle sans un secours spécial, mais qu'ils n'ont pas même le pouvoir de persévérer sans un secours spécial, ce qui n'est autre chose que de dire que tous les justes qui n'ont pas ce pouvoir spécial, n'ont pas le pouvoir d'accomplir les commandements dans l'instant suivant, puisque persévérer n'est autre chose qu'accomplir les commandements dans les instants suivants, néanmoins sa décision n'est pas contraire à celle du chapitre XI, *que les commandements ne sont pas impossibles aux justes*, à cause des divers sens de cette proposition.

Pour prouver ce que je dis, il ne faudrait que traduire tout ce chapitre XI; et si vous le faites faire, vous verrez le sens du Concile à découvert. Il déclare d'abord sa proposition, que les commandements ne sont pas impossibles aux justes, qui sont les paroles de saint Augustin. Et pour examiner en quel sens il l'entend, je vous prie seulement de voir la preuve qu'il en donne, la conclusion qu'il tire de sa preuve, et les canons qu'il en forme. Que si la preuve qu'il en donne n'a de force que pour le premier sens; si la conclusion qu'il en tire est en termes univoques dans ce même premier sens, et les canons de même purement dans ce premier sens, qui pourrait douter de celui de la proposition?

Voici sa preuve : les commandements ne sont pas impossibles aux justes; car ceux qui sont enfants de Dieu, c'est-à-dire les justes, aiment Jésus-Christ, et il a dit que ceux qui l'aiment gardent sa parole, c'est-à-dire ses préceptes. Cette preuve est excellente pour montrer la possibilité au premier sens : c'est-à-dire pour montrer que les commandements sont possibles à la charité; car Jésus-Christ a dit que ceux qui l'aiment observent ses commandements. Mais elle ne peut pas valoir pour montrer la possibilité en l'autre sens, c'est-à-dire pour l'avenir; car il est bien dit que ceux qui aiment Jésus-Christ au temps présent observent ses commandements dans le même temps présent où ils l'aiment, mais non pas qu'ils auront le pouvoir de les garder à l'avenir. Aussi le Concile avertit, au même endroit, qu'ils peuvent garder les commandements par les secours de Dieu.

En suite de quoi ayant cité beaucoup de passages de l'Ecriture qui commandent la justice et l'observation des préceptes, ce qui serait ridicule, si la nature humaine, même aidée de la grâce, en était absolument incapable, il conclut de cette sorte : d'où il est constant que ceux-là répugnent à la vraie foi, qui disent que le juste pèche en toutes ses bonnes actions.

En partant, le Concile prétendant avoir prouvé ce

qu'il avait proposé, que les commandements ne sont pas impossibles aux justes, lorsque, par le moyen de cette preuve, *car ceux qui aiment Jésus-Christ gardent sa parole*, il tire cette conclusion : *donc le Juste ne pèche pas dans toutes ses bonnes actions*, peut-on nier qu'il n'a prétendu dire autre chose dans sa proposition qu'on rend équivoque, que ce qu'il dit dans sa conclusion, qu'on ne peut tirer en divers sens, savoir : *que le juste ne pèche pas quand il fait de bonnes actions et par le mouvement de la grâce?*

Et cela est parfaitement éclairci par les canons qu'il en forme, qui sont toujours la substance et comme l'âme des chapitres. Voici tous ceux qu'il en tire touchant cette possibilité.

Canon 15. *Si quelqu'un dit que le juste pèche en toute bonne œuvre véniellement, ou ce qui est plus insupportable, mortellement, et qu'il en mérite la peine éternelle, et qu'il n'en est pas damné par cette seule raison que Dieu ne lui impute pas ses œuvres à damnation : soit anathème.*

Le sens du Concile n'est-il pas clair?

Canon 18. *Si quelqu'un dit que l'observation des commandements est impossible à l'homme même justifié et constitué sous la grâce : soit anathème.*

Y a-t-il rien de plus clair? Il semble que le Concile ait craint quon abusât de son expression et que pour cela il ne se soit pas contenté de dire : *si quelqu'un dit que les commandements sont impossibles aux justes, soit anathème;* mais il dit : *si on dit que les commandements sont impossibles au juste et qui est constitué sous la grâce, soit anathème;* afin qu'on ne pût pas croire qu'il parlât de cette possibilité pélagienne; et qu'il parût clairement qu'il ne combat que ceux qui disent que les commandements sont impossibles aux justes, même avec la grâce et dans le temps où ils sont constitués sous la grâce, pour user de ces termes : car le Concile ayant dit *justifié* n'aurait pas ajouté *et constitué sous la grâce*, sinon pour rendre son intention plus manifeste et son sens sans équivoque, vu que les canons sont toujours conçus en des termes très courts et très serrés.

Je vous laisse donc à juger combien ceux-là sont destitués de force, qui en cherchent dans ce chapitre du Concile. Et quoique ceci suffise pour répondre à ce que vous me demandez, j'y joindrai pourtant une autre preuve, pour vous satisfaire plus pleinement. Ces paroles : *les commandements ne sont pas impossibles aux justes*, étant prises de saint Augustin, qui est cité à la marge du Concile, on ne doit pas penser qu'elles y aient été employées dans un sens contraire à celui de saint Augustin; car il n'a rapporté ces paroles que pour rapporter son sens, puisque, autrement, ce serait agir de mauvaise foi.

Or, que saint Augustin ait jamais entendu autre chose par ces paroles, toutes les fois qu'il en a usé, sinon ce que fait le Concile en cet endroit; il ne faut qu'avoir jeté les yeux dans ses ouvrages pour en être éclairci. Je crois qu'il ne l'a presque jamais dit sans l'avoir expliqué de la sorte : c'est-à-dire que les commandements ne sont pas impossibles à la charité et qu'ils sont impossibles sans la charité; et que seule la raison pour laquelle ils sont donnés est pour faire connaître le besoin qu'on a de recevoir de Dieu cette charité. C'est ainsi qu'il dit : *Dieu juste et bon n'a pu commander les choses impossibles* (Aug., *De nat. et gratia*, chap. LXIX); ce qui nous avertit de faire ce qui est facile, et de demander ce qui est difficile. Car toutes choses sont faciles à la charité. Et ailleurs : *Qui ne sait que ce qui se fait par amour, n'est pas difficile?* (*De perfect. just.* chap. X.)

Il serait inutile d'en rapporter plus de passages. Mais, après vous avoir montré que le Concile n'a pas entendu que les justes ont le pouvoir prochain d'observer les commandements à l'avenir, il vous sera bien aisé de voir qu'il n'a pu le prétendre, et qu'ainsi non seulement il ne l'a pas fait, mais qu'il ne l'a pu faire.

C'est ce qui paraît manifestement par le canon 22; car puisqu'il défend, sous peine d'anathème, de dire que tous les justes ont le pouvoir de persévérer dans la justice, cela n'emporte-t-il pas nécessairement que tous les justes n'ont pas le pouvoir prochain d'observer les commandements à l'instant suivant, puisqu'il n'y a aucune différence entre avoir le pouvoir d'observer les commandements à l'instant suivant, et avoir le pouvoir de persévérer en la justice, puisque persévérer dans la justice n'est autre chose qu'observer les commandements à l'instant suivant?

Cette définition de ce 22e canon emporte aussi nécessairement que les justes n'ont pas toujours le pouvoir prochain de persévérer dans la prière; car puisque les promesses de l'Evangile et de l'Ecriture nous assurent d'obtenir infailliblement la justice nécessaire pour le salut, si nous la demandons par l'esprit de la grâce, et comme il faut, n'est-il pas indubitable qu'il n'y a point de différence entre persévérer dans la prière et persévérer dans l'impétration de la justice; et qu'ainsi, si tous les justes ont le pouvoir prochain de persévérer à prier, ils ont aussi tous le pouvoir prochain de persévérer dans la justice, qui ne peut être refusée à leur prière? Ce qui est formellement contraire à la décision du canon.

Cette même décision n'enferme-t-elle pas encore, par une conséquence nécessaire, qu'il n'est pas vrai que Dieu ne laisse jamais les justes sans le pouvoir prochainement suffisant pour prier à l'instant prochain, puisqu'il n'y a point de différence entre avoir le pouvoir prochain de prier dans l'instant suivant, et avoir le pouvoir prochain de persévérer dans la prière; et qu'ainsi si tous les justes ont le pouvoir prochain de prier dans l'instant suivant, ils ont tous le pouvoir prochain de persévérer dans la prière, et, partant ils ont tous le pouvoir prochain de persévérer dans la justice contre les termes exprès du Concile, qui déclare que les justes n'ont pas non seulement la persévérance, mais même le pouvoir de persévérer sans un secours spécial, c'est-à-dire qui n'est pas commun à tous.

D'où vous voyez combien il se conclut nécessairement, qu'encore qu'il soit vrai en un sens que Dieu ne laisse jamais un juste, si le juste ne le laisse le premier, c'est-à-dire que Dieu ne refuse jamais sa grâce à ceux qui le prient comme il faut, et qu'il ne s'éloigne jamais de ceux qui le cherchent sincèrement, il est pourtant vrai en un autre sens que Dieu laisse quelquefois les justes avant qu'ils l'aient laissé; c'est-à-dire que Dieu ne donne pas toujours aux justes le pouvoir prochain de persévérer dans la prière. Car puisque le Concile déclare que les justes n'ont pas toujours le pouvoir de persévérer, d'où nous avons vu qu'il s'infère de nécessité que c'est s'opposer au Concile de dire, de quelque juste que ce soit, que Dieu lui donne le pouvoir prochain de prier dans l'instant suivant; ne paraît-il pas qu'il y a des justes que Dieu laisse sans ce pouvoir pendant qu'ils sont encore justes, c'est-à-dire avant qu'ils aient laissé Dieu, même par aucun péché véniel, puisque si Dieu ne refusait ce secours prochain à aucun de ceux qui n'ont commis aucun péché véniel depuis leur justification, il s'ensuivrait que tous les justifiés recevraient avec leur justification le pouvoir prochain de persévérer par un secours général, et non pas spécial?

D'où nous concluons donc que, suivant le Concile, les commandements sont toujours possibles aux justes en un sens; et qu'en un autre sens, les commandements sont quelquefois impossibles aux justes; que Dieu ne laisse jamais le juste, s'il ne le quitte, et qu'en un autre sens, Dieu laisse quelquefois le juste le premier, et qu'il faut être ou bien aveugle ou bien peu sincère, pour trouver de la contradiction dans ces propositions qui subsistent si facilement ensemble, puisque ce n'est autre chose que dire que les commandements sont toujours possibles à la charité, que tous les justes n'ont pas toujours le pouvoir de persévérer : ce qui n'est point contradictoire; et que Dieu ne refuse jamais ce qu'on lui demande bien dans la prière, et que Dieu ne donne pas toujours la persévérance dans la prière : ce qui n'est en aucune sorte contradictoire.

Voilà ce que j'avais à vous dire sur ce sujet, où je suis bien aise d'être entré pour vous faire voir que les propositions qui sont contradictoires dans les paroles, ne le sont pas toujours dans le sens. Et parce que vous avez pensé souvent trouver de la contradiction dans les choses que j'ai eu l'honneur de vous dire, et que l'on voit aujourd'hui un nombre de personnes assez téméraires pour avancer qu'il y a de la contradiction dans les sentiments de saint Augustin, je ne puis refuser une occasion si commode de vous ouvrir amplement les principes qui accordent si solidement toutes ces propositions contradictoires en apparence, mais en effet liées ensemble par un enchaînement admirable.

Il ne faut que remarquer qu'il y a deux manières dont l'homme recherche Dieu; deux manières dont Dieu recherche l'homme; deux manières dont Dieu quitte l'homme; deux dont l'homme quitte Dieu; deux dont l'homme persévère; deux dont Dieu persévère à lui faire du bien, et ainsi du reste.

Car la manière dont Dieu cherche l'homme lorsqu'il lui donne les faibles commencements de la foi pour faire que l'homme lui crie dans la vue de son égarement : *Seigneur, cherchez votre serviteur*, est bien différente de celle dont Dieu recherche l'homme quand il exauce cette prière, et qu'il le cherche pour se faire trouver. Car celui qui disait : *cherchez votre serviteur*, avait sans doute déjà été cherché et trouvé. Mais parce qu'il savait bien, lui qui avait l'esprit de prophétie, qu'il y avait une autre manière dont Dieu pouvait le rechercher, il se servait de la première pour obtenir la seconde.

Ainsi la manière dont nous cherchons Dieu faiblement, quand il nous donne les premiers souhaits de sortir de nos engagements, est bien différente de la manière dont nous le cherchons, quand, après qu'il a rompu les liens, nous marchons vers lui en courant dans la voie de ses préceptes.

Toutes ces choses-là, qui sont sans contestation, nous conduiront insensiblement à concevoir celles qui sont contestées.

Il y a de même deux manières dont l'homme persévère. La persévérance à prier et à demander simplement les forces dont on se sent dépourvu, est bien différente de la persévérance dans l'usage de ces mêmes forces et dans la pratique des mêmes vertus.

Ainsi il y a deux manières dont Dieu quitte l'homme comme nous l'avons déjà dit; et ainsi du reste.

L'intelligence de ces différences éclaircit toutes les difficultés et toutes les contradictions apparentes, et qui ne le sont pas en effet, parce que des deux propositions qui semblent opposées, l'une appartient à l'une de ces manières, et l'autre à l'autre.

Car comme on peut considérer la justification de deux manières, l'une dans ses effets particuliers, et l'autre dans tous ses effets en commun, on en peut aussi parler de deux manières différentes. Qui doute qu'on puisse considérer la première lumière de la foi séparément, et les actions qui en naissent séparément? Mais qu'on puisse aussi considérer et la foi et les œuvres en commun et comme en un corps, et ainsi en parler diversement, c'est ainsi que fait saint Augustin, lorsque, pour s'accommoder à ceux à qui il parle, il dit : *On peut distinguer la foi d'avec les œuvres, comme on distingue dans le royaume des Hébreux Juda d'avec Israël, quoique Juda fût d'Israël.*

N'est-ce pas ainsi que saint Thomas, parlant de la prédestination gratuite (Iª, q. 23, a.5), sur laquelle vous n'avez point de difficulté, dit qu'on la peut considérer, ou en commun, ou dans ses effets particuliers et en parler ainsi en deux manières contraires; en la considérant dans ses effets, on peut leur alléguer des causes; les premiers étant les causes méritoires des seconds et les seconds la cause finale des premiers; mais qu'en les considérant tous en commun, ils n'ont aucune cause que la volonté divine; c'est-à-dire, comme il l'explique, que la grâce est donnée pour mériter la gloire et que la gloire est donnée parce qu'on l'a méritée par la grâce; mais le don de la gloire et de la grâce ensemble en commun n'a aucune cause que la volonté divine.

Ainsi, si nous considérons la vie chrétienne, qui n'est autre chose qu'un saint désir, selon saint Augustin, nous trouverons, et que Dieu prévient l'homme et que l'homme prévient Dieu; que Dieu donne sans qu'on demande, et que Dieu donne ce qu'on demande; que Dieu opère sans que l'homme coopère, et que l'homme coopère avec Dieu; que la gloire est une grâce et une récompense; que Dieu quitte le premier, et que l'homme quitte le premier; que Dieu ne peut sauver l'homme sans l'homme, et que ce n'est nullement de l'homme qui veut et qui court, mais seulement de Dieu qui fait miséricorde.

Par où vous voyez que presque tout ce que les semi-Pélagiens ont dit de la justification en commun, est véritable de ses effets particuliers. Et qu'ainsi on peut dire les mêmes choses qu'eux sans être de leur sentiment, à cause des différents objets des mêmes propositions; et qu'ainsi toutes les expressions suivantes sont communes à saint Augustin et à ses adversaires :

Les commandements sont toujours possibles aux justes; Dieu ne nous sauve point sans notre coopération; nous garderons les commandements si nous voulons; il est en notre pouvoir de garder les commandements; il est en notre pouvoir de changer notre volonté en mieux; la gloire est donnée aux mérites; demandez et vous recevrez; j'ai attendu le Seigneur; j'ai prévenu le Seigneur; tous les hommes ne sont pas sauvés, parce qu'ils ne le veulent pas; Dieu ne quitte point, s'il n'est quitté; Dieu veut que tous les hommes soient sauvés, etc.

Tous les discours de cette sorte sont communs aux deux parties, saint Augustin l'eût dit aussi bien que ses ennemis. Et comment ne le ferait-il pas, vu que la plupart sont de l'Ecriture sainte?

Mais les expressions contraires sont particulières à saint Augustin et à ses disciples, comme : le salut ne dépend que de Dieu; la gloire est gratuite; ce n'est ni de celui qui veut ni de celui qui court, mais de Dieu qui fait miséricorde; ce n'est point par les œuvres que nous sommes sauvés, mais par la vocation; c'est Dieu qui opère le vouloir et l'action suivant son bon plaisir; les commandements ne sont pas toujours possibles; la grâce n'est pas donnée à tous; tous les hommes ne sont pas sauvés, non parce qu'ils ne le veulent pas, mais parce que Dieu ne veut pas; chaque action que nous faisons en Dieu est faite en nous par Dieu même.

Toutes celles de cette sorte sont propres à saint Augustin; de sorte que, par un merveilleux avantage pour sa doctrine, les expressions semi-pélagiennes sont aussi augustiniennes, mais non pas au contraire.

D'où l'on voit combien il est injuste de prétendre que les passages de l'Ecriture qui semblent favoriser les semi-Pélagiens, ruinent les sentiments de saint Augustin, puisque tous les passages peuvent avoir deux sens; au lieu que ceux qui établissent la doctrine de saint Augustin, ruinent nécessairement les semi-Pélagiens, parce qu'ils sont univoques, et c'est ce qui a fait dire à saint Prosper écrivant à Ruffin ce discours sur le même sujet.

(*F*ᵒˢ 727-733.) On doit dire la même chose à ceux qui abusent des passages équivoques de saint Augustin, au lieu de les expliquer par les univoques. Je ne m'arrêterai pas à ceux qui sont faibles, comme à ceux-ci : *Jamais l'homme ne prévient Dieu;* et : *La bonne volonté de l'homme précède beaucoup de dons de Dieu* (Aug. *Enchir. cap.* XXXII.), car il s'en explique trop clairement lui-même à l'endroit d'où ces dernières paroles sont tirées. *La bonne volonté de l'homme précède beaucoup de dons de Dieu, mais non pas tous. Et elle est elle-même entre ceux qu'elle ne précède point. Car l'un et l'autre se lit dans l'Ecriture : et « sa miséricorde me préviendra », et « sa miséricorde me suivra ». Il prévient celui qui ne veut pas, pour faire qu'il veuille et il suit celui qui veut, pour faire qu'il ne veuille pas en vain.*

La véritable cause de toutes ces différentes expressions est que toutes nos bonnes actions ont deux sources : l'une, notre volonté, l'autre, la volonté de Dieu : car, comme dit saint Augustin, *Dieu ne nous sauve point sans nous; et si nous voulons, nous garderons ses commandements; et il dépend du mouvement de notre volonté de mériter et de démériter.* De sorte que, si on demande pourquoi un adulte est sauvé, on a droit de dire que c'est parce qu'il l'a voulu; et aussi de dire que c'est parce que Dieu la voulu. Car si l'un ou l'autre ne l'eût pas voulu, cela n'eût pas été. Mais encore que ces deux causes aient concouru à cet effet, il y a pourtant bien de la différence entre leur concours, la volonté de l'homme n'étant pas la cause de la volonté de Dieu, au lieu que la volonté de Dieu est la cause et la source et le principe de la volonté de l'homme, et qui opère en lui cette volonté. De telle sorte, qu'encore qu'on puisse attribuer les actions ou à la volonté de l'homme, ou à la volonté de Dieu, et qu'en cela ces deux causes semblent y concourir également, néanmoins, il y a cette entière différence qu'on peut attribuer l'action à la seule volonté de Dieu, à l'exclusion de la volonté de l'homme au lieu qu'elle ne peut jamais être attribuée à la seule volonté de l'homme à l'exclusion de celle de Dieu.

Car, quand on dit que l'action vient de notre volonté, on considère la volonté humaine comme cause seconde, mais non pas comme première cause; mais quand on cherche la première cause on l'attribue à la seule volonté de Dieu, et on exclut la volonté de l'homme. C'est ainsi que saint Paul ayant dit : *J'ai travaillé plus qu'eux tous*, il ajoute : *non pas moi*, c'est-à-dire, *je n'ai point travaillé, mais sa grâce qui est avec moi a travaillé.* Par où on voit qu'il attribue son travail à sa volonté, et qu'il le refuse à sa volonté suivant qu'il en cherche ou la cause seconde, ou la première cause; mais jamais à soi seul; au lieu qu'il la donne aussi à la grâce seule, et que c'est en parlant proprement qu'il le donne à la seule grâce. C'est ainsi qu'il dit : *Je vis non pas moi, mais Jésus-Christ en moi.* Il dit donc *je vis*, et il ajoute *je ne vis pas.* Tant il est vrai que la vie est de lui et qu'elle n'est pas de lui, suivant qu'il en veut marquer ou la cause première ou la cause seconde. Mais, à proprement parler, il attribue cette vie à Jésus-Christ, et jamais à lui seul.

Voilà l'origine de toutes ces contrariétés apparentes, que l'Incarnation du Verbe qui a joint Dieu à l'homme et la puissance à l'infirmité, a mises dans les ouvrages de la grâce.

Vous ne vous étonnerez pas après cela de voir dans saint Augustin de ces contrariétés pareilles à celles de l'Ecriture. Je ne vous en marquerai qu'un ou deux des principaux endroits, comme celui-ci : *Cette lumière ne repaît pas les yeux des animaux brutes, mais les cœurs purs de ceux qui croient à Dieu, et qui se convertissent de l'amour des choses visibles, à l'accomplissement des préceptes : ce que tous les hommes peuvent, s'ils le veulent.*

Qui ne croirait qu'en cela saint Augustin est d'accord avec Pélage? Car cet hérétique n'a jamais rien dit de plus formel pour les forces de la liberté. Et cependant saint Augustin trouve cette expression si équivoque, qu'il juge qu'elle peut avoir un sens tout contraire à sa prétention : mais parce qu'elle est aussi capable d'un mauvais sens, il la rétracte et la retouche en cette sorte en ses *Rétractations*, ch. X. *Que les nouveaux hérétiques Pélagiens ne pensent pas que cela les favorise : cela est entièrement véritable que tous les hommes le peuvent, s'ils le veulent, mais la volonté est préparée par le Seigneur, et est augmentée par le don de la charité : en sorte qu'ils le puissent, ce que je n'avais pas dit en cet endroit, parce que cela n'y était pas nécessaire à la question.* Par où l'on voit en passant, quand il est échappé à saint Augustin des expressions de cette sorte, en des occasions où il n'était pas nécessaire de les expliquer, combien il est ridicule de détourner ces termes équivoques aux sens tout contraires à ses principes; et l'on voit dans le fond que le sens catholique de ses paroles, qu'on peut garder les commandements si on le veut, est qu'au cas que le don de la charité nous en donne le pouvoir.

Cet autre endroit est de la même sorte : *Personne ne peut faire le bien s'il ne change sa volonté, ce que le Seigneur nous a appris être en notre puissance, lorsqu'il a dit : « Ou faites l'arbre bon, et son fruit sera bon, ou faites l'arbre mauvais et son fruit sera mauvais. »*

Voilà quelles expressions il faudrait prendre dans saint Augustin pour l'accuser de contradiction, et non pas celle-là simplement :

Les commandements sont possibles aux justes. Et cependant, qui ne voit que le mot de *puissance* est tellement vague, qu'il enferme toutes les opinions? Car enfin, si l'on appelle une chose *être en notre puissance*, lorsque nous la faisons quand nous voulons, ce qui est une façon de parler très naturelle et très familière, ne s'ensuivra-t-il pas qu'il est en notre pouvoir, pris en ce sens, de garder les commandements et de changer notre volonté, puisque dès que nous le voulons, non seulement cela arrive, mais qu'il y a implication à ce que cela n'arrive pas. Mais si l'on appelle une chose *être en notre pouvoir*, lors seulement qu'elle est au pouvoir qu'on appelle *prochain*, ce qui est aussi une façon fort ordinaire d'employer le mot de *pouvoir*, en ce sens, nous n'aurons plus ce pouvoir que quand il nous sera donné de Dieu. Ainsi cette expression de saint Augustin est catholique au premier sens, et pélagienne au second. C'est ainsi qu'il en parle dans ses *Rétractations* (liv. I, c. XXII). *Cela n'est nullement contre la grâce de Dieu que nous prêchons, car il est en la puissance de l'homme de changer sa volonté en mieux : Mais cette puissance est nulle si elle n'est donnée de Dieu : Car puisqu'une chose est en notre puissance, laquelle nous faisons quand vous voulons, rien n'est tant en notre puissance que notre volonté même. Mais la volonté est préparée par le Seigneur. C'est donc de cette sorte qu'il en donne la puissance ; c'est ainsi qu'il faut entendre ce que j'ai dit après : Il est en notre puissance de mériter ou la récompense ou la peine ; car rien n'est en notre puissance, que ce qui suit notre volonté, laquelle lorsque Dieu la prépare forte et puissante, la même bonne action devient facile, qui était difficile et même impossible auparavant.*

Après de si grands exemples, vous ne pouvez pas douter qu'il n'y ait aucune proposition semi-pélagienne qui ne soit aussi augustinienne.

C'est ainsi que saint Augustin n'est pas contraire à lui-même, lorsque ayant fait deux livres entiers pour montrer que la persévérance est un don de Dieu, il ne laisse pas de dire en un endroit de ses livres que la persévérance peut être méritée par les prières, car il est sans doute que la persévérance dans la justice peut être méritée par la persévérance dans la prière; mais la persévérance dans la prière ne le peut être; et c'est proprement elle qui est ce don spécial de Dieu dont parle le Concile; et c'est ainsi que la persévérance en commun est un don spécial, et que la persévérance qui peut être méritée, est la persévérance des œuvres; ce qui paraît par cette expression même : *la persévérance peut être méritée par les prières.*

C'est ainsi qu'il ne se contredit pas, lorsque, ayant établi par tous ces principes que la grâce est tellement efficace et nécessaire que l'homme ne quitte jamais Dieu, si Dieu ne le laisse auparavant sans ce secours, puisque, tant qu'il lui plaît de le retenir, l'homme ne s'en sépare jamais, il ne laisse pas de dire en quelques endroits que Dieu ne quitte point le juste que le juste ne l'ait quitté, parce que ces deux choses subsistent ensemble, à cause de leur différent sens. Car Dieu ne cesse point de donner ses secours à ceux qui ne cessent point de les demander. Mais aussi l'homme ne cesserait jamais de les demander, si Dieu ne cessait de lui donner la grâce efficace de les demander : de sorte qu'en cette double cessation, il arrive qu'en Dieu commence l'une toujours, et qu'il ne commence jamais l'autre.

Ce double délaissement, l'un dans lequel Dieu commence, et l'autre dans lequel Dieu suit, vous est marqué clairement dans saint Prosper, lorsqu'il dit : *Dieu ne quitte point si l'on ne le quitte, et il fait bien souvent qu'on ne le quitte point. Mais d'où vient qu'il retient ceux-ci, et qu'il ne retient pas ceux-là. Il n'est ni permis de le chercher, ni possible de le trouver.* Où l'on voit qu'à la vérité *Dieu ne quitte point si l'on ne le quitte :* voilà un délaissement où l'homme commence, *et Dieu fait bien souvent qu'on ne le quitte pas.* Donc il ne le fait pas toujours. Donc quand on le quitte, c'est parce qu'il ne fait pas qu'on ne le quitte pas; c'est parce qu'il ne retient pas; donc il arrive premièrement que Dieu ne retient pas et ensuite on le quitte; car ceux qu'il retient ne le quittent pas : n'est-ce pas précisément ce que je viens de dire? Le premier délaissement consiste en ce que Dieu ne retient pas, ensuite de quoi l'homme quitte, et donne lieu au second délaissement par lequel Dieu le quitte. En un de ces délaissements Dieu suit, et il ne s'y trouve aucun mystère; car il n'y a rien d'étrange en ce que Dieu quitte des hommes qui le quittent. Mais le premier délaissement est tout mystérieux et incompréhensible.

Et saint Augustin, maître de saint Prosper, traite la même chose avec la même netteté, lorsqu'il dit en parlant de la chute de tous les réprouvés généralement qui arrivent pour un temps à la justification, *qu'ils reçoivent la grâce, mais pour un temps; ils quittent et ils sont quittés; car ils ont été abandonnés à leur libéral arbitre par un jugement juste, mais caché,* où l'on voit qu'ils quittent et qu'ensuite ils sont quittés : voilà le délaissement où Dieu suit et qui n'a rien de mystérieux. Mais si l'on demande pourquoi ils quittent, il en donne pour raison : *car ils ont été abandonnés à leur libéral arbitre.* Ils ont donc été abandonnés avant que de quitter, et même ils ne quittent que parce qu'ils ont été quittés. Voilà le délaissement où Dieu commence, et celui-là est par un jugement caché et impénétrable.

Il paraît donc que Dieu ne quitte que parce qu'il a été quitté, et que l'homme ne quitte que parce qu'il a été quitté; et qu'ainsi il est absurde de conclure que, dans les sentiments de saint Augustin, Dieu ne quitte jamais le premier, parce qu'il a dit que Dieu ne quitte point le premier; et que l'un et l'autre est ensemble véritable et qu'il quitte, et qu'il ne quitte point le premier, à cause des différentes manières de quitter.

Il n'en faut pas davantage pour vous faire voir de quelle manière l'on doit accorder ces contradictions apparentes. Je ne m'étendrai donc pas davantage sur ce sujet. Mais parce qu'il m'a conduit insensiblement à parler du délaissement des justes, et que je sais que c'est la seule difficulté qui vous retient et la seule chose de tous les points que l'on conteste aujourd'hui, que vous avez peine à croire qu'elle soit de saint Augustin; je ne finirai point cette lettre sans vous éclaircir ce point parfaitement, si Dieu m'en donne le pouvoir.

Je prétends donc vous faire voir par saint Augustin que le juste ne quitterait jamais Dieu, si Dieu ne le quittait en ne lui donnant pas toute la grâce nécessaire pour persévérer à prier; et que non seulement c'est un point de la théologie de ce Père, mais que l'on ne peut le nier sans détruire tous les principes et tous les fondements de sa doctrine, et sans tomber dans les égarements de ses adversaires et des ennemis de la grâce, qu'il a combattus et vaincus durant sa vie par ces mêmes écrits par lesquels l'Eglise les combattra et les vaincra toujours.

(*Double rédaction, f*[os] 694-695.) C'est ainsi qu'il est dit que Dieu ne laisse point le juste, si le juste ne le laisse, et cependant il fait voir en tant d'endroits que Dieu laisse le premier. De sorte qu'il dépend de la sincérité et de la bonne foi d'entrer dans le véritable sens de ces passages, ou de se rebuter, et de s'aveugler volontairement.

Ces deux choses subsistent ensemble que Dieu laisse quelquefois le premier, et que l'homme laisse le premier. Car il est vrai que Dieu ne cesse point de donner ses secours à ceux qui ne cessent point de les demander; mais il est véritable aussi que l'homme ne cesserait jamais de les demander si Dieu ne cessait de lui donner la grâce de lui demander : de sorte qu'en considérant cette double cessation de la part de Dieu, l'une par laquelle il cesse de donner la prière, l'autre par laquelle il cesse de donner l'effet de la prière, il est aussi certain que Dieu ne cesse jamais de donner l'effet de la prière à ceux qui le demandent, qu'il est certain que l'homme ne cesse jamais de le demander, si Dieu ne cesse de lui en donner la demande.

Ce double délaissement, l'un dans lequel Dieu précède et l'autre dans lequel Dieu suit, nous est marqué clairement dans saint Prosper lorsqu'il dit ces paroles : *Dieu ne quitte point si l'on ne le quitte; et il fait bien souvent qu'on ne le quitte point.* Donc il est infaillible qu'il ne le fait pas toujours. Donc dans ceux où il ne fait pas qu'ils ne le quittent point, il est visible que Dieu cesse, de la première manière, en ne faisant pas en sorte que l'homme ne le quitte point, ensuite de quoi l'homme quittant Dieu, Dieu le quitte ensuite de la seconde manière. Que si l'on demande à saint Prosper d'où vient donc qu'il en retient les uns, et non pas les autres, il répond ces paroles immédiatement suivantes : *Mais d'où vient qu'il retient ceux-ci, et non pas ceux-là? Il n'est ni permis de le rechercher, ni possible de le trouver.* Par où nous voyons que ceux que Dieu ne retient pas le quittent, ensuite de quoi il les quitte, qui est précisément ce que j'ai dit.

Et saint Augustin, maître de saint Prosper, nous enseigne la même chose lorsque, parlant de la chute de tous les réprouvés généralement, qui arrivent pour un temps à la justice, il déclare qu'ils reçoivent la grâce, mais qu'ils sont temporels, c'est-à-dire pour un temps. Ils quittent, et ils sont quittés, car ils ont été abandonnés à leur libéral arbitre par un jugement juste, mais caché. Par où nous voyons que ces justes pour un temps quittent Dieu avant qu'il les quitte, mais que la raison pourquoi ils quittent Dieu est qu'ils ont été abandonnés de lui à leur libéral arbitre, ce qui est la même chose que ce que dit saint Prosper et que j'avais proposé. Vous y voyez ces deux délaissements, l'un dans lequel Dieu suit et qui est sans mystère; l'autre dans lequel Dieu précède est tout plein de mystère. Je n'exagère point cela davantage. Mais pour vous faire voir que, quand nous n'aurions pas ces passages formels, c'est une chose si indubitable dans la doctrine de saint Augustin que l'homme ne quitterait jamais Dieu, si Dieu ne l'avait quitté, je veux vous faire voir que le contraire ne peut subsister que par la ruine de tous ses principes.

(*F*[os] 707-709.) Quand on a compris une fois parfaitement cette différence, on n'est plus surpris de voir que saint Augustin dise que les commandements sont possibles à l'homme, et toujours possibles, non seulement aux justes mais à tous les hommes, car le salut ne se peut opérer que par la coopération de l'homme; qu'il est en notre puissance de garder les commandements; parce que toutes ces choses sont véritables dans les effets particuliers. Ce ne sont pas là les expressions discernantes et particulières des partis. Mais quand on voit dans saint Augustin que l'homme ne peut accomplir les commandements, que la grâce seule opère tout le salut, on connaît à ces marques quel est son sentiment, et ses dernières expressions ne sont pas contraires aux premières, parce qu'elles regardent des choses différentes.

Et ce que nous disons de saint Augustin se doit entendre de l'Ecriture. Tous les passages qui marquent la nécessité de la coopération, les commandements, les corrections; et même ces expressions : *Si vous voulez, vous garderez les commandements; Venez à moi tous;* et toutes les choses de cette nature; *J'ai prévenu le Seigneur*, etc., *J'ai attendu, j'ai travaillé*, etc., ne favorisent en aucune sorte l'erreur semi-pélagienne; mais au contraire ces passages : *C'est lui qui opère le vouloir et l'action; Sans moi vous ne pouvez rien faire; Nul ne vient à moi si le Père ne l'entraîne; Ce n'est ni de celui qui veut, ni de celui qui court*, etc. et tous ceux de cette nature qui sont en si grand nombre ruinent absolument cette erreur. Les premières sont équivoques, celles-ci sont univoques.

Et toutes ces expressions ne sont non plus contraires dans l'Ecriture que dans saint Augustin, à cause des différents objets où elles se rapportent. Car vous savez que la contrariété des propositions est dans le sens et non pas dans les paroles, autrement l'Ecriture serait pleine de contradictions, comme quand il est dit : *Le Père est plus grand que moi;* et qu'il est dit ailleurs que *Jésus-Christ est égal à Dieu; Si je me glorifie moi-même*, etc. *De sorte que je me glorifie moi-même*, etc. Et : *on est justifié par la foi sans les œuvres.* Et : *La foi sans les œuvres est morte.* Et tous les autres de cette espèce.

Vous concevez donc bien que sans contradiction on peut dire que Dieu prévient l'homme, et que l'homme prévient Dieu; Que les commandements sont toujours possibles au juste, et que quelques commandements ne sont quelquefois pas possibles à quelques justes; Que Dieu ne quitte point le juste, s'il ne le quitte le premier, et que Dieu quitte le premier le juste. Toutes ces choses peuvent être vraies ensemble à cause des différents sujets, et c'est ce que je vous ferai voir dans saint Augustin et dans les Pères, par le peu de passages que j'ai présents.

(Aug. *Enchir. c.* XXXII.) *Puisque l'homme ne peut croire, et espérer, et aimer Dieu s'il ne veut, ni arriver au Ciel s'il ne court par sa volonté, comment est-ce que ce n'est point ni de celui qui veut, ni de celui qui court, mais de Dieu qui fait miséricorde, si ce n'est « parce que cette volonté est préparée par le Seigneur », car autrement, si c'était par l'un et par l'autre, comme s'il était dit que la volonté de l'homme ne suffit pas si Dieu ne fait miséricorde; donc aussi la miséricorde de Dieu ne suffit pas si l'homme ne veut aussi... Et partant il y aurait autant de sujet de dire : ce n'est pas de Dieu qui fait miséricorde, mais de l'homme qui veut, puisque la miséricorde de Dieu ne peut pas l'accomplir toute seule. Or si aucun Chrétien ne l'ose dire, il reste qu'on entende qu'il est dit que ce n'est point de celui qui veut, ni de celui qui court, mais de Dieu qui fait miséricorde, afin que tout soit donné à Dieu qui prépare la volonté de l'homme, afin de l'aider ensuite, et qui l'aide après qu'il l'a préparée. Car la bonne volonté de l'homme précède beaucoup de dons de Dieu, mais non pas tous, et elle est elle-même entre ceux qu'elle ne précède point. Car l'un et l'autre se lit dans l'Ecriture : Et « sa miséricorde me préviendra » et « sa miséricorde me suivra. » Il prévient celui qui ne veut pas, afin qu'il veuille, et suit celui qui veut, afin qu'il ne veuille pas en vain.*

(Aug. *de Gratia et lib. arbitr. c.* XVII.) *Car c'est lui qui commence et opère que nous voulions, et c'est lui-même qui coopère à ceux qui veulent, pour achever son ouvrage. C'est pourquoi l'apôtre dit : « Je suis certain que celui qui opère en vous ce bon ouvrage, l'achèvera jusques au jour de Jésus-Christ. » Donc c'est lui qui sans nous opère que nous voulions; et quand nous voulons en sorte que nous faisons, il coopère avec nous.*

(S. Fulg. *l. I ad Monim.*, *c.* XIV.) *Je ferai que vous marchiez dans mes justifications et que vous gardiez mes commandements. Qu'est-ce à dire : « Je ferai que vous fassiez », sinon : « Tout le bien que vous ferez, sera par mon opération. » C'est donc lui qui fait que nous faisons, par lequel opérant en nous est fait tout le bien que nous faisons, duquel il est dit aux Hébreux,* « *Qu'il vous dispose en tout bien, faisant dans vous ce qui lui est agréable* ».

(Aug. *l. I. Retract. c.* x.) *Ce que j'ai dit :* « *Or cette lumière ne repaît pas les yeux des animaux brutes, mais les cœurs purs de ceux qui croient à Dieu et se convertissent de l'amour des choses visibles et temporelles à l'observation des commandements de Dieu, ce que tous les hommes peuvent faire s'ils le veulent.* » Jamais les Pélagiens n'ont rien dit de plus fort; et cependant saint Augustin, en rétractant cet endroit, ne le trouve pas absolument incompatible avec la sainte doctrine en y ajoutant simplement ces paroles : *Que les nouveaux Pélagiens ne pensent pas que cela les favorise. Cela est entièrement vrai que tous les hommes le peuvent, s'ils le veulent, mais la volonté est préparée par le Seigneur, et est augmentée par le don de la charité en sorte qu'ils le puissent. Ce que je n'avais pas dit en cet endroit, parce que cela n'était pas nécessaire à la question.* Quelle force ferait-on sur ce premier passage de saint Augustin s'il ne l'avait pas rétracté lui-même? Et cependant qui ne voit que cette expression est commune aux deux partis. *Que tous les hommes peuvent faire les commandements s'ils le veulent?* Mais ce qui les distingue est celle-ci, *Que cette volonté est donnée par le Seigneur, et que le don de la charité les peut rendre possibles.*

Cet autre endroit est de la même nature :

(*Idem. c.* XXII). *J'ai dit en un autre endroit :* « *On ne peut opérer le bien si on ne change sa volonté, ce que le Seigneur enseigne être en notre puissance : Ou faites l'arbre bon, et son fruit sera bon; ou faites l'arbre mauvais, et son fruit sera mauvais.* » *Cela n'est nullement contre la grâce de Dieu que nous pensons, car il est en la puissance de l'homme de changer sa volonté en mieux, mais cette puissance est nulle si elle n'est donnée de Dieu; car puisqu'une chose est en notre puissance, laquelle nous faisons quand nous le voulons, il n'y a rien qui soit tant en notre puissance que notre volonté même, mais la volonté est préparée par le Seigneur, donc c'est ainsi qu'il en donne la puissance. C'est ainsi qu'il faut entendre ce que j'ai dit après :* « *Il est en notre puissance de mériter ou la bonté de Dieu ou sa colère.* » *Car rien n'est en notre puissance que ce qui suit notre volonté, laquelle, lorsque Dieu la prépare forte et puissante, la même bonne œuvre devient facile qui était difficile et même impossible auparavant.*

Voilà comment on peut être Catholique et Pélagien en disant qu'il est en notre pouvoir de changer notre volonté en mieux, mais on est Pélagien en croyant que cette puissance est de nous, et Catholique en croyant qu'elle est de Dieu, et qu'une même chose nous est possible, lors seulement que Dieu nous départ une volonté forte et puissante, et impossible lorsqu'il ne le fait pas.

J'ai voulu vous rapporter ces grands passages de saint Augustin qui semblent favoriser si fort les Pélagiens, afin que vous ne fussiez point surpris de certains passages sans comparaison moindres dont votre petit papier est rempli : *Dieu ne commande point des choses impossibles*, et les semblables.

Je viens donc maintenant à la question qui vous touche le plus. Et je veux vous faire voir que, dans la doctrine de saint Augustin, les commandements sont quelquefois impossibles à quelques justes; que comme il faut toujours demander la grâce pour l'obtenir, il y a deux persévérances à considérer, l'une dans la prière et l'autre dans la charité, et que pour cela Dieu donne deux secours, l'un pour faire persévérer dans la prière, et l'autre pour faire persévérer dans les œuvres : Et qu'il est vrai que Dieu ne refuse jamais le secours pour les œuvres à ceux qui ne cessent point de le lui demander, et qu'en ce sens Dieu ne quitte point le juste que le juste ne le quitte; mais qu'aussi Dieu ne donne pas toujours le secours pour prier; et qu'en ce sens Dieu laisse le juste, avant que le juste le quitte, de sorte que ce délaissement est toujours conduit en sorte que premièrement Dieu laisse l'homme sans le secours nécessaire pour prier, et qu'ensuite l'homme cesse de prier, et qu'ensuite Dieu laisse l'homme qui ne le prie plus.

Ce double délaissement a été si bien traité dans la *Lettre d'un Abbé à un Président* qu'il est ridicule d'en parler davantage, et je ne le fais que parce que vous le voulez. En voici quelques preuves :

(Aug. *de Corr. et grat. c.* XII.) Saint Augustin, parlant des réprouvés qui ont entré dans la justice et qui n'y persévèrent pas, dit : *Ils reçoivent la grâce; mais ils ne sont que pour un temps; ils quittent et ils sont quittés; car ils ont été abandonnés à leur libéral arbitre par un jugement juste, mais caché.* Vous voyez en ce peu de paroles le double délaissement dont je parle. *Ils quittent*, dit-il, *et ils sont quittés;* en ce délaissement l'homme précède et Dieu suit; en ce délaissement il n'y a point de mystère, mais si l'on veut savoir la cause pourquoi, etc.

(*F*os 704-707.) Nous verrons la même chose dans la raison que saint Augustin apporte du délaissement des justes; car s'il établit partout que la rechute est permise pour leur apprendre à n'espérer qu'en Dieu, n'est-il pas visible qu'il n'y a rien de si contraire à ce dessein, que de les assurer qu'ils ont toujours le pouvoir prochain de prier, puisque la prière est toujours certaine d'obtenir sa demande? Mais, si l'on veut savoir la cause pour quoi ils ont quitté, il en donne pour unique raison que Dieu les avait laissés à leur libéral arbitre. Et si l'on demande pourquoi, étant justes aussi bien que les élus, Dieu les laisse à leur libéral arbitre et non pas les élus, il déclare que c'est par un jugement caché. D'où il se voit que ce n'est point pour avoir mal usé de la grâce qui était en eux, ni pour s'être attribué l'effet de la grâce, car en ce cas le discernement n'aurait pas une cause cachée, mais bien connue. Enfin ce n'est pour aucune raison qui puisse nous être connue, puisque c'est par un jugement occulte; ce qui est d'une si grande force, que je vous la laisse à exagérer. Et comme saint Augustin parle en cet endroit de tous les réprouvés qui ont quelque temps la grâce, on voit de quelle manière leur chute arrive, par cette connaissance qu'il en donne.

Ce double délaissement qui paraît dans tous les ouvrages des saints, mais plus clairement dans les uns que dans les autres, est encore bien nettement expliqué dans saint Prosper, lorsqu'il dit : *Dieu ne quitte point un juste, si le juste ne le quitte auparavant.* Il ajoute : *Et bien souvent il fait qu'il ne le quitte point.* Par où vous voyez que Dieu ne fait pas toujours que les justes ne le quittent point. Mais si l'on demande à saint Prosper pourquoi il fait que quelques justes ne le quittent pas, et non pas les autres, il répond que cette question : *Pourquoi Dieu retient ceux-ci et non pas ceux-là, est une chose qui est défendue d'être recherchée et qu'il est impossible de trouver.* Et sur quoi il faut s'écrier : *O profondeur! ô grandeur!* etc.

Vous voyez par là ce double délaissement dont je vous parle. Mais quand on n'aurait ni ces passages ni tous les autres où il aurait arrivé d'en parler nettement, la chose ne laisserait pas d'être claire et d'une nécessité absolue dans leur principe. Car qui ne sait que c'est un principe indubitable dans la doctrine de saint Augustin que la raison pour laquelle de deux justes, l'un persévère et l'autre ne persévère pas est un secret absolument incompréhensible? D'où il se voit que tous les justes n'ont pas le moyen prochain de persévérer, puisque, si le différent usage que leur libéral arbitre ferait de ce pouvoir était la cause de leur discernement, il n'y aurait point de mystère.

Qui ne sait que dans saint Augustin tous les élus, c'est-à-dire tous ceux qui persévèrent, persévèrent par une grâce qui les fait persévérer très invinciblement, et sans laquelle ils ne pourraient pas persévérer? Qui ne sait quelle différence il met entre la persévérance d'Adam et des anges, et celles des hommes d'à présent? Qui ne sait que c'est Dieu qui donne la persévérance dans l'oraison? Que la grâce se fait désirer, et opère dans l'homme tout le bien qu'il fait? Que les justes sont retenus en cette vie, jusqu'à ce que la grâce ait rendu leur volonté bonne, et en sont ôtés lorsque leur volonté deviendrait méchante. Et qu'au contraire les réprouvés qui sont justes sont laissés en cette vie jusqu'à ce que leur volonté soit changée, quoiqu'ils pussent en être ôtés auparavant?

Qui ne voit dans tous ces principes la fausseté de cette proposition, que les justes ont toujours un pouvoir prochain de persévérer au moins dans la prière? Car si cela est, et que ce pouvoir soit prochain, — et non pas tel que la grâce suffisante des Thomistes, qui n'a jamais son effet, mais qu'il soit prochain, — il s'ensuit que les justes même réprouvés peuvent être persévérants; qu'il n'y a nulle différence entre la persévérance d'Adam, ou des anges, et celle d'aujourd'hui : qu'il n'y a plus de mystère dans le discernement de ceux qui persévèrent d'avec ceux qui ne persévèrent pas : et enfin toutes les absurdités contraires aux chefs de la doctrine du Docteur de la grâce.

Et parce que les passages où il établit tous ces points ne vous sont peut-être pas familiers, je vous en donnerai ceux que j'ai en main.

(St August. *l. II de Peccat. merit.* XVII). *Il arrive que chacun de nous sait quelquefois entreprendre, faire et accomplir une bonne œuvre, et quelquefois ne le sait pas : quelquefois y sent de la délectation, et quelquefois il n'en sent point, afin d'apprendre que ce n'est point par notre puissance, mais par le don de Dieu que nous savons et que nous sentons cette délectation; et qu'ainsi nous soyons guéris de la superbe, et que nous sachions combien véritablement il est dit que le Seigneur donnera la délectation, et que notre terre donnera son fruit.* N'est-il pas visible que dans ce passage saint Augustin établit l'impuissance où l'on se trouve d'accomplir quelque bonne œuvre, puisqu'il dit que cette délectation ne nous est pas toujours présente, afin que nous apprenions à ne nous point élever, ce qui ne serait pas véritable, si nous avions le pouvoir prochain de l'accomplir.

(St Aug. *ibid. c.* XIX.) *C'est pour cette raison qu'il guérit plus tard de quelques vices même ses saints et ses fidèles, en sorte que la délectation qu'ils ont dans le bien soit moindre qu'il ne suffit pour accomplir entièrement la justice.* Et ensuite : *Et en cela il ne veut pas qu'ils se damnent, mais qu'ils deviennent humbles. N'est-il pas visible que ce dessein de Dieu ne peut réussir dans ses saints s'ils ont toujours ce secours prochainement suffisant?*

(Fulgence *l. I. de Veritate praedestin. c.* XV. *et* XVI.) Pesez aussi la force de ces passages : *Cette grâce que Dieu donne aux vaisseaux de miséricorde commence par l'illumination du cœur, et ne trouve pas la volonté de l'homme bonne, mais la rend bonne; et afin qu'elle soit élue, elle-même élit la première; et elle n'est reçue ou aimée, si elle-même n'opère cet effet dans le cœur de l'homme : Donc et la réception et le désir de la grâce est l'ouvrage de la grâce même.* Et ensuite : *Donc elle-même se fait connaître, aimer et désirer davantage.* Donc, ou le pouvoir qu'ont toujours les justes de désirer la grâce n'est qu'un pouvoir suffisant, et non pas prochain comme celui des Thomistes; ou, s'il est prochain, ils pourront aimer la grâce sans qu'elle opère cet effet en eux. Mais puisque cela est si contraire aux principes de ce saint, concluons que, puisque jamais la grâce n'est reçue ni désirée que quand elle opère elle-même cet effet, il n'est pas vrai que les justes aient ce pouvoir prochain par lequel leur libéral arbitre pourrait opérer cet effet. Je ne l'exagère point davantage.

(Fulg. *l. II. de Verit. praedest. c.* IV.) *Quand donc il nous est commandé de vouloir le bien, notre devoir nous est montré, mais parce que nous ne pouvons l'avoir de nous-mêmes, nous sommes avertis de demander ce secours à celui qui nous donne ce précepte : ce que néanmoins nous ne pouvons demander, si Dieu n'opère en nous-mêmes de le vouloir.* Il ne dit pas que nous ne le demandons pas, si Dieu n'opère en nous de le vouloir demander; mais que nous ne le pouvons point demander, si Dieu n'opère en nous la volonté même de le demander. Il n'y a donc point, suivant saint Fulgence, de pouvoir prochain de demander l'accomplissement des préceptes dans ceux qui n'en ont pas la volonté, et suivant lui, le pouvoir et le vouloir sont tellement joints, que jamais l'homme n'a le pouvoir si Dieu ne lui en donne le vouloir.

(Fulg. *Epist. IV. chap.* II.) *Car qui peut prier comme il faut, si ce divin Médecin ne nous inspire lui-même le commencement de ce désir, ou qui peut persévérer dans l'oraison, si Dieu n'augmente dans nous ce qu'il a commencé, ne nourrit ce qu'il a semé, et ne conduit à l'effet de la perfection, par la suite de sa miséricorde, ce qu'il a donné gratuitement à des indignes par sa miséricorde prévenante? Donc on n'a pas le pouvoir de persévérer dans l'oraison si Dieu ne fait persévérer.*

(St Aug. *de Dono persever. c.* XXIII.) *Et ils ne veulent pas entendre que, quand nous prions, cela même est un don de Dieu.*

(Idem *in Psal.* [*CXVIII*] *Conc.* 14.) *C'est lui qui nous fait demander tout ce que nous désirons recevoir, c'est lui qui nous fait rechercher tout ce que nous désirons trouver, c'est lui qui nous fait heurter.* Et ensuite : *Car c'est l'esprit de Dieu habitant en nous qui nous fait prier. Donc ce n'est pas par un pouvoir prochain que l'on demande et que l'on prie.*

(Aug. *Epist. CV.*) *L'oraison même est entre les dons de Dieu.*

(Fulg. *l. I. de Verit. praedest. c.* XVIII.) *Donc, afin que nous voulions croire en Dieu, il nous a donné cette bonne volonté; afin que nous croyions actuellement, il nous a donné la foi; afin que nous l'aimions, il nous a donné la grâce de sa charité.* Et après : *Donc c'est la seule grâce qui fait en nous la bonne volonté. Elle seule donne la foi à la volonté, mais, quand la bonne volonté a eu la foi, elle commence d'opérer le bien, si toutefois le secours de la grâce ne nous manque point, car la grâce fait en nous la bonne volonté.*

(St Aug. *l. de Dono persever, c.* VII.) *Car afin que nous ne nous éloignions point de Dieu, cela ne nous est donné que de Dieu. Cela n'est plus maintenant dans les forces du libéral arbitre.* Et ensuite : *Et Dieu a voulu qu'après la chute de l'homme, il n'appartînt plus sinon à sa grâce que l'homme s'approche de lui, et qu'il n'appartînt sinon à sa grâce que l'homme ne se retire point de lui.*

(Aug. *de Grat. et lib. c.* XV, XVI.) *Par elle, il est fait que l'homme soit de bonne volonté, au lieu qu'il était méchant auparavant. Par elle, il est fait que cette bonne volonté, qui maintenant a commencé d'être, soit augmentée, et deviendra assez grande...*

(*F*os 696-704.) Examinons donc, s'il vous plaît, cette question à fond, car je sais que c'est le point qui vous touche le plus; et voyons s'il est possible dans la doctrine de ces saints que les justes quittent Dieu avant que Dieu les ait un peu laissés à eux-mêmes.

Pour cela, il faut prendre pour fondement et pour avoué que Dieu ne laisse jamais ceux qui le prient; et qu'au contraire il leur accorde toujours les moyens nécessaires à leur salut, s'ils les lui demandent sincèrement.

Il n'est donc pas question de savoir si Dieu cesse de donner ses secours à ceux qui persévèrent à les demander, car cela n'a jamais été pensé.

Mais de savoir si Dieu ne cesse jamais de donner aux justes tous les secours nécessaires pour prier : voilà l'état de la question. Examinons-la maintenant dans les principes de saint Augustin.

Si nous trouvons que ce soit un principe ferme dans saint Augustin, que tous ceux qui ont la prière actuelle l'ont par une grâce efficace, et qu'aucun de ceux qui n'ont pas la prière actuelle n'a le pouvoir prochain de prier, la question ne sera-t-elle pas résolue, et ne s'ensuivra-t-il pas nécessairement que, tandis que les justes prient, ils sont secourus efficacement, et qu'ils ne cessent point de prier tant que ce secours efficace leur est présent, et que, quand ils cessent, ils n'ont pas le pouvoir prochain de prier? Et partant que Dieu les a laissés le premier, je ne dis pas sans aucun secours, mais sans le secours prochain. Certainement cela s'ensuit. Voyons donc si je prouverai ces principes.

Si nous trouvons que c'est un principe ferme dans saint Augustin, que non seulement les grandes actions sont des dons de Dieu, dont personne aujourd'hui ne doute plus, mais que la prière même et la foi, qui sont des moindres choses par lesquelles on adhère à Dieu, et sans lesquelles il est sûr qu'on le quitte, sont aussi des dons de la grâce, des effets et des ouvrages de la grâce et qu'elles ne se trouvent en personne que par l'opération expresse de la grâce, cela ne suffira-t-il pas pour montrer qu'on n'a jamais la prière que par une grâce qui fasse prier? Peut-être direz-vous que non; et qu'encore que tous les justes aient la grâce suffisante pour prier, il arrive néanmoins que pas un ne prie que par une grâce efficace, et qu'ainsi, encore que la prière ne se trouve en personne, si elle n'est produite par la grâce, le pouvoir néanmoins pour prier se trouve en tous les justes. Mais cela n'est pas soutenable. Car c'est une question de fait de savoir si aucun juste ne réduit en acte le pouvoir prochain qu'il a de prier, sur laquelle on ne saurait répondre qu'en s'informant de tous les justes en particulier de quelle sorte la prière se forme en eux. De sorte que ce serait une témérité impertinente d'assurer de tous les justes passés et à venir que jamais la prière ne se trouvera en eux [par] la réduction qu'ils auront faite de leur pouvoir prochain en acte. Or on ne peut pas dire la même chose de la grâce suffisante des Thomistes, c'est-à-dire qu'on peut sans impertinence dire qu'elle ne sera jamais réduite en acte, parce qu'ils ne l'établissent pas prochainement suffisante. Mais si ce pouvoir prétendu des justes pour prier est prochain, on ne peut dire avec assurance que tous ceux en qui se trouve la prière ne l'ont pas par ce pouvoir prochain, et qu'ils l'ont par une grâce efficace. Et par conséquent, si saint Augustin et tous les Pères déclarent affirmativement que la prière est toujours un effet d'une grâce efficace, il s'ensuit nécessairement de cette affirmation universelle que ceux qui n'ont pas la prière n'ont pas un pouvoir prochain pour prier.

Donc pour montrer que tous ceux qui ne prient pas n'ont pas un pouvoir prochain de prier, il suffit de montrer que tous ceux qui prient, prient par une grâce efficace. Et c'est ce que nous trouvons dans tout saint Augustin, et pourquoi sont faits tous ses ouvrages sur la grâce, sans presque aucune exception.

(Fulgence, [Trias] 160.) *Cette grâce, pour être choisie, choisit la première et n'est point reçue, ni aimée sinon lorsqu'elle opère cela dans le cœur de l'homme. Donc, et la réception et le désir de la grâce est l'ouvrage de la grâce.* Et après : *Donc c'est elle qui se fait connaître, aimer, désirer, demander.*

(Fulgence, 278.) *On ne peut pas avoir seulement le désir de l'oraison, s'il ne nous est donné de Dieu.*

(Augustin, 438.) *Que ceux qui pensent que la prière est de nous, au lieu qu'elle nous est donnée, prennent garde comme ils se trompent.* Et puis : *et ils ne veulent pas entendre que cela même, que nous prions, est un don de Dieu.*

(Augustin, 438.) *Et ainsi c'est lui-même qui nous fait demander tout ce que nous désirons recevoir, il nous fait chercher tout ce que nous désirons de trouver, il nous fait heurter où nous désirons d'arriver.*

(Augustin, 438.) *Car l'oraison elle-même est un don de la grâce.*

(Fulgence, 490.) *Donc, afin que nous voulions croire en Dieu, il nous donne cette bonne volonté ; afin que nous croyions en lui, il nous donne la foi ; afin que nous l'aimions, il nous donne la charité.* Et ensuite : *Donc, c'est la seule grâce qui fait en nous la bonne volonté ; elle seule donne la foi à cette volonté.*

Il serait inutile d'en rapporter plus de témoignages, puisque c'est tout l'objet de saint Augustin et de ses disciples. Considérons donc la force de ses expressions. Si donc il est vrai que cette grâce n'est ni aimée, ni reçue sinon lorsqu'elle opère elle-même cet effet dans le cœur, comment pourra-t-on dire que ceux qui ne l'aiment point ont le pouvoir prochain de l'aimer, et qu'il dépend d'eux de l'aimer sans une grâce efficace, puisqu'elle n'est jamais aimée que par sa propre efficacité? Comment dira-t-on avec hardiesse que la prière est un don de la grâce, et que c'est lui qui nous fait demander tout ce que nous désirons, s'il se peut faire que par un pouvoir prochain on demande, quoique la grâce ne fasse pas demander? Comment dira-t-on que c'est la seule grâce qui donne la foi à la volonté, s'il y a tant de personnes qui, ayant un pouvoir prochain d'avoir la foi, il peut arriver qu'ils l'aient en le réduisant en acte, et qu'ainsi il ne soit pas vrai en eux que la seule grâce l'ait donnée?

Mais pour montrer par des passages exprès que le pouvoir de prier n'est point dans ceux qui n'ont pas la prière, écoutons saint Fulgence : *On ne peut pas même avoir le désir de la prière, si ce désir n'est donné de Dieu.* Donc ceux qui n'ont pas ce désir n'ont pas le pouvoir de l'avoir.

(Fulgence, 178.) *Donc quand il nous est commandé de vouloir, notre devoir nous est marqué, mais parce que nous ne pouvons pas l'avoir de nous-mêmes, nous sommes avertis d'en demander le pouvoir à celui qui nous en donne le commandement : ce que toutefois nous ne pouvons demander, si Dieu n'en opère en nous la volonté même.* Donc ceux qui n'ont pas la volonté même, n'ont pas le pouvoir.

Ce n'est pas qu'ils n'aient un pouvoir éloigné, tel qu'est la possibilité, par exemple, qu'ont tous les hommes d'être sauvés. Car toutes les fois qu'on dit qu'on n'a pas le pouvoir de faire une chose, on n'exclut pas toujours ces pouvoirs éloignés, mais il est indubitable qu'on exclut toujours le pouvoir prochainement suffisant. Donc, quand il est dit qu'on ne peut avoir la volonté de prier, si elle n'est donnée de Dieu, il est certain que cette impuissance est pour le moins à l'égard du pouvoir prochainement suffisant.

Ces passages, qui excluent formellement le pouvoir de ceux qui n'ont pas l'acte, sont aussi forts qu'on peut souhaiter. Mais cela n'empêche pas que ceux qui n'excluent pas formellement le pouvoir, et qui ne font qu'attribuer toujours l'acte à l'efficacité de la grâce, ont infailliblement la même force pour exclure ce pouvoir prochainement suffisant, puisqu'il n'est pas possible, comme nous l'avons tant dit, d'assigner pour unique cause de la foi et de la prière l'efficacité de la grâce, s'il y a dans tous les justes un pouvoir prochainement suffisant qui en puisse être la cause.

Concluons donc que tous ceux qui ont la foi et la prière l'ont par une grâce efficace ; et que tous ceux qui ne l'ont pas n'ont pas le pouvoir prochain de l'avoir. Il s'ensuit que tous ceux qui persévèrent à prier ont une grâce efficace qui les fait prier, et les fait persévérer à prier, et que tous ceux qui ont cette grâce prient, et que ceux qui ne persévèrent pas à prier sont destitués et de cette grâce efficace et d'une grâce prochainement suffisante, et que ceux qui sont destitués de cette grâce suffisante ne prient pas, et qu'ainsi un juste ne cesse point de prier qu'après que Dieu l'a destitué de la grâce efficace et prochainement suffisante pour la prière.

Ce chef capital de la doctrine de saint Augustin se prouve invinciblement, et par le principe qui vient de l'éclaircir, et par tous les autres.

Si nous trouvons que c'est un principe ferme que les élus persévèrent jusqu'à la fin par des voies très efficaces, c'est-à-dire que les seuls qui persévèrent jusqu'à la fin persévèrent par des moyens très efficaces, ne s'ensuivra-t-il pas qu'aucun de tous ceux qui ne persévèrent pas n'a le pouvoir prochain de persévérer, par le même raisonnement que nous venons de faire? Car si les réprouvés qui sont dans la justice ont le pouvoir prochain de persévérer à prier, et par conséquent d'obtenir la persévérance dans la justice, comment osera-t-on assurer qu'aucun de tous ceux qui ont persévéré, et qui persévèrent effectivement, ne persévèrent que par des voies très efficaces, puisqu'il n'y a nulle absurdité ni impossibilité que tant de personnes qui ont un pouvoir prochain de persévérer persévèrent et qu'au contraire il est moralement impossible qu'entre tant de milliers d'hommes qui ont ce pouvoir prochain, il n'y en aurait au moins un qui le réduise en acte, et qu'il est vraisemblable qu'il y en aura beaucoup, et qu'il est absolument faux qu'il y ait certitude à dire qu'il n'y en aura pas un? Si donc saint Augustin établit positivement que tous les élus sont sauvés par des grâces efficaces, et que tous les justes qui ne sont point élus, indubitablement ne persévéreront point, n'est-il pas indubitable qu'ils n'en ont pas le pouvoir prochain, puisque, s'ils l'avaient, il serait impertinent d'assurer qu'il ne serait jamais réduit en acte, puisque la qualité essentielle de prochain est telle qu'elle met l'homme dans une [certitude] absolue de la réduction à l'acte. Et cependant, qui ne sait que c'est un principe de ce Père répandu dans tous ses ouvrages et fondamental de sa doctrine, que les élus, c'est-à-dire tous ceux qui persévèrent, persévèrent très certainement par des moyens très efficaces, et que les justes réprouvés très certainement ne persévèrent point.

Si c'est un principe ferme dans la doctrine de saint Augustin, qu'Adam et les anges avaient un secours prochain suffisant pour ne point s'éloigner de Dieu, par lequel ils pouvaient, ou ne s'en point éloigner, ou s'en éloigner en ne s'en servant point, et que maintenant cela ne soit point dans les forces de notre libéral arbitre, mais que Dieu veuille qu'il n'appartienne plus qu'à sa seule grâce et que nous nous approchions de lui, et que nous ne nous en éloignions point : n'aurons-nous pas sujet de conclure par la différence de la volonté de Dieu à l'égard de la nature innocente et corrompue et par la différence des moyens par lesquels il nous donne de ne nous point éloigner de lui, et que ceux qui persévèrent, persévèrent par l'efficace de sa grâce; et que ceux qui ne persévèrent pas, n'ont pas le pouvoir prochain de persévérer; et cependant qu'y a-t-il de plus familier dans la doctrine de saint Augustin, que la différence de ces secours?

N'aurons-nous pas sujet de conclure que Dieu ne veut plus maintenant commettre la persévérance au libéral arbitre des hommes, et qu'ils ne sont plus capables maintenant de se servir d'un secours prochainement suffisant? Cependant c'est ce qu'il établit dans tous ses livres, et particulièrement dans tout celui *de la correction et de la grâce*, et presque dans tout celui *du don de la persévérance.* Dont ce trait suffit : *Car, et afin que nous ne nous éloignions point de Dieu*, (il montre que cela ne peut nous être donné que de Dieu), *cela n'est plus en aucune sorte dans les forces du libéral arbitre. Cela a été dans l'homme avant sa chute, et cette liberté de la volonté a paru dans l'excellence de cette première condition dans les Anges, qui lorsque le Diable est tombé avec les siens, sont demeurés fermes dans la vérité, et ont mérité de parvenir à une assurance éternelle. Mais après la chute de l'homme, Dieu a voulu qu'il n'appartînt plus qu'à sa grâce que l'homme s'approchât de lui, et qu'il n'appartînt plus qu'à sa grâce que l'homme ne se retirât point de lui.* Nous voyons assez par là que le premier homme ayant reçu un secours prochainement suffisant (ce qui est indubitable dans la doctrine de saint Augustin, et si on en doute, il ne faut que recourir au livre *de la correction et de la grâce*, qui en est tout rempli), par lequel il pouvait persévérer et ne pas persévérer, en sorte qu'il était laissé à son libéral arbitre d'user de ce pouvoir suivant sa volonté, saint Augustin nous déclare deux choses : l'une que le libre arbitre, en l'état qu'il est maintenant n'a plus cette puissance; l'autre, que Dieu ne veut plus commettre la persévérance à ce libéral arbitre, mais qu'il veut qu'il n'appartienne qu'à sa grâce de s'approcher de Dieu, et qu'il n'appartienne encore qu'à sa grâce de ne point s'éloigner de Dieu. Considérez sur cela s'il y a rien de plus opposé à cette doctrine, que de dire que Dieu donne maintenant aux justes un secours prochain pour persévérer, et qu'il commet à leur libéral arbitre de ne point s'éloigner de lui. Saint Augustin soutient que le libre arbitre n'est point maintenant capable de ce pouvoir prochain, et ils prétendent que le libéral arbitre a effectivement ce pouvoir prochain. Saint Augustin dit que Dieu ne veut plus que ce soit avec un tel pouvoir soumis au libéral arbitre que les hommes ne s'éloignent point de lui; et ils disent que Dieu donne en effet un tel pouvoir aux hommes pour ne se point éloigner de lui. Saint Augustin dit qu'au lieu que les saints Anges ont mérité la gloire en persévérant par leur libéral arbitre, aidé d'un tel pouvoir, Dieu veut maintenant qu'il n'appartienne plus, sinon à sa grâce, que les hommes ne s'éloignent point de lui; et ils disent que Dieu donne aux justes un tel pouvoir pour ne point s'éloigner de lui.

Vous voyez que bien loin que cette doctrine soit la même que celle de saint Augustin, je crois qu'il n'est pas possible d'en fabriquer une qui lui soit plus formellement contraire.

Dieu ne veut pas que ce soit autre chose que sa grâce qui fasse maintenant qu'on ne s'éloigne pas de lui, c'est-à-dire qu'on ne cesse de le prier; au lieu qu'il l'avait laissé au libéral arbitre d'Adam. Dira-t-on qu'il y en a aujourd'hui qui persévèrent à prier par ce secours prochain quoique Dieu veuille que cela ne soit pas?

Et si le libéral arbitre n'est plus maintenant capable et n'a plus la force de se servir de ce pouvoir prochain comme celui d'Adam, comment se pourra-t-il faire qu'il s'en serve?

Et enfin, joignant ces deux choses ensemble : si Dieu veut que ce ne soit pas par un tel secours qu'il ne s'éloigne pas de lui et que le libéral arbitre soit incapable de se servir d'un tel secours, en quel abîme d'absurdité se précipitent ceux qui disent qu'on ne s'éloigne pas de Dieu par ce secours?

Mais rien n'exclura mieux ce pouvoir prochain que...

Si c'est un principe ferme dans la doctrine de saint Augustin, que le libéral arbitre n'est plus maintenant capable de se servir d'un secours prochainement suffisant, n'aurons-nous pas sujet de conclure qu'il n'y a rien de plus absurde que de dire que les justes ont un secours prochainement suffisant pour ne point s'éloigner de Dieu dans la prière? Et cependant il faut être bien peu versé dans l'intelligence de ces maximes capitales pour l'ignorer.

La raison de cette incapacité qui est maintenant en l'homme d'entrer dans cet équilibre et d'entrer dans cette indifférence prochaine aux opposites, qui était dans Adam, est que le libéral arbitre d'Adam, n'était attiré par aucune concupiscence. Sa volonté, dit saint Augustin, n'avait rien dans elle-même qui lui résistât de la part de la concupiscence, ce qui n'est contesté par personne : de sorte qu'étant entièrement libre et dégagé, il pouvait par ce secours prochainement suffisant demeurer dans la justice, ou s'en éloigner sans être ni forcé, ni attiré de part ni d'autre. Mais maintenant, dans la corruption qui a infecté l'âme et le corps, la concupiscence s'étant élevée a rendu l'homme esclave de sa délectation, de sorte qu'étant esclave du péché il ne peut être délivré de l'esclavage du péché que par une délectation plus puissante qui le rende esclave de la justice.

Aussi cet admirable enseignement de saint Paul devrait suffire pour nous en instruire, quand il dit que l'homme est ou esclave de la justice, et libre du péché; ou libre de la justice, et esclave du péché; c'est-à-dire ou esclave du péché ou esclave de la justice; jamais sans être esclave ou de l'un ou de l'autre, et partant jamais libre de l'un et de l'autre.

Il est maintenant esclave de la délectation; ce qui le délecte davantage l'attire infailliblement : ce qui est un principe si clair, et dans le sens commun et dans saint Augustin, qu'on ne peut le nier sans renoncer à l'un et à l'autre.

Car qu'y a-t-il de plus clair que cette proposition, que l'on fait toujours ce qui délecte le plus? Puisque ce n'est autre chose que de dire que l'on fait toujours ce qui plaît le mieux, c'est-à-dire que l'on veut toujours ce qui plaît, c'est-à-dire qu'on veut toujours ce que l'on veut, et que dans l'état où est aujourd'hui notre âme réduite, il est inconcevable qu'elle veuille autre chose que ce qu'il lui plaît vouloir, c'est-à-dire ce qui la délecte le plus. Et qu'on ne prétende pas subtiliser en disant que la volonté, pour marquer sa puissance, choisira quelquefois ce qui lui plaît le moins; car alors il lui plaira davantage de marquer sa puissance que de vouloir le bien qu'elle quitte, de sorte que, quand elle s'efforce de fuir ce qu'il lui plaît, ce n'est que pour faire ce qu'il lui plaît, étant impossible qu'elle veuille autre chose que ce qu'il lui plaît de vouloir.

Et c'est ce qui a fait établir à saint Augustin cette maxime, pour fondement de la manière dont la volonté agit : *Quod amplius delectat, secundum id operemur necesse est.* C'est une nécessité que nous opérions selon ce qui nous délecte davantage. Et c'est de là que naissent tous ces discours.

Voilà de quelle sorte l'homme étant aujourd'hui esclave de la délectation, il suit infailliblement celle de la chair ou celle de l'esprit, et il n'est délivré d'une de ces dominations que par l'autre.

Mais on dira peut-être qu'en posant les délectations égales de la part de l'esprit et de la part de la chair, il recouvrera ses premières indifférences et son premier équilibre, et qu'il sera en cet état aussi libre de choisir les opposés qui le délectent également, qu'Adam était libre de s'y porter, quand il ne sentait aucune délectation.

Mais la réponse est bien facile à cette objection, quoiqu'elle paraisse considérable. Il est bien vrai que le libre arbitre en cet état ne sera entraîné ni par l'une, ni par l'autre de ces concupiscences, mais il ne s'ensuit pas qu'il soit libre d'aller à l'une ou à l'autre, mais il s'ensuit au contraire qu'il ne pourra choisir ni l'une ni l'autre. Car comment ferait-il un choix entre deux délectations égales, lui qui ne veut maintenant que ce qui le délecte le plus?

Aussi si nous voulons nous arrêter sur cette considération métaphysique, et qui n'arrive jamais en effet, elle s'éclaircira bien nettement par cette comparaison : figurons-nous un homme entre deux amis qui l'appellent, l'un d'un côté, l'autre d'un autre, mais sans lui faire de violence pour l'attirer, n'est-il pas clair qu'il est libre de s'approcher de celui qu'il voudra? Mais figurons-nous le même homme qu'un de ses amis appelle, et sans lui faire de violence pour l'attirer, mais que l'autre attire à soi avec une chaîne de fer, n'est-il pas visible qu'il suivra le plus fort? Et enfin figurons-nous que ces deux amis le tirent chacun vers leur côté avec chacun sa chaîne, mais avec différente force, n'est-il pas visible qu'il suivra infailliblement la plus forte attraction? Et s'il arrive que les efforts par lesquels ils attirent en divers sens soient également forts, il est clair qu'il n'avancera d'aucun côté.

Figurons-nous maintenant que ce même homme étant placé entre ces deux amis, chacun d'eux le retient avec une chaîne, de peur qu'il ne s'éloigne d'eux davantage : dira-t-on que cet homme ait recouvré sa première liberté, et qu'il soit au même état qu'auparavant, et dans l'indifférence de choisir? Et n'est-il pas vrai au contraire qu'il est dans l'impuissance d'aller ni d'un côté ni d'autre, et qu'il ne peut s'approcher de l'un si la chaîne qui le tient à l'autre n'est rompue?

Voilà en quelque sorte une image des deux libertés : la première qui était dans Adam était prochainement indifférente aux opposites sans être liée ni d'un côté ni d'autre; mais, depuis qu'elle est tombée dans les liens de la concupiscence, elle est maintenant hors d'état de se porter à Dieu, si ce n'est que le lien de sa grâce le tirant avec plus de force, rompe ceux de la cupidité, et lui fasse dire : *Seigneur, vous avez rompu mes liens* [Ps. CXV, 16]. Mais si cette supposition métaphysique arrive, où la bonne et la mauvaise convoitise le lient également, qui ne voit que, bien loin d'être dans sa première indifférence il y sera moins que jamais, bien loin d'être dans l'indépendance, il sera tout dépendant; bien loin d'être libre, il sera esclave des deux côtés; et bien loin de se pouvoir porter aux opposés, il demeurera immobile?

Cette comparaison explique à peu près son état, mais non pas parfaitement, parce qu'il est impossible de trouver dans la nature aucun exemple, ni aucune comparaison qui convienne parfaitement aux actions de la volonté. Car il y a cette différence entre le libre arbitre des deux conditions, et cet homme en ces deux états, que quand l'homme est lié de la sorte, quoique son corps soit lié, sa volonté demeure libre; de sorte qu'il peut vouloir se porter au lieu opposé à celui où il est attiré : au lieu que dans la liberté de l'homme dans les deux conditions, c'est la volonté qui est elle-même liée, et liée par la délectation. C'est pourquoi la comparaison ne pourrait être juste qu'au cas que cette même chaîne qui attire un homme d'un côté, eût la force de porter dans sa volonté un plaisir victorieux qui lui fît aussi infailliblement aimer celui qui l'attire, que sa chaîne attire infailliblement son corps; et lors l'immobilité du corps entre ces deux chaînes qui le retiennent serait une image parfaite de l'immobilité de la volonté entre deux délectations égales.

De sorte que, pour finir cette comparaison, comme cet homme ne serait pas remis en sa liberté par ses chaînes contraires, et qu'il ne pourrait l'être que par le brisement de ses chaînes, ainsi l'homme ne peut pas être remis dans l'indifférence par l'égalité de ses convoitises contraires, et il ne pourrait l'être que par la délivrance de ses deux convoitises : si bien que, comme l'homme n'est jamais délivré en cette vie de toute la concupiscence, il est clair par ces principes qu'il ne peut rentrer dans cette indifférence prochaine de sa première condition. *Hoc non est amplius in viribus*, etc.

Aussi saint Augustin n'a jamais entendu que l'homme pût sortir des péchés et de la convoitise où sa corruption l'a précipité, s'il n'en est tiré par une délectation plus puissante, non pas seulement aussi forte, mais plus forte et absolument victorieuse, comme il se voit par tous ses écrits.

Vous voyez par là combien ce pouvoir prochain est contraire et aux lumières du sens commun et aux maximes de saint Augustin outre qu'il est si ridicule de lui-même, qu'il ne peut être proposé sérieusement; car comme l'homme change à toute heure et ne peut jamais demeurer en même état, il faudrait qu'à mesure qu'il s'attache ou détache des choses du monde (ce qu'il est toujours dans son pouvoir de faire, plus ou moins, quoique non pas entièrement), il faudrait que cette délectation de la grâce, qui le mettrait toujours dans ce pouvoir prochain, changeât ainsi à toute heure pour suivre son inconstance, et (ce qui serait monstrueux à la grâce) qu'elle augmentât à mesure qu'il s'attache plus au monde, et qu'elle diminuât sa force à mesure qu'il s'en détache.

(*F*os 679-682.) Aug. 571. — Si, suivant saint Augustin, *Dieu par sa permission, ou par sa providence et par sa disposition, mêle parmi les élus des justes qui ne doivent pas persévérer, afin de tenir dans la crainte ceux qui demeurent, par la chute de ceux qui tombent*, il n'y aurait rien de si contraire à ce dessein de Dieu que de donner un pouvoir suffisamment prochain à ceux qui ne tombent pas, et de les assurer qu'il leur est toujours présent, puisque l'exemple des autres qui seraient tombés dans le mauvais usage de ce pouvoir n'aurait rien qui dût les effrayer nécessairement. Car si Dieu ne soustrait ce pouvoir à personne tant qu'il est juste, quelle conséquence pourrait-on tirer de la chute de ceux qui en usent mal pour porter la terreur dans les autres, puisqu'il serait dans leur pouvoir d'en bien user? et n'est-il pas nécessaire que cette soustraction soit toute libre de la part de Dieu pour faire qu'étant ôtée à quelques justes, ceux qui ne sont pas plus justes qu'eux aient sujet de craindre un pareil effet de la part de leur Maître? Mais s'ils ont en eux-mêmes l'assurance de conserver ce secours autant que leur justice, et s'ils sont assurés de ne le perdre point qu'en en usant mal, comment pourrait-on les porter à l'humilité par l'exemple des autres, puisqu'il n'y a rien dans les autres qui les doive faire craindre, sinon le mauvais usage de ce pouvoir qu'il est en eux de ne point faire?

(527) *Qui est-ce qui sait en cette vie s'il est prédestiné? Il est nécessaire que cela soit caché en ce monde où l'orgueil est si fort à craindre qu'il a fallu qu'un si grand apôtre fut souffleté par un ange de Satan de peur qu'il ne s'élevât. C'est pour cela qu'il est dit aux apôtres mêmes : « Si vous demeurez en moi, » quoique celui qui le disait sût bien qui étaient ceux qui y devaient demeurer; et par le Prophète : « Si vous voulez, et si vous m'écoutez, » encore qu'il sût bien qui étaient ceux en qui il opérerait de le vouloir. Et ainsi plusieurs choses semblables sont dites pour l'utilité de ce secret.*

Si donc il faut croire que c'est pour l'utilité de ce secret que la justice est donnée à quelques réprouvés, et qu'ils ne sont point ôtés de cette vie jusqu'à ce qu'ils tombent, afin d'apprendre aux élus qu'ils n'ont jamais l'assurance de persévérer, et puisqu'il ne fait pas craindre seulement devant la justice, mais encore après la justice, ne s'ensuit-il pas que les justes n'ont pas le pouvoir prochain de demeurer?

Si donc c'est encore un principe ferme dans saint Augustin que les justes sont sans assurance de persévérer, comment peut-on leur donner l'assurance de la présence d'un pouvoir prochain de prier, dont le bon usage leur donne l'assurance de l'effet de leur demande? N'est-il pas manifeste que, suivant l'opinion non seulement de saint Augustin, mais de toute l'Eglise sans aucune exception, et de celui même qui vous importune du contraire, que l'on n'a jamais l'assurance de persévérer, et que les plus justes ne sont pas exempts de cette crainte et qu'il n'y aurait rien qui ruinât davantage la justice que la ruine de cette crainte; et cependant comment peut-elle subsister dans les justes, puisqu'on les assure qu'ils ont toujours le pouvoir prochain de prier, et que d'ailleurs l'Evangile les assure qu'ils obtiendront toujours ce qu'ils demandent avec justice?

Se peut-il rien de plus contraire au sens commun et à la vérité? Leur crainte ne serait pas seulement détruite, mais encore leur espérance, car puisqu'on n'espère pas des choses certaines, ils n'espéreront pas la continuation de ce secours, puisqu'il leur est certain; leur espérance ne sera pas aussi d'obtenir ce qu'ils demandent, puisque cela est encore certain. Quel sera donc l'objet de leur espérance, sinon eux-mêmes, desquels ils espéreront le bon usage d'un pouvoir qui leur est assuré?

Donc, puisque c'est par cette raison unique que Dieu donne et quelquefois ne donne pas la délectation aux justes, afin que chacun connaisse qu'elle est un don de Dieu, et qu'ainsi l'on soit guéri de la vanité, qu'y a-t-il de plus contraire que de dire que cette délectation est toujours présente?

Si donc c'est pour cette raison que les saints mêmes sont guéris plus tard de quelques vices, afin qu'ils deviennent humbles; qu'y a-t-il de plus contraire que de dire qu'il est toujours du pouvoir de l'homme de demander cette guérison?

Vous voyez que par ces nouveaux dogmes les justes ne doivent plus avoir ni de crainte ni d'espérance qu'en eux-mêmes. Aussi ils interprètent ce passage : *Opérez votre salut avec crainte*, c'est-à-dire, disent-ils, avec crainte de ne pas bien user des grâces, mais non pas avec crainte que Dieu vous quitte. Ce sont leurs termes, comme vous le savez. Et partant cette crainte est fondée sur ce que l'on peut par sa volonté user bien de ce pouvoir; au lieu que saint Paul la fonde sur ce que c'est Dieu qui opère lui-même en nous ce vouloir, et il opère ce vouloir, non pas suivant la disposition de notre volonté, mais suivant sa propre bonne volonté.

Reconnaissez donc suivant saint Augustin que la prière est toujours l'effet d'une grâce efficace; que ceux qui ont cette grâce, prient; que ceux qui ne l'ont pas, ne prient pas, et qu'ils n'ont pas le pouvoir prochain de prier; que tant que Dieu ne laisse point sans la grâce de prier, on prie; que ceux qui ne prient pas sont laissés sans pouvoir; que c'est un mystère inconcevable pourquoi Dieu retient l'un et non pas l'autre de deux justes; que ceux qui persévèrent ont un secours efficace; que ceux qui ne persévèrent pas n'en ont pas le pouvoir prochain; que le libre arbitre n'a plus la force de s'en servir; que Dieu ne veut pas lui commettre; que la persévérance dans les anges a été par un pouvoir prochain qu'elle n'est plus dans les hommes de cette sorte; que ce qui était l'effet de leurs mérites est maintenant l'effet de la grâce; qu'il n'appartient plus au libre arbitre de persévérer: que c'est l'ouvrage de la grâce; que c'est elle qui fait prier; qu'elle seule fait qu'on s'approche de Dieu; qu'elle seule fait qu'on ne s'en éloigne pas; que Dieu veut que ce soit elle seule et que ce ne soit point autre chose qu'elle qui fasse qu'on ne s'en éloigne pas; que de tous ceux qui persévèrent aucun ne persévère que par une grâce efficace; que de tous ceux qui ne persévèrent pas il n'y en a pas un qui dans son premier détour de Dieu, ne soit délaissé de lui auparavant : qu'il y a bien de la différence entre la chute des anges et la chute des justes d'à présent; que la chute d'Adam n'a rien d'inconcevable, mais que la chute des justes réprouvés est inconcevable; que le libéral arbitre n'a plus maintenant les forces de se servir de ce pouvoir prochain et qu'avec un tel pouvoir, il ne pourrait persévérer. Si la justice n'est donnée aux réprouvés que pour tenir les élus dans la crainte; si les élus mêmes sont quelquefois laissés pour leur apprendre la crainte et l'humilité; et enfin s'il est inconcevable pourquoi de deux enfants jumeaux, si l'on veut, et pour mieux dire quelconques, l'un reçoit le baptême, et non pas l'autre, mais qu'il est encore plus impénétrable pourquoi de deux justes, l'un persévère, et non pas l'autre : reconnaissez franchement qu'il est bien faux, suivant ces maximes, que tous les justes aient le pouvoir de prier prochainement suffisant, puisque si cela était, il s'en conclurait nécessairement le contraire de tout ce que je viens de rapporter de saint Augustin, c'est-à-dire et qu'il ne serait pas impénétrable pourquoi de deux justes l'un persévère et non pas l'autre, et tout le reste, que vous pouvez suivre aussi facilement de l'esprit que de le lire.

Reconnaissez donc franchement la grandeur de ce mystère; pourquoi l'un persévère et non pas l'autre. Car, pour le regarder dans toute sa profondeur, vous concevez bien que si Dieu avait voulu damner tous les hommes, il aurait exercé sa justice, mais sans mystère. S'il avait voulu sauver effectivement tous les hommes, il aurait exercé sa miséricorde, mais sans mystère. Et en ce qu'il a voulu en sauver les uns, et non pas les autres, il a exercé sa miséricorde et sa justice; et en cela il n'y a point encore de mystère. Mais en ce que, tous étant également coupables, il a voulu sauver ceux-ci et non pas ceux-là, c'est en cela proprement qu'est la grandeur du mystère. Et partant, si le mystère est grand en ce que de deux également coupables, il sauve celui-ci, et non pas celui-là, sans aucune vue de leurs œuvres, certainement saint Augustin a raison de dire que le mystère est encore plus étonnant pourquoi de deux justes il donne la persévérance à l'un et non pas à l'autre.

Car il ne semble pas si étrange qu'il refuse sa grâce à un coupable comme qu'il refuse de la continuer à un juste, puisque dans l'un il y a des démérites qui attirent l'exclusion de la grâce et que dans l'autre on n'y en trouve point.

Mais cet étonnement cessera, si l'on considère que Dieu ne doit à l'homme juste que la même grâce qu'il devait à Adam juste, et que pourvu qu'il lui donne le secours qui était suffisant à sa première condition, rien ne doit l'engager à lui donner tout ce qui lui est nécessaire dans la corruption où il s'est précipité.

Or je ne fais point de doute que Dieu ne donne toujours à tous les justes des forces bien plus puissantes que celles d'Adam et si puissantes qu'on voudra, pourvu qu'on accorde que quelquefois elles ne sont pas assez grandes pour donner pouvoir prochain.

Que si ce secours est maintenant aussi peu utile aux hommes que l'absence de tout secours, c'est par le péché qu'ils ont commis en Adam que cette impuissance leur est arrivée. Et par conséquent Dieu n'étant plus obligé de donner ces secours maintenant, nul n'a sujet de se plaindre s'il ne les reçoit pas.

Il est vrai que Dieu s'est obligé de les donner à ceux qui les demandent : et c'est pourquoi ils ne sont jamais refusés. Et qu'on ne pense pas tourner la chose en un mauvais sens, en disant qu'on demandera la persévérance dans la prière, et qu'ainsi on l'obtiendra; et qu'ainsi en demandant dans l'instant présent la grâce de prier dans l'instant futur, on l'obtiendra; et qu'ainsi on s'assurera de la persévérance : c'est se jouer des paroles. Car Dieu donne à ceux qui demandent, et non pas à ceux qui ont demandé, et c'est pourquoi il faut persévérer à demander, pour obtenir; car il ne suffit pas de demander aujourd'hui avec un esprit pur la continence pour demain, car si ensuite on entre dans l'impureté, qui ne voit que le changement du cœur détruit l'effet de la prière précédente, et que pour avoir la continence demain, il ne faut point cesser de la demander? Et ainsi, si, dans l'instant présent, on demande le don de prière pour l'instant suivant, n'est-il pas clair qu'on ne l'obtiendra pas si l'on ne continue à le demander? Or dire qu'on aura l'esprit de prière dans l'instant suivant, si on prie dans cet instant suivant, n'est-ce pas dire qu'on l'aura si on l'a, et ainsi se jouer des paroles?

Il est donc constant que Dieu n'est obligé de donner ses grâces qu'à ceux qui les demandent, et non pas à ceux qui ne les demandent pas. Et parce qu'on ne peut demander la grâce de prier sans l'avoir, il est visible que Dieu n'est obligé de donner la grâce de prier à personne, puisque personne ne peut persévérer à la demander s'il ne continue de l'avoir.

Mais parce que Dieu s'est engagé par ses promesses de donner aux enfants de la promesse, encore qu'ils ne lui demandent point, il s'est engagé de donner à ceux-là la grâce de prier pour obtenir par là la grâce de bien vivre; mais comme l'obligation n'est qu'en suite de sa promesse, il ne la doit qu'à ceux à qui il l'a promis, c'est-à-dire aux seuls prédestinés.

Et c'est pour cette raison que, comme tous les hommes ignorent s'ils seront de ce nombre, tous doivent être dans la crainte, puisqu'il n'y a point de justes qui ne puissent à toute heure tomber; comme il n'y a point de pécheur qui ne puisse à toute heure être relevé, la grâce de prier pouvant toujours être ôtée et donnée.

Voilà les sujets de crainte et d'espérance qui doivent animer continuellement les saints : et c'est pourquoi, suivant saint Augustin, Jésus-Christ voulut, étant à la croix, donner un insigne exemple de l'un et de l'autre, dans l'abandonnement de saint Pierre sans grâce et dans la conversion du larron par un prodigieux effet de grâce.

C'est en cette sorte que tous les hommes doivent toujours s'humilier sous la main de Dieu en qualité de pauvres et dire comme David (Ps. XXXIX, 18) : *Seigneur, je suis pauvre et mendiant.* Certainement, il ne parlait pas des biens de la fortune car il était roi. Il ne parlait pas aussi des biens de la grâce, car il était prophète et juste. En quoi consistait donc la pauvreté de cet homme si abondant, sinon en ce qu'il pouvait perdre à toute heure son abondance, et qu'il n'avait nul pouvoir de la conserver? Car s'il eût le pouvoir prochain de demeurer dans cette justice, qu'est-ce qu'il lui eût manqué pour se dire riche, et non pas pauvre?

Certainement il n'y a personne qui puisse être appelé pauvre, s'il a le pouvoir prochain de demander, et l'assurance d'obtenir s'il demande. Et c'est pourquoi tous pauvres manquent infailliblement ou du pouvoir de demander ou du pouvoir d'obtenir. Or les pauvres de la grâce ne manquent jamais du pouvoir d'obtenir s'ils demandent; reste donc nécessairement qu'ils manquent du pouvoir de demander.

Aussi il y a cette différence entre les pauvres dans l'ordre de la nature et les pauvres dans l'ordre de la grâce, que les pauvres du monde ont toujours le pouvoir prochain de demander, et ne sont jamais assurés de celui d'obtenir : au lieu que les pauvres de la grâce sont toujours assurés d'obtenir ce qu'ils demandent, mais ils ne sont jamais assurés d'avoir le pouvoir de demander.

Voilà tout ce que je puis vous dire maintenant dans le peu de loisir et de suffisance que j'ai, que je prie Dieu de vous rendre utile pour la connaissance de sa vérité.

QUATRIÈME ÉCRIT

DISCOURS SUR LA POSSIBILITÉ DES COMMANDEMENTS ET LE VÉRITABLE SENS DE CES PAROLES DES SAINTS PÈRES ET DU CONCILE DE TRENTE : LES COMMANDEMENTS NE SONT PAS IMPOSSIBLES AUX JUSTES

I

(*Ms.* 12449, *f*[os] 627-641.) L'objet de ce discours est de montrer quel est le véritable sens des SS. Pères et du Concile de Trente dans ces paroles :

Les commandements ne sont pas impossibles aux justes.

Lequel de ces deux sens est le véritable :

Le 1. Qu'il n'est pas impossible que les justes accomplissent les commandements.

Le 2. Que les commandements sont toujours possibles à tous les justes, de ce plein et dernier pouvoir auquel il ne manque rien de la part de Dieu, pour agir.

Les moyens que nous employerons pour reconnaître lequel de ces deux sens est le véritable, seront ceux-ci :

1. Le premier sera d'examiner par les termes de la proposition, quel est le sens qu'elle exprime, et que l'on en forme naturellement.

2. Le second, d'examiner par l'objet qu'ont eu les Pères et le Concile en faisant cette décision, lequel de ces deux sens ils y ont eu.

3. Et le troisième sera d'examiner par la suite du discours, et par les autres passages des Pères et du Concile qui l'expliquent, lequel est le véritable.

Et j'espère que, si l'on voit ici : que les termes de cette proposition n'expriment et ne forment que le premier sens seulement;

que l'objet des Pères et du Concile n'a été que d'établir ce seul premier sens;

que la suite de leur discours, et une infinité d'autres passages, les expliquent en le même sens;

que les preuves qu'ils en donnent ne concluent que pour ce seul sens;

que la conclusion qu'ils tirent de leurs preuves n'enferme que ce seul sens en d'autres termes très univoques;

qu'ils n'aient jamais établi formellement le second sens en aucun lieu de leurs ouvrages;

et qu'ils aient non seulement établi formellement le premier sens, mais ruiné formellement le second sens;

je doute qu'après tant de preuves, on puisse douter qu'ils n'aient eu que le premier sens seulement.

Nous diviserons donc ce discours en sections.

PREMIER MOYEN

D'examiner le sens par les simples termes.

Que les termes de cette proposition n'enferment que le premier sens.

Il n'est pas nécessaire d'employer un long discours pour montrer que les termes de cette proposition, *que les commandements ne sont pas impossibles aux justes*, n'enferment simplement que le sens, *qu'il n'est pas impossible que les justes observent les commandements;* et qu'elles n'ont point celui-ci, *que tous les justes ont toujours le plein et entier pouvoir auquel il ne manque rien de la part de Dieu, pour accomplir les préceptes.*

La simple intelligence de la langue le témoigne, et il n'y a point de règles de grammaire par lesquelles on puisse prétendre que dire qu'une chose n'est pas impossible, soit dire, *qu'elle est toujours possible du plein et dernier pouvoir*, puisqu'il suffit qu'elle soit possible quelquefois, pour faire qu'elle ne soit pas impossible, sans qu'il soit nécessaire qu'elle le soit toujours.

Et s'il est besoin d'éclaircir une chose si claire par des exemples, n'est-il pas véritable qu'il n'est pas impossible aux hommes de faire la guerre? Et cependant il n'est pas toujours au pouvoir de tous les hommes de la faire.

Il n'est pas impossible qu'un prince du sang ne soit roi, et cependant il n'est pas toujours au plein pouvoir des princes du sang de l'être.

Il n'est pas impossible aux hommes de vivre soixante ans, et cependant il n'est pas au plein pouvoir de tous les hommes d'arriver à cet âge, ni de s'assurer seulement d'un instant de vie.

Enfin, pour demeurer dans les termes de notre sujet, les commandements ne sont pas impossibles aux hommes, et cependant ce serait une erreur pélagienne de dire que tous les hommes, et ceux mêmes qui ont comblé la mesure de leurs crimes, aient toujours le plein et dernier pouvoir de les accomplir.

Et c'est assez qu'il est visible que les commandements ne sont pas impossibles aux justes, sans qu'il soit nécessaire que tous les justes aient toujours le plein pouvoir de les accomplir.

Que ceux qui entendent cette décision de la sorte pensent à l'importance du mot *toujours*, que leur interprétation suppose. Et je souhaite que ceux qui ne craignent pas de rapporter ce passage en y joignant le terme de *toujours* se souviennent de la malédiction qui menace ceux qui ajoutent aux paroles du Saint-Esprit; et que ceux qui, rapportant plus fidèlement ces termes, ne laissent pas d'y en ajouter le sens, aient dans la pensée que Dieu ne punit pas seulement ceux qui font ces choses, mais aussi ceux qui y donnent leur consentement.

SECOND MOYEN

D'examiner le sens de ces paroles par l'objet, etc.

Si l'on montre que les Pères et le Concile, ayant à réfuter cette erreur, *que les commandements sont impossibles aux hommes*, en ce sens que cette impossibilité soit absolue et invincible, y ont simplement opposé ces paroles : *les commandements ne sont pas impossibles aux hommes*, il sera vrai sans doute qu'on ne pourra prétendre qu'ils aient par là fait autre chose que nier ce qui était affirmé, et dans le même sens précisément, c'est-à-dire qu'ils auront établi *qu'il n'est pas impossible qu'on observe les préceptes;* et qu'il sera ridicule de dire que cette décision enferme un pouvoir continuel et accompli pour les observer actuellement.

Car n'est-il pas visible que si quelqu'un, par exemple, dit qu'il est impossible que l'on vive cinquante ans sans maladie, celui qui dira simplement au contraire qu'il n'est pas impossible que l'on vive cinquante ans sans maladie, n'a fait autre chose que de nier ce qui était affirmé, et dans le même sens, c'est-à-dire que de nier cette impossibilité absolue, sans néanmoins établir par là un pouvoir continuel et entier de vivre tout cet âge sans indisposition.

Cela étant posé généralement, il n'est plus question sur ce sujet particulier que de faire voir que les Pères et les Conciles ont eu cette erreur à combattre, que les commandements sont impossibles aux justes, d'une impossibilité invincible, pour faire entendre à tout le monde que la proposition contraire qu'ils ont établie n'a autre sens que celui-ci : Qu'il n'est pas impossible que les hommes n'observent les commandements.

Je ne m'arrêterai pas à montrer que le Concile de Trente avait des hérétiques à réfuter qui fussent dans cette erreur, puisqu'on sait que c'est celle de Luther. Ces hérétiques étant encore vivants, on ne peut en avoir aucun doute. Aussi on ne conteste plus que le sens de cette décision du Concile ne soit opposé à celui de Luther, et qu'il ne nie l'impossibilité d'observer les préceptes, au sens de cet hérésiarque, c'est-à-dire au premier sens.

Mais on prétend qu'on ne peut dire la même chose de cette même décision qui se trouve dans les Pères, parce qu'on dit qu'ils n'avaient point d'hérétiques qui fussent dans ce sentiment; et qu'ainsi ayant parlé avant la naissance de cette erreur, leur expression ne peut être restreinte à ce sens par aucune circonstance, de sorte qu'elle doit être prise généralement et entendue au second sens, c'est-à-dire à celui-ci : que les justes ont toujours le pouvoir entier d'accomplir les commandements.

Voilà de quelle sorte on entreprend d'expliquer le sens des Saints Pères, et l'on fait un si grand état de ce raisonnement, qu'il importe extrêmement de le ruiner, pour renverser par là le seul fondement de cette interprétation.

Ce discours suppose trois choses :

La première, que les Pères n'avaient pas en tête des hérétiques qui soutinssent l'impossibilité invincible des préceptes.

La seconde, que n'ayant point d'hérétiques qui soutinssent cette erreur, ils n'ont pu avoir aucun autre sujet de s'y opposer.

La troisième, que n'ayant aucun sujet de la ruiner, ils n'ont pu l'entreprendre, puisqu'ils auraient combattu des chimères, en réfutant des erreurs que personne ne soutenait.

Et c'est à quoi il faut repartir, et renverser ces trois fondements par trois réponses particulières :

La 1re, qu'encore que personne ne parlât de cette erreur, les Pères n'auraient pas laissé de la condamner si l'occasion s'en fût offerte, sans qu'on puisse dire pour cela qu'ils eussent combattu des chimères.

La 2e, qu'encore qu'il n'y eût point d'hérétiques qui la soutinssent, ils auraient pu avoir d'autres raisons de s'y opposer, puisqu'il aurait pu arriver qu'on la leur aurait imputée à eux-mêmes, et qu'on les aurait mis par cette calomnie dans la nécessité de la réfuter pour s'en défendre; ce qui en effet est si véritable, qu'il ne faut avoir aucune connaissance de l'histoire de l'hérésie pélagienne et des écrits des Saints Pères sur ce sujet pour douter des reproches continuels que ces hérétiques leur faisaient d'être dans cette erreur.

La 3e, que les Pères avaient en tête des hérétiques, savoir les Manichéens, qui soutenaient cette erreur comme un dogme capital de leur doctrine, que Luther n'a pas inventée, mais renouvelée, *que les commandements sont impossibles absolument*, que les hommes n'ont point de libre arbitre, et qu'ils sont nécessités à pécher, et dans une impuissance invincible de ne pas pécher.

De sorte que ces trois preuves ensemble feront connaître que les Pères ont été obligés à établir cette proposition, *que les commandements ne sont pas impossibles*, en ce sens qu'il n'est pas impossible qu'on les observe, non seulement par autant de considérations que le Concile, mais par plus de raisons que le Concile, puisqu'ils avaient de pareils hérétiques à convaincre, et de plus des reproches si outrageux à repousser.

PREUVES DU PREMIER POINT

Parce que l'Église condamne souvent des erreurs qui ne sont soutenues par aucuns hérétiques, sans qu'on doive dire pour cela qu'elle combatte des chimères; et qu'ainsi les Pères auraient bien pu établir que les préceptes ne sont pas impossibles, en ce sens qu'il n'est pas impossible qu'on les observe, encore qu'il n'y eût point d'hérésie du sentiment contraire.

Je ne sais par quel vain raisonnement on peut prétendre que l'Eglise ne puisse prévenir les maux, en retranchant la racine des hérésies avant leur naissance, sans s'exposer à cette raillerie, qu'elle combatte des chimères.

Ne suffit-il pas qu'une erreur soit véritable, pour être un digne objet de son zèle; et pourquoi faut-il qu'elle soit obligée d'attendre à la condamner qu'elle se soit glissée dans le cœur de ses enfants?

Bannira-t-on de sa conduite, toute sage et toute prudente, la prévoyance qui est une partie si essentielle et la plus utile de la prudence? Et par quel étrange renversement cette vigilance si salutaire qui est louable aux particuliers, aux familles, aux Etats et à toutes sortes de gouvernements, quoiqu'ils soient sujets à périr, deviendra-t-elle ridicule à l'Eglise dont les soins doivent être tout autrement étendus, par l'assurance qu'elle a de son éternelle durée?

Mais ce que je combats est véritablement une chimère; et il n'y a rien de plus vain que ce raisonnement. L'Eglise regarde les enfants qui lui sont promis dans tous les siècles, comme s'ils étaient présents; et les unissant tous dans son sein, elle recherche dans l'imitation de ceux qui sont passés les règles de la conduite de ceux qui sont à venir, et leur prépare les moyens de leur salut avec autant d'amour qu'à ceux qu'elle nourrit présentement, par une prévoyance qui n'a non plus de bornes que la charité qu'elle leur porte.

Aussi elle n'a pas seulement un soin particulier de s'opposer aux erreurs présentes, ni de prévenir celles qui n'ont jamais paru, quand l'occasion s'en est offerte, mais encore de condamner les erreurs déjà étouffées, pour les empêcher de renaître un jour de nouveau.

Les Conciles en fournissent des exemples de toutes les sortes.

On voit que celui de Trente condamne cette opinion, *que les Justes aient le pouvoir de persévérer sans la grâce*, quoique les Luthériens, qui étaient les seuls ennemis vivants qu'il attaquait, fussent bien éloignés d'être dans ce sentiment, qui est purement pélagien. Et cependant on ressent aujourd'hui l'effet d'une décision si peu nécessaire alors en apparence, et si utile maintenant en effet.

C'est ainsi que le Concile d'Orange condamne ceux qui oseraient dire que Dieu prédestine les hommes aux mauvaises actions quoiqu'il témoigne par ses paroles qu'il ne sait pas que jamais cette erreur ait été avancée (*Conc. Araus. II* c. 25).

Et c'est ainsi que le Concile de Valence confirme la même condamnation, sans supposer de même qu'elle soit soutenue par qui que ce soit, mais pour empêcher seulement que ce mal n'arrive (*Conc. Valent.*, c. 3).

C'est par un semblable zèle que les Saints Pères, imitant une prudence si nécessaire, ont réfuté dans leurs écrits les erreurs qui n'étaient pas encore. Et comment pourrait-on autrement s'y opposer quand elles commencent à paraître?

C'est ainsi que les Saints Pères, qui ont combattu Nestorius, publient, avec une sainte joie, que saint Augustin l'a étouffée avec sa naissance, admirant la providence particulière de Dieu sur son Eglise, de l'avoir si saintement armée des écrits de ce saint Docteur avant que le démon eût armé cet hérésiarque des erreurs dont il la devait combattre.

Il serait inutile d'en rapporter plus d'exemples. On voit assez de là qu'on ne peut pas conclure de ce qu'une hérésie n'aurait point encore eu de sectateurs qu'il serait faux que les Pères s'y fussent opposés. D'où l'on peut tirer la conséquence sur le sujet dont il s'agit en ce discours.

PREUVES DU SECOND POINT

Que les Saints Pères qui ont établi que les commandements ne sont pas impossibles auraient été obligés à l'établir en ce sens, qu'il n'est pas impossible que les hommes les observent, quand même il n'y aurait point eu d'hérésie du sentiment contraire, par cette seule raison que les Pélagiens leur reprochaient continuellement de la tenir, de nier le libre arbitre, et de soutenir que les commandements sont impossibles absolument et que les hommes sont dans une nécessité inévitable de pécher.

On ne peut révoquer en doute que, s'il est véritable que les Pélagiens imposassent continuellement aux Catholiques qu'ils niaient le libre arbitre, et qu'ils tenaient l'impossibilité absolue des préceptes, de telle sorte qu'il y eût une nécessité inévitable qui forçât les hommes à pécher, ces seuls reproches ne fussent une raison suffisante pour obliger ces saints docteurs à réfuter ces erreurs, quand même elles n'auraient point été soutenues par aucuns hérétiques, puisqu'il leur eût été nécessaire de déclarer qu'il n'est pas impossible que les hommes observent les préceptes, pour fermer la bouche à ceux qui osaient leur imposer si injustement une créance opposée.

Et ainsi il suffira de montrer que ces hérétiques fatiguaient continuellement les Pères de ces reproches, pour montrer l'obligation qu'ils avaient de s'en défendre. Ce qui est fort facile.

Les écrits des Saints Pères défenseurs de la grâce sont remplis de passages qui le témoignent. On y voit en toutes les pages avec quels termes outrageux ces hérétiques objectaient aux Catholiques de nier le libre arbitre et de soutenir l'impossibilité invincible des commandements.

Ces Manichéens (dit Julien, en parlant des défenseurs de la grâce) *avec lesquels nous n'avons plus de communication, je veux dire tous ceux-là auxquels nous ne voulons pas accorder que le libre arbitre est péri par le péché du premier homme, et que personne n'a maintenant la puissance de vivre vertueusement, mais que tous les hommes sont forcés à pécher, par la nécessité avec laquelle la chair les y contraint.*

Ne fallait-il pas que saint Augustin se défendît contre ce reproche, et qu'il répondît nécessairement qu'il tient qu'il n'est pas impossible que les hommes vivent vertueusement, et qu'ils ne sont pas dans une nécessité inévitable de pécher?

Ainsi Julien disant ailleurs : *C'est contre cette doctrine que nous sommes tous les jours occupés à nous défendre ; et la raison pour laquelle nous résistons à ces prévaricateurs, est que nous disons que le libre arbitre est naturellement dans tous les hommes, et qu'il n'a pu périr par le péché d'Adam, ce qui est confirmé par toutes les Saintes Ecritures.*

Ne fallait-il pas que saint Augustin déclarât qu'il ne nie pas le libre arbitre, contre ces objections, et contre celle-ci de Pélage :

Nous soutenons que cette puissance du libre arbitre est dans tous les hommes généralement, soit Chrétiens, soit Juifs soit Païens ; le libre arbitre est également dans tous les hommes par la nature (par ces paroles, il voulait se distinguer d'avec les Catholiques auxquels ils imposaient qu'ils le niaient), *mais dans les seuls Chrétiens il est secouru par la grâce.* (Et par ces dernières paroles, il voulait paraître n'être pas distingué des Catholiques.)

Et Julien : *Tous les Catholiques*, disait-il encore, *le reconnaissent* (le libre arbitre); *au lieu que vous* (en parlant de saint Augustin) *le niez.*

Et ailleurs : *Ceux qui ont craint d'être appelés Pélagiens se sont précipités dans le Manichéisme et de peur d'être hérétiques de nom, ils sont devenus Manichéens en effet, et pensant éviter une fausse infamie, ils sont tombés dans un véritable crime.*

Et Pélage, s'opposant à deux hérétiques contraires pour montrer qu'il tient un milieu que la vérité remplit ordinairement : *Nous reconnaissons le libre arbitre*, dit-il, *de telle sorte néanmoins qu'il a toujours besoin du secours de la grâce ; de sorte que ceux-là errent également, qui disent avec Manichaeus que l'homme ne peut éviter le péché, et ceux qui assurent, avec Jovinian, que l'homme ne peut le commettre. Car les uns et les autres ôtent la liberté, au lieu que nous soutenons que l'homme a toujours le pouvoir de pécher et de ne pas pécher, afin de reconnaître sincèrement qu'il n'est pas privé du libre arbitre.*

Aussi saint Augustin, se plaignant de cette erreur qu'on lui impose, répond : *Qui est celui d'entre nous qui ait jamais dit que le libre arbitre soit péri dans les hommes par la chute du premier homme. Il est bien vrai que la liberté est périe par le péché, mais c'est celle qui régnait dans le paradis terrestre.* Et saint Prosper : *C'est erreur de dire que le libre arbitre n'est rien, ou qu'il n'est point.*

Et saint Augustin, pour montrer qu'il ne nie pas la liberté, quand il soutient la grâce : *C'est*, dit-il, *une impertinence insupportable à nos ennemis de dire que, par cette grâce que nous défendons, on ne laisse rien à la liberté de la volonté.*

Et ailleurs : *Car le libre arbitre n'est point ôté, parce qu'il est secouru ; mais au contraire il est secouru, parce qu'il n'est pas ôté.* Et dans le livre *De l'esprit et de la lettre*, c. XXIX : *Est-ce que nous ruinons le libre arbitre par la grâce? Qu'ainsi ne soit, mais au contraire, nous l'établissons par là. Car le libre arbitre n'est pas anéanti, mais établi par la grâce. De même que la Loi par la foi.* Et saint Prosper, sur le même sujet, en *l'Epître à Démétriade : Faudra-t-il craindre qu'il ne semble que nous ôtons le libre arbitre, quand nous disons que toutes les choses par lesquelles on se rend favorable, lui doivent être attribuées?*

Et rapportant les paroles des Pélagiens par lesquelles ils se voulaient distinguer d'avec lui : *Les Pélagiens*, dit saint Augustin, *pensent savoir quelque chose de bien important, quand ils disent que Dieu ne commanderait pas les choses qu'il saurait que les hommes ne pourraient observer. Qui ne le sait?* Et ailleurs : *Ils pensent nous opposer une chose bien pressante, quand ils disent que nous ne péchons pas si nous ne le voulons, et que Dieu ne commanderait pas ce qui serait impossible à la volonté de l'homme. Comme s'il y avait quelqu'un parmi nous qui l'ignorât!*

Et saint Jérôme a eu de même à se défendre des mêmes arguments des mêmes hérétiques : *Vous nous objectez que Dieu a commandé des choses possibles. Et qui le nie? Vous avez accoutumé de nous dire : Ou les commandements sont possibles, et alors il est juste qu'ils soient donnés ; ou impossibles, et alors l'infraction n'en doit pas être imputée comme un péché à ceux qui les ont reçus, mais à Dieu qui les a donnés.*

Et saint Augustin : *Cela n'est pas véritable ; cela n'est point, vous vous trompez grossièrement vous-même, ou vous essayez de surprendre et de tromper les autres ; nous ne nions point le libre arbitre.*

Il serait inutile de rapporter plus de preuves d'une vérité si claire, que les défenseurs de la grâce étaient sans cesse attaqués de ces reproches, qu'ils niaient le libre arbitre, et qu'ils soutenaient que les commandements sont impossibles absolument, et que les hommes sont dans une nécessité invincible de pécher, ce qui est l'erreur des Luthériens. Après quoi il n'y a rien de plus évident que l'obligation qu'ils avaient de réfuter cette erreur aussi bien que les Pères du Concile, puisqu'encore qu'ils n'eussent pas d'hérétiques qui les soutinssent, ils en avaient qui les leur imputaient avec tant d'assurance.

Mais afin de confirmer invinciblement la nécessité qu'ils avaient de le faire, il faut ajouter qu'ils avaient en effet des hérétiques dont ces erreurs étaient les capitales, ce qui achève l'obligation qu'ils avaient de condamner ces opinions. C'est le sujet du troisième point.

PREUVES DU TROISIÈME POINT

Que les Pères qui ont établi que les commandements ne sont pas impossibles étaient obligés à le déclarer en ce sens qu'il n'est pas impossible que l'on garde les commandements ; à cause des Manichéens qu'ils avaient à combattre, qui soutenaient une impossibilité absolue, et une nécessité inévitable qui forçait les hommes à pécher.

On ne peut contester que les Saints Pères qui ont établi que les commandements ne sont pas impossibles aux hommes n'aient été obligés à le faire, en ce sens qu'il n'est pas impossible qu'on les observe; au cas qu'il soit véritable qu'ils eussent des ennemis présents, qui soutinssent le contraire, qui niassent le libre arbitre, qui soutinssent que les hommes sont dans l'impossibilité absolue de les observer, et qu'il y eût une nécessité inévitable qui les forçât à pécher.

Or qui ne sait que c'est un des chefs de l'erreur des Manichéens, et que la méchante nature qu'ils soutenaient ne fût telle qu'il n'y eût aucune puissance capable de vaincre sa malice, non pas même celle de Dieu?

Ne sait-on pas que saint Augustin a réfuté ces erreurs, et qu'il en a remporté une victoire glorieuse à l'Eglise? Je ne m'arrêterai donc pas à le prouver ici, puisqu'il ne faut que lire ce qu'il en a écrit contre eux : et je me contenterai d'en rapporter quelques passages pour ne laisser pas la chose sans preuve, quelque connue qu'elle soit d'elle-même.

Or Manichaeus dit que la nature, qu'il dit être mauvaise, ne peut, en aucune manière, être guérie et rendue bonne. Et il est misérablement extravagant, en ce qu'il veut que la nature du mal soit absolument incapable d'être changée. C'est ce qui fait dire à Pélage : *Nous reconnaissons le libre arbitre, etc. et que ceux-là errent, qui tiennent avec Manichaeus que l'homme n'a point de pouvoir de ne point pécher.* C'est ce qui fait que Julien appelle sans cesse saint Augustin et les Catholiques du nom de Manichéens, comme il paraît dans les passages rapportés dans l'autre point. Julien : *Vous niez le libre arbitre avec Manichaeus.* Et c'est pourquoi saint Jérôme, ayant dit que les commandements sont impossibles sans la grâce, prévient l'objection ordinaire de ces hérétiques par ces paroles : *Vous vous écrierez incontinent, et vous nous accuserez de suivre le dogme des Manichéens.*

Il est donc hors de doute que tout ce que les Luthériens ont dit de la concupiscence était dit mille ans avant leur naissance, par ces anciens hérétiques, de cette mauvaise nature. On ne peut donc plus contester que les Pères n'aient été forcés à ruiner ces horribles et impies sentiments : que le libre arbitre est anéanti; que les préceptes sont invinciblement impossibles; que les hommes sont contraints nécessairement et inévitablement à pécher : puisqu'ils y étaient obligés, autant pour convaincre l'erreur de ceux qui les soutenaient, que pour confondre la calomnie de ceux qui les leur imputaient; et qu'ainsi cette proposition qu'ils ont été forcés d'établir, *que les commandements ne sont pas impossibles*, ne soit autre chose que la négative de celle-ci qu'on leur imposait, *Que les commandements sont absolument impossibles;* et qu'ainsi, elle n'exclut que ce seul sens, et qu'elle n'exprime autre chose, sinon, *Qu'il n'est pas impossible que les hommes observent les préceptes.*

DERNIER MOYEN

On voit assez par tant de preuves que les Manichéens et les Luthériens étaient dans une erreur pareille touchant la possibilité des préceptes; et qu'encore qu'ils différassent en ce que les uns attribuaient à une nature mauvaise et incorrigible ce que les autres imputent à la corruption invincible de la nature, ils convenaient néanmoins dans ces conséquences *que le libre arbitre n'est point dans les hommes ; qu'ils sont contraints à pécher par une nécessité inévitable ; et qu'ainsi les préceptes leur sont absolument impossibles.* De sorte que, ne différant que dans les causes, et non pas dans l'effet qui est le seul dont il est question en cette matière, on peut dire avec vérité que leurs sentiments sont semblables touchant la possibilité, et que les Manichéens étaient les Luthériens de leur temps, comme les Luthériens sont les Manichéens du nôtre.

Qui sera donc si aveuglé que de ne pas reconnaître que les Pères autrefois, et le Concile de Trente en ces derniers temps, ont eu une obligation pareille et pareillement indispensable d'opposer à ces sentiments impies celui dont nous traitons, que *les commandements ne sont pas impossibles*, au sens de ces hérétiques?

Aussi, il n'y a personne qui juge de cette question avec sincérité, qui ne reconnaisse une vérité si évidente; et tous ceux qui en ont écrit avec froideur l'ont témoigné par leurs écrits, dont il serait aisé de rapporter plusieurs passages. Mais je me contenterai de celui-ci d'Estius, qui montre tout ensemble, et que les anciens Pères n'ont réfuté cette impossibilité qu'au sens des Manichéens, et pour se défendre des reproches des Pélagiens; et que le Concile de Trente ne l'a fait de même qu'au sens des Luthériens, ce qui est tout le sujet de ce point, qui est déjà trop éclairci et que je finirai par ces paroles :

Or cette proposition que Dieu commande des choses impossibles aux hommes était imputée avec aigreur par les Pélagiens aux Catholiques, et les Catholiques la repoussaient avec autant d'ardeur parce qu'elle appartient à la doctrine des Manichéens qui soutenaient que les hommes ne peuvent éviter de pécher, à cause de la mauvaise nature dont ils sont composés. Et les Pères ont condamné cette opinion, en telle sorte qu'ils ont nié cette impossibilité simple d'observer les préceptes, soit qu'on l'attribuât à ce mauvais principe, qui n'est point en effet, soit à la corruption de la nature arrivée par Adam : parce que, encore que l'observation des préceptes soit impossible à la nature et à la loi, néanmoins la grâce de Jésus-Christ la rend possible, et même l'accomplit. Et l'on peut voir cette doctrine définie et clairement expliquée dans le Concile de Trente, sess. 6, *chap.* XI, *et can.* 18.

II

Qu'il n'y a pas une relation nécessaire entre la possibilité et le pouvoir.

(*F*os 663-674.) Toutes les choses qu'il est possible qui arrivent à un sujet ne sont pas toujours au pouvoir de ce sujet : et quoiqu'on se laisse aisément prévenir de l'opinion qu'il y a une relation nécessaire de l'un à l'autre, il n'y a rien de plus facile et de plus commun que de voir le contraire.

Ce n'est pas que cette relation ne soit aussi assez ordinaire, mais il s'en faut beaucoup qu'elle soit générale et nécessaire. Voici des exemples de l'un et de l'autre :

Un prince étant légitime héritier d'un royaume, et reconnu pour véritable roi par tous ses sujets, sans division et sans répugnance, il est ensemble véritable, et qu'il est possible qu'il soit roi, et qu'il est en son pouvoir de l'être.

Ainsi il est possible qu'un homme sain et libre coure quand il lui plaît, et il est aussi en son pouvoir de le faire.

En ces exemples il y a relation de la possibilité au pouvoir.

Mais on sait aussi qu'il est possible qu'un homme vive soixante ans, et que cependant il n'est au pouvoir de personne, non seulement d'arriver à cet âge, mais de s'assurer d'un instant de vie.

Et qu'il est possible qu'un prince du sang, quoique le dernier de la Maison royale, devienne roi légitime, sans qu'il soit toujours en son pouvoir de le devenir.

Et ainsi il est aussi simple et aussi ordinaire de voir que cette relation ne se rencontre pas, que le contraire : d'où il paraît assez qu'elle n'est pas perpétuelle et nécessaire.

Et qu'ainsi il n'y a point de répugnance nécessaire et convaincante par la seule force des paroles à dire que les commandements soient possibles aux hommes; et que néanmoins les hommes n'aient pas toujours le pouvoir de les accomplir ([69] puisque la grâce par laquelle ils sont rendus possibles n'est pas toujours et nécessairement dans chacun des hommes.

De la même sorte il ne répugne point de dire tout ensemble qu'un homme sain, mais enchaîné peut courir, puisque la rupture de ses fers est possible, sans qu'on puisse dire qu'il soit toujours en son pouvoir de courir, puisque sa liberté ne dépend pas toujours de lui.

On peut dire la même chose d'un malade, et de mille autres exemples.)

69. Ce passage entre parenthèses est rayé sur l'original.

Règle pour discerner en quelles circonstances il y a relation de la possibilité au pouvoir.

Mais il est facile de déterminer par une règle générale en quelles circonstances cette relation de la possibilité au pouvoir se rencontre. Celle-ci y satisfait : Toutes les fois que la cause par laquelle un effet est possible est présente et soumise au sujet où il doit être produit, il y a relation de la possibilité au pouvoir; c'est-à-dire que l'effet est au pouvoir de ce sujet, et non pas autrement.

C'est ainsi qu'il est au pouvoir de ce légitime héritier du royaume, reçu avec applaudissement de tous ses sujets, d'être roi ou non; parce que, toutes choses étant disposées à le reconnaître, sa seule volonté est seule cause et maîtresse de l'événement; et comme sa volonté est en sa disposition et dans lui-même, l'effet est dit être en sa puissance.

Il n'en est pas de même d'un captif retenu dans les fers; sa liberté est bien possible, mais elle n'est pas en sa puissance parce que la rupture de ses chaînes, qui est la cause capable de la lui donner, n'est pas en sa dépendance. Et ainsi on ne peut dire que sa sortie soit en sa puissance, quelque possible qu'elle soit en elle-même.

Que selon cette règle on peut toujours dire que l'observation des préceptes est au pouvoir de tous les hommes.

Cependant cette règle, qui semble éloigner l'accomplissement des préceptes du pouvoir de chacun des hommes, l'en approche au contraire, et l'y soumet. Car, comme la cause immédiate de l'observation des préceptes est la volonté de l'homme, de sorte que, comme nous avons déjà dit, on les observe quand on veut, et qu'on les enfreint quand on le veut, il est manifeste que cette cause résidant toujours dans l'homme, et dépendant de lui, on ne peut refuser de dire, selon cette règle, que l'observation des préceptes ne soit toujours au pouvoir de chacun des hommes.

Que selon cette même règle l'observation des préceptes n'est pas toujours au pouvoir des hommes.

Mais ce qui est étrange est que, selon cette même règle, l'observation des préceptes n'est pas toujours au pouvoir des hommes. Car encore qu'il soit véritable que la cause immédiate de l'observation des commandements soit la volonté de l'homme, il y en a néanmoins une autre cause et une première dominante maîtresse et cause elle-même de la volonté de l'homme, qui est la grâce et le secours actuel de Dieu.

De sorte que cette cause première et principale n'étant pas résidente dans l'homme, mais dans Dieu, ni dépendante de l'homme, mais de Dieu, il est manifeste, en ce sens, que l'observation des commandements n'est pas toujours au pouvoir des hommes.

Et c'est en cette manière qu'on ne conteste pas que les infidèles abandonnés dans le comble de l'impiété et du dérèglement, et destitués des secours nécessaires pour l'accomplissement des préceptes, comme ayant comblé la mesure de leurs crimes, ne soient en tel état que l'observation des préceptes ne soit point en leur pouvoir.

Et ainsi ceux-là mêmes desquels on peut dire en un sens orthodoxe qu'il est en leur pouvoir de les accomplir, en ce que s'ils le voulaient ils le feraient, sont néanmoins en tel état, qu'on dit aussi, en un sens catholique et orthodoxe, qu'il n'est pas en leur pouvoir de le faire, parce que la privation de la grâce les met hors d'état de le vouloir.

Qu'il y a des choses possibles et d'autres impossibles qui perdent ces conditions en les considérant accompagnées de quelques circonstances.

Il est donc évident que les qualités de *possible* et d'*impossible* conviennent ensemble à beaucoup de sujets selon les divers sens qu'on leur donne, mais il est aussi véritable qu'on peut supposer de telles circonstances, qu'elles excluront l'une de ces deux conditions.

C'est ainsi qu'encore qu'on puisse dire d'un homme sain mais enchaîné qu'il n'est pas impossible qu'il coure, puisque la rupture de ses fers, qui lui en donnera la possibilité, a une cause dans la nature, mais qu'il n'est pas en son pouvoir de courir, parce que cette cause n'est pas en sa disposition; néanmoins, si l'on considère ce captif comme captif, on peut dire absolument que, tandis qu'il sera dans les fers, sa fuite est tellement impossible, qu'elle n'est possible en aucun sens, puisque cette supposition exclut totalement la cause de sa liberté.

C'est ce que saint Thomas exprime par le mot d'*incompossible*, lorsqu'il dit qu'encore qu'il soit possible qu'un homme pèche mortellement, qu'il soit aussi possible qu'il soit élu, et qu'il soit encore possible qu'il soit tué à chaque instant de sa vie, il est néanmoins absolument, et en quelque temps que ce soit, incompossible à toutes ces suppositions qu'il soit ensemble élu en péché mortel, et tué en cet état.

C'est aussi de cette sorte qu'on peut dire d'un homme qui a les yeux sains, qu'il peut voir la lumière qu'on lui offre, s'il le veut; de telle sorte qu'il n'y a aucun sens auquel on puisse dire qu'il n'ait pas le pouvoir de voir, s'il le veut absolument, la lumière qu'on lui présente.

C'est aussi de cette manière qu'on peut dire d'un juste qui a toutes les grâces nécessaires pour accomplir les préceptes, et qui est tellement en état de se passer de toute autre chose pour les accomplir actuellement, qu'avec ce seul secours il les accomplisse en effet quelquefois, qu'il est en son pouvoir de les accomplir dans cette supposition, de telle sorte qu'il n'y a aucun sens où, toutes ces circonstances étant posées, on puisse dire qu'il n'est pas en son pouvoir de les accomplir, ou qu'il soit impossible qu'il les accomplisse.

Et c'est ainsi, au contraire, qu'on peut dire d'un juste, en le supposant destitué du secours nécessaire pour vouloir les accomplir, qu'il n'est pas en son pouvoir de les accomplir; de telle sorte qu'on ne peut dire en aucun sens, en supposant cette circonstance, qu'il soit totalement en son pouvoir de les accomplir.

C'est pour cette raison que, pour présenter la vérité pure et toute dégagée des erreurs contraires qui la combattent, le Concile a formé deux importantes décisions par lesquelles il établit que les justes ont le pouvoir de persévérer quand ils ont la grâce, et par l'autre, qu'ils n'ont pas le pouvoir de persévérer quand ils n'ont pas la grâce.

Voilà les deux seules décisions, dont l'une [arrête] les conséquences de l'autre, [et qui] ne peuvent ensemble qu'instruire solidement les fidèles : puisque, faisant dépendre le pouvoir ou l'impuissance d'observer les préceptes, non pas de la capacité ou de l'incapacité naturelle des hommes, mais de la présence ou de l'absence de la grâce, il n'a ni trop élevé la nature avec les Pélagiens, ni trop abaissé la nature avec les Luthériens, mais établi le vrai règne de la grâce dans les âmes, comme doivent faire les vrais Chrétiens.

Et elles ne font que confirmer ce que les Pères avaient établi depuis tant de siècles par ces saintes maximes :

Si Deus miseretur, etiam volumus; Si Deus tangit cor, homo praeparat cor; Si audisset et didicisset a Patre, veniret (*De praedest. sanctor*., c. VIII).

(*De grat. chr.* c. XIV.) *Quando Deus docet non per Legis litteram, sed per Spiritus gratiam, ita docet, ut quod quisque didicerit non tantum cognoscendo videat, sed etiam volendo appetat, agendoque perficiat.*

(Lib. II. *Oper. imperf.* n. 157.) *Cum vero dat incrementum Deus, sine dubio credit et proficit.*

Tunc ergo efficimur vere liberi, cum Deus nos fingit, id est, format et creat, non ut homines, quod jam fecit, sed ut boni homines simus, quod nunc suâ gratiâ facit.

Toutes ces expressions des Pères, auxquelles le Concile a rendu ses décisions conformes, nous montrent donc manifestement que les justes peuvent accomplir les préceptes avec la grâce, et non pas sans la grâce; qu'ils le peuvent s'ils ont la grâce et non pas s'ils n'ont pas la grâce; qu'ils le peuvent quand ils ont la grâce, et non pas quand ils n'ont pas la grâce.

Et il y avait lieu d'espérer qu'une si sainte doctrine étoufferait pour jamais les erreurs opposées de Luther et de Pélage, et toutes celles qui en pouvaient naître, en retenant quelque chose de leur esprit.

Et néanmoins il est arrivé que ceux qui ont résolu d'établir, comme un article inviolable de la foi, que tous les justes ont toujours le plein pouvoir d'accomplir les commandements, n'ont pas été retenus par des condamnations si manifestes; ils les ont éludées par un artifice ridicule et impie, et qu'il faut mettre en évidence, pour en découvrir toute la malice, et l'exposer au jugement des fidèles. Voici leur fondement.

Le Concile, disent-ils, décide bien à la vérité que les justes n'ont pas le pouvoir de persévérer sans la grâce, mais il ne dit pas, à ce qu'ils prétendent, que cette grâce manque jamais aux justes. Et sur le défaut de cette expression, ils ont pris sujet d'établir cette doctrine : que cette grâce est toujours présente aux justes, et que par ce secours ils ont toujours le pouvoir d'accomplir les commandements.

Ce n'est pas que le Concile ait jamais dit que cette grâce soit toujours présente, mais c'est seulement que n'ayant décidé, à ce qu'ils veulent, ni si elle l'est toujours, ni si elle ne l'est jamais, ni si elle l'est quelquefois, ils ont cru avoir la liberté de dire, sans blesser sa définition, qu'elle n'est jamais absente, et d'en conclure sans répugner à sa définition que tous les justes ont toujours ce plein pouvoir d'observer les commandements.

Que si on leur demande qu'ils prouvent leur sentiment, et qu'ils rapportent des passages exprès du Concile qui l'expriment, ils demeurent nécessairement dans le silence, mais ils prétendent qu'on ne peut au moins les réfuter, et croient avoir assez fait de se cacher dans une obscurité qui ôte à leurs adversaires les moyens de les convaincre, en s'ôtant à eux-mêmes tout moyen de le prouver.

Et ce qui est admirable est que, ne se contentant pas d'en demeurer dans ces termes de probabilité, et de tenir cette opinion comme soutenable, il l'ont ensuite voulu faire passer pour être le véritable sentiment du Concile et pour une vérité de foi; et c'est ce qui fait aujourd'hui le sujet de toutes les disputes présentes. Tant l'insolence et l'erreur s'accompagnent facilement et s'accroissent en peu de temps, lorsque l'impunité en favorise le progrès.

Mais pour arrêter toute la vaine subtilité de leurs raisonnements, ne suffit-il pas de leur dire que, comme leur sentiment est fondé, non pas sur des décisions expresses qui les appuient, mais sur ce qu'il n'y en a pas pour les condamner, non pas sur des passages formels mais sur le défaut de passages contraires, non sur une vérité solide et palpable, mais sur le néant, non sur des propositions, mais sur une supposition, il est au pouvoir de qui que ce soit d'en former un contraire sur une supposition contraire avec autant de raison et de fondement.

Mais pour arrêter leur vaine subtilité, et pour leur faire sentir l'absurdité et le ridicule de leur manière de corrompre le Concile, il leur en faut proposer un semblable, afin qu'ils reconnaissent sans obscurité dans les autres ce que les passions qui les engagent au sentiment qu'ils ont embrassé les empêche d'apercevoir dans eux-mêmes. Qu'ils se figurent donc qu'il s'offre aujourd'hui des personnes qui entreprennent d'introduire une opinion nouvelle, et de l'accommoder aux termes du Concile en discourant en cette sorte :

« Nous nous soumettons au Concile, et anathématisons les Luthériens et tous ceux qui disent qu'on ne peut accomplir les commandements quand on est secouru de la grâce; mais, comme le Concile ne fait que défendre la possibilité des commandements, avec la grâce nécessaire pour les observer, sans déclarer qu'elle soit jamais présente, il nous laisse la liberté de dire qu'elle ne l'est jamais, et de soutenir dans cette supposition, sans blesser sa définition, l'impossibilité continuelle des préceptes. »

En vérité, que diraient nos Catholiques d'une opinion si extravagante? La trouveraient-ils fort conforme au Concile? L'y jugeraient-ils fort soumise? Et comment supporteraient-ils qu'on voulût non seulement la faire passer pour le véritable sens du Concile, et pour la foi orthodoxe et unique, mais seulement comme soutenable et probable?

Ne crierait-on pas avec raison que ce serait se jouer des paroles du Saint-Esprit; qu'il n'y a point de différence considérable entre cette erreur et celle de Luther, puisqu'ils conviennent dans l'impossibilité des commandements quoiqu'ils diffèrent dans la cause de cette impossibilité; qu'elle est condamnée d'anathème, et qu'il faudrait l'étouffer comme un monstre pernicieux et détestable?

Je prie ceux qui auraient ce zèle pour la religion, non pas de le refroidir, mais de ne le pas restreindre; et, sans le renfermer dans ce seul sujet, de l'étendre à tous ceux qui font une pareille injure à l'Eglise. Car je suppose que leur ardeur prend sa source de l'amour qu'ils ont pour la vérité, et non pas de la haine qu'ils auraient pour une erreur particulière; et qu'ainsi tout ce qui est également faux leur est également odieux.

Qu'ils considèrent maintenant ce qu'ils font dans leur sentiment, et si ce n'est point une imitation parfaite de ce qu'ils viennent de détester dans les autres. Certainement il faut ou qu'ils soient aveugles s'ils n'en voient pas la parfaite conformité, ou qu'ils soient bien injustes, s'ils ne partagent pas leur aversion, puisqu'ils doivent avoir de semblables sentiments pour les sujets qui sont entièrement semblables.

Reconnaissons donc sincèrement qu'on ne doit point corrompre de cette sorte les plus saintes vérités que Dieu ait mises dans son Eglise, et que c'est en abuser d'une manière bien indigne et bien outrageuse, de prétendre que le Concile ayant à ruiner ses hérésies touchant la possibilité absolue et l'impossibilité absolue des préceptes, il ait établi cette puissance contre les uns, et cette impuissance contre les autres en des cas qui n'arriveraient jamais.

Car n'eût-il pas été bien plus séant, plus utile, etc.

Mais si le mot de *possible* a un sens si vaste, celui de *pouvoir* n'en a pas un moins étendu; car n'est-il pas visible que, puisqu'une chose est dite être en notre puissance, lorsqu'elle se fait quand nous le voulons, et qu'elle ne se fait pas quand nous ne le voulons pas, rien n'est tant en notre puissance que notre propre volonté?

Et c'est en ce sens qu'il est véritable que tous les hommes ont le pouvoir d'accomplir les commandements, puisqu'il est assuré qu'il ne faut pour les observer que le vouloir : *si vis, conservabis mandata.*

Et c'est ce qui a fait dire à saint Augustin que tous les hommes peuvent, s'ils le veulent, se convertir de l'amour des choses temporelles à l'observation des commandements de Dieu, sans que les Pélagiens puissent prétendre que cela soit dit selon leurs maximes. *Parce*, dit ce Père, *qu'il est vrai que les hommes le peuvent s'ils le veulent, mais cette volonté est préparée par le Seigneur.*

Et c'est ce qui lui a fait dire ailleurs qu'il est dans la puissance de l'homme de changer et de corriger sa volonté, sans que cela blesse la grâce qu'il annonçait, parce qu'il déclare que cette puissance n'est point si elle n'est donnée de Dieu : *Parce*, dit-il, *que, comme une chose est dite être en notre puissance, lorsque nous la faisons quand nous le voulons, rien n'est tant en notre puissance que notre propre volonté; mais la volonté est préparée par le Seigneur, c'est donc ainsi qu'il en donne la puissance. C'est ainsi qu'il faut entendre*, continue ce saint Docteur, *ce que j'ai dit ailleurs : il est en notre puissance de mériter de recevoir les effets de la miséricorde de Dieu ou de sa colère, parce que rien n'est en notre puissance que ce qui suit notre volonté, à laquelle, lorsque Dieu la prépare forte et puissante, la même action de piété devient facile, qui était difficile et même impossible auparavant.*

Il est donc bien visible qu'en prenant le mot de *pouvoir* en ce sens, tous les hommes ont celui d'accomplir les préceptes. Et cependant il est véritable en un autre sens que ceux qui n'en sont pas instruits, comme les infidèles, n'ont pas le pouvoir des les accomplir, puisqu'ils les ignorent. Car comment s'acquitteront-ils d'une obligation qu'ils ne savent pas leur être imposée? Ou comment invoqueront-ils celui auquel ils ne croient pas? Ou comment croiront-ils en celui dont ils n'ont point ouï parler? Ou comment en entendront-ils parler sans prédicateur?

Et c'est ce qui a fait dire à saint Augustin : *Il est nécessaire et inévitable que ceux qui ignorent la justice la violent.* « *Necesse est ut peccet a quo ignoratur justitia.* » Et ailleurs : *On peut bien dire à un homme : vous persévéreriez si vous le vouliez dans les choses que vous avez apprises et tenues; mais on ne peut dire en aucune sorte : vous croiriez, si vous le vouliez, les choses dont vous n'avez point ouï parler.* D'où l'on voit que les Chrétiens qui sont instruits de la loi de Dieu ont par cette connaissance un pouvoir de l'accomplir, qui n'est pas commun à ceux qui en sont privés, puisque connaissant la volonté de leur maître, il ne dépend plus que de leur consentement d'y obéir.

Mais on peut dire avec bien plus de raison des justes, qu'ils ont toujours le pouvoir de les observer, puisque leur volonté étant dégagée des liens qui la retenaient captive, et se trouvant guérie de ses langueurs (quoiqu'il lui en reste quelque faiblesse qui n'empêche pas qu'on ne puisse dire avec les Pères qu'elle est libre, saine et forte), il est visible qu'ils ont un pouvoir d'observer les commandements, qui n'est pas commun à ceux qui, étant asservis sous l'amour des créatures, ont une opposition à Dieu et des passions dominantes, qui les empêchent de suivre et d'observer sa loi.

Car de la même sorte qu'on dit d'un œil qu'il a le pouvoir de voir quand il n'y a aucune indisposition intérieure qui empêche cet exercice, de même on peut dire avec vérité de la volonté de l'homme quand elle est dégagée des passions qui y dominaient auparavant, qu'elle a alors le pouvoir d'aimer Dieu.

Ce n'est pas qu'elle n'ait pas encore besoin d'être secourue de la grâce, quelque saine qu'elle soit, *car*, comme dit saint Augustin, *de la même sorte que l'œil, quoiqu'il soit parfaitement sain, ne peut voir s'il n'est secouru de la lumière, ainsi l'homme, quoiqu'il soit parfaitement justifié, ne peut vivre dans la piété s'il n'est assisté divinement par la lumière éternelle de la justice.*

Et néanmoins, comme on ne laisse pas de dire que l'œil, quand il est sain, a le pouvoir de voir, en ne considérant que cette faculté en elle-même, parce qu'il n'a pas besoin de plus de santé pour voir, mais seulement de la lumière extérieure : de même on peut dire de l'âme quand elle est justifiée qu'elle a le pouvoir d'aimer Dieu, en ne la considérant qu'en elle-même, *parce que*, comme dit saint Thomas, *elle n'a pas besoin de plus de justice pour aimer Dieu, mais seulement des secours actuels.*

Mais il est nécessaire que ces secours actuels soient tels que la délectation de la charité surmonte celle du péché, puisque, autrement, la mauvaise délectation subsiste sans être vaincue, et tente toujours celui qu'elle tient esclave, puisqu'on est asservi à celui par qui on a été vaincu, car certainement nous serons toujours vaincus, si nous ne sommes tellement aidés de Dieu, que non seulement nous connaissions notre devoir, mais encore que l'âme, étant guérie, vainque et surmonte en nous la délectation des choses, dont le désir de les posséder, ou la crainte de les perdre, nous fait pécher (Aug., *lib. I, Oper. imperf.*).

Et néanmoins on peut dire de celui qui est secouru de la grâce, *quoiqu'il le soit moins qu'il ne faut, pour faire qu'il marche parfaitement dans la voie de Dieu*, qu'il a un pouvoir qu'il n'aurait pas s'il était privé de tout secours, puisqu'il est plus proche d'avoir tout celui qui lui est nécessaire lorsqu'il en a une partie, que s'il n'en avait point du tout; et même que ce secours imparfait, ou trop faible dans la tentation où l'on le considère, deviendra assez puissant si la tentation vient à se diminuer, et qu'il la lui fera vaincre alors effectivement, ce qui ne serait pas véritable s'il n'en avait aucun. De la même sorte qu'on peut dire d'un homme dont la vue est affaiblie par une maladie, et qui a besoin de beaucoup de lumière, qu'encore qu'une petite lumière ne lui donne pas le plein de voir, néanmoins elle lui en donne un certain genre, ou un certain degré de pouvoir qu'il n'aurait pas s'il était dans les ténèbres, puisqu'il est plus proche d'avoir tout celui qui lui est nécessaire en cet état, et que même, si sa santé s'affermit, cette lumière deviendra assez forte pour lui en donner alors le pouvoir entier.

Voilà toutes les diverses manières dont on peut considérer les différents pouvoirs qui sont tous véritables, quoique le seul qui doit être appelé entier, plein et parfait, et qui donne l'action même, soit celui auquel il ne manque rien pour agir. De sorte qu'il est très véritable qu'on peut dire de ceux auxquels il manque quelque secours sans lequel il est assuré qu'ils ne feront jamais une action, qu'ils n'ont pas, en ce sens, le pouvoir de la faire.

C'est ainsi qu'on peut dire avec vérité qu'un homme dans les ténèbres, n'a pas le pouvoir de voir, en considérant le plein et dernier pouvoir sans lequel on n'agit point.

Et ainsi un homme, quelque juste qu'il soit, s'il n'est aidé d'une grâce assez puissante, ou, pour user des termes du Concile, *d'un secours spécial de Dieu*, il est véritable selon le même Concile, qu'il n'a pas le pouvoir de persévérer, parce qu'encore qu'il ait le pouvoir dans les divers sens qui en sont expliqués, il n'en a pas néanmoins le pouvoir plein et entier auquel il ne manque rien de la part de Dieu pour agir : et c'est pourquoi le Concile défend sous peine d'anathème de dire qu'il en ait le pouvoir.

III

[Section première.] *Du véritable sens de ces paroles des Saints Pères et du Concile de Trente : Les commandements ne sont pas impossibles aux justes.*

(F^os 651-652.) Après avoir si clairement montré que le véritable sens du Concile de Trente, touchant la possibilité des préceptes, est qu'ils sont possibles avec la grâce et impossibles sans la grâce et que le secours de la grâce qui les rend possibles, de ce plein et dernier pouvoir auquel il ne manque rien de la part de Dieu pour agir, est présent aux justes ou absent selon qu'il plaît à Dieu, qui ne le doit à personne, de le donner ou de le retirer, selon les lois impénétrables de sa sagesse, il paraîtra sans doute étrange qu'on voie ici traiter cette question particulière du sens d'un seul passage détaché, *Que les commandements ne sont pas impossibles aux justes*, qui est si manifeste de lui-même, puisqu'il signifie simplement qu'il n'est pas impossible que les justes n'accomplissent les préceptes, parce qu'il n'est pas impossible que Dieu leur en donne le pouvoir, comme prétendaient les Luthériens.

Mais ce qui oblige à cet éclaircissement est la résistance que font à la vérité ceux qui sont prévenus de cette fausse doctrine, que Dieu donne toujours aux justes le secours nécessaire, et auquel il ne manque rien de sa part pour accomplir les préceptes, laquelle ils veulent faire passer pour être celle du Concile et des Pères, sur cet unique fondement, que les Pères et le Concile ont dit que les commandements ne sont pas impossibles aux justes.

Pour renverser cet unique appui de leur sentiment, il faut déclarer nettement l'état de la question, et les moyens qui seront employés à la résoudre.

Section seconde. *De l'objet du Concile de Trente et des SS. Pères dans cette décision : Que les commandements ne sont pas impossibles aux justes.*

L'objet du Concile de Trente dans cette décision ne peut être révoqué en doute. On sait assez que, l'Eglise étant alors assemblée contre Luther, elle entreprit dans cette sixième session son erreur touchant la justification, et que dans le chapitre II elle eut pour objet de combattre ces deux erreurs : *Que les justes sont dispensés de l'observation des préceptes*, et cette autre qui en était le fondement : *Que les commandements sont impossibles aux justes.*

Cela étant, il serait inutile d'en rapporter des

preuves et ridicule d'en demander, la chose étant claire d'elle-même, comme le témoignent les premières lignes de ce chapitre : *Que personne, quelque justifié qu'il soit, ne s'estime exempt de l'observation des préceptes*, par lesquelles est ruinée cette prétendue dispense; et pour en ruiner le fondement qui est la prétendue impossibilité de les observer, il ajoute immédiatement : *Personne ne doit avancer cette proposition condamnée par les Saints Pères, Que les commandements sont impossibles, etc.*

La chose est de soi si évidente que, etc.

IV

Explication de ce passage du chap. II de la session 6 : Que les commandements ne sont pas impossibles aux justes.

(*F*os 655-660). Le sens de ces paroles, *Que les commandements ne sont pas impossibles aux justes*, est tellement clair qu'il est étrange qu'on entreprenne de l'éclaircir exprès. On voit assez qu'il signifie qu'il n'est pas impossible que les justes n'observent les commandements, c'est-à-dire qu'il n'est pas impossible que les justes ne fassent de bonnes œuvres, pour le dire en d'autres termes, comme fait le même Concile dans le même chapitre.

Mais, comme il se trouve aujourd'hui des personnes qui refusent ce sens tout naturel et véritablement propre pour lui donner celui-ci, Que les commandements sont toujours possibles à tous les justes, de ce pouvoir prochain et auquel il ne manque rien de la part de Dieu pour agir, en quoi ils ajoutent à la décision du Concile, ou le terme de *toujours* comme font la plupart, ou le sens de ce terme, comme ils font tous : il est à propos de leur faire entendre que c'est corrompre le sens de cette proposition, non seulement contre les règles de la grammaire, mais encore contre l'intention du Concile, et contre l'explication qu'il en fait au même lieu d'où les paroles sont prises.

Pour le premier, que cette interprétation soit contre les règles de la grammaire, la chose est évidente. Car il y a bien de la différence entre dire que les commandements ne sont pas impossibles, et dire qu'ils sont toujours possibles de ce plein et dernier pouvoir, ce qui est tellement clair qu'il n'est pas nécessaire de le prouver par cet exemple, qu'il n'est pas impossible que les hommes vivent cent ans et qu'il n'est pas néanmoins au pouvoir plein et entier de l'homme d'y arriver...

Du IIe chapitre : *Les commandements ne sont pas impossibles aux justes*, auquel ils donnent ce sens : Les commandements sont toujours possibles aux justes de ce plein et dernier pouvoir dont il s'agit, comme s'il était nécessaire que tout ce qui n'est pas impossible soit toujours possible. Au lieu que le véritable et unique sens en est, Que les commandements ne sont pas impossibles aux justes, quand ils sont secourus par la grâce, comme il l'explique partout ailleurs : c'est-à-dire, pour user de termes sans équivoque, Que les justes, étant aidés par ce secours, peuvent faire des actions bonnes et exemptes de péché.

Aussi la suite du discours fait voir que ce dernier sens est le véritable; comme il paraîtra par toutes les preuves suivantes :

1o Par l'objet du Concile dans cette décision, qui était de ruiner simplement l'hérésie de Luther, opposée à ce dernier sens seulement.

2o Par les preuves que le Concile en donne, qui n'ont de force qu'en ce dernier sens.

3o Par la conclusion qu'il en tire, qui n'exprime que ce seul sens en termes univoques.

4o Par les Canons qu'il en forme, qui n'expriment que ce seul sens.

5o Par les mêmes Canons qui excluent et anathématisent le premier sens.

Après quoi, je doute qu'on puisse douter que ce ne soit le seul sens du Concile.

Or tout ce que je dis paraît par la simple lecture de ce chapitre II et des canons 18, 21, 25. Car l'intention qu'a eue le Concile de s'opposer à cette pernicieuse maxime de Luther, *Que les Justes sont dispensés des préceptes*, paraît par les premiers mots de ce chapitre : *Personne ne doit s'estimer exempt de l'observation des préceptes, quelque justifié qu'on soit.* Et pour ruiner la source de cette erreur, qui consistait dans la prétendue impossibilité invincible d'accomplir les préceptes avec la grâce, et de faire de bonnes œuvres, le Concile continue en ces termes : *Personne ne doit avancer cette proposition condamnée d'anathème par les Pères : Que l'observation des commandements soit impossible.*

Comme il n'y a que les Luthériens qui soutiennent l'impossibilité absolue des préceptes, ce n'est que contre eux que cette décision est faite, et non pas contre cette proposition, *Que les commandements sont impossibles aux justes qui n'ont pas la grâce.* Car le Concile l'établit lui-même, et frappe d'anathème ceux qui ne la confessent pas. Le Concile n'entend donc pas par cette expression que les commandements sont toujours possibles de ce dernier et plein pouvoir, car outre qu'il décide ailleurs le contraire, il n'en était pas question en cet endroit. On n'avait pas en tête des hérétiques qui disent que les préceptes étaient quelquefois impossibles, contre lesquels on eût à opposer cette proposition contraire, Que les préceptes sont toujours possibles, mais seulement ceux qui soutenaient que les préceptes étaient absolument impossibles; contre lesquels le Concile décide simplement que la charité et la grâce actuelle les peut rendre possibles : Et c'est ce qu'il exprime en ces termes, *Les préceptes ne sont pas impossibles*, et qu'il prouve en cette sorte : *Car Dieu ne commande pas des choses impossibles.*

Cette raison montre bien que les commandements ne sont pas absolument impossibles, mais non pas que les justes aient toujours tout le secours nécessaire pour les accomplir. Car il suffit que la grâce les puisse rendre possibles, pour faire que Dieu ne soit pas injuste en les imposant, puisqu'il ne faudra qu'avoir recours à lui pour en obtenir le pouvoir.

Aussi l'on ne doute pas que ceux qui ont comblé la mesure de leurs crimes ne soient privés de la grâce. Et cependant les préceptes ne laissent pas des les obliger en cet état, quoiqu'ils ne leur soient pas possibles de ce plein pouvoir dont il s'agit.

Et c'est pourquoi le Concile continue ainsi : *Mais Dieu, en les imposant, avertit de faire ce qu'on peut, et de demander ce qu'on ne peut pas.* Donc il commande quelquefois ce qu'on ne peut pas encore. *Et il aide afin qu'on le puisse.* Donc il donne à ceux qui le demandent le secours qu'ils n'avaient pas quand ils ont reçu le commandement. *Et ses préceptes ne sont pas pesants, car ceux qui sont enfants de Dieu, aiment Jésus-Christ; et ceux qui l'aiment, gardent sa parole.*

Que marquent donc toutes ces preuves, sinon que ceux qui ont la charité actuelle peuvent accomplir les préceptes? Car, afin qu'on ne l'entende pas de la charité habituelle, le Concile ajoute immédiatement à ces paroles de l'Ecriture celles-ci qui les expliquent : *Ce qu'à la vérité ils peuvent accomplir par le secours de Dieu.* Par où il joint à la grâce sanctifiante, qui rend les hommes enfants de Dieu, le secours actuel, pour donner le pouvoir d'accomplir les commandements.

Qui doute donc que le Concile ait entendu autre chose sinon que les commandements sont possibles aux justes pourvu que Dieu les secoure, ce qui n'est contesté que par les seuls Luthériens, lesquels seuls il avait alors à combattre?

Ensuite le Concile déclare que les justes ne sont pas toujours exempts de péchés véniels, mais qu'ils ne détruisent pas la justice. Et rapportant plusieurs passages de l'Ecriture qui montrent qu'il n'est pas impossible que les saints aidés par la grâce accomplissent les préceptes, il conclut en cette sorte : *D'où il s'ensuit nécessairement — unde constat — que ceux-là s'opposent à la vérité de la foi qui soutiennent que les justes pèchent en toutes leurs actions.* Sur quoi il est aisé de juger que, puisque le Concile a cru avoir conclu par ces paroles, *Donc les justes ne pèchent pas en toutes leurs actions*, ce qu'il avait proposé par celles-ci : *Les commandements ne sont pas impossibles aux justes*, il n'avait entendu autre chose, sinon qu'il n'est pas impossible qu'ils observent quelquefois les préceptes, et non pas que les justes ont toujours le pouvoir de les observer; puisque autrement il n'aurait ni prouvé, ni conclu ce qu'il avait proposé. Car c'est bien une même chose de dire qu'on ne pèche pas toujours, et, qu'il est possible d'accomplir quelquefois les préceptes; mais ce sont deux choses bien différentes de dire qu'on ne pèche pas toujours, et dire qu'on a toujours le pouvoir d'accomplir les préceptes, ce qui est sans difficulté.

Enfin les trois canons suivants qui ramassent cette doctrine l'éclaircissent entièrement, puisqu'ils ne déclarent pas seulement que les commandements ne sont possibles aux justes qu'avec la grâce, mais qu'ils ne sont possibles qu'avec ce secours spécial.

Canon 18. *Si quelqu'un dit que l'observation des préceptes est impossible à un homme qui est justifié et qui est constitué sous la grâce, Qu'il soit anathème.*

Canon 21. *Si quelqu'un dit que le juste ait le pouvoir de persévérer sans un secours spécial de Dieu, ou qu'il ne le puisse avec ce secours, Qu'il soit anathème.*

Canon 25. *Si quelqu'un dit que le juste pèche en toute bonne œuvre véniellement ou, ce qui est plus insupportable, mortellement, et qu'il mérite la peine éternelle, mais qu'il n'est pas damné par cette seule raison que Dieu ne lui impute pas ses œuvres à damnation, Qu'il soit anathème.*

Par où l'on voit non seulement que ces paroles, *Que les commandements ne sont pas impossibles aux justes*, sont restreintes à cette condition, quand ils sont secourus par la grâce; et qu'elles n'ont que la même force que celles-ci, *Que les justes ne pèchent pas en toutes leurs actions*, Et enfin qu'il s'en faut tant que le pouvoir prochain soit étendu à tous les justes, qu'il est défendu de l'attribuer à ceux qui ne sont pas secourus de ce secours spécial, qui n'est pas commun à tous, comme il a été expliqué.

(*F*os 710-712). Saint Augustin et les Pères qui l'ont suivi n'ont jamais parlé des commandements qu'en disant qu'ils ne sont pas impossibles à la charité, et qu'ils ne nous sont faits que pour nous faire sentir le besoin que nous avons de la charité qui seule les accomplit.

(Aug. *De nat. et grat.*, cap. LXIX et *de Perfect. justit.*, c. V.) *Dieu juste et bon n'a pu commander les choses impossibles; ce qui nous avertit de faire ce qui est facile, et de demander ce qui est difficile. Car toutes choses sont faciles à la charité.* Et ailleurs : *Qui ne sait que ce qui se fait par amour n'est pas difficile? Ceux-là ressentent de la peine à accomplir les préceptes qui s'efforcent de les observer par la crainte; mais la parfaite charité chasse la crainte, et rend le joug du précepte doux; et, bien loin d'accabler par son poids, elle soulève comme si elle nous donnait des ailes. Et cette charité ne vient pas de notre libéral arbitre si la grâce de Jésus-Christ ne nous secourt, parce qu'elle est infuse et mise dans nos cœurs, non par nous-mêmes, mais par le Saint-Esprit. Et l'Ecriture nous avertit que les préceptes ne sont pas difficiles, par cette seule raison qui est afin que l'âme qui les ressent pesants entende qu'elle n'a pas encore reçu les forces par lesquelles il lui soit doux et léger*, etc.

(Fulg. lib, II, *De verit, praedest.*, cap. IV.) *Quand il nous est commandé de vouloir, notre devoir nous est marqué : mais parce que nous ne pouvons pas l'avoir de nous-mêmes, nous sommes avertis de qui nous devons le demander, mais toutefois nous ne pouvons pas faire cette demande, si Dieu n'opère en nous de le vouloir.*

(Prosp. *Epist. ad Demetriad.*) *Les préceptes ne nous sont donnés que par cette seule raison, qui est de nous faire rechercher le secours de celui qui nous commande*, etc.

(Aug. *De nat. et grat.*, cap. XV et XVI.) *Les Pélagiens s'imaginent dire quelque chose d'important, quand ils disent que Dieu ne commanderait pas ce qu'il saurait que l'homme ne pourrait faire. Qui ne sait cela? Mais il commande des choses que nous ne pouvons pas, afin que nous connaissions à qui nous devons le demander.*

(Aug. *De correpț. et grat.*, c. III.) *O homme, reconnais dans le précepte ce que tu dois : dans la correction, que c'est par ton vice que tu ne le fais pas; et dans la prière, d'où tu peux en avoir le pouvoir.*

(Aug. *De perfect. justit. respon. ad ratiocin.*, XI, cap. v.) *Car la Loi commande, afin que l'homme, sentant qu'il manque de force pour l'accomplir, ne s'enfle pas de superbe, mais étant fatigué, recoure à la grâce, et qu'ainsi la Loi l'épouvantant le mène à l'amour de Jésus-Christ.*

(*Aug. De perf. justit.*, c. xx.) Saint Augustin rapportant l'objection de Celestius qui est telle : *Que les commandements ne sont pas impossibles, mais au contraire faciles, comme il paraît par le Deutéronome : « Et Dieu se convertira pour manger avec toi, comme il a fait avec vos pères, si vous entendez la voix du Seigneur votre Dieu, pour garder et faire tous ses commandements et ses justices, et ses commandements qui sont écrits dans le livre de cette Loi : Si tu te convertis au Seigneur ton Dieu de tout ton cœur et de toute ton âme. Car ce commandement que je te donne aujourd'hui n'est point pesant, ni loin de toi. Il n'est point au ciel afin que tu dises : Qui montera au ciel et nous l'ira quérir, afin que nous le fassions. Il n'est point au-delà de la mer afin que tu dises : Qui la passera pour nous l'apporter? car la parole est contre toi et dans ta bouche pour la faire, dans ton cœur et dans tes mains. » Ainsi le Seigneur dit dans l'Evangile : « Venez à moi, vous tous qui êtes chargés, et je vous soulagerai. Prenez mon joug sur vous et apprenez de moi que je suis doux et humble de cœur, et vous trouverez repos à vos âmes, car mon joug est doux et ma charge légère. » Ainsi dans l'Epître de saint Jean : « C'est la charité de Dieu que vous gardiez ses commandements et ses commandements ne sont point pesants. »* Sur quoi saint Augustin répond de la sorte : *Après avoir entendu ces témoignages légitimes, évangéliques et apostoliques, soyons-en édifiés pour la grâce, laquelle n'entendent pas ceux qui, ignorant la justice de Dieu et voulant établir la leur, n'ont point été soumis à la justice de Dieu. Car s'ils n'entendent point ce qui est dit dans le Deutéronome, comme l'apôtre saint Paul a dit, afin qu'on croie de cœur à la justice et qu'on le confesse de bouche pour être sauvé, parce qu'il n'est pas besoin de médecin à ceux qui sont saints, mais aux malades. Au moins ils doivent être avertis par ce passage de saint Jean qu'il a cité le dernier, que les commandements de Dieu ne sont point difficiles et pesants à la charité de Dieu, laquelle n'est répandue dans le cœur que par le Saint-Esprit.*

Il serait inutile d'en rapporter plus de passages. Il ne faut qu'avoir une légère teinture des principes de ce Père pour savoir que, quand il dit que les commandements ne sont pas impossibles, il l'entend en ce sens, savoir qu'ils ne sont pas impossibles à la charité, laquelle peut être répandue dans le cœur par le Saint-Esprit : au lieu que ses adversaires prétendaient qu'ils n'étaient pas impossibles à l'homme en cet autre sens, savoir qu'il avait toujours la force pour les accomplir, ou d'en demander le moyen à l'instant futur.

Je crois que cela suffit pour vous faire voir que le Concile a établi la possibilité des commandements en ce sens seul, qu'ils ne sont pas impossibles à la charité, puisque cela paraît et par les propres termes du Concile, et par sa preuve, et par sa conclusion, et par ses canons, et par le sens que saint Augustin lui-même donne à ses propres paroles que le Concile n'a empruntées que dans ce même sens. Il reste maintenant à examiner quel est le sens du Concile touchant la possibilité des commandements pour l'avenir, et quel est celui du reste des Pélagiens sur ce sujet.

Il suffirait, pour n'en dire que ce qui est nécessaire, de citer le canon 22 du Concile qui déclare anathème celui qui dit que le juste peut persévérer sans un secours spécial de Dieu; mais parce que je veux traiter cette matière en sorte qu'il ne vous en reste plus jamais aucun scrupule, je m'y étendrai davantage.

Remarquez donc que toutes ces questions ne sont qu'une même : Si les justes, au premier instant de la justice, ont le pouvoir prochain d'accomplir les préceptes dans l'instant suivant. Si tous les justes, dans le premier instant de leur justice, ont le pouvoir prochain d'y persévérer (car accomplir les commandements à l'avenir et persévérer n'est qu'une même chose).

Cette question est encore pareille : Si les justes ont, pendant qu'ils sont justes, le pouvoir de persévérer dans la prière, et dans le désir, seulement dans l'instant prochain (car, s'ils ont le pouvoir de persévérer dans la demande de la justice, ils ont aussi celui de persévérer dans la justice même, puisqu'il est infaillible par les promesses de l'Evangile qu'ils obtiennent ce qu'ils demandent par la grâce, et, comme une de ces propositions est condamnée d'anathème par le Concile, il est visible que l'autre l'est aussi).

Cette question aussi n'est point différente des précédentes : Si Dieu ne laisse jamais un juste sans la grâce nécessaire pour prier dans l'instant suivant, sans que ce juste ait auparavant laissé Dieu par quelque péché, pour le moins véniel?

Car si Dieu ne refuse jamais cette grâce de prier dans l'instant suivant, aux justes qui n'ont pas encore péché, il est visible qu'on peut dire de chaque juste qu'il est en son pouvoir de persévérer à prier, puisque Dieu lui donne toujours la grâce prochainement suffisante pour la prière future, et partant, par les promesses de l'Evangiie, il obtiendra toujours l'effet de sa prière. Donc, le pouvoir de persévérer dans la prière, enfermant le pouvoir de persévérer dans la justice, chaque juste a le pouvoir de persévérer dans la justice sans un secours spécial, mais par un secours commun à tous les justes, ce qui est directement contre le Concile. Et qu'on ne prétende pas s'échapper en disant qu'il est moralement impossible que le juste persévère sans péché véniel et qu'ainsi il perdra ce pouvoir en péchant véniellement, et par conséquent qu'il ne persévérera pas sans un secours spécial. Cette défaite est inutile, car le Concile condamne d'anathème ceux non seulement qui disent que le juste persévère dans la justice sans un secours spécial, mais même ceux qui disent que le juste a le pouvoir de persévérer dans la justice sans un secours spécial. Et par conséquent le Concile a aussi condamné d'anathème cette dernière proposition.

(*F*° 661.) Concluons donc de ces décisions toutes saintes : que Dieu par sa miséricorde donne quand il lui plaît, aux justes, le pouvoir plein et parfait d'accomplir les préceptes, et qu'il ne le donne pas toujours, par un jugement juste quoique caché.

Apprenons par cette doctrine si pure à dèfendre tout ensemble la puissance de la nature contre les Luthériens, et l'impuissance de la nature contre les Pélagiens; la force de la grâce contre les Luthériens, et la nécessité de la grâce contre les Pélagiens, sans ruiner le libre arbitre par la grâce, comme les Luthériens, et sans ruiner la grâce par le libre arbitre, comme les Pélagiens.

Et ne pensons pas qu'il suffise de fuir une de ces erreurs pour être dans la vérité.

RÉFLEXIONS SUR LA GÉOMÉTRIE EN GÉNÉRAL

DE L'ESPRIT GÉOMÉTRIQUE ET DE L'ART DE PERSUADER

Ces deux opuscules nous sont connus grâce au manuscrit de Louis Périer dont une copie est venue jusqu'à nous. Celui-ci les avait communiqués à dom Antoine Augustin Touttée, religieux bénédictin à Saint-Denis qui, en les lui retournant, le 12 *juin* 1711, *lui fait part de son opinion à leur sujet.*
Du premier écrit, De l'esprit géométrique, *le P. Desmolets* (1728) *a publié deux courts extraits. Ensuite Condorcet* (1776) *en a donné à peu près la moitié; Bossut* (1779) *le compléta en négligeant quelques lignes et des notes que Faugère* (1844) *a finalement fait connaître. Il s'agit là peut-être d'une préface à des* Eléments de géométrie *que Pascal avait rédigés, à la demande d'Arnauld pour les Petites Ecoles de Port-Royal. Arnauld, en ayant trouvé la rédaction confuse, les rédigea lui-même, en* 1667 *(A. Arnauld,* Œuvres, *Paris et Lausanne,* 1780, *in* 4°, *t.* 41, *préface historique, IV,* Des éléments de géométrie).
Le second écrit, De l'art de persuader, *a été publié à peu près intégralement par le P. Desmolets* (1728). *Condorcet* (1776) *l'a reproduit en partie et Faugère l'a donné* (1844) *en suivant la* Copie du manuscrit Périer. *Dans* la Logique, ou l'Art de penser, *ouvrage dû à la collaboration d'Arnauld et de Nicole, dont la première édition a paru en* 1662, *peu après la mort de Pascal, il est mentionné dans le* Premier Discours *de l'introduction que « celui qui a travaillé à cet ouvrage » a tiré quelques réflexions nouvelles « d'un petit écrit non imprimé qui avait été fait par feu M. Pascal ».*
C'est à tort que divers commentateurs ont indiqué 1659 *comme date de rédaction de ces écrits. Au cours de* 1659, *ainsi que nous l'apprend une lettre du* 22 *septembre de Ch. Bellair à Huyghens, Pascal était dans l'impossibilité « de s'appliquer à tout ce qui a besoin de quelque contention d'esprit ». D'autre part, dans sa lettre à Fermat du* 10 *août* 1660, *Pascal, parlant de la géométrie, écrit : « Je suis dans des études si éloignées de cet esprit-là, qu'à peine me souviens-je qu'il y en ait... » Ces deux opuscules ont donc été rédigés au plus tard en* 1657-1658.

On peut avoir trois principaux objets dans l'étude de la vérité : l'un, de la découvrir quand on la cherche; l'autre, de la démontrer quand on la possède; le dernier, de la discerner d'avec le faux quand on l'examine.

Je ne parle point du premier : je traite particulièrement du second, et il enferme le troisième. Car, si l'on sait la méthode de prouver la vérité, on aura en même temps celle de la discerner, puisqu'en examinant si la preuve qu'on en donne est conforme aux règles qu'on connaît, on saura si elle est exactement démontrée.

La géométrie, qui excelle en ces trois genres, a expliqué l'art de découvrir les vérités inconnues; et c'est ce qu'elle appelle analyse, et dont il serait inutile de discourir après tant d'excellents ouvrages qui ont été faits.

Celui de démontrer les vérités déjà trouvées, et de les éclaircir de telle sorte que la preuve en soit invincible, est le seul que je veux donner; et je n'ai pour cela qu'à expliquer la méthode que la géométrie y observe : car elle l'enseigne parfaitement [par ses exemples, quoiqu'elle n'en produise aucun discours. Et parce que cet art consiste en deux choses principales, l'une de prouver chaque proposition en particulier, l'autre de disposer toutes les propositions dans le meilleur ordre, j'en ferai deux sections, dont l'une contiendra les règles de la conduite des démonstrations géométriques, c'est-à-dire méthodiques et parfaites, et la seconde comprendra celles de l'ordre géométrique, c'est-à-dire méthodique et accompli : de sorte que les deux ensemble enfermeront tout ce qui sera nécessaire pour la conduite du raisonnement à prouver et discerner les vérités, lesquelles j'ai dessein de donner entières.

SECTION I

DE LA MÉTHODE DES DÉMONSTRATIONS GÉOMÉTRIQUES, C'EST-A-DIRE MÉTHODIQUES ET PARFAITES

Je ne puis faire mieux entendre la conduite qu'on doit garder pour rendre les démonstrations convaincantes, qu'en expliquant celle que la géométrie observe, et je ne le puis faire parfaitement sans donner auparavant l'idée d'une méthode encore plus éminente et plus accomplie, mais où les hommes ne sauraient jamais arriver : car ce qui passe la géométrie nous surpasse; et néanmoins il est nécessaire d'en dire quelque chose, quoiqu'il soit impossible de le pratiquer, et bien plus de réussir à l'une qu'à l'autre.

Et je n'ai choisi cette science pour y arriver que parce qu'elle seule sait les véritables règles du raisonnement, et, sans s'arrêter aux règles des syllogismes qui sont tellement naturelles qu'on ne peut les ignorer, s'arrête et se fonde sur la véritable méthode de conduire le raisonnement en toutes choses, que presque tout le monde ignore, et qu'il est si avantageux de savoir, que nous voyons par expérience qu'entre esprits égaux et toutes choses pareilles, celui qui a de la géométrie l'emporte et acquiert une vigueur toute nouvelle.

Je veux donc faire entendre ce que c'est que démonstration par l'exemple de celles de géométrie, qui est presque la seule des sciences humaines qui en produise d'infaillibles, parce qu'elle seule observe la véritable méthode, au lieu que toutes les autres sont par une nécessité naturelle dans quelque sorte de confusion que les seuls géomètres savent extrêmement reconnaître.]

Cette véritable méthode, qui formerait les démonstrations dans la plus haute excellence, s'il était possible d'y arriver, consisterait en deux choses principales : l'une, de n'employer aucun terme dont on n'eût auparavant expliqué nettement le sens; l'autre, de n'avancer jamais aucune proposition qu'on ne démontrât par des vérités déjà connues; c'est-à-dire, en un mot, à définir tous les termes et à prouver toutes les propositions. Mais, pour suivre l'ordre même que j'explique, il faut que je déclare ce que j'entends par définition.

On ne reconnaît en géométrie que les seuls définitions que les logiciens appellent définitions de nom, c'est-à-dire que les seules impositions de nom aux choses qu'on a clairement désignées en termes parfaitement connus; et je ne parle que de celles-là seulement.

Leur utilité et leur usage est d'éclaircir et d'abréger le discours, en exprimant, par le seul nom qu'on impose, ce qui ne pourrait se dire qu'en plusieurs termes; en sorte néanmoins que le nom imposé demeure dénué de tout autre sens, s'il en a, pour n'avoir plus que celui auquel on le destine uniquement. En voici un exemple : si l'on a besoin de distinguer dans les nombres ceux qui sont divisibles en deux également d'avec ceux qui ne le sont pas, pour éviter de répéter souvent cette condition on lui donne un nom en cette sorte : j'appelle tout nombre divisible en deux également, nombre pair.

Voilà une définition géométrique : parce qu'après avoir clairement désigné une chose, savoir tout nombre divisible en deux également, on lui donne un nom que l'on destitue de tout autre sens, s'il en a, pour lui donner celui de la chose désignée.

D'où il paraît que les définitions sont très libres, et qu'elles ne sont jamais sujettes à être contredites; car il n'y a rien de plus permis que de donner à une chose qu'on a clairement désignée un nom tel qu'on voudra. Il faut seulement prendre garde qu'on n'abuse de la liberté qu'on a d'imposer des noms, en donnant le même à deux choses différentes.

Ce n'est pas que cela ne soit permis, pourvu qu'on n'en confonde pas les conséquences, et qu'on ne les étende pas de l'une à l'autre.

Mais si l'on tombe dans ce vice, on peut lui opposer un remède très sûr et très infaillible; c'est de substituer mentalement la définition à la place du défini, et d'avoir toujours la définition si présente, que toutes les fois qu'on parle par exemple, de nombre pair, on entende précisément que c'est celui qui est divisible en deux parties égales, et que ces deux choses soient tellement jointes et inséparables dans la pensée, qu'aussitôt que le discours en exprime l'une, l'esprit y attache immédiatement l'autre.

Car les géomètres et tous ceux qui agissent méthodiquement, n'imposent des noms aux choses que pour abréger le discours, et non pour diminuer ou changer l'idée des choses dont ils discourent. Car ils prétendent que l'esprit supplée toujours la définition entière aux termes courts, qu'ils n'emploient que pour éviter la confusion que la multitude des paroles apporte.

Rien n'éloigne plus promptement et plus puissamment les surprises captieuses des sophistes que cette méthode, qu'il faut avoir toujours présente, et qui suffit seule pour bannir toutes sortes de difficultés et d'équivoques.

Ces choses étant bien entendues, je reviens à l'explication du véritable ordre, qui consiste, comme je disais, à tout définir et à tout prouver.

Certainement cette méthode serait belle, mais elle est absolument impossible : car il est évident que les premiers termes qu'on voudrait définir, en supposeraient de précédents pour servir à leur explication, et que de même les premières propositions qu'on voudrait prouver en supposeraient d'autres qui les précédassent; et ainsi il est clair qu'on n'arriverait jamais aux premières.

Aussi, en poussant les recherches de plus en plus, on arrive nécessairement à des mots primitifs qu'on ne peut plus définir, et à des principes si clairs qu'on n'en trouve plus qui le soient davantage pour servir à leur preuve.

D'où il paraît que les hommes sont dans une impuissance naturelle et immuable de traiter quelque science que ce soit, dans un ordre absolument accompli.

Mais il ne s'ensuit pas de là qu'on doive abandonner toute sorte d'ordre.

Car il y en a un, et c'est celui de la géométrie, qui est à la vérité inférieur en ce qu'il est moins convaincant, mais non pas en ce qu'il est moins certain. Il ne définit pas tout et ne prouve pas tout, et c'est en cela qu'il lui cède; mais il ne suppose que des choses claires et constantes par la lumière naturelle, et c'est pourquoi il est parfaitement véritable, la nature le soutenant au défaut du discours. Cet ordre, le plus parfait entre les hommes, consiste non pas à tout définir ou à tout démontrer, ni aussi à ne rien définir ou à ne rien démontrer, mais à se tenir dans ce milieu de ne point définir les choses claires et entendues de tous les hommes, et de définir toutes les autres; et de ne point prouver toutes les choses connues des hommes, et de prouver toutes les autres. Contre cet ordre pèchent également ceux qui entreprennent de tout définir et de tout prouver et ceux qui négligent de le faire dans les choses qui ne sont pas évidentes d'elles-mêmes.

C'est ce que la géométrie enseigne parfaitement. Elle ne définit aucune de ces choses, espace, temps, mouvement, nombre, égalité, ni les semblables qui sont en grand nombre, parce que ces termes-là désignent si naturellement les choses qu'ils signifient, à ceux qui entendent la langue, que l'éclaircissement qu'on en voudrait faire apporterait plus d'obscurité que d'instruction.

Car il n'y a rien de plus faible que le discours de ceux qui veulent définir ces mots primitifs. Quelle nécessité y a-t-il d'expliquer ce qu'on entend par le mot *homme?* Ne sait-on pas assez quelle est la chose qu'on veut désigner par ce terme? Et quel avantage pensait nous procurer Platon, en disant que c'était un animal à deux jambes sans plumes? Comme si l'idée que j'en ai naturellement, et que je ne puis exprimer, n'était pas plus nette et plus sûre que celle qu'il me donne par son explication inutile et même ridicule; puisqu'un homme ne perd pas l'humanité en perdant les deux jambes, et qu'un chapon ne l'acquiert pas en perdant ses plumes.

Il y en a qui vont jusqu'à cette absurdité d'expliquer un mot par le mot même. J'en sais qui ont défini la lumière en cette sorte : « La lumière est un mouvement luminaire des corps lumineux »; comme si on pouvait entendre les mots de luminaire et de lumineux sans celui de lumière.

On ne peut entreprendre de définir l'être sans tomber dans cette absurdité : car on ne peut définir un mot sans commencer par celui-ci, *c'est*, soit qu'on l'exprime ou qu'on le sous-entende. Donc pour définir l'être, il faudrait dire *c'est*, et ainsi employer le mot défini dans la définition.

On voit assez de là qu'il y a des mots incapables d'être définis; et si la nature n'avait suppléé à ce défaut par une idée pareille qu'elle a donnée à tous les hommes, toutes nos expressions seraient confuses; au lieu qu'on en use avec la même assurance et la même certitude que s'ils étaient expliqués d'une manière parfaitement exempte d'équivoques; parce que la nature nous en a elle-même donné, sans paroles, une intelligence plus nette que celle que l'art nous acquiert par nos explications.

Ce n'est pas que tous les hommes aient la même idée de l'essence des choses que je dis qu'il est impossible et inutile de définir.

Car, par exemple, le temps est de cette sorte. Qui le pourra définir? Et pourquoi l'entreprendre, puisque tous les hommes conçoivent ce qu'on veut dire en parlant de temps, sans qu'on le désigne davantage? Cependant il y a bien de différentes opinions touchant l'essence du temps. Les uns disent que c'est le mouvement d'une chose créée; les autres, la mesure du mouvement, etc. Aussi ce n'est pas la nature de ces choses que je dis qui est connue de tous: ce n'est simplement que le rapport entre le nom et la chose; en sorte qu'à cette expression, *temps*, tous portent la pensée vers le même objet : ce qui suffit pour faire que ce terme n'ait pas besoin d'être défini, quoique ensuite, en examinant ce que c'est que le temps, on vienne à différer de sentiment après s'être mis à y penser; car les définitions ne sont faites que pour désigner les choses que l'on nomme, et non pas pour en montrer la nature.

Ce n'est pas qu'il ne soit permis d'appeler du nom de temps le mouvement d'une chose créée; car, comme j'ai dit tantôt, rien n'est plus libre que les définitions.

Mais, en suite de cette définition, il y aura deux choses qu'on appellera du nom de temps : l'une est celle que tout le monde entend naturellement par ce mot, et que tous ceux qui parlent notre langue nomment par ce terme; l'autre sera le mouvement d'une chose créée, car on l'appellera aussi de ce nom suivant cette nouvelle définition.

Il faudra donc éviter les équivoques, et ne pas confondre les conséquences. Car il ne s'ensuivra pas de là que la chose qu'on entend naturellement par le mot de temps soit en effet le mouvement d'une chose créée. Il a été libre de nommer ces deux choses de même; mais il ne le sera pas de les faire convenir de nature aussi bien que de nom.

Ainsi, si l'on avance ce discours : « Le temps est le mouvement d'une chose créée », il faut demander ce qu'on entend par ce mot de temps, c'est-à-dire si on lui laisse le sens ordinaire et reçu de tous, ou si on l'en dépouille pour lui donner en cette occasion celui de mouvement d'une chose créée. Que si on le destitue de tout autre sens, on ne peut contredire, et ce sera une définition libre, en suite de laquelle, comme j'ai dit, il y aura deux choses qui auront ce même nom. Mais si on lui laisse son sens ordinaire, et qu'on prétende néanmoins que ce qu'on entend par ce mot soit le mouvement d'une chose créée, on peut contredire. Ce n'est plus une définition libre, c'est une proposition qu'il faut prouver, si ce n'est qu'elle soit très évidente d'elle-même; et alors ce sera un principe et un axiome, mais jamais une définition, parce que dans cette énonciation on n'entend pas que le mot de temps signifie la même chose que ceux-ci : le mouvement d'une chose créée; mais on entend que ce que l'on conçoit par le terme de temps soit ce mouvement supposé.

Si je ne savais combien il est nécessaire d'entendre ceci parfaitement, et combien il arrive à toute heure, dans les discours familiers et dans les discours de science, des occasions pareilles à celle-ci que j'ai donnée en exemple, je ne m'y serais pas arrêté. Mais il me semble, par l'expérience que j'ai de la confusion des disputes, qu'on ne peut trop entrer dans cet esprit de netteté, pour lequel je fais tout ce traité, plus que pour le sujet que j'y traite.

Car combien y a-t-il de personnes qui croient avoir défini le temps quand ils ont dit que c'est la mesure du mouvement, en lui laissant cependant son sens ordinaire! Et néanmoins ils ont fait une proposition, et non pas une définition. Combien y en a-t-il de même qui croient avoir défini le mouvement quand ils ont dit : *Motus nec simpliciter actus nec mera potentia est, sed actus entis in potentia.* Et cependant, s'ils laissent au mot de mouvement son sens ordinaire comme ils font, ce n'est pas une définition, mais une proposition; et confondant ainsi les définitions qu'ils appellent définitions de nom, qui sont les véritables définitions libres, permises et géométriques, avec celles qu'ils appellent définitions de chose, qui sont proprement des propositions nullement libres, mais sujettes à contradiction, ils s'y donnent la liberté d'en former aussi bien que des autres; et chacun définissant les mêmes choses à sa manière, par une liberté qui est aussi défendue dans ces sortes de définitions que permise dans les premières, ils embrouillent toutes choses et, perdant tout ordre et toute lumière, ils se perdent eux-mêmes et s'égarent dans des embarras inexplicables.

On n'y tombera jamais en suivant l'ordre de la géométrie. Cette judicieuse science est bien éloignée de définir ces mots primitifs, espace, temps, mouvement, égalité, majorité, diminution, tout, et les autres que le monde entend de soi-même. Mais, hors ceux-là, le reste des termes qu'elle emploie y sont tellement éclaircis et définis, qu'on n'a pas besoin de dictionnaire pour en entendre aucun; de sorte qu'en un mot tous ces termes sont parfaitement intelligibles, ou par la lumière naturelle ou par les définitions qu'elle en donne.

Voilà de quelle sorte elle évite tous les vices qui se peuvent rencontrer dans le premier point, lequel consiste à définir les seules choses qui en ont besoin. Elle en use de même à l'égard de l'autre point, qui consiste à prouver les propositions qui ne sont pas évidentes.

Car, quand elle est arrivée aux premières vérités connues, elle s'arrête là et demande qu'on les accorde, n'ayant rien de plus clair pour les prouver : de sorte que tout ce que la géométrie propose est parfaitement démontré, ou par la lumière naturelle, ou par les preuves.

De là vient que si cette science ne définit pas et ne démontre pas toutes choses, c'est par cette seule raison que cela nous est impossible. Mais comme la nature fournit tout ce que cette science ne donne pas, son ordre à la vérité ne donne pas une perfection plus qu'humaine, mais il a toute celle où les hommes peuvent arriver. Il m'a semblé à propos de donner dès l'entrée de ce discours cette...

On trouvera peut-être étrange que la géométrie ne puisse définir aucune des choses qu'elle a pour principaux objets : car elle ne peut définir ni le mouvement, ni les nombres, ni l'espace; et cependant ces trois choses sont celles qu'elle considère particulièrement et selon la recherche desquelles elle prend ces trois différents noms de mécanique, d'arithmétique, de géométrie, ce dernier mot appartenant au genre et à l'espèce.

Mais on n'en sera pas surpris, si l'on remarque que cette admirable science ne s'attachant qu'aux choses les plus simples, cette même qualité qui les rend dignes d'être ses objets, les rend incapables d'être définies; de sorte que le manque de définition est plutôt une perfection qu'un défaut, parce qu'il ne vient pas de leur obscurité, mais au contraire de leur extrême évidence, qui est telle qu'encore qu'elle n'ait pas la conviction des démonstrations, elle en a toute la certitude. Elle suppose donc que l'on sait quelle est la chose qu'on entend par ces mots : mouvement, nombre, espace; et, sans s'arrêter à les définir inutilement, elle en pénètre la nature, et en découvre les merveilleuses propriétés.

Ces trois choses, qui comprennent tout l'univers, selon ces paroles : *Deus fecit omnia in pondere, in numero, et mensura* [Sap. XI, 21], ont une liaison réciproque et nécessaire. Car on ne peut imaginer de mouvement sans quelque chose qui se meuve; et cette chose étant une, cette unité est l'origine de tous les nombres; enfin le mouvement ne pouvant être sans espace, on voit ces trois choses enfermées dans la première.

Le temps même y est aussi compris : car le mouvement et le temps sont relatifs l'un à l'autre; la promptitude et la lenteur, qui sont les différences des mouvements, ayant un rapport nécessaire avec le temps.

Ainsi il y a des propriétés communes à toutes ces choses, dont la connaissance ouvre l'esprit aux plus grandes merveilles de la nature.

La principale comprend les deux infinités qui se rencontrent dans toutes : l'une de grandeur et l'autre de petitesse.

Car quelque prompt que soit un mouvement,

on peut en concevoir un qui le soit davantage, et hâter encore ce dernier; et ainsi toujours à l'infini, sans jamais arriver à un qui le soit de telle sorte qu'on ne puisse plus y ajouter. Et au contraire, quelque lent que soit un mouvement, on peut le retarder davantage, et encore ce dernier; et ainsi à l'infini, sans jamais arriver à un tel degré de lenteur qu'on ne puisse encore en descendre à une infinité d'autres sans tomber dans le repos.

De même, quelque grand que soit un nombre, on peut en concevoir un plus grand, et encore un qui surpasse le dernier; et ainsi à l'infini, sans jamais arriver à un qui ne puisse plus être augmenté. Et au contraire, quelque petit que soit un nombre, comme la centième ou la dix millième partie, on peut en concevoir un moindre, et toujours à l'infini, sans arriver au zéro ou néant.

De même quelque grand que soit un espace, on peut en concevoir un plus grand, et encore un qui le soit davantage; et ainsi à l'infini, sans jamais arriver à un qui ne puisse plus être augmenté. Et au contraire quelque petit que soit un espace, on peut encore en considérer un moindre, et toujours à l'infini, sans jamais arriver à un indivisible qui n'ait plus aucune étendue.

Il en est de même du temps. On peut toujours en concevoir un plus grand sans dernier, et un moindre, sans arriver à un instant et à un pur néant de durée.

C'est-à-dire, en un mot, que quelque mouvement, quelque nombre, quelque espace, quelque temps que ce soit, il y en a toujours un plus grand et un moindre : de sorte qu'ils se soutiennent tous entre le néant et l'infini, étant toujours infiniment éloignés de ces extrêmes.

Toutes ces vérités ne se peuvent démontrer, et cependant ce sont les fondements et les principes de la géométrie. Mais comme la cause qui les rend incapables de démonstration n'est pas leur obscurité, mais au contraire leur extrême évidence, ce manque de preuve n'est pas un défaut, mais plutôt une perfection.

D'où l'on voit que la géométrie ne peut définir les objets ni prouver les principes; mais par cette seule et avantageuse raison, que les uns et les autres sont dans une extrême clarté naturelle, qui convainc la raison plus puissamment que le discours.

Car qu'y a-t-il de plus évident que cette vérité, qu'un nombre, tel qu'il soit, peut être augmenté? ne peut-on pas le doubler? Que la promptitude d'un mouvement peut être doublée, et qu'un espace peut être doublé de même?

Et qui peut aussi douter qu'un nombre, tel qu'il soit, ne puisse être divisé par la moitié, et sa moitié encore par la moitié? Car cette moitié serait-elle un néant? et comment ces deux moitiés, qui seraient deux zéros, feraient-elles un nombre?

De même, un mouvement, quelque lent qu'il soit, ne peut-il pas être ralenti de moitié, en sorte qu'il parcoure le même espace dans le double du temps, et ce dernier mouvement encore? Car serait-ce un pur repos? et comment se pourrait-il que ces deux moitiés de vitesse, qui seraient deux repos, fissent la première vitesse?

Ainsi un espace, quelque petit qu'il soit, ne peut-il pas être divisé en deux, et ces moitiés encore? Et comment pourrait-il se faire que ces moitiés fussent indivisibles sans aucune étendue, elles qui, jointes ensemble, ont fait la première étendue?

Il n'y a point de connaissance naturelle dans l'homme qui précède celles-là, et qui les surpasse en clarté. Néanmoins, afin qu'il y ait exemple de tout, on trouve des esprits, excellents en toutes autres choses, que ces infinités choquent, et qui n'y peuvent en aucune sorte consentir.

Je n'ai jamais connu personne qui ait pensé qu'un espace ne puisse être augmenté. Mais j'en ai vu quelques-uns, très habiles d'ailleurs, qui ont assuré qu'un espace pouvait être divisé en deux parties indivisibles, quelque absurdité qu'il s'y rencontre.

Je me suis attaché à rechercher en eux quelle pouvait être la cause de cette obscurité, et j'ai trouvé qu'il n'y en avait qu'une principale, qui est qu'ils ne sauraient concevoir un contenu divisible à l'infini : d'où ils concluent qu'il n'y est pas divisible.

C'est une maladie naturelle à l'homme de croire qu'il possède la vérité directement; et de là vient qu'il est toujours disposé à nier tout ce qui lui est incompréhensible; au lieu qu'en effet il ne connaît naturellement que le mensonge, et qu'il ne doit prendre pour véritables que les choses dont le contraire lui paraît faux.

Et c'est pourquoi, toutes les fois qu'une proposition est inconcevable, il faut en suspendre le jugement et ne pas la nier à cette marque, mais en examiner le contraire; et si on le trouve manifestement faux, on peut hardiment affirmer la première, tout incompréhensible qu'elle est. Appliquons cette règle à notre sujet.

Il n'y a point de géomètre qui ne croie l'espace divisible à l'infini. On ne peut non plus l'être sans ce principe qu'être homme sans âme. Et néanmoins il n'y en a point qui comprennent une division infinie; et l'on ne s'assure de cette vérité que par cette seule raison, mais qui est certainement suffisante, qu'on comprend parfaitement qu'il est faux qu'en divisant un espace on puisse arriver à une partie indivisible, c'est-à-dire qui n'ait aucune étendue.

Car qu'y a-t-il de plus absurde que de prétendre qu'en divisant toujours un espace on arrive enfin à une division telle qu'en la divisant en deux chacune des moitiés reste indivisible et sans aucune étendue, et qu'ainsi ces deux néants d'étendue fissent ensemble une étendue? Car je voudrais demander à ceux qui ont cette idée, s'ils conçoivent nettement que deux indivisibles se touchent : si c'est partout, ils ne sont qu'une même chose, et partant les deux ensemble sont indivisibles; et si ce n'est pas partout, ce n'est donc qu'en une partie : donc ils ont des parties, donc ils ne sont pas indivisibles.

Que s'ils confessent, comme en effet ils l'avouent

quand on les presse, que leur proposition est aussi inconcevable que l'autre, qu'ils reconnaissent que ce n'est pas par notre capacité à concevoir ces choses que nous devons juger de leur vérité, puisque ces deux contraires étant tous deux inconcevables, il est néanmoins nécessairement certain que l'un des deux est véritable.

Mais qu'à ces difficultés chimériques, et qui n'ont de proportion qu'à notre faiblesse, ils opposent ces clartés naturelles et ces vérités solides : s'il était véritable que l'espace fût composé d'un certain nombre fini d'indivisibles, il s'ensuivrait que deux espaces, dont chacun serait carré, c'est-à-dire égal et pareil de tous côtés, étant doubles l'un de l'autre, l'un contiendrait un nombre de ces indivisibles double du nombre des indivisibles de l'autre. Qu'ils retiennent bien cette conséquence, et qu'ils s'exercent ensuite à ranger des points en carrés jusqu'à ce qu'ils en aient rencontré deux dont l'un ait le double des points de l'autre, et alors je leur ferai céder tout ce qu'il y a de géomètres au monde. Mais si la chose est naturellement impossible, c'est-à-dire s'il y a impossibilité invincible à ranger des carrés de points, dont l'un en ait le double de l'autre, comme je le démontrerais en ce lieu-là même si la chose méritait qu'on s'y arrêtât, qu'ils en tirent la conséquence.

Et pour les soulager dans les peines qu'ils auraient en de certaines rencontres, comme à concevoir qu'un espace ait une infinité de divisibles, vu qu'on les parcourt en si peu de temps, pendant lequel on aurait parcouru cette infinité de divisibles, il faut les avertir qu'ils ne doivent pas comparer des choses aussi disproportionnées qu'est l'infinité des divisibles avec le peu de temps où ils sont parcourus : mais qu'ils comparent l'espace entier avec le temps entier, et les infinis divisibles de l'espace avec les infinis instants de ce temps; et ainsi ils trouveront que l'on parcourt une infinité de divisibles en une infinité d'instants, et un petit espace en un petit temps; en quoi ils ne trouvent plus la disproportion qui les avait étonnés.

Enfin, s'ils trouvent étrange qu'un petit espace ait autant de parties qu'un grand, qu'ils entendent aussi qu'elles sont plus petites à mesure, et qu'ils regardent le firmament au travers d'un petit verre, pour se familiariser avec cette connaissance, en voyant chaque partie du ciel en chaque partie du verre.

Mais s'ils ne peuvent comprendre que des parties si petites, qu'elles nous sont imperceptibles, puissent être autant divisées que le firmament, il n'y a pas de meilleur remède que de les leur faire regarder avec des lunettes qui grossissent cette pointe délicate jusqu'à une prodigieuse masse; d'où ils concevront aisément que, par le secours d'un autre verre encore plus artistement taillé, on pourrait les grossir jusqu'à égaler ce firmament dont ils admirent l'étendue. Et ainsi ces objets leur paraissant maintenant très facilement divisibles, qu'ils se souviennent que la nature peut infiniment plus que l'art.

Car enfin qui les a assurés que ces verres auront changé la grandeur naturelle de ces objets, ou s'ils auront au contraire rétabli la véritable, que la figure de notre œil avait changée et raccourcie, comme font les lunettes qui amoindrissent?

Il est fâcheux de s'arrêter à ces bagatelles; mais il y a des temps de niaiser.

Il suffit de dire à des esprits clairs en cette matière que deux néants d'étendue ne peuvent pas faire une étendue. Mais parce qu'il y en a qui prétendent s'échapper à cette lumière par cette merveilleuse réponse, que deux néants d'étendue peuvent aussi bien faire une étendue que deux unités dont aucune n'est nombre font un nombre par leur assemblage; il faut leur repartir qu'ils pourraient opposer, de la même sorte, que vingt mille hommes font une armée, quoique aucun d'eux ne soit armée; que mille maisons font une ville, quoique aucune ne soit ville; ou que les parties font le tout, quoique aucune ne soit le tout, ou, pour demeurer dans la comparaison des nombres, que deux binaires font le quaternaire, et dix dizaines une centaine, quoique aucun ne le soit.

Mais ce n'est pas avoir l'esprit juste que de confondre par des comparaisons si inégales la nature immuable des choses avec leurs noms libres et volontaires, et dépendant du caprice des hommes qui les ont composés. Car il est clair que pour faciliter les discours on a donné le nom d'armée à vingt mille hommes, celui de ville à plusieurs maisons, celui de dizaine à dix unités; et que de cette liberté naissent les noms d'unité, binaire, quaternaire, dizaine, centaine, différents par nos fantaisies quoique ces choses soient en effet de même genre par leur nature invariable, et qu'elles soient toutes proportionnées entre elles et ne diffèrent que du plus ou du moins, et quoique, en suite de ces noms, le binaire ne soit pas quaternaire, ni une maison une ville, non plus qu'une ville n'est pas une maison. Mais encore, quoiqu'une maison ne soit pas une ville, elle n'est pas néanmoins un néant de ville; il y a bien de la différence entre n'être pas une chose et en être un néant.

Car, afin qu'on entende la chose à fond, il faut savoir que la seule raison pour laquelle l'unité n'est pas au rang des nombres est qu'Euclide et les premiers auteurs qui ont traité l'arithmétique, ayant plusieurs propriétés à donner qui convenaient à tous les nombres hormis à l'unité, pour éviter de dire souvent qu'en tout nombre, hors l'unité, telle condition se rencontre, ils ont exclu l'unité de la signification du mot nombre, par la liberté que nous avons déjà dit qu'on a de faire à son gré des définitions. Aussi, s'ils eussent voulu, ils en eussent de même exclu le binaire et le ternaire, et tout ce qu'il leur eût plu; car on en est maître, pourvu qu'on en avertisse : comme au contraire l'unité se met quand on veut au rang des nombres, et les fractions de même. Et, en effet, l'on est obligé de le faire dans les propositions générales, pour éviter de dire à chaque fois : « en tout nombre, et à l'unité et aux fractions, une telle propriété se trouve »; et c'est en ce sens indéfini que je l'ai pris dans tout ce qu'en j'en ai écrit.

Mais le même Euclide qui a ôté à l'unité le nom de nombre, ce qui lui a été permis, pour faire entendre néanmoins qu'elle n'est pas un néant, mais qu'elle est au contraire du même genre, il définit ainsi les grandeurs homogènes : « Les grandeurs, dit-il, sont dites être de même genre, lorsque l'une étant plusieurs fois multipliée peut arriver à surpasser l'autre. » Et par conséquent, puisque l'unité peut, étant multipliée plusieurs fois, surpasser quelque nombre que ce soit, elle est de même genre que les nombres précisément par son essence et par sa nature immuable, dans le sens du même Euclide qui a voulu qu'elle ne fût pas appelée nombre.

Il n'en est pas de même d'un indivisible à l'égard d'une étendue; car non seulement il diffère de nom, ce qui est volontaire, mais il diffère de genre, par la même définition, puisqu'un indivisible multiplié autant de fois qu'on voudra, est si éloigné de pouvoir surpasser une étendue, qu'il ne peut jamais former qu'un seul et unique indivisible; ce qui est naturel et nécessaire, comme il est déjà montré. Et comme cette dernière preuve est fondée sur la définition de ces deux choses, indivisible et étendue, on va achever et consommer la démonstration.

Un indivisible est ce qui n'a aucune partie, et l'étendue est ce qui a diverses parties séparées.

Sur ces définitions, je dis que deux indivisibles étant unis ne font pas une étendue.

Car, quand ils sont unis, ils se touchent chacun en une partie; et ainsi les parties par où ils se touchent ne sont pas séparées, puisque autrement elles ne se toucheraient pas. Or, par leur définition, ils n'ont point d'autres parties : donc ils n'ont pas de parties séparées; donc ils ne sont pas une étendue, par la définition de l'étendue qui porte la séparation des parties.

On montrera la même chose de tous les autres indivisibles qu'on y joindra, par la même raison. Et partant un indivisible, multiplié autant qu'on voudra, ne fera jamais une étendue. Donc il n'est pas de même genre que l'étendue, par la définition des choses du même genre.

Voilà comment on démontre que les indivisibles ne sont pas de même genre que les nombres. De là vient que deux unités peuvent bien faire un nombre, parce qu'elles sont de même genre; et que deux indivisibles ne font pas une étendue, parce qu'ils ne sont pas du même genre.

D'où l'on voit combien il y a peu de raison de comparer le rapport qui est entre l'unité et les nombres à celui qui est entre les indivisibles et l'étendue.

Mais si l'on veut prendre dans les nombres une comparaison qui représente avec justesse ce que nous considérons dans l'étendue, il faut que ce soit le rapport du zéro aux nombres; car le zéro n'est pas du même genre que les nombres, parce qu'étant multiplié, il ne peut les surpasser : de sorte que c'est un véritable indivisible de nombre, comme l'indivisible est un véritable zéro d'étendue. Et on en trouvera un pareil entre le repos et le mouvement, et entre un instant et le temps; car toutes ces choses sont hétérogènes à leurs grandeurs, parce qu'étant infiniment multipliées, elles ne peuvent jamais faire que des indivisibles non plus que les indivisibles d'étendue, et par la même raison. Et alors on trouvera une correspondance parfaite entre ces choses; car toutes ces grandeurs sont divisibles à l'infini, sans tomber dans leurs indivisibles, de sorte qu'elles tiennent toutes le milieu entre l'infini et le néant.

Voilà l'admirable rapport que la nature a mis entre ces choses, et les deux merveilleuses infinités, qu'elle a proposées aux hommes, non pas à concevoir mais à admirer; et pour en finir la considération par une dernière remarque, j'ajouterai que ces deux infinis, quoique infiniment différents, sont néanmoins relatifs l'un à l'autre, de telle sorte que la connaissance de l'un mène nécessairement à la connaissance de l'autre.

Car dans les nombres, de ce qu'ils peuvent toujours être augmentés, il s'ensuit absolument qu'ils peuvent toujours être diminués, et cela clairement : car si l'on peut multiplier un nombre jusqu'à 100 000, par exemple, on peut aussi en prendre une cent millième partie en le divisant par le même nombre qu'on le multiplie, et ainsi tout terme d'augmentation deviendra terme de division, en changeant l'entier en fraction. De sorte que l'augmentation infinie enferme nécessairement aussi la division infinie.

Et dans l'espace le même rapport se voit entre ces deux infinis contraires; c'est-à-dire que, de ce qu'un espace peut être infiniment prolongé, il s'ensuit qu'il peut être infiniment diminué, comme il paraît en cet exemple : Si on regarde au travers d'un verre un vaisseau qui s'éloigne toujours directement, il est clair que le lieu du diaphane où l'on remarque un point tel qu'on voudra du navire haussera toujours par un flux continuel, à mesure que le vaisseau fuit. Donc, si la course du vaisseau est toujours allongée et jusqu'à l'infini, ce point haussera continuellement; et cependant il n'arrivera jamais à celui où tombera le rayon horizontal mené de l'œil au verre, de sorte qu'il en approchera toujours sans y arriver jamais, divisant sans cesse l'espace qui restera sous ce point horizontal, sans y arriver jamais. D'où l'on voit la conséquence nécessaire qui se tire de l'infinité de l'étendue du cours du vaisseau, à la division infinie et infiniment petite de ce petit espace restant au-dessous de ce point horizontal.

Ceux qui ne seront pas satisfaits de ces raisons, et qui demeureront dans la créance que l'espace n'est pas divisible à l'infini, ne peuvent rien prétendre aux démonstrations géométriques; et, quoiqu'ils puissent être éclairés en d'autres choses, ils le seront fort peu en celles-ci : car on peut aisément être très habile homme et mauvais géomètre.

Mais ceux qui verront clairement ces vérités pourront admirer la grandeur et la puissance de la nature dans cette double infinité qui nous environne de toutes parts, et apprendre par cette considération merveilleuse à se connaître eux-mêmes, en se regardant placés entre une infinité et un néant d'étendue, entre une infinité et un néant de nombre, entre une infinité et un néant de mouvement, entre une infinité et un néant de temps. Sur quoi on peut apprendre à s'estimer à son juste prix, et former des réflexions qui valent mieux que tout le reste de la géométrie.

J'ai cru être obligé de faire cette longue considération en faveur de ceux, qui, ne comprenant pas d'abord cette double infinité, sont capables d'en être persuadés. Et, quoiqu'il y en ait plusieurs qui aient assez de lumière pour s'en passer, il peut néanmoins arriver que ce discours, qui sera nécessaire aux uns, ne sera pas entièrement inutile aux autres.

[SECTION II]
DE L'ART DE PERSUADER

L'art de persuader a un rapport nécessaire à la manière dont les hommes consentent à ce qu'on leur propose, et aux conditions des choses qu'on veut faire croire.

Personne n'ignore qu'il y a deux entrées par où les opinions sont reçues dans l'âme, qui sont ses deux principales puissances, l'entendement et la volonté. La plus naturelle est celle de l'entendement, car on ne devrait jamais consentir qu'aux vérités démontrées; mais la plus ordinaire, quoique contre la nature, est celle de la volonté; car tout ce qu'il y a d'hommes sont presque toujours emportés à croire non pas par la preuve, mais par l'agrément.

Cette voie est basse, indigne et étrangère : aussi tout le monde la désavoue. Chacun fait profession de ne croire et même de n'aimer que s'il sait le mériter.

Je ne parle pas ici des vérités divines, que je n'aurais garde de faire tomber sous l'art de persuader, car elles sont infiniment au-dessus de la nature : Dieu seul peut les mettre dans l'âme, et par la manière qu'il lui plaît.

Je sais qu'il a voulu qu'elles entrent du cœur dans l'esprit, et non pas de l'esprit dans le cœur, pour humilier cette superbe puissance du raisonnement, qui prétend devoir être juge des choses que la volonté choisit, et pour guérir cette volonté infirme, qui s'est toute corrompue par ses sales attachements. Et de là vient qu'au lieu qu'en parlant des choses humaines on dit qu'il faut les connaître avant que de les aimer, ce qui a passé en proverbe, les saints au contraire disent en parlant des choses divines qu'il faut les aimer pour les connaître, et qu'on n'entre dans la vérité que par la charité, dont ils ont fait une de leurs plus utiles sentences.

En quoi il paraît que Dieu a établi cet ordre surnaturel, et tout contraire à l'ordre qui devait être naturel aux hommes dans les choses naturelles. Ils ont néanmoins corrompu cet ordre en faisant des choses profanes ce qu'ils devaient faire des choses saintes, parce qu'en effet nous ne croyons presque que ce qui nous plaît. Et de là vient l'éloignement où nous sommes de consentir aux vérités de la religion chrétienne, tout opposée à nos plaisirs. « Dites-nous des choses agréables et nous vous écouterons », disaient les Juifs à Moïse; comme si l'agrément devait régler la créance! Et c'est pour punir ce désordre par un ordre qui lui est conforme, que Dieu ne verse ses lumières dans les esprits qu'après avoir dompté la rébellion de la volonté par une douceur toute céleste qui la charme et qui l'entraîne.

Je ne parle donc que des vérités de notre portée; et c'est d'elles que je dis que l'esprit et le cœur sont comme les portes par où elles sont reçues dans l'âme, mais que bien peu entrent par l'esprit, au lieu qu'elles y sont introduites en foule par les caprices téméraires de la volonté, sans le conseil du raisonnement.

Ces puissances ont chacune leurs principes et les premiers moteurs de leurs actions.

Ceux de l'esprit sont des vérités naturelles et connues à tout le monde, comme que le tout est plus grand que sa partie, outre plusieurs axiomes particuliers que les uns reçoivent et non pas d'autres, mais qui, dès qu'ils sont admis, sont aussi puissants, quoique faux, pour emporter la créance, que les plus véritables.

Ceux de la volonté sont de certains désirs naturels et communs à tous les hommes, comme le désir d'être heureux, que personne ne peut pas ne pas avoir, outre plusieurs objets particuliers que chacun suit pour y arriver, et qui, ayant la force de nous plaire, sont aussi forts, quoique pernicieux en effet, pour faire agir la volonté, que s'ils faisaient son véritable bonheur.

Voilà pour ce qui regarde les puissances qui nous portent à consentir.

Mais pour les qualités des choses que nous devons persuader, elles sont bien diverses.

Les unes se tirent, par une conséquence nécessaire, des principes communs et des vérités avouées. Celles-là peuvent être infailliblement persuadées; car, en montrant le rapport qu'elles ont avec les principes accordés, il y a une nécessité inévitable de convaincre.

Et il est impossible qu'elles ne soient pas reçues dans l'âme dès qu'on a pu les enrôler à ces vérités qu'elle a déjà admises.

Il y en a qui ont une union étroite avec les objets de notre satisfaction; et celles-là sont encore reçues avec certitude, car aussitôt qu'on fait apercevoir à l'âme qu'une chose peut la conduire à ce qu'elle aime souverainement, il est inévitable qu'elle ne s'y porte avec joie.

Mais celles qui ont cette liaison tout ensemble, et avec les vérités avouées, et avec les désirs du cœur, sont si sûres de leur effet, qu'il n'y a rien qui le soit davantage dans la nature.

Comme au contraire ce qui n'a de rapport ni à nos créances ni à nos plaisirs, nous est importun, faux et absolument étranger.

En toutes ces rencontres il n'y a point à douter. Mais il y en a où les choses qu'on veut faire croire sont bien établies sur des vérités connues, mais qui sont en même temps contraires aux plaisirs qui nous touchent le plus. Et celles-là sont en grand péril de faire voir, par une expérience qui n'est que trop ordinaire, ce que je disais au commencement : que cette âme impérieuse, qui se vantait de n'agir que par raison, suit par un choix honteux et téméraire ce qu'une volonté corrompue désire, quelque résistance que l'esprit trop éclairé puisse y opposer.

C'est alors qu'il se fait un balancement douteux entre la vérité et la volupté, et que la connaissance de l'une et le sentiment de l'autre font un combat dont le succès est bien incertain, puisqu'il faudrait, pour en juger, connaître tout ce qui se passe dans le plus intérieur de l'homme, que l'homme même ne connaît presque jamais.

Il paraît de là que, quoi que ce soit qu'on veuille persuader, il faut avoir égard à la personne à qui on en veut, dont il faut connaître l'esprit et le cœur, quels principes il accorde, quelles choses il aime; et ensuite remarquer, dans la chose dont il s'agit, quels rapports elle a avec les principes avoués, ou avec les objets délicieux par les charmes qu'on lui donne.

De sorte que l'art de persuader consiste autant en celui d'agréer qu'en celui de convaincre, tant les hommes se gouvernent plus par caprice que par raison!

Or, de ces deux méthodes, l'une de convaincre, l'autre d'agréer, je ne donnerai ici que les règles de la première; et encore au cas qu'on ait accordé les principes et qu'on demeure ferme à les avouer : autrement je ne sais s'il y aurait un art pour accommoder les preuves à l'inconstance de nos caprices.

Mais la manière d'agréer est bien sans comparaison plus difficile, plus subtile, plus utile et plus admirable; aussi, si je n'en traite pas, c'est parce que je n'en suis pas capable; et je m'y sens tellement disproportionné, que je crois la chose absolument impossible.

Ce n'est pas que je ne croie qu'il y ait des règles aussi sûres pour plaire que pour démontrer, et que qui les saurait parfaitement connaître et pratiquer ne réussît aussi sûrement à se faire aimer des rois et de toutes sortes de personnes, qu'à démontrer les éléments de la géométrie à ceux qui ont assez d'imagination pour en comprendre les hypothèses.

Mais j'estime, et c'est peut-être ma faiblesse qui me le fait croire, qu'il est impossible d'y arriver. Au moins je sais que si quelqu'un en est capable, ce sont des personnes que je connais, et que personne n'a sur cela de si claires et de si abondantes lumières.

La raison de cette extrême difficulté vient de ce que les principes du plaisir ne sont pas fermes et stables. Ils sont divers en tous les hommes, et variables dans chaque particulier avec une telle diversité, qu'il n'y a point d'homme plus différent d'un autre que de soi-même dans les divers temps. Un homme a d'autres plaisirs qu'une femme; un riche et un pauvre en ont de différents; un prince, un homme de guerre, un marchand, un bourgeois, un paysan, les vieux, les jeunes, les sains, les malades, tous varient; les moindres accidents les changent.

Or, il y a un art, et c'est celui que je donne, pour faire voir la liaison des vérités avec leurs principes soit de vrai, soit de plaisir, pourvu que les principes qu'on a une fois avoués demeurent fermes et sans être jamais démentis.

Mais comme il y a peu de principes de cette sorte, et que hors de la géométrie, qui ne considère que des lignes très simples, il n'y a presque point de vérités dont nous demeurions toujours d'accord, et encore moins d'objets de plaisir dont nous ne changions à toute heure, je ne sais s'il y a moyen de donner des règles fermes pour accorder les discours à l'inconstance de nos caprices.

Cet art que j'appelle l'art de persuader, et qui n'est proprement que la conduite des preuves méthodiques parfaites, consiste en trois parties essentielles : à définir les termes dont on doit se servir par des définitions claires; à proposer des principes ou axiomes évidents pour prouver la chose dont il s'agit; et à substituer toujours mentalement dans la démonstration les définitions à la place des définis.

Et la raison de cette méthode est évidente, puisqu'il serait inutile de proposer ce qu'on veut prouver et d'en entreprendre la démonstration, si on n'avait auparavant défini clairement tous les termes qui ne sont pas intelligibles; et qu'il faut de même que la démonstration soit précédée de la demande des principes évidents qui y sont nécessaires, car si on n'assure le fondement on ne peut assurer l'édifice; et qu'il faut enfin en démontrant substituer mentalement les définitions à la place des définis, puisque autrement on pourrait abuser des divers sens qui se rencontrent dans les termes. Et il est facile de voir qu'en observant cette méthode on est sûr de convaincre, puisque, les termes étant tous entendus et parfaitement exempts d'équivoques par les définitions, et les principes étant accordés, si dans la démonstration on substitue toujours mentalement les définitions à la place des définis, la force invincible des conséquences ne peut manquer d'avoir tout son effet.

Aussi jamais une démonstration dans laquelle ces circonstances sont gardées n'a pu recevoir le moindre doute; et jamais celles où elles manquent ne peuvent avoir d'effet de force.

Il importe donc bien de les comprendre et de les posséder, et c'est pourquoi, pour rendre la chose plus facile et plus présente, je les donnerai toutes en ce peu de règles qui renferment tout ce qui est nécessaire pour la perfection des définitions, des axiomes et des démonstrations, et par conséquent de la méthode entière des preuves géométriques de l'art de persuader.

Règles pour les définitions. — 1. N'entreprendre de définir aucune des choses tellement connues d'elles-mêmes, qu'on n'ait point de termes plus clairs pour les expliquer. 2. N'admettre aucun des termes un peu obscurs ou équivoques, sans définition. 3. N'employer dans la définition des termes que des mots parfaitement connus, ou déjà expliqués.

Règles pour les axiomes. — 1. N'admettre aucun des principes nécessaires sans avoir demandé si on l'accorde, quelque clair et évident qu'il puisse être. 2. Ne demander en axiomes que des choses parfaitement évidentes d'elles-mêmes.

Règles pour les démonstrations. — 1. N'entreprendre de démontrer aucune des choses qui sont tellement évidentes d'elles-mêmes qu'on n'ait rien de plus clair pour les prouver. 2. Prouver toutes les propositions un peu obscures, et n'employer à leur preuve que des axiomes très évidents, ou des propositions déjà accordées ou démontrées. 3. Substituer toujours mentalement les définitions à la place des définis, pour ne pas se tromper par l'équivoque des termes que les définitions ont restreints.

Voilà les huits règles qui contiennent tous les préceptes des preuves solides et immuables. Desquelles il y en a trois qui ne sont pas absolument nécessaires, et qu'on peut négliger sans erreur; qu'il est même difficile et comme impossible d'observer toujours exactement, quoiqu'il soit plus parfait de le faire autant qu'on peut; ce sont les trois de chacune des parties :

Pour les définitions : Ne définir aucun des termes qui sont parfaitement connus.

Pour les axiomes : N'admettre à demander aucun des axiomes parfaitement évidents et simples.

Pour les démonstrations : Ne démontrer aucune des choses très connues d'elles-mêmes.

Car il est sans doute que ce n'est pas une grande faute de définir et d'expliquer bien clairement des choses, quoique très claires d'elles-mêmes, ni d'admettre à demander par avance des axiomes qui ne peuvent être refusés au lieu où ils sont nécessaires, ni enfin de prouver des propositions qu'on accorderait sans preuve.

Mais les cinq autres règles sont d'une nécessité absolue, et on ne peut s'en dispenser sans un défaut essentiel et souvent sans erreur; et c'est pourquoi je les reprendrai ici en particulier.

Règles nécessaires pour les définitions. — N'admettre aucun des termes un peu obscurs ou équivoques sans définition. N'employer dans les définitions que des termes parfaitement connus ou déjà expliqués.

Règles nécessaires pour les axiomes. — Ne demander en axiomes que des choses parfaitement évidentes.

Règles nécessaires pour les démonstrations. — Prouver toutes les propositions, en n'employant à leur preuve que des axiomes très évidents d'eux-mêmes, ou des propositions déjà montrées ou accordées. N'abuser jamais de l'équivoque des termes, en manquant de substituer mentalement les définitions qui les restreignent ou les expliquent.

Voilà les cinq règles qui forment tout ce qu'il y a de nécessaire pour rendre les preuves convaincantes, immuables, et, pour tout dire, géométriques; et les huit règles ensemble les rendent encore plus parfaites.

Je passe maintenant à celle de l'ordre dans lequel on doit disposer les propositions, pour être dans une suite excellente et géométrique... Après avoir établi...

Voilà en quoi consiste cet art de persuader, qui se renferme dans ces deux règles : Définir tous les noms qu'on impose; prouver tout, en substituant mentalement les définitions à la place des définis.

Sur quoi il me semble à propos de prévenir trois objections principales qu'on pourra faire. L'une, que cette méthode n'a rien de nouveau.

L'autre, qu'elle est bien facile à apprendre, sans qu'il soit nécessaire pour cela d'étudier les éléments de géométrie, puisqu'elle consiste en ces deux mots qu'on sait à la première lecture.

Et enfin qu'elle est assez inutile, puisque son usage est presque renfermé dans les seules matières géométriques.

Sur quoi il faut donc faire voir qu'il n'y a rien de si inconnu, rien de plus difficile à pratiquer, et rien de plus utile et de plus universel.

Pour la première objection, qui est que ces règles sont communes dans le monde, qu'il faut tout définir et tout prouver, et que les logiciens mêmes les ont mises entre les préceptes de leur art, je voudrais que la chose fût véritable, et qu'elle fût si connue, que je n'eusse pas eu la peine de rechercher avec tant de soin la source de tous les défauts des raisonnements, qui sont véritablement communs. Mais cela l'est si peu, que, si l'on en excepte les seuls géomètres, qui sont en si petit nombre qu'ils sont uniques en tout un peuple et dans un long temps, on n'en voit aucun qui le sache aussi. Il sera aisé de le faire entendre à ceux qui auront parfaitement compris le peu que j'en ai dit; mais s'ils ne l'ont pas conçu parfaitement, j'avoue qu'ils n'y auront rien à y apprendre.

Mais s'ils sont entrés dans l'esprit de ces règles, et qu'elles aient assez fait d'impression pour s'y enraciner et s'y affermir, ils sentiront combien il y a de différence entre ce qui est dit ici et ce que quelques logiciens en ont peut-être décrit d'approchant au hasard, en quelques lieux de leurs ouvrages.

Ceux qui ont l'esprit de discernement savent combien il y a de différence entre deux mots semblables, selon les lieux et les circonstances qui les accompagnent. Croira-t-on, en vérité, que deux personnes qui ont lu et appris par cœur le même livre le sachent également, si l'un le comprend en sorte qu'il en sache tous les principes, la force des conséquences, les réponses aux objections qu'on y peut faire, et toute l'économie de l'ouvrage; au lieu qu'en l'autre ce soient des paroles mortes, et des semences qui, quoique pareilles à celles qui ont produit des arbres si fertiles, sont demeurées sèches et infructueuses dans l'esprit stérile qui les a reçues en vain?

Tous ceux qui disent les mêmes choses ne les possèdent pas de la même sorte; et c'est pourquoi l'incomparable auteur de *l'Art de conférer* s'arrête avec tant de soin à faire entendre qu'il ne faut pas juger de la capacité d'un homme par l'excellence d'un bon mot qu'on lui entend dire : mais, au lieu d'étendre l'admiration d'un bon discours à la personne, qu'on pénètre, dit-il, l'esprit d'où il sort; qu'on tente s'il le tient de sa mémoire ou d'un heureux hasard; qu'on le reçoive avec froideur ou avec mépris, afin de voir s'il ressentira qu'on ne donne pas à ce qu'il dit l'estime que son prix mérite : on verra le plus souvent qu'on le lui fera désavouer sur l'heure, et qu'on le tirera bien loin de cette pensée meilleure qu'il ne croit, pour le jeter dans une autre toute basse et ridicule. Il faut donc sonder comme cette pensée est logée en son auteur; comment, par où, jusqu'où il la possède : autrement, le jugement précipité sera : j'ai été téméraire.

Je voudrais demander à des personnes équitables si ce principe : « La matière est dans une incapacité naturelle, invincible de penser », et celui-ci : « Je pense, donc je suis », sont en effet une même chose dans l'esprit de Descartes et dans l'esprit de saint Augustin, qui a dit la même chose douze cents ans auparavant.

En vérité, je suis bien éloigné de dire que Descartes n'en soit pas le véritable auteur, quand même il ne l'aurait appris que dans la lecture de ce grand saint; car je sais combien il y a de différence entre écrire un mot à l'aventure sans y faire une réflexion plus longue et plus étendue et apercevoir dans ce mot une suite admirable de conséquences, qui prouve la distinction des natures matérielle et spirituelle, et en faire un principe ferme et soutenu d'une physique entière, comme Descartes a prétendu faire. Car, sans examiner s'il a réussi efficacement dans sa prétention, je suppose qu'il l'ait fait, et c'est dans cette supposition que je dis que ce mot est aussi différent dans ses écrits d'avec le même mot dans les autres qui l'ont dit en passant, qu'un homme mort d'avec un homme plein de vie et de force.

Tel dira une chose de soi-même sans en comprendre l'excellence, où un autre comprendra une suite merveilleuse de conséquences qui nous fait dire hardiment que ce n'est plus le même mot, et qu'il ne le doit non pas à celui d'où il l'a appris, qu'un arbre admirable n'appartiendra à celui qui en aurait jeté la semence, sans y penser et sans la connaître, dans une terre abondante qui en aurait profité de la sorte par sa propre fertilité.

Les mêmes pensées poussent quelquefois tout autrement dans un autre que dans leur auteur : infertiles dans leur champ naturel, abondantes étant transplantées.

Mais il arrive bien plus souvent qu'un bon esprit fait produire lui-même à ses propres pensées tout le fruit dont elles sont capables, et qu'ensuite quelques autres, les ayant ouï estimer, les empruntent et s'en parent, mais sans en connaître l'excellence; et c'est alors que la différence d'un même mot en diverses bouches paraît le plus.

C'est de cette sorte que la logique a peut-être emprunté les règles de la géométrie sans en comprendre la force : et ainsi, en les mettant à l'aventure parmi celles qui lui sont propres, il ne s'ensuit pas de là qu'ils aient entré dans l'esprit de la géométrie; et je serai bien éloigné, s'ils n'en donnent pas d'autres marques que de l'avoir dit en passant, de les mettre en parallèle avec cette science, qui apprend la véritable méthode de conduire la raison.

Mais je serai au contraire bien disposé à les en exclure, et presque sans retour. Car de l'avoir dit en passant, sans avoir pris garde que tout est renfermé là-dedans, et au lieu de suivre ces lumières, s'égarer à perte de vue après des recherches inutiles, pour courir à ce que celles-là offrent et qu'elles ne peuvent donner, c'est véritablement montrer qu'on n'est guère clairvoyant, et bien plus que si l'on avait manqué de les suivre parce qu'on ne les avait pas aperçues.

La méthode de ne point errer est recherchée de tout le monde. Les logiciens font profession d'y conduire, les géomètres seuls y arrivent, et, hors de leur science et de ce qui l'imite, il n'y a point de véritables démonstrations. Et tout l'art en est renfermé dans les seuls préceptes que nous avons dits : ils suffisent seuls, ils prouvent seuls; toutes les autres règles sont inutiles ou nuisibles.

Voilà ce que je sais par une longue expérience de toutes sortes de livres et de personnes.

Et sur cela je fais le même jugement de ceux qui disent que les géomètres ne leur donnent rien de nouveau par ces règles, parce qu'ils les avaient en effet, mais confondues parmi une multitude d'autres inutiles ou fausses dont ils ne pouvaient pas les discerner, que de ceux qui, cherchant un diamant de grand prix parmi un grand nombre de faux, mais qu'ils n'en sauraient pas distinguer, se vanteraient, en les tenant tous ensemble, de posséder le véritable aussi bien que celui qui, sans s'arrêter à ce vil amas, porte la main sur la pierre choisie que l'on recherche, et pour laquelle on ne jetait pas tout le reste.

Le défaut d'un raisonnement faux est une maladie qui se guérit par ces deux remèdes. On en a composé un autre d'une infinité d'herbes inutiles où les bonnes se trouvent enveloppées et où elles demeurent sans effet, par les mauvaises qualités de ce mélange.

Pour découvrir tous les sophismes et toutes les équivoques des raisonnements captieux, ils ont inventé des noms barbares qui étonnent ceux qui les entendent; et au lieu qu'on ne peut débrouiller tous les replis de ce nœud si embarrassé qu'en tirant l'un des bouts que les géomètres assignent, ils en ont marqué un nombre étrange d'autres où ceux-là se trouvent compris, sans qu'ils sachent lequel est le bon.

Et ainsi, en nous montrant un nombre de chemins différents, qu'ils disent nous conduire où nous tendons, quoiqu'il n'y en ait que deux qui y mènent, il faut savoir les marquer en particulier; on prétendra que la géométrie, qui les assigne exactement, ne donne que ce qu'on avait déjà des autres, parce qu'ils donnaient en effet la même chose et davantage, sans prendre garde que ce présent perdait son prix par son abondance, et qu'ils ôtaient en ajoutant.

Rien n'est plus commun que les bonnes choses : il n'est question que de les discerner; et il est certain qu'elles sont toutes naturelles et à notre portée, et même connues de tout le monde. Mais on ne sait pas les distinguer. Ceci est universel. Ce n'est pas dans les choses extraordinaires et bizarres que se trouve l'excellence de quelque genre que ce soit. On s'élève pour y arriver, et on s'en éloigne : il faut le plus souvent s'abaisser. Les meilleurs livres sont ceux que ceux qui les lisent croient qu'ils auraient pu faire. La nature, qui seule est bonne, est toute familière et commune.

Je ne fais donc pas de doute que ces règles, étant les véritables, ne doivent être simples, naïves, naturelles, comme elles le sont. Ce n'est pas *barbara* et *baralipton* qui forment le raisonnement. Il ne faut pas guinder l'esprit; les manières tendues et pénibles le remplissent d'une sotte présomption par une élévation étrangère et par une enflure vaine et ridicule au lieu d'une nourriture solide et vigoureuse.

Et l'une des raisons principales qui éloignent autant ceux qui entrent dans ces connaissances du véritable chemin qu'ils doivent suivre, est l'imagination qu'on prend d'abord que les bonnes choses sont inaccessibles, en leur donnant le nom de grandes, hautes, élevées, sublimes. Cela perd tout. Je voudrais les nommer basses, communes, familières : ces noms-là leur conviennent mieux; je hais ces mots d'enflure...

EXTRAIT D'UN FRAGMENT DE *L'INTRODUCTION A LA GÉOMÉTRIE*

PREMIERS PRINCIPES ET DÉFINITIONS.

Principe 1. L'objet de la pure géométrie est l'*espace*, dont elle considère la triple étendue en trois sens divers qu'on appelle dimensions, lesquelles on distingue par les noms de *longueur*, *largeur* et *profondeur*, en donnant indifféremment chacun de ces noms à chacune de ces dimensions, pourvu qu'on ne donne pas le même à deux ensemble. Elle suppose que tous ces termes-là sont connus d'eux-mêmes.

Principe 2. L'espace est infini selon toutes les dimensions. *Principe* 3., et immobile en tout et en chacune de ses parties. — Définition du corps géométrique de la surface, de la ligne, du point, *principe* 4, 5, 6. *Principe* 7. Les points... ne diffèrent que de situation, 8. les lignes de situation, de grandeur, de direction et de forme. Les droites par le plus court chemin. *Principe* 9. La distance de deux points est la ligne droite. *Principe* 10. Les surfaces peuvent différer de situation, de longueur, de largeur, de contenu, de direction. Les surfaces planes sont bornées de toutes parts par des lignes droites, et qui s'étendent directement de l'une à l'autre. Avertissement : nous ne considérons ici que les planes. Une ligne est égale à une autre quand l'étendue de l'une est égale à celle de l'autre.

Théorèmes connus naturellement : 1. Les lignes droites égales entre elles ne diffèrent que de situation; l'une étant quant au reste toute semblable à l'autre. 2. Les cercles qui ont les semi-diamètres égaux sont égaux. Et les cercles égaux ne diffèrent que de situation. 3. Les arcs égaux de mêmes cercles ne diffèrent que de situation. 4. Les cordes des arcs égaux de deux cercles égaux ou d'un même cercle ne diffèrent que de situation ou sont égales entre elles. 5. Tout diamètre divise la circonférence en deux portions égales dont chacune est appelée demi-cercle. 6. L'intersection de deux lignes est un point. 7. Si par un point pris au-dedans d'un espace borné de toutes parts par une ou par plusieurs lignes passe une ligne droite infinie, elle coupera les lignes qui bornent cet espace en deux points pour le moins. 8. S'il y a deux points l'un au-deçà, l'autre au-delà d'une ligne droite, alors une ligne droite qui tend d'un point à l'autre, coupe la ligne droite qui est entre deux, en un point et en un seul. 9. La ligne droite infinie qui passe par un point qui soit au-dedans d'un cercle coupe la circonférence en deux points et en deux seulement. 10. La circonférence qui passe par deux points, l'un au-dedans d'un autre cercle, et l'autre au-dehors, le coupe en deux points et en deux seulement. 11. Si deux circonférences ont réciproquement des points l'une au-dedans de l'autre, elles s'entrecouperont en deux points, et en deux seulement. 12. Si une circonférence a un de ses points au-delà d'une ligne droite infinie, et son centre au-delà ou dans la même ligne droite, elle coupera la même ligne droite en deux points.

COMPARAISON DES CHRÉTIENS DES PREMIERS TEMPS AVEC CEUX D'AUJOURD'HUI

C'est sous ce titre qu'en 1779 *Bossut publiait cet opuscule* (Œuvres, *II, p.* 510) [70]. *Il nous a été transmis par trois manuscrits : la* Copie du manuscrit Périer *(pp.* 42-47*) ; la* Seconde Copie. *B.N. f. fr.* 12449 *(p.* 599*) ; le* 1er Recueil Guerrier, *Gros in-4° (p.* 227*). Les deux derniers, suivis par Bossut, présentent les textes d'une manière identique, alors que dans le* manuscrit Périer *les paragraphes ne s'enchaînent pas de la même manière.*

Comme dans le manuscrit Périer *les paragraphes sont numérotés il en résulte que, si nous retenons sa numérotation, l'édition Bossut se présentera ainsi, par rapport à lui :* 1, 4, 2, 3, 5, 12, 13, 14, 11, 15, 6, 7, 8, 9,10. *Estimant que les copies de Guerrier ont enregistré une page (paragraphes* 12, 13, 14*) avant une autre (paragraphes* 7, 8, 9, 10*) et qu'en outre le* manuscrit Périer *ne respecte pas toujours la suite logique de la démonstration que Pascal envisageait de faire nous proposons l'ordre suivant :* 1, 4, 2, 3, 7, 8, 5, 9, 10, 11, 12, 13, 14, 15, 6.

La rédaction de cet opuscule nous semble pouvoir se situer entre 1655 *et* 1657.

1. Dans les premiers temps, on ne voyait que des chrétiens parfaitement consommés dans tous les points nécessaires au salut;

au lieu qu'on voit aujourd'hui une ignorance si grossière qu'elle fait gémir tous ceux qui ont des sentiments de tendresse pour l'Eglise.

On n'entrait dans l'Eglise qu'après de grands travaux et de longs désirs.

On s'y trouve aujourd'hui sans aucune peine, sans soin et sans travail.

On y était admis alors qu'après un examen très exact.

On y est reçu maintenant avant qu'on soit en état d'être examiné.

On y était reçu alors qu'après avoir abjuré sa vie passée, qu'après avoir renoncé au monde, et à la chair et au diable.

On y entre maintenant avant qu'on soit en état de faire aucune de ces choses.

Enfin il fallait autrefois sortir du monde pour être reçu dans l'Eglise, au lieu qu'on entre aujourd'hui dans l'Eglise en même temps que dans le monde.

On connaissait alors par ce procédé une distinction essentielle du monde avec l'Eglise.

4. On considérait alors le monde et l'Eglise comme deux contraires, comme deux ennemis irréconciliables dont l'un persécute l'autre sans discontinuation, et dont le plus faible en apparence doit un jour triompher du plus fort, en sorte que de ces deux partis contraires on quittait l'un pour entrer dans l'autre. On abandonnait les maximes de l'un pour embrasser les maximes de l'autre; on se dévêtait des sentiments de l'un pour se vêtir des sentiments de l'autre.

2. Enfin, on quittait, on renonçait, on abjurait le monde où l'on avait reçu sa première naissance, pour se vouer totalement à l'Eglise, où l'on prenait comme sa seconde naissance, et ainsi on concevait une différence épouvantable entre l'un et l'autre.

3. Au lieu qu'on se trouve maintenant presque au même moment dans l'un comme dans l'autre; et le même moment qui nous fait naître au monde, nous fait renaître dans l'Eglise; de sorte que la raison survenant ne fait plus de distinction de ces deux états et de ces deux naissances si contraires. Elle s'élève et se forme dans l'un et dans l'autre tout ensemble. On fréquente les sacrements et on jouit des plaisirs du monde, etc.

Et ainsi, au lieu qu'autrefois on voyait une distinction essentielle entre l'un et l'autre, on les voit maintenant mêlés et confondus, en sorte qu'on ne les discerne quasi plus.

7. Dans le temps de l'Eglise naissante, on enseignait les catéchumènes, c'est-à-dire ceux qui prétendaient au baptême, avant que de le leur conférer, et on ne les y admettait qu'après une pleine instruction des mystères de la religion, qu'après une pénitence de leur vie passée, qu'après une grande connaissance de la grandeur et de l'excellence de la profession de la foi et des maximes chrétiennes où ils désiraient entrer pour jamais, qu'après des marques éminentes d'une conversion véritable du cœur, et qu'après un extrême désir du baptême.

Ces choses étant connues de toute l'Eglise, on leur conférait le sacrement d'incorporation et de régénération par lequel ils devenaient membres de l'Eglise;

au lieu qu'en ce temps, le sacrement de baptême ayant été accordé aux enfants avant l'usage de raison pour des considérations très importantes, il arrive que la négligence des parents laisse vieillir les chrétiens sans aucune connaissance de la grandeur de notre religion.

8. Quand l'instruction précédait le baptême, tous étaient instruits. Mais maintenant que le baptême

70. Titre dans le *manuscrit Périer :* Réflexions sur la manière dont on était autrefois reçu dans l'Eglise, comme on y vivait, comme on y entre et comme on y vit aujourd'hui.

Titre proposé dans la *Seconde Copie* (B. N., f. fr. 12449) : Quelles sont les causes de la nonchalance et du peu d'instruction des chrétiens d'aujourd'hui.

précède l'instruction, l'enseignement qui était nécessaire est devenu volontaire, et ensuite négligé et enfin presque aboli.

La véritable raison de cette conduite est que l'on est persuadé de la nécessité du baptême, et que l'on ne l'est pas de la nécessité de l'instruction. De sorte que, quand l'instruction précédait le baptême, la nécessité de l'un faisait qu'on avait recours à l'autre nécessairement;

au lieu que le baptême précédant aujourd'hui l'instruction, comme on a été fait chrétien sans avoir été instruit, on croit pouvoir demeurer chrétien sans se faire instruire...

5. De là vient qu'on ne voyait autrefois entre les chrétiens que des personnes très instruites;

au lieu qu'elles sont maintenant dans une ignorance qui fait horreur.

9. Si les premiers chrétiens témoignaient tant de reconnaissance envers l'Eglise pour une grâce qu'elle n'accordait qu'à leurs longues prières, ils témoignent aujourd'hui tant d'ingratitude pour cette même grâce que cette bonne mère leur accorde avant même qu'ils aient été en état de la lui demander.

Et, si elle détestait si fort les chutes des premiers, quoique si rares, combien doit-elle avoir en abomination les chutes et rechutes continuelles des derniers, quoiqu'ils lui soient beaucoup plus redevables, puisqu'elle les a tirés bien plus tôt et plus libéralement de la damnation où ils étaient engagés par leur première naissance.

10. Elle ne peut voir, sans gémir, abuser de la plus grande de ses grâces, et que ce qu'elle a fait pour assurer leur salut devienne l'occasion presque assurée de leur perte; car elle n'a pas changé l'esprit quoiqu'elle ait changé de coutume [71].

11. Cependant, on en use d'une façon si contraire à l'intention de l'Eglise, qu'on n'y peut penser sans horreur. On ne fait quasi plus de réflexion sur un si grand bienfait, parce qu'on ne l'a jamais souhaité, parce qu'on ne l'a jamais demandé, parce qu'on ne se souvient pas même de l'avoir reçu. ([72] On ne se souvient pas de s'être obligé par vœu...).

12. De là vient que, dans les premiers temps, ceux qui avaient été régénérés par le baptême, et qui avaient quitté les vices du monde pour entrer dans la piété de l'Eglise, retombaient si rarement de l'Eglise dans le monde, au lieu qu'on ne voit maintenant rien de plus ordinaire que les vices du monde dans le cœur des chrétiens.

L'Eglise des saints se trouve donc maintenant toute souillée par le mélange des méchants, et ses enfants qu'elle a conçus, portés et nourris dès l'enfance dans ses flancs, sont ceux-là mêmes qui portent dans son cœur, c'est-à-dire jusqu'à la participation de ses plus augustes mystères, le plus cruel de ses ennemis, c'est-à-dire l'esprit du monde, l'esprit d'ambition, l'esprit de vengeance, l'esprit d'impureté, l'esprit de concupiscence : et l'amour qu'elle a pour ses propres enfants, l'oblige d'admettre jusque dans ses entrailles le plus cruel de ses persécuteurs...

13. Mais ce n'est pas à l'Eglise que l'on doit imputer les malheurs qui ont suivi un changement de discipline si salutaire; car elle n'a pas changé d'esprit, quoiqu'elle ait changé de conduite. Ayant donc vu que la dilation du baptême laissait un grand nombre d'enfants dans la malédiction d'Adam, elle a voulu les délivrer de cette masse de perdition, en précipitant les secours qu'elle leur donne. Et cette bonne mère ne voit qu'avec un regret extrême que ce qu'elle a procuré pour le salut de ses enfants, devienne l'occasion de la perte des adultes.

Son véritable esprit est que ceux qu'elle retire dans un âge si tendre de la contagion du monde, prennent des sentiments tout à fait opposés à ceux du monde. Ainsi elle prévient l'usage de la raison pour prévenir les vices où la raison corrompue les entraînerait; et, avant que leur esprit puisse agir, elle le remplit de son esprit, afin qu'ils vivent dans une grande ignorance du monde et dans un état d'autant plus éloigné du vice qu'ils ne l'auraient jamais connu.

14. Cela paraît par les cérémonies du baptême, car elle n'accorde le baptême aux enfants qu'après qu'ils ont déclaré, par la bouche des parrains, qu'ils le désirent, qu'ils croient, qu'ils renoncent au monde et à Satan. Et, comme elle veut qu'ils conservent ces dispositions dans toute la suite de leur vie, elle leur commande expressément de les garder inviolablement, et ordonne, par un commandement indispensable, aux parrains d'instruire les enfants de toutes ces choses. Car elle ne souhaite pas que ceux qu'elle a nourris dans son sein depuis l'enfance, soient aujourd'hui moins instruits et moins zélés que les adultes qu'elle admettait autrefois au nombre des siens. Elle ne désire pas une moindre perfection dans ceux qu'elle reçoit.

15. [73] Mais, comme il est évident que l'Eglise ne demande pas moins de zèle dans ceux qui ont été élevés domestiques dans la foi que dans ceux qui aspirent à le devenir, il faut se mettre devant les yeux l'exemple des catéchumènes, considérer leur ardeur, leur dévotion, leur horreur pour le péché, leur généreux renoncement au monde; et, si on ne les jugeait pas dignes de recevoir le baptême sans ces dispositions, ceux qui ne les trouvent pas en eux...

6. Il faut donc que les chrétiens d'aujourd'hui se soumettent à recevoir l'instruction qu'ils auraient eue, s'ils commençaient à entrer dans la communion de l'Eglise. [[74] Et il faut de plus qu'ils se soumettent à une pénitence telle qu'ils n'aient plus envie de la rejeter et qu'ils aient encore moins d'aversion pour

71. Nous rétablissons cette dernière phrase, que Faugère croyait avoir été imaginée par Bossut. Elle se trouve dans la *Seconde Copie* 12449, transcrite telle que, par le copiste.

72. Texte rayé dans le *manuscrit Périer*.

73. Ce n° 15 est un premier jet d'un texte repris plus loin.

74. Ce passage entre crochets se présente encadré dans le *manuscrit Périer*. Il s'agit sans doute d'une première rédaction d'un texte que nous retrouvons plus loin.

l'austérité de leur mortification qu'ils ne trouvent de charme dans l'usage des délices vicieuses du péché.]

Pour les disposer à s'instruire, il faut leur faire entendre la différence des coutumes qui ont été pratiquées dans la diversité des temps.

Il faut qu'ils se mettent devant les yeux l'exemple des catéchumènes, et qu'ils considèrent leur ardeur, leur dévotion, leur horreur pour le monde, et leur généreux renoncement à toutes ses pompes. Car, si on ne jugeait pas ceux-ci dignes de recevoir le baptême sans ces dispositions, n'est-il pas juste que ceux qui ne les trouvent pas en eux après l'avoir reçu, fassent tous leurs efforts pour former d'aussi généreux sentiments, se soumettent à une pénitence salutaire le reste de leurs jours, et qu'ils aient moins d'aversion pour une vie toute crucifiée qu'ils ne trouvent de charme dans l'usage des délices empoisonnées du péché.

PRIÈRE POUR DEMANDER A DIEU LE BON USAGE DES MALADIES

On trouve une rédaction manuscrite de cette prière dans le Recueil Conrart, *Arsenal, n*° 5423, *T. XIV, p.* 1121. *Elle circulait dans le milieu de Port-Royal dès* 1662, *puisque peu après la mort de Pascal la Mère Angélique de Saint-Jean (Arnauld d'Andilly) mentionne dans une lettre qu'elle cherchait quelque consolation dans sa lecture (cf. L. Cognet).*
Elle a été imprimée pour la première fois dans Divers traités de piété, *Cologne,* 1666. *Elle a été reproduite ensuite, plus correctement, dans l'édition des* Pensées *de* 1670, *ch. XXXII.*
*Comme dans l'*Avertissement *de l'édition il est indiqué que Pascal la composa « étant encore jeune », on en avait déduit qu'elle devait dater de* 1647-1648. *Mais Gilberte Périer dans* la Vie de M. Pascal *indique très clairement qu'elle n'est pas antérieure à* 1659 :
« Mais on ne peut mieux connaître les dispositions particulières dans lesquelles il souffrait toutes ses nouvelles incommodités des quatre dernières années de sa vie, que par cette prière admirable que nous avons apprise de lui et qu'il fit en ce temps-là *pour demander à Dieu le bon usage des maladies. »*

I. Seigneur, dont l'esprit est si bon et si doux en toutes choses, et qui êtes tellement miséricordieux que non seulement les prospérités, mais les disgrâces mêmes qui arrivent à vos élus sont les effets de votre miséricorde, faites-moi la grâce de n'agir pas en païen dans l'état où votre justice m'a réduit : que comme un vrai Chrétien je vous reconnaisse pour mon père et pour mon Dieu, en quelque état que je me trouve, puisque le changement de ma condition n'en apporte pas à la vôtre, que vous êtes toujours le même, quoique je sois sujet au changement, et que vous n'êtes pas moins Dieu quand vous affligez et quand vous punissez, que quand vous consolez et que vous usez d'indulgence.

II. Vous m'avez donné la santé pour vous servir, et j'en ai fait un usage tout profane. Vous m'envoyez maintenant la maladie pour me corriger : ne permettez pas que j'en use pour vous irriter par mon impatience. J'ai mal usé de ma santé, et vous m'en avez justement puni. Ne souffrez pas que j'use mal de votre punition. Et puisque la corruption de ma nature est telle, qu'elle me rend vos faveurs pernicieuses, faites, ô mon Dieu, que votre grâce toute-puissante me rende vos châtiments salutaires. Si j'ai eu le cœur plein de l'affection du monde pendant qu'il a eu quelque vigueur, anéantissez cette vigueur pour mon salut, et rendez-moi incapable de jouir du monde, soit par faiblesse de corps, soit par zèle de charité, pour ne jouir que de vous seul.

III. O Dieu, devant qui je dois rendre un compte exact de toutes mes actions à la fin de ma vie, et à la fin du monde! O Dieu, qui ne laissez subsister le monde et toutes les choses du monde, que pour exercer vos élus, ou pour punir les pécheurs! O Dieu, qui laissez les pécheurs endurcis dans l'usage délicieux et criminel du monde! O Dieu, qui faites mourir nos corps, et qui à l'heure de la mort détachez notre âme de tout ce qu'elle aimait au monde! O Dieu, qui m'arracherez à ce dernier moment de ma vie, de toutes les choses auxquelles je me suis attaché, et où j'ai mis mon cœur! O Dieu, qui devez consumer au dernier jour le ciel et la terre, et toutes les créatures qu'ils contiennent, pour montrer à tous les hommes que rien ne subsiste que vous, et qu'ainsi rien n'est digne d'amour que vous, puisque rien n'est durable que vous! O Dieu, qui devez détruire toutes ces vaines idoles, et tous ces funestes objets de nos passions! Je vous loue, mon Dieu, et je vous bénirai tous les jours de ma vie, de ce qu'il vous a plu prévenir en ma faveur ce jour épouvantable, en détruisant à mon égard toutes choses, dans l'affaiblissement où vous m'avez réduit. Je vous loue, mon Dieu, et je vous bénirai tous les jours de ma vie, de ce qu'il vous a plu me réduire dans l'incapacité de jouir des douceurs de la santé, et des plaisirs du monde; et de ce que vous avez anéanti en quelque sorte, pour mon avantage les idoles trompeuses, que vous anéantirez effectivement pour la confusion des méchants, au jour de votre colère. Faites, Seigneur, que je me juge moi-même ensuite de cette destruction que vous avez faite à mon égard, afin que vous ne me jugiez pas vous-même ensuite de l'entière destruction que vous ferez de ma vie et du monde. Car, Seigneur, comme à l'instant de ma mort je me trouverai séparé du monde, dénué de toutes choses, seul en votre présence, pour répondre à votre justice de tous les mouvements de mon cœur, faites que je me considère en cette maladie comme en une espèce de mort, séparé du monde, dénué de tous les objets de mes attachements, seul en votre présence, pour implorer de votre miséricorde la conversion de mon cœur; et qu'ainsi j'aie une extrême consolation de ce que vous m'envoyez maintenant une espèce de mort pour exercer votre miséricorde, avant que vous m'envoyiez effectivement la mort pour exercer votre jugement. Faites donc, ô mon Dieu, que comme vous avez prévenu ma mort, je prévienne la rigueur de votre sentence, et que je m'examine moi-même avant votre jugement, pour trouver miséricorde en votre présence.

IV. Faites, ô mon Dieu, que j'adore en silence l'ordre de votre providence adorable sur la conduite de ma vie; que votre fléau me console; et qu'ayant vécu dans l'amertume de mes péchés pendant la paix, je goûte les douceurs célestes de votre grâce durant les maux salutaires dont vous m'affligez. Mais je reconnais, mon Dieu, que mon cœur est tellement endurci et plein des idées, des soins, des inquiétudes et des attachements du monde, que la maladie non plus que la santé, ni les discours, ni les livres, ni vos Ecritures sacrées, ni votre Evangile, ni vos mystères les plus saints, ni les aumônes, ni les jeûnes, ni les mortifications, ni les miracles, ni l'usage des Sacrements, ni le sacrifice de votre corps, ni tous mes efforts, ni ceux de tout le monde ensemble, ne peuvent rien du tout pour commencer ma conversion, si vous n'accompagnez toutes ces choses d'une assistance tout extraordinaire de votre grâce. C'est pourquoi, mon Dieu, je m'adresse à vous, Dieu tout-puissant, pour vous demander un don que toutes les créatures ensemble ne peuvent m'accorder. Je n'aurais pas la hardiesse de vous adresser mes cris, si quelque autre pouvait les exaucer. Mais, mon Dieu, comme la conversion de mon cœur, que je vous demande, est un ouvrage qui passe tous les efforts de la nature, je ne puis m'adresser qu'à l'auteur et au maître tout-puissant de la nature et de mon cœur. A qui crierai-je, Seigneur, à qui aurai-je recours, si ce n'est à vous? Tout ce qui n'est pas Dieu ne peut pas remplir mon attente. C'est Dieu même que je demande et que je cherche; et c'est à vous seul, mon Dieu, que je m'adresse pour vous obtenir. Ouvrez mon cœur, Seigneur; entrez dans cette place rebelle que les vices ont occupée. Ils la tiennent sujette; entrez-y comme dans la maison du fort; mais liez auparavant le fort et puissant ennemi qui la maîtrise, et prenez ensuite les trésors qui y sont. Seigneur, prenez mes affections que le monde avait volées; volez vous-même ce trésor, ou plutôt reprenez-le, puisque c'est à vous qu'il appartient, comme un tribut que je vous dois, puisque votre image y est empreinte. Vous l'y aviez formée, Seigneur, au moment de mon baptême qui est ma seconde naissance; mais elle est tout effacée. L'idée du monde y est tellement gravée, que la vôtre n'est plus connaissable. Vous seul avez pu créer mon âme : vous seul pouvez la créer de nouveau. Vous seul y avez pu former votre image : vous seul pouvez la reformer, et y réimprimer votre portrait effacé, c'est-à-dire Jésus-Christ mon Sauveur, qui est votre image et le caractère de votre substance.

V. O mon Dieu, qu'un cœur est heureux qui peut aimer un objet si charmant, qui ne le déshonore point et dont l'attachement lui est si salutaire! Je sens que je ne puis aimer le monde sans vous déplaire, sans me nuire et sans me déshonorer; et néanmoins le monde est encore l'objet de mes délices. O mon Dieu, qu'une âme est heureuse dont vous êtes les délices, puisqu'elle peut s'abandonner à vous aimer, non seulement sans scrupule, mais encore avec mérite! Que son bonheur est ferme et durable, puisque son attente ne sera point frustrée, parce que vous ne serez jamais détruit, et que ni la vie ni la mort ne la sépareront jamais de l'objet de ses désirs; et le même moment, qui entraînera les méchants avec leurs idoles dans une ruine commune, unira les justes avec vous dans une gloire commune; et que, comme les uns périront avec les objets périssables auxquels ils se sont attachés, les autres subsisteront éternellement dans l'objet éternel et subsistant par soi-même auquel ils se sont étroitement unis. Oh! qu'heureux sont ceux qui avec une liberté entière et une pente invincible de leur volonté aiment parfaitement et librement ce qu'ils sont obligés d'aimer nécessairement!

VI. Achevez, ô mon Dieu, les bons mouvements que vous me donnez. Soyez-en la fin comme vous en êtes le principe. Couronnez vos propres dons; car je reconnais que ce sont vos dons. Oui, mon Dieu; et, bien loin de prétendre que mes prières aient du mérite qui vous oblige de les accorder de nécessité, je reconnais très humblement qu'ayant donné aux créatures mon cœur, que vous n'aviez formé que pour vous, et non pas pour le monde, ni pour moi-même, je ne puis attendre aucune grâce que de votre miséricorde, puisque je n'ai rien en moi qui vous y puisse engager, et que tous les mouvements naturels de mon cœur, se portant vers les créatures ou vers moi-même, ne peuvent que vous irriter. Je vous rends donc grâces, mon Dieu, des bons mouvements que vous me donnez, et de celui même que vous me donnez de vous en rendre grâces.

VII. Touchez mon cœur du repentir de mes fautes, puisque, sans cette douleur intérieure, les maux extérieurs dont vous touchez mon corps me seraient une nouvelle occasion de péché. Faites-moi bien connaître que les maux du corps ne sont autre chose que la punition et la figure tout ensemble des maux de l'âme. Mais, Seigneur, faites aussi qu'ils en soient le remède, en me faisant considérer, dans les douleurs que je sens, celle que je ne sentais pas dans mon âme, quoique toute malade et couverte d'ulcères. Car, Seigneur, la plus grande de ses maladies est cette insensibilité, et cette extrême faiblesse qui lui avait ôté tout sentiment de ses propres misères. Faites-les moi sentir vivement, et que ce qui me reste de vie soit une pénitence continuelle pour laver les offenses que j'ai commises.

VIII. Seigneur, bien que ma vie passée ait été exempte de grands crimes, dont vous avez éloigné de moi les occasions, elle vous a été néanmoins très odieuse par sa négligence continuelle, par le mauvais usage de vos plus augustes sacrements, par le mépris de votre parole et de vos inspirations, par l'oisiveté et l'inutilité totale de mes actions et de mes pensées, par la perte entière du temps que vous ne m'aviez donné que pour vous adorer, pour rechercher en toutes mes occupations les moyens de vous plaire, et pour faire pénitence des fautes qui se commettent tous les jours, et qui même sont ordinaires aux plus justes, de sorte que leur vie doit être une pénitence continuelle sans laquelle ils sont en danger de déchoir de leur justice. Ainsi, mon Dieu, je vous ai toujours été contraire.

IX. Oui, Seigneur, jusqu'ici j'ai toujours été sourd à vos inspirations : j'ai méprisé vos oracles; j'ai jugé au contraire de ce que vous jugez; j'ai contredit aux saintes maximes que vous avez apportées au monde du sein de votre Père éternel, et suivant lesquelles vous jugerez le monde. Vous dites : « Bienheureux sont ceux qui pleurent, et malheur à ceux qui sont consolés. » Et moi j'ai dit : « Malheureux ceux qui gémissent, et très heureux ceux qui sont consolés. » J'ai dit : « Heureux ceux qui jouissent d'une fortune avantageuse, d'une réputation glorieuse et d'une santé robuste. » Et pourquoi les ai-je réputés heureux, sinon parce que tous ces avantages leur fournissaient une facilité très ample de jouir des créatures, c'est-à-dire de vous offenser? Oui, Seigneur, je confesse que j'ai estimé la santé un bien, non pas parce qu'elle est un moyen facile pour vous servir avec utilité, pour consommer plus de soins et de veilles à votre service, et pour l'assistance du prochain; mais parce qu'à sa faveur je pouvais m'abandonner avec moins de retenue dans l'abondance des délices de la vie, et en mieux goûter les funestes plaisirs. Faites-moi la grâce, Seigneur, de réformer ma raison corrompue, et de conformer mes sentiments aux vôtres. Que je m'estime heureux dans l'affliction, et que, dans l'impuissance d'agir au-dehors, vous purifiiez tellement mes sentiments qu'ils ne répugnent plus aux vôtres; et qu'ainsi je vous trouve au-dedans de moi-même, puisque je ne puis vous chercher au-dehors à cause de ma faiblesse. Car, Seigneur, votre Royaume est dans vos fidèles; et je le trouverai dans moi-même, si j'y trouve votre Esprit et vos sentiments.

X. Mais, Seigneur, que ferai-je pour vous obliger à répandre votre Esprit sur cette misérable terre? Tout ce que je suis vous est odieux, et je ne trouve rien en moi qui vous puisse agréer. Je n'y vois rien, Seigneur, que mes seules douleurs qui ont quelque ressemblance avec les vôtres. Considérez donc les maux que je souffre et ceux qui me menacent. Voyez d'un œil de miséricorde les plaies que votre main m'a faites, ô mon Sauveur, qui avez aimé vos souffrances en la mort! O Dieu, qui ne vous êtes fait homme que pour souffrir plus qu'aucun homme pour le salut des hommes! O Dieu, qui ne vous êtes incarné après le péché des hommes et qui n'avez pris un corps que pour y souffrir tous les maux que nos péchés ont mérités! O Dieu, qui aimez tant les corps qui souffrent, que vous avez choisi pour vous le corps le plus accablé de souffrances qui ait jamais été au monde! Ayez agréable mon corps, non pas pour lui-même, ni pour tout ce qu'il contient, car tout y est digne de votre colère, mais pour les maux qu'il endure, qui seuls peuvent être dignes de votre amour. Aimez mes souffrances, Seigneur, et que mes maux vous invitent à me visiter. Mais, pour achever la préparation de votre demeure, faites, ô mon Sauveur, que si mon corps a cela de commun avec le vôtre, qu'il souffre pour mes offenses, mon âme ait aussi cela de commun avec la vôtre, qu'elle soit dans la tristesse pour les mêmes offenses; et qu'ainsi je souffre avec vous, et comme vous, et dans mon corps, et dans mon âme, pour les péchés que j'ai commis.

XI. Faites-moi la grâce, Seigneur, de joindre vos consolations à mes souffrances, afin que je souffre en Chrétien. Je ne demande pas d'être exempt des douleurs; car c'est la récompense des saints : mais je demande de n'être pas abandonné aux douleurs de la nature sans les consolations de votre Esprit; car c'est la malédiction des Juifs et des Païens. Je ne demande pas d'avoir une plénitude de consolation sans aucune souffrance; car c'est la vie de la gloire. Je ne demande pas aussi d'être dans une plénitude de maux sans consolation; car c'est un état de Judaïsme. Mais je demande, Seigneur, de ressentir tout ensemble et les douleurs de la nature pour mes péchés, et les consolations de votre Esprit par votre grâce; car c'est le véritable état du Christianisme. Que je ne sente pas des douleurs sans consolation; mais que je sente des douleurs et de la consolation tout ensemble, pour arriver enfin à ne sentir plus que vos consolations sans aucune douleur. Car, Seigneur, vous avez laissé languir le monde dans les souffrances naturelles sans consolation, avant la venue de votre Fils unique : vous consolez maintenant et vous adoucissez les souffrances de vos fidèles par la grâce de votre Fils unique : et vous comblez d'une béatitude toute pure vos saints dans la gloire de votre Fils unique. Ce sont les admirables degrés par lesquels vous conduisez vos ouvrages. Vous m'avez tiré du premier : faites-moi passer par le second, pour arriver au troisième. Seigneur c'est la grâce que je vous demande.

XII. Ne permettez pas que je sois dans un tel éloignement de vous, que je puisse considérer votre âme triste jusqu'à la mort, et votre corps abattu par la mort pour mes propres péchés, sans me réjouir de souffrir et dans mon corps et dans mon âme. Car qu'y a-t-il de plus honteux, et néanmoins de plus ordinaire dans les Chrétiens et dans moi-même, que, tandis que vous suez le sang pour l'expiation de nos offenses, nous vivons dans les délices; et que des Chrétiens qui font profession d'être à vous, que ceux qui par le baptême ont renoncé au monde pour vous suivre, que ceux qui ont juré solennellement à la face de l'Eglise de vivre et de mourir avec vous, que ceux qui font profession de croire que le monde vous a persécuté et crucifié, que ceux qui croient que vous vous êtes exposé à la colère de Dieu et à la cruauté des hommes pour les racheter de leurs crimes; que ceux, dis-je, qui croient toutes ces vérités, qui considèrent votre corps comme l'hostie qui s'est livrée pour leur salut, qui considèrent les plaisirs et les péchés du monde comme l'unique sujet de vos souffrances, et le monde même comme votre bourreau, recherchent à flatter leur corps par ces mêmes plaisirs, parmi ce même monde; et que ceux qui ne pourraient, sans frémir d'horreur, voir un homme caresser et chérir le meurtrier de son père qui se serait livré pour lui donner la vie, puissent vivre comme j'ai fait, avec une pleine joie, parmi le monde que je sais avoir été véritablement le meurtrier de celui que je reconnais pour mon Dieu et mon Père, qui s'est livré pour mon propre salut, et qui a porté en sa personne la peine de mes iniquités? Il est juste, Seigneur, que vous ayez interrompu une joie aussi criminelle que celle dans laquelle je me reposais à l'ombre de la mort.

XIII. Otez donc de moi, Seigneur, la tristesse que l'amour de moi-même me pourrait donner de mes propres souffrances, et des choses du monde qui ne réussissent pas au gré des inclinations de mon cœur, qui ne regardent pas votre gloire; mais mettez en moi une tristesse conforme à la vôtre. Que mes souffrances servent à apaiser votre colère. Faites-en une occasion de mon salut et de ma conversion. Que je ne souhaite désormais de santé et de vie qu'afin de l'employer et la finir pour vous, avec vous et en vous. Je ne vous demande ni santé, ni maladie, ni vie, ni mort; mais que vous disposiez de ma santé et de ma maladie, de ma vie et de ma mort, pour votre gloire, pour mon salut et pour l'utilité de l'Eglise et de vos saints, dont j'espère par votre grâce faire une portion. Vous seul savez ce qui m'est expédient : vous êtes le souverain maître, faites ce que vous voudrez. Donnez-moi, ôtez-moi; mais conformez ma volonté à la vôtre; et que, dans une soumission humble et parfaite et dans une sainte confiance, je me dispose à recevoir les ordres de votre providence éternelle, et que j'adore également tout ce qui me vient de vous.

XIV. Faites, mon Dieu, que dans une uniformité d'esprit toujours égale je reçoive toute sorte d'événements, puisque nous ne savons ce que nous devons demander, et que je n'en puis souhaiter l'un plutôt que l'autre sans présomption, et sans me rendre juge et responsable des suites que votre sagesse a voulu justement me cacher. Seigneur, je sais que je ne sais qu'une chose : c'est qu'il est bon de vous suivre, et qu'il est mauvais de vous offenser. Après cela je ne sais lequel est le meilleur ou le pire en toutes choses. Je ne sais lequel m'est profitable de la santé ou de la maladie, des biens ou de la pauvreté, ni de toutes les choses du monde. C'est un discernement qui passe la force des hommes et des anges, et qui est caché dans les secrets de votre providence que j'adore et que je ne veux pas approfondir.

XV. Faites donc, Seigneur, que tel que je sois je me conforme à votre volonté; et qu'étant malade comme je suis, je vous glorifie dans mes souffrances. Sans elles je ne puis arriver à la gloire; et vous-même, mon Sauveur, n'y avez voulu parvenir que par elles. C'est par les marques de vos souffrances que vous avez été reconnu de vos disciples; et c'est par les souffrances que vous reconnaissez aussi ceux qui sont vos disciples. Reconnaissez-moi donc pour votre disciple dans les maux que j'endure et dans mon corps et dans mon esprit pour les offenses que j'ai commises. Et, parce que rien n'est agréable à Dieu s'il ne lui est offert par vous, unissez ma volonté à la vôtre, et mes douleurs à celles que vous avez souffertes. Faites que les miennes deviennent les vôtres. Unissez-moi à vous; remplissez-moi de vous et de votre Esprit-Saint. Entrez dans mon cœur et dans mon âme, pour y porter mes souffrances, et pour continuer d'endurer en moi ce qui vous reste à souffrir de votre Passion, que vous achevez dans vos membres jusqu'à la consommation parfaite de votre Corps; afin qu'étant plein de vous ce ne soit plus moi qui vive et qui souffre, mais que ce soit vous qui viviez et qui souffriez en moi, ô mon Sauveur : et qu'ainsi, ayant quelque petite part à vos souffrances, vous me remplissiez entièrement de la gloire qu'elles vous ont acquise, dans laquelle vous vivez avec le Père et le Saint-Esprit, par tous les siècles des siècles. Ainsi soit-il.

TROIS DISCOURS SUR LA CONDITION DES GRANDS

Ces discours ont paru en 1670 *dans le* Traité de l'éducation d'un prince *par le sieur de Chanteresne (Vve Charles Savreux, Paris), l'un des nombreux pseudonymes de Pierre Nicole, sous le titre (p.* 269*) :* Discours de feu M. Paschal sur la condition des Grands.
Nicole nous informe dans la préface qu'il les rédige, neuf ou dix ans après, sinon à la lettre, du moins dans les pensées et les sentiments de celui qui les a prononcés. On a longtemps hésité entre 1659 *et* 1660, *mais finalement il faut retenir le dernier trimestre de* 1660, *car, en* 1659, *son état de santé interdisait à Pascal toute activité intellectuelle prolongée. Rentré à Paris en octobre* 1660, *après un séjour de plusieurs mois à Bienassis, il lui était alors possible d'avoir des entretiens « assez courts ».*
Deux notes que l'on trouve dans ses papiers (ms. 796.797*), alors que Nicole prétend qu'il n'a rien laissé sur ce sujet, garantissent l'authenticité des discours. Selon A. Gazier, le jeune duc auquel Pascal se serait adressé serait Charles-Honoré de Chevreuse* (1640-1712), *fils du duc de Luynes.*

PREMIER DISCOURS

Pour entrer dans la véritable connaissance de votre condition, considérez-la dans cette image.

Un homme est jeté par la tempête dans une île inconnue, dont les habitants étaient en peine de trouver leur roi, qui s'était perdu; et, ayant beaucoup de ressemblance de corps et de visage avec ce roi, il est pris pour lui, et reconnu en cette qualité par tout ce peuple. D'abord il ne savait quel parti prendre; mais il se résolut enfin de se prêter à sa bonne fortune. Il reçut tous les respects qu'on lui voulut rendre, et il se laissa traiter de roi.

Mais, comme il ne pouvait oublier sa condition naturelle, il songeait, en même temps qu'il recevait ces respects, qu'il n'était pas ce roi que ce peuple cherchait, et que ce royaume ne lui appartenait pas. Ainsi il avait une double pensée : l'une par laquelle il agissait en roi, l'autre par laquelle il reconnaissait son état véritable, et que ce n'était que le hasard qui l'avait mis en place où il était. Il cachait cette dernière pensée, et il découvrait l'autre. C'était par la première qu'il traitait avec le peuple, et par la dernière qu'il traitait avec soi-même.

Ne vous imaginez pas que ce soit par un moindre hasard que vous possédez les richesses dont vous vous trouvez maître, que celui par lequel cet homme se trouvait roi. Vous n'y avez aucun droit de vous-même et par votre nature, non plus que lui : et non seulement vous ne vous trouvez fils d'un duc, mais vous ne vous trouvez au monde, que par une infinité de hasards. Votre naissance dépend d'un mariage, ou plutôt de tous les mariages de ceux dont vous descendez. Mais d'où ces mariages dépendent-ils? D'une visite faite par rencontre, d'un discours en l'air, de mille occasions imprévues.

Vous tenez, dites-vous, vos richesses de vos ancêtres; mais n'est-ce pas par mille hasards que vos ancêtres les ont acquises et qu'ils les ont conservées? Vous imaginez-vous aussi que ce soit par quelque loi naturelle que ces biens ont passé de vos ancêtres à vous? Cela n'est pas véritable. Cet ordre n'est fondé que sur la seule volonté des législateurs qui ont pu avoir de bonnes raisons, mais dont aucune n'est prise d'un droit naturel que vous ayez sur ces choses. S'il leur avait plu d'ordonner que ces biens, après avoir été possédés par les pères durant leur vie, retourneraient à la république après leur mort, vous n'auriez aucun sujet de vous en plaindre.

Ainsi tout le titre par lequel vous possédez votre bien n'est pas un titre de nature, mais d'un établissement humain. Un autre tour d'imagination dans ceux qui ont fait les lois vous aurait rendu pauvre; et ce n'est que cette rencontre du hasard qui vous a fait naître, avec la fantaisie des lois favorables à votre égard, qui vous met en possession de tous ces biens.

Je ne veux pas dire qu'ils ne vous appartiennent pas légitimement, et qu'il soit permis à un autre de vous les ravir; car Dieu, qui en est le maître, a permis aux sociétés de faire des lois pour les partager; et quand ces lois sont une fois établies, il est injuste de les violer. C'est ce qui vous distingue un peu de cet homme qui ne posséderait son royaume que par l'erreur du peuple; parce que Dieu n'autoriserait pas cette possession et l'obligerait à y renoncer, au lieu qu'il autorise la vôtre. Mais ce qui vous est entièrement commun avec lui, c'est que ce droit que vous y avez n'est point fondé, non plus que le sien, sur quelque qualité et sur quelque mérite qui soit en vous et qui vous en rende digne. Votre âme et votre corps sont d'eux-mêmes indifférents à l'état de batelier ou à celui de duc; et il n'y a nul lien naturel qui les attache à une condition plutôt qu'à une autre.

Que s'ensuit-il de là? que vous devez avoir, comme cet homme dont nous avons parlé, une double pensée; et que si vous agissez extérieurement avec les hommes selon votre rang, vous devez reconnaître, par une pensée plus cachée mais plus véritable, que vous n'avez rien naturellement au-dessus d'eux. Si la pensée publique vous élève au-dessus du commun des hommes, que l'autre vous abaisse et vous tienne dans une parfaite égalité avec tous les hommes; car c'est votre état naturel.

Le peuple qui vous admire ne connaît pas peut-être ce secret. Il croit que la noblesse est une grandeur réelle et il considère presque les grands comme étant d'une autre nature que les autres. Ne leur découvrez pas cette erreur, si vous voulez; mais n'abusez pas de cette élévation avec insolence, et surtout ne vous méconnaissez pas vous-même en croyant que votre être a quelque chose de plus élevé que celui des autres.

Que diriez-vous de cet homme qui aurait été fait roi par l'erreur du peuple, s'il venait à oublier tellement sa condition naturelle, qu'il s'imaginât que ce royaume lui était dû, qu'il le méritait et qu'il lui appartenait de droit? Vous admireriez sa sottise et sa folie. Mais y en a-t-il moins dans les personnes de condition qui vivent dans un si étrange oubli de leur état naturel?

Que cet avis est important! Car tous les emportements, toute la violence et toute la vanité des grands vient de ce qu'ils ne connaissent point ce qu'ils sont : étant difficile que ceux qui se regarderaient intérieurement comme égaux à tous les hommes, et qui seraient bien persuadés qu'ils n'ont rien en eux qui mérite ces petits avantages que Dieu leur a donnés au-dessus des autres, les traitassent avec insolence. Il faut s'oublier soi-même pour cela, et croire qu'on a quelque excellence réelle au-dessus d'eux, en quoi consiste cette illusion que je tâche de vous découvrir.

SECOND DISCOURS

Il est bon, Monsieur, que vous sachiez ce que l'on vous doit, afin que vous ne prétendiez pas exiger des hommes ce qui ne vous est pas dû; car c'est une injustice visible : et cependant elle est fort commune à ceux de votre condition, parce qu'ils en ignorent la nature.

Il y a dans le monde deux sortes de grandeurs; car il y a des grandeurs d'établissement et des grandeurs naturelles. Les grandeurs d'établissement dépendent de la volonté des hommes, qui ont cru avec raison devoir honorer certains états et y attacher certains respects. Les dignités et la noblesse sont de ce genre. En un pays on honore les nobles, en l'autre les roturiers; en celui-ci les aînés, en cet autre les cadets. Pourquoi cela? Parce qu'il a plu aux hommes. La chose était indifférente avant l'établissement : après l'établissement elle devient juste, parce qu'il est injuste de la troubler.

Les grandeurs naturelles sont celles qui sont indépendantes de la fantaisie des hommes, parce qu'elles consistent dans des qualités réelles et effectives de l'âme ou du corps, qui rendent l'une ou l'autre plus estimable, comme les sciences, la lumière de l'esprit, la vertu, la santé, la force.

Nous devons quelque chose à l'une et à l'autre de ces grandeurs; mais comme elles sont d'une nature différente, nous leur devons aussi différents respects.

Aux grandeurs d'établissement, nous leur devons des respects d'établissement, c'est-à-dire certaines cérémonies extérieures qui doivent être néanmoins accompagnées, selon la raison, d'une reconnaissance intérieure de la justice de cet ordre, mais qui ne nous font pas concevoir quelque qualité réelle en ceux que nous honorons de cette sorte. Il faut parler aux rois à genoux; il faut se tenir debout dans la chambre des princes. C'est une sottise et une bassesse d'esprit que de leur refuser ces devoirs.

Mais pour les respects naturels qui consistent dans l'estime, nous ne les devons qu'aux grandeurs naturelles; et nous devons au contraire le mépris et l'aversion aux qualités contraires à ces grandeurs naturelles. Il n'est pas nécessaire, parce que vous êtes duc, que je vous estime; mais il est nécessaire que je vous salue. Si vous êtes duc et honnête homme, je rendrai ce que je dois à l'une et à l'autre de ces qualités. Je ne vous refuserai point les cérémonies que mérite votre qualité de duc, ni l'estime que mérite celle d'honnête homme. Mais si vous étiez duc sans être honnête homme, je vous ferais encore justice; car en vous rendant les devoirs extérieurs que l'ordre des hommes a attachés à votre naissance, je ne manquerais pas d'avoir pour vous le mépris intérieur que mériterait la bassesse de votre esprit.

Voilà en quoi consiste la justice de ces devoirs. Et l'injustice consiste à attacher les respects naturels aux grandeurs d'établissement, ou à exiger les respects d'établissement pour les grandeurs naturelles. M. N... est un plus grand géomètre que moi; en cette qualité il veut passer devant moi : je lui dirai qu'il n'y entend rien. La géométrie est une grandeur naturelle; elle demande une préférence d'estime; mais les hommes n'y ont attaché aucune préférence extérieure. Je passerai donc devant lui; et l'estimerai plus que moi, en qualité de géomètre. De même si, étant duc et pair, vous ne vous contentez pas que je me tienne découvert devant vous, et que vous voulussiez encore que je vous estimasse, je vous prierais de me montrer les qualités qui méritent mon estime. Si vous le faisiez, elle vous est acquise, et je ne vous la pourrais refuser avec justice; mais si vous ne le faisiez pas, vous seriez injuste de me la demander, et assurément vous n'y réussirez pas, fussiez-vous le plus grand prince du monde.

TROISIÈME DISCOURS

Je vous veux faire connaître, Monsieur, votre condition véritable; car c'est la chose du monde que les personnes de votre sorte ignorent le plus. Qu'est-ce, à votre avis, d'être grand seigneur? C'est être maître de plusieurs objets de la concupiscence des hommes, et ainsi pouvoir satisfaire aux besoins et aux désirs de plusieurs. Ce sont ces besoins et ces désirs qui les attirent auprès de vous, et qui font qu'ils se soumettent à vous : sans cela ils ne vous regarderaient pas seulement; mais ils espèrent, par ces services et ces déférences qu'ils vous rendent, obtenir de vous quelque part de ces biens qu'ils désirent et dont ils voient que vous disposez.

Dieu est environné de gens pleins de charité, qui lui demandent les biens de la charité qui sont en sa puissance : ainsi il est proprement le roi de la charité.

Vous êtes de même environné d'un petit nombre de personnes, sur qui vous régnez en votre manière. Ces gens sont pleins de concupiscence. Ils vous demandent les biens de la concupiscence; c'est la concupiscence qui les attache à vous. Vous êtes donc proprement un roi de concupiscence. Votre royaume est de peu d'étendue; mais vous êtes égal en cela aux plus grands rois de la terre; ils sont comme vous des rois de concupiscence. C'est la concupiscence qui fait leur force, c'est-à-dire la possession des choses que la cupidité des hommes désire.

Mais en connaissant votre condition naturelle, usez des moyens qu'elle vous donne, et ne prétendez pas régner par une autre voie que par celle qui vous fait roi. Ce n'est point votre force et votre puissance naturelle qui vous assujettit toutes ces personnes. Ne pretendez donc point les dominer par la force, ni les traiter avec dureté. Contentez leurs justes désirs; soulagez leurs nécessités; mettez votre plaisir à être bienfaisant; avancez-les autant que vous le pourrez, et vous agirez en vrai roi de concupiscence.

Ce que je vous dis ne va pas bien loin; et si vous en demeurez là, vous ne laisserez pas de vous perdre; mais au moins vous vous perdrez en honnête homme. Il y a des gens qui se damnent si sottement, par l'avarice, par la brutalité, par les débauches, par la violence, par les emportements, par les blasphèmes! Le moyen que je vous ouvre est sans doute plus honnête; mais en vérité c'est toujours une grande folie que de se damner; et c'est pourquoi il n'en faut pas demeurer là. Il faut mépriser la concupiscence et son royaume, et aspirer à ce royaume de charité où tous les sujets ne respirent que la charité, et ne désirent que les biens de la charité. D'autres que moi vous en diront le chemin : il me suffit de vous avoir détourné de ces vies brutales où je vois que plusieurs personnes de votre condition se laissent emporter faute de bien connaître l'état véritable de cette condition.

ÉCRIT SUR LA SIGNATURE DU FORMULAIRE

Le 1er *février* 1661, *l'Assemblée du Clergé décide que désormais la signature du formulaire est obligatoire pour les intéressés. Un arrêt du Conseil d'Etat du* 14 *avril confirme cette décision.*
Celui que les Vicaires généraux avaient joint à leur mandement du 8 *juin, et qui permettait de signer avec des réserves, ayant été cassé par le Conseil du roi le* 14 *juillet, un nouveau mandement du* 31 *octobre prescrit la signature pure et simple.*
C'est sans doute après la publication de ce mandement que Pascal a rédigé son Ecrit sur le formulaire.
D'après le témoignage de Mme *Périer* (2e Recueil Guerrier, *p.* 233), *il devait être rendu public si les religieuses signaient le nouveau formulaire. Les religieuses de Port-Royal, qui avaient déjà signé le formulaire du* 8 *juin, le signèrent le* 28 *novembre, à la suite des conseils que leur avaient donnés Arnauld et Nicole.*
Il ne fut pas publié car, après un entretien dramatique qu'il eut avec les Messieurs de Port-Royal, Pascal avait décidé de se retirer totalement des controverses (cf. Mémoires *de Marguerite Périer).*
Domat possédait cet Ecrit. *M*^me^ *Périer obtint non sans peine, et grâce à l'intervention de Nicolas Pavillon, qu'il le brûlât, sans en prendre copie.*
Nicole avait rédigé une réponse à cet Ecrit; *c'est par cette réponse que l'on en connaît quelques passages, que donne le manuscrit n*^o^ 120 *de la Bibliothèque de Clermont.*

ÉCRIT

Sur la signature de ceux qui souscrivent aux Constitutions en cette manière : Je ne souscris à ces Constitutions qu'en ce qui regarde la foi, ou simplement : Je souscris aux Constitutions touchant la foi, quoad dogmata.

Toute la question d'aujourd'hui étant sur ces paroles, *Je condamne les cinq propositions au sens de Jansénius*, ou *la doctrine de Jansénius sur les cinq propositions;* il est d'une extrême importance de voir de quelle manière on y souscrit.

Il faut premièrement savoir que dans la vérité des choses il n'y a point de différence entre condamner la doctrine de Jansénius sur les cinq propositions, et condamner la grâce efficace, saint Augustin, saint Paul.

C'est pour cette seule raison que les ennemis de la grâce efficace s'efforcent de faire passer cette clause.

Il faut savoir encore que la manière dont on s'est pris pour se défendre contre les décisions du pape et des évêques qui ont condamné cette doctrine et ce sens de Jansénius a été tellement subtile, qu'encore qu'elle soit véritable dans le fond, elle a été si peu nette et si timide qu'elle ne paraît pas digne des vrais défenseurs de l'Eglise.

Le fondement de cette manière de se défendre a été de dire qu'il y a dans ces expressions un fait et un droit, et qu'on promet la créance pour l'un et le respect pour l'autre.

Toute la dispute est de savoir s'il y a un fait et un

droit séparé, ou s'il n'y a qu'un droit; c'est-à-dire si le sens de Jansénius qui y est exprimé ne fait autre chose que marquer le droit.

Le pape et les évêques sont d'un côté, et prétendent que c'est un point de droit et de foi de dire que les cinq propositions sont hérétiques au sens de Jansénius; et Alexandre VII a déclaré dans sa Constitution *que, pour être dans la véritable foi, il faut dire que les mots de sens de Jansénius ne font qu'exprimer le sens hérétique des propositions*, et qu'ainsi c'est un fait qui emporte un droit, et qui fait une portion essentielle de la profession de foi, comme qui dirait *le sens de Calvin sur l'Eucharistie est hérétique*, ce qui certainement est un point de foi.

Et un très petit nombre de personnes, qui font à toute heure des petits écrits volants, disent que ce fait est de sa nature séparé du droit.

Il faut enfin remarquer que ces mots de *fait* et de *droit* ne se trouvent ni dans le mandement, ni dans les Constitutions, ni dans le formulaire, mais seulement dans quelques écrits qui n'ont nulle relation nécessaire avec cette signature; et sur tout cela examiner la signature que peuvent faire en conscience ceux qui croient être obligés en conscience à ne point condamner le sens de Jansénius.

Mon sentiment est, pour cela, que comme le sens de Jansénius a été exprimé dans le mandement, dans les bulles et dans le formulaire, il faut nécessairement l'exclure formellement par sa signature, sans quoi on ne satisfait point à son devoir. Car de prétendre qu'il suffit de dire qu'on ne croit que ce qui est de la foi, pour prétendre avoir assez marqué par là qu'on ne condamne point le sens de Jansénius, par cette seule raison qu'on s'imagine qu'il y a en cela un fait qui est séparé du droit, c'est une pure illusion : on en peut donner bien des preuves.

Celle-ci suffit, que le fait et le droit étant des choses dont on ne parle en aucune manière en tout ce qu'on signe, ces deux mots n'ont nullement assez de relation l'un à l'autre pour faire qu'il soit nécessaire que l'expression de l'un emporte l'exclusion de l'autre.

S'il était dit dans le mandement, ou dans les Constitutions, ou dans le formulaire, qu'il faut non seulement croire la foi, mais aussi le fait; ou que le fait et le droit fussent proposés également à souscrire; et qu'enfin ces deux mots de *fait* et de *droit* y fussent bien formellement marqués : on pourrait peut-être dire qu'en mettant simplement que l'on se soumet au droit on marque assez que l'on ne se soumet point à l'autre. Mais comme ces deux mots ne se regardent que dans nos entretiens, et dans quelques écrits tout à fait séparés des Constitutions, lesquels peuvent périr et la signature subsister; et qu'ils ne sont relatifs ni opposés l'un à l'autre, ni dans la nature de la chose, où la foi n'est pas naturellement opposée au fait mais à l'erreur, ni dans ce qu'on fait signer : il est impossible de prétendre que l'expression de la foi emporte nécessairement l'exclusion du fait.

Car encore qu'en disant qu'on ne reçoit que la foi on marque par là qu'il y a quelque autre chose qu'on ne reçoit pas, il ne s'ensuit pas que cette autre chose qu'on ne reçoit pas soit nécessairement le sens de Jansénius; et cela se peut entendre de beaucoup d'autres choses, comme des récits qui sont faits dans l'exposé, et des défenses de lire et d'écrire.

Il y a cela de plus, que le mot de foi étant ici extrêmement équivoque, les uns prétendant que la doctrine de Jansénius emporte un point de foi, et les autres que ce n'est qu'un pur fait, il est indubitable qu'en disant simplement qu'on reçoit la foi, sans dire qu'on ne reçoit pas le point de la doctrine de Jansénius, on ne marque pas par là qu'on ne le reçoit pas, mais on marque plutôt par là qu'on le reçoit; puisque l'intention publique du pape et des évêques est de faire recevoir la condamnation de Jansénius comme une chose de foi, tout le monde le disant publiquement, et personne n'osant dire publiquement le contraire.

Il est hors de doute que cette profession de foi est au moins équivoque et ambiguë, et par conséquent méchante.

D'où je conclus que ceux qui signent purement le formulaire sans restriction signent la condamnation de Jansénius, de saint Augustin, de la grâce efficace.

Je conclus en second lieu que qui excepte la doctrine de Jansénius en termes formels sauve de condamnation et Jansénius et la grâce efficace.

Je conclus en troisième lieu que ceux qui signent en ne parlant que de la foi, n'excluant pas formellement la doctrine de Jansénius, prennent une voie moyenne, qui est abominable devant Dieu, méprisable devant les hommes, et entièrement inutile à ceux qu'on veut perdre personnellement.

LES PROVINCIALES

Les dix-huit Lettres provinciales *sont une œuvre collective et occasionnelle. Presse clandestine, elles ne sont pas signées, sauf la troisième avec dix initiales. Si Pascal en assure la rédaction, la documentation lui est fournie en majeure partie par Arnauld et Nicole.*
Les trois premières sont une tentative de la dernière heure pour éviter la condamnation définitive d'Arnauld par la Sorbonne, en alertant l'opinion « sur les disputes présentes de la Sorbonne ». Malgré cela la condamnation fut prononcée le 31 *janvier* 1656 *et Arnauld perd son titre de docteur le* 15 *février.*
De la quatrième à la dixième, les lettres passent donc à un autre sujet et entament le procès de la morale des Jésuites, à la lumière de leurs casuistes.
Puis, de la onzième à la seizième, les lettres sont adressées, non plus à un ami provincial, mais directement aux Révérends Pères Jésuites : elles s'en prennent à leur politique et l'anonyme répond aux attaques dont il est l'objet.
Enfin les dix-septième et dix-huitième sont un plaidoyer en faveur de Port-Royal. Leur destinataire est le R.P. Annat, confesseur du roi.
Ayant jeté sur le papier quelques notes, en vue d'une dix-neuvième lettre, Pascal s'arrête. Question d'opportunité sans doute, car il est inutile de prolonger une lutte clandestine dont l'issue est inévitable, en raison de la position prise par le roi et ses conseillers, depuis les troubles de la Fronde, à l'égard des Messieurs de Port-Royal. Mais cette lutte va toutefois se poursuivre avec les Écrits des Curés de Paris.
*Le texte des Lettres que nous suivons est celui des feuilles in-*4°, *sorties de diverses imprimeries de janvier* 1656 *à mars* 1657, *d'après l'édition des Grands Ecrivains de la France établie par F. Gazier (Hachette, Paris, t. IV, V et VI).*
Depuis l'étude décisive donnée par Léon Parcé (Écrits sur Pascal, *Ed. du Luxembourg,* 1959*), il est indiscutable que les éditions collectives parues du vivant de Pascal, en* 1657 *et* 1659, *n'ont pas été revues par lui. Les trois cent quinze corrections qu'elles enregistrent sont surtout l'œuvre de Nicole et de Saint-Amour.*
Nous remercions Jean Steinmann de nous avoir autorisé à présenter les textes selon une méthode qu'il a inaugurée, en disposant typographiquement les dialogues (cf. Bibliothèque de Cluny, *Armand Colin, Paris,* 1962*).*
Quelques notes, une chronologie des Provinciales *insérée dans la chronologie générale, des notices sur les théologiens cités et un lexique théologique en fin de volume, rassemblent des renseignements qui permettent une meilleure compréhension.*
Nous croyons en outre devoir signaler à l'attention des lecteurs l'ouvrage de Louis Cognet, le Jansénisme (Presses Universitaires de France, 1961). *Ce qui a précédé et suivi* les Provinciales *est présenté d'une manière claire et objective.*

LETTRE ÉCRITE A UN PROVINCIAL [1]

PAR UN DE SES AMIS
SUR LE SUJET DES DISPUTES PRÉSENTES DE LA SORBONNE

De Paris, ce 23 janvier 1656.

Monsieur,

Nous étions bien abusés. Je ne suis détrompé que d'hier. Jusque-là j'ai pensé que le sujet des disputes de Sorbonne était bien important, et d'une extrême conséquence pour la religion. Tant d'assemblées d'une compagnie aussi célèbre qu'est la Faculté de Paris, et où il s'est passé tant de choses si extraordinaires, et si hors d'exemple, en font concevoir une si haute idée, qu'on ne peut croire qu'il n'y en ait un sujet bien extraordinaire.

Cependant vous serez bien surpris quand vous

1. Le provincial est Florin Périer, beau-frère de Pascal.

apprendrez, par ce récit, à quoi se termine un si grand éclat; et c'est ce que je vous dirai en peu de mots, après m'en être parfaitement instruit.

On examine deux questions; l'une de fait, l'autre de droit.

Celle de fait consiste à savoir si M. Arnauld est téméraire pour avoir dit dans sa seconde Lettre[2] : *Qu'il a lu exactement le Livre de Jansénius, qu'il n'y a point trouvé les propositions condamnées par le feu Pape; et néanmoins que, comme il condamne ces propositions en quelque lieu qu'elles se rencontrent, il les condamne dans Jansénius, si elles y sont.*

La question est de savoir s'il a pu, sans témérité, témoigner par là, qu'il doute que ces propositions soient de Jansénius, après que Messieurs les évêques ont déclaré qu'elles y sont.

On propose l'affaire en Sorbonne. Soixante et onze docteurs entreprennent sa défense, et soutiennent qu'il n'a pu répondre autre chose à ceux qui, par tant d'écrits, lui demandaient s'il tenait que ces propositions fussent dans ce livre, sinon qu'il ne les y a pas vues, et que néanmoins il les y condamne, si elles y sont.

Quelques-uns même, passant plus avant, ont déclaré que, quelque recherche qu'ils en aient faite, ils ne les y ont jamais trouvées, et que même ils y en ont trouvé de toutes contraires, en demandant avec instance que, s'il y avait quelque docteur qui les eût vues, il voulut les montrer; que c'était une chose si facile, qu'elle ne pouvait être refusée, puisque c'était un moyen sûr de les réduire tous, et M. Arnauld même; mais on le leur a toujours refusé. Voilà ce qui se passa de ce côté-là.

De l'autre part se sont trouvés quatre-vingts docteurs séculiers, et quelque quarante moines mendiants, qui ont condamné la proposition de M. Arnauld sans vouloir examiner si ce qu'il avait dit était vrai ou faux, et ayant même déclaré qu'il ne s'agissait pas de la vérité, mais seulement de la témérité de sa proposition.

Il s'en est trouvé de plus quinze qui n'ont point été pour la censure, et qu'on appelle indifférents.

Voilà comment s'est terminé la question de fait, dont je ne me mets guère en peine; car, que M. Arnauld soit téméraire, ou non, ma conscience n'y est pas intéressée. Et si la curiosité me prenait de savoir si ces propositions sont dans Jansénius, son livre n'est pas si rare, ni si gros, que je ne le pusse lire tout entier pour m'en éclaircir, sans en consulter la Sorbonne.

Mais, si je ne craignais aussi d'être téméraire, je crois que je suivrais l'avis de la plupart des gens que je vois, qui, ayant cru jusqu'ici sur la foi publique, que ces propositions sont dans Jansénius, commencent à se défier du contraire, par le refus bizarre qu'on fait de les montrer, qui est tel, que je n'ai encore vu personne qui m'ait dit les y avoir vues. De sorte que je crains que cette censure ne fasse plus de mal que de bien, et qu'elle ne donne à ceux qui en sauront l'histoire, une impression tout opposée à la conclusion. Car en vérité le monde devient méfiant, et ne croit les choses que quand il les voit. Mais comme j'ai déjà dit, ce point là est peu important, puisqu'il ne s'y agit point de la foi.

Pour la question de droit, elle semble bien plus considérable, en ce qu'elle touche la foi. Aussi j'ai pris un soin particulier de m'en informer. Mais vous serez bien satisfait de voir que c'est une chose aussi peu importante que la première.

Il s'agit d'examiner ce que M. Arnauld a dit dans la même Lettre : *Que la grâce sans laquelle on ne peut rien, a manqué à S. Pierre dans sa chute.* Sur quoi nous pensions vous et moi qu'il était question d'examiner les plus grands principes de la grâce, comme si elle n'est pas donnée à tous les hommes, ou bien si elle est efficace; mais nous étions bien trompés. Je suis devenu grand théologien en peu de temps, et vous en allez voir des marques.

Pour savoir la chose au vrai, je vis M. N., docteur de Navarre, qui demeure près de chez moi, qui est, comme vous le savez, des plus zélés contre les Jansénistes; et comme ma curiosité me rendait presque aussi ardent que lui, je lui demandai s'ils ne décideraient pas formellement *que la grâce est donnée à tous les hommes*, afin qu'on n'agitât plus ce doute. Mais il me rebuta rudement, et me dit que ce n'était pas là le point; qu'il y en avait de ceux de son côté qui tenaient que la grâce n'est pas donnée à tous; que les examinateurs même avaient dit en pleine Sorbonne, que cette opinion est *problématique*, et qu'il était lui-même dans ce sentiment : ce qu'il me confirma par ce passage, qu'il dit être célèbre, de saint Augustin. *Nous savons que la grâce n'est pas donnée à tous les hommes.*

Je lui fis excuse d'avoir mal pris son sentiment, et le priai de me dire s'ils ne condamneraient donc pas au moins cette autre opinion des Jansénistes, qui fait tant de bruit, *que la grâce est efficace, et qu'elle détermine notre volonté à faire le bien.* Mais je ne fus pas plus heureux en cette seconde question.

— Vous n'y entendez rien me dit-il; ce n'est pas là une hérésie : c'est une opinion orthodoxe : tous les Thomistes la tiennent; et moi-même l'ai soutenue dans ma sorbonique.

Je n'osai plus lui proposer mes doutes; et même je ne savais plus où était la difficulté, quand, pour m'en éclaircir, je le suppliai de me dire en quoi consistait l'hérésie de la proposition de M. Arnauld.

— C'est, ce me dit-il, en ce qu'il ne reconnaît pas que les justes aient le pouvoir d'accomplir les commandements de Dieu en la manière que nous l'entendons.

Je le quittai après cette instruction; et, bien glorieux de savoir le nœud de l'affaire, je fus trouver M. N., qui se porte de mieux en mieux, et qui eut assez de santé pour me conduire chez son beau-frère, qui est Janséniste s'il y en eut jamais, et pourtant

2. Il s'agit de la *Seconde lettre de M. Arnauld, docteur de Sorbonne, à un duc et pair de France* (10 juillet 1655).

fort bon homme. Pour en être mieux reçu, je feignis d'être fort des siens, et lui dis :

— Serait-il possible que la Sorbonne introduisît dans l'Église cette erreur, *que tous les justes ont toujours le pouvoir d'accomplir les commandements?*

— Comment parlez-vous? me dit mon Docteur. Appelez-vous erreur un sentiment si catholique, et que les seuls Luthériens et Calvinistes combattent?

— Eh quoi, lui dis-je, n'est-ce pas votre opinion?

— Non me dit-il, nous l'anathématisons comme hérétique, et impie.

Surpris de cette réponse, je connus bien que j'avais trop fait le Janséniste, comme j'avais l'autre fois été trop Moliniste. Mais, ne pouvant m'assurer de sa réponse, je le priai de me dire confidemment s'il tenait *que les justes eussent toujours un pouvoir véritable d'observer les préceptes.* Mon homme s'échauffa là-dessus, mais d'un zèle dévot, et dit qu'il ne déguiserait jamais ses sentiments pour quoi que ce fût; que c'était sa créance, et que lui et tous les siens la défendraient jusqu'à la mort, comme étant la pure doctrine de saint Thomas et de saint Augustin, leur maître.

Il m'en parla si sérieusement, que je n'en pus douter. Et, sur cette assurance, je retournai chez mon premier docteur, et lui dis, bien satisfait, que j'étais sûr que la paix serait bientôt en Sorbonne : que les Jansénistes étaient d'accord du pouvoir qu'ont les justes d'accomplir les préceptes; que j'en étais garant, que je leur ferais signer de leur sang.

— Tout beau! me dit-il; il faut être théologien pour en voir le fin. La différence qui est entre nous est si subtile, qu'à peine pouvons-nous la marquer nous-mêmes; vous auriez trop de difficulté à l'entendre. Contentez-vous donc de savoir que les Jansénistes vous diront bien que tous les justes ont toujours le pouvoir d'accomplir les commandements; ce n'est pas de quoi nous disputons. Mais ils ne vous diront pas que ce pouvoir soit *prochain :* c'est là le point.

Ce mot me fut nouveau, et inconnu. Jusque-là j'avais entendu les affaires; mais ce terme me jeta dans l'obscurité, et je crois qu'il n'a été inventé que pour brouiller. Je lui en demandai donc l'explication; mais il m'en fit un mystère, et me renvoya, sans autre satisfaction, pour demander aux Jansénistes s'ils admettaient ce pouvoir *prochain.* Je chargeai ma mémoire de ce terme; car mon intelligence n'y avait aucune part. Et, de peur de l'oublier, je fus promptement retrouver mon Janséniste, à qui je dis incontinent, après les premières civilités :

— Dites-moi, je vous prie, si vous admettez *le pouvoir prochain?*

Il se mit à rire et me dit froidement :

— Dites-moi vous-même en quel sens vous l'entendez; et alors je vous dirai ce que j'en crois.

Comme ma connaissance n'allait pas jusque-là, je me vis en terme de ne lui pouvoir répondre; et néanmoins, pour ne pas rendre ma visite inutile, je lui dis au hasard :

— Je l'entends au sens des Molinistes.

A quoi mon homme, sans s'émouvoir :

— Auxquels des Molinistes, me dit-il, me renvoyez-vous?

Je les lui offris tous ensemble, comme ne faisant qu'un même corps, et n'agissant que par un même esprit.

Mais il me dit :

— Vous êtes bien peu instruit. Ils sont si peu dans les mêmes sentiments, qu'ils en ont de tout contraires. Mais étant tous unis dans le dessein de perdre M. Arnauld, ils se sont avisés de s'accorder de ce terme de *prochain*, que les uns et les autres diraient ensemble, quoi qu'ils l'entendissent diversement, afin de parler un même langage, et que par cette conformité apparente ils pussent former un corps considérable, et composer le plus grand nombre, pour l'opprimer avec assurance.

Cette réponse m'étonna. Mais, sans recevoir ces impressions des méchants desseins des Molinistes, que je ne veux pas croire sur sa parole, et où je n'ai point d'intérêt, je m'attachai seulement à savoir les divers sens qu'ils donnent à ce mot mystérieux de *prochain.* Mais il me dit :

— Je vous en éclaircirais de bon cœur; mais vous y verriez une répugnance et une contradiction si grossière, que vous auriez peine à me croire. Je vous serais suspect. Vous en serez plus sûr en l'apprenant d'eux-mêmes, et je vous en donnerai les adresses. Vous n'avez qu'à voir séparément M. Le Moine et le Père Nicolaï.

— Je n'en connais pas un, lui dis-je.

— Voyez donc, me dit-il, si vous ne connaîtrez point quelqu'un de ceux que je vous vais nommer. Car ils suivent les sentiments de M. Le Moine.

J'en connus en effet quelques-uns. Et ensuite il me dit :

— Voyez si vous ne connaissez point des Dominicains, qu'on appelle nouveaux Thomistes; car ils sont tous comme le Père Nicolaï.

J'en connus aussi entre ceux qu'il me nomma; et, résolu de profiter de cet avis, et de sortir d'affaire, je le quittai et fus d'abord chez un des disciples de M. Le Moine.

Je le suppliai de me dire ce que c'était *qu'avoir le pouvoir prochain de faire quelque chose.*

— Cela est aisé, me dit-il : c'est avoir tout ce qui est nécessaire pour la faire, de telle sorte qu'il ne manque rien pour agir.

— Et ainsi, lui dis-je, avoir le *pouvoir prochain* de passer une rivière, c'est avoir un bateau, des bateliers, des rames et le reste, en sorte que rien ne manque.

— Fort bien, me dit-il.

— Et avoir le pouvoir prochain *de voir*, lui dis-je, c'est avoir bonne vue, et être en plein jour. Car qui aurait bonne vue dans l'obscurité, n'aurait pas le pouvoir prochain de voir, selon vous, puisque la lumière lui manquerait, sans quoi on ne voit point.

— Doctement, me dit-il.

— Et par conséquent, continuai-je, quand vous

dites que tous les justes ont toujours le pouvoir prochain d'observer les commandements, vous entendez qu'ils ont toujours toute la grâce nécessaire pour les accomplir, en sorte qu'il ne leur manque rien de la part de Dieu.

— Attendez, me dit-il; ils ont toujours ce qui est nécessaire pour les observer, ou du moins pour prier Dieu.

— J'entends bien, lui dis-je; ils ont tout ce qui est nécessaire pour prier Dieu de les assister, sans qu'il soit nécessaire qu'ils aient aucune nouvelle grâce de Dieu pour prier.

— Vous l'entendez, me dit-il.

— Mais il n'est donc pas nécessaire qu'ils aient une grâce efficace pour prier Dieu?

— Non, me dit-il, suivant M. Le Moine.

Pour ne point perdre de temps, j'allai aux Jacobins, et demandai ceux que je savais être des nouveaux Thomistes. Je les priai de me dire ce que c'est que *pouvoir prochain.*

— N'est-ce pas celui, leur dis-je, auquel il ne manque rien pour agir?

— Non, me dirent-ils.

— Mais, quoi! mon Père, s'il manque quelque chose à ce pouvoir, l'appelez-vous *prochain*, et diriez-vous, par exemple, qu'un homme ait la nuit, et sans aucune lumière, le *pouvoir prochain de voir?*

— Oui-da, il l'aurait selon nous, s'il n'est pas aveugle.

— Je le veux bien, leur dis-je; mais M. Le Moine l'entend d'une manière contraire.

— Il est vrai, me dirent-ils; mais nous l'entendons ainsi.

— J'y consens, leur dis-je. Car je ne dispute jamais du nom, pourvu qu'on m'avertisse du sens qu'on lui donne. Mais je vois par-là que, quand vous dites que les justes ont toujours le *pouvoir prochain* pour prier Dieu, vous entendez qu'ils ont besoin d'un autre secours pour prier, sans quoi ils ne prieront jamais.

— Voilà qui va bien, me répondirent mes Pères en m'embrassant, voilà qui va bien; car il leur faut de plus une grâce efficace qui n'est pas donnée à tous, et qui détermine leur volonté à prier. Et c'est une hérésie de nier la nécessité de cette grâce efficace pour prier.

— Voilà qui va bien, leur dis-je à mon tour; mais, selon vous, les Jansénistes sont catholiques, et M. Le Moine hérétique; car les Jansénistes disent que les justes ont le pouvoir de prier, mais qu'il faut pourtant une grâce efficace, et c'est ce que vous approuvez. Et M. Le Moine, dit que les justes prient sans grâce efficace, et c'est ce que vous condamnez.

— Oui dirent-ils; mais M. Le Moine appelle ce pouvoir *pouvoir prochain.*

— Mais quoi! mes Pères, leur dis-je, c'est se jouer des paroles, de dire que vous êtes d'accord à cause des termes communs dont vous usez, quand vous êtes contraires dans le sens.

Mes Pères ne répondirent rien; et sur cela, mon disciple de M. Le Moine arriva par un bonheur que je croyais extraordinaire; mais j'ai su depuis que leur rencontre n'est pas rare, et qu'ils sont continuellement mêlés les uns avec les autres.

Je dis donc à mon disciple de M. Le Moine :

— Je connais un homme qui dit que tous les justes ont toujours le pouvoir de prier Dieu; mais que néanmoins ils ne prieront jamais sans une grâce efficace qui les détermine, et laquelle Dieu ne donne pas toujours à tous les justes. Est-il hérétique?

— Attendez, me dit mon docteur; vous me pourriez surprendre. Allons donc doucement, *distinguo;* s'il appelle ce pouvoir *pouvoir prochain*, il sera Thomiste, et partant catholique; sinon, il sera Janséniste, et partant hérétique.

— Il ne l'appelle, lui dis-je, ni prochain, ni non prochain.

— Il est donc hérétique, me dit-il : demandez-le à ces bons Pères.

Je ne les pris pas pour juges; car ils consentaient déjà d'un mouvement de tête. Mais je leur dis :

Il refuse d'admettre ce mot de *prochain*, parce qu'on ne le veut pas expliquer.

A cela, un de ces Pères voulut en apporter sa définition; mais il fut interrompu par le disciple de M. Le Moine, qui lui dit :

— Voulez-vous donc recommencer nos brouilleries? Ne sommes-nous pas demeurés d'accord de ne point expliquer ce mot de *prochain*, et de le dire de part et d'autre, sans dire ce qu'il signifie?

A quoi le Jacobin consentit.

Je pénétrai par là dans leur dessein, et leur dis en me levant pour les quitter :

— En vérité, mes Pères j'ai grand peur que tout ceci ne soit une pure chicanerie; et quoi qu'il arrive de vos assemblées, j'ose vous prédire que, quand la censure serait faite, la paix ne serait pas établie. Car, quand on aurait décidé qu'il faut prononcer les syllabes *pro, chain*, qui ne voit que, n'ayant point été expliquées, chacun de vous voudra jouir de la victoire? Les Jacobins diront que ce mot s'entend en leur sens. M. Le Moine dira que c'est au sien; et ainsi il y aura bien plus de dispute pour l'expliquer que pour l'introduire. Car, après tout, il n'y aurait pas grand péril à le recevoir sans aucun sens, puisqu'il ne peut nuire que par le sens. Mais ce serait une chose indigne de la Sorbonne et de la théologie, d'user de mots équivoques et captieux sans les expliquer.

Car enfin, mes Pères, dites-moi, je vous prie, pour la dernière fois, ce qu'il faut que je croie pour être catholique.

— Il faut, me dirent-ils tous ensemble, dire que tous les justes ont le *pouvoir prochain*, en faisant abstraction de tout sens : *abstrahendo a sensu Thomistarum, et a sensu aliorum theologorum* [3].

— C'est-à-dire, leur dis-je en les quittant, qu'il faut prononcer ce mot des lèvres, de peur d'être

3. « En faisant abstraction du sens des thomistes et du sens des autres théologiens. »

hérétique de nom. Car enfin est-ce que ce mot est de l'Écriture?

— Non, me dirent-ils.

— Est-il donc des Pères, ou des Conciles, ou des papes?

— Non.

— Est-il donc de saint Thomas?

— Non.

— Quelle nécessité y a-t-il donc de le dire, puisqu'il n'a ni autorité, ni aucun sens de lui-même?

— Vous êtes opiniâtre, me dirent-ils. Vous le direz, ou vous serez hérétique, et M. Arnauld aussi. Car nous sommes le plus grand nombre : et, s'il est besoin, nous ferons venir tant de cordeliers, que nous l'emporterons.

Je les viens de quitter sur cette solide raison, pour vous écrire ce récit, par où vous voyez qu'il ne s'agit d'aucun des points suivants, et qu'ils ne sont condamnés de part ni d'autre : 1. *Que la grâce n'est pas donnée à tous les hommes.* 2. *Que tous les justes ont le pouvoir d'accomplir les commandements de Dieu.* 3. *Qu'ils ont néanmoins besoin pour les accomplir, et même pour prier, d'une grâce efficace qui détermine invinciblement leur volonté.* 4. *Que cette grâce n'est pas toujours donnée à tous les justes et qu'elle dépend de la pure miséricorde de Dieu.* De sorte qu'il n'y a plus que le mot de *prochain* sans aucun sens qui court risque.

Heureux les peuples qui l'ignorent! heureux ceux qui ont précédé sa naissance! Car je n'y vois plus de remède si MM. de l'Académie, ne bannissent par un coup d'autorité ce mot barbare de Sorbonne qui cause tant de divisions. Sans cela, la censure paraît assurée : mais je vois qu'elle ne fera point d'autre mal que de rendre la Sorbonne méprisable par ce procédé, qui lui ôtera l'autorité qui lui est nécessaire en d'autres rencontres.

Je vous laisse cependant dans la liberté de tenir pour le mot de *prochain*, ou non; car j'aime trop mon prochain pour le persécuter sous ce prétexte. Si ce récit ne vous déplaît pas, je continuerai de vous avertir de tout ce qui se passera.

Je suis, etc.

SECONDE LETTRE ÉCRITE A UN PROVINCIAL
PAR UN DE SES AMIS

De Paris, ce 29 janvier 1656.

Monsieur,

Comme je fermais la lettre que je vous ai écrite, je fus visité par M. N., notre ancien ami, le plus heureusement du monde pour ma curiosité; car il est très informé des questions du temps, il sait parfaitement le secret des Jésuites, chez qui il est à toute heure, et avec les principaux. Après avoir parlé de ce qui l'amenait chez moi, je le priai de me dire en un mot quels sont les points débattus entre les deux partis.

Il me satisfit sur l'heure, et me dit qu'il y en avait deux principaux : Le 1. touchant le *pouvoir prochain;* le 2. touchant la *grâce suffisante.* Je vous ai éclairci du premier par la précédente; je vous parlerai du second dans celle-ci.

Je sus donc en un mot que leur différend touchant la *grâce suffisante* est en ce que les Jésuites prétendent qu'il y a une grâce donnée généralement à tous, soumise de telle sorte au libre arbitre, qu'il la rend efficace ou inefficace à son choix, sans aucun nouveau secours de Dieu, et sans qu'il manque rien de sa part pour agir effectivement; ce qui fait qu'ils l'appellent *suffisante*, parce qu'elle seule suffit pour agir. Et que les Jansénistes, au contraire, veulent qu'il n'y ait aucune grâce actuellement suffisante, qui ne soit aussi efficace, c'est-à-dire que toutes celles qui ne déterminent point la volonté à agir effectivement sont insuffisantes pour agir, parce qu'ils disent qu'on n'agit jamais sans *grâce efficace.* Voilà leur différend.

Et m'informant après de la doctrine des nouveaux Thomistes :

— Elle est bizarre, me dit-il : ils sont d'accord avec les Jésuites d'admettre, *une grâce suffisante* donnée à tous les hommes; mais ils veulent néanmoins que les hommes n'agissent jamais avec cette seule grâce, et qu'il faille pour les faire agir, que Dieu leur donne *une grâce efficace* qui détermine réellement leur volonté à l'action, et laquelle Dieu ne donne pas à tous.

— De sorte que, suivant cette doctrine, lui dis-je cette grâce est *suffisante* sans l'être.

— Justement, me dit-il; car, si elle suffit, il n'en faut pas davantage pour agir; et si elle ne suffit pas, elle n'est pas *suffisante.*

— Mais, lui dis-je, quelle différence y a-t-il donc entre eux et les Jansénistes?

— Ils diffèrent, me dit-il, en ce qu'au moins les Dominicains ont cela de bon, qu'ils ne laissent pas de dire que tous les hommes ont *la grâce suffisante.*

— J'entends bien, lui dis-je; mais ils le disent sans le penser, puisqu'ils ajoutent qu'il faut nécessairement, pour agir, avoir *une grâce efficace, qui n'est pas donnée à tous :* et ainsi, s'ils sont conformes aux Jésuites par un terme qui n'a pas de sens, ils leur sont contraires, et conformes aux Jansénistes, dans la substance de la chose.

— Cela est vrai, dit-il.

— Comment donc, lui dis-je, les Jésuites sont-ils unis avec eux? et que ne les combattent-ils aussi bien que les Jansénistes, puisqu'ils auront toujours en eux de puissants adversaires, lesquels soutenant la nécessité de la grâce efficace qui détermine, les empêcheront d'établir celle que vous dites être seule suffisante?

— Il ne faut pas me dit-il; il faut ménager davantage ceux qui sont puissants dans l'Église : les Jésuites se contentent d'avoir gagné sur eux qu'ils admettent au moins le nom de *grâce suffisante*, quoiqu'ils l'entendent comme il leur plaît. Par là ils ont cet avantage qu'ils font, quand ils veulent, passer leur opinion pour ridicule et insoutenable. Car, supposé que tous les hommes aient des grâces suffisantes, il n'y a rien si facile que d'en conclure que la grâce efficace n'est pas nécessaire, puisque cette nécessité exclurait la suffisance qu'on suppose. Et il ne servirait de rien de dire qu'on l'entend autrement; car l'intelligence publique de ce terme ne donne point de lieu à cette explication. Qui dit *suffisant* dit tout ce qui est nécessaire, c'en est le sens propre et naturel. Or si vous aviez la connaissance des choses qui se sont passées autrefois, vous sauriez que les Jésuites ont été si éloignés de voir leur doctrine établie, que vous admireriez de la voir en si beau train. Si vous saviez combien les Dominicains y ont apporté d'obstacles sous les papes Clément VIII et Paul V, vous ne vous étonneriez pas de voir qu'ils ne se brouillent pas avec eux, et qu'ils consentent qu'ils gardent leur opinion, pourvu que la leur soit libre, et principalement quand les Dominicains la favorisent par ces paroles dont ils ont consenti de se servir publiquement.

Ils sont bien satisfaits de leur complaisance. Ils n'exigent pas qu'ils nient la nécessité de la grâce efficace; ce serait trop les presser : il ne faut pas tyranniser ses amis; les Jésuites ont assez gagné. Car le monde se paye de paroles : peu approfondissent les choses; et ainsi le nom de *grâce suffisante* étant reçu des deux côtés, quoique avec divers sens, il n'y a personne, hors les plus fins théologiens, qui ne pense que la chose que ce mot signifie soit tenue aussi bien par les Jacobins que par les Jésuites. Et la suite fera voir que ces derniers ne sont pas les plus dupes.

Je lui avouai que c'étaient d'habiles gens; et pour profiter de son avis, je m'en allai droit aux Jacobins, où je trouvai à la porte un de mes bons amis, grand Janséniste, car j'en ai de tous les partis, qui demandait quelque autre Père que celui que je cherchais. Mais je l'engageai à m'accompagner, à force de prières, et demandai un de mes nouveaux Thomistes.

Il fut ravi de me revoir :

— Et bien! mon Père, lui dis-je, ce n'est pas assez que tous les hommes aient un *pouvoir prochain*, par lequel pourtant ils n'agissent en effet jamais; il faut qu'ils aient encore une *grâce suffisante*, avec laquelle ils agissent aussi peu. N'est-ce pas là l'opinion de votre école?

— Oui, dit le bon Père. Et je l'ai bien dit ce matin en Sorbonne. J'y ai parlé toute ma demi-heure; et sans le *sable*, j'eusse bien changé ce malheureux proverbe qui court déjà dans Paris : *Il opine du bonnet comme un moine en Sorbonne.*

— Et que voulez-vous dire par votre demi-heure et par votre sable? lui répondis-je; taille-t-on vos avis à une certaine mesure?

— Oui, me dit-il, depuis quelques jours.

— Et vous oblige-t-on de parler demi-heure?

— Non. On parle aussi peu qu'on veut.

— Mais non pas tant que l'on veut, lui dis-je. O la bonne règle pour les ignorants! O l'honnête prétexte pour ceux qui n'ont rien de bon à dire! Mais enfin, mon Père, cette grâce donnée à tous les hommes est *suffisante?*

— Oui, dit-il.

— Et néanmoins elle n'a nul effet *sans grâce efficace?*

— Cela est vrai, dit-il.

— Et tous les hommes ont la *suffisante* continuai-je, et tous n'ont pas l'*efficace?*

— Il est vrai, dit-il.

— C'est-à-dire, lui dis-je, que tous ont assez de grâce, et que tous n'en ont pas assez; c'est-à-dire que cette grâce suffit, quoiqu'elle ne suffise pas; c'est-à-dire qu'elle est suffisante de nom, et insuffisante en effet. En bonne foi, mon Père, cette doctrine est bien subtile. Avez-vous oublié, en quittant le monde, ce que le mot de *suffisant* y signifie? Ne vous souvient-il pas qu'il enferme tout ce qui est nécessaire pour agir? Mais vous n'en avez pas perdu la mémoire; car, pour me servir d'une comparaison qui vous sera plus sensible si l'on ne vous servait à dîner que deux onces de pain et un verre d'eau, seriez-vous content de votre prieur, qui vous dirait que cela serait suffisant pour vous nourrir, sous prétexte qu'avec autre chose qu'il ne vous donnerait pas, vous auriez tout ce qui vous serait nécessaire pour bien dîner? Comment donc vous laissez-vous aller à dire que tous les hommes ont *la grâce suffisante* pour agir, puisque vous confessez qu'il y en a une autre absolument nécessaire pour agir, que tous n'ont pas? Est-ce que cette créance est peu importante, et que vous abandonnez à la liberté des hommes de croire que la grâce efficace est nécessaire ou non? Est-ce une chose indifférente de dire qu'avec la grâce suffisante on agit en effet?

— Comment, dit ce bon homme, indifférente! C'est *une hérésie*, c'est *une hérésie* formelle. La nécessité de *la grâce efficace* pour agir effectivement est *de foi;* il y a *hérésie* à la nier.

— Où en sommes-nous donc? m'écriai-je; quel parti dois-je donc prendre? Si je nie la grâce suffisante, je suis *Janséniste*. Si je l'admets comme les Jésuites, en sorte que la grâce efficace ne soit pas nécessaire, je serai *hérétique*, dites-vous. Et si je l'admets comme vous, en sorte que la grâce efficace soit nécessaire, je pèche contre le sens commun et je suis *extravagant*, disent les Jésuites. Que dois-je faire dans cette nécessité inévitable d'être ou extravagant, ou hérétique, ou Janséniste? Et en quels termes sommes-nous réduits, s'il n'y a que les Jansénistes qui ne se brouillent ni avec la foi, ni avec la raison, et qui se sauvent tout ensemble de la folie et de l'erreur?

Mon ami Janséniste prenait ce discours à bon présage, et me croyait déjà gagné. Il ne me dit rien néanmoins, mais en s'adressant à ce Père :

— Dites-moi, je vous prie, mon Père, en quoi vous êtes conformes aux Jésuites?

— C'est dit-il, en ce que les Jésuites et nous reconnaissons les *grâces suffisantes* données à tous.

— Mais, lui dit-il, il y a deux choses dans ce mot de *grâce suffisante :* il y a le son, qui n'est que du vent, et la chose qu'il signifie, qui est réelle et effective. Et ainsi, quand vous êtes d'accord avec les Jésuites touchant le mot de *suffisante*, et contraires dans le sens, il est visible que vous êtes contraires pour la substance de ce terme, et que vous n'êtes d'accord que du son. Est-ce là agir sincèrement et cordialement?

— Mais quoi! dit le bon homme, de quoi vous plaignez-vous, puisque nous ne trahissons personne par cette manière de parler? Car, dans nos écoles, nous disons ouvertement que nous l'entendons d'une manière contraire aux Jésuites.

— Je me plains, lui dit mon ami, de ce que vous ne publiez pas de toutes parts que vous entendez par grâce suffisante, la grâce qui n'est pas suffisante. Vous êtes obligés en conscience, en changeant ainsi le sens des termes ordinaires de la religion, de dire que, quand vous admettez une *grâce suffisante* dans tous les hommes vous entendez qu'ils n'ont pas des grâces suffisantes en effet. Tout ce qu'il y a de personnes au monde entendent le mot de *suffisant* en un même sens; les seuls nouveaux Thomistes l'entendent d'un autre. Toutes les femmes, qui font la moitié du monde, tous les gens de la Cour, tous les gens de guerre, tous les magistrats, tous les gens de palais, les marchands, les artisans, tout le peuple; enfin toutes sortes d'hommes, excepté les Dominicains, entendent par le mot de *suffisant* ce qui enferme tout le nécessaire. Personne n'est averti de cette singularité. On dit seulement par toute la terre que les Jacobins tiennent que tous les hommes ont des *grâces suffisantes*. Que peut-on conclure sinon qu'ils tiennent que tous les hommes ont toutes les grâces qui sont nécessaires pour agir, et principalement en les voyant joints d'intérêts et d'intrigue avec les Jésuites, qui l'entendent de cette sorte? L'uniformité de vos expressions, jointe à cette union de parti, n'est-elle pas une interprétation manifeste et une confirmation de l'uniformité de vos sentiments?

Tous les fidèles demandent aux théologiens quel est le véritable état de la nature depuis sa corruption. Saint Augustin et ses disciples répondent qu'elle n'a plus de grâce suffisante qu'autant qu'il plaît à Dieu de lui en donner. Les Jésuites sont venus ensuite, et disent que tous ont des grâces effectivement suffisantes. On consulte les Dominicains sur cette contrariété. Que font-ils là-dessus? Ils s'unissent aux Jésuites. Ils font par cette union le plus grand nombre. Ils se séparent de ceux qui nient ces grâces suffisantes. Ils déclarent que tous les hommes en ont. Que peut-on penser de là, sinon qu'ils autorisent les Jésuites? Et puis ils ajoutent que néanmoins ces grâces suffisantes sont inutiles sans les efficaces, qui ne sont pas données à tous.

Voulez-vous voir une peinture de l'Église dans ces différents avis? Je la considère comme un homme qui, partant de son pays pour faire un voyage est rencontré par des voleurs qui le blessent de plusieurs coups, et le laissent à demi mort. Il envoie quérir trois médecins dans les villes voisines. Le premier, ayant sondé ses plaies, les juge mortelles, et lui déclare qu'il n'y a que Dieu qui lui puisse rendre ses forces perdues. Le second, arrivant ensuite, voulut le flatter, et lui dit qu'il avait encore des forces suffisantes pour arriver en sa maison, et insulta contre le premier, qui s'opposait à son avis, et forma le dessein de le perdre. Le malade, en cet état douteux, apercevant de loin le troisième, lui tend les mains, comme à celui qui le devait déterminer. Celui-ci ayant considéré ses blessures et sur l'avis des deux premiers, embrasse le second, s'unit à lui et tous deux ensemble se liguent contre le premier, et le chassent honteusement, car ils étaient plus forts en nombre. Le malade juge à ce procédé qu'il est de l'avis du second, et, le lui demandant en effet, il lui déclare affirmativement que ses forces sont suffisantes pour faire son voyage. Le blessé néanmoins, ressentant sa faiblesse, lui demande à quoi il les jugeait telles.

— C'est, lui dit-il, parce que vous avez encore vos jambes; or les jambes sont les organes qui suffisent naturellement pour marcher.

— Mais, lui dit le malade, ai-je toute la force nécessaire pour m'en servir, car il me semble qu'elles sont inutiles dans ma langueur?

— Non certainement, dit le médecin; et vous ne marcherez jamais effectivement, si Dieu ne vous envoie un secours extraordinaire pour vous soutenir et vous conduire.

— Eh quoi! dit le malade, je n'ai donc pas en moi les forces suffisantes et auxquelles il ne manque rien, pour marcher effectivement?

— Vous en êtes bien éloigné, lui dit-il.

— Vous êtes donc, dit le blessé, d'avis contraire à votre compagnon touchant mon véritable état?

— Je vous l'avoue, lui répondit-il.

Que pensez-vous que dit le malade? Il se plaignit du procédé bizarre et des termes ambigus de ce troisième médecin. Il le blâma de s'être uni au second, à qui il était contraire de sentiment, et avec lequel il n'avait qu'une conformité apparente, et d'avoir chassé le premier, auquel il était conforme en effet. Et, après avoir fait essai de ses forces, et reconnu par expérience la vérité de sa faiblesse, il les renvoya tous deux, et, rappelant le premier, se mit entre ses mains, et, suivant son conseil, il demanda à Dieu les forces qu'il confessait n'avoir pas; il en reçut miséricorde, et par son secours, arriva heureusement dans sa maison.

Le bon Père, étonné d'une telle parabole, ne répondait rien. Et je lui dis doucement pour le rassurer :

— Mais, après tout, mon Père, à quoi avez-vous pensé de donner le nom de suffisante à une grâce que vous dites qu'il est de foi de croire qu'elle est insuffisante en effet?

— Vous en parlez, dit-il, bien à votre aise. Vous êtes libre et particulier; je suis religieux et en communauté. N'en savez-vous pas peser la différence? Nous dépendons des supérieurs; ils dépendent d'ailleurs. Ils ont promis nos suffrages : que voulez-vous que je devienne?

Nous l'entendîmes à demi-mot; et cela nous fit souvenir de son confrère, qui a été relégué à Abbeville pour un sujet semblable [4].

— Mais, lui dis-je, pourquoi votre communauté s'est-elle engagée à admettre cette grâce?

— C'est un autre discours, me dit-il. Tout ce que je vous en puis dire, en un mot, est que notre ordre a soutenu autant qu'il a pu la doctrine de saint Thomas, touchant la grâce efficace. Combien s'est-il opposé ardemment à la naissance de la doctrine de Molina! Combien a-t-il travaillé pour l'établissement de la nécessité de la grâce efficace de J.-C.! Ignorez-vous ce qui se fit sous Clément VIII et Paul V, et que, la mort prévenant l'un, et quelques affaires d'Italie empêchant l'autre de publier sa bulle, nos armes sont demeurées au Vatican? Mais les Jésuites, qui, dès le commencement de l'hérésie de Luther et de Calvin, s'étaient prévalus du peu de lumière qu'a le peuple pour en discerner l'erreur d'avec la vérité de la doctrine de saint Thomas, avaient en peu de temps répandu partout leur doctrine avec un tel progrès, qu'on les vit bientôt maîtres de la créance des peuples; et nous en état d'être décriés comme des Calvinistes et traités comme les Jansénistes le sont aujourd'hui, si nous ne tempérions la vérité de la grâce efficace par l'aveu, au moins apparent, d'une *suffisante*. Dans cette extrémité, que pouvions-nous mieux faire, pour sauver la vérité sans perdre notre crédit, sinon d'admettre le nom de grâce suffisante, en niant néanmoins qu'elle soit telle en effet? Voilà comment la chose est arrivée.

Il nous dit cela si tristement, qu'il me fit pitié. Mais non pas à mon second, qui lui dit :

— Ne vous flattez point d'avoir sauvé la vérité; si elle n'avait point eu d'autre protecteurs, elle serait périe en des mains si faibles. Vous avez reçu dans l'Église le nom de son ennemi : c'est y avoir reçu l'ennemi même. Les noms sont inséparables des choses. Si le mot de grâce *suffisante* est une fois affermi, vous aurez beau dire que vous entendez par là une grâce qui est insuffisante, vous ne serez point écoutés. Votre explication serait odieuse dans le monde; on y parle plus sincèrement des choses moins importantes : les Jésuites triompheront; ce sera leur grâce suffisante en effet, et non pas la vôtre, qui ne l'est que de nom, qui passera pour établie; et on fera un article de foi du contraire de votre créance.

— Nous souffririons tous le martyre, lui dit le Père, plutôt que de consentir à l'établissement de *la grâce suffisante au sens des Jésuites;* saint Thomas, que nous jurons de suivre jusques à la mort, y étant directement contraire.

A quoi mon ami, plus sérieux que moi, lui dit :

— Allez, mon Père, votre ordre a reçu un honneur qu'il ménage mal. Il abandonne cette grâce qui lui avait été confiée, et qui n'a jamais été abandonnée depuis la création du monde. Cette grâce victorieuse, qui a été attendue par les patriarches, prédite par les prophètes, apportée par Jésus-Christ, prêchée par saint Paul, expliquée par saint Augustin, le plus grand des Pères, maintenue par ceux qui l'ont suivi, confirmée par saint Bernard, le dernier des Pères, soutenue par saint Thomas, l'Ange de l'école, transmise de lui à votre ordre, appuyée par tant de vos Pères, et si glorieusement défendue par vos religieux sous les papes Clément et Paul : cette grâce efficace, qui avait été mise comme en dépôt entre vos mains, pour avoir, dans un saint ordre à jamais durable, des prédicateurs qui la publiassent au monde jusques à la fin des temps, se trouve comme délaissée pour des intérêts si indignes. Il est temps que d'autres mains s'arment pour sa querelle; il est temps que Dieu suscite des disciples intrépides au docteur de la grâce, qui, ignorant les engagements du siècle, servent Dieu pour Dieu. La grâce peut bien n'avoir plus les Dominicains pour défenseurs; mais elle ne manquera jamais de défenseurs; car elle les forme elle-même par sa force toute-puissante. Elle demande des cœurs purs et dégagés et elle-même les purifie et les dégage des intérêts du monde, incompatibles avec les vérités de l'Évangile. Prévenez ces menaces, mon Père, et prenez garde que Dieu ne change ce flambeau de sa place et ne vous laisse dans les ténèbres et sans couronne.

Il en eût bien dit davantage car il s'échauffait de plus en plus. Mais je l'interrompis et dis en me levant :

— En vérité, mon Père· si j'avais du crédit en France, je ferais publier à son de trompe : *ON FAIT A SAVOIR que quand les Jacobins disent que la grâce suffisante est donnée à tous, ils entendent que tous n'ont pas la grâce qui suffit effectivement.* Après quoi vous le diriez tant qu'il vous plairait, mais non pas autrement.

Ainsi finit notre visite.

Vous voyez donc par là que c'est ici une *suffisance* politique pareille au *pouvoir prochain*. Cependant je vous dirai qu'il me semble qu'on peut sans péril douter du *pouvoir prochain*, et de cette grâce *suffisante*, pourvu qu'on ne soit pas Jacobin.

En fermant ma lettre, je viens d'apprendre que la censure est faite; mais comme je ne sais pas encore en quels termes, et qu'elle ne sera publiée que le 15 février, je ne vous en parlerai que par le premier ordinaire.

Je suis, etc.

4. Le Père Bourdereau, dominicain, avait été relégué à Abbeville à cause d'une thèse sur la grâce (1655).

RÉPONSE DU PROVINCIAL
AUX DEUX PREMIÈRES LETTRES DE SON AMI

Du 2 février 1656.

Monsieur,

Vos deux lettres n'ont pas été pour moi seul. Tout le monde les voit, tout le monde les entend, tout le monde les croit. Elles ne sont pas seulement estimées par les théologiens; elles sont encore agréables aux gens du monde, et intelligibles aux femmes mêmes.

Voici ce que m'en écrit un des Messieurs de l'Académie [5], des plus illustres entre ces hommes tous illustres, qui n'avait encore vu que la première : *Je voudrais que la Sorbonne, qui doit tant à la mémoire de feu M. le Cardinal, voulût reconnaître la juridiction de son Académie française. L'auteur de la Lettre serait content; car, en qualité d'académicien, je condamnerais d'autorité, je bannirais, je proscrirais; peu s'en faut que je ne dise j'exterminerais de tout mon pouvoir ce pouvoir prochain, qui fait tant de bruit pour rien, et sans savoir autrement ce qu'il demande. Le mal est que notre pouvoir académique est un pouvoir fort éloigné et borné. J'en suis marri; et je le suis encore beaucoup de ce que tout mon petit pouvoir ne saurait m'acquitter envers vous, etc.*

Et voici ce qu'une personne [6], que je ne vous marquerai en aucune sorte, en écrit à une dame qui lui avait fait tenir la première de vos lettres.

Je vous suis plus obligée que vous ne pouvez vous l'imaginer de la lettre que vous m'avez envoyée; elle est tout à fait ingénieuse, et tout à fait bien écrite. Elle narre sans narrer; elle éclaircit les affaires du monde les plus embrouillées; elle raille finement; elle instruit même ceux qui ne savent pas bien les choses; elle redouble le plaisir de ceux qui les entendent. Elle est encore une excellente apologie, et, si l'on veut, une délicate et innocente censure. Et il y a enfin tant d'art, tant d'esprit et tant de jugement en cette lettre, que je voudrais bien savoir qui l'a faite, etc.

Vous voudriez bien aussi savoir qui est la personne qui en écrit de la sorte; mais contentez-vous de l'honorer sans la connaître, et, quand vous la connaîtrez, vous l'honorerez bien davantage.

Continuez donc vos lettres sur ma parole, et que la censure vienne quand il lui plaira : nous sommes fort bien disposés à la recevoir. Ces mots de pouvoir prochain et de grâce suffisante, dont on nous menace, ne nous feront plus de peur. Nous avons trop appris des Jésuites, des Jacobins et de M. Le Moine en combien de façons on les tourne, et quelle est la solidité de ces mots nouveaux pour nous en mettre en peine. Cependant je serai toujours, etc.

TROISIÈME LETTRE ÉCRITE A UN PROVINCIAL
POUR SERVIR DE RÉPONSE A LA PRÉCÉDENTE

De Paris, ce 9 février 1656.

Monsieur,

Je viens de recevoir votre lettre, et en même temps l'on m'a apporté une copie manuscrite de la censure. Je me suis trouvé aussi bien traité dans l'une, que M. Arnauld l'est mal dans l'autre. Je crains qu'il n'y ait de l'excès des deux côtés, et que nous ne soyons pas assez connus de nos juges. Je m'assure que, si nous l'étions davantage, M. Arnauld mériterait l'approbation de la Sorbonne, et moi la censure de l'Académie. Ainsi nos intérêts sont tout contraires. Il doit se faire connaître pour défendre son innocence, au lieu que je dois demeurer dans l'obscurité pour ne pas perdre ma réputation. De sorte que, ne pouvant paraître, je vous remets le soin de m'acquitter envers mes célèbres approbateurs, et je prends celui de vous informer des nouvelles de la censure.

Je vous avoue, Monsieur, qu'elle m'a extrêmement surpris. J'y pensais voir condamner les plus horribles hérésies du monde; mais vous admirerez, comme moi, que tant d'éclatantes préparations se soient anéanties sur le point de produire un si grand effet.

Pour l'entendre avec plaisir, ressouvenez-vous, je vous prie, des étranges impressions qu'on nous donne depuis si longtemps des Jansénistes. Rappelez dans votre mémoire les cabales, les factions, les erreurs, les schismes, les attentats, qu'on leur reproche depuis si longtemps; de quelle sorte on les a décriés et noircis dans les chaires et dans les livres; et combien ce torrent, qui a eu tant de violence et de durée, était grossi dans ces dernières années, où on les accusait ouvertement et publiquement d'être non seulement hérétiques et schismatiques, mais apostats et infidèles : de nier le mystère de la transsubstantiation, et de renoncer à Jésus-Christ et à l'Évangile.

Ensuite de tant d'accusations si atroces, on a pris le dessein d'examiner leurs livres pour en faire le jugement. On a choisi la seconde Lettre de M. Arnauld,

5. Sainte-Beuve estime que l'académicien serait Chapelain.
6. Selon l'abbé Flottes (1858) la personne « honorable » serait Mme du Plessis-Guenégaud, femme du Secrétaire d'Etat, et non Mlle de Scudéry.

qu'on disait être remplie des plus détestables erreurs. On lui donne pour examinateurs ses plus déclarés ennemis. Ils emploient toute leur étude à rechercher ce qu'ils y pourraient reprendre; et ils en rapportent une proposition touchant la doctrine, qu'ils exposent à la censure.

Que pouvait-on penser de tout ce procédé, sinon que cette proposition, choisie avec des circonstances si remarquables, contenait l'essence des plus noires hérésies qui se puissent imaginer? Cependant elle est telle, qu'on n'y voit rien qui ne soit si clairement et si formellement exprimé, dans les passages des Pères que M. Arnauld a rapportés en cet endroit, que je n'ai vu personne qui en pût comprendre la différence. On s'imaginait néanmoins qu'il y en avait une terrible, puisque, les passages des Pères étant sans doute catholiques, il fallait que la proposition de M. Arnauld y fut horriblement contraire pour être hérétique.

C'était de la Sorbonne qu'on attendait cet éclaircissement. Toute la chrétienté avait les yeux ouverts pour voir dans la censure de ces docteurs ce point imperceptible au commun des hommes.

Cependant M. Arnauld fait ses Apologies [7], où il donne en plusieurs colonnes sa proposition, et les passages des Pères d'où il l'a prise, pour en faire paraître la conformité aux moins clairvoyants.

Il fait voir que saint Augustin dit, en un endroit qu'il cite : *Que Jésus-Christ nous montre un juste en la personne de saint Pierre, qui nous instruit par sa chute de fuir la présomption.* Il en rapporte un autre du même Père, qui dit : *Que Dieu, pour montrer que sans la grâce on ne peut rien, a laissé saint Pierre sans grâce.* Il en donne un autre, de saint Chrysostome, qui dit : *Que la chute de saint Pierre n'arriva pas pour avoir été froid envers Jésus-Christ, mais parce que la grâce lui manqua; et qu'elle n'arriva pas tant par sa négligence que par l'abandon de Dieu, pour apprendre à toute l'Eglise que sans Dieu l'on ne peut rien.* Ensuite de quoi il rapporte sa proposition accusée, qui est celle-ci : *Les Pères nous montrent un juste en la personne de saint Pierre, à qui la grâce, sans laquelle on ne peut rien, a manqué.*

C'est sur cela qu'on essaye en vain de remarquer comment il se peut faire que l'expression de M. Arnauld soit autant différente de celles des Pères que la vérité l'est de l'erreur, et la foi de l'hérésie. Car où en pourrait-on trouver la différence? Serait-ce en ce qu'il dit : *Que les Pères nous montrent un juste en la personne de saint Pierre?* Mais saint Augustin l'a dit en mots propres. Est-ce en ce qu'il dit : *Que la grâce lui a manqué?* Mais le même saint Augustin qui dit, *que saint Pierre était juste*, dit *qu'il n'avait pas eu la grâce en cette rencontre.* Est-ce en ce qu'il dit : *que sans la grâce on ne peut rien?* Mais n'est-ce pas ce que saint Augustin dit au même endroit, et ce que saint Chrysostome même avait dit avant lui, avec cette seule différence, qu'il l'exprime d'une manière bien plus forte, comme en ce qu'il dit : *Que sa chute n'arriva pas par sa froideur, ni par sa négligence, mais par le défaut de la grâce et par l'abandon de Dieu.*

Toutes ces considérations tenaient tout le monde en haleine, pour apprendre en quoi consistait cette diversité, lorsque cette censure si célèbre et si attendue a enfin paru après tant d'assemblées. Mais, hélas! elle a bien frustré notre attente. Soit que ces bons Molinistes n'aient pas daigné s'abaisser jusques à nous en instruire, soit pour quelque autre raison secrète, ils n'ont fait autre chose que prononcer ces paroles : *Cette proposition est téméraire, impie, blasphématoire, frappée d'anathème, et hérétique.*

Croiriez-vous, Monsieur, que la plupart des gens, se voyant trompés dans leur espérance, sont entrés en mauvaise humeur, et s'en prennent aux censeurs mêmes? Ils tirent de leur conduite des conséquences admirables pour l'innocence de M. Arnauld.

— Eh quoi! disent-ils, est-ce là tout ce qu'ont pu faire durant si longtemps, tant de docteurs si acharnés sur un seul, que de ne trouver dans tous ses ouvrages que trois lignes à reprendre, et qui sont tirées des propres paroles des plus grands docteurs de l'Eglise grecque et latine? Y a-t-il un auteur qu'on veuille perdre, dont les écrits n'en donnent un plus spécieux prétexte? Et quelle plus haute marque peut-on produire de la vérité de la foi de cet illustre accusé?

— D'où vient, disent-ils, qu'on pousse tant d'imprécations qui se trouvent dans cette censure où l'on assemble tous les plus terribles termes *de poison*, *de peste*, *d'horreur*, *de témérité*, *d'impiété*, *de blasphème*, *d'abomination*, *d'exécration*, *d'anathème*, *d'hérésie*, qui sont les plus horribles expressions qu'on pourrait former contre Arius, et contre l'Antéchrist même, pour combattre une hérésie imperceptible, et encore sans la découvrir? Si c'est contre les paroles des Pères qu'on agit de la sorte, où est la foi et la tradition? Si c'est contre la proposition de M. Arnauld, qu'on nous montre en quoi elle en est différente, puisqu'il ne nous en paraît autre chose qu'une parfaite conformité. Quand nous en reconnaîtrons le mal, nous l'aurons en détestation; mais tant que nous ne le verrons point, et que nous n'y trouverons que les sentiments des saints Pères, conçus et exprimés en leurs propres termes, comment pourrions-nous l'avoir sinon en une sainte vénération?

Voilà de quelle sorte ils s'emportent; mais ce sont des gens trop pénétrants. Pour nous, qui n'approfondissons pas tant les choses, tenons-nous en repos sur le tout. Voulons-nous être plus savants que messieurs nos maîtres? N'entreprenons pas plus qu'eux; nous nous égarerions dans cette recherche. Il ne faudrait rien pour rendre cette censure hérétique. La vérité est si délicate, que si peu qu'on s'en retire, on tombe dans l'erreur : mais cette erreur est si déliée, que, sans même s'en éloigner, on se trouve dans la vérité. Il n'y a qu'un point imperceptible entre cette proposition et la foi. La distance en est si insensible, que j'ai eu peur, en ne la voyant pas, de me rendre contraire aux docteurs de l'Eglise, pour me rendre

7. Il s'agit, d'après les citations, de l'Apologie *Antonii Arnaldi epistola ad Sacram facultatem.*

trop conforme aux docteurs de Sorbonne; et, dans cette crainte, j'ai jugé nécessaire de consulter un de ceux qui furent neutres dans la première question, pour apprendre de lui la chose véritablement. J'en ai donc vu un fort habile, que je priai de me vouloir marquer les circonstances de cette différence, parce que je lui confessai franchement que je n'y en voyais aucune.

A quoi il me répondit en riant comme s'il eût pris plaisir à ma naïveté :

— Que vous êtes simple de croire qu'il y en ait! Et où pourrait-elle être? Vous imaginez-vous que si l'on en eût trouvé quelqu'une, on ne l'eût pas marquée hautement, et qu'on n'eût pas été ravi de l'exposer à la vue de tous les peuples, dans l'esprit desquels on veut décrier M. Arnauld?

Je reconnus bien, à ce peu de mots, que tous ceux qui étaient neutres dans la première question ne l'eussent pas été dans la seconde. Je ne laissai pas d'ouïr ses raisons et de lui dire :

— Pourquoi donc ont-ils attaqué cette proposition?

A quoi il me repartit :

— Ignorez-vous ces deux choses, que les moins instruits de ces affaires connaissent : l'une, que M. Arnauld a toujours évité de dire rien qui ne fût puissamment fondé sur la tradition de l'Eglise; l'autre, que ses ennemis ont néanmoins résolu de l'en retrancher à quelque prix que ce soit; et qu'ainsi les écrits de l'un ne donnant aucune prise aux desseins des autres, ils ont été contraints, pour satisfaire leur passion, de prendre une proposition telle quelle, et de la condamner sans dire en quoi ni pourquoi? Car ne savez-vous pas comment les Jansénistes les tiennent en échec, et les pressent si furieusement, que, la moindre parole qui leur échappe contre les principes des Pères, on les voit incontinent accablés par des volumes entiers, où ils sont forcés de succomber : de sorte qu'après tant d'épreuves de leur faiblesse, ils ont jugé plus à propos et plus facile de censurer que de repartir, parce qu'il leur est bien plus aisé de trouver des moines que des raisons?

— Mais quoi! lui dis-je, la chose étant ainsi, leur censure est inutile; car quelle créance y aura-t-on en la voyant sans fondement, et ruinée par les réponses qu'on y fera?

— Si vous connaissiez l'esprit du peuple, me dit mon docteur, vous parleriez d'une autre sorte. Leur censure, toute censurable qu'elle est, aura presque tout son effet pour un temps; et quoiqu'à force d'en montrer l'invalidité, il soit certain qu'on la fera entendre, il est aussi véritable que d'abord la plupart des esprits en seront aussi fortement frappés que de la plus juste du monde. Pourvu qu'on crie dans les rues : *Voici la censure de M. Arnauld! Voici la condamnation des Jansénistes!* les Jésuites auront leur compte. Combien y en aura-t-il peu qui la lisent? Combien peu de ceux qui la liront, qui l'entendent? Combien peu qui aperçoivent qu'elle ne satisfait point aux objections? Qui croyez-vous qui prenne les choses à cœur, et qui entreprenne de les examiner à fond? Voyez donc combien il y a d'utilité en cela pour les ennemis des Jansénistes. Ils sont sûrs par là de triompher, quoique d'un vain triomphe à leur ordinaire, au moins durant quelques mois. C'est beaucoup pour eux : ils chercheront ensuite quelque nouveau moyen de subsister. Ils vivent au jour la journée. C'est de cette sorte qu'ils se sont maintenus jusqu'à présent, tantôt par un catéchisme où un enfant condamne leurs adversaires, tantôt par une procession où la grâce suffisante mène l'efficace en triomphe, tantôt par une comédie où les diables emportent Jansénius; une autre fois par un almanach; maintenant par cette censure.

— En vérité, lui dis-je, je trouvais tantôt à redire au procédé des Molinistes; mais, après ce que vous m'avez dit, j'admire leur prudence et leur politique. Je voyais bien qu'ils ne pouvaient rien faire de plus judicieux ni de plus sûr.

— Vous l'entendez, me dit-il. Leur plus sûr parti a toujours été de se taire. Et c'est ce qui a fait dire à un savant théologien : que les plus habiles d'entre eux sont ceux qui intriguent beaucoup, qui parlent peu, et qui n'écrivent point.

C'est dans cet esprit que, dès le commencement des assemblées, ils avaient prudemment ordonné que si M. Arnauld venait en Sorbonne, ce ne fût que pour y exposer simplement ce qu'il croyait, et non pas pour y entrer en lice contre personne. Les examinateurs s'étant voulu un peu écarter de cette méthode, ils ne s'en sont pas bien trouvés. Ils se sont vus trop vertement réfutés par son second Apologétique [8].

C'est dans ce même esprit qu'ils ont trouvé cette rare et toute nouvelle invention de la demi-heure et du sable. Ils se sont délivrés par là de l'importunité de ces fâcheux docteurs qui prenaient plaisir à réfuter toutes leurs raisons, à produire les livres pour les convaincre de fausseté, à les sommer de répondre, et à les réduire à ne pouvoir répliquer.

Ce n'est pas qu'ils n'aient bien vu que ce manquement de liberté, qui avait porté un si grand nombre de docteurs à se retirer des assemblées, ne ferait pas de bien à leur censure; et que l'acte de M. Arnauld serait un mauvais préambule pour la faire recevoir favorablement. Ils croient assez que ceux qui ne sont pas dupes considèrent pour le moins autant le jugement de 70 docteurs, qui n'avaient rien à gagner en défendant M. Arnauld, que celui d'une centaine d'autres, qui n'avaient rien à perdre en le condamnant.

Mais, après tout, ils ont pensé que c'était toujours beaucoup d'avoir une censure, quoiqu'elle ne soit que d'une partie de la Sorbonne et non pas de tout le corps; quoiqu'elle soit faite avec peu ou point de liberté, et obtenue par beaucoup de menus moyens qui ne sont pas des plus réguliers; quoiqu'elle n'explique rien de ce qui pouvait être en dispute; quoiqu'elle ne marque point en quoi consiste cette hérésie, qu'on y parle peu, de crainte de se méprendre.

8. Cette Apologie était titrée : *Apologeticus alter.*

Ce silence même est un mystère pour les simples; et la censure en tirera cet avantage singulier, que les plus critiques et les plus subtils théologiens n'y pourront trouver aucune mauvaise raison.

Mettez-vous donc l'esprit en repos, et ne craignez point d'être hérétique en vous servant de la proposition condamnée. Elle n'est mauvaise que dans la seconde Lettre de M. Arnauld. Ne vous en voulez-vous pas fier à ma parole? croyez-en M. Le Moine, le plus ardent des examinateurs, qui a dit encore ce matin à un docteur de mes amis, sur ce qu'il lui demandait en quoi consiste cette différence dont il s'agit, et s'il ne serait plus permis de dire ce qu'ont dit les Pères :

— Cette proposition, lui a-t-il excellemment répondu, serait catholique dans une autre bouche; ce n'est que dans M. Arnauld que la Sorbonne l'a condamnée. Et ainsi admirez les machines du molinisme, qui font dans l'Eglise de si prodigieux renversements, que ce qui est catholique dans les Pères devient hérétique dans M. Arnauld; que ce qui était hérétique, dans les semi-pélagiens devient orthodoxe dans les écrits des Jésuites; que la doctrine si ancienne de saint Augustin est une nouveauté insupportable, et que les inventions nouvelles qu'on fabrique tous les jours à notre vue, passent pour l'ancienne foi de l'Eglise.

Sur cela il me quitta.

Cette instruction m'a ouvert les yeux. J'y ai compris que c'est ici une hérésie d'une nouvelle espèce. Ce ne sont pas les sentiments de M. Arnauld qui sont hérétiques; ce n'est que sa personne. C'est une hérésie personnelle. Il n'est pas hérétique pour ce qu'il a dit ou écrit, mais seulement pour ce qu'il est M. Arnauld. C'est tout ce qu'on trouve à redire en lui. Quoi qu'il fasse, s'il ne cesse d'être, il ne sera jamais bon catholique. La grâce de saint Augustin ne sera jamais la véritable tant qu'il la défendra. Elle le deviendrait s'il venait à la combattre. Ce serait un coup sûr, et presque le seul moyen de l'établir, et de détruire le molinisme; tant il porte de malheur aux opinions qu'il embrasse.

Laissons donc là leurs différends. Ce sont des disputes de théologiens, et non pas de théologie. Nous, qui ne sommes point docteurs, n'avons que faire à leurs démêlés. Apprenez des nouvelles de la censure à tous nos amis, et aimez-moi autant que je suis,

Monsieur,

Votre très-humble et très-obéissant serviteur,

E.A.A.B.P.A.F.D.E.P. [9]

QUATRIÈME LETTRE ÉCRITE A UN PROVINCIAL
PAR UN DE SES AMIS

De Paris, le 25 février 1656.

Monsieur,

Il n'est rien tel que les Jésuites. J'ai bien vu des Jacobins, des docteurs, et de toute sorte de gens; mais une pareille visite manquait à mon instruction. Les autres ne font que les copier. Les choses valent toujours mieux dans leur source. J'en ai donc vu un des plus habiles, et j'y étais accompagné de mon fidèle Janséniste, qui fut avec moi aux Jacobins. Et comme je souhaitais particulièrement d'être éclairci sur le sujet d'un différend qu'ils ont avec les Jansénistes, touchant ce qu'ils appellent *la grâce actuelle*, je dis à ce bon Père que je lui serais fort obligé s'il voulait m'en instruire; que je ne savais pas seulement ce que ce terme signifiait, et je le priai de me l'expliquer.

— Très volontiers, me dit-il; car j'aime les gens curieux. En voici la définition. Nous appelons *grâce actuelle, une inspiration de Dieu par laquelle il nous fait connaître sa volonté et par laquelle il nous excite à la vouloir accomplir.*

— Et en quoi, lui dis-je, êtes-vous en dispute avec les Jansénistes sur ce sujet?

— C'est me répondit-il, en ce que nous voulons que Dieu donne des grâces actuelles à tous les hommes, à chaque tentation : parce que nous soutenons que, si l'on n'avait pas à chaque tentation la grâce actuelle pour n'y point pécher, quelque péché que l'on commît, il ne pourrait jamais être imputé. Et les Jansénistes disent, au contraire, que les péchés commis sans grâce actuelle ne laissent pas d'être imputés. Mais ce sont des rêveurs.

J'entrevoyais ce qu'il voulait dire; mais, pour le lui faire encore expliquer plus clairement, je lui dis :

— Mon Père, ce mot de *grâce actuelle* me brouille; je n'y suis pas accoutumé : si vous aviez la bonté de me dire la même chose sans vous servir de ce terme, vous m'obligeriez infiniment.

— Oui, dit le Père; c'est-à-dire que vous voulez que je substitue la définition à la place du défini : cela ne change jamais le sens du discours; je le veux bien. Nous soutenons donc, comme un principe indubitable, *qu'une action ne peut être imputée à péché, si Dieu ne nous donne, avant que de la commettre, la connaissance du mal qui y est, et une inspiration qui nous excite à l'éviter.* M'entendez-vous maintenant?

Etonné d'un tel discours, selon lequel tous les péchés de surprise, et ceux qu'on fait dans un entier oubli de Dieu, ne pourraient être imputés, je me

9. Signature : Et Ancien Ami, Blaise Pascal, Auvergnat, fils d'Etienne Pascal.

tournai vers mon Janséniste, et je connus bien à sa façon qu'il n'en croyait rien. Mais, comme il ne répondait mot, je dis à ce Père :

— Je voudrais, mon Père, que ce que vous dites fût bien véritable, et que vous en eussiez de bonnes preuves.

— En voulez-vous? me dit-il aussitôt; je m'en vais vous en fournir et des meilleures : laissez-moi faire.

Sur cela, il alla chercher ses livres. Et je dis cependant à mon ami :

— Y en a-t-il quelqu'autre qui parle comme celui-ci?

— Cela vous est-il si nouveau? me répondit-il. Faites état que jamais les Pères, les papes, les conciles, ni l'Ecriture, ni aucun livre de piété, même dans ces derniers temps, n'ont parlé de cette sorte : mais que, pour des casuistes, et des nouveaux scolastiques, il vous en apportera un beau nombre.

— Mais, quoi, lui dis-je, je me moque de ces auteurs-là, s'ils sont contraires à la tradition.

— Vous avez raison, me dit-il.

Et, à ces mots, le bon Père arriva chargé de livres. Et m'offrant le premier qu'il tenait :

— Lisez, me dit-il, la *Somme des Péchés* du Père Bauny, que voici; et de la cinquième édition encore, pour vous montrer que c'est un bon livre.

— C'est dommage, me dit tout bas mon Janséniste, que ce livre-là ait été condamné à Rome, et par les évêques de France.

— Voyez, me dit le Père, la page 906.

Je lus donc, et je trouvai ces paroles : *Pour pécher et se rendre coupable devant Dieu, il faut savoir que la chose qu'on veut faire ne vaut rien, ou au moins en douter, craindre, ou bien juger que Dieu ne prend plaisir à l'action à laquelle on s'occupe, et qu'il la défend, et nonobstant la faire, franchir le saut, et passer outre.*

— Voilà qui commence bien, lui dis-je.

— Voyez cependant, me dit-il, ce que c'est que l'envie. C'était sur cela que M. Hallier, avant qu'il fût de nos amis, se moquait du P. Bauny, et lui appliquait ces paroles : *Ecce qui tollit peccata mundi; Voilà celui qui ôte les péchés du monde!*

— Il est vrai, lui dis-je que voilà une rédemption toute nouvelle, selon le P. Bauny.

— En voulez-vous, ajouta-t-il, une autorité plus authentique? Voyez ce livre du P. Annat [10]. C'est le dernier qu'il a fait contre M. Arnauld; lisez la page 34 où il y a une oreille, et voyez les lignes que j'ai marquées avec du crayon; elles sont toutes d'or.

Je lus donc ces termes : *Celui qui n'a aucune pensée de Dieu, ni de ses péchés, ni aucune appréhension*, c'est-à-dire, à ce qu'il me fit entendre aucune connaissance, *de l'obligation d'exercer des actes d'amour de Dieu, ou de contrition, n'a aucune grâce actuelle pour exercer ces actes; mais il est vrai aussi qu'il ne fait aucun péché en les omettant, et que, s'il est damné, ce ne sera pas en punition de cette omission.* Et quelques lignes plus bas : *Et on peut dire la même chose d'une coupable commission.*

— Voyez-vous, me dit le Père, comment il parle des péchés d'omission, et de ceux de commission? Car il n'oublie rien. Qu'en dites-vous?

— O que cela me plaît! lui répondis-je; que j'en vois de belles conséquences! Je perce déjà dans les suites : que de mystères s'offrent à moi! Je vois, sans comparaison plus de gens justifiés par cette ignorance, et cet oubli de Dieu, que par la grâce et les sacrements. Mais, mon Père, ne me donnez-vous point une fausse joie? N'est-ce point ici quelque chose de semblable à cette *suffisance* qui ne suffit pas? J'appréhende furieusement le *distinguo;* j'y ai été déjà attrapé. Parlez-vous sincèrement?

— Comment! dit le Père en s'échauffant. Il n'en faut pas railler; il n'y a point ici d'équivoque.

— Je n'en raille pas, lui dis-je; mais c'est que je crains à force de désirer.

— Voyez donc, me dit-il, pour vous en mieux assurer, les écrits de M. Le Moine, qui l'a enseigné en pleine Sorbonne. Il l'a appris de nous, à la vérité; mais il l'a bien démêlé. O qu'il l'a fortement établi! Il enseigne que, pour faire qu'une action *soit péché*, il faut que *toutes ces choses se passent dans l'âme.* Lisez, et pesez chaque mot.

Je lus donc en latin ce que vous verrez ici en français : 1. *D'une part, Dieu répand dans l'âme quelque amour qui la penche vers la chose commandée; et de l'autre part, la concupiscence rebelle la sollicite au contraire.* 2. *Dieu lui inspire la connaissance de sa faiblesse.* 3. *Dieu lui inspire la connaissance du médecin qui la doit guérir.* 4. *Dieu lui inspire le désir de sa guérison.* 5. *Dieu lui inspire le désir de le prier et d'implorer son secours.*

— Et si toutes ces choses ne se passent dans l'âme, dit le Jésuite, l'action n'est pas proprement péché, et ne peut être imputée, comme M. Le Moine le dit en ce même endroit et dans toute la suite. En voulez-vous encore d'autres autorités? En voici.

— Mais toutes modernes, me dit doucement mon Janséniste.

— Je le vois bien, dis-je.

Et, en m'adressant à ce Père, je lui dis :

— O mon Père, le grand bien que voici pour des gens de ma connaissance! Il faut que je vous les amène. Peut-être n'en avez-vous guère vu qui aient moins de péchés, car ils ne pensent jamais à Dieu; les vices ont prévenu leur raison : *Ils n'ont jamais connu ni leur infirmité, ni le médecin qui la peut guérir. Ils n'ont jamais pensé à désirer la santé de leur âme, et encore moins à prier Dieu de la leur donner;* de sorte qu'ils sont encore dans l'innocence baptismale selon M. Le Moine. *Ils n'ont jamais eu de pensée d'aimer Dieu, ni d'être contrits de leurs péchés;* de sorte que, selon le P. Annat, ils n'ont commis aucun péché par le défaut de charité et de pénitence : leur vie est dans une recherche continuelle de toutes sortes de plaisirs, dont jamais le moindre remords n'a interrompu le cours. Tous ces excès me faisaient

10. Titre de ce livre : *Réflexions sur la seconde lettre du sieur Arnauld*, 1656.

croire leur perte assurée; mais, mon Père, vous m'apprenez que ces mêmes excès rendent leur salut assuré. Béni soyez-vous, mon Père, qui justifiez ainsi les gens! Les autres apprennent à guérir les âmes par des austérités pénibles : mais vous montrez que celles qu'on aurait crues le plus désespérément malades se portent bien. O la bonne voie pour être heureux en ce monde et en l'autre! J'avais toujours pensé qu'on péchât d'autant plus, qu'on pensait le moins à Dieu. Mais, à ce que je vois, quand on a pu gagner une fois sur soi de n'y plus penser du tout, toutes choses deviennent pures pour l'avenir. Point de ces pécheurs à demi, qui ont quelque amour pour la vertu; ils seront tous damnés, ces demi-pécheurs. Mais pour ces francs pécheurs, pécheurs endurcis, pécheurs sans mélange, pleins et achevés, l'enfer ne les tient pas : ils ont trompé le diable à force de s'y abandonner.

Le bon Père, qui voyait assez clairement la liaison de ces conséquences avec son principe, s'en échappa adroitement; et, sans se fâcher, ou par douceur, ou par prudence, il me dit seulement :

— Afin que vous entendiez comment nous sauvons ces inconvénients, sachez que nous disons bien que ces impies dont vous parlez seraient sans péché s'ils n'avaient jamais eu de pensées de se convertir, ni de désirs de se donner à Dieu. Mais nous soutenons qu'ils en ont tous, et que Dieu n'a jamais laissé pécher un homme sans lui donner auparavant la vue du mal qu'il va faire, et le désir ou d'éviter le péché, ou au moins d'implorer son assistance pour le pouvoir éviter; et il n'y a que les Jansénistes qui disent le contraire.

— Eh quoi! mon Père, lui repartis-je, est-ce là l'hérésie des Jansénistes, de nier qu'à chaque fois qu'on fait un péché, il vient un remords troubler la conscience, malgré lequel on ne laisse pas de *franchir le saut et de passer outre*, comme dit le père Bauny? C'est une assez plaisante chose d'être hérétique pour cela! Je croyais bien qu'on fût damné pour n'avoir pas de bonnes pensées; mais qu'on le soit pour ne pas croire que tout le monde en a, vraiment je ne le pensais pas. Mais, mon Père, je me tiens obligé en conscience de vous désabuser, et de vous dire qu'il y a mille gens qui n'ont point ces désirs, qui pèchent sans regret, qui pèchent avec joie, qui en font vanité. Et qui peut en savoir plus de nouvelles que vous? Il n'est pas que vous ne confessiez quelqu'un de ceux dont je parle; car c'est parmi les personnes de grande qualité qu'il s'en rencontre d'ordinaire. Mais prenez garde, mon Père, aux dangereuses suites de votre maxime. Ne remarquez-vous pas quel effet elle peut faire dans ces libertins qui ne cherchent qu'à douter de la religion? Quel prétexte leur en offrez-vous, quand vous leur dites, comme une vérité de foi, qu'ils sentent, à chaque péché qu'ils commettent, un avertissement et un désir intérieur de s'en abstenir! Car n'est-il pas visible qu'étant convaincus, par leur propre expérience, de la fausseté de votre doctrine en ce point, que vous dites être de foi, ils en étendront la conséquence à tous les autres? Ils diront que si vous n'êtes pas véritables en un article, vous êtes suspects en tous : et ainsi vous les obligerez à conclure, ou que la religion est fausse, ou du moins que vous en êtes mal instruits.

Mais mon second, soutenant mon discours, lui dit :

— Vous feriez bien, mon Père, pour conserver votre doctrine, de n'expliquer pas aussi nettement que vous nous avez fait ce que vous entendez par grâce *actuelle*. Car comment pourriez-vous déclarer ouvertement, sans perdre toute créance dans les esprits, *que personne ne pèche qu'il n'ait auparavant la connaissance de son infirmité, celle du médecin, le désir de la guérison, et celui de la demander à Dieu?* Croira-t-on, sur votre parole, que ceux qui sont plongés dans l'avarice, dans l'impudicité, dans les blasphèmes, dans le duel, dans la vengeance, dans les vols, dans les sacrilèges aient des véritables désirs d'embrasser la chasteté, l'humilité, et les autres vertus chrétiennes?

Pensera-t-on que ces philosophes, qui vantaient si hautement la puissance de la nature, en connussent l'infirmité et le médecin? Direz-vous que ceux qui soutenaient comme une maxime assurée *que Dieu ne donne point la vertu et qu'il ne s'est jamais trouvé personne qui la lui ait demandée*, pensassent à la lui demander eux-mêmes?

Qui pourra croire que les Epicuriens qui niaient la Providence divine, eussent des mouvements de prier Dieu, eux qui disaient *que c'était lui faire injure de l'implorer dans nos besoins, comme s'il eût été capable de s'amuser à penser à nous?*

Et enfin comment s'imaginer que les idolâtres et les athées aient dans toutes les tentations qui les portent au péché, c'est-à-dire une infinité de fois en leur vie, le désir de prier le véritable Dieu, qu'ils ignorent, de leur donner les véritables vertus qu'ils ne connaissent pas?

— Oui, dit le bon Père, d'un ton résolu, nous le dirons, et plutôt que de dire qu'on pèche sans avoir la vue que l'on fait mal, et le désir de la vertu contraire, nous soutiendrons que tout le monde, et les impies et les infidèles, ont ces inspirations et ces désirs à chaque tentation. Car vous ne sauriez me montrer au moins par l'Ecriture, que cela ne soit pas.

Je pris la parole à ce discours, pour lui dire :

— Eh quoi! mon Père, faut-il recourir à l'Ecriture pour montrer une chose si claire? Ce n'est pas ici un point de foi, ni même de raisonnement. C'est une chose de fait. Nous le voyons, nous le savons, nous le sentons.

Mais mon Janséniste, se tenant dans les termes que le Père avait prescrits, lui dit ainsi :

— Si vous voulez, mon Père, ne vous rendre qu'à l'Ecriture, j'y consens, mais au moins ne lui résistez pas : et puisqu'il est écrit *que Dieu n'a pas révélé ses jugements aux Gentils, et qu'il les a laissés errer dans leurs voies*, ne dites pas que Dieu a éclairé ceux que les livres sacrés nous assurent *avoir été abandonnés dans les ténèbres et dans l'ombre de la mort*.

Ne vous suffit-il pas, pour entendre l'erreur de votre

principe, de voir que saint Paul se dit *le premier des pécheurs*, pour un péché qu'il déclare avoir commis *par ignorance, et avec zèle?*

Ne suffit-il pas de voir par l'Evangile, que ceux qui crucifiaient J.-C. avaient besoin du pardon qu'il demandait pour eux, quoi qu'ils ne connussent point la malice de leur action, et qu'ils ne l'eussent jamais faite selon saint Paul, s'ils en eussent eu la connaissance?

Ne suffit-il pas que Jésus-Christ nous avertisse qu'il y aura des persécuteurs de l'Eglise qui croiront rendre service à Dieu en s'efforçant de la ruiner; pour nous faire entendre que ce péché, qui est le plus grand de tous selon l'Apôtre, peut être commis par ceux qui sont si éloignés de savoir qu'ils pèchent, qu'ils croiraient pécher en ne le faisant pas? Et enfin ne suffit-il pas que J.-C. lui-même nous ait appris qu'il y a deux sortes de pécheurs, dont les uns pèchent avec connaissance, et les autres sans connaissance, et qu'ils seront tous châtiés, quoiqu'à la vérité différemment?

Le bon Père, pressé par tant de témoignages de l'Ecriture à laquelle il avait eu recours, commença à lâcher pied; et laissant pécher les impies sans inspiration, il nous dit :

— Au moins vous ne nierez pas que les justes ne pèchent jamais sans que Dieu leur donne...

— Vous reculez, lui dis-je en l'interrompant, vous reculez, mon Père, et vous abandonnez le principe général; et voyant qu'il ne vaut plus rien à l'égard des pécheurs, vous voudriez entrer en composition, et le faire au moins subsister pour les justes. Mais cela étant, j'en vois l'usage bien raccourci; car il ne servira plus à guère de gens, et ce n'est quasi pas la peine de vous le disputer.

Mais mon second, qui avait, à ce que je crois, étudié toute cette question le matin même, tant il était prêt sur tout, lui répondit :

— Voilà, mon Père, le dernier retranchement où se retirent ceux de votre parti qui ont voulu entrer en dispute : mais vous y êtes aussi peu en assurance. L'exemple des justes ne vous est pas plus favorable. Qui doute qu'ils ne tombent souvent dans des péchés de surprise sans qu'ils s'en aperçoivent? N'apprenons-nous pas des saints mêmes combien la concupiscence leur tend de pièges secrets, et combien il arrive ordinairement que quelque sobres qu'ils soient, ils donnent à la volupté ce qu'ils pensent donner à la seule nécessité, comme saint Augustin le dit de soi-même dans ses Confessions?

Combien est-il ordinaire de voir les plus zélés s'emporter dans la dispute à des mouvements d'aigreur pour leur propre intérêt, sans que leur conscience leur rende sur l'heure d'autre témoignage, sinon qu'ils agissent de la sorte pour le seul intérêt de la vérité, et sans qu'ils s'en aperçoivent quelquefois que longtemps après!

Mais que dira-t-on de ceux qui se portent avec ardeur à des choses effectivement mauvaises, parce qu'ils les croient effectivement bonnes, comme l'histoire ecclésiastique en donne des exemples; ce qui n'empêche pas, selon les Pères, qu'ils n'aient péché dans ces occasions?

Et sans cela, comment les justes auraient-ils des péchés cachés? Comment serait-il véritable que Dieu seul en connaît et la grandeur et le nombre, que personne ne sait s'il est digne d'amour ou de haine, et que les plus saints doivent toujours demeurer dans la crainte et dans le tremblement, quoiqu'ils ne se sentent coupables en aucune chose, comme saint Paul le dit de lui-même?

Concevez donc, mon Père, que les exemples et des justes et des pécheurs renversent également cette nécessité que vous supposez, pour pécher, de connaître le mal et d'aimer la vertu contraire; puisque la passion que les impies ont pour les vices témoigne assez qu'ils n'ont aucun désir pour la vertu, et que l'amour que les justes ont pour la vertu témoigne hautement qu'ils n'ont pas toujours la connaissance des péchés qu'ils commettent chaque jour, selon l'Écriture.

Et il est si véritable que les justes pèchent en cette sorte, qu'il est rare que les grands saints pèchent autrement. Car comment pourrait-on concevoir que ces âmes si pures, qui fuient avec tant de soin et d'ardeur les moindres choses qui peuvent déplaire à Dieu aussitôt qu'elles s'en aperçoivent, et qui pèchent néanmoins plusieurs fois chaque jour, eussent à chaque fois, avant que de tomber, *la connaissance de leur infirmité en cette occasion, celle du médecin, le désir de leur santé, et celui de prier Dieu de les secourir*, et que, malgré toutes ces inspirations, ces âmes si zélées *ne laissassent pas de passer outre*, et de commettre le péché?

Concluez donc, mon Père, que ni les pêcheurs, ni même les plus justes, n'ont pas toujours ces connaissances, ces désirs et toutes ces inspirations, toutes les fois qu'ils pèchent; c'est-à-dire, pour user de vos termes, qu'ils n'ont pas toujours la grâce actuelle dans toutes les occasions où ils pèchent. Et ne dites plus, avec vos nouveaux auteurs, qu'il est impossible qu'on pèche quand on ne connaît pas la justice; mais dites plutôt, avec saint Augustin et les anciens Pères, qu'il est impossible qu'on ne pèche pas quand on ne connaît pas la justice : *Necesse est ut peccet, a quo ignoratur justitia.*

Le bon Père, se trouvant aussi empêché .de soutenir son opinion au regard des justes qu'au regard des pécheurs, ne perdit pas pourtant courage Et après avoir un peu rêvé :

— Je m'en vas bien vous convaincre, nous dit-il.

Et reprenant son P. Bauny à l'endroit même qu'il nous avait montré :

— Voyez, voyez la raison sur laquelle il établit sa pensée. Je savais bien qu'il ne manquait pas de bonnes preuves. Lisez ce qu'il cite d'Aristote; et vous verrez qu'après une autorité si expresse, il faut brûler les livres de ce prince des philosophes, ou être de notre opinion. Écoutez donc les principes qu'établit le P. Bauny. Il dit premièrement *qu'une action ne peut être imputée à blâme lorsqu'elle est involontaire.*

— Je l'avoue, lui dit mon ami.

— Voilà la première fois, leur dis-je, que je vous ai vus d'accord. Tenez-vous en là, mon Père, si vous m'en croyez.

— Ce ne serait rien faire, me dit-il : car il faut savoir quelles sont les conditions nécessaires pour faire qu'une action soit volontaire.

— J'ai bien peur, répondis-je, que vous ne vous brouilliez là-dessus.

— Ne craignez point, dit-il, ceci est sûr. Aristote est pour moi. Écoutez bien ce que dit le P. Bauny [11]: *Afin qu'une action soit volontaire, il faut qu'elle procède d'homme qui voit, qui sache, qui pénètre ce qu'il y a de bien et de mal en elle. Voluntarium est, dit-on communément avec le Philosophe* (vous savez bien que c'est Aristote, me dit-il en me serrant les doigts), *quod fit a principio cognoscente singula in quibus est actio* [12] *: si bien que quand la volonté, à la volée et sans discussion, se porte à vouloir ou abhorrer, faire ou laisser quelque chose avant que l'entendement ait pu voir s'il y a du mal à la vouloir ou à la fuir, la faire ou la laisser, telle action n'est ni bonne ni mauvaise, d'autant qu'avant cette perquisition, cette vue et réflexion de l'esprit dessus les qualités bonnes ou mauvaises de la chose à laquelle l'on s'occupe, l'action avec laquelle on la fait n'est volontaire.*

— Eh bien! me dit le Père, êtes-vous content?

— Il semble, répartis-je, qu'Aristote est de l'avis de P. Bauny; mais cela ne laisse pas de me surprendre. Quoi! mon Père, il ne suffit pas, pour agir volontairement, qu'on sache ce que l'on fait, et qu'on ne le fasse que parce qu'on le veut faire; mais il faut de plus *que l'on voie, que l'on sache et que l'on pénètre ce qu'il y a de bien et de mal dans cette action?* Si cela est, il n'y a guère d'actions volontaires dans la vie; car on ne pense guère à tout cela. Que de jurements dans le jeu, que d'excès dans les débauches, que d'emportements dans le carnaval, qui ne sont point volontaires, et par conséquent ni bons, ni mauvais, pour n'être point accompagnés de ces *réflexions d'esprit sur les qualités bonnes ou mauvaises* de ce que l'on fait! Mais est-il possible, mon Père, qu'Aristote ait eu cette pensée? Car j'avais ouï dire que c'était un habile homme.

— Je m'en vas vous en éclaircir, me dit mon Janséniste.

Et ayant demandé au Père la Morale d'Aristote, il l'ouvrit au commencement du 3. livre, d'où le P. Bauny a pris les paroles qu'il en rapporte, et dit à ce bon Père :

— Je vous pardonne d'avoir cru sur la foi du P. Bauny, qu'Aristote ait été de ce sentiment. Vous auriez changé d'avis, si vous l'aviez lu vous-même. Il est bien vrai qu'il enseigne *qu'afin qu'une action soit volontaire il faut connaître les particularités de cette action, singula in quibus est actio.* Mais qu'entend-il par là, sinon les circonstances particulières de l'action, ainsi que les exemples qu'il en donne le justifient clairement, n'en rapportant point d'autres que de ceux où l'on ignore quelqu'une de ces circonstances, comme d'une *personne qui, voulant montrer une machine, en décoche un dard qui blesse quelqu'un; et de Mérope, qui tua son fils en pensant tuer son ennemi,* et autres semblables?

Vous voyez donc par là quelle est l'ignorance qui rend les actions involontaires; et que ce n'est que celle des circonstances particulières qui est appelée par les théologiens, comme vous le savez fort bien, mon Père, *l'ignorance du fait.* Mais, quant à celle *du droit,* c'est-à-dire quant à l'ignorance du bien et du mal qui est en l'action de laquelle seule il s'agit ici, voyons si Aristote est de l'avis du Père Bauny. Voici les paroles de ce philosophe : *Tous les méchants ignorent ce qu'ils doivent faire et ce qu'ils doivent fuir; et c'est cela même qui les rend méchants et vicieux. C'est pourquoi on ne peut pas dire que, parce qu'un homme ignore ce qu'il est à propos qu'il fasse pour satisfaire à son devoir, son action soit involontaire. Car cette ignorance dans le choix du bien et du mal ne fait pas qu'une action soit involontaire, mais seulement qu'elle est vicieuse. L'on doit dire la même chose de celui qui ignore en général les règles de son devoir puisque cette ignorance rend les hommes dignes de blâme, et non d'excuse. Et ainsi l'ignorance qui rend les actions involontaires et excusables est seulement celle qui regarde le fait en particulier, et ses circonstances singulières. Car alors on pardonne à un homme, et on l'excuse et on le considère comme ayant agi contre son gré.*

Après cela, mon Père, direz-vous encore qu'Aristote soit de votre opinion? Et qui ne s'étonnera de voir qu'un philosophe païen ait été plus éclairé que vos docteurs en une matière aussi importante à toute la morale, et à la conduite même des âmes, qu'est la connaissance des conditions qui rendent les actions volontaires ou involontaires, et qui ensuite les excusent ou ne les excusent pas de péché? N'espérez donc plus rien, mon Père, de ce prince des philosophes, et ne résistez plus au prince des théologiens, qui décide ainsi ce point, au l. I de ses *Retr.*, c. 15 : *Ceux qui pèchent par ignorance, ne font leur action que parce qu'ils la veulent faire, quoiqu'ils pèchent sans qu'ils veuillent pécher. Et ainsi ce péché même d'ignorance ne peut être commis que par la volonté de celui qui le commet, mais par une volonté qui se porte à l'action et non au péché : ce qui n'empêche pas néanmoins que l'action ne soit péché, parce qu'il suffit pour cela qu'on ait fait ce qu'on était obligé de ne point faire.*

Le Père me parut surpris, et plus encore du passage d'Aristote, que de celui de saint Augustin. Mais, comme il pensait à ce qu'il devait dire, on vint l'avertir que Mme la Maréchale de... et Mme la Marquise de... le demandaient. Et ainsi, en nous quittant à la hâte :

— J'en parlerai, dit-il, à nos Pères. Ils y trouve-

11. La citation est incomplète. Elle est prise telle qu'elle est donnée dans la censure qu'en avait faite la Sorbonne en 1641.

12. « Pour qu'une action soit volontaire il faut, en principe, connaître les particularités de cette action. »

ront bien quelque réponse. Nous en avons ici de bien subtils.

Nous l'entendîmes bien; et quand je fus seul avec mon ami, je lui témoignai d'être étonné du renversement que cette doctrine apportait dans la morale. A quoi il me répondit qu'il était bien étonné de mon étonnement.

— Ne savez-vous donc pas encore que leurs excès sont beaucoup plus grands dans la morale que dans la doctrine?

Il m'en donna d'étranges exemples, et remit le reste à une autre fois. J'espère que ce que j'en apprendrai sera le sujet de notre premier entretien.

Je suis etc.

CINQUIÈME LETTRE ÉCRITE A UN PROVINCIAL
PAR UN DE SES AMIS

De Paris, le 20 mars 1656.

Monsieur,

Voici ce que je vous ai promis. Voici les premiers traits de la morale des bons Pères Jésuites, *de ces hommes éminents en doctrine et en sagesse, qui sont tous conduits par la sagesse divine, qui est plus assurée que toute la philosophie*. Vous pensez peut-être que je raille. Je le dis sérieusement, ou plutôt ce sont eux-mêmes qui le disent [13]. Je ne fais que copier leurs paroles, aussi bien que dans la suite de cet éloge : *C'est une société d'hommes ou plutôt d'anges, qui a été prédite par Isaïe en ces paroles : Allez, anges prompts et légers*. La prophétie n'en est-elle pas claire? *Ce sont des esprits d'aigles; c'est une troupe de phénix, un auteur ayant montré depuis peu qu'il y en a plusieurs. Ils ont changé la face de la chrétienté.* Il le faut croire puisqu'ils le disent. Et vous l'allez bien voir dans la suite de ce discours, qui vous apprendra leurs maximes.

J'ai voulu m'en instruire de bonne sorte. Je ne me suis pas fié à ce que notre ami m'en avait appris. J'ai voulu les voir eux-mêmes; mais j'ai trouvé qu'il ne m'avait rien dit que de vrai. Je pense qu'il ne ment jamais. Vous le verrez par le récit de ces conférences.

Dans celle que j'eus avec lui, il me dit de si plaisantes choses, que j'avais peine à le croire; mais il me les montra dans les livres de ces Pères : de sorte qu'il ne me resta à dire pour leur défense, sinon que c'étaient les sentiments de quelques particuliers qu'il n'était pas juste d'imputer au corps. Et en effet, je l'assurai que j'en connaissais qui sont aussi sévères que ceux qu'il me citait sont relâchés. Ce fut sur cela qu'il me découvrit l'esprit de la Société, qui n'est pas connu de tout le monde; et vous serez peut-être bien aise de l'apprendre. Voici ce qu'il me dit :

— Vous pensez beaucoup faire en leur faveur de montrer qu'ils ont de leurs Pères aussi conformes aux maximes évangéliques, que les autres y sont contraires; et vous concluez de là que ces opinions larges n'appartiennent pas à toute la Société. Je le sais bien. Car si cela était, ils n'en souffriraient pas qui y fussent si contraires. Mais puisqu'ils en ont aussi qui sont dans une doctrine si silencieuse, concluez-en de même que l'esprit de la Société n'est pas celui de la sévérité chrétienne. Car si cela était, ils n'en souffriraient pas qui y fussent si opposés.

— Eh quoi! lui répondis-je, quel peut donc être le dessein du corps entier? C'est sans doute qu'ils n'en ont aucun d'arrêté, et que chacun a la liberté de dire à l'aventure ce qu'il pense.

— Cela ne peut pas être, me répondit-il. Un si grand corps ne subsisterait pas dans une conduite téméraire, et sans une âme qui le gouverne et qui règle tous ses mouvements. Outre qu'ils ont un ordre particulier de ne rien imprimer sans l'aveu de leurs supérieurs.

— Mais quoi! lui dis-je, comment les mêmes supérieurs peuvent-ils consentir à des maximes si différentes?

— C'est ce qu'il faut vous apprendre, me répliqua-t-il.

Sachez donc que leur objet n'est pas de corrompre les mœurs : ce n'est pas leur dessein. Mais ils n'ont pas aussi pour unique but celui de les réformer. Ce serait une mauvaise politique. Voici quelle est leur pensée. Ils ont assez bonne opinion d'eux-mêmes pour croire qu'il est utile et comme nécessaire au bien de la religion que leur crédit s'étende partout et qu'ils gouvernent toutes les consciences. Et parce que les maximes évangéliques et sévères sont propres pour gouverner quelques sortes de personnes, ils s'en servent dans ces occasions où elles leur sont favorables. Mais comme ces mêmes maximes ne s'accordent pas au dessein de la plupart des gens, ils les laissent à l'égard de ceux-là, afin d'avoir de quoi satisfaire tout le monde.

C'est pour cette raison qu'ayant affaire à des personnes de toutes sortes de conditions et des nations si différentes, il est nécessaire qu'ils aient des casuistes assortis à toute cette diversité.

De ce principe vous jugez aisément, que s'ils n'avaient que des casuistes relâchés, ils ruineraient leur principal dessein, qui est d'embrasser tout le monde, puisque ceux qui sont véritablement pieux cherchent une conduite plus sévère. Mais comme il n'y en a pas beaucoup de cette sorte, ils n'ont pas

13. Ce sont des extraits pris dans l'*Imago primi sæculi*.

besoin de beaucoup de directeurs sévères pour les conduire. Ils en ont peu pour peu; au lieu que la foule des casuistes relâchés s'offre à la foule de ceux qui cherchent le relâchement.

C'est par cette conduite *obligeante et accommodante*, comme l'appelle le P. Petau, qu'ils tendent les bras à tout le monde. Car, s'il se présente à eux quelqu'un qui soit tout résolu de rendre des biens mal acquis, ne craignez pas qu'ils l'en détournent; ils loueront au contraire et confirmeront une si sainte résolution. Mais qu'il en vienne un autre qui veuille avoir l'absolution sans restituer; la chose sera bien difficile, s'ils n'en fournissent des moyens dont ils se rendront les garants.

Par là ils conservent tous leurs amis, et se défendent contre tous leurs ennemis. Car, si on leur reproche leur extrême relâchement, ils produisent incontinent au public leurs directeurs austères, et quelques livres qu'ils ont faits de la rigueur de la loi chrétienne; et les simples, et ceux qui n'approfondissent pas plus avant les choses, se contentent de ces preuves.

Ainsi, ils en ont pour toutes sortes de personnes et répondent si bien selon ce qu'on leur demande, que, quand ils se trouvent en des pays où un Dieu crucifié passe pour folie, ils suppriment le scandale de la croix, et ne prêchent que Jésus-Christ glorieux, et non pas Jésus-Christ souffrant : comme ils ont fait dans les Indes et dans la Chine, où ils ont permis aux chrétiens l'idolâtrie même, par cette subtile invention, de leur faire cacher sous leurs habits une image de Jésus-Christ, à laquelle ils leur enseignent de rapporter mentalement les adorations publiques qu'ils rendent à l'idole Chacim-Choan [14] et à leur Keumfucum, comme Gravina, Dominicain, le leur reproche, et comme le témoigne le mémoire en espagnol, présenté au roi d'Espagne Philippe IV, par les Cordeliers des Iles Philippines, rapporté par Thomas Hurtado dans son livre du *Martyre de la Foi*, page 427. De telle sorte que la congrégation des cardinaux *de propaganda fide* fut obligée de défendre particulièrement aux Jésuites, sur peine d'excommunication, de permettre des adorations d'idoles sous aucun prétexte, et de cacher le mystère de la croix à ceux qu'ils instruisent de la Religion, leur commandant expressément de n'en recevoir aucun au baptême qu'après cette connaissance, et d'exposer dans leurs églises l'image du crucifix, comme il est porté amplement dans le décret de cette congrégation, donné le 9 juillet 1646, signé par le cardinal Caponi.

Voilà de quelle sorte ils se sont répandus par toute la terre à la faveur *de la doctrine des opinions probables*, qui est la source et la base de tout ce dérèglement. C'est ce qu'il faut que vous appreniez d'eux-mêmes. Car ils ne le cachent à personne, non plus que tout ce que vous venez d'entendre, avec cette différence, qu'ils couvrent leur prudence humaine et politique du prétexte d'une prudence divine et chrétienne; comme si la foi, et la tradition qui la maintient, n'était pas toujours une et invariable dans tous les temps et dans tous les lieux; comme si c'était à la règle à se fléchir pour convenir au sujet qui doit lui être conforme, et comme si les âmes n'avaient, pour se purifier de leurs taches, qu'à corrompre la loi du Seigneur; au lieu *que la loi du Seigneur, qui est sans tache et toute sainte, est celle qui doit convertir les âmes*, et les conformer à ses salutaires instructions!

Allez donc, je vous prie, voir ces bons Pères, et je m'assure que vous remarquerez aisément, dans le relâchement de leur morale, la cause de leur doctrine touchant la grâce. Vous y verrez les vertus chrétiennes si inconnues et si dépourvues de la charité qui en est l'âme et la vie; vous y verrez tant de crimes palliés, et tant de désordres soufferts, que vous ne trouverez plus étrange qu'ils soutiennent que tous les hommes ont toujours assez de grâce pour vivre dans la piété de la manière qu'ils l'entendent. Comme leur morale est toute païenne, la nature suffit pour l'observer. Quand nous soutenons la nécessité de la grâce efficace, nous lui donnons d'autres vertus pour objet. Ce n'est pas simplement pour guérir les vices par d'autres vices; ce n'est pas seulement pour faire pratiquer aux hommes les devoirs extérieurs de la religion; c'est pour une vertu plus haute que celle des pharisiens et des plus sages du paganisme. La loi et la raison sont des grâces suffisantes pour ces effets. Mais, pour dégager l'âme de l'amour du monde, pour la retirer de ce qu'elle a de plus cher, pour la faire mourir à soi-même, pour la porter et l'attacher uniquement et invariablement à Dieu, ce n'est l'ouvrage que d'une main toute puissante. Et il est aussi peu raisonnable de prétendre que l'on en a toujours un plein pouvoir, qu'il le serait de nier que ces vertus destituées d'amour de Dieu, lesquelles ces bons Pères confondent avec les vertus chrétiennes, ne sont pas en notre puissance.

Voilà comment il me parla et avec beaucoup de douleur; car il s'afflige sérieusement de tous ces désordres. Pour moi, j'estimai ces bons Pères de l'excellence de leur politique; et je fus, selon son conseil, trouver un bon casuiste de la Société. C'est une de mes anciennes connaissances, que je voulus renouveler exprès. Et comme j'étais instruit de la manière dont il les faut traiter, je n'eus pas de peine à le mettre en train. Il me fit d'abord mille caresses, car il m'aime toujours; et après quelques discours indifférents, je pris occasion du temps où nous sommes pour apprendre de lui quelque chose sur le jeûne, afin d'entrer insensiblement en matière. Je lui témoignai donc que j'avais bien de la peine à le supporter. Il m'exhorta à me faire violence; mais, comme je continuai à me plaindre, il en fut touché, et se mit à chercher quelque cause de dispense. Il m'en offrit en effet plusieurs, qui ne me convenaient point, lorsqu'il s'avisa enfin de me demander si je n'avais pas de peine à dormir sans souper.

— Oui, lui dis-je, mon Père, et cela m'oblige souvent à faire collation à midi et à souper le soir.

14. *Chacim-Choan*, sans doute Cochinchine et *Keum-fucum*, Confucius.

— Je suis bien aise, me répliqua-t-il, d'avoir trouvé ce moyen de vous soulager sans péché. Allez, vous n'êtes point obligé à jeûner. Je ne veux pas que vous m'en croyiez; venez à la bibliothèque.

J'y fus; et là, en prenant un livre :

— En voici la preuve, me dit-il, et Dieu sait quelle! C'est Escobar.

— Qui est Escobar, lui dis-je, mon Père?

— Quoi! vous ne savez pas qui est Escobar, de notre Société, qui a compilé cette Théologie Morale de 24 de nos Pères; sur quoi il fait, dans la préface, une allégorie de ce livre *à celui de l'Apocalypse qui était scellé de sept sceaux?* Et il dit *que Jésus l'offre ainsi scellé aux quatre animaux, Suarez, Vasquez, Molina, Valentia, en présence de* 24 *Jésuites qui représentent les* 24 *Vieillards?*

Il lut toute cette allégorie, qu'il trouvait bien juste, et par où il me donnait une grande idée de l'excellence de cet ouvrage. Ayant ensuite cherché son passage du jeûne :

— Le voici me dit-il. *Celui qui ne peut dormir s'il n'a soupé, est-il obligé de jeûner? Nullement.* N'êtes-vous pas content?

— Non pas tout à fait, lui dis-je; car je puis bien supporter le jeûne en faisant collation le matin et soupant le soir.

— Voyez donc la suite, me dit-il; ils ont pensé à tout. *Et que dira-t-on, si on peut bien se passer d'une collation le matin en soupant le soir?*

— Me voilà.

— *On n'est point encore obligé à jeûner. Car personne n'est obligé à changer l'ordre de ses repas.*

— O la bonne raison! lui dis-je.

— Mais dites-moi, continua-t-il, usez-vous de beaucoup de vin?

— Non, mon Père, lui dis-je, je ne le puis souffrir.

— Je vous disais cela, me répondit-il, pour vous avertir que vous en pourriez boire le matin, et quand il vous plairait, sans rompre le jeûne; et cela soutient toujours. En voici la décision : *Peut-on, sans rompre le jeûne, boire du vin à telle heure qu'on voudra, et même en grande quantité? On le peut, et même de l'hypocras.* Je ne me souvenais pas de cet hypocras, dit-il; il faut que je le mette sur mon recueil.

— Voilà un honnête homme, lui dis-je, qu'Escobar.

— Tout le monde l'aime, répondit le Père. Il fait de si jolies questions! Voyez celle-ci, qui est au même endroit : *Si un homme doute qu'il ait* 21 *ans, est-il obligé de jeûner? — Non. Mais si j'ai* 21 *ans cette nuit à une heure après minuit, et qu'il soit demain jeûne, serai-je obligé de jeûner demain? Non. Car vous pourriez manger autant qu'il vous plairait depuis minuit jusqu'à une heure, puisque vous n'auriez pas encore* 21 *ans; et ainsi ayant droit de rompre le jeûne, vous n'y êtes point obligé.*

— O que cela est divertissant! lui dis-je.

— On ne s'en peut tirer, me répondit-il; je passe les jours et les nuits à le lire, je ne fais autre chose.

Le bon Père, voyant que j'y prenais plaisir, en fut ravi; et continuant :

— Voyez, dit-il, encore ce trait de Filliutius, qui est un de ces 24 Jésuites : *Celui qui s'est fatigué à quelque chose, comme à poursuivre une fille, est-il obligé de jeûner? Nullement. Mais s'il s'est fatigué exprès pour être par là dispensé du jeûne, y sera-t-il tenu? Encore qu'il ait eu ce dessein formé, il n'y sera point obligé.* Et bien! l'eussiez-vous cru? me dit-il.

— En vérité, mon Père, lui dis-je, je ne le crois pas bien encore. Et quoi! n'est-ce pas un péché de ne pas jeûner quand on le peut? Et est-il permis de rechercher les occasions de pécher, ou plutôt n'est-on pas obligé de les fuir? Cela serait assez commode.

— Non, pas toujours, me dit-il; c'est selon.

— Selon quoi? lui dis-je.

— Ho ho! repartit le Père. Et si on recevait quelque incommodité en fuyant les occasions, y serait-on obligé, à votre avis? Ce n'est pas au moins celui du Père Bauny, que voici : *On ne doit pas refuser l'absolution à ceux qui demeurent dans les occasions prochaines du péché, s'ils sont en tel état qu'ils ne puissent les quitter sans donner sujet au monde de parler, ou sans qu'ils en reçussent eux-mêmes de l'incommodité.*

— Je m'en réjouis, mon Père; il ne reste plus qu'à dire qu'on peut rechercher les occasions de propos délibéré, puisqu'il est permis de ne les pas fuir.

— Cela même est aussi quelquefois permis, ajouta-t-il. Le célèbre casuiste Bazile Ponce l'a dit, et le Père Bauny le cite et approuve son sentiment, que voici dans le *Traité de la Pénitence*, q.4, p. 94 : *On peut rechercher une occasion directement et pour elle-même, primo et per se, quand le bien spirituel ou temporel de nous ou de notre prochain nous y porte.*

— Vraiment, lui dis-je, il me semble que je rêve, quand j'entends des religieux parler de cette sorte! Et quoi, mon Père, dites-moi, en conscience, êtes-vous dans ce sentiment-là?

— Non vraiment, me dit le Père.

— Vous parlez donc, continuai-je, contre votre conscience?

— Point du tout, dit-il : je ne parlais pas en cela selon ma conscience, mais selon celle de Ponce et du Père Bauny. Et vous pourriez les suivre en sûreté; car ce sont d'habiles gens.

— Quoi! mon Père, parce qu'ils ont mis ces trois lignes dans leurs livres, sera-t-il devenu permis de rechercher les occasions de pécher? Je croyais ne devoir prendre pour règle que l'Écriture et la tradition de l'Église, mais non pas vos casuistes.

— O bon Dieu! s'écria le Père. Vous me faites souvenir de ces Jansénistes! Est-ce que le Père Bauny et Bazile Ponce ne peuvent pas rendre leur opinion probable?

— Je ne me contente pas du probable, lui dis-je, je cherche le sûr.

— Je vois bien, me dit le bon Père, que vous ne savez pas ce que c'est que la doctrine des opinions probables. Vous parleriez autrement si vous la saviez. Ah! vraiment, il faut que je vous en instruise. Vous n'aurez pas perdu votre temps d'être venu ici; sans cela vous ne pouviez rien entendre. C'est le fondement et l'a.b.c. de toute notre morale.

Je fus ravi de le voir tombé dans ce que je souhaitais; et, le lui ayant témoigné, je le priai de m'expliquer ce que c'était qu'une opinion probable.

— Nos auteurs vous y répondront mieux que moi, dit-il. Voici comme ils en parlent tous généralement, et entre autres nos 24. *Une opinion est appelée probable, lorsqu'elle est fondée sur des raisons de quelque considération. D'où il arrive quelquefois qu'un seul docteur fort grave peut rendre une opinion probable.* Et en voici la raison : *Car un homme adonné particulièrement à l'étude ne s'attacherait pas à une opinion, s'il n'y était attiré par une raison bonne et suffisante.*

— Et ainsi, lui dis-je, un seul docteur peut tourner les consciences et les bouleverser à son gré, et toujours en sûreté.

— Il n'en faut pas rire, me dit-il, ni penser combattre cette doctrine. Quand les Jansénistes l'ont voulu faire, ils y ont perdu leur temps. Elle est trop bien établie. Écoutez Sanchez, qui est un des plus célèbres de nos Pères : *Vous douterez peut-être si l'autorité d'un seul docteur bon et savant rend une opinion probable. A quoi je réponds que oui. Et c'est ce qu'assurent Angelus, Sylv. Navarre, Emmanuel Sa, etc. Et voici comme on le prouve. Une opinion probable est celle qui a un fondement considérable. Or l'autorité d'un homme savant et pieux n'est pas de petite considération, mais plutôt de grande considération. Car,* écoutez bien cette raison, *si le témoignage d'un tel homme est de grand poids pour nous assurer qu'une chose se soit passée, par exemple, à Rome, pourquoi ne le sera-t-il pas de même dans un doute de morale?*

— La plaisante comparaison, lui dis-je, des choses du monde à celles de la conscience!

— Ayez patience : Sanchez répond à cela dans les lignes qui suivent immédiatement. *Et la restriction qu'y apportent certains auteurs, ne me plaît pas : que l'autorité d'un tel docteur est suffisante dans les choses de droit humain, mais non pas dans celles de droit divin. Car elle est de grand poids dans les uns et dans les autres.*

— Mon Père, lui dis-je franchement, je ne puis faire cas de cette règle. Qui m'a assuré que, dans la liberté que vos docteurs se donnent d'examiner les choses par la raison, ce qui paraîtra sûr à l'un le paraisse à tous les autres? La diversité des jugements est si grande...

— Vous ne l'entendez pas, dit le Père en m'interrompant; aussi sont-ils fort souvent de différents avis; mais cela n'y fait rien. Chacun rend le sien probable et sûr. Vraiment l'on sait bien qu'ils ne sont pas tous du même sentiment. Et cela n'en est que mieux. Ils ne s'accordent au contraire presque jamais. Il y a peu de questions où vous ne trouviez que l'un dit oui, l'autre dit non. Et en tous ces cas-là, l'une et l'autre des opinions contraires est probable. Et c'est pourquoi Diana dit sur un certain sujet : *Ponce et Sanchez sont de contraires avis; mais, parce qu'ils étaient tous deux savants, chacun rend son opinion probable.*

— Mais, mon Père, lui dis-je, on doit être bien embarrassé à choisir alors!

— Point du tout, dit-il, il n'y a qu'à suivre l'avis qui agrée le plus.

— Eh quoi! si l'autre est plus probable?

— Il n'importe, me dit-il.

— Et si l'autre est plus sûr?

— Il n'importe, me dit encore le Père; le voici bien expliqué. C'est Emmanuel Sa, de notre Société. *On peut faire ce qu'on pense être permis selon une opinion probable, quoique le contraire soit plus sûr. Or, l'opinion d'un seul docteur grave y suffit.*

— Et si une opinion est tout ensemble et moins probable et moins sûre, sera-t-il permis de la suivre, en quittant ce que l'on croit être plus probable et plus sûr?

— Oui, encore une fois, me dit-il; écoutez Filliutius ce grand Jésuite de Rome : *Il est permis de suivre l'opinion la moins probable, quoiqu'elle soit la moins sûre. C'est l'opinion commune des nouveaux auteurs.* Cela n'est-il pas clair?

— Nous voici bien au large, lui dis-je, mon révérend Père, grâce à vos opinions probables. Nous avons une belle liberté de conscience. Et vous autres casuistes, avez-vous la même liberté dans vos réponses?

— Oui me dit-il nous répondons aussi ce qu'il nous plaît, ou plutôt ce qui plaît à ceux qui nous interrogent. Car voici nos règles, prises de nos Pères Layman, Vasquez, Sanchez, et de nos 24. Voici les paroles de Layman, que le livre de nos 24 a suivies : *Un docteur étant consulté peut donner un conseil, non seulement probable selon son opinion, mais contraire à son opinion, s'il est estimé probable par d'autres, lorsque cet avis contraire au sien se rencontre plus favorable et plus agréable à celui qui le consulte. Si forte haec illi favorabilior seu exoptatior sit. Mais je dis de plus qu'il ne sera point hors de raison qu'il donne à ceux qui le consultent un avis tenu pour probable par quelque personne savante, quand même il s'assurerait qu'il serait absolument faux.*

— Tout de bon, mon Père, votre doctrine est bien commode. Quoi! avoir à répondre oui et non à son choix? On ne peut assez priser un tel avantage. Et je vois bien maintenant à quoi vous servent les opinions contraires que vos docteurs ont sur chaque matière. Car l'une vous sert toujours, et l'autre ne vous nuit jamais. Si vous ne trouvez votre compte d'un côté, vous vous jetez de l'autre, et toujours en sûreté.

— Cela est vrai, dit-il; et ainsi nous pouvons toujours dire avec Diana, qui trouva le Père Bauny pour lui lorsque le Père Lugo lui était contraire : *Saepe, premente deo, fert deus alter opem. Si quelque dieu nous presse, un autre nous délivre.*

— J'entends bien, lui dis-je. Mais il me vient une difficulté dans l'esprit. C'est qu'après avoir consulté un de vos docteurs, et pris de lui une opinion un peu large, on sera peut-être attrapé si on rencontre un confesseur qui n'en soit pas, et qui refuse l'absolution si on ne change de sentiment. N'y avez-vous point donné ordre, mon Père?

— En doutez-vous? me répondit-il. On les a obligés à absoudre leurs pénitents qui ont des opinions probables, sur peine de péché mortel, afin qu'ils n'y manquent pas. C'est ce qu'ont bien montré nos Pères, et entre autres le Père Bauny : *Quand le pénitent, dit-il suit une opinion probable, le confesseur le doit absoudre, quoique son opinion soit contraire à celle du pénitent.*

— Mais il ne dit pas que ce soit un péché mortel de ne le pas absoudre.

— Que vous êtes prompt! me dit-il; écoutez la suite; il en fait une conclusion expresse : *Refuser l'absolution à un pénitent qui agit selon une opinion probable est un péché qui, de sa nature, est mortel.* Et il cite, pour confirmer ce sentiment, trois des plus fameux de nos Pères, Suarez, Vasquez et Sanchez.

— O mon Père! lui dis-je, voilà qui est bien prudemment ordonné! Il n'y a plus rien à craindre. Un confesseur n'oserait plus y manquer. Je ne savais pas que vous eussiez le pouvoir d'ordonner sur peine de damnation. Je croyais que vous ne saviez qu'ôter les péchés; je ne pensais pas que vous en sussiez introduire. Mais vous avez tout pouvoir, à ce que je vois.

— Vous ne parlez pas proprement, me dit-il. Nous n'introduisons pas les péchés, nous ne faisons que les remarquer. J'ai déjà bien reconnu deux ou trois fois que vous n'êtes pas bon scolastique.

— Quoi qu'il en soit, mon Père, voilà mon doute bien résolu. Mais j'en ai un autre encore à vous proposer : c'est que je ne sais comment vous pouvez faire, quand les Pères sont contraires au sentiment de quelqu'un de vos casuistes.

— Vous l'entendez bien peu, me dit-il. Les Pères étaient bons pour la morale de leur temps; mais ils sont trop éloignés pour celle du nôtre. Ce ne sont plus eux qui la règlent, ce sont les nouveaux casuistes. Écoutez notre Père Cellot qui suit en cela notre fameux Père Reginaldus : *Dans les questions de morale, les nouveaux casuistes sont préférables aux anciens Pères, quoiqu'ils fussent plus proches des Apôtres.* Et c'est en suivant cette maxime que Diana parle de cette sorte. *Les bénéficiers sont-ils obligés de restituer leur revenu dont ils disposent mal? Les anciens disaient que oui mais les nouveaux disent que non; ne quittons donc pas cette opinion qui décharge de l'obligation de restituer.*

— Voilà de belles paroles, lui dis-je, et pleines de consolation pour bien du monde.

— Nous laissons les Pères, me dit-il, à ceux qui traitent la Positive; mais pour nous qui gouvernons les consciences, nous les lisons peu, et ne citons dans nos écrits que les nouveaux casuistes. Voyez Diana, qui a furieusement écrit; il a mis à l'entrée de ses livres la liste des auteurs qu'il rapporte. Il y en a 296 dont le plus ancien est depuis 80 ans.

— Cela est donc venu au monde depuis votre Société? lui dis-je.

— Environ, me répondit-il.

— C'est-à-dire, mon Père, qu'à votre arrivée on a vu disparaître saint Augustin, saint Chrysostome saint Ambroise, saint Hiérôme et les autres, pour ce qui est de la morale. Mais au moins que je sache les noms de ceux qui leur ont succédé; qui sont-ils ces nouveaux auteurs?

— Ce sont des gens bien habiles et bien célèbres, me dit-il. C'est Villalobos [15], Conink, Llamas, Achokier, Dealkozer, Dellacruz, Vera-Cruz, Ugolin, Tambourin, Fernandez, Martinez, Suarez, Henriquez, Vasquez, Lopez, Gomez, Sanchez, de Vechis, de Grassis, de Grassalis, de Pitigianis, de Graphæis, Squilanti, Bizozeri, Barcola, de Bobadilla Simancha, Perez de Lara, Aldretta, Lorca, de Scarcia, Quaranta, Scophra, Pedrezza, Cabrezza, Bisbe, Dias, de Clavasio, Villagut, Adam a Manden, Iribarne Binsfeld, Volfangi a Vorberg, Vosthery, Strevesdorf.

— O mon Père! lui dis-je tout effrayé, tous ces gens-là étaient-ils chrétiens?

— Comment, chrétiens! me répondit-il. Ne vous disais-je pas que ce sont les seuls par lesquels nous gouvernons aujourd'hui la chrétienté?

Cela me fit pitié, mais je ne lui en témoignai rien, et lui demandai seulement si tous ces auteurs-là étaient Jésuites.

— Non, me dit-il; mais il n'importe; ils n'ont pas laissé de dire de bonnes choses. Ce n'est pas que la plupart ne les aient prises ou imitées des nôtres; mais nous ne nous piquons pas d'honneur; outre qu'ils citent nos Pères à toute heure, et avec éloge. Voyez Diana, qui n'est pas de notre Société; quand il parle de Vasquez, il l'appelle *le phénix des esprits.* Et quelquefois il dit *que Vasquez seul lui est autant que tout le reste des hommes ensemble, Instar omnium* [16]. Aussi tous nos Pères se servent fort souvent de ce bon Diana; car si vous entendez bien notre doctrine de la probabilité, vous verrez bien que cela n'y fait rien. Au contraire, nous avons bien voulu que d'autres que les Jésuites puissent rendre leurs opinions probables, afin qu'on ne puisse pas nous les imputer toutes. Et ainsi, quand quelque auteur que ce soit en a avancé une, nous avons le droit de la prendre, si nous le voulons, par la doctrine des opinions probables, et nous n'en sommes pas les garants, quand l'auteur n'est pas de notre corps.

— J'entends tout cela, lui dis-je. Je vois bien par là que tout est bien venu chez vous, hormis les anciens Pères, et que vous êtes les maîtres de la campagne. Vous n'avez plus qu'à courir. Mais je prévois trois ou quatre grands inconvénients, et de puissantes barrières qui s'opposeront à votre course.

— Eh quoi? me dit le Père tout étonné.

— C'est lui, répondis-je, l'Écriture Sainte, les

15. Suite cacophonique de noms pris dans Diana et souvent altérés pour agrémenter la sonorité.

16. « Le modèle de tous. »

papes, et les conciles, que vous ne pouvez démentir, et qui sont tous dans la voie unique de l'Évangile.

— Est-ce là tout? me dit-il. Vous m'avez fait peur. Croyez-vous qu'une chose si visible n'ait pas été prévue, et que nous n'y ayons pas pourvu? Vraiment je vous admire, de penser que nous soyons opposés à l'Écriture, aux papes ou aux conciles! Il faut que je vous éclaircisse du contraire. Je serais bien marri que vous crussiez que nous manquons à ce que nous leur devons. Vous avez sans doute pris cette pensée de quelques opinions de nos Pères qui paraissent choquer leurs décisions, quoique cela ne soit pas. Mais pour en entendre l'accord, il faudrait avoir plus de loisir. Je souhaite que vous ne demeuriez pas mal édifié de nous. Si vous voulez que nous nous revoyons demain, je vous en donnerai l'éclaircissement.

Voilà la fin de cette conférence, qui sera celle de cet entretien; aussi en voilà bien assez pour une lettre. Je m'assure que vous en serez satisfait en attendant la suite. Je suis, etc.

SIXIÈME LETTRE ÉCRITE A UN PROVINCIAL
PAR UN DE SES AMIS

De Paris, ce 10 avril 1656.

Monsieur,

Je vous ai dit à la fin de ma dernière lettre, que ce bon Père Jésuite m'avait promis de m'apprendre de quelle sorte les casuistes accordent les contrariétés qui se rencontrent entre leurs opinions et les décisions des papes, des conciles et de l'Écriture. Il m'en a instruit, en effet, dans ma seconde visite, dont voici le récit. Je le ferai plus exactement que l'autre. Car j'y portai des tablettes, pour marquer les citations des passages, et je fus bien fâché de n'en avoir point apporté dès la première fois. Néanmoins si vous êtes en peine de quelqu'un de ceux que je vous ai cités dans l'autre lettre, faites-le moi savoir, je vous satisferai facilement.

Ce bon Père me parla donc de cette sorte :

— Une des manières dont nous accordons ces contradictions apparentes, est par l'interprétation de quelque terme. Par exemple, le pape Grégoire XIV a déclaré que les assassins sont indignes de jouir de l'asile des églises, et qu'on les en doit arracher. Cependant nos 24 Vieillards disent en la page 660 : *Que tous ceux qui tuent en trahison ne doivent pas encourir la peine de cette bulle.* Cela vous paraît être contraire, mais on l'accorde, en interprétant le mot *d'assassin*, comme ils font par ces paroles : *Les assassins ne sont-ils pas indignes de jouir du privilège des églises? Oui, par la bulle de Grégoire XIV. Mais nous entendons par le mot d'assassins ceux qui ont reçu de l'argent pour tuer quelqu'un en trahison. D'où il arrive que ceux qui tuent sans en recevoir aucun prix, mais seulement pour obliger leurs amis, ne sont pas appelés assassins.* De même, il est dit dans l'Évangile : *Donnez l'aumône de votre superflu.* Cependant plusieurs casuistes ont trouvé moyen de décharger les personnes les plus riches de l'obligation de donner l'aumône. Cela vous paraît encore contraire; mais on en fait voir facilement l'accord, en interprétant le mot de *superflu*, en sorte qu'il n'arrive presque jamais que personne en ait. Et c'est ce qu'a fait le docte Vasquez en cette sorte, dans son Traité de l'Aumône, c. 4 : *Ce que les personnes du monde gardent pour relever leur condition et celle de leurs parents n'est pas appelé superflu. Et c'est pourquoi à peine trouvera-t-on qu'il y ait jamais de superflu dans les gens du monde, et non pas même dans les rois.*

Aussi Diana ayant rapporté ces mêmes paroles de Vasquez, car il se fonde ordinairement sur nos Pères, il en conclut fort bien *que, dans la question, si les riches sont obligés de donner l'aumône de leur superflu encore que l'affirmative fût véritable, il n'arrivera jamais, ou presque jamais, qu'elle oblige dans la pratique.*

— Je vois bien, mon Père, que cela suit de la doctrine de Vasquez. Mais que répondrait-on, si on m'objectait qu'afin de faire son salut, il serait donc aussi sûr, selon Vasquez, d'avoir assez d'ambition pour n'avoir point de superflu, qu'il est sûr, selon l'Évangile, de n'avoir point d'ambition, pour donner l'aumône de son superflu.

— Il faudrait répondre, me dit-il, que toutes ces deux voies sont sûres selon le même Évangile; l'une, selon l'Évangile dans le sens le plus littéral et le plus facile à trouver; l'autre, selon le même Évangile interprété par Vasquez. Vous voyez par là l'utilité des interprétations.

Mais quand les termes sont si clairs qu'ils n'en souffrent aucune, alors nous nous servons de la remarque des circonstances favorables, comme vous verrez par cet exemple. Les papes ont excommunié les religieux qui quittent leur habit, et nos 24 Vieillards ne laissent pas de parler en cette sorte, page 704 : *En quelles occasions un religieux peut-il quitter son habit sans encourir l'excommunication?* Il en rapporte plusieurs, et entre autres celles-ci : *S'il le quitte pour une cause honteuse, comme pour aller filouter, et pour aller incognito en des lieux de débauches, le devant bientôt reprendre.* Aussi il est visible que les bulles ne parlent point de ces cas-là.

J'avais peine à croire cela, et je priai le Père de me le montrer dans l'original; et je vis que le chapitre où sont ces paroles est intitulé : *Pratique selon l'école de la Société de Jésus. Praxis ex Sočietatis Jesu schola ;* et j'y vis ces mots : *Si habitum dimittat ut furetur occulte, vel fornicetur*[17]. Et il me montra la même chose dans Diana, en ces termes : *Ut eat incognitus ad lupanar*[18].

— Et d'où vient, mon Père, qu'ils les ont déchargés de l'excommunication en cette rencontre?

— Ne le comprenez-vous pas? me dit-il. Ne voyez-vous pas quel scandale ce serait de surprendre un religieux en cet état avec son habit de religion? Et n'avez-vous point ouï parler, continua-t-il, comment on répondit à la première bulle *Contra solicitantes*[19]*?* et de quelle sorte nos 24, dans un chapitre aussi *de la Pratique de l'Ecole de notre société*, expliquent la bulle de Pie V. *Contra Clericos*[20], *etc...*

— Je ne sais ce que c'est que tout cela, lui dis-je.

— Vous ne lisez donc guère Escobar? me dit-il.

— Je ne l'ai que d'hier, mon Père, et même j'eus de la peine à le trouver. Je ne sais ce qui est arrivé depuis peu, qui fait que tout le monde le cherche.

— Ce que je vous disais, répartit le Père, est en la page 117 Voyez-le en votre particulier; vous y trouverez un bel exemple de la manière d'interpréter favorablement les bulles.

Je le vis en effet dès le soir même; mais je n'ose vous le rapporter, car c'est une chose effroyable.

Le bon Père continua donc ainsi :

— Vous entendez bien maintenant comment on se sert des circonstances favorables. Mais il y en a quelquefois de si précises, qu'on ne peut accorder par là les contradictions. De sorte que ce serait bien alors que vous croiriez qu'il y en aurait. Par exemple, trois papes ont décidé que les religieux qui sont obligés par un vœu particulier à la vie quadragésimale n'en sont pas dispensés, encore qu'ils soient faits évêques; et cependant Diana dit *que nonobstant leur décision, ils en sont dispensés.*

— Et comment accorde-t-il cela? lui dis-je.

— C'est, répliqua le Père, par la plus subtile de toutes les nouvelles méthodes, et par le plus fin de la probabilité. Je vais vous l'expliquer. C'est que, comme vous le vîtes l'autre jour, l'affirmative et la négative de la plupart des opinions ont chacune quelque probabilité, au jugement de nos docteurs, et assez pour être suivies avec sûreté de conscience. Ce n'est pas que le pour et le contre soient ensemble véritables dans le même sens, cela est impossible; mais c'est seulement qu'ils sont probables, et sûrs par conséquent.

Sur ce principe, Diana notre bon ami parle ainsi en la part, 5, tr. 13, R. 39 : *Je réponds à la décision de ces trois papes, qui est contraire à mon opinion, qu'ils ont parlé de la sorte en s'attachant à l'affirmative, laquelle en effet est probable, à mon jugement même ; mais il ne s'ensuit pas de là que la négative n'ait aussi sa probabilité.* Et dans le même traité, R. 65, sur un autre sujet, dans lequel il est encore d'un sentiment contraire à un pape, il parle ainsi : *Que le pape l'ait dit comme chef de l'Église, je le veux. Mais il ne l'a fait que dans l'étendue de la sphère de probabilité de son sentiment.* Or vous voyez bien que ce n'est pas là blesser les sentiments des papes; on ne le souffrirait pas à Rome, où Diana est en si haut crédit. Car il ne dit pas que ce que les papes ont décidé ne soit pas probable; mais, en laissant leur opinion dans toute sa sphère de probabilité, il ne laisse pas de dire que le contraire est aussi probable.

— Cela est très respectueux, lui dis-je.

— Et cela est plus subtil, ajouta-t-il, que la réponse que fit le Père Bauny, quand on eut censuré ses livres à Rome. Car il lui échappa d'écrire contre M. Hallier, qui le persécutait alors furieusement : *Qu'a de commun la censure de Rome avec celle de France?* Vous voyez assez par là que, soit par l'interprétation des termes, soit par la remarque des circonstances favorables, soit enfin par la double probabilité du pour et du contre, on accorde toujours ces contradictions prétendues, qui vous étonnaient auparavant, sans jamais blesser les décisions de l'Écriture, des conciles ou des papes, comme vous le voyez.

— Mon révérend Père, lui dis-je, que l'Église est heureuse de vous avoir pour défenseurs! Que ces probabilités sont utiles! Je ne savais pourquoi vous aviez pris tant de soins d'établir qu'un seul docteur, *s'il est grave*, peut rendre une opinion probable; que le contraire peut l'être aussi; et qu'alors on peut choisir du pour et du contre celui qui agrée le plus, encore qu'on ne le croie pas véritable, et avec tant de sûreté de conscience, qu'un confesseur qui refuserait de donner l'absolution sur la foi de ces casuistes serait en état de damnation. D'où je comprends qu'un seul casuiste peut à son gré faire de nouvelles règles de morale, et disposer, selon sa fantaisie, de tout ce qui regarde la conduite de l'Église.

— Il faut, me dit le Père, apporter quelque tempérament à ce que vous dites. Apprenez bien ceci. Voici notre méthode, où vous verrez le progrès d'une opinion nouvelle, depuis sa naissance jusqu'à sa maturité.

D'abord, le docteur *grave* qui l'a inventée, l'expose au monde, et la jette comme une semence pour prendre racine. Elle est encore faible en cet état; mais il faut que le temps la mûrisse peu à peu; et c'est pourquoi Diana, qui en a introduit plusieurs, dit en un endroit : *J'avance cette opinion ; mais parce qu'elle est nouvelle, je la laisse mûrir au temps, relinquo tempori maturandam.* Ainsi, en peu d'années, on la voit insensiblement s'affermir, et, après un temps considérable, elle se trouve autorisée par la tacite approbation de l'Église, selon cette grande maxime du Père Bauny : *Qu'une opinion étant avancée par quelques casuistes, et l'Église ne s'y étant point opposée, c'est un témoignage qu'elle l'approuve.* Et c'est en effet par ce principe qu'il autorise un de ses sentiments dans son traité 6, p. 312.

17. « S'il quitte son habit pour filouter en cachette ou forniquer. »
18. « Pour aller incognito au lupanar. »
19. « Contre ceux qui sollicitent (au mal). »
20. « Contre les Clercs. »

— Eh quoi! lui dis-je, mon Père, l'Église, à ce compte-là, approuverait donc tous les abus qu'elle souffre, et toutes les erreurs des livres qu'elle ne censure point?

— Disputez, me dit-il, contre le Père Bauny. Je vous fais un récit, et vous contestez contre moi. Il ne faut jamais disputer sur le fait. Je vous disais donc que, quand le temps a ainsi mûri une opinion, alors elle est probable tout à fait et sûre. Et de là vient que le docte Caramuel, dans la lettre où il adresse à Diana sa *Théologie fondamentale*, dit que ce grand *Diana a rendu plusieurs opinions probables qui ne l'étaient pas auparavant, quae antea non erant : et qu'ainsi on ne pèche plus en les suivant, au lieu qu'on péchait auparavant : jam non peccant, licet ante peccaverint*.

— En vérité, mon Père, lui dis-je, il y a bien à profiter auprès de vos docteurs. Quoi! de deux personnes qui font les mêmes choses, celui qui ne sait pas leur doctrine, pèche; celui qui la sait ne pèche pas. Elle est donc tout ensemble instructive et justifiante. La loi de Dieu faisait des prévaricateurs, selon saint Paul; et celle-ci fait qu'il n'y a presque que des innocents. Je vous supplie, mon Père, de m'en bien informer; je ne vous quitterai point que vous ne m'ayez dit les principales maximes que vos casuistes ont établies.

— Hélas! me dit le Père, notre principal but aurait été de n'établir point d'autres maximes que celles de l'Évangile dans toute leur sévérité; et l'on voit assez par le règlement de nos mœurs que si nous souffrons quelque relâchement dans les autres, c'est plutôt par condescendance que par dessein. Nous y sommes forcés. Les hommes sont aujourd'hui tellement corrompus, que ne pouvant les faire venir à nous, il faut bien que nous allions à eux. Autrement ils nous quitteraient; ils feraient pis, ils s'abandonneraient entièrement. Et c'est pour les retenir que nos casuistes ont considéré les vices auxquels on est le plus porté dans toutes les conditions, afin d'établir des maximes si douces, sans toutefois blesser la vérité, qu'on serait de difficile composition si l'on n'en était content; car le dessein capital que notre Société a pris pour le bien de la religion est de ne rebuter qui que ce soit, pour ne pas désespérer le monde.

Nous avons donc des maximes pour toutes sortes de personnes, pour les bénéficiers, pour les prêtres, pour les religieux, pour les gentilshommes, pour les domestiques, pour les riches, pour ceux qui sont dans le commerce, pour ceux qui sont mal dans leurs affaires, pour ceux qui sont dans l'indigence, pour les femmes dévotes, pour celles qui ne le sont pas, pour les gens mariés, pour les gens déréglés. Enfin, rien n'a échappé à leur prévoyance.

— C'est-à-dire, lui dis-je, qu'il y en a pour le Clergé, la Noblesse, et le Tiers-État. Me voici bien disposé à les entendre.

— Commençons, dit le Père, par les bénéficiers. Vous savez quel trafic on fait aujourd'hui des bénéfices, et que, s'il fallait s'en rapporter à ce que saint Thomas et les anciens en ont écrit, il y aurait bien des simoniaques dans l'Église. Et c'est pourquoi il a été fort nécessaire que nos Pères aient tempéré les choses par leur prudence, comme ces paroles de Valentia, qui est l'un des 4 animaux d'Escobar, vous l'apprendront. C'est la conclusion d'un long discours, où il en donne plusieurs expédients, dont voici le meilleur à mon avis. C'est en la page 2042 du tome 3 : *Si l'on donne un bien temporel pour un bien spirituel*, c'est-à-dire de l'argent pour un bénéfice, *et qu'on donne l'argent comme le prix du bénéfice, c'est une simonie visible. Mais si on le donne comme le motif qui porte la volonté du bénéficier à le résigner, non tanquam pretium beneficii, sed tanquam motivum ad resignandum, ce n'est point simonie, encore que celui qui résigne considère et attende l'argent comme sa fin principale*. Tannerus, qui est encore de notre Société, dit la même chose dans son tome 3, p. 1519, quoiqu'il avoue *que saint Thomas y est contraire, en ce qu'il enseigne absolument que c'est toujours simonie de donner un bien spirituel pour un temporel, si le temporel en est la fin*. Par ce moyen, nous empêchons une infinité de simonies. Car qui serait assez méchant pour refuser, en donnant de l'argent pour un bénéfice, de porter son intention à le donner comme *un motif* qui porte le bénéficier à le résigner, au lieu de le donner comme *le prix* du bénéfice? Personne n'est assez abandonné de Dieu pour cela.

— Je demeure d'accord, lui dis-je, que tout le monde à des grâces suffisantes pour faire un tel marché.

— Cela est assuré, répartit le Père.

Voilà comment nous avons adouci les choses à l'égard des bénéficiers. Quant aux prêtres, nous avons plusieurs maximes qui leur sont assez favorables. Par exemple, celle-ci de nos 24, p. 143 : *Un prêtre qui a reçu de l'argent pour dire une messe peut-il recevoir de nouvel argent sur la même messe? Oui, dit Filliutius, en appliquant la partie du sacrifice qui lui appartient comme prêtre à celui qui le paye de nouveau, pourvu qu'il n'en reçoive pas autant que pour une messe entière, mais seulement pour une partie, comme pour un tiers de messe*.

— Certes, mon Père, voici une de ces rencontres où le *pour* et le *contre* sont bien probables. Car ce que vous me dites ne peut manquer de l'être, après l'autorité de Filliutius et d'Escobar. Mais en le laissant dans la sphère de probabilité, on pourrait bien, ce me semble, dire aussi le contraire, et l'appuyer par ces raisons. Lorsque l'Église permet aux prêtres qui sont pauvres de recevoir de l'argent pour leurs messes, parce qu'il est bien juste que ceux qui servent à l'autel, vivent de l'autel, elle n'entend pas pour cela qu'ils échangent le sacrifice pour de l'argent, et encore moins qu'ils se privent eux-mêmes de toutes les grâces qu'ils en doivent tirer les premiers. Et je dirais encore *que les prêtres*, selon saint Paul, *sont obligés d'offrir le sacrifice, premièrement pour eux-mêmes, et puis pour le peuple ;* et qu'ainsi il leur est bien permis d'en associer d'autres au fruit du sacrifice, mais non pas de renoncer eux-mêmes volontairement à tout le fruit du sacrifice, et de le donner à un autre pour un tiers de messe, c'est-à-dire pour 4 ou 5 sols. En vérité, mon Père, pour peu que je fusse *grave*, je rendrais cette opinion probable.

— Vous n'y auriez pas grand-peine, me dit-il; celle-là l'est visiblement. La difficulté était de trouver de la probabilité dans le contraire et c'est ce qui n'appartient qu'aux grands hommes. Le Père Bauny y excelle. Il y a du plaisir de voir ce savant casuiste pénétrer dans le pour et le contre d'une même question qui regarde encore les prêtres et trouver raison partout tant il est ingénieux et subtil.

Il dit en un endroit, c'est dans le Traité 10, p. 474 : *On ne peut pas faire une loi qui obligeât les curés à dire la messe tous les jours, parce qu'une telle loi les exposerait indubitablement, haud dubie, au péril de la dire quelquefois en péché mortel.* Et néanmoins, dans le même traité 10, p. 441, il dit : *Que les Prêtres qui ont reçu de l'argent pour dire la messe tous les jours, la doivent dire tous les jours ; et qu'ils ne peuvent pas s'excuser sur ce qu'ils ne sont pas toujours assez bien préparés pour la dire, parce qu'on peut toujours faire l'acte de contrition ; et que s'ils y manquent, c'est leur faute, et non pas celle de celui qui leur fait dire la messe.* Et pour lever les plus grandes difficultés qui pourraient les en empêcher, il résout ainsi cette question dans le même Traité, qu. 32, p. 457 : *Un prêtre peut-il dire la messe le même jour qu'il a commis un péché mortel et des plus criminels, en se confessant auparavant? Non, dit Villalobos, à cause de son impureté. Mais Sancius dit que oui, et sans aucun péché, et je tiens son opinion sûre, et qu'elle doit être suivie dans la pratique : et tuta et sequenda in praxi.*

— Quoi! mon Père, lui dis-je, on doit suivre cette opinion dans la pratique? Un prêtre qui serait tombé dans un tel désordre, oserait-il s'approcher le même jour de l'autel, sur la parole du Père Bauny? Et ne devrait-il pas plutôt déférer aux anciennes lois de l'Église, qui excluaient pour jamais du sacrifice les prêtres qui avaient commis des péchés de cette sorte, que les nouvelles opinions des casuistes, qui les y admettent le jour même qu'ils y sont tombés?

— Vous n'avez point de mémoire, dit le Père; ne vous appris-je pas l'autre fois *que l'on ne doit pas suivre dans la morale, les anciens Pères, mais les nouveaux casuistes*, selon nos Pères Cellot et Reginaldus?

— Je m'en souviens bien lui répondis-je. Mais il y a plus ici. Car il y a les lois de l'Église.

— Vous avez raison me dit-il; mais c'est que vous ne savez pas encore cette belle maxime de nos Pères : *Que les lois de l'Eglise perdent leur force, quand on ne les observe plus, cum iam desuetudine abierunt* [21], comme di Filliutius, tome 2, Tr. 25, n. 33. Nous voyons mieux que les anciens les nécessités présentes de l'Église. Si on était si sévère à exclure les prêtres de l'autel, vous comprenez bien qu'il n'y aurait pas un si grand nombre de messes. Or la pluralité des messes apporte tant de gloire à Dieu et tant d'utilité aux âmes, que j'oserais dire, avec notre Père Cellot, dans son livre de la Hiérarchie, p. 611, impression de Rouen, qu'il n'y aurait pas trop de prêtres, *quand non seulement tous les hommes et les femmes, si cela se pouvait, mais que les corps insensibles, et les bêtes brutes mêmes, bruta animalia, seraient changés en prêtres pour célébrer la messe.*

Je fus si surpris de la bizarrerie de cette imagination, que je ne pus rien dire, de sorte qu'il continua ainsi :

— Mais en voilà assez pour les prêtres; je serais trop long; venons aux religieux. Comme leur plus grande difficulté est en l'obéissance qu'ils doivent à leurs supérieurs, écoutez l'adoucissement qu'y apportent nos Pères. C'est Castrus Palaüs, de notre Société, Op. mor., p. 1, disp. 2, p. 6 : *Il est hors de dispute, non est controversia, que le religieux qui a pour soi une opinion probable, n'est point tenu d'obéir à son supérieur, quoique l'opinion du supérieur soit la plus probable. Car alors il est permis au religieux d'embrasser celle qui lui est la plus agréable, quae sibi gratior fuerit, comme le dit Sanchez. Et encore que le commandement du supérieur soit juste, cela ne vous oblige pas de lui obéir ; car il n'est pas juste de tous points et en toute maniere, non undequaque juste praecipit, mais seulement probablement ; et ainsi vous n'êtes engagé que probablement à lui obéir, et vous en êtes probablement dégagé ; probabiliter obligatus, et probabiliter deobligatus.*

— Certes, mon Père, lui dis-je, on ne saurait trop estimer un si beau fruit de la double probabilité!

— Elle est de grand usage, me dit-il; mais abrégeons. Je ne vous dirai plus que ce trait de notre célèbre Molina, en faveur des religieux qui sont chassés de leurs couvents pour leurs désordres. Notre Père Escobar le rapporte, en la page 705 en ces termes : *Molina assure qu'un religieux chassé de son monastère n'est point obligé de se corriger pour y retourner, et qu'il n'est plus lié par son vœu d'obéissance.*

— Voilà, mon Père lui dis-je, les ecclésiastiques bien à leur aise. Je vois bien que vos casuistes les ont traités favorablement. Ils y ont agi comme pour eux-mêmes. J'ai bien peur que les gens des autres conditions ne soient pas si bien traités. Il fallait que chacun fît pour soi.

— Ils n'auraient pas mieux fait eux-mêmes, me repartit le Père. On a agi pour tous avec une pareille charité, depuis les plus grands jusqu'aux moindres. Et vous m'engagez, pour vous le montrer, à vous dire nos maximes touchant les valets.

Nous avons considéré, à leur égard, la peine qu'ils ont, quand ils sont gens de conscience, à servir des maîtres débauchés. Car s'ils ne font tous les messages où ils les emploient, ils perdent leur fortune; et s'ils leur obéissent, ils en ont du scrupule. Et c'est pour les en soulager que nos 24 Pères, dans la page 770, ont marqué les services qu'ils peuvent rendre en sûreté de conscience. En voici quelques-uns : *Porter des lettres et des présents; ouvrir les portes et les fenêtres; aider leur maître à monter à la fenêtre, tenir*

21. « Quand elles (les lois) sont tombées en désuétude. »

l'échelle pendant qu'il y monte; tout cela est permis et indifférent. Il est vrai que pour tenir l'échelle il faut qu'ils soient menacés plus qu'à l'ordinaire, s'ils y manquaient. Car c'est faire injure au maître d'une maison d'y entrer par la fenêtre.

Voyez-vous combien cela est judicieux?

— Je n'attendais rien moins, lui dis-je, d'un livre tiré de 24 Jésuites.

— Mais, ajouta le Père, notre Père Bauny a encore bien appris aux valets à rendre tous ces devoirs-là innocemment à leurs maîtres, en faisant qu'ils portent leur intention, non pas aux péchés dont ils sont les entremetteurs, mais seulement au gain qui leur en revient. C'est ce qu'il a bien expliqué dans sa *Somme des péchés*, en la page 710, de la première impression: *Que les confesseurs*, dit-il, *remarquent bien qu'on ne peut absoudre les valets qui font des messages deshonnêtes, s'ils consentent aux péchés de leurs maîtres; mais il faut dire le contraire, s'ils le font pour leur commodité temporelle.* Et cela est bien facile à faire; car pourquoi s'obstineraient-ils à consentir à des péchés dont ils n'ont que la peine?

Et le même Père Bauny a encore établi cette grande maxime en faveur de ceux qui ne sont pas contents de leurs gages. C'est dans sa Somme, p. 213 et 214 de la sixième édition : *Les valets qui se plaignent de leurs gages, peuvent-ils d'eux-mêmes les croître en se garnissant les mains d'autant de bien appartenant à leurs maîtres, comme ils s'imaginent en être nécessaire pour égaler lesdits gages à leur peine? Ils le peuvent en quelques rencontres, comme lorsqu'ils sont si pauvres en cherchant condition, qu'ils ont été obligés d'accepter l'offre qu'on leur a faite, et que les autres valets de leur sorte gagnent davantage ailleurs.*

— Voilà justement, mon Père, lui dis-je, le passage de Jean d'Alba.

— Quel Jean d'Alba? dit le Père. Que voulez-vous dire?

— Quoi! mon Père, ne vous souvenez-vous plus de ce qui se passa en l'année 1647? Et où étiez-vous donc alors?

— J'enseignais, dit-il, les cas de conscience en un de nos collèges assez éloigné de Paris.

— Je vois donc bien, mon Père, que vous ne savez pas cette histoire; il faut que je vous la die. C'était une personne d'honneur qui la contait l'autre jour en un lieu où j'étais. Il nous disait que ce Jean d'Alba, servant vos Pères du collège de Clermont de la rue Saint-Jacques, et n'étant pas satisfait de ses gages, déroba quelque chose pour se récompenser. Qu'ensuite vos Pères le firent mettre en prison, l'accusant de vol domestique; et que le procès en fut rapporté au Châtelet le 6 jour d'avril 1647, si j'ai bonne mémoire. Car il nous marqua toutes ces particularités-là sans quoi à peine l'aurait-on cru. Ce malheureux, étant interrogé, avoua qu'il avait pris quelques plats d'étain à vos Pères; mais qu'il ne les avait pas volés pour cela, rapportant pour sa justification cette doctrine du Père Bauny, qu'il présenta aux juges avec un écrit d'un de vos Pères, sous lequel il avait étudié les cas de conscience, qui lui avait appris la même chose. Sur quoi Monsieur de Montrouge, qui est l'un des plus considérés de cette compagnie, opina et dit *qu'il n'était pas d'avis que, sur des écrits de ces Pères, contenant une doctrine illicite, pernicieuse et contraire à toutes les lois naturelles, divines et humaines, capables de renverser toutes les familles et d'autoriser tous ces vols domestiques, on dût absoudre cet accusé. Mais qu'il était d'avis que ce trop fidèle disciple fût fouetté devant la porte du collège, par la main du bourreau, lequel en même temps brûlerait les écrits de ces Pères traitant du larcin, et défense à eux de plus enseigner une telle doctrine, sur peine de la vie.*

On attendait la suite de cet avis qui fut fort approuvé lorsqu'il arriva un incident qui fit remettre le jugement de ce procès. Mais cependant le prisonnier disparut on ne sait comment sans qu'on parlât plus de cette affaire-là; de sorte que Jean d'Alba sortit, et sans rendre la vaisselle. Voilà ce qu'il nous dit; et il ajoutait à cela que l'avis de Monsieur de Montrouge est aux registres du Châtelet, où chacun le peut voir. Nous prîmes plaisir à ce conte [22].

— A quoi vous amusez-vous? dit le Père. Qu'est-ce que tout cela signifie? Je vous parle des maximes de nos casuistes; j'étais prêt à vous parler de celles qui regardent les gentilshommes, et vous m'interrompez par des histoires hors de propos.

— Je ne vous le disais qu'en passant, lui dis-je, et aussi pour vous avertir d'une chose importante sur ce sujet, que je trouve que vous avez oubliée en établissant votre doctrine de la probabilité.

— Eh quoi! dit le Père, que pourrait-il y avoir de manque après tant d'habiles gens qui y sont passé?

— C'est, lui répondis-je, que vous avez bien mis ceux qui suivent vos opinions probables en assurance à l'égard de Dieu et de la conscience. Car, à ce que vous dites, on est en sûreté de ce côté-là en suivant un docteur grave. Vous les avez encore mis en assurance du côté des confesseurs : car vous avez obligé les prêtres à les absoudre sur une opinion probable, à peine de péché mortel. Mais vous ne les avez point mis en assurance du côté des juges; de sorte qu'ils se trouvent exposés au fouet et à la potence, en suivant vos probabilités. C'est un défaut capital que cela.

— Vous avez raison, dit le Père, vous me faites plaisir. Mais c'est que nous n'avons pas autant de pouvoir sur les magistrats que sur les confesseurs, qui sont obligés de se rapporter à nous pour les cas de conscience. Car c'est nous qui en jugeons souverainement.

— J'entends bien, lui dis-je; mais si d'une part vous êtes les juges des confesseurs, n'êtes-vous pas de l'autre les confesseurs des juges? Votre pouvoir est de grande étendue : obligez-les d'absoudre les criminels qui ont une opinion probable, à peine d'être exclus des sacrements, afin qu'il n'arrive point, au grand mépris et scandale de la probabilité, que

22. Jean d'Alba « fut mandé et blâmé de la faute par lui commise avec défense de récidiver et enjoint de se retirer dans son pays ».

ceux que vous rendez innocents dans la théorie ne soient fouettés et pendus dans la pratique. Sans cela, comment trouveriez-vous des disciples?

— Il y faudra songer, me dit-il, ce n'est pas à négliger. Je le proposerai à notre Père Provincial. Vous pouvez néanmoins réserver cet avis à un autre temps, sans interrompre ce que j'ai à vous dire des maximes que nous avons établies en faveur des gentilshommes, et je ne vous les apprendrai qu'à la charge que vous ne me ferez plus d'histoires.

Voilà tout ce que vous aurez pour aujourd'hui; car il faut plus d'une lettre pour vous mander tout ce que j'ai appris en une seule conversation. Cependant, je suis, etc.

SEPTIÈME LETTRE ÉCRITE A UN PROVINCIAL
PAR UN DE SES AMIS

De Paris, ce 25 avril 1656.

Monsieur,

Après avoir apaisé le bon Père, dont j'avais un peu troublé le discours par l'histoire de Jean d'Alba, il le reprit sur l'assurance que je lui donnai de ne lui en plus faire de semblables; et il me parla des maximes de ses casuistes touchant les gentilshommes, à peu près en ces termes :

— Vous savez, me dit-il, que la passion dominante des personnes de cette condition est ce point d'honneur, qui les engage à toute heure à des violences qui paraissent bien contraires à la piété chrétienne; de sorte qu'il faudrait les exclure presque tous de nos confessionnaux, si nos Pères n'eussent un peu relâché de la sévérité de la religion, pour s'accommoder à la faiblesse des hommes. Mais comme ils voulaient demeurer attachés à l'Évangile par leur devoir envers Dieu, et aux gens du monde par leur charité pour le prochain, ils ont eu besoin de toute leur lumière pour trouver des expédients qui tempérassent les choses avec tant de justesse, qu'on pût maintenir et réparer son honneur par les moyens dont on se sert ordinairement dans le monde, sans blesser néanmoins sa conscience; afin de conserver tout ensemble deux choses aussi opposées en apparence que la piété et l'honneur.

Mais autant que ce dessein était utile, autant l'exécution en était pénible. Car je crois que vous voyez assez la grandeur et la difficulté de cette entreprise.

— Elle m'étonne, lui dis-je.

— Elle vous étonne? me dit-il. Je le crois, elle en étonnerait bien d'autres. Ignorez-vous que d'une part la loi de l'Evangile ordonne *de ne point rendre le mal pour le mal et d'en laisser la vengeance à Dieu?* Et que de l'autre les lois du monde défendent de souffrir les injures, sans en tirer raison soi-même, et souvent par la mort de ses ennemis? Avez-vous jamais rien vu qui paraisse plus contraire? Et cependant, quand je vous dis que nos Pères ont accordé ces choses, vous me dites simplement que cela vous étonne.

— Je ne m'expliquais pas assez, mon Père. Je tiendrais la chose impossible, si après ce que j'ai vu de vos Pères, je ne savais qu'ils peuvent faire facilement ce qui est impossible aux autres hommes. C'est ce qui me fait croire qu'ils en ont bien trouvé quelque moyen, que j'admire sans le connaître et que je vous prie de me déclarer.

— Puisque vous le prenez ainsi, me dit-il, je ne puis vous le refuser. Sachez donc que ce principe merveilleux est notre grande méthode *de diriger l'intention*, dont l'importance est telle dans notre morale, que j'oserais quasi la comparer à la doctrine de la probabilité. Vous en avez vu quelques traits en passant, dans de certaines maximes que je vous ai dites. Car, lorsque je vous ai fait entendre comment les valets peuvent faire en conscience de certains messages fâcheux, n'avez-vous pas pris garde que c'était seulement en détournant leur intention du mal dont ils sont les entremetteurs, pour la porter au gain qui leur en revient? Voilà ce que c'est que *diriger l'intention.* Et vous avez vu de même que ceux qui donnent de l'argent pour des bénéfices seraient de véritables simoniaques sans une pareille diversion. Mais je veux maintenant vous faire voir cette grande méthode dans tout son lustre, sur le sujet de l'homicide, qu'elle justifie en mille rencontres, afin que vous jugiez, par un tel effet, tout ce qu'elle est capable de produire.

— Je vois déjà, lui dis-je, que par là tout sera permis, rien n'en n'échappera.

— Vous allez toujours d'une extrémité à l'autre, répondit le Père; corrigez-vous de cela. Car, pour vous témoigner que nous ne permettons pas tout, sachez que, par exemple, nous ne souffrons jamais d'avoir l'intention formelle de pécher pour le seul dessein de pécher; et que quiconque s'obstine à borner son désir dans le mal pour le mal même, nous rompons avec lui; cela est diabolique : voilà qui est sans exception d'âge, de sexe, de qualité. Mais quand on n'est pas dans cette malheureuse disposition, alors nous essayons de mettre en pratique notre méthode de *diriger l'intention*, qui consiste à se proposer pour fin de ses actions un objet permis. Ce n'est pas qu'autant qu'il est en notre pouvoir, nous ne détournions les hommes des choses défendues; mais quand nous ne pouvons pas empêcher l'action, nous purifions au moins l'intention; et ainsi nous corrigeons le vice du moyen par la pureté de la fin.

Voilà par où nos Pères ont trouvé moyen de permettre les violences qu'on pratique en défendant son honneur. Car il n'y a qu'à détourner son intention du désir de vengeance, qui est criminel, pour la porter au désir de défendre son honneur, qui est permis selon nos Pères. Et c'est ainsi qu'ils accomplissent tous leurs devoirs envers Dieu et envers les hommes. Car ils contentent le monde en permettant les actions; et ils satisfont à l'Evangile en purifiant les intentions. Voilà ce que les anciens n'ont point connu; voilà ce qu'on doit à nos Pères. Le comprenez-vous maintenant?

— Fort bien, lui dis-je. Vous accordez aux hommes la substance grossière des choses et vous donnez à Dieu ce mouvement spirituel de l'intention; et par cet équitable partage, vous alliez les lois humaines avec les divines. Mais, mon Père, pour vous dire la vérité, je me défie un peu de vos promesses, et je doute que vos auteurs en disent autant que vous.

— Vous me faites tort, dit le Père; je n'avance rien que je ne prouve, et par tant de passages, que leur nombre, leur autorité et leurs raisons vous rempliront d'admiration.

Car, pour vous faire voir l'alliance que nos Pères ont faite des maximes de l'Evangile avec celles du monde, par cette direction d'intention, écoutez notre Père Reginaldus, in praxi, l. 21, n. 62, p. 260 : *Il est défendu aux particuliers de se venger. Car saint Paul dit aux Rom.* 12 : *Ne rendez à personne le mal pour le mal; et l'Eccl.* 28 : *Celui qui veut se venger attirera sur soi la vengeance de Dieu, et ses péchés ne seront point oubliés. Outre tout ce qui est dit dans l'Evangile du pardon des offenses, comme dans les chapitres* 6 *et* 18 *de saint Matthieu.*

— Certes, mon Père, si après cela il dit autre chose que ce qui est dans l'Ecriture, ce ne sera pas manque de la savoir. Que conclut-il donc enfin?

— Le voici, dit-il : *De toutes ces choses, il paraît qu'un homme de guerre peut sur l'heure même poursuivre celui qui l'a blessé; non pas, à la vérité, avec l'intention de rendre le mal pour le mal, mais avec celle de conserver son honneur : Non ut malum pro malo reddat, sed ut conservet honorem.*

Voyez-vous comment ils ont soin de défendre d'avoir l'intention de rendre le mal pour le mal, parce que l'Ecriture le condamne? Ils ne l'ont jamais souffert. Voyez Lessius, de Just. l. 2, c. 9, d. 12, n. 79 : *Celui qui a reçu un soufflet ne peut pas avoir l'intention de s'en venger; mais il peut bien avoir celle d'éviter l'infamie, et pour cela de repousser à l'instant cette injure, et même à coups d'épée : etiam cum gladio.* Nous sommes si éloignés de souffrir qu'on ait le dessein de se venger de ses ennemis, que nos Pères ne veulent pas seulement qu'on leur souhaite la mort par un mouvement de haine. Voyez notre Père Escobar, tr. 5, ex. 5, n. 145 : *Si votre ennemi est disposé à vous nuire, vous ne devez pas souhaiter sa mort par un mouvement de haine, mais vous le pouvez bien faire pour éviter votre dommage.* Car cela est tellement légitime avec cette intention, que notre grand Hurtado de Mendoza dit : *Qu'on peut prier Dieu de faire promptement mourir ceux qui se disposent à nous persécuter, si on ne le peut éviter autrement.* C'est au l. 2 de Spe, vol. 2, d. 15, 3. sect. 4, § 48.

— Mon révérend Père, lui dis-je, l'Eglise a bien oublié de mettre une oraison à cette intention dans ses prières.

— On n'y a pas mis, me dit-il, tout ce qu'on peut demander à Dieu. Outre que cela ne se pouvait pas; car cette opinion-là est plus nouvelle que le bréviaire : vous n'êtes pas bon chronologiste. Mais, sans sortir de ce sujet, écoutez encore ce passage de notre Père Gaspar Hurtado, *de Sub. pecc. diff.* 9, cité par Diana, p. 5. tr. 14, R. 99 [23]. C'est l'un des 24 Pères d'Escobar : *Un bénéficier peut, sans aucun péché mortel, désirer la mort de celui qui a une pension sur son bénéfice ; et un fils celle de son père, et se réjouir quand elle arrive, pourvu que ce ne soit que pour le bien qui lui en revient, et non pas par une haine personnelle.*

— O mon père! lui dis-je, voilà un beau fruit de la direction d'intention! Je vois bien qu'elle est de grande étendue. Mais néanmoins il y a de certains cas dont la résolution serait encore difficile, quoique fort nécessaire pour les gentilshommes.

— Proposez-les pour voir, dit le Père.

— Montrez-moi, lui dis-je, avec toute cette direction d'intention, qu'il soit permis de se battre en duel.

— Notre grand Hurtado de Mendoza, dit le Père, vous y satisfera sur l'heure, dans ce passage que Diana rapporte, p. 5. tr. 14. R. 99. « Si un gentilhomme qui est appelé en duel, est connu pour n'être pas dévot, et que les péchés qu'on lui voit commettre à toute heure sans scrupule fassent aisément juger que, s'il refuse le duel, ce n'est pas par la crainte de Dieu, mais par timidité; et qu'ainsi on dise de lui que c'est une poule et non pas un homme, *gallina et non vir*, il peut pour conserver son honneur, se trouver au lieu assigné, non pas véritablement avec l'intention expresse de se battre en duel mais seulement avec celle de se défendre, si celui qui l'a appelé l'y vient attaquer injustement. Et son action sera toute indifférente d'elle-même. Car quel mal y a-t-il d'aller dans un champ, de s'y promener en attendant un homme et de se défendre si on l'y vient attaquer? Et ainsi il ne pèche en aucune manière puisque ce n'est point du tout accepter un duel ayant l'intention dirigée à d'autres circonstances. Car l'acceptation du duel consiste en l'intention expresse de se battre, laquelle celui-ci n'a pas. »

— Vous ne m'avez pas tenu parole, mon Père. Ce n'est pas là proprement permettre le duel. Au contraire, il évite de dire que c'en soit un, pour rendre la chose permise, tant il la croit défendue.

23. La G. E. des *Œuvres de Pascal* (Hachette, t. V., pp. 79-80) signale que ce texte ne se retrouve ni dans Diana, ni dans G. Hurtado. E. Havet indique que les mots *Ex sententia omnium* ne figurent pas dans Lessius, mais dans Navarre, dont il est question plus loin.

— Ho! ho! dit le Père, vous commencez à pénétrer; j'en suis ravi. Je pourrais dire néanmoins qu'il permet en cela tout ce que demandent ceux qui se battent en duel. Mais, puisqu'il faut vous répondre juste, notre Père Layman le fera pour moi, en permettant le duel en mots propres, pourvu qu'on dirige son intention à l'accepter seulement pour conserver son honneur ou sa fortune. C'est au l. 3, p. 3, c. 3, n. 2 et 3 : *Si un soldat à l'armée, ou un gentilhomme à la cour, se trouve en état de perdre son honneur ou sa fortune s'il n'accepte un duel, je ne vois pas que l'on puisse condamner celui qui le reçoit pour se défendre.* Petrus Hurtado dit la même chose, au rapport de notre célèbre Escobar, au tr. 1, ex. 7, n. 96 et au n. 98, il ajoute ces paroles de Hurtado : *Qu'on peut se battre en duel pour défendre même son bien, s'il n'y a que ce moyen de le conserver, parce que chacun a le droit de défendre son bien, et même par la mort de ses ennemis.*

J'admirai sur ces passages de voir que la piété du roi emploie sa puissance à défendre et à abolir le duel dans ses Etats, et que la piété des Jésuites occupe leur subtilité à le permettre et à l'autoriser dans l'Eglise. Mais le bon Père était si en train, qu'on lui eût fait tort de l'arrêter, de sorte qu'il poursuivit ainsi :

— Enfin, dit-il, Sanchez, voyez un peu quels gens je vous cite, fait plus. Car il permet non seulement de recevoir, mais encore d'offrir le duel en dirigeant bien son intention. Et notre Escobar le suit en cela au même lieu, n. 97.

— Mon père, lui dis-je, je le quitte, si cela est; mais je ne croirai jamais qu'il l'ait écrit, si je ne le vois.

— Lisez-le donc vous-même, me dit-il.

Et je lus en effet ces mots dans la *Théologie mor.* de Sanchez, l. 2. c. 39. n. 7. *Il est bien raisonnable de dire qu'un homme peut se battre en duel pour sauver sa vie, son honneur ou son bien en une quantité considérable, lorsqu'il est constant qu'on les lui veut ravir injustement par des procès et des chicaneries, et qu'il n'y a que ce seul moyen de les conserver. Et Navarrus dit fort bien qu'en cette occasion il est permis d'accepter et d'offrir le duel : licet acceptare et offerre duellum. Et aussi qu'on peut tuer en cachette son ennemi. Et même en ces rencontres-là, on ne doit point user de la voie du duel, si on peut tuer en cachette son homme, et sortir par là d'affaire. Car, par ce moyen, on évitera tout ensemble, et d'exposer sa vie dans un combat, et de participer au péché que notre ennemi commettrait par un duel.*

— Voilà mon Père, lui dis-je, un pieux guet-apens; mais, quoique pieux, il demeure toujours guet-apens, puisqu'il est permis de tuer son ennemi en trahison.

— Vous ai-je dit, répliqua le Père, qu'on peut tuer en trahison? Dieu m'en garde! Je vous dis qu'on peut tuer en cachette, et de là vous concluez qu'on peut tuer en trahison, comme si c'était la même chose. Apprenez d'Escobar, tr. 6, Exa. 4. n. 26, ce que c'est que tuer en trahison, et puis vous parlerez. *On appelle tuer en trahison, quand on tue celui qui ne s'en défie en aucune manière. Et c'est pourquoi celui qui tue son ennemi n'est pas dit le tuer en trahison, quoique ce soit par derrière ou dans une embûche : licet per insidias aut a tergo percutiat.* Et au même traité n. 56. *Celui qui tue son ennemi avec lequel il s'était réconcilié sous promesse de ne plus attenter à sa vie, n'est pas absolument dit le tuer en trahison, à moins qu'il n'y eût entre eux une amitié bien étroite : arctior amicitia.*

Vous voyez par là que vous ne savez pas seulement ce que les termes signifient et cependant vous parlez comme un docteur.

— J'avoue, lui dis-je, que cela m'est nouveau; et j'apprends de cette définition qu'on n'a peut-être jamais tué personne en trahison. Car on ne s'avise guère d'assassiner que ses ennemis; mais, quoi qu'il en soit, on peut selon Sanchez tuer hardiment, je ne dis plus en trahison, mais seulement par derrière, ou dans une embûche, un calomniateur qui nous poursuit en justice?

— Oui, dit le Père, mais en dirigeant bien l'intention! vous oubliez toujours le principal. Et c'est ce que Molina soutient aussi, to. 4., tr. 3, disp. 12. Et même, selon notre docte Reginaldus, l. 21, c. 5, n. 57 : *On peut tuer aussi les faux témoins qu'il suscite contre nous.* Et enfin selon nos grands et célèbres Pères Tannerus et Emmanuel Sa, on peut de même tuer et les faux témoins et le juge, s'il est de leur intelligence. Voici ses mots, 3, disp. 4, q. 8, n. 83 : *Scotus*, dit-il, *et Lessius disent qu'il n'est pas permis de tuer les faux témoins et le juge qui conspirent à faire mourir un innocent; mais Emmanuel Sa et d'autres auteurs ont raison d'improuver ce sentiment-là, au moins pour ce qui touche la conscience.* Et il confirme encore, au même lieu, qu'on peut tuer et témoins et juge.

— Mon Père, lui dis-je, j'entends maintenant assez bien votre principe de la direction d'intention; mais j'en veux bien entendre aussi les conséquences, et tous les cas où cette méthode donne le pouvoir de tuer. Reprenons donc ceux que vous m'avez dits, de peur de méprise; car l'équivoque serait ici dangereuse. Il ne faut tuer que bien à propos, et sur bonne opinion probable. Vous m'avez donc assuré qu'en dirigeant bien son intention, on peut, selon vos Pères, pour conserver son honneur, et même son bien, accepter un duel, l'offrir quelquefois, tuer en cachette un faux accusateur et ses témoins avec lui, et encore le juge corrompu qui les favorise; et vous m'avez dit aussi que celui qui a reçu un soufflet peut, sans se venger, le réparer à coups d'épée. Mais, mon Père, vous ne m'avez pas dit avec quelle mesure.

— On ne s'y peut guère tromper, dit le Père; car on peut aller jusqu'à le tuer. C'est ce que prouve fort bien notre savant Henriquez, l. 14, c. 10, n. 3, et d'autres de nos Pères rapportés par Escobar, au tr. 1, Ex. 7, n. 48, en ces mots : « On peut tuer celui qui a donné un soufflet, quoiqu'il s'enfuie, pourvu qu'on évite de le faire par haine ou par vengeance, et que par là on ne donne pas lieu à des meurtres excessifs et nuisibles à l'Etat. Et la raison en est qu'on peut ainsi courir après son honneur, comme après du bien dérobé. Car encore que votre honneur ne soit pas entre les mains de votre ennemi, comme seraient des hardes qu'il vous aurait volées, on peut néanmoins le recouvrer en la même manière, en donnant des marques de grandeur et d'autorité, et s'acquérant par là l'estime des hommes. Et en effet, n'est-il pas véritable que celui qui a reçu un soufflet est réputé sans honneur, jusqu'à ce qu'il ait tué son ennemi? »

Cela me parut si horrible, que j'eus peine à me retenir; mais, pour savoir le reste, je le laissai continuer ainsi :

— Et même, dit-il, on peut, pour prévenir un soufflet, tuer celui qui le veut donner, s'il n'y a que ce moyen de l'éviter. Cela est commun dans nos Pères. Par exemple, Azor, Inst. mor. part. 3, p. 105. (C'est encore l'un des 24 V.) : « Est-il permis à un homme d'honneur de tuer celui qui lui veut donner un soufflet ou un coup de bâton? Les uns disent que non, et leur raison est que la vie du prochain est plus précieuse que notre honneur; outre qu'il y a de la cruauté à tuer un homme pour éviter seulement un soufflet. Mais les autres disent que cela est permis; et certainement je le trouve probable, quand on ne peut l'éviter autrement. Car sans cela l'honneur des innocents serait sans cesse exposé à la malice des insolents. » Notre grand Filliutius, de même, t. 2, tr. 29, c. 3, n. 50 et le Père Héreau, dans ses écrits de l'Homicide; Hurtado de Mendoza, in 2, 2, disp. 170, sect. 16, § 137; et Becan, Somm. t. I, q. 64, *de homicid.*, et nos Pères Flahaut et Le Court, dans leurs écrits que l'Université, dans sa 3e requête, a rapportés tout au long pour les décrier, mais elle n'y a pas réussi, et Escobar au même lieu, n. 48, disent tous les mêmes choses. Enfin cela est si généralement soutenu, que Lessius, l. 2, c. 9, d. 12, n. 77 en parle comme d'une chose autorisée par le consentement universel de tous les casuistes. *Il est permis*, dit-il, *selon le consentement de tous les casuistes, ex sententia omnium, de tuer celui qui veut donner son soufflet ou un coup de bâton, quand on ne le peut éviter autrement.* En voulez-vous davantage?

Je l'en remerciai, car je n'en avais que trop entendu. Mais pour voir jusqu'où irait une si damnable doctrine, je lui dis :

— Mais, mon Père, ne sera-t-il point permis de tuer pour un peu moins? Ne saurait-on diriger son intention en sorte qu'on puisse tuer pour un démenti?

— Oui, dit le Père, et selon notre Père Baldelle, l. 3, disp. 24, n. 24, rapporté par Escobar au même lieu, n. 49, *il est permis de tuer celui qui vous dit : Vous avez menti, si on ne peut le réprimer autrement.* Et on peut tuer de la même sorte pour des médisances, selon nos Pères. Car Lessius, que le Père Héreau entre autres suit mot à mot, dit, au lieu déjà cité : « Si vous tâchez de ruiner ma réputation par des calomnies devant des personnes d'honneur, et que je ne puisse l'éviter autrement qu'en vous tuant, le puis-je faire? Oui, selon des auteurs modernes, et même encore que le crime que vous publiez soit véritable, si toutefois il est secret, en sorte que vous ne puissiez le découvrir selon les voies de la justice. Et en voici la preuve. Si vous me voulez ravir l'honneur en me donnant un soufflet, je puis l'empêcher par la force des armes; donc la même défense est permise quand vous me voulez faire la même injure avec la langue. De plus, on peut empêcher les affronts : donc on peut empêcher les médisances. Enfin l'honneur est plus cher que la vie. Or on peut tuer pour défendre sa vie : donc on peut tuer pour défendre son honneur. »

Voilà des arguments en forme. Ce n'est pas là discourir, c'est prouver. Et enfin ce grand Lessius montre au même endroit n. 78, qu'on peut tuer même pour un simple geste, ou un signe de mépris. *On peut*, dit-il, *attaquer et ôter l'honneur en plusieurs manières, dans lesquelles la défense paraît bien juste; comme si on veut donner un coup de bâton, ou un soufflet, ou si on veut nous faire affront par des paroles ou par des signes; sive per signa.*

— O mon Père, lui dis-je, voilà tout ce qu'on peut souhaiter pour mettre l'honneur à couvert; mais la vie est bien exposée, si, pour de simples médisances et des gestes désobligeants, on peut tuer le monde en conscience.

— Cela est vrai, me dit-il; mais, comme nos Pères sont fort circonspects, ils ont trouvé à propos de défendre de mettre cette doctrine en usage en de certaines occasions, comme pour les simples médisances. Car ils disent au moins *qu'à peine doit-on la pratiquer : practice vix probari potest.* Et ce n'a pas été sans raison; la voici.

— Je la sais bien, lui dis-je. C'est parce que la loi de Dieu défend de tuer.

— Ils ne le prennent pas par là, me dit le Père. Ils le trouvent permis en conscience, et en ne regardant que la vérité en elle-même.

— Et pourquoi le défendent-ils donc?

— Ecoutez-le, dit-il. C'est parce qu'on dépeuplerait un État en moins de rien, si on en tuait tous les médisants. Apprenez-le de notre Reginaldus, l. 21, n. 63, p. 260 : *Encore que cette opinion qu'on peut tuer pour une médisance ne soit pas sans probabilité dans la théorie, il faut suivre le contraire dans la pratique. Car il faut toujours éviter le dommage de l'Etat dans la manière de se défendre. Or il est visible qu'en tuant le monde de cette sorte, il se ferait un trop grand nombre de meurtres.* Lessius en parle de même au lieu déjà cité : *Il faut prendre garde que l'usage de cette maxime ne soit nuisible à l'Etat. Car alors il ne faut pas le permettre : tunc enim non est permittendus.*

— Quoi! mon Père, ce n'est donc ici qu'une défense de politique, et non pas de religion? Peu de gens s'y arrêteront, et surtout dans la colère. Car il pourrait être assez probable qu'on ne fait pas de tort à l'Etat de le purger d'un méchant homme.

— Aussi, dit-il, notre Père Filliutius joint à cette raison-là une autre bien considérable, tr. 29, c. 3,

n. 51. *C'est qu'on serait puni en justice, en tuant le monde pour ce sujet.*

— Je vous le disais bien, mon Père, que vous ne feriez jamais rien qui vaille, tant que vous n'auriez point les juges de votre côté.

— Les juges, dit le Père, qui ne pénètrent pas dans les consciences, ne jugent que par le dehors de l'action, au lieu que nous regardons principalement à l'intention. Et de là vient que nos maximes sont quelquefois un peu différentes des leurs.

— Quoi qu'il en soit, mon Père, ils se conclut fort bien des vôtres qu'on peut tuer les médisants en sûreté de conscience, pourvu que ce soit en sûreté de sa personne. Mais, mon Père, après avoir si bien pourvu à l'honneur, n'avez-vous rien fait pour le bien? Je sais qu'il est de moindre considération; mais il n'importe. Il me semble qu'on peut bien diriger son intention à tuer pour le conserver.

— Oui, dit le Père, et je vous en ai touché quelque chose qui vous a pu donner cette ouverture. Tous nos casuistes s'y accordent, et même on le permet, *encore que l'on ne craigne plus aucune violence de ceux qui nous ôtent notre bien, comme quand ils s'enfuient.* Azor, de notre Société, le prouve p. 3, l. 2, c. 1, q. 20.

— Mais, mon Père, combien faut-il que la chose vaille pour nous porter à cette extrémité?

— *Il faut*, selon Reginaldus, l. 21, c. 5, n. 66, et Tannerus, in t. 3 disp. 4, q. 8, d. 4, n. 68, *que la chose soit de grand prix au jugement d'un homme prudent.* Et Layman et Filliutius en parlent de même.

— Ce n'est rien dire, mon Père : où ira-t-on chercher un homme prudent, dont la rencontre est si rare, pour faire cette estimation? Que ne déterminent-ils exactement la somme?

— Comment! dit le Père, était-il si facile, à votre avis, de comparer la vie d'un homme et d'un chrétien à de l'argent? C'est ici où je veux vous faire sentir la nécessité de nos casuistes. Cherchez-moi, dans tous les anciens Pères, pour combien d'argent il est permis de tuer un homme. Que vous diront-ils, sinon : *Non occides; Vous ne tuerez point?*

— Et qui a donc osé déterminer cette somme? répondis-je.

— C'est, me dit-il, notre grand et incomparable Molina, la gloire de notre Société, qui, par sa prudence inimitable, l'a estimée *à 6 ou 7 ducats* [24], *pour lesquels il assure qu'il est permis de tuer, encore que celui qui les emporte s'enfuie.* C'est en son t. 4, tr. 3, disp. 16, d. 6. Et il dit de plus au même endroit: *Qu'il n'oserait condamner d'aucun péché un homme qui tue celui qui lui veut ôter une chose de la valeur d'un écu, ou moins : unius aurei, vel minoris adhuc valoris.* Ce qui a porté Escobar à établir cette règle générale, n. 44, *que régulièrement on peut tuer un homme pour la valeur d'un écu, selon Molina.*

— O mon Père! d'où Molina a-t-il pu être éclairé pour déterminer une chose de cette importance sans aucun secours de l'Ecriture, des conciles, ni des Pères? Je vois bien qu'il a eu des lumières bien particulières et bien éloignées de saint Augustin, sur l'homicide aussi bien que sur la grâce. Me voici bien savant sur ce chapitre; et je connais parfaitement qu'il n'y a plus que les gens d'Eglise qu'on puisse offenser et pour l'honneur et pour le bien, sans qu'ils tuent ceux qui les offensent.

— Que voulez-vous dire? répliqua le Père. Cela sera-t-il raisonnable, à votre avis, que ceux qu'on doit le plus respecter dans le monde fussent seuls exposés à l'insolence des méchants? Nos pères ont prévenu ce désordre. Car Tannerus, to. 2, d. 4, q. 8, d. 4, n. 76 dit : *Qu'il est permis aux ecclésiastiques et aux religieux mêmes, de tuer, pour défendre non seulement leur vie, mais aussi leur bien, ou celui de leur communauté.* Molina, qu'Escobar rapporte, n. 43; Becan, in. 2, 2, t. 2, q. 7, *de Hom.*, concl. 2, n. 5 ; Reginaldus, l. 21, c. 5, n. 68; Layman, l. 3, tr. 3, p. 3 c. 3 n. 4; Lessius, l. 2, c. 2, d. II, n. 72, et les autres, se servent tous des mêmes paroles.

Et même, selon notre célèbre Père L'Amy, il est permis aux prêtres et aux religieux de prévenir ceux qui les veulent noircir par des médisances, en les tuant pour les en empêcher. Mais c'est toujours en dirigeant bien l'intention. Voici ses termes, t, 5. disp. 36, n. 118 : « Il est permis à un ecclésiastique, ou à un religieux de tuer un calomniateur qui menace de publier des crimes scandaleux de sa communauté, ou de lui-même, quand il n'y a que ce seul moyen de l'en empêcher, comme s'il est prêt à répandre ses médisances, si on ne le tue promptement. Car, en ce cas, comme il serait permis à ce religieux de tuer celui qui lui voudrait ôter la vie, il lui est permis aussi de tuer celui qui lui veut ôter l'honneur, ou celui de sa communauté, de la même sorte qu'aux gens du monde. »

— Je ne savais pas cela, lui dis-je, et j'avais cru simplement le contraire, sans y faire de réflexion, sur ce que j'avais ouï dire que l'Église abhorre tellement le sang, qu'elle ne permet pas seulement aux juges ecclésiastiques d'assister aux jugements criminels.

— Ne vous arrêtez pas à cela, dit-il; notre Père L'Amy prouve fort bien cette doctrine, quoique, par un trait d'humilité bienséant à ce grand homme, il la soumette aux lecteurs prudents. Et Caramoüel, notre illustre défenseur, qui la rapporte dans sa Théologie fondamentale, p. 543, la croit si certaine, qu'il soutient *que le contraire n'est pas probable;* et il en tire des conclusions admirables, comme celle-ci, qu'il appelle *la conclusion des conclusions, conclusionum conclusio : Qu'un prêtre non seulement peut, en de certaines rencontres, tuer un calomniateur, mais encore qu'il y en a où il doit le faire : etiam aliquando debet occidere.* Il examine plusieurs questions nouvelles sur ce principe; par exemple, celle-ci : SAVOIR SI LES JÉSUITES PEUVENT TUER LES JANSÉNISTES?

— Voilà, mon Père, m'écriai-je, un point de

24. Le ducat valait, suivant les pays : de 8 à 12 francs or, soit 16 à 24 francs 1963.

théologie bien surprenant! et je tiens les Jansénistes déjà morts par la doctrine du Père L'Amy.

— Vous voilà attrapé, dit le Père. Il conclut le contraire des mêmes principes.

— Et comment cela, mon Père?

— Parce, me dit-il, qu'ils ne nuisent pas à notre réputation. Voici ses mots, n. 1146 et 1147, p. 547 et 548. *Les Jansénistes appellent les Jésuites Pélagiens; pourra-t-on les tuer pour cela? Non; d'autant que les Jansénistes n'obscurcissent non plus l'éclat de la Société qu'un hibou celui du soleil; au contraire, ils l'ont relevée, quoique contre leur intention : occidi non possunt, quia nocere non potuerunt.*

— Hé quoi! mon Père, la vie des Jansénistes dépend donc seulement de savoir s'ils nuisent à votre réputation? Je les tiens peu en sûreté, si cela est. Car s'il devient tant soit peu probable qu'ils vous fassent tort, les voilà tuables sans difficulté. Vous en ferez un argument en forme; et il n'en faut pas davantage avec une direction d'intention pour expédier un homme en sûreté de conscience. Oh! qu'heureux sont les gens qui ne veulent pas souffrir les injures, d'être instruits en cette doctrine! Mais que malheureux sont ceux qui les offensent! En vérité, mon Père, il vaudrait autant avoir affaire à des gens qui n'ont point de religion, qu'à ceux qui en sont instruits jusqu'à cette direction. Car enfin l'intention de celui qui blesse ne soulage point celui qui est blessé. Il ne s'aperçoit point de cette direction secrète, et il ne sent que celle du coup qu'on lui porte. Et je ne sais même si on n'aurait pas moins de dépit de se voir tuer brutalement par des gens emportés, que de se sentir poignarder consciencieusement par des gens dévôts.

Tout de bon, mon Père, je suis un peu surpris de tout ceci et ces questions du Père L'Amy et de Caramoüel ne me plaisent point.

— Pourquoi? dit le Père : êtes-vous Janséniste?

— J'en ai une autre raison, lui dis-je. C'est que j'écris de temps en temps à un de mes amis de la campagne ce que j'apprends des maximes de vos Pères. Et quoi que je ne fasse que rapporter simplement et citer fidèlement leurs paroles, je ne sais néanmoins s'il ne se pourrait pas rencontrer quelque esprit bizarre, qui, s'imaginant que cela vous fait tort, n'en tirât de vos principes quelque méchante conclusion.

— Allez, me dit le Père, il ne vous en arrivera point de mal; j'en suis garant. Sachez que ce que nos Pères ont imprimé eux-mêmes, et avec l'approbation de nos supérieurs, n'est ni mauvais, ni dangereux à publier.

Je vous écris donc sur la parole de ce bon Père; mais le papier me manque toujours et non pas les passages. Car il y en a tant d'autres et de si forts, qu'il faudrait des volumes pour tout dire.

Je suis, etc.

HUITIÈME LETTRE ÉCRITE A UN PROVINCIAL
PAR UN DE SES AMIS

De Paris, ce 28 mai 1656.

Monsieur,

Vous ne pensiez pas que personne eût la curiosité de savoir qui nous sommes; cependant il y a des gens qui essayent de le deviner; mais ils rencontrent mal. Les uns me prennent pour un docteur de Sorbonne; les autres attribuent mes Lettres à quatre ou cinq personnes [25], qui, comme moi, ne sont ni prêtres, ni ecclésiastiques. Tous ces faux soupçons me font connaître que je n'ai pas mal réussi dans le dessein que j'ai eu de n'être connu que de vous et du bon Père qui souffre toujours mes visites, et dont je souffre toujours les discours, quoique avec bien de la peine. Mais je suis obligé à me contraindre; car il ne les continuerait pas, s'il s'apercevait que j'en fusse si choqué; et ainsi, je ne pourrais m'acquitter de la parole que je vous ai donnée, de vous faire savoir leur morale. Je vous assure que vous devez compter pour quelque chose la violence que je me fais. Il est bien pénible de voir renverser toute la morale chrétienne par des égarements si étranges, sans oser y contredire ouvertement. Mais, après avoir tant enduré pour votre satisfaction, je pense qu'à la fin j'éclaterai pour la mienne, quand il n'aura plus rien à me dire. Cependant je me retiendrai autant qu'il me sera possible; car plus je me tais, plus il me dit de choses. Il m'en apprit tant la dernière fois, que j'aurai bien de la peine à tout dire. Vous verrez que la bourse y a été aussi malmenée, que la vie le fut l'autre fois. Car, de quelque manière qu'il pallie ses maximes, celles que j'ai à vous dire ne vont en effet qu'à favoriser les juges corrompus, les usuriers, les banqueroutiers, les larrons, les femmes perdues et les sorciers, qui sont tous dispensés assez largement de restituer ce qu'ils gagnent chacun dans leur métier. C'est ce que le bon Père m'apprit par ce discours.

— Dès le commencement de nos entretiens, me dit-il, je me suis engagé à vous expliquer les maximes de nos auteurs pour toutes sortes de conditions. Vous avez déjà vu celles qui touchent les bénéficiers, les

25. On attribuait les *Lettres* à Antoine Arnauld, Gomberville, Antoine Lemaistre, l'abbé Le Roy de Haute-Fontaine, Gilles Baudry d'Asson.

prêtres, les religieux, les valets et les gentilshommes; parcourons maintenant les autres, et commençons par les juges.

Je vous dirai d'abord une des plus importantes et des plus avantageuses maximes que nos Pères aient enseignées en leur faveur. Elle est de notre savant Castro Palao, l'un de nos 24 Vieillards. Voici ses mots : *Un juge peut-il, dans une question de droit, juger selon une opinion probable, en quittant l'opinion la plus probable? Oui, et même contre son propre sentiment : imo contra propriam opinionem.* Et c'est ce que notre Père Escobar rapporte aussi au tr. 6, ex. 6, n. 45.

— O mon Père, lui dis-je, voilà un beau commencement! Les juges vous sont bien obligés : et je trouve bien étrange qu'ils s'opposent à vos probabilités, comme nous l'avons remarqué quelquefois, puisqu'elles leur sont si favorables. Car vous leur donnez par là le même pouvoir sur la fortune des hommes que vous vous êtes donné sur les consciences.

— Vous voyez, me dit-il, que ce n'est pas notre intérêt qui nous fait agir; nous n'avons eu égard qu'au repos de leurs consciences; et c'est à quoi notre grand Molina a si utilement travaillé, sur le sujet des présents qu'on leur fait. Car, pour lever les scrupules qu'ils pourraient avoir d'en prendre en de certaines rencontres, il a pris soin de faire le dénombrement de tous les cas où ils en peuvent recevoir en conscience, à moins qu'il n'y eut quelque loi particulière qui le leur défendît. C'est en son to. 1, tr. 2, disp. 88, n. 6. Les voici : *Les juges peuvent recevoir des présents des parties, quand ils les leur donnent ou par amitié, ou par reconnaissance de la justice qu'ils ont rendue, ou pour les porter à la rendre à l'avenir, ou pour les obliger à prendre un soin particulier de leur affaire, ou pour les engager à les expédier promptement.* Notre savant Escobar en parle encore au tr. 6, ex. 6, n. 48, en cette sorte : *S'il y a plusieurs personnes qui n'aient pas plus le droit d'être expédiés l'un que l'autre, le juge qui prendra quelque chose de l'un, à condition, ex pacto, de l'expédier le premier, péchera-t-il? Non certainement, selon Layman : car il ne fait aucune injure aux autres selon le droit naturel, lorsqu'il accorde à l'un, par la considération de son présent, ce qu'il pouvait accorder à celui qu'il lui eût plu : et même, étant également obligé envers tous par l'égalité de leur droit, il le devient davantage envers celui qui lui fait ce don, qui l'engage à le préférer aux autres; et cette préférence semble pouvoir être estimée pour de l'argent : quae obligatio videtur pretio aestimabilis.*

— Mon révérend Père, lui dis-je, je suis surpris de cette permission, que les premiers magistrats du royaume ne savent pas encore. Car M. le premier président a apporté un ordre dans le parlement pour empêcher que certains greffiers ne prissent de l'argent pour cette sorte de préférence; ce qui témoigne qu'il est bien éloigné de croire que cela soit permis à des juges; et tout le monde a loué une réformation si utile à toutes les parties.

Le bon Père, surpris de ce discours, me répondit :

— Dites-vous vrai? Je ne savais rien de cela. Notre opinion n'est que probable, le contraire est probable aussi.

— En vérité, mon Père, lui dis-je, on trouve que M. le premier président a plus que probablement bien fait, et qu'il a arrêté par là le cours d'une corruption publique, et soufferte durant trop longtemps.

— J'en juge de la même sorte, dit le Père; mais passons cela, laissons les juges.

— Vous avez raison, lui dis-je; aussi bien ne reconnaissent-ils pas assez ce que vous faites pour eux.

— Ce n'est pas cela, dit le Père; mais c'est qu'il y a tant de choses à dire sur tous, qu'il faut être court sur chacun.

Parlons maintenant des gens d'affaires. Vous savez que la plus grande peine qu'on ait avec eux est de les détourner de l'usure; et c'est aussi à quoi nos Pères ont pris un soin particulier; car ils détestent si fort ce vice, qu'Escobar dit au tr. 3, ex. 5, n. 1, *que de dire que l'usure n'est pas péché, ce serait une hérésie.* Et notre Père Bauny, dans sa *Somme des péchés*, c. 14, remplit plusieurs pages des peines dues aux usuriers. Il les déclare *infâmes durant leur vie, et indignes de sépulture après leur mort.*

— O mon Père! je ne le croyais pas si sévère.

— Il l'est quand il le faut, me dit-il : mais aussi ce savant casuiste ayant remarqué qu'on n'est attiré à l'usure que par le désir du gain, il dit au même lieu : *L'on n'obligerait donc pas peu le monde, si le garantissant des mauvais effets de l'usure, et tout ensemble du péché qui en est la cause l'on lui donnait le moyen de tirer autant et plus de profit de son argent par quelque bon et légitime emploi que l'on en tire des usures.*

— Sans doute, mon Père, il n'y aurait plus d'usuriers après cela.

— Et c'est pourquoi, dit-il, il en a fourni une *méthode générale pour toutes sortes de personnes; gentilshommes, présidents, conseillers, etc.*, et si facile, qu'elle ne consiste qu'en l'usage de certaines paroles qu'il faut prononcer en prêtant son argent; ensuite desquelles on peut en prendre du profit, sans craindre qu'il soit usuraire, comme il est sans doute qu'il l'aurait été autrement.

— Et quels sont donc ces termes mystérieux, mon Père?

— Les voici, me dit-il, et en mots propres; car vous savez qu'il a fait son livre de la *Somme des péchés* en français, *pour être entendu de tout le monde*, comme il le dit dans la préface : *Celui à qui on demande de l'argent répondra en cette sorte : Je n'ai point d'argent à prêter; si ai bien à mettre à profit honnête et licite. Si désirez la somme que demandez pour la faire valoir par votre industrie à moitié gain, moitié perte, peut-être m'y résoudrai-je. Bien est vrai qu'à cause qu'il y a trop de peine à s'accommoder pour le profit, si vous m'en voulez assurer un certain et quant et quant aussi mon sort principal qu'il ne coure fortune, nous tomberions bien plutôt d'accord et vous ferai toucher argent dans cette heure.* N'est-ce pas là un moyen bien aisé de gagner de l'argent sans pécher? Et le Père Bauny n'a-t-il pas raison de dire ces paroles, par lesquelles il conclut cette méthode : *Voilà, à mon avis, le moyen par lequel quantité de personnes dans le monde, qui, par leurs usures, extorsions et contrats illicites, se provoquent la juste indignation de Dieu, se peuvent sauver en faisant de beaux, honnêtes et licites profits?*

— O mon Père, lui dis-je, voilà des paroles bien puissantes, Je vous proteste que si je ne savais qu'elles viennent de bonne part je les prendrais pour quelques-uns de ces mots enchantés qui ont pouvoir de rompre un charme. Sans doute elles ont quelque vertu occulte pour chasser l'usure que je n'entends pas : car j'ai toujours pensé que ce péché consistait à retirer plus d'argent qu'on n'en a prêté.

— Vous l'entendez bien peu, me dit-il. L'usure ne consiste presque, selon nos Pères, qu'en l'intention de prendre ce profit comme usuraire. Et c'est pourquoi notre Père Escobar fait éviter l'usure par un simple détour d'intention. C'est au tr. 3, ex. 5, n. 4, 33, 44 : *Ce serait usure*, dit-il, *de prendre du profit de ceux à qui on prête, si on l'exigeait comme dû par justice; mais, si on l'exige comme dû par reconnaissance, ce n'est point usure.* Et au n. 3 : *Il n'est pas permis d'avoir l'intention de profiter de l'argent prêté, immédiatement; mais de le prétendre par l'entremise de la bienveillance de celui à qui on l'a prêté, media benevolentia, ce n'est point usure.*

Voilà de subtiles méthodes : mais une des meilleures, à mon sens car nous en avons à choisir, c'est celle du contrat Mohatra.

— Le contrat Mohatra, mon Père?

— Je vois bien, dit-il, que vous ne savez ce que c'est. Il n'y a que le nom d'étrange. Escobar vous l'expliquera au tr. 3, ex. 3, n. 36. *Le contrat Mohatra est celui par lequel on achète des étoffes chèrement et à crédit pour les revendre au même instant à la même personne argent comptant et à bon marché.* Voilà ce que c'est que le contrat Mohatra : par où vous voyez qu'on reçoit une certaine somme comptant, en demeurant obligé pour davantage.

— Mais, mon Père, je crois qu'il n'y a jamais eu qu'Escobar qui se soit servi de ce mot-là : y a-t-il d'autres livres qui en parlent?

— Que vous savez peu les choses! me dit le Père. Le dernier livre de théologie morale qui a été imprimé cette année même à Paris parle du Mohatra, et doctement. Il est intitulé *Epilogus Summarum.* C'est *un abrégé de toutes les Sommes de Théologie, pris de nos Pères Suarez, Sanchez, Lessius, Fagundez, Hurtado, et d'autres casuistes célèbres*, comme le titre le dit. Vous verrez donc en la page 54. *Le Mohatra est quand un homme, qui a affaire de vingt pistoles, achète d'un marchand des étoffes pour trente pistoles payables dans un an, et les lui revend à l'heure même pour vingt pistoles comptant.* Vous voyez bien par là que le Mohatra n'est pas un mot inouï.

— Eh bien! mon Père, ce contrat-là est-il permis?

— Escobar, répondit le Père, dit au même lieu *qu'il y a des lois qui le défendent sous des peines très rigoureuses.*

— Il est donc inutile, mon Père?

— Point du tout, dit-il : car Escobar, en ce même endroit, donne des expédients de le rendre permis, *encore même*, dit-il, *que celui qui vend et rachète ait pour intention principale le dessein de profiter, pourvu seulement qu'en vendant il n'excède pas le plus haut prix des étoffes de cette sorte, et qu'en rachetant il n'en passe pas le moindre; et qu'on n'en convienne pas auparavant en termes exprès ni autrement.* Mais Lessius, *de Just.* l. 2 c. 21, d. 16, dit *qu'encore même qu'on en fût convenu, on n'est jamais obligé à rendre ce profit, si ce n'est peut-être par charité au cas que celui de qui on l'exige fût dans l'indigence; et encore pourvu qu'on le pût rendre sans s'incommoder : si commode potest.* Voilà tout ce qui se peut dire.

— En effet, mon Père, je crois qu'une plus grande indulgence serait vicieuse.

— Nos Pères, dit-il, savent si bien s'arrêter où il faut! Vous voyez bien par là l'utilité du Mohatra.

J'aurais bien encore d'autres méthodes à vous enseigner; mais celles-là suffisent, et j'ai à vous entretenir de ceux qui sont mal dans leurs affaires. Nos Pères ont pensé à les soulager selon l'état où ils sont. Car, s'ils n'ont pas assez de bien pour subsister honnêtement et payer leurs dettes tout ensemble, on leur permet d'en mettre une partie à couvert en faisant banqueroute à leurs créanciers. C'est ce que notre Père Lessius a décidé, et qu'Escobar confirme au tr. 3, ex. 2, n. 163 : *Celui qui fait banqueroute peut-il, en sûreté de conscience, retenir de ses biens autant qu'il est nécessaire pour faire subsister sa famille avec honneur, ne indecore vivat? Je soutiens que oui avec Lessius; et même encore qu'il les eût gagnés par des injustices et des crimes connus de tout le monde, ex injustitia et notorio delicto, quoiqu'en ce cas il n'en puisse pas retenir en une aussi grande quantité qu'autrement.*

— Comment, mon Père! par quelle étrange charité voulez-vous que ces biens demeurent plutôt à celui qui les a volés par ses concussions, pour le faire subsister avec honneur, qu'à ses créanciers, à qui ils appartiennent légitimement et que vous réduisez par là dans la pauvreté?

— On ne peut pas, dit le Père, contenter tout le monde, et nos Pères ont pensé particulièrement à soulager ces misérables. Et c'est encore en faveur des indigents que notre grand Vasquez, cité par Castro Palao, t. 1, tr. 6, d. 6, p. 6, n. 12, dit *que, quand on voit un voleur résolu et prêt à voler une personne pauvre, on peut, pour l'en détourner, lui assigner quelque personne riche en particulier, pour la voler au lieu de l'autre.* Si vous n'avez pas Vasquez, ni Castro Palao, vous trouverez la même chose dans votre Escobar : car, comme vous le savez, il n'a presque rien dit qui ne soit pris de 24 des plus célèbres de nos Pères; c'est au tr. 5, ex. 5, n. 120, *dans la pra-*

tique de notre Société pour la charité envers le prochain.

— Cette charité est véritablement grande, mon Père, de sauver la perte de l'un par le dommage de l'autre. Mais je crois qu'il faudrait la faire entière, et qu'on serait ensuite obligé en conscience de rendre à ce riche le bien qu'on lui aurait fait perdre.

— Point du tout, me dit-il; car on ne l'a pas volé soi-même, on n'a fait que le conseiller à un autre. Or écoutez cette sage résolution de notre Père Bauny sur un cas qui vous étonnera donc bien davantage, et où vous croiriez qu'on serait bien plus obligé de restituer. C'est au ch. 13 de sa *Somme*. Voici ses propres termes français : *Quelqu'un prie un soldat de battre son voisin, ou de brûler la grange d'un homme qui l'a offensé; on demande si, au défaut du soldat, l'autre qui l'a prié de faire ces outrages doit réparer du sien le mal qui en sera issu. Mon sentiment est que non. Car à restitution nul n'est tenu, s'il n'a violé la justice. La viole-t-on quand on prie autrui d'une faveur? Quelque demande qu'on lui en fasse, il demeure toujours libre de l'octroyer ou de la nier. De quelque côté qu'il encline, c'est sa volonté qui l'y porte; rien ne l'y oblige que la bonté, que la douceur et la facilité de son esprit. Si donc ce soldat ne répare le mal qu'il aura fait, il n'y faudra astreindre celui à la prière duquel il aura offensé l'innocent.*

Ce passage pensa rompre notre entretien : car je fus sur le point d'éclater de rire, de la bonté et douceur d'un brûleur de grange, et de ces étranges raisonnements qui exemptent de restitution le premier et véritable auteur d'un incendie, que les juges n'exempteraient pas de la corde; mais si je ne me fusse retenu, le bon Père s'en fût offensé, car il parlait sérieusement, et me dit ensuite du même air :

— Vous devriez reconnaître par tant d'épreuves combien vos objections sont vaines; cependant vous nous faites sortir par là de notre sujet. Revenons donc aux personnes incommodées, pour le soulagement desquelles nos Pères, comme entre autres Lessius, l. 2, c. 12, n. 12, assurent *qu'il est permis de dérober non seulement dans une extrême nécessité, mais encore dans une nécessité grave, quoique non pas extrême.* Escobar le rapporte aussi au tr. 1, ex. 9, n. 29.

— Cela est surprenant, mon Père : il n'y a guère de gens dans le monde qui ne trouvent leur nécessité grave, et à qui vous ne donniez par là le pouvoir de dérober en sûreté de conscience. Et quand vous en réduiriez la permission aux seules personnes qui sont effectivement en cet état, c'est ouvrir la porte à une infinité de larcins, que les juges puniraient nonobstant cette nécessité grave, et que vous devriez réprimer à bien plus forte raison, vous qui devez maintenir parmi les hommes non seulement la justice, mais encore la charité, qui est détruite par ce principe. Car enfin n'est-ce pas la violer, et faire tort à son prochain que de lui faire perdre son bien pour en profiter soi-même? C'est ce qu'on m'a appris jusqu'ici.

— Cela n'est pas toujours véritable, dit le Père; car notre grand Molina nous a appris, t. 2, tr. 2, dis. 328, n. 8, *que l'ordre de la charité n'exige pas qu'on se prive d'un profit pour sauver par là son prochain d'une perte pareille.* C'est ce qu'il dit pour montrer ce qu'il avait entrepris de prouver en cet endroit-là, *qu'on n'est pas obligé en conscience de rendre les biens qu'un autre nous aurait donnés, pour en frustrer ses créanciers.* Et Lessius, qui soutient la même opinion, la confirme par ce même principe au l. 2, c. 20, d. 19, n. 168.

Vous n'avez pas assez de compassion pour ceux qui sont mal à leur aise; nos Pères ont eu plus de charité que cela. Ils rendent justice aux pauvres aussi bien qu'aux riches. Je dis bien davantage, ils la rendent même aux pécheurs. Car encore qu'ils soient fort opposés à ceux qui commettent des crimes, néanmoins ils ne laissent pas d'enseigner que les biens gagnés par des crimes peuvent être légitimement retenus. C'est ce que dit Lessius l. 2, c. 10, d. 6, n. 46 : *Les biens acquis par l'adultère sont véritablement gagnés par une voie illégitime, mais néanmoins la possession en est légitime : quamvis mulier illicite acquirat, licite retinet acquisita.* Et c'est pourquoi les plus célèbres de nos Pères décident formellement que ce qu'un juge prend d'une des parties qui a mauvais droit pour rendre en sa faveur un arrêt injuste, et ce qu'un soldat reçoit pour avoir tué un homme, et ce qu'on gagne par les crimes infâmes, peut être légitimement retenu. C'est ce qu'Escobar ramasse de nos auteurs, et qu'il assemble tr. 3, ex. 1, n. 23, où il fait cette règle générale : *Les biens acquis par des voies honteuses, comme par un meurtre, une sentence injuste, une action déshonnête, etc., sont légitimement possédés, et on n'est point obligé à les restituer.* Et encore au tr. 5, ex. 5, n. 53 : *On peut disposer de ce qu'on reçoit pour des homicides, des arrêts injustes, des péchés infâmes, etc., parce que la possession en est juste, et qu'on acquiert le domaine et la propriété des choses que l'on y gagne.*

— O mon Père! lui dis-je, je n'avais pas ouï parler de cette voie d'acquérir; et je doute que la justice l'autorise, et qu'elle prenne pour un juste titre l'assassinat, l'injustice et l'adultère.

— Je ne sais, dit le Père, ce que les livres du droit en disent : mais je sais bien que les nôtres, qui sont les véritables règles des consciences, en parlent comme moi. Il est vrai qu'ils en exceptent un cas auquel ils obligent à restituer. C'est *quand on a reçu de l'argent de ceux qui n'ont pas le pouvoir de disposer de leur bien, tels que sont les enfants de famille et les religieux.* Car notre grand Molina les en excepte au t. I *de Just.* tr. 2, disp. 94 : *Nisi mulier accepisset ab eo qui alienare non potest, ut à religioso, et filio familias.* Car alors il faut leur rendre leur argent. Escobar cite ce passage au tr. 1, ex. 8, n. 59, et il confirme la même chose au tr. 3, ex. 1 n. 23.

— Mon révérend Père, lui dis-je, je vois les religieux mieux traités en cela que les autres.

— Point du tout, dit le Père; n'en fait-on pas autant pour tous les mineurs généralement, au nombre desquels les religieux sont toute leur vie? Il est juste de les excepter. Mais à l'égard de tous les autres on n'est point obligé de leur rendre ce qu'on reçoit d'eux pour une mauvaise action. Et Lessius le prouve amplement au l. 2 *de Just.*, c. 14, d. 8, n. 52. *Ce qu'on reçoit*, dit-il, *pour une action criminelle n'est point sujet à restitution par aucune justice naturelle, parce qu'une méchante action peut être estimée pour de l'argent, en considérant l'avantage qu'en reçoit celui qui la fait faire, et la peine qu'y prend celui qui l'exécute : et c'est pourquoi on n'est point obligé à restituer ce qu'on reçoit pour la faire, de quelque nature qu'elle soit, homicide, arrêt injuste, action sale, si ce n'est qu'on eût reçu de ceux qui n'ont pas le pouvoir de disposer de leur bien. Vous direz peut-être que celui qui reçoit de l'argent pour un méchant coup pèche, et qu'ainsi il ne peut ni le prendre ni le retenir. Mais je réponds qu'après que la chose est exécutée, il n'y a plus aucun péché ni à payer, ni à en recevoir le paiement.* Notre grand Filliutius entre plus encore dans le détail de la pratique. Car il marque *qu'on est obligé en conscience de payer différemment les actions de cette sorte, selon les différentes conditions des personnes qui les commettent, et que les unes valent plus que les autres.* C'est ce qu'il établit sur de solides raisons au tr. 31, c. 9, n. 231 : *Occultæ fornicariæ debetur pretium in conscientia, et multo majore ratione, quam publicæ. Copia enim quam occulta facit mulier sui corporis, multo plus valet quam ea quam publica facit meretrix; nec nulla est lex positiva quæ reddat eam incapacem pretii. Idem dicendum de pretio promisso virgini, conjugatæ, moniali, et cuicumque alii. Est enim omnium eadem ratio* [26].

Il me fit voir ensuite, dans ses auteurs, des choses de cette nature si infâmes, que je n'oserais les rapporter, et dont il aurait eu horreur lui-même (car il est bon homme), sans le respect qu'il a pour ses Pères, qui lui fait recevoir avec vénération tout ce qui vient de leur part. Je me taisais cependant, moins par le dessein de l'engager à continuer cette matière, que par la surprise de voir des livres de religieux pleins de décisions si horribles, si injustes et si extravagantes tout ensemble. Il poursuivit donc en liberté son discours, dont la conclusion fut ainsi.

— C'est pour cela, dit-il, que notre illustre Molina (je crois qu'après cela vous serez content) décide ainsi cette question : *Quand on a reçu de l'argent pour faire une méchante action, est-on obligé à le rendre? Il faut distinguer*, dit ce grand homme : *si on n'a pas fait l'action pour laquelle on a été payé, il faut rendre l'argent; mais si on l'a faite, on n'y est point obligé : si non fecit hoc malum, tenetur restituere; secus, si fecit.* C'est ce qu'Escobar rapporte au tr. 3, ex. 2, n. 138.

Voilà quelques-uns de nos principes touchant la restitution. Vous en avez bien appris aujourd'hui, je veux voir maintenant comment vous en aurez profité. Répondez-moi donc. *Un juge qui a reçu de l'argent d'une des parties pour rendre un jugement en sa faveur, est-il obligé à le rendre?*

— Vous venez de me dire que non, mon Père.

— Je m'en doutais bien, dit-il. Vous l'ai-je dit généralement? Je vous ai dit qu'il n'est pas obligé de rendre, s'il a fait gagner le procès à celui qui n'a pas bon droit. Mais quand on a bon droit, voulez-vous qu'on achète encore le gain de sa cause qui est dû légitimement? Vous n'avez pas de raison. Ne comprenez-vous pas que le juge doit la justice, et qu'ainsi il ne la peut pas vendre; mais qu'il ne doit pas l'injustice, et qu'ainsi il peut en recevoir de l'argent? Aussi tous nos principaux auteurs, comme Molina, disp. 94 et 99; Reginaldus, l. 10, n. 184, 185 et 187; Filliutius, tr. 31, n. 220 et 228; Escobar, tr. 3, ex. 1, n. 21 et 23; Lessius, l. 2, c. 14, d. 8, n. 52, enseignent tous uniformément : *Qu'un juge est bien obligé de rendre ce qu'il a reçu pour faire justice, si ce n'est qu'on le lui eût donné par libéralité; mais qu'il n'est jamais obligé à rendre ce qu'il a reçu d'un homme en faveur duquel il a rendu un arrêt injuste.*

Je fus tout interdit par cette fantasque décision; et pendant que j'en considérais les pernicieuses conséquences, le Père me préparait une autre question, et me dit :

— Répondez donc une autre fois avec plus de circonspection. Je vous demande maintenant : *Un homme qui se mêle de deviner, est-il obligé de rendre l'argent qu'il a gagné par cet exercice?*

— Ce qu'il vous plaira, mon révérend Père, lui dis-je.

— Comment, ce qu'il me plaira! Vraiment, vous êtes admirable! Il semble, de la façon que vous parlez, que la vérité dépende de notre volonté. Je vois bien que vous ne trouveriez jamais celle-ci de vous-même. Voyez donc résoudre cette difficulté-là à Sanchez; mais aussi c'est Sanchez. Premièrement il distingue en sa *Som.*, l. 2, c. 38, n. 94, 95 et 96, *si ce devin ne s'est servi que de l'astrologie et des autres moyens naturels, ou s'il a employé l'art diabolique.* Car il dit *qu'il est obligé de restituer en un cas, et non pas en l'autre.* Diriez-vous bien maintenant auquel?

— Il n'y a pas là de difficulté, lui dis-je.

— Je vois bien, répliqua-t-il, ce que vous voulez dire. Vous croyez qu'il doit restituer au cas qu'il se soit servi de l'entremise des démons? Mais vous n'y entendez rien; c'est tout au contraire. Voici la résolution de Sanchez, au même lieu : *Si ce devin n'a pas pris la peine et le soin de savoir, par le moyen du diable, ce qui ne se pouvait savoir autrement, si nullam operam opposuit ut arte diaboli id sciret, il faut qu'il restitue; mais s'il en a pris la peine, il n'y est point obligé.*

— Et d'où vient cela, mon Père?

26. « Pour une fornication secrète, un prix est dû en conscience, et à bien plus forte raison qu'à une femme publique. Car l'abandon qu'une femme fait de son corps, dans le premier cas, a bien plus de prix que celui d'une femme publique, et il n'y a pas de loi positive qui lui défende d'exiger ce prix. Il en faut dire autant du prix promis à une vierge, à une femme mariée, à une religieuse, ou à toute autre; car la même raison s'applique à toutes. »

— Ne l'entendez-vous pas? me dit-il. C'est parce qu'on peut bien deviner par l'art du diable, au lieu que l'astrologie est un moyen faux.

— Mais, mon Père, si le diable ne répond pas la vérité, car il n'est guère plus véritable que l'astrologie, il faudra donc que le devin restitue par la même raison?

— Non pas toujours, me dit-il. *Distinguo*, dit Sanchez sur cela : *car si le devin est ignorant en l'art diabolique, si sit artis diabolicæ ignarus, il est obligé à restituer; mais s'il est habile sorcier, et qu'il ait fait ce qui est en lui pour savoir la vérité, il n'y est point obligé. Car alors la diligence d'un tel sorcier peut être estimée pour de l'argent : diligentia a mago apposita est pretio æstimabilis.*

— Cela est de bon sens, mon Père, lui dis-je; car voilà le moyen d'engager les sorciers à se rendre savants et experts en leur art, par l'espérance de gagner du bien légitimement, selon vos maximes, en servant fidèlement le public.

— Je crois que vous raillez, dit le Père; cela n'est pas bien. Car si vous parliez ainsi en des lieux où vous ne fussiez pas connu, il pourrait se trouver des gens qui prendraient mal vos discours, et qui vous reprocheraient de tourner les choses de la religion en raillerie.

— Je me défendrais facilement de ce reproche, mon Père. Car je crois que, si on prend la peine d'examiner le véritable sens de mes paroles, on n'en trouvera aucune qui ne marque parfaitement le contraire; et peut-être s'offrira-t-il un jour, dans nos entretiens, l'occasion de le faire amplement paraître.

— Ho! ho! dit le Père, vous ne riez plus.

— Je vous avoue, lui dis-je, que ce soupçon, que je me voulusse railler des choses saintes, me serait aussi sensible qu'il serait injuste.

— Je ne le disais pas tout de bon, répartit le Père; mais parlons plus sérieusement.

— J'y suis tout disposé, si vous le voulez, mon Père; cela dépend de vous. Mais je vous avoue que j'ai été surpris de voir que vos Pères ont tellement étendu leurs soins à toutes sortes de conditions, qu'ils ont voulu même régler le gain légitime des sorciers.

— On ne saurait, dit le Père, écrire pour trop de monde, ni particulariser trop les cas, ni répéter trop souvent les mêmes choses en différents livres. Vous le verrez bien par ce passage d'un des plus graves de nos Pères. Vous le pouvez juger, puisqu'il est aujourd'hui notre Père provincial. C'est le R. P. Cellot, en son l. 8 *de la Hierarch.*, c. 16, § 2. *Nous savons*, dit-il, *qu'une personne qui portait une grande somme d'argent pour la restituer par ordre de son confesseur, s'étant arrêté en chemin chez un libraire, et lui ayant demandé s'il n'y avait rien de nouveau, num quid novi? il lui montra un nouveau livre de théologie morale, et que, le feuilletant avec négligence et sans penser à rien, il tomba sur son cas, et y apprit qu'il n'était point obligé à restituer; de sorte que, s'étant déchargé du fardeau de son scrupule, et demeurant toujours chargé du poids de son argent, il s'en retourna bien plus léger en sa maison : abjecta scrupuli sarcina, retento auri pondere, levior domum repetiit.*

Et bien! dites-moi, après cela, s'il est utile de savoir nos maximes? En rirez-vous maintenant? En ne ferez-vous pas plutôt, avec le Père Cellot, cette pieuse réflexion sur le bonheur de cette rencontre : *Les rencontres de cette sorte sont en Dieu l'effet de sa providence; en l'ange gardien l'effet de sa conduite; et en ceux à qui elles arrivent, l'effet de leur prédestination. Dieu, de toute éternité, a voulu que la chaîne d'or de leur salut dépendît d'un tel auteur, et non pas de cent autres qui disent la même chose, parce qu'il n'arrive pas qu'ils les rencontrent. Si celui-là n'avait écrit, celui-ci ne serait pas sauvé. Conjurons donc, par les entrailles de Jésus-Christ, ceux qui blâment la multitude de nos auteurs, de ne leur pas envier les livres que l'élection éternelle de Dieu et le sang de Jésus-Christ leur a acquis.* Voilà de belles paroles, par lesquelles ce savant homme prouve si solidement cette proposition qu'il avait avancée. *Combien il est utile qu'il y ait un grand nombre d'auteurs qui écrivent de la théologie morale! Quam utile sit de theologia morali multos scribere.*

— Mon Père, lui dis-je, je remettrai à une autre fois à vous déclarer mon sentiment sur ce passage, et je ne vous dirai présentement autre chose, sinon que, puisque vos maximes sont si utiles, et qu'il est si important de les publier, vous devez continuer à m'en instruire. Car je vous assure que celui à qui je les envoie, les fait voir à bien des gens. Ce n'est pas que nous ayons autrement l'intention de nous en servir, mais c'est qu'en effet nous pensons qu'il sera utile que le monde en soit bien informé.

— Aussi, me dit-il, vous voyez que je ne les cache pas; et pour continuer, je pourrai bien vous parler, la première fois, des douceurs et des commodités de la vie, que nos Pères permettent pour rendre le salut aisé et la dévotion facile, afin qu'après avoir vu jusqu'ici ce qui touche les conditions particulières, vous appreniez ce qui est général pour toutes, et qu'ainsi il ne vous manque rien pour une parfaite instruction.

Je suis, etc.

J'ai toujours oublié à vous dire qu'il y a des Escobars de différentes impressions. Si vous en achetez, prenez de ceux de Lyon, où à l'entrée il y a une image d'un agneau qui est sur un livre scellé de sept sceaux, ou de ceux de Bruxelles de 1651. Comme ceux-là sont les derniers, ils sont meilleurs et plus amples que ceux des éditions précédentes de Lyon des années 1644 et 1646.

NEUVIÈME LETTRE ÉCRITE A UN PROVINCIAL
PAR UN DE SES AMIS

De Paris, ce 3 juillet 1656.

Monsieur,

Je ne vous ferai pas plus de compliment que le bon Père m'en fit, la dernière fois que je le vis. Aussitôt qu'il m'aperçut, il vint à moi, et me dit, en regardant dans un livre qu'il tenait à la main : *Qui vous ouvrirait le paradis, ne vous obligerait-il pas parfaitement? Ne donneriez-vous pas les millions d'or pour en avoir une clef, et entrer dedans quand bon vous semblerait? Il ne faut point entrer en de si grands frais; en voici une, voire cent, à meilleur compte.* Je ne savais si le bon Père lisait, ou s'il parlait de lui-même. Mais il m'ôta de peine, en disant :

— Ce sont les premières paroles d'un beau livre du P. Barry, de notre Société; car je ne dis jamais rien de moi-même.

— Quel livre, lui dis-je, mon Père?

— En voici le titre, dit-il : *Le Paradis ouvert à Philagie, par cent dévotions à la Mère de Dieu, aisées à pratiquer.*

— Eh quoi, mon Père, chacune de ces dévotions aisées suffit pour ouvrir le ciel?

— Oui, dit-il; voyez-le encore dans la suite des paroles que vous avez ouïes : *Tout autant de dévotions à la Mère de Dieu que vous trouverez en ce livre, sont autant de clefs du ciel, qui vous ouvriront le paradis tout entier, pourvu que vous les pratiquiez;* et c'est pourquoi il dit dans la conclusion, *qu'il est content si on en pratique une seule.*

— Apprenez-m'en donc quelqu'une des plus faciles, mon Père.

— Elles le sont toutes, répondit-il : par exemple, *saluer la sainte Vierge au rencontre de ses images; dire le petit chapelet des dix plaisirs de la Vierge; prononcer souvent le nom de Marie; donner commission aux anges de lui faire la révérence de notre part; souhaiter de lui bâtir plus d'églises que n'ont fait tous les monarques ensemble; lui donner tous les matins le bonjour, et sur le tard le bonsoir; dire tous les jours l'Ave Maria. en l'honneur du cœur de Marie.* Et il dit que cette dévotion-là assure de plus, d'obtenir le cœur de la Vierge.

— Mais, mon Père, lui dis-je, c'est pourvu qu'on lui donne aussi le sien?

— Cela n'est point nécessaire, dit-il, quand on est trop attaché au monde. Ecoutez-le : *Cœur pour cœur, ce serait bien ce qu'il faut; mais le vôtre est un peu trop attaché et tient un peu trop aux créatures. Ce qui fait que je n'ose vous inviter à offrir aujourd'hui ce petit esclave que vous appelez votre cœur.* Et ainsi il se contente de l'*Ave Maria*, qu'il avait demandé. Ce sont les dévotions des pages 33, 59, 145, 156, 172, 258 et 420 de la première édition.

— Cela est tout à fait commode, lui dis-je, et je crois qu'il n'y aura personne de damné après cela.

— Hélas! dit le Père, je vois bien que vous ne savez pas jusqu'où va la dureté de cœur de certaines gens! Il y en a qui ne s'attacheraient jamais à dire tous les jours ces deux paroles, *bonjour, bonsoir*, parce que cela ne se peut faire sans quelque application de mémoire. Et ainsi il a fallu que le P. Barry leur ait fourni des pratiques encore plus faciles, *comme d'avoir jour et nuit un chapelet au bras en forme de bracelet*, ou *de porter sur soi un rosaire, ou bien une image de la Vierge.* Ce sont là les dévotions des pages 14, 326 et 447. *Et puis dites que je ne vous fournis pas des dévotions faciles pour acquérir les bonnes grâces de Marie*, comme dit le P. Barry, page 106.

— Voilà, mon Père, lui dis-je, l'extrême facilité.

— Aussi, dit-il c'est tout ce qu'on a pu faire, et je crois que cela suffira; car il faudrait être bien misérable pour ne vouloir pas prendre un moment en toute sa vie pour mettre un chapelet à son bras, ou un rosaire dans sa poche, et assurer par là son salut avec tant de certitude, que ceux qui en font l'épreuve n'y ont jamais été trompés, de quelque manière qu'ils aient vécu, quoique nous conseillions de ne laisser pas de bien vivre. Je ne vous en rapporterai que l'exemple de la page 34, d'une femme qui, pratiquant tous les jours la dévotion de saluer les images de la Vierge, vécut toute sa vie en péché mortel, et mourut en fin en cet état, et qui ne laissa pas d'être sauvée par le mérite de cette dévotion.

— Et comment cela? m'écriai-je.

— C'est, dit-il, que Notre Seigneur la fit ressusciter exprès. Tant il est sûr qu'on ne peut périr, quand on pratique quelqu'une de ces dévotions.

— En vérité, mon Père, je sais que les dévotions à la Vierge sont un puissant moyen pour le salut, et que les moindres sont d'un grand mérite, quand elles partent d'un mouvement de foi et de charité, comme dans les saints qui les ont pratiquées. Mais de faire accroire à ceux qui en usent sans changer leur mauvaise vie, qu'ils se convertiront à la mort, ou que Dieu les ressuscitera, c'est ce que je trouve bien plus propre à entretenir les pécheurs dans leurs désordres par la fausse paix que cette confiance téméraire apporte, qu'à les en retirer par une véritable conversion que la grâce seule peut produire.

— *Qu'importe*, dit le Père, *par où nous entrions dans le paradis, moyennant que nous y entrions?* comme dit sur un semblable sujet notre célèbre P. Binet, qui a été notre provincial, en son excellent livre *de la marque de prédestination*, n° 31, page 130 de la 15e édition. *Soit de bond ou de volée, que nous en chaut-il, pourvu que nous prenions la ville de gloire?*, comme dit encore ce Père au même lieu.

— J'avoue, lui dis-je, que cela n'importe; mais la question est de savoir si on y entrera.

— La Vierge, dit-il, en répond. Voyez-le dans les

dernières lignes du livre du P. Barry : *S'il arrivait qu'à la mort l'ennemi eût quelque prétention sur vous, et qu'il y eût du trouble dans la petite république de vos pensées, vous n'avez qu'à dire que Marie répond pour vous, et que c'est à elle qu'il faut s'adresser.*

— Mais, mon Père, qui voudrait pousser cela vous embarrasserait. Car enfin qui nous a assuré que la Vierge en répond?

— Le P. Barry, dit-il, en répond pour elle, page 465. *Quand au profit et bonheur qui vous en reviendra, je vous en réponds, et me rends plège pour la bonne Mère.*

— Mais, mon Père, qui répondra pour le P. Barry?

— Comment! dit le Père. Il est de notre Compagnie. Et ne savez-vous pas encore que notre Société répond de tous les livres de nos Pères? Il faut vous apprendre cela. Il est bon que vous le sachiez. Il y a un ordre dans notre Société, par lequel il est défendu à toutes sortes de libraires d'imprimer aucun ouvrage de nos Pères sans l'approbation des théologiens de notre Compagnie, et sans la permission de nos supérieurs. C'est un règlement fait par Henry III, le 10 mai 1583, et confirmé par Henri IV, le 20 décembre 1603, et par Louis XIII, le 14 février 1612. De sorte que tout notre corps est responsable des livres de chacun de nos Pères. Cela est particulier à notre Compagnie. Et de là vient, qu'il ne sort aucun ouvrage de chez nous qui n'ait l'esprit de la Société. Voilà ce qu'il était à propos de vous apprendre.

— Mon Père, lui dis-je vous m'avez fait plaisir, et je suis fâché seulement de ne l'avoir pas su plus tôt. Car cette connaissance engage à avoir bien plus d'attention pour vos auteurs.

— Je l'eusse fait, dit-il, si l'occasion s'en fût offerte; mais, profitez-en à l'avenir, et continuons notre sujet.

Je crois vous avoir ouvert des moyens d'assurer son salut assez faciles, assez sûrs et en assez grand nombre; mais nos Pères souhaiteraient bien qu'on n'en demeurât pas à ce premier degré, où l'on ne fait que ce qui est exactement nécessaire pour le salut. Comme ils aspirent sans cesse à la plus grande gloire de Dieu, ils voudraient élever les hommes à une vie plus pieuse. Et parce que les gens du monde sont d'ordinaire détournés de la dévotion par l'étrange idée qu'on leur en a donnée, nos Pères ont cru qu'il était d'une extrême importance de détruire ce premier obstacle. Et c'est en quoi le P. Le Moyne a acquis beaucoup de réputation par le livre de LA DÉVOTION AISÉE, qu'il a fait à ce dessein. C'est là qu'il fait une peinture tout à fait charmante de la dévotion. Jamais personne ne l'a connue comme lui. Apprenez-le par les premières paroles de cet ouvrage : *La vertu ne s'est encore montrée à personne; on n'en a point fait de portrait qui lui ressemble. Il n'y a rien d'étrange qu'il y ait eu si peu de presse à grimper sur son rocher. On en a fait une fâcheuse qui n'aime que la solitude; on lui a associé la douleur et le travail; et enfin on l'a faite ennemie des divertissements et des jeux, qui sont la fleur de la joie, et l'assaisonnement de la vie.* C'est ce qu'il dit, page 92.

— Mais, mon Père, je sais bien au moins qu'il y a de grands saints dont la vie a été extrêmement austère.

— Cela est vrai, dit-il; mais aussi *il s'est toujours vu des saints polis et des dévots civilisés*, selon ce Père, page 191; et vous verrez, page 86, que la différence de leurs mœurs vient de celle de leurs humeurs. Ecoutez-le. *Je ne nie pas qu'il ne se voie des dévots qui sont pâles et mélancoliques de leur complexion, qui aiment le silence et la retraite, et qui n'ont que du flegme dans les veines et de la terre sur le visage. Mais il s'en voit assez d'autres qui sont d'une complexion plus heureuse, et qui ont abondance de cette humeur douce et chaude et de ce sang bénin et rectifié qui fait la joie.*

Vous voyez de là que l'amour de la retraite et du silence n'est pas commun à tous les dévots; et que, comme je vous le disais, c'est l'effet de leur complexion plutôt que de la piété. Au lieu que ces mœurs austères dont vous parlez sont proprement le caractère d'un sauvage et d'un farouche. Aussi vous les verrez placées entre les mœurs ridicules et brutales d'un fou mélancolique, dans la description que le Père Le Moyne en a faite au 7e livre de ses *Peintures Morales.* En voici quelques traits : *Il est sans yeux pour les beautés de l'art et de la nature. Il croirait s'être chargé d'un fardeau incommode, s'il avait pris quelque matière de plaisir pour soi. Les jours de fêtes, il se retire parmi les morts. Il s'aime mieux dans un tronc d'arbre ou dans une grotte, que dans un palais ou sur un trône. Quant aux affronts et aux injures, il y est aussi insensible que s'il avait des yeux et des oreilles de statue. L'honneur et la gloire sont des idoles qu'il ne connaît point, et pour lesquelles il n'a point d'encens à offrir. Une belle personne lui est un spectre, et ces visages impérieux et souverains, ces agréables tyrans qui font partout des esclaves volontaires et sans chaînes, ont le même pouvoir sur ses yeux, que le soleil sur ceux des hiboux, etc.*

— Mon révérend Père, je vous assure que, si vous ne m'aviez dit que le P. Le Moyne est l'auteur de cette peinture, j'aurais dit que c'eût été quelque impie qui l'auroit faite à dessein de tourner les saints en ridicules. Car, si ce n'est là l'image d'un homme tout à fait détaché des sentiments auxquels l'Evangile oblige de renoncer, je confesse que je n'y entends rien.

— Voyez donc, dit-il, combien vous vous y connaissez peu. Car ce sont là *des traits d'un esprit faible et sauvage, qui n'a pas les affections honnêtes et naturelles qu'il devrait avoir*, comme le P. Le Moyne le dit dans la fin de cette description. C'est par ce moyen qu'il *enseigne la vertu et la philosophie chrétienne*, selon le dessein qu'il en avait dans cet ouvrage, comme il le déclare dans l'avertissement. Et en effet on ne peut nier que cette méthode de traiter de la dévotion n'agrée tout autrement au monde que celle dont on se servait avant nous.

— Il n'y a point de comparaison, lui dis-je, et je commence à espérer que vous me tiendrez parole.

— Vous le verrez bien mieux dans la suite, dit-il; je ne vous ai encore parlé de la piété qu'en général. Mais, pour vous faire voir en détail combien nos Pères en ont ôté de peines, n'est-ce pas une chose bien pleine de consolation pour les ambitieux, d'apprendre qu'ils peuvent conserver une véritable dévotion avec un amour désordonné pour les grandeurs?

— Eh quoi! mon Père, avec quelque excès qu'ils les recherchent?

— Oui, dit-il; car ce ne serait toujours que péché véniel, à moins qu'on ne désirât les grandeurs pour offenser Dieu ou l'Etat plus commodément. Or les péchés véniels n'empêchent pas d'être dévot, puisque les plus grands saints n'en sont pas exempts. Ecoutez donc Escobar, tr. 2, ex. 2, nº 17 : *L'ambition, qui est un appétit désordonné des charges et des grandeurs, est de soi-même un péché véniel. Mais quand on désire ces grandeurs pour nuire à l'Etat, ou pour avoir plus de commodité d'offenser Dieu, ces circonstances extérieures le rendent mortel.*

— Cela commence bien, mon Père.

— Et n'est-ce pas encore, continua-t-il, une doctrine bien douce pour les avares, de dire, comme fait Escobar, au tr. 5, ex. 5, nº 154 : *Je sais que les riches ne pèchent point mortellement quand ils ne donnent point l'aumône de leur superflu dans les grandes nécessités des pauvres : scio in gravi pauperum necessitate divites non dando superflua non peccare mortaliter?*

— En vérité, lui dis-je, si cela est, je vois bien que je ne me connais guère en péchés.

— Pour vous le montrer encore mieux, dit-il, ne pensez-vous pas que la bonne opinion de soi-même, et la complaisance qu'on a pour ses ouvrages, est un péché des plus dangereux? Et ne serez-vous pas bien surpris si je vous fais voir qu'encore même que cette bonne opinion soit sans fondement, c'est si peu un péché, que c'est au contraire un don de Dieu?

— Est-il possible, mon Père?

— Oui, dit-il, et c'est ce que nous a appris notre grand P. Garasse, dans son livre français intitulé : *Somme des vérités capitales de la religion*, 2, page 419. *C'est un effet*, dit-il, *de la justice commutative, que tout travail honnête soit récompensé ou de louange ou de satisfaction... Quand les bons esprits font un ouvrage excellent, ils sont justement récompensés par les louanges publiques... Mais quand un pauvre esprit travaille beaucoup pour ne rien faire qui vaille, et qu'il ne peut ainsi obtenir des louanges publiques, afin que son travail ne demeure pas sans récompense, Dieu lui en donne une satisfaction personnelle, qu'on ne peut lui envier sans une injustice plus que barbare. C'est ainsi que Dieu, qui est juste, donne aux grenouilles de la satisfaction de leur chant.*

— Voilà lui dis-je, de belles décisions en faveur de la vanité, de l'ambition et de l'avarice. Et l'envie, mon Père, sera-t-elle plus difficile à excuser?

— Ceci est délicat, dit le Père. Il faut user de la distinction du P. Bauny, dans sa *Somme des péchés.* Car son sentiment, c. 7, p. 123, de la 5e et 6e édition, est *que l'envie du bien spirituel du prochain est mortelle, mais que l'envie du bien temporel n'est que vénielle.*

— Et par quelle raison, mon Père?

— Ecoutez-la, me dit-il. *Car le bien qui se trouve ès choses temporelles est si mince, et de si peu de conséquence pour le ciel, qu'il est de nulle considération devant Dieu et ses saints.*

— Mais, mon Père, si ce bien est si *mince* et de si petite considération, comment permettez-vous de tuer les hommes pour le conserver?

— Vous prenez mal les choses, dit le Père : on vous dit que le bien est de nulle considération devant Dieu, mais non pas devant les hommes.

— Je ne pensais pas à cela, lui dis-je; et j'espère que, par ces distinctions-là, il ne restera plus de péchés mortels au monde.

— Ne pensez pas cela, dit le Père; car il y en a qui sont toujours mortels de leur nature, comme par exemple la paresse.

— O mon Père! lui dis-je, toutes les commodités de la vie sont donc perdues?

— Attendez, dit le Père, quand vous aurez vu la définition de ce vice qu'Escobar en donne tr. 2, ex. 2, nº 81, peut-être en jugerez-vous autrement : écoutez-la. *La paresse est une tristesse de ce que les choses spirituelles sont spirituelles, comme serait de s'affliger de ce que les sacrements sont la source de la grâce. Et c'est un péché mortel.*

— O mon Père! lui dis-je, je ne crois pas que personne ait jamais été assez bizarre pour s'aviser d'être paresseux en cette sorte.

— Aussi, dit le Père, Escobar dit ensuite, nº 105, *J'avoue qu'il est bien rare que personne tombe jamais dans le péché de paresse.* Comprenez-vous bien par là combien il importe de bien définir les choses?

— Oui, mon Père, lui dis-je, et je me souviens sur cela de vos autres définitions de l'assassinat, du guet-apens, et des biens superflus. Et d'où vient, mon Père, que vous n'étendez pas cette méthode à toute sorte de cas, et pour donner à tous les péchés des définitions de votre façon, afin qu'on ne péchât plus en satisfaisant ses plaisirs?

— Il n'est pas toujours nécessaire, me dit-il, de changer pour cela les définitions des choses. Vous l'allez voir sur le sujet de la bonne chère, qui est sans doute un des plus grands plaisirs de la vie, et qu'Escobar permet en cette sorte, n. 102, dans la *Pratique selon notre Société : Est-il permis de boire et de manger tout son soûl, sans nécessité, et pour la seule volupté? Oui certainement, selon notre Père Sanchez, pourvu que cela ne nuise point à la santé, parce qu'il est permis à l'appétit naturel de jouir des actions qui lui sont propres : An comedere et bibere usque ad satietatem absque necessitate ob solam voluptatem, sit peccatum? Cum Sanctio negative respondeo, modo non obsit valetudini, quia licite potest appetitus naturalis suis actibus frui.*

— O mon Père! lui dis-je, voilà le passage le plus complet, et le principe le plus achevé de toute votre morale, et dont on peut tirer d'aussi commodes conclusions. Eh quoi! la gourmandise n'est donc pas même un péché véniel?

— Non pas, dit-il, en la manière que je viens de dire; mais elle serait péché véniel selon Escobar, n. 56, *si, sans aucune nécessité, on se gorgeait du boire et du manger jusqu'à vomir : si quis se usque ad vomitum ingurgitet.*

Cela suffit sur ce sujet; et je veux maintenant vous parler des facilités que nous avons apportées pour faire éviter les péchés dans les conversations et dans les intrigues du monde. Une chose des plus embarrassantes qui s'y trouve est d'éviter le mensonge, et surtout quand on voudrait bien faire accroire une chose fausse. C'est à quoi sert admirablement notre doctrine des équivoques, par laquelle *il est permis d'user de termes ambigus, en les faisant entendre en un autre sens qu'on ne les entend soi-même*, comme dit Sanchez, Op. Mor., p. 2, l. 3, c. 6, n. 13.

— Je sais cela, mon Père, lui dis-je.

— Nous l'avons tant publié, continua-t-il, qu'à la fin tout le monde en est instruit. Mais savez-vous bien comment il faut faire quand on ne trouve point de mots équivoques?

— Non, mon Père.

— Je m'en doutais bien, dit-il; cela est nouveau : c'est la doctrine des restrictions mentales. Sanchez la donne au même lieu : *On peut jurer*, dit-il, *qu'on n'a pas fait une chose, quoiqu'on l'ait faite effectivement, en entendant en soi-même qu'on ne l'a pas faite un certain jour ou avant qu'on fût né, ou en sous-entendant quelque autre circonstance pareille, sans que les paroles dont on se sert aient aucun sens qui le puisse faire connaître; et cela est fort commode en beaucoup de rencontres, et est toujours très juste, quand cela est nécessaire, ou utile pour la santé, l'honneur ou le bien.*

— Comment! mon Père, et n'est-ce pas là un mensonge, et même un parjure?

— Non, dit le Père : Sanchez le prouve au même lieu, et notre Père Filliutius aussi, tr. 25, c. 11, n. 331; parce que dit-il, *c'est l'intention qui règle la qualité de l'action.* Et il y donne encore, n. 328, un autre moyen plus sûr d'éviter le mensonge : c'est qu'après avoir dit tout haut : *Je jure que je n'ai point fait cela*, on ajoute tout bas, *aujourd'hui*, ou qu'après avoir dit tout haut, *Je jure*, on dise tout bas, *que je dis*, et que l'on continue ensuite tout haut, *que je n'ai point fait cela.* Vous voyez bien que c'est dire la vérité.

— Je l'avoue, lui dis-je; mais nous trouverions peut-être que c'est dire la vérité tout bas, et un mensonge tout haut; outre que je craindrais que bien des gens n'eussent pas assez de présence d'esprit pour se servir de ces méthodes.

— Nos Pères, dit-il, ont enseigné au même lieu, en faveur de ceux qui ne sauraient trouver ces restrictions, qu'il leur suffit, pour ne point mentir, de dire simplement *qu'ils n'ont point fait* ce qu'ils ont fait, pourvu *qu'ils aient en général l'intention de donner à leurs discours le sens qu'un habile homme y donnerait.*

Dites la vérité. Il vous est arrivé bien des fois d'être embarrassé, manque de cette connaissance?

— Quelquefois, lui dis-je.

— Et n'avouerez-vous pas de même qu'il serait souvent bien commode d'être dispensé en conscience de tenir de certaines paroles qu'on donne?

— Ce serait, lui dis-je, mon Père, la plus grande commodité du monde.

— Ecoutez donc Escobar au tr. 3, ex. 3, n. 48, où il donne cette règle générale : *Les promesses n'obligent point, quand on n'a point intention de s'obliger en les faisant. Or il n'arrive guère qu'on ait cette intention, à moins que l'on les confirme par serment ou par contrat : de sorte que quand on dit simplement : Je le ferai, on entend qu'on le fera si l'on ne change de volonté. Car on ne veut pas se priver par là de sa liberté.* Il en donne d'autres que vous y pouvez voir vous-même; et il dit à la fin *que tout cela est pris de Molina et de nos autres auteurs : omnia ex Molina et aliis.* Et ainsi on n'en peut pas douter.

— O mon Père! lui dis-je, je ne savais pas que la direction d'intention eût la force de rendre les promesses nulles.

— Vous voyez, dit le Père, que voilà une grande facilité pour le commerce du monde. Mais ce qui nous a donné le plus de peine, a été de régler les conversations entre les hommes et les femmes; car nos Pères sont plus réservés sur ce qui regarde la chasteté. Ce n'est pas qu'ils ne traitent des questions assez curieuses et assez indulgentes, et principalement pour les personnes mariées ou fiancées.

J'appris sur cela les questions les plus extraordinaires et les plus brutales qu'on puisse s'imaginer. Il m'en donna de quoi remplir plusieurs lettres : mais je ne veux pas seulement en marquer les citations, parce que vous faites voir mes Lettres à toutes sortes de personnes; et je ne voudrais pas donner l'occasion de cette lecture à ceux qui n'y chercheraient que leur divertissement.

La seule chose que je puis vous marquer de ce qu'il me montra dans leurs livres, même français, est ce que vous pouvez voir dans la *Somme des péchés* du Père Bauny, p. 165, de certaines petites privautés qu'il y explique, pourvu qu'on dirige bien son intention, *comme à passer pour galant;* et vous serez surpris d'y trouver, p. 148, un principe de morale touchant le pouvoir qu'il dit que les filles ont de disposer de leur virginité sans leurs parents; voici ses termes : *Quand cela se fait du consentement de la fille, quoique le père ait sujet de s'en plaindre, ce n'est pas néanmoins que ladite fille, ou celui à qui elle s'est prostituée, lui aient fait aucun tort, ou violé pour son égard la justice. Car la fille est en possession de sa virginité aussi bien que de son corps; elle en peut faire ce que bon lui semble, à l'exclusion de la mort ou du retranchement de ses membres.* Jugez par là du reste. Je me souvins sur cela d'un passage d'un poète païen, qui a été meilleur casuiste que ces Pères, puisqu'il a dit *que la virginité d'une fille ne lui appartient pas toute entière : qu'une partie appartient au père et l'autre à la mère, sans lesquels elle n'en peut disposer, même pour le mariage*. Et je doute qu'il y ait aucun juge qui ne prenne pour une loi le contraire de cette maxime du Père Bauny.

Voilà tout ce que je puis dire de tout ce que j'entendis, et qui dura si longtemps, que je fus obligé de prier enfin le Père de changer de matière. Il le fit, et m'entretint de leurs règlements pour les habits des femmes, en cette sorte.

— Nous ne parlerons point, dit-il, de celles qui auraient l'intention impure; mais pour les autres, Escobar dit au tr. 1, ex. 8, n. 5 : *Si on se pare sans mauvaise intention, mais seulement pour satisfaire l'inclination naturelle qu'on a à la vanité, ob naturalem fastus inclinationem, ou ce n'est qu'un péché véniel, ou ce n'est point péché du tout*. Et le P. Bauny, en sa *Somme des péchés*, c. 46, p. 1094, dit que *bien que la femme eût connaissance du mauvais effet que sa diligence à se parer opérerait et au corps et en l'âme de ceux qui la contempleraient ornée de riches et précieux habits, qu'elle ne pécherait néanmoins en s'en servant*. Et il cite entre autres notre Père Sanchez pour être du même avis.

— Mais, mon Père, que répondent donc vos auteurs aux passages de l'Ecriture, qui parlent avec tant de véhémence contre les moindres choses de cette sorte?

— Lessius, dit le Père, y a doctement satisfait, *De Just*. l. 4, c. 4, d. 14, n. 114, en disant : *Que ces passages de l'Ecriture n'étaient des préceptes qu'à l'égard des femmes de ce temps-là, pour donner par leur modestie un exemple d'édification aux païens*.

— Et d'où a-t-il pris cela, mon Père?

— Il n'importe pas d'où il l'ait pris; il suffit que les sentiments de ces grands hommes-là sont toujours probables d'eux-mêmes. Mais le P. Le Moyne a apporté une modération à cette permission générale, car il ne le veut point du tout souffrir aux vieilles : c'est dans sa Dévotion aisée, et entre autres p. 127, 157, 163. *La jeunesse*, dit-il, *peut être parée de droit naturel. Il peut être permis de se parer en un âge qui est la fleur et la verdure des ans. Mais il en faut demeurer là : le contre-temps serait étrange de chercher des roses sur la neige. Ce n'est qu'aux étoiles qu'il appartient d'être toujours au bal, parce qu'elles ont le don de jeunesse perpétuelle. Le meilleur donc en ce point serait de prendre conseil de la raison et d'un bon miroir, de se rendre à la bienséance et à la nécessité, et de se retirer quand la nuit approche*.

— Cela est tout à fait judicieux, lui dis-je.

— Mais, continua-t-il, afin que vous voyiez combien nos Pères ont eu soin de tout, je vous dirai que, parce qu'il serait souvent inutile aux jeunes femmes d'avoir la permission de se parer si on ne leur donnait aussi le moyen d'en faire la dépense, on a établi une autre maxime en leur faveur, qui se voit dans Escobar, au chap. du Larcin, tr. 1, ex. 9, n. 13. *Une femme*, dit-il, *peut prendre de l'argent à son mari en plusieurs occasions, et entre autres pour jouer, pour avoir des habits et pour les autres choses qui lui sont nécessaires*.

— En vérité, mon Père, cela est bien achevé.

— Il y a bien d'autres choses néanmoins, dit le Père; mais il faut les laisser pour parler des maximes plus importantes, qui facilitent l'usage des choses saintes, comme, par exemple, la manière d'assister à la messe. Nos grands théologiens, Gaspar Hurtado, *de Sacr*. to. 2, d. 5, dis. 2, et Coninch, q. 83, a. 6, n. 197, ont enseigné sur ce sujet, *qu'il suffit d'être présent à la messe de corps, quoiqu'on soit absent d'esprit, pourvu qu'on demeure dans une contenance respectueuse extérieurement*. Et Vasquez passe plus avant, car il dit *qu'on satisfait au précepte d'ouïr la messe, encore même qu'on ait l'intention de n'en rien faire*. Tout cela est aussi dans Escobar, tr. 1, ex. 11, n. 74, et 107; et encore au tr. 1, ex. 1, n. 116, où il l'explique par l'exemple de ceux qu'on mène à la messe par force, et qui ont l'intention expresse de ne la point entendre.

— Vraiment, lui dis-je, je ne le croirais jamais, si un autre me le disait.

— En effet, dit-il, cela a quelque besoin de l'autorité de ces grands hommes; aussi bien que ce que dit Escobar, au tr. 1, ex. 11, n. 31 : *Qu'une méchante intention, comme de regarder des femmes avec un désir impur, jointe à celle d'ouïr la messe comme il faut, n'empêche pas qu'on n'y satisfasse : nec obest alia prava intentio, ut aspiciendi libidinose fœminas*.

Mais on trouve encore une chose commode dans notre savant Turrianus, Select., p. 2, d. 16, dub. 7 : *Qu'on peut ouïr la moitié d'une messe d'un prêtre, et ensuite une autre moitié d'un autre, et même qu'on peut ouïr d'abord la fin de l'une, et ensuite le commencement d'une autre*. Et je vous dirai de plus qu'on a permis encore *d'ouïr deux moitiés de messe en même temps de deux différents prêtres, lorsque l'un commence la messe quand l'autre en est à l'élévation : parce qu'on peut avoir l'attention à ces deux côtés à la fois, et que deux moitiés de messe font une messe entière : duæ medietates unam missam constituunt*. C'est ce qu'ont décidé nos Pères Bauny, tr. 6, q. 9, p. 312; Hurtado, *de Sacr*., to. 2, de Missâ, d. 5, diff. 4; Azorius, p. 1, l. 7, cap. 3, q. 3; Escobar, tr. 1, ex. 11, n. 73, dans le chapitre de la *Pratique pour ouïr la messe selon notre Société*. Et vous verrez les conséquences qu'il en tire dans ce même livre de l'édition de Lyon de l'année 1644 et 1646, en ces termes : *De là je conclus que vous pouvez ouïr la messe en très peu de temps : si, par exemple, vous rencontrez quatre messes à la fois, qui soient tellement assorties, que, quand l'une commence, l'autre soit à l'évangile, une autre à la consécration, et la dernière à la communion*.

— Certainement, mon Père, on entendra la messe dans Notre-Dame en un instant par ce moyen.

— Vous voyez donc, dit-il, qu'on ne pouvait pas mieux faire pour faciliter la manière d'ouïr la messe.

Mais je veux vous faire voir maintenant comment on a adouci l'usage des sacrements, et surtout de celui de la pénitence. Car c'est là où vous verrez la dernière bénignité de la conduite de nos Pères; et vous admirerez que la dévotion, qui étonnait tout le monde, ait pu être traitée par nos Pères avec une telle prudence, *qu'ayant abattu cet épouvantail que les démons avaient mis à sa porte*, ils l'aient rendue *plus facile que le vice, et plus aisée que la volupté;* en sorte *que le simple vivre est incomparablement plus malaisé que le bien vivre*, pour user des termes du Père Le Moyne, p. 244 et 291 de sa *Dévotion aisée.* N'est-ce pas là un merveilleux changement?

— En vérité, lui dis-je, mon Père, je ne puis m'empêcher de vous dire ma pensée. Je crains que vous ne preniez mal vos mesures, et que cette indulgence ne soit capable de choquer plus de monde que d'en attirer. Car la messe, par exemple, est une chose si grande et si sainte, qu'il suffirait, pour faire perdre à vos auteurs toute créance dans l'esprit de plusieurs personnes, de leur montrer de quelle manière ils en parlent.

— Cela est bien vrai, dit le Père, à l'égard de certaines gens : mais ne savez-vous pas que nous nous accommodons à toute sorte de personnes? Il semble que vous ayez perdu la mémoire de ce que je vous ai dit si souvent sur ce sujet. Je veux donc vous en entretenir la première fois à loisir, en différant pour cela notre entretien des adoucissements de la confession. Je vous le ferai si bien entendre, que vous ne l'oublierez jamais.

Nous nous séparâmes là-dessus; et ainsi je m'imagine que notre première conversation sera de leur politique.

Je suis, etc.

Depuis que j'ai écrit cette lettre, j'ai vu le livre du *Paradis ouvert par cent dévotions aisées à pratiquer*, par le P. Barry; et celui *de la Marque de prédestination*, par le P. Binet. Ce sont des pièces dignes d'être vues.

DIXIÈME LETTRE ÉCRITE A UN PROVINCIAL
PAR UN DE SES AMIS

De Paris, ce 2 août 1656.

Monsieur,

Ce n'est pas encore ici la politique de la Société; mais c'en est un des plus grands principes. Vous y verrez les adoucissements de la confession, qui sont assurément le meilleur moyen que ces Pères aient trouvé pour attirer tout le monde, et ne rebuter personne. Il fallait savoir cela avant que de passer outre. Et c'est pourquoi le Père trouva à propos de m'en instruire en cette sorte.

— Vous avez vu, me dit-il, par tout ce que je vous ai dit jusques ici, avec quel succès nos Pères ont travaillé à découvrir, par leur lumière, qu'il y a un grand nombre de choses permises qui passaient autrefois pour défendues; mais, parce qu'il reste encore des péchés qu'on n'a pu excuser, et que l'unique remède en est la confession, il a été bien nécessaire d'en adoucir les difficultés par les voies que j'ai maintenant à vous dire. Et ainsi, après vous avoir montré dans toutes nos conversations précédentes comment on a soulagé les scrupules qui troublaient les consciences, en faisant voir que ce qu'on croyait mauvais ne l'est pas, il reste à vous montrer en celle-ci la manière d'expier facilement ce qui est véritablement péché, en rendant la confession aussi aisée qu'elle était difficile autrefois.

— Et par quel moyen, mon Père?

— C'est, dit-il, par ces subtilités admirables qui sont propres à notre Compagnie, et que nos Pères de Flandre appellent, dans l'*Image de notre premier siècle*, l. 3, or. 1, p. 401, et l. 1, c. 2, *de pieuses et saintes finesses, et un saint artifice de dévotion : piam et religiosam calliditatem. Et pietatis solertiam*, au l. 3, c. 8, C'est par le moyen de ces inventions *que les crimes s'expient aujourd'hui alacrius, avec plus d'allégresse et d'ardeur qu'ils ne se commettaient autrefois; en sorte que plusieurs personnes effacent leurs taches aussi promptement qu'ils les contractent : plurimi vix citius maculas contrahunt, quam eluunt*, comme il est dit au même lieu.

— Apprenez-moi donc, je vous prie, mon Père, *ces finesses* si salutaires.

— Il y en a plusieurs, me dit-il; car, comme il se trouve beaucoup de choses pénibles dans la confession, on a apporté des adoucissements à chacune. Et parce que les principales peines qui s'y rencontrent, sont la honte de confesser certains péchés, le soin d'en exprimer les circonstances, la pénitence qu'il en faut faire, la résolution de n'y plus tomber, la fuite des occasions prochaines qui y engagent, et le regret de les avoir commis; j'espère vous montrer aujourd'hui qu'il ne reste presque rien de fâcheux en tout cela, tant on a eu soin d'ôter toute l'amertume et toute l'aigreur d'un remède si nécessaire.

Car, pour commencer par la peine qu'on a de confesser certains péchés, comme vous n'ignorez pas qu'il est souvent assez important de se conserver dans l'estime de son confesseur, n'est-ce pas une chose bien commode de permettre, comme font nos Pères, et entre autres Escobar, qui cite encore Suarez, tr. 7, a. 4, n. 135, *d'avoir deux confesseurs, l'un pour les péchés mortels, et l'autre pour les véniels, afin de se maintenir en bonne réputation auprès de son confesseur ordinaire, uti bonam famam apud ordinarium tueatur, pourvu qu'on ne prenne pas de là occasion de demeurer dans le péché mortel?* Et il donne ensuite un autre subtil moyen pour se confesser d'un péché à son confesseur ordinaire même, sans qu'il s'aperçoive qu'on l'a commis depuis la dernière confession. *C'est*, dit-il, *de faire une confession générale, et de confondre ce dernier péché avec les autres dont on s'accuse en gros.* Il dit encore la même chose, princ., ex. 2, n. 73. Et vous avouerez, je m'assure, que cette décision du P. Bauny, Théol. Mor. tr. 4, q. 15, p. 137, soulage encore bien la honte qu'on a de confesser ses rechutes : *Que, hors de certaines occasions qui n'arrivent que rarement, le confesseur n'a pas le droit de demander si le péché dont on s'accuse, est un péché d'habitude; et qu'on n'est pas obligé de lui répondre sur cela, parce qu'il n'a point droit de donner à son pénitent la honte de déclarer ses rechutes fréquentes.*

— Comment, mon Père! j'aimerais autant dire qu'un médecin n'a pas droit de demander à son malade s'il y a longtemps qu'il a la fièvre. Les péchés ne sont-ils pas tous différents selon ces différentes circonstances? Et le dessein d'un véritable pénitent ne doit-il pas être d'exposer tout l'état de sa conscience à son confesseur, avec la même sincérité et la même ouverture de cœur que s'il parlait à Jésus-Christ, dont le prêtre tient la place? Et n'est-on pas bien éloigné de cette disposition quand on cache ses rechutes fréquentes, pour cacher la grandeur de son péché?

Je vis le bon Père embarrassé là-dessus : de sorte qu'il pensa à éluder cette difficulté plutôt qu'à la résoudre, en m'apprenant une autre de leurs règles, qui établit seulement un nouveau désordre, sans justifier en aucune sorte cette décision du Père Bauny : qui est, à mon sens, une de leurs plus pernicieuses maximes, et des plus propres à entretenir les vicieux dans leurs mauvaises habitudes.

— Je demeure d'accord, me dit-il, que l'habitude augmente la malice du péché, mais elle n'en change pas la nature : et c'est pourquoi on n'est pas obligé à s'en confesser, selon la règle de nos Pères, qu'Escobar rapporte, princ., ex. n. 39. *Qu'on n'est obligé de confesser que les circonstances qui changent l'espèce du péché, et non pas celles qui l'aggravent.*

C'est selon cette règle que notre Père Granados dit, in 5, par., cont. 7, tr. 9, d. 9 n. 22, *que si on a mangé de la viande en carême, il suffit de s'accuser d'avoir rompu le jeûne, sans dire si c'est en mangeant de la viande, ou en faisant deux repas maigres.* Et selon notre Père Reginaldus, tr. 1, l. 6, c. 4, n. 114, *un devin qui s'est servi de l'art diabolique n'est pas obligé à déclarer cette circonstance; mais il suffit de dire qu'il s'est mêlé de deviner, sans exprimer si c'est par la chiromance ou par un pacte avec le démon.* Et Fagundez, de notre Société, p. 2, l. 4, c. 3, n. 17, dit aussi : *Le rapt n'est pas une circonstance qu'on soit tenu de découvrir, quand la fille y a consenti.* Notre Père Escobar rapporte tout cela au même lieu, n. 41, 61, 62, avec plusieurs autres décisions assez curieuses des circonstances qu'on n'est pas obligé de confesser. Vous pouvez les y voir vous-même.

— Voilà, lui dis-je, *des artifices de dévotion* bien accommodants.

— Tout cela néanmoins, dit-il, ne serait rien, si on n'avait de plus adouci la pénitence, qui est une des choses qui éloignait davantage de la confession. Mais maintenant les plus délicats ne la sauraient plus appréhender, après ce que nous avons soutenu dans nos thèses du collège de Clermont : *Que si le confesseur impose une pénitence convenable, convenientem, et qu'on ne veuille pas néanmoins l'accepter, on peut se retirer en renonçant à l'absolution et à la pénitence imposée.* Et Escobar dit encore dans la *Pratique de la pénitence selon notre Société*, tr. 7, ex. 4, n. 188 : *Que si le pénitent déclare qu'il veut remettre à l'autre monde à faire pénitence et souffrir en purgatoire toutes les peines qui lui sont dues, alors le confesseur doit lui imposer une pénitence bien légère, pour l'intégrité du sacrement, et principalement s'il reconnaît qu'il n'en accepterait pas une plus grande.*

— Je crois, lui dis-je, que si cela était, on ne devrait plus appeller la confession le sacrement de pénitence.

— Vous avez tort, dit-il ; car au moins on en donne toujours quelqu'une pour la forme.

— Mais, mon Père, jugez-vous qu'un homme soit digne de recevoir l'absolution, quand il ne veut rien faire de pénible pour expier ses offenses? Et quand des personnes sont en cet état, ne devriez-vous pas plutôt leur retenir leurs péchés que de les leur remettre? Avez-vous l'idée véritable de votre ministère? Et ne savez-vous pas que vous y exercez le pouvoir de lier et de délier? Croyez-vous qu'il soit permis de donner l'absolution indifféremment à tous ceux qui la demandent sans reconnaître auparavant si Jésus-Christ délie dans le ciel ceux que vous déliez sur la terre?

— Eh quoi! dit le Père, pensez-vous que nous ignorions *que le confesseur doit se rendre juge de la disposition de son pénitent. tant parce qu'il est obligé de ne pas dispenser les sacrements à ceux qui en sont indignes, Jésus-Crhist lui ayant ordonné d'être dispensateur fidèle, et de ne pas donner les choses saintes aux chiens, que parce qu'il est juge, et que c'est le devoir d'un juge de juger justement, en déliant ceux qui en sont dignes, et liant ceux qui en sont indignes, et aussi parce qu'il ne doit pas absoudre ceux que Jésus-Christ condamne?*

— De qui sont ces paroles-là, mon Père?

— De notre Père Filliutius, répliqua-t-il, t. 1, tr. 7, n. 354.

— Vous me surprenez, lui dis-je ; je les prenais pour être d'un des Pères de l'Eglise. Mais, mon Père, ce passage doit bien étonner les confesseurs, et les rendre bien circonspects dans la dispensation de ce sacrement, pour reconnaître si le regret de leurs pénitents est suffisant, et si les promesses qu'ils donnent de ne plus pécher à l'avenir sont recevables.

— Cela n'est point du tout embarrassant, dit le Père, Filliutius n'avait garde de laisser les confesseurs dans cette peine; et c'est pourquoi il leur donne, ensuite de ces paroles, cette méthode facile pour en sortir : *Le confesseur peut aisément se mettre en repos touchant la disposition de son pénitent. Car s'il ne donne pas des signes suffisants de douleur, le confesseur n'a qu'à lui demander s'il ne déteste pas le péché dans son âme; et s'il répond que oui, il est obligé de l'en croire. Et il faut dire la même chose de la résolution pour l'avenir, à moins qu'il y eût quelque obligation de restituer ou de quitter quelque occasion prochaine.*

— Pour ce passage, mon Père, je vois bien qu'il est de Filliutius.

— Vous vous trompez, dit le Père : car il a pris tout cela mot à mot de Suarez, in 3, par., t. 4, disp. 32, sect. 2, n. 2.

— Mais, mon Père, ce dernier passage de Filliutius détruit ce qu'il avait établi dans le premier. Car les confesseurs n'auront plus le pouvoir de se rendre juges de la disposition de leurs pénitents, puisqu'ils sont obligés de les en croire sur leur parole, lors même qu'ils ne donnent aucun signe suffisant de douleur. Est-ce qu'il y a tant de certitude dans ces paroles qu'on donne, que ce seul signe soit convaincant? Je doute que l'expérience ait fait connaître à vos Pères que tous ceux qui leur font ces promesses, les tiennent, et je suis trompé s'ils n'éprouvent souvent le contraire.

— Cela n'importe, dit le Père; on ne laisse pas d'obliger toujours les confesseurs à les croire : car le Père Bauny, qui a traité cette question à fond dans sa *Somme des péchés*, c. 46, p. 1090, 1091 et 1092 conclut *que toutes les fois que ceux qui récidivent souvent, sans qu'on y voie aucun amendement, se présentent au confesseur, et lui disent qu'ils ont regret du passé et bon dessein pour l'avenir, il les en doit croire sur ce qu'ils le disent, quoiqu'il soit à présumer telles résolutions ne passer pas le bout des lèvres. Et quoiqu'ils se portent ensuite avec plus de liberté et d'excès que jamais dans les mêmes fautes, on peut néanmoins leur donner l'absolution selon mon opinion.* Voilà, je m'assure, tous vos doutes bien résolus.

— Mais mon Père, lui dis-je, je trouve que vous imposez une grande charge aux confesseurs, en les obligeant de croire le contraire de ce qu'ils voient.

— Vous n'entendez pas cela dit-il; on veut dire par là qu'ils sont obligés d'agir et d'absoudre, comme s'ils croyaient que cette résolution fût ferme et constante, encore qu'ils ne le croient pas en effet. Et c'est ce que nos Pères Suarez et Filliutius expliquent, ensuite des passages de tantôt. Car après avoir dit *que le prêtre est obligé de croire son pénitent sur sa parole*, ils ajoutent *qu'il n'est pas nécessaire que le confesseur se persuade que la résolution de son pénitent s'exécutera, ni qu'il le juge même probablement; mais il suffit qu'il pense qu'il en a à l'heure même le dessein en général, quoiqu'il doive retomber en bien peu de temps. Et c'est ce qu'enseignent tous nos auteurs, ita docent omnes auctores.* Douterez-vous d'une chose que tous nos auteurs enseignent?

— Mais, mon Père, que deviendra donc ce que le Père Petau a été obligé de reconnaître lui-même dans la *préf. de la Pén. publ.*, p. 4. *Que les SS. Pères, les docteurs, et les conciles sont d'accord, comme d'une vérité certaine, que la pénitence qui prépare à l'Eucharistie doit être véritable, constante, courageuse, et non pas lâche et endormie, ni sujette aux rechutes et aux reprises?*

— Ne voyez-vous pas, dit-il, que le Père Petau parle de l'*ancienne Eglise?* Mais cela est maintenant si *peu de saison*, pour user des termes de nos Pères, que, selon le Père Bauny, le contraire est seul véritable : c'est au tr. 4, q. 15, p. 95 : *Il y a des auteurs qui disent qu'on doit refuser l'absolution à ceux qui retombent souvent dans les mêmes péchés, et principalement lorsque, après les avoir plusieurs fois absous, il n'en paraît aucun amendement : et d'autres qui disent que non. Mais la seule véritable opinion est qu'il ne faut point leur refuser l'absolution. Et encore qu'ils ne profitent point de tous les avis qu'on leur a souvent donnés, qu'ils n'aient pas gardé les promesses qu'ils ont faites de changer de vie, qu'ils n'aient pas travaillé à se purifier, il n'importe : et, quoi qu'en disent les autres, la véritable opinion, et laquelle on doit suivre, est que, même en tous ces cas, on les doit absoudre.* Et tr. 4, a. 22, p. 100 : *Qu'on ne doit ni refuser, ni différer l'absolution à ceux qui sont dans des péchés d'habitude contre la loi de Dieu, de nature et de l'Eglise, quoiqu'on n'y voie aucune espérance d'amendement, etsi emendationis futurae nulla spes appareat.*

— Mais, mon Père, lui dis-je, cette assurance d'avoir toujours l'absolution pourrait bien porter les pécheurs...

— Je vous entends, dit-il en m'interrompant; mais écoutez le Père Bauny, q. 15 : *On peut absoudre celui qui avoue que l'espérance d'être absous l'a porté à pécher avec plus de facilité qu'il n'eût fait sans cette espérance.* Et le Père Caussin, défendant cette proposition, dit, page 211 de sa Rép. à la Théol. mor., *que si elle n'était véritable, l'usage de la confession serait interdit à la plupart du monde; et qu'il n'y aurait plus d'autre remède aux pécheurs, qu'une branche d'arbre et une corde.*

— O mon Père! que ces maximes-là attireront de gens à vos confessionaux!

— Aussi, dit-il, vous ne sauriez croire combien il y en vient : *nous sommes accablés et comme opprimés sous la foule de nos pénitents, pœnitentium numero obruimur*, comme il est dit en l'*Image de notre premier siècle*, l. 3, c. 8.

— Je sais, lui dis-je, un moyen facile de vous décharger de cette presse. Ce serait seulement, mon Père, d'obliger les pécheurs à quitter les occasions prochaines. Vous vous soulageriez assez par cette seule invention.

— Nous ne cherchons pas ce soulagement, dit-il; au contraire : car, comme il est dit dans le même livre, l. 3, c. 7, p. 374 : *Notre Société a pour but de travailler à établir les vertus, de faire la guerre aux vices, et de servir un grand nombre d'âmes.* Et comme il y a peu d'âmes qui veuillent quitter les occasions prochaines, on a été obligé de définir ce que c'est qu'occasion prochaine, comme on voit dans Escobar, en la *Pratique de notre Société*, tr. 7, ex. 4, n. 226 : *On n'appelle pas occasion prochaine celle où l'on ne pèche que rarement, comme de pécher par un transport soudain avec celle avec qui on demeure, trois ou quatre fois par an;* ou, selon le Père Bauny, dans son livre français, *une ou deux fois par mois*, p. 1082; et encore p. 1089, où il demande *ce qu'on doit faire entre les maîtres et servantes, cousins et cousines qui demeurent ensemble, et qui se portent mutuellement à pécher par cette occasion.*

— Il les faut séparer, lui dis-je.

— C'est ce qu'il dit aussi, *si les rechutes sont fréquentes, et presque journalières; mais s'ils n'offensent que rarement par ensemble, comme serait une ou deux fois le mois, et qu'ils ne puissent se séparer sans grande incommodité et dommage, on pourra les absoudre, selon ces auteurs, et entre autres Suarez, pourvu qu'ils promettent bien de ne plus pécher, et qu'ils aient un vrai regret du passé.*

Je l'entendis bien; car il m'avait déjà appris de quoi le confesseur se doit contenter pour juger de ce regret.

— Et le Père Bauny, continua-t-il, permet, p. 1083 et 1084, à ceux qui sont engagés dans les occasions prochaines, *d'y demeurer, quand ils ne les pourraient quitter sans bailler sujet au monde de parler, ou sans en recevoir de l'incommodité.* Et il dit de même en sa *Théologie Morale*, tr. 4, *de Poenit.*, q. 14, p. 94 et q. 13, p. 93 : *Qu'on peut et qu'on doit absoudre une femme qui a chez elle un homme avec qui elle pèche souvent, si elle ne peut le faire sortir honnêtement ou qu'elle ait quelque cause de le retenir, si non potest honeste ejicere, aut habeat aliquam causam retinendi; pourvu qu'elle propose bien de ne plus pécher avec lui.*

— O mon Père! lui dis-je, l'obligation de quitter les occasions est bien adoucie, si on en est dispensé aussitôt qu'on en recevrait de l'incommodité : mais je crois au moins qu'on y est obligé, selon vos Pères, quand il n'y a point de peine.

— Oui, dit le Père, quoique toutefois cela ne soit pas sans exception. Car le Père Bauny dit au même lieu : *Il est permis à toutes sortes de personnes d'entrer dans des lieux de débauche pour y convertir des femmes perdues, quoiqu'il soit bien vraisemblable qu'on y péchera : comme si on a déjà éprouvé souvent qu'on s'est laissé aller au péché par la vue et les cajoleries de ces femmes. Et encore qu'il y ait des docteurs qui n'approuvent pas cette opinion et qui croient qu'il n'est pas permis de mettre volontairement son salut en danger pour secourir son prochain, je ne laisse pas d'embrasser très volontiers cette opinion qu'ils combattent.*

— Voilà, mon Père, une nouvelle sorte de prédicateurs. Mais sur quoi se fonde le Père Bauny pour leur donner cette mission?

— C'est, me dit-il, sur un de ses principes qu'il donne au même lieu après Basile Ponce. Je vous en ai parlé autrefois, et je crois que vous vous en souvenez. C'est *qu'on peut rechercher une occasion directement et par elle-même, primo et per se, pour le bien temporel ou spirituel de soi ou du prochain.*

Ces passages me firent tant d'horreur, que je pensai rompre là-dessus. Mais je me retins, afin de le laisser aller jusques au bout, et me contentai de lui dire :

— Quel rapport y a-t-il, mon Père, de cette doctrine à celle de l'Évangile, qui oblige *à s'arracher les yeux, et à retrancher les choses les plus nécessaires, quand elles nuisent au salut?* Et comment pouvez-vous concevoir qu'un homme qui demeure volontairement dans les occasions des péchés, les déteste sincèrement? N'est-il pas visible, au contraire, qu'il n'en est point touché comme il faut, et qu'il n'est pas encore arrivé à cette véritable conversion de cœur, qui fait autant aimer Dieu qu'on a aimé les créatures?

— Comment? dit-il, ce serait là une véritable contrition. Il semble que vous ne sachiez pas que, comme dit le Père Pintereau en la 2. p. 50, de l'Abbé de Boisic : *Tous nos Pères enseignent, d'un commun accord, que c'est une erreur, et presque une hérésie, de dire que la contrition soit nécessaire, et que l'attrition toute seule, et même conçue par* LE SEUL *motif des peines de l'enfer, qui exclut la volonté d'offenser, ne suffit pas avec le sacrement.*

— Quoi! mon Père, c'est presque un article de foi, que l'attrition conçue par la seule crainte des peines suffit avec le sacrement? Je crois que cela est particulier à vos Pères. Car les autres, qui croient que l'attrition suffit avec le sacrement, veulent au moins qu'elle soit mêlée de quelque amour de Dieu. Et, de plus, il me semble que vos auteurs mêmes ne tenaient point autrefois que cette doctrine fût si certaine. Car votre Père Suarez en parle de cette sorte, *De Pœn.* q. 90, ar. 4, disp. 15, sect. 4, n. 17 : *Encore*, dit-il, *que ce soit une opinion probable que l'attrition suffit avec le sacrement, toutefois elle n'est pas certaine, et elle peut être fausse. Non est certa, et potest esse falsa. Et si elle est fausse, l'attrition ne suffit pas pour sauver un homme. Donc celui qui meurt sciemment en cet état s'expose volontairement au péril moral de la damnation éternelle. Car cette opinion n'est ni fort ancienne, ni fort commune. Nec valde antiqua, nec multum communis.* Sanchez ne trouvait pas non plus qu'elle fût si assurée, puisqu'il dit en sa *Somme*, l. I, c. 9, n. 34, *Que le malade et son confesseur qui se contenteraient à la mort de l'attrition avec le sacrement pécheraient mortellement, à cause du grand péril de damnation où le pénitent s'exposerait, si l'opinion qui assure que l'attrition suffit avec le sacrement ne se trouvait pas véritable.* Ni Comitolus aussi, quand il dit, *Resp. Mor.*, l. I, q. 32, n. 7, 8 : *Qu'il n'est pas trop sûr que l'attrition suffise avec le sacrement.*

Le bon Père m'arrêta là-dessus.

— Eh quoi! dit-il, vous lisez donc nos auteurs? Vous faites bien; mais vous feriez encore mieux de ne les lire qu'avec quelqu'un de nous. Ne voyez-vous pas que, pour les avoir lus tout seul, vous en avez conclu que ces passages font tort à ceux qui soutiennent maintenant notre doctrine de l'attrition? Au lieu qu'on vous aurait montré qu'il n'y a rien qui les relève davantage. Car quelle gloire est-ce à nos Pères d'aujourd'hui d'avoir en moins de rien répandu si généralement leur opinion partout, que, hors les théologiens, il n'y a presque personne qui ne s'imagine que ce que nous tenons maintenant de l'attrition, n'ait été de tout temps l'unique créance des fidèles! Et ainsi, quand vous montrez par nos Pères mêmes, qu'il y a peu d'années *que cette opinion n'était pas certaine*, que faites-vous autre chose, sinon donner à nos derniers auteurs tout l'honneur de cet établissement?

Aussi Diana, notre ami intime, a cru nous faire plaisir de marquer par quels degrés on y est arrivé. C'est ce qu'il fait, p. 5, tr. 13, où il dit : *Qu'autrefois les anciens scolastiques soutenaient que la contrition était nécessaire aussitôt qu'on avait fait un péché mortel. Mais que depuis on a cru qu'on n'y était obligé que les jours de fêtes, et ensuite que quand quelque grande calamité menaçait tout le peuple; que, selon d'autres, on était obligé à ne la pas différer longtemps quand on approche de la mort; mais que nos Pères Hurtado et Vasquez ont refuté excellemment toutes ces opinions-là, et établi qu'on n'y était obligé que quand on ne pouvait être absous par une autre voie, ou à l'article de la mort.* Mais, pour continuer le merveilleux progrès de cette doctrine, j'ajouterai que nos Pères Fagundez, præc. 2 t. 2, ch. 4, n. 13; Granados, in 3, p., contr. 7, tr. 3, d. 3, sec. 4, n. 17; et Escobar, tr. 7, ex. 4, n. 88, dans la *Pratique selon notre Société*, ont décidé, *que la contrition n'est pas nécessaire même à la mort, parce*, disent-ils, *que si l'attrition avec le sacrement ne suffisait pas à la mort, il s'ensuivrait que l'attrition ne serait pas suffisante avec le sacrement.* Et notre savant Hurtado, de Sacr., d. 6, cité par Diana, part. 4, tr. 4, Miscell., R. 193, et par Escobar, tr. 7, ex. 4, n. 91, va encore plus loin; car il dit : *Le regret d'avoir péché, qu'on ne conçoit qu'à cause du seul mal temporel qui en arrive, comme d'avoir perdu la santé ou son argent, est-il suffisant? Il faut distinguer. Si on ne pense pas que ce mal soit envoyé de la main de Dieu, ce regret ne suffit pas; mais si on croit que ce mal est envoyé de Dieu, comme en effet tout mal*, dit Diana, *excepté le péché, vient de lui, ce regret est suffisant.* C'est ce que dit Escobar en la *Pratique de notre Société.* Notre Père François L'Amy soutient aussi la même chose, T. 8, disp. 3, n. 13.

— Vous me surprenez, mon Père; car je ne vois rien en toute cette attrition-là que de naturel; et ainsi un pécheur se pourrait rendre digne de l'absolution sans aucune grâce surnaturelle. Or il n'y a personne qui ne sache que c'est une hérésie condamnée par le Concile.

— Je l'aurais pensé comme vous, dit-il; et pourtant il faut bien que cela ne soit pas. Car nos Pères du collège de Clermont ont soutenu dans leurs thèses du 23 mai et du 6 juin 1644, col. 4, n. 1 : *Qu'une attrition peut être sainte et suffisante pour le sacrement, quoiqu'elle ne soit pas surnaturelle.* Et dans celle du mois d'août 1643 : *Qu'une attrition qui n'est que naturelle suffit pour le sacrement, pourvu qu'elle soit honnête : ad sacramentum sufficit attritio naturalis, modo honesta.* Voilà tout ce qui se peut dire, si ce n'est qu'on veuille ajouter une conséquence, qui se tire aisément de ces principes : qui est que la contrition est si peu nécessaire au sacrement, qu'elle y serait au contraire nuisible, en ce qu'effaçant les péchés par elle-même, elle ne laisserait rien à faire au sacrement. C'est ce que dit notre Père Valentia, ce célèbre Jésuite, tom. 4, Disp. 7, q. 8, p. 4 : *La contrition n'est point du tout nécessaire pour obtenir l'effet principal du sacrement; et au contraire, elle y est plutôt un obstacle : imo obstat potius quominus effectus sequatur.* On ne peut rien désirer de plus à l'avantage de l'attrition.

— Je le crois, mon Père; mais souffrez que je vous en dise mon sentiment, et que je vous fasse voir à quel excès cette doctrine conduit. Lorsque vous dites que l'*attrition conçue par la seule crainte des peines* suffit avec le sacrement pour justifier les pécheurs, ne s'ensuit-il pas de là qu'on pourra toute sa vie expier ses péchés de cette sorte, et ainsi être sauvé sans avoir jamais aimé Dieu en sa vie? Or, vos Pères oseraient-ils soutenir cela?

— Je vois bien, répondit le Père, par ce que vous me dites, que vous avez besoin de savoir la doctrine de nos Pères touchant l'amour de Dieu. C'est le dernier trait de leur morale, et le plus important de tous. Vous deviez l'avoir compris par les passages que je vous ai cités de la contrition. Mais en voici d'autres et ne m'interrompez donc pas, car la suite même en est considérable. Écoutez Escobar, qui rapporte les opinions différentes de nos auteurs sur ce sujet, dans la Pratique de l'amour de Dieu selon notre Société, au tr. 1, ex. 2, n. 21, et tr. 5, ex. 4, n. 8, sur cette question : *Quand est-on obligé d'avoir affection actuellement pour Dieu? Suarez dit que c'est assez, si on l'aime avant l'article de la mort, sans déterminer aucun temps : Vasquez, qu'il suffit encore à l'article de la mort; d'autres, quand on reçoit le baptême; d'autres, quand on est obligé d'être contrit; d'autres, les jours de fêtes. Mais notre Père Castro Palao combat toutes ces opinions-là, et avec raison, merito. Hurtado de Mendoza prétend qu'on y est obligé tous les ans, et qu'on nous traite bien favorablement encore, de ne nous y obliger pas plus souvent. Mais notre Père Coninch croit qu'on y est obligé en trois ou quatre ans; Henriquez tous les cinq ans; mais Filliutius dit qu'il est probable qu'on n'y est pas obligé à la rigueur tous les cinq ans. Et quand donc? Il le remet au jugement des sages.*

Je laissai passer tout ce badinage, où l'esprit de l'homme se joue si insolemment de l'amour de Dieu.

— Mais, poursuivit-il, notre Père Antoine Sirmond, qui triomphe sur cette matière dans son admirable livre de la *Défense de la vertu, où il parle français en France*, comme il dit au lecteur, discourt ainsi au 2. tr., sect. 1, p. 12, 13, 14, etc. : *Saint Thomas dit qu'on est obligé à aimer Dieu aussitôt après l'usage de raison ; c'est un peu bien tôt. Scotus, chaque dimanche. Sur quoi fondé? D'autres, quand on est grièvement tenté. Oui, en cas qu'il n'y eût que cette voie de fuir la tentation. Scotus, quand on reçoit un bienfait de Dieu : bon, pour l'en remercier. D'autres, à la mort : c'est bien tard. Je ne crois pas non plus que ce soit à chaque réception de quelque sacrement : l'attrition y suffit avec la confession, si on en a la commodité. Suarez dit qu'on y est obligé en un temps : mais en quel temps? Il vous en fait juge, et il n'en sait rien. Or ce que ce docteur n'a pas su, je ne sais qui le sait.* Et il conclut enfin qu'on n'est obligé à autre chose, à la rigueur, qu'à observer les autres commandements, sans aucune affection pour Dieu, et sans que notre cœur soit à lui, pourvu qu'on ne le haïsse pas. C'est ce qu'il prouve en tout son second traité. Vous le verrez, à chaque page, et entre autres aux 16, 19, 24, 28, où il dit ces mots : *Dieu, en nous commandant de l'aimer, se contente que nous lui obéissions en ses autres commandements. Si Dieu eût dit : Je vous perdrai, quelque obéissance que vous me rendiez, si de plus votre cœur n'est à moi ; ce motif, à votre avis, eut-il été bien proportionné à la fin que Dieu a dû et a pu avoir? Il est donc dit que nous aimerons Dieu en faisant sa volonté, comme si nous l'aimions d'affection, comme si le motif de la charité nous y portait. Si cela arrive réellement, encore mieux : sinon nous ne laisserons pas pourtant d'obéir en rigueur au commandement d'amour, en ayant les œuvres, de façon que (voyez la bonté de Dieu) il ne nous est pas tant commandé de l'aimer que de ne le point haïr.*

C'est ainsi que nos Pères ont déchargé les hommes de l'obligation *pénible* d'aimer Dieu actuellement. Et cette doctrine est si avantageuse, que nos Pères Annat, Pintereau, Le Moyne, et A. Sirmond même, l'ont défendue vigoureusement, quand on a voulu la combattre. Vous n'avez qu'à le voir dans leurs Réponses à la Théologie Morale; et celle du Père Pintereau en la 2 p. de l'Abbé de Boisic, p. 53, vous fera juger de la valeur de cette dispense par le prix qu'il dit qu'elle a coûté, qui est le sang de Jésus-Christ. C'est le couronnement de cette doctrine. Vous y verrez donc que cette dispense de l'obligation *fâcheuse* d'aimer Dieu est le privilège de la loi évangélique par dessus la judaïque. *Il a été raisonnable*, dit-il, *que dans la loi de grâce du Nouveau Testament, Dieu levât l'obligation fâcheuse et difficile, qui était en la loi de rigueur, d'exercer un acte de parfaite contrition pour être justifié ; et qu'il instituât des sacrements pour suppléer à son défaut, à l'aide d'une disposition plus facile. Autrement, certes, les chrétiens qui sont les enfants, n'auraient pas maintenant plus de facilité à se remettre aux bonnes grâces de leur Père, que les Juifs, qui étaient les esclaves, pour obtenir miséricorde de leur Seigneur.*

— O mon Père! Il n'y a point de patience que vous ne mettiez à bout, et on ne peut ouïr sans horreur les choses que je viens d'entendre.

— Ce n'est pas de moi-même, dit-il.

— Je le sais bien, mon Père, mais vous n'en avez point d'aversion; et, bien loin de détester les auteurs de ces maximes, vous avez de l'estime pour eux. Ne craignez-vous pas que votre consentement ne vous rende participant de leur crime? Et pouvez-vous ignorer que saint Paul juge *dignes de mort, non seulement les auteurs des maux, mais aussi ceux qui y consentent?* Ne suffisait-il pas d'avoir permis aux hommes tant de choses défendues, par les palliations que vous y avez apportées? Fallait-il encore leur donner l'occasion de commettre les crimes mêmes que vous n'avez pu excuser, par la facilité et l'assurance de l'absolution que vous leur en offrez, en détruisant à ce dessein la puissance des prêtres, et les obligeant d'absoudre, plutôt en esclaves qu'en juges, les pécheurs les plus envieillis, sans aucun amour de Dieu, sans changement de vie, sans aucun signe de regret, que des promesses cent fois violées; sans pénitence, *s'ils n'en veulent point accepter ;* et sans quitter les occasions des vices, *s'ils en reçoivent de l'incommodité?* Mais on passe encore au-delà, et la licence qu'on a prise d'ébranler les règles les plus saintes de la conduite chrétienne se porte jusqu'au renversement entier de la loi de Dieu. On viole *le grand commandement, qui comprend la loi et les prophètes ;* on attaque la piété dans le cœur; on en ôte l'esprit qui donne la vie; on dit que l'amour de Dieu n'est pas nécessaire au salut; et on va même jusqu'à prétendre *que cette dispense d'aimer Dieu est l'avantage que Jésus-Christ a apporté au monde*. C'est le comble de l'impiété. Le prix du sang de Jésus-Christ sera de nous obtenir la dispense de l'aimer; mais depuis que *Dieu a tant aimé le monde, qu'il lui a donné son Fils unique*, le monde, racheté par lui, sera déchargé de l'aimer! Étrange théologie de nos jours! On ose lever l'*anathème* que saint Paul prononce *contre ceux qui n'aiment pas le Seigneur Jésus*. On ruine ce que dit saint Jean, que *qui n'aime point demeure en la mort ;* et ce que dit Jésus-Christ même, que *qui ne l'aime point, ne garde point ses préceptes*. Ainsi on rend dignes de jouir de Dieu dans l'éternité ceux qui n'ont jamais aimé Dieu en toute leur vie. Voilà le mystère d'iniquité accompli. Ouvrez enfin les yeux, mon Père, et si vous n'avez point été touché par les autres égarements de vos casuistes, que ces derniers vous en retirent par leurs excès. Je le souhaite de tout mon cœur pour vous et pour tous vos Pères, et prie Dieu qu'il daigne leur faire connaître combien est fausse la lumière qui les a conduits jusqu'à de tels précipices, et qu'il remplisse de son amour ceux qui en dispensent les hommes.

Après quelques discours de cette sorte, je quittai le Père, et je ne vois guère d'apparence d'y retourner. Mais n'y ayez pas de regret; car s'il était nécessaire de vous entretenir encore de leurs maximes, j'ai assez lu leurs livres pour pouvoir vous en dire à peu près autant de leur morale, et peut-être plus de leur politique, qu'il n'eût fait lui-même. Je suis, etc.

ONZIÈME LETTRE
ÉCRITE PAR L'AUTEUR DES LETTRES AU PROVINCIAL
AUX RÉVÉRENDS PÈRES JÉSUITES

Du 18 août 1656.

Mes révérends Pères,

J'ai vu les lettres que vous débitez contre celles que j'ai écrites à un de mes amis sur le sujet de votre morale, où l'un des principaux points de votre défense est que je n'ai pas parlé assez sérieusement de vos maximes : c'est ce que vous répétez dans tous vos écrits, et que vous poussez jusqu'à dire *que j'ai tourné les choses saintes en raillerie.*

Ce reproche, mes Pères, est bien surprenant et bien injuste; car en quel lieu trouvez-vous que je tourne les choses saintes en raillerie? Vous marquez en particulier le *contrat Mohatra, et l'histoire de Jean d'Alba.* Mais est-ce cela que vous appelez des choses saintes?

Vous semble-t-il que le Mohatra soit une chose si vénérable, que ce soit un blasphème de n'en pas parler avec respect; et les leçons du Père Bauny pour le larcin, qui portèrent Jean d'Alba à le pratiquer contre vous-mêmes, sont-elles si sacrées, que vous ayez droit de traiter d'impies ceux qui s'en moquent?

Quoi! mes Pères, les imaginations de vos écrivains passeront pour les vérités de la foi, et on ne pourra se moquer des passages d'Escobar et des décisions si fantasques et si peu chrétiennes de vos autres auteurs, sans qu'on soit accusé de rire de la religion? Est-il possible que vous ayez osé redire si souvent une chose si peu raisonnable? Et ne craignez-vous point, en me blâmant de m'être moqué de vos égarements, de me donner un nouveau sujet de me moquer de ce reproche, et de le faire retomber sur vous-mêmes, en montrant que je n'ai pris sujet de rire que de ce qu'il y a de ridicule dans vos livres; et qu'ainsi, en me moquant de votre morale, j'ai été aussi éloigné de me moquer des choses saintes, que la doctrine de vos casuistes est éloignée de la doctrine sainte de l'Évangile?

En vérité, mes Pères, il y a bien de la différence entre rire de la religion, et rire de ceux qui la profanent par leurs opinions extravagantes. Ce serait une impiété de manquer de respect pour les vérités que l'esprit de Dieu a révélées : mais ce serait une autre impiété de manquer de mépris pour les faussetés que l'esprit de l'homme leur oppose.

Car, mes Pères, puisque vous m'obligez d'entrer en ce discours, je vous prie de considérer que, comme les vérités chrétiennes sont dignes d'amour et de respect, les erreurs qui leur sont contraires sont dignes de mépris et de haine; parce qu'il y a deux choses dans les vérités de notre religion : une beauté divine qui les rend aimables, et une sainte majesté qui les rend vénérables; et qu'il y a aussi deux choses dans les erreurs : l'impiété qui les rend horribles, et l'impertinence qui les rend ridicules. Et c'est pourquoi, comme les saints ont toujours pour la vérité ces deux sentiments d'amour et de crainte, et que leur sagesse est toute comprise entre la crainte qui en est le principe, et l'amour qui en est la fin, les saints ont aussi pour l'erreur ces deux sentiments de haine et de mépris, et leur zèle s'emploie également à repousser avec force la malice des impies et à confondre avec risée leur égarement et leur folie.

Ne prétendez donc pas, mes Pères, de faire accroire au monde que ce soit une chose indigne d'un chrétien de traiter les erreurs avec moquerie, puisqu'il est aisé de faire connaître, à ceux qui ne le sauraient pas, que cette pratique est juste, qu'elle est commune aux Pères de l'Église, et qu'elle est autorisée par l'Écriture, et par l'exemple des plus grands saints, et de Dieu même.

Car ne voyons-nous pas que Dieu hait et méprise les pécheurs tout ensemble, jusques-là même qu'à l'heure de leur mort, qui est le temps où leur état est le plus déplorable et le plus triste, la sagesse divine joindra la moquerie et la risée à la vengeance, et à la fureur qui les condamnera à des supplices éternels : *in interitu vestro ridebo et subsannabo* [27]. Et les saints, agissant par le même esprit, en useront de même puisque, selon David, quand ils verront la punition des méchants, *ils en trembleront et en riront en même temps : videbunt justi et timebunt, et super eum ridebunt* [28]. Et Job en parle de même : *Innocens subsannabit eos* [29].

Mais c'est une chose bien remarquable sur ce sujet, que, dans les premières paroles que Dieu a dites à l'homme depuis sa chute, on trouve un discours de moquerie, et *une ironie piquante*, selon les Pères. Car, après qu'Adam eut désobéi, dans l'espérance que le

27. Cf., *Prov.*, I, 26. « A votre mort je rirai et je me moquerai. »
28. Cf. Ps. LI, 8. « Les justes le (Dieu) verront et ils craindront et ils riront de lui (du méchant). »
29. Cf. Job, XXII, 19. « L'innocent se moquera d'eux. »

démon lui avait donnée d'être fait semblable à Dieu, il paraît par l'Écriture que Dieu, en punition, le rendit sujet à la mort; et qu'après l'avoir réduit à cette misérable condition, qui était due à son péché, il se moqua de lui en cet état par ces paroles de risée : *Voilà l'homme qui est devenu comme l'un de nous : ecce Adam quasi unus ex nobis* [30] : ce qui est *une ironie sanglante et sensible* dont Dieu le *piquait vivement*, selon saint Chrysostome et les interprètes. *Adam*, dit Rupert, *méritait d'être raillé par cette ironie, et on lui faisait sentir sa folie bien plus vivement par cette expression ironique, que par une expression sérieuse.* Et Hugues de Saint-Victor, ayant dit la même chose, ajoute *que cette ironie était due à sa sotte crédulité; et que cette espèce de raillerie est une action de justice, lorsque celui envers qui on en use l'a méritée.*

Vous voyez donc, mes Pères, que la moquerie est quelquefois plus propre à faire revenir les hommes de leurs égarements, et qu'elle est alors une action de justice; parce que, comme dit Jérémie, *les actions de ceux qui errent, sont dignes de risée, à cause de leur vanité : vana sunt et risu digna.* Et c'est si peu une impiété de s'en rire, que c'est l'effet d'une sagesse divine, selon cette parole de saint Augustin : *Les sages rient des insensés, parce qu'ils sont sages, non pas de leur propre sagesse, mais de cette sagesse divine qui rira de la mort des méchants.*

Aussi les prophètes remplis de l'esprit de Dieu ont usé de ces moqueries, comme nous voyons par les exemples de Daniel et d'Elie. Enfin les discours de Jésus-Christ même n'en sont pas sans exemple; et saint Augustin remarque que, quand il voulut humilier Nicodème, qui se croyait habile dans l'intelligence de la loi : *Comme il le voyait enflé d'orgueil par sa qualité de docteur des Juifs, il exerce et étonne sa présomption par la hauteur de ses demandes : et, l'ayant réduit à l'impuissance de répondre : Quoi! lui dit-il, vous êtes maître en Israël, et vous ignorez ces choses! Ce qui est le même que s'il eût dit : Prince superbe, reconnaissez que vous ne savez rien.* Et saint Chrysostome et saint Cyrille disent sur cela *qu'il méritait d'être joué de cette sorte.*

Vous voyez donc, mes Pères, que, s'il arrivait aujourd'hui que des personnes qui feraient les maîtres envers les chrétiens, comme Nicodème et les Pharisiens envers les Juifs, ignoraient les principes de la religion, et soutenaient, par exemple, *qu'on peut être sauvé sans avoir jamais aimé Dieu en toute sa vie*, on suivrait en cela l'exemple de Jésus-Christ, en se jouant de leur vanité et de leur ignorance.

Je m'assure, mes Pères, que ces exemples sacrés suffisent pour vous faire entendre que ce n'est pas une conduite contraire à celle des saints de rire des erreurs et des égarements des hommes : autrement il faudrait blâmer celle des plus grands docteurs de l'Église qui l'ont pratiquée, comme saint Hiérome dans ses lettres et dans ses écrits contre Jovinien, Vigilance, et les pélagiens; Tertullien, dans son Apologétique contre les folies des idolâtres; saint Augustin contre les religieux d'Afrique, qu'il appelle les chevelus ; saint Irénée contre les gnostiques ; saint Bernard et les autres Pères de l'Église, qui, ayant été les imitateurs des apôtres, doivent être imités par les fidèles dans toute la suite des temps, puisqu'ils sont proposés, quoiqu'on en dise, comme le véritable modèle des chrétiens mêmes d'aujourd'hui.

Je n'ai donc pas cru faillir en les suivant. Et, comme je pense l'avoir assez montré, je ne dirai plus sur ce sujet que ces excellentes paroles de Tertullien, qui rendent raison de tout mon procédé : *Ce que j'ai fait n'est qu'un jeu avant un véritable combat. J'ai montré les blessures qu'on vous peut faire, plutôt que je ne vous en ai fait. Que s'il se trouve des endroits où l'on soit excité à rire, c'est parce que les sujets mêmes y portaient. Il y a beaucoup de choses qui méritent d'être moquées et jouées de la sorte, de peur de leur donner du poids en les combattant sérieusement. Rien n'est plus dû à la vanité que la risée; et c'est proprement à la Vérité à qui il appartient de rire, parce qu'elle est gaie, et de se jouer de ses ennemis, parce qu'elle est assurée de la victoire. Il est vrai qu'il faut prendre garde que les railleries ne soient pas basses et indignes de la Vérité. Mais, à cela près, quand on pourra s'en servir avec adresse, c'est un devoir que d'en user.* Ne trouvez-vous pas, mes Pères, que ce passage est bien juste à notre sujet? *Ce que j'ai fait n'est qu'un jeu avant un véritable combat.* Je n'ai fait encore que me jouer, *et vous montrer plutôt les blessures qu'on vous peut faire, que je ne vous en ai fait.* J'ai exposé simplement vos passages sans y faire presque de réflexion. *Que si on y a été excité à rire, c'est parce que les sujets y portaient d'eux-mêmes.* Car, qu'il y a-t-il de plus propre à exciter à rire, que de voir une chose aussi grave que la morale chrétienne remplie d'imaginations aussi grotesques que les vôtres? On conçoit une si haute attente de ces maximes, qu'on dit *que Jésus-Christ a lui-même révélées à des Pères de la Société*, que quand on y trouve *qu'un prêtre qui a reçu de l'argent pour dire une messe peut, outre cela, en prendre d'autres personnes, en leur cédant toute la part qu'il a au sacrifice; qu'un religieux n'est pas excommunié pour quitter son habit, lorsque c'est pour danser, pour filouter, ou pour aller incognito en des lieux de débauche; et qu'on satisfait au précepte d'ouïr la messe en entendant quatre quarts de messe à la fois de différents prêtres;* lors, dis-je, qu'on entend ces décisions et autres semblables, il est impossible que cette surprise ne fasse rire, parce que rien n'y porte davantage qu'une disproportion surprenante entre ce qu'on attend et ce qu'on voit. Et comment aurait-on pu traiter autrement la plupart de ces matières, puisque ce serait les *autoriser* que de les traiter *sérieusement*, selon Tertullien?

Quoi? faut-il employer la force de l'Écriture et de la tradition pour montrer que c'est tuer son ennemi en trahison que de lui donner des coups d'épée par derrière, et dans une embûche; et que c'est acheter

30. Cf. Gen. III, 22. « Voilà Adam qui est devenu comme l'un de nous. »

un bénéfice que de donner de l'argent comme un motif pour se le faire résigner? Il y a donc des matières qu'il faut mépriser, et *qui méritent d'être jouées et moquées.* Enfin, ce que dit cet ancien auteur, *que rien n'est plus dû à la vanité que la risée*, et le reste de ces paroles s'applique ici avec tant de justesse et avec une force si convaincante, qu'on ne saurait plus douter qu'on peut bien rire des erreurs sans blesser la bienséance.

Et je vous dirai aussi, mes Pères, qu'on en peut rire sans blesser la charité, quoique ce soit une des choses que vous me reprochez encore dans vos écrits. Car *la charité oblige quelquefois à rire des erreurs des hommes, pour les porter eux-mêmes à en rire et à les fuir*, selon cette parole de saint Augustin : *Haec tu misericorditer irride, ut eis ridenda ac fugienda commendes* [31]. Et la même charité oblige aussi quelquefois à les repousser avec colère, selon cette autre parole de saint Grégoire de Nazianze : *L'esprit de charité et de douceur a ses émotions et ses colères.* En effet, comme dit saint Augustin : *Qui oserait dire que la vérité doit demeurer désarmée contre le mensonge, et qu'il sera permis aux ennemis de la foi d'effrayer les fidèles par des paroles fortes, et de les réjouir par des rencontres d'esprit agréables; mais que les catholiques ne doivent écrire qu'avec une froideur de style qui endorme les lecteurs?*

Ne voit-on pas que, selon cette conduite, on laisserait introduire dans l'Église les erreurs les plus extravagantes et les plus pernicieuses, sans qu'il fût permis de s'en moquer avec mépris, de peur d'être accusé de blesser la bienséance, ni de les confondre avec véhémence, de peur d'être accusé de manquer de charité?

Quoi! mes Pères, il vous sera permis de dire *qu'on peut tuer pour éviter un soufflet et une injure*, et il ne sera pas permis de réfuter publiquement une erreur publique d'une telle conséquence? Vous aurez la liberté de dire *qu'un juge peut en conscience retenir ce qu'il a reçu pour faire une injustice*, sans qu'on ait la liberté de vous contredire? Vous imprimerez, avec privilège et approbation de vos docteurs, *qu'on peut être sauvé sans jamais avoir aimé Dieu*, et vous fermerez la bouche à ceux qui défendront la vérité de la foi, en leur disant qu'ils blesseraient la charité de frères en vous attaquant, et la modestie de chrétiens en riant de vos maximes? Je doute, mes Pères, qu'il y ait une des personnes à qui vous ayez pu le faire accroire. Mais néanmoins, s'il s'en trouvait qui en fussent persuadés, et qui crussent que j'aurais blessé la charité que je vous dois en décriant votre morale, je voudrais bien qu'ils examinassent avec attention d'où naît en eux ce sentiment. Car, encore qu'ils s'imaginent qu'il part de leur zèle, qui n'a pu souffrir sans scandale de voir accuser leur prochain, je les prierais de considérer qu'il n'est pas impossible qu'il vienne d'ailleurs; et qu'il est même assez vraisemblable qu'il vient du déplaisir secret, et souvent caché à nous-mêmes, que le malheureux fond qui est en nous ne manque jamais d'exciter contre ceux qui s'opposent au relâchement des mœurs. Et, pour leur donner une règle qui leur en fasse reconnaître le véritable principe, je leur demanderai si, en même temps qu'ils se plaignent de ce qu'on a traité de la sorte des religieux, ils se plaignent encore davantage de ce que des religieux ont traité la vérité de la sorte. Que s'ils sont irrités non seulement contre les Lettres, mais encore plus contre les maximes qui y sont rapportées, j'avouerai qu'il se peut faire que leur ressentiment part de quelque zèle, mais peu éclairé; et alors les passages qui sont ici suffiront pour les éclaircir. Mais s'ils s'emportent seulement contre les répréhensions, et non pas contre les choses qu'on a reprises, en vérité, mes Pères, je ne m'empêcherai jamais de leur dire qu'ils sont grossièrement abusés et que leur zèle est bien aveugle.

Étrange zèle, qui s'irrite contre ceux qui accusent des fautes publiques, et non pas contre ceux qui les commettent! Quelle nouvelle charité, qui s'offense de voir confondre des erreurs manifestes par la seule exposition que l'on en fait, et qui ne s'offense point de voir renverser la morale par ces erreurs! Si ces personnes étaient en danger d'être assassinées, s'offenseraient-elles de ce qu'on les avertirait de l'embûche qu'on leur dresse; et, au lieu de se détourner de leur chemin pour l'éviter, s'amuseraient-elles à se plaindre du peu de charité qu'on aurait eu de découvrir le dessein criminel de ces assassins? S'irritent-ils, lorsqu'on leur dit de ne manger pas d'une viande, parce qu'elle est empoisonnée, ou de n'aller pas dans une ville, parce qu'il y a de la peste?

D'où vient donc qu'ils trouvent qu'on manque de charité quand on découvre des maximes nuisibles à la religion, et qu'ils croient au contraire qu'on manquerait de charité de ne pas découvrir les choses nuisibles à leur santé et à leur vie, sinon parce que l'amour qu'ils ont pour la vie leur fait recevoir favorablement tout ce qui contribue à la conserver, et que l'indifférence qu'ils ont pour la vérité fait que non seulement ils ne prennent aucune part à sa défense, mais qu'ils voient même avec peine qu'on s'efforce de détruire le mensonge?

Qu'ils considèrent donc devant Dieu combien la morale que vos casuistes répandent de toutes parts est honteuse et pernicieuse à l'Église; combien la licence qu'ils introduisent dans les mœurs est scandaleuse et démesurée; combien la hardiesse avec laquelle vous les soutenez est opiniâtre et violente. Et s'ils ne jugent qu'il est temps de s'élever contre de tels désordres, leur aveuglement sera aussi à plaindre que le vôtre, mes Pères, puisque et vous et eux avez un pareil sujet de craindre cette parole de saint Augustin sur celle de Jésus-Christ dans l'Évangile : *Malheur aux aveugles qui conduisent! malheur aux aveugles qui sont conduits! Vœ cœcis ducentibus! Vœ cœcis sequentibus!*

Mais, afin que vous n'ayez plus lieu de donner ces

31. Cf. Saint Augustin, *Contra Parmenianum*, III, 4. « Ainsi par charité tu es contraint de rire (de leurs erreurs), pour les amener à en rire eux-mêmes et à les fuir. »

impressions aux autres, ni de les prendre vous-mêmes, je vous dirai, mes Pères (et je suis honteux de ce que vous m'engagez à vous dire ce que je devrais apprendre de vous), je vous dirai donc quelles marques les Pères de l'Eglise nous ont données pour juger si les répréhensions partent d'un esprit de piété et de charité, ou d'un esprit d'impiété et de haine.

La première de ces règles est que l'esprit de piété porte toujours à parler avec vérité et sincérité; au lieu que l'envie et la haine emploient le mensonge et la calomnie : *splendentia et vehementia, sed rebus veris*, dit saint Augustin. Quiconque se sert du mensonge agit par l'esprit du diable. Il n'y a point de direction d'intention qui puisse rectifier la calomnie; et quand il s'agirait de convertir toute la terre, il ne serait pas permis de noircir des personnes innocentes; parce qu'on ne doit pas faire le moindre mal pour en faire réussir le plus grand bien, et *que la vérité de Dieu n'a pas besoin de notre mensonge*, selon l'Ecriture. *Il est du devoir des défenseurs de la vérité*, dit saint Hilaire, *de n'avancer que des choses véritables*. Aussi, mes Pères, je puis dire devant Dieu qu'il n'y a rien que je déteste davantage que de blesser tant soit peu la vérité; et que j'ai toujours pris un soin très particulier, non seulement de ne pas falsifier, ce qui serait horrible, mais de ne pas altérer ou détourner le moins du monde le sens d'un passage. De sorte que si j'osais me servir, en cette rencontre, des paroles du même saint Hilaire, je pourrais bien vous dire avec lui : *Si nous disons des choses fausses, que nos dicours soient tenus pour infâmes; mais si nous montrons que celles que nous produisons sont publiques et manifestes, ce n'est point sortir de la modestie et de la liberté apostolique de les reprocher*.

Mais ce n'est pas assez, mes Pères, de ne dire que des choses véritables, il faut encore ne pas dire toutes celles qui sont véritables, parce qu'on ne doit rapporter que les choses qu'il est utile de découvrir, et non pas celles qui ne pourraient que blesser sans apporter aucun fruit. Et ainsi, comme la première règle est de parler avec vérité, la seconde est de parler avec discrétion. *Les méchants*, dit saint Augustin, *persécutent les bons en suivant aveuglément la passion qui les anime; au lieu que les bons persécutent les méchants avec une sage discrétion : de même que les chirurgiens considèrent ce qu'ils coupent, au lieu que les meurtriers ne regardent point où ils frappent*. Vous savez bien, mes Pères, que je n'ai pas rapporté des maximes de vos auteurs celles qui vous auraient été les plus sensibles, quoique j'eusse pu le faire, et même sans pécher contre la discrétion, non plus que de savants hommes et très catholiques, mes Pères, qui l'ont fait autrefois. Et tous ceux qui ont lu vos auteurs savent aussi bien que vous combien en cela je vous ai épargnés, outre que je n'ai parlé en aucune sorte contre ce qui vous regarde chacun en particulier : et je serais fâché d'avoir rien dit des fautes secrètes et personnelles, quelque preuve que j'en eusse. Car je sais que c'est le propre de la haine et de l'animosité, et qu'on ne doit jamais le faire, à moins qu'il n'y en ait une nécessité bien pressante pour le bien de l'Eglise. Il est donc visible que je n'ai manqué en aucune sorte à la discrétion, dans ce que j'ai été obligé de dire touchant les maximes de votre morale, et que vous avez plus de sujet de vous louer de ma retenue que de vous plaindre de mon indiscrétion.

La troisième règle, mes Pères, est que, quand on est obligé d'user de quelques railleries, l'esprit de piété porte à ne les employer que contre les erreurs, et non pas contre les choses saintes; au lieu que l'esprit de bouffonnerie, d'impiété et d'hérésie se rit de ce qu'il y a de plus sacré. Je me suis déjà justifié sur ce point. Et on est bien éloigné d'être exposé à ce vice, quand on n'a qu'à parler des opinions que j'ai rapportées de vos auteurs.

Enfin, mes Pères, pour abréger ces règles, je ne vous dirai plus que celle-ci, qui est le principe et la fin de toutes les autres. C'est que l'esprit de charité porte à avoir dans le cœur le désir du salut de ceux contre qui on parle, et à adresser ses prières à Dieu en même temps qu'on adresse ses reproches aux hommes. *On doit toujours*, dit saint Augustin, *conserver la charité dans le cœur, lors même qu'on est obligé de faire au dehors des choses qui paraissent rudes aux hommes, et de les frapper avec une âpreté dure, mais bienfaisante; leur utilité devant être préférée à leur satisfaction*. Je crois, mes Pères qu'il n'y a rien dans mes Lettres qui témoigne que je n'aie pas eu ce désir pour vous; et ainsi la charité vous oblige à croire que je l'ai eu en effet, lorsque vous n'y voyez rien de contraire. Il paraît donc par là que vous ne pouvez montrer que j'aie péché contre cette règle, ni contre aucune de celles que la charité oblige de suivre; et c'est pourquoi vous n'avez aucun droit de dire que je l'aie blessée en ce que j'ai fait.

Mais si vous voulez, mes Pères, avoir maintenant le plaisir de voir en peu de mots une conduite qui pèche contre chacune de ces règles, et qui porte véritablement le caractère de l'esprit de bouffonnerie, d'envie et de haine, je vous en donnerai des exemples. Et afin qu'ils vous soient plus connus et plus familiers, je les prendrai de vos écrits mêmes.

Car, pour commencer par la manière indigne dont vos auteurs parlent des choses saintes, soit dans leurs railleries, soit dans leurs galanteries, soit dans leurs discours sérieux, trouvez-vous que tant de contes ridicules de votre Père Binet, dans sa *Consolation des malades*, soient fort propres au dessein qu'il avait pris de consoler chrétiennement ceux que Dieu afflige? Direz-vous que la manière si profane et si coquette dont votre Père Le Moyne a parlé de la piété dans sa *Dévotion aisée*, soit plus propre à donner du respect que du mépris pour l'idée qu'il forme de la vertu chrétienne? Tout son livre des *Peintures morales* respire-t-il autre chose, et dans sa prose et dans ses vers, qu'un esprit plein de la vanité et des folies du monde? Est-ce une pièce digne d'un prêtre que cette ode du 7e livre, intitulée : *Eloge de la pudeur, où il est montré que toutes les belles choses sont rouges, ou sujettes à rougir?* C'est ce qu'il fit pour consoler une dame, qu'il appelle Delphine, de ce qu'elle rougissait souvent. Il dit donc à chaque stance, que quelques-unes des choses les plus estimées sont rouges, comme les roses, les grenades, la bouche, la langue; et c'est parmi ces galanteries, honteuses à un religieux, qu'il ose mêler insolemment ces esprits bienheureux qui assistent devant Dieu, et dont les chrétiens ne doivent parler qu'avec vénération.

Les Chérubins, ces glorieux
Composés de tête et de plume,
Que Dieu de son esprit allume,
Et qu'il éclaire de ses yeux;
Ces illustres faces volantes
Sont toujours rouges et brûlantes,
Soit du feu de Dieu, soit du leur,
Et dans leurs flammes mutuelles
Font du mouvement de leurs ailes
Un éventail à leur chaleur.

Mais la rougeur éclate en toi,
Delphine, avec plus d'avantage,
Quand l'honneur est sur ton visage
Vêtu de pourpre comme un roi, etc.

Qu'en dites-vous, mes Pères? Cette préférence de la rougeur de Delphine à l'ardeur de ces esprits, qui n'en ont point d'autre que la charité; et la comparaison d'un éventail avec ces ailes mystérieuses, vous paraît-elle fort chrétienne, dans une bouche qui consacre le corps adorable de Jésus-Christ? Je sais qu'il ne l'a dit que pour faire le galant et pour rire; mais c'est cela qu'on appelle rire des choses saintes. Et n'est-il pas véritable que, si on lui faisait justice, il ne se garantirait pas d'une censure, quoique, pour s'en défendre, il se servît de cette raison, qui n'est pas elle-même moins censurable, qu'il rapporte au livre 1er : *Que la Sorbonne n'a point de juridiction sur le Parnasse, et que les erreurs de ce pays-là ne sont sujettes ni aux censures, ni à l'inquisition*, comme s'il n'était défendu d'être blasphémateur et impie qu'en prose? Mais au moins on n'en garantirait pas par là cet autre endroit de l'avant-propos du même livre : *Que l'eau de la rivière au bord de laquelle il a composé ses vers est si propre à faire des poètes, que, quand on ferait de l'eau bénite, elle ne chasserait pas le démon de la poésie;* non plus que celui-ci de votre Père Garasse dans sa *Somme des vérités capitales de la Religion*, p. 649, où il joint le blasphème à l'hérésie, en parlant du mystère sacré de l'Incarnation en cette sorte : *La personnalité humaine a été comme entée ou mise à cheval sur la personnalité du Verbe;* et cet autre endroit du même auteur, p. 510, sans en rapporter beaucoup d'autres, où il dit sur le sujet du nom de Jésus, figuré ordinairement ainsi, I H S, *que quelques-uns en ont ôté la croix pour prendre les seuls caractères en cette sorte,* IHS, *qui est un* JÉSUS *dévalisé.*

C'est ainsi que vous traitez indignement les vérités de la religion, contre la règle inviolable qui oblige à n'en parler qu'avec révérence. Mais vous ne péchez pas moins contre celle qui oblige à ne parler qu'avec vérité et discrétion. Qu'y a-t-il de plus ordinaire dans vos écrits que la calomnie? Ceux du Père Brisacier sont-ils sincères? Et parle-t-il avec vérité, quand il dit, 4 part., p. 24 et 25, que les religieuses de Port-Royal ne prient pas les saints, et qu'elles n'ont point d'images dans leur église? Ne sont-ce pas des faussetés bien hardies, puisque le contraire paraît à la vue de tout Paris? Et parle-t-il avec discrétion, quand il déchire l'innocence de ces filles, dont la vie est si pure et si austère, quand il les appelle des *filles impénitentes, asacramentaires, incommuniantes, des vierges folles, fantastiques, Calaganes, désespérées, et tout ce qu'il vous plaira;* et qu'il les noircit par tant d'autres médisances, qui ont mérité la censure de feu M. l'archevêque de Paris? Quand il calomnie des prêtres dont les mœurs sont irréprochables, jusqu'à dire, 1 p., p. 22, *Qu'ils pratiquent des nouveautés dans les confessions, pour attraper les belles et les innocentes; et qu'il aurait horreur de rapporter les crimes abominables qu'ils commettent?* N'est-ce pas une témérité insupportable d'avancer des impostures si noires, non seulement sans preuve, mais sans la moindre ombre et sans la moindre apparence? Je ne m'étendrai pas davantage sur ce sujet, et je remets à vous en parler plus au long une autre fois : car j'ai à vous entretenir sur cette matière, et ce que j'ai dit suffit pour faire voir combien vous péchez contre la vérité et la discrétion tout ensemble.

Mais on dira peut-être que vous ne péchez pas au moins contre la dernière règle, qui oblige d'avoir le désir du salut de ceux qu'on décrie, et qu'on ne saurait vous en accuser sans violer le secret de votre cœur, qui n'est connu que de Dieu seul. C'est une chose étrange, mes Pères, qu'on ait néanmoins de quoi vous en convaincre; que, votre haine contre vos adversaires ayant été jusqu'à souhaiter leur perte éternelle, votre aveuglement ait été jusqu'à découvrir un souhait si abominable; que, bien loin de former en secret des désirs de leur salut, vous ayez fait en public des vœux pour leur damnation; et qu'après avoir produit ce malheureux souhait dans la ville de Caen avec le scandale de toute l'Eglise, vous ayez osé depuis soutenir encore à Paris, dans vos livres imprimés, une action si diabolique. Il ne se peut rien ajouter à ces excès contre la piété. Railler et parler indignement des choses les plus sacrées; calomnier les vierges et les prêtres faussement et scandaleusement; et enfin former des désirs et des vœux pour leur damnation. Je ne sais, mes Pères, si vous n'êtes point confus, et comment vous avez pu avoir la pensée de m'accuser d'avoir manqué de charité, moi qui n'ai parlé qu'avec tant de vérité et de retenue, sans faire de réflexion sur les horribles violements de la charité que vous faites vous-mêmes par de si déplorables excès.

Enfin, mes Pères, pour conclure, par un autre reproche que vous me faites, de ce qu'entre un si grand nombre de vos maximes que je rapporte, il y en a quelques-unes qu'on vous avait déjà objectées, sur quoi vous vous plaignez de ce que *je redis contre vous ce qui avait déjà été dit*, je réponds que c'est au contraire parce que vous n'avez pas profité de ce qu'on vous l'a déjà dit que je vous le redis encore. Car quel fruit a-t-il paru de ce que de savants docteurs et l'Université entière vous en ont repris par tant de livres? Qu'ont fait vos Pères Annat, Caussin, Pintereau et Le Moyne, dans les réponses qu'ils y ont faites, sinon de couvrir d'injures ceux qui leur avaient donné ces avis si salutaires? Avez-vous supprimé les livres où ces méchantes maximes sont enseignées? En avez-vous réprimé les auteurs? En êtes-vous devenus plus circonspects? Et n'est-ce pas depuis ce temps-là qu'Escobar a tant été imprimé de fois en France et aux Pays-Bas, et que vos Pères Cellot, Bagot, Bauny, L'Amy, Le Moyne et les autres ne cessent de publier tous les jours les mêmes choses, et de nouvelles encore aussi licencieuses que jamais? Ne vous plaignez donc plus, mes Pères, ni de ce que je vous ai reproché des maximes que vous n'avez point quittées, ni de ce que je vous en ai objecté de nouvelles, ni de ce que j'ai ri de toutes. Vous n'avez qu'à les considérer, pour y trouver votre confusion et ma défense. Qui pourra voir, sans en rire, la décision du Père Bauny pour celui qui fait brûler une grange; celle du Père Cellot pour la restitution; le règlement de Sanchez en faveur des sorciers; la manière dont Hurtado fait éviter le péché du duel en se promenant dans un champ et y attendant un homme; les compliments du Père Bauny pour éviter l'usure; la manière d'éviter la simonie par un détour d'intention, et celle d'éviter le mensonge, en parlant tantôt haut, tantôt bas, et le reste des opinions de vos docteurs les plus graves? En faut-il davantage, mes Pères, pour me justifier? Et y a-t-il rien de mieux *dû à la vanité et à la faiblesse de ces opinions que la risée*, selon Tertullien? Mais, mes Pères, la corruption des mœurs que vos maximes apportent, est digne d'une autre considération, et nous pouvons bien faire cette demande avec le même Tertullien [32]. *Faut-il rire de leur folie, ou déplorer leur aveuglement? Rideam vanitatem, an exprobrem cæcitatem* [33] *?* Je crois, mes Pères, *qu'on peut en rire et en pleurer à son choix : Hæc tolerabilius vel ridentur vel flentur* [34], dit saint Augustin. Reconnaissez donc *qu'il y a un temps de rire et un temps de pleurer*, selon l'Ecriture. Et je souhaite, mes Pères, que je n'éprouve pas en vous la vérité de ces paroles des Proverbes : *Qu'il y a des personnes si peu raisonnables, qu'on n'en peut avoir de satisfaction, de quelque manière qu'on agisse avec eux, soit qu'on rie, soit qu'on se mette en colère.*

En achevant cette lettre, j'ai vu un écrit que vous avez publié, où vous m'accusez d'imposture sur le sujet de six de vos maximes que j'ai rapportées, et d'intelligence avec les hérétiques; j'espère que vous y verrez une réponse exacte, dans peu de temps, mes Pères, ensuite de laquelle je crois que vous n'aurez pas envie de continuer cette sorte d'accusation.

DOUZIÈME LETTRE
ÉCRITE PAR L'AUTEUR DES LETTRES AU PROVINCIAL
AUX RÉVÉRENDS PÈRES JÉSUITES

Du 9 septembre 1656.

Mes révérends Pères,

J'étais prêt à vous écrire sur les sujets des injures que vous me dites depuis si longtemps dans vos écrits, où vous m'appellez *impie*, *bouffon*, *ignorant*, *farceur*, *imposteur*, *calomniateur*, *fourbe*, *hérétique*, *calviniste déguisé*, *disciple de Du Moulin* [35], *possédé d'une légion de diables*, et tout ce qu'il vous plaît. Je voulais faire entendre au monde pourquoi vous me traitez de la sorte, car je serais fâché qu'on crût tout cela de moi; et j'avais résolu de me plaindre de vos calomnies et de vos impostures, lorsque j'ai vu vos réponses, où vous m'en accusez moi-même. Vous m'avez obligé par là de changer mon dessein; et néanmoins, mes Pères, je ne laisserai pas de le continuer en quelque sorte, puisque j'espère, en me défendant, vous convaincre de plus d'impostures véritables que vous ne m'en avez imputé de fausses. En vérité, mes Pères, vous en êtes plus suspects que moi; car il n'est pas vraisemblable qu'étant seul comme je suis, sans force et sans aucun appui humain contre un si grand corps, et n'étant soutenu que par la vérité et la sincérité, je me sois exposé à tout perdre, en m'exposant à être convaincu d'impostures. Il est trop aisé de découvrir les faussetés dans les questions de fait, comme celles-ci. Je ne manquerais pas de gens pour m'en accuser, et la justice ne leur en serait pas refusée. Pour vous, mes Pères, vous n'êtes pas en ces termes; et vous pouvez dire contre moi ce que vous voulez, sans que je trouve à qui m'en plaindre. Dans cette différence de nos conditions, je ne dois pas être peu retenu, quand d'autres considérations ne m'y engageraient pas. Cependant vous me traitez comme un imposteur insigne, et ainsi vous me forcez à repartir : mais vous

32. Cf. Tertullien, *Ad Nationes*, II, 12.
33. Cf Saint Augustin, *Contra Faustum*, XX, 6.
34. Cf. Eccl., III, 1-4. « Toutes choses ont leur temps,
Un temps de pleurer
Et un temps de rire. »
35. Du Moulin était pasteur du temple de Charenton. Ces divers qualificatifs se trouvent dans la *Première réponse aux lettres que les Jansénistes publient contre les Jésuites* du R.P. Jacques Nouet (avril 1656).

savez que cela ne peut se faire sans exposer de nouveau, et même sans découvrir plus à fond les points de votre morale; en quoi je doute que vous soyez bons politiques. La guerre se fait chez vous et à vos dépens; et quoique vous ayez pensé qu'en embrouillant les questions par des termes d'école, les réponses en seraient si longues, si obscures et si épineuses, qu'on en perdrait le goût, cela ne sera peut-être pas tout à fait ainsi; car j'essaierai, de vous ennuyer le moins qu'il se peut en ce genre d'écrire. Vos maximes ont je ne sais quoi de divertissant, qui réjouit toujours le monde. Souvenez-vous au moins que c'est vous qui m'engagez d'entrer dans cet éclaircissement, et voyons qui se défendra le mieux.

La première de vos impostures est sur *l'opinion de Vasquez touchant l'aumône*. Souffrez donc que je l'explique nettement, pour ôter toute obscurité de nos disputes. C'est une chose assez connue, mes Pères, que, selon l'esprit de l'Eglise, il y a deux préceptes touchant l'aumône : *l'un, de donner de son superflu dans les nécessités ordinaires des pauvres; l'autre, de donner même de ce qui est nécessaire, selon sa condition, dans les nécessités extrêmes*. C'est ce que dit Cajetan, après saint Thomas; de sorte que, pour faire voir l'esprit de Vasquez touchant l'aumône, il faut montrer comment il a réglé, tant celle qu'on doit faire du superflu, que celle qu'on doit faire du nécessaire.

Celle du superflu, qui est le plus ordinaire secours des pauvres, est entièrement abolie par cette seule maxime *de El.*, c. 4, nº 14, que j'ai rapportée dans mes Lettres: *Ce que les gens du monde gardent pour relever leur condition et celle de leurs parents n'est pas appelé superflu. Et ainsi à peine trouvera-t-on qu'il y ait jamais de superflu dans les gens du monde, et non pas même dans les rois*. Vous voyez bien, mes Pères, par cette définition, que tous ceux qui auront de l'ambition n'auront point de superflu; et qu'ainsi l'aumône en est anéantie à l'égard de la plupart du monde. Mais, quand il arriverait même qu'on en aurait, on serait encore dispensé d'en donner dans les nécessités communes, selon Vasquez, qui s'oppose à ceux qui veulent y obliger les riches. Voici ses termes, c. 1, n. 32 : *Corduba*, dit-il, *enseigne que, lorsqu'on a du superflu, on est obligé d'en donner à ceux qui sont dans une nécessité ordinaire, au moins une partie, afin d'accomplir le précepte en quelque chose;* MAIS CELA NE ME PLAIT PAS : SED HOC NON PLACET : CAR NOUS AVONS MONTRÉ LE CONTRAIRE *contre Cajetan et Navarre*. Ainsi, mes Pères, l'obligation de cette aumône est absolument ruinée, selon ce qu'il plaît à Vasquez.

Pour celle du nécessaire, qu'on est obligé de faire dans les nécessités extrêmes et pressantes, vous verrez, par les conditions qu'il apporte pour former cette obligation, que les plus riches de Paris peuvent n'y être pas engagés une seule fois en leur vie. Je n'en rapporterai que deux. L'une, QUE L'ON SACHE *que le pauvre ne sera secouru d'aucun autre : hœc intelligo et cœtera omnia quando* SCIO *nullum alium opem laturum* [36], c. 1. n. 28. Qu'en dites-vous, mes Pères? arrivera-t-il souvent que dans Paris, où il y a tant de gens charitables, on puisse savoir qu'il ne se trouvera personne pour secourir un pauvre qui s'offre à nous? Et cependant, si on n'a pas cette connaissance, on pourra le renvoyer sans secours, selon Vasquez. L'autre est que la nécessité de ce pauvre soit telle, *qu'il soit menacé de quelque accident mortel, ou de perdre sa réputation*, n. 24 et 26. Ce qui est bien peu commun. Mais ce qui en marque encore la rareté, c'est qu'il dit, num. 45, que le pauvre qui est en cet état où il dit qu'on est obligé à lui donner l'aumône, *peut voler le riche en conscience*. Et ainsi il faut que cela soit bien extraordinaire, si ce n'est qu'il veuille qu'il soit ordinairement permis de voler. De sorte qu'après avoir détruit l'obligation de donner l'aumône du superflu, qui est la plus grande source des charités, il n'oblige les riches d'assister les pauvres de leur nécessaire que lorsqu'il permet aux pauvres de voler les riches. Voilà la doctrine de Vasquez, où vous renvoyez les lecteurs pour leur édification.

Je viens maintenant à vos impostures. Vous vous étendez d'abord sur l'obligation que Vasquez impose aux ecclésiastiques de faire l'aumône; mais je n'en ai point parlé, et j'en parlerai quand il vous plaira. Il n'en est donc pas question ici. Pour les laïques, desquels seuls il s'agit, il semble que vous vouliez faire entendre que Vasquez ne parle en l'endroit que j'ai cité que selon le sens de Cajetan, et non pas selon le sien propre. Mais comme il n'y a rien de plus faux, et que vous ne l'avez pas dit nettement, je veux croire pour votre honneur que vous ne l'avez pas voulu dire.

Vous vous plaignez ensuite hautement de ce qu'après avoir rapporté cette maxime de Vasquez : *A peine se trouvera-t-il que les gens du monde, et même les rois, aient jamais de superflu*, j'en ai conclu *que les riches sont donc à peine obligés de donner l'aumône de leur superflu*. Mais que voulez-vous dire, mes Pères? S'il est vrai que les riches n'ont presque jamais de superflu, n'est-il pas certain qu'ils ne seront presque jamais obligés de donner l'aumône de leur superflu? Je vous en ferais un argument en forme, si Diana, qui estime tant Vasquez, qu'il l'appelle *le phénix des esprits*, n'avait tiré la même conséquence du même principe; car, après avoir rapporté cette maxime de Vasquez, il en conclut *que dans la question, savoir si les riches sont obligés de donner l'aumône de leur superflu, quoique l'opinion qui les y oblige fût véritable, il n'arriverait jamais, ou presque jamais, qu'elle oblige dans la pratique*. Je n'ai fait que suivre mot à mot tout ce discours. Que veut donc dire ceci, mes Pères? Quand Diana rapporte avec éloge les sentiments de Vasquez, quand il les trouve probables, *et très commodes pour les riches*, comme il le dit au même lieu, il n'est ni calomniateur, ni faussaire, et vous ne vous plaignez point qu'il lui impose : au lieu que, quand je représente ces mêmes sentiments de

36. « Je comprends cela et tout ce qui s'ensuit lorsque *je sais* que nul autre ne fera l'aumône. »

Vasquez, mais sans le traiter de *phénix*, je suis un imposteur, un faussaire et un corrupteur de ses maximes. Certainement, mes Pères, vous avez sujet de craindre que la différence de vos traitements envers ceux qui ne diffèrent pas dans le rapport, mais seulement dans l'estime qu'ils font de votre doctrine, ne découvre le fond de votre cœur, et ne fasse juger que vous avez pour principal objet de maintenir le crédit et la gloire de votre compagnie; puisque, tandis que votre théologie accommodante passe pour une sage condescendance, vous ne désavouez point ceux qui la publient, et vous les louez au contraire, comme contribuant à votre dessein; mais quand on la fait passer pour un relâchement pernicieux, alors le même intérêt de votre Société vous engage à désavouer des maximes qui vous font tort dans le monde; et ainsi vous les reconnaissez ou les renoncez, non pas selon la vérité qui ne change jamais, mais selon les divers changements des temps, suivant cette parole d'un ancien : *Omnia pro tempore, nihil pro veritate.* Prenez-y garde, mes Pères; et afin que vous ne puissiez plus m'accuser d'avoir tiré du principe de Vasquez une conséquence qu'il eût désavouée, sachez qu'il l'a tirée lui-même, c. 1, n. 27 : *A peine est-on obligé de donner l'aumône, quand on n'est obligé de la donner que de son superflu, selon l'opinion de Cajetan* ET SELON LA MIENNE, *Et secundum nostram.* Confessez donc, mes Pères, par le propre témoignage de Vasquez, que j'ai suivi exactement sa pensée; et considérez avec quelle conscience vous avez osé dire *que si on allait à la source, on verrait avec étonnement qu'il y enseigne tout le contraire.*

Enfin, vous faites valoir par dessus tout ce que vous dites, que Vasquez a obligé en récompense les riches de donner l'aumône *de leur nécessaire.* Mais vous avez oublié de marquer l'assemblage des conditions nécessaires pour former cette obligation, et vous dites généralement qu'il oblige les riches à donner même ce qui est nécessaire à leur condition. C'est en dire trop, mes Pères; la règle de l'Evangile ne va pas si avant : ce serait une autre erreur, dont Vasquez est bien éloigné. Pour couvrir son relâchement, vous lui attribuez un excès de sévérité qui le rendrait répréhensible, et par là vous vous ôtez la créance de l'avoir rapporté fidèlement. Mais il n'est pas digne de ce reproche, après avoir établi, comme il a fait par un si visible renversement de l'Evangile, que les riches ne sont pas obligés, ni par justice ni par charité, de donner de leur superflu, et encore moins du nécessaire, dans tous les besoins ordinaires des pauvres; et qu'ils ne sont obligés de donner du nécessaire qu'en des rencontres si rares, qu'elles n'arrivent presque jamais.

Vous ne m'objectez rien davantage; de sorte qu'il ne me reste qu'à faire voir combien est faux ce que vous prétendez, que Vasquez est plus sévère que Cajetan. Et cela sera bien facile, puisque ce cardinal enseigne *qu'on est obligé par justice de donner l'aumône de son superflu, même dans les communes nécessités des pauvres : parce que, selon les saints Pères, les riches sont seulement dispensateurs de leur superflu, pour le donner à qui ils veulent d'entre ceux qui en ont besoin.* Et ainsi, au lieu que Diana dit des maximes de Vasquez *qu'elles seront bien commodes et bien agréables aux riches et à leurs confesseurs*, ce cardinal, qui n'a pas une pareille consolation à leur donner, déclare, *de Eleem.*, c. 6, *qu'il n'a rien à dire aux riches que ces paroles de* JÉSUS-CHRIST : *Qu'il est plus facile qu'un chameau passe par le trou d'une aiguille, que non pas qu'un riche entre dans le ciel; et à leurs confesseurs que cette parole du même Sauveur : Si un aveugle en conduit un autre, ils tomberont tous deux dans le précipice;* tant il a trouvé cette obligation indispensable! Aussi, c'est ce que les Pères et tous les saints ont établi comme une vérité constante. *Il y a deux cas*, dit saint Thomas, 2, 2, q. 118, a. 4, *où l'on est obligé de donner l'aumône par un devoir de justice, ex debito legali : l'un, quand les pauvres sont en danger; l'autre quand nous possédons des biens superflus.* Et q. 87, a. 1 : *Les troisièmes décimes que les Juifs devaient manger avec les pauvres ont été augmentées dans la loi nouvelle, parce que* JÉSUS-CHRIST *veut que nous donnions aux pauvres, non seulement la dixième partie, mais tout notre superflu.* Et cependant il ne plaît pas à Vasquez qu'on soit obligé d'en donner une partie seulement, tant il a de complaisance pour les riches, de dureté pour les pauvres, d'opposition à ces sentiments de charité qui font trouver douce la vérité de ces paroles de saint Grégoire, laquelle paraît si dure aux riches du monde : *Quand nous donnons aux pauvres ce qui leur est nécessaire, nous ne leur donnons pas tant ce qui est à nous que nous ne leur rendons ce qui est à eux : et c'est un devoir de justice plutôt qu'une œuvre de miséricorde.*

C'est de cette sorte que les saints recommandent aux riches de partager avec les pauvres les biens de la terre, s'ils veulent posséder avec eux les biens du ciel. Et au lieu que vous travaillez à entretenir dans les hommes l'ambition, qui fait qu'on n'a jamais de superflu, et l'avarice, qui refuse d'en donner quand on en aurait, les saints ont travaillé au contraire à porter les hommes à donner leur superflu, et à leur faire connaître qu'ils en auront beaucoup, s'ils le mesurent, non par la cupidité, qui ne souffre point de bornes, mais par la piété, qui est ingénieuse à se retrancher, pour avoir de quoi se répandre dans l'exercice de la charité. *Nous aurons beaucoup de superflu*, dit saint Augustin, *si nous ne gardons que le nécessaire; mais si nous recherchons les choses vaines, rien ne nous suffira. Recherchez, mes frères, ce qui suffit à l'ouvrage de Dieu*, c'est-à-dire à la nature; *et non pas ce qui suffit à votre cupidité*, qui est l'ouvrage du démon : *et souvenez-vous que le superflu des riches est le nécessaire des pauvres.*

Je voudrais bien, mes Pères, que ce que je vous dis servît non seulement à me justifier, ce serait peu, mais encore à vous faire sentir et abhorrer ce qu'il y a de corrompu dans les maximes de vos casuites, afin de nous unir sincèrement dans les saintes règles de l'Evangile, selon lesquelles nous devons tous être jugés.

Pour le second point, qui regarde la simonie, avant que de répondre aux reproches que vous me faites, je commencerai par l'éclaircissement de votre doctrine sur ce sujet. Comme vous vous êtes trouvés embarrassés entre les canons de l'Eglise, qui imposent d'horribles peines aux simoniaques, et l'avarice de tant de personnes qui recherchent cet infâme trafic, vous avez suivi votre méthode ordinaire, qui est d'accorder aux hommes ce qu'ils désirent, et de donner à Dieu des paroles et des apparences. Car qu'est-ce que demandent les simoniaques, sinon d'avoir de l'argent en donnant leurs bénéfices? Et c'est cela que vous avez exempté de simonie. Mais parce qu'il faut que le nom de simonie demeure, et qu'il y ait un sujet où il soit attaché, vous avez choisi pour cela une idée imaginaire qui ne vient jamais dans l'esprit des simoniaques, et qui leur serait inutile, qui est d'estimer l'argent considéré en lui-même autant que le bien spirituel considéré en lui-même. Car qui s'aviserait de comparer des choses si disproportionnées et d'un genre si différent? Et cependant, pourvu qu'on ne fasse pas cette comparaison métaphysique, on peut donner son bénéfice à un autre et en recevoir de l'argent sans simonie, selon vos auteurs.

C'est ainsi que vous vous jouez de la religion pour suivre la passion des hommes; et voyez néanmoins avec quelle gravité votre Père Valentia débite ses songes à l'endroit cité dans mes Lettres, tom. 3, disp. 16, p. 3, p. 2044. *On peut*, dit-il, *donner un bien temporel pour un spirituel en deux manières : l'une en prisant davantage le temporel que le spirituel, et ce serait simonie ; l'autre en prenant le temporel comme le motif et la fin qui porte à donner le spirituel, sans que néanmoins on prise le temporel plus que le spirituel, et alors ce n'est point simonie. Et la raison en est que la simonie consiste à recevoir un temporel comme le juste prix d'un spirituel. Donc, si on demande le temporel, si petatur temporale, non pas comme le prix, mais comme le motif qui détermine à le conférer, ce n'est point du tout simonie, encore qu'on ait pour fin et attente principale la possession du temporel : minime erit simonia, etiamsi temporale principaliter intendatur et expectetur*. Et votre grand Sanchez n'a-t-il pas eu une pareille révélation, au rapport d'Escobar, tr. 6, ex. 2, n. 40? Voici ses mots : *Si on donne un bien temporel pour un bien spirituel, non pas comme* PRIX, *mais comme un* MOTIF *qui porte le collateur à le donner, ou comme une reconnaissance, si on l'a déjà reçu, est-ce simonie? Sanchez assure que non*, Vos thèses de Caen, de 1644 : *C'est une opinion probable, enseignée par plusieurs catholiques, que ce n'est pas simonie de donner un bien temporel pour un spirituel, quand on ne le donne pas comme prix*. Et quant à Tannerus, voici sa doctrine, pareille à celle de Valentia, qui fera voir combien vous avez tort de vous plaindre de ce que j'ai dit qu'elle n'est pas conforme à celle de saint Thomas, puisque lui-même l'avoue au lieu cité dans ma Lettre, t. 3, d. 5, p. 1519 : *Il n'y a point*, dit-il, *proprement et véritablement de simonie, sinon à prendre un bien temporel comme le prix d'un spirituel ; mais, quand on le prend comme un motif qui porte à donner le spirituel, ou comme en reconnaissance de ce qu'on l'a donné, ce n'est point simonie, au moins en conscience*. Et un peu après : *Il faut dire la même chose, encore qu'on regarde le temporel comme sa fin principale, et qu'on le préfère même au spirituel ; quoique saint Thomas et d'autres semblent dire le contraire, en ce qu'ils assurent que c'est absolument simonie de donner un bien spirituel pour un temporel, lorsque le temporel en est la fin*.

Voilà, mes Pères, votre doctrine de la simonie enseignée par vos meilleurs auteurs, qui se suivent en cela bien exactement. Il ne me reste donc qu'à répondre à vos impostures. Vous n'avez rien dit sur l'opinion de Valentia; et ainsi sa doctrine subsiste après votre réponse. Mais vous vous arrêtez sur celle de Tannerus, et vous dites qu'il a seulement décidé que ce n'était pas une simonie de droit divin, et vous voulez faire croire que j'ai supprimé de ce passage ces paroles : *de droit divin*. Vous n'êtes pas raisonnables, mes Pères : car ces termes, *de droit divin*, ne furent jamais dans ce passage. Vous ajoutez ensuite que Tannerus déclare que c'est une simonie *de droit positif*. Vous vous trompez, mes Pères : il n'a pas dit cela généralement, mais sur des cas particuliers, *in casibus a jure expressis*, comme il le dit en cet endroit. En quoi il fait une exception de ce qu'il avait établi en général dans ce passage, *que ce n'est pas simonie en conscience ;* ce qui enferme que ce n'en est pas aussi une de droit positif, si vous ne voulez faire Tannerus assez impie pour soutenir qu'une simonie de droit positif n'est pas simonie en conscience. Mais vous recherchez à dessein ces mots *de droit divin*, *droit positif*, *droit naturel*, *tribunal intérieur et extérieur*, *cas exprimés dans le droit*, *présomption externe*, et les autres qui sont peu connus, afin d'échapper sous cette obscurité et de faire perdre la vue de vos égarements. Vous n'échapperez pas néanmoins, mes Pères, par ces vaines subtilités : car je vous ferai des questions si simples, qu'elles ne seront point sujettes au *distinguo*.

Je vous demande donc, sans parler de *droit positif*, ni de *présomption de tribunal extérieur*, si un bénéficier sera simoniaque, selon vos auteurs, en donnant un bénéfice de quatre mille livres de rente, et recevant dix mille francs argent comptant, non pas comme prix du bénéfice, mais comme un motif qui le porte à le donner. Répondez-moi nettement, mes Pères : que faut-il conclure sur ce cas, selon vos auteurs? Tannerus ne dira-t-il pas formellement : *Que ce n'est point simonie en conscience, puisque le temporel n'est pas le prix du bénéfice, mais seulement le motif qui le fait donner?* Valentia, vos thèses de Caen, Sanchez et Escobar ne décideront-ils pas de même, *que ce n'est pas simonie*, par la même raison? En faut-il davantage pour excuser ce bénéficier de simonie? Et oserez-vous le traiter autrement dans vos confessionnaux, quelque sentiment que vous en ayez par vous-mêmes, puisqu'il aurait droit de vous obliger, ayant agi selon l'avis de tant de docteurs graves? Confessez donc qu'un tel bénéficier est excusé de simonie, selon vous; et défendez maintenant cette doctrine, si vous le pouvez.

Voilà, mes Pères, comment il faut traiter les questions pour les démêler, au lieu de les embrouiller, ou par des termes d'école, ou en changeant l'état de la question, comme vous faites, dans votre dernier reproche en cette sorte. Tannerus, dites-vous, déclare au moins qu'un tel échange est un grand péché; et vous me reprochez d'avoir supprimé malicieusement cette circonstance *qui le justifie entièrement*, à ce que vous prétendez. Mais vous avez tort, et en plusieurs manières. Car, quand ce que vous dites, serait véritable, il ne s'agissait pas, au lieu où j'en parlais, de savoir s'il y avait en cela du péché, mais seulement s'il y avait de la simonie. Or, ce sont deux questions fort séparées : les péchés n'obligent qu'à se confesser, selon vos maximes; la simonie oblige à restituer : et il y a des personnes à qui cela paraîtrait assez différent. Car vous avez bien trouvé des expédients pour rendre la confession douce, au lieu que vous n'en avez point trouvé pour rendre la restitution agréable. J'ai à vous dire de plus que le cas que Tannerus accuse de péché, n'est pas simplement celui où l'on donne un bien spirituel pour un temporel, qui en est le motif même principal; mais il ajoute encore, *que l'on prise le temporel plus que le spirituel*, ce qui est ce cas imaginaire dont nous avons parlé. Et il ne fait pas mal de charger celui-là de péché, puisqu'il faudrait être bien méchant ou bien stupide pour ne vouloir pas éviter un péché par un moyen aussi facile qu'est celui de s'abstenir de comparer les prix de ces deux choses, lorsqu'il est permis de donner l'une pour l'autre. Outre que Valentia, examinant, au lieu déjà cité, s'il y a du péché à donner un bien spirituel pour un temporel, qui en est le motif, rapporte les raisons de ceux qui disent que oui, en ajoutant : *Sed hoc non videtur mihi satis certum; Cela ne me paraît pas assez certain.*

Mais, depuis, votre Père Erade Bille, professeur des cas de conscience à Caen, a décidé qu'il n'y a aucun péché : car les opinions probables vont toujours en mûrissant. C'est ce qu'il déclare dans ses écrits de 1644, contre lesquels M. du Pré, docteur et professeur à Caen, fit cette belle harangue imprimée, qui est assez connue. Car, quoique ce Père Erade Bille reconnaisse que la doctrine de Valentia, suivie par le Père Milhard, et condamnée en Sorbonne, *soit contraire au sentiment commun, suspecte de simonie en plusieurs choses, et punie en justice, quand la pratique en est découverte*, il ne laisse pas de dire que c'est une opinion probable, et par conséquent sûre en conscience, et qu'il n'y a en cela ni simonie ni péché. *C'est*, dit-il, *une opinion probable et enseignée par beaucoup de docteurs catholiques, qu'il n'y a aucune simonie,* NI AUCUN PÉCHÉ *à donner de l'argent, ou une autre chose temporelle, pour un bénéfice, soit par forme de reconnaissance, soit comme un motif sans lequel on ne le donnerait pas, pourvu qu'on ne le donne pas comme un prix égal au bénéfice.* C'est là tout ce qu'on peut désirer. Et selon toutes ces maximes, vous voyez, mes Pères, que la simonie sera si rare qu'on en aurait exempté Simon même, le magicien, qui voulait acheter le Saint-Esprit, en quoi il est l'image des simoniaques qui achètent; et Giezi, qui reçut de l'argent pour un miracle, en quoi il est la figure des simoniaques, qui vendent. Car il est sans doute que quand Simon, dans les Actes, *offrit de l'argent aux apôtres pour avoir leur puissance*, il ne se servit ni des termes d'acheter, ni de vendre, ni de prix, et qu'il ne fit autre chose que d'offrir de l'argent, comme un motif pour se faire donner ce bien spirituel. Ce qui étant exempt de simonie, selon vos auteurs, il se fût bien garanti de l'anathème de saint Pierre, s'il eût su leurs maximes. Et cette ignorance fit aussi grand tort à Giezi, quand il fut frappé de la lèpre par Elisée; car, n'ayant reçu de l'argent de ce prince guéri miraculeusement que comme une reconnaissance, et non pas comme un prix égal à la vertu divine, qui avait opéré ce miracle, il eût obligé Elisée à le guérir, sur peine de péché mortel, puisqu'il aurait agi selon tant de docteurs graves, et que vos confesseurs sont obligés d'absoudre leurs pénitents en pareils cas, et de les laver de la lèpre spirituelle, dont la corporelle n'est que la figure.

Tout de bon, mes Pères, il serait aisé de vous tourner là-dessus en ridicules; je ne sais pourquoi vous vous y exposez. Car je n'aurais qu'à rapporter vos autres maximes, comme celle-ci d'Escobar dans *la Pratique de la Simonie selon la Société de Jésus : Est-ce simonie, lorsque deux religieux s'engagent l'un à l'autre en cette sorte : Donnez-moi votre voix pour me faire élire provincial, et je vous donnerai la mienne pour vous faire prieur? Nullement.* Et cet autre : *Ce n'est pas simonie de se faire donner un bénéfice en promettant de l'argent, quand on n'a pas dessein de payer en effet; parce que ce n'est qu'une simonie feinte, qui n'est non plus véritable que du faux or n'est pas du véritable or.* C'est par cette subtilité de conscience qu'il a trouvé le moyen, en ajoutant la fourbe à la simonie, de faire avoir des bénéfices sans argent et sans simonie. Mais je n'ai pas le loisir d'en dire davantage; car il faut que je pense à me défendre contre votre troisième calomnie sur le sujet des banqueroutiers.

Pour celle-ci, mes Pères, il n'y a rien de plus grossier. Vous me traitez d'imposteur sur le sujet d'un sentiment de Lessius, que je n'ai point cité de moi-même, mais qui se trouve allégué par Escobar, dans un passage que j'en rapporte; et ainsi, quand il serait véritable que Lessius ne serait pas de l'avis qu'Escobar lui attribue, qu'y a-t-il de plus injuste que de s'en prendre à moi? Quand je cite Lessius et vos autres auteurs de moi-même, je consens d'en répondre. Mais comme Escobar a ramassé les opinions de 24 de vos Pères, je vous demande si je dois être garant d'autre chose que de ce que je cite de lui; et s'il faut, outre cela, que je réponde des citations qu'il fait lui-même dans les passages que j'en ai pris? Cela ne serait pas raisonnable. Or, c'est de quoi il s'agit en cet endroit. J'ai rapporté dans ma Lettre ce passage d'Escobar, traduit fort fidèlement, et sur lequel aussi vous ne dites rien : *Celui qui fait banqueroute peut-il, en sûreté de conscience, retenir de ses biens autant qu'il est nécessaire pour vivre avec honneur, ne indecore vivat?* JE RÉPONDS QUE OUI AVEC LESSIUS, CUM LESSIO ASSERO POSSE, etc. Sur cela vous me dites que Lessius n'est pas de ce sentiment. Mais pensez un peu où vous vous engagez. Car, s'il est vrai qu'il en est, on vous appellera imposteurs, d'avoir assuré le contraire; et s'il n'en est pas, Escobar sera l'imposteur : de sorte qu'il faut maintenant, par nécessité, que quelqu'un de la Société soit convaincu d'imposture. Voyez un peu quel scandale! Aussi vous ne savez pas prévoir la suite des choses. Il vous semble qu'il n'y a qu'à dire des injures au monde, sans penser sur qui elles retombent. Que ne faisiez-vous savoir votre difficulté à Escobar, avant de la publier? Il vous eût satisfait. Il n'est pas si malaisé d'avoir des nouvelles de Valladolid, où il est en parfaite santé, et où il achève sa grande Théologie morale en six volumes, sur les premiers desquels je vous pourrai dire un jour quelque chose. On lui a envoyé les dix premières Lettres; vous pouviez aussi lui envoyer votre objection, et je m'assure qu'il eût bien répondu : car il a vu sans doute dans Lessius ce passage, d'où il a pris le *ne indecore vivat*. Lisez-le bien, mes Pères, et vous l'y trouverez comme moi, lib. 2, c. 16, n. 45. *Idem colligitur aperte ex juribus citatis, maxime quoad ea bona quæ post cessionem acquirit, de quibus is qui debitor est etiam ex delicto, potest retinere quantum necessarium est, ut pro sua conditione* NON INDECORE VIVAT. *Petes an leges id permittant de bonis quæ tempore instantis cessionis habebat? Ita videtur colligi ex DD., etc.* [37].

Je ne m'arrêterai pas à vous montrer que Lessius, pour autoriser cette maxime, abuse de la loi qui n'accorde que le simple vivre aux banqueroutiers, et non pas de quoi subsister avec honneur. Il suffit d'avoir justifié Escobar contre une telle accusation, c'est plus que je ne devais faire. Mais vous, mes Pères, vous ne faites pas ce que vous devez : car il est question de répondre au passage d'Escobar, dont les décisions sont commodes, en ce qu'étant indépendantes du devant et de la suite, et toutes renfermées en de petits articles, elles ne sont sujettes à vos distinctions. Je vous ai cité son passage entier, qui permet *à ceux qui font cession de retenir de leurs biens, quoique acquis injustement, pour faire subsister leur famille avec honneur*. Sur quoi je me suis écrié dans mes Lettres : *Comment! mes Pères, par quelle étrange charité voulez-vous que les biens appartiennent plutôt à ceux qui les ont mal acquis qu'aux créanciers légitimes?* C'est à quoi il faut répondre; mais c'est ce qui vous met dans un fâcheux embarras, que vous vous essayez en vain d'éluder en détournant la question, et citant d'autres passages de Lessius desquels il ne s'agit point. Je vous demande donc si cette maxime d'Escobar peut être suivie en conscience par ceux qui font banqueroute. Et prenez garde à ce que vous direz. Car si vous répondez que non, que deviendra votre docteur, et votre doctrine de la probabilité? Et si vous dites que oui, je vous renvoie au parlement.

Je vous laisse dans cette peine, mes Pères; car je n'ai plus ici de place pour entreprendre l'imposture suivante sur le passage de Lessius touchant l'homicide; ce sera pour la première fois, et le reste ensuite.

Je ne vous dirai rien cependant sur les Avertissements pleins de faussetés scandaleuses par où vous finissez chaque imposture : je repartirai à tout cela dans la Lettre où j'espère montrer la source de vos calomnies. Je vous plains, mes Pères, d'avoir recours à de tels remèdes. Les injures que vous me dites n'éclairciront pas nos différends, et les menaces que vous me faites en tant de façons ne m'empêcheront pas de me défendre. Vous croyez avoir la force et l'impunité, mais je crois avoir la vérité de l'innocence. C'est une étrange et longue guerre que celle où la violence essaye d'opprimer la vérité. Tous les efforts de la violence ne peuvent affaiblir la vérité, et ne servent qu'à la relever davantage. Toutes les lumières de la vérité ne peuvent rien pour arrêter la violence, et ne font que l'irriter encore plus. Quand la force combat la force, la plus puissante détruit la moindre : quand on oppose les discours aux discours, ceux qui sont véritables et convaincants, confondent et dissipent ceux qui n'ont que la vanité et le mensonge : mais la violence et la vérité ne peuvent rien l'une sur l'autre. Qu'on ne prétende pas de là néanmoins que les choses soient égales : car il y a cette extrême différence que la violence n'a qu'un cours borné par l'ordre de Dieu, qui en conduit les effets à la gloire de la vérité qu'elle attaque, au lieu que la vérité subsiste éternellement et triomphe enfin de ses ennemis, parce qu'elle est éternelle et puissante comme Dieu même.

37. « Cela résulte évidemment des textes de droit cités, surtout en ce qui concerne les biens acquis après la banqueroute, desquels celui-là même, dont la dette constitue une faute, peut retenir autant qu'il est nécessaire pour *vivre avec honneur* suivant sa condition. Tu demanderas si les lois permettent la même chose pour le bien qu'il avait au moment où la banqueroute était imminente? On voit qu'il en est ainsi d'après les textes tirés du *Digeste*, etc. »

TREIZIÈME LETTRE

ÉCRITE PAR L'AUTEUR DES LETTRES AU PROVINCIAL *AUX RÉVÉRENDS PÈRES JÉSUITES*

Du 30 septembre 1656.

Mes révérends Pères,

Je viens de voir votre dernier écrit, où vous continuez vos impostures jusqu'à la vingtième, en déclarant que vous finissez par là cette sorte d'accusation, qui faisait votre première partie, pour en venir à la seconde, où vous devez prendre une nouvelle manière de vous défendre, en montrant qu'il y a bien d'autres casuistes que les vôtres qui sont dans le relâchement, aussi bien que vous. Je vois donc maintenant, mes Pères, à combien d'impostures j'ai à répondre; et puisque la quatrième où nous en sommes demeurés est sur le sujet de l'homicide, il sera à propos, en y répondant, de satisfaire en même temps aux 11, 13, 14, 15, 16, 17 et 18, qui sont sur le même sujet.

Je justifierai donc, dans cette lettre la vérité de mes citations contre les faussetés que vous m'imposez. Mais parce que vous avez osé avancer dans vos écrits, *que les sentiments de vos auteurs sur le meurtre sont conformes aux décisions des papes et des lois ecclésiastiques*, vous m'obligerez à renverser, dans ma lettre suivante, une proposition si téméraire et si injurieuse à l'Eglise. Il importe de faire voir qu'elle est pure de vos corruptions, afin que les hérétiques ne puissent pas se prévaloir de vos égarements pour en tirer des conséquences qui la déshonorent. Et ainsi, en voyant d'une part vos pernicieuses maximes, et de l'autre les canons de l'Eglise qui les ont toujours condamnées, on trouvera tout ensemble, et ce qu'on doit éviter, et ce qu'on doit suivre.

Votre quatrième imposture est sur une maxime touchant le meurtre, que vous prétendez que j'ai faussement attribuée à Lessius. C'est celle-ci : *Celui qui a reçu un soufflet peut poursuivre à l'heure même son ennemi, et même à coups d'épée, non pas pour se venger, mais pour réparer son honneur.* Sur quoi vous dites que cette opinion-là est du casuiste Victoria. Et ce n'est pas encore le sujet de la dispute : car il n'y a point de répugnance à dire qu'elle soit tout ensemble de Victoria et de Lessius, puisque Lessius dit lui-même qu'elle est aussi de Navarre et de votre Père Henriquez, qui enseignent, *que celui qui a reçu un soufflet peut à l'heure même poursuivre son homme, et lui donner autant de coups qu'il jugera nécessaire pour réparer son honneur.* Il est donc seulement question de savoir si Lessius est aussi du sentiment de ces auteurs, aussi bien que son confrère. Et c'est pourquoi vous ajoutez *que Lessius ne rapporte cette opinion que pour la réfuter ; et qu'ainsi je lui attribue un sentiment qu'il n'allègue que pour le combattre, qui est l'action du monde la plus lâche et la plus honteuse à un écrivain.* Et je soutiens, mes Pères, qu'il ne la rapporte que pour la suivre. C'est une question de fait qu'il sera bien facile de décider. Voyons donc comment vous prouvez ce que vous dites, et vous verrez ensuite comment je prouve ce que je dis.

Pour montrer que Lessius n'est pas de ce sentiment, vous dites qu'il en condamne la pratique. Et pour prouver cela, vous rapportez un de ses passages, liv. 2, c. 9, n° 82, où il dit ces mots : *J'en condamne la pratique.* Je demeure d'accord que, si on cherche ces paroles dans Lessius, au nombre 82, où vous les citez, on les y trouvera. Mais que dira-t-on, mes Pères, quand on verra au même temps qu'il traite en cet endroit d'une question toute différente de celle dont nous parlons, et que l'opinion dont il dit en ce lieu-là qu'il en condamne la pratique, n'est en aucune sorte celle dont il s'agit ici, mais une autre toute séparée? Cependant il ne faut, pour en être éclairci, qu'ouvrir le livre au lieu où vous renvoyez; car on y trouvera toute la suite de son discours en cette manière.

Il traite la question, *savoir si on peut tuer pour un soufflet*, au n. 79, et il la finit au nombre 80, sans qu'il y ait en tout cela un seul mot de condamnation. Cette question étant terminée, il en commence une nouvelle en l'article 81, *savoir si on peut tuer pour des médisances.* Et c'est sur celle-là qu'il dit, au n. 82, ces paroles que vous avez citées : *J'en condamne la pratique.*

N'est-ce donc pas une chose honteuse, mes Pères, que vous osiez produire ces paroles, pour faire croire que Lessius condamne l'opinion qu'on peut tuer pour un soufflet? Et que, n'en ayant rapporté en tout que cette seule preuve, vous triomphiez là-dessus, en disant, comme vous faites : *Plusieurs personnes d'honneur dans Paris ont déjà reconnu cette insigne fausseté par la lecture de Lessius, et ont appris par là quelle créance on doit avoir à ce calomniateur.* Quoi! mes Pères, est-ce ainsi que vous abusez de la créance que ces personnes d'honneur ont en vous? Pour leur faire entendre que Lessius n'est pas d'un sentiment, vous leur ouvrez son livre en un endroit où il en condamne un autre. Et comme ces personnes n'entrent pas en défiance de votre bonne foi, et ne pensent pas à examiner s'il s'agit en ce lieu-là de la question contestée, vous trompez ainsi leur crédulité. Je m'assure, mes Pères, que, pour vous garantir d'un si honteux mensonge, vous avez eu recours à votre doctrine des équivoques, et que, lisant ce passage *tout haut*, vous disiez *tout bas* qu'il s'y agissait d'une autre matière. Mais je ne sais si cette raison, qui suffit bien pour satisfaire votre conscience, suffira pour satisfaire la juste plainte que vous feront ces gens d'honneur, quand ils verront que vous les avez joués de cette sorte.

Empêchez-les donc bien, mes Pères, de voir mes lettres, puisque c'est le seul moyen qui vous reste pour conserver encore quelque temps votre crédit. Je n'en use pas ainsi des vôtres : j'en envoie à tous mes amis; je souhaite que tout le monde les voie. Et je crois que nous avons tous raison. Car enfin, après avoir publié cette quatrième imposture avec tant d'éclat, vous voilà décriés, si on vient à savoir que vous y avez supposé un passage pour un autre. On jugera facilement que si vous eussiez trouvé ce que vous demandiez au lieu même où Lessius traitait cette matière, vous ne l'eussiez pas été chercher ailleurs; et que vous n'y avez eu recours que parce que vous n'y voyiez rien qui fût favorable à votre dessein. Vous vouliez faire trouver dans Lessius ce que vous dites dans votre imposture, p. 10, ligne 12 : *Qu'il n'accorde pas que cette opinion soit probable dans la spéculation;* et Lessius dit expressément en sa conclusion, n. 80 : *Cette opinion, qu'on peut tuer pour un soufflet reçu, est probable dans la spéculation.* N'est-ce pas là mot à mot le contraire de votre discours? Et qui peut assez admirer avec quelle hardiesse vous produisez en propres termes le contraire d'une vérité de fait? De sorte qu'au lieu que vous concluiez, de votre passage supposé, que Lessius n'était pas de ce sentiment, il se conclut fort bien, de son véritable passage, qu'il est de ce même sentiment.

Vous vouliez encore faire dire à Lessius *qu'il en condamne la pratique.* Et comme je l'ai déjà dit, il ne se trouve pas une seule parole de condamnation en ce lieu-là; mais il parle ainsi : *Il semble qu'on n'en doit pas* FACILEMENT *permettre la pratique : in praxi non videtur* FACILE *permittenda.* Est-ce là le langage d'un homme qui *condamne* une maxime? Diriez-vous, mes Pères, qu'il ne faut pas *permettre facilement*, dans la pratique, les adultères ou les incestes? Ne doit-on pas conclure au contraire, puisque Lessius ne dit autre chose, sinon que la pratique n'en doit pas être facilement permise, que la pratique même en peut être quelquefois permise, quoique rarement? Et comme s'il eût voulu apprendre à tout le monde quand on la doit permettre, et ôter aux personnes offensées les scrupules qui les pourraient troubler mal à propos, ne sachant en quelles occasions il leur est permis de tuer dans la pratique, il a eu soin de leur marquer ce qu'ils doivent éviter pour pratiquer cette doctrine en conscience. Ecoutez-le, mes Pères. *Il semble*, dit-il, *qu'on ne doit pas le permettre facilement*, A CAUSE *du danger qu'il y a qu'on agisse en cela par haine, ou par vengeance, ou avec excès, ou que cela ne causât trop de meurtres.* De sorte qu'il est clair que ce meurtre restera tout permis dans la pratique, selon Lessius, si on évite ces inconvénients, c'est-à-dire si l'on peut agir sans haine, sans vengeance, et dans des circonstances qui n'attirent pas beaucoup de meurtres. En voulez-vous un exemple, mes Pères? En voici un assez nouveau. C'est celui du soufflet de Compiègne [38]. Car vous avouerez que celui qui l'a reçu a témoigné, par la manière dont il s'est conduit, qu'il était assez maître des mouvements de haine et de vengeance. Il ne lui restait donc qu'à éviter un trop grand nombre de meurtres; et vous savez, mes Pères, qu'il est si rare que des Jésuites donnent des soufflets aux officiers de la maison du roi, qu'il n'y avait pas à craindre qu'un meurtre en cette occasion en eût tiré beaucoup d'autres en conséquence. Et ainsi vous ne sauriez nier que ce Jésuite ne fut tuable en sûreté de conscience, et que l'offensé ne peut en cette rencontre pratiquer en son endroit la doctrine de Lessius. Et peut-être, mes Pères, qu'il l'eût fait s'il eût été instruit dans votre école, et s'il eût appris d'Escobar *qu'un homme qui a reçu un soufflet est réputé sans honneur jusqu'à ce qu'il ait tué celui qui le lui a donné.* Mais vous avez sujet de croire que les instructions fort contraires qu'il a reçues d'un curé que vous n'aimez pas trop n'ont pas peu contribué en cette occasion à sauver la vie à un Jésuite.

Ne nous parlez donc plus de ces inconvénients qu'on peut éviter en tant de rencontres, et hors lesquels le meurtre est permis, selon Lessius, dans la pratique même. C'est ce qu'ont bien reconnu vos auteurs, cités par Escobar dans la *Pratique de l'homicide selon votre Société. Est-il permis*, dit-il, *de tuer celui qui a donné un soufflet? Lessius dit que cela est permis dans la spéculation, mais qu'on ne le doit pas conseiller dans la pratique, non consulendum in praxi, à cause du danger de la haine ou des meurtres nuisibles à l'Etat qui en pourraient arriver.* MAIS LES AUTRES ONT JUGÉ QU'EN ÉVITANT CES INCONVÉNIENTS CELA EST PERMIS ET SUR DANS LA PRATIQUE : *In praxi probabilem et tutam judicarunt Henriquez, etc.* Voilà comment les opinions s'élèvent peu à peu jusqu'au comble de la probabilité. Car vous y avez porté celle-ci, en la permettant enfin sans aucune distinction de spéculation ni de pratique, en ces termes : *Il est permis, lorsqu'on a reçu un soufflet, de donner incontinent un coup d'épée, non pas pour se venger, mais pour conserver son honneur.* C'est ce qu'ont enseigné vos Pères à Caen, en 1644, dans leurs écrits publics, que l'Université produisit au Parlement, dans sa troisième requête contre votre doctrine de l'homicide, p. 339.

Remarquez donc, mes Pères, que vos propres auteurs ruinent d'eux-mêmes cette vaine distinction de spéculation et de pratique, que l'Université avait traitée de ridicule, et dont l'invention est un secret de votre politique qu'il est bon de faire entendre. Car, outre que l'intelligence en est nécessaire pour les 15, 16, 17 et 18e impostures, il est toujours à propos de découvrir peu à peu les principes de cette politique mystérieuse.

Quand vous avez entrepris de décider les cas de conscience d'une manière favorable et accommodante, vous en avez trouvé où la religion seule était intéressée, comme les questions de la contrition, de la pénitence, de l'amour de Dieu, et de toutes celles qui ne touchent que l'intérieur des consciences. Mais vous en avez rencontré d'autres où l'État a intérêt

38. Guille, traiteur de la Cour, avait été giflé par le R.P. Borin, parce qu'il avait disposé d'une salle du Collège de Compiègne pour un banquet offert à l'ex-reine Christine de Suède.

aussi bien que la religion, comme sont celles de l'usure, des banqueroutes, de l'homicide et autres semblables. Et c'est une chose bien sensible à ceux qui ont un véritable amour pour l'Église, de voir qu'en une infinité d'occasions où vous n'avez eu que la religion à combattre, comme ce n'est pas ici le lieu où Dieu exerce visiblement sa justice, vous en avez renversé les lois sans aucune crainte, sans réserve, et sans distinction, comme il se voit dans vos opinions si hardies contre la pénitence et l'amour de Dieu.

Mais dans celles où la religion et l'État ont part, vous avez partagé vos décisions, et formé deux questions sur ces matières : l'une que vous appelez *de spéculation*, dans laquelle en considérant ces crimes en eux-mêmes, sans regarder à l'intérêt de l'État, mais seulement à la loi de Dieu qui les défend, vous les avez permis sans hésiter, en renversant ainsi la loi de Dieu qui les condamne; l'autre que vous appelez *de pratique*, dans laquelle, en considérant le dommage que l'État en recevait, et la présence des magistrats qui maintiennent la sûreté publique, vous n'approuvez pas toujours dans la pratique ces meurtres et ces crimes que vous trouvez permis dans la spéculation, pour vous mettre par là à couvert du côté des juges. C'est ainsi, par exemple, que, sur cette question, s'il est permis de tuer pour des médisances, vos auteurs, Filliutius, tr. 29, cap. 3, num. 52; Reginaldus, l. 21, cap. 5, num. 63, et les autres répondent : *Cela est permis dans la spéculation : Ex probabili opinione licet ; mais je n'en approuve pas la pratique, à cause du grand nombre de meurtres qui en arriveraient et qui feraient tort à l'État, si on tuait tous les médisants ; et qu'ainsi on en serait puni en justice en tuant pour ce sujet.* Voilà de quelle sorte vos opinions commencent à paraître sous cette distinction, par le moyen de laquelle vous ne ruinez que la religion, sans blesser encore sensiblement l'État. Par là vous croyez être en assurance. Car vous vous imaginez que le crédit que vous avez dans l'Église empêchera qu'on ne punisse vos attentats contre la vérité et que les précautions que vous apportez pour ne mettre pas facilement ces permissions en pratique, vous mettront à couvert de la part des magistrats, qui, n'étant pas juges des cas de conscience, n'ont proprement intérêt qu'à la pratique extérieure. Ainsi une opinion qui serait condamnée sous le nom de pratique se produit en sûreté sous le nom de spéculation. Mais cette base étant affermie, il n'est pas difficile d'y élever le reste de vos maximes. Il y avait une distance infinie entre la défense que Dieu a faite de tuer, et la permission spéculative que vos auteurs en ont donnée. Mais la distance est bien petite de cette permission à la pratique. Il ne reste seulement qu'à montrer que ce qui est permis dans la spéculation l'est bien aussi dans la pratique. On ne manquera pas de raisons pour cela. Vous en avez bien trouvé en des cas plus difficiles. Voulez-vous voir, mes Pères, par où l'on y arrive? Suivez ce raisonnement d'Escobar, qui l'a décidé nettement dans le premier des six tomes de sa grande *Théologie Morale*, dont je vous ai parlé, où il est tout autrement éclairé que dans ce recueil qu'il avait fait de vos 24 Vieillards; car, au lieu qu'il avait pensé en ce temps-là qu'il pouvait y avoir des opinions probables dans la spéculation qui ne fussent pas sûres dans la pratique, il a connu le contraire depuis, et l'a fort bien établi dans ce dernier ouvrage : tant la doctrine de la probabilité en général reçoit d'accroissement par le temps, aussi bien que chaque opinion probable en particulier. Écoutez-le donc in *praeloq.*, n. 15. *Je ne vois pas*, dit-il, *comment il se pourrait faire que ce qui paraît permis dans la spéculation, ne le fût pas dans la pratique, puisque ce qu'on peut faire dans la pratique dépend de ce qu'on trouve permis dans la spéculation, et que ces choses ne diffèrent l'une de l'autre que comme l'effet de la cause. Car la spéculation est ce qui détermine à l'action.* D'OU IL S'ENSUIT QU'ON PEUT EN SURETÉ DE CONSCIENCE SUIVRE DANS LA PRATIQUE LES OPINIONS PROBABLES DANS LA SPÉCULATION, *et même avec plus de sûreté que celles qu'on n'a pas si bien examinées spéculativement.*

En vérité, mes Pères, votre Escobar raisonne assez bien quelquefois. Et, en effet, il y a tant de liaison entre la spéculation et la pratique, que, quand l'une a pris racine, vous ne faites plus difficulté de permettre l'autre sans déguisement. C'est ce qu'on a vu dans la permission de tuer pour un soufflet, qui de la simple spéculation a été portée hardiment par Lessius à une pratique *qu'on ne doit pas facilement accorder*, et de là, par Escobar *à une pratique facile ;* d'où vos Pères de Caen l'ont conduite à une permission pleine, sans distinction de théorie et de pratique, comme vous l'avez déjà vu.

C'est ainsi que vous faites croître peu à peu vos opinions. Si elles paraissaient tout d'un coup dans leur dernier excès, elles causeraient de l'horreur; mais ce progrès lent et insensible y accoutume doucement les hommes, et en ôte le scandale. Et par ce moyen la permission de tuer, si odieuse à l'État et à l'Église, s'introduit premièrement dans l'Église, et ensuite de l'Église dans l'État.

On a vu un semblable succès de l'opinion de tuer pour des médisances. Car elle est aujourd'hui arrivée à une permission pareille, sans aucune distinction. Je ne m'arrêterais pas à vous en rapporter les passages de vos Pères, si cela n'était nécessaire pour confondre l'assurance que vous avez eue de dire deux fois dans votre 15e imposture, pages 26 et 30, *qu'il n'y a pas un Jésuite qui permette de tuer pour des médisances.* Quand vous dites cela, mes Pères, vous devriez empêcher que je ne le visse, puisqu'il m'est si facile d'y répondre. Car, outre que vos Pères Réginaldus, Filliutius, etc., l'ont permis dans la spéculation comme je l'ai déjà dit, et que de là le principe d'Escobar nous mène sûrement à la pratique, j'ai à vous dire de plus que vous avez plusieurs auteurs qui l'ont permis en mots propres, et entre autres le Père Héreau dans ses Leçons publiques, ensuite desquelles le roi le fit mettre en arrêt en votre maison, pour avoir enseigné, outre plusieurs erreurs, *Que quand celui qui nous décrie devant des gens d'honneur continue après l'avoir averti de cesser, il nous est permis de le tuer, non pas en public, de peur de scandale, mais en cachette,* SED CLAM.

Je vous ai déjà parlé du Père L'Amy, et vous n'ignorez pas que sa doctrine sur ce sujet a été censurée en 1649, par l'université de Louvain. Et néanmoins il n'y a pas encore deux mois que votre Père Des Bois a soutenu à Rouen cette doctrine censurée du Père L'Amy, et a enseigné *Qu'il est permis à un religieux de défendre l'honneur qu'il a acquis par sa vertu, même en tuant celui qui attaque sa réputation, etiam cum morte invasoris*. Ce qui a causé un tel scandale en cette ville-là, que tous les curés se sont unis pour lui faire imposer silence, et l'obliger à rétracter sa doctrine par les voies canoniques. L'affaire en est à l'Officialité.

Que voulez-vous donc dire, mes Pères? Comment entreprenez-vous de soutenir après cela qu'aucun *Jésuite n'est d'avis qu'on puisse tuer pour des médisances?* Et fallait-il autre chose pour vous en convaincre que les opinions mêmes de vos Pères que vous rapportez, puisqu'ils ne défendent pas spéculativement de tuer, mais seulement dans la pratique, *à cause du mal qui en arriverait à l'État?* Car je vous demande sur cela, mes Pères, s'il s'agit dans nos disputes d'autre chose, sinon d'examiner si vous avez renversé la loi de Dieu qui défend l'homicide. Il n'est pas question de savoir si vous avez blessé l'État, mais la Religion. A quoi sert-il donc, dans ce genre de dispute, de montrer que vous avez épargné l'État, quand vous faites voir en même temps que vous avez détruit la religion, en disant, comme vous faites, page 28, l. 3, *Que le sens de Reginaldus sur la question de tuer pour des médisances, est qu'un particulier a droit d'user de cette sorte de défense, la considérant simplement en elle-même?* Je n'en veux pas davantage que cet aveu pour vous confondre. *Un particulier*, dites-vous, *a droit d'user de cette défense*, c'est-à-dire de tuer pour des médisances, *en considérant la chose en elle-même;* et par conséquent, mes Pères, la loi de Dieu qui défend de tuer est ruinée par cette décision.

Et il ne sert de rien de dire ensuite, comme vous faites, *que cela est illégitime et criminel, même selon la loi de Dieu, à raison des meurtres et des désordres qui en arriveraient dans l'État, et qu'on est obligé, selon Dieu, d'avoir égard au bien de l'État*. C'est sortir de la question. Car, mes Pères, il y a deux lois à observer : l'une qui défend de tuer, l'autre qui défend de nuire à l'État. Reginaldus n'a pas peut-être violé la loi qui défend de nuire à l'État, mais il a violé certainement celle qui défend de tuer. Or, il ne s'agit ici que de celle-là seule. Outre que vos autres Pères qui ont permis ces meurtres dans la pratique, ont ruiné l'une aussi bien que l'autre. Mais allons plus avant, mes Pères. Nous voyons bien que vous défendez quelquefois de nuire à l'État, et vous dites que votre dessein en cela est d'observer la loi de Dieu qui oblige à le maintenir. Cela peut être véritable, quoiqu'il ne soit pas certain, puisque vous pourriez faire la même chose par la seule crainte des juges. Examinons donc, je vous prie, de quel principe part ce mouvement.

N'est-il pas vrai, mes Pères, que si vous regardiez véritablement Dieu, et que l'observation de sa loi fût le premier et principal objet de votre pensée, ce respect régnerait uniformément dans toutes vos décisions importantes, et vous engagerait à prendre dans toutes ces occasions l'intérêt de la religion? Mais si l'on voit au contraire que vous violez en tant de rencontres les ordres les plus saints que Dieu ait imposés aux hommes, quand il n'y a que sa loi à combattre et que, dans les occasions mêmes dont il s'agit, vous anéantissez la loi de Dieu, qui défend ces actions comme criminelles en elles-mêmes, et ne témoignez craindre de les approuver dans la pratique que par crainte des juges, ne nous donnez-vous pas sujet de juger que ce n'est point Dieu que vous considérez dans cette crainte; et que, si en apparence vous maintenez sa loi en ce qui regarde l'obligation de ne pas nuire à l'État, ce n'est pas pour sa loi même, mais pour arriver à vos fins, comme ont toujours fait les moins religieux politiques?

Quoi! mes Pères, vous nous direz qu'on a droit de tuer pour des médisances en ne regardant que la loi de Dieu qui défend l'homicide; et après avoir ainsi violé la loi éternelle de Dieu, vous croirez lever le scandale que vous avez causé, et nous persuader de votre respect envers lui, en ajoutant que vous en défendez la pratique pour des considérations d'État, et par la crainte des juges? N'est-ce pas au contraire exciter un scandale nouveau? non pas par le respect que vous témoignez en cela pour les juges : car ce n'est pas cela que je vous reproche, et vous vous jouez ridiculement là-dessus, page 29. Je ne vous reproche pas de craindre les juges, mais de craindre que les juges et non pas le juge des juges. C'est cela que je blâme; parce que c'est faire Dieu moins ennemi des crimes que les hommes. Si vous disiez qu'on peut tuer un médisant selon les hommes, mais non pas selon Dieu, cela serait moins insupportable; mais que ce qui est trop criminel pour être souffert par les hommes, soit innocent et juste aux yeux de Dieu, qui est la justice même, qu'est-ce faire autre chose, sinon montrer à tout le monde que, par cet horrible renversement si contraire à l'esprit des saints, vous êtes hardis contre Dieu, et timides envers les hommes? Si vous aviez voulu condamner sincèrement ces homicides, vous auriez laissé subsister l'ordre de Dieu qui les défend; et si vous aviez osé permettre d'abord ces homicides, vous les auriez permis ouvertement, malgré les lois de Dieu et des hommes. Mais, comme vous avez voulu les permettre insensiblement, et surprendre les magistrats qui veillent à la sûreté publique, vous avez agi finement en séparant vos maximes, et proposant d'un côté, qu'*il est permis, dans la spéculation, de tuer pour des médisances* (car on vous laisse examiner les choses dans la spéculation), et produisant, d'un autre côté, cette maxime détachée, *que ce qui est permis dans la spéculation l'est bien aussi dans la pratique.* Car quel intérêt l'État semble-t-il avoir dans cette proposition générale et métaphysique? Et ainsi, ces deux principes peu suspects étant reçus séparément, la vigilance des magistrats est trompée; puisqu'il ne faut plus que rassembler ces maximes pour en tirer cette conclusion où vous tendez, qu'on peut donc tuer dans la pratique pour de simples médisances.

Car c'est encore ici, mes Pères, une des plus subtiles adresses de votre politique, de séparer dans vos écrits les maximes que vous assemblez dans vos avis. C'est ainsi que vous avez établi à part votre doctrine de la probabilité, que j'ai souvent expliquée. Et ce principe général étant affermi, vous avancez séparément des choses qui, pouvant être innocentes d'elles-mêmes, deviennent horribles étant jointes à ce pernicieux principe. J'en donnerai pour exemple ce que vous avez dit page 11, dans vos Impostures, et à quoi il faut que je réponde : *Que plusieurs théologiens célèbres sont d'avis qu'on peut tuer pour un soufflet reçu.* Il est certain, mes Pères, que si une personne qui ne tient point la probabilité, avait dit cela, il n'y aurait rien à reprendre, puisqu'on ne ferait alors qu'un simple récit qui n'aurait aucune conséquence. Mais vous, mes Pères, et tous ceux qui tiennent cette dangereuse doctrine, *que tout ce qu'approuvent des auteurs célèbres, est probable et sûr en conscience*, quand vous ajoutez à cela *que plusieurs auteurs célèbres sont d'avis qu'on peut tuer pour un soufflet*, qu'est-ce faire autre chose, sinon de mettre à tous les chrétiens le poignard à la main pour tuer ceux qui les auront offensés, en leur déclarant qu'ils le peuvent faire en sûreté de conscience, parce qu'ils suivront en cela l'avis de tant d'auteurs graves?

Quel horrible langage qui, en disant que des auteurs tiennent une opinion damnable, est en même temps une décision en faveur de cette opinion damnable, et qui autorise en conscience tout ce qu'il ne fait que rapporter! On l'entend, mes Pères, ce langage de votre école. Et c'est une chose étonnante que vous ayez le front de le parler si haut, puisqu'il marque votre sentiment si à découvert, et vous convainc de tenir pour sûre en conscience cette opinion, *qu'on peut tuer pour un soufflet*, aussitôt que vous nous avez dit que plusieurs auteurs célèbres la soutiennent.

Vous ne pouvez vous en défendre, mes Pères, non plus que vous prévaloir des passages de Vasquez et de Suarez que vous m'opposez, où ils condamnent ces meurtres que leurs confrères approuvent. Ces témoignages, séparés du reste de votre doctrine, pourraient éblouir ceux qui ne l'entendent pas assez. Mais il faut joindre ensemble vos principes et vos maximes. Vous dites donc ici que Vasquez ne souffre point les meurtres. Mais que dites-vous d'un autre côté, mes Pères? *Que la probabilité d'un sentiment n'empêche pas la probabilité du sentiment contraire.* Et en un autre lieu, *qu'il est permis de suivre l'opinion la moins probable et la moins sûre, en quittant l'opinion la plus probable et la plus sûre?* Que s'ensuit-il de tout cela ensemble, sinon que nous avons une entière liberté de conscience pour suivre celui qui nous plaira de tous ces avis opposés? Que devient donc, mes Pères, le fruit que vous espériez de toutes ces citations? Il disparaît, puisqu'il ne faut pour votre condamnation que rassembler ces maximes, que vous séparez pour votre justification. Pourquoi produisez-vous donc ces passages de vos auteurs que je n'ai point cités, pour excuser ceux que j'ai cités, puisqu'ils n'ont rien de commun? Quel droit cela vous donne-t-il de m'appeler *imposteur?* Ai-je dit que tous vos Pères sont dans un même dérèglement? Et n'ai-je pas fait voir au contraire que votre principal intérêt est d'en avoir de tous avis pour servir à tous vos besoins? A ceux qui voudront tuer, on présentera Lessius; à ceux qui ne le voudront pas, on produira Vasquez, afin que personne ne sorte malcontent et sans avoir pour soi un auteur grave. Lessius parlera en païen de l'homicide, et peut-être en chrétien de l'aumône; Vasquez parlera en païen de l'aumône, et en chrétien de l'homicide. Mais par le moyen de la probabilité, que Vasquez et Lessius tiennent, et qui rend toutes vos opinions communes, ils se prêteront leurs sentiments les uns aux autres, et seront obligés d'absoudre ceux qui auront agi selon les opinions que chacun d'eux condamne. C'est donc cette variété qui vous confond davantage. L'uniformité serait plus supportable : et il n'y a rien de plus contraire aux ordres exprès de saint Ignace et de vos premiers généraux que ce mélange confus de toutes sortes d'opinions. Je vous en parlerai peut-être quelque jour, mes Pères, et on sera surpris de voir combien vous êtes déchus du premier esprit de votre institut, et que vos propres généraux ont prévu que le dérèglement de votre doctrine dans la morale pourrait être funeste non seulement à votre Société, mais encore à l'Église universelle.

Je vous dirai cependant que vous ne pouvez tirer aucun avantage de l'opinion de Vasquez. Ce serait une chose étrange, si, entre tant de Jésuites qui ont écrit, il n'y en avait pas un ou deux qui eussent dit ce que tous les chrétiens confessent. Il n'y a point de gloire à soutenir qu'on ne peut pas tuer pour un soufflet, selon l'Évangile; mais il y a une horrible honte à le nier. De sorte que cela vous justifie si peu, qu'il n'y a rien qui vous accable davantage; puisque, ayant eu parmi vous des docteurs qui vous ont dit la vérité, vous n'êtes pas demeurés dans la vérité, et que vous avez mieux aimé les ténèbres que la lumière. Car vous avez appris de Vasquez, *que c'est une opinion païenne, et non pas chrétienne, de dire qu'on puisse donner un coup de bâton à celui qui a donné un soufflet; que c'est ruiner le Décalogue et l'Évangile, de dire qu'on puisse tuer pour ce sujet, et que les plus scélérats d'entre les hommes le reconnaissent.* Et cependant vous avez souffert que, contre ces vérités connues, Lessius, Escobar et les autres aient décidé que toutes les défenses que Dieu a faites de l'homicide n'empêchent point qu'on ne puisse tuer pour un soufflet. A quoi sert-il donc maintenant de produire ce passage de Vasquez contre le sentiment de Lessius, sinon pour montrer que Lessius est *un païen et un scélérat*, selon Vasquez? et c'est ce que je n'osais dire. Qu'en peut-on conclure, si ce n'est que Lessius *ruine le Décalogue et l'Évangile?* Qu'au dernier jour Vasquez condamnera Lessius sur ce point, comme Lessius condamnera Vasquez sur un autre, et que tous vos auteurs s'élèveront en jugement les uns contre les autres pour se condamner réciproquement dans leurs effroyables excès contre la loi de JÉSUS-CHRIST?

Concluons donc, mes Pères, que puisque votre probabilité rend les bons sentiments de quelques-uns de vos auteurs inutiles à l'Église, et utiles seulement à votre politique, ils ne servent qu'à nous montrer par leur contrariété la duplicité de votre cœur, que vous nous avez parfaitement découverte en nous déclarant d'une part que Vasquez et Suarez sont contraires à l'homicide, et de l'autre que plusieurs auteurs célèbres sont pour l'homicide, afin d'offrir deux chemins aux hommes, en détruisant la simplicité de l'Esprit de Dieu, qui maudit ceux qui sont doubles de cœur et qui se préparent deux voies : *Vae duplici corde et ingredienti duabus viis!*

QUATORZIÈME LETTRE
ÉCRITE PAR L'AUTEUR DES LETTRES AU PROVINCIAL
AUX RÉVÉRENDS PÈRES JÉSUITES

Du 23 octobre 1656.

Mes révérends Pères,

Si je n'avais qu'à répondre aux trois impostures qui restent sur l'homicide, je n'aurais pas besoin d'un long discours, et vous les verrez ici réfutées en peu de mots; mais comme je trouve bien plus important de donner au monde de l'horreur de vos opinions sur ce sujet que de justifier la fidélité de mes citations, je serai obligé d'employer la plus grande partie de cette lettre à la réfutation de vos maximes, pour vous représenter combien vous êtes éloignés des sentiments de l'Église et même de la nature. Les permissions de tuer que vous accordez en tant de rencontres, font paraître qu'en cette matière vous avez tellement oublié la loi de Dieu, et tellement éteint les lumières naturelles, que vous avez besoin qu'on vous remette dans les principes les plus simples de la religion et du sens commun. Car qu'y a-t-il de plus naturel que ce sentiment : *Qu'un particulier n'a pas droit sur la vie d'un autre? Nous en sommes tellement instruits de nous-mêmes*, dit saint Chrysostome, *que quand Dieu a établi le précepte de ne point tuer, il n'a pas ajouté que c'est à cause que l'homicide est un mal;* parce, dit ce Père, *que la loi suppose qu'on a déjà appris cette vérité de la nature.*

Aussi ce commandement a été imposé aux hommes dans tous les temps : l'Évangile a confirmé celui de la loi, et le décalogue n'a fait que renouveler celui que les hommes avaient reçu de Dieu avant la loi en la personne de Noé, dont tous les hommes devaient naître. Car dans ce renouvellement du monde, Dieu dit à ce patriarche : *Je demanderai compte aux hommes de la vie des hommes, et au frère de la vie de son frère. Quiconque versera le sang humain, son sang sera répandu; parce que l'homme est créé à l'image de Dieu.*

Cette défense générale ôte aux hommes tout pouvoir sur la vie des hommes. Et Dieu se l'est tellement réservé à lui seul que, selon la vérité chrétienne, opposée en cela aux fausses maximes du paganisme, l'homme n'a pas même pouvoir sur sa propre vie. Mais parce qu'il a plu à sa providence de conserver les sociétés des hommes, et de punir les méchants qui les troublent, il a établi lui-même des lois pour ôter la vie aux criminels; et ainsi ces meurtres, qui seraient des attentats punissables sans son ordre, deviennent des punitions louables par son ordre, hors duquel il n'y a rien que d'injuste. C'est ce que saint Augustin a représenté admirablement au 1er l. de la Cité de Dieu, ch. 21 : *Dieu*, dit-il, *a fait lui-même quelques exceptions à cette défense générale de tuer, soit par les lois qu'il a établies pour faire mourir les criminels, soit par les ordres particuliers qu'il a donnés quelquefois pour faire mourir quelques personnes. Et quand on tue en ces cas-là, ce n'est pas l'homme qui tue, mais Dieu, dont l'homme n'est que l'instrument, comme une épée entre les mains de celui qui s'en sert. Mais si on excepte ces cas, quiconque tue se rend coupable d'homicide.*

Il est donc certain, mes Pères, que Dieu seul a le droit d'ôter la vie, et que néanmoins, ayant établi des lois pour faire mourir les criminels, il a rendu les rois ou les républiques dépositaires de ce pouvoir. Et c'est ce que saint Paul nous apprend, lorsque, parlant du droit que les souverains ont de faire mourir les hommes, il le fait descendre du ciel, en disant : *Que ce n'est pas en vain qu'ils portent l'épée, parce qu'ils sont ministres de Dieu, pour exécuter ses vengeances contre les coupables.*

Mais comme c'est Dieu qui leur a donné ce droit, il les oblige à l'exercer ainsi qu'il le ferait lui-même, c'est-à-dire avec justice, selon cette parole de saint Paul au même lieu : *Les princes ne sont pas établis pour se rendre terribles aux bons, mais aux méchants. Qui veut n'avoir point sujet de redouter leur puissance, n'a qu'à bien faire; car ils sont ministres de Dieu pour le bien.* Et cette restriction rabaisse si peu leur puissance, qu'elle la relève au contraire beaucoup davantage; parce que c'est la rendre semblable à celle de Dieu, qui est impuissant pour faire le mal, et tout-puissant pour faire le bien; et que c'est la distinguer de celle des démons, qui sont impuissants pour le bien, et n'ont de puissance que pour le mal. Il y a seulement cette différence entre Dieu et les souverains, que Dieu étant la justice et la sagesse même, il peut faire mourir sur le champ qui il lui plaît, quand il lui plaît, et en la manière qu'il lui plaît. Car, outre qu'il est le maître souverain de la vie des hommes, il ne peut la leur ôter ni sans cause, ni sans connaissance, puisqu'il est aussi incapable d'injustice que d'erreur. Mais les princes ne peuvent pas agir de la sorte, parce qu'ils sont tellement ministres de Dieu, qu'ils sont hommes néanmoins, et non pas dieux. Les mauvaises impressions les pourraient surprendre : les faux soupçons les pourraient aigrir : la passion les pourrait emporter; et c'est ce qui les a engagés eux-mêmes à descendre dans les moyens humains, et à établir dans leurs États des juges auxquels ils ont communiqué ce pouvoir, afin que cette autorité que Dieu leur a donnée, ne soit employée que pour la fin pour laquelle ils l'ont reçue.

Concevez donc, mes Pères, que, pour être exempts d'homicide, il faut agir tout ensemble et par l'autorité de Dieu, et selon la justice de Dieu; et que, si ces deux conditions ne sont jointes, on pèche, soit en tuant avec son autorité, mais sans justice; soit en tuant avec justice, mais sans son autorité. De la nécessité de cette union il arrive, selon saint Augustin, *que celui qui, sans autorité tue un criminel se rend criminel lui-même, par cette raison principale qu'il usurpe une autorité que Dieu ne lui a pas donnée;* et les juges au contraire, qui ont cette autorité, sont néanmoins homicides, s'ils font mourir un innocent contre les lois qu'ils doivent suivre.

Voilà, mes Pères, les principes du repos et de la sûreté publique, qui ont été reçus dans tous les temps et dans tous les lieux, et sur lesquels tous les législateurs du monde, saints et profanes, ont établi leurs lois, sans que jamais les païens mêmes aient apporté d'exception à cette règle, sinon lorsqu'on ne peut autrement éviter la perte de la pudicité ou de la vie; parce qu'ils ont pensé *qu'alors*, comme dit Cicéron, *les lois mêmes semblent offrir leurs armes à ceux qui sont dans une telle nécessité.*

Mais que, hors cette occasion, dont je ne parle point ici, il y ait jamais eu de loi qui ait permis aux particuliers de tuer, et qui l'ait souffert, comme vous faites, pour se garantir d'un affront, et pour éviter la perte de l'honneur ou du bien, quand on n'est point en même temps en péril de la vie; c'est, mes Pères, ce que je soutiens que jamais les infidèles mêmes n'ont fait. Ils l'ont au contraire défendu expressément. Car la loi des 12 Tables de Rome portait : *Qu'il n'est pas permis de tuer un voleur de jour, qui ne se défend point avec des armes.* Ce qui avait déjà été défendu dans l'Exode, c. 22. Et la loi *Furem, ad Legem Corneliam*, qui est prise d'Ulpien, *défend de tuer même les voleurs de nuit, qui ne nous mettent pas en péril de mort.* Voyez-le dans Cujas, in tit. dig. *de Justit. et Jure*, ad l. 3.

Dites-nous donc, mes Pères, par quelle autorité vous permettez ce que les lois divines et humaines défendent, et par quel droit Lessius a pu dire, l. 2, c. 9, n. 66 et 72 : *L'Exode défend de tuer les voleurs de jour qui ne se défendent pas avec des armes, et on punit en justice ceux qui tueraient de cette sorte. Mais néanmoins on n'en serait pas coupable en conscience, lorsqu'on n'est pas certain de pouvoir recouvrer ce qu'on nous dérobe, et qu'on est en doute, comme dit Sotus; parce qu'on n'est pas obligé de s'exposer au péril de perdre quelque chose pour sauver un voleur. Et tout cela est encore permis aux ecclésiastiques mêmes.* Quelle étrange hardiesse! La loi de Moïse punit ceux qui tuent les voleurs, lorsqu'ils n'attaquent pas notre vie, et la loi de l'Évangile, selon vous, les absoudra! Quoi! mes Pères, JÉSUS-CHRIST est-il venu pour détruire la loi, et non pas pour l'accomplir? *Les juges puniraient*, dit Lessius, *ceux qui tueraient en cette occasion; mais on n'en serait pas coupable en conscience.* Est-ce donc que la morale de JÉSUS-CHRIST est plus cruelle et moins ennemie du meurtre que celle des païens, dont les juges ont pris ces lois civiles qui le condamnent? Les chrétiens font-ils plus d'état des biens de la terre, ou font-ils moins d'état de la vie des hommes, que n'en ont fait les idolâtres et les infidèles? Sur quoi vous fondez-vous, mes Pères? Ce n'est sur aucune loi expresse ni de Dieu ni des hommes, mais seulement sur ce raisonnement étrange : *Les lois*, dites-vous, *permettent de se défendre contre les voleurs, et de repousser la force par la force. Or la défense étant permise, le meurtre est aussi réputé permis, sans quoi la défense serait souvent impossible.*

Il est faux, mes Pères, que la défense étant permise, le meurtre, soit aussi permis. C'est cette cruelle manière de se défendre qui est la source de toutes vos erreurs, et qui est appelée, par la Faculté de Louvain, UNE DÉFENSE MEURTRIÈRE, *defensio occisiva*, dans la censure de la doctrine de votre P. L'Amy sur l'homicide. Je vous soutiens donc qu'il y a tant de différence, selon les lois, entre tuer et se défendre, que, dans les mêmes occasions où la défense est permise, le meurtre est défendu quand on n'est point en péril de mort. Écoutez-le, mes Pères, dans Cujas, au même lieu : *Il est permis de repousser celui qui vient pour s'emparer de notre possession*, MAIS IL N'EST PAS PERMIS DE LE TUER. Et encore : *Si quelqu'un vient pour nous frapper, et non pas pour nous tuer, il est bien permis de le repousser*, MAIS IL N'EST PAS PERMIS DE LE TUER.

Qui vous a donc donné le pouvoir de dire, comme font Molina, Reginaldus, Filliutius, Escobar, Lessius et les autres : *Il est permis de tuer celui qui vient pour nous frapper;* et ailleurs : *Il est permis de tuer celui qui veut nous faire un affront, selon l'avis de tous les casuistes, Ex sententia omnium*, comme dit Lessius, n. 74? Par quelle autorité, vous qui n'êtes que des particuliers, donnez-vous ce pouvoir de tuer aux particuliers et aux religieux mêmes? Et comment osez-vous usurper ce droit de vie et de mort, qui n'appartient essentiellement qu'à Dieu, et qui est la plus glorieuse marque de la puissance souveraine? C'est sur cela qu'il fallait répondre; et vous pensez y avoir satisfait, en disant simplement dans votre 13e imposture, *que la valeur pour laquelle Molina permet de tuer un voleur qui s'enfuit sans nous faire aucune violence, n'est pas aussi petite que j'ai dit, et qu'il faut qu'elle soit plus grande que six ducats.* Que cela est faible, mes Pères! Où voulez-vous la déterminer? A 15 ou 16 ducats? Je ne vous en ferai pas moins de reproches. Au moins vous ne sauriez dire qu'elle passe la valeur d'un cheval; car Lessius, l. 2, c. 9, n. 74, décide nettement *qu'il est permis de tuer un voleur qui s'enfuit avec notre cheval.* Mais je vous dis de plus, que selon Molina cette valeur est déterminée à 6 ducats, comme je l'ai rapporté, et, si vous n'en voulez pas demeurer d'accord, prenons un arbitre que vous ne puissiez refuser. Je choisis donc pour cela votre Père Reginaldus, qui, expliquant ce même lieu de Molina, l. 21, n. 68, déclare *que Molina y* DÉTERMINE *la valeur pour laquelle il n'est pas permis de tuer*, à 3, *ou* 4, *ou* 5 *ducats.* Et ainsi, mes Pères, je n'aurai pas seulement Molina, mais encore Reginaldus.

Il ne me sera pas moins facile de réfuter votre 14e imposture, touchant la permission *de tuer un voleur qui nous veut ôter un écu*, selon Molina. Cela est si constant, qu'Escobar vous le témoignera, tr. 1, ex. 7, n. 44, où il dit que *Molina détermine régulièrement la valeur pour laquelle on peut tuer, à un écu.* Aussi vous me reprochez seulement, dans la 14e imposture, que j'ai supprimé les dernières paroles de ce passage : *Que l'on doit garder en cela la modération d'une juste défense.* Que ne vous plaignez-vous donc aussi de ce qu'Escobar ne les a point exprimées? Mais que vous êtes peu fins! Vous croyez qu'on n'entend pas ce que c'est, selon vous, que se défendre. Ne savons-nous pas que c'est user *d'une défense meurtrière?* Vous voulez faire entendre que Molina a voulu dire par là, que quand on se trouve en péril de la vie en gardant son écu, alors on peut tuer, puisque c'est pour défendre sa vie. Si cela était vrai, mes Pères, pourquoi Molina dirait-il, au même lieu : *Qu'il est contraire en cela à Carrerus et Bald*, qui permettent de tuer pour sauver sa vie? Je vous déclare donc qu'il entend simplement que, si l'on peut garder son écu sans tuer le voleur, on ne doit pas le tuer; mais que, si l'on ne peut le garder qu'en tuant, encore même qu'on ne coure nul risque de la vie, comme si le voleur n'a point d'armes, qu'il est permis d'en prendre et de le tuer pour garder son écu; et qu'en cela on ne sort point, selon lui, de la modération d'une juste défense. Et pour vous le montrer, laissez-le s'expliquer lui-même, tom. 4, tr. 3, d. 11, n. 5 : *On ne laisse pas de demeurer dans la modération d'une juste défense, quoi qu'on prenne des armes contre ceux qui n'en ont point ou qu'on en prenne de plus avantageuses qu'eux. Je sais qu'il y en a qui sont d'un sentiment contraire ; mais je n'approuve point leur opinion, même dans le tribunal extérieur.*

Aussi, mes Pères, il est constant que vos auteurs permettent de tuer pour la défense de son bien et de son honneur, sans qu'on soit en aucun péril de sa vie. Et c'est par ce même principe qu'ils autorisent les duels, comme je l'ai fait voir par tant de passages, sur lesquels vous n'avez rien répondu. Vous n'attaquez dans vos écrits qu'un seul passage de votre Père Layman, qui le permet, *lorsque autrement on serait en péril de perdre sa fortune ou son honneur ;* et vous dites que j'ai supprimé ce qu'il ajoute. *Que ce cas-là est fort rare.* Je vous admire, mes Pères; voilà de plaisantes impostures que vous me reprochez! Il est bien question de savoir si ce cas-là est rare! Il s'agit de savoir si le duel y est permis! Ce sont deux questions séparées. Layman, en qualité de casuiste, doit juger si le duel y est permis, et il déclare que oui. Nous jugerons bien sans lui si ce cas-là est rare, et nous lui déclarerons qu'il est fort ordinaire. Et si vous aimez mieux en croire votre bon ami Diana, il vous dira *qu'il est fort commun*, part. 5, tr. 14, misc. 2, résol. 99. Mais qu'il soit rare ou non, et que Layman suive en cela Navarre, comme vous le faites tant valoir, n'est-ce pas une chose abominable qu'il consente à cette opinion : que, pour conserver un faux honneur, il soit permis en conscience d'accepter un duel, contre les édits de tous les États chrétiens et contre tous les canons de l'Église, sans que vous ayez encore ici, pour autoriser toutes ces maximes diaboliques, ni loi, ni canons, ni autorités de l'Écriture ou des Pères, ni exemple d'aucun saint, mais seulement ce raisonnement impie : *L'honneur est plus cher que la vie. Or, il est permis de tuer pour défendre sa vie. Donc il est permis de tuer pour défendre son honneur?* Quoi! mes Pères, parce que le dérèglement des hommes leur a fait aimer ce faux honneur plus que la vie que Dieu leur a donnée pour le servir, il leur sera permis de tuer pour le conserver! C'est cela même qui est un mal horrible, d'aimer cet honneur-là plus que la vie. Et cependant cette attache vicieuse, qui serait capable de souiller les actions les plus saintes, si on les rapportait à cette fin, sera capable de justifier les plus criminelles, parce qu'on les rapporte à cette fin! Quel renversement, mes Pères! et qui ne voit à quels excès il peut conduire?

Car enfin il est visible qu'il portera jusqu'à tuer pour les moindres choses, quand on mettra son honneur à les conserver; je dis même jusqu'à tuer *pour une pomme.* Vous vous plaindriez de moi, mes Pères, et vous diriez que je tire de votre doctrine des conséquences malicieuses, si je n'étais appuyé sur l'autorité du grave Lessius, qui parle ainsi, n. 68 : *Il n'est pas permis de tuer pour conserver une chose de petite valeur, comme pour un écu,* OU POUR UNE POMME, AUT PRO POMO, *si ce n'est qu'il nous fût honteux de la perdre. Car alors on peut la reprendre, et même tuer, s'il est nécessaire, pour la ravoir, Et si opus est, occidere ; parce que ce n'est pas tant défendre son bien que son honneur.* Cela est net, mes Pères. Et pour finir votre doctrine par une maxime qui comprend toutes les autres, écoutez celle-ci de votre Père Hereau, qui l'avait prise de Lessius : *Le droit de se défendre s'étend à tout ce qui est nécessaire pour nous garder de toute injure.*

Que d'étranges suites enfermées dans ce principe inhumain, et combien tout le monde est-il obligé de s'y opposer, et surtout les personnes publiques! Ce n'est pas seulement l'intérêt général qui les y engage, mais encore le leur propre, puisque vos casuistes cités dans mes lettres étendent leurs permissions de tuer jusqu'à eux. Et ainsi les factieux qui craindront la punition de leurs attentats, lesquels ne leur paraissent jamais injustes, se persuadant aisément qu'on les opprime par violence, croiront en même temps *que le droit de se défendre s'étend à tout ce qui leur est nécessaire pour se garder de toute injure.* Ils n'auront plus à vaincre les remords de la conscience, qui arrêtent la plupart des crimes dans leur naissance, et ne penseront plus qu'à surmonter les obstacles du dehors.

Je ne parlerai point ici, mes Pères, des meurtres que vous avez permis, qui sont encore plus abominables et plus importants aux États que tous ceux-ci, dont Lessius traite si ouvertement dans les doutes 4 et 10, aussi bien que tant d'autres de vos auteurs. Il serait à désirer que ces horribles maximes ne fussent jamais sorties de l'enfer, et que le diable, qui en est le premier auteur, n'eût jamais trouvé des hommes assez dévoués à ses ordres pour les publier parmi les chrétiens.

Il est aisé de juger par tout ce que j'ai dit jusques ici combien le relâchement de vos opinions est contraire à la sévérité des lois civiles, et mêmes païennes. Que sera-ce donc si on les compare avec les lois ecclésiastiques, qui doivent être incomparablement plus saintes, puisqu'il n'y a que l'Église qui connaisse et qui possède la véritable sainteté? Aussi cette chaste Épouse du Fils de Dieu, qui, à l'imitation de son Époux, sait bien répandre son sang pour les autres, mais non pas répandre pour elle celui des autres, a une horreur toute particulière pour le meurtre, et proportionnée aux lumières particulières que Dieu lui a communiquées. Elle considère les hommes non seulement comme hommes, mais comme images du Dieu qu'elle adore. Elle a pour chacun d'eux un saint respect, qui les lui rend tous vénérables, comme rachetés d'un prix infini, pour être faits les temples du Dieu vivant. Et ainsi elle croit que la mort d'un homme que l'on tue sans l'ordre de son Dieu, n'est pas seulement un homicide, mais un sacrilège, qui la prive d'un de ses membres; puisque, soit qu'il soit fidèle, soit qu'il ne le soit pas, elle le considère toujours, ou comme étant l'un de ses enfants, ou comme étant capable de l'être.

Ce sont, mes Pères, ces raisons toutes saintes qui, depuis que Dieu s'est fait homme pour le salut des hommes, ont rendu leur condition si considérable à l'Église, qu'elle a toujours puni l'homicide qui les détruit, comme un des plus grands attentats, qu'on puisse commettre contre Dieu. Je vous en rapporterai quelques exemples, non pas dans la pensée que toutes ces sévérités doivent être gardées : je sais que l'Église peut disposer diversement de cette discipline extérieure; mais pour faire entendre quel est son esprit immuable sur ce sujet. Car les pénitences qu'elle ordonne pour le meurtre, peuvent être différentes selon la diversité des temps; mais l'horreur qu'elle a pour le meurtre, ne peut jamais changer par le changement des temps.

L'Église a été longtemps à ne réconcilier qu'à la mort ceux qui étaient coupables d'un homicide volontaire, tels que sont ceux que vous permettez. Le célèbre concile d'Ancyre les soumet à la pénitence durant toute leur vie : et l'Église a cru depuis être assez indulgente envers eux en réduisant ce temps à un très grand nombre d'années. Mais, pour détourner encore davantage les chrétiens des homicides volontaires, elle a puni très sévèrement ceux mêmes qui étaient arrivés par imprudence, comme on peut voir dans saint Basile, dans saint Grégoire de Nysse, dans les décrets du pape Zacharie et d'Alexandre II. Les canons rapportés par Isaac, évêque de Langres, t. 2, c. 13, *ordonnent* 7 *ans de pénitence pour avoir tué en se défendant.* Et on voit que saint Hildebert, évêque du Mans, répondit à Yves de Chartres : *Qu'il a eu raison d'interdire un prêtre pour toute sa vie, qui avait tué un voleur d'un coup de pierre pour se défendre.*

N'ayez donc plus la hardiesse de dire que vos décisions sont conformes à l'esprit et aux canons de l'Église. On vous défie d'en montrer aucun qui permette de tuer pour défendre son bien seulement : car je ne parle pas des occasions où on aurait à défendre aussi sa vie, SE SUAQUE LIBERANDO. Vos propres auteurs confessent qu'il n'y en a point, comme entre autres votre Père L'Amy, tom. 5, disput. 36, num. 136. *Il n'y a*, dit-il, *aucun droit divin ni humain qui permette expressément de tuer un voleur qui ne se défend pas.* Et c'est néanmoins ce que vous permettez expressément. On vous défie d'en montrer aucun qui permette de tuer pour l'honneur, pour un soufflet, pour une injure et une médisance. On vous défie d'en montrer aucun qui permette de tuer les témoins, les juges et les magistrats, quelque injustice qu'on en appréhende. Son esprit est entièrement éloigné de ces maximes séditieuses, qui ouvrent la porte aux soulèvements auxquels les peuples sont si naturellement portés. Elle a toujours enseigné à ses enfants qu'on ne doit point rendre le mal pour le mal : qu'il faut céder à la colère; ne point résister à la violence; rendre à chacun ce qu'on lui doit, honneur, tribut, soumission; obéir aux magistrats et aux supérieurs, même injustes; parce qu'on doit toujours respecter en eux la puissance de Dieu, qui les a établis sur nous. Elle leur défend encore plus fortement que les lois civiles, de se faire justice à eux-mêmes; et c'est par son esprit que les rois chrétiens ne se la font pas dans les crimes mêmes de lèse-majesté au premier chef, et qu'ils remettent les criminels entre les mains des juges pour les faire punir selon les lois et dans les formes de la justice, qui sont si contraires à votre conduite, que l'opposition qui s'y trouve vous fera rougir. Car, puisque ce discours m'y porte, je vous prie de suivre cette comparaison entre la manière dont on peut tuer ses ennemis, selon vous, et celle dont les juges font mourir les criminels.

Tout le monde sait, mes Pères, qu'il n'est jamais permis aux particuliers de demander la mort de personne; et que, quand un homme nous aurait ruinés, estropiés, brûlé nos maisons, tué notre père, et qu'il se disposerait encore à nous assassiner et à nous perdre d'honneur, on n'écouterait point en justice la demande que nous ferions de sa mort. De sorte qu'il a fallu établir des personnes publiques qui la demandent de la part du roi, ou plutôt de la part de Dieu. A votre avis, mes Pères, est-ce par grimace et par feinte que les juges chrétiens ont établi ce règlement? Et ne l'ont-ils pas fait pour proportionner les lois civiles à celles de l'Évangile; de peur que la pratique extérieure de la justice ne fût contraire aux sentiments intérieurs que des chrétiens doivent avoir? On voit assez combien ce commencement des voies de la justice vous confond; mais le reste vous accablera.

Supposez donc, mes Pères, que ces personnes publiques demandent la mort de celui qui a commis tous ces crimes; que fera-t-on là-dessus? Lui portera-t-on incontinent le poignard dans le sein? Non, mes Pères; la vie des hommes est trop importante; on y agit avec plus de respect; les lois ne l'ont pas soumise à toutes sortes de personnes, mais seulement aux juges dont on a examiné la probité et la suffisance. Et croyez-vous qu'un seul suffise pour condamner un homme à mort? Il en faut sept pour le moins, mes Pères. Il faut que de ces sept, il n'y en ait aucun qui ait été offensé par le criminel, de peur que la passion n'altère ou ne corrompe son jugement. Et vous savez, mes Pères, qu'afin que leur esprit soit aussi plus pur, on observe encore de donner les heures du matin à ces fonctions. Tant on apporte de soin pour les préparer à une action si grande, où ils tiennent la place de Dieu, dont ils sont les ministres, pour ne condamner que ceux qu'il condamne lui-même.

Et c'est pourquoi, afin d'y agir comme fidèles dispensateurs de cette puissance divine, d'ôter la vie aux hommes, ils n'ont la liberté de juger que selon les dépositions des témoins, et selon toutes les autres formes qui leur sont prescrites; ensuite desquelles ils ne peuvent en conscience prononcer que selon les lois, ni juger dignes de mort que ceux que les lois y condamnent. Et alors, mes Pères, si l'ordre de Dieu les oblige d'abandonner au supplice les corps de ces misérables, le même ordre de Dieu les oblige de prendre soin de leurs âmes criminelles; et c'est même parce qu'elles sont criminelles qu'ils sont plus obligés à en prendre soin; de sorte qu'on ne les envoie à la mort qu'après leur avoir donné moyen de pourvoir à leur conscience. Tout cela est bien pur et bien innocent; et néanmoins l'Église abhorre tellement le sang, qu'elle juge encore incapables du ministère de ses autels ceux qui auraient assisté à un arrêt de mort, quoique accompagné de toutes ces circonstances si religieuses : par où il est aisé de concevoir quelle idée l'Église a de l'homicide.

Voilà, mes Pères, de quelle sorte on dispose en justice de la vie des hommes : voyons maintenant comment vous en disposez. Dans vos nouvelles lois, il n'y a qu'un juge, et ce juge est celui-là même qui est offensé. Il est tout ensemble le juge, la partie et le bourreau. Il se demande à lui-même la mort de son ennemi; il l'ordonne, il l'exécute sur-le-champ; et, sans respect ni du corps ni de l'âme de son frère, il tue et damne celui pour qui JÉSUS-CHRIST est mort, et tout cela pour éviter un soufflet, ou une médisance, ou une parole outrageuse, ou d'autres offenses semblables, pour lesquelles un juge, qui a l'autorité légitime, serait criminel d'avoir condamné à la mort ceux qui les auraient commises; parce que les lois sont très éloignées de les y condamner. Et enfin, pour comble de ces excès, on ne contracte ni péché, ni irrégularité, en tuant de cette sorte, sans autorité et contre les lois, quoiqu'on soit religieux, et même prêtre. Où en sommes-nous, mes Pères? Sont-ce des religieux et des prêtres qui parlent de cette sorte? Sont-ce des chrétiens? Sont-ce des Turcs? Sont-ce des hommes? Sont-ce des démons? Et sont-ce là des *mystères révélés par l'Agneau à ceux de sa Société*, ou des abominations suggérées par le Dragon à ceux qui suivent son parti?

Car enfin, mes Pères, pour qui voulez-vous qu'on vous prenne : pour des enfants de l'Évangile, ou pour des ennemis de l'Évangile? On ne peut être que d'un parti ou de l'autre, il n'y a point de milieu. *Qui n'est point avec Jésus-Christ, est contre lui.* Ces deux genres d'hommes partagent tous les hommes. Il y a deux peuples et deux mondes répandus sur toute la terre, selon saint Augustin : le monde des enfants de Dieu, qui forme un corps dont Jésus-Christ est le chef et le roi; et le monde ennemi de Dieu, dont le diable est le chef et le roi. Et c'est pourquoi Jésus-Christ est appelé le roi et le Dieu du monde; parce qu'il a partout des sujets et des adorateurs; et le diable est aussi appelé dans l'Écriture le prince du monde et le dieu de ce siècle, parce qu'il a partout des suppôts et des esclaves. Jésus-Christ a mis dans l'Église, qui est son empire, les lois qu'il lui a plu, selon sa sagesse éternelle; et le diable a mis dans le monde, qui est son royaume, les lois qu'il a voulu y établir. Jésus-Christ a mis l'honneur à souffrir; le diable à ne point souffrir. Jésus-Christ a dit à ceux qui reçoivent un soufflet de tendre l'autre joue; et le diable a dit à ceux à qui on veut donner un soufflet de tuer ceux qui voudront leur faire cette injure. Jésus-Christ déclare heureux ceux qui participent à son ignominie, et le diable déclare malheureux ceux qui sont dans l'ignominie. Jésus-Christ dit : Malheur à vous, quand les hommes diront du bien de vous! Et le diable dit : Malheur à ceux dont le monde ne parle pas avec estime!

Voyez donc maintenant, mes Pères, duquel de ces

deux royaumes vous êtes. Vous avez ouï le langage de la ville de paix, qui s'appelle le Hiérusalem mystique, et vous avez ouï le langage de la ville de trouble, que l'Écriture appelle *la spirituelle Sodome :* lequel de ces deux langages entendez-vous? lequel parlez-vous? Ceux qui sont à Jésus-Christ ont les mêmes sentiments que Jésus-Christ, selon saint Paul; et ceux qui sont enfants du diable, *ex patre diabolo*, qui a été homicide dès le commencement du monde, suivent les maximes du diable, selon la parole de Jésus-Christ. Écoutons donc le langage de votre école, et demandons à vos auteurs : Quand on nous donne un soufflet, doit-on l'endurer plutôt que de tuer celui qui le veut donner? ou bien est-il permis de tuer pour éviter cet affront? *Il est permis*, disent Lessius, Molina, Escobar, Reginaldus, Filliutius, Baldellus, et autres Jésuites, *de tuer celui qui nous veut donner un soufflet*. Est-ce là le langage de Jésus-Christ? Répondez-nous encore. Serait-on sans honneur en souffrant un soufflet sans tuer celui qui l'a donné? *N'est-il pas véritable*, dit Escobar, *que, tandis qu'un homme laisse vivre celui qui lui a donné un soufflet, il demeure sans honneur?* Oui, mes Pères, *sans cet honneur*, que le diable a transmis de son esprit superbe en celui de ses superbes enfants. C'est cet honneur qui a toujours été l'idole des hommes possédés par l'esprit du monde. C'est pour se conserver cette gloire, dont le démon est le véritable distributeur, qu'ils lui sacrifient leur vie par la fureur des duels à laquelle ils s'abandonnent, leur honneur par l'ignominie des supplices auxquels ils s'exposent, et leur salut par le péril de la damnation auquel ils s'engagent, et qui les a fait priver de la sépulture même, par les canons ecclésiastiques. Mais on doit louer Dieu de ce qu'il a éclairé l'esprit du roi par des lumières plus pures que celles de votre théologie. Ses édits si sévères sur ce sujet n'ont pas fait que le duel fût un crime; ils n'ont fait que punir le crime qui est inséparable du duel. Il a arrêté par la crainte de la rigueur de sa justice ceux qui n'étaient pas arrêtés par la crainte de la justice de Dieu; et sa piété lui a fait connaître que l'honneur des chrétiens consiste dans l'observation des ordres de Dieu et des règles du christianisme, et non pas dans ce fantôme d'honneur que vous prétendez, tout vain qu'il soit, être une excuse légitime pour les meurtres. Ainsi vos décisions meurtrières sont maintenant en aversion à tout le monde, et vous seriez mieux conseillés de changer de sentiments, si ce n'est par principe de religion, au moins par maxime de politique. Prévenez, mes Pères, par une condamnation volontaire de ces opinions inhumaines, les mauvais effets qui en pourraient naître, et dont vous seriez responsables. Et pour concevoir plus d'horreur de l'homicide, souvenez-vous que le premier crime des hommes corrompus a été un homicide en la personne du premier juste; que leur plus grand crime a été un homicide en la personne du chef de tous les justes; et que l'homicide est le seul crime qui détruit tout ensemble l'État, l'Église, la nature et la pitié.

Je viens de voir la réponse de votre Apologiste à la treizième lettre. Mais s'il ne répond pas mieux à celle-ci, qui satisfait à la plupart de ses difficultés, il ne méritera pas de réplique. Je le plains de le voir sortir à toute heure hors du sujet, pour s'étendre en des calomnies et des injures contre les vivants et contre les morts. Mais, pour donner créance aux mémoires que vous lui fournissez, vous ne deviez pas lui faire désavouer publiquement une chose aussi publique qu'est le soufflet de Compiègne. Il est constant, mes Pères, par l'aveu de l'offensé, qu'il a reçu sur sa joue un coup de la main d'un Jésuite; et tout ce qu'ont pu faire vos amis a été de mettre en doute s'il l'a reçu de l'avant-main ou de l'arrière-main, et d'agiter la question si un coup de revers de la main sur la joue doit être appelé soufflet ou non. Je ne sais à qui il appartient d'en décider; mais je crois cependant que c'est au moins un soufflet probable. Cela me met en sûreté de conscience.

QUINZIÈME LETTRE
ÉCRITE PAR L'AUTEUR DES LETTRES AU PROVINCIAL
AUX RÉVÉRENDS PÈRES JÉSUITES

Du 25 novembre 1656.

Mes révérends Pères,

Puisque vos impostures croissent tous les jours, et que vous vous en servez pour outrager si cruellement toutes les personnes de piété qui sont contraires à vos erreurs, je me sens obligé, pour leur intérêt et pour celui de l'Église, de découvrir un mystère de votre conduite, que j'ai promis il y a longtemps, afin qu'on puisse reconnaître, par vos propres maximes, quelle foi l'on doit ajouter à vos accusations et à vos injures.

Je sais que ceux qui ne vous connaissent pas assez ont peine à se déterminer sur ce sujet, parce qu'ils se trouvent dans la nécessité, ou de croire les crimes incroyables dont vous accusez vos ennemis, ou de vous tenir pour des imposteurs, ce qui leur paraît aussi incroyable. Quoi! disent-ils, si ces choses-là n'étaient, des religieux les publieraient-ils, et voudraient-ils renoncer à leur conscience, et se damner par ces calomnies? Voilà la manière dont ils raisonnent : et ainsi les preuves visibles par lesquelles on ruine vos faussetés, rencontrant l'opinion qu'ils ont de votre sincérité, leur esprit demeure en suspens entre l'évidence de la vérité qu'ils ne peuvent démentir, et le devoir de la charité qu'ils appréhendent de blesser. De sorte que, comme la seule chose qui les empêche de rejeter vos médisances est l'estime qu'ils ont de vous, si on leur fait entendre que vous n'avez pas de la calomnie l'idée qu'ils s'imaginent, et que vous croyez faire votre salut en calomniant vos ennemis, il est sans doute que le poids de la vérité les déterminera incontinent à ne plus croire vos impostures. Ce sera donc, mes Pères, le sujet de cette Lettre. Je ne ferai pas voir seulement que vos écrits sont remplis de calomnies, je veux passer plus avant. On peut bien dire des choses fausses en les croyant véritables, mais la qualité de menteur enferme l'intention de mentir. Je ferai donc voir, mes Pères, que votre intention est de mentir et de calomnier; et que c'est avec connaissance et avec dessein que vous imposez à vos ennemis des crimes dont vous savez qu'ils sont innocents; parce que vous croyez le pouvoir faire sans déchoir de l'état de grâce. Et quoique vous sachiez aussi bien que moi ce point de votre morale, je ne laisserai pas de vous le dire, mes Pères, afin que personne n'en puisse douter, en voyant que je m'adresse à vous pour vous le soutenir à vous-mêmes, sans que vous puissiez avoir l'assurance de le nier, qu'en confirmant par ce désaveu même le reproche que je vous en fais. Car c'est une doctrine si commune dans vos écoles, que vous l'avez soutenue non seulement dans vos livres, mais encore dans vos thèses publiques, ce qui est de la dernière hardiesse, comme entre autres dans vos thèses de Louvain de l'année 1645, en ces termes : *Ce n'est qu'un péché véniel de calomnier et d'imposer de faux crimes, pour ruiner de créance ceux qui parlent mal de nous : Quidni non nisi veniale sit, detrahentis autoritatem magnam, tibi noxiam, falso crimine elidere*[39] *?* Et cette doctrine est si constante parmi vous, que quiconque l'ose attaquer, vous le traitez d'ignorant et de téméraire.

C'est ce qu'a éprouvé depuis peu le Père Quiroga, capucin allemand, lorsqu'il voulut s'y opposer. Car votre Père Dicastillus l'entreprit incontinent; et il parle de cette dispute en ces termes, de Just., l. 2, tr. 2, disp. 12, n. 404. *Un certain religieux grave, pied-nu et encapuchonné, cucullatus gymnopoda, que je ne nomme point, eut la témérité de décrier cette opinion parmi des femmes et des ignorants, et de dire qu'elle était pernicieuse et scandaleuse, contre les bonnes mœurs, contre la paix des États et des sociétés, et enfin contraire non seulement à tous les docteurs catholiques, mais à tous ceux qui peuvent être catholiques. Mais je lui ai soutenu, comme je soutiens encore, que la calomnie, lorsqu'on en use contre un calomniateur, quoiqu'elle soit un mensonge, n'est point néanmoins un péché mortel, ni contre la justice, ni contre la charité ; et pour le prouver, je lui ai fourni en foule nos Pères et les universités entières qui en sont composées, que j'ai tous consultés, et entre autres le R.P. Jean Gans, confesseur de l'empereur ; le R.P. Daniel Bastèle, confesseur de l'archiduc Léopold ; le Père Henry, qui a été précepteur de ces deux princes ; tous les professeurs publics et ordinaires de l'université de Vienne* (toute composée de Jésuites); *tous les professeurs de l'université de Gratz* (toute de Jésuites); *tous les professeurs de l'université de Prague* (dont les Jésuites sont les maîtres) : *de tous lesquels j'ai en main les approbations de mon opinion, écrites et signées de leur main : outre que j'ai encore pour moi le Père de Pennalossa, Jésuite, prédicateur de l'empereur et du roi d'Espagne, le Père Pilliceroli, Jésuite, et bien d'autres qui avaient tous jugé cette opinion probable avant notre dispute.* Vous voyez bien, mes Pères, qu'il y a peu d'opinions que vous ayez pris si à tâche d'établir, comme il y en avait peu dont vous eussiez tant de besoin. Et c'est pourquoi vous l'avez tellement autorisée que les casuistes s'en servent comme d'un principe indubitable. *Il est constant*, dit Caramouel, n. 1151, *que c'est une opinion probable qu'il n'y a point de péché mortel à calomnier faussement pour conserver son honneur. Car elle est soutenue par plus de vingt docteurs graves, par Gaspard Hurtado et Dicastillus, Jésuites, etc. ; de sorte que, si cette doctrine n'était probable, à peine y en aurait-il aucune qui le fût en toute la théologie.*

O théologie abominable, et si corrompue en tous ses chefs que, s'il n'était probable et sûr en conscience qu'on peut calomnier sans crime pour conserver son honneur, à peine y aurait-il aucune de ses décisions qui le fût! Qu'il est vraisemblable, mes Pères, que ceux qui tiennent ce principe, le mettent quelquefois en pratique! L'inclination corrompue des hommes s'y porte d'elle-même avec tant d'impétuosité, qu'il est incroyable qu'en levant l'obstacle de la conscience, elle ne se répande avec toute sa véhémence naturelle. En voulez-vous un exemple? Caramouel vous le donnera au même lieu : *Cette maxime*, dit-il, *du Père Dicastillus, Jésuite, touchant la calomnie, ayant été enseignée par une comtesse d'Allemagne aux filles de l'impératrice, la créance qu'elles eurent de ne pécher au plus que véniellement par des calomnies en fit naître en peu de jours, et tant de médisances, et tant de faux rapports, que cela mit toute la cour en combustion et en alarme. Car il est aisé de s'imaginer l'usage qu'elles en surent faire : de sorte que, pour apaiser ce tumulte, on fut obligé d'appeler un bon Père Capucin d'une vie exemplaire, nommé le Père Quiroga* (et ce fut sur quoi le P. Dicastillus le querella tant), *qui vint leur déclarer que cette maxime était très pernicieuse, principalement parmi des femmes ; et il eut un soin particulier de faire que l'impératrice en abolît tout à fait l'usage.* On ne doit pas être surpris des mauvais effets que causa cette doctrine. Il faudrait admirer au contraire qu'elle ne produisît pas cette licence. L'amour-propre nous persuade toujours assez que c'est avec injustice qu'on nous attaque; et à vous principalement, mes Pères, que la vanité aveugle de telle sorte que vous voulez faire croire en tous vos écrits que c'est blesser l'honneur de l'Église que de blesser celui de votre Société.

39. Cf. *Thèses de Louvain* : « Pourquoi ne serait-ce pas seulement un péché véniel que d'imputer un faux crime à ton détracteur pour ruiner de créance sa grande autorité? »

Et ainsi, mes Pères, il y aurait lieu de trouver étrange que vous ne missiez cette maxime en pratique. Car il ne faut plus dire de vous comme font ceux qui ne vous connaissent pas : Comment voudraient-ils calomnier leurs ennemis, puisqu'ils ne le pourraient faire que par la perte de leur salut? Mais il faut dire au contraire : Comment voudraient-ils perdre l'avantage de décrier leurs ennemis, puisqu'ils le peuvent faire sans hasarder leur salut? Qu'on ne s'étonne donc plus de voir les Jésuites calomniateurs; ils le sont en sûreté de conscience, et rien ne les en peut empêcher; puisque, par le crédit qu'ils ont dans le monde, ils peuvent calomnier sans craindre la justice des hommes, et que, par celui qu'ils se sont donné sur les cas de conscience, ils ont établi des maximes pour le pouvoir faire sans craindre la justice de Dieu.

Voilà, mes Pères, la source d'où naissent tant de noires impostures. Voilà ce qui en a fait répandre à votre P. Brisacier, jusqu'à s'attirer la censure de feu M. l'archevêque de Paris. Voilà ce qui a porté votre Père d'Anjou à décrier en pleine chaire, dans l'Église de Saint-Benoît, le 8 mars 1655, les personnes de qualité qui reçoivent les aumônes pour les pauvres de Picardie et de Champagne, auxquelles ils contribuaient tant eux-mêmes; et de dire par un mensonge horrible et capable de faire tarir ces charités, si on eût eu quelque créance en vos impostures, *qu'il savait de science certaine que ces personnes avaient détourné cet argent pour l'employer contre l'Église et contre l'État :* ce qui obligea le curé de cette paroisse, qui est un docteur de Sorbonne, de monter le lendemain en chaire pour démentir ces calomnies. C'est par ce même principe que votre Père Crasset a tant prêché d'impostures dans Orléans, qu'il a fallu que M. l'évêque d'Orléans l'ait interdit comme un imposteur public, par son mandement du 9 sept. où il déclare *qu'il défend à Frère Jean Crasset, prêtre de la Compagnie de Jésus, de prêcher dans son diocèse, et à tout son peuple de l'ouïr, sous peine de se rendre coupable d'une désobéissance mortelle, sur ce qu'il a appris que le dit Crasset avait fait un discours en chaire rempli de faussetés et de calomnies contre les ecclésiastiques de cette ville, leur imposant faussement et malicieusement qu'ils soutenaient ces propositions hérétiques et impies : Que les commandements de Dieu sont impossibles; que jamais on ne résiste à la grâce intérieure; et que* JÉSUS-CHRIST *n'est pas mort pour tous les hommes, et autres semblables, condamnées par Innocent X.* Car c'est là, mes Pères, votre imposture ordinaire, et la première que vous reprochez à tous ceux qu'il vous est important de décrier. Et quoiqu'il vous soit aussi impossible de le prouver de qui que ce soit, qu'à votre Père Crasset de ces ecclésiastiques d'Orléans, votre conscience néanmoins demeure en repos, *parce que vous croyez que cette manière de calomnier ceux qui vous attaquent est si certainement permise*, que vous ne craignez point de le déclarer publiquement et à la vue de toute une ville.

En voici un insigne témoignage dans le démêlé que vous eûtes avec M. Puys, curé de Saint-Nisier, à Lyon; et comme cette histoire marque parfaitement votre esprit, j'en rapporterai les principales circonstances. Vous savez, mes Pères, qu'en 1649, M. Puys traduisit en français un excellent livre d'un autre Capucin, *touchant le devoir des chrétiens à leur paroisse contre ceux qui les en détournent*, sans user d'aucune invective, et sans désigner aucun religieux, ni aucun ordre en particulier. Vos Pères néanmoins prirent cela pour eux; et, sans avoir aucun respect pour un ancien pasteur, juge en la primatie de France, et honoré de toute la ville, votre P. Alby fit un livre sanglant contre lui, que vous vendîtes vous-mêmes dans votre propre église, le jour de l'Assomption, où il l'accusait de plusieurs choses, et entre autres *de s'être rendu scandaleux par ses galanteries, et d'être suspect d'impiété, d'être hérétique, excommunié, et enfin digne du feu.* A cela M. Puys répondit; et le père Alby soutint, par un second livre, ses premières accusations. N'est-il donc pas vrai, mes Pères, ou que vous étiez des calomniateurs, ou que vous croyiez tout cela de ce bon prêtre; et qu'ainsi il fallait que vous le vissiez hors de ses erreurs pour le juger digne de votre amitié? Écoutez donc ce qui se passa dans l'accommodement qui fut fait en présence d'un grand nombre des premières personnes de la ville, dont les noms sont au bas de cette page, comme ils sont marqués dans l'acte qui en fut dressé le 25 septembre 1650[40]. Ce fut en présence de tout ce monde que M. Puys ne fit autre chose que déclarer *que ce qu'il avait écrit, ne s'adressait point aux Pères Jésuites; Qu'il avait parlé en général contre ceux qui éloignent les fidèles des paroisses, sans avoir pensé en cela attaquer la Société, et qu'au contraire il l'honorait avec amour.* Par ces seules paroles, il revint de son apostasie, de ses scandales et de son excommunication, sans rétraction et sans absolution; et le P. Alby lui dit ensuite ces propres paroles : *Monsieur, la créance que j'ai eue que vous attaquiez la Compagnie, dont j'ai l'honneur d'être, m'a fait prendre la plume pour y répondre; et j'ai cru que la manière dont j'ai usé* M'ÉTAIT PERMISE. *Mais, connaissant mieux votre intention, je viens vous déclarer qu'il n'y a plus rien qui me puisse empêcher de vous tenir pour un homme d'esprit, très éclairé, de doctrine profonde et orthodoxe, de mœurs irrépréhensibles, et en un mot pour digne pasteur de votre Église. C'est une déclaration que je fais avec joie, et je prie ces Messieurs de s'en souvenir.*

Ils s'en sont souvenus, mes Pères; et on fut plus scandalisé de la réconciliation que de la querelle. Car qui n'admirerait ce discours du P. Alby? Il ne dit pas qu'il vient se rétracter, parce qu'il a appris le change-

40. *Monsieur de Ville, vicaire général de M. le cardinal de Lyon; M. Scarron, chanoine et curé de Saint-Paul; M. Margat, chantre; Messieurs Bouvaud, Sève, Aubert et Dervieu, chanoines de Saint-Nisier; M. du Gué, président des trésoriers de France; M. Groslier, prévot des marchands; M. de Flechère, président et lieutenant-général; Messieurs de Boissat, de Saint-Romain, et de Bartholy, gentilshommes; M. Bourgeois, premier avocat du roi au bureau des trésoriers de France; Messieurs de Cotton père et fils; M. Boniel; qui ont tous signé à l'original de la déclaration, avec M. Puys et le P. Alby.* [Note de Pascal.]

ment des mœurs et de la doctrine de M. Puys; mais seulement *parce que, connaissant que son intention n'a pas été d'attaquer votre Compagnie, il n'y a plus rien qui l'empêche de le tenir pour catholique.* Il ne croyait donc pas qu'il fût hérétique en effet? Et néanmoins, après l'en avoir accusé contre sa connaissance, il ne déclare pas qu'il a failli; et il ose dire, au contraire, *qu'il croit que la manière dont il en a usé lui était permise.*

A quoi songez-vous, mes Pères, de témoigner ainsi publiquement que vous ne mesurez la foi et la vertu des hommes que par l'intention qu'on a pour votre Société? Comment n'avez-vous point appréhendé de vous faire passer vous-mêmes, et par votre propre aveu, pour des imposteurs et des calomniateurs? Quoi! mes Pères, un même homme, sans qu'il se passe aucun changement en lui, selon que vous croyez qu'il honore ou qu'il attaque votre compagnie, sera *pieux* ou *impie; irrépréhensible* ou *excommunié; digne pasteur de l'Eglise*, ou *digne d'être mis au feu;* et enfin *catholique* ou *hérétique?* C'est donc une même chose, dans votre langage, d'attaquer votre Société et d'être hérétique? Voilà une plaisante hérésie, mes Pères; et ainsi, quand on voit dans vos écrits que tant de personnes catholiques y sont appelées hérétiques, cela ne veut dire autre chose, *sinon que vous croyez qu'ils vous attaquent.* Il est bon, mes Pères, qu'on entende cet étrange langage, selon lequel il est sans doute que je suis un grand hérétique. Aussi c'est en ce sens que vous me donnez si souvent ce nom. Vous ne me retranchez de l'Eglise que parce que vous croyez que mes Lettres vous font tort; et ainsi il ne me reste pour devenir catholique, ou que d'approuver les excès de votre morale, ce que je ne pourrais faire sans renoncer à tout sentiment de piété; ou de vous persuader que je ne recherche en cela que votre véritable bien; et il faudrait que vous fussiez bien revenus de vos égarements pour le reconnaître. De sorte que je me trouve étrangement engagé dans l'hérésie; puisque la pureté de ma foi étant inutile pour me retirer de cette sorte d'erreur, je n'en puis sortir, ou qu'en trahissant ma conscience, ou qu'en réformant la vôtre. Jusque-là je serai toujours un méchant et un imposteur, et quelque fidèle que j'aie été à rapporter vos passages, vous irez crier partout : *Qu'il faut être organe du démon pour vous imputer* des choses dont il n'y a *ni marque ni vestige* dans vos livres; et vous ne ferez rien en cela que de conforme à votre maxime et à votre pratique ordinaire, tant le privilège que vous avez de mentir a d'étendue. Souffrez que je vous en donne un exemple que je choisis à dessein, parce que je répondrai en même temps à la 9e de vos impostures; aussi bien elles ne méritent d'être réfutées qu'en passant.

Il y a dix à douze ans qu'on vous reprocha cette maxime du P. Bauny : *Qu'il est permis de rechercher directement*, PRIMO ET PER SE [41], *une occasion prochaine de pécher pour le bien spirituel ou temporel de nous ou de notre prochain*, tr. 4, q. 14, dont il apporte pour exemple : *Qu'il est permis à chacun d'aller en des lieux publics pour convertir des femmes perdues, encore qu'il soit vraisemblable qu'on y péchera, pour avoir déjà expérimenté souvent qu'on est accoutumé de se laisser aller au péché par les caresses de ces femmes.* Que répondit à cela votre P. Caussin, en 1644, dans son *Apologie pour la Compagnie de Jésus*, p. 128? *Qu'on voie l'endroit du P. Bauny, qu'on lise la page, les marges, les avant-propos, les suites, tout le reste, et même tout le livre, on n'y trouvera pas un seul vestige de cette sentence, qui ne pourrait tomber que dans l'âme d'un homme extrêmement perdu de conscience, et qui semble ne pouvoir être supposée que par l'organe du démon.* Et votre P. Pintereau, en même style, I. part. p. 24 : *Il faut être bien perdu de conscience pour enseigner une si détestable doctrine; mais il faut être pire qu'un démon pour l'attribuer au P. Bauny. Lecteur, il n'y en a ni marque ni vestige dans tout son livre.* Qui ne croirait que des gens qui parlent de ce ton-là eussent sujet de se plaindre, et qu'on aurait en effet imposé au P. Bauny? Avez-vous rien assuré contre moi en de plus forts termes? Et comment oserait-on s'imaginer qu'un passage fût en mots propres au lieu même où l'on le cite, quand on dit *qu'il n'y en a ni marque ni vestige dans tout le livre?*

En vérité, mes Pères, voilà le moyen de vous faire croire jusqu'à ce qu'on vous réponde; mais c'est aussi le moyen de faire qu'on ne vous croie jamais plus, après qu'on vous aura répondu. Car il est si vrai que vous mentiez alors, que vous ne faites aujourd'hui aucune difficulté de reconnaître, dans vos réponses, que cette maxime est dans le P. Bauny, au lieu même où on l'avait citée; et ce qui est admirable, c'est qu'au lieu qu'elle était *détestable* il y a douze ans, elle est maintenant si innocente que, dans votre 9e Impost. p. 10, vous m'accusez *d'ignorance et de malice, de quereller le Père Bauny sur une opinion qui n'est point rejetée dans l'école.* Qu'il est avantageux, mes Pères, d'avoir affaire à ces gens qui disent le pour et le contre! Je n'ai besoin que de vous-mêmes pour vous confondre. Car je n'ai à montrer que deux choses : l'une, que cette maxime ne vaut rien; l'autre, qu'elle est du P. Bauny : et je prouverai l'un et l'autre par votre propre confession. En 1644, vous avez reconnu qu'elle est *détestable*, et en 1656, vous avouez qu'elle est du P. Bauny. Cette double reconnaissance me justifie assez, mes Pères; mais elle fait plus, elle découvre l'esprit de votre politique. Car dites-moi, je vous prie, quel est le but que vous vous proposez dans vos écrits? Est-ce de parler avec sincérité? Non, mes Pères, puisque vos réponses s'entre-détruisent. Est-ce de suivre la vérité de la foi? Aussi peu, puisque vous autorisez une maxime qui est *détestable* selon vous-mêmes. Mais considérons que, quand vous avez dit que cette maxime est *détestable*, vous avez nié en même temps qu'elle fût du P. Bauny; et ainsi il était innocent : et, quand vous avouez qu'elle est de lui, vous soutenez en même temps qu'elle est bonne : et ainsi il est innocent encore. De sorte que, l'innocence

41. « En premier lieu et pour soi. »

de ce Père étant la seule chose commune à vos deux réponses, il est visible que c'est aussi la seule chose que vous y recherchez, et que vous n'avez pour objet que la défense de vos Pères, en disant d'une même maxime qu'elle est dans vos livres et qu'elle n'y est pas; qu'elle est bonne et qu'elle est mauvaise; non pas selon la vérité, qui ne change jamais, mais selon votre intérêt, qui change à toute heure. Que ne pourrais-je vous dire là-dessus? car vous voyez bien que cela est convaincant. Cependant cela vous est tout ordinaire. Et pour en omettre une infinité d'exemples, je crois que vous vous contenterez que je vous en rapporte encore un.

On vous a reproché en divers temps une autre proposition du même P. Bauny, tr. 4, q. 22, p. 100 : *On ne doit ni dénier ni refuser l'absolution à ceux qui sont dans les habitudes de crimes contre la loi de Dieu, de la nature et de l'Eglise, encore qu'on n'y voie aucune espérance d'amendement : etsi emendationis futurae spes nulla appareat.* Je vous prie sur cela, mes Pères, de me dire lequel y a le mieux répondu, selon votre goût, ou de votre P. Pintereau, ou de votre P. Brisacier, qui défendent le P. Bauny en vos deux manières : l'un en condamnant cette proposition, mais en désavouant qu'elle soit du P. Bauny; l'autre en avouant qu'elle est du P. Bauny, mais en la justifiant en même temps. Ecoutez-les donc discourir. Voici le P. Pintereau, page 18. *Qu'appelle-t-on franchir les bornes de toute pudeur et passer au-delà de toute impudence, sinon d'imputer au Père Bauny, comme une chose avérée, une si damnable doctrine? Jugez, lecteur, de l'indignité de cette calomnie, et voyez à qui les Jésuites ont affaire, et si l'auteur d'une si noire supposition ne doit pas passer désormais pour le truchement du père des mensonges?* Et voici maintenant votre P. Brisacier, 4. p, pag. 21 : *En effet, le P. Bauny dit ce que vous rapportez.* C'est démentir le P. Pintereau bien nettement. *Mais*, ajoute-t-il pour justifier le P. Bauny, *vous qui reprenez cela, attendez, quand un pénitent sera à vos pieds, que son ange gardien hypothèque tous les droits qu'il a au ciel pour être sa caution. Attendez que Dieu le Père jure par son chef que David a menti quand il a dit, par le Saint-Esprit, que tout homme est menteur, trompeur, et fragile; et que ce pénitent ne soit plus menteur, fragile, changeant, ni pécheur comme les autres; et vous n'appliquerez le sang de Jésus-Christ sur personne.*

Que vous semble-t-il, mes Pères, de ces expressions extravagantes et impies, que, s'il fallait attendre *qu'il y eût quelque espérance d'amendement* dans les pécheurs pour les absoudre, il faudrait attendre *que Dieu le Père jurât par son chef* qu'ils ne tomberaient jamais plus? Quoi! mes Pères, n'y a-t-il point de différence entre l'*espérance* et la certitude? Quelle injure est-ce faire à la grâce de Jésus-Christ, de dire qu'il est si peu possible que les chrétiens sortent jamais des crimes contre la loi de Dieu, de la nature et de l'Eglise, qu'on ne pourrait l'espérer *sans que le Saint-Esprit eût menti :* de sorte que, selon vous, si on ne donnait l'absolution à ceux *dont on n'espère aucun amendement*, le sang de Jésus-Christ demeurerait inutile, et on ne *l'appliquerait jamais sur personne!* A quel état, mes Pères, vous réduit le désir immodéré de conserver la gloire de vos auteurs, puisque vous ne trouvez que deux voies pour les justifier, l'imposture ou l'impiété; et qu'ainsi la plus innocente manière de vous défendre est de désavouer hardiment les choses les plus évidentes!

De là vient que vous en usez si souvent. Mais ce n'est pas encore là tout ce que vous savez faire. Vous forgez des écrits pour rendre vos ennemis odieux, comme *la Lettre d'un ministre à M. Arnauld*, que vous débitâtes dans tout Paris, pour faire croire que le livre de *la Fréquente Communion*, approuvé par tant de docteurs et tant d'évêques, mais qui, à la vérité, vous était un peu contraire, avait été fait par une intelligence secrète avec les ministres de Charenton. Vous attribuez d'autres fois à vos adversaires des écrits pleins d'impiété, comme *la Lettre circulaire des Jansénistes*, dont le style impertinent rend cette fourbe trop grossière, et découvre trop clairement la malice ridicule de votre P. Meynier, qui ose s'en servir, page 28, pour appuyer ses plus noires impostures. Vous citez quelquefois des livres qui ne furent jamais au monde, comme *les Constitutions du Saint-Sacrement*, d'où vous rapportez des passages que vous fabriquez à plaisir, et qui font dresser les cheveux à la tête des simples, qui ne savent pas quelle est votre hardiesse à inventer et publier des mensonges. Car il n'y a sorte de calomnie que vous n'ayez mise en usage. Jamais la maxime qui l'excuse ne pouvait être en meilleures mains.

Mais celles-là sont trop aisées à détruire; et c'est pourquoi vous en avez de plus subtiles, où vous ne particularisez rien, afin d'ôter toute prise et tout moyen d'y répondre; comme quand le P. Brisacier dit *Que ses ennemis commettent des crimes abominables, mais qu'il ne les veut pas rapporter.* Ne semble-t-il pas qu'on ne peut convaincre d'imposture un reproche si indéterminé? Mais néanmoins un habile homme en a trouvé le secret; et c'est encore un Capucin, mes Pères. Vous êtes aujourd'hui malheureux en Capucins; et je prévois qu'une autre fois vous le pourriez bien être en Bénédictins. Ce Capucin s'appelle le P. Valérien, de la maison des comtes de Magnis. Vous apprendrez par cette petite histoire comment il répondit à vos calomnies, Il avait heureusement réussi à la conversion du landgrave de Darmstat. Mais vos Pères, comme s'ils eussent eu quelque peine de voir convertir un prince souverain sans les y appeler, firent incontinent un livre contre lui (car vous persécutez les gens de bien partout) où, falsifiant un de ses passages, ils lui imputent une doctrine *hérétique;* et certes vous aviez grand tort, car il n'avait pas attaqué votre Compagnie. Ils firent aussi courir une lettre contre lui, où ils lui disaient : *O que nous avons de choses à découvrir*, sans dire quoi, *dont vous serez bien affligé! Car, si vous n'y donnez ordre, nous serons obligés d'en avertir le pape et les cardinaux.* Cela n'est pas maladroit; et je ne doute point, mes Pères, que vous ne leur parliez ainsi de moi; mais prenez garde de quelle sorte il y répond dans son livre imprimé à Prague, l'année dernière, pages 112 et suiv. *Que ferai-je*, dit-il, *contre ces injures vagues et indéterminées? Comment convaincrai-je des reproches qu'on n'explique point? En voici néanmoins le moyen. C'est que je déclare hautement et publiquement à ceux qui me menacent, que ce sont des imposteurs insignes, et de très habiles et de très impudents menteurs, s'ils ne découvrent ces crimes à toute la terre. Paraissez donc, mes accusateurs, et publiez ces choses sur les toits, au lieu que vous les avez dites à l'oreille, et que vous avez menti en assurance en les disant à l'oreille. Il y en a qui s'imaginent que ces disputes sont scandaleuses. Il est vrai que c'est exciter un scandale horrible que de m'imputer un crime tel que l'hérésie, et de me rendre suspect de plusieurs autres. Mais je ne fais que remédier à ce scandale en soutenant mon innocence.*

En vérité, mes Pères, vous voilà malmenés, et jamais homme n'a été mieux justifié. Car il a fallu que les moindres apparences de crime vous aient manqué contre lui, puisque vous n'avez point répondu à un tel défi. Vous avez quelquefois de fâcheuses rencontres à essuyer, mais cela ne vous rend pas plus sages. Car, quelque temps après, vous l'attaquâtes encore de la même sorte sur un autre sujet, et il se défendit aussi de même, page 151, en ces termes : *Ce genre d'hommes, qui se rend insupportable à toute la chrétienté, aspire, sous le prétexte des bonnes œuvres, aux grandeurs et à la domination, en détournant à leurs fins presque toutes les lois divines, humaines, positives et naturelles. Ils attirent, ou par leur doctrine, ou par crainte, ou par espérance, tous les grands de la terre, de l'autorité desquels ils abusent pour faire réussir leurs détestables intrigues. Mais leurs attentats, quoique si criminels, ne sont ni punis, ni arrêtés : ils sont récompensés au contraire ; et ils les commettent avec la même hardiesse que s'ils rendaient un service à Dieu. Tout le monde le reconnaît, tout le monde en parle avec exécration; mais il y en a peu qui soient capables de s'opposer à une si puissante tyrannie. C'est ce que j'ai fait néanmoins. J'ai arrêté leur impudence, et je l'arrêterai encore par le même moyen. Je déclare donc qu'ils ont menti très impudemment,* MENTIRIS IMPUDENTISSIME. *Si les choses qu'ils m'ont reprochées sont véritables, qu'ils les prouvent donc, ou qu'ils passent pour convaincus d'un mensonge plein d'impudence. Leur procédé sur cela découvrira qui a raison. Je prie tout le monde de l'observer, et de remarquer cependant que ce genre d'hommes, qui ne souffrent pas la moindre des injures qu'ils peuvent repousser, font semblant de souffrir très patiemment celles dont ils ne peuvent se défendre, et couvrent d'une fausse vertu leur véritable impuissance. C'est pourquoi j'ai voulu irriter plus vivement leur pudeur, afin que les plus grossiers reconnaissent que, s'ils se taisent, leur patience ne sera pas un effet de leur douceur, mais du trouble de leur conscience.*

Voilà ce qu'il dit, mes Pères, et il finit ainsi : *Ces gens-là dont on sait les histoires par tout le monde, sont si évidemment injustes et si insolents dans leur impunité, qu'il faudrait que j'eusse renoncé à Jésus-Christ et à son Eglise, si je ne détestais leur conduite, et même publiquement, autant pour me justifier que pour empêcher les simples d'en être séduits.*

Mes révérends Pères, il n'y a plus moyen de reculer. Il faut passer pour des calomniateurs convaincus, et recourir à votre maxime, que cette sorte de calomnie n'est pas un crime. Ce Père a trouvé le secret de vous fermer la bouche : c'est ainsi qu'il faut faire toutes les fois que vous accusez les gens sans preuves. On n'a qu'à répondre, à chacun de vous, comme le Père capucin, *mentiris impudentissime.* Car que répondrait-on autre chose, quand votre Père Brisacier dit, par exemple, que ceux contre qui il écrit *sont des portes d'enfer, des pontifes du diable, des gens déchus de la foi, de l'espérance et de la charité, qui bâtissent le trésor de l'Antéchrist? Ce que je ne dis pas* (ajoute-t-il) *par forme d'injure, mais par la force de la vérité.* S'amuserait-on à prouver qu'on n'est pas *porte d'enfer, et qu'on ne bâtit pas le trésor de l'Antéchrist?*

Que doit-on répondre de même à tous les discours vagues de cette sorte qui sont dans vos livres et dans vos Avertissements sur mes Lettres? Par exemple : *qu'on s'applique les restitutions, en réduisant les créanciers dans la pauvreté ; Qu'on a offert des sacs d'argent à de savants religieux, qui les ont refusés ; Qu'on donne des bénéfices pour faire semer des hérésies contre la foi ; Qu'on a des pensionnaires parmi les plus illustres ecclésiastiques et dans les cours souveraines ; Que je suis aussi pensionnaire de Port-Royal, et que je faisais des romans avant mes Lettres*, moi qui n'en ai jamais lu aucun, et qui ne sais pas seulement le nom de ceux qu'a faits votre apologiste? Qu'y a-t-il à dire à tout cela, mes Pères, sinon : *mentiris impudentissime*, si vous ne marquez toutes ces personnes, leurs paroles, le temps, le lieu? Car il faut se taire, ou rapporter et prouver toutes les circonstances comme je fais quand je vous conte les histoires de Jean d'Alba et du P. Alby. Autrement, vous ne ferez que vous nuire à vous-mêmes. Toutes ces fables pouvaient peut-être vous servir avant qu'on sût vos principes; mais à présent que tout est découvert, quand vous penserez dire à l'oreille : *Qu'un homme d'honneur, qui désire cacher son nom, vous a appris de terribles choses de ces gens-là*, on vous fera souvenir incontinent du *mentiris impudentissime* du bon Père Capucin. Il n'y a que trop longtemps que vous trompez le monde, et que vous abusez de la créance qu'on avait en vos impostures. Il est temps de rendre la réputation à tant de personnes calomniées. Car quelle innocence peut être si généralement reconnue qu'elle ne souffre quelque atteinte par les impostures si hardies d'une Compagnie répandue par toute la terre, et qui, sous des habits religieux, couvre des âmes si irréligieuses, qu'ils commettent des crimes tels que la calomnie, non pas contre leurs maximes, mais selon leurs propres maximes? Ainsi l'on ne me blâmera point d'avoir détruit la créance qu'on pouvait avoir en vous; puisqu'il est bien plus juste de conserver à tant de personnes que vous avez décriées la réputation de piété qu'ils ne méritent pas de perdre, que de vous laisser la réputation de sincérité que vous ne méritez pas d'avoir. Et comme l'un ne se pouvait faire sans l'autre, combien était-il important de faire entendre qui vous êtes! C'est ce que j'ai commencé de faire ici; mais il faut bien du temps pour achever. On le verra, mes Pères, et toute votre politique ne vous en peut garantir; puisque les efforts que vous pourriez faire pour l'empêcher, ne serviraient qu'à faire connaître aux moins clairvoyants que vous avez eu peur, et que, votre conscience vous reprochant ce que j'avais à vous dire, vous avez tout mis en usage pour le prévenir.

SEIZIÈME LETTRE

ÉCRITE PAR L'AUTEUR DES LETTRES AU PROVINCIAL *AUX RÉVÉRENDS PÈRES JÉSUITES*

Du 4 décembre 1656.

Mes révérends Pères,

Voici la suite de vos calomnies, où je répondrai d'abord à celles qui restent de vos *Avertissements*. Mais comme tous vos autres livres en sont également remplis, ils me fourniront assez de matière pour vous entretenir sur ce sujet autant que je le jugerai nécessaire. Je vous dirai donc en un mot, sur cette fable que vous avez semée dans tous vos écrits contre M. d'Ypres, que vous abusez malicieusement de quelques paroles ambiguës d'une de ses lettres qui, étant capables d'un bon sens, doivent être prises en bonne part, selon l'esprit de l'Eglise, et ne peuvent être prises autrement que selon l'esprit de votre Société. Car pourquoi voulez-vous qu'en disant à son ami : *Ne vous mettez pas tant en peine de votre neveu; je lui fournirai ce qui est nécessaire de l'argent qui est entre mes mains*, il ait voulu dire par là qu'il prenait cet argent pour ne le point rendre, et non pas qu'il l'avançait seulement pour le remplacer? Mais ne faut-il pas que vous soyez bien imprudents puisque vous avez fourni vous-mêmes la conviction de votre mensonge par les autres lettres de M. d'Ypres, que vous avez imprimées, qui marquent parfaitement que ce n'était en effet que des *avances*, qu'il devait remplacer? C'est ce qui paraît dans celle que vous rapportez du 30 juillet 1619. en ces termes qui vous confondent : *Ne vous souciez pas* DES AVANCES; *il ne lui manquera rien tant qu'il sera ici*. Et par celle du 6 janvier 1620 où il dit : *Vous avez trop de hâte, et quand il serait question de rendre compte, le peu de crédit que j'ai ici me ferait trouver de l'argent au besoin.*

Vous êtes donc des imposteurs, mes Pères, aussi bien sur ce sujet que sur votre conte ridicule du tronc de Saint-Merry [42]. Car quel avantage pouvez-vous tirer de l'accusation qu'un de vos bons amis suscita à cet ecclésiastique que vous voulez déchirer? Doit-on conclure qu'un homme est coupable parce qu'il est accusé? Non, mes Pères. Des gens de piété comme lui pourront toujours être accusés tant qu'il y aura au monde des calomniateurs comme vous. Ce n'est donc pas par l'accusation, mais par l'arrêt qu'il en faut juger. Or, l'arrêt qui en fut rendu, le 23 février 1656, le justifie pleinement; outre que celui qui s'était engagé témérairement dans cette injuste procédure fut désavoué par ses collègues, et forcé lui-même à la rétracter. Et quant à ce que vous dites au même lieu de ce *fameux directeur qui se fit riche en un moment de neuf cent mille livres* [43], il suffit de vous renvoyer à Messieurs les Curés de Saint-Roch, et de Saint-Paul, qui rendront témoignage à tout Paris de son parfait désintéressement dans cette affaire, et de votre malice inexcusable dans cette imposture.

C'en est assez pour des faussetés si vaines. Ce ne sont là que des coups d'essai de vos novices, et non pas les coups d'importance de vos grands profès. J'y viens donc, mes Pères; je viens à cette calomnie, l'une des plus noires qui soient sorties de votre esprit. Je parle de cette audace insupportable avec laquelle vous avez osé imputer à de saintes religieuses et à leurs directeurs *de ne pas croire le mystère de la transsubstantiation, ni la présence réelle de Jésus-Christ dans l'Eucharistie*. Voilà, mes Pères, une imposture digne de vous. Voilà un crime que Dieu seul est capable de punir, comme vous seuls êtes capables de le commettre. Il faut être aussi humble que ces humbles calomniées, pour le souffrir avec patience; et il faut être aussi méchant que de si méchants calomniateurs, pour le croire. Je n'entreprends donc pas de les en justifier; elles n'en sont point suspectes. Si elles avaient besoin de défenseurs, elles en auraient de meilleurs que moi. Ce que j'en dirai ici ne sera pas pour montrer leur innocence, mais pour montrer votre malice. Je veux seulement vous en faire horreur à vous-mêmes, et faire entendre à tout le monde qu'après cela il n'y a rien dont vous ne soyez capables.

Vous ne manquerez pas néanmoins de dire que je suis de Port-Royal; car c'est la première chose que vous dites à quiconque combat vos excès : comme si

42. Il s'agit du procès pour vol que l'on fit au marguillier de Saint-Merry, Jacques-Emmanuel Ariste.

43. Le comte de Chavigny avait fait un legs secret à M. Singlin. L'affaire fut arrangée à l'amiable avec les héritiers.

on ne trouvait qu'à Port-Royal des gens qui eussent assez de zèle pour défendre contre vous la pureté de la morale chrétienne. Je sais, mes Pères, le mérite de ces pieux solitaires qui s'y étaient retirés, et combien l'Eglise est redevable à leurs ouvrages si édifiants et si solides. Je sais combien ils ont de piété et de lumière. Car, encore que je n'aie jamais eu d'établissement avec eux, comme vous le voulez faire croire, sans que vous sachiez qui je suis, je ne laisse pas d'en connaître quelques-uns et d'honorer la vertu de tous. Mais Dieu n'a pas renfermé dans ce nombre seul tous ceux qu'il veut opposer à vos désordres. J'espère avec son secours, mes Pères, de vous le faire sentir; et s'il me fait la grâce de me soutenir dans le dessein qu'il me donne d'employer pour lui tout ce que j'ai reçu de lui, je vous parlerai de telle sorte que je vous ferai peut-être regretter de n'avoir pas affaire à un homme de Port-Royal. Et pour vous le témoigner, mes Pères, c'est qu'au lieu que ceux que vous outragez par cette insigne calomnie se contentent d'offrir à Dieu leurs gémissements pour vous en obtenir le pardon, je me sens obligé, moi qui n'ai point de part à cette injure, de vous en faire rougir à la face de toute l'Eglise, pour vous procurer cette confusion salutaire dont parle l'Ecriture, qui est presque l'unique remède d'un endurcissement tel que le vôtre : *Imple facies eorum ignominia, et quaerent nomen tuum, Domine* [44].

Il faut arrêter cette insolence, qui n'épargne point les lieux les plus saints. Car qui pourra être en sûreté après une calomnie de cette nature? Quoi! mes Pères, afficher vous-mêmes dans Paris un livre si scandaleux avec le nom de votre Père Meynier à la tête, et sous cet infâme titre : *Le Port-Royal et Genève d'intelligence contre le très-saint Sacrement de l'Autel*, où vous accusez de cette apostasie non seulement M. de Saint-Cyran et M. Arnauld, mais aussi la Mère Agnès sa sœur, et toutes les religieuses de ce monastère, dont vous dites, page 96, *Que leur foi est aussi suspecte touchant l'Eucharistie, que celle de M. Arnauld*, lequel vous soutenez, page 4, être *effectivement calviniste*. Je demande là-dessus à tout le monde s'il y a dans l'Eglise des personnes sur qui vous puissiez faire tomber un si abominable reproche avec moins de vraisemblance. Car, dites-moi, mes Pères, si ces religieuses et leurs directeurs étaient *d'intelligence avec Genève contre le très-saint Sacrement de l'Autel* (ce qui est horrible à penser), pourquoi auraient-elles pris pour le principal objet de leur piété ce Sacrement qu'elles auraient en abomination? Pourquoi auraient-elles joint à leur règle l'institution du Saint-Sacrement? Pourquoi auraient-elles pris l'habit du Saint-Sacrement, pris le nom de Filles du Saint-Sacrement? appelé leur Eglise, l'Eglise du Saint-Sacrement? Pourquoi auraient-elles demandé et obtenu de Rome la confirmation de cette institution, et le pouvoir de dire tous les jeudis l'office du Saint-Sacrement, où la foi de l'Eglise est si parfaitement exprimée, si elles avaient conjuré avec Genève d'abolir cette foi de l'Eglise? Pourquoi se seraient-elles obligées, par une dévotion particulière, approuvée aussi par le pape, d'avoir sans cesse, nuit et jour, des religieuses en présence de cette sainte Hostie, pour réparer, par leurs adorations perpétuelles envers ce sacrifice perpétuel, l'impiété de l'hérésie qui l'a voulu anéantir? Dites-moi donc, mes Pères, si vous le pouvez, pourquoi de tous les mystères de notre religion elles auraient laissé ceux qu'elles croient pour choisir celui qu'elles ne croiraient pas? Et pourquoi elles se seraient dévouées d'une manière si pleine et si entière à ce mystère de notre foi, si elles le prenaient, comme les hérétiques, pour le mystère d'iniquité? Que répondez-vous, mes Pères, à des témoignages si évidents, non pas seulement de paroles, mais d'actions; et non pas de quelques actions particulières, mais de toute la suite d'une vie entièrement consacrée à l'adoration de JÉSUS-CHRIST résidant sur nos autels? Que répondez-vous de même aux livres que vous appelez de Port-Royal, qui sont tous remplis des termes les plus précis dont les Pères et les conciles se soient servis pour marquer l'essence de ce mystère? C'est une chose ridicule mais horrible, de vous y voir répondre dans tout votre libelle en cette sorte : M. Arnauld, dites-vous, parle bien de *transsubstantiation*, mais il entend peut-être *transsubstantiation significative*. Il témoigne bien croire la *présence réelle;* mais qui nous a dit qu'il ne l'entend pas *d'une figure vraie et réelle?* Où en sommes-nous, mes Pères? Et qui ne ferez-vous point passer pour calviniste quand il vous plaira, si on vous laisse la licence de corrompre les expressions les plus canoniques et les plus saintes par les malicieuses subtilités de vos nouvelles équivoques? Car qui s'est jamais servi d'autres termes que de ceux-là, et surtout dans de simples discours de piété, où il ne s'agit point de controverses? Et cependant l'amour et le respect qu'ils ont pour ce saint mystère, leur en a tellement fait remplir tous leurs écrits, que je vous défie, mes Pères, quelque artificieux que vous soyez, d'y trouver la moindre apparence d'ambiguïté et de convenance avec les sentiments de Genève.

Tout le monde sait, mes Pères, que l'hérésie de Genève consiste essentiellement, comme vous le rapportez vous-mêmes, à croire que JÉSUS-CHRIST n'est point enfermé dans ce sacrement; qu'il est impossible qu'il soit en plusieurs lieux; qu'il n'est vraiment que dans le ciel et que ce n'est que là où on le doit adorer, et non pas sur l'autel; que la substance du pain demeure; que le corps de JÉSUS-CHRIST n'entre point dans la bouche, ni dans la poitrine; qu'il n'est mangé que par la foi, et qu'ainsi les méchants ne le mangent point; et que la messe n'est point un sacrifice, mais une abomination. Ecoutez donc, mes Pères, de quelle manière *Port-Royal est d'intelligence avec Genève dans leurs livres*. On y lit, à votre confusion : *Que la chair et le sang de* JÉSUS-CHRIST *sont contenus sous les espèces du pain et du vin*, 2. lettre de M. Arnauld, page 259. *Que le Saint des Saints est présent dans le*

44. Cf. Ps. LXXXII, 17. « Couvre leurs faces d'ignominie et ils chercheront ton nom, Seigneur. »

sanctuaire, et qu'on l'y doit adorer, ibid., page 245. Que JÉSUS-CHRIST *habite dans les pécheurs qui communient, par la présence réelle et véritable de son corps dans leur poitrine, quoique non par la présence de son esprit dans leur cœur*, Fréq. Com., 3 Part. chap. 16. *Que les cendres mortes des corps des saints tirent leur principale dignité de cette semence de vie qui leur reste de l'attouchement de la chair immortelle et vivifiante de* JÉSUS-CHRIST, 1 Part., chap. 40. Que *ce n'est par aucune puissance naturelle, mais par la toute-puissance de Dieu, à laquelle rien n'est impossible, que le corps de* JÉSUS-CHRIST *est enfermé sous l'hostie et sous la moindre partie de chaque hostie*, Théolog. Fam., Leç. 15. Que *la vertu divine est présente pour produire l'effet que les paroles de la consécration signifient*, ibid. Que JÉSUS-CHRIST, *qui est rabaissé et couché sur l'autel, est en même temps élevé dans sa gloire ; qu'il est, par lui-même et par sa puissance ordinaire, en divers lieux en même temps, au milieu de l'Eglise triomphante, et au milieu de l'Eglise militante et voyagère*. De la Suspension, Rais, 21. Que *les espèces sacramentales demeurent suspendues, et subsistent extraordinairement sans être appuyées d'aucun sujet ; et que le corps de* JÉSUS-CHRIST *est aussi suspendu sous les espèces ; qu'il ne dépend point d'elles comme les substances dépendent des accidents*, ib. 23. Que *la substance du pain se change en laissant les accidents immuables*, Heures dans la prose du Saint-Sacrement. Que JÉSUS-CHRIST *repose dans l'Eucharistie avec la même gloire qu'il a dans le ciel*, Lettres de M. de Saint-Cyran, tom. I, Let. 93. Que *son humanité glorieuse réside dans les tabernacles de l'Eglise, sous les espèces du pain, qui le couvrent visiblement ; et que, sachant que nous sommes grossiers, il nous conduit ainsi à l'adoration de sa divinité présente en tous lieux, par celle de son humanité présente en un lieu particulier*, ibid. Que *nous recevons le corps de* JÉSUS-CHRIST *sur la langue, et qu'il la sanctifie par son divin attouchement*, Lett. 32. *Qu'il entre dans la bouche du prêtre*, Lett. 72. *Que, quoique* JÉSUS-CHRIST *se soit rendu accessible dans le Saint-Sacrement par un effet de son amour et de sa clémence, il ne laisse pas d'y conserver son inaccessibilité, comme une condition inséparable de sa nature divine ; parce que, encore que le seul corps et le seul sang y soient par la vertu des paroles, vi verborum, comme parle l'Ecole, cela n'empêche pas que toute sa divinité, aussi bien que toute son humanité, n'y soit par une suite et une conjonction nécessaire*, Défense du chapelet du Saint-Sacrement, page 217. Et enfin, *que l'Eucharistie est tout ensemble sacrement et sacrifice*, Théol. Fam., Leç. 15, *et qu'encore que ce sacrifice soit une commémoration de celui de la croix, toutefois il y a cette différence, que celui de la messe n'est offert que pour l'Eglise seule et pour les fidèles qui sont dans sa communion, au lieu que celui de la croix a été offert pour tout le monde, comme l'Ecriture parle*, ib., page 153. Cela suffit, mes Pères, pour faire voir clairement qu'il n'y eut peut-être jamais une plus grande impudence que la vôtre. Mais je veux encore vous faire prononcer cet arrêt à vous-mêmes contre vous-mêmes. Car que demandez-vous, afin d'ôter toute apparence qu'un homme soit d'intelligence avec Genève? *Si M. Arnauld*, dit votre Père Meynier, page 83, *eût dit qu'en cet adorable mystère il n'y a aucune substance du pain sous les espèces, mais seulement la chair et le sang de* JÉSUS-CHRIST, *j'eusse avoué qu'il se serait déclaré entièrement contre Genève*. Avouez-le donc, imposteurs, et faites-lui une réparation publique de cette injure publique. Combien de fois l'avez-vous vu dans les passages que je viens de citer! Mais, de plus, la *Théologie familière* de M. de Saint-Cyran étant approuvée par M. Arnauld, elle contient les sentiments de l'un et de l'autre. Lisez donc toute la leçon 15 et surtout l'article second, et vous y trouverez les paroles que vous demandez encore plus formellement que vous-mêmes ne les exprimez. *Y a-t-il du pain dans l'hostie, et du vin dans le calice? Non ; car toute substance du pain et celle du vin sont ôtées, pour faire place à celle du corps et du sang de* JÉSUS-CHRIST, *laquelle y demeure seule couverte des qualités et des espèces du pain et du vin*.

Et bien, mes Pères! direz-vous encore que le Port-Royal n'enseigne rien *que Genève ne reçoive*, et que M. Arnauld n'a rien dit, dans sa seconde Lettre, *qui ne peut être dit par un ministre* de Charenton? Faites donc parler Mestrezat comme parle M. Arnauld dans cette lettre, page 237 et suivante. Faites-lui dire : *Que c'est un mensonge infâme de l'accuser de nier la transsubstantiation ; Qu'il prend pour fondement de ses livres la vérité de la présence réelle du Fils de Dieu, opposée à l'hérésie des calvinistes ; Qu'il se tient heureux d'être en un lieu où l'on adore continuellement le Saint des Saints présent dans le sanctuaire ;* ce qui est beaucoup plus contraire à la créance des calvinistes que la présence réelle même; puisque, comme dit le Cardinal de Richelieu, dans ses *Controverses*, page 536, *Les nouveaux ministres de France s'étant unis avec les Luthériens qui la croient, ils ont déclaré qu'ils ne demeurent séparés de l'Eglise, touchant ce mystère, qu'à cause de l'adoration que les catholiques rendent à l'Eucharistie*. Faites signer à Genève tous les passages que je vous ai rapportés des livres de Port-Royal, et non pas seulement les passages, mais les traités entiers touchant ce mystère, comme le livre *de la Fréquente Communion, l'explication des cérémonies de la Messe, l'exercice durant la Messe, les Raisons de la suspension du Saint-Sacrement, la Traduction des hymnes dans les Heures du Port-Royal*, etc. Et enfin faites établir à Charenton cette institution sainte d'adorer sans cesse Jésus-Christ, enfermé dans l'Eucharistie, comme on fait à Port-Royal, et ce sera le plus signalé service que vous puissiez rendre à l'Eglise, puisque alors le Port-Royal ne sera pas *d'intelligence avec Genève*, mais Genève d'intelligence avec le Port-Royal et toute l'Eglise.

En vérité, mes Pères, vous ne pouviez plus mal choisir que d'accuser le Port-Royal de ne pas croire l'Eucharistie; mais je veux faire voir ce qui vous y a engagés. Vous savez que j'entends un peu votre politique. Vous l'avez bien suivie en cette rencontre. Si M. de Saint-Cyran et M. Arnauld n'avaient fait que dire ce qu'on doit croire touchant ce mystère, et non pas ce qu'on doit faire pour s'y préparer, ils auraient été les meilleurs catholiques du monde, et il ne se serait point trouvé d'équivoques dans leurs termes de *présence réelle* et de *transsubstantiation*. Mais, parce qu'il faut que tous ceux qui combattent vos relâchements soient hérétiques, et dans le point même où ils les combattent, comment M. Arnauld ne le serait-il pas sur l'Eucharistie, après avoir fait un livre exprès contre les profanations que vous faites de ce sacrement? Quoi, mes Pères! il aurait dit impunément *qu'on ne doit point donner le corps de Jésus-Christ à ceux qui retombent toujours dans les mêmes crimes, et auxquels on ne voit aucune espérance d'amendement; et qu'on doit les séparer quelque temps de l'autel, pour se purifier par une pénitence sincère, afin de s'en approcher ensuite avec fruit?* Ne souffrez pas qu'on parle ainsi, mes Pères; vous n'auriez pas tant de gens dans vos confessionnaux. Car votre P. Brisacier dit *que, si vous suiviez cette méthode, vous n'appliqueriez le sang de Jésus-Christ sur personne.* Il vaut bien mieux pour vous qu'on suive la pratique de votre Société, que votre P. Mascarenhas rapporte dans un livre approuvé par vos docteurs, et même par votre R. P. général, qui est : *Que toute sorte de personnes, et même les prêtres, peuvent recevoir le corps de Jésus-Christ, le jour même qu'ils se sont souillés par des péchés abominables; que bien loin qu'il y ait de l'irrévérence en ces communions, on est louable au contraire d'en user de la sorte; que les confesseurs ne les en doivent point détourner, et qu'ils doivent au contraire conseiller à ceux qui viennent de commettre ces crimes de communier à l'heure même, parce que, encore que l'Eglise l'ait défendu, cette défense est abolie par la pratique universelle de toute la terre.*

Voilà ce que c'est, mes Pères, d'avoir des Jésuites par toute la terre. Voilà la pratique universelle que vous y avez introduite, et que vous y voulez maintenir. Il n'importe que les tables de Jésus-Christ soient remplies d'abomination pourvu que vos églises soient pleines de monde. Rendez donc ceux qui s'y opposent hérétiques sur le Saint-Sacrement. Il le faut, à quelque prix que ce soit. Mais comment le pourrez-vous faire, après tant de témoignages invincibles qu'ils ont donnés de leur foi? N'avez-vous point de peur que je rapporte les quatre grandes preuves que vous donnez de leur hérésie? Vous le devriez, mes Pères, et je ne dois point vous en épargner la honte. Examinons donc la première.

M. de Saint-Cyran, dit le Père Meynier, *en consolant un de ses amis sur la mort de sa mère, tome I, lettre* 14, *dit que le plus agréable sacrifice qu'on puisse offrir à Dieu dans ces rencontres, est celui de la patience : donc il est calviniste.* Cela est bien subtil, mes Pères, et je ne sais si personne en voit la raison. Apprenons-la donc de lui. *Parce*, dit ce grand controversiste, *qu'il ne croit donc pas le sacrifice de la messe. Car c'est celui-là qui est le plus agréable à Dieu, de tous.* Que l'on dise maintenant que les Jésuites ne savent pas raisonner. Ils le savent de telle sorte, qu'ils rendront hérétiques tels discours qu'ils voudront, et même l'Ecriture sainte. Car n'est-ce pas une hérésie de dire, comme fait l'Ecclésiastique : *Il n'y a rien de pire que d'aimer l'argent; nihil est iniquius quam amare pecuniam;* comme si les adultères, les homicides et l'idolâtrie n'étaient pas de plus grands crimes? Et à qui n'arrive-t-il point de dire à toute heure des choses semblables; et que, par exemple, le sacrifice d'un cœur contrit et humilié est le plus agréable aux yeux de Dieu; parce qu'en ces discours on ne pense qu'à comparer quelques vertus intérieures les unes aux autres, et non pas au sacrifice de la messe, qui est d'un ordre tout différent et infiniment plus relevé? N'êtes-vous donc pas ridicules, mes Pères? et faut-il, pour achever de vous confondre, que je vous représente les termes de cette même lettre où M. de Saint-Cyran parle du sacrifice de la messe comme du *plus excellent* de tous, en disant : *Qu'on offre à Dieu tous les jours et en tous lieux le sacrifice du corps de son Fils, qui n'a point trouvé* DE PLUS EXCELLENT MOYEN *que celui-là pour honorer son Père?* Et ensuite : *Que Jésus-Christ nous a obligés de prendre en mourant son corps sacrifié, pour rendre plus agréable à Dieu le sacrifice du nôtre, et pour se joindre à nous lorsque nous mourons, afin de nous fortifier, en sanctifiant par sa présence le dernier sacrifice que nous faisons à Dieu de notre vie et de notre corps?* Dissimulez tout cela, mes Pères, et ne laissez pas de dire qu'il détournait de communier à la mort, comme vous faites, p. 33, et qu'il ne croyait pas le sacrifice de la messe : car rien n'est trop hardi pour des calomniateurs de profession.

Votre seconde preuve en est un grand témoignage. Pour rendre calviniste feu M. de Saint-Cyran, à qui vous attribuez le livre de *Petrus Aurelius*, vous vous servez d'un passage où Aurelius explique, page 89, de quelle manière l'Eglise se conduit à l'égard des prêtres et même des évêques qu'elle veut déposer ou dégrader. *L'Église*, dit-il, *ne pouvant pas leur ôter la puissance de l'ordre, parce que le caractère est ineffaçable, elle fait ce qui est en elle; elle ôte de sa mémoire ce caractère qu'elle ne peut ôter de l'âme de ceux qui l'ont reçu. Elle les considère comme s'ils n'étaient plus prêtres ou évêques. De sorte que, selon le langage ordinaire de l'Eglise, on peut dire qu'ils ne le sont plus quoiqu'ils le soient toujours quant au caractère : ob indelebilitatem caracteris* [45]. Vous voyez, mes Pères, que cet auteur, approuvé par trois assemblées générales du clergé de France, dit clairement que le caractère de la prêtrise est ineffaçable; et cependant vous lui faites dire tout au contraire, en ce lieu même, *que le caractère de la prêtrise n'est pas ineffaçable.* Voilà une insigne calomnie, c'est-à-dire, selon vous, un petit péché véniel. Car ce livre vous avait fait tort, ayant refuté les hérésies de vos confrères d'Angleterre touchant l'autorité épiscopale. Mais voici une insigne extravagance et un gros péché mortel contre la raison.

45. « A cause de l'indélébilité du caractère (de la puissance de l'ordre). »

C'est qu'ayant faussement supposé que M. de Saint-Cyran tient que ce caractère est effaçable, vous en concluez qu'il ne croit donc pas la présence réelle de Jésus-Christ dans l'Eucharistie.

N'attendez pas que je vous réponde là-dessus, mes Pères. Si vous n'avez pas de sens commun, je ne puis pas vous en donner. Tous ceux qui en ont se moqueront assez de vous, aussi bien que de votre troisième preuve, qui est fondée sur ces paroles de la Freq. Com., 3 p. ch. 11 : *Que Dieu nous donne dans l'Eucharistie* LA MÊME VIANDE *qu'aux saints dans le ciel, sans qu'il y ait d'autre différence, sinon qu'ici il nous en ôte la vue et le goût sensible, réservant l'un et l'autre pour le ciel.* En vérité, mes Pères, ces paroles expriment si naïvement le sens de l'Eglise, que j'oublie à toute heure par où vous vous y prenez pour en abuser. Car je n'y vois autre chose, sinon ce que le concile de Trente enseigne, sess. 13. c. 8 : Qu'il n'y a point d'autre différence entre Jésus-Christ dans l'Eucharistie, et Jésus-Christ dans le ciel, sinon qu'il est ici voilé, et non pas là. M. Arnauld ne dit pas qu'il n'y a point d'autre différence en la manière de recevoir J.-C., mais seulement qu'il n'y en a point d'autre en Jésus-Christ que l'on reçoit. Et cependant vous voulez, contre toute raison, lui faire dire, par ce passage, qu'on ne mange non plus ici Jésus-Christ de bouche que dans le ciel : d'où vous concluez son hérésie.

Vous me faites pitié, mes Pères. Faut-il vous expliquer cela davantage? Pourquoi confondez-vous cette nourriture divine avec la manière de la recevoir? Il n'y a qu'une seule différence, comme je le viens de dire, dans cette nourriture sur la terre et dans le ciel, qui est qu'elle est ici cachée sous des voiles qui nous en ôtent la vue et le goût sensible : mais il y a plusieurs différences dans la manière de la recevoir ici et là, dont la principale est que, comme dit M. Arnauld, 3 part. ch. 16, *il entre ici dans la bouche et dans la poitrine, et des bons et des méchants;* ce qui n'est pas dans le ciel.

Et si vous ignorez la raison de cette diversité, je vous dirai, mes Pères, que la cause pour laquelle Dieu a établi ces différentes manières de recevoir une même viande, est la différence qui se trouve entre l'état des chrétiens en cette vie, et celui des bienheureux dans le ciel. L'état des chrétiens, comme dit le cardinal du Perron après les Pères, tient le milieu entre l'état des bienheureux et l'état des Juifs. Les bienheureux possèdent Jésus-Christ réellement, sans figures et sans voiles. Les Juifs n'ont possédé de Jésus-Christ que les figures et les voiles, comme étaient la manne et l'agneau pascal. Et les chrétiens possèdent Jésus-Christ dans l'Eucharistie véritablement et réellement, mais encore couvert de voiles. *Dieu*, dit saint Eucher, *s'est fait trois tabernacles : la Synagogue, qui n'a eu que les ombres sans vérité; l'Eglise, qui a la vérité et les ombres; et le ciel, où il n'y a point d'ombres, mais la seule vérité.* Nous sortirions de l'état où nous sommes, qui est l'état de foi, que saint Paul oppose tant à la loi qu'à la claire vision, si nous ne possédions que les figures sans Jésus-Christ, parce que c'est le propre de la loi de n'avoir que l'ombre, et non la substance des choses. Et nous en sortirions encore, si nous le possédions visiblement; parce que la foi, comme dit le même apôtre, n'est point des choses qui se voient. Et ainsi l'Eucharistie est parfaitement proportionnée à notre état de foi, parce qu'elle enferme véritablement Jésus-Christ, mais voilé. De sorte que cet état serait détruit, si Jésus-Christ n'était pas réellement sous les espèces du pain et du vin, comme le prétendent les hérétiques : et il serait détruit encore, si nous le recevions à découvert, comme dans le ciel, puisque ce serait confondre notre état avec l'état du Judaïsme, ou avec celui de la gloire.

Voilà, mes Pères, la raison mystérieuse et divine de ce mystère tout divin. Voilà ce qui nous fait abhorrer les calvinistes, comme nous réduisant à la condition des Juifs; et ce qui nous fait aspirer à la gloire des bienheureux, qui nous donnera la pleine et éternelle jouissance de Jésus-Christ. Par où vous voyez qu'il y a plusieurs différences entre la manière dont il se communique aux chrétiens et aux bienheureux, et qu'entre autres on le reçoit ici de bouche, et non dans le ciel; mais qu'elles dépendent toutes de la seule différence qui est entre l'état de la foi où nous sommes, et l'état de la claire vision, où ils sont. Et c'est, mes Pères, ce que M. Arnauld a dit si clairement en ces termes : *Qu'il faut qu'il n'y ait point d'autre différence entre la pureté de ceux qui reçoivent Jésus-Christ dans l'Eucharistie, et celle des bienheureux, qu'autant qu'il y en a entre la foi, et la claire vision de Dieu, de laquelle seule dépend la différente manière dont on le mange dans la terre et dans le ciel.* Vous devriez, mes Pères, avoir révéré dans ses paroles ces saintes vérités, au lieu de les corrompre pour y trouver une hérésie qui n'y fut jamais, et qui n'y saurait être : qui est qu'on ne mange Jésus-Christ que par la foi, et non par la bouche, comme le disent malicieusement vos Pères Annat et Meynier, qui en font le capital de leur accusation.

Vous voilà donc bien mal en preuves, mes Pères; et c'est pourquoi vous avez eu recours à un nouvel artifice, qui a été de falsifier le concile de Trente, afin de faire que M. Arnauld n'y fût pas conforme, tant vous avez de moyens de rendre le monde hérétique. C'est ce que fait le P. Meynier en 50 endroits de son livre, et 8 ou 10 fois en la seule p. 54, où il prétend que, pour s'exprimer en catholique, ce n'est pas assez de dire : Je crois que Jésus-Christ est présent réellement dans l'Eucharistie; mais qu'il faut dire : *Je crois,* AVEC LE CONCILE, *qu'il y est présent d'une vraie* PRÉSENCE LOCALE, *ou localement.* Et sur cela il cite le concile, sess. 13. can. 3, can. 4, can. 6. Qui ne croirait, en voyant le mot de *présence locale* cité de trois canons d'un concile universel, qu'il y serait effectivement? Cela vous a pu servir avant ma quinzième lettre; mais à présent, mes Pères, on ne s'y prend plus. On va voir le concile, et on trouve que vous êtes des imposteurs. Car ces termes de *présence locale, localement, localité*, n'y furent jamais. Et je vous déclare de plus, mes

Pères, qu'ils ne sont dans aucun autre lieu de ce concile, ni dans aucun autre concile précédent, ni dans aucun Père de l'Église. Je vous prie donc sur cela, mes Pères, de dire si vous prétendez rendre suspects de calvinisme tous ceux qui n'ont point usé de ce terme? Si cela est, le concile de Trente en est suspect, et tous les Pères sans exception. Vous êtes trop équitables pour faire un si grand fracas dans l'Eglise pour une querelle particulière. N'avez-vous point d'autre voie pour rendre M. Arnauld hérétique, sans offenser tant de gens qui ne vous ont point fait de mal, et entre autres saint Thomas, qui est un des plus grands défenseurs de l'Eucharistie, et qui s'est si peu servi de ce terme, qu'il l'a rejeté au contraire, 3. p., q. 76, a. 5, où il dit : *Nullo modo corpus Christi est in hoc Sacramento localiter* [46]*?* Qui êtes-vous donc, mes Pères, pour imposer, de votre autorité, de nouveaux termes, dont vous ordonnez de se servir pour bien exprimer sa foi : comme si la profession de foi dressée par les papes, selon l'ordre du concile, où ce terme ne se trouve point, était défectueuse, et laissait une ambiguïté dans la créance des fidèles, que vous seuls eussiez découverte? Quelle témérité de les prescrire aux docteurs mêmes! quelle fausseté de les imposer à des conciles généraux! Et quelle ignorance de ne savoir pas les difficultés que les saints les plus éclairés ont fait de les recevoir! *Rougissez*, mes Pères, *de vos impostures ignorantes*, comme dit l'Ecriture aux imposteurs ignorants comme vous : *De mendacio ineruditionis tuæ confundere* [47].

N'entreprenez donc plus de faire les maîtres; vous n'avez ni le caractère ni la suffisance pour cela. Mais, si vous voulez faire vos propositions plus modestement, on pourra les écouter. Car, encore que ce mot de *présence locale* ait été rejeté par saint Thomas, comme vous avez vu, à cause que le corps de Jésus-Christ n'est pas en l'Eucharistie dans l'étendue ordinaire des corps en leur lieu, néanmoins ce terme a été reçu par quelques nouveaux auteurs de controverses, parce qu'ils entendent seulement par là que le corps de Jésus-Christ est vraiment sous les espèces, lesquelles étant en un lieu particulier, le corps de Jésus-Christ y est aussi. Et en ce sens, M. Arnauld ne fera point de difficulté de l'admettre; puisque M. de Saint-Cyran et lui ont déclaré tant de fois que Jésus-Christ, dans l'Eucharistie, est véritablement en un lieu particulier, et miraculeusement en plusieurs lieux à la fois. Ainsi tous vos raffinements tombent par terre, et vous n'avez pu donner la moindre apparence à une accusation qu'il n'eût été permis d'avancer qu'avec des preuves invincibles.

Mais à quoi sert, mes Pères, d'opposer leur innocence à vos calomnies? Vous ne leur attribuez pas ces erreurs dans la créance qu'ils les soutiennent, mais dans la créance qu'ils vous font tort. C'en est assez, selon votre théologie, pour les calomnier sans crime; et vous pouvez, sans confession ni pénitence, dire la messe en même temps que vous imputez à des prêtres qui la disent tous les jours, de croire que c'est une pure idolâtrie ! ce qui serait un si horrible sacrilège, que vous-mêmes avez fait pendre en effigie votre propre Père Jarrige, sur ce qu'il avait dit la messe *étant d'intelligence avec Genève.*

Je m'étonne donc, non pas de ce que vous leur imposez avec si peu de scrupule des crimes si grands et si faux, mais de ce que vous leur imposez avec si peu de prudence des crimes si peu vraisemblables. Car vous disposez bien des péchés à votre gré; mais pensez-vous disposer de même de la créance des hommes? En vérité, mes Pères, s'il fallait que le soupçon de calvinisme tombât sur eux ou sur vous, je vous trouverais en mauvais termes. Leurs discours sont aussi catholiques que les vôtres; mais leur conduite confirme leur foi, et la vôtre la dément. Car, si vous croyez aussi bien qu'eux que ce pain est réellement changé au corps de Jésus-Christ, pourquoi ne demandez-vous pas comme eux que le cœur de pierre et de glace de ceux à qui vous conseillez d'en approcher soit sincèrement changé en un cœur de chair et d'amour? Si vous croyez que Jésus-Christ y est dans un état de mort, pour apprendre à ceux qui s'en approchent à mourir au monde, au péché et à eux-mêmes, pourquoi portez-vous à en approcher ceux en qui les vices et les passions criminelles sont encore toutes vivantes? Et comment jugez-vous dignes de manger le pain du ciel ceux qui ne le seraient pas de manger celui de la terre?

O grands vénérateurs de ce saint mystère, dont le zèle s'emploie à persécuter ceux qui l'honorent par tant de communions saintes, et à flatter ceux qui le déshonorent par tant de communions sacrilèges! Qu'il est digne de ces défenseurs d'un si pur et si adorable sacrifice, d'environner la table de JÉSUS-CHRIST de pécheurs envieillis, tout sortants de leurs infamies, et de placer au milieu d'eux un prêtre que son confesseur même envoie de ses impudicités à l'autel, pour y offrir, en la place de JÉSUS-CHRIST, cette victime toute sainte au Dieu de sainteté, et la porter de ses mains souillées en ces bouches toutes souillées! Ne sied-il pas bien à ceux qui pratiquent cette conduite *par toute la terre*, selon des maximes approuvées de leur propre général, d'imputer à l'auteur de la Fréquente Communion, et aux Filles du Saint-Sacrement, de ne point croire le Saint-Sacrement?

Cependant cela ne leur suffit pas encore. Il faut, pour satisfaire leur passion, qu'ils les accusent enfin d'avoir renoncé à Jésus-Christ et à leur baptême. Ce ne sont pas là, mes Pères, des contes en l'air comme les vôtres. Ce sont les funestes emportements par où vous avez comblé la mesure de vos calomnies. Une si insigne fausseté n'eût pas été en des mains dignes de la soutenir, en demeurant en celles de votre bon ami Filleau, par qui vous l'avez fait naître : votre Société se l'est attribuée ouvertement; et votre Père Meynier vient de soutenir, *comme une vérité certaine*, que Port-Royal forme une cabale secrète depuis 35 ans, dont M. de Saint-Cyran et M. d'Ypres ont été les chefs,

46. « Dans ce sacrement le corps du Christ ne se trouve en aucune manière localement. »
47. Cf. Eccli., IV, 30. « Rougis d'un mensonge échappé à ton ignorance. »

pour ruiner le mystère de l'Incarnation, faire passer l'Evangile pour une histoire apocryphe, exterminer la religion chrétienne, et élever le déisme sur les ruines du christianisme. Est-ce là tout, mes Pères? Serez-vous satisfaits si l'on croit tout cela de ceux que vous haïssez? Votre animosité serait-elle enfin assouvie, si vous les aviez mis en horreur, non seulement à tous ceux qui sont dans l'Eglise, par *l'intelligence avec Genève*, dont vous les accusez, mais encore à tous ceux qui croient en JÉSUS-CHRIST, quoique hors l'Eglise, par le *déisme* que vous leur imputez?

Mais qui ne sera surpris de l'aveuglement de votre conduite? Car, à qui prétendez-vous persuader, sur votre seule parole, sans la moindre apparence de preuve et avec toutes les contradictions imaginables, que des évêques et des prêtres qui n'ont fait autre chose que prêcher la grâce de JÉSUS-CHRIST, la pureté de l'Evangile et les obligations du baptême, avaient renoncé à leur baptême, à l'Evangile et à JÉSUS-CHRIST : qu'ils n'ont travaillé que pour établir cette apostasie; et que le Port-Royal y travaille encore? Qui le croira, mes Pères? Le croyez-vous vous-mêmes, misérables que vous êtes? Et à quelle extrémité êtes-vous réduits, puisqu'il faut nécessairement ou que vous prouviez cette accusation, ou que vous passiez pour les plus abandonnés calomniateurs qui furent jamais! Prouvez-le donc, mes Pères. Nommez *cet ecclésiastique de mérite*, que vous dites avoir assisté à cette assemblée de Bourg-Fontaine [48] en 1621, et avoir découvert à votre Filleau le dessein qui y fut pris de détruire la religion chrétienne. Nommez ces six personnes que vous dites y avoir formé cette conspiration. Nommez *celui qui est désigné par ces lettres A. A*, que vous dites, p. 15, *n'être pas Antoine Arnauld*, parce qu'il vous a convaincus qu'il n'avait alors que neuf ans. *mais un autre qui est encore en vie, et trop bon ami de M. Arnauld pour lui être inconnu.* Vous le connaissez donc, mes Pères; et par conséquent, si vous n'êtes vous-mêmes sans religion, vous êtes obligés de déférer cet impie au roi et au parlement, pour le faire punir comme il le mériterait. Il faut parler, mes Pères : il faut le nommer, ou souffrir la confusion de n'être plus regardés que comme des menteurs indignes d'être jamais crus. C'est en cette manière que le bon P. Valérien nous a appris qu'il fallait *mettre à la gêne* et pousser à bout de tels imposteurs. Votre silence là-dessus sera une pleine et entière conviction de cette calomnie diabolique. Les plus aveugles de vos amis seront contraints d'avouer *que ce ne sera point un effet de votre vertu, mais de votre impuissance;* et d'admirer que vous ayez été si méchants que de l'étendre jusques aux religieuses de Port-Royal, et de dire, comme vous faites, p. 14, que le *Chapelet secret du Saint-Sacrement*, composé par l'une d'elles, a été le premier fruit de cette conspiration contre JÉSUS-CHRIST; et dans la p. 95 *qu'on leur a inspiré toutes les détestables maximes de cet écrit*, qui est, selon vous, une instruction *de déisme.* On a déjà ruiné invinciblement vos impostures sur cet écrit, dans la défense de la censure de feu M. l'archevêque de Paris contre votre P. Brisacier. Vous n'avez rien à y repartir, et vous ne laissez pas d'en abuser encore d'une manière plus honteuse que jamais, pour attribuer à des filles d'une piété connue de tout le monde le comble de l'impiété. Cruels et lâches persécuteurs, faut-il donc que les cloîtres les plus retirés ne soient pas des asiles contre vos calomnies? Pendant que ces saintes vierges adorent nuit et jour J.-C. au Saint-Sacrement, selon leur institution, vous ne cessez nuit et jour de publier qu'elles ne croient pas qu'il soit ni dans l'Eucharistie, ni même à la droite de son Père; et vous les retranchez publiquement de l'Eglise, pendant qu'elles prient dans le secret pour vous et pour toute l'Eglise. Vous calomniez celles qui n'ont point d'oreilles pour vous ouïr, ni de bouche pour vous répondre. Mais JÉSUS-CHRIST, en qui elles sont cachées pour ne paraître qu'un jour avec lui, vous écoute et répond pour elles. On l'entend aujourd'hui cette voix sainte et terrible, qui étonne la nature et qui console l'Eglise [49]. Et je crains, mes Pères, que ceux qui endurcissent leurs cœurs, et qui refusent avec opiniâtreté de l'ouïr quand il parle en Dieu, ne soient forcés de l'ouïr avec effroi quand il leur parlera en juge.

Car enfin, mes Pères, quel compte lui pourrez-vous rendre de tant de calomnies, lorsqu'il les examinera non sur les fantaisies de vos Pères Dicastillus, Gans, et Pennalossa, mais sur les règles de sa vérité éternelle et sur les saintes ordonnances de son Eglise, qui, bien loin d'excuser ce crime, l'abhorre tellement, qu'elle l'a puni de même qu'un homicide volontaire? Car elle a différé aux calomniateurs, aussi bien qu'aux meurtriers, la communion jusques à la mort, par le Ier et IIe concile d'Arles. Le concile de Latran a jugé indignes de l'état ecclésiastique ceux qui en ont été convaincus, quoiqu'ils s'en fussent corrigés. Les papes ont même menacé ceux qui auraient calomnié des évêques, des prêtres, ou des diacres, de ne leur point donner la communion à la mort. Et les auteurs d'un écrit diffamatoire, qui ne peuvent prouver ce qu'ils ont avancé, sont condamnés par le pape Adrien *à être fouettés*, mes Révérends Pères, *flagellentur.* Tant l'Eglise a toujours été éloignée des erreurs de votre Société, si corrompue qu'elle excuse d'aussi grands crimes que la calomnie, pour les commettre elle-même avec plus de liberté.

Certainement mes Pères, vous seriez capables de produire par là beaucoup de maux, si Dieu n'avait permis que vous ayez fourni vous-mêmes les moyens de les empêcher et de rendre toutes vos impostures sans effet. Car il ne faut que publier cette étrange maxime qui les exempte de crime, pour vous ôter toute créance. La calomnie est inutile, si elle n'est jointe à une grande réputation de sincérité. Un médisant ne peut réussir, s'il n'est en estime d'abhorrer la médisance, comme un crime dont il est

48. Cette assemblée a été imaginée de toutes pièces par Jean Filleau, jurisconsulte (1600-1682).

49. Allusion au miracle de la Sainte Epine (24 mars 1656).

incapable. Et ainsi, mes Pères, votre propre principe vous trahit. Vous l'avez établi pour assurer votre conscience. Car vous vouliez médire sans être damnés, et être *de ces saints et pieux calomniateurs* dont parle saint Athanase. Vous avez donc embrassé, pour vous sauver de l'enfer, cette maxime, qui vous en sauve sur la foi de vos docteurs : mais cette maxime même, qui vous garantit, selon eux, des maux que vous craignez en l'autre vie, vous ôte en celle-ci l'utilité que vous en espériez; de sorte qu'en pensant éviter le vice de la médisance vous en avez perdu le fruit : tant le mal est contraire à soi-même, et tant il s'embarrasse et se détruit par sa propre malice.

Vous calomnieriez donc plus utilement pour vous, en faisant profession de dire avec saint Paul que les simples médisants, *maledici*, sont indignes de voir Dieu, puisqu'au moins vos médisances en seraient plutôt crues, quoique à la vérité vous vous condamneriez vous-mêmes; mais en disant, comme vous faites, que la calomnie contre vos ennemis n'est pas un crime, vos médisances ne seront point crues, et vous ne laisserez pas de vous damner. Car il est certain, mes Pères, et que vos auteurs graves n'anéantiront pas la justice de Dieu, et que vous ne pouviez donner une preuve plus certaine que vous n'êtes pas dans la vérité, qu'en recourant au mensonge. Si la vérité était pour vous, elle combattrait pour vous, elle vaincrait pour vous; et, quelques ennemis que vous eussiez, *la vérité vous en délivrerait*, selon sa promesse. Vous n'avez recours au mensonge que pour soutenir les erreurs dont vous flattez les pécheurs du monde, et pour appuyer les calomnies dont vous opprimez les personnes de piété qui s'y opposent. La vérité étant contraire à vos fins, il a fallu mettre *votre confiance au mensonge*, comme dit un prophète. *Vous avez dit : Les malheurs qui affligent les hommes ne viendront pas jusques à nous; car nous avons espéré au mensonge, et le mensonge nous protégera.* Mais que leur répond le prophète? *D'autant*, dit-il, *que vous avez mis votre espérance en la calomnie et au tumulte, sperastis in calumnia et in tumultu, cette iniquité vous sera imputée, et votre ruine sera semblable à celle d'une haute muraille qui tombe d'une chute imprévue, et à celle d'un vaisseau de terre qu'on brise et qu'on écrase en toutes ses parties, par un effort si puissant et si universel, qu'il n'en restera pas un test où l'on puisse puiser un peu d'eau ou porter un peu de feu : parce que*, comme dit un autre prophète, *vous avez affligé le cœur du juste, que je n'ai point affligé moi-même, et vous avez flatté et fortifié la malice des impies. Je retirerai donc mon peuple de vos mains, et je ferai connaître que je suis leur Seigneur et le vôtre.*

Oui, mes Pères, il faut espérer que, si vous ne changez d'esprit, il retirera de vos mains ceux que vous trompez depuis si longtemps, soit en les laissant dans leurs désordres par votre mauvaise conduite, soit en les empoisonnant par vos médisances. Il fera concevoir aux uns que les fausses règles de vos casuistes ne les mettront point à couvert de sa colère, et il imprimera dans l'esprit des autres la juste crainte de se perdre en vous écoutant et en donnant créance à vos impostures, comme vous vous perdez vous-mêmes en les inventant et en les semant dans le monde. Car il ne s'y faut pas tromper : on ne se moque point de Dieu, et on ne viole point impunément le commandement qu'il nous a fait dans l'Évangile, de ne point condamner notre prochain sans être bien assuré qu'il est coupable. Et ainsi, quelque profession de piété que fassent ceux qui se rendent faciles à recevoir vos mensonges, et sous quelque prétexte de dévotion qu'ils le fassent, ils doivent appréhender d'être exclus du royaume de Dieu pour ce seul crime, d'avoir imputé d'aussi grands crimes que l'hérésie et le schisme à des prêtres catholiques et à des religieuses, sans autres preuves que des impostures aussi grossières que les vôtres. *Le démon*, dit M. de Genève, *est sur la langue de celui qui médit, et dans l'oreille de celui qui l'écoute. Et la médisance*, dit saint Bernard, Cant. 24, *est un poison qui éteint la charité en l'un et en l'autre. De sorte qu'une seule calomnie peut être mortelle à une infinité d'âmes, puisqu'elle tue non seulement ceux qui la publient, mais encore tous ceux qui ne la rejettent pas.*

Mes révérends Pères, mes Lettres n'avaient pas accoutumé de se suivre de si près, ni d'être si étendues. Le peu de temps que j'ai eu a été cause de l'un et de l'autre. Je n'ai fait celle-ci plus longue que parce que je n'ai pas eu le loisir de la faire plus courte. La raison qui m'a obligé de me hâter, vous est mieux connue qu'à moi. Vos réponses vous réussissaient mal. Vous avez bien fait de changer de méthode; mais je ne sais si vous avez bien choisi, et si le monde ne dira pas que vous avez eu peur des Bénédictins.

Je viens d'apprendre que celui que tout le monde faisait auteur de vos Apologies[50] *les désavoue, et se fâche qu'on les lui attribue. Il a raison, et j'ai eu tort de l'en avoir soupçonné. Car, quelque assurance qu'on m'en eût donnée, je devais penser qu'il avait trop de jugement pour croire vos impostures, et trop d'honneur pour les publier sans les croire. Il y a peu de gens du monde capables de ces excès qui vous sont propres, et qui marquent trop votre caractère, pour me rendre excusable de ne vous y avoir pas reconnus. Le bruit commun m'avait emporté. Mais cette excuse, qui serait trop bonne pour vous, n'est pas suffisante pour moi, qui fais profession de ne rien dire sans preuve certaine, et qui n'en ai dit aucune que celle-là. Je m'en repens, je la désavoue, et je souhaite que vous profitiez de mon exemple.*

50. L'on avait fait courir le bruit que Desmarets-de-Saint-Sorlin était l'auteur des *Impostures*. Mieux renseigné Pascal se rétracte.

DIX-SEPTIÈME LETTRE

ÉCRITE PAR L'AUTEUR DES LETTRES AU PROVINCIAL
AU RÉVÉREND P. ANNAT, JÉSUITE

Ce 23 janvier 1657.

Mon révérend Père,

Votre procédé m'avait fait croire que vous désiriez que nous demeurassions en repos de part et d'autre, et je m'y étais disposé. Mais vous avez depuis produit tant d'écrits en peu de temps, qu'il paraît bien qu'une paix n'est guère assurée, quand elle dépend du silence des Jésuites. Je ne sais si cette rupture vous sera fort avantageuse; mais pour moi, je ne suis pas fâché qu'elle me donne le moyen de détruire ce reproche ordinaire d'hérésie, dont vous remplissez tous vos livres.

Il est temps que j'arrête une fois pour toutes cette hardiesse que vous prenez de me traiter d'hérétique, qui s'augmente tous les jours. Vous le faites dans ce livre que vous venez de publier [51] d'une manière qui ne se peut plus souffrir, et qui me rendrait enfin suspect, si je ne vous y répondais comme le mérite un reproche de cette nature. J'avais méprisé cette injure dans les écrits de vos confrères, aussi bien qu'une infinité d'autres qu'ils y mêlent indifféremment. Ma 15e lettre y avait assez répondu; mais vous en parlez maintenant d'un autre air : vous en faites sérieusement le capital de votre défense; c'est presque la seule chose que vous y employez. Car vous dites *que pour toute réponse à mes* 15 *lettres, il suffit de dire* 15 *fois que je suis hérétique; et qu'étant déclaré tel, je ne mérite aucune créance.* Enfin vous ne mettez pas mon apostasie en question, et vous la supposez comme un principe ferme, sur lequel vous bâtissez hardiment. C'est donc tout de bon, mon Père, que vous me traitez d'hérétique; et c'est aussi tout de bon que je vous y vas répondre.

Vous savez bien, mon Père, que cette accusation est si importante, que c'est une témérité insupportable de l'avancer, si on n'a pas de quoi la prouver. Je vous demande quelles preuves vous en avez. Quand m'a-t-on vu à Charenton? Quand ai-je manqué à la messe et aux devoirs des chrétiens à leurs paroisses? Quand ai-je fait quelque action d'union avec les hérétiques, ou de schisme avec l'Église? Quel concile ai-je contredit? Quelle constitution de pape ai-je violée? Il faut répondre, mon Père, ou... vous m'entendez bien. Et que répondez-vous? Je prie tout le monde de l'observer. Vous supposez premièrement *que celui qui écrit les lettres est de Port-Royal,* vous dites ensuite *que le Port-Royal est déclaré hérétique;* d'où vous concluez *que celui qui écrit les lettres est déclaré hérétique.* Ce n'est donc pas sur moi, mon Père, que tombe le fort de cette accusation, mais sur le Port-Royal; et vous ne m'en chargez que parce que vous supposez que j'en suis. Ainsi je n'aurai pas grand-peine à m'en défendre, puisque je n'ai qu'à vous dire que je n'en suis pas, et à vous renvoyer à mes Lettres, où j'ai dit *que je suis seul,* et en propres termes, que *je ne suis point de Port-Royal;* comme j'ai fait dans la 16e, qui a précédé votre livre.

Prouvez donc d'une autre manière que je suis hérétique, ou tout le monde reconnaîtra votre impuissance. Prouvez que je ne reçois pas la Constitution par mes écrits. Ils ne sont pas en si grand nombre. Il n'y a que 16 Lettres à examiner, où je vous défie, et vous et toute la terre, d'en produire la moindre marque. Mais je vous y ferai bien voir le contraire. Car, quand j'ai dit, par exemple, dans la 14e, *qu'en tuant, selon vos maximes, ses frères en péché mortel, on damne ceux pour qui Jésus-Christ est mort,* n'ai-je pas visiblement reconnu que Jésus-Christ est mort pour ces damnés, et qu'ainsi il est faux *qu'il ne soit mort que pour les seuls prédestinés,* ce qui est condamné dans la cinquième proposition? Il est donc sûr, mon Père, que je n'ai rien dit pour soutenir ces propositions impies, que je déteste de tout mon cœur. Et quand le Port-Royal les tiendrait, je vous déclare que vous n'en pouvez rien conclure contre moi, parce que, grâce à Dieu, je n'ai d'attache sur la terre qu'à la seule Église catholique, apostolique et romaine, dans laquelle je veux vivre et mourir, et dans la communion avec le pape son souverain chef, hors de laquelle je suis très persuadé qu'il n'y a point de salut.

Que ferez-vous à une personne qui parle de cette sorte, et par où m'attaquerez-vous, puisque ni mes discours ni mes écrits ne donnent aucun prétexte à vos accusations d'hérésie, et que je trouve ma sûreté contre vos menaces dans l'obscurité qui me couvre? Vous vous sentez frappé par une main invisible, qui rend vos égarements visibles à toute la terre. Et vous essayez en vain de m'attaquer en la personne de ceux auxquels vous me croyez uni. Je ne vous crains ni pour moi ni pour aucun autre, n'étant attaché ni à quelque communauté ni à quelque particulier que ce soit. Tout le crédit que vous pouvez avoir est inutile à mon égard. Je n'espère rien du monde; je n'en appréhende rien, je n'en veux rien; je n'ai besoin, par la grâce de Dieu, ni du bien, ni de l'autorité de personne. Ainsi, mon Père, j'échappe à toutes vos prises. Vous ne pouvez me saisir de quelque côté que vous le tentiez. Vous pouvez bien toucher le Port-Royal, mais non pas moi. On a bien délogé des

51. *La bonne foi des jansénistes dans la citation des auteurs, reconnue dans les Lettres que le secrétaire de Port-Royal a fait courir depuis Pâques,* par le P. François Annat (novembre 1656).

gens de Sorbonne [52]; mais cela ne me déloge pas de chez moi. Vous pouvez bien préparer des violences contre des prêtres et des docteurs, mais non pas contre moi, qui n'ai point ces qualités. Et ainsi peut-être n'eûtes-vous jamais affaire à une personne qui fût si hors de vos atteintes, et si propre à combattre vos erreurs, étant libre, sans engagement, sans attachement, sans liaison, sans relation, sans affaires; assez instruit de vos maximes, et bien résolu de les pousser autant que je croirai que Dieu m'y engagera, sans qu'aucune considération humaine puisse arrêter ni ralentir mes poursuites.

A quoi vous sert-il donc, mon Père, lorsque vous ne pouvez rien contre moi, de publier tant de calomnies contre des personnes qui ne sont point mêlées dans nos différends, comme font tous vos Pères? Vous n'échapperez pas par ces fuites. Vous sentirez la force de la vérité que je vous oppose. Je vous dis que vous anéantissez la morale chrétienne en la séparant de l'amour de Dieu, dont vous dispensez les hommes; et vous me parlez de *la mort du Père Mester* [53], que je n'ai vu de ma vie. Je vous dis que vos auteurs permettent de tuer pour une pomme, quand il est honteux de la laisser perdre; et vous me dites *qu'on a ouvert un tronc à Saint-Merry*. Que voulez-vous dire de même de me prendre tous les jours à parti sur le livre *de la Sainte Virginité*, fait par un Père de l'Oratoire que je ne vis jamais, non plus que son livre? Je vous admire, mon Père, de considérer ainsi tous ceux qui vous sont contraires comme une seule personne. Votre haine les embrasse tous ensemble, et en forme comme un corps de réprouvés, dont vous voulez que chacun réponde pour tous les autres.

Il y a bien de la différence entre les Jésuites et ceux qui les combattent. Vous composez véritablement un corps uni sous un seul chef; et vos règles, comme je l'ai fait voir, vous défendent de rien imprimer sans l'aveu de vos supérieurs, qui sont rendus responsables des erreurs de tous les particuliers, *sans qu'ils puissent s'excuser en disant qu'ils n'ont pas remarqué les erreurs qui y sont enseignées, parce qu'ils les doivent remarquer*, selon vos ordonnances, et selon les lettres de vos généraux Aquaviva, Vitteleschi, etc. C'est donc avec raison qu'on vous reproche les égarements de vos confrères, qui se trouvent dans leurs ouvrages approuvés par vos supérieurs et par les théologiens de votre compagnie. Mais quant à moi, mon Père, il en faut juger autrement. Je n'ai pas souscrit le livre *de la Sainte Virginité* [54]. On ouvrirait tous les troncs de Paris sans que j'en fusse moins catholique. Et enfin je vous déclare hautement et nettement que personne ne répond de mes Lettres que moi, et que je ne réponds de rien que de mes Lettres.

Je pourrais en demeurer là, mon Père, sans parler de ces autres personnes que vous traitez d'hérétiques, pour me comprendre dans cette accusation. Mais comme j'en suis l'occasion, je me trouve engagé en quelque sorte à me servir de cette même occasion pour en tirer trois avantages. Car c'en est un bien considérable de faire paraître l'innocence de tant de personnes calomniées. C'en est un autre, et bien propre à mon sujet, de montrer toujours les artifices de votre politique dans cette accusation. Mais celui que j'estime le plus est que j'apprendrai par là à tout le monde la fausseté de ce bruit scandaleux que vous semez de tous côtés, *que l'Église est divisée par une nouvelle hérésie*. Et comme vous abusez une infinité de personnes en leur faisant accroire que les points sur lesquels vous essayez d'exciter un si grand orage sont essentiels à la foi, je trouve d'une extrême importance de détruire ces fausses impressions, et d'expliquer ici nettement en quoi ils consistent, pour montrer qu'en effet il n'y a point d'hérétiques dans l'Église.

Car n'est-il pas véritable que, si l'on demande en quoi consiste l'hérésie de ceux que vous appellez Jansénistes, on répondra incontinent que c'est en ce que ces gens-là disent *que les commandements de Dieu sont impossibles; qu'on ne peut résister à la grâce, et qu'on n'a pas la liberté de faire le bien et le mal : que Jésus-Christ n'est pas mort pour tous les hommes, mais seulement pour les prédestinés : et enfin, qu'ils soutiennent les cinq propositions condamnées par le pape?* Ne faites-vous pas entendre que c'est pour ce sujet que vous persécutez vos adversaires?

N'est-ce pas ce que vous dites, dans vos livres, dans vos entretiens, dans vos catéchismes, comme vous fîtes encore les fêtes de Noël à Saint-Louis, en demandant à une de vos petites bergères :

— *Pour qui est venu Jésus-Christ, ma fille?*

— *Pour tous les hommes, mon Père.*

— *Et quoi! ma fille, vous n'êtes donc pas de ces nouveaux hérétiques qui disent qu'il n'est venu que pour les prédestinés?*

Les enfants vous croient là-dessus, et plusieurs autres aussi; car vous les entretenez de ces mêmes fables dans vos sermons, comme votre Père Crasset à Orléans, qui en a été interdit. Et je vous avoue que je vous ai cru aussi autrefois. Vous m'aviez donné cette même idée de toutes ces personnes-là. De sorte que, quand vous commençâtes à les accuser de tenir ces propositions j'observais avec attention quelle serait leur réponse; et j'étais fort disposé à ne les voir jamais, s'ils n'eussent déclaré qu'ils y renonçaient comme à des impiétés visibles. Mais ils le firent bien hautement. Car M. de Sainte-Beuve, professeur du roi en Sorbonne, censura dans ses écrits publics ces 5 propositions longtemps avant le pape; et ces docteurs firent paraître plusieurs écrits, et entre autres celui *de la Grâce victorieuse* qu'ils produisirent en même temps, où ils rejettent ces propositions, et comme hérétiques, et comme étrangères. Car ils disent dans la préface, *que ce sont des propositions hérétiques et luthériennes, fabriquées et forgées à plaisir, qui ne se trouvent ni dans Jansenius ni dans ses*

52. Soixante docteurs favorables à Arnauld furent exclus de la Sorbonne, le 24 mars 1656.

53. On attribuait le suicide du P. Mester à la doctrine de la prédestination.

54. Le livre *De la Sainte Virginité* du P. Seguenot, oratorien.

défenseurs : ce sont leurs termes. Ils se plaignent de ce qu'on les leur attribue, et vous adressent pour cela ces paroles de saint Prosper, le premier disciple de saint Augustin leur maître, à qui les Semipélagiens de France en imputèrent de pareilles, pour le rendre odieux. *Il y a,* dit ce saint, *des personnes qui ont une passion si aveugle de nous décrier, qu'ils en ont pris un moyen qui ruine leur propre réputation. Car ils ont fabriqué à dessein de certaines propositions pleines d'impiétés et de blasphèmes, qu'ils envoient de tous côtés, pour faire croire que nous les soutenons au même sens qu'ils ont exprimé par leur écrit. Mais on verra, par cette réponse, et notre innocence et la malice de ceux qui nous ont imputé ces impiétés, dont ils sont les uniques inventeurs.*

En vérité, mon Père, lorsque je les ouïs parler de la sorte, avant la Constitution; quand je vis qu'ils la reçurent ensuite avec tout ce qui se peut de respect; qu'ils offrirent de la souscrire; et que M. Arnauld eut déclaré tout cela, plus fortement que je ne le puis rapporter, dans toute sa seconde lettre, j'eusse cru pécher de douter de leur foi. Et en effet, ceux qui avaient voulu refuser l'absolution à leurs amis, avant la lettre de M. Arnauld, ont déclaré depuis, qu'après qu'il avait si nettement condamné ces erreurs qu'on lui imputait, il n'y avait aucune raison de le retrancher, ni lui, ni ses amis, de l'Église. Mais vous n'en avez pas usé de même; et c'est sur quoi je commençai à me défier que vous agissiez avec passion.

Car, au lieu que vous les aviez menacés de leur faire signer cette Constitution quand vous pensiez qu'ils y résisteraient, lorsque vous vîtes qu'ils s'y portaient d'eux-mêmes, vous n'en parlâtes plus. Et quoiqu'il semblât que vous dussiez après cela être satisfaits de leur conduite, vous ne laissâtes pas de les traiter encore d'hérétiques; *parce,* disiez-vous, *que leur cœur démentait leur main, et qu'ils étaient catholiques extérieurement, et hérétiques intérieurement,* comme vous-même l'avez dit dans votre Rép. à quelques demandes, p. 27 et 47 [55].

Que ce procédé me parut étrange, mon Père! Car de qui n'en peut-on pas dire autant? Et quel trouble n'exciterait-on point par ce prétexte! *Si l'on refuse,* dit saint Grégoire, pape, *de croire la confession de foi de ceux qui la donnent conforme aux sentiments de l'Église, on remet en doute la foi de toutes les personnes catholiques.* Je craignis donc, mon Père, *que votre dessein ne fût de rendre ces personnes hérétiques sans qu'ils le fussent,* comme parle le même pape sur une dispute pareille de son temps; *parce,* dit-il, *que ce n'est pas s'opposer aux hérésies, mais c'est faire une hérésie, que de refuser de croire ceux qui par leur confession témoignent d'être dans la véritable foi : Hoc non est hæresim purgare, sed facere.* Mais je connus en vérité qu'il n'y avait point en effet d'hérétiques dans l'Église, quand je vis qu'ils s'étaient si bien justifiés de toutes ces hérésies, que vous ne pûtes plus les accuser d'aucune erreur contre la foi; et que vous fûtes réduit à les entreprendre seulement sur des questions de fait touchant Jansenius, qui ne pouvaient être matière d'hérésie. Car vous les voulûtes obliger à reconnaître *que ces propositions étaient dans Jansenius, mot à mot, toutes, et en propres termes,* comme vous l'écrivîtes encore vous-même : *Singulares, individuæ, totidem verbis apud Jansenium contentæ,* dans vos *Cavilli,* p. 39.

Dès lors, votre dispute commença à me devenir indifférente. Quand je croyais que vous disputiez de la vérité ou de la fausseté des propositions, je vous écoutais avec attention; car cela touchait la foi : mais, quand je vis que vous ne disputiez plus que pour savoir si elles étaient *mot à mot* dans Jansenius ou non, comme la religion n'y était plus intéressée, je ne m'y intéressai plus aussi. Ce n'est pas qu'il n'y eût bien de l'apparence que vous disiez vrai; car de dire que des paroles sont *mot à mot* dans un auteur, c'est à quoi l'on ne peut se méprendre. Aussi je ne m'étonne pas que tant de personnes, et en France et à Rome, aient cru, sur une expression si peu suspecte, que Jansenius les avait enseignées en effet. Et c'est pourquoi je ne fus pas peu surpris d'apprendre que ce point de fait même que vous aviez proposé comme si certain et si important, était faux, et qu'on vous défia de citer les pages de Jansenius où vous aviez trouvé ces propositions *mot à mot,* sans que vous l'ayez jamais pu faire.

Je rapporte toute cette suite, parce qu'il me semble que cela découvre assez l'esprit de votre Société en toute cette affaire, et qu'on admirera de voir que, malgré tout ce que je viens de dire, vous n'ayez pas cessé de publier qu'ils étaient toujours hérétiques; mais vous avez seulement changé leur hérésie selon le temps. Car, à mesure qu'ils se justifiaient de l'une, vos Pères en substituaient une autre, afin qu'ils n'en fussent jamais exempts. Ainsi en 1653, leur hérésie était sur la qualité des propositions. Ensuite, elle fut sur le *mot à mot.* Depuis vous la mîtes dans le cœur. Mais aujourd'hui on ne parle plus de tout cela; et l'ont veut qu'ils soient hérétiques, s'ils ne signent *que le sens de la doctrine de Jansenius se trouve dans le sens de ces cinq propositions.*

Voilà le sujet de votre dispute présente. Il ne vous suffit pas qu'ils condamnent les cinq propositions, et encore tout ce qu'il y aurait dans Jansenius qui pourrait y être conforme et contraire à saint Augustin. Car ils font tout cela. De sorte qu'il n'est pas question de savoir, par exemple, *si Jésus-Christ n'est mort que pour les prédestinés;* ils condamnent cela aussi bien que vous : mais si Jansenius est de ce sentiment-là ou non. Et c'est sur quoi je vous déclare plus que jamais que votre dispute me touche peu, comme elle touche peu l'Église. Car, encore que je ne sois pas

55. *Réponse à quelques demandes dont l'éclaircissement est nécessaire au temps présent* (1655); 2e édition augmentée de *Réflexions sur la seconde lettre du sieur Arnaud,* par le P. François Annat, Paris, F. Lambert, 1656. « *Cavilli Janseniorum...* » [Sophistiqueries des Janséniens contre la sentence portée contre eux par le Saint-Siège apostolique ou Réfutation du libelle des trois colonnes et autres conjectures par lesquelles les Janséniens s'efforceraient d'obtenir de ne pas paraître avoir été condamnés.] *Parisiis, apud S.-G. Cramoisy,* 1654.

docteur, non plus que vous, mon Père, je vois bien néanmoins qu'il n'y va point de la foi; puisqu'il n'est question que de savoir quel est le sens de Jansenius. S'ils croyaient que sa doctrine fût conforme au sens propre et littéral de ces propositions, ils la condamneraient; et ils ne refusent de le faire que parce qu'ils sont persuadés qu'elle en est bien différente; ainsi, quand ils l'entendraient mal, ils ne seraient pas hérétiques; puisqu'ils ne l'entendent qu'en un sens catholique.

Et, pour expliquer cela par un exemple, je prendrai la diversité de sentiments qui fut entre saint Basile et saint Athanase touchant les écrits de saint Denis d'Alexandrie, dans lesquels saint Basile croyant trouver le sens d'Arius contre l'égalité du Père et du Fils, il les condamna comme hérétiques; mais saint Athanase, au contraire, y croyant trouver le véritable sens de l'Église, il les soutint comme catholiques. Pensez-vous donc, mon Père, que saint Basile, qui tenait ces écrits pour ariens, eût droit de traiter saint Athanase d'hérétique, parce qu'il les défendait? Et quel sujet en eût-il eu, puisque ce n'était pas l'arianisme qu'il défendait, mais la vérité de la foi, qu'il pensait y être? Si ces deux saints fussent convenus du véritable sens de ces écrits, et qu'ils y eussent tous deux reconnu cette hérésie, sans doute saint Athanase n'eût pu les approuver sans hérésie; mais comme ils étaient en différend touchant ce sens, saint Athanase était catholique en les soutenant, quand même il les eût mal entendus; puisque ce n'eût été qu'une erreur de fait, et qu'il ne défendait, dans cette doctrine, que la foi catholique qu'il y supposait.

Je vous en dis de même, mon Père. Si vous conveniez du sens de Jansenius, et qu'ils fussent d'accord avec vous qu'il tient, par exemple, *qu'on ne peut résister à la grâce*, ceux qui refuseraient de le condamner seraient hérétiques. Mais lorsque vous disputez de son sens, et qu'ils croient que, selon sa doctrine, *on peut résister à la grâce*, vous n'avez aucun sujet de les traiter d'hérétiques, quelque hérésie que vous lui attribuiez vous-mêmes, puisqu'ils condamnent le sens que vous y supposez, et que vous n'oseriez condamner le sens qu'ils y supposent. Si vous voulez donc les convaincre, montrez que le sens qu'ils attribuent à Jansenius est hérétique; car alors ils le seront eux-mêmes. Mais comment le pourriez-vous faire, puisqu'il est constant, selon votre propre aveu, que celui qu'ils lui donnent n'est point condamné?

Pour vous le montrer clairement, je prendrai pour principe ce que vous reconnaissez vous-même, *que la doctrine de la grâce efficace n'a point été condamnée, et que le pape n'y a point touché par sa Constitution.* Et, en effet, quand il voulut juger des cinq propositions, le point de la grâce efficace fut mis à couvert de toute censure. C'est ce qui paraît parfaitement par les avis des consulteurs auxquels le pape les donna à examiner. J'ai ces avis entre mes mains, aussi bien que plusieurs personnes dans Paris, et entre autres M. l'évêque de Montpellier qui les apporta de Rome. On y voit que leurs opinions furent partagées, et que les principaux d'entre eux, comme le maître du sacré palais, le commissaire du saint-office, le général des Augustins, et d'autres, croyant que ces propositions pouvaient être prises au sens de la grâce efficace, furent d'avis qu'elles ne devaient point être censurées; au lieu que les autres, demeurant d'accord qu'elles n'eussent pas dû être condamnées si elles eussent eu ce sens, estimèrent qu'elles le devaient être, parce que, selon ce qu'ils déclarent, leur sens propre et naturel en était très éloigné. Et c'est pourquoi le pape les condamna, et tout le monde s'est rendu à son jugement.

Il est donc sûr, mon Père, que la grâce efficace n'a point été condamnée. Aussi est-elle si puissamment soutenue par saint Augustin, par saint Thomas et toute son école, par tant de papes et de conciles, et par toute la tradition, que ce serait une impiété de la taxer d'hérésie. Or tous ceux que vous traitez d'hérétiques déclarent qu'ils ne trouvent aucune chose dans Jansenius que cette doctrine de la grâce efficace. Et c'est la seule chose qu'ils ont soutenue dans Rome. Vous-même l'avez reconnu, *Cavil.*, p. 35, où vous avez déclaré *qu'en parlant devant le pape ils ne dirent aucun mot des propositions, ne verbum quidem, et qu'ils employèrent tout le temps à parler de la grâce efficace.* Et ainsi, soit qu'ils se trompent ou non dans cette supposition, il est au moins sans doute que le sens qu'ils supposent n'est point hérétique, et que par conséquent ils ne le sont point. Car, pour dire la chose en deux mots, ou Jansenius n'a enseigné que la grâce efficace, et en ce cas il n'a point d'erreur; ou il a enseigné autre chose, et en ce cas il n'a point de défenseurs. Toute la question est donc de savoir si Jansenius a enseigné en effet autre chose que la grâce efficace; et, si l'on trouve que oui, vous aurez la gloire de l'avoir mieux entendu : mais ils n'auront point le malheur d'avoir erré dans la foi.

Il faut donc louer Dieu, mon Père, de ce qu'il n'y a point en effet d'hérésie dans l'Église, puisqu'il ne s'agit en cela que d'un point de fait, qui n'en peut former. Car l'Église décide les points de foi avec une autorité divine, et elle retranche de son corps tous ceux qui refusent de les recevoir; mais elle n'en use pas de même pour les choses de fait; et la raison en est que notre salut est attaché à la foi qui nous a été révélée, et qui se conserve dans l'Église par la tradition, mais qu'il ne dépend point des autres faits particuliers, qui n'ont point été révélés de Dieu. Ainsi on est obligé de croire que les commandements de Dieu ne sont pas impossibles; mais on n'est pas obligé de savoir ce que Jansenius a enseigné sur ce sujet. C'est pourquoi Dieu conduit l'Église dans la détermination des points de la foi, par l'assistance de son esprit, qui ne peut errer; au lieu que, dans les choses de fait, il la laisse agir par les sens et par la raison, qui en sont naturellement les juges. Car il n'y a que Dieu qui ait pu instruire l'Église de la foi; mais il n'y a qu'à lire Jansenius pour savoir si des propositions sont dans son livre. Et de là vient que c'est une hérésie de résister aux décisions de foi, parce que c'est opposer son esprit propre à l'esprit de Dieu. Mais ce n'est pas une hérésie, quoique ce puisse être une témérité, que de ne pas croire certains faits particuliers, parce que ce n'est qu'opposer la raison, qui peut être claire, à une autorité qui est grande, mais qui en cela n'est pas infaillible.

C'est ce que tous les théologiens reconnaissent, comme il paraît par cette maxime du cardinal Bellarmin, de votre Société : *Les conciles généraux et légitimes ne peuvent errer en définissant les dogmes de la foi ; mais ils peuvent errer en des questions de fait.* Et ailleurs : *Le pape, comme pape, et même à la tête d'un concile universel, peut errer dans les controverses particulières de fait, qui dépendent principalement de l'information et du témoignage des hommes.* Et le cardinal Baronius de même : *Il faut se soumettre entièrement aux décisions des conciles dans les points de foi ; mais pour ce qui concerne les personnes et leurs écrits, les censures qui en ont été faites ne se trouvent pas avoir été gardées avec tant de rigueur, parce qu'il n'y a personne à qui il ne puisse arriver d'y être trompé.* C'est aussi pour cette raison que M. l'archevêque de Toulouse a tiré cette règle de deux grands papes, saint Léon et Pélage II : *Que le propre objet des conciles est la foi et que tout ce qui s'y résout hors la foi, peut être revu et examiné de nouveau ; au lieu qu'on ne doit plus examiner ce qui a été décidé en matière de foi, parce que, comme dit Tertullien, la règle de la foi est seule immobile et irrétractable.*

De là vient qu'au lieu qu'on n'a jamais vu les conciles généraux et légitimes contraires les uns aux autres dans les points de foi, *parce que*, comme dit M. de Toulouse, *il n'est pas seulement permis d'examiner de nouveau ce qui a été déjà décidé en matière de foi ;* on a vu quelquefois ces mêmes conciles opposés sur des points de fait, où il s'agissait de l'intelligence du sens d'un auteur, *parce que*, comme dit encore M. de Toulouse, après les papes qu'il cite, *tout ce qui se résout dans les conciles hors de la foi peut être revu et examiné de nouveau.* C'est ainsi que le IVe et le Ve conciles paraissent contraires l'un à l'autre, en l'interprétation des mêmes auteurs; et la même chose arriva entre deux papes, sur une proposition de certains moines de Scythie. Car, après que le pape Hormisdas l'eut condamnée en l'entendant en un mauvais sens, le pape Jean II, son successeur, l'examinant de nouveau, et l'entendant en un bon sens, l'approuva et la déclara catholique. Diriez-vous, pour cela, qu'un de ces papes fut hérétique? Et ne faut-il donc pas avouer que, pourvu que l'on condamne le sens hérétique qu'un pape aurait supposé dans un écrit, on n'est pas hérétique pour ne pas condamner cet écrit, en le prenant en un sens qu'il est certain que le pape n'a pas condamné, puisque autrement l'un de ces deux papes serait tombé dans l'erreur?

J'ai voulu, mon Père, vous accoutumer à ces contrariétés qui arrivent entre les catholiques sur des questions de fait touchant l'intelligence du sens d'un auteur, en vous montrant sur cela un Père de l'Église contre un autre, un pape contre un pape, et un concile contre un concile, pour vous mener de là à d'autres exemples d'une pareille opposition, mais plus disproportionnée. Car vous y verrez des conciles et des papes d'un côté, et des Jésuites de l'autre, qui s'opposeront à leurs décisions touchant le sens d'un auteur, sans que vous accusiez vos confrères, je ne dis pas d'hérésie, mais non pas même de témérité.

Vous savez bien, mon Père, que les écrits d'Origène furent condamnés par plusieurs conciles et par plusieurs papes et même par le Ve concile général, comme contenant des hérésies, et entre autres celle *de la réconciliation des démons au jour du jugement.* Croyez-vous sur cela qu'il soit d'une nécessité absolue, pour être catholique, de confesser qu'Origène a tenu en effet ces erreurs, et qu'il ne suffise pas de les condamner sans les lui attribuer? Si cela était, que deviendrait votre Père Halloix, qui a soutenu la pureté de la foi d'Origène, aussi bien que plusieurs autres catholiques, qui ont entrepris la même chose, comme Pie de la Mirande et Genebrard, docteur de Sorbonne? Et n'est-il pas certain encore que ce même V^e^ concile général condamna les écrits de Théodoret contre saint Cyrille, *comme impies, contraires à la vraie foi et contenant l'hérésie nestorienne?* Et cependant le Père Sirmond, Jésuite, n'a pas laissé de le défendre et de dire, dans la vie de ce Père, *que ces mêmes écrits sont exempts de cette hérésie nestorienne.*

Vous voyez donc, mon Père, que quand l'Église condamne des écrits, elle y suppose une erreur qu'elle y condamne; et alors il est de foi que cette erreur est condamnée; mais qu'il n'est pas de foi que ces écrits contiennent en effet l'erreur que l'Église y suppose. Je crois que cela est assez prouvé; et ainsi je finirai ces exemples par celui du pape Honorius, dont l'histoire est si connue On sait qu'au commencement du VIIe siècle, l'Église étant troublée par l'hérésie des monothélites, ce pape, pour terminer ce différend, fit un décret qui semblait favoriser ces hérétiques, de sorte que plusieurs en furent scandalisés. Cela se passa néanmoins avec peu de bruit sous son pontificat; mais 50 ans après, l'Église étant assemblée dans le VIe concile général, où le pape Agathon présidait par ses légats, ce décret y fut déféré; et après avoir été lu et examiné, il fut condamné comme contenant l'hérésie des monothélites et brûlé en cette qualité, en pleine assemblée, avec les autres écrits de ces hérétiques. Et cette décision fut reçue avec tant de respect et d'uniformité dans toute l'Église, qu'elle fut confirmée ensuite par deux autres conciles généraux, et même par les papes Léon II et par Adrien II, qui vivait deux cents ans après, sans que personne ait troublé ce consentement si universel et si paisible durant sept ou huit siècles. Cependant quelques auteurs de ces derniers temps, et entre autres le cardinal Bellarmin n'ont pas cru se rendre hérétiques pour avoir soutenu, contre tant de papes et de conciles, que les écrits d'Honorius sont exempts de l'erreur qu'ils avaient déclaré y être : *parce*, dit-il, *que des conciles généraux pouvant errer dans les questions de fait, on peut dire en toute assurance que le VIe concile s'est trompé en ce fait là, et que, n'ayant pas bien entendu le sens des lettres d'Honorius, il a mis à tort ce pape au nombre des hérétiques.*

Remarquez donc bien, mon Père, que ce n'est pas être hérétique de dire que le pape Honorius ne l'était pas, encore que plusieurs papes et plusieurs conciles l'eussent déclaré, et même après l'avoir examiné. Je viens donc maintenant à notre question, et je vous permets de faire votre cause aussi bonne que vous le pourrez. Que direz-vous, mon Père, pour rendre vos adversaires hérétiques? *Que le Pape Innocent X a déclaré que l'erreur des cinq propositions est dans Jansenius?* Je vous laisse dire tout cela. Qu'en concluez-vous? *Que c'est être hérétique de ne pas reconnaître que l'erreur des cinq propositions est dans Jansenius?* Que vous en semble-t-il, mon Père. N'est-ce donc pas ici une question de fait de même nature que les précédentes? Le pape a déclaré que l'erreur des cinq propositions est dans Jansenius, de même que ses prédécesseurs avaient déclaré que l'erreur des nestoriens et des monothélites était dans les écrits de Théodoret et d'Honorius. Sur quoi vos Pères ont écrit qu'ils condamnent bien ces hérésies, mais qu'ils ne demeurent pas d'accord que ces auteurs les aient tenues; de même que vos adversaires disent aujourd'hui qu'ils condamnent bien ces cinq propositions, mais qu'ils ne sont pas d'accord que Jansenius les ait enseignées. En vérité, mon Père, ces cas-là sont bien semblables. Et s'il s'y trouve quelque différence, il est aisé de voir combien elle est à l'avantage de la question présente, par la comparaison de plusieurs circonstances particulières, qui sont visibles d'elles-mêmes et que je ne m'arrête pas à rapporter. D'où vient donc, mon Père, que, dans une même cause, vos Pères sont catholiques et vos adversaires hérétiques? Et par quelle étrange exception les privez-vous d'une liberté que vous donnez à tout le reste des fidèles?

Que direz-vous sur cela, mon Père? *Que le pape a confirmé sa Constitution par un bref?* Je vous répondrai que deux conciles généraux et deux papes ont confirmé la condamnation des lettres d'Honorius. Mais quelle force prétendez-vous faire sur les paroles de ce bref par lesquelles le pape déclare *qu'il a condamné la doctrine de Jansenius dans ces 5 propositions?* Qu'est-ce que cela ajoute à la Constitution, et que s'ensuit-il de là? sinon que comme le VIe concile condamna la doctrine d'Honorius, parce qu'il croyait qu'elle était la même que celle des monothélites; de même le pape a dit qu'il a condamné la doctrine de Jansenius dans ces cinq propositions, parce qu'il a supposé qu'elle était la même que ces cinq propositions. Et comment ne l'eût-il pas cru? Votre Société ne publie autre chose partout; et vous-même, mon Père, qui avez dit qu'elles y sont *mot à mot*, vous étiez à Rome au temps de la censure; car je vous rencontre toujours. Se fût-il défié de la sincérité ou de la suffisance de tant de religieux graves? Et comment n'eût-il pas cru que la doctrine de Jansenius était la même que celle des cinq propositions, dans l'assurance que vous lui aviez donnée qu'elles étaient *mot à mot* de cet auteur? Il est donc visible, mon Père, que, s'il se trouve que Jansenius ne les ait pas tenues, il ne faudra pas dire, comme vos Pères ont fait dans leurs exemples, que le pape s'est trompé en ce point de fait, ce qu'il est toujours fâcheux de publier : mais il ne faudra que dire que vous avez trompé le pape; ce qui n'apporte plus de scandale, tant on vous connaît maintenant.

Ainsi, mon Père, toute cette matière est bien éloignée de pouvoir former une hérésie. Mais comme vous voulez en faire une à quelque prix que ce soit, vous avez essayé de détourner la question du point de fait pour la mettre en un point de foi; et c'est ce que vous faites en cette sorte. *Le pape*, dites-vous, *déclare qu'il a condamné la doctrine de Jansenius dans ces cinq propositions : donc il est de foi que la doctrine de Jansenius touchant ces cinq propositions est hérétique, telle qu'elle soit.* Voilà, mon Père, un point de foi bien étrange, qu'une doctrine est hérétique telle qu'elle puisse être. Eh quoi! si, selon Jansenius, *on peut résister à la grâce intérieure*, et s'il est faux, selon lui, *que Jésus-Christ ne soit mort que pour les seuls prédestinés*, cela sera-t-il aussi condamné, parce que c'est sa doctrine? Sera-t-il vrai, dans la Constitution du pape, *que l'on a la liberté de faire le bien et le mal*, et cela sera-t-il faux dans Jansenius? Et par quelle fatalité sera-t-il si malheureux, que la vérité devienne hérésie dans son livre? Ne faut-il donc pas confesser qu'il n'est hérétique qu'au cas qu'il soit conforme à ces erreurs condamnées; puisque la Constitution du pape est la règle à laquelle on doit appliquer Jansenius pour juger de ce qu'il est selon le rapport qu'il y aura; et qu'ainsi on résoudra cette question, *savoir si sa doctrine est hérétique*, par cette autre question de fait, *savoir si elle est conforme au sens naturel de ces propositions;* étant impossible qu'elle ne soit hérétique, si elle y est conforme; et qu'elle ne soit catholique, si elle y est contraire. Car enfin, puisque, selon le pape et les évêques, *les propositions sont condamnées en leur sens propre et naturel*, il est impossible qu'elles soient condamnées au sens de Jansenius, sinon au cas que le sens de Jansenius soit le même que le sens propre et naturel de ces propositions, ce qui est un point de fait.

La question demeure donc toujours dans ce point de fait, sans qu'on puisse, en aucune sorte l'en tirer pour la mettre dans le droit. Et ainsi on n'en peut faire une matière d'hérésie; mais vous en pourriez bien faire un prétexte de persécution, s'il n'y avait sujet d'espérer qu'il ne se trouvera point de personnes qui entrent assez dans vos intérêts pour suivre un procédé si injuste, et qui veuillent contraindre de signer, comme vous le souhaitez, *que l'on condamne ces propositions au sens de Jansenius*, sans expliquer ce que c'est que ce sens de Jansenius. Peu de gens sont disposés à signer une confession de foi en blanc. Or, ce serait en signer une que vous rempliriez ensuite de tout ce qu'il vous plairait; puisqu'il vous serait libre d'interpréter à votre gré ce que c'est que ce sens de Jansenius qu'on n'aurait pas expliqué. Qu'on l'explique donc auparavant; autrement vous nous feriez encore ici un pouvoir prochain, *abstrahendo ab omni sensu.* Vous savez que cela ne réussit pas dans le monde. On y fait l'ambiguïté, et surtout en matière de foi, où il est bien juste d'entendre pour le moins ce que c'est que l'on condamne. Et comment se pourrait-il faire que des docteurs, qui sont persuadés que Jansenius n'a point d'autre sens que celui de la grâce efficace, consentissent à déclarer qu'ils condamnent sa doctrine sans l'expliquer; puisque dans la créance qu'ils en ont, et dont on ne les retire point, ce ne serait autre chose que condamner la grâce efficace, qu'on ne peut condamner sans crime? Ne serait-ce donc pas une étrange tyrannie de les mettre dans cette malheureuse nécessité, ou de se rendre coupables devant Dieu, s'ils signaient cette condamnation contre leur conscience, ou d'être traités d'hérétiques, s'ils refusaient de le faire?

Mais tout cela se conduit avec mystère. Toutes vos démarches sont politiques. Il faut que j'explique pourquoi vous n'expliquez pas ce sens de Jansenius. Je n'écris que pour découvrir vos desseins, et pour les rendre inutiles en les découvrant. Je dois donc apprendre à ceux qui l'ignorent que votre principal intérêt dans cette dispute étant de relever la grâce suffisante de votre Molina, vous ne le pouvez faire sans ruiner la grâce efficace, qui y est tout opposée. Mais comme vous la voyez aujourd'hui autorisée à Rome, et parmi tous les savants de l'Église, ne la pouvant combattre en elle-même, vous vous êtes avisés de l'attaquer sans qu'on s'en aperçoive, sous le nom de la doctrine de Jansenius. Ainsi il a fallu que vous ayez recherché de faire condamner Jansenius sans l'expliquer, et que, pour y réussir, vous ayez fait entendre que sa doctrine n'est point celle de la grâce efficace, afin qu'on croie pouvoir condamner l'une sans l'autre. De là vient que vous essayez aujourd'hui de le persuader à ceux qui n'ont aucune connaissance de cet auteur. Et c'est ce que vous faites encore vous-même, mon Père, dans vos *Cavil.*, p. 23, par ce fin raisonnement : *Le pape a condamné la doctrine de Jansenius. Or, le pape n'a pas condamné la doctrine de la grâce efficace. Donc la doctrine de la grâce efficace est différente de celle de Jansenius.* Si cette preuve était concluante, on montrerait de même qu'Honorius, et tous ceux qui le soutiennent, sont hérétiques en cette sorte. Le VIe concile a condamné la doctrine d'Honorius. Or, le concile n'a pas condamné la doctrine de l'Église. Donc la doctrine d'Honorius est différente de celle de l'Église. Donc tous ceux qui le défendent sont hérétiques. Il est visible que cela ne conclut rien; puisque le pape n'a condamné que la doctrine des cinq propositions, qu'on lui a fait entendre être celle de Jansenius.

Mais il n'importe; car vous ne voulez pas vous servir longtemps de ce raisonnement. Il durera assez, tout faible qu'il est, pour le besoin que vous en avez. Il ne vous est nécessaire que pour faire que ceux qui ne veulent pas condamner la grâce efficace condamnent Jansenius sans scrupule. Quand cela sera fait, on oubliera bientôt votre argument, et les signatures demeurant en témoignage éternel de la condamnation de Jansenius, vous prendrez l'occasion pour attaquer directement la grâce efficace par cet autre raisonnement bien plus solide, que vous formerez en son temps : *La doctrine de Jansenius*, direz-vous, *a été condamnée par les souscriptions universelles de toute l'Église; or, cette doctrine est manifestement celle de la grâce efficace;* et vous prouverez cela bien facilement. *Donc la doctrine de la grâce efficace est condamnée par l'aveu même de ses défenseurs.* Voilà pourquoi vous proposez de signer cette condamnation d'une doctrine sans l'expliquer. Voilà l'avantage que vous prétendez tirer de ces souscriptions. Mais si vos adversaires y résistent, vous tendez un autre piège à leur refus. Car ayant joint adroitement la question de foi à celle de fait, sans vouloir permettre qu'ils l'en séparent, ni qu'ils signent l'une sans l'autre, comme ils ne pourront souscrire les deux ensemble, vous irez publier partout qu'ils ont refusé les deux ensemble. Et ainsi, quoiqu'ils ne refusent en effet que de reconnaître que Jansenius ait tenu ces propositions qu'ils condamnent, ce qui ne peut faire d'hérésie, vous direz hardiment qu'ils ont refusé de condamner les propositions en elles-mêmes, et que c'est là leur hérésie. Voilà le fruit que vous tirerez de leur refus, qui ne vous sera pas moins utile que celui que vous tirerez de leur consentement. De sorte que si on exige ces signatures, ils tomberont toujours dans vos embûches, soit qu'ils signent ou qu'ils ne signent pas; et vous aurez votre compte de part ou d'autre : tant vous avez eu d'adresse à mettre les choses en état de vous être toujours avantageuses, quelque pente qu'elles puissent prendre.

Que je vous connais bien, mon Père! et que j'ai de regret de voir que Dieu vous abandonne jusqu'à vous faire réussir si heureusement dans une conduite si malheureuse! Votre bonheur est digne de compassion, et ne peut être envié que par ceux qui ignorent quel est le véritable bonheur. C'est être charitable que de traverser celui que vous recherchez en toute cette conduite, puisque vous ne l'appuyez que sur le mensonge, et que vous ne tendez qu'à faire croire l'une de ces deux faussetés : ou que l'Église a condamné la grâce efficace, ou que ceux qui la défendent soutiennent les cinq erreurs condamnées. Il faut donc apprendre à tout le monde, et que la grâce efficace n'est pas condamnée par votre propre aveu, et que personne ne soutient ces erreurs; afin qu'on sache que ceux qui refuseraient de signer ce que vous voudriez qu'on exigeât d'eux, ne le refusent qu'à cause de la question de fait; et qu'étant prêts à signer celle de foi, ils ne sauraient être hérétiques par ce refus; puisque enfin il est bien de foi que ces propositions sont hérétiques, mais qu'il ne sera jamais de foi qu'elles soient de Jansenius. Ils sont sans erreur; cela suffit. Peut-être interprètent-ils Jansenius trop favorablement; mais peut-être ne l'interprétez-vous pas assez favorablement. Je n'entre pas là-dedans. Je sais au moins que, selon vos maximes, vous croyez pouvoir sans crime publier qu'il est hérétique contre votre propre connaissance; au lieu que, selon la leur, ils ne pourraient sans crime dire qu'il est catholique, s'ils n'en étaient persuadés. Ils sont donc plus sincères que vous, mon Père; ils ont plus examiné Jansenius que vous; ils ne sont pas moins intelligents que vous; ils ne sont donc pas moins croyables que vous. Mais quoi qu'il en soit de ce point de fait, ils sont certainement catholiques, puisqu'il n'est pas nécessaire, pour l'être, de dire qu'un autre ne l'est pas; et que, sans charger personne d'erreur, c'est assez de s'en décharger soi-même.

Mon R. P., si vous avez peine à lire cette lettre, pour n'être pas en assez beau caractère, ne vous en prenez qu'à vous-même. On ne me donne pas de privilèges comme à vous. Vous en avez pour combattre jusqu'aux miracles; je n'en ai pas pour me défendre. On court sans cesse les imprimeries. Vous ne me conseillez pas vous même de vous écrire davantage dans cette difficulté. Car c'est un trop grand embarras d'être réduit à l'impression d'Osnabruck [56].

DIX-HUITIÈME LETTRE AU RÉVÉREND P. ANNAT, JÉSUITE [57]

Mon révérend Père,

Il y a longtemps que vous travaillez à trouver quelque erreur dans vos adversaires; mais je m'assure que vous avouerez à la fin qu'il n'y a peut-être rien de si difficile que de rendre hérétiques ceux qui ne le sont pas, et qui ne fuient rien tant que de l'être. J'ai fait voir, dans ma dernière Lettre, combien vous leur aviez imputé d'hérésies l'une après l'autre, manque d'en trouver une que vous ayez pu longtemps maintenir; de sorte qu'il ne vous était plus resté que de les en accuser sur ce qu'ils refusaient de condamner le sens de Jansenius, que vous vouliez qu'ils condamnassent sans qu'on l'expliquât. C'était bien manquer d'hérésies à leur reprocher, que d'en être réduit là : car qui a jamais ouï parler d'une hérésie que l'on ne puisse exprimer? Aussi on vous a facilement répondu, en vous représentant que, si Jansenius n'a point d'erreurs, il n'est pas juste de le condamner; et que, s'il en a, vous deviez les déclarer, afin que l'on sût au moins ce que c'est que l'on condamne. Vous ne l'aviez néanmoins jamais voulu faire; mais vous aviez essayé de fortifier votre prétention par des décrets qui ne faisaient rien pour vous, car on n'y explique en aucune sorte le sens de Jansenius, qu'on dit avoir été condamné dans ces cinq propositions. Or ce n'était pas là le moyen de terminer vos disputes. Si vous conveniez de part et d'autre du véritable sens de Jansenius, et que vous ne fussiez plus en différend que de savoir si ce sens est hérétique ou non; alors les jugements qui déclareraient que ce sens est hérétique toucheraient ce qui est véritablement en question. Mais la grande dispute étant de savoir quel est ce sens de Jansenius, les uns disant qu'ils n'y voient que le sens de saint Augustin et de saint Thomas; et les autres, qu'ils y en voient un qui est hérétique, et qu'ils n'expriment point; il est clair qu'une Constitution qui ne dit pas un mot touchant ce différend, et qui ne fait que condamner en général le sens de Jansenius sans l'expliquer, ne décide rien de ce qui est en dispute.

C'est pourquoi l'on vous a dit cent fois que votre différend n'étant que sur ce fait, vous ne le finiriez jamais qu'en déclarant ce que vous entendez par le sens de Jansenius. Mais comme vous vous étiez toujours opiniâtré à le refuser, je vous ai enfin poussé dans ma dernière Lettre, où j'ai fait entendre que ce n'est pas sans mystère que vous aviez entrepris de faire condamner ce sens sans l'expliquer, et que votre dessein était de faire retomber un jour cette condamnation indéterminée sur la doctrine de la grâce efficace, en montrant que ce n'est autre chose que celle de Jansenius, ce qui ne vous serait pas difficile. Cela vous a mis dans la nécessité de répondre. Car, si vous vous fussiez encore obstiné après cela à ne point expliquer ce sens, il eût paru aux moins éclairés que vous n'en vouliez en effet qu'à la grâce efficace : ce qui eût été la dernière confusion pour vous, dans la vénération qu'a l'Église pour une doctrine si sainte.

Vous avez donc été obligé de vous déclarer; et c'est ce que vous venez de faire en répondant à ma Lettre, où je vous avais représenté : *que si Jansenius avait, sur ces cinq propositions, quelque autre sens que celui de la grâce efficace, il n'avait point de défenseurs; mais que, s'il n'avait point d'autre sens que celui de la grâce efficace, il n'avait point d'erreurs.* Vous n'avez pu désavouer cela, mon Père; mais vous y faites une distinction en cette sorte, p. 21. *Il ne suffit pas*, dites-vous, *pour justifier Jansenius, de dire qu'il ne tient que la grâce efficace, parce qu'on la peut tenir en deux manières : l'une hérétique, selon Calvin, qui consiste à dire que la volonté mue par la grâce n'a pas le pouvoir d'y résister; l'autre orthodoxe, selon les Thomistes et les Sorbonnistes, qui est fondée sur des principes établis par les conciles, qui est que la grâce efficace par elle-même gouverne la volonté de telle sorte qu'on a toujours le pouvoir d'y résister.*

56. L'impression d'Osnabruck donnait la lettre imprimée en petits caractères.
57. Sur la copie imprimée à Cologne le 24 mars 1657.

On vous accorde tout cela, mon Père, et vous finissez en disant *que Jansenius serait catholique, s'il défendait la grâce efficace selon les Thomistes; mais qu'il est hérétique, parce qu'il est contraire aux Thomistes et conforme à Calvin, qui nie le pouvoir de résister à la grâce.* Je n'examine pas ici, mon Père, ce point de fait; savoir si Jansenius est en effet conforme à Calvin. Il me suffit que vous le prétendiez, et que vous nous fassiez savoir aujourd'hui que, par le sens de Jansenius, vous n'avez entendu autre chose que celui de Calvin. N'était-ce donc que cela, mon Père, que vous vouliez dire? N'était-ce que l'erreur de Calvin, que vous vouliez faire condamner sous le nom du sens de Jansenius? Que ne le déclariez-vous plutôt? vous vous fussiez bien épargné de la peine; car, sans bulles ni brefs, tout le monde eût condamné cette erreur avec vous. Que cet éclaircissement était nécessaire! et qu'il lève de difficultés! Nous ne savions, mon Père, quelle erreur les papes et les évêques avaient voulu condamner sous le nom du sens de Jansenius. Toute l'Église en était dans une peine extrême, et personne ne nous le voulait expliquer. Vous le faites maintenant, mon Père, vous que tout votre parti considère comme le chef et le premier moteur de tous ses conseils, et qui savez le secret de toute cette conduite. Vous nous l'avez donc dit, que ce sens de Jansenius n'est autre chose que le sens de Calvin condamné par le concile. Voilà bien des doutes résolus. Nous savons maintenant que l'erreur qu'ils ont eu dessein de condamner sous ces termes du *sens de Jansenius*, n'est autre chose que le sens de Calvin, et qu'ainsi nous demeurons dans l'obéissance à leurs décrets, en condamnant avec eux ce sens de Calvin qu'ils ont voulu condamner. Nous ne sommes plus étonnés de voir que les papes et quelques évêques aient été si zélés contre le sens de Jansenius. Comment ne l'auraient-ils pas été, mon Père, ayant créance en ceux qui disent publiquement que ce sens est le même que celui de Calvin?

Je vous déclare donc, mon Père, que vous n'avez plus rien à reprendre en vos adversaires, parce qu'ils détestent assurément ce que vous détestez. Je suis seulement étonné de voir que vous l'ignoriez et que vous ayez si peu de connaissance de leurs sentiments sur ce sujet, qu'ils ont tant de fois déclarés dans leurs ouvrages. Je m'assure que si vous étiez mieux informé, vous auriez du regret de ne vous être pas instruit avec un esprit de paix d'une doctrine si pure et si chrétienne, que la passion vous fait combattre sans la connaître. Vous verriez, mon Père, que non seulement ils tiennent qu'on résiste effectivement à ces grâces faibles, qu'on appelle excitantes, ou inefficaces, en n'exécutant pas le bien qu'elles nous inspirent, mais qu'ils sont encore aussi fermes à soutenir contre Calvin le pouvoir que la volonté a de résister même à la grâce efficace et victorieuse, qu'à défendre contre Molina le pouvoir de cette grâce sur la volonté, aussi jaloux de l'une de ces vérités que de l'autre. Ils ne savent que trop que l'homme, par sa propre nature, a toujours le pouvoir de pécher et de résister à la grâce, et que, depuis sa corruption, il porte un fond malheureux de concupiscence, qui lui augmente infiniment ce pouvoir; mais que néanmoins quand il plaît à Dieu de le toucher par sa miséricorde, il lui fait faire ce qu'il veut et en la manière qu'il le veut, sans que cette infaillibilité de l'opération de Dieu détruise en aucune sorte la liberté naturelle de l'homme, par les secrètes et admirables manières dont Dieu opère ce changement, que saint Augustin a si excellemment expliquées, et qui dissipent toutes les contradictions imaginaires que les ennemis de la grâce efficace se figurent entre le pouvoir souverain de la grâce sur le libre arbitre et la puissance qu'a le libre arbitre de résister à la grâce. Car, selon ce grand saint, que les papes et l'Église ont donné pour règle en cette matière, Dieu change le cœur de l'homme par une douceur céleste qu'il y répand, qui, surmontant la délectation de la chair, fait que l'homme sentant d'un côté sa mortalité et son néant, et découvrant de l'autre la grandeur et l'éternité de Dieu, conçoit du dégoût pour les délices du péché, qui le séparent du bien incorruptible; et trouvant sa plus grande joie dans le Dieu qui le charme, il s'y porte infailliblement de lui-même par un mouvement tout libre, tout volontaire, tout amoureux; de sorte que ce lui serait une peine et un supplice de s'en séparer. Ce n'est pas qu'il ne puisse toujours s'en éloigner, et qu'il ne s'en éloignât effectivement, s'il le voulait; mais comment le voudrait-il, puisque la volonté ne se porte jamais qu'à ce qui lui plaît le plus et que rien ne lui plaît tant alors que ce bien unique, qui comprend en soi tous les autres biens? *Quod enim amplius nos delectat, secundum id operemur necesse est*, comme dit saint Augustin.

C'est ainsi que Dieu dispose de la volonté libre de l'homme sans lui imposer de nécessité; et que le libre arbitre, qui peut toujours résister à la grâce, mais qui ne le veut pas toujours, se porte aussi librement qu'infailliblement à Dieu, lorsqu'il veut l'attirer par la douceur de ses inspirations efficaces.

Ce sont là, mon Père, les divins principes de saint Augustin et de saint Thomas, selon lesquels il est véritable que *nous pouvons résister à la grâce*, contre l'opinion de Calvin; et que néanmoins, comme dit le pape Clément VIII, dans son écrit adressé à la congrégation *de Auxiliis* [58] *: Dieu forme en nous le mouvement de notre volonté, et dispose efficacement de notre cœur, par l'empire que sa Majesté suprême a sur les volontés des hommes aussi bien que sur le reste des créatures qui sont sous le ciel, selon saint Augustin.*

C'est encore selon ces principes que nous agissons de nous-mêmes; ce qui fait que nous avons des mérites qui sont véritablement nôtres, contre l'erreur de Calvin; et que néanmoins Dieu étant le premier principe de nos actions, *et faisant en nous ce qui lui est agréable*, comme dit saint Paul, *nos mérites sont des dons de Dieu*, comme dit le concile de Trente.

58. C'est devant la congrégation *De Auxiliis* (1598-1610) que les jésuites et les dominicains développèrent leurs arguments sur la grâce efficace et la grâce suffisante.

C'est par là qu'est détruite cette impiété de Luther, condamnée par le même concile, *que nous ne coopérons en aucune sorte à notre salut, non plus que des choses inanimées :* et c'est par là qu'est encore détruite l'impiété de l'école de Molina, qui ne veut pas reconnaître que c'est la force de la grâce même qui fait que nous coopérons avec elle dans l'œuvre de notre salut; par où il ruine ce principe de foi établi par saint Paul, *Que c'est Dieu qui forme en nous et la volonté et l'action.*

Et c'est enfin par ce moyen que s'accordent tous ces passages de l'Écriture, qui semblent les plus opposés : *Convertissez-nous à Dieu : Seigneur, convertissez-nous à vous. Rejetez vos iniquités hors de vous : C'est Dieu qui ôte les iniquités de son peuple. Faites des œuvres dignes de pénitence : Seigneur, vous avez fait en nous toutes nos œuvres. Faites-vous un cœur nouveau et un esprit nouveau : Je vous donnerai un esprit nouveau, et je créerai en vous un cœur nouveau*, etc.

L'unique moyen d'accorder ces contrariétés apparentes qui attribuent nos bonnes actions, tantôt à Dieu et tantôt à nous, est de reconnaître que, comme dit saint Augustin, *nos actions sont nôtres, à cause du libre arbitre qui les produit; et qu'elles sont aussi de Dieu, à cause de sa grâce qui fait que notre libre arbitre les produit.* Et que, comme il dit ailleurs, Dieu nous fait faire ce qu'il lui plaît, en nous faisant vouloir ce que nous pourrions ne vouloir pas : *a Deo factum est ut vellent quod et nolle potuissent* [59].

Ainsi, mon Père, vos adversaires sont parfaitement d'accord avec les nouveaux Thomistes mêmes, puisque les Thomistes tiennent comme eux, et le pouvoir de résister à la grâce, et l'infaillibilité de l'effet de la grâce qu'ils font profession de soutenir si hautement, selon cette maxime capitale de leur doctrine, qu'Alvarez, l'un des plus considérables d'entre eux, répète si souvent dans son livre, et qu'il exprime, disp. 72. n. 4, en ces termes : *Quand la grâce efficace meut le libre arbitre, il consent infailliblement; parce que l'effet de la grâce est de faire qu'encore qu'il puisse ne pas consentir, il consente néanmoins en effet :* dont il donne pour raison celle-ci de saint Thomas, son maître : *Que la volonté de Dieu ne peut manquer d'être accomplie; et qu'ainsi, quand il veut qu'un homme consente à la grâce, il consent infailliblement, et même nécessairement, non pas d'une nécessité absolue, mais d'une nécessité d'infaillibilité.* En quoi la grâce ne blesse pas *le pouvoir qu'on a de résister si on le veut;* puisqu'elle fait seulement qu'on ne veut pas y résister, comme votre Père Petau le reconnaît en ces termes, t. I, p. 602. *La grâce de Jésus-Christ fait qu'on persévère infailliblement dans la piété, quoique non par nécessité. Car on peut n'y pas consentir si on le veut, comme dit le concile; mais cette même grâce fait que l'on ne le veut pas.*

C'est là, mon Père, la doctrine constante de saint Augustin, de saint Prosper, des Pères qui les ont suivis, des conciles, de saint Thomas, et de tous les Thomistes en général. C'est aussi celle de vos adversaires, quoique vous ne l'ayez pas pensé; et c'est enfin celle que vous venez d'approuver vous-même en ces termes : *La doctrine de la grâce efficace, qui reconnaît qu'on a le pouvoir d'y résister, est orthodoxe, appuyée sur les conciles, et soutenue par les Thomistes et les Sorbonnistes.* Dites la vérité, mon Père : si vous eussiez su que vos adversaires tiennent effectivement cette doctrine, peut-être que l'intérêt de votre Compagnie vous eût empêché d'y donner cette approbation publique : mais vous étant imaginé qu'ils y étaient opposés, ce même intérêt de votre Compagnie vous a porté à autoriser des sentiments que vous croyiez contraires aux leurs : et par cette méprise, voulant ruiner leurs principes, vous les avez vous-même parfaitement établis. De sorte qu'on voit aujourd'hui, par une espèce de prodige, les défenseurs de la grâce efficace justifiés par les défenseurs de Molina : tant la conduite de Dieu est admirable, pour faire concourir toutes choses à la gloire de sa vérité!

Que tout le monde apprenne donc, par votre propre déclaration, que cette vérité de la grâce efficace, nécessaire à toutes les actions de piété, qui est si chère à l'Église, et qui est le prix du sang de son Sauveur, est si constamment catholique, qu'il n'y a pas un catholique, jusques aux Jésuites mêmes, qui ne la reconnaisse pour orthodoxe. Et l'on saura en même temps, par votre propre confession, qu'il n'y a pas le moindre soupçon d'erreur dans ceux que vous en avez tant accusés; car quand vous leur en imputiez de cachées sans les vouloir découvrir, il leur était aussi difficile de s'en défendre qu'il vous était facile de les en accuser de cette sorte; mais maintenant que vous venez de déclarer que cette erreur qui vous oblige à les combattre, est celle de Calvin, que vous pensiez qu'ils soutinssent, il n'y a personne qui ne voie clairement qu'ils sont exempts de toute erreur; puisqu'ils sont si contraires à la seule que vous leur imposez, et qu'ils protestent, par leurs discours, par leurs livres, et par tout ce qu'ils peuvent produire pour témoigner leurs sentiments, qu'ils condamnent cette hérésie de tout leur cœur, et de la même manière que font les Thomistes, que vous reconnaissez sans difficulté pour catholiques, et qui n'ont jamais été suspects de ne le pas être.

Que direz-vous donc maintenant contre eux, mon Père? Qu'encore qu'ils ne suivent pas le sens de Calvin ils sont néanmoins hérétiques, parce qu'ils ne veulent pas reconnaître que le sens de Jansenius est le même que celui de Calvin? Oseriez-vous dire que ce soit là une matière d'hérésie? Et n'est-ce pas une pure question de fait, qui n'en peut former? C'en serait bien une de dire qu'on n'a pas le pouvoir de résister à la grâce efficace; mais en est-ce une de douter si Jansenius le soutient? Est-ce une vérité révélée? Est-ce un article de foi qu'il faille croire sur peine de damnation? Et n'est-ce pas malgré vous un point de fait, pour lequel il serait ridicule de prétendre qu'il y eût des hérétiques dans l'Eglise?

59. « C'est grâce à Dieu que les hommes veulent ce qu'ils pourraient ne pas vouloir. »

Ne leur donnez donc plus ce nom, mon Père, mais quelque autre qui soit proportionné à la nature de votre différend. Dites que ce sont des ignorants et des stupides, et qu'ils entendent mal Jansenius; ce seront des reproches assortis à votre dispute; mais de les appeler hérétiques, cela n'y a nul rapport. Et comme c'est la seule injure dont je les veux défendre, je ne me mettrai pas beaucoup en peine de montrer qu'ils entendent bien Jansenius. Tout ce que je vous en dirai est qu'il me semble, mon Père, qu'en le jugeant par vos propres règles il est difficile qu'il ne passe pour catholique : car voici ce que vous établissez pour l'examiner.

Pour savoir, dites-vous, *si Jansenius est à couvert, il faut savoir s'il défend la grâce efficace à la manière de Calvin, qui nie qu'on ait le pouvoir d'y résister ; car alors il serait hérétique : ou à la manière des Thomistes, qui l'admettent ; car alors il serait catholique.* Voyez donc, mon Père, s'il tient qu'on a le pouvoir de résister, quand il dit, dans des traités entiers, et entre autres au t. 3, l. 8, c. 20 : *Qu'on a toujours le pouvoir de résister à la grâce, selon le concile :* QUE LE LIBRE ARBITRE PEUT TOUJOURS AGIR ET N'AGIR PAS, *vouloir et ne vouloir pas, consentir et ne consentir pas, faire le bien et le mal, et que l'homme en cette vie a toujours ces deux libertés, que vous appelez de contrariété et de contradiction.* Voyez de même s'il n'est pas contraire à l'erreur de Calvin, telle que vous-même la représentez, lui qui montre, dans tout le chap. 21, *que l'Eglise a condamné cet hérétique, qui soutient que la grâce efficace n'agit pas sur le libre arbitre en la manière qu'on l'a cru si longtemps dans l'Eglise, en sorte qu'il soit ensuite au pouvoir du libre arbitre de consentir ou de ne consentir pas : au lieu que selon saint Augustin et le concile, on a toujours le pouvoir de ne consentir pas si on le veut ; et que, selon saint Prosper, Dieu donne à ses élus mêmes la volonté de persévérer, en sorte qu'il ne leur ôte pas la puissance de vouloir le contraire.* Et enfin jugez s'il n'est pas d'accord avec les Thomistes, lorsqu'il déclare, c. 4, *que tout ce que les Thomistes ont écrit pour accorder l'efficacité de la grâce avec le pouvoir d'y résister est si conforme à son sens, qu'on n'a qu'à voir leurs livres pour y apprendre ses sentiments. Quod ipsi dixerunt, dictum puta.*

Voilà comme il parle sur tous ces chefs, et c'est sur quoi je m'imagine qu'il croit le pouvoir de résister à la grâce; qu'il est contraire à Calvin, et conforme aux Thomistes, parce qu'il le dit, et qu'ainsi il est catholique selon vous. Que si vous avez quelque voie pour connaître le sens d'un auteur autrement que par ses expressions, et que, sans rapporter aucun de ses passages, vous vouliez soutenir, contre toutes ses paroles, qu'il nie le pouvoir de résister, et qu'il est pour Calvin contre les Thomistes, n'ayez pas peur, mon Père, que je vous accuse d'hérésie pour cela : je dirai seulement qu'il semble que vous entendez mal Jansenius; mais nous n'en serons pas moins enfants de la même Eglise.

D'où vient donc, mon Père, que vous agissez dans ce différend d'une manière si passionnée, et que vous traitez comme vos plus cruels ennemis, et comme les plus dangereux hérétiques, ceux que vous ne pouvez accuser d'aucune erreur, ni d'autre chose, sinon qu'ils n'entendent pas Jansenius comme vous? Car de quoi disputez-vous, sinon du sens de cet auteur? Vous voulez qu'ils le condamnent, mais ils vous demandent ce que vous entendez par là. Vous dites que vous entendez l'erreur de Calvin; ils répondent qu'ils la condamnent : et ainsi, si vous n'en voulez pas aux syllabes, mais à la chose qu'elles signifient vous devez être satisfait. S'ils refusent de dire qu'ils condamnent le sens de Jansenius, c'est parce qu'ils croient que c'est celui de saint Thomas. Et ainsi ce mot est bien équivoque entre vous : dans votre bouche il signifie le sens de Calvin; dans la leur, c'est le sens de saint Thomas : de sorte que ces différentes idées que vous avez d'un même terme, causant toutes vos divisions, si j'étais maître de vos disputes, je vous interdirais le mot Jansenius de part et d'autre. Et ainsi, en n'exprimant que ce que vous entendez par là, on verrait que vous ne demandez autre chose que la condamnation du sens de Calvin, à quoi ils consentent; et qu'ils ne demandent autre chose que la défense du sens de saint Augustin et de saint Thomas, en quoi vous êtes tous d'accord.

Je vous déclare donc, mon Père, que, pour moi, je les tiendrai toujours pour catholiques, soit qu'ils condamnent Jansenius, s'ils y trouvent des erreurs, soit qu'ils ne le condamnent point quand ils n'y trouvent que ce que vous-même déclarez être catholique; et que je leur parlerai comme saint Hiérôme à Jean, évêque de Jérusalem, accusé de tenir 8 propositions d'Origène. *Ou condamnez Origène*, disait ce saint, *si vous reconnaissez qu'il a tenu ces erreurs, ou bien niez qu'il les ait tenues. Aut nega hoc dixisse eum qui arguitur ; aut, si locutus est talia, eum damna qui dixerit.*

Voilà, mon Père, comment agissent ceux qui n'en veulent qu'aux erreurs, et non pas aux personnes; au lieu que vous, qui en voulez aux personnes plus qu'aux erreurs, vous trouvez que ce n'est rien de condamner les erreurs, si on ne condamne les personnes à qui vous les voulez imputer.

Que votre procédé est violent, mon Père, mais qu'il est peu capable de réussir! Je vous l'ai dit ailleurs, et je vous le redis encore, la violence et la vérité ne peuvent rien l'une sur l'autre. Jamais vos accusations ne furent plus outrageuses, et jamais l'innocence de vos adversaires ne fut plus connue : jamais la grâce efficace ne fut plus artificiellement attaquée, et jamais nous ne l'avons vue plus affermie. Vous employez les derniers efforts pour faire croire que vos disputes sont sur des points de foi, et jamais on ne connut mieux que toute votre dispute n'est que sur un point de fait. Enfin vous remuez toutes choses pour faire croire que ce point de fait est véritable, et jamais on ne fut plus disposé à en douter. Et la raison en est facile. C'est, mon Père, que vous ne prenez pas les voies naturelles pour faire croire un point de fait, qui sont de convaincre les sens, et de montrer dans un livre les mots que l'on dit y être. Mais vous allez chercher des moyens si éloignés de cette simplicité, que cela frappe nécessairement les plus stupides. Que ne preniez-vous la même voie que j'ai tenue dans mes lettres pour découvrir tant de mauvaises maximes de vos auteurs, qui est de citer fidèlement les lieux d'où elles sont tirées? C'est ainsi qu'ont fait les curés de Paris; et cela ne manque jamais de persuader le monde. Mais qu'auriez-vous dit, et qu'aurait-on pensé, lorsqu'ils vous reprochèrent, par exemple, cette proposition du Père L'Amy : *Qu'un religieux peut tuer celui qui menace de publier des calomnies contre lui ou contre sa communauté, quand il ne s'en peut défendre autrement*, s'ils n'avaient point cité le lieu où elle est en propres termes, que quelque demande qu'on leur eût faite, ils se fussent toujours obstinés à le refuser; et qu'au lieu de cela, ils eussent été à Rome obtenir une bulle qui ordonnât à tout le monde de le reconnaître? N'aurait-on pas jugé sans doute qu'ils auraient surpris le pape, et qu'ils n'auraient eu recours à ce moyen extraordinaire que manque de moyens naturels que les vérités de fait mettent en main à tous ceux qui les soutiennent? Aussi ils n'ont fait que marquer que le Père L'Amy enseigne cette doctrine au *to.* 5, *disp.* 36, *n*° 118, *p.* 544 *de l'édition de Douai;* et ainsi tous ceux qui l'ont voulu voir l'ont trouvée, et personne n'en a pu douter. Voilà une manière bien facile et bien prompte de vider les questions de fait où l'on a raison.

D'où vient donc, mon Père, que vous n'en usez pas de la sorte? Vous avez dit, dans vos *Cavilli*, *que les 5 propositions sont dans Jansenius mot à mot*, *toutes*, *en propres termes*, *totidem verbis*. On vous a dit que non. Qu'y avait-il à faire là-dessus, sinon ou de citer la page, si vous les aviez vues en effet, ou de confesser que vous vous étiez trompé? Mais vous ne faites ni l'un ni l'autre, et au lieu de cela, voyant bien que tous les endroits de Jansenius, que vous alléguez quelquefois pour éblouir le monde, ne sont point les *propositions condamnées*, *individuelles et singulières* que vous vous étiez engagé de faire voir dans son livre, vous nous présentez des Constitutions qui déclarent qu'elles en sont extraites, sans marquer le lieu.

Je sais, mon Père, le respect que les chrétiens doivent au Saint-Siège, et vos adversaires témoignent assez d'être très résolus à ne s'en départir jamais. Mais ne vous imaginez pas que ce fût en manquer que de représenter au pape, avec toute la soumission que des enfants doivent à leur père, et les membres à leur chef, qu'on peut l'avoir surpris en ce point de fait; qu'il ne l'a point fait examiner depuis son pontificat, et que son prédécesseur Innocent X avait fait seulement examiner si les propositions étaient hérétiques, mais non pas si elles étaient de Jansenius. Ce qui a fait dire au commissaire du Saint-Office, l'un des principaux examinateurs, *qu'elles ne pouvaient être censurées au sens d'aucun auteur : Non sunt qualificabiles in sensu proferentis, parce qu'elles leur avaient été présentées pour être examinées en elles-mêmes, et sans considérer de quel auteur elles pouvaient être : in abstracto, et ut præscindunt ab omni proferente*, comme il se voit dans leurs suffrages nouvellement imprimés : Que plus de soixante docteurs et un grand nombre d'autres personnes habiles et pieuses ont lu ce livre exactement sans les y avoir jamais vues, et qu'ils y en ont trouvé de contraires; Que ceux qui ont donné cette impression au pape, pourraient bien avoir abusé de la créance qu'il a en eux, étant intéressés comme ils le sont, à décrier cet auteur, qui a convaincu Molina de plus de cinquante erreurs; Que ce qui rend la chose plus croyable, est qu'ils ont cette maxime, l'une des plus autorisées de leur théologie, *qu'ils peuvent calomnier sans crime ceux dont ils se croient injustement attaqués;* et qu'ainsi, leur témoignage étant si suspect, et le témoignage des autres étant si considérable, on a quelque sujet de supplier Sa Sainteté, avec toute l'humilité possible, de faire examiner ce fait en présence des docteurs de l'un et de l'autre parti, afin d'en pouvoir former une décision solennelle et régulière. *Qu'on assemble des juges habiles*, disait saint Basile sur un semblable sujet, Ep. 75, *que chacun y soit libre : qu'on examine mes écrits; qu'on voie s'il y a des erreurs contre la foi; qu'on lise les objections et les réponses, afin que ce soit un jugement rendu avec connaissance de cause et dans les formes, et non pas une diffamation sans examen.*

Ne prétendez pas, mon Père, de faire passer pour peu soumis au Saint-Siège ceux qui en useraient de la sorte. Les Papes sont bien éloignés de traiter les chrétiens avec cet empire que l'on voudrait exercer sous leur nom. *L'Eglise*, dit le pape saint Grégoire, in. Job., lib. 8, c. I, *qui a été formée dans l'école d'humilité, ne commande pas avec autorité, mais persuade par raison ce qu'elle enseigne à ses enfants qu'elle croit engagés dans quelque erreur : recta quæ errantibus dicit, non quasi ex auctoritate præcepit, sed ex ratione persuadet.* Et, bien loin de tenir à déshonneur de réformer un jugement où on les aurait surpris, ils en font gloire au contraire, comme le témoigne saint Bernard, Ep. 180. *Le Siège Apostolique*, dit-il, *a cela de recommandable, qu'il ne se pique pas d'honneur et se porte volontiers à révoquer ce qu'on en a tiré par surprise; aussi est-il bien juste que personne ne profite de l'injustice, et principalement devant le Saint-Siège.*

Voilà, mon Père, les vrais sentiments qu'il faut inspirer aux papes; puisque tous les théologiens demeurent d'accord qu'ils peuvent être surpris, et que cette qualité suprême est si éloignée de les en garantir, qu'elle les y expose au contraire davantage, à cause du grand nombre de soins qui les partagent. C'est ce que dit le même saint Grégoire à des personnes qui s'étonnaient de ce qu'un autre pape s'était laissé tromper. *Pourquoi admirez-vous*, dit-il, l. I, Dial., *que nous soyons trompés, nous qui sommes des hommes? N'avez-vous pas vu que David, ce roi qui avait l'esprit de prophétie, ayant donné créance aux impostures de Siba, rendit un jugement injuste contre le fils de Jonathas? Qui trouvera donc étrange que des imposteurs nous surprennent quelquefois, nous qui ne sommes point prophètes? La foule des affaires nous accable; et notre esprit, qui, étant partagé en tant de choses, s'applique moins à chacune en particulier, en est plus aisément trompé en une.* En vérité, mon Père, je crois que les papes savent mieux que vous s'ils peuvent être surpris ou non. Ils nous déclarent eux-mêmes que les papes et que les plus grands rois sont plus exposés à être trompés que les personnes qui ont moins d'occupations importantes. Il les en faut croire. Et il est bien aisé de s'imaginer par quelle voie on arrive à les surprendre. Saint Bernard en fait la description dans la lettre qu'il écrivit à Innocent II, en cette sorte : *Ce n'est pas une chose étonnante, ni nouvelle, que l'esprit de l'homme puisse tromper et être trompé. Des religieux sont venus à vous dans un esprit de mensonge et d'illusion. Ils vous ont parlé contre un évêque qu'ils haïssent, et dont la vie a été exemplaire. Ces personnes mordent comme des chiens et veulent faire passer le bien pour le mal. Cependant, très-saint Père, vous vous mettez en colère contre votre fils. Pourquoi avez-vous donné un sujet de joie à ses adversaires? Ne croyez pas à tout esprit, mais éprouvez si les esprits sont de Dieu. J'espère que, quand vous aurez connu la vérité, tout ce qui a été fondé sur un faux rapport sera dissipé. Je prie l'esprit de vérité de vous donner la grâce de séparer la lumière des ténèbres, et de réprouver le mal pour favoriser le bien.* Vous voyez donc, mon Père, que le degré éminent où sont les papes, ne les exempte pas de surprise, et qu'il ne fait autre chose que rendre leurs surprises plus dangereuses et plus importantes. C'est ce que saint Bernard représente au pape Eugène, *de Consid.*, lib. 2. c. ult. : *Il y a un autre défaut si général, que je n'ai vu personne des grands du monde qui l'évite. C'est, saint Père, la trop grande crédulité, d'où naissent tant de désordres. Car c'est de là que viennent les persécutions violentes contre les innocents, les préjugés injustes contre les absents, et les colères terribles pour des choses de néant, pro nihilo. Voilà, saint Père, un mal universel, duquel, si vous êtes exempt, je dirai que vous êtes le seul qui ayez cet avantage entre tous vos confrères.*

Je m'imagine, mon Père, que cela commence à vous persuader que les papes sont exposés à être surpris. Mais, pour vous le montrer parfaitement, je vous ferai seulement ressouvenir des exemples que vous-même rapportez dans votre livre, de papes et d'empereurs, que des hérétiques ont surpris effectivement. Car vous dites qu'Apollinaire surprit le Pape Damase, de même que Celestius surprit Zozime. Vous dites encore qu'un nommé Athanase trompa l'empereur Héraclius, et le porta à persécuter les catholiques; et qu'enfin Sergius obtint d'Honorius ce décret qui fut brûlé au 6e concile, en *faisant*, dites-vous, *le bon valet auprès de ce pape.*

Il est donc constant par vous-même que ceux, mon Père, qui en usent ainsi auprès des rois et des papes les engagent quelquefois artificieusement à persécuter ceux qui défendent la vérité de la foi en pensant persécuter des hérésies. Et de là vient que les papes, qui n'ont rien tant en horreur que ces surprises, ont fait d'une lettre d'Alexandre III une loi ecclésiastique insérée dans le droit canonique, pour permettre de suspendre l'exécution de leurs bulles et de leurs décrets, quand on croit qu'ils ont été trompés. *Si quelquefois*, dit ce pape à l'archevêque de Ravenne, *nous envoyons à votre fraternité des décrets qui choquent vos sentiments, ne vous en inquiétez pas. Car ou vous les exécuterez avec révérence, ou vous nous manderez la raison que vous croyez avoir de ne le pas faire ; parce que nous trouverons bon que vous n'exécutiez pas un décret qu'on aurait tiré de nous par surprise et par artifice.* C'est ainsi qu'agissent les papes qui ne cherchent qu'à éclaircir les différends des chrétiens, et non pas à suivre la passion de ceux qui veulent y jeter le trouble. Ils n'usent pas de domination, comme disent saint Pierre et saint Paul après JÉSUS-CHRIST; mais l'esprit qui paraît en toute leur conduite, est celui de paix et de vérité. Ce qui fait qu'ils mettent ordinairement dans leurs lettres cette clause, qui est sous-entendue en toutes : *Si ita est ; si preces veritate nitantur. Si la chose est comme on nous la fait entendre ; si les faits sont véritables.* D'où il se voit que, puisque les papes ne donnent de force à leurs bulles qu'à mesure qu'elles sont appuyées sur des faits véritables, ce ne sont pas les bulles seules qui prouvent la vérité des faits; mais qu'au contraire, selon les canonistes mêmes, c'est la vérité des faits qui rend les bulles recevables.

D'où apprendrons-nous donc la vérité des faits? Ce sera des yeux, mon Père, qui en sont les légitimes juges, comme la raison l'est des choses naturelles et intelligibles, et la foi des choses surnaturelles et révélées. Car puisque vous m'y obligez, mon Père, je vous dirai que, selon les sentiments de deux des plus grands docteurs de l'Eglise, saint Augustin et saint Thomas, ces trois principes de nos connaissances ont chacun leurs objets séparés, et leur certitude dans cette étendue. Et comme Dieu a voulu se servir de l'entremise des sens pour donner entrée à la foi : *Fides ex auditu* [60], tant s'en faut que la foi détruise la certitude des sens, que ce serait au contraire détruire la foi que de vouloir révoquer en doute le rapport fidèle des sens. C'est pourquoi saint Thomas remarque expressément que Dieu a voulu que les accidents sensibles subsistassent dans l'Eucharistie, afin que les sens, qui ne jugent que des accidents ne fussent pas trompés : *Ut sensus a deceptione reddantur immunes.*

Concluons donc de là que, quelque proposition qu'on nous présente à examiner, il en faut d'abord reconnaître la nature, pour voir auquel de ces trois principes nous devons nous en rapporter. S'il s'agit d'une chose surnaturelle, nous n'en jugerons ni par les sens, ni par la raison, mais par l'Ecriture et par les décisions de l'Eglise. S'il s'agit d'une proposition non révélée, et proportionnée à la raison naturelle, elle en sera le propre juge; et s'il s'agit enfin d'un point de fait, nous en croirons les sens, auxquels il appartient naturellement d'en connaître.

Cette règle est si générale, que, selon saint Augustin et saint Thomas, quand l'Ecriture même nous pré-

60. Cf. Rom., x, 17. « Donc la foi (dépend) de la prédication et la prédication (se fait) par la parole du Christ. »

sente quelque passage, dont le premier sens littéral se trouve contraire à ce que les sens ou la raison reconnaissent avec certitude, il ne faut pas entreprendre de les désavouer en cette rencontre, pour les soumettre à l'autorité de ce sens apparent de l'Ecriture; mais il faut interpréter l'Ecriture, et y chercher un autre sens qui s'accorde avec cette vérité sensible : parce que la parole de Dieu étant infaillible dans les faits mêmes, et le rapport des sens et de la raison agissant dans leur étendue étant certain aussi, il faut que ces deux vérités s'accordent; et comme l'Ecriture se peut interpréter en différentes manières, au lieu que le rapport des sens est unique, on doit, en ces matières, prendre pour la véritable interprétation de l'Ecriture celle qui convient au rapport fidèle des sens. *Il faut*, dit saint Thomas, I, p., q. 68, a, 1, *observer deux choses, selon saint Augustin : l'une, que l'Ecriture a toujours un sens véritable; l'autre que, comme elle peut recevoir plusieurs sens, quand on en trouve un que la raison convainc certainement de fausseté, il ne faut pas s'obstiner à dire que c'en soit le sens naturel, mais en chercher un autre qui s'y accorde.*

C'est ce qu'il explique par l'exemple du passage de la Genèse où il est écrit *que Dieu créa deux grands luminaires, le soleil et la lune, et aussi les étoiles;* par où l'Ecriture semble dire que la lune est plus grande que toutes les étoiles : mais parce qu'il est constant, par des démonstrations indubitables, que cela est faux, on ne doit pas, dit ce saint, s'opiniâtrer à défendre ce sens littéral, mais il faut en chercher un autre conforme à cette vérité de fait; comme en disant *que le mot de grand luminaire ne marque que la grandeur de la lumière de la lune à notre égard, et non pas la grandeur de son corps en lui-même.*

Que si l'on voulait en user autrement, ce ne serait pas rendre l'Ecriture vénérable, mais ce serait au contraire l'exposer au mépris des infidèles; *parce*, comme dit saint Augustin, *que, quand ils auraient connu que nous croyons dans l'Ecriture des choses qu'ils savent parfaitement être fausses, ils se riraient de notre crédulité dans les autres choses qui sont plus cachées, comme la résurrection des morts et la vie éternelle.* Et ainsi, ajoute saint Thomas, *ce serait leur rendre notre religion méprisable, et même leur en fermer l'entrée.*

Et ce serait aussi, mon Père, le moyen d'en fermer l'entrée aux hérétiques, et de leur rendre l'autorité du pape méprisable, que de refuser de tenir pour catholiques ceux qui ne croiraient pas que des paroles sont dans un livre où elles ne se trouvent point, parce qu'un pape l'aurait déclaré par surprise. Car ce n'est que l'examen d'un livre qui peut faire savoir que des paroles y sont. Les choses de fait ne se prouvent que par les sens. Si ce que vous soutenez est véritable, montrez-le; sinon ne sollicitez personne pour le faire croire : ce serait inutilement. Toutes les puissances du monde ne peuvent par autorité persuader un point de fait, non plus que le changer; car il n'y a rien qui puisse faire que ce qui est ne soit pas.

C'est en vain, par exemple, que des religieux de Ratisbonne obtinrent du pape saint Léon IX, un décret solennel, par lequel il déclare que le corps de saint Denis, premier évêque de Paris, qu'on tient communément être l'Aréopagite, avait été enlevé de France et porté dans l'église de leur monastère. Cela n'empêche pas que le corps de ce saint n'ait toujours été et ne soit encore dans la célèbre abbaye qui porte son nom, dans laquelle vous auriez peine à faire recevoir cette bulle, quoique ce pape y témoigne avoir examiné la chose *avec toute la diligence possible, diligentissime, et avec le conseil de plusieurs évêques et prélats; de sorte qu'il oblige étroitement tous les Français, districte præcipientes, de reconnaître et de confesser qu'ils n'ont plus ces saintes reliques.* Et néanmoins les Français, qui savent la fausseté de ce fait par leurs propres yeux, et qui, ayant ouvert la châsse, y trouvèrent toutes ces reliques entières, comme le témoignent les historiens de ce temps-là, crurent alors, comme on l'a toujours cru depuis, le contraire de ce que ce saint pape leur avait enjoint de croire, sachant bien que même les saints et les prophètes sont sujets à être surpris.

Ce fut aussi en vain que vous obtîntes contre Galilée ce décret de Rome qui condamnait son opinion touchant le mouvement de la terre. Ce ne sera pas cela qui prouvera qu'elle demeure en repos; et, si l'on avait des observations constantes qui prouvassent que c'est elle qui tourne, tous les hommes ensemble ne l'empêcheraient pas de tourner, et ne s'empêcheraient pas de tourner aussi avec elle. Ne vous imaginez pas de même que les lettres du pape Zacharie pour l'excommunication de saint Virgile, sur ce qu'il tenait qu'il y avait des antipodes, aient anéanti ce nouveau monde; et qu'encore qu'il eût déclaré que cette opinion était une erreur bien dangereuse, le roi d'Espagne ne se soit pas bien trouvé d'en avoir plutôt cru Christophe Colomb, qui en venait, que le jugement de ce pape, qui n'y avait pas été; et que l'Eglise n'en ait pas reçu un grand avantage, puisque cela a procuré la connaissance de l'Evangile à tant de peuples qui fussent péris dans leur infidélité.

Vous voyez donc, mon Père, quelle est la nature des choses de fait, et par quels principes on en doit juger; d'où il est aisé de conclure, sur notre sujet, que, si les cinq propositions ne sont point de Jansenius, il est impossible qu'elles en aient été extraites, et que le seul moyen d'en bien juger et d'en persuader le monde, est d'examiner ce livre en une conférence réglée, comme on vous le demande depuis si longtemps. Jusque-là, vous n'avez aucun droit d'appeler vos adversaires opiniâtres : car ils seront sans blâme sur ce point de fait, comme ils sont sans erreurs sur les points de foi; catholiques sur le droit, raisonnables sur le fait, et innocents en l'un et en l'autre.

Qui ne s'étonnera donc, mon Père, en voyant d'un côté une justification si pleine, de voir de l'autre des accusations si violentes? Qui penserait qu'il n'est question entre vous que d'un fait de nulle importance, qu'on veut faire croire sans le montrer? Et qui oserait s'imaginer qu'on fît par toute l'Eglise tant de bruit pour rien, *pro nihilo*, mon Père, comme le dit saint Bernard? Mais c'est cela même qui est le principal artifice de votre conduite, de faire croire qu'il y va de tout en une affaire qui n'est de rien; et de donner à entendre aux personnes puissantes qui vous écoutent, qu'il s'agit dans vos disputes des erreurs les plus pernicieuses de Calvin et des principes les plus importants de la foi; afin que, dans cette persuasion, ils emploient tout leur zèle et toute leur autorité contre ceux que vous combattez, comme si le salut de la religion catholique en dépendait : au lieu que, s'ils venaient à connaître qu'il n'est question que de ce petit point de fait, ils n'en seraient nullement touchés, et ils auraient au contraire bien du regret d'avoir fait tant d'efforts pour suivre vos passions particulières en une affaire qui n'est d'aucune conséquence pour l'Eglise.

Car enfin, pour prendre les choses au pis, quand même il serait véritable que Jansenius aurait tenu ces propositions, quel malheur arriverait-il de ce que quelques personnes en douteraient, pourvu qu'ils les détestent, comme ils le font publiquement? N'est-ce pas assez qu'elles soient condamnées par tout le monde sans exception, au sens même où vous avez expliqué que vous voulez qu'on les condamne? En seraient-elles plus censurées, quand on dirait que Jansenius les a tenues? A quoi servirait donc d'exiger cette reconnaissance, sinon à décrier un docteur et un évêque qui est mort dans la communion de l'Eglise? Je ne vois pas que ce soit là un si grand bien, qu'il faille l'acheter par tant de troubles. Quel intérêt y a l'Etat, le pape, les évêques, les docteurs et toute l'Eglise? Cela ne les touche en aucune sorte, mon Père, et il n'y a que votre seule Société qui recevrait véritablement quelque plaisir de cette diffamation d'un auteur qui vous a fait quelque tort. Cependant tout se remue, parce que vous faites entendre que tout est menacé. C'est la cause secrète qui donne le branle à tous ces grands mouvements qui cesseraient aussitôt qu'on aurait su le véritable état de vos disputes. Et c'est pourquoi, comme le repos de l'Eglise dépend de cet éclaircissement, il était d'une extrême importance de le donner; afin que, tous vos déguisements étant découverts, il paraisse à tout le monde que vos accusations sont sans fondement, vos adversaires sans erreur, et l'Eglise sans hérésie.

Voilà, mon Père, le bien que j'ai eu pour objet de procurer, qui me semble si considérable pour toute la religion, que j'ai de la peine à comprendre comment ceux à qui vous donnez tant de sujet de parler, peuvent demeurer dans le silence. Quand les injures que vous leur faites ne les toucheraient pas, celles que l'Eglise souffre devraient, ce me semble, les porter à s'en plaindre : outre que je doute que des ecclésiastiques puissent abandonner leur réputation à la calomnie, surtout en matière de foi. Cependant ils vous laissent dire tout ce qu'il vous plaît; de sorte que, sans l'occasion que vous m'en avez donnée par hasard, peut-être que rien ne se serait opposé aux impressions scandaleuses que vous semez de tous côtés. Ainsi leur patience m'étonne, et d'autant plus qu'elle ne peut m'être suspecte ni de timidité, ni d'impuissance, sachant bien qu'ils ne manquent ni de raisons pour leur justification ni de zèle pour la vérité. Je les vois néanmoins si religieux à se taire, que je crains qu'il n'y ait en cela de l'excès. Pour moi, mon Père, je ne crois pas pouvoir le faire. Laissez l'Eglise en paix, et je vous y laisserai de bon cœur. Mais pendant que vous ne travaillerez qu'à y entretenir le trouble, les enfants de la paix seront obligés d'employer tous leurs efforts pour y conserver la tranquillité.

FRAGMENT D'UNE DIX-NEUVIÈME LETTRE

Mon révérend père,

Si je vous ai donné quelque déplaisir par mes autres Lettres en manifestant l'innocence de ceux qu'il vous importait de noircir, je vous donnerai de la joie par celle-ci, en vous y faisant paraître la douleur dont vous les avez remplis. Consolez-vous, mon Père; ceux que vous haïssez sont affligés. Et si MM. les évêques exécutent dans leurs diocèses les conseils que vous leur donnez de contraindre à jurer et à signer qu'on croit une chose de fait qu'il n'est pas véritable qu'on croie, et qu'on n'est pas obligé de croire, vous réduirez vos adversaires dans la dernière tristesse de voir l'Eglise en cet état. Je les ai vus, mon Père, et je vous avoue que j'en ai eu une satisfaction extrême. Je les ai vus non pas dans une générosité philosophique, ou dans cette fermeté irrespectueuse qui fait suivre impérieusement ce qu'on croit être de son devoir; non aussi dans cette lâcheté molle et timide qui empêche, ou de voir la vérité, ou de la suivre; mais dans une piété douce et solide, pleins de défiance d'eux-mêmes, de respect pour les puissances de l'Eglise, d'amour pour la paix, de tendresse et de zèle pour la vérité, de désir de la connaître et de la défendre, de crainte pour leur infirmité, de regret d'être mis dans ces épreuves, et d'espérance néanmoins que Dieu daignera les y soutenir par sa lumière et par sa force, et que la grâce de J.-C. qu'ils soutiennent et pour laquelle ils souffrent, sera elle-même leur lumière et leur force. Et j'ai vu enfin en eux le caractère de la piété chrétienne qui fait paraître une force...

Je les ai trouvés environnés des personnes de leur connaissance qui étaient aussi venues sur ce sujet pour les porter à ce qu'ils croyaient le meilleur dans l'état présent des choses. J'ai ouï les conseils qu'on leur a donnés; j'ai remarqué la manière dont ils les ont reçus et les réponses qu'ils y ont faites; mais en vérité, mon Père, si vous aviez été présent, je crois que vous avoueriez vous-même qu'il n'y a rien en tout leur procédé qui ne soit infiniment éloigné de l'air de révolte et d'hérésie, comme tout le monde pourra connaître par les tempéraments qu'ils ont apportés, et que vous allez voir ici, pour conserver tout ensemble ces deux choses qui leur sont infiniment chères, la paix et la vérité.

Car après qu'on leur a présenté en général les peines qu'ils se vont attirer par leur refus, si on leur présente cette nouvelle Constitution à signer, et le scandale qui en pourra naître dans l'Eglise, ils ont fait remarquer...

Le jour du Jugement.

C'est donc là, mon Père, ce que vous appelez le sens de Jansenius, c'est donc cela que vous faites entendre et au pape et aux évêques.

Si les Jésuites étaient corrompus et qu'il fût vrai que nous fussions seuls, à plus forte raison devrions-nous demeurer.

Quod bellum firmavit, pax ficta non auferat [61].

61. Cf. *Réponse des Curés de Paris* (1er avril 1658) : « Ce que la guerre a confirmé, qu'une fausse paix ne l'enlève point. »

Neque benedictione neque maledictione movetur, sicut angelus Domini [62].

On attaque la plus grande des vertus chrétiennes, qui est l'amour de la vérité.

Si la signature signifie cela, qu'on souffre que nous l'expliquions, afin qu'il n'y ait point d'équivoque; car il faut demeurer d'accord que plusieurs croient que signer marque consentement.

On n'est pas coupable de ne pas croire, et on serait coupable de jurer sans croire.

Mais vous pouvez vous être trompé. Je jure que je crois que je puis m'être trompé. Mais je ne jure pas que je crois que je me suis trompé.

... De belles questions, Il...

Si le rapporteur ne signait pas, l'arrêt serait invalide. Si la bulle n'était pas signée, elle serait valable. Ce n'est donc pas.

Je suis fâché de vous dire tout. Je ne fais qu'un récit.

Cela avec Escobar les met au bout. Mais ils ne le prennent pas ainsi et témoignent le déplaisir de se voir entre Dieu et le pape.

62. Cf. II Rois, XIV, 17. « Car comme est un ange de Dieu (ainsi est mon seigneur le roi), qu'il ne s'émeut ni de la bénédiction, ni de la malédiction... »

LES ÉCRITS DES CURÉS DE PARIS

Les Ecrits des Curés de Paris *sont une œuvre collective portant la signature de huit curés de la capitale, députés par les assemblées synodales, dont six ont le titre de docteurs de Paris, de la Société de Sorbonne, ou de Navarre, ou de Harcourt. Ils en ont pris ainsi la responsabilité.*
Arnauld, Nicole et Pascal collaborèrent à ces Ecrits. *Il n'est plus question des cinq propositions et de Port-Royal, mais uniquement de faire le procès de la morale relâchée et d'obtenir la censure de l'*Apologie pour les casuistes *du P. Pirot.*
La collaboration de Pascal a été importante. La tradition lui attribue le premier Ecrit, *le deuxième, le cinquième et le sixième. Leur rédaction confirme cette tradition. Fin* 1658 *son état de santé ne lui a pas permis de poursuivre sa collaboration. Entre-temps il avait rédigé un* projet de mandement *(B.N. ms.* 12449) *dont le destinataire n'est pas connu.*
La campagne menée par les Ecrits *contre les casuistes (et les Jésuites) fut aussi violente que celle des* Provinciales.
Cependant, alors que les Provinciales *ont été censurées à diverses reprises par les autorités civiles et religieuses,* les Ecrits *n'ont encouru aucun blâme. Ils ont provoqué au contraire de nombreuses requêtes de curés assemblés en synode dans diverses villes, des ordonnances, des lettres pastorales, des censures de plus de vingt évêques, l'intervention à trois reprises de l'Assemblée du clergé (en* 1656, 1682 *et* 1700), *et enfin deux censures romaines (en* 1665 *et* 1679) *qui ont condamné soixante-quinze propositions de morale relâchée, dont la plupart sont mentionnées dans* les Provinciales.
En somme, les Ecrits *ont atteint le but qu'ils s'étaient fixé, mais ils provoquèrent l'interdiction (en* 1659) *des Assemblées synodales des Curés de Paris.*

FACTUM POUR LES CURÉS DE PARIS[1]

CONTRE UN LIVRE INTITULÉ « APOLOGIE POUR LES CASUISTES CONTRE LES CALOMNIES DES JANSÉNISTES » ET CONTRE CEUX QUI L'ONT IMPOSÉ, IMPRIMÉ ET DÉBITÉ

Notre cause est la cause de la morale chrétienne. Nos parties sont les casuistes qui la corrompent. L'intérêt que nous y avons est celui des consciences dont nous sommes chargés : et la raison qui nous porte à nous élever avec plus de vigueur que jamais contre ce nouveau libelle, est que la hardiesse des casuistes augmentant tous les jours, et étant ici arrivée à son dernier excès, nous sommes obligés d'avoir recours aux derniers remèdes et de porter nos plaintes à tous les tribunaux où nous croirons le devoir faire, pour y poursuivre sans relâche la condamnation et la censure de ces pernicieuses maximes.

Pour faire voir à tout le monde la justice de notre prétention, il n'y a qu'à représenter clairement l'état de l'affaire, et la manière dont les nouveaux casuistes se sont conduits depuis le commencement de leurs entreprises, jusques à ce dernier livre qui en est le couronnement; afin qu'en voyant combien la patience avec laquelle ils ont été jusques ici soufferts a été pernicieuse à l'Eglise, on connaisse la nécessité qu'il y a de n'en plus avoir aujourd'hui. Mais il importe auparavant de bien faire entendre en quoi consiste principalement le venin de leurs méchantes doctrines, à quoi on ne fait pas assez de réflexion.

Ce qu'il y a de plus pernicieux dans ces nouvelles morales, est qu'elles ne vont pas seulement à corrompre les mœurs, mais à corrompre la règle des mœurs, ce qui est d'une importance tout autrement considérable. Car c'est un mal bien moins dangereux

1. Remis par les Curés de Paris aux Vicaires généraux le 4 février 1658 et attribué à Pascal, par Godefroy Hermant.

et bien moins général d'introduire des dérèglements en laissant subsister les lois qui les défendent, que de pervertir les lois, et de justifier les dérèglements, parce que, comme la nature de l'homme tend toujours au mal dès sa naissance, et qu'elle n'est ordinairement retenue que par la crainte de la loi, aussitôt que cette barrière est ôtée, la concupiscence se répand sans obstacle, de sorte qu'il n'y a point de différence entre rendre les vices permis, et rendre tous les hommes vicieux.

Et de là vient que l'Eglise a toujours eu un soin particulier de conserver inviolablement les règles de sa morale au milieu des désordres de ceux qu'elle n'a pu empêcher de les violer. Ainsi, quand on y a vu des mauvais chrétiens, on y a vu en même temps des lois saintes qui les condamnaient et les rappelaient à leur devoir; et il ne s'était point encore trouvé avant ces nouveaux casuistes que personne eût entrepris dans l'Eglise de renverser publiquement la pureté de ses règles.

Cet attentat était réservé à ces derniers temps, que le clergé de France appelle la *lie et la fin des siècles*, où ces nouveaux théologiens *au lieu d'accommoder la vie des hommes aux préceptes de Jésus-Christ, ont entrepris d'accommoder les préceptes et les règles de J.-C. aux intérêts, aux passions et aux plaisirs des hommes.* C'est par cet horrible renversement qu'on a vu ceux qui se donnent la qualité de docteurs et de théologiens, substituer à la véritable morale, qui ne doit avoir pour principe que l'autorité divine et pour fin que la charité, une morale toute humaine qui n'a pour principe que la raison et pour fin que la concupiscence et les passions de la nature. C'est ce qu'ils déclarent avec une hardiesse incroyable comme on le verra en ce peu de maximes qui leur sont les plus ordinaires. *Une action*, disent-ils, *est probable et sûre en conscience, si elle est appuyée sur une raison raisonnable*, RATIONE RATIONABILI, *ou sur l'autorité de quelques auteurs graves, ou même d'un seul; ou si elle a pour fin un objet honnête.* Et on verra ce qu'ils appellent un objet honnête par ces exemples qu'ils en donnent. *Il est permis*, disent-ils, *de tuer celui qui nous fait quelque injure; pourvu qu'on n'ait en cela pour objet que le désir d'acquérir l'estime des hommes*, AD CAPTANDAM HOMINUM ÆSTIMATIONEM. *On peut aller au lieu assigné pour se battre en duel, pourvu que ce soit dans le dessein de ne pas passer pour une poule, mais de passer pour un homme de cœur*, VIR ET NON GALLINA. *On peut donner de l'argent pour un bénéfice, pourvu qu'on n'ait d'autre intention que l'avantage temporel qui nous en revient, et non pas d'égaler une chose temporelle à une chose spirituelle. Une femme peut se parer, quelque mal qu'il en arrive, pourvu qu'elle ne le fasse que par l'inclination naturelle qu'elle a à la vanité*, OB NATURALEM FASTUS INCLINATIONEM. *On peut boire et manger tout son saoul sans nécessité; pourvu que ce soit pour la seule volupté et sans nuire à sa santé, parce que l'appétit naturel peut jouir sans aucun péché des actions qui lui sont propres*, LICITE POTEST APPETITUS NATURALIS SUIS ACTIBUS FRUI.

On voit en ce peu de mots l'esprit de ces casuistes, et comme en détruisant les règles de la piété ils font succéder aux préceptes de l'Ecriture, qui nous oblige de rapporter toutes nos actions à Dieu, une permission brutale de les rapporter toutes à nous-mêmes; c'est-à-dire qu'au lieu que J.-C. est venu pour amortir en nous les concupiscences du vieil homme et y faire régner la charité de l'homme nouveau, ceux-ci sont venus pour faire revivre les concupiscences et éteindre l'amour de Dieu, dont ils dispensent les hommes, et déclarent que c'est assez pourvu qu'on ne le haïsse pas.

Voilà la morale toute charnelle qu'ils ont apportée, qui n'est appuyée que *sur le bras de chair*, comme parle l'Ecriture, et dont ils ne donnent pour fondement, sinon que Sanchez, Molina, Escobar, Azor, etc., la trouvent raisonnable, d'où ils concluent *qu'on la peut suivre en toute sûreté de conscience, et sans aucun risque de se damner.*

C'est une chose étonnante que la témérité des hommes se soit portée jusqu'à ce point; mais cela s'est conduit insensiblement et par degrés en cette sorte.

Ces opinions accommodantes ne commencèrent pas par cet excès, mais par des choses moins grossières, et qu'on proposait seulement comme des doutes. Elles se fortifièrent peu à peu par le nombre des sectateurs, dont les maximes relâchées ne manquent jamais : de sorte qu'ayant déjà formé un corps considérable de casuistes qui les soutenaient, les ministres de l'Eglise, craignant de choquer ce grand nombre, et espérant que la douceur et la raison seraient capables de ramener ces personnes égarées, supportèrent ces désordres avec une patience qui a paru, par l'événement, non seulement inutile, mais dommageable : car se voyant ainsi en liberté d'écrire, ils ont tant écrit en peu de temps que l'Eglise gémit aujourd'hui sous cette monstrueuse charge de volumes. La licence de leurs opinions, qui s'est accrue à mesure que le nombre de leurs livres, les a fait avancer à grands pas dans la corruption des sentiments, et dans la hardiesse de les proposer. Ainsi les maximes qu'ils n'avaient jetées d'abord que comme de simples pensées, furent bientôt données comme probables. Ils passèrent de là à les produire pour sûres en conscience, et enfin pour aussi sûres que les opinions contraires, par un progrès si hardi, qu'enfin les puissances de l'Eglise commençant à s'en émouvoir, on fit diverses censures de ces doctrines. L'Assemblée générale de France les censura en 1642, dans le livre du Père Bauny, Jésuite, où elles sont presque toutes ramassées; car ces livres ne font que se copier les uns les autres. La Sorbonne les condamna de même; la Faculté de Louvain ensuite. Et feu M. l'Archevêque de Paris aussi, par plusieurs censures. De sorte qu'il y avait sujet d'espérer que tant d'autorités jointes ensemble arrêteraient un mal qui croissait toujours. Mais on fut bien éloigné d'en demeurer à ce point. Le Père Héreau fit au collège de Clermont des leçons si étranges pour permettre l'homicide, et les Pères Flahaut et Le Court en firent de même à Caen de si terribles pour autoriser les duels, que cela obligea l'Université de Paris à en demander justice au Parlement, et à entreprendre cette longue procédure qui a été connue de tout le monde. Le Père Héreau ayant été sur cette accusation condamné par le Conseil à tenir prison dans le collège des Jésuites, avec défenses d'enseigner dorénavant, cela assoupit un peu l'ardeur des casuistes. Mais ils ne faisaient cependant que préparer de nouvelles matières, pour les produire toutes à la fois en un temps plus favorable.

En effet, on vit paraître un peu après Escobar, le P. Lamy, Mascaregnas, Caramuel, et plusieurs autres, tellement remplis des opinions déjà condamnées, et de plusieurs nouvelles plus horribles qu'auparavant, que nous, qui par la connaissance que nous avons de l'intérieur des consciences, remarquions le tort que ces dérèglements y apportaient, nous nous crûmes obligés à nous y opposer fortement. Ce fut pourquoi, nous nous adressâmes, les années dernières, à l'assemblée du clergé qui se tenait alors, pour y demander la condamnation des principales propositions de ces derniers auteurs, dont nous leur présentâmes un extrait.

Ce fut là que la chaleur de ceux qui les voulaient défendre parut : ils employèrent les sollicitations les plus puissantes et toutes sortes de moyens pour en empêcher la censure, ou au moins pour la faire différer, espérant qu'en la prolongeant jusqu'à la fin de l'assemblée on n'aurait plus le temps d'y travailler : cela leur réussit en partie; et néanmoins, quelque artifice qu'ils y aient apporté, quelques affaires qu'eut l'assemblée sur la fin et quoique nous n'eussions de notre côté que la seule vérité qui a si peu de force aujourd'hui, cela ne put empêcher, par la providence de Dieu, que l'assemblée ne résolut de ne point se séparer sans laisser des marques authentiques de son indignation contre ces relâchements et du désir qu'elle avait eu d'en faire une condamnation solennelle, si le temps le lui eût permis.

Et pour le faire connaître à tout le monde, ils firent une Lettre circulaire à tous Nos Seigneurs les prélats du royaume, en leur envoyant le livre de saint Charles, imprimé l'année dernière par leur ordre avec cette lettre, où pour combattre ces méchantes maximes, ils commencèrent par celle de la probabilité, qui est le fondement de toutes. Voici leurs termes : *Il y a longtemps que nous gémissons, avec raison, de voir nos diocèses pour ce point, non seulement au même état que la province de saint Charles, mais dans un qui est beaucoup plus déplorable. Car si nos confesseurs sont plus éclairés que les siens, il y a grand danger qu'ils ne s'engagent dans de certaines opinions modernes, qui ont tellement altéré la morale chrétienne et les maximes de l'Evangile, qu'une profonde ignorance serait beaucoup plus souhaitable qu'une telle science, qui apprend à tenir toutes choses problématiques, et à chercher des moyens, non pas pour exterminer les mauvaises habitudes des hommes, mais pour les justifier et pour leur donner l'invention de les satisfaire en conscience.*

Ils viennent ensuite aux accommodements qu'ils ont établis sur ce principe de la probabilité. *Car*, disent-ils, *au lieu que J.-C. nous donne ses préceptes et nous laisse ses exemples, afin que ceux qui croient en lui y obéissent et y accommodent leur vie, le dessein de ces auteurs paraît être d'accommoder les préceptes et les règles de J.-C. aux intérêts, aux plaisirs et aux passions des hommes; tant ils se montrent ingénieux à flatter leur avarice et leur ambition, par des ouvertures qu'ils leur donnent pour se venger de leurs ennemis, pour prêter leur argent à usure, pour entrer dans les dignités ecclésiastiques par toutes sortes de voies, et pour conserver le faux honneur que le monde a établi par des voies toutes sanglantes.* Et après avoir traité de ridicule la méthode des casuistes de bien diriger l'intention, ils condamnent fortement l'abus qu'ils font des sacrements.

Et enfin pour témoigner à toute l'Eglise que ce qu'ils ont fait était peu au prix de ce qu'ils eussent voulu faire, s'ils en eussent eu le pouvoir, ils finissent en cette sorte : *Plusieurs curés de la ville de Paris et des autres villes principales de ce royaume, par les plaintes qu'ils nous ont faites de ces désordres, avec la permission de Messeigneurs leurs prélats, et par les conjurations d'y apporter quelque remède, ont encore augmenté notre zèle et redoublé notre douleur. S'ils se fussent plus tôt adressés à notre Assemblée qu'ils n'ont fait, nous eussions examiné avec un soin très exact toutes les propositions nouvelles des casuistes dont ils nous ont donné les extraits et prononcé un jugement solennel qui eût arrêté le cours de cette peste des consciences. Mais ayant manqué de loisir pour faire cet examen avec toute la diligence et l'exactitude que demandait l'importance du sujet, nous avons cru que nous ne pouvions pour le présent apporter un meilleur remède à un désordre si déplorable que de faire imprimer aux dépens du clergé les instructions dressées par saint Charles Borromée, pour apprendre à ces confesseurs de quelle façon ils se doivent conduire en l'administration du sacrement de pénitence, et de les envoyer à tous Messeigneurs les évêques du royaume.*

Les sentiments de Nos Seigneurs les évêques ayant paru par là, d'autant plus visiblement qu'on ne peut douter que ce ne soit la seule force de la vérité qui les a obligés à parler de cette sorte, nous croyions que les auteurs de ces nouveautés seraient désormais plus retenus; et qu'ayant vu tous les curés des principales villes de France et Nos Seigneurs leurs prélats unis à condamner leur doctrine, ils demeureraient à l'avenir en repos, et qu'ils s'estimeraient bien heureux d'avoir évité une censure telle qu'ils l'avaient méritée, et aussi éclatante que les excès qu'ils avaient commis contre l'Eglise.

Les choses étaient en cet état, et nous ne pensions plus qu'à instruire paisiblement nos peuples des maximes pieuses et chrétiennes, sans crainte d'y être troublés, lorsque ce nouveau livre a paru duquel il s'agit aujourd'hui qui, étant l'apologie de tous les casuistes, contient seul autant que tous les autres ensemble, et renouvelle toutes les propositions condamnées avec un scandale, et une témérité d'autant plus digne de censure qu'on l'ose produire après tant de censures méprisées, et d'autant plus punissable qu'on doit reconnaître par l'inutilité des remèdes dont on a usé jusques ici, la nécessité qu'il y a d'en employer de plus puissants pour arrêter une fois pour toutes un mal si dangereux et si rebelle.

Nous venons maintenant aux raisons particulières que nous avons de poursuivre la condamnation de ce libelle. Il y en a plusieurs bien considérables, dont la première est la hardiesse toute extraordinaire dont on soutient dans ce livre les plus abominables propositions des casuistes : car ce n'est plus avec déguisement qu'on y agit; on ne s'y défend plus comme autrefois en disant que ce sont des propositions qu'on leur impute : ils agissent ici plus ouvertement; ils les avouent et les soutiennent en même temps comme sûres en conscience. *Et aussi sûres*, disent-ils, *que les opinions contraires : il est vrai*, dit ce livre en cent endroits, *que les casuistes tiennent ces maximes, mais il est vrai aussi qu'ils ont raison de les tenir*. Il va même quelquefois au-delà de ce qu'on leur avait reproché; *en effet*, dit-il, *nous soutenons cette proposition qu'on blâme si fort, et les casuistes vont encore plus avant*, et ainsi il n'y a plus ici de question de fait, il demeure d'accord de tout : il confesse que selon les casuistes *il n'y a plus d'usure* dans les contrats les plus usuraires par le moyen qu'il en donne pages 101, 107, 108, etc., les bénéficiers seront exempts de *simonie*, quelque trafic qu'ils puissent faire en dirigeant bien leur intention, page 62. Les blasphèmes, les parjures, les impuretés, *et enfin tous les crimes contre le décalogue ne sont plus péchés, si on les commet par ignorance ou par emportement et passion*, pages 26, 28. *Les valets peuvent voler leurs maîtres pour égaler leurs gages à leurs peines, selon le Père Bauny qu'il confirme* page 81. *Les femmes peuvent prendre de l'argent à leurs maris pour jouer*, page 152. *Les juges ne sont pas obligés à restituer ce qu'ils auraient reçu pour faire une injustice*, page 123. *On ne sera point obligé de quitter les occasions et les professions où l'on court risque de se perdre, si on ne le peut facilement*, page 49. *On recevra dignement l'absolution et l'eucharistie sans avoir d'autre regret de ses péchés que pour le mal temporel qu'on en ressent*, pages 162 et 163. *On pourra sans crime calomnier ceux qui médisent de nous en leur imposant des crimes que nous savons être faux*, pages 127, 128 et 129.

Enfin tout sera permis, la loi de Dieu sera anéantie, et la seule raison naturelle deviendra notre lumière en toutes nos actions, et même pour discerner quand il sera permis aux particuliers de tuer leur prochain, ce qui est la chose du monde la plus pernicieuse, et dont les conséquences sont les plus terribles. *Qu'on me fasse voir*, dit-il page 87, etc., *que nous ne nous devons pas conduire par la lumière naturelle, pour discerner quand il est permis ou défendu de tuer son prochain*. Et pour confirmer cette proposition; *Puisque les monarques se sont servis de la seule raison naturelle pour punir les malfaiteurs, ainsi la même raison naturelle doit servir pour juger si une personne particulière peut tuer celui qui l'attaque, non seulement en sa vie, mais encore en son honneur, et en son bien*. Et pour répondre à ce que la loi de Dieu le défend, il dit au nom de tous les casuistes : *nous croyons avoir raison d'exempter de ce commandement de Dieu ceux qui tuent pour conserver leur honneur, leur réputation et leur bien.*

Si on considère les conséquences de cette maxime, *que c'est à la raison naturelle à discerner quand il est permis ou défendu de tuer son prochain*, et qu'on y ajoute les maximes exécrables des docteurs très graves, qui par leur raison naturelle ont jugé qu'il était permis de commettre d'étranges parricides contre les personnes les plus inviolables en de certaines occasions, on verra que si nous nous taisions après cela, nous serions indignes de notre ministère, que nous serions les ennemis et non pas les pasteurs de nos peuples, et que Dieu nous punirait justement d'un silence si criminel. Nous faisons donc notre devoir en avertissant les peuples et les juges de ces abominations et nous espérons que les peuples et les juges feront le leur, les uns en les évitant, et les autres en les punissant comme l'importance de la chose le mérite.

Mais ce qui nous presse encore d'agir en cette sorte, est qu'il ne faut pas considérer ces propositions comme étant d'un livre anonyme et sans autorité, mais comme étant d'un livre soutenu et autorisé par un corps très considérable; nous avons la douleur de le dire, car, quoique nous n'ayons jamais ignoré les premiers moteurs de ces désordres, nous n'avons pas voulu les découvrir néanmoins, et nous ne le ferions pas encore s'ils ne se découvraient eux-mêmes, et s'ils n'avaient affecté de se faire connaître à tout le monde. Mais puisqu'ils veulent qu'on le sache, il nous serait inutile de le cacher, puisque c'est chez eux-mêmes qu'ils ont fait débiter ce libelle; que c'est dans le collège de Clermont que s'est fait ce trafic scandaleux, que ceux qui y ont porté leur argent en ont rapporté autant qu'ils ont voulu d'*Apologies pour les casuistes*; que ces Pères les ont portées chez leurs amis à Paris et dans les provinces; que le Père Brisacier, recteur de leur maison de Rouen, les a distribuées; qu'il l'a fait lire en plein réfectoire comme une pièce d'édification et de piété; qu'il a demandé permission de la réimprimer à l'un des principaux magistrats; que les Jésuites de Paris ont sollicité deux docteurs de Sorbonne pour en avoir l'approbation; qu'ils en ont demandé le privilège à M. le Chancelier; puisqu'enfin ils ont levé le masque, et qu'ils ont voulu se faire connaître en tant de manières, il est temps que nous agissions, et que, puisque les Jésuites se déclarent publiquement les protecteurs de l'*Apologie des casuistes*, les curés s'en déclarent les dénonciateurs. Il faut que tout le monde sache que comme c'est dans le collège de Clermont qu'on débite ces maximes pernicieuses, c'est aussi dans nos paroisses qu'on enseigne les maximes chrétiennes qui y sont opposées; afin qu'il n'arrive pas que les personnes simples, entendant publier si hautement ces erreurs par une Compagnie si nombreuse et ne voyant personne s'y opposer, les prennent pour des vérités et s'y laissent insensiblement surprendre, et que le jugement de Dieu s'exerce sur les peuples et sur leurs pasteurs, selon la doctrine des prophètes, qui déclarent contre ces nouvelles opinions, que les uns et les autres périront, les uns manque d'avoir reçu les instructions nécessaires, et les autres manque de les avoir données.

Nous sommes donc dans une obligation indispensable de parler en cette rencontre; mais ce qui l'augmente encore de beaucoup, est la manière injurieuse dont les auteurs de cette *Apologie* y déchirent notre ministère; car ce livre n'est proprement qu'un libelle diffamatoire contre les curés de Paris et des provinces qui se sont opposés à leurs désordres. C'est une chose étrange de voir comment ils y parlent des extraits que nous présentâmes au clergé de leurs plus dangereuses propositions, et qu'ils ont la hardiesse de nous traiter pour ce sujet, pages 2 et 176, *d'ignorants, de factieux, d'hérétiques, de loups et de faux pasteurs. Il est bien sensible à la Compagnie des Jésuites*, disent-ils page 176, *de voir que les accusations se forment contre elle par des ignorants qui ne méritent pas d'être mis au nombre des chiens qui gardent le troupeau de l'Eglise, qui sont pris de plusieurs pour les vrais pasteurs, et sont suivis par les brebis qui se laissent conduire par ces loups.*

Voilà le comble de l'insolence où les Jésuites ont élevé les casuistes; après avoir abusé de la modération des ministres de l'Eglise pour introduire leurs opinions impies, ils sont aujourd'hui arrivés à vouloir chasser du ministère de l'Eglise ceux qui refusent d'y consentir.

Cette entreprise séditieuse et schismatique, par laquelle on essaye de jeter la division entre le peuple et ses pasteurs légitimes, en l'incitant à les fuir comme de faux pasteurs et des loups, par cette seule raison qu'ils s'opposent à une morale toute impure, est d'une telle importance dans l'Eglise, que nous n'y pourrions plus servir avec utilité si cette insolence n'était réprimée; car enfin il faudrait renoncer à nos charges et abandonner nos églises, si au milieu de tous les tribunaux chrétiens établis pour maintenir en vigueur les règles évangéliques, il ne nous était permis, sans être diffamés comme des loups et de faux pasteurs, de dire à ceux que nous sommes obligés d'instruire que c'est toujours un crime de calomnier son prochain; qu'il est plus sûr en conscience de tendre l'autre joue après avoir reçu un soufflet que de tuer celui qui s'enfuit après l'avoir donné; que le duel est toujours un crime; et que c'est une fausseté horrible de dire *que c'est à la raison naturelle de discerner quand il est permis ou défendu de tuer son prochain.* Si nous n'avons la liberté de parler en cette sorte, sans qu'on voie incontinent paraître les livres soutenus publiquement par le Corps des Jésuites, qui nous traitent de factieux, d'ignorants et de faux pasteurs, il nous est impossible de gouverner fidèlement les troupeaux qui nous sont commis.

Il n'y a point de lieu parmi les infidèles et les sauvages où il ne soit permis de dire que la calomnie est un crime, et qu'il n'est pas permis de tuer son prochain pour la seule défense de son honneur : il n'y a que les lieux où sont les Jésuites où l'on ose parler ainsi. Il faut permettre les calomnies, les homicides et la profanation des sacrements, ou s'exposer aux effets de leur vengeance. Cependant nous sommes ordonnés de Dieu pour porter ses commandements à son peuple, et nous n'oserons lui obéir sans ressentir la fureur de ces casuistes de chair et de sang. En quel état sommes-nous donc réduits aujourd'hui? Malheur sur nous, dit l'Ecriture si nous n'évangélisons; et malheur sur nous, disent ces hommes, si nous évangélisons. La colère de Dieu nous menace d'une part, et l'audace de ces hommes de l'autre, et nous met dans la nécessité, ou de devenir en effet des faux pasteurs et des loups, ou d'être déchirés comme tels par trente mille bouches qui nous décrient.

C'est là le sujet de nos plaintes; c'est ce qui nous oblige à demander justice pour nous, et pour la morale chrétienne dont la cause nous est commune; et à redoubler notre zèle pour la défendre, à mesure qu'on augmente les efforts pour l'opprimer. Elle nous devient d'autant plus chère qu'elle est plus puissamment combattue, et que nous sommes plus seuls à la défendre; et dans la joie que nous avons que Dieu daigne se servir de notre faiblesse, pour y contribuer, nous osons lui dire avec celui qui était selon son cœur : *Seigneur, il est temps que vous agissiez, ils ont dissipé votre Loi; c'est ce qui nous engage encore plus à aimer tous vos préceptes, et qui nous donne plus d'aversion pour toutes les voies de l'iniquité.*

C'est cependant une chose déplorable de nous voir abandonnés et traités avec tant d'outrages par ceux dont nous devrions le plus attendre de secours; de sorte que nous ayons à combattre les passions des hommes, non seulement accompagnées de toute l'impétuosité qui leur est naturelle, mais encore enflées et soutenues par l'approbation d'un si grand corps de religieux; et qu'au lieu de nous pouvoir servir de leurs instructions pour corriger les égarements des peuples, nous soyons obligés de nous servir de ce qui reste de sentiment de piété dans les peuples pour leur faire abhorrer l'égarement de ces Pères.

Voilà où nous en sommes aujourd'hui, mais nous espérons que Dieu inclinera le cœur de ceux qui peuvent nous rendre justice, à prendre en main notre défense, et qu'ils y seront d'autant plus portés, qu'on les rend eux-mêmes complices de ces corruptions. On y comprend le pape, les évêques, et le Parlement, par cette prétention extravagante que les auteurs de ce libelle établissent en plusieurs pages comme une chose très constante : *Que les bulles des papes contre les cinq propositions sont une approbation générale de la doctrine des casuistes.* Ce qui est la chose du monde la plus injurieuse à ces bulles, et la plus impertinente en elle-même, puisqu'il n'y a aucun rapport d'une de ces matières à l'autre. Tout ce qu'il y a de commun entre ces cinq propositions et celles des casuistes, est qu'elles sont toutes hérétiques. Car comme il y a des hérésies dans la foi, il y a aussi des hérésies dans les mœurs selon les Pères et les conciles, et qui sont d'autant plus dangereuses qu'elles sont conformes aux passions de la nature, et à ce malheureux fond de concupiscence dont les plus saints ne sont pas exempts. Nous croyons donc que ceux qui ont tant témoigné de zèle contre les propositions condamnées n'en auront pas un moindre en cette rencontre, puisque le bien de l'Église, qui a pu être leur seul objet, est ici d'autant plus intéressé qu'au lieu que l'hérésie des cinq propositions n'est entendue que par les seuls théologiens, et que personne n'ose les soutenir, il se trouve ici au contraire que les hérésies des casuistes sont entendues de tout le monde, et que les Jésuites les soutiennent publiquement.

RÉPONSE DES CURÉS DE PARIS[2]

POUR SOUTENIR LEUR FACTUM PAR LEQUEL ILS ONT DEMANDÉ LA CENSURE DE L'APOLOGIE DES CASUISTES ; ET SERVIR DE RÉPONSE A UN ÉCRIT INTITULÉ : « RÉFUTATION DES CALOMNIES NOUVELLEMENT PUBLIÉES PAR LES AUTEURS D'UN FACTUM SOUS LE NOM DE MESSIEURS LES CURÉS DE PARIS, ETC. »

Après la dénonciation solennelle que nous avons faite avec tant de justice et de raison devant le tribunal ecclésiastique, de l'*Apologie des casuistes*, dont nous avons découvert les plus pernicieuses maximes et les étranges égarements, qui ont rempli d'horreur tous ceux à qui Dieu a donné quelque amour pour ses vérités, il y avait lieu d'espérer que ceux qui s'étaient engagés à la défendre, par un désir immodéré de soutenir leurs auteurs les plus relâchés, dont ce livre n'est qu'un extrait fidèle, répareraient par leur humilité et par leur silence le tort qu'ils s'étaient fait auprès de toutes personnes équitables par leur témérité et par leur aveuglement.

Mais nous venons de voir que rien n'est capable de réprimer leurs excès. Au lieu de se taire ou de n'ouvrir la bouche que pour désavouer des erreurs si insoutenables et si visiblement opposées à la pureté de l'Évangile, ils viennent de produire un écrit où ils soutiennent toutes ces erreurs, et où ils déchirent, de la manière du monde la plus outrageuse, le factum que nous avons fait contre leur doctrine corrompue.

C'est ce qui nous oblige à nous élever de nouveau contre cette nouvelle hardiesse, afin qu'on ne puisse pas reprocher à notre siècle que les ennemis de la morale chrétienne aient été plus ardents à l'attaquer que les pasteurs de l'Église à la défendre, et qu'il n'arrive pas que pendant que les peuples se reposent sur notre vigilance, nous demeurions nous-mêmes dans cet assoupissement que l'Écriture défend si sévèrement aux pasteurs.

Cet écrit qui vient d'être publié contre notre factum est un nouveau stratagème des Jésuites qui s'y sont nommés, et qui pour se donner la liberté de le déchirer sans paraître toutefois offenser nos personnes, disent qu'ils ne le considèrent pas comme venant de nous, mais comme une pièce qu'on nous suppose.

Et encore qu'il ait été fait par nous, examiné et corrigé par huit de nos députés à cette fin, approuvé dans l'assemblée générale de la compagnie, imprimé en notre nom, présenté par nous juridiquement à messieurs les vicaires généraux, distribué par nous-mêmes dans nos paroisses, et avoué en toutes les manières possibles, comme il paraît par les registres de notre assemblée, du 7 janvier, 4 février et 1er avril 1658, il leur plaît toutefois de dire que nous n'y avons point de part, et sur cette ridicule supposition, ils traitent les auteurs du factum avec les termes les plus injurieux dont la vérité puisse être outragée, et nous donnent en même temps les louanges les plus douces, dont la simplicité puisse être surprise.

Ainsi ils ont bien changé de langage à notre égard. Dans l'*Apologie des casuistes*, nous étions *de faux pasteurs ;* ici nous sommes de véritables et dignes pasteurs. Dans l'*Apologie*, ils nous haïssaient comme *des loups ravissants ;* ici ils nous aiment comme *des gens de piété et de vertu.* Dans l'*Apologie* ils nous traitaient *d'ignorants ;* ici nous sommes des esprits éclairés et pleins de lumière. Dans l'*Apologie* ils nous traitaient d'*hérétiques et de schismatiques ;* ici *ils ont en vénération non seulement notre caractère, mais aussi nos personnes :* mais dans l'une et dans l'autre, il y a cela de commun qu'ils défendent comme la vraie morale de l'Église cette morale corrompue. Ce qui fait voir que leur but n'étant autre que d'introduire leur pernicieuse doctrine, ils emploient indifféremment pour y arriver les moyens qu'ils y jugent les plus propres, et qu'ainsi ils disent de nous que nous sommes des loups ou de légitimes pasteurs, selon qu'ils le jugent plus utile pour autoriser ou pour défendre leurs erreurs : de sorte que le changement de leur style n'est pas l'effet de la conversion de leur

2. Dom Clémencet assure que Pascal fit cet écrit seul et en un jour. (Cf. E. Jovy, *La vie inédite de Pascal*, par dom Clémencet, Vrin; Paris, 1933, p. 41). Cet écrit et les suivants sont signés par huit curés de Paris.

cœur, mais une adresse de leur politique, qui leur fait prendre tant de différentes formes en demeurant toujours les mêmes, c'est-à-dire toujours ennemis de la vérité et de ceux qui la soutiennent.

Car il est certain qu'ils ne sont point en effet changés à notre égard, et que ce n'est pas nous qu'ils louent, mais qu'au contraire c'est nous qu'ils outragent, puisqu'ils ne louent que les curés qui n'ont point de part au factum, ce qui ne touche aucun de nous qui l'y avons tout entière, et qu'ils en outragent ouvertement les auteurs et les approbateurs, ce qui nous touche tous visiblement. Et ainsi tout le mal qu'ils semblent ne pas dire de nous comme curés, ils le disent de nous comme auteurs du factum, et ils ne parlent avantageusement de nous en un sens que pour avoir la liberté de nous déchirer plus injurieusement en l'autre.

C'est un artifice grossier, et une manière d'offenser plus lâche et plus piquante que si elle était franche et ouverte; et cependant ils ont la témérité d'en user non seulement contre nous, mais encore contre ceux que Dieu a établis dans les plus éminentes dignités de son Église; car ils traitent de même la lettre circulaire que Nos Seigneurs les prélats de l'assemblée du clergé ont adressée à tous Nos Seigneurs les évêques de France, pour préserver les diocèses de la corruption des casuistes : et ils disent de cette lettre, page 7, que c'est *une pièce subreptice*, *sans aveu*, *sans ordre et sans autorité*, quoiqu'elle soit véritablement publiée par l'ordre des prélats de l'Assemblée, composée par eux-mêmes, approuvée par eux, imprimée par leur commandement chez Vitré, imprimeur du clergé de France, avec les Instructions de saint Charles et l'extrait du procès-verbal du premier février 1657 où ces prélats condamnent les relâchements de ces casuistes, et se plaignent si fortement *qu'on voit avancer en ce temps des maximes si pernicieuses et si contraires à celles de l'Evangile, et qui vont à la destruction de la morale chrétienne.*

Mais quoi! Cette lettre n'approuve pas la doctrine des casuistes : c'en est assez pour être traitée par les Jésuites de fausse et de subreptice, quelque authentique qu'elle soit, et quelque vénérable que puisse être la dignité de ceux de qui elle part. Qui ne voit par là qu'ils veulent à quelque prix que ce soit être hors des atteintes et des corrections des ministres de l'Eglise, et qu'ils ne les reconnaissent qu'en ce qui leur est avantageux, comme s'ils tenaient la place de Dieu, quand ils leur sont favorables, et qu'ils cessassent de la tenir quand ils s'opposent à leurs excès? Voilà la hardiesse qui leur est propre. Parce qu'ils se sentent assez puissamment soutenus dans le monde pour être à couvert des justes châtiments qu'on ferait sentir à tout autre qu'à eux, s'il tombait en de bien moindres fautes; c'est de là qu'ils prennent la licence de ne recevoir de l'Eglise que ce qu'il leur plaît : car qu'est-ce autre chose de dire comme ils font : « Nous honorons Nos Seigneurs les prélats, et tout ce qui vient d'eux, mais pour cette lettre circulaire envoyée par leur ordre et sous leur nom à tous les prélats de France contre nos casuistes, nous ne l'honorons point, et la rejetons au contraire comme une pièce fausse, sans aveu et sans autorité : et nous avons de même de la vénération pour messieurs les curés de Paris, mais pour ce factum imprimé sous leur nom, qu'ils ont présenté à messieurs les vicaires généraux, nous déclarons que c'est un écrit scandaleux, et que ceux qui l'ont fait sont des séditieux, des hérétiques et des schismatiques. » Qu'est-ce à dire autre chose de parler ainsi, sinon de faire connaître qu'ils honorent les ministres de l'Eglise, quand ils ne les troublent point dans leurs désordres; mais que, quand ils osent l'entreprendre, ils leur font sentir par leurs mépris, par leurs calomnies et par leurs outrages, ce que c'est que de les attaquer?

Ainsi il leur sera permis de tout dire, et les prélats et les pasteurs n'oseront jamais les contredire sans être incontinent traités d'hérétiques et de factieux, ou en leurs personnes, ou en leurs ouvrages. Ils auront vendu dans leur collège et semé dans toutes nos paroisses l'exécrable *Apologie des casuistes*, et nous n'oserons faire un écrit pour servir d'antidote à un venin si mortel.

Ils auront mis le poignard et le poison entre les mains des furieux et des vindicatifs, en déclarant en propres termes : *Que les particuliers ont droit aussi bien que les souverains de discerner par la seule lumière de la raison, quand il sera permis ou défendu de tuer leur prochain*, et nous n'oserons déférer aux juges ecclésiastiques ces maximes meurtrières, et leur représenter par un factum les monstrueux effets de cette doctrine sanguinaire.

Ils auront donné indifféremment à tous les hommes ce droit de vie et de mort, qui est le plus illustre avantage des souverains; et nous n'oserons avertir nos peuples que c'est une fausseté horrible et diabolique de dire qu'il leur soit permis de se faire justice à eux-mêmes, et principalement quand il y va de la mort de leurs ennemis, et que bien loin de pouvoir tuer en sûreté de conscience, par une autorité particulière, et par le discernement de la raison naturelle, on ne le peut jamais au contraire, que par une autorité et par une lumière divine.

Ils auront mis en vente toutes les dignités de l'Eglise et ouvert l'entrée de la maison de Dieu à tous les simoniaques par la distinction imaginaire de *motif et de prix;* et nous n'oserons publier qu'on ne peut entrer sans crime dans le ministère de l'Eglise que par l'unique Porte, qui est Jésus-Christ; et que ceux qui veulent que l'argent donné comme motif en soit un autre, ne font pas une véritable porte par où puissent entrer de légitimes pasteurs, mais une véritable brèche par où il n'entre que des loups, non pas pour paître, mais pour dévorer le troupeau qui lui est si cher.

Ils auront exempté de crime les calomniateurs, et permis par l'autorité de Dicastillus leur confrère, et de plus de vingt célèbres Jésuites, *d'imposer de faux crimes contre sa conscience propre, pour ruiner de réputation ceux qui nous en veulent ruiner nous-mêmes.*

Ils auront permis aux juges de *retenir ce qu'ils auront*

reçu pour faire une injustice ; aux femmes, *de voler leurs maris ;* aux valets, *de voler leurs maîtres ;* aux mères, *de souhaiter la mort de leurs filles quand elles ne les peuvent marier ;* aux riches, *de ne rien donner de leur superflu ;* aux voluptueux, *de boire et de manger tout leur saoul pour la seule volupté, et de jouir des contentements des sens comme de choses indifférentes ;* à ceux qui sont dans les occasions prochaines des plus damnables péchés, *d'y demeurer quand ils n'ont pas facilité de les quitter ;* à ceux qui ont vieilli dans l'habitude des vices les plus énormes, *de s'approcher des sacrements, quoiqu'avec une résolution si faible de changer de vie, qu'ils croient eux-mêmes qu'ils sont pour retomber bientôt dans leurs crimes, et sans autre regret de les avoir commis que pour le seul mal temporel qui leur en est arrivé.*

Enfin ils auront permis aux chrétiens tout ce que les Juifs, les païens, les mahométans et les barbares auraient en exécration, et ils auront répandu dans l'Eglise les ténèbres les plus épaisses qui soient jamais sorties du puits de l'abîme; et nous n'oserons faire paraître, pour les dissiper, le moindre rayon de la lumière de l'Evangile, sans que la Société en corps s'élève et déclare : que ce ne peuvent être que des séditieux et des hérétiques qui parlent de la sorte contre leur morale; que leur doctrine *étant la vraie doctrine de la foi, ils sont obligés, en conscience, quelque dévoués qu'ils soient aux souffrances et à la Croix, de décrier les factieux et les schismatiques qui l'attaquent ;* qu'en cela ils ne parlent pas contre nous, parce que nous avons trop de piété pour être auteurs d'une pièce qui les combat, et qu'autrement nous serions coupables de troubler la paix et la tranquillité de l'Eglise, en les inquiétant dans la libre publication de leurs doctrines. C'est ainsi qu'ils essayent de nous décrier comme des adversaires de la tranquillité publique. *Qui pourrait croire*, disent-ils, *que messieurs les curés qui par le devoir de leurs charges sont les médiateurs de la paix entre les séculiers, soient les auteurs d'un écrit qui veut jeter le schisme et la division entre eux et les religieux ?* Et dans la suite : *l'Esprit de Dieu et la piété chrétienne est-elle aujourd'hui réduite à porter les disciples de l'Agneau à s'entre-manger comme des loups ?* Et ainsi ils font de grands discours pour montrer qu'ils veulent la paix, et que c'est nous qui la troublons.

Que l'insolence a de hardiesse, quand elle est flattée par l'impunité; et que la témérité fait en peu de temps d'étranges progrès, quand elle ne rencontre rien qui réprime sa violence! Ces casuistes, après avoir troublé la paix de l'Eglise par leurs horribles doctrines qui vont à la destruction de la doctrine de Jésus-Christ, comme disent Nos Seigneurs les évêques, accusent maintenant ceux qui veulent rétablir la doctrine de Jésus-Christ, de troubler la paix de l'Eglise. Après avoir semé le désordre de toutes parts par la publication de leur détestable morale, ils traitent de perturbateurs du repos public, ceux qui ne se rendent pas complaisants à leurs desseins, et qui ne peuvent souffrir que ces *pharisiens de la loi nouvelle*, comme ils se sont appelés eux-mêmes, établissent leurs traditions humaines sur la ruine des traditions divines.

Mais c'est en vain qu'ils emploient cet artifice. Notre amour pour la paix a assez paru par la longueur de notre silence; nous n'avons parlé que quand nous n'eussions pu nous taire sans crime. Ils ont abusé de cette paix pour introduire leurs damnables opinions, et ils voudraient maintenant en prolonger la durée pour les affermir de plus en plus. Mais les vrais enfants de l'Eglise savent bien discerner la véritable paix que le Sauveur peut seul donner, et qui est inconnue au monde, d'avec cette fausse paix que le monde peut bien donner, mais qui est en horreur au Sauveur du monde. Ils savent que la véritable paix est celle qui conserve la vérité en la possession de la créance des hommes, et que la fausse paix est celle qui conserve l'erreur en possession de la crédulité des hommes. Ils savent que la véritable paix est inséparable de la vérité, qu'elle n'est jamais interrompue aux yeux de Dieu par les disputes qui semblent l'interrompre quelquefois aux yeux des hommes, quand l'ordre de Dieu engage à défendre ses vérités injustement attaquées, et que ce qui serait alors une paix devant les hommes, serait une guerre devant Dieu. Ils savent aussi que bien loin de blesser la charité par ces corrections, on blesserait la charité en ne les faisant pas, parce que la fausse charité est celle qui laisse les méchants en repos dans les vices, au lieu que la véritable charité est celle qui trouble ce malheureux repos, et qu'ainsi, au lieu d'établir la charité de Dieu par cette douceur apparente, ce serait la détruire au contraire par une indulgence criminelle, comme les saints Pères nous l'apprennent par ces paroles, *Hæc charitas destruit charitatem* [3].

Aussi c'est pour cela que l'Ecriture nous enseigne que Jésus-Christ est venu apporter au monde non seulement *la paix*, mais aussi *l'épée et la division*, parce que toutes ces choses sont nécessaires chacune en leur temps pour le bien de la vérité, qui est la dernière fin des fidèles, au lieu que la paix et la guerre n'en sont que les moyens, et ne sont légitimes qu'à proportion de l'avantage qui en revient à la vérité. Ils savent que c'est pour cela que l'Ecriture dit *qu'il y a un temps de paix et un temps de guerre*, au lieu qu'on ne peut pas dire qu'il y a un temps de vérité et un temps de mensonge et qu'il est meilleur qu'il arrive des scandales, que non pas que la vérité soit abandonnée, comme disent les saints Pères de l'Eglise.

Il est donc indubitable que les personnes qui prennent toujours ce prétexte de charité et de paix, pour empêcher de crier contre ceux qui détruisent la vérité, témoignent qu'ils ne sont amis que d'une fausse paix, et qu'ils sont véritablement ennemis et de la véritable paix et de la vérité. Aussi c'est toujours sous ce prétexte de paix que les persécuteurs de l'Eglise ont voilé leurs plus horribles violences, et que les faux amis de la paix ont consenti à l'oppression

3. « Ainsi la charité détruit la charité. »

des vérités de la religion et des saints qui les ont défendues.

C'est ainsi que saint Athanase, saint Hilaire et d'autres saints évêques de leur temps ont été traités de rebelles, de factieux, d'opiniâtres, et d'ennemis de la paix et de l'union, qu'ils ont été déposés, proscrits et abandonnés de presque tous les fidèles qui prenaient pour un violement de la paix le zèle qu'ils avaient pour la vérité. C'est ainsi que le saint et fameux moine Etienne était accusé de troubler la tranquillité de l'Eglise par les 330 évêques qui voulaient ôter les images des églises, ce qui était un point qui assurément n'était pas des plus importants pour le salut, et néanmoins parce qu'on ne doit jamais relâcher les moindres vérités sous prétexte de la paix, ce saint religieux leur résista en face, et ce fut pour ce sujet qu'il fut enfin condamné, comme on voit dans les annales de Baronius, ann. 754.

C'est ainsi que les saints patriarches et les prophètes ont été accusés, comme fut Elie, *de troubler le repos d'Israël*, et que les apôtres et Jésus-Christ même ont été condamnés comme des auteurs de trouble et de dissension, parce qu'ils déclaraient une guerre salutaire aux passions corrompues et aux funestes égarements des pharisiens hypocrites et des prêtres superbes de la synagogue. Et c'est enfin ce que l'Ecriture nous représente généralement, lorsque faisant la description de ces faux docteurs, qui appellent divines les choses qui sont diaboliques, comme les casuistes font aujourd'hui de leur morale, elle dit dans la Sagesse, chap. 14, qu'ils donnent aussi le nom de paix à un renversement si déplorable. *L'égarement des hommes*, dit le Sage, *va jusqu'à cet excès qu'ils donnent le nom incommunicable de la divinité, à ce qui n'en a pas l'essence, pour flatter les inclinations des hommes, et se rendre complaisants aux volontés des princes et des rois, et ne se contentant pas d'errer ainsi touchant les choses divines, et de vivre dans cette erreur qui est une véritable guerre, ils appellent paix un état si rempli de troubles et de désordres : In magno viventes inscientiæ bello tot et tanta mala pacem appellant* [4].

C'est donc une vérité capitale de notre religion, qu'il y a des temps où il faut troubler cette possession de l'erreur que les méchants appellent paix et on n'en peut douter, après tant d'autorités qui le confirment. Or s'il y en eut jamais une occasion et une nécessité indispensable, examinons si ce n'est pas aujourd'hui qu'elle presse et qu'elle contraint d'agir.

Nous voyons la plus puissante Compagnie et la plus nombreuse de l'Eglise, qui gouverne les consciences presque de tous les grands, liguée et acharnée à soutenir les plus horribles maximes qui aient jamais fait gémir l'Eglise. Nous les voyons malgré tous les avertissements charitables qu'on leur a donnés en public et en particulier, autoriser opiniâtrement la vengeance, l'avarice, la volupté, le faux honneur, l'amour-propre et toutes les passions de la nature corrompue, la profanation des sacrements, l'avilissement des ministères de l'Eglise, et le mépris des anciens Pères, pour y substituer les auteurs les plus ignorants et les plus aveugles; et cependant voyant à nos yeux ce débordement de corruption prêt à submerger l'Eglise, nous n'oserons, de peur de troubler la paix, crier à ceux qui la conduisent : *Sauvez-nous, nous périssons.*

Les moindres vérités de la religion ont été défendues jusques à la mort, et nous en relâcherions les points les plus essentiels et les maximes les plus importantes et les plus nécessaires pour le salut, parce qu'il plaît, non pas à 300 évêques, ni à un seul, ni au pape, mais seulement à la société des Jésuites de les renverser.

Nous voulons, disent-ils, *conserver la paix avec ceux-mêmes qui n'en veulent point.* Etranges conservateurs de la paix, qui n'ont jamais laissé passer le moindre écrit contre leur morale sans des réponses sanglantes, et qui, écrivant toujours les derniers, veulent qu'on demeure en paix quand ils sont demeurés en possession de leurs injustes prétentions!

Nous avons cru à propos de réfuter un peu au long ce reproche qu'ils font tant valoir contre nous, parce qu'encore qu'il y ait peu de personnes à qui ils puissent persuader que les casuistes sont de saints auteurs, il peut néanmoins s'en rencontrer à qui ils fassent accroire que nous ne laissons pas d'avoir tort de troubler la paix par notre opposition; et c'est pour ceux-là que nous avons fait ce discours, afin de leur faire entendre qu'il n'y a pas deux questions à faire sur ce sujet, mais une seule, et qu'il est impossible qu'il soit vrai tout ensemble que la morale des casuistes soit abominable, et que nous soyons blâmables de troubler leur fausse paix en la combattant.

Nous n'abandonnerons donc jamais la morale chrétienne, nous aimons trop la vérité. Mais pour leur témoigner aussi combien nous aimons la paix, nous leur en ouvrons la porte toute entière,.et leur déclarons que nous les embrasserons de tout de notre cœur, aussitôt qu'ils voudront abjurer les pernicieuses maximes de leur morale que nous avons rapportées dans notre factum et dans nos extraits après les avoir prises et lues nous-mêmes dans leurs auteurs en propres termes, et qu'ils voudront renoncer sincèrement à la pernicieuse *Apologie des casuistes*, et à la méchante théologie d'Escobar, de Molina, de Sanchez, de Lessius, de Hurtado, de Bauny, de Lamy, de Mascarenhas et de tous les livres semblables que Nos Seigneurs les évêques appellent *la peste des consciences.* Voilà de quoi il s'agit entre nous. Car il n'est pas ici question, comme ils tâchent malicieusement de faire croire, qu'il s'agit des différends que les curés peuvent avoir avec les religieux. Il n'est point ici question de contester les privilèges des Jésuites, ni de s'opposer aux usurpations continuelles qu'ils font sur l'autorité des curés. Quoique leurs livres fussent remplis de mauvaises maximes sur ce sujet, nous les avons dissimulées à dessein dans les extraits que nous avons présentés à l'assemblée du clergé, pour ne rien mêler dans la cause générale de l'Eglise qui nous regardât en particulier. Il ne s'agit donc ici que de la pureté de

4. « Ceux qui vivent dans la grande guerre de l'erreur appellent paix toute cette foule de maux. »

la morale chrétienne, que nous sommes résolus de ne pas laisser corrompre, et nous ne sommes pas seuls dans ce dessein : voilà les curés de Rouen, qui, par l'autorité de Monseigneur leur prélat, nous secondent avec un zèle chrétien et véritablement pastoral; et nous avons en main quantité de procurations des curés des autres villes de France, qui par la permission aussi de Nos Seigneurs leurs prélats, s'opposeront avec vigueur à ces nouvelles corruptions, jusqu'à ce que ceux qui les soutiennent y aient renoncé.

Jusque-là nous les poursuivrons toujours, quoi qu'ils puissent dire de nous en bien ou en mal, et ne renoncerons point aux vérités que nous avons avancées dans notre factum, pour acheter à ce prix les louanges qu'ils nous donneraient alors. *Nous ne serons point détournés ni par leurs malédictions ni par leurs bénédictions*, selon la parole de l'Ecriture. Ils ne nous ont point intimidés comme ennemis, ils ne nous corrompront point comme flatteurs. Ils nous ont trouvés intrépides à leurs menaces, ils nous trouveront inflexibles à leurs caresses et nous serons insensibles à leurs injures et à leurs douceurs. Nous présenterons toujours un même visage à tous leurs visages différents, et nous n'opposerons à la duplicité des enfants du siècle que la simplicité des enfants de l'Evangile.

CINQUIÈME ÉCRIT DES CURÉS DE PARIS [5]

SUR L'AVANTAGE QUE LES HÉRÉTIQUES PRENNENT CONTRE L'ÉGLISE DE LA MORALE DES CASUISTES ET DES JÉSUITES

C'est une entreprise bien ample et bien laborieuse que celle où nous nous trouvons engagés de nous opposer à tous les maux qui naissent des livres des casuistes, et surtout de leur *Apologie*. Nous avons travaillé jusqu'ici à arrêter le plus considérable, en prévenant par nos divers écrits les mauvaises impressions que ces maximes relâchées auraient pu donner aux fidèles qui sont dans l'Eglise. Mais voici un nouveau mal, d'une conséquence aussi grande, qui s'élève du dehors de l'Eglise, et du milieu des hérétiques.

Ces ennemis de notre foi qui, ayant quitté l'Eglise romaine, s'efforcent incessamment de justifier leur séparation, se prévalent extraordinairement de ce nouveau livre, comme ils ont fait de temps en temps des livres semblables. Voyez, disent-ils à leurs peuples, quelle est la créance de ceux dont nous avons quitté la communion. *La licence* y règne de toutes parts. On en a banni l'amour de Dieu et du prochain. *On y croit*, dit le ministre Drelincourt, *que l'homme n'est point obligé d'aimer son Créateur ; qu'on ne laissera pas d'être sauvé sans avoir jamais exercé aucun acte intérieur d'amour de Dieu en cette vie ; et que Jésus-Christ même aurait pu mériter la rédemption du monde par des actions que la charité n'aurait point produites en lui, comme dit le Père Sirmond. On y croit*, dit un autre ministre, *qu'il est permis de tuer plutôt que de recevoir une injure ; qu'on n'est point obligé de restituer quand on ne le peut faire sans déshonneur ; et qu'on peut recevoir et demander de l'argent pour le prix de sa prostitution ; et non solum femina quœque, sed etiam mas* [6], *comme dit Emmanuel Sa, Jésuite.*

Enfin ces hérétiques travaillent de toutes leurs forces depuis plusieurs années à imputer à l'Eglise ces abominations des casuistes corrompus. Ce fut ce que le ministre du Moulin entreprit des premiers dans ce livre qu'il en fit, et qu'il osa appeler *Traditions Romaines*. Cela fut continué ensuite dans cette dispute qui s'éleva il y a dix ou douze ans à la Rochelle entre le Père d'Estrade, Jésuite, et le ministre Vincent sur le sujet du bal que ce ministre condamnait comme dangereux et contraire à l'esprit de pénitence du Christianisme, et pour lequel ce Père fit des apologies publiques qui furent imprimées alors. Mais le ministre Drelincourt renouvela ses efforts les années dernières dans son livre intitulé : *Licence que les casuistes de la communion de Rome donnent à leurs dévots*. Et c'est enfin dans le même esprit qu'ils produisent aujourd'hui, par toute la France, cette nouvelle *Apologie des casuistes* en témoignage contre l'Eglise et qu'ils se servent plus avantageusement que jamais de ce livre le plus méchant de tous pour confirmer leurs peuples dans l'éloignement de notre communion, en leur mettant devant les yeux ces horribles maximes, comme ils l'ont fait encore depuis peu à Charenton.

Voilà l'état où les Jésuites ont mis l'Eglise. Ils l'ont rendue le sujet du mépris, et de l'horreur des hérétiques; elle dont la sainteté devrait reluire avec tant d'éclat, qu'elle remplît tous les peuples de vénération et d'amour. De sorte qu'elle peut dire à ces Pères ce que Jacob disait à ses enfants cruels : *Vous m'avez rendu odieux aux peuples qui nous environnent ;* ou ce que Dieu dit dans ses prophètes à la Synagogue rebelle : *Vous avez rempli la terre de vos abominations, et vous êtes cause que mon saint nom est blasphémé parmi les Gentils, lorsqu'en voyant vos profanations ils disent de vous : C'est là le peuple du Seigneur, c'est celui qui est sorti de la terre d'Israël qu'il leur avait donnée en héritage.* » C'est ainsi que les hérétiques

5. Marguerite Périer affirme que son oncle considérait cet écrit comme son « plus bel ouvrage ».

6. « Et non seulement la femme elle-même, mais aussi le mari. »

parlent de nous, et qu'en voyant cette horrible morale qui afflige le cœur de l'Eglise, ils comblent sa douleur, en disant, comme ils font tous les jours : c'est là la doctrine de l'Eglise romaine, et que tous les Catholiques tiennent : ce qui est la proposition du monde la plus injurieuse à l'Eglise.

Mais ce qui la rend plus insupportable, est qu'il ne faut pas la considérer comme venant simplement d'un corps d'hérétiques qui, ayant refusé d'ouïr l'Eglise, ne sont plus dignes d'en être ouïs; mais comme venant encore d'un corps des plus nombreux de l'Eglise même; ce qui est horrible à penser. Car en même temps que les Calvinistes imputent à l'Eglise des maximes si détestables, et que tous les Catholiques devraient s'élever pour l'en défendre, il s'élève au contraire une Société entière pour soutenir que ces opinions appartiennent véritablement à l'Eglise. Et ainsi quand les ministres s'efforcent de faire croire que ce sont des traditions romaines, et qu'ils sont en peine d'en chercher des preuves, les Jésuites le déclarent, et l'enseignent dans leurs écrits, comme s'ils avaient pour objet de fournir aux Calvinistes tout le secours qu'ils peuvent souhaiter; et que sans avoir besoin de chercher dans leur propre invention de quoi combattre les Catholiques, ils n'eussent qu'à ouvrir les livres de ces Pères pour y trouver tout ce qui leur serait nécessaire.

Nous savons bien néanmoins que l'intention des Jésuites n'est pas telle en effet; et comme nous en parlons sans passion, bien loin de leur imputer de faux crimes, nous voulons les défendre de ceux dont ils pourraient être suspects, quand ils n'en sont point coupables; notre dessein n'étant que de faire connaître le mal qui est véritablement en eux, afin qu'on s'en puisse défendre. Nous savons donc que cette conformité qu'ils ont avec les Calvinistes ne vient d'aucune liaison qu'ils aient avec eux puisqu'ils en sont au contraire les ennemis, et que ce n'est qu'un désir immodéré de flatter les passions des hommes, qui les fait agir de la sorte; qu'ils voudraient que l'inclination du monde s'accordât avec la sévérité de l'Evangile qu'ils ne corrompent que pour s'accommoder à la nature corrompue. Et qu'ainsi, quand ils attribuent ces erreurs à l'Eglise, c'est dans un dessein bien éloigné de celui des Calvinistes; puisque leur intention n'est que de faire croire par là qu'ils n'ont pas quitté les sentiments de l'Eglise; au lieu que l'intention des hérétiques est de faire croire que c'est avec raison qu'ils ont quitté les sentiments de l'Eglise.

Mais encore qu'il soit véritable qu'ils ont en cela des fins bien différentes, il est vrai néanmoins que leurs prétentions sont pareilles, et que le démon se sert de l'attache que les uns et les autres ont pour leurs divers intérêts, afin d'unir leurs efforts contre l'Eglise, et de les fortifier les uns par les autres dans le dessein qu'ils ont tous de persuader que l'Eglise est dans ces maximes. Car comme les Calvinistes se servent des écrits des Jésuites pour le prouver en cette sorte : il faut bien, disent-ils, que ces opinions soient celles de l'Eglise, puisque le corps entier des Jésuites les soutient; de même les Jésuites se servent à leur tour des écrits de ces hérétiques pour prouver la même chose en cette sorte : il faut bien, disent-ils, que ces opinions soient celles de l'Eglise puisque les hérétiques qui sont ses ennemis les combattent. C'est ce qu'ils disent dans des écrits entiers qu'ils ont faits sur ce sujet. Et ainsi on voit par un prodige horrible que ces deux corps, quoique ennemis entre eux, se soutiennent réciproquement et se donnent la main l'un à l'autre pour engager l'Eglise dans la corruption des casuistes; ce qui est une fausseté d'une conséquence effroyable, puisque si Dieu souffrait que l'abomination fût ainsi en effet dans le sanctuaire, il arriverait tout ensemble et que les hérétiques n'y rentreraient jamais, et que les Catholiques s'y pervertiraient tous, et qu'ainsi il n'y aurait plus de retour pour les uns, ni de sainteté pour les autres, mais une perte générale pour tous les hommes.

Il est donc d'une étrange importance de justifier l'Eglise en cette rencontre où elle est si cruellement outragée et encore par tant de côtés à la fois, puisqu'elle se trouve attaquée non seulement par ses ennemis déclarés qui la combattent au dehors, mais encore par ses propres enfants qui la déchirent au dedans. Mais tant s'en faut que ces divers efforts qui s'unissent contre elle rendent sa défense plus difficile, qu'elle en sera au contraire plus aisée : car dans la nécessité où nous sommes de les combattre tous ensemble, sur une calomnie qu'ils soutiennent ensemble, nous le ferons avec plus d'avantage que s'ils étaient seuls; parce que la vérité a cela de propre que plus on assemble de faussetés pour l'étouffer, plus elle éclate par l'opposition du mensonge. Nous ne ferons donc qu'opposer la véritable règle de l'Eglise aux fausses règles qu'ils lui imputent et toutes leurs impostures s'évanouiront. Nous demanderons aux Calvinistes qui leur a appris à tirer cette bizarre conséquence : les Jésuites sont dans cette opinion; donc l'Eglise y est aussi, comme si sa règle était de ne suivre que les maximes des Jésuites : et nous dirons à ces Pères que c'est mal prouver que l'Eglise est de leur sentiment, de ne faire autre chose que montrer que les Calvinistes les combattent, parce que sa règle n'est pas aussi de dire toujours le contraire des hérétiques. Nous n'avons donc pour règle ni d'être toujours contraires aux hérétiques, ni d'être toujours conformes aux Jésuites. Dieu nous préserve d'une telle règle, selon laquelle il faudrait croire mille erreurs, parce que ces Pères les enseignent; et ne pas croire des articles principaux de la foi, comme la Trinité et la Rédemption du monde, parce que les hérétiques les croient. Notre religion a de plus fermes fondements. Comme elle est toute divine, c'est en Dieu seul qu'elle s'appuie, et n'a de doctrine que celle qu'elle a reçue de lui par le canal de la tradition qui est notre véritable règle, qui nous distingue de tous les hérétiques du monde, et nous préserve de toutes les erreurs qui naissent dans l'Eglise même : parce que selon la pensée du grand saint Basile, nous ne croyons aujourd'hui que les choses que nos évêques et nos pasteurs nous ont apprises, et qu'ils avaient eux-mêmes reçues de ceux qui les ont précédés et dont ils avaient reçu leur mission : et les premiers qui ont été envoyés par les apôtres, n'ont dit que ce qu'ils en avaient appris. Et les apôtres qui ont été envoyés par le Saint-Esprit n'ont annoncé au monde que les paroles qu'il leur avait données : et le Saint-Esprit, qui a été envoyé par le Fils a pris ses paroles du Fils, comme il est dit dans l'Evangile, et enfin le Fils qui a été envoyé du Père n'a dit que ce qu'il avait ouï du Père, comme il le dit aussi lui-même.

Qu'on nous examine maintenant là-dessus; et si on veut convaincre l'Eglise d'être dans ces méchantes maximes, qu'on montre que les Pères et les conciles les ont tenues, et nous serons obligés de les reconnaître pour nôtres. Aussi c'est ce que les Jésuites ont voulu quelquefois entreprendre; mais c'est aussi ce que nous avons réfuté par notre troisième écrit, où nous les avons convaincus de fausseté sur tous les passages qu'ils en avaient rapportés. De sorte que si c'est sur cela que les Calvinistes se sont fondés pour accuser l'Eglise d'erreur, ils sont bien ignorants de n'avoir pas su que toutes ces citations sont fausses; et s'ils l'on su, ils sont de bien mauvaise foi d'en tirer des conséquences contre l'Eglise, puisqu'ils n'en peuvent conclure autre chose, sinon que les Jésuites sont des faussaires, ce qui n'est aucunement en dispute; mais non pas que l'Eglise soit corrompue, ce qui est toute notre question.

Que feront-ils donc désormais, n'ayant rien à dire contre toute la suite de notre tradition? Diront-ils que l'Eglise vient de tomber dans ces derniers temps, et de renoncer à ses anciennes vérités pour suivre les nouvelles opinions des casuistes modernes? En vérité ils auraient bien de la peine à le persuader à personne en l'état présent des choses. Si nous étions demeurés dans le silence, et que l'*Apologie des casuistes* eût été reçue partout sans opposition, ç'eût été quelque fondement à leur calomnie, quoiqu'on eût pu encore leur répondre que le silence de l'Eglise n'est pas toujours une marque de son consentement, et que cette maxime qui est encore commune aux Calvinistes et aux Jésuites qui en remplissent tous leurs livres, est très fausse. Car ce silence peut venir de plusieurs autres causes, et ce n'est le plus souvent qu'un effet de la faiblesse des pasteurs; et on leur eût dit de plus que l'Eglise ne s'est point tue sur ces méchantes opinions, et qu'elle a fait paraître l'horreur qu'elle en avait par les témoignages publics des personnes de piété, et par la condamnation formelle du clergé de France, et des Facultés catholiques qui les ont censurées plusieurs fois.

Mais que nous sommes forts aujourd'hui sur ce sujet où toute l'Eglise est déclarée contre ces corruptions, et où tous les pasteurs des plus considérables villes du royaume s'élèvent plus fortement et plus sincèrement contre ces excès, que les hérétiques ne peuvent faire! Car y a-t-il quelqu'un qui n'ait entendu notre voix? N'avons-nous pas publié de toutes parts que les casuistes et les Jésuites sont dans des maximes impies et abominables? Avons-nous rien omis de ce qui était en notre pouvoir pour avertir nos peuples de s'en garder comme d'un venin mortel? Et n'avons-nous pas déclaré dans notre factum, *que les curés se rendaient publiquement les dénonciateurs publics de ces Pères, et que ce serait dans nos paroisses qu'on trouverait les maximes évangéliques opposées à celles de leur Société.*

Peut-on dire après cela que l'Eglise consent à ces erreurs, et ne faut-il pas avoir toute la malice des hérétiques pour l'avancer, sous le seul prétexte qu'un corps qui n'est point de la hiérarchie demeure opiniâtrement dans quelques sentiments particuliers condamnés par ceux qui ont autorité dans le corps de la hiérarchie. On a donc sujet de rendre grâces à Dieu de ce qu'il a fait naître en ce temps un si grand nombre de témoignages authentiques de l'aversion que l'Eglise a pour ces maximes, et de nous avoir donné par là un moyen si facile de la défendre de cette calomnie, et de renverser en même temps les avantages que les Calvinistes et les Jésuites avaient espéré de tirer de leur imposture. Car la prétention des hérétiques est absolument renversée. Ils voulaient justifier leur sortie de l'Eglise par les erreurs des Jésuites, et ce sont ces mêmes erreurs qui montrent avec le plus d'évidence le crime de leur séparation; parce que l'égarement de ces Pères, aussi bien que celui des hérétiques, ne venant que d'avoir quitté la doctrine de l'Eglise pour suivre leur esprit propre, tant s'en faut que les excès où les Jésuites sont tombés pour avoir abandonné la tradition, favorisent le refus que les hérétiques font de se soumettre à cette tradition, que rien n'en prouve au contraire plus fortement la nécessité et ne fait mieux voir les malheurs qui viennent de s'en écarter. Et la prétention des Jésuites n'est pas moins ruinée. Car l'intention qu'ils avaient en imputant leurs maximes à l'Eglise, était de faire croire qu'ils n'en avaient point d'autres que les siennes. Et il est arrivé de là au contraire que tout le monde a appris qu'elles y sont étrangement opposées; parce que la hardiesse d'une telle entreprise a excité un scandale si universel et une opposition si éclatante, qu'il n'y a peut-être aucun lieu en tout le christianisme où l'on ne connaisse aujourd'hui la contrariété de sentiments qui est entre leur Société et l'Eglise, qui aurait possible été longtemps ignorée en beaucoup de lieux si par un aveuglement incroyable ils n'avaient eux-mêmes fait naître la nécessité de la rendre publique par tout le monde.

C'est ainsi que la vérité de Dieu détruit ses ennemis par les efforts mêmes qu'ils font pour l'opprimer, et dans le temps où ils l'attaquent avec le plus de violence. La leur était enfin devenue insupportable et menaçait l'Eglise d'un renversement entier. Car les Jésuites en étaient venus à traiter hautement de Calvinistes et d'hérétiques tous ceux qui ne sont pas de leurs sentiments, et les Calvinistes par une hardiesse pareille mettaient au rang des Jésuites tous les Catholiques sans distinction, de sorte que ces entreprises allaient à faire entendre qu'il n'y avait point de milieu, et qu'il fallait nécessairement choisir l'une de ces extrémités, ou d'être de la communion de Genève, ou d'être des sentiments de la Société. Les choses étant en cet état, nous ne pouvions plus différer de travailler à y mettre ordre sans exposer l'honneur de l'Eglise et le salut d'une infinité de personnes. Car il ne faut pas douter qu'il ne s'en perde beaucoup parmi les catholiques dans la pernicieuse conduite de ces Pères, s'imaginant que des religieux soufferts dans l'Eglise n'ont que des sentiments conformes à ceux de l'Eglise. Et il ne s'en perd pas moins parmi les hérétiques par la vue de cette même morale qui les confirme dans le schisme, et leur fait croire qu'ils doivent demeurer éloignés d'une Eglise où l'on publie des opinions si éloignées de la pureté évangélique.

Les Jésuites sont coupables de tous ces maux; et il n'y a que deux moyens d'y remédier; la réforme de la Société, ou le décri de la Société. Plût à Dieu qu'ils prissent la première voie! Nous serions les premiers à rendre leur changement si connu que tout le monde en serait édifié. Mais tant qu'ils s'obstineront à se rendre la honte et le scandale de l'Eglise, il ne reste que de rendre leur corruption si connue que personne ne s'y puisse méprendre; afin que ce soit une chose si publique que l'Eglise ne les souffre que pour les guérir, que les fidèles n'en soient plus séduits, que les hérétiques n'en soient plus éloignés, et que tous puissent trouver leur salut dans la voie de l'Evangile; au lieu qu'on ne peut que s'en éloigner en suivant les erreurs des uns et des autres.

Mais encore qu'il soit vrai qu'ils soient tous égarés, il est vrai néanmoins que les uns le sont plus que les autres, et c'est ce que nous voulons faire entendre exactement, afin de les représenter tous dans le juste degré de corruption qui leur est propre, et leur faire porter à chacun la mesure de la confusion qu'ils méritent. Or il est certain que les Jésuites auront de l'avantage dans ce parallèle entier; et nous ne feindrons point d'en parler ouvertement, parce que l'humiliation des uns n'ira pas à l'honneur des autres, mais que la honte de tous reviendra uniquement à la gloire de l'Eglise, qui est aussi notre unique objet.

Nous ne voulons donc pas que ceux que Dieu nous a commis s'emportent tellement dans la vue des excès des Jésuites, qu'ils oublient qu'ils sont leurs frères, qu'ils sont dans l'unité de l'Eglise, qu'ils sont membres de notre corps, et qu'ainsi nous avons intérêt à les conserver, au lieu que les hérétiques sont des membres retranchés qui composent un corps ennemi du nôtre; ce qui met une distance infinie entre eux; parce que le schisme est un si grand mal, que non seulement il est le plus grand des maux, mais qu'il ne peut y avoir aucun bien où il se trouve, selon tous les Pères de l'Eglise.

Car ils déclarent *que ce crime surpasse tous les autres; que c'est le plus abominable de tous; qu'il est pire que l'embrasement des Ecritures saintes; que le martyre ne le peut effacer, et que qui meurt martyr pour la foi de Jésus-Christ hors de l'Eglise tombe dans la damnation*, comme dit saint Augustin. *Que ce mal ne peut être balancé par aucun bien*, selon saint Irénée. *Que ceux qui ont percé le corps de Jésus-Christ n'ont pas mérité de plus énormes supplices que ceux qui divisent son Eglise, quelque bien qu'ils puissent faire d'ailleurs*, comme dit saint Chrysostome. Et enfin tous les saints ont toujours été si unis en ce point, que les Calvinistes sont absolument sans excuse, puisqu'on n'en doit recevoir aucune, et non pas même celle qu'ils allèguent si souvent, *que ce ne sont pas eux qui se sont retranchés, mais l'Eglise qui les a retranchés elle-même injustement.* Car outre que cette prétention est horriblement fausse en ses deux chefs, parce qu'ils ont commencé par la séparation, et qu'ils ont mérité d'être excommuniés pour leurs hérésies, on leur soutient de plus, pour les juger par leur propre bouche, que quand cela serait véritable, ce ne serait point une raison selon saint Augustin d'élever autel contre autel, comme ils l'ont fait; et que, comme ce Père le dit généralement, *il n'y a jamais de juste nécessité de se séparer de l'unité de l'Eglise.*

Que si cette règle qu'il n'est jamais permis de faire schisme est si générale qu'elle ne reçoit point d'exception; qui souffrira que les Calvinistes prétendent aujourd'hui de justifier le leur par cette raison que les Jésuites ont des sentiments corrompus? Comme si on ne pouvait pas être dans l'Eglise, sans être dans leurs sentiments; comme si nous n'en donnions pas l'exemple nous-mêmes, qui sommes par la grâce de Dieu, et aussi éloignés de leurs méchantes opinions, et aussi attachés à l'Eglise qu'on le peut être; ou comme si ce n'était pas une des principales règles de la conduite chrétienne d'observer tout ensemble ces deux préceptes du même apôtre, *et de ne point consentir aux maux des impies;* et néanmoins *de ne point faire de schisme, ut non sit schisma in corpore.*

Car c'est l'accomplissement de ces deux points qui fait l'exercice des saints en cette vie où les élus sont confondus avec les réprouvés, jusqu'à ce que Dieu en fasse lui-même la séparation éternelle. Et c'est l'infraction d'un de ces deux points qui fait ou le relâchement des chrétiens qui ne séparent pas leur cœur des méchantes doctrines, ou le schisme des hérétiques qui se séparent de la communion de leurs frères, et usurpant ainsi le jugement de Dieu, tombent dans le plus détestable de tous les crimes.

Il est donc indubitable que les Calvinistes sont tout autrement coupables que les Jésuites; qu'ils sont d'un ordre tout différent, et qu'on ne peut les comparer, sans y trouver une disproportion extrême. Car on ne saurait nier qu'il n'y ait au moins un bien dans les Jésuites, puisqu'ils ont gardé l'unité, au lieu qu'il est certain, selon tous les Pères, qu'il n'y a aucun bien dans les hérétiques, quelque vertu qui y paraisse, puisqu'ils ont rompu l'unité. Aussi il n'est pas impossible que parmi tant de Jésuites, il ne s'en rencontre qui ne soient point dans leurs erreurs, et nous croyons qu'il y en a, quoiqu'ils soient rares, et bien faciles à reconnaître. Car ce sont ceux qui gémissent des désordres de leur Compagnie, et qui ne retiennent pas leur gémissement. C'est pourquoi on les persécute, on les éloigne, on les fait disparaître, comme on en a assez d'exemples, et ainsi ce sont proprement ceux qu'on ne voit presque jamais. Mais parmi les hérétiques, nul n'est exempt d'erreur, et tous sont certainement hors de la charité, puisqu'ils sont hors de l'unité.

Les Jésuites ont encore cet avantage qu'étant dans l'Eglise, ils ont part à tous ses sacrifices, de sorte qu'on en offre par tout le monde pour demander à Dieu qu'il les éclaire, comme le clergé de France eut la charité de l'ordonner il y a quelques années, outre les prières publiques qui ont été faites quelquefois pour eux dans des diocèses particuliers; mais les hérétiques étant retranchés de son corps sont aussi privés de ce bien; de sorte qu'il n'y a point de proportion entre eux, et qu'on peut dire avec vérité que les hérétiques sont en un si malheureux état, que pour leur bien, il serait à souhaiter qu'ils fussent semblables aux Jésuites.

On voit par toutes ces raisons combien on doit avoir d'éloignement pour les Calvinistes, et nous sommes persuadés que nos peuples se garantiront facilement de ce danger; car ils sont accoutumés à les fuir dès l'enfance, et élevés dans l'horreur de leur schisme. Mais il n'en est pas de même de ces opinions relâchées des casuistes; et c'est pourquoi nous avons plus à craindre pour eux de ce côté-là. Car encore que ce soit un mal bien moindre que le schisme, il est néanmoins plus dangereux, en ce qu'il est plus conforme aux sentiments de la nature, et que les hommes y ont d'eux-mêmes une telle inclination qu'il est besoin d'une vigilance continuelle pour les en garder. Et c'est ce qui nous a obligés d'avertir ceux qui sont sous notre conduite, de ne pas étendre les sentiments de charité qu'ils doivent avoir pour les Jésuites, jusques à les suivre dans leurs erreurs, puisqu'il faut se souvenir qu'encore que ce soient des membres de notre corps, c'en sont des membres malades dont nous devons éviter la contagion; et observer en même temps, et de ne pas les retrancher d'avec nous, puisque ce serait nous blesser nous-mêmes, et de ne point prendre de part à leur corruption, puisque ce serait nous rendre des membres corrompus et inutiles.

PROJET DE MANDEMENT
CONTRE « L'APOLOGIE POUR LES CASUISTES »

L'amour que nous avons pour nos peuples nous obligeant à une vigilance continuelle, pour prévenir tout ce qui leur peut nuire, nous nous sommes sentis obligés de la redoubler quand le pernicieux livre intitulé *Apologie pour les casuistes* a commencé à se répandre dans ce diocèse, et c'est pourquoi sur la requête que nos curés nous ont incontinent présentée pour le censurer, et l'assurance que l'importance de la chose le mérite, nous avons résolu en leur accordant une demande si juste, de travailler en même temps à fortifier les fidèles, non seulement contre le relâchement qu'ils pouvaient recevoir de ces opinions flatteuses, autorisées par ce nombre étrange de casuistes, mais encore contre une tentation bien plus importante, et qui irait au renversement entier de la foi, si on n'était soutenu et confirmé par la pleine connaissance de ses principes. Car il est sans doute que les impies tirent de ces abus des conséquences contre la vérité de notre religion capables d'ébranler les faibles, en les donnant pour des marques que Dieu ne règle pas la conduite de l'Eglise, puisque après l'avoir assurée d'une possession éternelle de la vérité, on la voit abandonnée à des erreurs et à des égarements si effroyables.

Voilà le plus grand des maux que ces impiétés produisent. Elles servent d'armes à tous les ennemis de la foi pour nous combattre, et sont également utiles au démon pour corrompre les fidèles et pour fortifier les infidèles. Mais comme on ne tombe dans ces erreurs que manque d'entendre les Ecritures, nous nous sentons obligés de les expliquer si clairement à ceux auxquels nous sommes redevables des instructions évangéliques, que les personnes pieuses soient désormais sans péril, et les impies sans excuse dans les conséquences qu'ils tirent des égarements des casuistes. Car tant s'en faut que ces abus qui se glissent dans l'Eglise puissent rendre suspecte la vérité des promesses de Jésus-Christ, que rien n'en prouve davantage la vérité, et qu'elles seraient fausses au contraire si ces abus mêmes n'arrivaient.

Si Jésus-Christ, en promettant à l'Eglise que sa vérité et son esprit reposeraient sur elle éternellement, l'avait en même temps assurée d'une suite calme et tranquille de vérité et de paix, on aurait sujet d'être surpris de voir le mensonge et l'erreur paraître avec tant d'insolence, mais quelle raison y a-t-il de l'être après qu'il a déclaré que plusieurs y jetteraient le trouble, sous l'apparence néanmoins de la piété, et qu'ils viendraient en son nom pour détourner les hommes de la véritable voie; de sorte que ces désordres qui croîtraient toujours, seraient enfin si grands dans la fin des siècles, que les élus mêmes en seraient séduits, s'il était possible de les séduire?

Il est donc indubitable que ces scandales devaient arriver, quoiqu'à la ruine de ceux qui les causent, et de ceux qui s'y perdent. Car Dieu les souffre non pas afin qu'on suive ces désordres, mais afin qu'on les combatte et qu'il paraisse en cette épreuve ceux qui lui sont véritablement fidèles.

Et c'est pourquoi, comme il est si important de les éviter, saint Paul, qui fait la même prédiction, nous donne en même temps la description de ces séducteurs, afin qu'on les puisse mieux reconnaître, quand il dit à Timothée *qu'il viendrait dans les derniers temps des hommes ayant l'apparence de la piété, mais qui en rejetteraient l'essence, qui seraient pleins d'ambition et d'amour-propre, superbes, calomniateurs, sans amour de Dieu, qui s'introduiraient dans les maisons des particuliers, et s'assujettiraient les femmes simples, en les flattant dans leurs péchés et dans les désirs de leur cœur, qui travailleraient sans cesse à devenir savants et n'arriveraient jamais à la connaissance de la vérité.* Et il finit cette peinture en disant *qu'ils ne réussiront pas dans leur dessein, et qu'enfin leur faiblesse et leur impertinence sera connue de tout le monde* [II Tim., III, 1-9].

Qui ne dirait que saint Paul a vu ce qui se passe aujourd'hui à nos yeux, où des hommes sous l'habit de la piété présentent aux fidèles une morale qui bannit l'amour de Dieu qui est l'essence de la piété, qui autorisent la calomnie, l'orgueil, l'ambition par leurs préceptes et par leurs exemples, qui étudient sans cesse et ne peuvent arriver aux premières connaissances du Christianisme, et qui sont enfin tombés dans des excès qui les ont rendus le sujet de la risée de tout le monde.

On ne peut donc douter que toutes ces choses ne soient conduites par l'ordre de la même Providence qui les a prédites, et qui le permet pour éprouver ceux qui sont véritablement fidèles. Mais nous apprenons par ces mêmes prophéties que ces désordres doivent aller bien plus avant.

Nous voyons à la vérité aujourd'hui une Compagnie bien puissante, qui soutient ces corruptions, mais nous en voyons en même temps une bien autrement considérable et autorisée, qui s'y oppose. Et si on a sujet de gémir de voir quelques religieux relâchés et quelques casuistes corrompus qui introduisent ces relâchements, on a sujet de bénir Dieu de ce que les pasteurs ordinaires de l'Eglise leur résistent, et qu'ainsi le Corps de la hiérarchie en quoi consiste proprement l'Eglise demeure exempt de ce relâchement, n'y ayant que quelques-unes de ces personnes égarées qui sont hors de la hiérarchie et qui tiennent entre nous le rang que les faux prophètes tenaient entre les Juifs, qui trempent dans ces impiétés. En quoi il n'arrive rien que de conforme à ce que saint Pierre a prédit en cette sorte : *De la même manière qu'il y a eu de faux prophètes entre les Juifs, aussi il s'en élèvera entre vous* [II Pet., II, 1].

Voilà l'état présent des choses. Quoique la licence y soit grande, elle n'est pas néanmoins sans une puissante opposition. Mais un temps doit venir, duquel il est écrit : *Malheur à celles qui seront enceintes en ce jour-là* [Mtt, XXIV, 19] : et *croyez-vous qu'alors le fils de l'homme trouve de la foi sur la terre?* [Lc, XVIII, 8]. Et c'est en ce temps que les prêtres mêmes et le reste des fidèles ayant presque tous consenti aux impiétés des faux docteurs, la mesure étant ainsi comblée, la fin de l'Eglise et de l'Univers doit arriver avec la seconde venue du Messie; de même que la destruction de l'ancien Temple et de la Synagogue est arrivée dans une semblable corruption, les faux prophètes ayant entraîné dans leur parti le peuple et les prêtres mêmes au premier avènement du Messie.

Car, comme toutes choses leur arrivaient en figure, et que la Synagogue a été l'image de l'Eglise, selon saint Paul [I Cor., X, 6-11], nous pouvons nous instruire par ce qui lui est arrivé, de ce qui nous doit advenir, et voir dans leur exemple la source, le progrès et la consommation de l'impiété. L'Ecriture nous apprend donc que c'est des faux prophètes que l'impiété a pris son origine, et qu'elle s'est de là répandue sur le reste des hommes, comme le dit Jérémie [XXIII, 15] : *C'est des prophètes que l'abomination est née, et c'est de là qu'elle a rempli toute la terre ;* qu'ils ont formé une conspiration ouverte contre la vérité au milieu du peuple de Dieu, *in medio ejus ;* que les grands du monde ont été les premiers suppôts de leurs doctrines flatteuses : que les peuples en ont été infectés ensuite. Mais tandis que les prêtres du Seigneur en sont demeurés exempts, Dieu a suspendu les effets de sa colère. Mais quand les prêtres mêmes s'y sont plongés, et que lors il n'est rien resté pour arrêter la colère divine, les fléaux de Dieu sont tombés sur ce peuple, sans mesure, et y sont demeurés jusqu'à ce jour. *Les prophètes*, dit Jérémie [V, 31], *ont annoncé de fausses doctrines de la part de Dieu, les prêtres y ont donné les mains, et mon peuple y a pris plaisir. Quelle punition leur est donc préparée?* C'est alors qu'il n'y a plus de miséricorde à attendre, parce qu'il n'y a plus personne pour la demander. *Les prêtres*, dit Ezéchiel [XXII, 26-31], *ont eux-mêmes violé ma loi ; les princes et les peuples ont exercé leurs violences, et les prophètes les flattaient dans leurs désordres. J'ai cherché quelqu'un qui opposât sa justice à ma vengeance, et je n'en ai point trouvé. Je répandrai donc sur eux le feu de mon indignation, et je ferai retomber sur leurs têtes le fruit de leurs impiétés.*

Voilà le dernier des malheurs où par la grâce de Dieu l'Eglise n'est pas encore, et où elle ne tombera pas tant qu'il plaira à Dieu de soutenir ses pasteurs contre la corruption des faux docteurs qui les combattent, et c'est ce qu'il importe de faire entendre à ceux qui sont sous notre conduite, afin qu'il ne cessent de demander à Dieu la continuation d'un zèle si important et si nécessaire, et qu'ils évitent eux-mêmes les doctrines molles et flatteuses de ces séducteurs qui ne travaillent qu'à les perdre. Car de la même manière que la piété des sainte de l'Ancien Testament consistait à s'opposer aux nouveautés des faux prophètes qui étaient les casuistes de leur temps ; de même la piété des fidèles doit avoir maintenant pour objet de résister aux relâchements des casuistes qui sont les faux prophètes d'aujourd'hui. Et nous ne devons cesser de faire entendre à nos peuples ce que les vrais prophètes criaient incessamment aux leurs, que l'autorité de ces docteurs ne les rendra pas excusables devant Dieu s'ils suivent leurs fausses doctrines, que toute la Société des casuistes ne saurait assurer la conscience contre la vérité éternelle, et que cette abominable doctrine de la probabilité qui est le fondement de toutes leurs erreurs est la plus grande de leurs erreurs, que rien ne saurait les sauver que la vérité et la prière, et que c'est une fausseté horrible de dire qu'on se sauve aussi bien par l'une que par l'autre de deux opinions contraires et dont il y en a par conséquent une fausse. C'est ce qu'ils soutiennent tous et sans quoi toute leur doctrine tombe par terre. Car ils n'ont point d'autre fondement à ces horribles maximes, qu'ils renouvellent encore dans ce nouveau livre : *Qu'on peut discerner par la seule lumière de la raison quand il est permis ou défendu de tuer son prochain : qu'on le peut tuer pour défendre ou réparer son honneur; qu'on peut sans crime calomnier ceux qui médisent de nous; que tous nos péchés seront remis pourvu que nous les confessions, sans quitter les occasions prochaines, sans faire pénitence en cette vie, et sans avoir autre regret d'avoir péché, sinon pour le mal temporel qui en revient, et encore si faible que le pécheur et pénitent juge qu'il est prêt à retomber en peu de temps.* Quand on leur demande sur quoi ils fondent ces horribles maximes, ils n'ont autre chose à répondre, sinon que leurs Pères et leurs docteurs l'ayant jugé probable, cela est sûr en conscience et aussi sûr que les opinions contraires. Et c'est sur quoi nous annonçons à tous ceux sur qui Dieu nous a donné de l'autorité, que ce sont des faussetés diaboliques, et que tous ceux qui suivront ces maximes sur la foi de ces faux docteurs périront avec eux. De même que les prophètes de Dieu annonçaient autrefois à leurs peuples qui se reposaient ainsi sur leurs faux prophètes, *que Dieu exterminera tout ensemble, et ces maîtres, et ces disciples,* « *magistros et discipulos* » [Mt, x, 24]; *et que ceux qui assurent ainsi la conscience des hommes, et ceux qui reçoivent ces assurances seront ensemble précipités dans une pareille ruine,* « *et qui beatificant, et qui beatificantur* ». [Is. IX, 15]. De sorte que tant s'en faut que cette probabilité de sentiments et cette autorité des docteurs qui les enseignent excuse devant Dieu ceux qui les suivent, que cette confiance est au contraire le plus grand sujet de la colère de Dieu sur eux, parce qu'elle ne vient en effet que d'un désir corrompu de chercher du repos dans ses vices, et non pas d'une recherche pure et sincère de la vérité de Dieu qui ferait aisément discerner la fausseté de ces opinions qui font horreur à tous ceux qui ont de véritables sentiments de Dieu. Et c'est pourquoi cette tranquillité dans les crimes les augmente si fort que Dieu a déclaré par ses prophètes [Ezéch., XIV, 16] à la Synagogue, et par elle à l'Eglise, que toute la prière des plus justes ne sauverait pas de sa fureur ceux qui auraient ainsi suivi ces maîtres de fausses doctrines. C'est ce qu'on voit en Jérémie, lorsqu'il demandait miséricorde à Dieu pour les juifs et qu'il lui représentait que c'était sur la foi de ces faux prophètes qu'ils étaient demeurés dans leurs crimes. *Seigneur,* dit-il [Jér., XIV, 11], *ils ont agi de la sorte, parce que leurs prophètes les assuraient que vous approuviez leur conduite, et que bien loin de les punir, vous les rempliriez de bonheur et de paix.* C'est-à-dire qu'ils avaient suivi l'autorité de plusieurs grands docteurs qui étaient tenus pour prophètes. Et cependant que répond Dieu à ce saint homme? *Les prophètes ont parlé selon leur propre esprit, et non pas selon le mien, dit le Seigneur; ce ne sont pas mes paroles, mais leurs propres paroles qu'ils ont annoncées; et c'est pourquoi je perdrai ces docteurs, mais j'exterminerai de même ceux qui les ont écoutés et suivis. Ne priez donc point pour ce peuple, car quand Moïse et Samuel se présenteraient devant moi pour arrêter ma fureur, je ne leur ferais point miséricorde. Et s'ils vous demandent : « Que ferons-nous donc? » dites-leur : « Que ceux qui sont destinés à la mort aillent à la mort, et que ceux qui sont réservés à la famine et au meurtre courent à la fin qui leur est destinée. »*

Que si Dieu a traité de cette sorte le peuple juif dans les ombres et les ténèbres où il était, s'il ne leur a pas pardonné leurs crimes quoiqu'ils s'y fussent engagés sur l'autorité de tant de docteurs graves et éminents en apparence; s'il n'a pas épargné les hommes des premiers temps, dit saint Pierre [II Pet., II, 5], comment traitera-t-il un peuple qu'il a rempli de tant de lumières et de tant d'effets de son amour, s'il a assez d'aveuglement et d'ingratitude pour se dispenser de l'aimer, sur la foi de quelques casuistes modernes qui l'en assurent?

Nous déclarons donc hautement que ceux qui seraient dans ces erreurs seraient absolument inexcusables de recevoir la fausseté de ces mains étrangères qui la leur offrent au préjudice de la vérité qui leur est présentée par les mains paternelles de leurs propres pasteurs. Et qu'ils soient doublement coupables dans ces impiétés, et pour avoir reçu des opinions qu'ils ne devaient jamais admettre, et pour les avoir reçues de ceux qu'ils ne devaient point écouter!

Car, comme ces personnes qui sont hors de la hiérarchie n'ont de pouvoir d'y exercer aucune fonction que sous nos ordres et selon nos règlements, tout ce qu'ils disent contre notre aveu doit être regardé comme suspect et irrecevable, et ainsi les fidèles en doivent demeurer exempts, et demander à Dieu la persévérance des pasteurs naturels de son Eglise, afin que ce malheureux repos et ce consentement général dans l'erreur qui doit attirer le dernier jugement de Dieu n'arrive pas de nos jours comme il arriva à la fin de la Synagogue, lorsque les prophètes se relâchèrent. *Les princes sont dans la corruption, les prêtres les y accompagnent, les prophètes les y confirment et tous ensemble en cet état se reposent encore sur le Seigneur, en disant : « Dieu est au milieu de nous; il ne nous arrivera pas de mal. » C'est pour cette raison, dit le Seigneur, que Jérusalem sera totalement détruite, et que le temple de Dieu sera renversé et anéanti.*

SIXIÈME ÉCRIT DES CURÉS DE PARIS [7]

OU L'ON FAIT VOIR, PAR LA DERNIÈRE PIÈCE DES JÉSUITES, QUE LEUR SOCIÉTÉ ENTIÈRE EST RÉSOLUE DE NE POINT CONDAMNER L'APOLOGIE : ET OU L'ON MONTRE PAR PLUSIEURS EXEMPLES, QUE C'EST UN PRINCIPE DES PLUS FERMES DE LA CONDUITE DE CES PÈRES DE DÉFENDRE EN CORPS LES SENTIMENTS DE LEURS DOCTEURS PARTICULIERS

La poursuite que nous faisons depuis si longtemps contre l'*Apologie des Casuistes*, réussit avec tant de bonheur que nous ne pouvons rendre assez d'actions de grâces à Dieu, en voyant la bénédiction qu'il donne au travail que le devoir de nos charges nous avait obligé d'entreprendre.

Nous avions désiré que les peuples s'éloignassent de cette morale corrompue, que les prélats et les docteurs la censurassent, et que les hérétiques fussent confondus dans le reproche qu'ils nous font d'y adhérer. Et nous voyons, par la miséricorde de Dieu que les peuples à qui nous étions premièrement redevables, ont conçu une telle horreur de ces maximes impies, que nous avons désormais peu à craindre les maux qu'elles eussent pu produire sans notre opposition : que nos confrères des provinces s'élèvent de même avec tant de courage pour défendre leurs Eglises de ce venin, qu'il y a sujet d'espérer qu'il ne pourra infecter personne en aucun lieu du royaume : que tant de prélats se disposent aussi à le flétrir par leurs censures, comme a déjà fait Monseigneur l'évêque d'Orléans, qui a eu la gloire de commencer; que leurs condamnations, quoique séparées, formeront comme un concile contre ces corruptions. Et si messieurs les Vicaires généraux de Paris diffèrent encore de quelques jours leur censure, à laquelle ils travaillent avec tant de soin, ce n'est que pour la faire paraître avec plus de force et d'utilité. Enfin la Sorbonne, malgré tant d'intrigues que les Jésuites y ont voulu former, a terminé, conclu, relu, et confirmé la censure, à laquelle la dernière main fut mise le 16 de ce mois : de sorte qu'après un consentement si général de tous les corps de l'Eglise, il ne reste plus le moindre prétexte aux hérétiques de la calomnier. Et ainsi nous pourrions dire que tous nos désirs sont accomplis, s'il n'en restait un de ceux qui nous sont les plus chers, mais dont nous commençons à désespérer maintenant. Car un de nos principaux souhaits a été que les Jésuites mêmes renonçassent à leurs erreurs, afin qu'étant supprimées dans leur source, on n'eût plus à en craindre les funestes ruisseaux qui se répandent dans tout le christianisme. C'était le moyen d'en purger l'Eglise le plus prompt et le plus sûr; et plût à Dieu qu'il eût été le plus facile! Mais bien loin de l'être en effet, nous y avons trouvé des difficultés invincibles; et il nous a été plus aisé d'exciter tous les pasteurs, et de remuer toutes les puissances de l'Eglise, que de porter ces Pères à renoncer à la moindre des erreurs où ils se trouvent engagés.

Leur dernier écrit nous en ôte toute espérance. Ils y parlent en leur propre nom, et de la part de tout le Corps. Ils l'ont intitulé : *Sentiments des Jésuites, etc.*, et l'ont produit pour montrer tout ce qu'on devait attendre d'eux. Or nous n'y voyons aucune marque de retour, ni qu'ils aient fait un seul pas vers la vérité. Nous les y trouvons toujours disposés à se servir de ces maximes, dont nous demandons la suppression, et nous n'y trouvons en effet que de véritables sentiments de Jésuites. L'on y remarque la même résolution à demeurer dans ces méchantes opinions, quoiqu'ils en parlent avec un peu plus de timidité, se trouvant embarrassés dans la manière de s'exprimer. Car comme ils conduisent une infinité de personnes qui veulent vivre dans le relâchement, et passer néanmoins pour dévots, ces maximes leur sont absolument nécessaires; et ainsi ils sont déterminés à ne les jamais condamner. Mais comme ils veulent d'ailleurs s'accommoder à la disposition présente des esprits, et ne s'attirer pas l'horreur des peuples qui va directement contre ces excès, ils n'osent plus les soutenir si ouvertement, et ainsi pour se mettre en état de s'en pouvoir servir au besoin, sans néanmoins heurter le monde trop rudement, ils ont cru ne pouvoir mieux faire, que de dire qu'ils ne s'engagent dans aucun parti; mais qu'ils veulent demeurer sans condamner ni approuver l'*Apologie*.

C'est sur ce projet que roule tout leur écrit; et au lieu des discours naturels que la vérité ne manque jamais de fournir quand on la veut dire sincèrement, ils ne se servent que de discours artificieux et indéterminés, qui les laissent toujours en liberté de prendre tel parti qu'il leur plaira. S'ils avaient voulu renoncer aux maximes horribles de l'*Apologie*, ils n'avaient qu'à dire en deux mots qu'ils y renoncent. Mais c'est ce qu'ils ont évité d'une étrange sorte : et au lieu de cela on ne voit autre chose sinon ces expressions répandues dans toutes les pages de leur écrit : *Il n'y a aucune de ces questions arbitraires où nous nous intéressions pour la combattre ou pour la défendre. Vous dites que cette doctrine est criminelle; mais l'auteur dit qu'il l'a prise des docteurs qui sont tous excellents. Si elle est bonne, n'en ôtez pas la gloire à ceux qui l'ont enseignée. Si elle est mauvaise, c'est à vous à le montrer par de bonnes raisons, et à eux à se défendre. Ne blessez*

7. Dans *la Vie de M. Pascal*, Gilberte Périer laisse entendre que cet écrit fut « une autre chose » que son frère rédigeait en même temps que l'*Addition* des problèmes sur la cycloïde (19 juillet 1658).

donc pas l'honneur qui est dû à ces grands hommes. Pour nous, nous ne voulons ni l'autoriser, ni la condamner.

Voilà leur caractère. Par là ils demeurent en pouvoir de contenter tout le monde. Ils diront à ceux qui seront scandalisés de ces maximes, qu'ils ont raison, et qu'aussi ils ont déclaré dans leurs sentiments, *qu'ils ne voulaient point approuver ces opinions.* Et ils diront à ceux qui voudront vivre selon ces maximes, qu'ils le peuvent, et qu'aussi ils ont déclaré dans leurs sentiments, *qu'ils ne condamnent point ces opinions.* Et ainsi ils produiront leurs sentiments équivoques pour satisfaire toutes sortes d'inclinations selon leur méthode ordinaire.

Et ils osent, après cela, s'élever comme les personnes du monde les plus irrépréhensibles, et nous demander, page 8, *pourquoi nous attaquez-vous sur une doctrine que nous ne voulons ni autoriser ni condamner?* Mais nous leur répondons : C'est pour cela même que nous vous combattons; parce que vous ne voulez pas condamner une doctrine si condamnable qui est sortie de chez vous, et que vous voulez qu'on se satisfasse de ce que vous dites, *que vous n'approuvez pas cette Apologie.* Ce n'est rien faire que cela. Ce n'est pas reconnaître que ce livre est pernicieux et plein d'erreurs, ni se déclarer contre un ouvrage, que de dire simplement qu'on ne l'approuve pas. Une infinité d'intérêts personnels, ou de légères circonstances indépendantes du fond de la matière, étant capables de faire qu'on n'approuve pas un bon livre; et c'est pourquoi nous nous plaignons de vous. C'est cela que nous vous reprochons. Il s'agit entre nous de savoir si on peut faire son salut sans aimer Dieu, et en persécutant son prochain jusqu'à le calomnier et le tuer; et vous dites là-dessus, *que vous ne vous intéressez ni à défendre ni à combattre aucune de ces opinions arbitraires.* Qui peut souffrir cette indifférence affectée, qui ne témoigne autre chose, sinon que vous voudriez, et que vous n'oseriez les défendre; mais que vous êtes au moins résolus à ne les point condamner?

Quoi, mes Pères, toute l'Eglise est en rumeur dans la dispute présente. L'Evangile est d'un côté, et l'*Apologie des casuistes* est de l'autre. Les prélats, les docteurs, et les peuples sont ensemble d'une part; et les Jésuites pressés de choisir déclarent, page 7, *qu'ils ne prennent point de parti dans cette guerre.* Criminelle neutralité! Est-ce donc là tout le fruit de nos travaux que d'avoir obtenu des Jésuites qu'ils demeureraient dans l'indifférence entre l'erreur et la vérité; entre l'Evangile et l'*Apologie*, sans condamner ni l'un ni l'autre? Si tout le monde était en ces termes, l'Eglise n'aurait guère profité, et les Jésuites n'auraient rien perdu. Car ils n'ont jamais demandé la suppression de l'Evangile. Ils y perdraient. Ils en ont affaire pour les gens de bien. Ils s'en servent quelquefois aussi utilement que les casuistes. Mais ils perdraient aussi, si on leur ôtait l'*Apologie* qui leur est si souvent nécessaire. Leur théologie va uniquement à n'exclure ni l'un ni l'autre, et à se conserver un libre usage de tout. Ainsi on ne peut dire ni de l'Evangile seul, ni de l'*Apologie* seule, qu'ils contiennent leurs sentiments. Le dérèglement qu'on leur reproche consiste dans cet assemblage, et leur justification ne peut consister qu'à en faire la séparation, et à prononcer nettement qu'ils reçoivent l'un, et qu'ils renoncent à l'autre : de sorte qu'il n'y a rien qui les justifie moins, et qui les confonde davantage, que de nous répondre autre chose, lorsque tout le fort de notre accusation est qu'ils unissent par une alliance horrible Jésus-Christ avec Belial, sinon qu'ils ne renoncent pas à Jésus-Christ, sans dire en aucune manière qu'ils renoncent à Belial.

Tout ce qu'ils ont donc gagné par leur écrit, est qu'ils ont fait connaître eux-mêmes à ceux qui n'osaient se l'imaginer, que cet esprit d'indifférence et d'indécision entre les vérités les plus nécessaires pour le salut, et les faussetés les plus capitales, est l'esprit non seulement de quelques-uns de ces Pères, mais de la Société entière; et que c'est en cela proprement que consistent, par leur propre aveu, *les sentiments des Jésuites.*

Ainsi c'est par un aveuglement étrange, où la providence de Dieu les a justement abandonnés, qu'après qu'ils nous ont tant accusés d'injustice, d'imputer à toute leur Compagnie les opinions des particuliers, et que *pour se faire reconnaître* ils ont voulu présenter au monde *leur vrai portrait*, ils se sont en effet représentés dans leur forme la plus horrible : de sorte qu'après leur déclaration nous pouvons dire que ce n'est plus nous, mais que ce sont eux-mêmes qui publient que leur Compagnie en corps a résolu de ne condamner, ni combattre ces impiétés.

En effet, si cette Société était partagée, on en verrait au moins quelques-uns se déclarer contre ces erreurs : mais il faut que la corruption y soit bien universelle, puisqu'il n'en est sorti aucun écrit pour les condamner, et qu'il en a tant paru pour les soutenir. Il n'y a point d'exemple dans l'Eglise d'un pareil consentement de tout un corps à l'erreur. Il n'est pas étrange que des particuliers s'égarent; mais qu'ils ne reviennent jamais, et que le corps déclare qu'il ne les veut point corriger, c'est ce qui est digne d'étonnement, et ce qui doit porter ceux à qui Dieu en a donné l'autorité, à en arrêter les périlleuses conséquences. Car ce n'est point une chose secrète : elle est publique, ils en font gloire et affectent de faire connaître à tout le monde qu'ils font profession de défendre tous ensemble les sentiments de chacun d'eux. Ils espèrent par là se rendre redoutables et hors d'atteinte en faisant sentir que qui en attaque un, les attaque tous. En effet cela leur a souvent réussi. Mais c'est néanmoins une mauvaise politique : car il n'y a rien de plus capable de les décrier à la fin, et de faire qu'au lieu d'autoriser par là les particuliers, ils décréditent tout le corps, aussitôt que le monde sera informé de ce principe de leur conduite.

C'est pourquoi il importe de le bien faire entendre aujourd'hui. Car puisque ces Pères sont absolument déterminés à ne point rétracter les erreurs de l'*Apo-*

logie, il ne reste plus, pour la sûreté des fidèles, et pour la défense de la vérité, que de faire connaître à tout le monde, que c'est par une profession ouverte et générale que les Jésuites ne quittent jamais une opinion dès qu'ils l'ont une fois imprimée, comme on verra dans la suite qu'ils le disent en propres termes; afin que cette connaissance étant aussi publique que leur endurcissement, ils ne puissent plus surprendre ni corrompre personne, et que leur obstination ne produise plus d'autre effet, que de faire plaindre leur aveuglement.

Nous donnerons donc ici quelques exemples de leur conduite, où l'on verra que pour horribles que soient les opinions que leurs auteurs ont une fois enseignées, ils les soutiennent éternellement : qu'ils remuent toute sorte de machines pour en empêcher la censure : qu'il faut joindre toutes les forces de l'Eglise et de l'Etat pour les faire condamner; qu'alors même ils éludent ces censures par des déclarations équivoques; et que si on les force à en donner de précises, ils les violent aussitôt après.

Nous en avons un insigne exemple en ce qui se passa sur le sujet du livre de leur Père Becan, si préjudiciable à l'Etat, et même à la personne de nos rois. Car quand ils en virent la Sorbonne émue, ils pensèrent à empêcher qu'elle ne le censurât en faisant en sorte qu'on lui mandât, que leur censure n'était pas nécessaire, parce qu'il en devait venir bientôt une du pape. Et comme on en eut en effet envoyé une de Rome quelque temps après, portant qu'il y avait dans ce livre plusieurs propositions *fausses et séditieuses*, etc., avec ordre de la corriger, ce Père Becan faisant semblant d'obéir à l'ordre qu'il avait de retrancher cette multitude de propositions criminelles, ne fit autre chose que d'en ôter un seul article, et le dédia au pape en cet état, comme l'ayant purgé de toutes ces erreurs selon son intention : de sorte que ce livre, qui a maintenant un cours tout libre, contient ces propositions, outre plusieurs autres furieuses qu'il n'est pas temps de rapporter maintenant. *Que le roi doit être excommunié et déposé s'il l'a mérité ; que pour savoir s'il l'a mérité, il faut en juger par le prudent avis de gens de piété et de doctrine ; et qu'il doit être excommunié et privé de ses Etats, s'il viole les privilèges accordés aux religieux.* Ainsi la Sorbonne s'étant soulevée contre ces maximes détestables, et contre les autres qui y sont encore, ils la jouèrent insensiblement, premièrement en faisant, par leurs artifices, qu'elle ne prit point connaissance de cette affaire sous prétexte d'une censure de Rome, et en éludant ensuite cette censure en la manière que nous venons de dire, qui est si familière aux Jésuites.

Ils en usèrent de la même sorte sur la condamnation que la Faculté de Louvain fit de cette proposition, *qu'il est permis à un religieux de tuer ceux qui sont prêts à médire ou de lui, ou de sa communauté, s'il n'y a que ce moyen de l'éviter*. Ce fut ce que le Père L'Amy, Jésuite, osa avancer dans la théologie qu'il composa *selon la méthode présente de l'école de la Société de Jésus : Juxta scolasticam hujus temporis Societatis methodum*. Car au lieu que ces Pères devaient être portés non seulement par piété, mais encore par prudence, à supprimer cette doctrine, et à en prévenir la censure, bien loin d'agir de la sorte, ils résistèrent de toutes leurs forces et à la Faculté qui la censura *comme pernicieuse à tout le genre humain*, et au conseil souverain de Brabant, qui l'y avait déférée. Il n'y eut point de voie qu'ils ne tentassent. Ils écrivirent incontinent de tous côtés pour avoir des approbateurs, et les opposer à cette Faculté. Ce qui rendit cette question *célèbre par toute l'Europe*, comme dit Caramuel, Fund. 55, page 542, où il rapporte cette lettre, que leur Père Zergol lui en écrivit en ces termes : *Cette doctrine*, dit ce Jésuite, *a été censurée bien rudement, et on a même défendu de la publier. Ainsi j'ai été prié de m'adresser aux savants et aux illustres de ma connaissance. J'écris donc à plusieurs docteurs, afin que s'il s'en trouve beaucoup qui approuvent ce sentiment, ce juge sévère qui n'a pu être éclairé par la solidité des raisons, le soit par la multitude des docteurs. Mais je me suis voulu d'abord approcher de la lumière du grand Caramuel, espérant que si ce flambeau des esprits approuve cette doctrine, ses adversaires seront couverts de confusion*, rubore suffundendos, *d'avoir osé condamner une opinion dont le grand Caramuel aura embrassé la protection.*

On voit en cela l'esprit de ces Pères, et les bassesses où ils se portent, pour trouver les moyens de résister aux condamnations les plus justes et les plus authentiques. Mais cette première résistance leur fut inutile. On ne s'arrêta point à la multitude de ces docteurs qui les secoururent en foule; et encore que Caramuel eût décidé nettement en ces termes : *La doctrine du Père L'Amy est seule véritable, et le contraire n'est pas seulement probable, c'est l'avis de tout ce que nous sommes de doctes ;* malgré tout cela le livre du Père L'Amy demeura condamné; et l'ordre fut si exactement donné par le conseil de Brabant d'en ôter cet article, que ces Pères n'eurent plus de moyen de s'en défendre. Ne pouvant donc plus s'en sauver par une désobéissance ouverte, ils pensèrent à l'éluder par une obéissance feinte, en ne faisant autre chose que retrancher la fin de cette proposition, et laissant le commencement qui la comprend toute entière : de sorte que malgré la première Faculté de Flandres, et le conseil souverain du roi d'Espagne, on voit encore aujourd'hui dans le livre de ce Père L'Amy cette doctrine horrible : *Qu'un religieux peut défendre son véritable honneur, même par la mort de celui qui le veut déshonorer*, etiam cum morte invasoris, *s'il ne peut l'empêcher autrement*. Ce qui n'est que la même chose que la première proposition que nous avons rapportée, *qu'un religieux peut tuer celui qui veut médire de lui ou de sa communauté*, laquelle subsiste ainsi dans le premier membre et y subsistera toujours. Car qui entreprendrait pour cela une nouvelle guerre contre des gens si rebelles et si artificieux?

Voilà comment ils échappent aux condamnations de leurs plus détestables maximes, par des soumissions feintes et imaginaires. Et c'est pourquoi quand Nos

Seigneurs les prélats de France leur ont voulu faire donner des déclarations sur des points importants, ils ont observé soigneusement de ne laisser point de lieu à leurs fuites et à leurs équivoques. Mais s'ils ont bien eu le pouvoir de leur en faire donner d'exactes, ils n'ont pas eu celui de les empêcher de les violer. Les exemples en seraient trop longs à rapporter. Tout le monde sait leur procédé sur les livres d'Angleterre contre la hiérarchie, qu'ils furent obligés de désavouer par leurs Pères de la Salle, Haineuve, Maillant, etc., et qu'ils ont depuis reconnus publiquement et avec éloge dans un livre célèbre approuvé par leur Général où ils traitent les évêques d'opiniâtres et de novateurs, *contumaces, novatores.* Et quelque solennelle que fut cette autre déclaration qu'ils signèrent en présence de feu M. le Cardinal de Richelieu, qu'ils ne pouvaient, ni ne devaient confesser sans l'approbation des évêques, ce qui est formellement décidé par le Concile de Trente, ils la violèrent aussi solennellement dans le livre du Père Bauny, et ensuite plus insolemment dans celui du Père Cellot, lequel ayant été forcé de se rétracter, il fut bientôt soutenu par le Père Pinterau dans sa Réponse à leur Théologie Morale, 2e part., page 87, où il dit, *que les Jésuites n'ont pu et n'ont dû renoncer au droit qu'ils ont de confesser sans avoir obtenu l'approbation des évêques ; et que le Père Bauny et les autres sont louables de maintenir par leurs écrits ce pouvoir, qu'on ne leur dispute que par jalousie.* Et nos confrères d'Amiens viennent de présenter requête le 5 de ce mois à Monseigneur leur évêque, où ils se plaignent entre autres choses de ce que le Père Poignant a enseigné depuis peu dans leur collège cette même doctrine, qu'on les a obligés tant de fois de rétracter. Il est impossible à l'Eglise d'arracher de ces Pères une erreur où ils sont une fois entrés, et tant ce principe est vivant dans leur Société, qu'ils doivent tous défendre ce qu'un des leurs a mis une fois dans ses livres.

L'exemple que leur *grand flambeau* Caramuel en rapporte, en pensant leur faire honneur, est remarquable. C'est sur un cas effroyable de la doctrine du même Père L'Amy savoir *si un religieux, cédant à la fragilité, abuse d'une femme de basse condition, laquelle tenant à l'honneur de s'être prostituée à un si grand personnage*, honori ducens se prostituisse tanto viro, *publie ce qui s'est passé, et ainsi le déshonore : si ce religieux la peut tuer pour éviter cette honte?* Ne sont-ce pas là de belles questions de la morale de Jésus-Christ? Et ne doit-on pas gémir de voir la théologie entre les mains de cette sorte de gens, qui la profanent si indignement par des propositions si infâmes? Et qui pourra souffrir que toute cette Société s'arme pour les défendre par cette seule raison que leurs Pères les ont avancées? C'est cependant ce qu'ils ne feignent point de déclarer, comme on le voit dans Caramuel Fund. 55, p. 551, où il rapporte l'opinion d'un de ces Pères sur ce cas horrible qui mérite d'être considéré, la voici. *Le Père L'Amy eût pu omettre cette résolution ; mais puisqu'il l'a une fois imprimée, il doit la soutenir*, ET NOUS DEVONS LA DÉFENDRE, *comme étant probable ; de sorte que ce religieux s'en peut servir pour tuer cette femme, et se conserver en honneur: Potuisset amicus hanc resolutionem omisisse ; ad semel impressam debet illam tueri*, ET NOS EAMDEM DEFENDERE [8], etc. Si l'on pèse le sens de ces paroles, et qu'on en considère les conséquences, on verra combien nous avons de raison de nous opposer à une Compagnie si étendue, si remplie de méchantes maximes, et si ferme dans le dessein de ne s'en départir jamais.

Nous avons voulu faire paraître cette étrange liaison qui est entre eux par plusieurs exemples, afin qu'on voie que ce qu'ils font aujourd'hui pour l'*Apologie*, n'est pas un emportement particulier où ils se soient laissé aller par légèreté; mais l'effet d'une conduite constante et bien méditée, qu'ils gardent régulièrement en toutes rencontres; et qu'ainsi c'est en suivant l'esprit général qui les anime, que le Père de Lingendes, qui a eu la principale direction de la défense de l'*Apologie*, a fait tant de démarches pour la soutenir et en Sorbonne, et ailleurs; et qu'en sollicitant Messieurs les Vicaires généraux pour éviter la censure de ce livre, et leur présentant une déclaration captieuse qui fut rejetée, il ne feignit pas de leur dire tout haut ce qu'il a dit en tant d'autres lieux, *qu'ils étaient fâchés du bruit que ce livre causait ; mais que maintenant ils étaient engagés, et que puisque ce livre avait été fait pour la défense de leurs casuistes, ils étaient obligés de le soutenir.*

Il faudrait avoir bien peu de lumière, pour ne pas voir de quelle conséquence est cette maxime dans une Société qui est remplie de tant d'opinions condamnées : qui malgré toutes les censures et les défenses des puissances spirituelles et temporelles, est résolue de ne les rétracter jamais : qui fait gloire de souffrir plutôt toutes sortes de violences, que de les désavouer : et qui se raidit tellement contre le mal qui lui en arrive, qu'elle en prend sujet de là de comparer ses souffrances à celles de Jésus-Christ et de ses martyrs. C'est là le comble de la hardiesse, mais qui leur est devenu ordinaire, et qu'ils renouvellent dans leur dernier écrit. *Notre Société*, disent-ils p. 2, *ne souffre qu'après le Fils de Dieu, que les Pharisiens accusaient de violer la loi. Il est honorable aux Jésuites de partager ces opprobres avec Jésus-Christ ; et les disciples ne doivent pas voir de honte d'être traités comme le Maître.*

Voilà comme cette superbe Compagnie tire sa vanité de sa confusion et de sa honte. Mais il faut réprimer cette audace tout à fait impie, d'oser mettre en parallèle son obstination criminelle à défendre ses erreurs, avec la sainte et divine constance de Jésus-Christ et des martyrs à souffrir pour la vérité. Car quelle proportion y a-t-il entre deux choses si éloignées? Le Fils de Dieu et ses martyrs n'ont fait autre chose qu'établir les vérités évangéliques, et ont enduré les plus cruels supplices et la mort même par la violence de ceux qui ont mieux aimé le mensonge. Et les Jésuites ne travaillent qu'à détruire ces mêmes vérités, et ne souffrent

8. « (Le Père) l'Amy eût pu omettre cette résolution; mais, du moment qu'elle est imprimée, (le religieux) peut tuer, et nous devons défendre cette résolution. »

pas la moindre peine par une opiniâtreté si punissable. Il est vrai que les peuples commencent à les connaître : que leurs amis en gémissent : que cela leur en ôte quelques-uns; et que leur crédit diminue de jour en jour. Mais appellent-ils cela persécution? Et ne le devraient-ils pas plutôt considérer comme une grâce de Dieu, qui les appelle à quitter tant d'intrigues et tant d'engagements dans le monde que leur crédit leur procurait; et à rentrer dans une vie de retraite plus conforme à des religieux, pour y pratiquer les exercices de la pénitence, dont ils dispensent si facilement les autres.

S'ils étaient chassés de leurs maisons, privés de leurs biens, poursuivis, emprisonnés, persécutés (ce que nous ne souhaitons pas, sachant que ces rigueurs sont éloignées de la douceur de l'Eglise) ils pourraient dire alors qu'ils souffrent, mais non pas *comme chrétiens*, selon la parole de saint Pierre; et ils n'auraient droit de s'appeler ni bienheureux, ni martyrs pour ce sujet : puisque le même apôtre ne déclare heureux ceux qui souffrent, que lorsqu'ils souffrent pour la justice : *si propter justitiam, beati;* et que, selon un grand Père de l'Eglise, et grand martyr lui-même, ce n'est pas la peine, mais la cause pour laquelle on endure qui fait les martyrs, *non pœna, sed causa*, saint Cypr.

Mais les Jésuites sont si aveuglés en leurs erreurs, qu'ils les prennent pour des vérités, et qu'ils s'imaginent ne pouvoir souffrir pour une meilleure cause. C'est l'extrême degré d'endurcissement. Le premier est de publier des maximes détestables. Le second de déclarer, *qu'on ne veut point les condamner*, lors même que tout le monde les condamne. Et le dernier, de vouloir faire passer pour saints et pour compagnons des martyrs, ceux qui souffrent la confusion publique pour s'obstiner à les défendre. Les Jésuites sont aujourd'hui arrivés à cet état. Nous ne croyons pas qu'on puisse avoir des sentiments de piété dans le cœur, sans avoir une sainte indignation contre une disposition si criminelle et si dangereuse. Il est question en cette dispute d'erreurs qui renversent la morale chrétienne dans les points les plus importants; et une Société entière de prêtres qui gouvernent une infinité de consciences, prétend qu'il lui est glorieux de souffrir pour ne s'en rétracter jamais. Il faut assurément être tout à fait insensible aux intérêts de l'Eglise, pour ne s'en point émouvoir. Ceux qui n'ont point de connaissance de ces désordres, et qui regardent seulement en général le bien de la paix, peuvent peut-être s'imaginer qu'elle serait préférable à ces disputes. Mais d'ouvrir les yeux à ces désordres et, en les envisageant en leur entier, vouloir demeurer en repos sans en arrêter le cours, c'est ce que nous croyons incompatible avec l'amour de la religion et de l'Eglise. Si nous ne regardions que notre intérêt, les choses sont à notre égard dans un état si avantageux, que nous aurions tout sujet d'être satisfaits. Mais comme la vérité ne l'est pas, nous devons solliciter pour elle, et nous avons sujet de craindre, selon la parole de saint Augustin, qu'au lieu que ceux qui sont insensibles à sa défense, peuvent accuser notre zèle d'excès, elle ne l'accuse de tiédeur, et ne crie, que ce n'est pas encore là assez pour elle : *Hoc illi nimium dicunt esse : ipsa autem veritas fortasse adhuc dicat, nondum est satis.*

Et en effet, si on compare ce que nous avons dit, à ce qu'ont dit ceux qui ont eu le plus de charité pour ces Pères, lorsqu'ils ont été obligés de parler contre leurs égarements, on y trouvera une différence extrême.

Quand on proposa à la Faculté de théologie de Paris leur établissement en France, et qu'elle en eut considéré les conséquences, elle en parla d'une manière si forte, que je ne sais si nous sommes excusables de n'en parler que comme nous faisons, en l'état où ils sont devenus aujourd'hui. Et leurs propres généraux, qui ont eu tant d'amour pour eux, mais qui ont vu aussi la corruption qui s'y glissait, leur ont écrit d'une telle sorte, que si nous étions jamais obligés de le faire paraître, on verrait ce que la charité fait dire, et comment elle sait soutenir avec rigueur la cause de la vérité blessée. Personne n'en est mieux informé que ces Pères mêmes, et c'est pourquoi il y a apparence qu'ils ne nous engageront pas à nous justifier sur cela. Mais pour nous justifier envers Dieu, nous sommes obligés de demeurer dans nos premiers sentiments, et de leur répéter ici ce que nous leur avons dit dans un de nos écrits : Qu'aussitôt qu'ils voudront renoncer à l'*Apologie*, nous les embrasserons de tout notre cœur : Qu'il ne suffit pas qu'ils reconnaissent qu'on est obligé d'aimer Dieu, et qu'il ne faut pas calomnier son prochain. Ils diront tant qu'on voudra; parce qu'ils embrassent toutes les opinions vraies ou fausses. C'est par là qu'ils amusent ceux qui ne sont pas instruits du fin de leurs maximes, et c'est ce que nous voulons que tout le monde connaisse, afin qu'on ne se laisse pas surprendre à leurs rétractions équivoques : mais qu'il faut qu'ils déclarent, que les opinions de ceux qui disent qu'on peut être sauvé sans aimer Dieu, qu'on peut tuer, calomnier, etc., sont fausses et détestables; et qu'enfin ils condamnent la doctrine de la probabilité, qui les enferme toutes ensemble. Et alors nous quitterons nos poursuites; mais jamais autrement. Car ils doivent s'attendre de trouver en nous une constance aussi infatigable à les presser de renoncer à ces erreurs, qu'ils auront d'obstination à les défendre, et qu'avec la grâce de Dieu ce dessein sera toujours celui des Pasteurs de l'Eglise, tant que ces méchantes opinions seront *les sentiments des Jésuites.*

Arrêté le 24 juillet 1658, par les Députés soussignés, suivant la conclusion de l'Assemblée Synodale du dernier avril 1658.

PENSÉES

« Lorsqu'on ne sait pas la vérité d'une chose, il est bon qu'il y ait une erreur commune qui fixe l'esprit des hommes... » (*ms.* 744).

Cette remarque de Pascal explique l'aventure courue pendant cent soixante-quinze ans (depuis 1776) *par les éditions des* Pensées *dont la présentation changeait avec chaque nouvel éditeur.*

L'erreur commune, qui était de croire que Pascal avait laissé ses notes en désordre et que chacun pouvait les présenter dans l'ordre qui lui plaisait, ne se serait pas prolongée si longtemps, si l'on s'était donné la peine de lire attentivement la préface de l'édition de 1670 *et d'en tirer les conclusions qui s'imposaient.*

Dans cette préface, rédigée par Étienne Périer, l'aîné des neveux de Pascal, on pouvait lire :

« Comme l'on savait le dessein qu'avait M. Pascal de travailler sur la religion, l'on eut un très grand soin, après sa mort, de recueillir tous les écrits qu'il avait faits sur cette matière. On les trouva tous ensemble enfilés en diverses liasses... La première chose que l'on fit fut de les faire copier tels qu'ils étaient, et dans la même confusion qu'on les avait trouvés. »

Et lorsqu'il s'est agi d'en entreprendre la publication, la première solution « qui vint dans l'esprit, et celle qui était sans doute la plus facile, était de les faire imprimer tout de suite dans le même état qu'on les a trouvés ». *C'est-à-dire dans l'état donné par la* Copie *qui venait d'être faite.*

Mais comme c'était l'usage au XVIIe siècle de ne publier que des ouvrages parfaitement ordonnés, alors que Pascal n'avait laissé que des notes, l'on fut obligé de les présenter dans « quelque sorte d'ordre », qui, évidemment, n'était pas celui que son auteur aurait envisagé.

Au reste les éditeurs en avaient informé le lecteur, puisqu'ils reconnaissent qu'ils n'ont pas suivi, « dans le peu qu'on en donne... son ordre et sa suite pour la distribution des matières ».

Ils ont donc fait un choix dans les notes « parmi les plus claires et les plus achevées », et ils les ont présentées de manière à atteindre, autant que possible, le but apologétique souhaité par Pascal.

Mais si cette manière de publier les textes était, en 1670, *la meilleure, il ne pouvait en être indéfiniment ainsi.*

En 1842, *Victor Cousin attira l'attention des éditeurs sur le fait que l'édition de* 1670 *n'avait donné qu'un choix des* Pensées, *quelquefois « embellies », et qu'il serait souhaitable que l'on donnât désormais des éditions exactes et intégrales des papiers, en se référant aux manuscrits.*

Mais quel ordre suivre pour les présenter? Sera-ce celui du Recueil original? *(B.N. ms.* 9202*) qui rassemble, à peu près sans ordre, collés sur de grandes feuilles blanches, des autographes de toutes dimensions, — ou celui de la* Copie des Pensées (*B.N. ms.* 9203) *qui nous fait connaître un classement partiel?*

Comme pendant plus d'un siècle aucune réponse satisfaisante n'a été donnée à ce sujet, les éditeurs ont donc continué à suivre le cours de leur imagination.

Les recherches poursuivies au cours de ces dernières années ont finalement réussi à proposer une solution rationnelle pour l'ordre à suivre dans la présentation des textes.

Contrairement à ce que Étienne Périer a affirmé, Pascal ne prenait pas ses notes sur « des petits morceaux de papier ». Il utilisait des grandes feuilles, traçait une petite croix en tête de page et séparait ses notes d'un vigoureux trait de plume. Ces feuilles, Pascal a commencé à les découper au cours du second semestre de 1658 *et à les classer en les enfilant « en diverses liasses ». Il préparait ainsi, sans doute,* la Conférence *qu'il fit à ses amis en octobre ou novembre pour leur exposer le dessein de l'ouvrage qu'il méditait de réaliser, une* Apologie de la Religion chrétienne.

Mais une maladie de langueur, qui ne l'a plus quitté jusqu'à la fin de sa vie, l'empêcha, dès fin janvier 1659, *de poursuivre ce classement. Il ne l'a plus repris.*

A cette époque, il avait déjà rédigé ou dicté soixante-quinze pour cent des papiers qu'il a laissés, et au cours de ses quatre dernières années son activité fut très restreinte.

C'est la raison pour laquelle la Copie 9203 *nous présente dans une première partie vingt-huit liasses de papiers classés. Ces liasses sont titrées et ordonnées; elles ne retiennent que des notes destinées à son ouvrage. Dans la seconde partie, il y a trente-quatre séries de textes non classés, chaque série étant séparée par le copiste par des signes terminaux;*

ces textes non classés intéressent non seulement son ouvrage, mais également d'autres sujets.
Cette Copie 9203 *est la* Copie *dont parle Étienne Périer dans sa préface. C'est elle que les premiers éditeurs avaient envisagé de reproduire telle quelle. Le classement qu'elle nous présente ne pouvait être l'œuvre des amis de Pascal, après sa mort, comme certains critiques l'ont cru. Car prévoir, titrer, ordonner vingt-huit liasses, alors qu'il reste encore cinq cent trente fragments à classer, ne peut être l'œuvre que de l'auteur lui-même.*
Ses amis considéraient du reste cette Copie *comme donnant une lecture authentique des autographes, puisque c'est le seul document qu'ils ont utilisé pour en faire l'édition.*
En outre, le Recueil original, *confectionné en* 1710-1711 *(soit cinquante ans après la* Copie*), confirme l'existence des liasses et des séries de cette* Copie, *puisque quarante-cinq pour cent des notes, communes aux deux manuscrits, demeurent groupées de la même manière.*
Le Recueil original *ne donne donc pas, comme d'autres critiques l'ont dit, l'état des papiers de Pascal en* 1662, *mais leur état en* 1710.
Entre-temps en effet, un nombre relativement considérable — plus de quatre-vingts — de fragments autographes avait disparu. La Copie *les avait enregistrés. Ceux qu'elle n'a pas enregistrés et que le* Recueil original *nous a conservés, n'avaient pas été communiqués aux copistes pour diverses raisons.*
Enfin divers documents nous sont parvenus d'autres sources.
De tout cela il s'ensuit qu'une édition des Pensées *doit respecter l'état des papiers laissés par Pascal, tel qu'il nous est transmis par la* Copie 9203, *en mettant à la suite les textes connus par ailleurs. La présente édition suit strictement ces directives.*
Ainsi il n'y a plus d'écran entre l'auteur et le lecteur. Chacun pourra se rendre compte du stade auquel Pascal était parvenu dans la préparation de son Apologie.

*Dans la présente édition, le passage d'un papier autographe à un autre est représenté par un espace blanc d'une hauteur de deux lignes. (Ex. : entre les n*os 1 *et* 2.*)*
*Les séparations que Pascal a marquées (à l'intérieur d'un même papier) au moyen de blancs ou de traits de plume, sont représentées par un espace blanc d'une hauteur d'une ligne. (Ex. : à l'intérieur du n*o 1.*)*
Les textes rayés dans les originaux sont ici transcrits entre parenthèses et en italiques. Certains sont rayés parce que, figurant au verso et même au recto d'un texte destiné à un dossier de papiers classés, ils n'étaient pas destinés à ce dossier. C'est le cas des numéros 84, 102, 195, 196, 197.
Pour faciliter les recherches, le numéro de chaque fragment est suivi du numéro correspondant de l'édition Brunschvicg.

PRÉFACE DE L'ÉDITION DE PORT-ROYAL, 1670

Dans une lettre du 1er *avril 1670 de Gilberte Périer au docteur Vallant (ms. 17050), nous apprenons que l'auteur de la préface est son fils Étienne.*
Il résume le Discours sur les Pensées *de Filleau de la Chaise et utilise la* Vie de Pascal *de sa mère. Il donne des renseignements intéressants sur la manière dont les papiers de son oncle ont été recueillis, copiés et utilisés en vue de leur édition.*

M. Pascal ayant quitté fort jeune l'étude des mathématiques, de la physique et des autres sciences profanes, dans lesquelles il avait fait un si grand progrès qu'il y a eu assurément peu de personnes qui aient pénétré plus avant que lui dans les matières particulières qu'il en a traitées, il commença vers la trentième année de son âge à s'appliquer à des choses plus sérieuses et plus relevées, et à s'adonner uniquement, autant que sa santé le put permettre, à l'étude de l'Écriture, des Pères et de la morale chrétienne.

Mais quoiqu'il n'ait pas moins excellé dans ces sortes de sciences qu'il avait fait dans les autres, comme il l'a bien fait paraître par des ouvrages qui passent pour assez achevés en leur genre, on peut dire néanmoins que, si Dieu eût permis qu'il eût travaillé quelque temps à celui qu'il avait dessein de faire sur la religion, et auquel il voulait employer tout le reste de sa vie, cet ouvrage eût beaucoup surpassé tous les autres qu'on a vus de lui; parce qu'en effet les vues qu'il avait sur ce sujet étaient infiniment au-dessus de celles qu'il avait sur toutes les autres choses.

Je crois qu'il n'y aura personne qui n'en soit facilement persuadé en voyant seulement le peu que l'on en donne à présent, quelque imparfait qu'il paraisse, et principalement sachant la manière dont il y a travaillé, et toute l'histoire du recueil qu'on en a fait. Voici comment tout cela s'est passé.

M. Pascal conçut le dessein de cet ouvrage plusieurs années avant sa mort; mais il ne faut pas néanmoins s'étonner s'il fut si longtemps sans en rien mettre par écrit; car il avait toujours accoutumé de songer beaucoup aux choses et de les disposer dans son esprit avant que de les produire au-dehors, pour bien considérer et examiner avec soin celles qu'il fallait mettre les premières ou les dernières, et l'ordre qu'il leur devait donner à toutes, afin qu'elles pussent faire l'effet qu'il désirait. Et comme il avait une mémoire excellente, et qu'on peut dire même prodigieuse, en sorte qu'il a souvent assuré qu'il n'avait jamais rien oublié de ce qu'il avait une fois bien imprimé dans son esprit; lorsqu'il s'était ainsi quelque temps appliqué à un sujet, il ne craignait pas que les pensées qui lui étaient venues lui pussent jamais échapper; et c'est pourquoi il différait assez souvent de les écrire, soit qu'il n'en eût pas le loisir, soit que sa santé, qui a presque toujours été languissante et imparfaite, ne fût pas assez forte pour lui permettre de travailler avec application.

C'est ce qui a été cause que l'on a perdu à sa mort la plus grande partie de ce qu'il avait déjà conçu touchant son dessein. Car il n'a presque rien écrit des principales raisons dont il voulait se servir, des fondements sur lesquels il prétendait appuyer son ouvrage, et de l'ordre qu'il voulait y garder; ce qui était assurément très considérable. Tout cela était tellement gravé dans son esprit et dans sa mémoire qu'ayant négligé de l'écrire lorsqu'il l'aurait peut-être pu faire, il se trouva, lorsqu'il l'aurait bien voulu, hors d'état d'y pouvoir du tout travailler.

Il se rencontra néanmoins une occasion, il y a environ dix ou douze ans, en laquelle on l'obligea, non pas d'écrire ce qu'il avait dans l'esprit sur ce sujet-là, mais d'en dire quelque chose de vive voix. Il le fit donc en présence et à la prière de plusieurs personnes très considérables de ses amis. Il leur développa en peu de mots le plan de tout son ouvrage; il leur représenta ce qui en devait faire le sujet et la matière; il leur en rapporta en abrégé les raisons et les principes, et il leur expliqua l'ordre et la suite des choses qu'il y voulait traiter. Et ces personnes, qui sont aussi capables qu'on le puisse être de juger de ces sortes de choses, avouent qu'elles n'ont jamais rien entendu de plus beau, de plus fort, de plus touchant, ni de plus convaincant; qu'elles en furent charmées; et que ce qu'elles virent de ce projet et de ce dessein dans un discours de deux ou trois heures, fait ainsi sur-le-champ sans avoir été prémédité ni travaillé, leur fit juger ce que ce pourrait être un jour, s'il était jamais exécuté et conduit à sa perfection par une personne dont ils connaissaient la force et la capacité, qui avait accoutumé de tant travailler tous ses ouvrages, qui ne se contentait presque jamais de ses premières pensées, quelque bonnes qu'elles parussent aux autres, et qui a refait souvent jusqu'à huit ou dix fois des pièces que tout autre que lui trouvait admirables dès la première.

Après qu'il leur eût fait voir quelles sont les preuves qui font le plus d'impression sur l'esprit des hommes, et qui sont les plus propres à les persuader, il entreprit de montrer que la religion chrétienne avait autant de marques de certitude et d'évidence que les choses qui sont reçues dans le monde pour les plus indubitables.

Pour entrer dans ce dessein, il commença d'abord par une peinture de l'homme, où il n'oublia rien de tout ce qui le pouvait faire connaître et au-dedans et au-dehors de lui-même, jusqu'aux plus secrets mouvements de son cœur. Il supposa ensuite un homme qui, ayant toujours vécu dans une ignorance générale, et dans l'indifférence à l'égard de toutes choses, et surtout à l'égard de soi-même, vient enfin à se considérer dans ce tableau, et à examiner ce qu'il est. Il est surpris d'y découvrir une infinité de choses auxquelles il n'a jamais pensé; et il ne saurait remarquer sans étonnement et sans admiration tout ce que M. Pascal lui fait sentir de sa grandeur et de sa bassesse, de ses avantages et de ses faiblesses, du peu de lumières qui lui reste, et des ténèbres qui l'environnent presque de toutes parts; et enfin de toutes les contrariétés étonnantes qui se trouvent dans sa nature. Il ne peut plus après cela demeurer dans l'indifférence, s'il a tant soit peu de raison; et quelque insensible qu'il ait été jusqu'alors, il doit souhaiter, après avoir ainsi connu ce qu'il est, de connaître aussi d'où il vient et ce qu'il doit devenir.

M. Pascal, l'ayant mis dans cette disposition de chercher à s'instruire sur un doute si important, il l'adresse premièrement aux philosophes; et c'est là qu'après lui avoir développé tout ce que les plus grands philosophes de toutes les sectes ont dit sur le sujet de l'homme, il lui fait observer tant de défauts, tant de faiblesse, tant de contradictions et tant de faussetés dans tout ce qu'ils en ont avancé, qu'il n'est pas difficile à cet homme de juger que ce n'est pas là où il s'en doit tenir.

Il lui fait ensuite parcourir tout l'univers et tous les âges, pour lui faire remarquer une infinité de religions qui s'y rencontrent; mais il lui fait voir en même temps, par des raisons si fortes et si convaincantes, que toutes ces religions ne sont remplies que de vanités, que de folies, que d'erreurs, que d'égarements et d'extravagances, qu'il n'y trouve rien encore qui le puisse satisfaire.

Enfin il lui fait jeter les yeux sur le peuple juif, et il lui en fait observer des circonstances si extraordinaires qu'il attire facilement son attention. Après lui avoir représenté tout ce que ce peuple a de singulier, il s'arrête particulièrement à lui faire remarquer un livre unique par lequel il se gouverne, et qui comprend tout ensemble son histoire, sa loi et sa religion. A peine a-t-il ouvert ce livre qu'il y apprend que le monde est l'ouvrage d'un Dieu et que c'est ce même Dieu qui a créé l'homme à son image, et qui l'a doué de tous les avantages du corps et de l'esprit qui convenaient à cet état. Quoiqu'il n'ait rien encore qui le convainque de cette vérité, elle ne laisse pas de lui plaire, et la raison seule suffit pour lui faire trouver plus de vraisemblance dans cette supposition qu'un Dieu est l'auteur des hommes et de tout ce qu'il y a dans l'univers, que dans tout ce que ces mêmes hommes se sont imaginé par leurs propres lumières. Ce qui l'arrête en cet endroit est de voir, par la peinture qu'on lui a faite de l'homme, qu'il est bien éloigné de posséder tous ces avantages qu'il a dû avoir lorsqu'il est sorti des mains de son auteur. Mais il ne demeure pas longtemps dans ce doute, car dès qu'il poursuit la lecture de ce même livre, il y trouve qu'après que l'homme eût été créé de Dieu dans l'état d'innocence, et avec toutes sortes de perfections, la première action qu'il fit fut de se révolter contre son créateur, et d'employer tous les avantages qu'il en avait reçus pour l'offenser.

M. Pascal lui fait alors comprendre que ce crime ayant été le plus grand de tous les crimes en toutes ses circonstances, il avait été puni non seulement dans ce premier homme, qui, étant déchu par là de son état, tomba tout d'un coup dans la misère, dans la faiblesse, dans l'erreur et dans l'aveuglement; mais encore dans tous ses descendants, à qui ce même homme a communiqué et communiquera encore sa corruption dans toute la suite des temps.

Il lui fait ensuite parcourir divers endroits de ce livre où il a découvert cette vérité. Il lui fait prendre garde qu'il n'y est plus parlé de l'homme que par rapport à cet état de faiblesse et de désordre; qu'il y est dit souvent que toute chair est corrompue, que les hommes sont abandonnés à leurs sens, et qu'ils ont une pente au mal dès leur naissance. Il lui fait voir encore que cette première chute est la source, non seulement de tout ce qu'il y a de plus incompréhensible dans la nature de l'homme, mais aussi d'une infinité d'effets qui sont hors de lui, et dont la cause lui est inconnue. Enfin il lui représente l'homme si bien dépeint dans tout ce livre, qu'il ne lui paraît plus différent de la première image qu'il lui en a tracée.

Ce n'est pas assez d'avoir fait connaître à cet homme son état plein de misère; M. Pascal lui apprend encore qu'il trouvera dans ce même livre de quoi se consoler. Et, en effet, il lui fait remarquer qu'il y est dit que le remède est entre les mains de Dieu : que c'est à lui que nous devons recourir pour avoir les forces qui nous manquent; qu'il se laissera fléchir, et qu'il enverra même un libérateur aux hommes, qui satisfera pour eux, et qui réparera leur impuissance.

Après qu'il lui a expliqué un grand nombre de remarques très particulières sur le livre de ce peuple, il lui fait encore considérer que c'est le seul qui ait parlé dignement de l'Être souverain et qui ait donné l'idée d'une véritable religion. Il lui en fait concevoir les marques les plus sensibles qu'il applique à celles que ce livre a enseignées; et il lui fait faire une attention particulière sur ce qu'elle fait consister l'essence de son culte dans l'amour du Dieu qu'elle adore; ce qui est un caractère tout singulier, et qui la distingue visiblement de toutes les autres religions, dont la fausseté paraît par le défaut de cette marque si essentielle.

Quoique M. Pascal, après avoir conduit si avant cet homme qu'il s'était proposé de persuader insensiblement, ne lui ait encore rien dit qui le puisse convaincre des vérités qu'il lui a fait découvrir, il l'a mis néanmoins dans la disposition de les recevoir avec plaisir, pourvu qu'on puisse lui faire voir qu'il doit s'y rendre, et de souhaiter même de tout son cœur qu'elles soient solides et bien fondées, puisqu'il y trouve de si grands avantages pour son repos et pour l'éclaircissement de ses doutes. C'est aussi l'état où devrait être tout homme raisonnable, s'il était une fois bien entré dans la suite de toutes les choses que M. Pascal vient de représenter, et il y a sujet de croire qu'après cela il se rendrait facilement à toutes les preuves qu'il apporta ensuite pour confirmer la certitude et l'évidence de toutes ces vérités importantes dont il avait parlé, et qui font le fondement de la religion chrétienne, qu'il avait dessein de persuader.

Pour dire en peu de mots quelque chose de ces preuves, après qu'il eût montré en général que les vérités dont il s'agissait étaient contenues dans un livre de la certitude duquel tout homme de bon sens ne pouvait douter, il s'arrêta principalement au livre de Moïse, où ces vérités sont particulièrement répandues, et il fit voir, par un très grand nombre de circonstances indubitables, qu'il était également impossible que Moïse eût laissé par écrit des choses fausses, ou que le peuple à qui il les avait laissées s'y fût laissé tromper, quand même Moïse aurait été capable d'être fourbe.

Il parla aussi de tous les grands miracles qui sont rapportés dans ce livre; et comme ils sont d'une grande conséquence pour la religion qui y est enseignée, il prouva qu'il n'était pas possible qu'ils ne fussent vrais, non seulement par l'autorité du livre où ils sont contenus, mais encore par toutes les circonstances qui les accompagnent et qui les rendent indubitables.

Il fit voir encore de quelle manière toute la loi de Moïse était figurative : que tout ce qui était arrivé aux Juifs n'avait été que la figure des vérités accomplies à la venue du Messie, et que, le voile qui couvrait ces figures ayant été levé, il était aisé d'en voir l'accomplissement et la consommation parfaite en faveur de ceux qui ont reçu Jésus-Christ.

M. Pascal entreprit ensuite de prouver la vérité de la religion par les prophéties; et ce fut sur ce sujet qu'il s'étendit beaucoup plus que sur les autres. Comme il avait beaucoup travaillé là-dessus, et qu'il y avait des vues qui lui étaient toutes particulières, il les expliqua d'une manière fort intelligible; il en fit voir le sens et la suite avec une facilité merveilleuse; et il les mit dans tout leur jour et dans toute leur force.

Enfin, après avoir parcouru les livres de l'Ancien Testament, et fait encore plusieurs observations convaincantes pour servir de fondements et de preuves à la vérité de la religion, il entreprit encore de parler du Nouveau Testament, et de tirer ses preuves de la vérité même de l'Évangile.

Il commença par Jésus-Christ; et quoiqu'il l'eût déjà prouvé invinciblement par les prophéties et par toutes les figures de la loi dont on voyait en lui l'accomplissement parfait, il apporta encore beaucoup de preuves tirées de sa personne même, de ses miracles, de sa doctrine et des circonstances de sa vie.

Il s'arrêta ensuite sur les apôtres; et pour faire voir la vérité de la foi qu'ils ont publiée hautement partout, après avoir établi qu'on ne pouvait les accuser de fausseté qu'en supposant ou qu'ils avaient été des fourbes, ou qu'ils avaient été trompés eux-mêmes, il fit voir clairement que l'une et l'autre de ces suppositions étaient également impossibles.

Enfin il n'oublia rien de tout ce qui pouvait servir à la vérité de l'histoire évangélique, faisant de très belles remarques sur l'Évangile même, sur le style des évangélistes, et sur leurs personnes; sur les apôtres en particulier, et sur leurs écrits; sur le nombre prodigieux de miracles; sur les martyrs; sur les saints; en un mot, sur toutes les voies par lesquelles la religion chrétienne s'est entièrement établie. Et quoiqu'il n'eût pas le loisir, dans un simple discours, de traiter au long une si vaste matière, comme il avait dessein de faire dans son ouvrage, il en dit néanmoins assez pour convaincre que tout cela ne pouvait être l'ouvrage des hommes, et qu'il n'y avait que Dieu seul qui eût pu conduire l'événement de tant d'effets différents qui concourent tous également à prouver d'une manière invincible la religion qu'il est venu lui-même établir parmi les hommes.

Voilà en substance les principales choses dont il entreprit de parler dans tout ce discours, qu'il ne proposa à ceux qui l'entendirent que comme l'abrégé du grand ouvrage qu'il méditait, et c'est par le moyen d'un de ceux qui y furent présents qu'on a su depuis le peu que je viens d'en rapporter.

On verra parmi les fragments que l'on donne au public quelque chose de ce grand dessein de M. Pascal, mais on y en verra bien peu; et les choses mêmes que l'on y trouvera sont si imparfaites, si peu étendues et si peu digérées, qu'elles ne peuvent donner qu'une idée très grossière de la manière dont il avait envie de les traiter.

Au reste, il ne faut pas s'étonner si, dans le peu qu'on en donne, on n'a pas gardé son ordre et sa suite pour la distribution des matières. Comme on n'avait presque rien qui se suivît, il eût été inutile de s'attacher à cet ordre; et l'on s'est contenté de les disposer à peu près en la manière qu'on a jugée être plus propre et plus convenable à ce que l'on en avait. On espère même qu'il y aura peu de personnes qui, après avoir bien conçu une fois le dessein de M. Pascal, ne suppléent d'elles-mêmes au défaut de cet ordre, et qui, en considérant avec attention les diverses matières répandues dans ces fragments, ne jugent facilement où elles doivent être rapportées suivant l'idée de celui qui les avait écrites.

Si l'on avait seulement ce discours-là par écrit tout au long et en la manière qu'il fut prononcé, l'on aurait quelque sujet de se consoler de la perte de cet ouvrage, et l'on pourrait dire qu'on en aurait au moins un petit échantillon, quoique fort imparfait. Mais Dieu n'a pas permis qu'il nous ait laissé ni l'un ni l'autre; car peu de temps après il tomba malade d'une maladie de langueur et de faiblesse qui dura les quatre dernières années de sa vie, et qui, quoiqu'elle parût fort peu au-dehors, et qu'elle ne l'obligeât pas de garder le lit ni la chambre, ne laissait pas de l'incommoder beaucoup, et de le rendre presque incapable de s'appliquer à quoi que ce fût : de sorte que le plus grand soin et la principale occupation de ceux qui étaient auprès de lui étaient de le détourner d'écrire, et même de parler de tout ce qui demandait quelque application et quelque contention d'esprit, et de ne l'entretenir que de choses indifférentes et incapables de le fatiguer.

C'est néanmoins pendant ces quatre années de langueur et de maladie qu'il a fait et écrit tout ce que l'on a de lui de cet ouvrage qu'il méditait, et tout ce que l'on en donne au public. Car, quoiqu'il attendît que sa santé fût entièrement rétablie pour y travailler tout de bon, et pour écrire les choses qu'il avait déjà digérées et disposées dans son esprit; cependant, lorsqu'il lui survenait quelques nouvelles pensées, quelques vues, quelques idées, ou même quelque tour et quelques expressions qu'il prévoyait lui pouvoir un jour servir pour son dessein, comme il n'était pas alors en état de s'y appliquer aussi fortement qu'il faisait quand il se portait bien, ni de les imprimer dans son esprit et dans sa mémoire, il aimait mieux en mettre quelque chose par écrit pour ne le pas oublier; et pour cela il prenait le premier morceau de papier qu'il trouvait sous sa main, sur lequel il mettait sa pensée en peu de mots, et fort souvent même seulement à demi-mot; car il ne l'écrivait que pour lui; et c'est pourquoi il se contentait de le faire fort légèrement, pour ne pas se fatiguer l'esprit, et d'y mettre seulement les choses qui étaient nécessaires pour le faire ressouvenir des vues et des idées qu'il avait.

C'est ainsi qu'il a fait la plupart des fragments qu'on trouvera dans ce recueil; de sorte qu'il ne faut pas s'étonner s'il y en a quelques-uns qui semblent assez imparfaits, trop courts et trop peu expliqués, et dans lesquels on peut même trouver des termes et des expressions moins propres et moins élégantes. Il arrivait néanmoins quelquefois qu'ayant la plume à la main, il ne pouvait s'empêcher, en suivant son inclination, de pousser ses pensées, et de les étendre un peu davantage, quoique ce ne fût jamais avec la force et l'application d'esprit qu'il aurait pu faire en parfaite santé. Et c'est pourquoi l'on en trouvera aussi quelques-unes plus étendues et mieux écrites, et des chapitres plus suivis et plus parfaits que les autres.

Voilà de quelle manière ont été écrites ces pensées. Et je crois qu'il n'y aura personne qui ne juge facilement par ces légers commencements et par ces faibles essais d'une personne malade, qu'il n'avait écrits que pour lui seul, et pour se remettre dans l'esprit des pensées qu'il craignait de perdre, et qu'il n'a jamais revus ni retouchés, quel eût été l'ouvrage entier, si M. Pascal eût pu recouvrer sa parfaite santé et y mettre la dernière main, lui qui savait disposer les choses dans un si beau jour et un si bel ordre, qui donnait un tour si particulier, si noble et si relevé à tout ce qu'il voulait dire, qui avait dessein de travailler cet ouvrage plus que tous ceux qu'il avait jamais faits, qui y voulait employer toute la force d'esprit et tous les talents que Dieu lui avait donnés, et duquel il a dit souvent qu'il lui fallait dix ans de santé pour l'achever.

Comme l'on savait le dessein qu'avait M. Pascal de travailler sur la religion, l'on eut un très grand soin, après sa mort, de recueillir tous les écrits qu'il avait faits sur cette matière. On les trouva tous ensemble enfilés en diverses liasses, mais sans aucun ordre et sans aucune suite, parce que, comme je l'ai déjà remarqué, ce n'était que les premières expressions de ses pensées qu'il écrivait sur de petits morceaux de papier à mesure qu'elles lui venaient dans l'esprit. Et tout cela était si imparfait et si mal écrit qu'on a eu toutes les peines du monde à les déchiffrer.

La première chose que l'on fit fut de les faire copier tels qu'ils étaient, et dans la même confusion qu'on les avait trouvés. Mais lorsqu'on les vit en cet état, et qu'on eut plus de facilité de les lire et de les examiner que dans les originaux, ils parurent d'abord si informes, si peu suivis, et la plupart si peu expliqués, qu'on fut fort longtemps sans penser du tout à les faire imprimer, quoique plusieurs personnes de très grande considération le demandassent souvent avec des instances et des sollicitations fort pressantes; parce que l'on jugeait bien que l'on ne pouvait pas remplir l'attente et l'idée que tout le monde avait de cet ouvrage, dont l'on avait déjà entendu parler, en donnant ces écrits en l'état qu'ils étaient.

Mais enfin on fut obligé de céder à l'impatience et au grand désir que tout le monde témoignait de les voir imprimés. Et l'on s'y porta d'autant plus aisément que l'on crut que ceux qui les liraient seraient assez équitables pour faire le discernement d'un dessin ébauché avec une pièce achevée, et pour juger de l'ouvrage par l'échantillon, quelque imparfait qu'il fût. Et ainsi l'on se résolut de les donner au public. Mais, comme il y avait plusieurs manières de l'exécuter, l'on a été quelque temps à se déterminer sur celle que l'on devait prendre.

La première qui vint dans l'esprit, et celle qui était sans doute la plus facile, était de les faire imprimer tout de suite dans le même état qu'on les a trouvés. Mais l'on jugea bientôt que, de le faire de cette sorte, c'eût été perdre presque tout le fruit qu'on en pouvait espérer; parce que les pensées plus parfaites, plus suivies, plus claires et plus étendues étant mêlées et comme absorbées parmi tant d'autres imparfaites, obscures, à demi digérées, et quelques-unes même presque inintelligibles à tout autre qu'à celui qui les avait écrites, il y avait tout sujet de croire que les unes feraient rebuter les autres, et que l'on ne considérerait ce volume, grossi inutilement de tant de pensées imparfaites, que comme un amas confus, sans ordre, sans suite, et qui ne pouvait servir à rien.

Il y avait une autre manière de donner ces écrits au public, qui était d'y travailler auparavant, d'éclaircir les pensées obscures, d'achever celles qui étaient imparfaites, et, en prenant dans tous ces fragments le dessein de M. Pascal, de suppléer en quelque sorte l'ouvrage qu'il voulait faire. Cette voie eût été assurément la plus parfaite; mais il était aussi très difficile de la bien exécuter. L'on s'y est néanmoins arrêté assez longtemps, et l'on avait en effet commencé à y travailler. Mais enfin l'on s'est résolu de la rejeter aussi bien la première, parce que l'on a considéré qu'il était presque impossible de bien entrer dans la pensée et dans le dessein d'un auteur, et surtout d'un auteur mort, et que ce n'eût pas été donner l'ouvrage de M. Pascal, mais un ouvrage tout différent.

Ainsi, pour éviter les inconvénients qui se trouvaient dans l'une et l'autre de ces manières de faire paraître ces écrits, l'on en a choisi une entre deux, qui est celle que l'on a suivie dans ce recueil. L'on a pris seulement parmi ce grand nombre de pensées celles qui ont paru les plus claires et les plus achevées; et on les donne telles qu'on les a trouvées, sans y rien ajouter ni changer, si ce n'est qu'au lieu qu'elles étaient sans suite, sans liaison, et dispersées confusément de côté et d'autre, on les a mises dans quelque sorte d'ordre, et réduit sous les mêmes titres celles qui étaient sur les mêmes sujets; et l'on a supprimé toutes les autres qui étaient ou trop obscures, ou trop imparfaites.

Ce n'est pas qu'elles ne continssent aussi de très belles choses, et qu'elles ne fussent capables de donner de grandes vues à ceux qui les entendraient bien. Mais comme l'on ne voulait pas travailler à les éclaircir et à les achever, elles eussent été entièrement inutiles en l'état qu'elles sont. Et afin que l'on en ait quelque idée, j'en rapporterai ici seulement une pour servir d'exemple, et par laquelle on pourra juger de toutes les autres que l'on a retranchées. Voici donc quelle est cette pensée, et en quel état on l'a trouvée parmi ces fragments : *Un artisan qui parle des richesses, un procureur qui parle de la guerre, de la royauté, etc. Mais le riche parle bien des richesses, le roi parle froidement d'un grand don qu'il vient de faire, et Dieu parle bien de Dieu.*

Il y a dans ce fragment une fort belle pensée; mais il y a peu de personnes qui la puissent voir, parce qu'elle y est expliquée très imparfaitement et d'une manière fort obscure, fort courte et fort abrégée; en sorte que, si on ne lui avait souvent ouï dire de bouche la même pensée, il serait difficile de la reconnaître dans une expression si confuse et si embrouillée. Voici à peu près en quoi elle consiste.

Il avait fait plusieurs remarques très particulières sur le style de l'Écriture, et principalement de l'Évangile, et il y trouvait des beautés que peut-être personne n'avait remarquées avant lui. Il admirait entre autres choses la naïveté, la simplicité, et, pour le dire ainsi, la froideur avec laquelle il semble que Jésus-Christ y parle des choses les plus grandes et les plus relevées, comme sont, par exemple, le royaume de Dieu, la gloire que posséderont les saints dans le ciel, les peines de l'enfer, sans s'y étendre, comme ont fait les Pères et tous ceux qui ont écrit sur ces matières. Et il disait que la véritable cause de cela était que ces choses, qui à la vérité sont infiniment grandes et relevées à notre égard, ne le sont pas de même à l'égard de Jésus-Christ, et qu'ainsi il ne faut pas trouver étrange qu'il en parle de cette sorte sans étonnement et sans admiration, comme l'on voit, sans comparaison, qu'un général d'armée parle tout simplement et sans s'émouvoir du siège d'une place importante et du gain d'une grande bataille, et qu'un roi parle froidement d'une somme de quinze ou vingt millions dont un particulier et un artisan ne parleraient qu'avec de grandes exagérations.

Voilà quelle est la pensée qui est contenue et renfermée sous le peu de paroles qui composent ce fragment; et cette considération, jointe à quantité d'autres semblables, pouvait servir assurément, dans l'esprit des personnes raisonnables et qui agissent de bonne foi, de quelque preuve de la divinité de Jésus-Christ.

Je crois que ce seul exemple peut suffire, non seulement pour faire juger quels sont à peu près les autres fragments qu'on a retranchés, mais aussi pour faire voir le peu d'application et la négligence, pour ainsi dire, avec laquelle ils ont presque tous été écrits, ce qui doit bien convaincre de ce que j'ai dit, que M. Pascal ne les avait écrits en effet que pour lui seul, et sans aucune pensée qu'ils dussent jamais paraître en cet état. Et c'est aussi ce qui fait espérer que l'on sera assez porté à excuser les défauts qui s'y pourront rencontrer.

Que s'il se trouve encore dans ce recueil quelques pensées un peu obscures, je pense que, pour peu qu'on s'y veuille appliquer, on les comprendra néanmoins très facilement, et qu'on demeurera d'accord que ce ne sont pas les moins belles, et qu'on a mieux fait de les donner telles qu'elles sont que de les éclaircir par un grand nombre de paroles qui n'auraient servi qu'à les rendre traînantes et languissantes, et qui en auraient ôté une des principales beautés, qui consiste à dire beaucoup de choses en peu de mots.

L'on en peut voir un exemple dans un des fragments du chapitre des *Preuves de Jésus-Christ par les prophéties*, qui est conçu en ces termes : *Les prophètes sont mêlés de prophéties particulières et de celles du Messie, afin que les prophéties du Messie ne fussent pas sans preuves, et que les prophéties particulières ne fussent pas sans fruit.* Il rapporte dans ce fragment la raison pour laquelle les prophètes, qui n'avaient en vue que le Messie et qui semblaient ne devoir prophétiser que de lui et de ce qui le regardait, ont néanmoins souvent prédit des choses particulières qui paraissaient assez indifférentes et inutiles à leur dessein. Il dit que c'était afin que ces événements particuliers s'accomplissent de jour en jour aux yeux de tout le monde, en la manière qu'ils les avaient prédits, ils fussent incontestablement reconnus pour prophètes, et qu'ainsi l'on ne pût douter de la vérité et de la certitude de toutes les choses qu'ils prophétisaient du Messie. De sorte que, par ce moyen, les prophéties du Messie tiraient en quelque façon leurs preuves et leur autorité de ces prophéties particulières vérifiées et accomplies; et ces prophéties particulières servant ainsi à prouver et à autoriser celles du Messie, elles n'étaient pas inutiles et infructueuses. Voilà le sens de ce fragment étendu et développé. Mais il n'y a sans doute personne qui ne prît bien plus de plaisir de le découvrir soi-même dans ces paroles obscures que de le voir ainsi éclairci et expliqué.

Il est encore, ce me semble, assez à propos, pour détromper quelques personnes qui pourraient peut-être s'attendre de trouver ici des preuves et des démonstrations géométriques de l'existence de Dieu, de l'immortalité de l'âme, et de plusieurs autres articles de la foi chrétienne, de les avertir que ce n'était pas là le dessein de M. Pascal. Il ne prétendait point prouver toutes ces vérités de la religion par de telles démonstrations fondées sur des principes évidents, capables de convaincre l'obstination des plus endurcis ni par des raisonnements métaphysiques, qui souvent égarent plus l'esprit qu'ils ne le persuadent, ni par des lieux communs tirés de divers effets de la nature; mais par des preuves morales qui vont plus au cœur qu'à l'esprit. C'est-à-dire qu'il voulait plus travailler à toucher et à disposer le cœur, qu'à convaincre et à persuader l'esprit, parce qu'il savait que les passions et les attachements vicieux qui corrompent le cœur et la volonté sont les plus grands obstacles et les principaux empêchements que nous ayons à la foi, et que, pourvu que l'on pût lever ces obstacles, il n'était pas difficile de faire recevoir à l'esprit les lumières et les raisons qui pouvaient le convaincre.

L'on sera facilement persuadé de tout cela en lisant ces écrits. Mais M. Pascal s'en est encore expliqué lui-même dans un de ses fragments qui a été trouvé parmi les autres, et que l'on n'a point mis dans ce recueil. Voici ce qu'il dit dans ce fragment : *Je n'entreprendrai pas ici de prouver par des raisons naturelles, ou l'existence de Dieu, ou la Trinité, ou l'immortalité de l'âme, ni aucune des choses de cette nature; non seulement parce que je ne me sentirais pas assez fort pour trouver dans la nature de quoi convaincre des athées endurcis, mais encore parce que cette connaissance, sans Jésus-Christ, est inutile et stérile. Quand un homme serait persuadé que les proportions des nombres sont des vérités immatérielles, éternelles, et dépendantes d'une première vérité en qui elles subsistent et qu'on appelle Dieu, je ne le trouverais pas beaucoup avancé pour son salut.*

L'on s'étonnera peut-être aussi de trouver dans ce recueil une si grande diversité de pensées, dont il y en a même plusieurs qui semblent assez éloignées du sujet que M. Pascal avait entrepris de traiter. Mais il faut considérer que son dessein était bien plus ample et plus étendu que l'on ne se l'imagine, et qu'il ne se bornait pas seulement à réfuter les raisonnements des athées et de ceux qui combattent quelques-unes des vérités de la foi chrétienne. Le grand amour et l'estime singulière qu'il avait pour la religion faisait que non seulement il ne pouvait souffrir qu'on la voulût détruire et anéantir tout à fait, mais même qu'on la blessât et qu'on la corrompît en la moindre chose. De sorte qu'il voulait déclarer la guerre à tous ceux qui en attaquent ou la vérité, ou la sainteté : c'est-à-dire non seulement aux athées, aux infidèles et aux hérétiques, qui refusent de soumettre les fausses lumières de leur raison à la foi, et de reconnaître les vérités qu'elle nous enseigne; mais même aux chrétiens et aux catholiques, qui, étant dans le corps de la véritable Église, ne vivent pas néanmoins selon la pureté des maximes de l'Évangile, qui nous y sont proposées comme le modèle sur lequel nous devons régler et conformer toutes nos actions.

Voilà quel était son dessein, et ce dessein était assez vaste et assez grand pour pouvoir comprendre la plupart des choses qui sont répandues dans ce recueil. Il s'y en pourra néanmoins trouver quelques-unes qui n'y ont nul rapport, et qui en effet n'y étaient pas destinées, comme par exemple la plupart de celles qui sont dans le chapitre des *Pensées diverses*, lesquelles on a aussi trouvées parmi les papiers de M. Pascal et que l'on a jugé à propos de joindre aux autres; parce que l'on ne donne pas ce livre-ci simplement comme un ouvrage fait contre les athées ou sur la religion, mais comme un recueil de *Pensées de M. Pascal sur la religion et sur quelques autres sujets.*

Je pense qu'il ne reste plus, pour achever cette préface, que de dire quelque chose de l'auteur après avoir parlé de son ouvrage. Je crois que non seulement cela sera assez à propos, mais que ce que j'ai dessein d'en écrire pourra même être très utile pour faire connaître comment M. Pascal est entré dans l'estime et dans les sentiments qu'il avait pour la religion, qui lui firent concevoir le dessein d'entreprendre cet ouvrage.

L'on a déjà rapporté en abrégé, dans la préface des *Traités de l'équilibre des liqueurs et de la pesanteur de l'air*, de quelle manière il a passé sa jeunesse, et le grand progrès qu'il y fit en peu de temps dans toutes les sciences humaines et profanes auxquelles il voulut s'appliquer, et particulièrement en la géométrie et aux mathématiques; la manière étrange et surprenante dont il les apprit à l'âge d'onze ou douze ans; les petits ouvrages qu'il faisait quelquefois, et qui surpassaient toujours beaucoup la force et la portée d'une personne de son âge : l'effort étonnant et prodigieux de son imagination et de son esprit qui parut dans sa machine d'arithmétique, qu'il inventa âgé seulement de dix-neuf à vingt ans; et enfin les belles expériences du vide qu'il fit en présence des personnes les plus considérables de la ville de Rouen, où il demeura quelque temps pendant que M. le président Pascal, son père, y était employé pour le service du roi dans la fonction d'intendant de justice. Ainsi je ne répéterai rien ici de tout cela, et je me contenterai seulement de représenter en peu de mots comment il a méprisé toutes ces choses, et dans quel esprit il a passé les dernières années de sa vie; en quoi il n'a pas moins fait paraître la grandeur et la solidité de sa vertu et de sa piété qu'il avait montré auparavant la force, l'étendue et la pénétration admirable de son esprit.

Il avait été préservé pendant sa jeunesse, par une protection particulière de Dieu, des vices où tombent la plupart des jeunes gens; et ce qui est assez extraordinaire à un esprit aussi curieux que le sien, il ne s'était jamais porté au libertinage pour ce qui regarde la religion, ayant toujours borné sa curiosité aux choses naturelles. Et il a dit plusieurs fois qu'il joignait cette obligation à toutes les autres qu'il avait à M. son père, qui, ayant lui-même un très grand respect pour la religion, le lui avait inspiré dès l'enfance, lui donnant pour maxime, que tout ce qui est l'objet de la foi ne saurait l'être de la raison, et beaucoup moins y être soumis.

Ces instructions, qui lui étaient souvent réitérées par un père pour qui il avait une très grande estime, et en qui il voyait une grande science accompagnée d'un raisonnement fort et puissant, faisaient tant d'impression sur son esprit que, quelque discours qu'il entendît faire aux libertins, il n'en était nullement ému; et, quoiqu'il fût fort jeune, il les regardait comme des gens qui étaient dans ce faux principe que la raison humaine est au-dessus de toutes choses, et qui ne connaissaient pas la nature de la foi.

Mais enfin, après avoir ainsi passé sa jeunesse dans des occupations et des divertissements qui paraissaient assez innocents aux yeux du monde, Dieu le toucha de telle sorte qu'il lui fit comprendre parfaitement que la religion chrétienne nous oblige à ne vivre que pour lui, et à n'avoir point d'autre objet que lui. Et cette vérité lui parut si évidente, si utile et si nécessaire, qu'elle le fit résoudre de se retirer, et de se dégager peu à peu de tous les attachements qu'il avait au monde, pour pouvoir s'y appliquer uniquement.

Ce désir de la retraite et de mener une vie plus chrétienne et plus réglée lui vint lorsqu'il était encore fort jeune; et il le porta dès lors à quitter entièrement l'étude des sciences profanes pour ne s'appliquer plus qu'à celles qui pouvaient contribuer à son salut et à celui des autres. Mais de continuelles maladies qui lui survinrent le détournèrent quelque temps de son dessein, et l'empêchèrent de le pouvoir exécuter plus tôt qu'à l'âge de trente ans.

Ce fut alors qu'il commença à y travailler tout de bon, et, pour y parvenir plus facilement, et rompre tout d'un coup toutes ses habitudes, il changea de quartier, et ensuite se retira à la campagne, où il demeura quelque temps; d'où, étant de retour, il témoigna si bien qu'il voulait quitter le monde, qu'enfin le monde le quitta. Il établit le règlement de sa vie dans sa retraite sur deux maximes principales, qui sont de renoncer à tout plaisir et à toute superfluité. Il les avait sans cesse devant les yeux, et il tâchait de s'y avancer et de s'y perfectionner toujours de plus en plus.

C'est l'application continuelle qu'il avait à ces deux grandes maximes qui lui faisait témoigner une si grande patience dans ses maux et dans ses maladies, qui ne l'ont presque jamais laissé sans douleur pendant toute sa vie; qui lui faisait pratiquer des mortifications très rudes et très sévères envers lui-même; qui faisait que non seulement il refusait à ses sens tout ce qui pouvait leur être agréable, mais encore qu'il prenait sans peine, sans dégoût, et même avec joie, lorsqu'il le fallait, tout ce qui leur pouvait déplaire, soit pour la nourriture, soit pour les remèdes; qui le portait à se retrancher tous les jours de plus en plus tout ce qu'il ne jugeait pas lui être absolument nécessaire, soit pour le vêtement, soit pour la nourriture, pour les meubles, et pour toutes les autres choses; qui lui donnait un amour si grand et si ardent pour la pauvreté, qu'elle lui était toujours présente, et que, lorsqu'il voulait entreprendre quelque chose, la première pensée qui lui venait en l'esprit était de voir si la pauvreté y pouvait être pratiquée; et qui lui faisait avoir en même temps tant de tendresse et tant d'affection pour les pauvres, qu'il ne leur a jamais pu refuser l'aumône, et qu'il en a fait même fort souvent d'assez considérables, quoiqu'il n'en fît que de son nécessaire; qui faisait qu'il ne pouvait souffrir qu'on cherchât avec soin toutes ses commodités, et qu'il blâmait tant cette recherche curieuse et cette fantaisie de vouloir exceller en tout, comme de se servir en toutes choses des meilleurs ouvriers, d'avoir toujours du meilleur et du mieux fait, et mille autres choses semblables qu'on fait sans scrupule, parce qu'on ne croit pas qu'il y ait de mal, mais dont il ne jugeait pas de même; et enfin qui lui a fait faire plusieurs actions très remarquables et très chrétiennes, que je ne rapporte pas ici de peur d'être trop long, et parce que mon dessein n'est pas de faire une vie, mais seulement de donner quelque idée de la piété et de la vertu de M. Pascal à ceux qui ne l'ont pas connu; car pour ceux qui l'ont vu, et qui l'ont un peu fréquenté pendant les dernières années de sa vie, je ne prétends pas leur rien apprendre par là, et je crois qu'ils jugeront, bien au contraire, que j'aurais pu dire encore beaucoup d'autres choses que je passe sous silence.

SECTION I. PAPIERS CLASSÉS

I. ORDRE

1-*596* Les psaumes chantés par toute la terre.

Qui rend témoignage de Mahomet? lui-même. J.-C. veut que son témoignage ne soit rien.

La qualité de témoins fait qu'il faut qu'ils soient oujours, et partout, et misérables. Il est seul.

2-*227* Ordre par dialogues.

Que dois-je faire. Je ne vois partout qu'obscurités. Croirai-je que je ne suis rien? Croirai-je que je suis dieu?

3-*227* et *244* Toutes choses changent et se succèdent.

Vous vous trompez, il y a...

Et quoi ne dites-vous pas vous-même que le ciel et les oiseaux prouvent Dieu? non. Et votre religion ne le dit-elle pas ? non. Car encore que cela est vrai en un sens pour quelques âmes à qui Dieu donna cette lumière, néanmoins cela est faux à l'égard de la plupart.

4-*184* Lettre pour porter à rechercher Dieu.

Et puis le faire chercher chez les philosophes, pyrrhoniens et dogmatistes qui travailleront celui qui le recherche.

5-*247* Ordre.

Une lettre d'exhortation à un ami pour le porter à chercher. Et il répondra : mais à quoi me servira de chercher, rien ne paraît. Et lui répondre : ne désespérez pas. Et il répondrait qu'il serait heureux de trouver quelque lumière. Mais que selon cette religion même quand il croirait ainsi cela ne lui servirait de rien. Et qu'ainsi il aime autant ne point chercher. Et à cela lui répondre : La Machine.

6-*60* (1.) Partie. Misère de l'homme sans Dieu.

(2.) Partie. Félicité de l'homme avec Dieu.

autrement

(1.) Part. Que la nature est corrompue, par la nature même.

(2.) Partie. Qu'il y a un Réparateur, par l'Écriture.

7-*248* Lettre qui marque l'utilité des preuves. Par la Machine.

La foi est différente de la preuve. L'une est humaine et l'autre est un don de Dieu. *Justus ex fide vivit* [1]. C'est de cette foi que Dieu lui-même met dans le cœur, dont la preuve est souvent l'instrument, *fides ex auditu* [2], mais cette foi est dans le cœur et fait dire non *scio* mais *Credo* [3].

8-*602* Ordre.
Voir ce qu'il y a de clair dans tout l'état des Juifs et d'incontestable.

9-*291* Dans la lettre de l'injustice peut venir.
La plaisanterie des aînés qui ont tout. Mon ami vous êtes né de ce côté de la montagne, il est donc juste que votre aîné ait tout.
Pourquoi me tuez-vous?

10-*167* Les misères de la vie humaine ont fondé tout cela. Comme ils ont vu cela ils ont pris le divertissement.

11-*246* Ordre. Après la lettre qu'on doit chercher Dieu, faire la lettre d'ôter les obstacles qui est le discours de la Machine, de préparer la Machine, de chercher par raison.

12-*187* Ordre.
Les hommes ont mépris pour la religion. Ils en ont haine et peur qu'elle soit vraie. Pour guérir cela il faut commencer par montrer que la religion n'est point contraire à la raison. Vénérable, en donner respect.
La rendre ensuite aimable, faire souhaiter aux bons qu'elle fût vraie et puis montrer qu'elle est vraie.
Vénérable parce qu'elle a bien connu l'homme.
Aimable parce qu'elle promet le vrai bien.

II. VANITÉ

13-*133* Deux visages semblables, dont aucun ne fait rire en particulier font rire ensemble par leur ressemblance.

14-*338* Les vrais chrétiens obéissent aux folies néanmoins, non pas qu'ils respectent les folies, mais l'ordre de Dieu qui pour la punition des hommes les a asservis à ces folies. *Omnis creatura subjecta est vanitati, liberabitur* [4]. Ainsi saint Thomas explique le lieu de saint Jacques pour la préférence des riches, que s'ils ne le font dans la vue de Dieu ils sortent de l'ordre de la religion.

15-*410* Persée, roi de Macédoine. Paul Émile.
On reprochait à Persée de ce qu'il ne se tuait pas.

16-*161* Vanité.
Qu'une chose aussi visible qu'est la vanité du monde soit si peu connue, que ce soit une chose étrange et surprenante de dire que c'est une sottise de chercher les grandeurs. Cela est admirable.

17-*113* Inconstance et Bizarrerie.
Ne vivre que de son travail et régner sur le plus puissant état du monde sont choses très opposées. Elles sont unies dans la personne du grand seigneur des Turcs.

18-*955* (751.) Un bout de capuchon arme 25 000 moines [5].

19-*318* Il a quatre laquais.

20-*292* Il demeure au-delà de l'eau.

21-*381* Si on est trop jeune on ne juge pas bien, trop vieil de même.
Si on n'y songe pas assez, si on y songe trop, on s'entête et on s'en coiffe.

Si on considère son ouvrage incontinent après l'avoir fait on en est encore tout prévenu, si trop longtemps après on (n')y entre plus.

Ainsi les tableaux vus de trop loin et de trop près. Et il n'y a qu'un point indivisible qui soit le véritable lieu.
Les autres sont trop près, trop loin, trop haut ou trop bas. La perspective l'assigne dans l'art de la peinture, mais dans la vérité et dans la morale qui l'assignera?

22-*367* La puissance des mouches, elles gagnent

1. Rom., I, 17 : « La justice de Dieu, en effet, y est révélée par la foi et pour la foi, ainsi qu'il est écrit : *le juste vit de la foi.* »
2. Rom., X, 17 : « *La foi* vient donc *par l'audition*, et l'audition par la parole du Christ. »
3. Non « *je sais* », mais « *je crois* ».
4. Rom., VIII, 20-21 : « Car elle a été *assujettie à la vanité*, non de son gré, mais par égard pour celui qui l'a soumise, toutefois en gardant un espoir : *la créature* elle aussi *sera affranchie* de l'esclavage de la corruption pour participer à la liberté de la gloire des enfants de Dieu. »
5. Allusion à la querelle, à propos de la forme de leur capuchon, qui agita l'ordre des Frères Mineurs, au cours des XIIIe et XIVe siècles. Cf. J.-P. Camus: Saint Augustin, *De l'ouvrage des moines*, ch. XXXII, Paris, 1633.

des batailles, empêchent notre âme d'agir, mangent notre corps.

23-*67* Vanité des sciences.
La science des choses extérieures ne me consolera pas de l'ignorance de la morale au temps d'affliction, mais la science des mœurs me consolera toujours de l'ignorance des sciences extérieures.

24-*127* Condition de l'homme.
Inconstance, ennui, inquiétude.

25-*308* La coutume de voir les rois accompagnés de gardes, de tambours, d'officiers et de toutes les choses qui ploient la machine vers le respect et la terreur fait que leur visage, quand il est quelquefois seul et sans ses accompagnements imprime dans leurs sujets le respect et la terreur parce qu'on ne sépare point dans la pensée leurs personnes d'avec leurs suites qu'on y voit d'ordinaire jointes. Et le monde qui ne sait pas que cet effet vient de cette coutume, croit qu'il vient d'une force naturelle. Et de là viennent ces mots : le caractère de la divinité est empreint sur son visage, etc.

26-*330* La puissance des rois est fondée sur la raison et sur la folie du peuple, et bien plus sur la folie. La plus grande et importante chose du monde a pour fondement la faiblesse. Et ce fondement est admirablement sûr, car il n'y a rien de plus que cela, que le peuple sera faible. Ce qui est fondé sur la saine raison est bien mal fondé, comme l'estime de la sagesse.

27-*354* La nature de l'homme n'est pas d'aller toujours; elle a ses allées et venues.
La fièvre a ses frissons et ses ardeurs. Et le froid montre aussi bien la grandeur de l'ardeur de la fièvre que le chaud même.
Les inventions des hommes de siècle en siècle vont de même, la bonté et la malice du monde en général en est de même.
Plerumque gratae principibus vices [6].

28-*436* Faiblesse.
Toutes les occupations des hommes sont à avoir du bien et ils ne sauraient avoir de titre pour montrer qu'ils le possèdent par justice, car ils n'ont que la fantaisie des hommes, ni force pour le posséder sûrement.
Il en est de même de la science. Car la maladie l'ôte.
Nous sommes incapables et de vrai et de bien.

6. Horace. *Odes*, III, 29 : « *La plupart du temps les changements plaisent aux princes.* » (Cité par Montaigne, *Essais*, I, 42.)

29-*156* *Ferox gens nullam esse vitam sine armis rati* [7].
Ils aiment mieux la mort que la paix, les autres aiment mieux la mort que la guerre.
Toute opinion peut être préférable à la vie, dont l'amour paraît si fort et si naturel.

30-*320* On ne choisit pas pour gouverner un vaisseau celui des voyageurs qui est de la meilleure maison.

31-*149* Les villes par où on passe on ne se soucie pas d'y être estimé. Mais quand on y doit demeurer un peu de temps on s'en soucie. Combien de temps faut-il? Un temps proportionné à notre durée vaine et chétive.

32-*317 bis* Vanité.
Les respects signifient : incommodez-vous.

33-*374* Ce qui m'étonne le plus est de voir que tout le monde n'est pas étonné de sa faiblesse. On agit sérieusement et chacun suit sa condition, non pas parce qu'il est bon en effet de la suivre, puisque la mode en est, mais comme si chacun savait certainement où est la raison et la justice. On se trouve déçu à toute heure et par une plaisante humilité on croit que c'est sa faute et non pas celle de l'art qu'on se vante toujours d'avoir. Mais il est bon qu'il y ait tant de ces gens-là au monde qui ne soient pas pyrrhoniens pour la gloire du pyrrhonisme, afin de montrer que l'homme est bien capable des plus extravagantes opinions, puisqu'il est capable de croire qu'il n'est pas dans cette faiblesse naturelle et inévitable, et de croire, qu'il est au contraire dans la sagesse naturelle.
Rien ne fortifie plus le pyrrhonisme que ce qu'il y en a qui ne sont point pyrrhoniens. Si tous l'étaient ils auraient tort.

34-*376* Cette secte se fortifie par ses ennemis plus que par ses amis, car la faiblesse de l'homme paraît bien davantage en ceux qui ne la connaissent pas qu'en ceux qui la connaissent.

35-*117* Talon de soulier.
O que cela est bien tourné! que voilà un habile ouvrier! que ce soldat est hardi! Voilà la source de nos inclinations et du choix des conditions. Que

7. Tite-Live, XXXIV, 17 : « Caton consul, pour s'assurer d'aucunes villes en Espagne, ayant seulement interdit aux habitants d'icelles de porter les armes, grand nombre se tuèrent. *Nation féroce, qui ne comprend pas la vie sans le port des armes.* » (Montaigne, *Essais*, I, 14.)

celui-là boit bien, que celui-là boit peu : voilà ce qui fait les gens sobres et ivrognes, soldats, poltrons, etc.

36-*164* Qui ne voit pas la vanité du monde est bien vain lui-même. Aussi qui ne la voit, excepté de jeunes gens qui sont tous dans le bruit, dans le divertissement et dans la pensée de l'avenir.

Mais ôtez leur divertissement vous les verrez se sécher d'ennui. Ils sentent alors leur néant sans le connaître, car c'est bien être malheureux que d'être dans une tristesse insupportable, aussitôt qu'on est réduit à se considérer, et à n'en être point diverti.

37-*158* Métiers.

La douceur de la gloire est si grande qu'à quelque objet qu'on l'attache, même à la mort, on l'aime.

38-*71* Trop et trop peu de vin.

Ne lui en donnez pas : il ne peut trouver la vérité. Donnez-lui en trop : de même.

39-*141* Les hommes s'occupent à suivre une balle et un lièvre : c'est le plaisir même des rois.

40-*134* Quelle vanité que la peinture qui attire l'admiration par la ressemblance des choses, dont on n'admire point les originaux!

41-*69* Quand on lit trop vite ou trop doucement on n'entend rien.

42-*207* Combien de royaumes nous ignorent!

43-*136* Peu de chose nous console parce que peu de chose nous afflige.

44-*82* Imagination.

C'est cette partie dominante dans l'homme, cette maîtresse d'erreur et de fausseté, et d'autant plus fourbe qu'elle ne l'est pas toujours, car elle serait règle infaillible de vérité, si elle l'était infaillible du mensonge. Encore —

Mais, étant le plus souvent fausse elle ne donne aucune marque de sa qualité marquant du même caractère le vrai et le faux. Je ne parle pas des fous, je parle des plus sages, et c'est parmi eux que l'imagination a le grand droit de persuader les hommes. La raison a beau crier, elle ne peut mettre le prix aux choses.

Cette superbe puissance ennemie de la raison, qui se plaît à la contrôler et à la dominer, pour montrer combien elle peut en toutes choses, a établi dans l'homme une seconde nature. Elle a ses heureux, ses malheureux, ses sains, ses malades, ses riches, ses pauvres. Elle fait croire, douter, nier la raison. Elle suspend les sens, elle les fait sentir. Elle a ses fous et ses sages. Et rien ne nous dépite davantage que de voir qu'elle remplit ses hôtes d'une satisfaction bien autrement pleine et entière que la raison. Les habiles par imagination se plaisent tout autrement à eux-mêmes que les prudents ne se peuvent raisonnablement plaire. Ils regardent les gens avec empire, ils disputent avec hardiesse et confiance — les autres avec crainte et défiance — et cette gaieté de visage leur donne souvent l'avantage dans l'opinion des écoutants, tant les sages imaginaires ont de faveur auprès des juges de même nature. Elle ne peut rendre sages les fous mais elle les rend heureux, à l'envi de la raison qui ne peut rendre ses amis que misérables, l'une les couvrant de gloire, l'autre de honte.

Qui dispense la réputation, qui donne le respect et la vénération aux personnes, aux ouvrages, aux lois, aux grands, sinon cette faculté imaginante. Toutes les richesses de la terre [sont] insuffisantes sans son consentement. Ne diriez-vous pas que ce magistrat dont la vieillesse vénérable impose le respect à tout un peuple se gouverne par une raison pure et sublime, et qu'il juge des choses par leur nature sans s'arrêter à ces vaines circonstances qui ne blessent que l'imagination des faibles. Voyez-le entrer dans un sermon, où il apporte un zèle tout dévot renforçant la solidité de sa raison par l'ardeur de sa charité; le voilà prêt à l'ouïr avec un respect exemplaire. Que le prédicateur vienne à paraître, si la nature lui (a) donné une voix enrouée et un tour de visage bizarre, que son barbier l'ait mal rasé, si le hasard l'a encore barbouillé de surcroît, quelque grandes vérités qu'il annonce je parie la perte de la gravité de notre sénateur.

Le plus grand philosophe du monde sur une planche plus large qu'il ne faut, s'il y a au-dessous un précipice, quoique sa raison le convainque de sa sûreté, son imagination prévaudra. Plusieurs n'en sauraient soutenir la pensée sans pâlir et suer.

Je ne veux pas rapporter tous ses effets; qui ne sait que la vue des chats, des rats, l'écrasement d'un charbon, etc. emportent la raison hors des gonds. Le ton de voix impose aux plus sages et change un discours et un poème de force.

L'affection ou la haine changent la justice de face, et combien un avocat bien payé par avance trouve (-t-)il plus juste la cause qu'il plaide. Combien son geste hardi la fait-il paraître meilleure aux juges dupés par cette apparence. Plaisante raison qu'un vent manie et à tous sens. Je rapporterais presque toutes les actions des hommes qui ne branlent presque que par ses secousses. Car la raison a été obligée de céder, et la plus sage prend pour ses principes ceux que l'imagination des hommes a témérairement introduits en chaque lieu. *(Qui voudrait ne suivre que la raison serait fou prouvé. Il faut, puisqu'il y a plu, travailler tout le jour pour des biens reconnus imaginaires et quand le sommeil nous a délassés des fatigues de notre raison il faut incontinent se lever en sursaut pour aller courir après les fumées et essuyer les impressions de cette maîtresse du monde.)*

(— Voilà un des principes d'erreur, mais ce n'est pas le seul.)

(L'homme a bien eu raison d'allier ces deux puissances, quoique dans cette paix l'imagination ait bien amplement l'avantage, car dans la guerre elle l'a bien plus entier. Jamais la raison (ne surmonte) totalement l'imagination, (mais le) contraire est ordinaire.)

Nos magistrats ont bien connu ce mystère. Leurs robes rouges, leurs hermines dont ils s'emmaillotent en chaffourés, les palais où ils jugent, les fleurs de lys, tout cet appareil auguste était fort nécessaire, et si les médecins n'avaient des soutanes et des mules, et que les docteurs n'eussent des bonnets carrés et des robes trop amples de quatre parties, jamais ils n'auraient dupé le monde qui ne peut résister à cette montre si authentique. S'ils avaient la véritable justice, et si les médecins avaient le vrai art de guérir ils n'auraient que faire de bonnets carrés. La majesté de ces sciences serait assez vénérable d'elle-même, mais n'ayant que des sciences imaginaires il faut qu'ils prennent ces vains instruments qui frappent l'imagination à laquelle ils ont affaire et par là en effet ils s'attirent le respect.

Les seuls gens de guerre ne se sont pas déguisés de la sorte parce qu'en effet leur part est plus essentielle. Ils s'établissent par la force, les autres par grimace.

C'est ainsi que nos rois n'ont pas recherché ces déguisements. Ils ne se sont pas masqués d'habits extraordinaires pour paraître tels. Mais ils se font accompagner de gardes, de balafrés (?). Ces troupes armées qui n'ont de mains et de force que pour eux, les trompettes et les tambours qui marchent au-devant et ces légions qui les environnent font trembler les plus fermes. Ils n'ont pas l'habit, seulement ils ont la force. Il faudrait avoir une raison bien épurée pour regarder comme un autre homme le grand seigneur environné dans son superbe sérail de quarante mille janissaires.

Nous ne pouvons pas seulement voir un avocat en soutane et le bonnet en tête sans une opinion avantageuse de sa suffisance.

L'imagination dispose de tout; elle fait la beauté, la justice et le bonheur qui est le tout du monde.

Je voudrais de bon cœur voir le livre italien dont je ne connais que le titre, qui vaut lui seul bien des livres, *dell'opinone regina del mondo*. J'y souscris sans le connaître, sauf le mal s'il y en a.

Voilà à peu près les effets de cette faculté trompeuse qui semble nous être donnée exprès pour nous induire à une erreur nécessaire. Nous en avons bien d'autres principes.

Les impressions anciennes ne sont pas seules capables de nous abuser, les charmes de la nouveauté ont le même pouvoir. De là vient toute la dispute des hommes qui se reprochent ou de suivre leurs fausses impressions de l'enfance, ou de courir témérairement après les nouvelles. Qui tient le juste milieu qu'il paraisse et qu'il le prouve. Il n'y a principe, quelque naturel qu'il puisse être, *(qu'on ne)*, même depuis l'enfance, fasse passer pour une fausse impression soit de l'instruction, soit des sens.

Parce, dit-on, que vous avez cru dès l'enfance qu'un coffre était vide, lorsque vous n'y voyiez rien, vous avez cru le vide possible. C'est une illusion de vos sens, fortifiée par la coutume, qu'il faut que la science corrige. Et les autres disent, parce qu'on vous a dit dans l'école qu'il n'y a point de vide, on a corrompu votre sens commun, qui le comprenait si nettement avant cette mauvaise impression, qu'il faut corriger en recourant à votre première nature. Qui a donc trompé? Les sens ou l'instruction ?

Nous avons un autre principe d'erreur : les maladies. Elles nous gâtent le jugement et le sens. Et si les grandes l'altèrent sensiblement, je ne doute pas que les petites n'y fassent impression à leur proportion.

Notre propre intérêt est encore un merveilleux instrument pour nous crever les yeux agréablement. Il n'est pas permis au plus équitable homme du monde d'être juge en sa cause. J'en sais qui, pour ne pas tomber dans cet amour-propre, ont été les plus injustes du monde à contre-biais. Le moyen sûr de perdre une affaire toute juste était de la leur faire recommander par leurs proches parents. La justice et la vérité sont deux pointes si subtiles que nos instruments sont trop mousses pour y toucher exactement. S'ils y arrivent ils en écachent la pointe et appuient tout autour plus sur le faux que sur le vrai.

(L'homme est donc si heureusement fabriqué qu'il n'a aucun principe juste du vrai, et plusieurs excellents du faux. Voyons maintenant combien.

Mais la plus plaisante cause de ses erreurs est la guerre qui est entre les sens et la raison.)

45-*83* L'homme n'est qu'un sujet plein d'erreur naturelle, et ineffaçable sans la grâce. Rien ne lui montre la vérité. Tout l'abuse. Ces deux principes de vérité, la raison et les sens, outre qu'ils manquent chacun de sincérité, s'abusent réciproquement l'un l'autre; les sens abusent la raison par de fausses apparences. Et cette même piperie qu'ils apportent à l'âme, ils la reçoivent d'elle à leur tour; elle s'en revanche. Les passions de l'âme les troublent et leur font des impressions fausses. Ils mentent et se trompent à l'envi.

Mais outre cette erreur qui vient par accident et par le manque d'intelligence entre ces facultés hétérogènes...

(Il faut commencer par là le chapitre des puissances trompeuses.)

46-*163* Vanité.
La cause et les effets de l'amour. Cléopâtre.

47-*172* Nous ne nous tenons jamais au temps présent. Nous rappelons le passé; nous anticipons l'avenir comme trop lent à venir, comme pour hâter son cours, ou nous rappelons le passé pour l'arrêter comme trop prompt, si imprudents que nous errons dans des temps qui ne sont point nôtres, et ne pensons point au seul qui nous appartient, et si vains que nous songeons à ceux qui ne sont rien, et échappons sans réflexion le seul qui subsiste. C'est que le présent d'ordinaire nous blesse. Nous le cachons à notre vue parce qu'il nous afflige, et s'il nous est agréable nous regrettons de le voir échapper. Nous tâchons de le soutenir par l'avenir, et pensons à disposer les choses qui ne sont pas en notre puissance pour un temps où nous n'avons aucune assurance d'arriver.

Que chacun examine ses pensées. Il les trouvera toutes occupées au passé ou à l'avenir. Nous ne pensons presque point au présent, et si nous y pensons ce n'est que pour en prendre la lumière pour disposer de l'avenir. Le présent n'est jamais notre fin.

Le passé et le présent sont nos moyens; le seul avenir est notre fin. Ainsi nous ne vivons jamais, mais nous espérons de vivre, et, nous disposant toujours à être heureux, il est inévitable que nous ne le soyons jamais.

48-*366* L'esprit de ce souverain juge du monde n'est pas si indépendant qu'il ne soit sujet à être troublé par le premier tintamarre qui se fait autour de lui. Il ne faut pas le bruit d'un canon pour empêcher ses pensées. Il ne faut que le bruit d'une girouette ou d'une poulie. Ne vous étonnez point s'il ne raisonne pas bien à présent, une mouche bourdonne à ses oreilles : c'en est assez pour le rendre incapable de bon conseil. Si vous voulez qu'il puisse trouver la vérité chassez cet animal qui tient sa raison en échec et trouble cette puissante intelligence qui gouverne les villes et les royaumes.

Le plaisant dieu, que voilà. O ridicolosissime heroe!

49-*132* César était trop vieil, ce me semble, pour s'aller amuser à conquérir le monde. Cet amusement était bon à Auguste et à Alexandre. C'étaient des jeunes gens qu'il est difficile d'arrêter, mais César devait être plus mûr.

50-*305* *(Raptus est)* (?)
Les Suisses s'offensent d'être dits gentilshommes et prouvent leur roture de race pour être jugés dignes des grands emplois.

51-*293* Pourquoi me tuez-vous à votre avantage? Je n'ai point d'armes — Et quoi, ne demeurez-vous pas de l'autre côté de l'eau? Mon ami, si vous demeuriez de ce côté, je serais un assassin, et cela serait injuste de vous tuer de la sorte. Mais puisque vous demeurez de l'autre côté, je suis un brave et cela est juste.

52-*388* Le bon sens.
Ils sont contraints de dire : vous n'agissez pas de bonne foi, nous ne dormons pas, etc. Que j'aime à voir cette superbe raison humiliée et suppliante. Car ce n'est pas le langage d'un homme, à qui on dispute son droit, et qui le défend les armes et la force à la main. Il ne s'amuse pas à dire qu'on n'agit pas de bonne foi, mais il punit cette mauvaise foi par la force.

III. MISÈRE

53-*429* Bassesse de l'homme jusqu'à se soumettre aux bêtes, jusques à les adorer.

54-*112* Inconstance.
Les choses ont diverses qualités et l'âme diverses inclinations, car rien n'est simple de ce qui s'offre à l'âme, et l'âme ne s'offre jamais simple à aucun sujet. De là vient qu'on pleure et qu'on rit d'une même chose.

55-*111* Inconstance.
On croit toucher des orgues ordinaires en touchant l'homme. Ce sont des orgues à la vérité, mais bizarres, changeantes, variables. *(Ceux qui ne savent toucher que les ordinaires)* ne seraient pas d'accord sur celles-là. Il faut savoir où sont les (touches).

56-*181* Nous sommes si malheureux que nous ne pouvons prendre plaisir à une chose qu'à condition de nous fâcher si elle réussit mal, ce que mille choses peuvent faire et font à toute heure. (Qui) aurait trouvé le secret de se réjouir du bien sans se fâcher du mal contraire aurait trouvé le point. C'est le mouvement perpétuel.

57-*379* Il n'est pas bon d'être trop libre.

Il n'est pas bon d'avoir toutes les nécessités.

58-*332* La Tyrannie consiste au désir de domination, universel et hors de son ordre.

Diverses chambres de forts, de beaux, de bons esprits, de pieux dont chacun règne chez soi, non ailleurs. Et quelquefois ils se rencontrent et le fort et le beau se battent sottement à qui sera le maître l'un de l'autre, car leur maîtrise est de divers genre. Ils ne s'entendent pas. Et leur faute est de vouloir régner partout. Rien ne le peut, non pas même la force : elle ne fait rien au royaume des savants, elle n'est maîtresse que des actions extérieures. — Ainsi ces discours sont faux...

58-*332* Tyrannie.

La tyrannie est de vouloir avoir par une voie ce qu'on ne peut avoir que par une autre. On rend différents devoirs aux différents mérites, devoir d'amour à l'agrément, devoir de crainte à la force, devoir de créance à la science.

On doit rendre ces devoirs-là, on est injuste de les refuser, et injuste d'en demander d'autres. Ainsi ces discours sont faux, et tyranniques : je suis beau, donc on doit me craindre, je suis fort, donc on doit m'aimer, je suis... Et c'est de même être faux et tyrannique de dire : il n'est pas fort, donc je ne l'estimerai pas, il n'est pas habile, donc je ne le craindrai pas.

59-*296* Quand il est question de juger si on doit faire la guerre et tuer tant d'hommes, condamner tant d'espagnols à la mort, c'est un homme seul qui en juge, et encore intéressé : ce devrait être un tiers indifférent.

60-*294* *(En vérité la vanité des lois il s'en délivrerait, il est donc utile de l'abuser.)*

Sur quoi fondera(-t-)il l'économie du monde qu'il veut gouverner? Sera-ce sur le caprice de chaque particulier? Quelle confusion! sera-ce sur la justice? il l'ignore. Certainement s'il la connaissait il n'aurait pas établi cette maxime, la plus générale de toutes celles qui sont parmi les hommes, que chacun suive les mœurs de son pays. L'éclat de la véritable équité aurait assujetti tous les peuples. Et les législateurs n'auraient pas pris pour modèle, au lieu de cette justice constante, les fantaisies et les caprices des perses et allemands. On la verrait plantée par tous les états du monde, et dans tous les temps, au lieu qu'on ne voit rien de juste ou d'injuste qui ne change de qualité en changeant de climat, trois degrés d'élévation du pôle renversent toute la jurisprudence, un méridien décide de la vérité. En peu d'années de possession les lois fondamentales changent, le droit a ses époques, l'entrée de Saturne au Lion nous marque l'origine d'un tel crime. Plaisante justice qu'une rivière borne. Vérité au-deçà des Pyrénées, erreur au-delà.

Ils confessent que la justice n'est pas dans ces coutumes, mais qu'elle réside dans les lois naturelles communes en tout pays. Certainement ils le soutiendraient opiniâtrement si la témérité du hasard qui a semé les lois humaines en avait rencontré au moins une qui fût universelle. Mais la plaisanterie est telle que le caprice des hommes s'est si bien diversifié qu'il n'y en a point.

Le larcin, l'inceste, le meurtre des enfants et des pères, tout a eu sa place entre les actions vertueuses. Se peut-il rien de plus plaisant qu'un homme ait droit de me tuer parce qu'il demeure au-delà de l'eau et que son prince a querelle contre le mien, quoique je n'en aie aucune avec lui.

Il y a sans doute des lois naturelles, mais cette belle raison corrompue a tout corrompu. *Nihil amplius nostrum est, quod nostrum dicimus artis est* [8]. *Ex senatus-consultis et plebiscitis crimina exercentur* [9]. *Ut olim vitiis sic nunc legibus laboramus* [10].

De cette confusion arrive que l'un dit que l'essence de la justice est l'autorité du législateur, l'autre la commodité du souverain, l'autre la coutume présente, et c'est le plus sûr. Rien suivant la seule raison n'est juste de soi, tout branle avec le temps. La coutume (est) toute l'équité, par cette seule raison qu'elle est reçue. C'est le fondement mystique de son autorité. Qui la ramènera à son principe l'anéantit. Rien n'est si fautif que ces lois qui redressent les fautes. Qui leur obéit parce qu'elles sont justes, obéit à la justice qu'il imagine, mais non pas à l'essence de la loi. Elle est toute ramassée en soi. Elle est loi et rien davantage. Qui voudra en examiner le motif le trouvera si faible et si léger que s'il n'est accoutumé à contempler les prodiges de l'imagination humaine, il admirera qu'un siècle lui ait tant acquis de pompe et de révérence. L'art de fronder, bouleverser les états est d'ébranler les coutumes établies en sondant jusque dans leur source pour marquer leur défaut d'autorité et de justice. Il faut, dit-on, recourir aux lois fondamentales et primitives de l'état qu'une coutume injuste a abolies. C'est un jeu sûr pour tout perdre; rien ne sera juste à cette balance. Cependant le peuple prête aisément l'oreille à ces discours, ils secouent le joug dès qu'ils le reconnaissent, et les grands en profitent à sa ruine, et à celle de ces curieux examinateurs des coutumes reçues. C'est pourquoi le plus sage des législateurs disait que pour le bien des hommes, il faut souvent les piper, et un autre, bon politique, *Cum veritatem qua liberetur ignoret, expedit quod fallatur* [11]. Il ne faut pas qu'il sente la

8. Cicéron, *De finibus*, V, 21 : « Les débuts de la vertu sont l'œuvre de la nature et c'est tout; *notre part à nous (ce que j'appelle notre, c'est ce qui est de pure convention)* c'est de tirer les conséquences des principes que nous avons reçus. »

9. Senèque, *Ep.* 95 : « *C'est en vertu des senatus-consultes et des plébiscites qu'on commet des crimes.* » (Montaigne, *Essais*, III, I.)

10. Tacite, *Annales*, III, 25 : « *Autrefois nous souffrions de nos vices; aujourd'hui nous souffrons de nos lois.* » (Montaigne, *Essais*, III, 13.)

11. Saint Augustin, *Cité de Dieu*, IV, 27 : « Belle religion, où je me suis réfugié comme un malade qui cherche sa délivrance, *et quand il s'enquiert de cette vérité qui doit le délivrer, on estime qu'il lui est bon d'être pipé.* » (Montaigne, *Essais*, II, 12.)

vérité de l'usurpation, elle a été introduite autrefois sans raison, elle est devenue raisonnable. Il faut la faire regarder comme authentique, éternelle et en cacher le commencement, si on ne veut qu'elle ne prenne bientôt fin.

61-*309* Justice.
Comme la mode fait l'agrément aussi fait-elle la justice.

62-*177* *(Trois hostes)*
Qui aurait eu l'amitié du roi d'Angleterre, du roi de Pologne et de la reine de Suède, aurait-il cru manquer de retraite et d'asile au monde?

63-*151* La gloire.
L'admiration gâte tout dès l'enfance. O que cela est bien dit! ô qu'il a bien fait, qu'il est sage, etc.
Les enfants de P. R. auxquels on ne donne point cet aiguillon d'envie et de gloire tombent dans la nonchalance.

64-*295* Mien, tien.
Ce chien est à moi, disaient ces pauvres enfants. C'est là ma place au soleil. Voilà le commencement et l'image de l'usurpation de toute la terre.

65-*115* Diversité.
La théologie est une science, mais en même temps combien est-ce de sciences? Un homme est un suppôt, mais si on l'anatomise que sera-ce? la tête, le cœur, l'estomac, les veines, chaque veine, chaque portion de veine, le sang, chaque humeur de sang.
Une ville, une campagne, de loin c'est une ville et une campagne, mais à mesure qu'on s'approche, ce sont des maisons, des arbres, des tuiles, des feuilles, des herbes, des fourmis, des jambes de fourmis, à l'infini. Tout cela s'enveloppe sous le nom campagne.

66-*326* Injustice.
Il est dangereux de dire au peuple que les lois ne sont pas justes, car il n'y obéit qu'à cause qu'il les croit justes. C'est pourquoi il faut lui dire en même temps qu'il y faut obéir parce qu'elles sont lois, comme il faut obéir aux supérieurs non pas parce qu'ils sont justes, mais parce qu'ils sont supérieurs. Par là voilà toute sédition prévenue, si on peut faire entendre cela et que proprement (c'est) la définition de la justice.

67-*879* Injustice.
La juridiction ne se donne pas pour (le) juridiciant mais pour le juridicié : il est dangereux de le dire au peuple, mais le peuple a trop de croyance en vous; cela ne lui nuira pas et peut vous servir. Il faut donc le publier. *Pasce oves meas* non *tuas*[12]. Vous me devez pâture.

68-*205* Quand je considère la petite durée de ma vie absorbée dans l'éternité précédente et suivante — *memoria hospitis unius diei praetereuntis*[13] — le petit espace que je remplis et même que je vois abîmé dans l'infinie immensité des espaces que j'ignore et qui m'ignorent, je m'effraye et m'étonne de me voir ici plutôt que là, car il n'y a point de raison pourquoi ici plutôt que là, pourquoi à présent plutôt que lors. Qui m'y a mis? Par l'ordre et la conduite de qui ce lieu et ce temps a(-t-)il été destiné à moi?

69-*174 bis* Misère.
Job et Salomon.

70-*165 bis* Si notre condition était véritablement heureuse il ne faudrait pas nous divertir d'y penser.

71-*405* Contradiction.
Orgueil contrepesant toutes les misères, ou il cache ses misères, ou il les découvre; il se glorifie de les connaître.

72-*66* Il faut se connaître soi-même. Quand cela ne servirait pas à trouver le vrai cela au moins sert à régler sa vie, et il n'y a rien de plus juste.

73-*110* Le sentiment de la fausseté des plaisirs présents et l'ignorance de la vanité des plaisirs absents cause l'inconstance.

74-*454* Injustice.
Ils n'ont point trouvé d'autre moyen de satisfaire leur concupiscence sans faire tort aux autres.
Job et Salomon.

75-*389* L'Ecclésiaste montre que l'homme sans Dieu est dans l'ignorance de tout et dans un malheur inévitable, car c'est être malheureux que de vouloir et ne pouvoir. Or il veut être heureux et assuré de quelque vérité. Et cependant il ne peut ni savoir ni ne désirer point de savoir. Il ne peut même douter.

12. Jn, XXI, 17 : « Pais *mes* brebis », non *tes* brebis.
13. Sag., V, 15 : « Pour ce que l'espérance du méchant est comme la laine subtile, laquelle est élevée du vent; comme la légère écume, qui est éparse par la tempête; et comme la fumée qui est éparse du vent, et comme *la mémoire d'un hôte logé pour un jour, qui passe outre.* »

76-*73* 13. *(Mais peut-être que ce sujet passe la portée de la raison. Examinons donc ses inventions sur les choses de sa force. S'il y a quelque chose où son intérêt propre ait dû la faire appliquer de son plus sérieux c'est à la recherche de son souverain bien. Voyons donc où ces âmes fortes et clairvoyantes l'ont placé. Et si elles en sont d'accord.*

L'un dit que le souverain bien est en la vertu, l'autre le met en la volupté, l'autre à suivre la nature, l'autre en la vérité — felix qui potuit rerum cognoscere causas [14] *—, l'autre à l'ignorance totale, l'autre en l'indolence, d'autres à résister aux apparences, l'autre à n'admirer rien — nihil mirari prope res una quae possit facere et servare beatum* [15] *—, et les braves pyrrhoniens en leur ataraxie, doute et suspension perpétuelle. Et d'autres plus sages qu'on ne le peut trouver, non pas même par souhait. Nous voilà bien payés.*

Transposer après les lois article suivant

Si faut-il voir si cette belle philosophie n'a rien acquis de certain par un travail si long et si tendu, peut-être qu'au moins l'âme se connaîtra soi-même. Ecoutons les régents du monde sur ce sujet. Qu'ont-ils pensé de sa substance? 395. *Ont-ils été plus heureux à la loger?* 395. *Qu'ont-ils trouvé de son origine, de sa durée et de son départ?*

(Est-ce donc que l'âme est encore un sujet trop noble pour ses faibles lumières? abaissons-la donc à la matière. Voyons si elle sait de quoi est fait le propre corps qu'elle anime et les autres qu'elle contemple et qu'elle remue à son gré.

Qu'en ont-ils connu ces grands dogmatistes qui n'ignorent rien.

(393.) *Harum sententiarum* [16].

Cela suffirait sans doute si la raison était raisonnable. Elle l'est bien assez pour avouer qu'elle n'a pu encore trouver rien de ferme. Mais elle ne désespère pas encore d'y arriver; au contraire elle est aussi ardente que jamais dans cette recherche et s'assure d'avoir en soi les forces nécessaires pour cette conquête.

Il faut donc l'achever et après avoir examiné ses puissances dans leurs effets, reconnaissons-les en elles-mêmes. Voyons si elle a quelques forces et quelques prises capables de saisir la vérité.)

IV. ENNUI

77-*152* Orgueil.

Curiosité n'est que vanité. Le plus souvent on ne veut savoir que pour en parler, autrement on ne voyagerait pas sur la mer pour ne jamais en rien dire et pour le seul plaisir de voir, sans espérance d'en jamais communiquer.

78-*126* Description de l'homme.

Dépendance, désir d'indépendance, besoins.

79-*128* L'ennui qu'on a de quitter les occupations où l'on s'est attaché. Un homme vit avec plaisir en son ménage; qu'il voie une femme qui lui plaise, qu'il joue 5 ou 6 jours avec plaisir, le voilà misérable s'il retourne à sa première occupation. Rien n'est plus ordinaire que cela.

V. RAISONS DES EFFETS

80-*317* Le respect est : Incommodez-vous.

Cela est vain en apparence mais très juste, car c'est dire : je m'incommoderais bien si vous en aviez besoin, puisque je le fais bien sans que cela vous serve, outre que le respect est pour distinguer les grands. Or si le respect était d'être en fauteuil on respecterait tout le monde et ainsi on ne distinguerait pas. Mais étant incommodé on distingue fort bien.

81-*299* Les seules règles universelles sont les lois du pays aux choses ordinaires et la pluralité aux autres. D'où vient cela? de la force qui y est.

Et de là vient que les rois qui ont la force d'ailleurs ne suivent pas la pluralité de leurs ministres.

Sans doute l'égalité des biens est juste mais

Ne pouvant faire qu'il soit force d'obéir à la justice on a fait qu'il soit juste d'obéir à la force. Ne pouvant fortifier la justice on a justifié la force, afin que le juste et le fort fussent ensemble et que la paix fût, qui est le souverain bien.

82-*271* La sagesse nous envoie à l'enfance. *Nisi efficiamini sicut parvuli* [17].

83-*327* Le monde juge bien des choses, car il est dans l'ignorance naturelle qui est le vrai siège de l'homme. Les sciences ont deux extrémités qui se touchent, la première est la pure ignorance naturelle où se trouvent tous les hommes en naissant, l'autre extrémité est celle où arrivent les grandes âmes qui ayant parcouru tout ce que les hommes peuvent

14. Virgile, *Géorgiques*, II, 489 : « *Heureux qui a pu connaître les causes des choses.* » (Montaigne, *Essais*, III, 10.)

15. Horace, *Épître*, I, VI, 1 : « *Ne s'étonner de rien, à peu près la seule chose qui puisse donner et conserver le bonheur.* » (Montaigne, *Essais*, II, 12.)

16. Cicéron, *Tusc.*, I, 11 : « *De ces opinions* quelle est la vraie? un dieu le verra. » (Montaigne, *Essais*, II, 12.)

17. Mtt, XVIII, 3, 4 : « Jésus ayant appelé à soi un petit enfant, le mit au milieu d'eux (ses disciples) et dit : Je vous dis en vérité que, *si vous n'êtes convertis et faits comme petits enfants*, vous n'entrerez point au royaume des cieux. »

savoir trouvent qu'ils ne savent rien et se rencontrent en cette même ignorance d'où ils étaient partis, mais c'est une ignorance savante qui se connaît. Ceux d'entre deux qui sont sortis de l'ignorance naturelle et n'ont pu arriver à l'autre, ont quelque teinture de cette science suffisante, et font les entendus. Ceux-là troublent le monde et jugent mal de tout.

Le peuple et les habiles composent le train du monde; ceux-là le méprisent et sont méprisés. Ils jugent mal de toutes choses, et le monde en juge bien.

84-*79* *(Descartes.*
Il faut dire en gros : cela se fait par figure et mouvement. Car cela est vrai, mais de dire quelles et composer la machine, cela est ridicule. Car cela est inutile et incertain et pénible. Et quand cela serait vrai, nous n'estimons pas que toute la philosophie vaille une heure de peine.)

85-*878* *Summum jus, summa injuria* [18].

La pluralité est la meilleure voie parce qu'elle est visible et qu'elle a la force pour se faire obéir. Cependant c'est l'avis des moins habiles.

Si l'on avait pu l'on aurait mis la force entre les mains de la justice, mais comme la force ne se laisse pas manier comme on veut parce que c'est une qualité palpable, au lieu que la justice est une qualité spirituelle dont on dispose comme on veut. On l'a mise entre les mains de la force et ainsi on appelle juste ce qu'il est force d'observer.

(De là) Vient le droit de l'épée, car l'épée donne un véritable droit.

Autrement on verrait la violence d'un côté et la justice de l'autre. Fin de la 12 provinciale.

De là vient l'injustice de la Fronde, qui élève sa prétendue justice contre la force.

Il n'en est pas de même dans l'Église, car il y a une justice véritable et nulle violence.

86-*297* *Veri juris* [19]. Nous n'en avons plus. Si nous en avions nous ne prendrions pas pour règle de justice de suivre les mœurs de son pays.

C'est là que ne pouvant trouver le juste on a trouvé le fort, etc.

18. Cf. Térence, *Heautont.*, IV, 5, 47 — Cicéron, *de Offic.*, I, 10 — Charron, *De la Sagesse*, I, XXXVII, 5 : « *L'extrême droit est une extrême injustice.* »

19. Cf. Montaigne, *Essais*, III, 1 : « La justice en soi naturelle et universelle, est autrement règle, et plus noblement que cette autre justice, spéciale, nationale, contrainte au besoin de nos polices. » — Ibid. Cicéron, *de Offic.*, III, 17 : « *Du véritable droit* et de la pure justice nous n'en possédons pas de modèle exact et solide; nous n'en avons pour notre usage qu'une image et une ombre vaine. »

87-*307* Le chancelier est grave et revêtu d'ornements. Car son poste est faux et non le roi. Il a la force, il n'a que faire de l'imagination. Les juges, médecins, etc., n'ont que l'imagination.

88-*302* C'est l'effet de la force, non de la coutume, car ceux qui sont capables d'inventer sont rares. Les plus forts en nombre ne veulent que suivre et refusent la gloire à ces inventeurs qui la cherchent par leurs inventions et s'ils s'obstinent à la vouloir obtenir et mépriser ceux qui n'inventent pas, les autres leur donneront des noms ridicules, leur donneraient des coups de bâton. Qu'on ne se pique donc pas de cette subtilité, ou qu'on se contente en soi-même.

89-*315* Raison des effets.

Cela est admirable : on ne veut pas que j'honore un homme vêtu de brocatelle et suivi de sept ou 8 laquais. Et quoi! il me fera donner des étrivières si je ne le salue. Cet habit c'est une force. C'est bien de même qu'un cheval bien enharnaché à l'égard d'un autre. Montaigne est plaisant de ne pas voir quelle différence il y a et d'admirer qu'on y en trouve et d'en demander la raison. De vrai, dit-il, d'où vient, etc.

90-*337* Raison des effets.

Gradation. Le peuple honore les personnes de grande naissance, les demi-habiles les méprisent disant que la naissance n'est pas un avantage de la personne mais du hasard. Les habiles les honorent, non par la pensée du peuple mais par la pensée de derrière. Les dévots qui ont plus de zèle que de science les méprisent malgré cette considération qui les fait honorer par les habiles, parce qu'ils en jugent par une nouvelle lumière que la piété leur donne, mais les chrétiens parfaits les honorent par un(e) autre lumière supérieure.

Ainsi se vont les opinions succédant du pour au contre selon qu'on a de lumière.

91-*336* Raison des effets.

Il faut avoir une pensée de derrière, et juger de tout par là, en parlant cependant comme le peuple.

92-*335* Raison des effets.

Il est donc vrai de dire que tout le monde est dans l'illusion, car encore que les opinions du peuple soient saines, elles ne le sont pas dans sa tête, car il pense que la vérité est où elle n'est pas. La vérité est bien dans leurs opinions, mais non pas au point où ils se figurent. Il est vrai qu'il faut honorer les gentilshommes, mais non pas parce que la naissance est un avantage effectif, etc.

93-*328* Raison des effets.

Renversement continuel du pour au contre.

Nous avons donc montré que l'homme est vain par l'estime qu'il fait des choses qui ne sont point essentielles. Et toutes ces opinions sont détruites.

Nous avons montré ensuite que toutes ces opinions sont très saines, et qu'ainsi toutes ces vanités étant très bien fondées, le peuple n'est pas si vain qu'on dit. Et ainsi nous avons détruit l'opinion qui détruisait celle du peuple.

Mais il faut détruire maintenant cette dernière proposition et montrer qu'il demeure toujours vrai que le peuple est vain, quoique ses opinions soient saines, parce qu'il n'en sent pas la vérité où elle est et que la mettant où elle n'est pas, ses opinions sont toujours très fausses et très malsaines.

94-*313* Opinions du peuple saines.

Le plus grand des maux est les guerres civiles.

Elles sont sûres si on veut récompenser les mérites, car tous diront qu'ils méritent. Le mal à craindre d'un sot qui succède par droit de naissance n'est ni si grand, ni si sûr.

95-*316* Opinions du peuple saines.

Être brave n'est pas trop vain, car c'est montrer qu'un grand nombre de gens travaillent pour soi. C'est montrer par ses cheveux qu'on a un valet de chambre, un parfumeur, etc., par son rabat, le fil, le passement, etc. Or ce n'est pas une simple superficie, ni un simple harnais d'avoir plusieurs bras.

Plus on a de bras, plus on est fort. Être brave c'est montrer sa force.

96-*329* Raison des effets.

La faiblesse de l'homme est la cause de tant de beautés qu'on établit, comme de savoir bien jouer du luth n'est un mal qu'à cause de notre faiblesse.

97-*334* Raison des effets.

La concupiscence et la force sont les sources de toutes nos actions. La concupiscence fait les volontaires, la force les involontaires.

98-*80* D'où vient qu'un boiteux ne nous irrite pas et un esprit boiteux nous irrite ? A cause qu'un boiteux reconnaît que nous allons droit et qu'un esprit boiteux dit que c'est nous qui boitons. Sans cela nous en aurions pitié et non colère.

Épictète demande bien plus fortement : pourquoi ne nous fâchons-nous pas si on dit que nous avons mal à la tête, et que nous nous fâchons de ce qu'on dit que nous raisonnons mal ou que nous choisissons mal.

99-*80* et *536* Ce qui cause cela est que nous sommes bien certains que nous n'avons pas mal à la tête, et que nous ne sommes pas boiteux, mais nous ne sommes pas si assurés que nous choisissons le vrai. De sorte que, n'en ayant d'assurance qu'à cause que nous le voyons de toute notre vue, quand un autre voit de toute sa vue le contraire, cela nous met en suspens et nous étonne. Et encore plus quand mille autres se moquent de notre choix, car il faut préférer nos lumières à celles de tant d'autres. Et cela est hardi et difficile. Il n'y a jamais cette contradiction dans les sens touchant un boiteux.

L'homme est ainsi fait qu'à force de lui dire qu'il est un sot il le croit. Et à force de se le dire à soi-même on se le fait croire, car l'homme fait lui seul une conversation intérieure, qu'il importe de bien régler. *Corrumpunt bonos mores colloquia prava*[20]. Il faut se tenir en silence autant qu'on peut et ne s'entretenir que de Dieu qu'on sait être la vérité, et ainsi on se le persuade à soi-même.

100-*467* Raison des effets.

Épictète. Ceux qui disent : vous (avez) mal à la tête, ce n'est pas de même. On est assuré de la santé, et non pas de la justice, et en effet la sienne était une niaiserie.

Et cependant il la croyait démontrer en disant ou en notre puissance ou non.

Mais il ne s'apercevait pas qu'il n'est pas en notre pouvoir de régler le cœur, et il avait tort de le conclure de ce qu'il y avait des chrétiens.

101-*324* Le peuple a les opinions très saines. Par exemple.

1. D'avoir choisi le divertissement, et la chasse plutôt que la prise. Les demi-savants s'en moquent et triomphent à montrer là-dessus la folie du monde, mais par une raison qu'ils ne pénètrent pas. On a raison :

2. D'avoir distingué les hommes par le dehors, comme par la noblesse ou le bien. Le monde triomphe encore à montrer combien cela est déraisonnable. Mais cela est très raisonnable. Cannibales se rient d'un enfant roi.

3. De s'offenser pour avoir reçu un soufflet ou de tant désirer la gloire, mais cela est très souhaitable à cause des autres biens essentiels qui y sont joints. Et un homme qui a reçu un soufflet sans s'en ressentir est accablé d'injures et de nécessités.

4. Travailler pour l'incertain, aller sur mer, passer sur une planche.

102-*759* *(Il faut que les Juifs ou les Chrétiens soient méchants.)*

20. I *Cor.*, xv, 33 : « *Les mauvais entretiens gâtent les bonnes mœurs.* » — Cf. Ménandre, *Thaïs*, frag. 211, de l'éd. Meinecke.

103-*298* + Justice, force.
Il est juste que ce qui est juste soit suivi; il est nécessaire que ce qui est le plus fort soit suivi.
La justice sans la force est impuissante, la force sans la justice est tyrannique.
La justice sans force est contredite, parce qu'il y a toujours des méchants. La force sans la justice est accusée. Il faut donc mettre ensemble la justice et la force, et pour cela faire que ce qui est juste soit fort ou que ce qui est fort soit juste.
La justice est sujette à dispute. La force est très reconnaissable et sans dispute. Aussi on n'a pu donner la force à la justice, parce que la force a contredit la justice et a dit qu'elle était injuste, et a dit que c'était elle qui était juste.
Et ainsi ne pouvant faire que ce qui est juste fût fort, on a fait que ce qui est fort fût juste.

104-*322* Que la noblesse est un grand avantage qui dès 18 ans met un homme en passe, connu et respecté comme un autre pourrait avoir mérité à 50 ans. C'est 30 ans gagnés sans peine.

VI. GRANDEUR

105-*342* Si un animal faisait par esprit ce qu'il fait par instinct, et s'il parlait par esprit ce qu'il parle par instinct pour la chasse et pour avertir ses camarades que la proie est trouvée ou perdue, il parlerait bien aussi pour des choses où il a plus d'affection, comme pour dire : rongez cette corde qui me blesse et où je ne puis atteindre.

106-*403* Grandeur.
Les raisons des effets marquent la grandeur de l'homme, d'avoir tiré de la concupiscence un si bel ordre.

107-*343* Le bec du perroquet qu'il essuie, quoiqu'il soit net.

108-*339 bis* Qu'est-ce qui sent du plaisir en nous? Est-ce la main, est-ce le bras, est-ce la chair, est-ce le sang? On verra qu'il faut que ce soit quelque chose d'immatériel.

109-*392* Contre le pyrrhonisme.
(C'est donc une chose étrange qu'on ne peut définir ces choses sans les obscurcir. Nous en parlons à toute heure.) Nous supposons que tous les conçoivent de même sorte. Mais nous le supposons bien gratuitement, car nous n'en avons aucune preuve. Je vois bien qu'on applique ces mots dans les mêmes occasions, et que toutes les fois que deux hommes voient un corps changer de place ils expriment tous deux la vue de ce même objet par le même mot, en disant l'un et l'autre qu'il s'est mû, et de cette conformité d'application on tire une puissante conjecture d'une conformité d'idée, mais cela n'est pas absolument convaincant de la dernière conviction quoiqu'il y ait bien à parier pour l'affirmative, puisqu'on sait qu'on tire souvent les mêmes conséquences des suppositions différentes.
Cela suffit pour embrouiller au moins la matière, non que cela éteigne absolument la clarté naturelle qui nous assure de ces choses. Les académiciens auraient gagé, mais cela la ternit et trouble les dogmatistes, à la gloire de la cabale pyrrhonienne qui consiste à cette ambiguïté ambiguë, et dans une certaine obscurité douteuse dont nos doutes ne peuvent ôter toute la clarté, ni nos lumières naturelles en chasser toutes les ténèbres.
[Verso 109-213] *(la moin)dre chose est de cette nature. Dieu est le commencement et la fin. Eccl.)*
1. La raison.

110-*282* Nous connaissons la vérité non seulement par la raison mais encore par le cœur. C'est de cette dernière sorte que nous connaissons les premiers principes et c'est en vain que le raisonnement, qui n'y a point de part essaie de les combattre. Les pyrrhoniens, qui n'ont que cela pour objet, y travaillent inutilement. Nous savons que nous ne rêvons point. Quelque impuissance où nous soyons de le prouver par raison, cette impuissance ne conclut autre chose que la faiblesse de notre raison, mais non pas l'incertitude de toutes nos connaissances, comme ils le prétendent. Car l(es) connaissances des premiers principes : espace, temps, mouvement, nombres, sont aussi fermes qu'aucune de celles que nos raisonnements nous donnent et c'est sur ces connaissances du cœur et de l'instinct qu'il faut que la raison s'appuie et qu'elle y fonde tout son discours. Le cœur sent qu'il y a trois dimensions dans l'espace et que les nombres sont infinis et la raison démontre ensuite qu'il n'y a point deux nombres carrés dont l'un soit double de l'autre. Les principes se sentent, les propositions se concluent et le tout avec certitude quoique par différentes voies — et il est aussi inutile et aussi ridicule que la raison demande au cœur des preuves de ses premiers principes pour vouloir y consentir, qu'il serait ridicule que le cœur demandât à la raison un sentiment de toutes les propositions qu'elle démontre pour vouloir les recevoir.
Cette impuissance ne doit donc servir qu'à humilier la raison — qui voudrait juger de tout — mais non pas à combattre notre certitude. Comme s'il n'y avait que la raison capable de nous instruire, plût à Dieu que nous n'en eussions au contraire jamais besoin et que nous connussions toutes choses par instinct et par sentiment, mais la nature nous a

refusé ce bien; elle ne nous a au contraire donné que très peu de connaissances de cette sorte; toutes les autres ne peuvent être acquises que par raisonnement.

Et c'est pourquoi ceux à qui Dieu a donné la religion par sentiment de cœur sont bienheureux et bien légitimement persuadés, mais ceux qui ne l'ont pas nous ne pouvons la donner que par raisonnement, en attendant que Dieu la leur donne par sentiment de cœur, sans quoi la foi n'est qu'humaine et inutile pour le salut.

111-*339* Je puis bien concevoir un homme sans mains, pieds, tête, car ce n'est que l'expérience qui nous apprend que la tête est plus nécessaire que les pieds. Mais je ne puis concevoir l'homme sans pensée. Ce serait une pierre ou une brute.

112-*344* Instinct et raison, marques de deux natures.

113-*348* Roseau pensant.

Ce n'est point de l'espace que je dois chercher ma dignité, mais c'est du règlement de ma pensée. Je n'aurai point d'avantage en possédant des terres. Par l'espace l'univers me comprend et m'engloutit comme un point : par la pensée je le comprends.

114-*397* La grandeur de l'homme est grande en ce qu'il se connaît misérable; un arbre ne se connaît pas misérable.

C'est donc être misérable que de (se) connaître misérable, mais c'est être grand que de connaître qu'on est misérable.

115-*349* Immatérialité de l'âme.

Les philosophes qui ont dompté leurs passions, quelle matière l'a pu faire?

116-*398* Toutes ces misères-là même prouvent sa grandeur. Ce sont misères de grand seigneur. Misères d'un roi dépossédé.

117-*409* La grandeur de l'homme.

La grandeur de l'homme est si visible qu'elle se tire même de sa misère, car ce qui est nature aux animaux nous l'appelons misère en l'homme par où nous reconnaissons que sa nature étant aujourd'hui pareille à celle des animaux il est déchu d'une meilleure nature qui lui était propre autrefois.

Car qui se trouve malheureux de n'être pas roi sinon un roi dépossédé. Trouvait-on Paul Émile malheureux de n'être pas consul? au contraire tout le monde trouvait qu'il était heureux de l'avoir été, parce que sa condition n'était pas de l'être toujours. Mais on trouvait Persée si malheureux de n'être plus roi, parce que sa condition était de l'être toujours qu'on trouvait étrange de ce qu'il supportait la vie. Qui se trouve malheureux de n'avoir qu'une bouche et qui ne se trouverait malheureux de n'avoir qu'un œil? On ne s'est peut-être jamais avisé de s'affliger de n'avoir pas trois yeux, mais on est inconsolable de n'en point avoir.

118-*402* Grandeur de l'homme dans sa concupiscence même, d'en avoir su tirer un règlement admirable et en avoir fait un tableau de charité.

VII. CONTRARIÉTÉS

119-*423* Contrariétés. Après avoir montré la bassesse et la grandeur de l'homme. Que l'homme maintenant s'estime son prix. Qu'il s'aime, car il y a en lui une nature capable de bien; mais qu'il n'aime pas pour cela les bassesses qui y sont. Qu'il se méprise, parce que cette capacité est vide; mais qu'il ne méprise pas pour cela cette capacité naturelle. Qu'il se haïsse, qu'il s'aime : il a en lui la capacité de connaître la vérité et d'être heureux; mais il n'a point de vérité, ou constante, ou satisfaisante.

Je voudrais donc porter l'homme à désirer d'en trouver, à être prêt et dégagé des passions, pour la suivre où il la trouvera, sachant combien sa connaissance s'est obscurcie par les passions; je voudrais bien qu'il haït en soi la concupiscence qui le détermine d'elle-même, afin qu'elle ne l'aveuglât point pour faire son choix, et qu'elle ne l'arrêtât point quand il aura choisi.

120-*148* Nous sommes si présomptueux que nous voudrions être connus de toute la terre et même des gens qui viendront quand nous ne serons plus. Et nous sommes si vains que l'estime de 5 ou 6 personnes qui nous environnent nous amuse et nous contente.

121-*418* Il est dangereux de trop faire voir à l'homme combien il est égal aux bêtes, sans lui montrer sa grandeur. Et il est encore dangereux de lui trop faire voir sa grandeur sans sa bassesse. Il est encore plus dangereux de lui laisser ignorer l'un et l'autre, mais il est très avantageux de lui représenter l'un et l'autre.

Il ne faut pas que l'homme croie qu'il est égal aux bêtes ni aux anges, ni qu'il ignore l'un et l'autre, mais qu'il sache l'un et l'autre.

122-*416* APR. Grandeur et Misère.

La misère se concluant de la grandeur et la grandeur de la misère, les uns ont conclu la misère d'autant plus qu'ils en ont pris pour preuve la grandeur, et les autres concluant la grandeur avec d'autant plus de force qu'ils l'ont conclue de la misère même. Tout ce que les uns ont pu dire pour montrer la grandeur n'a servi que d'un argument aux autres pour conclure la misère, puisque c'est être (d')autant plus misérable qu'on est tombé de plus haut, et les autres au contraire. Ils se sont portés les uns sur les autres, par un cercle sans fin, étant certain qu'à mesure que les hommes ont de lumière ils trouvent et grandeur et misère en l'homme. En un mot l'homme connaît qu'il est misérable. Il est donc misérable puisqu'il l'est, mais il est bien grand puisqu'il le connaît.

123-*157* Contradiction, mépris de notre être, mourir pour rien, haine de notre être.

124-*125* Contrariétés.

L'homme est naturellement crédule, incrédule, timide, téméraire.

125-*92* Qu'est-ce que nos principes naturels sinon nos principes accoutumés. Et dans les enfants ceux qu'ils ont reçus de la coutume de leurs pères comme la chasse dans les animaux.

Une différente coutume en donnera d'autres principes naturels. Cela se voit par expérience et s'il y en a d'ineffaçables, à la coutume. Il y en a aussi de la coutume contre la nature ineffaçables à la nature et à une seconde coutume. Cela dépend de la disposition.

126-*93* Les pères craignent que l'amour naturel des enfants ne s'efface. Quelle est donc cette nature sujette à être effacée.

La coutume est une seconde nature qui détruit la première. Mais qu'est-ce que nature? pourquoi la coutume n'est-elle pas naturelle? J'ai grand peur que cette nature ne soit elle-même qu'une première coutume, comme la coutume est une seconde nature.

127-*415* La nature de l'homme se considère en deux manières, l'une selon la fin, et alors il est grand et incomparable; l'autre selon la multitude, comme on juge de la nature du cheval et du chien par la multitude, d'y voir la course *et animum arcendi*[21], et alors l'homme est abject et vil. Et voilà les deux voies qui en font juger diversement et qui font tant disputer les philosophes.

Car l'un nie la supposition de l'autre. L'un dit : il n'est point né à cette fin, car toutes ses actions y répugnent, l'autre dit : il s'éloigne de la fin quand il fait ces basses actions.

128-*396* Deux choses instruisent l'homme de toute sa nature : l'instinct et l'expérience.

129-*116* Métier. Pensées.

Tout est un, tout est divers.

Que de natures en celle de l'homme. Que de vacations. Et par quel hasard chacun prend d'ordinaire ce qu'il a ouï estimé. Talon bien tourné.

130-*420* S'il se vante je l'abaisse.
S'il s'abaisse je le vante.
Et le contredis toujours.
Jusqu'à ce qu'il comprenne
Qu'il est un monstre incompréhensible.

131-*434* Les principales forces des pyrrhoniens, je laisse les moindres, sont que nous n'avons aucune certitude de la vérité de ces principes, hors la foi et la révélation, sinon en (ce) que nous les sentons naturellement en nous. Or ce sentiment naturel n'est pas une preuve convaincante de leur vérité, puisque n'y ayant point de certitude hors la foi, si l'homme est créé par un dieu bon, par un démon méchant ou à l'aventure, il est en doute si ces principes nous sont donnés ou véritables, ou faux, ou incertains selon notre origine.

De plus que personne n'a d'assurance, hors de la foi — s'il veille ou s'il dort, vu que durant le sommeil on croit veiller aussi fermement que nous faisons. Comme on rêve souvent, qu'on rêve entassant un songe sur l'autre. Ne se peut-il faire que cette moitié de la vie n'est elle-même qu'un songe, sur lequel les autres sont entés, dont nous nous éveillons à la mort, pendant laquelle nous avons aussi peu les principes du vrai et du bien que pendant le sommeil naturel. Tout cet écoulement du temps, de la vie, et ces divers corps que nous sentons, ces différentes pensées qui nous y agitent n'étant peut-être que des illusions pareilles à l'écoulement du temps et aux vains fantômes de nos songes. On croit voir les espaces, les figures, les mouvements, on sent couler le temps, on le mesure, et enfin on agit de même qu'éveillé. De sorte que la moitié de la vie se passant en sommeil, par notre propre aveu ou quoi qu'il nous en paraisse, nous n'avons aucune idée du vrai, tous nos sentiments étant alors des illusions. Qui sait si cette autre moitié de la vie où nous pensons veiller n'est pas un autre sommeil un peu différent du premier. *(Et qui doute sur lequel nos songes sont entés comme notre sommeil paraît — dont nous nous éveillons quand nous pensons dormir — et qui doute que si*

21. *Animum arcendi* semble désigner l'instinct du chien de garde. (Note de l'édition Brunschvicg.)

on rêvait en compagnie et que par hasard les songes s'accordassent ce qui est — assez — ordinaire et qu'on veillât en solitude on ne crût les choses renversées.)

Voilà les principales forces de part et d'autre, je laisse les moindres comme les discours qu'ont faits les pyrrhoniens contre les impressions de la coutume, de l'éducation, des mœurs des pays, et les autres choses semblables qui quoiqu'elles entraînent la plus grande partie des hommes communs qui ne dogmatisent que sur ces vains fondements sont renversés par le moindre souffle des pyrrhoniens. On n'a qu'à voir leurs livres; si l'on n'en est pas assez persuadé on le deviendra bien vite, et peut-être trop.

Je m'arrête à l'unique fort des dogmatistes qui est qu'en parlant de bonne foi et sincèrement on ne peut douter des principes naturels.

Contre quoi les pyrrhoniens opposent, en un mot, l'incertitude de notre origine qui enferme celle de notre nature. A quoi les dogmatistes sont encore à répondre depuis que le monde dure.

(Qui voudra s'éclaircir plus au long du pyrrhonisme voie leurs livres. Il en sera bientôt persuadé et peut-être trop.)

Voilà la guerre ouverte entre les hommes, où il faut que chacun prenne parti, et se range nécessairement ou au dogmatisme ou au pyrrhonisme. Car qui pensera demeurer neutre sera pyrrhonien par excellence. Cette neutralité est l'essence de la cabale. Qui n'est pas contre eux est excellemment pour eux : en quoi paraît leur avantage. Ils ne sont pas pour eux-mêmes, ils sont neutres, indifférents, suspendus à tout sans s'excepter.

Que fera donc l'homme en cet état? doutera(-t-)il de tout, doutera(-t-)il s'il veille, si on le pince, si on le brûle, doutera(-t-)il s'il doute, doutera(-t-)il s'il est.

On n'en peut venir là, et je mets en fait qu'il n'y a jamais eu de pyrrhonien effectif parfait. La nature soutient la raison impuissante et l'empêche d'extravaguer jusqu'à ce point.

Dira(-t-)il donc au contraire qu'il possède certainement la vérité lui qui, si peu qu'on le pousse, ne peut en montrer aucun titre et est forcé de lâcher prise.

Quelle chimère est-ce donc que l'homme? quelle nouveauté, quel monstre, quel chaos, quel sujet de contradictions, quel prodige? Juge de toutes choses, imbécile ver de terre, dépositaire du vrai, cloaque d'incertitude et d'erreur, gloire et rebut de l'univers.

Qui démêlera cet embrouillement? *(Certainement cela passe le dogmatisme et pyrrhonisme, et toute la philosophie humaine. L'homme passe l'homme. Qu'on accorde donc aux pyrrhoniens ce qu'ils ont tant crié, que la vérité n'est pas de notre portée, ni de notre gibier, qu'elle ne demeure pas en terre, qu'elle est domestique du ciel, qu'elle loge dans le sein de Dieu, et que l'on ne la peut connaître qu'à mesure qu'il lui plaît de la révéler. Apprenons donc de la vérité incréée et incarnée notre véritable nature.*

On ne peut éviter en cherchant la vérité par la raison, l'une de ces trois sectes — On ne peut être pyrrhonien ni académicien sans étouffer la nature, on ne peut être dogmatiste sans renoncer à la raison).

La nature confond les pyrrhoniens *(et les académiciens)* et la raison confond les dogmatiques. Que deviendrez-vous donc, ô homme qui cherchez quelle est votre véritable condition par votre raison naturelle, vous ne pouvez fuir une de ces *(trois)* sectes ni subsister dans aucune.

Connaissez donc, superbe, quel paradoxe vous êtes à vous-même. Humiliez-vous, raison impuissante! Taisez-vous nature imbécile, apprenez que l'homme passe infiniment l'homme et entendez de votre maître votre condition véritable que vous ignorez.

Écoutez Dieu.

(N'est-il donc pas clair comme le jour que la condition de l'homme est double?) Car enfin si l'homme n'avait jamais été corrompu il jouirait dans son innocence et de la vérité et de la félicité avec assurance. Et si l'homme n'avait jamais été que corrompu il n'aurait aucune idée ni de la vérité, ni de la béatitude. Mais malheureux que nous sommes et plus que s'il n'y avait point de grandeur dans notre condition, nous avons une idée du bonheur et nous ne pouvons y arriver. Nous sentons une image de la vérité et ne possédons que le mensonge. Incapables d'ignorer absolument et de savoir certainement, tant il est manifeste que nous avons été dans un degré de perfection dont nous sommes malheureusement déchus.

(Concevons donc que la condition de l'homme est double.)

(Concevons donc que l'homme passe infiniment l'homme, et qu'il était inconcevable à soi-même sans le secours de la foi. Car qui ne voit que sans la connaissance de cette double condition de la nature on était dans une ignorance invincible de la vérité de sa nature.)

Chose étonnante cependant que le mystère le plus éloigné de notre connaissance qui est celui de la transmission du péché soit une chose sans laquelle nous ne pouvons avoir aucune connaissance de nous-mêmes.

Car il est sans doute qu'il n'y a rien qui choque plus notre raison que de dire que le péché du premier homme ait rendu coupables ceux qui étant si éloignés de cette source semblent incapables d'y participer. Cet écoulement ne nous paraît pas seulement impossible. Il nous semble même très injuste car qu'y a(-t-)il de plus contraire aux règles de notre misérable justice que de damner éternellement un enfant incapable de volonté pour un péché où il paraît avoir si peu de part, qu'il est commis six mille ans avant qu'il fût en être. Certainement rien ne nous heurte plus rudement que cette doctrine. Et cependant sans ce mystère, le plus incompréhensible de tous, nous sommes incompréhensibles à nous-mêmes. Le nœud de notre condition prend ses replis et ses tours dans cet abîme. De sorte que l'homme est plus inconcevable sans ce mystère, que ce mystère n'est inconcevable à l'homme.

(D'où il paraît que Dieu voulant nous rendre la difficulté de notre être inintelligible à nous-mêmes en a caché le nœud si haut ou pour mieux dire si bas que nous étions bien incapables d'y arriver. De sorte que ce n'est pas par les superbes agitations de notre raison mais par la simple soumission de la raison que nous pouvons véritablement nous connaître.)

(Ces fondements solidement établis sur l'autorité inviolable de la religion nous font connaître qu'il y a deux vérités de foi également constantes.

L'une que l'homme dans l'état de la création, ou dans celui de la grâce, est élevé au-dessus de toute la nature, rendu comme semblable à Dieu et participant de la divinité. L'autre qu'en l'état de la corruption, et du péché, il est déchu de cet état et rendu semblable aux bêtes. Ces deux propositions sont également fermes et certaines.

L'Écriture nous les déclare manifestement lorsqu'elle dit en quelques lieux — deliciae meae esse cum filiis hominum — effundam spiritum meum super omnem carnem, etc. — dii estis[22]*. Et qu'elle dit en d'autres : omnis caro foenum, homo assimilatus est jumentis insipientibus et similis factus est illis, dixi in corde meo de filiis hominum*[23] *— eccle. 3 —*

Par où il paraît clairement que l'homme par la grâce est rendu comme semblable à Dieu et participant de sa divinité, et que sans la grâce il est censé semblable aux bêtes brutes.)

VIII. DIVERTISSEMENT

132-*170* Divertissement — Si l'homme était heureux il le serait d'autant plus qu'il serait moins diverti, comme les saints et Dieu. Oui; mais n'est-ce pas être heureux que de pouvoir être réjoui par le divertissement?

— Non; car il vient d'ailleurs et de dehors; et ainsi il est dépendant, et partout, sujet à être troublé par mille accidents, qui font les afflictions inévitables.

133-*168* Divertissement.

Les hommes n'ayant pu guérir la mort, la misère, l'ignorance, ils se sont avisés, pour se rendre heureux, de n'y point penser.

134-*169* Nonobstant ces misères il veut être heureux et ne veut être qu'heureux, et ne peut ne vouloir pas l'être.

Mais comment s'y prendra(-t-)il. Il faudrait pour bien faire qu'il se rendît immortel, mais ne le pouvant il s'est avisé de s'empêcher d'y penser.

135-*469* Je sens que je puis n'avoir point été, car le moi consiste dans ma pensée; donc moi qui pense n'aurais point été, si ma mère eût été tuée avant que j'eusse été animé, donc je ne suis pas un être nécessaire. Je ne suis pas aussi éternel ni infini, mais je vois bien qu'il y a dans la nature un être nécessaire, éternel et infini.

136-*139* Divertissement.

Quand je m'y suis mis quelquefois à considérer les diverses agitations des hommes, et les périls, et les peines où ils s'exposent dans la Cour, dans la guerre d'où naissent tant de querelles, de passions, d'entreprises hardies et souvent mauvaises, etc., j'ai dit souvent que tout le malheur des hommes vient d'une seule chose, qui est de ne savoir pas demeurer en repos dans une chambre. Un homme qui a assez de bien pour vivre, s'il savait demeurer chez soi avec plaisir n'en sortirait pas pour aller sur la mer ou au siège d'une place; on n'achèterait une charge à l'armée si cher que parce qu'on trouverait insupportable de ne bouger de la ville et on ne recherche les conversations et les divertissements des jeux que parce qu'on ne demeure chez soi avec plaisir. Etc.

Mais quand j'ai pensé de plus près et qu'après avoir trouvé la cause de tous nos malheurs j'ai voulu en découvrir les raison(s), j'ai trouvé qu'il y en a une bien effective qui consiste dans le malheur naturel de notre condition faible et mortelle et si misérable que rien ne peut nous consoler lorsque nous y pensons de près.

Quelque condition qu'on se figure, si l'on assemble tous les biens qui peuvent nous appartenir, la royauté est le plus beau poste du monde et cependant, qu'on s'en imagine, accompagné de toutes les satisfactions qui peuvent le toucher, s'il est sans divertissement et qu'on le laisse considérer et faire réflexion sur ce qu'il est — cette félicité languissante ne le soutiendra point — il tombera par nécessité dans les vues qui le menacent, des révoltes qui peuvent arriver et enfin de la mort et des maladies qui sont inévitables, de sorte que, s'il est sans ce qu'on appelle divertissement, le voilà malheureux, et plus malheureux que le moindre de ses sujets qui joue et qui se divertit.

(L'unique bien des hommes consiste donc à être divertis de penser à leur condition ou par une occupation qui les en détourne, ou par quelque passion agréable et nouvelle qui les occupe, ou par le jeu, la chasse, quelque spectacle attachant, et enfin par ce qu'on appelle divertissement.)

De là vient que le jeu et la conversation des femmes, la guerre, les grands emplois sont si recherchés. Ce n'est pas qu'il y ait en effet du bonheur, ni qu'on s'imagine que la vraie béatitude soit d'avoir l'argent qu'on peut gagner au jeu, ou dans le lièvre qu'on

22. Prov., VIII, 31 : « *Mes plaisirs sont avec les enfants des hommes.* » — Joël, II, 28 : « *J'épandrai mon esprit sur toute chair.* » — Ps. LXXXI, 6 : « *Vous êtes des dieux.* »

23. Ps. XL, 6 : « *J'ai dit en mon cœur, des enfants des hommes, foin de toute chair.* » — Ps. XLIX, 13 : « *L'homme s'est assimilé aux bêtes brutes.* » — Eccl., III, 18 : « *Et s'est fait semblable à elles.* »

court; on n'en voudrait pas s'il était offert. Ce n'est pas cet usage mol et paisible et qui nous laisse penser à notre malheureuse condition qu'on recherche, ni les dangers de la guerre, ni la peine des emplois, mais c'est le tracas qui nous détourne d'y penser et nous divertit. Raison pourquoi on aime mieux la chasse que la prise.

De là vient que les hommes aiment tant le bruit et le remuement. De là vient que la prison est un supplice si horrible, de là vient que le plaisir de la solitude est une chose incompréhensible. Et c'est enfin le plus grand sujet de félicité de la condition des rois, de ce qu'on essaie sans cesse à les divertir et à leur procurer toutes sortes de plaisirs. Le roi est environné de gens qui ne pensent qu'à divertir le roi et à l'empêcher de penser à lui. Car il est malheureux tout roi qu'il est s'il y pense.

Voilà tout ce que les hommes ont pu inventer pour se rendre heureux et ceux qui font sur cela les philosophes et qui croient que le monde est bien peu raisonnable de passer tout le jour à courir après un lièvre qu'ils ne voudraient pas avoir acheté, ne connaissent guère notre nature. Ce lièvre ne nous garantirait pas de la vue de la mort et des misères qui nous en détournent, mais la chasse nous en garantit. Et ainsi le conseil qu'on donnait à Pyrrhus de prendre le repos qu'il allait chercher par tant de fatigues, recevait bien des difficultés.

(Dire à un homme qu'il soit en repos, c'est lui dire qu'il vive heureux. C'est lui conseiller A.

A. *d'avoir une condition toute heureuse et laquelle il puisse considérer à loisir, sans y trouver sujet d'affliction. (— Ce n'est donc pas entendre la nature.)*

Aussi les hommes qui sentent naturellement leur condition n'évitent rien tant que le repos; il n'y a rien qu'ils ne fassent pour chercher le trouble.

Ainsi on se prend mal pour les blâmer; leur faute n'est pas en ce qu'ils cherchent le tumulte. S'ils ne le cherchaient que comme un divertissement, mais le mal est qu'ils le recherchent comme si la possession des choses qu'ils recherchent les devait rendre véritablement heureux, et c'est en quoi on a raison d'accuser leur recherche de vanité de sorte qu'en tout cela et ceux qui blâment et ceux qui sont blâmés n'entendent la véritable nature de l'homme.) Et ainsi quand on leur reproche que ce qu'ils recherchent avec tant d'ardeur ne saurait les satisfaire, s'ils répondaient comme ils devraient le faire, s'ils y pensaient bien, qu'ils ne recherchent en cela qu'une occupation violente et impétueuse qui les détourne de penser à soi et que c'est pour cela qu'ils se proposent un objet attirant qui les charme et les attire avec ardeur ils laisseraient leurs adversaires sans répartie... — La vanité, le plaisir de la montrer aux autres. — La danse, il faut bien penser où l'on mettra ses pieds — mais ils ne répondent pas cela parce qu'ils ne se connaissent pas eux-mêmes. Ils ne savent pas que ce n'est que la chasse et non la prise qu'ils recherchent. — Le gentilhomme croit sincèrement que la chasse est un plaisir grand et un plaisir royal, mais son piqueur n'est pas de ce sentiment-là. — Ils s'imaginent que s'ils avaient obtenu cette charge, ils se reposeraient ensuite avec plaisir et ne sentent pas la nature insatiable de la cupidité. Ils croient chercher sincèrement le repos et ne cherchent en effet que l'agitation.

Ils ont un instinct secret qui les porte à chercher le divertissement et l'occupation au-dehors, qui vient du ressentiment de leurs misères continuelles. Et ils ont un autre instinct secret qui reste de la grandeur de notre première nature, qui leur fait connaître que le bonheur n'est en effet que dans le repos et non pas dans le tumulte. Et de ces deux instincts contraires il se forme en eux un projet confus qui se cache à leur vue dans le fond de leur âme qui les porte à tendre au repos par l'agitation et à se figurer toujours que la satisfaction qu'ils n'ont point leur arrivera si en surmontant quelques difficultés qu'ils envisagent ils peuvent s'ouvrir par là la porte au repos.

Ainsi s'écoule toute la vie; on cherche le repos en combattant quelques obstacles et si on les a surmontés le repos devient insupportable par l'ennui qu'il engendre. Il en faut sortir et mendier le tumulte.

Car ou l'on pense aux misères qu'on a ou à celles qui nous menacent. Et quand on se verrait même assez à l'abri de toutes parts l'ennui de son autorité privée ne laisserait pas de sortir du fond du cœur où il a des racines naturelles, et de remplir l'esprit de son venin. B.

B. Ainsi l'homme est si malheureux qu'il s'ennuierait même sans aucune cause d'ennui par l'état propre de sa complexion. Et il est si vain, qu'étant plein de mille causes essentielles d'ennui, la moindre chose comme un billard et une balle qu'il pousse, suffisent pour le divertir.

C. Mais direz-vous quel objet a(-t-)il en tout cela? celui de se vanter demain entre ses amis de ce qu'il a mieux joué qu'un autre. Ainsi les autres suent dans leur cabinet pour montrer aux savants qu'ils ont résolu une question d'algèbre qu'on n'aurait pu trouver jusqu'ici, et tant d'autres s'exposent aux derniers périls pour se vanter ensuite d'une place qu'ils auront prise aussi sottement à mon gré. Et enfin les autres se tuent pour remarquer toutes ces choses, non pas pour en devenir plus sages, mais seulement pour montrer qu'ils les savent, et ceux-là sont les plus sots de la bande puisqu'ils le sont avec connaissance, au lieu qu'on peut penser des autres qu'ils ne le seraient plus s'ils avaient cette connaissance.

Tel homme passe sa vie sans ennui en jouant tous les jours peu de chose. Donnez-lui tous les matins l'argent qu'il peut gagner chaque jour, à la charge qu'il ne joue point, vous le rendez malheureux. On dira peut-être que c'est qu'il recherche l'amusement du jeu et non pas le gain. Faites-le donc jouer pour rien, il ne s'y échauffera pas et s'y ennuiera. Ce n'est donc pas l'amusement seul qu'il recherche. Un amusement languissant et sans passion l'ennuiera. Il faut qu'il s'y échauffe, et qu'il se pipe lui-même en s'imaginant qu'il serait heureux de gagner ce qu'il ne voudrait pas qu'on lui donnât à condition de ne point jouer, afin qu'il se forme un sujet de passion et qu'il excite sur cela son désir, sa colère, sa crainte pour cet objet qu'il s'est formé comme les enfants qui s'effraient du visage qu'ils ont barbouillé.

D'où vient que cet homme qui a perdu depuis peu de mois son fils unique et qui accablé de procès et de querelles était ce matin si troublé, n'y pense plus maintenant. Ne vous en étonnez pas, il est tout occupé à voir par où passera ce sanglier que ses chiens poursuivent avec tant d'ardeur depuis six heures. Il n'en faut pas davantage. L'homme, quelque plein de tristesse qu'il soit, si on peut gagner sur lui de le faire entrer en quelque divertissement le voilà heureux pendant ce temps-là, et l'homme quelqu'heureux qu'il soit s'il n'est diverti et occupé par quelque passion ou quelque amusement, qui empêche l'ennui de se répandre, sera bientôt chagrin et malheureux. Sans divertissement il n'y a point de joie; avec le divertissement il n'y a point de tristesse. Et c'est aussi ce qui forme le bonheur des personnes. D. D. de grande condition qu'ils ont un nombre de personnes qui les divertissent et qu'ils ont le pouvoir de se maintenir en cet état.

Prenez-y garde, qu'est-ce autre chose d'être surintendant, chancelier, premier président sinon d'être en une condition où l'on a le matin un grand nombre de gens qui viennent de tous côtés pour ne leur laisser pas une heure en la journée où ils puissent penser à eux-mêmes, et quand ils sont dans la disgrâce, et qu'on les renvoie à leurs maisons des champs où ils ne manquent ni de biens ni de domestiques pour les assister dans leur besoin, ils ne laissent pas d'être misérables et abandonnés parce que personne ne les empêche de songer à eux.

137-*142* Divertissement.

La dignité royale n'est-elle pas assez grande d'elle-même pour celui qui la possède pour le rendre heureux par la seule vue de ce qu'il est; faudra(-t-)il le divertir de cette pensée comme les gens du commun? Je vois bien que c'est rendre un homme heureux de le divertir de la vue de ses misères domestiques pour remplir toute sa pensée du soin de bien danser, mais en sera(-t-)il de même d'un roi et sera(-t-)il plus heureux en s'attachant à ces vains amusements qu'à la vue de sa grandeur. Et quel objet plus satisfaisant pourrait-on donner à son esprit? ne serait-ce donc pas faire tort à sa joie d'occuper son âme à penser à ajuster ses pas à la cadence d'un air ou à placer adroitement une barre, au lieu de le laisser jouir en repos de la contemplation de la gloire majestueuse qui l'environne. Qu'on en fasse les preuves, qu'on laisse un roi tout seul sans aucune satisfaction des sens, sans aucun soin dans l'esprit, sans compagnies et sans divertissements, penser à lui tout à loisir, et l'on verra qu'un roi sans divertissement est un homme plein de misères. Aussi on évite cela soigneusement et il ne manque jamais d'y avoir auprès des personnes des rois un grand nombre de gens qui veillent à faire succéder le divertissement à leurs affaires et qui observent tout le temps de leur loisir pour leur fournir des plaisirs et des jeux en sorte qu'il n'y ait point de vide. C'est-à-dire qu'ils sont environnés de personnes qui ont un soin merveilleux de prendre garde que le roi ne soit seul et en état de penser à soi, sachant bien qu'il sera misérable, tout roi qu'il est, s'il y pense.

Je ne parle point en tout cela des rois chrétiens comme chrétiens, mais seulement comme rois.

138-*166* Divertissement.

La mort est plus aisée à supporter sans y penser que la pensée de mort sans péril.

139-*143* Divertissement.

On charge les hommes dès l'enfance du soin de leur honneur, de leur bien, de leurs amis, et encore du bien et de l'honneur de leurs amis, on les accable d'affaires, de l'apprentissage des langues et d'exercices, et on leur fait entendre qu'ils ne sauraient être heureux, sans que leur santé, leur honneur, leur fortune, et celles de leurs amis soient en bon état, et qu'une seule chose qui manque les rendra malheureux. Ainsi on leur donne des charges et des affaires qui les font tracasser dès la pointe du jour. Voilà direz-vous une étrange manière de les rendre heureux; que pourrait-on faire de mieux pour les rendre malheureux? Comment, ce qu'on pourrait faire : il ne faudrait que leur ôter tous ces soucis, car alors ils se verraient, ils penseraient à ce qu'ils sont, d'où ils viennent, où ils vont, et ainsi on ne peut trop les occuper et les détourner. Et c'est pourquoi, après leur avoir tant préparé d'affaires, s'ils ont quelque temps de relâche, on leur conseille de l'employer à se divertir, et jouer, et s'occuper toujours tout entiers.

Que le cœur de l'homme est creux et plein d'ordure.

IX. PHILOSOPHES

140-*466* Quand Épictète aurait vu parfaitement bien le chemin, il dit aux hommes : vous en suivez un faux. Il montre que c'en est un autre, mais il n'y mène pas. C'est celui de vouloir ce que Dieu veut. J.-C. seul y mène. *Via veritas*[24].

Les vices de Zénon même.

141-*509* Philosophes.

La belle chose de crier à un homme qui ne se connaît pas, qu'il aille de lui-même à Dieu. Et la belle chose de le dire à un homme qui se connaît.

24. Jn, XIV, 6 : « Ego sum *via*, *veritas* et vita, Je suis le *chemin de la vérité* et la vie. »

142-*463* *(Contre les philosophes qui ont Dieu sans J.-C.)* Philosophes.

Ils croient que Dieu est seul digne d'être aimé et d'être admiré, et ont désiré d'être aimés et admirés des hommes, et ils ne connaissent pas leur corruption. S'ils se sentent pleins de sentiments pour l'aimer et l'adorer, et qu'ils y trouvent leur joie principale, qu'ils s'estiment bons, à la bonne heure! Mais s'ils s'y trouvent répugnants s'(ils) n'(ont) aucune pente qu'à se vouloir établir dans l'estime des hommes, et que pour toute perfection, ils fassent seulement que, sans forcer les hommes, ils leur fassent trouver leur bonheur à les aimer, je dirai que cette perfection est horrible. Quoi, ils ont connu Dieu et n'ont pas désiré uniquement que les hommes l'aimassent, que les hommes s'arrêtassent à eux. Ils ont voulu être l'objet du bonheur volontaire des hommes.

143-*464* Philosophes.

Nous sommes pleins de choses qui nous jettent au-dehors.

Notre instinct nous fait sentir qu'il faut chercher notre bonheur hors de nous. Nos passions nous poussent au-dehors, quand même les objets ne s'offriraient pas pour les exciter. Les objets du dehors nous tentent d'eux-mêmes et nous appellent quand même nous n'y pensons pas. Et ainsi les philosophes ont beau dire : rentrez-vous en vous-mêmes, vous y trouverez votre bien; on ne les croit pas et ceux qui les croient sont les plus vides et les plus sots.

144-*360* Ce que les stoïques proposent est si difficile et si vain.

Les stoïques posent : tous ceux qui ne sont point au haut degré de sagesse sont également fous, et vicieux, comme ceux qui sont à deux doigts dans l'eau.

145-*461* Les 3 concupiscences ont fait trois sectes et les philosophes n'ont fait autre chose que suivre une des trois concupiscences.

146-*350* Stoïques.

Ils concluent qu'on peut toujours ce qu'on peut quelquefois et que puisque le désir de la gloire fait bien faire à ceux qu'il possède quelque chose, les autres le pourront bien aussi.

Ce sont des mouvements fiévreux que la santé ne peut imiter.

Épictète conclut de ce qu'il y a des chrétiens constants que chacun le peut bien être.

X. LE SOUVERAIN BIEN

147-*361* Le Souverain Bien. Dispute du Souverain Bien.

Ut sis contentus temetipso et ex te nascentibus bonis [25].

Il y a contradiction, car ils conseillent enfin de se tuer.

Oh! quelle vie heureuse dont on se délivre comme de la peste!

148-*425* Seconde partie.

Que l'homme sans la foi ne peut connaître le vrai bien, ni la justice.

Tous les hommes recherchent d'être heureux. Cela est sans exception, quelques différents moyens qu'ils y emploient. Ils tendent tous à ce but. Ce qui fait que les uns vont à la guerre et que les autres n'y vont pas est ce même désir qui est dans tous les deux accompagné de différentes vues. La volonté fait jamais la moindre démarche que vers cet objet. C'est le motif de toutes les actions de tous les hommes, jusqu'à ceux qui vont se pendre.

Et cependant depuis un si grand nombre d'années jamais personne, sans la foi, n'est arrivé à ce point où tous visent continuellement. Tous se plaignent, princes, sujets, nobles, roturiers, vieux, jeunes, forts, faibles, savants, ignorants, sains, malades, de tous pays, de tous les temps, de tous âges, et de toutes conditions.

Une épreuve si longue, si continuelle et si uniforme devrait bien nous convaincre de notre impuissance d'arriver au bien par nos efforts. Mais l'exemple nous instruit peu. Il n'est jamais si parfaitement semblable qu'il n'y ait quelque délicate différence et c'est de là que nous attendons que notre attente ne sera pas déçue en cette occasion comme en l'autre, et ainsi le présent ne nous satisfaisant jamais, l'expérience nous pipe, et de malheur en malheur nous mène jusqu'à la mort qui en est un comble éternel.

Qu'est-ce donc que nous crie cette avidité et cette impuissance sinon qu'il y a eu autrefois dans l'homme un véritable bonheur, dont il ne lui reste maintenant que la marque et la trace toute vide et qu'il essaye inutilement de remplir de tout ce qui l'environne, recherchant des choses absentes le secours qu'il n'obtient pas des présentes, mais qui en sont toutes incapables parce que ce gouffre infini ne peut être rempli que par un objet infini et immuable, c'est-à-dire que par Dieu même.

Lui seul est son véritable bien. Et depuis qu'il l'a quitté c'est une chose étrange qu'il n'y a rien dans la nature qui n'ait été capable de lui en tenir la place, astres, ciel, terre, éléments, plantes, choux, poireaux, animaux, insectes, veaux, serpents, fièvre, peste,

25. Sénèque, *Épître* XX : « *Afin que tu sois satisfait de toi-même et des biens qui naissent de toi.* »

guerre, famine, vices, adultère, inceste. Et depuis qu'il a perdu le vrai bien tout également peut lui paraître tel jusqu'à sa destruction propre, quoique si contraire à Dieu, à la raison et à la nature tout ensemble.

Les uns le cherchent dans l'autorité, les autres dans les curiosités et dans les sciences, les autres dans les voluptés.

D'autres qui en ont en effet plus approché ont considéré qu'il est nécessaire que ce bien universel que tous les hommes désirent ne soit dans aucune des choses particulières qui ne peuvent être possédées que par un seul et qui étant partagées affligent plus leurs possesseurs par le manque de la partie qu'ils n'ont pas, qu'elles ne les contentent par la jouissance de celle qui lui appartient. Ils ont compris que le vrai bien devait être tel que tous pussent le posséder à la fois sans diminution et sans envie, et que personne ne le pût perdre contre son gré, et leur raison est que ce désir étant naturel à l'homme puisqu'il est nécessairement dans tous et qu'il ne peut pas ne le pas avoir, ils en concluent...

XI. A. P. R.

149-*430* A. P. R. commencement, après avoir expliqué l'incompréhensibilité.

Les grandeurs et les misères de l'homme sont tellement visibles qu'il faut nécessairement que la véritable religion nous enseigne et qu'il y a quelque grand principe de grandeur en l'homme et qu'il y a un grand principe de misère.

Il faut encore qu'elle nous rende raison de ces étonnantes contrariétés.

Il faut que pour rendre l'homme heureux elle lui montre qu'il y a un Dieu, qu'on est obligé de l'aimer, que notre vraie félicité est d'être en lui, et notre unique mal d'être séparé de lui, qu'elle reconnaisse que nous sommes pleins de ténèbres qui nous empêchent de le connaître et de l'aimer, et qu'ainsi nos devoirs nous obligeant d'aimer Dieu et nos concupiscences nous en détournant nous sommes pleins d'injustice. Il faut qu'elle nous rende raison de ces oppositions que nous avons à Dieu et à notre propre bien. Il faut qu'elle nous enseigne les remèdes à ces impuissances et les moyens d'obtenir ces remèdes. Qu'on examine sur cela toutes les religions du monde et qu'on voie s'il y en a une autre que la chrétienne qui y satisfasse.

Sera-ce les philosophes qui nous proposent pour tout bien les biens qui sont en nous? Ont-ils trouvé le remède à nos maux? est-ce avoir guéri la présomption de l'homme que de l'avoir mis à l'égal de Dieu? Ceux qui nous ont égalés aux bêtes et les mahométans qui nous ont donné les plaisirs de la terre pour tout bien, même dans l'éternité, ont-ils apporté le remède à nos concupiscences?

Quelle religion nous enseignera donc à guérir l'orgueil, et la concupiscence? quelle religion enfin nous enseignera notre bien, nos devoirs, les faiblesses qui nous en détournent, la cause de ces faiblesses, les remèdes qui les peuvent guérir, et le moyen d'obtenir ces remèdes. Toutes les autres religions ne l'ont pu. Voyons ce que fera la sagesse de Dieu.

N'attendez point, dit-elle, ô hommes, ni vérité, ni consolation des hommes. Je suis celle qui vous ai formés et qui puis seule vous apprendre qui vous êtes.

Mais, vous n'êtes plus maintenant en l'état où je vous ai formés. J'ai créé l'homme saint, innocent, parfait, je l'ai rempli de lumière et d'intelligence, je lui ai communiqué ma gloire et mes merveilles. L'œil de l'homme voyait alors la majesté de Dieu. Il n'était pas alors dans les ténèbres qui l'aveuglent, ni dans la mortalité et dans les misères qui l'affligent.

Mais il n'a pu soutenir tant de gloire sans tomber dans la présomption. Il a voulu se rendre centre de lui-même et indépendant de mon secours. Il s'est soustrait de ma domination et s'égalant à moi par le désir de trouver sa félicité en lui-même je l'ai abandonné à lui, et révoltant les créatures qui lui étaient soumises, je les lui ai rendues ennemies, en sorte qu'aujourd'hui l'homme est devenu semblable aux bêtes, et dans un tel éloignement de moi qu'à peine lui reste(-t-)il une lumière confuse de son auteur, tant toutes ses connaissances ont été éteintes ou troublées. Les sens indépendants de la raison et souvent maîtres de la raison l'ont emporté à la recherche des plaisirs. Toutes les créatures ou l'affligent ou le tentent, et dominent sur lui ou en le soumettant par leur force ou en le charmant par leur douceur, ce qui est une domination plus terrible et plus injurieuse.

Voilà l'état où les hommes sont aujourd'hui. Il leur reste quelque instinct impuissant du bonheur de leur première nature, et ils sont plongés dans les misères de leur aveuglement et de leur concupiscence qui est devenue leur seconde nature.

De ce principe que je vous ouvre vous pouvez reconnaître la cause de tant de contrariétés qui ont étonné tous les hommes et qui les ont partagés en de si divers sentiments. Observez maintenant tous les mouvements de grandeur et de gloire que l'épreuve de tant de misères ne peut étouffer et voyez s'il ne faut pas que la cause en soit en une autre nature.

A. P. R. Pour demain. Prosopopée.

C'est en vain, ô hommes, que vous cherchez dans vous-mêmes les remèdes à vos misères. Toutes vos lumières ne peuvent arriver qu'à connaître que ce n'est point dans vous-même que vous trouverez ni la vérité ni le bien.

Les philosophes vous l'ont promis et ils n'ont pu le faire.

Ils ne savent ni quel est votre véritable bien, ni quel est *(votre véritable état)*.

Comment auraient-ils donné des remèdes à vos maux qu'ils n'ont pas seulement connus. Vos maladies principales sont l'orgueil qui vous soustrait de Dieu, la concupiscence qui vous attache à la terre; et ils n'ont fait autre chose qu'entretenir au moins l'une de ces maladies. S'ils vous ont donné Dieu pour objet ce n'a été que pour exercer votre superbe; ils vous ont fait penser que vous lui étiez semblables et conformes par votre nature. Et ceux qui ont vu la vanité de cette prétention vous ont jetés dans l'autre précipice en vous faisant entendre que votre nature était pareille à celle des bêtes et vous ont portés à chercher votre bien dans les concupiscences qui sont le partage des animaux.

Ce n'est pas là le moyen de vous guérir de vos injustices que ces sages n'ont point connues. Je puis seule vous faire entendre qui vous êtes, ce...

(Je ne demande pas de vous une créance aveugle.)

Adam, J.-C.

Si on vous unit à Dieu c'est par grâce, non par nature.

Si on vous abaisse c'est par pénitence, non par nature.

Ainsi cette double capacité.

Vous n'êtes pas dans l'état de votre création.

Ces deux états étant ouverts il est impossible que vous ne les reconnaissiez pas.

Suivez vos mouvements. Observez-vous vous-même et voyez si vous n'y trouverez pas les caractères vivants de ces deux natures.

Tant de contradictions se trouveraient-elles dans un sujet simple?

Incompréhensible.

Tout ce qui est incompréhensible ne laisse pas d'être. Le nombre infini, un espace infini égal au fini.

Incroyable que Dieu s'unisse à nous.

Cette considération n'est tirée que de la vue de notre bassesse, mais si vous l'avez bien sincère, suivez-la aussi loin que moi et reconnaissez que nous sommes en effet si bas que nous sommes par nous-mêmes incapables de connaître si sa miséricorde ne peut pas nous rendre capables de lui. Car je voudrais savoir d'où cet animal qui se reconnaît si faible a le droit de mesurer la miséricorde de Dieu et d'y mettre les bornes que sa fantaisie lui suggère. Il sait si peu ce que c'est que Dieu qu'il ne sait pas ce qu'il est lui-même. Et tout troublé de la vue de son propre état il ose dire que Dieu ne le peut pas rendre capable de sa communication. Mais je voudrais lui demander si Dieu demande autre chose de lui sinon qu'il l'aime et le connaisse, et pourquoi il croit que Dieu ne peut se rendre connaissable et aimable à lui puisqu'il est naturellement capable d'amour et de connaissance. Il est sans doute qu'il connaît au moins qu'il est et qu'il aime quelque chose. Donc s'il voit quelque chose dans les ténèbres où il est et s'il trouve quelque sujet d'amour parmi les choses de la terre, pourquoi si Dieu lui découvre quelque rayon de son essence, ne sera(-t-)il pas capable de le connaître et de l'aimer en la manière qu'il lui plaira se communiquer à nous. Il y a donc sans doute une présomption insupportable dans ces sortes de raisonnements, quoiqu'ils paraissent fondés sur une humilité apparente, qui n'est ni sincère, ni raisonnable si elle ne nous fait confesser que ne sachant de nous-mêmes qui nous sommes nous ne pouvons l'apprendre que de Dieu.

Je n'entends pas que vous soumettiez votre créance à moi sans raison, et ne prétends pas vous assujettir avec tyrannie. Je ne prétends pas aussi vous rendre raison de toutes choses. Et pour accorder ces contrariétés j'entends vous faire voir clairement par des preuves convaincantes des marques divines en moi qui vous convainquent de ce que je suis et m'attirer autorité par des merveilles et des preuves que vous ne puissiez refuser et qu'ensuite vous croyiez les choses que je vous enseigne quand vous n'y trouverez autre sujet de les refuser, sinon que vous ne pouvez pas vous-même connaître si elles sont ou non.

Dieu a voulu racheter les hommes et ouvrir le salut à ceux qui le chercheraient, mais les hommes s'en rendent si indignes qu'il est juste que Dieu refuse à quelques-uns, à cause de leur endurcissement, ce qu'il accorde aux autres par une miséricorde qui ne leur est pas due.

S'il eût voulu surmonter l'obstination des plus endurcis, il l'eût pu, en se découvrant si manifestement à eux qu'ils n'eussent pu douter de la vérité de son essence comme il paraîtra au dernier jour avec un tel éclat de foudres et un tel renversement de la nature que les morts ressusciteront et les plus aveugles le verront. Ce n'est pas en cette sorte qu'il a voulu paraître dans son avènement de douceur, parce que tant d'hommes se rendant indignes de sa clémence il a voulu les laisser dans la privation du bien qu'ils ne veulent pas. Il n'était donc pas juste qu'il parût d'une manière manifestement divine et absolument capable de convaincre tous les hommes, mais il n'était pas juste aussi qu'il vînt d'une manière si cachée qu'il ne pût être reconnu de ceux qui le chercheraient sincèrement. Il a voulu se rendre parfaitement connaissable à ceux-là, et ainsi voulant paraître à découvert à ceux qui le cherchent de tout leur cœur, et caché à ceux qui le fuient de tout leur cœur il a tempéré.

A. P. R. pour Demain. 2.

tempéré sa connaissance, en sorte qu'il a donné des marques de soi visibles à ceux qui le cherchent et non à ceux qui ne le cherchent pas.

Il y a assez de lumière pour ceux qui ne désirent que de voir, et assez d'obscurité pour ceux qui ont une disposition contraire.

XII. COMMENCEMENT

150-*226* Les impies qui font profession de suivre la raison doivent être étrangement forts en raison.

Que disent-ils donc?

Ne voyons-nous pas, disent-ils, mourir et vivre les bêtes comme les hommes, et les Turcs comme les chrétiens; il ont leurs cérémonies, leurs prophètes, leurs docteurs, leurs saints, leurs religieux comme nous, etc.

Cela est-il contraire à l'Écriture? ne dit-elle pas tout cela?

Si vous ne vous souciez guère de savoir la vérité, en voilà assez pour vous laisser en repos. Mais si vous désirez de tout votre cœur de la connaître ce n'est pas assez regardé au détail. C'en serait assez pour une question de philosophie, mais ici où il va de tout... Et cependant après une réflexion légère de cette sorte on s'amusera, etc.

Qu'on s'informe de cette religion, même si elle ne rend pas raison de cette obscurité peut-être qu'elle nous l'apprendra.

151-*211* Nous sommes plaisants de nous reposer dans la société de nos semblables, misérables comme nous, impuissants comme nous; ils ne nous aideront pas : on mourra seul.

Il faut donc faire comme si on était seul. Et alors bâtirait-on des maisons superbes, etc. on chercherait la vérité sans hésiter. Et si on le refuse on témoigne estimer plus l'estime des hommes que la recherche de la vérité.

152-*213* Entre nous et l'enfer ou le ciel il n'y a que la vie entre deux qui est la chose du monde la plus fragile.

153-*238* Que me promettez-vous enfin? car dix ans est le parti, sinon dix ans d'amour-propre, à bien essayer de plaire sans y réussir, outre les peines certaines?

154-*237* Partis.

Il faut vivre autrement dans le monde, selon ces diverses suppositions.

1. *(s'il est sûr qu'on y sera toujours)* si on pourrait y être toujours.

(2. *s'il est incertain si on y sera toujours ou non)*

(3. *s'il est sûr qu'on n'y sera pas toujours — mais qu'on soit assuré d'y être longtemps.)*

(4. *s'il est certain qu'on n'y sera pas toujours et incertain — si on y sera — pas — longtemps — faux)*

5. s'il est sûr qu'on n'y sera pas longtemps, et incertain si on y sera une heure.

Cette dernière supposition est la nôtre.

155-*281* Cœur
Instinct
Principes

156-*190* Plaindre les athées qui cherchent, car ne sont-ils pas assez malheureux. Invectiver contre ceux qui en font vanité.

157-*225* Athéisme marque de force d'esprit, mais jusqu'à un certain degré seulement.

158-*236* Pour les partis vous devez vous mettre en peine de rechercher la vérité, car si vous mourez sans adorer le vrai principe vous êtes perdu. Mais — dites-vous, s'il avait voulu que je l'adorasse il m'aurait laissé des signes de sa volonté. Aussi a(-t-)il fait, mais vous les négligez. Cherchez-les donc; cela le vaut bien.

159-*204* Si on doit donner huit jours de la vie on doit donner cent ans.

160-*257* Il n'y a que trois sortes de personnes : les uns qui servent Dieu l'ayant trouvé, les autres qui s'emploient à le chercher ne l'ayant pas trouvé, les autres qui vivent sans le chercher ni l'avoir trouvé. Les premiers sont raisonnables et heureux, les derniers sont fous et malheureux. Ceux du milieu sont malheureux et raisonnables.

161-*221* Les athées doivent dire des choses parfaitement claires. Or il n'est point parfaitement clair que l'âme soit matérielle.

162-*189* Commencer par plaindre les incrédules, ils sont assez malheureux par leur condition.

Il ne les faudrait injurier qu'au cas que cela servît, mais cela leur nuit.

163-*200* Un homme dans un cachot, ne sachant pas si son arrêt est donné, n'ayant plus qu'une heure pour l'apprendre, cette heure suffisant s'il sait qu'il est donné pour le faire révoquer. Il est contre nature qu'il emploie cette heure-là, non à s'informer si l'arrêt est donné, mais à jouer au piquet.

Ainsi il est surnaturel que l'homme, etc. C'est un appesantissement de la main de Dieu.

Ainsi non seulement le zèle de ceux qui le cherchent prouve Dieu, mais l'aveuglement de ceux qui ne le cherchent pas.

164-*218* Commencement. Cachot.

Je trouve bon qu'on n'approfondisse pas l'opinion de Copernic. Mais ceci :

Il importe à toute la vie de savoir si l'âme est mortelle ou immortelle.

165-*210* Le dernier acte est sanglant quelque belle que soit la comédie en tout le reste. On jette enfin de la terre sur la tête et en voilà pour jamais.

166-*183* Nous courons sans souci dans le précipice après que nous avons mis quelque chose devant nous pour nous empêcher de le voir.

XIII. SOUMISSION ET USAGE DE LA RAISON

167-*269* Soumission et usage de la raison : en quoi consiste le vrai christianisme.

168-*224* Que je hais ces sottises de ne pas croire l'eucharistie, etc.
Si l'évangile est vrai, si J.-C. est Dieu, quelle difficulté y a(-t-)il là.

169-*812* Je ne serais pas chrétien sans les miracles, dit saint Augustin.

170-*268* Soumission.
Il faut savoir douter où il faut, assurer où il faut, en se soumettant où il faut. Qui ne fait ainsi n'entend pas la force de la raison. Il y (en) a qui faillent contre ces trois principes, ou en assurant tout comme démonstratif, manque de se connaître en démonstration, ou en doutant de tout, manque de savoir où il faut se soumettre, ou en se soumettant en tout, manque de savoir où il faut juger.
Pyrrhonien, géomètre, chrétien : doute, assurance, soumission.

171-*696* *Susceperunt verbum cum omni aviditate scrutantes scripturas si ita se haberent*[26].

172-*185* La conduite de Dieu, qui dispose toutes choses avec douceur, est de mettre la religion dans l'esprit par les raisons et dans le cœur par la grâce, mais de la vouloir mettre dans l'esprit et dans le cœur par la force et par les menaces, ce n'est pas y mettre la religion mais la terreur. *Terrorem potius quam religionem*[27].

173-*273* Si on soumet tout à la raison notre religion n'aura rien de mystérieux et de surnaturel.
Si on choque les principes de la raison notre religion sera absurde et ridicule.

174-*270* Saint Augustin. La raison ne se soumettrait jamais si elle ne jugeait qu'il y a des occasions où elle se doit soumettre.
Il est donc juste qu'elle se soumette quand elle juge qu'elle se doit soumettre.

175-*563* Ce sera une des confusions des damnés de voir qu'ils seront condamnés par leur propre raison par laquelle ils ont prétendu condamner la religion chrétienne.

176-*261* Ceux qui n'aiment pas la vérité prennent le prétexte de la contestation et de la multitude de ceux qui la nient, et ainsi leur erreur ne vient que de ce qu'ils n'aiment pas la vérité ou la charité. Et ainsi ils ne s'en sont pas excusés.

177-*384* Contradiction est une mauvaise marque de vérité.
Plusieurs choses certaines sont contredites.
Plusieurs fausses passent sans contradiction.
Ni la contradiction n'est marque de fausseté ni l'incontradiction n'est marque de vérité.

178-*747 bis* Voyez les deux sortes d'hommes dans le titre : Perpétuité.

179-*256* Il y a peu de vrais chrétiens. Je dis même pour la foi. Il y en a bien qui croient mais par superstition. Il y en a bien qui ne croient pas, mais par libertinage; peu sont entre-deux.
Je ne comprends pas en cela ceux qui sont dans la véritable piété de mœurs et tous ceux qui croient par un sentiment du cœur.

180-*838* J.-C. a fait des miracles et les apôtres ensuite. Et les premiers saints en grand nombre, parce que les prophéties n'étant pas encore accom-

26. Act., XVII, 11 : « *Ils* (les Juifs de Bérée) *reçurent la parole avec la plus grande avidité, cherchant tous les jours dans l'Écriture s'il en était ainsi.* »

27. « *La terreur plutôt que la religion.* »

plies, et s'accomplissant par eux, rien ne témoignait que les miracles. Il était prédit que le Messie convertirait les nations. Comment cette prophétie se fût-elle accomplie sans la conversion des nations, et comment les nations se fussent-elles converties au Messie, ne voyant pas ce dernier effet des prophéties qui le prouvent. Avant donc qu'il ait été mort, ressuscité et converti les nations tout n'était pas accompli et ainsi il a fallu des miracles pendant tout ce temps. Maintenant il n'en faut plus contre les Juifs, car les prophéties accomplies sont un miracle subsistant.

181-*255* La piété est différente de la superstition.

Soutenir la piété jusqu'à la superstition c'est la détruire.

Les hérétiques nous reprochent cette soumission superstitieuse; c'est faire ce qu'ils nous reprochent.

Impiété de ne pas croire l'Eucharistie sur ce qu'on ne la voit pas.

Superstition de croire des propositions, etc.

Foi, etc.

182-*272* Il n'y a rien de si conforme à la raison que ce désaveu de la raison.

183-*253* 2. excès
exclure la raison, n'admettre que la raison.

184-*811* On n'aurait point péché en ne croyant pas J.-C. sans les miracles.
Videte an mentiar [28].

185-*265* La foi dit bien ce que les sens ne disent pas, mais non pas le contraire de ce qu'ils voient; elle est au-dessus, et non pas contre.

186-*947* Vous abusez de la créance que le peuple a en l'Église et leur faites accroire.

187-*254* Ce n'est pas une chose rare qu'il faille reprendre le monde de trop de docilité.
C'est un vice naturel comme l'incrédulité et aussi pernicieux.
Superstition.

28. Job, VI, 28 : « *Voyez si je mens.* »

188-*267* La dernière démarche de la raison est de reconnaître qu'il y a une infinité de choses qui la surpassent. Elle n'est que faible si elle ne va jusqu'à connaître cela.

Que si les choses naturelles la surpassent, que dira (-t-)on des surnaturelles?

XIV. EXCELLENCE

189-*547* Dieu par J.-C.
Nous ne connaissons Dieu que par J.-C. Sans ce médiateur est ôtée toute communication avec Dieu. Par J.-C. nous connaissons Dieu. Tous ceux qui ont prétendu connaître Dieu et le prouver sans J.-C. n'avaient que des preuves impuissantes. Mais pour prouver J.-C. nous avons les prophéties qui sont des preuves solides et palpables. Et ces prophéties étant accomplies et prouvées véritables par l'événement marquent la certitude de ces vérités et partant la preuve de la divinité de J.-C. En lui et par lui nous connaissons donc Dieu. Hors de là et sans l'Écriture, sans le péché originel, sans médiateur nécessaire, promis et arrivé, on ne peut prouver absolument Dieu, ni enseigner ni bonne doctrine, ni bonne morale. Mais par J.-C. et en J.-C. on prouve Dieu et on enseigne la morale et la doctrine. J.-C. est donc le véritable Dieu des hommes.

Mais nous connaissons en même temps notre misère, car ce Dieu-là n'est autre chose que le réparateur de notre misère. Ainsi nous ne pouvons bien connaître Dieu qu'en connaissant nos iniquités.

Aussi ceux qui ont connu Dieu sans connaître leur misère ne l'ont pas glorifié, mais s'en sont glorifiés.
Quia non cognovit per sapientiam, placuit deo per stultitiam predicationis salvos facere [29].

190-*543* Préface. Les preuves de Dieu métaphysiques sont si éloignées du raisonnement des hommes et si impliquées, qu'elles frappent peu et quand cela servirait à quelques-unes, cela ne servirait que pendant l'instant qu'ils voient cette démonstration, mais une heure après ils craignent de s'être trompés.

Quod curiositate cognoverunt, superbia amiserunt [30].

C'est ce que produit la connaissance de Dieu qui se tire sans J.-C. qui est de communiquer sans médiateur, avec le Dieu qu'on a connu sans médiateur.

29. I Cor., I, 21 : « *Puisque dans la sagesse de Dieu le monde, par la sagesse, n'a pas reconnu Dieu, il a plu à Dieu de sauver ceux qui croient, par la folie de la prédication.* »
30. Saint Augustin, *Sermon* CXLI : « *Ce que leur curiosité leur avait fait découvrir, leur superbe le leur a fait perdre.* »

Au lieu que ceux qui ont connu Dieu par médiateur connaissent leur misère.

191-*549* Il est non seulement impossible mais inutile de connaître Dieu sans J.-C. Ils ne s'en sont pas éloignés mais approchés; il ne se sont pas abaissés mais... *Quo quisque optimus eo pessimus si hoc ipsum quod sit optimus ascribat sibi* [31].

192-*527* La connaissance de Dieu sans celle de sa misère fait l'orgueil.

La connaissance de sa misère sans celle de Dieu fait le désespoir.

La connaissance de J.-C. fait le milieu parce que nous y trouvons, et Dieu et notre misère.

XV. TRANSITION

193-*98* La prévention induisant en erreur.

C'est une chose déplorable de voir tous les hommes ne délibérer que des moyens et point de la fin. Chacun songe comment il s'acquittera de sa condition, mais pour le choix de la condition, et de la patrie le sort nous le donne.

C'est une chose pitoyable de voir tant de Turcs, d'hérétiques, d'infidèles, suivre le train de leurs pères, par cette seule raison qu'ils ont été prévenus chacun que c'est le meilleur et c'est ce qui détermine chacun à chaque condition de serrurier, soldat, etc.

C'est par là que les sauvages n'ont que faire de la Provence.

194-*208* Pourquoi ma connaissance est-elle bornée, ma taille, ma durée à 100 ans plutôt qu'à 1000? quelle raison a eu la nature de me la donner telle et de choisir ce milieu plutôt qu'un autre dans l'infinité, desquels il n'y a pas plus de raison de choisir l'un que l'autre, rien ne tentant plus que l'autre?

195-*37* *(Peu de tout). Puisqu'on ne peut être universel en sachant tout ce qui se peut savoir sur tout, il faut savoir peu de tout, car il est bien plus beau de savoir quelque chose de tout que de savoir tout d'une chose. Cette universalité est la plus belle. Si on pouvait avoir les deux encore mieux, mais s'il faut choisir il faut choisir celle-là. Et le monde le sait et le fait, car le monde est un bon juge souvent.*

31. Saint Bernard, *In cantica sermones*, LXXXIV : « *Meilleur on est, pire on devient, si on s'attribue à soi-même ce par quoi on est bon.* » (Éd. Migne, t. II, p. 1184, référence donnée par l'édition des *Pensées* de La Bonne Compagnie, Paris, 1947.)

196-*86* *(Ma fantaisie me fait haïr un coasseur et un qui souffle en mangeant. La fantaisie a grand poids. Que profiterons-nous de là? que nous suivrons ce poids à cause qu'il est naturel, non, mais que nous y résisterons.)*

197-*163 bis* *(Rien ne montre mieux la vanité des hommes que de considérer quelle cause et quels effets de l'amour, car tout l'univers en est changé. Le nez de Cléopâtre.)*

198-*693* H. 5. En voyant l'aveuglement et la misère de l'homme, en regardant tout l'univers muet et l'homme sans lumière abandonné à lui-même, et comme égaré dans ce recoin de l'univers sans savoir qui l'y a mis, ce qu'il y est venu faire, ce qu'il deviendra en mourant, incapable de toute connaissance, j'entre en effroi comme un homme qu'on aurait porté endormi dans une île déserte et effroyable, et qui s'éveillerait sans connaître et sans moyen d'en sortir. Et sur cela j'admire comment on n'entre point en désespoir d'un si misérable état. Je vois d'autres personnes auprès de moi d'une semblable nature. Je leur demande s'ils sont mieux instruits que moi. Ils me disent que non et sur cela ces misérables égarés, ayant regardé autour d'eux et ayant vu quelques objets plaisants s'y sont donnés et s'y sont attachés. Pour moi je n'ai pu y prendre d'attache et considérant combien il y a plus d'apparence qu'il y a autre chose que ce que je vois j'ai recherché si ce Dieu n'aurait point laissé quelque marque de soi.

Je vois plusieurs religions contraires et partant toutes fausses, excepté une. Chacune veut être crue par sa propre autorité et menace les incrédules. Je ne les crois donc pas là-dessus. Chacun peut dire cela. Chacun peut se dire prophète mais je vois la chrétienne et je trouve des prophéties, et c'est ce que chacun ne peut pas faire.

199-*72* H. Disproportion de l'homme.

9. — *(Voilà où nous mènent les connaissances naturelles.*

Si celles-là ne sont véritables il n'y a point de vérité dans l'homme, et si elles le sont il y trouve un grand sujet d'humiliation, forcé à s'abaisser d'une ou d'autre manière.

Et puisqu'il ne peut subsister sans les croire je souhaite avant que d'entrer dans de plus grandes recherches de la nature, qu'il la considère une fois sérieusement et à loisir, qu'il se regarde aussi soi-même — et qu'il juge s'il a quelque proportion avec elle, par la comparaison qu'il fera de ces deux objets.)

Que l'homme contemple donc la nature entière dans sa haute et pleine majesté, qu'il éloigne sa vue des objets bas qui l'environnent. Qu'il regarde cette éclatante lumière mise comme une lampe éternelle pour éclairer l'univers, que la terre lui paraisse comme un point au prix du vaste tour que cet astre décrit, et qu'il s'étonne de ce que ce vaste tour lui-même n'est qu'une pointe très délicate à l'égard de celui que ces astres, qui roulent dans le firmament, embrassent. Mais si notre vue s'arrête là que l'imagination passe outre, elle se lassera plutôt de concevoir que la nature de fournir. Tout le monde visible n'est qu'un trait imperceptible dans l'ample sein de la nature. Nulle idée n'en approche, nous avons beau enfler nos conceptions au-delà des espaces imaginables, nous n'enfantons que des atomes au prix de la réalité des choses. C'est une sphère infinie dont le centre est partout, la circonférence nulle part. Enfin c'est le plus grand caractère sensible de la toute-puissance de Dieu que notre imagination se perde dans cette pensée.

Que l'homme étant revenu à soi considère ce qu'il est au prix de ce qui est, qu'il se regarde comme égaré, et que de ce petit cachot où il se trouve logé, j'entends l'univers, il apprenne à estimer la terre, les royaumes, les villes, les maisons et soi-même, son juste prix.

Qu'est-ce qu'un homme, dans l'infini?

Mais pour lui présenter un autre prodige aussi étonnant, qu'il recherche dans ce qu'il connaît les choses les plus délicates, qu'un ciron lui offre dans la petitesse de son corps des parties incomparablement plus petites, des jambes avec des jointures, des veines dans ses jambes, du sang dans ses veines, des humeurs dans ce sang, des gouttes dans ces humeurs, des vapeurs dans ces gouttes, que divisant encore ces dernières choses il épuise ses forces en ces conceptions et que le dernier objet où il peut arriver soit maintenant celui de notre discours. Il pensera peut-être que c'est là l'extrême petitesse de la nature.

Je veux lui faire voir là-dedans un abîme nouveau. Je lui veux peindre non seulement l'univers visible, mais l'immensité qu'on peut concevoir de la nature dans l'enceinte de ce raccourci d'atome, qu'il y voie une infinité d'univers, dont chacun a son firmament, ses planètes, sa terre, en la même proportion que le monde visible, dans cette terre des animaux, et enfin des cirons dans lesquels il retrouvera ce que les premiers ont donné, et trouvant encore dans les autres la même chose sans fin et sans repos, qu'il se perdra dans ces merveilles aussi étonnantes dans leur petitesse, que les autres par leur étendue, car qui n'admirera que notre corps, qui tantôt n'était pas perceptible dans l'univers imperceptible lui-même dans le sein du tout, soit à présent un colosse, un monde ou plutôt un tout à l'égard du néant où l'on ne peut arriver. Qui se considérera de la sorte s'effraiera de soi-même et se considérant soutenu dans la masse que la nature lui a donnée entre ces deux abîmes de l'infini et du néant, il tremblera dans la vue de ces merveilles et je crois que sa curiosité se changeant en admiration il sera plus disposé à les contempler en silence qu'à les rechercher avec présomption.

Car enfin qu'est-ce que l'homme dans la nature? Un néant à l'égard de l'infini, un tout à l'égard du néant, un milieu entre rien et tout, infiniment éloigné de comprendre les extrêmes; la fin des choses et leurs principes sont pour lui invinciblement cachés dans un secret impénétrable.

Également — incapable de voir le néant d'où il est tiré et l'infini où il est englouti.

Que fera(-t-)il donc sinon d'apercevoir quelque apparence du milieu des choses dans un désespoir éternel de connaître ni leur principe ni leur fin. Toutes choses sont sorties du néant et portées jusqu'à l'infini. Qui suivra ces étonnantes démarches? l'auteur de ces merveilles les comprend. Tout autre ne le peut faire.

Manque d'avoir contemplé ces infinis les hommes se sont portés témérairement à la recherche de la nature comme s'ils avaient quelque proportion avec elle.

C'est une chose étrange qu'ils ont voulu comprendre les principes des choses et de là arriver jusqu'à connaître tout, par une présomption aussi infinie que leur objet. Car il est sans doute qu'on ne peut former ce dessein sans une présomption ou sans une capacité infinie, comme la nature.

Quand on est instruit on comprend que la nature ayant gravé son image et celle de son auteur dans toutes choses elles tiennent presque toutes de sa double infinité. C'est ainsi que nous voyons que toutes les sciences sont infinies en l'étendue de leurs recherches, car qui doute que la géométrie par exemple a une infinité d'infinités de propositions à exposer. Elles sont aussi infinies dans la multitude et la délicatesse de leurs principes, car qui ne voit que ceux qu'on propose pour les derniers ne se soutiennent pas d'eux-mêmes et qu'ils sont appuyés sur d'autres qui en ayant d'autres pour appui ne souffrent jamais de dernier.

Mais nous faisons des derniers qui paraissent à la raison, comme on fait dans les choses matérielles où nous appelons un point indivisible, celui au-delà duquel nos sens n'aperçoivent plus rien, quoique divisible infiniment et par sa nature.

De ces deux infinis des sciences celui de grandeur est bien plus sensible, et c'est pourquoi il est arrivé à peu de personnes de prétendre connaître toutes choses. Je vais parler de tout, disait Démocrite.

Mais l'infinité en petitesse est bien moins visible. Les philosophes ont bien plutôt prétendu d'y arriver, et c'est là où tous ont achoppé. C'est ce qui a donné lieu à ces titres si ordinaires, *Des principes des choses*, *Des principes de la philosophie*, et aux semblables aussi fastueux en effet, quoique moins en apparence que cet autre qui crève les yeux : *De omni scibili.*

On se croit naturellement bien plus capable d'arriver au centre des choses que d'embrasser leur circonférence, et l'étendue visible du monde nous surpasse visiblement. Mais comme c'est nous qui surpassons les petites choses nous nous croyons plus capables de les posséder, et cependant il ne faut pas moins de capacité pour aller jusqu'au néant que jusqu'au tout. Il la faut infinie pour l'un et l'autre, et il me semble que qui aurait compris les derniers principes des choses pourrait aussi arriver jusqu'à connaître l'infini. L'un dépend de l'autre et l'un conduit à l'autre. Ces extrémités se touchent et se réunissent à force de s'être éloignées et se retrouvent en Dieu, et en Dieu seulement.

Connaissons donc notre portée. Nous sommes quelque chose et ne sommes pas tout. Ce que nous avons d'être nous dérobe la connaissance des premiers principes qui naissent du néant, et le peu que nous avons d'être nous cache la vue de l'infini.

Notre intelligence tient dans l'ordre des choses intelligibles le même rang que notre corps dans l'étendue de la nature.

Bornés en tout genre, cet état qui tient le milieu entre deux extrêmes se trouve en toutes nos puissances. Nos sens n'aperçoivent rien d'extrême, trop de bruit nous assourdit, trop de lumière éblouit, trop de distance et trop de proximité empêche la vue. Trop de longueur et trop de brièveté de discours l'obscurcit, trop de vérité nous étonne. J'en sais qui ne peuvent comprendre que qui de zéro ôte 4 reste zéro. Les premiers principes ont trop d'évidence pour nous; trop de plaisir incommode, trop de consonances déplaisent dans la musique, et trop de bienfaits irritent. Nous voulons avoir de quoi surpasser la dette. *Beneficia eo usque laeta sunt dum videntur exsolvi posse. Ubi multum antevenere pro gratia odium redditur.* Nous ne sentons ni l'extrême chaud, ni l'extrême froid. Les qualités excessives nous sont ennemies et non pas sensibles, nous ne les sentons plus, nous les souffrons. Trop de jeunesse et trop de vieillesse empêche l'esprit; trop et trop peu d'instruction.

Enfin les choses extrêmes sont pour nous comme si elles n'étaient point et nous ne sommes point à leur égard; elles nous échappent ou nous à elles.

Voilà notre état véritable. C'est ce qui nous rend incapables de savoir certainement et d'ignorer absolument. Nous voguons sur un milieu vaste, toujours incertains et flottants, poussés d'un bout vers l'autre; quelque terme où nous pensions nous attacher et nous affermir, il branle, et nous quitte, et si nous le suivons il échappe à nos prises, nous glisse et fuit d'une fuite éternelle; rien ne s'arrête pour nous. C'est l'état qui nous est naturel et toutefois le plus contraire à notre inclination. Nous brûlons du désir de trouver une assiette ferme, et une dernière base constante pour y édifier une tour qui s'élève à (l')infini, mais tout notre fondement craque et la terre s'ouvre jusqu'aux abîmes.

Ne cherchons donc point d'assurance et de fermeté; notre raison est toujours déçue par l'inconstance des apparences : rien ne peut fixer le fini entre les deux infinis qui l'enferment et le fuient.

Cela étant bien compris je crois qu'on se tiendra en repos, chacun dans l'état où la nature l'a placé.

Ce milieu qui nous est échu en partage étant toujours distant des extrêmes, qu'importe qu'un autre ait un peu plus d'intelligence des choses s'il en a, et s'il les prend un peu de plus haut, n'est-il pas toujours infiniment éloigné du bout et la durée de notre vie n'est-elle pas également infime de l'éternité pour durer dix ans davantage.

Dans la vue de ces infinis tous les finis sont égaux et je ne vois pas pourquoi asseoir son imagination plutôt sur un que sur l'autre. La seule comparaison que nous faisons de nous au fini nous fait peine.

Si l'homme s'étudiait il verrait combien il est incapable de passer outre. Comment se pourrait-il qu'une partie connût le tout? mais il aspirera peut-être à connaître au moins les parties avec lesquelles il a de la proportion. Mais les parties du monde ont toutes un tel rapport et un tel enchaînement l'une avec l'autre que je crois impossible de connaître l'une sans l'autre et sans le tout.

L'homme par exemple a rapport à tout ce qu'il connaît. Il a besoin de lieu pour le contenir, de temps pour durer, de mouvement pour vivre, d'éléments pour le composer, de chaleur et d'aliments pour se nourrir, d'air pour respirer. Il voit la lumière, il sent les corps, enfin tout tombe sous son alliance. Il faut donc pour connaître l'homme savoir d'où vient qu'il a besoin d'air pour subsister et pour connaître l'air, savoir par où il a ce rapport à la vie de l'homme, etc.

La flamme ne subsiste point sans l'air; donc pour connaître l'un il faut connaître l'autre.

Donc toutes choses étant causées et causantes, aidées et aidantes, médiates et immédiates et toutes s'entretenant par un lien naturel et insensible qui lie les plus éloignées et les plus différentes, je tiens impossible de connaître les parties sans connaître le tout, non plus que de connaître le tout sans connaître particulièrement les parties.

(L'éternité des choses en elles-mêmes ou en Dieu doit encore étonner notre petite durée.

L'immobilité fixe et constante de la nature, comparaison au changement continuel qui se passe en nous doit faire le même effet.)

Et ce qui achève notre impuissance — à connaître les choses est qu'elles sont simples en elles-mêmes et que nous sommes composés de deux natures opposées et de divers genres, d'âme et de corps. Car il est impossible que la partie qui raisonne en nous soit autre que spirituelle et quand on prétendrait que nous serions simplement corporels cela nous exclurait bien davantage de la connaissance des choses, n'y ayant rien de si inconcevable que de dire que la matière se connaît soi-même. Il ne nous est pas possible de connaître comment elle se connaîtrait.

Et ainsi, si nous *(sommes)* simples matériels nous ne pouvons rien du tout connaître, et si nous sommes composés d'esprit et de matière nous ne pouvons connaître parfaitement les choses simples spirituelles ou corporelles.

De là vient que presque tous les philosophes confondent les idées des choses et parlent des choses corporelles spirituellement et des spirituelles corporellement, car ils disent hardiment que les corps tend(ent) en bas, qu'ils aspirent à leur centre, qu'ils fuient leur destruction, qu'ils craignent le vide, qu'ils (ont) des inclinations, des sympathies, des antipathies, toutes choses qui n'appartiennent qu'aux esprits. Et en parlant des esprits ils les considèrent comme en un lieu, et leur attribuent le mouvement d'une place à une autre, qui sont choses qui n'appartiennent qu'aux corps.

Au lieu de recevoir les idées de ces choses pures, nous les teignons de nos qualités et empreignons notre être composé (de) toutes les choses simples que nous contemplons.

Qui ne croirait à nous voir composer toutes choses d'esprit et de corps que ce mélange-là nous serait bien compréhensible. C'est néanmoins la chose qu'on comprend le moins; l'homme est à lui-même le plus prodigieux objet de la nature, car il ne peut concevoir ce que c'est que corps et encore moins ce que c'est qu'esprit, et moins qu'aucune chose comment un corps peut être uni avec un esprit. C'est là le comble de ses difficultés et cependant c'est son propre être : *modus quo corporibus adherent spiritus comprehendi ab homine non potest, et hoc tamen homo est*[32].

Enfin pour consommer la preuve de notre faiblesse je finirai par ces deux considérations...

200-*347* H. 3. — L'homme n'est qu'un roseau, le plus faible de la nature, mais c'est un roseau pensant. Il ne faut pas que l'univers entier s'arme pour l'écraser; une vapeur, une goutte d'eau suffit pour le tuer. Mais quand l'univers l'écraserait, l'homme serait encore plus noble que ce qui le tue, puisqu'il sait qu'il meurt et l'avantage que l'univers a sur lui. L'univers n'en sait rien.

Toute notre dignité consiste donc en la pensée. C'est de là qu'il nous faut relever et non de l'espace et de la durée, que nous ne saurions remplir. Travaillons donc à bien penser : voilà le principe de la morale.

201-*206* Le silence éternel de ces espaces infinis m'effraie.

202-*517* Consolez-vous; ce n'est point de vous que vous devez l'attendre, mais au contraire en n'attendant rien de vous que vous devez l'attendre.

XV *bis*. LA NATURE EST CORROMPUE

[*Il s'agit d'un dossier dont Pascal avait prévu le titre mais dans lequel il ne classa aucune pensée.*]

XVI. FAUSSETÉ DES AUTRES RELIGIONS

203-*595* Fausseté des autres religions.

Mahomet sans autorité.

Il faudrait donc que ses raisons fussent bien puissantes, n'ayant que leur propre force.

Que dit-il donc? qu'il faut le croire.

204-*592* Fausseté des autres religions.

Ils n'ont point de témoins. Ceux-ci en ont.

Dieu défie les autres religions de produire de telles marques. Is. 43.9-44.8.

205-*489* S'il y a un seul principe de tout, une seule fin de tout, — tout par lui, tout pour lui, — il faut donc que la vraie religion nous enseigne à n'adorer que lui et à n'aimer que lui. Mais comme nous nous trouvons dans l'impuissance d'adorer ce que nous ne connaissons pas et d'aimer autre chose que nous, il faut que la religion qui instruit de ces devoirs nous instruise aussi de ces impuissances et qu'elle nous apprenne aussi les remèdes. Elle nous apprend que par un homme tout a été perdu et la liaison rompue entre Dieu et nous, et que par un homme la liaison est réparée.

Nous naissons si contraires à cet amour de Dieu et il est si nécessaire qu'il faut que nous naissions coupables, ou Dieu serait injuste.

206-*235* *Rem viderunt, causam non viderunt*[33].

207-*597* Contre Mahomet.

L'Alcoran n'est pas plus de Mahomet que l'Évangile de saint Matthieu. Car il est cité de plusieurs auteurs de siècle en siècle. Les ennemis mêmes, Celse et Porphyre, ne l'ont jamais désavoué.

L'Alcoran dit que saint Matthieu était homme de bien, donc il était faux prophète ou en appelant gens de bien des méchants, ou en ne demeurant pas d'accord de ce qu'ils ont dit de J.-C.

208-*435* Sans ces divines connaissances qu'ont pu faire les hommes sinon ou s'élever dans le sentiment intérieur qui leur reste de leur grandeur passée, ou s'abattre dans la vue de leur faiblesse présente. Car ne voyant pas la vérité entière ils n'ont pu arriver à une parfaite vertu, les uns considérant la nature comme incorrompue, les autres comme irréparable, ils n'ont pu fuir ou l'orgueil ou la paresse qui sont

32. Saint Augustin, *Cité de Dieu*, XXI, 10 : « *La manière dont l'esprit est uni au corps ne peut être comprise par l'homme et cependant c'est cela même l'homme.* »

33. Saint Augustin, *Contre Pélage*, IV, 60 : « *L'effet, ils l'ont bien vu; la cause non.* » Cette réflexion est faite à propos du 3e livre de *la République* de Cicéron, dans lequel il décrit la misère de l'homme, sans en indiquer la cause.

les deux sources de tous les vices, puisqu'il ne peut sinon ou s'y abandonner par lâcheté, ou en sortir par l'orgueil. Car s'ils connaissaient l'excellence de l'homme, ils en ignorent la corruption de sorte qu'ils évitaient bien la paresse, mais ils se perdaient dans la superbe et s'ils reconnaissent l'infirmité de la nature ils en ignorent la dignité, de sorte qu'ils pouvaient bien éviter la vanité mais c'était en se précipitant dans le désespoir.

De là viennent les diverses sectes des stoïques et des épicuriens, des dogmatistes et des académiciens, etc.

La seule religion chrétienne a pu guérir ces deux vices, non pas en chassant l'un par l'autre par la sagesse de la terre, mais en chassant l'un et l'autre par la simplicité de l'Évangile. Car elle apprend aux justes qu'elle élève jusqu'à la participation de la divinité même, qu'en ce sublime état ils portent encore la source de toute la corruption qui les rend durant toute la vie sujets à l'erreur, à la misère, à la mort, au péché, et elle crie aux plus impies qu'ils sont capables de la grâce de leur rédempteur. Ainsi donnant à trembler à ceux qu'elle justifie et consolant ceux qu'elle condamne, elle tempère avec tant de justesse la crainte avec l'espérance par cette double capacité qui est commune à tous et de la grâce et du péćhé, qu'elle abaisse infiniment plus que la seule raison ne peut faire mais sans désespérer, et qu'elle élève infiniment plus que l'orgueil de la nature, mais sans enfler, et que faisant bien voir par là qu'étant seule exempte d'erreur et de vice il n'appartient qu'à elle et d'instruire et de corriger les hommes.

Qui peut donc refuser à ces célestes lumières de les croire et de les adorer. Car n'est-il pas plus clair que le jour que nous sentons en nous-mêmes des caractères ineffaçables d'excellence et n'est-il pas aussi véritable que nous éprouvons à toute heure les effets de notre déplorable condition.

Que nous crie donc ce chaos et cette confusion monstrueuse sinon la vérité de ces deux états avec une voix si puissante qu'il est impossible de résister?

209-*599* Différence entre J.-C. et Mahomet.

Mahomet non prédit, J.-C. prédit.

Mahomet en tuant, J.-C. en faisant tuer les siens.

Mahomet en défendant de lire, les apôtres en ordonnant de lire.

Enfin cela est si contraire que si Mahomet a pris la voie de réussir humainement, J.-C. a pris celle de périr humainement et qu'au lieu de conclure que puisque Mahomet a réussi, J.-C. a bien pu réussir, il faut dire que puisque Mahomet a réussi, J.-C. devait périr.

210-*451* Tous les hommes se haïssent naturellement l'un l'autre. On s'est servi comme on a pu de la concupiscence pour la faire servir au bien public. Mais ce n'est que feindre et une fausse image de la charité, car au fond ce n'est que haine.

211-*453* On a fondé et tiré de la concupiscence des règles admirables de police, de morale et de justice.

Mais dans le fond, ce vilain fond de l'homme, ce *figmentum malum* n'est que couvert. Il n'est pas ôté.

212-*528* J.-C. est un Dieu dont on s'approche sans orgueil et sous lequel on s'abaisse sans désespoir.

213-*551* *Dignior plagis quam osculis*
non timeo quia amo [34].

214-*491* La vraie religion doit avoir pour marque d'obliger à aimer son Dieu. Cela est bien juste et cependant aucune ne l'a ordonné, la nôtre l'a fait.

Elle doit encore avoir connu la concupiscence et l'impuissance, la nôtre l'a fait.

Elle doit y avoir apporté des remèdes, l'un est la prière. Nulle religion n'a demandé à Dieu de l'aimer et de le suivre.

215-*433* Après avoir entendu toute la nature de l'homme il faut pour faire qu'une religion soit vraie qu'elle ait connu notre nature. Elle doit avoir connu la grandeur et la petitesse et la raison de l'une et de l'autre. Qui l'a connue que la chrétienne?

216-*493* La vraie religion enseigne nos devoirs, nos impuissances, orgueil et concupiscence, et les remèdes, humilité, mortification.

217-*650* Il y a des figures claires et démonstratives, mais il y en a d'autres qui semblent un peu tirées par les cheveux, et qui ne prouvent qu'à ceux qui sont persuadés d'ailleurs. Celles-là sont semblables aux apocalyptiques.

Mais la différence qu'il y a c'est qu'ils n'en ont point d'indubitables tellement qu'il n'y a rien de si injuste que quand ils montrent que les leurs sont aussi bien fondées que quelques-unes des nôtres. Car ils n'en ont pas de démonstratives comme quelques-unes des nôtres.

La partie n'est donc pas égale. Il ne faut pas égaler et confondre ces choses parce qu'elles semblent être semblables par un bout, étant si différentes par l'autre. Ce sont les clartés qui méritent, quand elles sont divines, qu'on révère les obscurités.

(C'est comme ceux entre lesquels il y a un certain langage obscur; ceux qui n'entendraient pas cela n'y comprendraient qu'un sot sens.)

34. Saint Bernard, *In cantica sermones*, LXXXIV : « *Méritant des coups plutôt que des baisers, je ne crains pas parce que j'aime.* » (Éd. Migne, t. II, p. 1186, référence donnée par l'édition des *Pensées* de la Bonne Compagnie, Paris, 1947.)

218-*598* Ce n'est pas par ce qu'il y a d'obscur dans Mahomet et qu'on peut faire passer pour un sens mystérieux que je veux qu'on en juge, mais par ce qu'il y a de clair, par son paradis et par le reste. C'est en cela qu'il est ridicule. Et c'est pourquoi il n'est pas juste de prendre ses obscurités pour des mystères, vu que ses clartés sont ridicules. Il n'en est pas de même de l'Écriture. Je veux qu'il y ait des obscurités qui soient aussi bizarres que celles de Mahomet, mais il y a des clartés admirables et des prophéties manifestes et accomplies. La partie n'est donc pas égale. Il ne faut pas confondre et égaler les choses qui ne se ressemblent que par l'obscurité et non pas par la clarté qui mérite qu'on révère les obscurités.

219-*251* Les autres religions, comme les païennes, sont plus populaires, car elles sont en extérieur, mais elles ne sont pas pour les gens habiles. Une religion purement intellectuelle serait plus proportionnée aux habiles, mais elle ne servirait pas au peuple. La seule religion chrétienne est proportionnée à tous, étant mêlée d'extérieur et d'intérieur. Elle élève le peuple à l'intérieur, et abaisse les superbes à l'extérieur, et n'est pas parfaite sans les deux, car il faut que le peuple entende l'esprit de la lettre et que les habiles soumettent leur esprit à la lettre.

220-*468* Nulle autre religion n'a proposé de se haïr, nulle autre religion ne peut donc plaire à ceux qui se haïssent et qui cherchent un être véritablement aimable. Et ceux-là s'ils n'avaient jamais ouï parler de la religion d'un Dieu humilié l'embrasseraient incontinent.

XVII. RENDRE LA RELIGION AIMABLE

221-*774* J.-C. pour tous. Moïse pour un peuple.

Les Juifs bénis en Abraham. Je bénirai ceux qui te béniront, mais toutes nations bénies en sa semence.

Parum est ut, etc[35]. Isaïe. / *Lumen ad revelationem gentium*[36].

Non fecit taliter omni nationi[37], disait David, en parlant de la loi. Mais en parlant de J.-C. il faut dire : *fecit taliter omni nationi, parum est ut, etc*[38]. Isaïe.

Aussi c'est à J.-C. d'être universel; l'Église même n'offre le sacrifice que pour les fidèles. J.-C. a offert celui de la croix pour tous.

35. Is., XLIX, 6 : « Il (le Seigneur) a donc dit : *C'est peu que* tu me serves à relever les tribus de Jacob, et à convertir les restes d'Israël. Voici que je t'ai posé en lumière des nations, afin que tu sois mon salut jusqu'à l'extrémité de la terre. »

36. Lc, II, 32 : « *Lumière pour éclaircissement de tous les Gentils.* »

37. Ps., CXLVII, 20 : « *Il n'a point ainsi fait à toute nation.* »

38. « *Il a fait ainsi pour toute nation, c'est peu que*, etc. »

222-*747* Les Juifs charnels et les païens ont des misères et les chrétiens aussi. Il n'y a point de rédempteur pour les païens, car ils (n')en espèrent pas seulement. Il n'y a point de rédempteur pour les Juifs : ils l'espèrent en vain. Il n'y a de rédempteur que pour les chrétiens.

Voyez perpétuité.

XVIII. FONDEMENTS

223-*570* Il faut mettre au chap. des *fondements* ce qui est en celui des *figuratifs* touchant la cause des figures. Pourquoi J.-C. prophétisé en son premier avènement? pourquoi prophétisé obscurément en la manière.

224-*816* Incrédules les plus crédules, ils croient les miracles de Vespasien pour ne pas croire ceux de Moïse.

225-*789* Comme J.-C. est demeuré inconnu parmi les hommes; ainsi la vérité demeure parmi les opinions communes sans différence à l'extérieur. Ainsi l'Eucharistie parmi le pain commun.

226-*523* Toute la foi consiste en J.-C. et en Adam et toute la morale en la concupiscence et en la grâce.

227-*223* Qu'ont-ils à dire contre la résurrection, et contre l'enfantement d'une Vierge. Qu'est-il plus difficile de produire un homme ou un animal, que de le reproduire. Et s'ils n'avaient jamais vu une espèce d'animaux pourraient-ils deviner s'ils se produisent sans la compagnie les uns des autres?

228-*751* Que disent les prophètes de J.-C.? qu'il sera évidemment Dieu? non mais qu'il est un Dieu véritablement caché, qu'il sera méconnu, qu'on ne pensera point que ce soit lui, qu'il sera une pierre d'achoppement, à laquelle plusieurs heurteront, etc.

Qu'on ne nous reproche donc plus le manque de clarté puisque nous en faisons profession. Mais, dit-on, il y a des obscurités et sans cela on ne serait pas aheurté à J.-C. Et c'est un des desseins formels des prophètes : *excaeca.*

229-*444* Ce que les hommes par leurs plus grandes lumières avaient pu connaître, cette religion l'enseignait à ses enfants.

230-*430 bis* Tout ce qui est incompréhensible ne laisse pas d'être.

231-*511* *(Si on veut dire que l'homme est trop peu pour mériter la communication avec Dieu, il faut être bien grand pour en juger.)*

232-*566* On n'entend rien aux ouvrages de Dieu si on ne prend pour principe qu'il a voulu aveugler les uns et éclaircir les autres.

233-*796* J.-C. ne dit pas qu'il n'est pas de Nazareth pour laisser les méchants dans l'aveuglement, ni qu'il n'est pas fils de Joseph.

234-*581* Dieu veut plus disposer la volonté que l'esprit, la clarté parfaite servirait à l'esprit et nuirait à la volonté.
Abaisser la superbe.

235-*771* J.-C. est venu aveugler ceux qui voient clair et donner la vue aux aveugles, géurir les malades, et laisser mourir les sains, appeler à pénitence et justifier les pécheurs, et laisser les justes dans leurs péchés, remplir les indigents et laisser les riches vides.

236-*578* *Aveugler. Éclaircir.* Saint Aug. Montag. Sebonde.
Il y a assez de clarté pour éclairer les élus et assez d'obscurité pour les humilier. Il y a assez d'obscurité pour aveugler les réprouvés et assez de clarté pour les condamner et les rendre inexcusables.

La généalogie de J.-C. dans l'Ancien Testament est mêlée parmi tant d'autres inutiles, qu'elle ne peut être discernée. Si Moïse n'eût tenu registre que des ancêtres de J.-C., cela eût été trop visible; s'il n'eût pas marqué celle de J.-C. cela n'eût pas été assez visible, mais après tout qui y regarde de près voit celle de J.-C. bien discernée par Thamar, Ruth, etc.

Ceux qui ordonnaient ces sacrifices en savaient l'inutilité et ceux qui en ont déclaré l'inutilité n'ont pas laissé de les pratiquer.

Si Dieu n'eût permis qu'une seule religion elle eût été trop reconnaissable. Mais qu'on y regarde de près on discerne bien la vraie dans cette confusion.
Principe : Moïse était habile homme. Si donc il se gouvernait par son esprit il ne devait rien mettre qui fût directement contre l'esprit.
Ainsi toutes les faiblesses très apparentes sont des forces. Exemple : Les deux généalogies de saint Matthieu et saint Luc. Qu'y a(-t-)il de plus clair que cela n'a pas été fait de concert.

237-*795* Si J.-C. n'était venu que pour sanctifier, toute l'Écriture et toutes choses y tendraient et il serait bien aisé de convaincre les infidèles. Si J.-C. n'était venu que pour aveugler toute sa conduite serait confuse et nous n'aurions aucun moyen de convaincre les infidèles, mais comme il est venu *In sanctificationem et in scandalum*[39], comme dit Isaïe, nous ne pouvons convaincre les infidèles. Et ils ne peuvent nous convaincre, mais par là même nous les convainquons, puisque nous disons qu'il n'y a point de conviction dans toute sa conduite de part ni d'autre.

238-*645* Figures.
Dieu voulant priver les siens des biens périssables pour montrer que ce n'était pas par impuissance, il a fait le peuple juif.

239-*510* L'homme n'est pas digne de Dieu mais il n'est pas incapable d'en être rendu digne.
Il est indigne de Dieu de se joindre à l'homme misérable mais il n'est pas indigne de Dieu de le tirer de sa misère.

240-*705* Preuve.
Prophétie avec l'accomplissement.
Ce qui a précédé et ce qui a suivi J.-C.

241-*765* Source des contrariétés. Un Dieu humilié et jusqu'à la mort de la croix. 2 natures en J.-C. Deux avènements. 2 états de la nature de l'homme. Un Messie triomphant de la mort par sa mort.

242-*585* Que Dieu s'est voulu cacher.
S'il n'y avait qu'une religion Dieu y serait bien manifeste.
S'il n'y avait des martyrs qu'en notre religion de même.
Dieu étant ainsi caché toute religion qui ne dit pas que Dieu est caché n'est pas véritable, et toute religion qui n'en rend pas la raison n'est pas instruisante. La nôtre fait tout cela. *Vere tu es deus absconditus.*

243-*601* *(Fondement de notre foi.)*
La religion païenne est sans fondement *(aujourd'hui on dit qu'autrefois elle (en) a eu par les oracles qui ont parlé. Mais quels sont les livres qui nous en assurent? sont-ils si dignes de foi par la vertu de leurs auteurs? sont-ils conservés avec tant de soin (qu') on puisse s'assurer qu'ils ne sont point corrompus?)*
La religion mahométane a pour fondement l'Alco-

39. Is., VIII, 14 : « *En sanctification et en scandale.* »

ran, et Mahomet. Mais ce prophète qui devait être la dernière attente du monde a(-t-)il été prédit? Et quelle marque a(-t-)il que n'ait aussi tout homme qui se voudra dire prophète. Quels miracles dit-il lui-même avoir faits? Quel mystère a(-t-)il enseigné selon sa tradition même? Quelle morale et quelle félicité!

La religion juive doit être regardée différemment. Dans la tradition des livres saints et dans la tradition du peuple. La morale et la félicité en est ridicule dans la tradition du peuple mais elle est admirable dans celle de leurs saints. Le fondement en est admirable. C'est le plus ancien livre du monde et le plus authentique et au lieu que Mahomet pour faire subsister le sien a défendu de le lire, Moïse pour faire subsister le sien a ordonné à tout le monde de le lire. Et toute religion est de même.

Car la chrétienne est bien différente dans les livres saints et dans les casuistes.

Notre religion est si divine qu'une autre religion divine n'en a que le fondement.

244-*228* Objection des athées.
Mais nous n'avons nulle lumière.

XIX. LOI FIGURATIVE

245-*647* Que la loi était figurative.

246-*657* Figures.
Les peuples juif et égyptien visiblement prédits par ces deux particuliers, que Moïse rencontra : l'égyptien battant le juif, Moyse le vengeant et tuant l'égyptien et le juif en étant ingrat.

247-*674* Figuratives.
Fais toutes choses selon le patron qui t'a été montré en la montagne, sur quoi saint Paul dit que les Juifs ont peint les choses célestes.

248-*653* Figures.
Les prophètes prophétisaient par figures, de ceinture, de barbe et cheveux brûlés, etc.

249-*681* Figuratives.
Clef du chiffre.
Veri adoratores [40]. *Ecce agnus dei qui tollit peccata mundi* [41].

40. Jn, IV, 23 : « Mais vient une heure, et elle est déjà venue, où les *vrais adorateurs* adoreront le Père en esprit et en vérité... »
41. Jn, I, 29 : « Le jour suivant Jean voit Jésus venant à lui et il dit : « *Voici l'agneau de Dieu, voici celui qui ôte les péchés du monde.* »

250-*667* Figurat.
Ces termes d'épée, d'écu, *potentissime* [42].

251-*900* Qui veut donner le sens de l'Écriture et ne le prend point de l'Écriture est ennemi de l'Écriture. Aug. d.d. Ch.

252-*648* Deux erreurs. 1. prendre tout littéralement. 2. prendre tout spirituellement.

253-*679* Figures.
J.-C. leur ouvrit l'esprit pour entendre les Écritures.

Deux grandes ouvertures sont celles-là. 1. Toutes choses leur arrivaient en figures — *Vere Israelitae* [43], *Vere liberi* [44], Vrai pain du ciel.

2. — Un Dieu humilié jusqu'à la croix. Il a fallu que le Christ ait souffert pour entrer en sa gloire, qu'il vaincrait la mort par sa mort — deux avènements.

254-*649* Parler contre les trop grands figuratifs.

255-*758* Dieu pour rendre le Messie connaissable aux bons et méconnaissable aux méchants l'a fait prédire en cette sorte. Si la manière du Messie eût été prédite clairement il n'y eût point eu d'obscurité même pour les méchants.

Si le temps eût été prédit obscurément il y eût eu obscurité même pour les bons *(car la bonté de leur cœur)* ne leur eût pas fait entendre que par exemple (le mem) signifie 600 ans. Mais le temps a été prédit clairement et la manière en figures.

Par ce moyen les méchants prenant les biens promis pour matériels s'égarent malgré le temps prédit clairement et les bons ne s'égarent pas.

Car l'intelligence des biens promis dépend du cœur qui appelle bien ce qu'il aime, mais l'intelligence du temps promis ne dépend point du cœur. Et ainsi la prédiction claire du temps et obscure des biens ne déçoit que les seuls méchants.

256-*662* Les Juifs charnels n'entendaient ni la grandeur, ni l'abaissement du Messie prédit dans leurs prophéties. Ils l'ont méconnu dans sa grandeur prédite, comme quand il dit que le Messie sera seigneur de David, quoique son fils qu'il est devant qu'Abraham et qu'il l'a vu. Ils ne le croyaient pas

42. Ps. XLIV, 4 : « Ceignez votre glaive sur votre cuisse, *roi très puissant...* »
43. Jn, I, 47 : « Jésus vit venir à lui Nathanaël, et il dit de lui : voici *vraiment un Israëlite* en qui il n'y a point d'artifice. »
44. Jn, VIII, 36 : « ...si donc le Fils vous met en liberté, vous serez *vraiment libres.* »

si grand qu'il fût éternel, et ils l'ont méconnu de même dans son abaissement et dans sa mort. Le Messie, disaient-ils, demeure éternellement et celui-ci dit qu'il mourra. Ils ne le croyaient donc ni mortel, ni éternel; ils ne cherchaient en lui qu'une grandeur charnelle.

257-*684* Contradiction.

On ne peut faire une bonne physionomie qu'en accordant toutes nos contrariétés et il ne suffit pas de suivre une suite de qualités accordantes sans accorder les contraires; pour entendre le sens d'un auteur il faut accorder tous les passages contraires.

Ainsi pour entendre l'Écriture il faut avoir un sens dans lequel tous les passages contraires s'accordent; il ne suffit pas d'en avoir un qui convienne à plusieurs passages accordants, mais d'en avoir un qui accorde les passages même contraires.

Tout auteur a un sens auquel tous les passages contraires s'accordent ou il n'a point de sens du tout. On ne peut pas dire cela de l'Écriture et des prophètes : ils avaient assurément trop de bon sens. Il faut donc en chercher un qui accorde toutes les contrariétés.

Le véritable sens n'est donc pas celui des juifs, mais en J.-C. toutes les contradictions sont accordées.

Les juifs ne sauraient accorder la cessation de la royauté et principauté prédite par Osée, avec la prophétie de Jacob.

Si on prend la loi, les sacrifices et le royaume pour réalités on ne peut accorder tous les passages; il faut donc par nécessité qu'ils ne soient que figures. On ne saurait pas même accorder les passages d'un même auteur, ni d'un même livre, ni quelquefois d'un même chapitre, ce qui marque trop quel était le sens de l'auteur; comme quand Ézéchiel, ch. 20, dit qu'on vivra dans les commandements de Dieu et qu'on n'y vivra pas.

258-*728* Il n'était point permis de sacrifier hors de Jérusalem, qui était le lieu que le Seigneur avait choisi, ni même de manger ailleurs les décimes. deut. 12.5, etc. deut. 14.23, etc. 15. 20. 16. 2. 7. 11. 15.

Osée a prédit qu'il serait sans roi, sans prince, sans sacrifices, etc., sans idoles, ce qui est accompli aujourd'hui, ne pouvant faire sacrifice légitime hors de Jérusalem.

259-*685* Figure.

Si la loi et les sacrifices sont la vérité il faut qu'elle plaise à Dieu et qu'elle ne lui déplaise point. S'ils sont figures il faut qu'ils plaisent et déplaisent.

Or dans toute l'Écriture ils plaisent et déplaisent. Il est dit que la loi sera changée, que le sacrifice sera changé, qu'ils seront sans roi, sans princes et sans sacrifices, qu'il sera fait une nouvelle alliance, que la loi sera renouvelée, que les préceptes qu'ils ont reçus ne sont pas bons, que leurs sacrifices sont abominables, que Dieu n'en a point demandé.

Il est dit au contraire que la loi durera éternellement, que cette alliance sera éternelle, que le sacrifice sera éternel, que le sceptre ne sortira jamais d'avec eux, puisqu'il n'en doit point sortir que le roi éternel n'arrive.

Tous ces passages marquent-ils que ce soit réalité? non; marquent-ils aussi que ce soit figure? non, mais que c'est réalité ou figure; mais les premiers excluant la réalité marquent que ce n'est que figure.

Tous ces passages ensemble ne peuvent être dits de la réalité; tous peuvent être dits de la figure. Ils ne sont pas dits de la réalité mais de la figure.

Agnus occisus est ab origine mundi, juge sacrificium [45].

260-*678* Un portrait porte absence et présence, plaisir et déplaisir. La réalité exclut absence et déplaisir.

Figures.

Pour savoir si la loi et les sacrifices sont réalité ou figure il faut voir si les prophètes en parlant de ces choses y arrêtaient leur vue et leur pensée, en sorte qu'ils n'y vissent que cette ancienne alliance, ou s'ils y voient quelque autre chose dont elle fut la peinture. Car dans un portrait on voit la chose figurée. Il ne faut pour cela qu'examiner ce qu'ils en disent.

Quand ils disent qu'elle sera éternelle entendent-ils parler de l'alliance de laquelle ils disent qu'elle sera changée et de même des sacrifices, etc.

Le chiffre a deux sens. Quand on surprend une lettre importante où l'on trouve un sens clair, et où il est dit néanmoins que le sens en est voilé et obscurci, qu'il est caché en sorte qu'on verra cette lettre sans la voir et qu'on l'entendra sans l'entendre, que doit-on penser sinon que c'est un chiffre à double sens.

Et d'autant plus qu'on y trouve des contrariétés manifestes dans le sens littéral.

Les prophètes ont dit clairement qu'Israël serait toujours aimé de Dieu et que la loi serait éternelle et ils ont dit que l'on n'entendrait point leur sens et qu'il était voilé.

Combien doit-on donc estimer ceux qui nous découvrent le chiffre et nous apprennent à connaître le sens caché, et principalement quand les principes qu'ils en prennent sont tout à fait naturels et clairs? C'est ce qu'a fait J.-C. Et les apôtres. Ils ont levé le sceau. Il a rompu le voile et a découvert l'esprit. Ils nous ont appris pour cela que les ennemis de l'homme sont ses passions, que le rédempteur serait spirituel et son règne spirituel, qu'il y aurait deux avènements, l'un de misère pour abaisser l'homme superbe, l'autre de gloire pour élever l'homme humilié, que J.-C. serait Dieu et homme.

45. Apoc., XIII, 8 : « *L'agneau tué dès l'origine du monde* », *sacrifice perpétuel.*

261-*757* Le temps du premier avènement sciemment prédit, le temps du second ne l'est point, parce que le premier devait être caché, le second devait être éclatant, et tellement manifeste que ses ennemis mêmes le devaient reconnaître, mais il ne devait venir qu'obscurément et que pour être connu de ceux qui sonderaient les Écritures.

262-*762* Que pouvaient faire les Juifs, ses ennemis? S'ils le reçoivent ils le prouvent par leur réception, car les dépositaires de l'attente du Messie le recevaient et s'ils le renoncent ils le prouvent par leur renonciation.

263-*686* Contrariétés.
Le sceptre jusqu'au Messie sans roi — ni prince.
Loi éternelle, changée.
Alliance éternelle, alliance nouvelle.
Loi bonne, préceptes mauvais. Éze 20.

264-*746* Les Juifs étaient accoutumés aux grands et éclatants miracles et ainsi ayant eu les grands coups de la mer Rouge et la terre de Canaan comme un abrégé des grandes choses de leur Messie ils en attendaient donc de plus éclatants, dont ceux de Moïse n'étaient que l'échantillon.

265-*677* Figure porte absence et présence, plaisir et déplaisir.
Chiffre à double sens. Un clair et où il est dit que le sens est caché.

266-*719* On pourrait peut-être penser que quand les prophètes ont prédit que le sceptre ne sortirait point de Juda jusqu'au roi éternel ils auraient parlé pour flatter le peuple et que leur prophétie se serait trouvée fausse à Hérode. Mais pour montrer que ce n'est pas leur sens, et qu'ils savaient bien au contraire que ce royaume temporel devait cesser, ils disent qu'ils seront sans roi et sans prince. Et longtemps durant. Osée.

267-*680* Figures.
Dès qu'on a ouvert ce secret il est impossible de ne le pas voir. Qu'on lise le vieil testament en cette vue et qu'on voie si les sacrifices étaient vrais, si la parenté d'Abraham était la vraie cause de l'amitié de Dieu, si la terre promise était le véritable lieu de repos? non, donc c'étaient des figures.
Qu'on voie de même toutes les cérémonies ordonnées et tous les commandements qui ne sont point pour la charité, on verra que c'en sont les figures.

Tous ces sacrifices et cérémonies étaient donc figures ou sottises, or il y a des choses claires trop hautes pour les estimer des sottises.
Savoir si les prophètes arrêtaient leur vue dans l'Ancien Testament ou s'ils y voyaient d'autres choses.

268-*683* Figures.
La lettre tue — Tout arrivait en figures — Il fallait que le Christ souffrît — Un Dieu humilié — Voilà le chiffre que saint Paul nous donne.

Circoncision du cœur, vrai jeûne, vrai sacrifice, vrai temple : les prophètes ont indiqué qu'il fallait que tout cela fût spirituel.
Non la viande qui périt, mais celle qui ne périt point.

Vous serez vraiment libre; donc l'autre liberté n'est qu'une figure de liberté.

Je suis le vrai pain du ciel.

269-*692* Il y en a qui voient bien qu'il n'y a pas d'autre ennemi de l'homme que la concupiscence qui les détourne de Dieu, et non pas des (ennemis), ni d'autre bien que Dieu, et non pas une terre grasse. Ceux qui croient que le bien de l'homme est en la chair et le mal en ce qui le détourne des plaisirs des sens qu'il(s) s'en soûle(nt) et qu'il(s) y meure(nt). Mais ceux qui cherchent Dieu de tout leur cœur, qui n'ont de déplaisir que d'être privés de sa vue, qui n'ont de désir que pour le posséder et d'ennemis que ceux qui les en détournent, qui s'affligent de se voir environnés et dominés de tels ennemis, qu'ils se consolent, je leur annonce une heureuse nouvelle; il y a un Libérateur pour eux; je le leur ferai voir; je leur montrerai qu'il y a un Dieu pour eux; je ne le ferai pas voir aux autres. Je ferai voir qu'un Messie a été promis pour délivrer des ennemis, et qu'il en est venu un pour délivrer des iniquités, mais non des ennemis.

Quand David prédit que le Messie délivrera son peuple de ses ennemis on peut croire charnellement que ce sera des Égyptiens. Et alors je ne saurais montrer que la prophétie soit accomplie, mais on peut bien croire aussi que ce sera des iniquités. Car dans la vérité les Égyptiens ne sont point ennemis, mais les iniquités le sont.
Ce mot d'ennemis est donc équivoque, mais s'il dit ailleurs comme il fait qu'il délivrera son peuple de ses péchés, aussi bien qu'Isaïe et les autres, l'équivoque est ôtée, et le sens double des ennemis réduit au sens simple d'iniquités. Car s'il avait dans l'esprit les péchés il les pouvait bien dénoter par ennemis mais s'il pensait aux ennemis il ne les pouvait pas désigner par iniquités.
Or Moïse et David et Isaïe usaient de mêmes termes. Qui dira donc qu'ils n'avaient pas même sens

et que le sens de David qui était manifestement d'iniquités lorsqu'il parlait d'ennemis, ne fut pas le même que Moïse en parlant d'ennemis.

Daniel, IX, prie pour la délivrance du peuple de la captivité de leurs ennemis. Mais il pensait aux péchés, et pour le montrer, il dit que Gabriel lui vint dire qu'il était exaucé et qu'il n'y avait plus que 70 semaines à attendre, après quoi le peuple serait délivré d'iniquités. Le péché prendrait fin et le Libérateur, le saint des saints amènerait la justice éternelle, non la légale, mais l'éternelle.

270-*670* A. figures.

Les Juifs avai(en)t vieilli dans ces pensées terrestres : que Dieu aimait leur père Abraham, sa chair et ce qui en sortait, que pour cela il les avait multipliés et distingués de tous les autres peuples sans souffrir qu'ils s'y mélassent, que quand ils languissaient dans l'Égypte il les en retira avec tous ses grands signes en leur faveur, qu'il les nourrit de la manne dans le désert, qu'il les mena dans une terre bien grasse, qu'il leur donna des rois et un temple bien bâti pour y offrir des bêtes, et, par le moyen de l'effusion de leur sang qu'ils seraient purifiés, et qu'il leur devait enfin envoyer le Messie pour les rendre maîtres de tout le monde, et il a prédit le temps de sa venue.

Le monde ayant vieilli dans ces erreurs charnelles, J.-C. est venu dans le temps prédit, mais non pas dans l'éclat attendu, et ainsi ils n'ont pas pensé que ce fût lui. Après sa mort saint Paul est venu apprendre aux hommes que toutes ces choses étaient arrivées en figures, que le royaume de Dieu ne consistait pas en la chair, mais en l'esprit, que les ennemis des hommes n'étaient pas les Babyloniens, mais leurs passions, que Dieu ne se plaisait pas aux temples faits de main, mais en un cœur pur et humilié, que la circoncision du corps était inutile, mais qu'il fallait celle du cœur, que Moïse ne leur avait pas donné le pain du ciel, etc.

Mais Dieu n'ayant pas voulu découvrir ces choses à ce peuple qui en était indigne et ayant voulu néanmoins les produire afin qu'elles fussent crues, il en a prédit le temps clairement et les a quelquefois exprimées clairement mais abondamment en figures afin que ceux qui aimaient les choses figurantes s'y arrêtassent et que ceux qui aimaient les figurées les y vissent.

Tout ce qui ne va point à la charité est figure.

L'unique objet de l'Écriture est la charité.

Tout ce qui ne va point à l'unique bien en est la figure. Car puisqu'il n'y a qu'un but tout ce qui n'y va point en mots propres est figure.

Dieu diversifie ainsi cet unique précepte de charité pour satisfaire notre curiosité qui recherche la diversité par cette diversité qui nous mène toujours à notre unique nécessaire. Car une seule chose est nécessaire et nous aimons la diversité, et Dieu satisfait à l'un et à l'autre par ces diversités qui mènent au seul nécessaire.

Les Juifs ont tant aimé les choses figurantes et les ont si bien attendues qu'ils ont méconnu la réalité quand elle est venue dans le temps et en la manière prédite.

Les Rabbins prennent pour figure les mamelles de l'épouse et tout ce qui n'exprime pas l'unique but qu'ils ont des biens temporels.

Et les chrétiens prennent même l'Eucharistie pour figure de la gloire où ils tendent.

271-*545* J.-C. n'a fait autre chose qu'apprendre aux hommes qu'ils s'aimaient eux-mêmes, qu'ils étaient esclaves, aveugles, malades, malheureux et pécheurs; qu'il fallait qu'il les délivrât, éclairât, béatifiât et guérît, que cela se ferait en se haïssant soi-même et en le suivant par la misère et la mort de la croix.

272-*687* Figures.

Quand la parole de Dieu qui est véritable est fausse littéralement elle est vraie spirituellement. *Sede a dextris meis* [46] : cela est faux littéralement, donc cela est vrai spirituellement.

En ces expressions il est parlé de Dieu à la manière des hommes. Et cela ne signifie autre chose sinon que l'intention que les hommes ont en faisant asseoir à leur droite Dieu l'aura aussi. C'est donc une marque de l'intention de Dieu, non de sa manière de l'exécuter.

Ainsi quand il dit : Dieu a reçu l'odeur de vos parfums et vous donnera en récompense une terre grasse, c'est-à-dire la même intention qu'aurait un homme qui, agréant vos parfums, vous donnerait en récompense une terre grasse, Dieu aura la même intention pour vous parce que vous avez eu pour lu(i) même intention qu'un homme a pour celui à qui il donne des parfums.

Ainsi *iratus est* [47], Dieu jaloux, etc. Car les choses de Dieu étant inexprimables elles ne peuvent être dites autrement et l'Église d'aujourd'hui en use encore, *quia confortavit seras* [48], etc.

46. Ps. CIX, 1 : « Le Seigneur a dit à mon Seigneur : *Asseyez-vous à ma droite...* »
47. Cf. Is., v, 25 : « C'est pour cela qu'a été *irritée* la fureur du Seigneur contre son peuple... » — Ex., xx, 5 : « ...car c'est moi qui suis le Seigneur ton Dieu fort, jaloux... »
48. Ps. CXLVII, 13 : « *parce qu'il a affermi les serrures de tes portes...* ».

Il n'est pas permis d'attribuer à l'Écriture des sens qu'elle ne nous a pas révélé qu'elle a. Ainsi de dire que le (mem) d'Isaïe signifie 600 cela n'est pas révélé. Il n'est pas dit que les (tsade) et les (he) deficientes signifieraient des mystères. Il n'est donc pas permis de le dire. Et encore moins de dire que c'est la manière de la pierre philosophale. Mais nous disons que le sens littéral n'est pas le vray parce que les prophètes l'ont dit eux-mêmes.

273-*745* Ceux qui ont peine à croire cherchent un sujet en ce que les Juifs ne croient pas. Si cela était si clair, dit-on, pourquoi ne croiraient-ils pas? et voudraient quasi qu'ils crussent afin de n'être point arrêtés par l'exemple de leur refus. Mais c'est leur refus même qui est le fondement de notre créance. Nous y serions bien moins disposés s'ils étaient des nôtres : nous aurions alors un bien plus ample prétexte.

Cela est admirable d'avoir rendu les Juifs grands amateurs des choses prédites et grands ennemis de l'accomplissement.

274-*642* Preuves des deux testaments à la fois.

Pour prouver d'un coup tous les deux il ne faut que voir si les prophéties de l'un sont accomplies en l'autre.

Pour examiner les prophéties il faut les entendre.

Car si on croit qu'elles n'ont qu'un sens il est sûr que le Messie ne sera point venu, mais si elles ont deux sens il est sûr qu'il sera venu en J.-C.

Toute la question est donc de savoir si elles ont deux sens.

Que l'Écriture a deux sens.

Que J.-C. et les apôtres ont donnés dont voici les preuves.

1. Preuve par l'Écriture même.

2. Preuves par les Rabbins. Moïse Mammon dit qu'elle a deux faces prou(vées) et que les prophètes n'ont prophétisé que de J.-C.

3. Preuves par la Caballe.

4. Preuves par l'interprétation mystique que les Rabbins mêmes donnent de l'Écriture.

5. Preuves par les principes des Rabbins qu'il y a deux sens.

qu'il y a deux avènements du Messie, glorieux ou abject selon leur mérite — que les prophètes n'ont prophétisé que du Messie — la loi n'est pas éternelle, mais doit changer au Messie — qu'alors on ne se souviendra plus de la mer Rouge — que les juifs et les gentils seront mêlés.

(6. *Preuves par la clef que J.-C. et les apôtres nous en donnent.)*

275-*643* A. Figures.

Isaïe — 51. la mer Rouge image de la rédemption.

Ut sciatis quod filius hominis habet potestatem remittendi peccata, tibi dico : surge [49].

Dieu voulant faire paraître qu'il pouvait former un peuple saint d'une sainteté invisible et le remplir d'une gloire éternelle a fait des choses visibles. Comme la nature est une image de la grâce il a fait dans les biens de la nature ce qu'il devait faire dans ceux de la grâce, afin qu'on jugeât qu'il pouvait faire l'invisible puisqu'il faisait bien le visible.

Il a donc sauvé le peuple du déluge; il l'a fait naître d'Abraham, il l'a racheté d'entre ses ennemis et l'a mis dans le repos.

L'objet de Dieu n'était pas de sauver du déluge, et de faire naître tout un peuple d'Abraham pour nous introduire que dans une terre grasse.

Et même la grâce n'est que la figure de la gloire. Car elle n'est pas la dernière fin. Elle a été figurée par la loi et figure elle-même la grâce, mais elle en est la figure et le principe ou la cause.

La vie ordinaire des hommes est semblable à celle des saints. Ils recherchent tous leur satisfaction et ne diffèrent qu'en l'objet où ils la placent. Ils appellent leurs ennemis ceux qui les en empêchent, etc. Dieu a donc montré le pouvoir qu'il a de donner les biens invisibles par celui qu'il a montré qu'il avait sur les visibles.

276-*691* De deux personnes qui disent de sots contes, l'une qui voit double sens entendu dans la caballe, l'autre qui n'a que ce sens, si quelqu'un n'étant pas du secret entend discourir les deux en cette sorte il en fera même jugement. Mais si ensuite dans le reste du discours l'un dit des choses angéliques et l'autre toujours des choses plates et communes il jugera que l'un parlait avec mystère et non pas l'autre, l'un ayant assez montré qu'il est incapable de telles sottises et capable d'être mystérieux, l'autre qu'il est incapable de mystère et capable de sottise.

Le vieux testament est un chiffre.

XX. RABBINAGE

277-*635* Chronologie du Rabbinisme.

Les citations des pages sont du livre Pugio.

p. 27. R. Hakadosch.

auteur du Mischna ou loi vocale, ou seconde loi — an 200.

49. Mc, II, 10-11 : « *Afin donc que vous sachiez que le Fils de l'homme* a sur la terre *le pouvoir de remettre les péchés* (il dit au paralytique). *Je te commande, lève-toi,* emporte ton grabat et va en ta maison. »

Commentaires du Mischna { l'un siphra, Barajetot } an 340 ; Talmud hyerosol. ; Tosiphtot

Bereschit Rabah, par R. Osaia Rabah, commentaire du Mischna.

Bereschit Rabah, Bar Nachoni, sont des discours subtils, agréables, historiques et théologiques.

Ce même auteur a fait des livres appelés Rabot.

Cent ans après le Talmud hieros. fut fait le Talmud Babylonique par R. Ase, par le consentement universel de tous les Juifs qui sont nécessairement obligés d'observer tout ce qui y est contenu.

L'addition de R. Ase s'appelle Gemara, c'est-à-dire le commentaire du Mischna.

Et le Talmud comprend ensemble le Mischna et le Gemara.

278-*446* Tradition ample du péché originel selon les Juifs.

Sur le mot de la Genèse 8, la composition du cœur de l'homme est mauvaise dès son enfance.

R. Moyse Haddarschan. Ce mauvais levain est mis dans l'homme dès l'heure où il est formé.

Massachet Succa. Ce mauvais levain a sept noms : dans l'Écriture il est appelé mal, prépuce, immonde, ennemi, scandale, cœur de pierre, aquilon, tout cela signifie la malignité qui est cachée et empreinte dans le cœur de l'homme. Misdrach Tillim dit la même chose et que Dieu délivrera la bonne nature de l'homme de la mauvaise.

Cette malignité se renouvelle tous les jours contre l'homme comme il est écrit Ps. 137. L'impie observe le juste et cherche à le faire mourir, mais Dieu ne l'abandonnera point.

Cette malignité tente le cœur de l'homme en cette vie et l'accusera en l'autre.

Tout cela se trouve dans le Talmud.

Midrasch Tillim sur le Ps. 4. Frémissez et vous ne pécherez point. Frémissez et épouvantez votre concupiscence et elle ne vous induira point à pécher. Et sur le Ps. 36. L'impie a dit en son cœur que la crainte de Dieu ne soit point devant moi, c'est-à-dire que la malignité naturelle de l'homme a dit cela à l'impie.

Midrasch et Kohelet. Meilleur est l'enfant pauvre et sage que le roi vieux et fol qui ne sait pas prévoir l'avenir. L'enfant est la vertu et le roi est la malignité de l'homme. Elle est appelée roi parce que tous les membres lui obéissent et vieux parce qu'il est dans le cœur de l'homme depuis l'enfance jusqu'à la vieillesse, et fol parce que il conduit l'homme dans la voie de (per)dition qu'il ne prévoit point.

La même chose est dans Midrasch Tillim.

Bereschist Rabba sur le Ps. 35. Seigneur tous mes os te béniront parce que tu délivres le pauvre du tyran et y a(-t-)il un plus grand tyran que le mauvais levain.

Et sur les Proverbes 25. Si ton ennemi a faim donne-lui à manger, c'est-à-dire si le mauvais levain a faim donnez-lui du pain de la sagesse dont il est parlé Proverbe 9. Et s'il a soif donne-lui de l'eau dont il est parlé. Isaïe 55.

Midrasch Tillim dit la même chose et que l'Écriture en cet endroit, en parlant de notre ennemi entend le mauvais levain et qu'en lui ce pain et cette eau on lui assemblera des charbons sur la tête.

Midrasch Kohelet sur l'Ecc. 9. Un grand roi a assiégé une petite ville. Ce grand roi est le mauvais levain. Les grandes machines dont il l'environne sont les tentations, et il a été — trouver un homme sage et pauvre qui l'a délivrée, c'est-à-dire la vertu.

Et sur le Ps. 41. Bienheureux qui a égard aux pauvres.

Et sur le Ps. 78. L'esprit s'en va et ne revient plus, d'où quelques-uns ont pris sujet d'errer contre l'immortalité de l'âme; mais le sens est que cet esprit est le mauvais levain, qui s'en va avec l'homme jusqu'à la mort et ne reviendra point en la résurrection.

Et sur le Ps. 103. la même chose.

Et sur le Ps. 16.

Principes des Rabbins : deux Messies.

XXI. PERPÉTUITÉ

279-*690* Un mot de David ou de Moïse, comme que Dieu circoncira leur cœur fait juger de leur esprit.

Que tous leurs autres discours soient équivoques et douteux d'être philosophes ou chrétiens, enfin un mot de cette nature détermine tous les autres comme un mot d'Épictète détermine tout le reste au contraire. Jusque-là l'ambiguïté dure et non pas après.

280-*614* Les états périraient si on ne faisait ployer souvent les lois à la nécessité, mais jamais la religion n'a souffert cela et n'en a usé. Aussi il faut ces accommodements ou des miracles.

Il n'est pas étrange qu'on se conserve en ployant, et ce n'est pas proprement se maintenir, et encore périssent-ils enfin entièrement. Il n'y en a point qui ait duré 1 000 ans. Mais que cette religion se soit toujours maintenue et inflexible... Cela est divin.

281-*613* Perpétuité.

Cette religion qui consiste à croire que l'homme est déchu d'un état de gloire et de communication avec Dieu en un état de tristesse, de pénitence et d'éloignement de Dieu, mais qu'après cette vie nous serons rétablis par un Messie qui devait venir, a toujours été sur la terre.

Toutes choses ont passé et celle-là a subsisté par laquelle sont toutes choses.

Les hommes dans le premier âge du monde ont

été emportés dans toutes sortes de désordres, et il y avait cependant des saints comme Enoch, Lamech, et d'autres qui attendaient en patience le Christ promis dès le commencement du monde. Noé a vu la malice des hommes au plus haut degré et il a mérité de sauver le monde en sa personne par l'espérance du Messie, dont il a été la figure. Abraham était environné d'idolâtres quand Dieu lui a fait connaître le mystère du Messie qu'il a salué de loin; au temps d'Isaac et de Jacob, l'abomination était répandue sur toute la terre, mais ces saints vivaient en leur foi, et Jacob mourant et bénissant ses enfants s'écrie par un transport qui lui fait interrompre son discours : j'attends, ô mon Dieu, le sauveur que vous avez promis, *salutare tuum expectabo domine.*

Les Égyptiens étaient infectés et d'idolâtrie et de magie, le peuple de Dieu même était entraîné par leur exemple. Mais cependant Moïse et d'autres voyaient celui qu'ils ne voyaient pas, et l'adoraient en regardant aux dons éternels qu'il leur préparait.

Les Grecs et les Latins ensuite ont fait régner les fausses déités, les poètes ont fait cent diverses théologies. Les philosophes se sont séparés en mille sectes différentes. Et cependant il y avait toujours au cœur de la Judée des hommes choisis qui prédisaient la venue de ce Messie qui n'était connu que d'eux. Il est venu enfin en la consommation des temps et depuis on a vu naître tant de schismes et d'hérésies, tant renverser d'états, tant de changements en toutes choses, et cette église qui adore celui qui a toujours été a subsisté sans interruption et ce qui est admirable, incomparable et tout à fait divin, est que cette religion qui a toujours duré a toujours été combattue. Mille fois elle a été à la veille d'une destruction universelle, et toutes les fois qu'elle a été en cet état Dieu l'a relevée par des coups extraordinaires de sa puissance. Car ce qui est étonnant est qu'elle s'est maintenue sans fléchir et plier sous la volonté des tyrans, car il n'est pas étrange qu'un état subsiste lorsque l'on fait quelquefois céder ses lois à la nécessité; mais que — Voyez le rond dans Montaigne.

282-*616* Perpétuité.

Le Messie a toujours été cru. La tradition d'Adam était encore nouvelle en Noé et en Moïse. Les prophètes l'ont prédit depuis en prédisant toujours d'autres choses dont les événements qui arrivaient de temps en temps à la vue des hommes marquaient la vérité de leur mission et par conséquent celle de leurs promesses touchant le Messie. J.-C. a fait des miracles et les apôtres aussi qui ont converti tous les païens et par là toutes les prophéties étant accomplies le Messie est prouvé pour jamais.

283-*655* Les six âges, les six pères des six âges, les six merveilles à l'entrée des six âges, les six orients à l'entrée des six âges.

284-*605* La seule religion contre la nature, contre le sens commun, contre nos plaisirs est la seule qui ait toujours été.

285-*867* Si l'ancienne Église était dans l'erreur l'Église est tombée. Quand elle y serait aujourd'hui ce n'est pas de même car elle a toujours la maxime supérieure de la tradition de la créance de l'ancienne Église. Et ainsi cette soumission et cette conformité à l'ancienne Église prévaut et corrige tout. Mais l'ancienne Église ne supposait pas l'Église future et ne la regardait pas, comme nous supposons et regardons l'ancienne.

286-*609* 2 sortes d'hommes en chaque religion.

Parmi les païens des adorateurs de bêtes, et les autres adorateurs d'un seul Dieu dans la religion naturelle.

Parmi les juifs les charnels et les spirituels qui étaient les chrétiens de la loi ancienne.

Parmi les chrétiens les grossiers qui sont les juifs de la loi nouvelle.

Les juifs charnels attendaient un Messie charnel et les chrétiens grossiers croient que le Messie les a dispensés d'aimer Dieu. Les vrais Juifs et les vrais chrétiens adorent un Messie qui leur fait aimer Dieu.

287-*607* Qui jugera de la religion des Juifs par les grossiers la connaîtra mal. Elle est visible dans les saints livres et dans la tradition des prophètes qui ont assez fait entendre qu'ils n'entendaient pas la loi à la lettre. Ainsi notre religion est divine dans l'Évangile, les apôtres et la tradition, mais elle est ridicule dans ceux qui la traitent mal.

Le Messie selon les Juifs charnels doit être un grand prince temporel. J.-C. selon les chrétiens charnels est venu nous dispenser d'aimer Dieu, et nous donner des sacrements qui opèrent tout sans nous; ni l'un ni l'autre n'est la religion chrétienne, ni juive.

Les vrais juifs et les vrais chrétiens ont toujours attendu un Messie qui les ferait aimer Dieu et par cet amour triompher de leurs ennemis.

288-*689* Moïse, Deut. 30. promet que Dieu circoncira leur cœur pour les rendre capables de l'aimer.

289-*608* Les Juifs charnels tiennent le milieu entre les chrétiens et les païens. Les païens ne connaissent point Dieu et n'aiment que la terre, les juifs connaissent le vrai Dieu et n'aiment que la terre, les chrétiens connaissent le vrai Dieu et n'aiment point la terre. Les juifs et les païens aiment les mêmes biens. Les juifs et les chrétiens connaissent le même Dieu.

Les juifs étaient de deux sortes. Les uns n'avaient

que les affections païennes, les autres avaient les affections chrétiennes.

XXII. PREUVES DE MOISE

290-*626* Autre rond.

La longueur de la vie des patriarches, au lieu de faire que les histoires des choses passées se perdissent, servait au contraire à les conserver. Car ce qui fait que l'on n'est pas quelquefois assez instruit dans l'histoire de ses ancêtres est que l'on n'a jamais guère vécu avec eux, et qu'ils sont morts souvent devant que l'on eût atteint l'âge de raison. Or, lorsque les hommes vivaient si longtemps, les enfants vivaient longtemps avec leurs pères. Ils les entretenaient longtemps. Or, de quoi les eussent-ils entretenus, sinon de l'histoire de leurs ancêtres, puisque toute l'histoire était réduite à celle-là, qu'ils n'avaient point d'études, ni de sciences, ni d'arts, qui occupent une grande partie des discours de la vie? Aussi l'on voit qu'en ce temps les peuples avaient un soin particulier de conserver leurs généalogies.

291-*587* Cette religion si grande en miracles, saints, purs, irréprochables, savants et grands témoins, martyrs; rois — David — établis; Isaïe prince du sang; si grande en science après avoir étalé tous ses miracles et toute sa sagesse. Elle réprouve tout cela et dit qu'elle n'a ni sagesse, ni signe, mais la croix et la folie.

Car ceux qui par ces signes et cette sagesse ont mérité votre créance et qui vous ont prouvé leur caractère, vous déclarent que rien de tout cela ne peut nous changer et nous rendre capable de connaître et aimer Dieu que la vertu de la folie de la croix, sans sagesse ni signe et point non les signes sans cette vertu.

Ainsi notre religion est folle en regardant à la cause efficace et sage en regardant à la sagesse qui y prépare.

292-*624* Preuves de Moïse.

Pourquoi Moïse va(-t-)il faire la vie des hommes si longue et si peu de générations.

Car ce n'est pas la longueur des années mais la multitude des générations qui rendent les choses obscures.

Car la vérité ne s'altère que par le changement des hommes.

Et cependant il met deux choses les plus mémorables qui se soient jamais imaginées, savoir la création et le déluge si proches qu'on y touche.

293-*204 bis* Si on doit donner huit jours on doit donner toute la vie.

294-*703* Tandis que les prophètes ont été pour maintenir la loi le peuple a été négligent. Mais depuis qu'il n'y a plus eu de prophètes le zèle a succédé.

295-*629* Josèphe cache la honte de sa nation. Moïse ne cache pas la honte propre ni...

Quis mihi det ut omnes prophetent [50].

Il était las du peuple.

296-*625* Sem qui a vu Lamech qui a vu Adam a vu aussi Jacob qui a vu ceux qui ont vu Moïse : donc le déluge et la création sont vrais. Cela conclut entre de certaines gens qui l'entendent bien.

297-*702* Zèle du peuple juif pour sa loi et principalement depuis qu'il n'y a plus eu de prophètes.

XXIII. PREUVES DE JÉSUS-CHRIST

298-*283* L'ordre. Contre l'objection que l'Écriture n'a pas d'ordre.

Le cœur a son ordre, l'esprit a le sien qui est par principe et démonstration. Le cœur en a un autre. On ne prouve pas qu'on doit être aimé en exposant d'ordre les causes de l'amour; cela serait ridicule.

J.-C., saint Paul ont l'ordre de la charité, non de l'esprit, car ils voulaient rabaisser, non instruire.

Saint Augustin de même. Cet ordre consiste principalement à la digression sur chaque point qui a rapport à la fin, pour la montrer toujours.

299-*742* L'Évangile ne parle de la virginité de la vierge que jusques à la naissance de J.-C. Tout par rapport à J.-C.

300-*786* J.-C. dans une obscurité (selon ce que le monde appelle obscurité), telle que les historiens n'écrivant que les importantes choses des états l'ont à peine aperçu.

301-*772* Sainteté.

Effundam spiritum meum [51]. Tous les peuples étaient dans l'infidélité et dans la concupiscence, toute la terre fut ardente de charité : les princes

50. Cf. Nombr., XI, 29 : « ...Plût à Dieu que tout le peuple prophétisât, et que le Seigneur leur donnât son esprit. » Pascal cite Vatable : « *Qui me donnera que tous prophétisent!* »

51. Joël, II, 28 : « *Je répandrai mon esprit* sur toute chair; et vos fils prophétiseront; et aussi vos filles. »

quittent leur grandeur, les filles souffrent le martyre. D'où vient cette force? c'est que le Messie est arrivé. Voilà l'effet et les marques de sa venue.

302-*809* Les combinaisons des miracles.

303-*799* Un artisan qui parle des richesses, un procureur qui parle de la guerre, de la royauté, etc., mais le riche parle bien des richesses, le roi parle froidement d'un grand don qu'il vient de faire, et Dieu parle bien de Dieu.

304-*743* Preuves de J.-C.
Pourquoi le livre de Ruth, conservé.
Pourquoi l'histoire de Thamar.

305-*638* Preuves de J.-C.
Ce n'est pas avoir été captif que de l'avoir été avec assurance d'être délivré dans 70 ans, mais maintenant ils le sont sans aucun espoir.
Dieu leur a promis qu'encore qu'il les dispersât aux bouts du monde, néanmoins s'ils étaient fidèles à sa loi il les rassemblerait. Ils y sont très fidèles et demeurent opprimés.

306-*763* Les Juifs en éprouvant s'il était Dieu ont montré qu'il était homme.

307-*764* L'Église a eu autant de peine à montrer que J.-C. était homme, contre ceux qui le niaient qu'à montrer qu'il était Dieu, et les apparences étaient aussi grandes.

308-*793* La distance infinie des corps aux esprits figure la distance infiniment plus infinie des esprits à la charité, car elle est surnaturelle.

Tout l'éclat des grandeurs n'a point de lustre pour les gens qui sont dans les recherches de l'esprit.

La grandeur des gens d'esprit est invisible aux rois, aux riches, aux capitaines, à tous ces grands de chair.

La grandeur de la sagesse, qui n'est nulle sinon de Dieu, est invisible aux charnels et aux gens d'esprit. Ce sont trois ordres différents, de genre.

Les grands génies ont leur empire, leur éclat, leur grandeur, leur victoire et leur lustre, et n'ont nul besoin des grandeurs charnelles où elles n'ont pas de rapport. Ils sont vus, non des yeux mais des esprits. C'est assez.

Les saints ont leur empire, leur éclat, leur victoire, leur lustre et n'ont nul besoin des grandeurs charnelles ou spirituelles, où elles n'ont nul rapport, car elles n'y ajoutent ni ôtent. Ils sont vus de Dieu et des anges et non des corps ni des esprits curieux. Dieu leur suffit.

Archimède sans éclat serait en même vénération. Il n'a pas donné des batailles pour les yeux, mais il a fourni à tous les esprits ses inventions. O qu'il a éclaté aux esprits.

J.-C. sans biens, et sans aucune production au dehors de science, est dans son ordre de sainteté. Il n'a point donné d'inventions. Il n'a point régné, mais il a été humble, patient, saint, saint, saint à Dieu, terrible aux démons, sans aucun péché. O qu'il est venu en grande pompe et en une prodigieuse magnificence aux yeux du cœur et qui voyent la sagesse.

Il eût été inutile à Archimède de faire le prince dans ses livres de géométrie, quoiqu'il le fût.

Il eût été inutile à N.-S. J.-C. pour éclater dans son règne de sainteté, de venir en roi, mais il y est bien venu avec l'éclat de son ordre.

Il est bien ridicule de se scandaliser de la bassesse de J.-C., comme si cette bassesse était du même ordre duquel est la grandeur qu'il venait faire paraître.
Qu'on considère cette grandeur-là dans sa vie, dans sa passion, dans son obscurité, dans sa mort, dans l'élection des siens, dans leur abandonnement, dans sa secrète résurrection et dans le reste. On la verra si grande qu'on n'aura pas sujet de se scandaliser d'une bassesse qui n'y est pas.

Mais il y en a qui ne peuvent admirer que les grandeurs charnelles comme s'il n'y en avait pas de spirituelles. Et d'autres qui n'admirent que les spirituelles comme s'il n'y en avait pas d'infiniment plus hautes dans la sagesse.

Tous les corps, le firmament, les étoiles, la terre et ses royaumes, ne valent pas le moindre des esprits. Car il connaît tout cela, et soi, et les corps rien.

Tous les corps ensemble et tous les esprits ensemble et toutes leurs productions ne valent pas le moindre mouvement de charité. Cela est d'un ordre infiniment plus élevé.

De tous les corps ensemble on ne saurait en faire réussir une petite pensée. Cela est impossible et d'un autre ordre. De tous les corps et esprits on n'en saurait tirer un mouvement de vraie charité, cela est impossible, et d'un autre ordre surnaturel.

309-*797* Preuves de J.-C.
J.-C. a dit les choses grandes si simplement qu'il semble qu'il ne les a pas pensées, et si nettement néanmoins qu'on voit bien ce qu'il en pensait. Cette clarté jointe à cette naïveté est admirable.

310-*801* Preuves de J.-C.
L'hypothèse des apôtres fourbes est bien absurde. Qu'on la suive tout au long, qu'on s'imagine ces douze hommes assemblés après la mort de J.-C., faisant le complot de dire qu'il est ressuscité. Ils attaquent par là toutes les puissances. Le cœur des hommes est étrangement penchant à la légèreté, au changement, aux promesses, aux biens, si peu que l'un de ceux-là se fût démenti par tous ces attraits, et qui plus est par les prisons, par les tortures et par la mort, ils étaient perdus. Qu'on suive cela.

311-*640* C'est une chose étonnante et digne d'une étrange attention de voir ce peuple juif subsister depuis tant d'années et de le voir toujours misérable, étant nécessaire pour la preuve de J.-C. et qu'il subsiste pour le prouver et qu'il soit misérable, puisqu'ils l'ont crucifié. Et quoiqu'il soit contraire d'être misérable et de subsister il subsiste néanmoins toujours malgré sa misère.

312-*697* *Prodita lege.*
Impleta cerne.
Implenda collige [52].

313-*569* Canoniques.
Les hérétiques au commencement de l'Église servent à prouver les canoniques.

314-*639* Quand Nabuchodonosor emmena le peuple de peur qu'on ne crût que le sceptre fût ôté de Juda il leur dit auparavant qu'ils y seraient peu, et qu'ils y seraient, et qu'ils seraient rétablis.

Ils furent toujours consolés par les prophètes; leurs rois continuèrent.
Mais la seconde destruction est sans promesse de rétablissement, sans prophètes, sans roi, sans consolation, sans espérance parce que le sceptre est ôté pour jamais.

315-*752* Moïse d'abord enseigne la Trinité, le péché originel, le Messie.
David grand témoin.
Roi, bon, pardonnant, belle âme, bon esprit, puissant. Il prophétise et son miracle arrive. Cela est infini.

Il n'avait qu'à dire qu'il était le Messie s'il eût eu de la vanité, car les prophéties sont plus claires de lui que de J.-C.

Et saint Jean de même.

316-*800* Qui a appris aux évangélistes les qualités d'une âme parfaitement héroïque, pour la peindre si parfaitement en J.-C.? Pourquoi le font-ils faible dans son agonie? Ne savent-ils pas peindre une mort constante? Oui, car le même saint Luc peint celle de saint Étienne plus forte que celle de J.-C.
Ils le font capable de crainte, avant que la nécessité de mourir soit arrivée, et ensuite tout fort.
Mais quand ils le font si troublé c'est quand il se trouble lui-même et quand les hommes le troublent il est fort.

317-*701* Le zèle des juifs pour leur loi et leur temple. Josèphe et Philon juif, *ad Caium.*

Quel autre peuple a un tel zèle, il fallait qu'ils l'eussent.

J.-C. prédit quant au temps et à l'état du monde. Le duc ôté de la cuisse, et la 4e monarchie.

Qu'on est heureux d'avoir cette lumière dans cette obscurité.
Qu'il est beau de voir par les yeux de la foi, Darius et Cyrus, Alexandre, les Romains, Pompée et Hérode, agir sans le savoir pour la gloire de l'Évangile.

318-*755* La discordance apparente des évangiles.

319-*699* La synagogue a précédé l'Église, les Juifs les chrétiens. Les prophètes ont prédit les chrétiens. Saint Jean. J.-C.

320-*178* Macrobe. Des innocents tués par Hérode.

321-*600* Tout homme peut faire ce qu'a fait Mahomet. Car il n'a point fait de miracles, il n'a point été prédit. Nul homme ne peut faire ce qu'a fait J.-C.

322-*802* Les apôtres ont été trompés ou trompeurs. L'un et l'autre est difficile. Car il n'est pas possible de prendre un homme pour être ressuscité.

52. « *Lis les prophéties. Vois ce qui est accompli. Recueille ce qui est à accomplir.* »

Tandis que J.-C. était avec eux, il les pouvait soutenir, mais après cela, s'il ne leur est apparu, qui les a fait agir?

XXIV. PROPHÉTIES

323-*773* Ruine des Juifs et des païens par Jésus-Christ : *omnes gentes venient et adorabunt eum* [53]. *Parum est ut* [54], etc. *Postula a me* [55].

Adorabunt eum omnes reges.

Testes iniqui [56].

Dabit maxillam percutienti. Dederunt fel in escam [57].

324-*730* Qu'alors l'idolâtrie serait renversée, que ce Messie abattrait toutes les idoles et ferait entrer les hommes dans le culte du vrai Dieu.

Que les temples des idoles seraient abattus et que parmi toutes les nations et en tous les lieux du monde lui serait offerte une hostie pure, non point des animaux.

324-*730* Qu'il serait roi des Juifs et des gentils, et voilà ce roi des Juifs et des gentils opprimé par les uns et les autres qui conspirent à sa mort dominant des uns et des autres, et détruisant et le culte de Moïse dans Jérusalem, qui en était le centre, dont il fait sa première église et le culte des idoles dans Rome qui en était le centre et dont il fait sa principale église.

325-*733* Qu'il enseignerait aux hommes la voie parfaite.

Et jamais il n'est venu ni devant ni après aucun homme qui ait enseigné rien de divin approchant de cela.

326-*694* Et ce qui couronne tout cela est la prédiction afin qu'on ne dît point que c'est le hasard qui l'a fait.

Quiconque n'ayant plus que 8 jours à vivre ne trouvera pas que le parti est de croire que tout cela n'est pas un coup du hasard.

Or si les passions ne nous tenaient point, 8 jours et cent ans sont une même chose.

53. Cf. Ps. XXI, 28 : « Ils se souviendront du Seigneur et se convertiront à lui. Tous les confins de la terre et *toutes les familles des nations adoreront en sa présence.* »

54. Voir note 34.

55. Ps. II, 8 : « *Demandez-moi* et je vous donnerai les nations en héritage... »

56. Ps. XXXIV, 11 : « *Des témoins iniques* s'étant levés... »

57. Lam., III, 30 : « *Il tendra la joue à celui qui le frappera, il sera rassasié d'opprobres.* »

327-*770* Après que bien des gens sont venus devant il est venu enfin J.-C. dire : me voici et voici le temps. Ce que les prophètes ont dit devoir advenir dans la suite des temps je vous dis que mes apôtres le vont faire. Les Juifs vont être rebutés. Hierusalem sera bientôt détruite et les païens vont entrer dans la connaissance de Dieu. Mes apôtres le vont faire après que vous aurez tué l'héritier de la vigne.

Et puis les apôtres ont dit aux Juifs : Vous allez être maudits. Celsus s'en moquait. Et aux païens : Vous allez entrer dans la connaissance de Dieu, et cela est arrivé alors.

328-*732* Qu'alors on n'enseignera plus son prochain disant : voici le Seigneur. Car Dieu se fera sentir à tous. Vos fils prophétiseront. Je mettrai mon esprit et ma crainte en votre cœur.

Tout cela est la même chose.

Prophétiser c'est parler de Dieu, non par preuves de dehors, mais par sentiment intérieur et immédiat.

329-*734* Que J.-C. serait petit en son commencement et croîtrait ensuite. La petite pierre de Daniel.

Si je n'avais ouï parler en aucune sorte du Messie, néanmoins après les prédictions si admirables de l'ordre du monde que je vois accomplies, je vois que cela est divin et si je savais que ces mêmes livres prédissent un Messie je m'assurerais qu'il serait certain, et voyant qu'ils mettent son temps avant la destruction du 2e temple je dirais qu'il serait venu.

330-*725* Prophéties.

La conversion des Égyptiens.

Is. (19. 19.) Un autel en Égypte au vrai Dieu.

331-*748* Au temps du Messie ce peuple se partage.

Les spirituels ont embrassé le Messie, les grossiers sont demeurés pour lui servir de témoins.

332-*710* Prophéties.

Quand un seul homme aurait fait un livre des prédictions de J.-C. pour le temps et pour la manière et que J.-C. serait venu conformément à ces prophéties ce serait une force infinie.

Mais il y a bien plus ici. C'est une suite d'hommes durant quatre mille ans qui constamment et sans variations viennent l'un ensuite de l'autre prédire ce même avènement. C'est un peuple tout entier qui l'annonce et qui subsiste depuis 4.000 années pour rendre en corps témoignages des assurances qu'ils en ont, et dont ils ne peuvent être divertis par quelques menaces et persécutions qu'on leur fasse. Ceci est tout autrement considérable.

333-*708* Prophéties.

Le temps prédit par l'état du peuple juif, par l'état du peuple païen, par l'état du temple, par le nombre des années.

334-*716* Osée — 3 (4)

Isaïe 4 (2) 48. Je l'ai prédit depuis longtemps afin qu'on sût que c'est moi. 54. 60 (61) et dernier.

Jaddus à Alexandre.

335-*706* La plus grande des preuves de J.-C. sont les prophéties. C'est à quoi Dieu a le plus pourvu, car l'événement qui les a remplies est un miracle subsistant depuis la naissance de l'Église jusques à la fin. Aussi Dieu a suscité des prophètes durant 1.600 ans et pendant 400 ans après il a dispersé toutes ces prophéties avec tous les juifs qui les portaient dans tous les lieux du monde. Voilà quelle a été la préparation à la naissance de J.-C. dont l'Évangile devant être cru de tout le monde, il a fallu non seulement qu'il y ait eu des prophéties pour le faire croire mais que ces prophéties fussent par tout le monde pour le faire embrasser par tout le monde.

336-*709* Il faut être hardi pour prédire une même chose en tant de manières.

Il fallait que l(*es*) 4 monarchies, idolâtres ou païennes, la fin du règne de Juda, et les 70 semaines arrivassent en même temps, et le tout avant que le 2e temple fût détruit.

337-*753* Hérode crut le Messie. Il avait ôté le sceptre de Juda, mais il n'était pas de Juda. Cela fit une secte considérable.

Et Barcosba et un autre reçu par les Juifs. Et le bruit qui était partout en ce temps-là.

Suét. — Tacite. Josèphe.

Comment fallait-il que fût le Messie, puisque par lui le sceptre devait être éternellement en Juda et qu'à son arrivée le sceptre devait être ôté de Juda.

Pour faire qu'en voyant ils ne voient point et qu'en entendant ils n'entendent point rien ne pouvait être mieux fait.

Malédiction des grecs contre ceux qui comptent les périodes des temps.

338-*724* Prédiction.

Qu'en la 4e monarchie, avant la destruction du 2e temple, avant que la domination des Juifs fût ôtée en la 70e semaine de Daniel, pendant la durée du 2e temple les païens seraient instruits et amenés à la connaissance du Dieu adoré par les Juifs, que ceux qui l'aiment seraient délivrés de leurs ennemis, remplis de sa crainte et de son amour.

Et il est arrivé qu'en la 4e monarchie avant la destruction du 2e temple, etc. les païens en foule adorent Dieu et mènent une vie angélique.

Les filles consacrent à Dieu leur virginité et leur vie, les hommes renoncent à tous plaisirs. Ce que Platon n'a pu persuader à quelque peu d'hommes choisis et si instruits une force secrète le persuade à cent milliers d'hommes ignorants, par la vertu de peu de paroles.

Les riches quittent leurs biens, les enfants quittent la maison délicate de leurs pères pour aller dans l'austérité d'un désert, etc. Voyez Philon juif.

Qu'est-ce que tout cela? c'est ce qui a été prédit si longtemps auparavant; depuis 2.000 années aucun païen n'avait adoré le Dieu des Juifs et dans le temps prédit la foule des païens adore cet unique Dieu. Les temples sont détruits, les rois mêmes se soumettent à la croix. Qu'est-ce que tout cela? C'est l'esprit de Dieu qui est répandu sur la terre.

Nul païen depuis Moïse jusqu'à J.-C. selon les rabbins mêmes; la foule des païens après J.-C. croit les livres de Moïse et en observe l'essence et l'esprit et n'en rejette que l'inutile.

339-*738* Les prophètes ayant donné diverses marques qui devaient toutes arriver à l'avènement du Messie, il fallait que toutes ces marques arrivassent en même temps. Ainsi il fallait que la quatrième monarchie fût venue lorsque les septante semaines de Daniel seraient accomplies et que le sceptre fût alors ôté de Juda.

Et tout cela est arrivé sans aucune difficulté et qu'alors il arrivât le Messie et J.-C. est arrivé alors qui s'est dit le Messie et tout cela est encore sans difficulté et cela marque bien la vérité de prophétie.

340-*720* *Non habemus regem nisi Cæsarem* [58]. Donc J.-C. était le Messie puisqu'ils n'avaient plus de roi qu'un étranger et qu'ils n'en voulaient point d'autre.

341-*723* Prophéties.

Les 70 semaines de Daniel sont équivoques pour le terme du commencement à cause des termes de la prophétie. Et pour le terme de la fin à cause des diversités des chronologistes. Mais toute cette différence ne va qu'à 200 ans.

342-*637* Prophéties.

58. Jn, XIX, 15 : « *Nous n'avons point de roi, sinon César.* »

Le sceptre ne fut point interrompu par la captivité de Babylone à cause que leur retour était prompt et prédit.

343-*695* Prophéties. Le grand Pan est mort.

344-*756* Que peut-on avoir sinon de la vénération d'un homme qui prédit clairement des choses qui arrivent
et qui déclare son dessein et d'aveugler et d'éclaircir et qui mêle des obscurités parmi des choses claires qui arrivent.

345-*727 bis* *Parum est ut...* Vocation des Gentils (Is. LII, 15).

346-*729* Prédictions.
Il est prédit qu'au temps du Messie il viendrait établir une nouvelle alliance qui ferait oublier la sortie d'Égypte — Jer. 23. 5. — Is. 43. 16 — qui mettrait sa loi non dans l'extérieur mais dans le cœur, qu'il mettrait sa crainte qui n'avait été qu'au dehors, dans le milieu du cœur...
Qui ne voit la loi chrétienne en tout cela?

347-*735* Prophéties.
Que les Juifs réprouveraient J.-C. et qu'ils seraient réprouvés de Dieu par cette raison; que la vigne élue ne donnerait que du verjus; que le peuple choisi serait infidèle, ingrat et incrédule *Populum non credentem et contradicentem* [59].
Que Dieu les frappera d'aveuglement et qu'ils tâtonneront en plein midi comme des aveugles.
Qu'un précurseur viendrait avant lui.

348-*718* Le règne éternel de la race de David, 2. Chron. par toutes les prophéties et avec serment. Et n'est point accompli temporellement. Jer. 33. 20.

XXV. FIGURES PARTICULIÈRES

349-*652* Figures particulières.
(T). Double loi, doubles tables de la loi, double temple, double captivité.

350-*623* *(Japhet commence la généalogie.)*

Joseph croise ses bras et préfère le jeune.

59. Rom., x, 21 : « Mais quant à Israël il (Isaïe) dit : J'ai tout le jour étendu mes mains au *peuple rebelle et contredisant.* »

XXVI. MORALE CHRÉTIENNE

351-*537* Le christianisme est étrange; il ordonne à l'homme de reconnaître qu'il est vil et même abominable, et lui ordonne de vouloir être semblable à Dieu. Sans un tel contrepoids cette élévation le rendrait horriblement vain, ou cet abaissement le rendrait horriblement abject.

352-*526* La misère persuade le désespoir.
L'orgueil persuade la présomption.
L'incarnation montre à l'homme la grandeur de sa misère par la grandeur du remède qu'il a fallu.

353-*529* Non pas un abaissement qui nous rende incapables du bien ni une sainteté exempte de mal.

354-*524* Il n'y a point de doctrine plus propre à l'homme que celle-là qui l'instruit de sa double capacité de recevoir et de perdre la grâce à cause du double péril où il est toujours exposé de désespoir ou d'orgueil.

355-*767* De tout ce qui est sur la terre, il ne prend part qu'aux déplaisirs non aux plaisirs. Il aime ses proches, mais sa charité ne se renferme pas dans ces bornes et se répand sur ses ennemis et puis sur ceux de Dieu.

356-*539* Quelle différence entre un soldat et un chartreux quant à l'obéissance? Car ils sont également obéissants et dépendants, et dans des exercices également pénibles, mais le soldat espère toujours devenir maître et ne le devient jamais, car les capitaines et princes mêmes sont toujours esclaves et dépendants, mais il l'espère toujours, et travaille toujours à y venir, au lieu que le Chartreux fait vœu de n'être jamais que dépendant. Ainsi ils ne diffèrent pas dans la servitude perpétuelle, que tous deux ont toujours, mais dans l'espérance que l'un a toujours et l'autre jamais.

357-*541* Nul n'est heureux comme un vrai chrétien, ni raisonnable, ni vertueux, ni aimable.

358-*538* Avec combien peu d'orgueil un chrétien se croit-il uni à Dieu. Avec combien peu d'abjection s'égale(-t-)il aux vers de la terre. La belle manière de recevoir la vie et la mort, les biens et les maux.

359-*481* Les exemples des morts généreuses des

lacédémoniens et autres, ne nous touchent guère, car qu'est-ce que cela nous apporte?

Mais l'exemple de la mort des martyrs nous touche car ce sont nos membres. Nous avons un lien commun avec eux. Leur résolution peut former la nôtre, non seulement par l'exemple, mais parce qu'elle a peut-être mérité la nôtre.

Il n'est rien de cela aux exemples des païens. Nous n'avons point de liaison à eux. Comme on ne devient pas riche pour voir un étranger qui l'est, mais bien pour voir son père ou son mari qui le soient.

360-*482* Commencement des membres pensants. Morale.

Dieu ayant fait le ciel et la terre qui ne sentent point le bonheur de leur être, il a voulu faire des êtres qui le connussent et qui composassent un corps de membres pensants. Car nos membres ne sentent point le bonheur de leur union, de leur admirable intelligence, du soin que la nature a d'y influer les esprits et de les faire croître et durer. Qu'ils seraient heureux s'ils le sentaient, s'ils le voyaient, mais il faudrait pour cela qu'ils eussent intelligence pour le connaître, et bonne volonté pour consentir à celle de l'âme universelle. Que si ayant reçu l'intelligence ils s'en servaient à retenir en eux-mêmes la nourriture, sans la laisser passer aux autres membres, ils seraient non seulement injustes mais encore misérables, et se haïraient plutôt que de s'aimer, leur béatitude aussi bien que leur devoir consistant à consentir à la conduite de l'âme entièr(e) à qui ils appartiennent, qui les aime mieux qu'ils ne s'aiment eux-mêmes.

361-*209* Es-tu moins esclave pour être aimé et flatté de ton maître; tu as bien du bien, esclave, ton maître te flatte. Il te battra tantôt.

362-*472* La volonté propre ne satisfera jamais, quand elle aurait pouvoir de tout ce qu'elle veut; mais on est satisfait dès l'instant qu'on y renonce. Sans elle on ne peut être malcontent; par elle on ne peut être content.

363-*914* Ils laissent agir la concupiscence et retiennent le scrupule, au lieu qu'il faudrait faire au contraire.

364-*249* C'est être superstitieux de mettre son espérance dans les formalités, mais c'est être superbe de ne vouloir s'y soumettre.

365-*496* L'expérience nous fait voir une différence énorme entre la dévotion et la bonté.

366-*747 ter* Deux sortes d'hommes en chaque religion. (Voyez Perpétuité). Superstition, concupiscence.

367-*672* Point formalistes.

Quand saint Pierre et les apôtres délibèrent d'abolir la circoncision où il s'agissait d'agir contre la loi de Dieu, ils ne consultent point les prophètes mais simplement la réception du Saint-Esprit en la personne des incirconcis.

Ils jugent plus sûr que Dien approuve ceux qu'il remplit de son esprit que non pas qu'il faille observer la loi.

Ils savaient que la fin de la loi n'était que le Saint-Esprit et qu'ainsi puisqu'on l'avait bien sans circoncision elle n'était pas nécessaire.

368-*474* Membres. Commencer par là.

Pour régler l'amour qu'on se doit à soi-même il faut s'imaginer un corps plein de membres pensants, car nous sommes membres du tout, et voir comment chaque membre devrait s'aimer, etc.

369-*611* République.

La République chrétienne et même judaïque n'a eu que Dieu pour maître comme remarque Philon Juif, *De la monarchie*.

Quand ils combattaient ce n'était que pour Dieu et n'espéraient principalement que de Dieu. Ils ne considéraient leurs villes que comme étant à Dieu et les conservaient pour Dieu. 1. Paralip. 19. 13.

370-*480* Pour faire que les membres soient heureux il faut qu'ils aient une volonté et qu'ils la conforment au corps.

371-*473* Qu'on s'imagine un corps plein de membres pensants.

372-*483* Etre membre est n'avoir de vie, d'être et de mouvement que par l'esprit du corps. Et pour le corps, le membre séparé ne voyant plus le corps auquel il appartient n'a plus qu'un être périssant et mourant. Cependant il croit être un tout et ne se voyant point de corps dont il dépende, il croit ne dépendre que de soi et veut se faire centre et corps lui-même. Mais n'ayant point en soi de principe de vie il ne fait que s'égarer et s'étonne dans l'incertitude de son être, sentant bien qu'il n'est pas corps, et cependant ne voyant point qu'il soit membre d'un corps. Enfin quand il vient à se connaître il est comme revenu chez soi et ne s'aime plus que pour le corps. Il plaint ses égarements passés.

Il ne pourrait pas par sa nature aimer une autre chose sinon pour soi-même et pour se l'asservir parce que chaque chose s'aime plus que tout.

Mais en aimant le corps il s'aime soi-même parce qu'il n'a d'être qu'en lui, par lui et pour lui. *Qui adhaeret deo unus spiritus est*[60].

Le corps aime la main, et la main si elle avait une volonté devrait s'aimer de la même sorte que l'âme l'aime ; tout amour qui va au-delà est injuste.

Adhaerens deo unus spiritus est[61] ; on s'aime parce qu'on est membre de J.-C. ; on aime J.-C. parce qu'il est le corps dont on est membre. Tout est un. L'un est en l'autre comme les trois personnes.

373-*476* Il faut n'aimer que Dieu et ne haïr que soi.

Si le pied avait toujours ignoré qu'il appartînt au corps et qu'il y eût un corps dont il dépendît, s'il n'avait eu que la connaissance et l'amour de soi et qu'il vînt à connaître qu'il appartient à un corps duquel il dépend, quel regret, quelle confusion de sa vie passée, d'avoir été inutile au corps qui lui a influé la vie, qui l'eût anéanti s'il l'eût rejeté et séparé de soi, comme il se séparait de lui. Quelles prières d'y être conservé! et avec quelle soumission se laisserait-il gouverner à la volonté qui régit le corps, jusqu'à consentir à être retranché s'il le faut! ou il perdrait sa qualité de membre; car il faut que tout membre veuille bien périr pour le corps qui est le seul pour qui tout est.

374-*475* Si les pieds et les mains avaient une volonté particulière, jamais ils ne seraient dans leur ordre qu'en soumettant cette volonté particulière à la volonté première qui gouverne le corps entier. Hors de là ils sont dans le désordre et dans le malheur; mais en ne voulant que le bien du corps, ils font leur propre bien.

375-*503* Les philosophes ont consacré les vices en les mettant en Dieu même; les chrétiens ont consacré les vertus.

376-*484* 2 lois suffisent pour régler toute la République chrétienne, mieux que toutes les lois politiques.

60. I Cor., VI, 17 : « *Celui qui adhère à Dieu est un seul esprit avec lui.* »
61. Même sens.

XXVII. CONCLUSION

377-*280* Qu'il y a loin de la connaissance de Dieu à l'aimer.

378-*470* Si j'avais vu un miracle, disent-ils, je me convertirais. Comment assurent-ils qu'ils feraient ce qu'ils ignorent. Ils s'imaginent que cette conversion consiste en une adoration qui se fait de Dieu comme un commerce et une conversation telle qu'ils se la figurent. La conversion véritable consiste à s'anéantir devant cet être universel qu'on a irrité tant de fois et qui peut vous perdre légitimement à toute heure, à reconnaître qu'on ne peut rien sans lui et qu'on n'a rien mérité de lui que sa disgrâce. Elle consiste à connaître qu'il y a une opposition invincible entre Dieu et nous et que sans un médiateur il ne peut y avoir de commerce.

379-*825* Les miracles ne servent pas à convertir mais à condamner. 1. p. q. 113. a. 10. ad. 2.

380-*284* Ne vous étonnez pas de voir des personnes simples croire sans raisonnement. Dieu leur donne l'amour de soi et la haine d'eux-mêmes. Il incline leur cœur à croire. On ne croira jamais, d'une créance utile et de foi si Dieu n'incline le cœur et on croira dès qu'il l'inclinera.

Et c'est ce que David connaissait bien. *Inclina cor meum Deus in* [62], etc.

381-*286* Ceux qui croient sans avoir lu les Testaments c'est parce qu'ils ont une disposition intérieure toute sainte et que ce qu'ils entendent dire de notre religion y est conforme. Ils sentent qu'un Dieu les a faits. Ils ne veulent aimer que Dieu, ils ne veulent haïr qu'eux-mêmes. Ils sentent qu'ils n'en ont pas la force d'eux-mêmes, qu'ils sont incapables d'aller à Dieu et que si Dieu ne vient à eux ils sont incapables d'aucune communication avec lui et ils entendent dire dans notre religion qu'il ne faut aimer que Dieu et ne haïr que soi-même, mais qu'étant tous corrompus et incapables de Dieu, Dieu s'est fait homme pour s'unir à nous. Il n'en faut pas davantage pour persuader des hommes qui ont cette disposition dans le cœur et qui ont cette connaissance de leur devoir et de leur incapacité.

382-*287* Connaissance de Dieu.

Ceux que nous voyons chrétiens sans la connaissance des prophéties et des preuves ne laissent pas

62. Ps. CXVIII, 36 : « *Inclinez mon cœur, ô Dieu vers vos témoignages.* »

d'en juger aussi bien que ceux qui ont cette connaissance. Ils en jugent par le cœur comme les autres en jugent par l'esprit. C'est Dieu lui-même qui les incline à croire et ainsi ils sont très efficacement persuadés.

(On dira que cette manière d'en juger n'est pas certaine et que c'est en la suivant que les hérétiques et les infidèles s'égarent.)

(On répondra que les hérétiques et les infidèles diront la même chose; mais je réponds à cela que nous avons des preuves que Dieu-imprime-incline véritablement ceux qu'il aime à croire la religion chrétienne et que les infidèles n'ont aucune preuve de ce qu'ils disent et ainsi nos propositions étant semblables dans les termes elles diffèrent en ce que l'une est sans aucune preuve et l'autre très solidement prouvée.)

(eorum qui amant — Dieu incline le cœur de ceux qu'il aime — Deus inclina corda eorum — celui qui l'aime — celui qu'il aime.)

J'avoue bien qu'un de ces chrétiens qui croient sans preuves n'aura peut-être pas de quoi convaincre un infidèle, qui en dira autant de soi, mais ceux qui savent les preuves de la religion prouveront sans difficulté que ce fidèle est véritablement inspiré de Dieu, quoiqu'il ne peut le prouver lui-même.

Car Dieu ayant dit dans ses prophètes, (qui sont indubitablement prophètes) que dans le règne de J.-C. il répandrait son esprit sur les nations et que les fils, les filles et les enfants de l'Église prophétiseraient il est sans doute que l'esprit de Dieu est sur ceux-là et qu'il n'est point sur les autres.

SECTION II. PAPIERS NON CLASSÉS

SÉRIE I

383-*197* D'être insensible à mépriser les choses intéressantes, et devenir insensible au point qui nous intéresse le plus.

384-*630* Macchabées, depuis qu'il n'eût plus eu de prophètes. Massor, depuis Jésus-Christ.

385-*707* Mais ce n'était pas assez que ces prophéties fussent il fallait qu'elles fussent distribuées par tous les lieux et conservées dans tous les temps.

Et afin qu'on ne prenne point l'avènement pour un effet du hasard il fallait que cela fût prédit.

Il est bien plus glorieux au Messie qu'ils soient les spectateurs et même les instruments de sa gloire, outre que Dieu les ait réservés.

386-*203* *Fascinatio nugacitatis* [63].

Afin que la passion ne nuise point faisons comme s'il n'y avait que 8 jours de vie.

387-*241* Ordre.

J'aurais bien plus peur de me tromper et de trouver que la religion chrétienne soit vraie que non pas de me tromper en la croyant vraie.

388-*740* J.-C. que les deux Testaments regardent, l'ancien comme son attente le nouveau comme son modèle, tous deux comme leur centre.

389-*794* Pourquoi J.-C. n'est-il pas venu d'une manière visible au lieu de tirer sa preuve des prophéties précédentes.

Pourquoi s'est-il fait prédire en figures!

390-*617* Perpétuité.

Qu'on considère que depuis le commencement du monde, l'attente ou l'adoration du Messie subsiste sans interruption, qu'il s'est trouvé des hommes qui ont dit que Dieu leur avait révélé qu'il devait naître un rédempteur qui sauverait son peuple. Qu'Abraham est venu ensuite dire qu'il avait eu révélation qu'il naîtrait de lui par un fils qu'il aurait, que Jacob a déclaré que de ses douze enfants il naîtrait de Juda, que Moïse et ses prophètes sont venus ensuite déclarer le temps et la manière de sa venue. Qu'ils ont dit que la loi qu'ils avaient n'était qu'en attendant celle du Messie, que jusque-là elle serait perpétuelle, mais que l'autre durerait éternellement, qu'ainsi leur loi ou celle du Messie dont elle était la promesse serait toujours sur la terre, qu'en effet elle a toujours duré, qu'enfin est venu J.-C. dans toutes les circonstances prédites. Cela est admirable.

391-*749* Si cela est si clairement prédit aux Juifs comment ne l'ont-ils point cru ou comment n'ont-ils point été exterminés de résister à une chose si claire.

63. Cf. Lancelot, *Mémoires sur Saint-Cyran* : « Il savait qu'il y a dans l'âme de l'homme *une niaiserie qui l'ensorcèle*, fascinatio nugacitatis, comme dit l'Écriture, qui fait que, quelque séparé qu'il soit, il s'occupe de lui-même, se multiplie et se divise, et que souvent il est moins seul que s'il était au milieu d'une multitude. »

Je réponds. Premièrement cela a été prédit, et qu'ils ne croiraient point une chose si claire et qu'ils ne seraient point exterminés. Et rien n'est plus glorieux au Messie, car il ne suffisait pas qu'il y eût des prophètes il fallait qu'ils fussent conservés sans soupçon, or..., etc.

392-*644* Figures.

Dieu voulant se former un peuple saint, qu'il séparerait de toutes les autres nations, qu'il délivrerait de ses ennemis, qu'il mettrait dans un lieu de repos, a promis de le faire et a prédit par ses prophètes le temps et la manière de sa venue. Et cependant pour affermir l'espérance de ses élus dans tous les temps il leur en a fait voir l'image, sans les laisser jamais sans des assurances de sa puissance et de sa volonté pour leur salut, car dans la création de l'homme Adam en était le témoin et le dépositaire de la promesse du sauveur qui devait naître de la femme.

Lorsque les hommes étaient encore si proches de la création qu'ils ne pouvaient avoir oublié leur création et leur chute, lorsque ceux qui avaient vu Adam n'ont plus été au monde, Dieu a envoyé Noé et l'a sauvé et noyé toute la terre par un miracle qui marquait assez et le pouvoir qu'il avait de sauver le monde et la volonté qu'il avait de le faire et de faire naître de la semence de la femme celui qu'il avait promis.

Ce miracle suffisait pour affermir l'espérance des (élus).

La mémoire du déluge étant encore si fraîche parmi les hommes lorsque Noé vivait encore, Dieu fit ses promesses à Abraham et lorsque Sem vivait encore Dieu envoya Moïse, etc.

393-*442* La vraie nature de l'homme, son vrai bien et la vraie vertu et la vraie religion sont choses dont la connaissance est inséparable.

394-*288* Au lieu de vous plaindre de ce que Dieu s'est caché vous lui rendrez grâces de ce qu'il s'est tant découvert et vous lui rendrez grâces encore de ce qu'il ne s'est pas découvert aux sages superbes indignes de connaître un Dieu si saint.

Deux sortes de personnes connaissent, ceux qui ont le cœur humilié et qui aiment leur bassesse, quelque degré d'esprit qu'ils aient haut ou bas, ou ceux qui ont assez d'esprit pour voir la vérité quelques oppositions qu'ils y aient.

395-*478* Quand nous voulons penser à Dieu n'y a(-t-)il rien qui nous détourne, nous tente de penser ailleurs; tout cela est mauvais et né avec nous.

396-*471* Il est injuste qu'on s'attache à moi quoiqu'on le fasse avec plaisir et volontairement. Je tromperais ceux à qui j'en ferais naître le désir, car je ne suis la fin de personne et n'ai de quoi les satisfaire. Ne suis-je pas prêt à mourir et ainsi l'objet de leur attachement mourra. Donc comme je serais coupable de faire croire une fausseté, quoique je la persuadasse doucement, et qu'on la crût avec plaisir et qu'en cela on me fît plaisir; de même je suis coupable de me faire aimer. Et si j'attire les gens à s'attacher à moi, je dois avertir ceux qui seraient prêts à consentir au mensonge, qu'ils ne le doivent pas croire, quelque avantage qui m'en revînt; et de même qu'ils ne doivent pas s'attacher à moi, car il faut qu'ils passent leur vie et leurs soins à plaire à Dieu ou à le chercher.

Mademoiselle Périer a l'original de ce billet.

397-*426* La vraie nature étant perdue, tout devient sa nature; comme le véritable bien étant perdu, tout devient son véritable bien.

398-*525* Les philosophes ne prescrivaient point des sentiments proportionnés aux deux états.

Ils inspiraient des mouvements de grandeur pure et ce n'est pas l'état de l'homme.

Ils inspiraient des mouvements de bassesse pure et ce n'est pas l'état de l'homme.

Il faut des mouvements de bassesse, non de nature, mais de pénitence non pour y demeurer mais pour aller à la grandeur. Il faut des mouvements de grandeur, non de mérite mais de grâce et après avoir passé par la bassesse.

399-*438* Si l'homme n'est fait pour Dieu pourquoi n'est-il heureux qu'en Dieu.

Si l'homme est fait pour Dieu pourquoi est-il si contraire à Dieu.

400-*427* L'homme ne sait à quel rang se mettre, il est visiblement égaré et tombé de son vrai lieu sans le pouvoir retrouver. Il le cherche partout avec inquiétude et sans succès dans des ténèbres impénétrables.

401-*437* Nous souhaitons la vérité et ne trouvons en nous qu'incertitude.

Nous recherchons le bonheur et ne trouvons que misère et mort.

Nous sommes incapables de ne pas souhaiter la vérité et le bonheur et sommes incapables ni de certitude ni de bonheur.

Ce désir nous est laissé tant pour nous punir que pour nous faire sentir d'où nous sommes tombés.

402-*290* Preuves de la religion.
Morale. / Doctrine. / Miracles. / Prophéties. Figures.

403-*174* Misère.
Salomon et Job ont le mieux connu et le mieux parlé de la misère de l'homme, l'un le plus heureux et l'autre le plus malheureux. L'un connaissant la vanité des plaisirs par expérience, l'autre la réalité des maux.

404-*424* Toutes ces contrariétés qui semblaient le plus m'éloigner de la connaissance d'une religion est ce qui m'a le plus tôt conduit à la véritable.

405-*421* Je blâme également et ceux qui prennent parti de louer l'homme, et ceux qui le prennent de le blâmer, et ceux qui le prennent de se divertir et je ne puis approuver que ceux qui cherchent en gémissant.

406-*395* Instinct, raison.
Nous avons une impuissance de prouver, invincible à tout le dogmatisme.
Nous avons une idée de la vérité invincible à tout le pyrrhonisme.

407-*465* Les stoïques disent : rentrez au-dedans de vous-même, c'est là où vous trouverez votre repos. Et cela n'est pas vrai.
Les autres disent : sortez dehors et cherchez le bonheur en un divertissement. Et cela n'est pas vrai, les maladies viennent.
Le bonheur n'est ni hors de nous ni dans nous; il est en Dieu et hors et dans nous.

408-*74* Une lettre de la folie de la science humaine et de la philosophie.
Cette lettre avant le divertissement.
Felix qui potuit [64].
Felix nihil admirari [65].
280 sortes de souverain bien dans Montaigne [66].

64. Virgile, *Georg.*, II, 490 : « *Heureux qui peut* pénétrer les causes des choses. » (Montaigne, *Essais*, III, 10.)
65. Horace, Ep. II, II, 61 : « *Ne s'étonner de rien*, Numacius, est presque le seul et unique moyen qui donne et conserve le bonheur. » (Montaigne, *Essais*, II, 12.)
66. Cf. Montaigne, *Essais*, II, 12 : « Il n'est point de combat si violent entre les philosophes, et si âpre, que celui qui se dresse sur la question du souverain bien de l'homme, duquel par le calcul de Varro, naquirent 288 sectes. » (L'édition de 1652 des *Essais* donne, page 424, le chiffre de 280.)

409-*220* Fausseté des philosophes qui ne discutaient pas l'immortalité de l'âme.
Fausseté de leur dilemme dans Montaigne.

410-*413* Cette guerre intérieure de la raison contre les passions a fait que ceux qui ont voulu avoir la paix se sont partagés en deux sectes. Les uns ont voulu renoncer aux passions et devenir dieux, les autres ont voulu renoncer à la raison et devenir bête brute. Des Barreaux. Mais ils ne l'ont pu ni les uns ni les autres, et la raison demeure toujours qui accuse la bassesse et l'injustice des passions et qui trouble le repos de ceux qui s'y abandonnent. Et les passions sont toujours vivantes dans ceux qui y veulent renoncer.

411-*400* Grandeur de l'homme.
Nous avons une si grande idée de l'âme de l'homme que nous ne pouvons souffrir d'en être méprisés et de n'être pas dans l'estime d'une âme. Et toute la félicité des hommes consiste dans cette estime.

412-*414* Les hommes sont si nécessairement fous que ce serait être fou par un autre tour de folie de n'être pas fou.

413-*162* Qui voudra connaître à plein la vanité de l'homme n'a qu'à considérer les causes et les effets de l'amour. La cause en est un je ne sais quoi. Corneille. Et les effets en sont effroyables. Ce je ne sais quoi, si peu de chose qu'on ne peut le reconnaître, remue toute la terre, les princes, les armées, le monde entier.
Le nez de Cléopâtre s'il eût été plus court toute la face de la terre aurait changé.

414-*171* Misère.
La seule chose qui nous console de nos misères est le divertissement. Et cependant c'est la plus grande de nos misères. Car c'est cela qui nous empêche principalement de songer à nous et qui nous fait perdre insensiblement. Sans cela nous serions dans l'ennui, et cet ennui nous pousserait à chercher un moyen plus solide d'en sortir, mais le divertissement nous amuse et nous fait arriver insensiblement à la mort.

415-*130* Agitation.
Quand un soldat se plaint de la peine qu'il a ou un laboureur, etc. qu'on les mette sans rien faire.

416-*546* La nature est corrompue.
Sans J.-C. il faut que l'homme soit dans le vice

et dans la misère. Avec J.-C. l'homme est exempt de vice et de misère.

En lui est toute notre vertu et toute notre félicité.

Hors de lui il n'y a que vice, misère, erreur, ténèbres, mort, désespoir.

417-*548* Non seulement nous ne connaissons Dieu que par Jésus-Christ mais nous ne nous connaissons nous-mêmes que par J.-C.; nous ne connaissons la vie, la mort que par Jésus-Christ. Hors de J.-C. nous ne savons ce que c'est ni que notre vie, ni que notre mort, ni que Dieu, ni que nous-mêmes.

Ainsi sans l'Écriture qui n'a que J.-C. pour objet nous ne connaissons rien et ne voyons qu'obscurité et confusion dans la nature de Dieu et dans la propre nature.

SÉRIE II

418-*233* Infini rien.

Notre âme est jetée dans le corps où elle trouve nombre, temps, dimensions, elle raisonne là-dessus et appelle cela nature, nécessité, et ne peut croire autre chose.

L'unité jointe à l'infini ne l'augmente de rien, non plus que un pied à une mesure infinie; le fini s'anéantit en présence de l'infini et devient un pur néant. Ainsi notre esprit devant Dieu, ainsi notre justice devant la justice divine. Il n'y a pas si grande disproportion entre notre justice et celle de Dieu qu'entre l'unité et l'infini.

Il faut que la justice de Dieu soit énorme comme sa miséricorde. Or la justice envers les réprouvés est moins énorme et doit moins choquer que la miséricorde envers les élus.

Nous connaissons qu'il y a un infini, et ignorons sa nature comme nous savons qu'il est faux que les nombres soient finis. Donc il est vrai qu'il y a un infini en nombre, mais nous ne savons ce qu'il est. Il est faux qu'il soit pair, il est faux qu'il soit impair, car en ajoutant l'unité il ne change point de nature. Cependant c'est un nombre, et tout nombre est pair ou impair. Il est vrai que cela s'entend de tout nombre fini.

Ainsi on peut bien connaître qu'il y a un Dieu sans savoir ce qu'il est.

N'y a(-t-)il point une vérité substantielle, voyant tant de choses vraies qui ne sont point la vérité même?

Nous connaissons donc l'existence et la nature du fini parce que nous sommes finis et étendus comme lui.

Nous connaissons l'existence de l'infini et ignorons sa nature, parce qu'il a étendue comme nous, mais non pas des bornes comme nous.

Mais nous ne connaissons ni l'existence ni la nature de Dieu, parce qu'il n'a ni étendue, ni bornes.

Mais par la foi nous connaissons son existence, par la gloire, nous connaîtrons sa nature.

Or j'ai déjà montré qu'on peut bien connaître l'existence d'une chose sans connaître sa nature. O. Tournez.

O. Parlons maintenant selon les lumières naturelles.

S'il y a un Dieu il est infiniment incompréhensible, puisque n'ayant ni parties ni bornes, il n'a nul rapport à nous. Nous sommes donc incapables de connaître ni ce qu'il est, ni s'il est. Cela étant qui osera entreprendre de résoudre cette question? ce n'est pas nous qui n'avons aucun rapport à lui.

Qui blâmera donc les chrétiens de ne pouvoir rendre raison de leur créance, eux qui professent une religion dont ils ne peuvent rendre raison; ils déclarent en l'exposant au monde que c'est une sottise, *stultitiam*, et puis vous vous plaignez de ce qu'ils ne la prouvent pas. S'ils la prouvaient ils ne tiendraient pas parole. C'est en manquant de preuve qu'ils ne manquent pas de sens. Oui mais encore que cela excuse ceux qui l'offrent telle, et que cela les ôte du blâme de la produire sans raison cela n'excuse pas ceux qui la reçoivent. Examinons donc ce point. Et disons : Dieu est ou il n'est pas; mais de quel côté pencherons-nous? la raison n'y peut rien déterminer. Il y a un chaos infini qui nous sépare. Il se joue un jeu à l'extrémité de cette distance infinie, où il arrivera croix ou pile. Que gagerez-vous? par raison vous ne pouvez faire ni l'un ni l'autre; par raison vous ne pouvez défaire nul des deux.

Ne blâmez donc pas de fausseté ceux qui ont pris un choix, car vous n'en savez rien. Non, mais je les blâmerai d'avoir fait non ce choix, mais un choix, car encore que celui qui prend croix et l'autre soient en pareille faute ils sont tous deux en faute; le juste est de ne point parier.

Oui, mais il faut parier. Cela n'est pas volontaire, vous êtes embarqués. Lequel prendrez-vous donc? Voyons; puisqu'il faut choisir voyons ce qui vous intéresse le moins. Vous avez deux choses à perdre : le vrai et le bien, et deux choses à engager : votre raison et votre volonté, votre connaissance et votre béatitude, et votre nature deux choses à fuir : l'erreur et la misère. Votre raison n'est pas plus blessée puisqu'il faut nécessairement choisir, en choisissant l'un que l'autre. Voilà un point vidé. Mais votre béatitude? Pesons le gain et la perte en prenant croix que Dieu est. Estimons ces deux cas : si vous gagnez vous gagnez tout, et si vous perdez vous ne perdez rien : gagez donc qu'il est sans hésiter. Cela est admirable. Oui il faut gager, mais je gage peut-être trop. Voyons puisqu'il y a pareil hasard de gain et de perte, si vous n'aviez qu'à gagner deux vies pour une vous pourriez encore gager, mais s'il y en avait 3 à gagner?

Il faudrait jouer (puisque vous êtes dans la nécessité de jouer) et vous seriez imprudent lorsque vous êtes forcé à jouer de ne pas hasarder votre vie pour en gagner 3 à un jeu où il y a pareil hasard de perte et de gain. Mais il y a une éternité de vie de bonheur. Et cela étant quand il y aurait une infinité de hasards dont un seul serait pour vous, vous auriez encore raison de gager un pour avoir deux, et vous agirez de mauvais sens, en étant obligé à jouer, de refuser de jouer une vie contre trois à un jeu où d'une infinité de hasards il y en a un pour vous, s'il y avait une infinité de vie infiniment heureuse à gagner : mais il y a ici une infinité de vie infiniment heureuse à gagner, un hasard de gain contre un nombre fini de hasards de perte et ce que vous jouez est fini. Cela ôte tout parti partout où est l'infini et où il n'y a pas infinité de hasards de perte contre celui de gain. Il n'y a point à balancer, il faut tout donner. Et ainsi quand on est forcé à jouer, il faut renoncer à la raison pour garder la vie plutôt que de la hasarder pour le gain infini aussi prêt à arriver que la perte du néant.

Car il ne sert de rien de dire qu'il est incertain si on gagnera, et qu'il est certain qu'on hasarde, et que l'infinie distance qui est entre la certitude de ce qu'on expose et l'incertitude de ce qu'on gagnera égale le bien fini qu'on expose certainement à l'infini qui est incertain. Cela n'est pas ainsi. Tout joueur hasarde avec certitude pour gagner avec incertitude, et néanmoins il hasarde certainement le fini pour gagner incertainement le fini, sans pécher contre la raison. Il n'y a pas infinité de distance entre cette certitude de ce qu'on expose et l'incertitude du gain : cela est faux. Il y a, à la vérité, infinité entre la certitude de gagner et la certitude de perdre, mais l'incertitude de gagner est proportionnée à la certitude de ce qu'on hasarde selon la proportion des hasards de gain et de perte. Et de là vient que s'il y a autant de hasards d'un côté que de l'autre le parti est à jouer égal contre égal. Et alors la certitude de ce qu'on s'expose est égale à l'incertitude du gain, tant s'en faut qu'elle en soit infiniment distante. Et ainsi notre proposition est dans une force infinie, quand il y a le fini à hasarder, à un jeu où il y a pareils hasards de gain que de perte, et l'infini à gagner.

Cela est démonstratif et si les hommes sont capables de quelque vérité celle-là l'est.

Je le confesse, je l'avoue, mais encore n'y a(-t-)il point moyen de voir le dessous du jeu? oui l'Ecriture et le reste, etc. Oui mais j'ai les mains liées et la bouche muette, on me force à parier, et je ne suis pas en liberté, on ne me relâche pas et je suis fait d'une telle sorte que je ne puis croire. Que voulez-vous donc que je fasse? — Il est vrai, mais apprenez au moins que votre impuissance à croire vient de vos passions. Puisque la raison vous y porte et que néanmoins vous ne le pouvez, travaillez donc non pas à vous convaincre par l'augmentation des preuves de Dieu, mais par la diminution de vos passions. Vous voulez aller à la foi et vous n'en savez pas le chemin. Vous voulez vous guérir de l'infidélité et vous en demandez les remèdes, apprenez de ceux, etc. qui ont été liés comme vous et qui parient maintenant tout leur bien. Ce sont gens qui savent ce chemin que vous voudriez suivre et guéris d'un mal dont vous voulez guérir; suivez la manière par où ils ont commencé. C'est en faisant tout comme s'ils croyaient, en prenant de l'eau bénite, en faisant dire des messes, etc. Naturellement même cela vous fera croire et vous abêtira. Mais c'est ce que je crains. — Et pourquoi? qu'avez-vous à perdre? mais pour vous montrer que cela y mène, c'est que cela diminue les passions qui sont vos grands obstacles, etc.

Fin de ce discours.

Or quel mal vous arrivera(-t-)il en prenant ce parti? Vous serez fidèle, honnête, humble, reconnaissant, bienfaisant, ami sincère, véritable... A la vérité vous ne serez point dans les plaisirs empestés, dans la gloire, dans les délices, mais n'en aurez-vous point d'autres?

Je vous dis que vous y gagnerez en cette vie, et que à chaque pas que vous ferez dans ce chemin, vous verrez tant de certitude de gain, et tant de néant de ce que vous hasardez, que vous connaîtrez à la fin que vous avez parié pour une chose certaine, infinie, pour laquelle vous n'avez rien donné.

O ce discours me transporte, me ravit, etc. Si ce discours vous plaît et vous semble fort, sachez qu'il est fait par un homme qui s'est mis à genoux auparavant et après, pour prier cet être infini et sans parties, auquel il soumet tout le sien, de se soumettre aussi le vôtre pour votre propre bien et pour sa gloire; et qu'ainsi la force s'accorde avec cette bassesse.

419-*89* La coutume est notre nature. Qui s'accoutume à la foi la croit, et ne peut plus ne pas craindre l'enfer, et ne croit autre chose.

Qui s'accoutume à croire que le roi est terrible, etc.

Qui doute donc que notre âme étant accoutumée à voir nombre, espace, mouvement, croit cela et rien que cela.

420-*231* Croyez-vous qu'il soit impossible que Dieu soit infini, sans parties? Oui. Je vous veux donc faire voir une chose infinie et indivisible : c'est un point se mouvant partout d'une vitesse infinie.

Car il est un en tous lieux et est tout entier en chaque endroit.

Que cet effet de nature qui vous semblait impossible auparavant vous fasse connaître qu'il peut y en avoir d'autres que vous ne connaissez pas encore. Ne tirez pas cette conséquence de votre apprentissage, qu'il ne vous reste rien à savoir, mais qu'il vous reste infiniment à savoir.

421-*477* Il est faux que nous soyons dignes que les autres nous aiment. Il est injuste que nous le voulions. Si nous naissions raisonnables et indifférents, et connaissant nous et les autres nous ne donnerions point cette inclination à notre volonté.

Nous naissons pourtant avec elle, nous naissons donc injustes.

Car tout tend à soi : cela est contre tout ordre. Il faut tendre au général, et la pente vers soi est le commencement de tout désordre, en guerre, en police, en économie, dans le corps particulier de l'homme.

La volonté est donc dépravée. Si les membres des communautés naturelles et civiles tendent au bien du corps, les communautés elles-mêmes doivent tendre à un autre corps plus général dont elles sont membres. L'on doit donc tendre au général. Nous naissons donc injustes et dépravés.

421-*606* Nulle religion que la nôtre n'a enseigné que l'homme naît en péché, nulle secte de philosophes ne l'a dit, nulle n'a donc dit vrai.

Nulle secte ni religion n'a toujours été sur la terre que la religion chrétienne.

422-*535* On a bien de l'obligation à ceux qui avertissent des défauts, car ils mortifient, ils apprennent qu'on a été méprisé, ils n'empêchent pas qu'on ne le soit à l'avenir, car on a bien d'autres défauts pour l'être. Ils préparent l'exercice de la correction, et l'exemption d'un défaut.

423-*277* Le cœur a ses raisons que la raison ne connaît point; on le sait en mille choses.

Je dis que le cœur aime l'être universel naturellement et soi-même naturellement, selon qu'il s'y adonne, et il se durcit contre l'un ou l'autre à son choix. Vous avez rejeté l'un et conservé l'autre; est-ce par raison que vous vous aimez?

424-*278* C'est le cœur qui sent Dieu et non la raison. Voilà ce que c'est que la foi. Dieu sensible au cœur, non à la raison.

425-*604* La seule science qui est contre le sens commun et la nature des hommes est la seule qui ait toujours subsisté parmi les hommes.

426-*542* Il n'y a que la religion chrétienne qui rende l'homme aimable et heureux tout ensemble; dans l'honnêteté on ne peut être aimable et heureux ensemble.

SÉRIE III

427-*194* ...Qu'ils apprennent au moins quelle est la religion qu'ils combattent avant que de la combattre. Si cette religion se vantait d'avoir une vue claire de Dieu, et de le posséder à découvert et sans voile, ce serait la combattre que de dire qu'on ne voit rien dans le monde qui le montre avec cette évidence. Mais puisqu'elle dit, au contraire, que les hommes sont dans les ténèbres et dans l'éloignement de Dieu, qu'il s'est caché à leur connaissance, que c'est même le nom qu'il se donne dans les Écritures, *Deus absconditus* [67]; et, enfin, si elle travaille également à établir ces deux choses : que Dieu a établi des marques sensibles dans l'Église pour se faire reconnaître à ceux qui le chercheraient sincèrement; et qu'il les a couvertes néanmoins de telle sorte qu'il ne sera aperçu que de ceux qui le cherchent de tout leur cœur, quel avantage peuvent-ils tirer, lorsque dans la négligence où ils font profession d'être de chercher la vérité, ils crient que rien ne la leur montre, puisque cette obscurité où ils sont, et qu'ils objectent à l'Église, ne fait qu'établir une des choses qu'elle soutient, sans toucher à l'autre, et établit sa doctrine, bien loin de la ruiner?

Il faudrait, pour la combattre, qu'ils criassent qu'ils ont fait tous leurs efforts pour la chercher partout, et, même dans ce que l'Église propose pour s'en instruire, mais sans aucune satisfaction. S'ils parlaient de la sorte, ils combattraient à la vérité une de ses prétentions. Mais j'espère montrer ici qu'il n'y a personne raisonnable qui puisse parler de la sorte; et j'ose même dire que jamais personne ne l'a fait. On sait assez de quelle manière agissent ceux qui sont dans cet esprit. Ils croient avoir fait de grands efforts pour s'instruire, lorsqu'ils ont employé quelques heures à la lecture de quelque livre de l'Écriture, et qu'ils ont interrogé quelque ecclésiastique sur les vérités de la foi. Après cela, ils se vantent d'avoir cherché sans succès dans les livres et parmi les hommes. Mais, en vérité, je leur dirais ce que j'ai dit souvent, que cette négligence n'est pas supportable. Il ne s'agit pas ici de l'intérêt léger de quelque personne étrangère, pour en user de cette façon; il s'agit de nous-mêmes, et de notre tout.

L'immortalité de l'âme est une chose qui nous importe si fort, qui nous touche si profondément, qu'il faut avoir perdu tout sentiment pour être dans l'indifférence de savoir ce qui en est. Toutes nos actions et nos pensées doivent prendre des routes si différentes, selon qu'il y aura des biens éternels à espérer ou non, qu'il est impossible de faire une démarche avec sens et jugement, qu'en les réglant par la vue de ce point, qui doit être notre dernier objet.

Ainsi notre premier intérêt et notre premier devoir est de nous éclaircir sur ce sujet, d'où dépend toute notre conduite. Et c'est pourquoi, entre ceux qui n'en sont pas persuadés, je fais une extrême différence de ceux qui travaillent de toutes leurs forces à s'en instruire, à ceux qui vivent sans s'en mettre en peine et sans y penser.

Je ne puis avoir que de la compassion pour ceux qui gémissent sincèrement dans ce doute, qui le regardent comme le dernier des malheurs, et qui, n'épargnant rien pour en sortir, font de cette re-

67. Is., XLV, 15 : « Vere tu es Deus absconditus, en vérité tu es un *Dieu caché*. »

cherche leurs principales et leurs plus sérieuses occupations.

Mais pour ceux qui passent leur vie sans penser à cette dernière fin de la vie, et qui, par cette seule raison qu'ils ne trouvent pas en eux-mêmes les lumières qui les en persuadent, négligent de les chercher ailleurs, et d'examiner à fond si cette opinion est de celles que le peuple reçoit par une simplicité crédule, ou de celles qui, quoique obscures d'elles-mêmes, ont néanmoins un fondement très solide et inébranlable, je les considère d'une manière toute différente.

Cette négligence en une affaire où il s'agit d'eux-mêmes, de leur éternité, de leur tout, m'irrite plus qu'elle ne m'attendrit; elle m'étonne et m'épouvante : c'est un monstre pour moi. Je ne dis pas ceci par le zèle pieux d'une dévotion spirituelle. J'entends au contraire qu'on doit avoir ce sentiment par un principe d'intérêt humain et par un intérêt d'amour-propre : il ne faut pour cela que voir ce que voient les personnes les moins éclairées.

Il ne faut pas avoir l'âme fort élevée pour comprendre qu'il n'y a point ici de satisfaction véritable et solide, que tous nos plaisirs ne sont que vanité, que nos maux sont infinis, et qu'enfin la mort, qui nous menace à chaque instant, doit infailliblement nous mettre, dans peu d'années, dans l'horrible nécessité d'être éternellement ou anéantis ou malheureux.

Il n'y a rien de plus réel que cela, ni de plus terrible. Faisons tant que nous voudrons les braves : voilà la fin qui attend la plus belle vie du monde. Qu'on fasse réflexion là-dessus, et qu'on dise ensuite s'il n'est pas indubitable qu'il n'y a de bien en cette vie qu'en l'espérance d'une autre vie, qu'on n'est heureux qu'à mesure qu'on s'en approche, et que, comme il n'y aura plus de malheurs pour ceux qui avaient une entière assurance de l'éternité, il n'y a point aussi de bonheur pour ceux qui n'en ont aucune lumière.

C'est donc assurément un grand mal que d'être dans ce doute; mais c'est au moins un devoir indispensable de chercher, quand on est dans ce doute; et ainsi celui qui doute et qui ne recherche pas est tout ensemble et bien malheureux et bien injuste. Que s'il est avec cela tranquille et satisfait, qu'il en fasse profession, et enfin qu'il en fasse le sujet de sa joie et de sa vanité, je n'ai point de termes pour qualifier une si extravagante créature.

Où peut-on prendre ces sentiments? Quel sujet de joie trouve-t-on à n'attendre plus que des misères sans ressources? Quel sujet de vanité de se voir dans des obscurités impénétrables, et comment se peut-il faire que ce raisonnement se passe dans un homme raisonnable?

« Je ne sais qui m'a mis au monde, ni ce que c'est que le monde, ni que moi-même; je suis dans une ignorance terrible de toutes choses; je ne sais ce que c'est que mon corps, que mes sens, que mon âme et cette partie même de moi qui pense ce que je dis, qui fait réflexion sur tout et sur elle-même, et ne se connaît non plus que le reste.

« Je vois ces effroyables espaces de l'univers qui m'enferment, et je me trouve attaché à un coin de cette vaste étendue, sans que je sache pourquoi je suis plutôt placé en ce lieu qu'en un autre, ni pourquoi ce peu de temps qui m'est donné à vivre m'est assigné à ce point plutôt qu'à un autre de toute l'éternité qui m'a précédé et de toute celle qui me suit. Je ne vois que des infinités de toutes parts, qui m'enferment comme un atome et comme une ombre qui ne dure qu'un instant sans retour. Tout ce que je connais est que je dois bientôt mourir; mais ce que j'ignore le plus est cette mort même que je ne saurais éviter.

« Comme je ne sais d'où je viens, aussi je ne sais où je vais; et je sais seulement qu'en sortant de ce monde je tombe pour jamais ou dans le néant, ou dans les mains d'un Dieu irrité, sans savoir à laquelle de ces deux conditions je dois être éternellement en partage. Voilà mon état, plein de faiblesse et d'incertitude. Et, de tout cela, je conclus que je dois donc passer tous les jours de ma vie sans songer à chercher ce qui doit m'arriver. Peut-être que je pourrais trouver quelque éclaircissement dans mes doutes; mais je n'en veux pas prendre la peine, ni faire un pas pour le chercher; et après, en traitant avec mépris ceux qui se travailleront de ce soin — (quelque certitude qu'ils en eussent, c'est un sujet de désespoir, plutôt que de vanité) — je veux aller, sans prévoyance et sans crainte, tenter un si grand événement, et me laisser mollement conduire à la mort, dans l'incertitude de l'éternité de ma condition future. »

Qui souhaiterait d'avoir pour ami un homme qui discourt de cette manière? qui le choisirait entre les autres pour lui communiquer ses affaires? qui aurait recours à lui dans ses afflictions? et enfin à quel usage de la vie on le pourrait destiner?

En vérité, il est glorieux à la religion d'avoir pour ennemis des hommes si déraisonnables; et leur opposition lui est si peu dangereuse, qu'elle sert au contraire à l'établissement de ses vérités. Car la foi chrétienne ne va presque qu'à établir ces deux choses : la corruption de la nature, et la rédemption de Jésus-Christ. Or, je soutiens que s'ils ne servent pas à montrer la vérité de la rédemption par la sainteté de leurs mœurs, ils servent au moins admirablement à montrer la corruption de la nature, par des sentiments si dénaturés.

Rien n'est si important à l'homme que son état; rien ne lui est si redoutable que l'éternité. Et ainsi, qu'il se trouve des hommes indifférents à la perte de leur être et au péril d'une éternité de misères, cela n'est point naturel. Ils sont tout autres à l'égard de toutes les autres choses : ils craignent jusqu'aux plus légères, ils les prévoient, ils les sentent; et ce même homme qui passe tant de jours et de nuits dans la rage et dans le désespoir pour la perte d'une charge ou pour quelque offense imaginaire à son honneur, c'est celui-là même qui sait qu'il va tout perdre par la mort, sans inquiétude et sans émotion. C'est une chose monstrueuse de voir dans un même cœur et en même temps cette sensibilité pour les moindres choses et cette étrange insensibilité pour les plus grandes. C'est un enchantement incompréhensible, et un assoupissement surnaturel, qui marque une force toute-puissante qui le cause.

Il faut qu'il y ait un étrange renversement dans la nature de l'homme pour faire gloire d'être dans cet état, dans lequel il semble incroyable qu'une seule personne puisse être. Cependant l'expérience m'en fait voir un si grand nombre, que cela serait surprenant si nous ne savions que la plupart de ceux qui s'en mêlent se contrefont et ne sont pas tels en effet. Ce sont des gens qui ont ouï dire que les belles manières du monde consistent à faire ainsi l'emporté. C'est ce qu'ils appellent avoir secoué le joug, et qu'ils essayent d'imiter. Mais il ne serait pas difficile de leur faire entendre combien ils s'abusent en cherchant par là de l'estime. Ce n'est pas le moyen d'en acquérir, je dis même parmi les personnes du monde qui jugent sainement des choses et qui savent que la seule voie d'y réussir est de se faire paraître honnête, fidèle, judicieux et capable de servir utilement son ami, parce que les hommes n'aiment naturellement que ce qui peut leur être utile. Or, quel avantage y a-t-il pour nous à ouïr dire à un homme qu'il a donc secoué le joug, qu'il ne croit pas qu'il y ait un Dieu qui veille sur ses actions, qu'il se considère comme seul maître de sa conduite, et qu'il ne pense en rendre compte qu'à soi-même? Pense-t-il nous avoir porté par là à avoir désormais bien de la confiance en lui, et en attendre des consolations, des conseils et des secours dans tous les besoins de la vie? Prétendent-ils nous avoir bien réjoui, de nous dire qu'ils tiennent que notre âme n'est qu'un peu de vent et de fumée, et encore de nous le dire d'un ton de voix fier et content? Est-ce donc une chose à dire gaiement? et n'est-ce pas une chose à dire tristement, au contraire, comme la chose du monde la plus triste?

S'ils y pensaient sérieusement, ils verraient que cela est si mal pris, si contraire au bon sens, si opposé à l'honnêteté, et si éloigné en toutes manières de ce bon air qu'ils cherchent, qu'ils seraient plutôt capables de redresser que de corrompre ceux qui auraient quelque inclination à les suivre. Et, en effet, faites-leur rendre compte de leurs sentiments et des raisons qu'ils ont de douter de la religion; ils vous diront des choses si faibles et si basses, qu'ils vous persuaderont du contraire. C'était ce que leur disait un jour fort à propos une personne : « Si vous continuez à discourir de la sorte, leur disait-il, en vérité vous me convertirez. » Et il avait raison, car qui n'aurait horreur de se voir dans des sentiments où l'on a pour compagnons des personnes si méprisables?

Ainsi ceux qui ne font que feindre ces sentiments seraient bien malheureux de contraindre leur naturel pour se rendre les plus impertinents des hommes. S'ils sont fâchés dans le fond de leur cœur de n'avoir pas plus de lumière, qu'ils ne le dissimulent pas : cette déclaration ne sera point honteuse. Il n'y a de honte qu'à n'en point avoir. Rien n'accuse davantage une extrême faiblesse d'esprit que de ne pas connaître quel est le malheur d'un homme sans Dieu; rien ne marque davantage une mauvaise disposition du cœur que de ne pas souhaiter la vérité des promesses éternelles; rien n'est plus lâche que de faire le brave contre Dieu. Qu'ils laissent donc ces impiétés à ceux qui sont assez mal nés pour en être véritablement capables; qu'ils soient au moins honnêtes gens s'ils ne peuvent être chrétiens, et qu'ils reconnaissent enfin qu'il n'y a que deux sortes de personnes qu'on puisse appeler raisonnables : ou ceux qui servent Dieu de tout leur cœur parce qu'ils le connaissent, ou ceux qui le cherchent de tout leur cœur parce qu'ils ne le connaissent pas.

Mais pour ceux qui vivent sans le connaître et sans le chercher, ils se jugent eux-mêmes si peu dignes de leur soin, qu'ils ne sont pas dignes du soin des autres et qu'il faut avoir toute la charité de la religion qu'ils méprisent pour ne les pas mépriser jusqu'à les abandonner dans leur folie. Mais, parce que cette religion nous oblige de les regarder toujours, tant qu'ils seront en cette vie, comme capables de la grâce qui peut les éclairer, et de croire qu'ils peuvent être dans peu de temps plus remplis de foi que nous ne sommes, et que nous pouvons au contraire tomber dans l'aveuglement où ils sont, il faut faire pour eux ce que nous voudrions qu'on fît pour nous si nous étions à leur place, et les appeler à avoir pitié d'eux-mêmes, et à faire au moins quelques pas pour tenter s'ils ne trouveront pas de lumières. Qu'ils donnent à cette lecture quelques-unes de ces heures qu'ils emploient si inutilement ailleurs : quelque aversion qu'ils y apportent, peut-être rencontreront-ils quelque chose, et pour le moins ils n'y perdront pas beaucoup. Mais pour ceux qui y apporteront une sincérité parfaite et un véritable désir de rencontrer la vérité, j'espère qu'ils auront satisfaction, et qu'ils seront convaincus des preuves d'une religion si divine, que j'ai ramassées ici, et dans lesquelles j'ai suivi à peu près cet ordre...

428-*195* Avant que d'entrer dans les preuves de la religion chrétienne, je trouve nécessaire de représenter l'injustice des hommes qui vivent dans l'indifférence de chercher la vérité d'une chose qui leur est si importante, et qui les touche de si près.

De tous leurs égarements, c'est sans doute celui qui les convainc le plus de folie et d'aveuglement, et dans lequel il est le plus facile de les confondre par les premières vues du sens commun et par les sentiments de la nature. Car il est indubitable que le temps de cette vie n'est qu'un instant, que l'état de la mort est éternel, de quelque nature qu'il puisse être, et qu'ainsi toutes nos actions et nos pensées doivent prendre des routes si différentes selon l'état de cette éternité, qu'il est impossible de faire une démarche avec sens et jugement qu'en la réglant par la vue de ce point qui doit être notre dernier objet.

Il n'y a rien de plus visible que cela et qu'ainsi, selon les principes de la raison, la conduite des hommes est tout à fait déraisonnable, s'ils ne prennent une autre voie. Que l'on juge donc là-dessus de ceux qui vivent sans songer à cette dernière fin de la vie, qui se laissant conduire à leurs inclinations et à leurs plaisirs sans réflexion et sans inquiétude, et, comme s'ils pouvaient anéantir l'éternité en en détournant leur pensée, ne pensent à se rendre heureux que dans cet instant seulement.

Cependant, cette éternité subsiste, et la mort, qui la doit ouvrir et qui les menace à toute heure, les doit mettre infailliblement dans peu de temps dans l'horrible nécessité d'être éternellement ou anéantis ou malheureux, sans qu'ils sachent laquelle de ces éternités leur est à jamais préparée.

Voilà sans doute d'une terrible conséquence. Ils sont dans le péril de l'éternité de misères; et sur cela, comme si la chose n'en valait pas la peine, ils négligent d'examiner si c'est de ces opinions que le peuple reçoit avec une facilité trop crédule, ou de celles qui, étant obscures d'elles-mêmes, ont un fondement très solide, quoique caché. Ainsi ils ne savent s'il y a vérité ou fausseté dans la chose, ni s'il y a force ou faiblesse dans les preuves. Ils les ont devant les yeux; ils refusent d'y regarder, et, dans cette ignorance, ils prennent le parti de faire tout ce qu'il faut pour tomber dans ce malheur au cas qu'il soit, d'attendre à en faire l'épreuve à la mort, d'être cependant fort satisfaits en cet état, d'en faire profession et enfin d'en faire vanité. Peut-on penser sérieusement à l'importance de cette affaire sans avoir horreur d'une conduite si extravagante?

Ce repos dans cette ignorance est une chose monstrueuse, et dont il faut faire sentir l'extravagance et la stupidité à ceux qui y passent leur vie, en la leur représentant à eux-mêmes, pour les confondre par la vue de leur folie. Car voici comme raisonnent les hommes quand ils choisissent de vivre dans cette ignorance de ce qu'ils sont et sans rechercher d'éclaircissement. « Je ne sais », disent-ils.

429-*229* Voilà ce que je vois et ce qui me trouble. Je regarde de toutes parts, et je ne vois partout qu'obscurité. La nature ne m'offre rien qui ne soit matière de doute et d'inquiétude. Si je n'y voyais rien qui marquât une Divinité, je me déterminerais à la négative; si je voyais partout les marques d'un Créateur, je reposerais en paix dans la foi. Mais, voyant trop pour nier et trop peu pour m'assurer, je suis dans un état à plaindre, et où j'ai souhaité cent fois que, si un Dieu la soutient, elle le marquât sans équivoque; et que, si les marques qu'elle en donne sont trompeuses, elle les supprimât tout à fait; qu'elle dît tout ou rien, afin que je visse quel parti je dois suivre. Au lieu qu'en l'état où je suis, ignorant ce que je suis et ce que je dois faire, je ne connais ni ma condition, ni mon devoir. Mon cœur tend tout entier à connaître où est le vrai bien, pour le suivre; rien ne me serait trop cher pour l'éternité.

Je porte envie à ceux que je vois dans la foi vivre avec tant de négligence, et qui usent si mal d'un don duquel il me semble que je ferais un usage si différent.

430-*431* Nul autre n'a connu que l'homme est la plus excellente créature. Les uns, qui ont bien connu la réalité de son excellence, ont pris pour lâcheté et pour ingratitude les sentiments bas que les hommes ont naturellement d'eux-mêmes; et les autres, qui ont bien connu combien cette bassesse est effective ont traité d'une superbe ridicule ces sentiments de grandeur, qui sont aussi naturels à l'homme.

Levez vos yeux vers Dieu, disent les uns; voyez celui auquel vous ressemblez, et qui vous a fait pour l'adorer. Vous pouvez vous rendre semblable à lui; la sagesse vous y égalera, si vous voulez le suivre. « Haussez la tête, hommes libres », dit Épictète. Et les autres lui disent : « Baissez vos yeux vers la terre, chétif ver que vous êtes, et regardez les bêtes dont vous êtes le compagnon. »

Que deviendra donc l'homme? Sera-t-il égal à Dieu ou aux bêtes? Quelle effroyable distance! Que serons-nous donc? Qui ne voit par tout cela que l'homme est égaré, qu'il est tombé de sa place, qu'il la cherche avec inquiétude, qu'il ne la peut plus retrouver. Et qui l'y adressera donc? Les plus grands hommes ne l'ont pu.

431-*560* Nous ne concevons ni l'état glorieux d'Adam, ni la nature de son péché, ni la transmission qui s'en est faite en nous. Ce sont choses qui se sont passées dans l'état d'une nature toute différente de la nôtre et qui passent l'état de notre capacité présente.

Tout cela nous est inutile à savoir pour en sortir; et tout ce qu'il nous importe de connaître est que nous sommes misérables, corrompus, séparés de Dieu, mais rachetés par Jésus-Christ; et c'est de quoi nous avons des preuves admirables sur la terre.

Ainsi, les deux preuves de la corruption et de la rédemption se tirent des impies, qui vivent dans l'indifférence de la religion, et des Juifs, qui en sont les ennemis irréconciliables.

SÉRIE IV

432-*194 bis* et *ter* (23.) amour-propre, et parce que c'est une chose qui nous intéresse assez pour nous en émouvoir, d'être assurés, qu'après tous les maux de la vie, une mort inévitable qui nous menace à chaque instant doit infailliblement, dans peu d'années (*nous mettre*) dans l'horrible nécessité (*d'être éternellement ou anéantis ou malheureux*).

(24.) Les trois conditions.

(25.) Il ne faut pas dire de cela que c'est une marque de raison.

(26.) C'est tout ce que pourrait faire un homme qui serait assuré de la fausseté de cette nouvelle, encore ne devrait-il pas en être dans la joie, mais dans l'abattement.

(27.) Rien n'est important que cela, et on ne néglige que cela.

(28.) Notre imagination nous grossit si fort le temps présent à force d'y faire des réflexions continuelles, et amoindrit tellement l'éternité, manque d'y faire réflexion, que nous faisons de l'éternité un néant, et du néant une éternité; et tout cela a ses racines si vives en nous que toute notre raison ne nous en peut défendre, et que...

(29). Je leur demanderais s'il n'est pas vrai qu'ils vérifient par eux-mêmes ce fondement de la foi qu'ils combattent, qui est que la nature des hommes est dans la corruption.

433-*783*... Alors Jésus-Christ vient dire aux hommes qu'ils n'ont point d'autres ennemis qu'eux-mêmes, que ce sont leurs passions qui les séparent de Dieu, qu'il vient pour les détruire, et pour leur donner sa grâce, afin de faire d'eux tous une Église sainte, qu'il vient ramener dans cette Église les païens et les Juifs, qu'il vient détruire les idoles des uns et la superstition des autres. A cela s'opposent tous les hommes, non seulement par l'opposition naturelle de la concupiscence; mais, par-dessus tout, les rois de la terre s'unissent pour abolir cette religion naissante, comme cela avait été prédit (*Proph. : Quare fremuerunt gentes... reges terrae... adversus Christum*) [68].

Tout ce qu'il y a de grand sur la terre s'unit, les savants, les sages, les rois. Les uns écrivent, les autres condamnent, les autres tuent. Et nonobstant toutes ces oppositions, ces gens simples et sans force résistent à toutes ces puissances et se soumettent même ces rois, ces savants, ces sages, et ôtent l'idolâtrie de toute la terre. Et tout cela se fait par la force qui l'avait prédit.

434-*199* Qu'on s'imagine un nombre d'hommes dans les chaînes, et tous condamnés à la mort, dont les uns étant chaque jour égorgés à la vue des autres, ceux qui restent voient leur propre condition dans celle de leurs semblables, et, se regardant les uns et les autres avec douleur et sans espérance, attendent à leur tour. C'est l'image de la condition des hommes.

435-*621* La création et le déluge étant passés, et Dieu ne devant plus détruire le monde, non plus que le recréer, ni donner de ces grandes marques de lui, il commença d'établir un peuple sur la terre, formé exprès, qui devait durer jusqu'au peuple que le Messie formerait par son esprit.

SÉRIE V

436-*628* *Antiquité des Juifs.* — Qu'il y a de différence d'un livre à un autre! Je ne m'étonne pas de ce que les Grecs ont fait l'*Iliade*, ni les Égyptiens et les Chinois leurs histoires. Il ne faut que voir comment cela est né. Ces historiens fabuleux ne sont pas contemporains des choses dont ils écrivent. Homère fait un roman, qu'il donne pour tel et qui est reçu pour tel; car personne ne doutait que Troie et Agamemnon n'avaient non plus été que la pomme d'or. Il ne pensait pas aussi à en faire une histoire, mais seulement un divertissement; il est le seul qui écrit de son temps, la beauté de l'ouvrage fait durer la chose : tout le monde l'apprend et en parle; il la faut savoir, chacun la sait par cœur. Quatre cents ans après, les témoins des choses ne sont plus vivants; personne ne sait plus par sa connaissance si c'est une fable ou une histoire : on l'a seulement appris de ses ancêtres, cela peut passer pour vrai.

Toute histoire qui n'est pas contemporaine est suspecte; ainsi les livres des sibylles et de Trismégiste, et tant d'autres qui ont eu crédit au monde, sont faux et se trouvent faux à la suite des temps. Il n'en est pas ainsi des auteurs contemporains.

Il y a bien de la différence entre un livre que fait un particulier, et qu'il jette dans le peuple, et un livre que fait lui-même un peuple. On ne peut douter que le livre ne soit aussi ancien que le peuple.

437-*399* On n'est pas misérable sans sentiment : une maison ruinée ne l'est pas. Il n'y a que l'homme de misérable. *Ego vir videns* [69].

438-*848* Que si la miséricorde de Dieu est si grande qu'il nous instruit salutairement, même lorsqu'il se cache, quelle lumière n'en devons-nous pas attendre, lorsqu'il se découvre?

439-*565* Reconnaissez donc la vérité de la religion dans l'obscurité même de la religion, dans le peu de lumière que nous en avons, dans l'indifférence que nous avons de la connaître.

440-*559 bis* L'être éternel est toujours s'il est une fois.

68. Ps. II, 1-2 : « *Pourquoi les nations ont-elles frémi*, et les peuples médité des choses vaines? *Les rois de la terre* se sont levés, et les princes se sont ligués, contre le Seigneur et *contre son Christ.* »

69. Lam., III, 1-2 : « *Je suis un homme voyant* ma misère sous la verge de son indignation. Il m'a conduit et amené dans les ténèbres et non à la lumière. »

441-*201* Toutes les objections des uns et des autres ne vont que contre eux-mêmes, et point contre la religion. Tout ce que disent les impies...

442-*560 bis* ... Ainsi tout l'univers apprend à l'homme, ou qu'il est corrompu, ou qu'il est racheté. Tout lui apprend sa grandeur ou sa misère. L'abandon de Dieu paraît dans les païens; la protection de Dieu paraît dans les Juifs.

443-*863* Tous errent d'autant plus dangereusement qu'ils suivent chacun une vérité; leur faute n'est pas de suivre une fausseté, mais de ne pas suivre une autre vérité.

444-*557* Il est donc vrai que tout instruit l'homme de sa condition, mais il le faut bien entendre : car il n'est pas vrai que tout découvre Dieu, et il n'est pas vrai que tout cache Dieu. Mais il est vrai tout ensemble qu'il se cache à ceux qui le tentent, et qu'il se découvre à ceux qui le cherchent, parce que les hommes sont tout ensemble indignes de Dieu et capables de Dieu : indignes par leur corruption, capables par leur première nature.

445-*558* Que conclurons-nous de toutes nos obscurités, sinon notre indignité?

446-*586* S'il n'y avait point d'obscurité, l'homme ne sentirait point sa corruption; s'il n'y avait point de lumière, l'homme n'espérerait point de remède. Ainsi, il est non seulement juste, mais utile pour nous que Dieu soit caché en partie, et découvert en partie, puisqu'il est également dangereux à l'homme de connaître Dieu sans connaître sa misère, et de connaître sa misère sans connaître Dieu.

447-*769* La conversion des païens n'était réservée qu'à la grâce du Messie. Les Juifs ont été si longtemps à les combattre sans succès : tout ce qu'en ont dit Salomon et les prophètes a été inutile. Les sages, comme Platon et Socrate, n'ont pu les persuader.

448-*559* S'il n'avait jamais rien paru de Dieu, cette privation éternelle serait équivoque, et pourrait aussi bien se rapporter à l'absence de toute divinité, qu'à l'indignité où seraient les hommes de la connaître; mais de ce qu'il paraît quelquefois, et non pas toujours, cela ôte l'équivoque. S'il paraît une fois, il est toujours; et ainsi on n'en peut conclure, sinon qu'il y a un Dieu, et que les hommes en sont indignes.

449-*556* ... Ils blasphèment ce qu'ils ignorent. La religion chrétienne consiste en deux points; il importe également aux hommes de les connaître et il est également dangereux de les ignorer; et il est également de la miséricorde de Dieu d'avoir donné des marques des deux.

Et cependant ils prennent sujet de conclure qu'un de ces points n'est pas, de ce qui leur devrait faire conclure l'autre. Les sages qui ont dit qu'il n'y avait qu'un Dieu ont été persécutés, les Juifs haïs, les chrétiens encore plus. Ils ont vu par lumière naturelle que s'il y a une véritable religion sur la terre, la conduite de toutes choses doit y tendre comme à son centre. Toute la conduite des choses doit avoir pour objet l'établissement et la grandeur de la religion; les hommes doivent avoir en eux-mêmes des sentiments conformes à ce qu'elle nous enseigne; et enfin elle doit être tellement l'objet et le centre où toutes choses tendent, que qui en saura les principes puisse rendre raison et de toute la nature de l'homme en particulier, et de toute la conduite du monde en général.

Et sur ce fondement, ils prennent lieu de blasphémer la religion chrétienne, parce qu'ils la connaissent mal. Ils s'imaginent qu'elle consiste simplement en l'adoration d'un Dieu considéré comme grand et puissant et éternel; ce qui est proprement le déisme, presque aussi éloigné de la religion chrétienne que l'athéisme, qui y est tout à fait contraire. Et de là ils concluent que cette religion n'est pas véritable, parce qu'ils ne voient pas que toutes choses concourent à l'établissement de ce point, que Dieu ne se manifeste pas aux hommes avec toute l'évidence qu'il pourrait faire.

Mais qu'ils en concluent ce qu'ils voudront contre le déisme, ils n'en concluront rien contre la religion chrétienne, qui consiste proprement au mystère du Rédempteur, qui unissant en lui les deux natures, humaine et divine, a retiré les hommes de la corruption du péché pour les réconcilier à Dieu en sa personne divine.

Elle enseigne donc ensemble aux hommes ces deux vérités : et qu'il y a un Dieu, dont les hommes sont capables, et qu'il y a une corruption dans la nature, qui les en rend indignes. Il importe également aux hommes de connaître l'un et l'autre de ces points; et il est également dangereux à l'homme de connaître Dieu sans connaître sa misère, et de connaître sa misère sans connaître le Rédempteur qui l'en peut guérir. Une seule de ces connaissances fait, ou la superbe des philosophes, qui ont connu Dieu et non leur misère, ou le désespoir des athées, qui connaissent leur misère sans Rédempteur.

Et ainsi, comme il est également de la nécessité de l'homme de connaître ces deux points, il est aussi également de la miséricorde de Dieu de nous les avoir fait connaître. La religion chrétienne le fait, c'est en cela qu'elle consiste.

Qu'on examine l'ordre du monde sur cela, et qu'on voie si toutes choses ne tendent pas à l'établissement des deux chefs de cette religion : Jésus-Christ est l'objet de tout, et le centre où tout tend. Qui le connaît connaît la raison de toutes choses.

Ceux qui s'égarent ne s'égarent que manque de voir une de ces deux choses. On peut donc bien connaître Dieu sans sa misère, et sa misère sans Dieu; mais on ne peut connaître Jésus-Christ sans connaître tout ensemble et Dieu et sa misère.

Et c'est pourquoi je n'entreprendrai pas ici de prouver par des raisons naturelles, ou l'existence de Dieu, ou la Trinité, ou l'immortalité de l'âme, ni aucune des choses de cette nature; non seulement parce que je ne me sentirais pas assez fort pour trouver dans la nature de quoi convaincre des athées endurcis, mais encore parce que cette connaissance, sans Jésus-Christ, est inutile et stérile. Quand un homme serait persuadé que les proportions des nombres sont des vérités immatérielles, éternelles et dépendantes d'une première vérité en qui elles subsistent, et qu'on appelle Dieu, je ne le trouverais pas beaucoup avancé pour son salut.

Le Dieu des chrétiens ne consiste pas en un Dieu simplement auteur des vérités géométriques et de l'ordre des éléments; c'est la part des païens et des épicuriens. Il ne consiste pas seulement en un Dieu qui exerce sa providence sur la vie et sur les biens des hommes, pour donner une heureuse suite d'années à ceux qui l'adorent; c'est la portion des Juifs. Mais le Dieu d'Abraham, le Dieu d'Isaac, le Dieu de Jacob, le Dieu des chrétiens, est un Dieu d'amour et de consolation; c'est un Dieu qui remplit l'âme et le cœur de ceux qu'il possède; c'est un Dieu qui leur fait sentir intérieurement leur misère, et sa miséricorde infinie; qui s'unit au fond de leur âme; qui la remplit d'humilité, de joie, de confiance, d'amour; qui les rend incapables d'autre fin que de lui-même.

Tous ceux qui cherchent Dieu hors de Jésus-Christ, et qui s'arrêtent dans la nature, ou ils ne trouvent aucune lumière qui les satisfasse, ou ils arrivent à se former un moyen de connaître Dieu et de le servir sans médiateur, et par là ils tombent ou dans l'athéisme ou dans le déisme, qui sont deux choses que la religion chrétienne abhorre presque également.

Sans Jésus-Christ, le monde ne subsisterait pas; car il faudrait, ou qu'il fût détruit, ou qu'il fût comme un enfer.

Si le monde subsistait pour instruire l'homme de Dieu, sa divinité y reluirait de toutes parts d'une manière incontestable; mais comme il ne subsiste que par Jésus-Christ, et pour Jésus-Christ et pour instruire les hommes et de leur corruption et de leur rédemption, tout y éclate des preuves de ces deux vérités.

Ce qui y paraît ne marque ni une exclusion totale, ni une présence manifeste de divinité, mais la présence d'un Dieu qui se cache. Tout porte ce caractère.

Le seul qui connaît la nature ne la connaîtra-t-il que pour être misérable? le seul qui la connaît sera-t-il le seul malheureux?

Il ne faut (*pas*) qu'il ne voie rien du tout; il ne faut pas aussi qu'il en voie assez pour croire qu'il le possède, mais qu'il en voie assez pour connaître qu'il l'a perdu; car, pour connaître qu'on a perdu, il faut voir et ne voir pas; et c'est précisément l'état où est la nature.

Quelque parti qu'il prenne, je ne l'y laisserai point en repos...

450-*494* Il faudrait que la véritable religion enseignât la grandeur, la misère, portât à l'estime et au mépris de soi, à l'amour et à la haine.

SÉRIE VI

451-*620* Avantages du peuple juif.

Dans cette recherche le peuple juif attire d'abord mon attention par quantité de choses admirables et singulières qui y paraissent.

Je vois d'abord que c'est un peuple tout composé de frères, et au lieu que tous les autres sont formés de l'assemblage d'une infinité de familles, celui-ci quoique si étrangement abondant est tout sorti d'un seul homme, et étant ainsi tous une même chair et membres les uns des autres, composent un puissant état d'une seule famille, cela est unique.

Cette famille ou ce peuple est le plus ancien qui soit en la connaissance des hommes, ce qui me semble lui attirer une vénération particulière. Et principalement dans la recherche que nous faisons, puisque si Dieu s'est de tout temps communiqué aux hommes, c'est à ceux-ci qu'il faut recourir pour en savoir la tradition.

Ce peuple n'est pas seulement considérable par son antiquité mais il est encore singulier en sa durée, qui a toujours continué depuis son origine jusqu'à maintenant, car au lieu que les peuples de Grèce et d'Italie, de Lacédémone, d'Athènes, de Rome et les autres qui sont venus si longtemps après soient péris il y a si longtemps, ceux-ci subsistent toujours et malgré les entreprises de tant de puissants rois qui ont cent fois essayé de les faire périr, comme leurs historiens le témoignent, et comme il est aisé de le juger par l'ordre naturel des choses pendant un si long espace d'années. Ils ont toujours été conservés néanmoins, et cette conservation a été prédite. Et s'étendant depuis les premiers temps jusques aux derniers, leur histoire enferme dans sa durée, celle de toutes nos histoires.

La loi par laquelle ce peuple est gouverné est tout ensemble, la plus ancienne loi du monde, la plus parfaite et la seule qui ait toujours été gardée sans interruption dans un État. C'est ce que Josèphe montre admirablement contre Appion et Philon juif, en divers lieux où ils font voir qu'elle est si ancienne que le nom même de loi n'a été connu des plus anciens que plus de mille ans après, en sorte que Homère qui a écrit l'histoire de tant d'États ne s'en est jamais servi. Et il est aisé de juger de sa perfection par la simple lecture, où l'on voit qu'on a pourvu à toutes choses, avec tant de sagesse, tant d'équité et tant de jugement que les plus anciens législateurs grecs et romains en ayant eu quelque lumière en ont emprunté leurs principales lois, ce qui paraît par celle qu'ils appellent des 12 tables, et par les autres preuves que Josèphe en donne.

Mais cette loi est en même temps la plus sévère et la plus rigoureuse de toutes en ce qui regarde le culte de leur religion obligeant ce peuple pour le retenir dans son devoir, à mille observations particulières et pénibles sur peine de la vie, de sorte que c'est une chose bien étonnante, qu'elle se soit toujours conservée constamment durant tant de siècles, par un peuple rebelle et impatient comme celui-ci pendant que tous les autres États ont changé de temps en temps leurs lois quoique tout autrement faciles.

Le livre qui contient cette loi la première de toutes, est lui-même le plus ancien livre du monde, ceux d'Homère, d'Hésiode et les autres n'étant que six ou sept cents ans depuis.

SÉRIE VII

452-*631* Sincérité des Juifs.

Ils portent avec amour et fidélité ce livre où Moïse déclare qu'ils ont été ingrats envers Dieu toute leur vie, qu'il sait qu'ils le seront encore plus après sa mort, mais qu'il appelle le ciel et la terre à témoin contre eux, qu'il le leur a (*enseigné*) assez.

Il déclare qu'enfin Dieu s'irritant contre eux les dispersera parmi tous les peuples de la terre, que comme ils l'ont irrité en adorant les dieux qui n'étaient point leurs dieux, de même il les provoquera en appelant un peuple qui n'est point son peuple, et veut que toutes ses paroles soient conservées éternellement et que son livre soit mis dans l'arche de l'alliance pour servir à jamais de témoin contre eux. — Isaïe. Isaïe dit la même chose. 30. 8.

SÉRIE VIII

453-*610* Pour montrer que les vrais juifs et les vrais chrétiens n'ont qu'une même religion.

La religion des juifs — semblait — consistait essentiellement en la paternité d'Abraham, en la circoncision, aux sacrifices, aux cérémonies, en l'arche, au temple, en Jérusalem, et enfin en la loi et en l'alliance de Moïse.

Je dis qu'elle ne consistait en aucune de ces choses, mais seulement en l'amour de Dieu et que Dieu réprouvait, toutes les autres choses.

Que Dieu n'acceptera point la parenté d'Abraham.

Que les Juifs seront punis de Dieu comme les étrangers s'ils l'offensent.

Deut. IX. 19. Si vous oubliez Dieu et que vous suiviez des dieux étrangers je vous prédis que vous périrez en la même manière que les nations que Dieu a exterminées devant vous.

Que les étrangers seront reçus de Dieu comme les juifs s'ils l'aiment.

Is. 56. 3. Que l'étranger ne dise point le Seigneur ne me recevra pas; les étrangers qui s'attachent à Dieu seront pour le servir et l'aimer, je les mènerai en ma sainte montagne et recevant d'eux des sacrifices, car ma maison est la maison d'oraison.

Que les vrais Juifs ne considéraient leur mérite que de Dieu et non d'Abraham.

Is. 63. 16. Vous êtes véritablement notre père, et Abraham ne nous a pas connus et Israël n'a point eu de connaissance de nous, mais c'est vous qui êtes notre père et notre rédempteur.

Moïse même leur a dit que Dieu n'acceptera point les personnes.

Deut. 10. 17. Dieu dit : je n'accepte point les personnes ni les sacrifices.

Le sabbat n'était qu'un signe. ex. 31. 13. et en mémoire de la sortie d'Égypte. deut. 15. 19. donc il n'est plus nécessaire puisqu'il faut oublier l'Égypte.

La circoncision n'était qu'un signe. gen. 17. 11.

Et de là vient qu'étant dans le désert ils ne furent point circoncis parce qu'ils ne pouvaient se confondre avec les autres peuples. Et qu'après que J.-C. est venu elle n'est plus nécessaire.

Que la circoncision du cœur est ordonnée.

Deut. 10. 17. Jer. 4. 3. — Soyez circoncis de cœur, retranchez les superfluités de votre cœur, et ne vous endurcissez plus car votre Dieu est un Dieu grand, puissant et terrible, qui n'accepte point les personnes.

Que Dieu dit qu'il le ferait un jour.

Deut. 30. 6. Dieu te circoncira le cœur et à tes enfants afin que tu l'aimes de tout ton cœur.

Que les incirconcis de cœur seront jugés.

Jer. 9. 26. Car Dieu jugera les peuples incirconcis et tout le peuple d'Israël parce qu'il est incirconcis de cœur.

Que l'extérieur ne sert à rien sans l'intérieur.

Joël. 2. 13. *scindite corda vestra*, etc. [70]

Is. 58. 3. 4., etc.

L'amour de Dieu est recommandé en tout le deuteronome.

Deut. 30. 19. Je prends à témoins le ciel et la terre que j'ai mis devant vous la mort et la vie afin que vous choisissiez la vie et que vous aimiez Dieu et que vous lui obéissiez. Car c'est Dieu qui est votre vie.

Que les Juifs, manque de cet amour, seraient ré-

70. Joël, II, 13 : « *Et déchirez vos cœurs*, et non vos vêtements; et convertissez-vous au Seigneur votre Dieu, parce qu'il est bon et miséricordieux, patient et d'une grande miséricorde, et pouvant revenir sur le mal dont il vous a menacés. »

prouvés pour leurs crimes et les païens élus en leur place.
Osée. 1. 10.
Deut. 32. 20. Je me cacherai d'eux dans la vue de leurs derniers crimes. Car c'est une nation méchante et infidèle.
Ils m'ont provoqué à courroux par les choses qui ne sont point des dieux et je les provoquerai à jalousie par un peuple qui n'est point mon peuple, et par une nation sans science et sans intelligence.
Isaïe. 65.
Que les biens temporels sont faux et que le vrai bien est d'être uni à Dieu.
ps. 143. 15.
Que leurs fêtes déplaisaient à Dieu.
Amos. 5. 21.
Que les sacrifices des Juifs déplaisent à Dieu.
Is. 66.
1. 11.
Jer. 6. 20.
David, *miserere*.
même de la part des bons.
Expectavi. ps. 49. 8. 9. 10. 11. 12. 13 et 14.
Qu'il ne les a établis que pour leur dureté. Michée admirablement 6.
1 R. 15. 22.
Osée 6. 6.
Que les sacrifices des païens seront reçus de Dieu. Et que Dieu retirera sa volonté des sacrifices des Juifs.
Malachie. 1. 11.
Que Dieu fera une nouvelle alliance par le Messie et que l'ancienne sera rejetée.
Jer. 31. 31.

Mandata non bona. Ezechiel [71].

Que les anciennes choses seront oubliées.
Is. 43. 18. 19.
65. 17. 18.
Qu'on ne se souviendra plus de l'arche.
Jer. 3. 15. 16.
Que le temple serait rejeté.
Jer. 7. 12. 13. 14.
Que les sacrifices seraient rejetés et d'autres sacrifices purs établis.
Mal 1. 11.
Que l'ordre de la sacrificature d'Aaron serait réprouvé et celle de Melchisedech introduite par le Messie.
Dixit dominus.
Que cette sacrificature serait éternelle.
Ibid.
Que Jérusalem serait réprouvée et Rome admise.
Dixit dominus.

71. Ez., xx, 25 : « Je leur ai donné des *préceptes qui n'étaient pas bons*, et des ordonnances dans lesquelles ils ne trouveront pas la vie. »

Que le nom des Juifs serait réprouvé et un nouveau nom donné.
Is. 65. 15.
Que ce dernier nom serait meilleur que celui de Juifs et éternel.
Is. 56. 5.
Que les Juifs devaient être sans prophètes. Amos.
Sans rois, sans princes, sans sacrifices, sans idoles.
Que les Juifs subsisteraient toujours néanmoins en peuple. Jer. 31. 36.

SÉRIE IX

454-*619* Je vois la religion chrétienne fondée sur une religion précédente, où voici ce que je trouve d'effectif.

Je ne parle point ici des miracles de Moïse, de J.-C. et des apôtres, parce qu'ils ne paraissent pas d'abord convaincants et que je ne veux que mettre ici en évidence tous les fondements de cette religion chrétienne qui sont indubitables, et qui ne peuvent être mis en doute par quelque personne que ce soit.

Il est certain que nous voyons en quelques endroits du monde, un peuple particulier séparé de tous les autres peuples du monde qui s'appelle le peuple juif.

Je vois donc des faiseurs de religions en plusieurs endroits du monde et dans tous les temps, mais ils n'ont ni la morale qui peut me plaire, ni les preuves qui peuvent m'arrêter, et qu'ainsi j'aurais refusé également, et la religion de Mahomet et celle de la Chine et celle des anciens Romains et celle des Égyptiens par cette seule raison que l'une n'ayant point plus (de) marques de vérité que l'autre, ni rien qui me déterminât nécessairement. La raison ne peut pencher plutôt vers l'une que vers l'autre.

Mais en considérant aussi cette inconstante et bizarre variété de mœurs et de créances dans les divers temps je trouve en un coin du monde, un peuple particulier séparé de tous les autres peuples de la terre, le plus ancien de tous et dont les histoires précèdent de plusieurs siècles les plus anciennes que nous ayons.

Je trouve donc ce peuple grand et nombreux sorti d'un seul homme, qui adore un seul Dieu, et qui se conduit par une loi qu'ils disent tenir de sa main (*et*) ils soutiennent qu'ils sont les seuls du monde auxquels Dieu a révélé ses mystères. Que tous les hommes sont corrompus et dans la disgrâce de Dieu, qu'ils sont tous abandonnés à leurs sens et à leur propre esprit. Et que de là viennent les étranges égarements et les changements continuels qui arrivent entre eux et de religions et de coutumes. Au lieu qu'ils demeurent inébranlables dans leur conduite, mais que Dieu ne laissera point éternellement les autres peuples dans ces ténèbres, qu'il viendra un Libérateur, pour tous, qu'ils sont au monde pour l'annoncer aux hommes, qu'ils sont formés exprès pour être les avant-coureurs et les hérauts de ce grand avènement, et pour appeler tous les peuples à s'unir à eux dans l'attente de ce Libérateur.

La rencontre de ce peuple m'étonne, et me semble digne de l'attention.

Je considère cette loi qu'ils se vantent de tenir de Dieu et je la trouve admirable. C'est la première loi de toutes et de telle sorte qu'avant même que le mot de loi fût en usage parmi les Grecs, il y avait près de mille ans qu'ils l'avaient reçue et observée sans interruption. Ainsi je trouve étrange que la première loi du monde se rencontre aussi la plus parfaite, en sorte que les plus grands législateurs en ont emprunté les leurs comme il paraît par la loi des 12 tables d'Athènes qui fut ensuite prise par les Romains et comme il serait aisé de le montrer, si Josèphe et d'autres n'avaient assez traité cette matière.

455-*717* Prophéties.
serment que David aura toujours des successeurs.
Jer.

SÉRIE X

456-*618* Ceci est effectif : pendant que tous les philosophes se séparent en différentes sectes il se trouve en un coin du monde des gens qui sont les plus anciens du monde, déclarent que tout le monde est dans l'erreur, que Dieu leur a révélé la vérité, qu'elle sera toujours sur la terre. En effet toutes les autres sectes cessent; celle-là dure toujours et depuis quatre mille ans ils déclarent qu'ils tiennent de leurs ancêtres que l'homme est déchu de la communication avec Dieu dans un entier éloignement de Dieu, mais qu'il a promis de les racheter, que cette doctrine serait toujours sur la terre, que leur loi a double sens.

Que durant 1 600 ans ils ont eu des gens qu'ils ont cru prophètes qui ont prédit le temps et la manière.

Que 400 ans après ils ont été épars partout, parce que J.-C. devait être annoncé partout.

Que J.-C. est venu en la manière et au temps prédit.

Que depuis les juifs sont épars partout en malédiction, et subsistants néanmoins.

457-*572* Hypothèse des apôtres fourbes.
Le temps clairement, la manière obscurément.

5 preuves de figuratifs.

2 000 1 600 prophètes
400 épars.

SÉRIE XI

458-*588 bis* Contrariétés. Sagesse infinie et folie de la religion.

459-*713 bis* Sophonie, III, 9. « Je donnerai mes paroles aux Gentils, afin que tous me servent d'une seule épaule. »

Ézéch., XXVII, 25; « David, mon serviteur, sera éternellement prince sur eux. »

Exode, IV, 22 : « Israël est mon fils premier-né. »

460-*544* Le Dieu des chrétiens est un Dieu qui fait sentir à l'âme qu'il est son unique bien; que tout son repos est en lui, qu'elle n'aura de joie qu'à l'aimer; et qui lui fait en même temps abhorrer les obstacles qui la retiennent et l'empêchent d'aimer Dieu de toutes ses forces. L'amour-propre et la concupiscence, qui l'arrêtent, lui sont insupportables. Ce Dieu lui fait sentir qu'elle a ce fonds d'amour-propre qui la perd, et que lui seul la peut guérir.

461-*584* Le monde subsiste pour exercer miséricorde et jugement, non pas comme si les hommes y étaient sortant des mains de Dieu, mais comme des ennemis de Dieu auxquels il donne, par grâce, assez de lumière pour revenir, s'ils le veulent chercher et le suivre, mais pour les punir, s'ils refusent de le chercher ou de le suivre.

462-*739* Les prophètes ont prédit, et n'ont pas été prédits. Les saints ensuite prédits, non prédisants. Jésus-Christ prédit et prédisant.

463-*243* C'est une chose admirable que jamais auteur canonique ne s'est servi de la nature pour prouver Dieu. Tous tendent à le faire croire. David, Salomon, etc., jamais n'ont dit : « Il n'y a point de vide, donc il y a un Dieu. » Il fallait qu'ils fussent plus habiles que les plus habiles gens qui sont venus depuis, qui s'en sont tous servis. Cela est très considérable.

464-*419* Je ne souffrirai point qu'il repose en l'un ni en l'autre afin qu'étant sans assiette et sans repos...

465-*321* Ces enfants étonnés voient leurs camarades respectés.

466-*428* Si c'est une marque de faiblesse de prouver Dieu par la nature n'en méprisez point l'Écriture ;

si c'est une marque de force d'avoir connu ces contrariétés, estimez-en l'Écriture.

467-*449* Ordre.
Après la corruption dire : il est juste que tous ceux qui sont en cet état le connaissent, et ceux qui s'y plaisent, et ceux qui s'y déplaisent, mais il n'est pas juste que tous voient la rédemption.

468-*562* Il n'y a rien sur la terre qui ne montre ou la misère de l'homme ou la miséricorde de Dieu, ou l'impuissance de l'homme sans Dieu ou la puissance de l'homme avec Dieu.

469-*577* (*Bassesse*).
Dieu a fait servir l'aveuglement de ce peuple au bien des élus.

470-*404* La plus grande bassesse de l'homme est la recherche de la gloire, mais c'est cela même qui est la plus grande marque de son excellence; car, quelque possession qu'il ait sur la terre, quelque santé et commodité essentielle qu'il ait, il n'est pas satisfait, s'il n'est dans l'estime des hommes. Il estime si grande la raison de l'homme que, quelque avantage qu'il ait sur la terre, s'il n'est placé avantageusement aussi dans la raison de l'homme, il n'est pas content. C'est la plus belle place du monde, rien ne le peut détourner de ce désir, et c'est la qualité la plus ineffaçable du cœur de l'homme.
Et ceux qui méprisent le plus les hommes, et les égalent aux bêtes, encore veulent-ils en être admirés et crus, et se contredisent à eux-mêmes par leur propre sentiment; leur nature, qui est plus forte que tout, les convainquant de la grandeur de l'homme plus fortement que la raison ne les convainc de leur bassesse.

471-*441* Pour moi, j'avoue qu'aussitôt que la religion chrétienne découvre ce principe, que la nature des hommes est corrompue et déchue de Dieu, cela ouvre les yeux à voir partout le caractère de cette vérité; car la nature est telle, qu'elle marque partout un Dieu perdu, et dans l'homme, et hors de l'homme, et une nature corrompue.

472-*574* *Grandeur.* — La religion est une chose si grande, qu'il est juste que ceux qui ne voudraient pas prendre la peine de la chercher, si elle est obscure, en soient privés. De quoi se plaint-on donc, si elle est telle qu'on la puisse trouver en la cherchant?

473-*500* L'intelligence des mots de bien et de mal.

474-*622* La création du monde commençant à s'éloigner, Dieu a pourvu d'un historien unique contemporain, et a commis tout un peuple pour la garde de ce livre, afin que cette histoire fût la plus authentique du monde et que tous les hommes pussent apprendre par là une chose si nécessaire à savoir, et qu'on ne pût la savoir que par là.

475-*676* Le voile qui est sur ces livres pour les Juifs y est aussi pour les mauvais Chrétiens, et pour tous ceux qui ne se haïssent pas eux-mêmes. Mais qu'on est bien disposé à les entendre et à connaître Jésus-Christ, quand on se hait véritablement soi-même!

476-*688* Je ne dis pas que le *mem* est mystérieux.

477-*406* L'orgueil contrepèse et emporte toutes les misères. Voilà un étrange monstre, et un égarement bien visible. Le voilà tombé de sa place, il la cherche avec inquiétude. C'est ce que tous les hommes font. Voyons qui l'aura trouvée.

478-*137* Sans examiner toutes les occupations particulières, il suffit de les comprendre sous le divertissement.

479-*74 bis* Pour les philosophes, deux cent quatre-vingts souverains biens.

480-*590* Pour les religions, il faut être sincère : vrais païens, vrais juifs, vrais chrétiens.

481-*594* Contre l'histoire de la Chine. Les historiens de Mexico, des cinq soleils, dont le dernier est il n'y a que huit cents ans.
Différence d'un livre reçu d'un peuple, ou qui forme un peuple.

482-*289* Preuves — 1° la religion chrétienne, par son établissement, par elle-même établie si fortement, si doucement, étant si contraire à la nature. — 2° La sainteté, la hauteur et l'humilité d'une âme chrétienne. — 3° Les merveilles de l'Écriture sainte. — 4° Jésus-Christ en particulier. — 5° Les apôtres en particulier. — 6° Moïse et les prophètes en particulier. — 7° Le peuple juif. — 8° Les prophéties. — 9° La perpétuité : nulle religion n'a la perpétuité. — 10° La doctrine, qui rend raison de tout. — 11° La sainteté de cette loi. — 12° Par la conduite du monde.
Il est indubitable qu'après cela on ne doit pas refuser, en considérant ce que c'est que la vie, et que

cette religion, de suivre l'inclination de la suivre, si elle nous vient dans le cœur; et il est certain qu'il n'y a nul lieu de se moquer de ceux qui la suivent.

SÉRIE XII

483-*726* *Prophéties*. (En Égypte, *Pugio Fidei*), p. 659, *Talmud* : « C'est une tradition entre nous que, quand le Messie arrivera, la maison de Dieu, destinée à la dispensation de sa parole, sera pleine d'ordure et d'impureté, et que la sagesse des scribes sera corrompue et pourrie. Ceux qui craindront de pécher seront réprouvés du peuple, et traités de fous et d'insensés. »

Is., XLIX : « Écoutez, peuples éloignés, et vous habitants des îles de la mer : le Seigneur m'a appelé par mon nom dès le ventre de ma mère, il me protège sous l'ombre de sa main, il a mis mes paroles comme un glaive aigu, et m'a dit : Tu es mon serviteur; c'est par toi que je ferai paraître ma gloire. Et j'ai dit : Seigneur, ai-je travaillé en vain? est-ce inutilement que j'ai consommé toute ma force? faites-en le jugement, Seigneur, mon travail est devant vous. Lors le Seigneur, qui m'a formé lui-même dès le ventre de ma mère pour être tout à lui, afin de ramener Jacob et Israël, m'a dit : Tu seras glorieux en ma présence, et je serai moi-même ta force; c'est peu de chose que tu convertisses les tribus de Jacob; je t'ai suscité pour être la lumière des Gentils, et pour être mon salut jusqu'aux extrémités de la terre. Ce sont les choses que le Seigneur a dites à celui qui a humilié son âme, qui a été en mépris et en abomination aux Gentils et qui s'est soumis aux puissants de la terre. Les princes et les rois t'adoreront, parce que le Seigneur qui t'a élu est fidèle.

« Le Seigneur m'a dit encore : Je t'ai exaucé dans les jours de salut et de miséricorde, et je t'ai établi pour être l'alliance du peuple, et te mettre en possession des nations les plus abandonnées; afin que tu dises à ceux qui sont dans les chaînes : Sortez en liberté; et à ceux qui sont dans les ténèbres : Venez à la lumière, et possédez des terres abondantes et fertiles. Ils ne seront plus travaillés ni de la faim, ni de la soif, ni de l'ardeur du soleil, parce que celui qui a eu compassion d'eux sera leur conducteur : il les mènera aux sources vivantes des eaux, et aplanira les montagnes devant eux. Voici, les peuples aborderont de toutes parts, d'orient, d'occident, d'aquilon et de midi. Que le ciel en rende gloire à Dieu; que la terre s'en réjouisse, parce qu'il a plu au Seigneur de consoler son peuple, et qu'il aura enfin pitié des pauvres qui espèrent en lui.

« Et cependant Sion a osé dire : Le Seigneur m'a abandonnée, et n'a plus mémoire de moi. Une Mère peut-elle mettre en oubli son enfant, et peut-elle perdre la tendresse pour celui qu'elle a porté dans son sein? mais, quand elle en serait capable, je ne t'oublierai pourtant jamais, Sion : je te porte toujours entre mes mains, et tes murs sont toujours devant mes yeux. Ceux qui doivent te rétablir accourent, et tes destructeurs seront éloignés. Lève les yeux de toutes parts, et considère toute cette multitude qui est assemblée pour venir à toi. Je jure que tous ces peuples te seront donnés comme l'ornement duquel tu seras à jamais revêtue; tes déserts et tes solitudes et toutes tes terres qui sont maintenant désolées seront trop étroites pour le grand nombre de tes habitants, et les enfants qui te naîtront dans les années de la stérilité te diront : La place est trop petite, écarte les frontières, et fais-nous place pour habiter. Alors tu diras en toi-même : Qui est-ce qui m'a donné cette abondance d'enfants, moi qui n'enfantais plus, qui étais stérile, transportée et captive? et qui est-ce qui me les a nourris, moi qui étais délaissée sans secours? D'où sont donc venus tous ceux-ci? Et le Seigneur te dira : Voici, j'ai fait paraître ma puissance sur les Gentils, et j'ai élevé mon étendard sur les peuples, et ils t'apporteront des enfants dans leurs bras et dans leurs seins; les rois et les reines seront tes nourriciers, ils t'adoreront le visage contre terre, et baiseront la poussière de tes pieds; et tu connaîtras que je suis le Seigneur, et que ceux qui espèrent en moi ne seront jamais confondus; car qui peut ôter la proie à celui qui est fort et puissant? Mais encore même qu'on la lui pût ôter, rien ne pourra empêcher que je ne sauve tes enfants, et que je ne perde tes ennemis, et tout le monde reconnaîtra que je suis le Seigneur ton sauveur et le puissant rédempteur de Jacob. »

Is., L : « Le Seigneur dit ces choses : Quel est ce libellé de divorce par lequel j'ai répudié la synagogue? et pourquoi l'ai-je livrée entre les mains de vos ennemis? n'est-ce pas pour ses impiétés et pour ses crimes que je l'ai répudiée?

« Car je suis venu, et personne ne m'a reçu; j'ai appelé, et personne n'a écouté. Est-ce que mon bras est accourci, et que je n'ai pas la puissance de sauver?

« C'est pour cela que je ferai paraître les marques de ma colère; je couvrirai les cieux de ténèbres et les cacherai sous des voiles.

« Le Seigneur m'a donné une langue bien instruite, afin que je sache consoler par ma parole celui qui est dans la tristesse. Il m'a rendu attentif à ses discours, et je l'ai écouté comme un maître.

« Le Seigneur m'a révélé ses volontés et je n'y ai point été rebelle.

« J'ai livré mon corps aux coups et mes joues aux outrages; j'ai abandonné mon visage aux ignominies et aux crachats; mais le Seigneur m'a soutenu, et c'est pourquoi je n'ai point été confondu.

« Celui qui me justifie est avec moi : qui osera m'accuser de péché, Dieu étant lui-même mon protecteur?

« Tous les hommes passeront et seront consommés par le temps; que ceux qui craignent Dieu écoutent donc les paroles de son serviteur; que celui qui languit dans les ténèbres mette sa confiance au Seigneur. Mais pour vous, vous ne faites qu'embraser la colère de Dieu sur vous, vous marchez sur les brasiers et entre les flammes que vous-mêmes vous avez allumées. C'est ma main qui a fait venir ces maux sur vous : vous périrez dans les douleurs. »

Is., LI : « Écoutez-moi, vous qui suivez la justice et qui cherchez le Seigneur. Regardez à la pierre d'où vous êtes taillés, et à la citerne d'où vous êtes tirés. Regardez à Abraham votre père, et à Sara qui vous a enfantés. Voyez qu'il était seul et sans enfants quand je l'ai appelé et que je lui ai donné une postérité si abondante : voyez combien de bénédictions j'ai répandues sur Sion, et de combien de grâces et de consolations je l'ai comblée.

« Considérez toutes ces choses, mon peuple, et rendez-vous attentif à mes paroles, car une loi sortira de moi, et un jugement qui sera la lumière des Gentils. »

Amos, VIII : « Le prophète ayant fait un dénombrement des péchés d'Israël, dit que Dieu a juré d'en faire la vengeance.

» Dit ainsi : En ce jour-là, dit le Seigneur, je ferai coucher le soleil à midi, et je couvrirai la terre de ténèbres dans le jour de lumière, je changerai vos fêtes solennelles en pleurs, et tous vos cantiques en plaintes.

» Vous serez tous dans la tristesse et dans les souffrances, et je mettrai cette nation en une désolation pareille à celle de la mort d'un fils unique; et ces derniers temps seront des temps d'amertume. Car voici, les jours viennent, dit le Seigneur, que j'enverrai sur cette terre la famine, la faim, non pas la faim et la soif de pain et d'eau, mais la faim et la soif d'ouïr les paroles de la part du Seigneur. Ils iront errants d'une mer jusqu'à l'autre, et se porteront d'aquilon en orient; ils tourneront de toutes parts en cherchant qui leur annonce la parole du Seigneur, et ils n'en trouveront point.

» Et leurs vierges et leurs jeunes hommes périront en cette soif, eux qui ont suivi les idoles de Samarie, qui ont juré par le Dieu adoré en Dan, et qui ont suivi le culte de Bersabée; ils tomberont et ne se relèveront jamais de leur chute. »

Amos, III, 2 : « De toutes les nations de la terre, je n'ai reconnu que vous pour être mon peuple. »

Dan., XII, 7, ayant écrit toute l'étendue du règne du Messie, dit : « Toutes ces choses s'accompliront lorsque la dispersion du peuple d'Israël sera accomplie. »

Aggée, II, 4 : « Vous qui, comparant cette seconde maison à la gloire de la première, la méprisez, prenez courage, dit le Seigneur, à vous Zorobabel, et à vous Jésus grand prêtre, et à vous, tout le peuple de la terre, et ne cessez point d'y travailler. Car je suis avec vous, dit le Seigneur des armées; la promesse susbiste, que j'ai faite quand je vous ai retirés d'Égypte; mon esprit est au milieu de vous. Ne perdez point espérance, car le Seigneur des armées dit ainsi : Encore un peu de temps, et j'ébranlerai le ciel et la terre, et la mer et la terre ferme (façon de parler pour marquer un changement grand et extraordinaire); et j'ébranlerai toutes les nations. Alors viendra celui qui est désiré par tous les Gentils, et je remplirai cette maison de gloire, dit le Seigneur.

» L'argent et l'or sont à moi, dit le Seigneur (c'est-à-dire que ce n'est pas de cela que je veux être honoré; comme il est dit ailleurs : Toutes les bêtes des champs sont à moi; à quoi sert de me les offrir en sacrifice?); la gloire de ce nouveau temple sera bien plus grande que la gloire du premier, dit le Seigneur des armées; et j'établirai ma maison en ce lieu-ci, dit le Seigneur. »

Deut., XVIII, 16 : « En Horeb, au jour que vous y étiez assemblés, et que vous dites : Que le Seigneur ne parle plus lui-même à nous et que nous ne voyions plus ce feu, de peur que nous ne mourions. Et le Seigneur me dit : Leur prière est juste; je leur susciterai un prophète tel que vous du milieu de leurs frères, dans la bouche duquel je mettrai mes paroles; et il leur dira toutes les choses que je lui aurai ordonnées; et il arrivera que quiconque n'obéira point aux paroles qu'il lui portera en mon nom, j'en ferai moi-même le jugement. »

Gen., XLIX : « Vous, Juda, vous serez loué de vos frères, et vainqueur de vos ennemis; les enfants de votre père vous adoreront. Juda, faon de lion, vous êtes monté à la proie, ô mon fils! et vous êtes couché comme un lion, et comme une lionnesse qui s'éveillera.

» Le sceptre ne sera point ôté de Juda, ni le législateur d'entre ses pieds, jusqu'à ce que Silo vienne; et les nations s'assembleront à lui, pour lui obéir. »

SÉRIE XIII

484-*711* Prédictions des choses particulières.

Ils étaient étrangers en Égypte sans aucune possession en propre ni en ce pays-là ni ailleurs. — *(Il n'y avait pas la moindre apparence ni de la royauté qui y a été si longtemps après, ni de ce conseil souverain de 70 juges, qu'ils appelaient le synedrin, qui ayant été institué par Moïse a duré jusqu'au temps de Jésus-Christ. Toutes ces choses étaient aussi éloignées de leur état présent qu'elles le pouvaient être)* lorsque Jacob mourant et bénissant ses 12 enfants, leur déclare qu'ils seront possesseurs d'une grande terre, et prédit particulièrement à la famille de Juda, que les rois qui les gouverneraient un jour seraient de sa race, et que tous ses frères seraient de ses sujets. *(Et que le Messie qui devait être l'attente des nations, naîtrait de lui, et que la royauté ne serait point ôtée de Juda, ni le gouverneur et le législateur de ses descendants, jusqu'à ce que ce Messie attendu arrivât dans sa famille.)*

Ce même Jacob disposant de cette terre future comme s'il en eût été maître, en donne une portion à Joseph plus qu'aux autres. « Je vous donne, dit-il, une part plus qu'à vos frères », et bénissant ses deux enfants Éphraïm et Manassé que Joseph lui avait présentés, l'aîné Manassé à sa droite et le jeune Éphraïm à sa gauche, il met ses bras en croix, et posant la main droite sur la tête d'Éphraïm et la gauche sur Manassé il les bénit en sorte, et sur ce que Joseph lui représente qu'il préfère le jeune, il lui répond avec une fermeté admirable, « je le sais bien mon fils, je le sais bien, mais Éphraïm croîtra tout autrement que Manassé », ce qui a été en effet si véritable dans la suite, qu'étant seul presque aussi abondant que deux lignées entières qui composaient tout un royaume, elles ont été ordinairement appelées du seul nom d'Éphraïm. Ce même Joseph en mourant recommande à ses enfants d'emporter ses os avec eux quand ils iront en cette terre où ils ne furent que 200 ans après.

Moïse, qui a écrit toutes ces choses si longtemps avant qu'elles fussent arrivées, a fait lui-même à chaque famille les partages de cette terre avant que d'y entrer comme s'il en eût été maître. *(Et déclare enfin que Dieu doit susciter de leur nation et de leur race un prophète dont il a été la figure, — qui leur annonce de la part de Dieu et leur prédit exactement tout ce qui leur devait arriver dans la terre où ils allaient entrer après sa mort, les victoires, que Dieu leur donnera, leur ingratitude envers Dieu, les punitions qu'ils en recevront et le reste de leurs aventures.)*

Il leur donne les arbitres pour en faire le partage. Il leur prescrit toute la forme du gouvernement politique qu'ils observeront, les villes de refuge, qu'ils y bâtiront, etc.

SÉRIE XIV

485-*722* Daniel 2.

Tous vos devins et vos sages ne peuvent vous découvrir le mystère que vous demandez.

[Il fallait que ce songe lui tînt bien au cœur [72].]

Mais il y a un Dieu au ciel qui le peut et qui vous a révélé dans votre songe les choses qui doivent arriver dans les derniers temps.

Et ce n'est pas par ma propre science que j'ai eu la connaissance de ce secret, mais par la révélation de ce même Dieu qui me l'a découvert pour la rendre manifeste en votre présence.

Votre songe était donc de cette sorte. Vous avez vu une statue grande, haute, et terrible qui se tenait debout devant vous. La tête était en or, la poitrine et les bras étaient d'argent, le ventre et les cuisses étaient d'airain, et les jambes étaient de fer mais les pieds mêlés de fer et de terre [argile].

Vous la contempliez toujours de cette sorte, jusqu'à ce que la pierre taillée sans mains a frappé la statue par les pieds mêlés de fer et de terre et les a écrasés.

Et alors s'en sont allés en poussière, et le fer, et la terre, et l'airain et l'argent, et l'or, et se sont dissipés en l'air, mais cette pierre qui a frappé la statue, est crue, en une grande montagne et elle a rempli toute la terre. Voilà quel a été votre songe et maintenant je vous en donnerai l'interprétation.

Vous qui êtes le plus grand des rois et à qui Dieu a donné une puissance si étendue, que vous êtes redoutable à tous les peuples, vous êtes représenté par la tête d'or de la statue que vous avez vue.

Mais un autre empire succédera au vôtre qui ne sera pas si puissant et ensuite il en viendra un autre d'airain qui s'étendra par tout le monde.

Mais le quatrième sera fort comme le fer, et de même que le fer brise et perce toutes choses, ainsi cet empire brisera et écrasera tout.

Et ce que vous avez vu que les pieds et les extrémités des pieds étaient composés en partie de terre et en partie de fer. Cela marque que cet empire sera divisé et qu'il tiendra en partie de la fermeté du fer et en partie de la fragilité de la terre.

Mais comme le fer ne peut s'allier solidement avec la terre de même ceux qui sont représentés par le fer et par la terre ne pourront faire d'alliance durable quoiqu'ils s'unissent par des mariages.

Or ce sera dans le temps de ces monarques que Dieu suscitera un royaume qui ne sera jamais détruit ni jamais transporté à un autre peuple. Il dissipera et finira tous ces autres empires, mais pour lui il subsistera éternellement. Selon ce qui vous a été révélé de cette pierre qui n'étant point taillée de main est tombée de la montagne et a brisé le fer, la terre, et l'argent et l'or.

Voilà ce que Dieu vous a découvert des choses qui doivent arriver dans la suite des temps. Ce songe est véritable et l'interprétation en est fidèle.

Lors Nabuchodonosor tomba le visage contre terre, etc.

Dan. 8.

Daniel ayant vu le combat du bélier et du bouc, qui le vainquit et qui domina sur la terre duquel la principale corne étant tombée quatre autres en étaient sorties vers les quatre vents du ciel, de l'une desquelles étant sortie une petite corne qui s'agrandit vers le midi, vers l'orient et vers la terre d'Israël et s'éleva contre l'armée du ciel, en renversa des étoiles et les foula aux pieds et enfin abattit le prince et fit cesser le sacrifice perpétuel et mit en désolation le sanctuaire.

Voilà ce que vit Daniel. Il en demanda l'explication et une voix cria en cette sorte : Gabriel faites-lui entendre la vision qu'il a eue. Et Gabriel lui dit :

Le bélier que vous avez vu est le roi des Mèdes et des Perses et le bouc est le roi des Grecs et la grande corne qu'il avait entre ses yeux est le premier roi de cette monarchie.

Et ce que cette corne étant rompue, quatre autres sont venues en la place. C'est que quatre rois de cette nation lui succéderont, mais non pas en la même puissance.

Or sur le déclin de ces royaumes, les iniquités étant accrues il s'élèvera un roi insolent, et fort mais d'une puissance empruntée, auquel toutes choses succéde-

72. Les mots entre crochets dans cette série XIV indiquent des notes marginales rédigées par Pascal.

ront à son gré, et il mettra en désolation le peuple saint et (usant, agissant avec) réussissant dans ses entreprises avec un esprit double et trompeur, il en tuera plusieurs et s'élèvera enfin contre le prince des princes, mais il périra malheureusement. Et non pas néanmoins par une main violente.

Daniel, 9. 20.

Comme je priais Dieu de tout mon cœur et qu'en confessant mon péché et celui de tout mon peuple, j'étais prosterné devant mon Dieu, voici Gabriel lequel j'avais vu en vision dès le commencement vient à moi et me touchant au temps du sacrifice du vêpre et me donnant l'intelligence me dit : Daniel je suis venu à vous pour vous ouvrir la connaissance des choses dès le commencement de vos prières. Je suis venu pour vous découvrir ce que vous désirez parce que vous êtes l'homme de désirs; entendez donc la parole et entrez dans l'intelligence de la vision, soixante-dix semaines sont prescrites et déterminées sur votre peuple et sur votre sainte cité, pour expier les crimes, pour mettre fin aux péchés et abolir l'iniquité et pour introduire la justice éternelle, pour accomplir les visions et les prophéties et pour oindre le saint des saints [Après quoi ce peuple ne sera plus votre peuple, ni cette cité la sainte Cité. — Le temps de colère sera passé, les ans de grâce viendront pour jamais.]

Sachez donc et entendez depuis que la parole sortira pour rétablir et réédifier Jérusalem, jusqu'au prince Messie il y aura 7 semaines et 62 semaines [Les Hébreux ont accoutumé de diviser les nombres et de mettre le petit le premier; ces 7 et 62 font donc 69 de ces 70. Il en restera donc la 70e, c'est-à-dire les 7 dernières années dont il parlera ensuite] Après que la place et les murs seront édifiés dans un temps de trouble et d'affliction. Et après ces 62 semaines [qui auront suivi les 7 premières] le Christ sera tué [le Christ sera donc tué après les 69 semaines, c'est-à-dire en la dernière semaine] et un peuple viendra avec son prince qui détruira la ville et le sanctuaire et inondera tout et la fin de cette guerre consommera la désolation.

Or une semaine [qui est la 70e qui reste] établira l'alliance avec plusieurs et même la moitié de la semaine [c'est-à-dire les derniers 3 ans et demi] abolira le sacrifice et l'hostie et rendra étonnante l'étendue de l'abomination, qui se répandra et durera sur ceux mêmes qui s'en étonneront et jusqu'à la consommation.

Daniel. 11.

L'ange dit à Daniel : Il y aura [après Cyrus sous lequel ceci est écrit] encore trois rois de Perse [Cambyse, Smerdis, Darius] et le quatrième [Xerxès] qui viendra ensuite sera plus puissant en richesses et en forces et élèvera tous ses peuples contre les Grecs.

Mais il s'élèvera un puissant roi [Alexandre] dont l'empire aura une étendue extrême et qui réussira en toutes ses entreprises selon son désir mais quand sa monarchie sera établie elle périra et sera divisée en quatre parties vers les quatre vents du ciel — (Comme il avait dit auparavant VII. 6. VIII. 8) — mais non pas à des personnes de sa race et ses successeurs n'égaleront point sa puissance, car même son royaume sera dispersé à d'autres, outre ceux-ci [les quatre principaux successeurs.]

Et celui de ces successeurs [Ptolemée fils de Lagus] qui régnera vers le midi [Égypte] deviendra puissant mais un autre [Seleucus roi de Syrie] le surmontera et son état sera un grand état. [Appianus dit que c'est le plus puissant des successeurs d'Alexandre].

Et dans la suite des années ils s'allieront et la fille du roi du midi [Bérénice fille de Ptolemeus Philadelphus, fils de l'autre Ptolemeus] viendra au roi d'aquilon [à Antiochus Deus roi de Syrie et d'Asie neveu de Seleucus Lagidas] pour établir la paix entre ces princes.

Mais ni elle ni ses descendants n'auront pas une longue autorité car elle et ceux qui l'avaient envoyée et ses enfants et ses amis seront livrés à la mort. [Bérénice et son fils furent tués par Seleucus Callinicus.]

Mais il s'élèvera un rejeton de ses racines [Ptolemeus Evergetes naîtra du même père que Bérénice] qui viendra avec une puissante armée dans les terres du roi d'aquilon où il mettra tout sous sa sujétion et emmènera en Égypte leurs dieux et leurs princes, leur or et leur argent et toutes leurs plus précieuses dépouilles, et sera quelques années sans que le roi d'aquilon puisse rien contre lui. [S'il n'eût point été rappelé en Égypte par des raisons domestiques il aurait autrement dépouillé Seleucus, dit Justin.]

Et ainsi il reviendra en son royaume mais les enfants de l'autre [Seleucus Ceraunus, Antiochus magnus] irrités assembleront de grandes forces.

Et leur armée viendra et ravagera tout; dont le roi de midi [Ptolemeus Philopator] étant irrité formera aussi un grand corps d'armée et livrera bataille [Contre Antiochus magnus] et vaincra [à Rapham]. Et ses troupes en deviendront insolentes et son cœur s'en enflera [ce Ptolemeus profana le temple. Josèphe] il vaincra dix milliers d'hommes mais sa victoire ne sera pas ferme.

Car le roi d'aquilon [Antiochus magnus] viendra avec encore plus de forces que la première fois. [Le jeune Ptolemée Épiphane régnant] Et alors un grand nombre d'ennemis s'élèvera contre le roi du midi, et même des hommes apostats, [Ceux qui avaient quitté leur religion pour plaire à Evergete quand il envoya ses troupes à Scopas], violents de ton peuple s'élèveront afin que les visions soient accomplies et ils périront. [Car Antiochus reprendra Scopas et les vaincra].

Et le roi d'aquilon détruira les remparts et les villes les mieux fortifiées, et toute la force du midi ne pourra lui résister.

Et tout cédera à sa volonté; il s'arrêtera dans la terre d'Israël et elle lui cédera.

Ainsi il pensera à se rendre maître de tout l'empire

d'Égypte [méprisant la jeunesse d'Épiphane, dit Justin].

Et pour cela il fera alliance avec lui et lui donnera sa fille. [Cléopâtre, afin qu'elle trahît son mari. Sur quoi Appianus dit que se défiant de pouvoir se rendre maître d'Egypte par force à cause de la protection des Romains, il voulut l'attenter par finesse.] Il la voudra corrompre, mais elle ne suivra pas son intention.

Ainsi il se jettera à d'autres desseins et pensera à se rendre maître de quelques îles [c'est-à-dire lieux maritimes] et il en prendra plusieurs [comme dit Appianus].

Mais un grand chef s'opposera à ses conquêtes et arrêtera la honte qui lui en reviendrait [Scipion l'africain qui arrêtera les progrès de Antiochus magnus à cause qu'il offensait les Romains en la personne de leurs alliés].

Il retournera donc dans son royaume et y périra et ne sera plus. [Il fut tué par les siens.]

Et celui qui lui succédera [Seleucus Philopator ou Soter fils d'Antiochus magnus] sera un tyran qui affligera d'impôts la gloire du royaume, qui est le peuple, mais en peu de temps il mourra et non par sédition ni par guerre.

Et il succédera à sa place un homme méprisable et indigne des honneurs de la royauté qui s'y introduira adroitement et par caresses.

Toutes les armes fléchiront devant lui. Il les vaincra et même le prince avec qui il avait fait alliance, car ayant renouvelé l'alliance avec lui il le trompera, et venant avec peu de troupes dans ses provinces calmes et sans crainte il prendra les meilleures places et fera plus que ses pères n'avaient jamais fait et ravageant de toutes parts il formera de grands desseins pendant son temps.

25.

SÉRIE XV

486-*682* Is. 1. 21. Changement de bien en mal et vengeance de Dieu [73].

Is. 10. 1. *Vae qui condunt leges iniquas* [74].

Is. 26. 20. *Vade populus meus intra in cubicula tua, claude ostia tua super te, abscondere modicum ad momentum donec pertranseat indignatio* [75].

Is. 28. 1. *Vae coronae superbiae* [76].

Miracles. *Luxit et elanguit terra.*

Confusus est libanus et obsorduit [77], etc. Is. 23. 9.

Nunc consurgam, dicit dominus, nunc exaltabor, nunc sublevabor [78]. I.

Omnes gentes quasi non sint [79]. Is. 40. 17.

Quis annuntiavit ab exordio ut sciamus et a principio ut dicamus: justus es [80]. Is. 41. 26.

Operabor et quis avertet illud [81]. Is. 43. 13.

Neque dicet forte mendacium est in dextera mea [82]. Is. 44. 20.

Memento horum Jacob et Israel quoniam servus meus es tu. Formavi te, servus meus es tu Israel, ne obliviscaris mei.

Delevi ut nubem iniquitates tuas et quasi nebulam peccata tua, revertere ad me quoniam redemi te. 44. 21. etc.

Laudate caeli quoniam misericordiam fecit dominus... quoniam redemit dominus Jacob et Israel gloriabitur.

Haec dicit dominus redemptor tuus, et formator tuus ex utero, ego sum dominus, faciens omnia, extendens caelos solus, stabiliens terram, et nullus mecum [83]. 44. 23. 24.

In momento indignationis abscondi faciem meam parum per a te et in misericordia sempiterna misertus sum tui, dixit redemptor tuus dominus [84]. Is. 54. 8.

73. Is., I, 21 : « Comment est devenue une prostituée la cité fidèle et pleine de jugement? La justice a habité en elle, mais maintenant ce sont des meurtriers. »

74. Is., X, 1 : « *Malheur à ceux qui établissent des lois iniques...* »

75. Is., XXVI, 20 : « *Va, mon peuple, entre dans tes chambres; ferme les portes sur toi; cache-toi un peu pour un moment jusqu'à ce que soit passée l'indignation.* »

76. Is., XXVIII, 1 : « *Malheur à la couronne d'orgueil...* »

77. Is., XXXIII, 9 : « *La terre a pleuré, et elle a langui; le Liban a été couvert de confusion et avili...* »

78. Is., XXXIII, 10 : « *Maintenant je me lèverai, dit le Seigneur, maintenant je serai exalté...* »

79. Is., XL, 17 : « *Toutes les nations, comme si elles n'étaient pas...* »

80. Is., XLI, 26 : « *Qui a annoncé ces choses dès le commencement, afin que nous les sachions. Et dès le principe afin que nous disions : Vous êtes juste?* »

81. Is., XLIII, 13 : « *J'agirai et qui m'en détournera?* »

82. Is., XLIV, 20 : « *Et il ne dira pas : Peut-être qu'il y a un mensonge dans ma main droite?* »

83. Is., XLIV, 21 : « *Souviens-toi de ces choses, Jacob, et toi, Israël, parce que mon serviteur c'est toi; je t'ai formé, mon serviteur, c'est toi Israël, ne m'oublie pas.* » — 22 : « *J'ai effacé comme un nuage tes iniquités, et comme une vapeur tes péchés. Reviens à moi, parce que je t'ai racheté.* » — 23 : « *Louez cieux, parce que le Seigneur a fait miséricorde*, jubilez extrémités de la terre, faites retentir la louange, montagnes, forêt, et tous ses arbres, *parce que le Seigneur a racheté Jacob, et qu'Israël se glorifiera.* » — 24 : « *Voici ce que dit le Seigneur, ton rédempteur, et qui t'a formé dès le sein de ta mère : Je suis le Seigneur, faisant toutes choses, seul étendant les cieux, affermissant la terre et nul n'est avec moi.* »

84. Is., LIV, 8 : « *Dans un moment d'indignation, je t'ai caché ma face pendant un temps. Mais dans ma miséricorde éternelle, j'ai eu pitié de toi, a dit ton créateur le Seigneur.* »

Qui eduxit ad dexteram Moysen brachio majestatis suae, qui scidit aquas ante eos ut faceret sibi nomen sempiternum [85]. Is. 63. 12.

Sic adduxisti populum tuum ut faceres tibi nomen gloriae [86]. 14.

Tu enim pater noster et Abraham nescivit nos, et Israel ignoravit nos [87]. Is. 63. 16.

Quare indurasti cor nostrum ne timeremus te [88]. Is. 63. 17.

Qui sanctificabantur et mundos se putabant... simul consumentur dicit dominus [89]. Is. 66. 17.

Et dixisti absque peccato et innocens ego sum. Et propterea avertatur furor tuus a me.
Ecce ego judicio contendam tecum eo quod dixeris, non peccavi [90]. Jer. 2. 35.

Sapientes sunt ut faciant mala, bene autem facere nescierunt [91]. Jer. 4. 22.

Aspexi terram et ecce vacua erat, et nihili, et caelos et non erat lux in eis.
Vidi montes et ecce movebantur et omnes colles conturbati sunt; intuitus sum et non erat homo et omne volatile caeli recessit. Aspexi et ecce Carmelus desertus et omnes urbes ejus destructae sunt a facie domini et a facie viae furoris ejus.

Haec enim dicit dominus, deserta erit omnis terra sed tamen consummationem non faciam [92]. — Jer. 4. 23, etc.

Ego autem dixi forsitan pauperes sunt et stulti ignorantes viam domini judicium dei sui.
Ibo ad optimates et loquar eis. Ipsi enim cognoverunt viam domini.
Et ecce magis hi simul confugerunt jugum, ruperunt vincula.
Idcirco percussit eos leo de silva pardus vigilans super civitates eorum [93]. Jer. 5. 4.

Numquid super his non visitabo dicit dominus, aut super gentem hujuscemodi non ulciscetur anima mea. Jer. 5. 29.

Stupor et mirabilia facta sunt in terra.
Prophetae prophetabant mendacium et sacerdotes applaudebant manibus et populus meus dilexit talia, quid igitur fiet in novissimo ejus [94]. — Jer. 5. 30.
Haec dicit dominus, state super vias et videte et interrogate de semitis antiquis, quae sit via bona et ambulate in ea et invenietis refrigerium animabus vestris, et dixerunt non ambulabimus.
Et constitui super vos speculatores audite vocem tubae, et dixerunt non audiemus.
Audite gentes quanta ego faciam eis audi terra ecce ego adducam mala [95], etc. Jer. 6. 16.
Fiance aux sacrements extérieurs. Jer. 7. 14.
Faciam domui huic in qua invocatum est nomen meum et in qua vos habetis fiduciam et loco quem dedi vobis et patribus vestris sicut feci silo [96].
Tu ergo noli orare pro populo hoc [97].

85. Is., LXIII, 12 : « *Qui a conduit Moïse par la droite, et l'a soutenu par le bras de sa majesté, qui a divisé les eaux devant eux afin de se faire un nom éternel?* »
86. Is., LXIII, 14 : « *...Ainsi vous avez conduit votre peuple, afin de vous faire un nom glorieux.* »
87. Is., LXIII, 16 : « *Car vous êtes notre père; Abraham ne nous a pas connus et Israël nous a ignorés...* »
88. Is., LXIII, 17 : « *...Pourquoi avez-vous laissé endurcir nos cœurs jusqu'à ne plus vous craindre?* »
89. Is., LXVI, 17 : « *Ceux qui se sanctifient et croyaient se rendre purs dans leurs jardins... seront consumés tous ensemble, dit le Seigneur.* »
90. Jér., II, 35 : « *Et tu as dit : Moi je suis sans péché, et nnocent : que votre fureur se détourne donc de moi. Voici que j'entrerai en jugement avec toi, puisque tu as dit : Je n'ai pas péché.* »
91. Jér., IV, 22 : « *...Ils sont intelligents pour faire le mal, mais faire le bien ils ne le savent pas.* »
92. Jér., IV, 23 : « *J'ai regardé la terre, et voici qu'elle était vide et de nulle valeur; j'ai regardé les cieux et il n'y avait pas de lumière en eux.* » — 24. *J'ai regardé les montagnes et voici qu'elles étaient ébranlées; et toutes les collines ont été bouleversées.* » — 25 : « *J'ai regardé attentivement et il n'y avait pas d'homme : et tout volatile du ciel s'était retiré.* » — 26 : « *J'ai regardé et voici que le Carmel était désert; et toutes ses villes ont été détruites devant la face du Seigneur, devant la face de la colère de sa fureur.* » — 27 : « *Car voici ce que dit le Seigneur : Toute la terre sera déserte, mais cependant je n'achèverai pas sa ruine.* »
93. Jér., V, 4 : « *Mais moi j'ai dit : Peut-être sont-ce des pauvres, des insensés ignorant la voie du Seigneur et le jugement de leur Dieu.* » — 5 : « *J'irai donc vers les grands et je leur parlerai; car ils ont connu la voie du Seigneur et le jugement de leur Dieu; et voilà que de plus tous ensemble ont brisé le joug. Ils ont rompu les liens.* » — 6 : « *C'est pour cela que le lion de la forêt les a saisis; ...le léopard a veillé sur leurs cités...* »
94. Jér., V, 29 : « *Est-ce que je ne visiterai pas ces crimes? dit le Seigneur. Ou mon âme ne se vengera-t-elle pas d'une nation semblable.* » — 30 : « *La stupeur et des merveilles ont eu lieu sur la terre.* » — 31 : « *Ces prophètes ont prophétisé le mensonge, et les prêtres ont battu des mains; et mon peuple a aimé de pareilles choses, qu'arrivera-t-il donc à son dernier moment?* »
95. Jér., VI, 16 : « *Voici ce que dit le Seigneur : Tenez-vous sur les voies et voyez; demandez, touchant les sentiers anciens, quelle est la bonne voie et marchez-y; et vous trouverez un rafraîchissement pour vos âmes. Et ils ont dit : Nous n'y marcherons pas.* » — 17 : « *Et j'ai établi sur vous des sentinelles. Écoutez la voix de la trompette, et ils ont dit : Nous ne l'écouterons pas.* » — 18 : « *C'est pourquoi, écoutez nations, et apprenez, assemblée des peuples, les grandes choses que je ferai contre eux.* » — 19 : « *Écoute terre; voilà que moi j'amènerai sur ce peuple des maux...*, etc. »
96. Jér., VII, 14 : « *Je ferai à cette maison dans laquelle a été invoqué mon nom, et en laquelle vous avez confiance, et à ce lieu que je vous ai donné à vous et à vos pères, comme j'ai fait à Silo.* »
97. Jér., VII, 16 : « *Toi donc, ne prie pas pour ce peuple...* »

L'essentiel n'est pas le sacrifice extérieur.

Quia non sum locutus cum patribus vestris et non praecepi eis in die qua eduxi eos de terra Egypti de verbo holocautomatum et victimarum.

Sed hoc verbum præcepi eis dicens, audite vocem meam et ero vobis deus et vos eritis mihi populus et ambulate in omni via quam mandavi vobis, ut bene sit vobis, et non audierunt [98]. Jer. 7. 22.

Multitude de doctrines.

Secundum numerum enim civitatum tuarum erant dei tui Juda et secundum numerum viarum Jerusalem posuisti aras confusionis, tu ergo noli orare pro populo hoc [99]. Jer. 11. 13.

Non prophetabis in nomine domini et non morieris in manibus nostris.

Propterea hae dicit dominus [100]. Jer. 11. 21.

Quod si dixerint ad te, quo egrediemur? dices ad eos, haec dicit dominus, qui ad mortem ad mortem, et qui ad gladium ad gladium, et qui ad famem ad famem, et qui ad captivitatem ad captivitatem [101]. Jer. 15. 2.

Pravum est cor omnium et incrustabile, quis cognoscet illud ?
(C'est-à-dire qui en connaîtra toute la malice, car il est déjà connu qu'il est méchant.)

Ego dominus scrutans cor et probans renes [102]. Jer. 17. 9.

Et dixerunt venite et cogitemus contra Jeremiam cogitationes, non enim peribit lex a sacerdote neque sermo a propheta [103].

Non sis tu mihi formidini, tu spes mea in die afflictionum [104]. Jer. 17. 17.

A prophetis enim Jerusalem egressa est pollutio super omnem terram [105]. Jer. 23. 15.

Dicunt his qui blasphemant me : locutus est dominus, pax erit vobis et omni qui ambulat in pravitate cordis sui dixerunt : non veniet super vos malum [106]. — Jer. 23. 17.

98. Jér., VII, 22 : « *Parce que je n'ai point parlé à vos pères, je ne leur ai rien commandé au jour que je les ai tirés de la terre d'Égypte, au sujet des holocaustes et des victimes.* » — 23 : « *Mais voici la chose que je leur ai commandée, écoutez ma voix, et je serai votre Dieu, et vous serez mon peuple; et marchez dans toute la voie que je vous ai prescrite, afin que bien vous soit.* » — 24 : « *Et ils n'ont pas écouté...* »

99. Jér., XI, 13 : « *Car selon le nombre de tes cités étaient tes dieux, ô Juda, et selon le nombre de tes rues, ô Jérusalem, tu as élevé des autels de confusion...* » — 14 : « *Toi donc ne prie pas pour ce peuple...* »

100. Jér., XI, 21 : « *Tu ne prophétiseras pas au nom du Seigneur, et tu ne mourras pas de nos mains.* » — 22 : « *C'est pourquoi voici ce que dit le Seigneur...* »

101. Jér., XV, 2 : « *Que s'ils te disent : Où irons-nous? Tu leur diras : Voici ce que dit le Seigneur : à la mort ceux qui sont destinés à la mort; au glaive ceux qui sont destinés au glaive; à la famine ceux qui sont destinés à la famine; à la captivité ceux qui sont destinés à la captivité.* »

102. Jér., XVII, 9 : « *Le cœur de tous est dépravé et inscrutable; qui le connaîtra.* » — 10 : « *C'est moi le Seigneur qui scrute le cœur et qui éprouve les reins...* »

103. Jér., XVIII, 18 : « *Et ils ont dit : venez, et formons contre Jérémie des desseins; car la loi ne manquera pas au prêtre, ni le conseil au sage, ni la parole au prophète...* »

104. Jér., XVII, 17 : « *Ne me soyez pas à effroi : mon espoir c'est vous au jour de l'affliction.* »

105. Jér., XXIII, 15 : « *...Car c'est des prophètes de Jérusalem que la corruption s'est répandue sur toute la terre.* »

SÉRIE XVI

487-*727* Pendant la durée du Messie.

Aenigmatis. Ezech. 17.

Son précurseur. Malachie 2.

Il naîtra enfant. Is. 9.

Il naîtra de la ville de Bethelehem. Mich. 5. Il paraîtra principalement en Jérusalem et naîtra de la famille de Juda et de David.

Il doit aveugler les sages et les savants. Is. 6. — Is. 8. 29. — Is. 29. — Is. 61. et annoncer l'évangile aux pauvres et aux petits, ouvrir les yeux des aveugles et rendre la santé aux infirmes — et mener à la lumière ceux qui languissent dans les ténèbres. Isai 61.

Il doit enseigner la voie parfaite et être le précepteur des gentils. Is. 55-42. 1.7 .

Les prophéties doivent être inintelligibles aux impies. Da. 12. — Osée. ult. 10. mais intelligibles à ceux qui sont bien instruits.

Les prophéties qui le représentent pauvre le représentent maître des nations. Is. 52. 16, etc. 53. — Zach. 9. 9.

Les prophéties qui prédisent le temps ne le prédisent que maître des gentils et souffrant, et non dans les nuées, ni juge. Et celles qui le représentent ainsi jugeant et glorieux ne marquent point le temps.

Qu'il doit être la victime pour les péchés du monde. Is. 39. 53. etc.

Il doit être la pierre fondamentale et précieuse. Is. 28. 16.

Il doit être la pierre d'achoppement, de scandale. Is. 8.

Jérusalem doit heurter contre cette pierre.

Les édifiants doivent réprouver cette pierre, ps. 117. 22.

Dieu doit faire de cette pierre le chef du coin.

Et cette pierre doit croître en une immense montagne et doit remplir toute la terre. Dan. 2.

Qu'ainsi il doit être rejeté, méconnu, trahi. 108. 8.

Vendu. Zach. 11. 12, craché, souffleté, moqué, affligé en une infinité de manières, abreuvé de fiel, ps. 60 (72), transpercé. Zach. 12. les pieds et les mains percés, tué et ses habits jetés au sort. Ps. (22).

488-*761* Les Juifs en le tuant pour ne le point recevoir pour Messie, lui ont donné la dernière marque du Messie.

106. Jér., XXIII, 17 : « *Ils disent à ceux qui me blasphèment : le Seigneur a parlé, la paix sera à vous; et à quiconque marche dans la dépravation de son cœur, ils ont dit : il ne viendra pas sur vous de mal.* »

Et en continuant à le méconnaître ils se sont rendus témoins irréprochables.

Et en le tuant et continuant à le renier ils ont accompli les prophéties.

487-*727* Qu'il ressusciterait. ps. 15. le troisième jour. Osée 6. 3.

Qu'il monterait au ciel pour s'asseoir à la droite, ps. 110.

Que les rois s'armeraient contre lui. Psal. 2.

Qu'étant à la droite du père il serait victorieux de ses ennemis.

Que les rois de la terre et tous les peuples l'adoreront. Is. 60.

Que les Juifs subsisteront en nation. Jer.

Qu'ils seront errants sans rois, etc. Os. 3.

Sans prophètes. Amos.

Attendant le salut et ne le trouvant point. Is.

Vocation des gentils par J.-C.. — Is. 52. 15.

Is. 55.

Is. 60.

Ps. 71.

Os. 1. 9. Vous ne serez plus mon peuple et je ne serai plus votre Dieu, après que vous serez multipliés de la dispersion. Les lieux où l'on n'appelle point mon peuple je l'appellerai mon peuple.

SÉRIE XVII

489-*713* Captivité des Juifs sans retour.

Jer. 11. 11. Je ferai venir sur Juda des maux desquels ils ne pourront être délivrés.

Figures.

Le Seigneur a eu une vigne dont il a attendu des raisins et elle n'a produit que du verjus. Je la dissiperai donc et je la détruirai. La terre n'en produira que des épines et je défendrai au ciel d'y...

Is 5. 8. La vigne du Seigneur est la maison d'Israël. Et les hommes de Juda en sont le germe délectable. J'ai attendu qu'ils fissent des actions de justice, et ils ne produisent qu'iniquité.

Is. 8.

Sanctifiez le Seigneur avec crainte et tremblement. Ne redoutez que lui, et il vous sera en sanctification. Mais il sera en pierre de scandale et en pierre d'achoppement aux deux maisons d'Israël.

Il sera en piège, et en ruine aux peuples de Jérusalem, et un grand nombre d'entre eux heurteront cette pierre, y tomberont, y seront brisés, et seront pris à ce piège et y périront.

Voilez mes paroles et couvrez ma loi pour mes disciples.

J'attendrai donc en patience le Seigneur qui se voile et se cache à la maison de Jacob.

Is. 29. Soyez confus et surpris peuple d'Israël, chancelez, trébuchez mais non pas d'ivresse, car Dieu vous a préparé l'esprit d'assoupissement. Il vous voilera les yeux. Il obscurcira vos princes et vos prophètes qui ont les visions.

Daniel 12. Les méchants ne l'entendront point, mais ceux qui seront bien instruits l'entendront.

Osée. dernier chap. dernier verset, après bien des bénédictions temporelles dit : où est le sage et il entendra ces choses, etc.

Et les visions de tous les prophètes seront à votre égard comme un livre scellé, lequel, si on donne à un homme savant et qui le puisse lire il répondra : je ne puis le lire car il est scellé, et quand on le donnera à ceux qui ne savent pas lire, ils diront : je ne connais pas les lettres.

Et le Seigneur m'a dit : parce que ce peuple m'honore des lèvres, mais que son cœur est bien loin de moi, et qu'ils ne m'ont servi que par des voies humaines; en voilà la raison et la cause car s'ils adoraient Dieu du cœur ils entendraient les prophéties.

C'est pour cette raison que j'ajouterai à tout le reste d'amener sur ce peuple une merveille étonnante et un prodige grand et terrible. C'est que la sagesse de ses sages périra et leur intelligence sera o(bscurcie).

Prophéties preuve de divinité.

Is. 41.

Si vous êtes des dieux approchez, annoncez-nous les choses futures, nous inclinerons notre cœur à vos paroles. Apprenez-nous les choses qui ont été au commencement et prophétisez-nous celles qui doivent arriver.

Par là nous saurons que vous êtes des dieux; faites le bien ou mal si vous le pouvez. Voyons donc et raisonnons ensemble.

Mais vous n'êtes rien, vous n'êtes qu'abomination, etc.

Qui d'entre vous nous instruit, par des auteurs contemporains, des choses faites dès le commencement et l'origine, afin que nous lui disions : vous êtes le juste. Il n'y en a aucun qui nous apprenne, ni qui prédise l'avenir.

Is. 42. Moi qui suis le Seigneur je ne communique point ma gloire à d'autres. C'est moi qui ai fait prédire les choses qui sont arrivées, et qui prédis encore celles qui sont à venir. Chantez en un cantique nouveau à Dieu par toute la terre.

Amène ici ce peuple qui a des yeux et qui ne voit point, qui a des oreilles et qui est sourd.

Que les nations s'assemblent toutes; qui d'entre elles et leurs dieux nous instruira des choses passées et futures. Qu'elles produisent leurs témoins pour leur justification ou qu'elles m'écoutent et confessent que la vérité est ici.

Vous êtes mes témoins, dit le Seigneur, vous et mon serviteur que j'ai élu, afin que vous me connaissiez, que vous croyiez que c'est moi qui suis.

J'ai prédit, j'ai sauvé, j'ai fait moi seul ces merveilles

à vos yeux; vous êtes mes témoins de ma divinité, dit le Seigneur.

C'est moi qui pour l'amour de vous ai brisé les forces des Babyloniens. C'est moi qui vous ai sanctifiés et qui vous ai créés.

C'est moi qui vous ai fait passer au milieu des eaux, et de la mer et des torrents et qui ai submergé et détruit pour jamais les puissants ennemis qui vous ont résisté.

Mais perdez la mémoire de ces anciens bienfaits et ne jetez plus les yeux vers les choses passées.

Voici je prépare de nouvelles choses qui vont bientôt paraître. Vous les connaîtrez. Je rendrai les déserts habitables et délicieux.

Je me suis formé ce peuple, je l'ai établi pour annoncer mes louanges, etc.

Mais c'est pour moi-même que j'effacerai vos péchés et que j'oublierai vos crimes, car — pour vous repassez en votre mémoire vos ingratitudes, pour voir si vous aurez de quoi vous justifier. Votre premier père a péché et vos docteurs ont tous été des prévaricateurs.

Is. 44. Je suis le premier et le dernier, dit le Seigneur; qui s'égalera à moi? Qu'il raconte l'ordre des choses, depuis que j'ai formé les premiers peuples et qu'il annonce les choses qui doivent arriver.

Ne craignez rien. Ne vous ai-je pas fait entendre toutes ces choses. Vous êtes mes témoins.

Prédiction de Cyrus.

A cause de Jacob que j'ai élu, je t'ai appelé par ton nom.

Is. 45. 21. Venez et disputons ensemble. Qui a fait entendre les choses depuis le commencement? qui a prédit les choses dès lors? N'est-ce pas moi qui suis le Seigneur?

Is. 46. Ressouvenez-vous des premiers siècles et connaissez qu'il n'y a rien de semblable à moi, qui annonce dès le commencement les choses qui doivent arriver à la fin, et déjà dès l'origine du monde. Mes décrets subsisteront et toutes mes volontés seront accomplies.

Is. 42. 9. Les premières choses sont arrivées comme elles avaient été prédites et voici maintenant j'en prédis de nouvelles et vous les annonce avant qu'elles soient arrivées.

Is. 48. 3. J'ai fait prédire les premières et les ai accomplies ensuite. Et elles sont arrivées en la manière que j'avais dit, parce que je sais que vous êtes dur, que votre esprit est rebelle, et votre front impudent. Et c'est pourquoi je les ai voulu annoncer avant l'événement afin que vous ne pussiez pas dire que ce fut l'ouvrage de vos dieux, et l'effet de leur ordre.

Vous voyez arrivé ce qui a été prédit. Ne le raconterez-vous pas. Maintenant je vous annonce des choses nouvelles, que je conserve en ma puissance, et que vous n'avez point encore sues. Ce n'est que maintenant que je les prépare et non pas depuis longtemps, vous sont inconnues. Je vous les ai tenues cachées, de peur que vous ne vous vantassiez de les avoir prévues par vous-mêmes.

Car vous n'en avez aucune connaissance, et personne ne vous en a parlé et vos oreilles n'en ont rien ouï. Car je vous connais et je sais que vous êtes plein de prévarication et je vous ai donné le nom de prévaricateur dès les premiers temps de votre origine.

Is. 65.

Réprobation des Juifs et conversion des Gentils.

Ceux-là m'ont cherché qui ne me consultaient point. Ceux-là m'ont trouvé qui ne me cherchaient point. J'ai dit : me voici, me voici au peuple qui n'invoquait point mon nom.

J'ai étendu mes mains tout le jour au peuple incrédule qui suit ses désirs et qui marche dans une voie mauvaise, à ce peuple qui me provoque sans cesse par les crimes qu'il commet en ma présence, qui s'est emporté à sacrifier aux idoles, etc.

Ceux-là seront dissipés en fumée au jour de ma fureur, etc.

J'assemblerai les iniquités de vous et de vos pères et vous rendrai à tous selon vos œuvres.

Le Seigneur dit ainsi : Pour l'amour de mes serviteurs je ne perdrai tout Israël. Mais j'en réserverai quelques-uns de même qu'on réserve un grain resté dans une grappe duquel on dit ne l'arrachez pas, parce que c'est bénédiction.

Ainsi j'en prendrai de Jacob et de Juda pour posséder mes montagnes, que mes élus et mes serviteurs auront en héritage et mes campagnes fertiles et admirablement abondantes.

Mais j'exterminerai tous les autres, parce *(que)* vous avez oublié votre Dieu pour servir des dieux étrangers. Je vous ai appelés et vous n'avez point répondu; j'ai parlé et vous n'avez point ouï, et vous avez choisi les choses que j'avais défendues.

C'est pour cela que le Seigneur dit ces choses. Voici. Mes serviteurs seront rassasiés et vous languirez de faim. Mes serviteurs seront dans la joie et vous dans la confusion. Mes serviteurs chanteront des cantiques de l'abondance de la joie de leur cœur et vous pousserez des cris et des hurlements de l'affliction de votre esprit.

Et vous laisserez votre nom en abomination à mes élus. Le Seigneur vous exterminera et nommera ses serviteurs d'un autre nom, dans lequel celui qui sera béni sur la terre sera béni en Dieu, etc.

Parce que les premières douleurs sont mises en oubli.

Car voici je crée de nouveaux cieux et une nouvelle terre, et les choses passées ne seront plus en mémoire, et ne reviendront plus en la pensée.

Mais vous vous réjouirez à jamais dans les choses nouvelles que je crée, car je crée Jérusalem pour n'être autre chose que joie, et son peuple réjouissance, et je me plairai en Jérusalem et en mon peuple et on n'y entendra plus de cris et de pleurs.

Je l'exaucerai avant qu'il demande. Je les ouïrai quand ils ne feront que commencer à parler. Le loup et l'agneau paîtront ensemble; le lion et le bœuf mangeront la même paille. Le serpent ne mangera que la poussière et on ne commettra plus d'homicide ni de violence en toute ma sainte montagne.

Is. 56.

(Le Seigneur a dit ces choses : soyez justes et droits car mon salut est proche et ma justice va être révélée.)

(Bienheureux est celui qui fait ces choses (et) qui observe mon sabat et garde ses mains de commettre aucun mal.)

Et que les étrangers qui s'attachent à moi ne disent point : Dieu me séparera d'avec son peuple.

Car le Seigneur dit ces choses : quiconque gardera mon sabat et choisira de faire mes volontés et gardera mon alliance, je leur donnerai place dans ma maison et je leur donnerai un nom meilleur que celui que j'ai donné à mes enfants, ce sera un nom éternel qui ne périra jamais.

C'est pour nos crimes que la justice s'est éloignée de nous. Nous avons attendu la lumière et nous ne trouvons que les ténèbres. Nous avons espéré la clarté et nous marchons dans l'obscurité.

Nous avons tâté contre la muraille comme des aveugles, nous avons heurté en plein midi comme au milieu d'une nuit, et comme des morts en des lieux ténébreux.

Nous rugirons tous comme des ours; nous gémirons comme des colombes. Nous avons attendu la justice et elle ne vient point. Nous avons espéré le salut et il s'éloigne de nous.

Is. 66. 18.

Mais je visiterai leurs œuvres et leurs pensées quand je viendrai pour les assembler avec toutes les nations et les peuples, et ils verront ma gloire.

Et je leur imposerai un signe, et de ceux qui seront sauvés, j'en enverrai aux nations, en Afrique, en Lydie, en Italie, en Grèce et aux peuples qui n'ont point ouï parler de moi, et qui n'ont point vu ma gloire. Et ils amèneront vos frères.

RÉPROBATION DU TEMPLE.

Jer. 7.

Allez en Silo où j'avais établi mon nom au commencement et voyez ce que j'y ai fait à cause (des) péchés de mon peuple. Car je l'ai rejeté et je me suis fait un temple ailleurs.

Et maintenant, dit le Seigneur, parce que vous avez fait les mêmes crimes, je ferai de ce temple où mon nom est invoqué sur lequel vous vous confiez et que j'ai moi-même donné à vos ancêtres la même chose que j'ai faite de Silo.

Et je vous rejetterai loin de moi de la même manière que j'ai rejeté vos frères, les enfants d'Ephraïm, rejetés sans retour.

Ne priez donc point pour ce peuple.

Jer. 7. 22. A quoi vous sert-il d'ajouter sacrifice sur sacrifice? Quand je retirai vos pères hors d'Égypte, je ne leur parlai point des sacrifices et des holocaustes. Je ne leur en donnai aucun ordre et le précepte que je leur ai donné a été en cette sorte : soyez obéissants et fidèles à mon commandement et je serai votre Dieu et vous serez mon peuple.

Ce ne fut qu'après qu'ils eurent sacrifié aux veaux d'or que je m'ordonnai des sacrifices, pour tourner en bien une mauvaise coutume.

Jer. 7. N'ayez point confiance aux paroles de mensonge de ceux qui vous disent : le temple du seigneur, le temple du seigneur, le temple du seigneur, sont...

SÉRIE XVIII

490-*721* Nous n'avons point de roi que César.

491-*439* Nature corrompue.

L'homme n'agit point par la raison qui fait son être.

492-*630* La sincérité des Juifs.

Depuis qu'ils n'ont plus de prophètes. Machab.

Depuis J.-C. Massorett.

Ce livre vous sera en témoignage.

Les lettres défectueuses et finales.

Sincères contre leur honneur et mourant pour cela. Cela n'a point d'exemple dans le monde ni sa racine dans la nature.

493-*714* Prophéties accomplies.

3 R. 13. 2.

4 R. 23. 16.

Jos. 6, 26. — 3. R. 16. 34. — deut. 33.

Malach. 1. 11. Le sacrifice des juifs réprouvé et le sacrifice des païens (même hors de Jérusalem) et en tous les lieux.

Moïse prédit la vocation des gentils avant que de mourir. 32. 21. Et la réprobation des Juifs.

Moïse prédit ce qui doit arriver à chaque tribu.

494-*714* Juifs témoins de Dieu. Is. 43. 9. 44. 8.

495-*641* C'est visiblement un peuple fait exprès pour servir de témoin au messie. Is. 43. 9. 44. 8. Il porte des livres et les aime et ne les entend point. Et tout cela est prédit; que les jugements de Dieu leur sont confiés, mais comme un livre scellé.

496-*714* Endurcis leur cœur. Et comment? en flattant leur concupiscence et leur faisant espérer de l'accomplir.

497-*714* Prophétie.

Votre nom sera en exécration à mes élus et je leur donnerai un autre nom.

498-*715* Prophétie.

Amos et Zacharie. Ils ont vendu le juste et pour cela ne seront jamais rappelés.

J.-C. trahi.

On n'aura plus mémoire d'Égypte.

Voyez Is. 43. 16. 17. 18. 19. Jerem. 23. 6. 7.

Prophétie.

Les Juifs seront répandus partout. Is. 27. 6.

Loi nouvelle. Jer. 31. 32.

Les 2 temples glorieux. Jésus-Christ y viendra. Agg. 2. 7. 8. 9. 10. Malachie. Grotius.

Vocation des gentils. Joel 2. 28. Osée 2. 24. Deut. 32. 21. Mal. 1. 11.

499-*792* Quel homme eut jamais plus d'éclat.

Le peuple juif tout entier le prédit avant sa venue. Le peuple gentil l'adore après sa venue.

Ces deux peuples gentil et juif le regardent comme leur centre.

Et cependant quel homme jouit jamais moins de cet éclat.

De 33 ans il en vit 30 sans paraître. Dans trois ans il passe pour un imposteur. Les prêtres et les principaux le rejettent. Ses amis et ses plus proches le méprisent, enfin il meurt trahi par un des siens, renié par l'autre et abandonné par tous.

Quelle part a(-t-)il donc à cet éclat? Jamais homme n'a eu tant d'éclat, jamais homme n'a eu plus d'ignominie. Tout cet éclat n'a servi qu'à nous pour nous le rendre reconnaissable, et il n'en a rien eu pour lui.

SÉRIE XIX

500-*700* Beau de voir des yeux de la foi l'histoire d'Hérode, de César.

501-*659* Figures.

Pour montrer que l'ancien Testament est — n'est que — figuratif et que les prophètes entendaient par les biens temporels d'autres biens. C'est 1° que cela serait indigne de Dieu; 2° que leurs discours expriment très clairement la promesse des biens temporels et qu'ils disent néanmoins que leurs discours sont obscurs, et que leur sens ne sera point entendu. D'où il paraît que ce sens secret n'était point celui qu'ils exprimaient à découvert et que par conséquent ils entendaient parler d'autres sacrifices, d'un autre Libérateur, etc. Ils disent qu'on ne l'entendra qu'à la fin des temps. Jer. 33. ult.

La 2 preuve est que leurs discours sont contraires et se détruisent. De sorte que si on pose qu'ils n'aient entendu par les mots de loi et de sacrifice autre chose que celle de Moïse, il y a contradiction manifeste et grossière; donc ils entendaient autre chose se contredisant quelquefois dans un même chapitre.

Or pour entendre le sens d'un auteur...

502-*571* Raisons pourquoi figures.

(R. *Ils avaient à entretenir un peuple charnel et à le rendre dépositaire du testament spirituel.)*

Il fallait que pour donner foi au Messie il y eût eu des prophéties précédentes et qu'elles fussent portées par des gens non suspects et d'une diligence et fidélité et d'un zèle extraordinaire et connues de toute la terre.

Pour faire réussir tout cela Dieu a choisi ce peuple charnel auquel il a mis en dépôt les prophéties qui prédisent le Messie comme libérateur et dispensateur des biens charnels que ce peuple aimait.

Et ainsi il a eu une ardeur extraordinaire pour ses prophètes et a porté à la vue de tout le monde ces livres qui prédisent leur Messie, assurant toutes les nations qu'il devait venir et en la manière prédite dans les livres qu'ils tenaient ouverts à tout le monde. Et ainsi ce peuple déçu par l'avènement ignominieux et pauvre du Messie ont été ses plus cruels ennemis, de sorte que voilà le peuple du monde le moins suspect de nous favoriser et le plus exact et zélé qui se puisse dire pour sa loi et pour ses prophètes qui les porte incorrompus.

De sorte que ceux qui ont rejeté et crucifié Jésus-Christ qui leur a été en scandale sont ceux qui portent les livres qui témoignent de lui et qui disent qu'il sera rejeté et en scandale, de sorte qu'ils ont marqué que c'était lui en le refusant et qu'il a été également prouvé et par les justes juifs qui l'ont reçu et par les injustes qui l'ont rejeté, l'un et l'autre ayant été prédit.

C'est pour cela que les prophéties ont un sens caché, le spirituel, dont ce peuple était ennemi, sous le charnel dont il était ami. Si le sens spirituel eût été découvert ils n'étaient pas capables de l'aimer, et ne pouvant le porter ils n'eussent point eu le zèle pour la conservation de leurs livres et de leurs cérémonies, et s'ils auraient aimé ces promesses spirituelles et qu'ils les eussent conservées incorrompues jusqu'au Messie leur témoignage n'eût point eu de force puisqu'ils en eussent été amis.

Voilà pourquoi il était bon que le sens spirituel fût couvert, mais d'un autre côté si ce sens eût été tellement caché qu'il n'eût point du tout paru il n'eût pu servir de preuve au Messie. Qu'a(-t-)il donc été fait?

Il a été couvert sous le temporel en la foule des passages et a été découvert si clairement en quelques-uns, outre que le temps et l'état du monde ont été prédits si clairement qu'il est plus clair que le soleil, et ce sens spirituel est si clairement expliqué en quelques endroits qu'il fallait un aveuglement pareil à celui que la chair jette dans l'esprit quand il lui est assujetti pour ne le pas reconnaître.

Voilà donc quelle a été la conduite de Dieu. Ce sens est couvert d'un autre en une infinité d'endroits et découvert en quelques-uns rarement, mais en telle sorte néanmoins que les lieux où il est caché sont équivoques et peuvent convenir aux deux, au lieu que les lieux où il est découvert sont univoques et ne peuvent convenir qu'au sens spirituel.

De sorte que cela ne pouvait induire en erreur et

qu'il n'y avait qu'un peuple aussi charnel qui s'y pût méprendre.

Car quand les biens sont promis en abondance qui les empêchait d'entendre les véritables biens, sinon leur cupidité qui déterminait ce sens aux biens de la terre. Mais ceux qui n'avaient de bien qu'en Dieu, les rapportaient uniquement à Dieu.

Car il y a deux principes qui partagent les volontés des hommes : la cupidité et la charité. Ce n'est pas que la cupidité ne puisse être avec la foi en Dieu et que la charité ne soit avec les biens de la terre, mais la cupidité use de Dieu et jouit du monde, et la charité au contraire.

Or la dernière fin est ce qui donne le nom aux choses; tout ce qui nous empêche d'y arriver est appelé ennemi. Ainsi les créatures, quoique bonnes, seront ennemies des justes quand elles les détournent de Dieu, et Dieu même est l'ennemi de ceux dont il trouble la convoitise.

Ainsi le mot d'ennemi dépendant de la dernière fin, les justes entendaient par là leurs passions et les charnels entendaient les Babiloniens, et ainsi ces termes n'étaient obscurs que pour les injustes.

Et c'est ce que dit Isaye : *signa legem in electis meis* [107].

Et que J.-C. sera pierre de scandale, mais bienheureux ceux qui ne seront point scandalisés en lui.

Osée ult. le dit parfaitement : où est le sage et il entendra ce que je dis. Les justes l'entendront car les voies de Dieu sont droites mais les méchants y trébucheront.

503-*675* ... trébucheront. Et cependant ce testament fait pour aveugler les uns et éclairer les autres marquait en ceux-mêmes qu'il aveuglait la vérité qui devait être connue des autres. Car les bien visibles qu'ils recevaient de Dieu étaient si grands et si divins qu'il paraissait bien qu'il était puissant de leur donner les invisibles et un Messie.

Car la nature est une image de la grâce et les miracles visibles sont images des invisibles, *ut sciatis, tibi dico surge* [108].

Is. 51 dit que la rédemption sera comme le passage de la mer rouge.

Dieu a montré en la sortie d'Égypte, de la mer, en la défaite des rois, en la manne, en toute la généalogie d'Abraham qu'il était capable de sauver, de faire descendre le pain du ciel, de sorte que ce peuple ennemi est la figure et représentation du même Messie qu'ils ignorent... etc.

107. Is., VIII, 16 : « Lie le témoignage, *scelle la loi pour mes disciples.* »

108. Mc, II, 10-11 : « *Afin* donc *que vous sachiez* que le Fils de l'homme a sur la terre le pouvoir de remettre les péchés (il dit au paralytique). *Je te commande, lève-toi,* emporte ton grabat et va en ta maison. »

Il nous a donc appris enfin que toutes ces choses n'étaient que figures et ce que c'est que vraiment libre, vrai Israélite, vraie circoncision, vrai pain du ciel, etc.

Kirkerus — Usserius.

Dans ces promesses-là chacun trouve ce qu'il a dans le fond de son cœur, les biens temporels ou les bien spirituels, Dieu ou les créatures, mais avec cette différence que ceux qui y cherchent les créatures les y trouvent, mais avec plusieurs contradictions, avec la défense de les aimer, avec l'ordre de n'adorer que Dieu et de n'aimer que lui, ce qui n'est qu'une même chose et qu'enfin il n'est point venu Messie pour eux, au lieu que ceux qui y cherchent Dieu le trouvent et sans aucune contradiction avec commandement de n'aimer que lui et qu'il est venu un Messie dans le temps prédit pour leur donner les biens qu'ils demandent.

Ainsi les Juifs avaient des miracles, des prophéties qu'ils voyaient accomplir et la doctrine de leur loi était de n'adorer et de n'aimer qu'un Dieu. Elle était aussi perpétuelle. Ainsi elle avait toutes les marques de la vraie religion. Aussi elle l'était, mais il faut distinguer la doctrine des juifs d'avec la doctrine de la loi des Juifs. Or la doctrine des Juifs n'était pas vraie, quoiqu'elle eût les miracles, les prophéties et la perpétuité, parce qu'elle n'avait pas cet autre point de n'adorer et n'aimer que Dieu.

SÉRIE XX

504-*260* Ils se cachent dans la presse et appellent le nombre à leur secours. Tumulte.

505-*260* *L'autorité.* Tant s'en faut que d'avoir ouï dire une chose soit la règle de votre créance, que vous ne devez rien croire sans vous mettre en l'état comme si jamais vous ne l'aviez ouï.

C'est le consentement de vous à vous-même et la voix constante de votre raison et non des autres qui vous doit faire croire.

Le croire est si important.

Cent contradictions seraient vraies.

Si l'antiquité était la règle de la créance, les anciens étaient donc sans règle.

Si le consentement général, si les hommes étaient péris.

Fausse humilité, orgueil.

Punition de ceux qui pèchent, erreur.

Levez le rideau.

Vous avez beau faire, si faut-il ou croire, ou nier, ou douter.

N'aurons-nous donc pas de règle?

Nous jugeons des animaux qu'ils font bien ce qu'ils

font, n'y aura(-t-)il point une règle pour juger des hommes?

Nier, croire et douter sont à l'homme ce que le courir est au cheval.

506-*90* *Quod crebro videt non miratur etiamsi cur fiat nescit; quod ante non viderit id si evenerit ostentum esse censet* [109]. Cic.

583 — *Nae iste magno conatu magnas nugas dixerit* [110]. Terent.

506-*87* *Quasi quicquam infelicius sit homine cui sua figmenta dominantur* [111]. Plin.

507-*363* *Ex senatusconsultis et plebiscitis scelera exercentur* [112]. Sen. 588.

Nihil tam absurde dici potest quod non dicatur ab aliquo philosophorum [113]. divin.

Quibusdam destinatis sententiis consecrati quae non probant coguntur defendere [114]. Cic.

Ut omnium rerum sic litterarum quoque intemperantia laboramus [115]. Senec.

Id maxime quemque decet quod est cujusque suum maxime [116]. 588.

Hos natura modos primum dedit [117]. georg.

Paucis opus est litteris ad bonam mentem [118].

Si quando turpe non sit tamen non est non turpe quum id a multitudine laudetur [119]..

Mihi sic usus est, tibi ut opus est facto fac [120]. Ter.

508-*364* *Rarum est enim ut satis se quisque vereatur* [121].

Tot circa unum caput tumultuantes deos [122].

Nihil turpius quam cognitioni assertionem praecurrere [123]. Cic.

Nec me pudet ut istos, fateri nescire quod nesciam [124].
Melius non incipient [125].

SÉRIE XXI

509-*49* Masquer la nature et la déguiser. Plus de roi, de pape, d'évêque, mais auguste monarque, etc. point de Paris, capitale du royaume.

Il y a des lieux où il faut appeler Paris, Paris, et d'autres où il la faut appeler capitale du royaume.

510-*7* A mesure qu'on a plus d'esprit on trouve qu'il y a plus d'hommes originaux. Les gens du commun ne trouvent point de différence entre les hommes.

511-*2* Diverses sortes de sens droit, les uns dans un certain ordre de choses et non dans les autres ordres où ils extravaguent.

Les uns tirent bien les conséquences de peu de principes et c'est une droiture de sens.

Les autres tirent bien les conséquences des choses où il y a beaucoup de principes.

Par exemple les uns comprennent bien les effets de l'eau, en quoi il y a peu de principes, mais les conséquences en sont si fines qu'il n'y a qu'une extrême droiture d'esprit qui y puisse aller et ceux-là ne seraient peut-être pas pour cela grands géomètres parce que la géométrie comprend un grand nombre de principes, et qu'une nature d'esprit peut être telle qu'elle puisse bien pénétrer peu de principes jusqu'au fonds, et qu'elle ne puisse pénétrer le moins du monde les choses où il y a beaucoup de principes.

Il y a donc deux sortes d'esprit, l'une de pénétrer

109. Cicéron, *De divinatione*, II, XXVII : « *Ce qu'il voit fréquemment ne l'étonne pas, lors même qu'il en ignore la cause. Mais s'il se produit quelque chose qu'il n'a jamais vu, il le regarde comme un prodige.* » (Montaigne, *Essais*, II, 30.)
110. Térence, *Heauton*, III, V, 8 : « *Bien sûr cet homme va se donner une grande peine pour me dire de grandes sottises.* » (Montaigne, *Essais*, III, I.)
111. Pline, II, 7 : « *Quoi de plus malheureux que l'homme esclave de ses chimères.* » (Montaigne, *Essais*, II, 12.)
112. Sénèque, *Ep.* XCV : « *Il est des crimes commis à l'instigation des senatus-consultes et des plébiscites.* » (Montaigne, *Essais*, III, 1.)
113. Cicéron. *De Divin.*, II, LVIII : « *On ne peut rien dire de si absurde qui n'ait été dit par quelque philosophe.* » (Montaigne, *Essais*, II, 12.)
114. Cicéron, *Tuscul.*, II, II : « *Qui sont enchaînés et voués à certaines opinions fixes et déterminées, au point d'être réduits à défendre les choses mêmes qu'ils désapprouvent.* » (Montaigne, *Essais*, II, 12.)
115. Sénèque, *Ep.*, CVI : « *Nous n'avons pas moins à souffrir d'immodération dans l'étude des lettres que dans tout le reste.* » (Montaigne, *Essais*, III, 12.)
116. Cicéron, *De offic.*, I, XXXI : « *Ce qui nous sied le mieux c'est ce qui nous est le plus naturel.* » (Montaigne, *Essais*, III, I.)
117. Virgile, *Georg.*, II, 20 : « *Voilà les premières lois que donna la nature.* » (Montaigne, *Essais*, I, 31.)
118. Sénèque, *Ep.*, CVI : « *Il ne faut guère de lettres à former une âme saine.* » (Montaigne, *Essais*, III, 12.)
119. Cicéron, *De fin.*, XV : « *Moi j'estime qu'une chose, lors même qu'elle ne serait pas honteuse, semble l'être quand elle a l'approbation de la multitude.* » (Montaigne, *Essais*, II, 16.)
120. Térence, *Heaut.*, I, I, 28 : « *Pour moi, c'est ainsi que j'en use; vous, faites comme vous l'entendrez.* » (Montaigne, *Essais*, I, 28.)
121. Quintilien, X, 7 : « *Il est rare, en effet, qu'on se respecte assez soi-même.* » (Montaigne, *Essais*, I, 39.)
122. Sénèque, *Suasoriae*, I, IV : « *Tant de dieux s'agitant autour d'un seul homme.* » (Montaigne, *Essais*, II, 13.)
123. Cicéron, *Acad.*, I, 12 : « *Rien n'est plus honteux que de faire marcher l'assertion et la décision avant la perception et la connaissance.* » (Montaigne, *Essais*, III, 13.)
124. Cicéron, *Tusc.*, I, XXV : « *Je n'ai pas honte comme ces gens-là d'avouer que j'ignore ce que j'ignore.* » (Montaigne, *Essais*, III, 11.)
125. Sénèque. *Ep.*, LXXII : « *Ils auront moins de peine à ne pas commencer qu'à s'arrêter.* » (Montaigne, *Essais*, III, 10.)

vivement et profondément les conséquences des principes, et c'est là l'esprit de justesse. L'autre de comprendre un grand nombre de principes sans les confondre et c'est là l'esprit de géométrie. L'un est force et droiture d'esprit. L'autre est amplitude d'esprit. Or l'un peut bien être sans l'autre, l'esprit pouvant être fort et étroit, et pouvant être aussi ample et faible.

SÉRIE XXII

512-*1* Différence entre l'esprit de géométrie et l'esprit de finesse.

En l'un les principes sont palpables mais éloignés de l'usage commun de sorte qu'on a peine à tourner la tête de ce côté-là, manque d'habitude : mais pour peu qu'on l'y tourne, on voit les principes à plein; et il faudrait avoir tout à fait l'esprit faux pour mal raisonner sur des principes si gros qu'il est presque impossible qu'ils échappent.

Mais dans l'esprit de finesse, les principes sont dans l'usage commun et devant les yeux de tout le monde. On n'a que faire de tourner la tête, ni de se faire violence; il n'est question que d'avoir bonne vue, mais il faut l'avoir bonne : car les principes sont si déliés et en si grand nombre, qu'il est presque impossible qu'il n'en échappe. Or l'omission d'un principe mène à l'erreur; ainsi il faut avoir la vue bien nette pour voir tous les principes, et ensuite l'esprit juste pour ne pas raisonner faussement sur des principes connus.

Tous les géomètres seraient donc fins s'ils avaient la vue bonne car ils ne raisonnent pas faux sur les principes qu'ils connaissent. Et les esprits fins seraient géomètres s'ils pouvaient plier leur vue vers les principes inaccoutumés de géométrie.

Ce qui fait donc que certains esprits fins ne sont pas géomètres

Tournez.

c'est qu'ils ne peuvent du tout se tourner vers les principes de géométrie, mais ce qui fait que des géomètres ne sont pas fins, c'est qu'ils ne voient pas ce qui est devant eux et qu'étant accoutumés aux principes nets et grossiers de géométrie et à ne raisonner qu'après avoir bien vu et manié leurs principes, ils se perdent dans les choses de finesse, où les principes ne se laissent pas ainsi manier. On les voit à peine, on les sent plutôt qu'on ne les voit, on a des peines infinies à les faire sentir à ceux qui ne les sentent pas d'eux-mêmes. Ce sont choses tellement délicates, et si nombreuses, qu'il faut un sens bien délicat et bien net pour les sentir et juger droit et juste, selon ce sentiment, sans pouvoir le plus souvent le démontrer par ordre comme en géométrie, parce qu'on n'en possède pas ainsi les principes, et que ce serait une chose infinie de l'entreprendre. Il faut tout d'un coup voir la chose, d'un seul regard et non pas par progrès de raisonnement, au moins jusqu'à un certain degré. Et ainsi il est rare que les géomètres soient fins et que les fins soient géomètres, à cause que les géomètres veulent traiter géométriquement ces choses fines et se rendent ridicules, voulant commencer par les définitions et ensuite par les principes, ce qui n'est pas la manière d'agir en cette sorte de raisonnement. Ce n'est pas que l'esprit ne le fasse mais il le fait tacitement, naturellement et sans art. Car l'expression en passe tous les hommes, et le sentiment n'en appartient qu'à peu d'hommes. Et les esprits fins au contraire, ayant ainsi accoutumé à juger d'une seule vue sont si étonnés quand on leur présente des propositions où ils ne comprennent rien et où pour entrer il faut passer par des définitions et des principes si stériles qu'ils n'ont point accoutumé de voir ainsi en détail, qu'ils s'en rebutent et s'en dégoûtent.

Mais les esprits faux ne sont jamais ni fins, ni géomètres.

Les géomètres, qui ne sont que géomètres ont donc l'esprit droit, mais pourvu qu'on leur explique bien toutes choses par définitions et principes; autrement ils sont faux et insupportables, car ils ne sont droits que sur les principes bien éclaircis.

Et les fins qui ne sont que fins ne peuvent avoir la patience de descendre jusques dans les premiers principes des choses spéculatives et d'imagination qu'ils n'ont jamais vues dans le monde, et tout à fait hors d'usage.

513-*4* Géométrie. Finesse.

La vraie éloquence se moque de l'éloquence, la vraie morale se moque de la morale. C'est-à-dire que la morale du jugement se moque de la morale de l'esprit qui est sans règles.

Car le jugement est celui à qui appartient le sentiment, comme les sciences appartiennent à l'esprit. La finesse est la part du jugement, la géométrie est celle de l'esprit.

Se moquer de la philosophie c'est vraiment philosopher.

514-*356* La nourriture du corps est peu à peu. Plénitude de nourriture et peu de substance.

SÉRIE XXIII

515-*48* Miscell.

Quand dans un discours se trouvent des mots répétés et qu'essayant de les corriger on les trouve si propres qu'on gâterait le discours il les faut laisser, c'en est la marque. Et c'est là la part de l'envie qui est aveugle et qui ne sait pas que cette répétition n'est pas faute en cet endroit, car il n'y a point de règle générale.

516-*880* (*Pape*) On aime la sûreté, on aime que le pape soit infaillible en la foi, et que les docteurs graves le soient dans les mœurs, afin d'avoir son assurance.

517-*869* Si saint Augustin venait aujourd'hui et qu'il fût aussi peu autorisé que ses défenseurs il ne ferait rien. Dieu conduit bien son Église de l'avoir envoyé devant avec autorité.

518-*378* Pyrrh.

L'extrême esprit est accusé de folie comme l'extrême défaut; rien que la médiocrité n'est bon : c'est la pluralité qui a établi cela et qui mord quiconque s'en échappe par quelque bout que ce soit. Je ne m'y obstinerai pas, je consens bien qu'on m'y mette et me refuse d'être au bas bout, non pas parce qu'il est bas, mais parce qu'il est bout, car je refuserais de même qu'on me mît au haut. C'est sortir de l'humanité que de sortir du milieu.

La grandeur de l'âme humaine consiste à savoir s'y tenir tant s'en faut que la grandeur soit à en sortir qu'elle est à n'en point sortir.

519-*70* (*Nature ne p*

La nature nous a si bien mis au milieu que si nous changeons un côté de la balance nous changeons aussi l'autre. Je faisons, zoa trekei.

Cela me fait croire qu'il y a des ressorts dans notre tête qui sont tellement disposés que qui touche l'un touche aussi le contraire.)

520-*375* (*J'ai passé longtemps de ma vie en croyant qu'il y avait une justice et en cela je ne me trompais pas, car il y en a selon que Dieu nous l'a voulu révéler, mais je ne le prenais pas ainsi et c'est en quoi je me trompais, car je croyais que notre justice était essentiellement juste, et que j'avais de quoi la connaître et en juger, mais je me suis trouvé tant de fois en faute de jugement droit, qu'enfin je suis entré en défiance de moi et puis des autres. J'ai vu tous les pays et hommes changeants. Et ainsi après bien des changements de jugement touchant la véritable justice j'ai connu que notre nature n'était qu'un continuel changement et je n'ai plus changé depuis. Et si je changeais je confirmerais mon opinion. Le pyrrhonien Arcésilas qui redevient dogmatique.*)

521-*387* (*Il se peut faire qu'il y ait de vraies démonstrations, mais cela n'est pas certain.*

Aussi cela ne montre autre chose sinon qu'il n'est pas certain que tout soit incertain. A la gloire du pyrrhonisme.)

522-*140* (*Cet homme si affligé de la mort de sa femme et de son fils unique, qui a cette grande querelle qui le tourmente, d'où vient qu'à ce moment il n'est point triste et qu'on le voit si exempt de toutes ces pensées pénibles et inquiétantes? Il ne faut pas s'en étonner. On vient de lui servir une balle et il faut qu'il la rejette à son compagnon. Il est occupé à la prendre à la chute du toit pour gagner une chasse. Comment voulez-vous qu'il pense à ses affaires ayant cette autre affaire à manier? Voilà un soin digne d'occuper cette grande âme et de lui ôter toute autre pensée de l'esprit. Cet homme né pour connaître l'univers, pour juger de toutes choses, pour régler tout un État, le voilà occupé et tout rempli du soin de prendre un lièvre. Et s'il ne s'abaisse à cela et veuille toujours être tendu il n'en sera que plus sot, parce qu'il voudra s'élever au-dessus de l'humanité et il n'est qu'un homme au bout du compte, c'est-à-dire capable de peu et de beaucoup, de tout et de rien. Il n'est ni ange ni bête, mais homme.*)

523-*145* (*Une seule pensée nous occupe; nous ne pouvons penser à deux choses à la fois, dont bien nous prend, selon le monde non selon Dieu.*)

524-*853* (*Il faut sobrement juger des ordonnances divines, mon Père. Saint Paul en l'île de Malte.*)

525-*325* Montaigne a tort. La coutume ne doit être suivie que parce qu'elle est coutume, et non parce qu'elle est raisonnable ou juste, mais le peuple la suit par cette seule raison qu'il la croit juste. Sinon il ne la suivrait plus quoiqu'elle fût coutume, car on ne veut être assujetti qu'à la raison ou à la justice. La coutume sans cela passerait pour tyrannie, mais l'empire de la raison et de la justice n'est non plus tyrannique que celui de la délectation. Ce sont les principes naturels à l'homme.

Il serait donc bon qu'on obéît aux lois et coutumes parce qu'elles sont lois (*par là on ne se révolterait jamais, mais on ne s'y voudrait peut-être pas soumettre, on chercherait toujours la vraie*); qu'il sût qu'il n'y en a aucune vraie et juste à introduire, que nous n'y connaissons rien et qu'ainsi il faut seulement suivre les reçues. Par ce moyen on ne les quitterait jamais. Mais le peuple n'est pas susceptible de cette doctrine, et ainsi comme il croit que la vérité se peut trouver et qu'elle est dans les lois et coutumes il les croit et prend leur antiquité comme une preuve de leur vérité (et non de leur seule autorité (*téméraire*) sans (*raison*) vérité). Ainsi il y obéit mais il est sujet à se révolter dès qu'on lui montre qu'elles ne valent rien, ce qui se peut faire voir de toutes en les regardant d'un certain côté.

526-*408* Le mal est aisé. Il y en a une infinité, le bien presque unique. Mais un certain genre de mal est aussi difficile à trouver que ce qu'on appelle bien, et souvent on fait passer pour bien à cette marque ce mal particulier. Il faut même une grandeur extraordinaire d'âme pour y arriver aussi bien qu'au bien.

527-*40* Les exemples qu'on prend pour prouver d'autres choses, si on voulait prouver les exemples on prendrait les autres choses pour en être les exemples. Car comme on croit toujours que la difficulté est à ce qu'on veut prouver on trouve les exemples plus clairs et aidant à le montrer.

Ainsi quand on veut montrer une chose générale il faut en donner la règle particulière d'un cas, mais si on veut montrer un cas particulier il faudra commencer par la règle (générale). Car on trouve toujours obscure la chose que l'on veut prouver et claire celle qu'on emploie à la preuve, car quand on propose une chose à prouver, d'abord on se remplit de cette imagination qu'elle est donc obscure, et au contraire que celle qui la doit prouver est claire, et ainsi on l'entend aisément.

528-*57* Je me suis mal trouvé de ces compliments : je vous ai bien donné de la peine, je crains de vous ennuyer, je crains que cela soit trop long. Ou on entraîne, ou on irrite.

529-*105* Qu'il est difficile de proposer une chose au jugement d'un autre sans corrompre son jugement par la manière de la lui proposer. Si on dit : je le trouve beau, je le trouve obscur ou autre chose semblable, on entraîne l'imagination à ce jugement ou on l'irrite au contraire. Il vaut mieux ne rien dire et alors il juge selon ce qu'il est, c'est-à-dire selon ce qu'il est alors, et selon que les autres circonstances dont on n'est pas auteur y auront mis. Mais au moins on n'y aura rien mis, si ce n'est que ce silence n'y fasse aussi son effet, selon le tour et l'interprétation qu'il sera en humeur de lui donner, ou selon qu'il le conjecturera des mouvements et air du visage, ou du ton de voix selon qu'il sera physionomiste, tant il est difficile de ne point démonter un jugement de son assiette naturelle, ou plutôt tant il en a peu de ferme et stable.

530-*274* Tout notre raisonnement se réduit à céder au sentiment.

Mais la fantaisie est semblable et contraire au sentiment; de sorte qu'on ne peut distinguer entre ces contraires. L'un dit que mon sentiment est fantaisie, l'autre que sa fantaisie est sentiment. Il faudrait avoir une règle. La raison s'offre mais elle est ployable à tous sens.

Et ainsi il n'y en a point.

531-*85* Ces choses qui nous tiennent le plus, comme de cacher son peu de bien, ce n'est souvent presque rien. C'est un néant que notre imagination grossit en montagne; un autre tour d'imagination nous le fait découvrir sans peine.

532-*373* Pyrr.

J'écrirai ici mes pensées sans ordre et non pas peut-être dans une confusion sans dessein. C'est le véritable ordre et qui marquera toujours mon objet par le désordre même.

Je ferais trop d'honneur à mon sujet si je le traitais avec ordre puisque je veux montrer qu'il en est incapable.

533-*331* On ne s'imagine Platon et Aristote qu'avec de grandes robes de pédants. C'étaient des gens honnêtes et comme les autres, riant avec leurs amis. Et quand ils se sont divertis à faire leurs lois et leurs politiques ils l'ont fait en se jouant. C'était la partie la moins philosophe et la moins sérieuse de leur vie; la plus philosophe était de vivre simplement et tranquillement.

S'ils ont écrit de politique c'était comme pour régler un hôpital de fous.

Et s'ils ont fait semblant d'en parler comme d'une grande chose c'est qu'ils savaient que les fous à qui ils parlaient pensaient être rois et empereurs. Ils entrent dans leurs principes pour modérer leur folie au moins mal qu'il se peut.

534-*5* Ceux qui jugent d'un ouvrage sans règle sont à l'égard des autres comme ceux qui ont une montre à l'égard des autres. L'un dit : il y a deux heures; l'autre dit : il n'y a que trois quarts d'heure. Je regarde ma montre et je dis à l'un : vous vous ennuyez et à l'autre : le temps ne vous dure guère, car il y a une heure et demie et je me moque de ceux qui disent que le temps me dure à moi et que j'en juge par fantaisie.

Ils ne savent pas que j'en juge par ma montre.

535-*102* Il y a des vices qui ne tiennent à nous que par d'autres, et qui en ôtant le tronc s'emportent comme des branches.

536-579 Dieu et (les apôtres) prévoyant que les semences d'orgueil feraient naître les hérésies et ne voulant pas leur donner occasion de naître par des termes propres a mis dans l'Écriture, et les prières de l'église des mots et des semences contraires pour produire leurs fruits dans le temps.

De même qu'il donne dans la morale la charité qui produit des fruits contre la concupiscence.

537-*407* Quand la malignité a la raison de son côté elle devient fière et étale la raison en tout son lustre.

Quand l'austérité ou le choix sévère n'a pas réussi au vrai bien et qu'il faut revenir à suivre la nature elle devient fière par ce retour.

538-*531* Celui qui sait la volonté de son maître sera battu de plus de coups à cause du pouvoir qu'il a par la connaissance;

Qui justus est justificetur adhuc [126],

à cause du pouvoir qu'il a par la justice.

126. Apoc., XXII, 11 : « *Qui est juste, soit justifié encore.* »

A celui qui a le plus reçu sera le plus grand compte demandé à cause du pouvoir qu'il a par le secours.

539-*99* Il y a une différence universelle et essentielle entre les actions de la volonté et toutes les autres.

La volonté est un des principaux organes de la créance, non qu'elle forme la créance, mais parce que les choses sont vraies ou fausses selon la face par où on les regarde. La volonté qui se plaît à l'une plus qu'à l'autre détourne l'esprit de considérer les qualités de celle qu'elle n'aime pas à voir, et ainsi l'esprit marchant d'une pièce avec la volonté s'arrête à regarder la face qu'elle aime et ainsi il en juge par ce qu'il y voit.

540-*380* Toutes les bonnes maximes sont dans le monde; on ne manque qu'à les appliquer.

Par exemple, on ne doute pas qu'il ne faille exposer sa vie pour défendre le bien public, et plusieurs le font; mais pour la religion point.

Il est nécessaire qu'il y ait de l'inégalité parmi les hommes, cela est vrai; mais cela étant accordé voilà la porte ouverte non seulement à la plus haute domination mais à la plus haute tyrannie.

Il est nécessaire de relâcher un peu l'esprit, mais cela ouvre la porte aux plus grands débordements.

Qu'on en marque les limites. Il n'y a point de bornes dans les choses. Les lois en veulent mettre, et l'esprit ne peut le souffrir.

541-*120*

(*Nature diversifie et imite.* — *Artifice imite et diversifie.*

542-*370*

Hasard donne les pensées, et hasard les ôte. Point d'art pour conserver ni pour acquérir.

Pensée échappée je la voulais écrire; j'écris au lieu qu'elle m'est échappée.

543-*938*

Digression.

Tours menus, cela sied.

M'en voulez-vous de me bien garer les Pères, et les...

Je les ai relevés depuis, car je ne les avais pas su...)

544-*778* *Omnis judaeae regio, et Jerosolimitae universi et baptisabantur* [127], à cause de toutes les conditions d'hommes qui y venaient.

Des pierres peuvent être enfants d'Abraham.

545-*458* Tout ce qui est au monde est concupiscence de la chair ou concupiscence des yeux ou orgueil de la vie. *Libido sentiendi, libido sciendi, libido dominandi* [128]. Malheureuse la terre de malédiction que ces trois fleuves de feu embrasent plutôt qu'ils n'arrosent. Heureux ceux qui étant sur ces fleuves, non pas plongés, non pas entraînés, mais immobilement affermis sur ces fleuves, non pas debout, mais assis, dans une assiette basse et sûre, d'où ils ne se relèvent pas avant la lumière, mais après s'y être reposés en paix, tendent la main à celui qui les doit élever pour les faire tenir debout et fermes dans les porches de la sainte Jérusalem où l'orgueil ne pourra plus les combattre et les abattre, et qui cependant pleurent, non pas de voir écouler toutes les choses périssables que ces torrents entraînent, mais dans le souvenir de leur chère patrie de la Jérusalem céleste, dont ils se souviennent sans cesse dans la longueur de leur exil.

546-*515* Les élus ignoreront leurs vertus et les réprouvés la grandeur de leurs crimes. Seigneur quand t'avons-nous vu avoir faim, soif, etc.

547-*784* J.-C. n'a point voulu du témoignage des démons ni de ceux qui n'avaient pas vocation, mais de Dieu et Jean Baptiste.

548-*779* Si on se convertissait Dieu guérirait et pardonnerait.

Ne convertantur et sanem eos [129]. Isaïe. *Et dimittantur eis peccata* [130]. Marc. 3.

549-*780* J.-C. n'a jamais condamné sans ouïr.

A Judas : *amice ad quid venisti* [131]. A celui qui n'avait pas la robe nuptiale de même.

550-*744* Priez de peur d'entrer en tentation. Il est dangereux d'être tenté. Et ceux qui le sont c'est parce qu'ils ne prient pas.

127. Mc, I, 5 : « *Et tout le pays de Judée, et tous ceux de Jérusalem* allaient vers lui, *et étaient baptisés...* »

128. I Jn, II, 16 : « ...car tout ce qui est dans le monde, à savoir la convoitise de la chair et la convoitise des yeux et l'ostentation de la fortune, n'est pas du Père, mais est du monde. »

129. Cf. Is., VI, 10 : « Aveugle le cœur de ce peuple, et rends ses oreilles sourdes, et ferme ses yeux; de peur qu'il ne voie de ses yeux et qu'il n'entende de ses oreilles, et que de son cœur il ne comprenne, et *qu'il ne se convertisse et que je ne le guérisse.* » — Mc, IV, 12 : « Afin qu'ils ne se convertissent et que leurs péchés ne leur soient remis. »

130. Mc, III, 28 : « *Et les péchés leur seront remis.* »

131. Mtt, XXVI, 50 : « Jésus lui dit : *Mon ami pourquoi es-tu (venu) ici?* »

Et tu conversus confirma fratres tuos [132], mais auparavant *conversus Jesus respexit Petrum* [133].

Saint Pierre demande permission de frapper Malchus. Et frappe devant que d'ouïr la réponse. Et J.-C. répond après.

Le mot de Galilée que la foule des Juifs prononça comme par hasard en accusant J.-C. devant Pilate donne sujet à Pilate d'envoyer J.-C. à Hérode. En quoi fut accompli le mystère qu'il devait être jugé par les Juifs et les Gentils. Le hasard en apparence fut la cause de l'accomplissement du mystère.

551-*84* L'imagination grossit les petits objets jusqu'à en remplir notre âme par une estimation fantasque, et par une insolence téméraire elle amoindrit les grandes jusqu'à sa mesure, comme en parlant de Dieu.

552-*107* *Lustravit lampade terras* [134]. Le temps et mon humeur ont peu de liaison. J'ai mes brouillards et mon beau temps au-dedans de moi; le bien et le mal de mes affaires même y fait peu. Je m'efforce quelquefois de moi-même contre la fortune. La gloire de la dompter me la fait dompter gaiement, au lieu que je fais quelquefois le dégoûté dans la bonne fortune.

553-*76* Écrire contre ceux qui approfondissent trop les sciences. Descartes.

554-*303* La force est la reine du monde et non pas l'opinion, mais l'opinion est celle qui use de la force.

C'est la force qui fait l'opinion. La mollesse est belle selon notre opinion. Pourquoi? parce que qui voudra danser sur la corde sera seul, et je ferai une cabale plus forte de gens qui diront que cela n'est pas beau.

555-*47* Il y en a qui parlent bien et qui n'écrivent pas bien. C'est que le lieu, l'assistance les échauffe et tire de leur esprit plus qu'ils n'y trouvent sans cette chaleur.

556-*371* (*Quand j'étais petit je serrais mon livre et parce qu'il m'arrivait quelquefois... en croyant l'avoir serré je me défiais.*)

557-*45* Les langues sont des chiffres où, non les lettres sont changées en lettres, mais les mots en mots. De sorte qu'une langue inconnue est déchiffrable.

558-*114* La diversité est si ample que tous les tons de voix, tous les marchers, toussers, mouchers, éternuements. On distingue des fruits les raisins, et entre ceux-là les muscats, et puis Condrieu, et puis Desargues, et puis cette ente. Est-ce tout? en a(-t-)elle jamais produit deux grappes pareilles, et une grappe a(-t-)elle deux grains pareils, etc.

Je n'ai jamais jugé d'une chose exactement de même, je ne puis juger d'un ouvrage en le faisant. Il faut que je fasse comme les peintres et que je m'en éloigne, mais non pas trop. De combien donc? Devinez...

559-*27* Miscellan. Langage.

Ceux qui font les antithèses en forçant les mots sont comme ceux qui font de fausses fenêtres pour la symétrie.

Leur règle n'est pas de parler juste mais de faire des figures justes.

560-*552* Sépulchre de J.-C.

J.-C. était mort mais vu sur la croix. Il est mort et caché dans le sépulchre.

J.-C. n'a été enseveli que par des saints.

J.-C. n'a fait aucuns miracles au sépulchre.

Il n'y a que des saints qui y entrent.

C'est là que J.-C. prend une nouvelle vie, non sur la croix.

C'est le dernier mystère de la passion et de la rédemption.

(*J.-C. enseigne vivant, mort, enseveli, ressuscité.*)

J.-C. n'a point eu où se reposer sur la terre qu'au sépulchre.

Ses ennemis n'ont cessé de le travailler qu'au sépulchre.

561-*173* Ils disent que les éclipses présagent malheur parce que les malheurs sont ordinaires, de sorte qu'il arrive si souvent du mal qu'ils devinent souvent, au lieu que s'ils disaient qu'elles présagent bonheur ils mentiraient souvent. Ils ne donnent le bonheur qu'à des rencontres du ciel rares. Ainsi ils manquent peu souvent à deviner.

562-*534* Il n'y a que deux sortes d'hommes, les uns justes qui se croient pécheurs, les autres pécheurs qui se croient justes.

132. Lc, XXII, 32 : « J'ai prié pour toi, afin que ta foi ne défaille point; toi donc, quand quelque fois *tu seras converti, confirme tes frères.* »

133. Lc, XXII, 61 : « Et le Seigneur s'étant *retourné regarda Pierre*, et Pierre se souvint de la parole du Seigneur, comment il avait dit : Avant que le coq chante aujourd'hui, tu me renieras trois fois. Et étant sorti dehors il pleura amèrement. »

134. Cf. Montaigne, *Essais*, II, 12 : « L'air même et la sérénité du ciel nous apporte quelque mutation, comme dit ce vers grec, en Cicero... »

563-*886* Hérétiques.

Ezech. Tous les payens disaient du mal d'Israël et le prophète aussi. Et tant s'en faut que les Israélites eussent droit de lui dire : vous parlez comme les payens, qu'il fait sa plus grande force sur ce que les payens parlent comme lui.

564-*485* La vraie et unique vertu est donc de se haïr, car on est haïssable par sa concupiscence, et de chercher un être véritablement aimable pour l'aimer. Mais comme nous ne pouvons aimer ce qui est hors de nous, il faut aimer un être qui soit en nous, et qui ne soit pas nous. Et cela est vrai d'un chacun de tous les hommes. Or il n'y a que l'être universel qui soit tel. Le royaume de Dieu est en nous. Le bien universel est en nous, est nous-même et n'est pas nous.

565-*591*

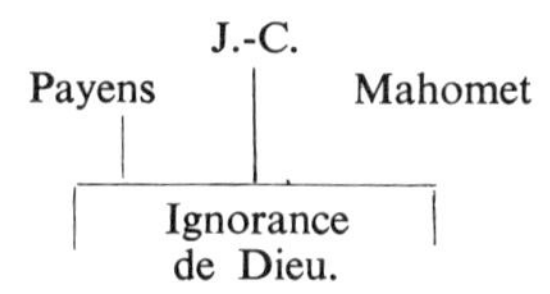

566-*575* Tout tourne en bien pour les élus.

Jusqu'aux obscurités de l'Écriture, car ils les honorent à cause des clartés divines, et tout tourne en mal pour les autres jusqu'aux clartés, car ils les blasphèment à cause des obscurités qu'ils n'entendent pas.

567-*874* Il ne faut pas juger de ce qu'est le pape par quelques paroles des Pères (comme disaient les Grecs dans un Concile. Règles importantes), mais par les actions de l'Église, et des Pères et par les canons.

L'unité et la multitude, *duo aut tres in unum* [135], erreur à exclure l'un des deux, comme font les papistes qui excluent la multitude, ou les huguenots qui excluent l'unité.

568-*815* Il n'est pas possible de croire raisonnablement contre les miracles.

569-*872* Le pape est premier. Quel autre est connu de tous, quel autre est reconnu de tous, ayant pouvoir d'insinuer dans tout le corps parce qu'il tient la maîtresse branche qui s'insinue partout.

Qu'il était aisé de faire dégénérer cela en tyrannie. C'est pourquoi J.-C. leur a posé ce précepte : *Vos autem non sic* [136].

570-*768* J.-C. figuré par Joseph.

Innocent, bien aimé de son père, envoyé du père pour voir ses frères, est vendu par ses frères 20 deniers. Et par là devenu leur seigneur, leur sauveur et le sauveur des étrangers et le sauveur du monde. Ce qui n'eût point été sans le dessein de le perdre (*et*), la vente et la réprobation qu'ils en firent.

Dans la prison, Joseph, innocent, entre deux criminels. J.-C. en la croix entre deux larrons. Il prédit le salut à l'un et la mort à l'autre sur les mêmes apparences. J.-C. sauve les élus et damne les réprouvés sur les mêmes crimes. Joseph ne fait que prédire, J.-C. fait. Joseph demande à celui qui sera sauvé qu'il se souvienne de lui quand il sera venu en sa gloire. Et celui que J.-C. sauve lui demande qu'il se souvienne de lui quand il sera en son royaume.

571-*775* Il y a hérésie à expliquer toujours, *omnes*, de tous. Et hérésie à ne le pas expliquer quelquefois de tous, *bibite ex hoc omnes* [137]. Les huguenots hérétiques en l'expliquant de tous. *In quo omnes peccaverunt* [138]. Les huguenots hérétiques en exceptant les enfants des fidèles. Il faut donc suivre les Pères et la tradition pour savoir quand, puisqu'il y a hérésie à craindre de part et d'autre.

572-*54* Miscell. Façon de parler.

Je (...) m'étais voulu appliquer à cela.

573-*646* La synagogue ne périssait point parce qu'elle était la figure.

Mais parce qu'elle n'était que la figure elle est tombée dans la servitude.

La figure a subsisté jusqu'à la vérité afin que l'Église fût toujours visible ou dans la peinture qui la promettait ou dans l'effet.

574-*263* Un miracle, dit-on, affermirait ma créance, on le dit quand on ne le voit pas.

Les raisons qui, étant vues de loin, paraissent borner notre vue, mais quand on y est arrivé on com-

135. Cf. I Cor., XIV, 27 : « Soit que quelqu'un parle le langage, que cela se fasse par deux, ou au plus par trois. » — 29 : « Et que deux ou trois prophètes parlent, et que les autres en jugent. » — v, 23 : « Si donc toute l'Église assemble en un... » (Cf. J. Lhermet, *Pascal et la Bible*, p. 202.)

136. Lc, XXII, 25-26 : « Jésus leur dit : Les rois des nations les dominent, et leurs princes reçoivent le nom de bienfaiteurs. *Pour vous, il ne doit pas en être ainsi*, mais que le plus grand parmi vous soit comme le moindre, et chef, comme celui qui sert. »

137. Mtt, XXVI, 27 : « Et prenant le calice il rendit grâces et le leur donna disant : *Buvez tous de ce...* »

138. Rom., V, 12 : « Par quoi, comme par un homme le péché est entré au monde, et par le péché la mort ; et ainsi la mort est parvenue sur tous les hommes, *en quoi tous ont péché.* »

mence à voir encore au-delà. Rien n'arrête la volubilité de notre esprit. Il n'y a point, dit-on, de règle qui n'ait quelque exception ni de vérité si générale qui n'ait quelque face par où elle manque. Il suffit qu'elle ne soit pas absolument universelle pour nous donner sujet d'appliquer l'exception au sujet présent, et de dire, cela n'est pas toujours vrai, donc il y a des cas où cela n'est pas. Il ne reste plus qu'à montrer que celui-ci en est et c'est à quoi on est bien maladroit ou bien malheureux si on ne trouve quelque joint.

575-*651* Extravagances des Apocalyptiques et préadamites, millénaristes, etc.

Qui voudra fonder des opinions extravagantes sur l'Écriture en fondera par exemple sur cela.

Il est dit que cette génération ne passera point jusqu'à ce que tout cela se fasse. Sur cela je dirai qu'après cette génération il viendra une autre génération et toujours successivement.

Il est parlé dans le 2 paralipom. de Salomon et de roi comme si c'étaient deux personnes diverses. Je dirai que c'en étaient deux.

576-*567* Les deux raisons contraires. Il faut commencer par là sans cela on n'entend rien, et tout est hérétique. Et même à la fin de chaque vérité il faut ajouter qu'on se souvient de la vérité opposée.

577-*234* S'il ne fallait rien faire que pour le certain on ne devrait rien faire pour la religion, car elle n'est pas certaine. Mais combien de choses fait-on pour l'incertain, les voyages sur mer, les batailles. Je dis donc qu'il ne faudrait rien faire du tout, car rien n'est certain. Et qu'il y a plus de certitude à la religion que non pas que nous voyions le jour de demain.

Car il n'est pas certain que nous voyions demain, mais il est certainement possible que nous ne le voyions pas. On n'en peut pas dire autant de la religion. Il n'est pas certain qu'elle soit mais qui osera dire qu'il est certainement possible qu'elle ne soit pas.

Or quand on travaille pour demain et pour l'incertain on agit avec raison, car on doit travailler pour l'incertain par la règle des partis qui est démontrée.

Saint Augustin a vu qu'on travaille pour l'incertain sur mer, en bataille, etc. — mais il n'a pas vu la règle des partis qui démontre qu'on le doit. Montaigne a vu qu'on s'offense d'un esprit boiteux et que la coutume peut tout, mais il n'a pas vu la raison de cet effet.

Toutes ces personnes ont vu les effets mais ils n'ont pas vu les causes. Ils sont à l'égard de ceux qui ont découvert les causes comme ceux qui n'ont que les yeux à l'égard de ceux qui ont l'esprit. Car les effets sont comme sensibles et les causes sont visibles seulement à l'esprit. Et quoique ces effets-là se voient par l'esprit, cet esprit est à l'égard de l'esprit qui voit les causes comme les sens corporels à l'égard de l'esprit.

578-*26* L'éloquence est une peinture de la pensée, et ainsi ceux qui après avoir peint ajoutent encore font un tableau au lieu d'un portrait.

579-*53* Carrosse versé ou renversé selon l'intention.

Répandre ou verser selon l'intention.

Plaidoyer de M. le M. sur le cordelier par force.

580-*28* Symétrie.
en ce qu'on voit d'une vue.

fondée sur ce qu'il n'y a pas de raison de faire autrement.

Et fondée aussi sur la figure de l'homme.

D'où il arrive qu'on ne veut la symétrie qu'en largeur, non en hauteur, ni profondeur.

581-*12* Scaramouche qui ne pense qu'à une chose.

Le docteur qui parle un quart d'heure après avoir tout dit, tant il est plein de désir de dire.

582-*669* Changer de figure, à cause de notre faiblesse.

583-*56* Deviner la part que je prends à votre déplaisir, M. le Cardinal ne voulait point être deviné.

J'ai l'esprit plein d'inquiétude; je suis plein d'inquiétude vaut mieux.

584-*15* Éloquence qui persuade par douceur, non par empire, en tyran non en roi.

585-*32* Il y a un certain modèle d'agrément et de beauté qui consiste en un certain rapport entre notre nature faible ou forte telle qu'elle est et la chose qui nous plaît.

Tout ce qui est formé sur ce modèle nous agrée, soit maison, chanson, discours, vers, prose, femme, oiseaux, rivières, arbres, chambres, habits, etc.

Tout ce qui n'est point fait sur ce modèle déplaît à ceux qui ont le goût bon.

Et comme il y a un rapport parfait entre une chanson et une maison qui sont faites sur ce bon modèle, parce qu'elles ressemblent à ce modèle unique, quoique chacune selon son genre, il y a de même un rapport parfait entre les choses faites sur les mauvais modèles. Ce n'est pas que le mauvais modèle soit unique, car il y en a une infinité, mais chaque mauvais sonnet par exemple, sur quelque faux modèle qu'il soit fait, ressemble parfaitement à une femme vêtue sur ce modèle.

Rien ne fait mieux entendre combien un faux sonnet est ridicule que d'en considérer la nature et le modèle et de s'imaginer ensuite une femme ou une maison faite sur ce modèle-là.

586-*33* Beauté poétique.

Comme on dit beauté poétique on devrait aussi dire beauté géométrique et beauté médecinale, mais on ne le dit pas et la raison en est qu'on sait bien quel est l'objet de la géométrie et qu'il consiste en preuve, et quel est l'objet de la médecine et qu'il consiste en la guérison; mais on ne sait pas en quoi consiste l'agrément qui est l'objet de la poésie. On ne sait ce que c'est que ce modèle naturel qu'il faut imiter et à faute de cette connaissance on a inventé de certains termes bizarres, siècle d'or, merveille de nos jours, fatals, etc. Et on appelle ce jargon beauté poétique.

Mais qui s'imaginera une femme sur ce modèle-là, qui consiste à dire de petites choses avec de grands mots, verra une jolie demoiselle toute pleine de miroirs et de chaînes, dont il rira parce qu'on sait mieux en quoi consiste l'agrément d'une femme que l'agrément des vers, mais ceux qui ne s'y connaîtraient pas l'admireraient en cet équipage et il y a bien des villages où on la prendrait pour la reine et c'est pourquoi nous appelons les sonnets faits sur ce modèle-là les reines de village.

587-*34* On ne passe point dans le monde pour se connaître en vers si l'on (n')a mis l'enseigne de poète, de mathématicien, etc. mais les gens universels ne veulent point d'enseigne et ne mettent guère de différence entre le métier de poète et celui de brodeur.

Les gens universels ne sont appelés ni poètes, ni géomètres, etc. Mais ils sont tout cela et juges de tous ceux-là. On ne les devine point et parleront de ce qu'on parlait quand ils sont entrés. On ne s'aperçoit point en eux d'une qualité plutôt que d'une autre, hors de la nécessité de la mettre en usage, mais alors on s'en souvient. Car il est également de ce caractère qu'on ne dise point d'eux qu'ils parlent bien quand il n'est point question du langage et qu'on dise d'eux qu'ils parlent bien quand il en est question.

C'est donc une fausse louange qu'on donne à un homme quand on dit de lui lorsqu'il entre qu'il est fort habile en poésie et c'est une mauvaise marque quand on n'a pas recours à un homme quand il s'agit de juger de quelques vers.

588-*279* La foi est un don de Dieu. Ne croyez pas que nous disions que c'est un don de raisonnement. Les autres religions ne disent pas cela de leur foi. Elles ne donnaient que le raisonnement pour y arriver, qui n'y mène pas néanmoins.

589-*704* Le diable a troublé le zèle des Juifs avant Jésus-Christ parce qu'il leur eût été salutaire, mais non pas après.

Le peuple juif moqué des Gentils, le peuple chrétien persécuté.

590-*656* *Adam forma futuri* [139]. Les six jours pour former (l')un, les six âges pour former l'autre. Les six jours que Moïse représente pour la formation d'Adam ne sont que la peinture des six âges pour former Jésus-Christ et l'église. Si Adam n'eût point péché et que Jésus-Christ ne fût point venu il n'y eût eu qu'une seule alliance, qu'un seul âge des hommes et la création eût été représentée comme faite en un seul temps.

591-*186* *Ne si terrerentur et non docerentur improba quasi dominatio videretur* [140]. Aug. ep. 48 ou 49. 4. To. *Contra mendacium, ad Consentium.*

SÉRIE XXIV

592-*750* Si les Juifs eussent été tous convertis par Jésus-Christ nous n'aurions plus que des témoins suspects. Et s'ils avaient été exterminés, nous n'en aurions point du tout.

593-*760* Les Juifs le refusent mais non pas tous; les saints le reçoivent et non les charnels, et tant s'en faut que cela soit contre sa gloire que c'est le dernier trait qui l'achève. Comme la raison qu'ils en ont et la seule qui se trouve dans tous leurs écrits, dans le Talmud et dans les rabbins, n'est que parce que Jésus-Christ n'a pas dompté les nations en main armée. *Gladium tuum potentissime* [141]. N'ont-ils que cela à dire? Jésus-Christ a été tué, disent-ils, il a succombé et il n'a pas dompté les payens par la force. Il ne nous a pas donné leurs dépouilles. Il ne donne

139. Rom., v, 14 : « La mort a régné depuis Adam jusqu'à Moïse, même sur ceux qui n'avaient point péché à la façon de la transgression d'Adam, qui est *figure de* (*celui*) *qui devait venir* (*forma futuri*). »

140. « *Si l'on employait* (contre les hérétiques) *la terreur et non l'instruction, ç'aurait l'air d'une tyrannie.* »

141. Ps. XLIV, 4 : « Ceignez *votre glaive* sur votre cuisse, *roi très puissant...* »

point de richesses, n'ont-ils que cela à dire? C'est en cela qu'il m'est aimable. Je ne voudrais pas celui qu'ils se figurent. Il est visible que ce n'est que le vice qui leur a empêché de le recevoir et par ce refus ils sont des témoins sans reproche, et qui plus est par là ils accomplissent les prophéties.

(*Par le moyen de ce que ce peuple ne l'a pas reçu est arrivée cette merveille que voici :*

Les prophéties sont les seuls miracles subsistants qu'on peut faire, mais elles sont sujet(tes) à être contredites.)

594-*576* (*Ordre*) Conduite générale du monde envers l'Église. Dieu voulant aveugler et éclairer.

L'événement ayant prouvé la divinité de ces prophéties le reste doit en être cru et par là nous voyons l'ordre du monde en cette sorte.

Les miracles de la création et du déluge s'oubliant Dieu envoya la loi et les miracles de Moïse, les prophètes qui prophétisent des choses particulières. Et pour préparer un miracle subsistant il prépare des prophéties et l'accomplissement. Mais les prophéties pouvant être suspectes il veut les rendre non suspectes etc.

595-*450* Si l'on ne se connaît plein de superbe, d'ambition, de concupiscence, de faiblesse, de misère et d'injustice, on est bien aveugle. Et si en le connaissant on ne désire d'en être délivré que peut-on dire d'un homme?

Que peut-on donc avoir, que de l'estime pour une religion qui connaît si bien les défauts de l'homme, et que du désir pour la vérité d'une religion qui y promet des remèdes si souhaitables?

596-*202* (*Par ceux qui sont dans le déplaisir de se voir sans foi, on voit que Dieu ne les éclaire pas ; mais les autres, on voit qu'il y a un Dieu qui les aveugle.*)

597-*455* Le moi est haïssable. Vous Miton le couvrez, vous ne l'ôtez point pour cela. Vous êtes donc toujours haïssable.

Point, car en agissant comme nous faisons obligeamment pour tout le monde on n'a plus sujet de nous haïr. Cela est vrai, si on ne haïssait dans le moi que le déplaisir qui nous en revient.

Mais si je le hais parce qu'il est injuste qu'il se fasse centre de tout, je le haïrai toujours.

En un mot le moi a deux qualités. Il est injuste en soi en ce qu'il se fait centre de tout. Il est incommode aux autres en ce qu'il les veut asservir, car chaque moi est l'ennemi et voudrait être le tyran de tous les autres. Vous en ôtez l'incommodité, mais non pas l'injustice.

Et ainsi vous ne le rendez pas aimable à ceux qui en haïssent l'injustice. Vous ne le rendez aimable qu'aux injustes qui n'y trouvent plus leur ennemi. Et ainsi vous demeurez injuste, et ne pouvez plaire qu'aux injustes.

598-*868* Ce qui nous gâte pour comparer ce qui s'est passé autrefois dans l'église à ce qui s'y voit maintenant est que ordinairement on regarde saint Athanase, sainte Thérèse et les autres, comme couronnés de gloire et d'ans, jugés avant nous comme des dieux. A présent que le temps a éclairci les choses cela paraît ainsi, mais au temps où on le persécutait ce grand saint était un homme qui s'appelait Athanase et sainte Thérèse une fille. Élie était un homme comme nous et sujet aux mêmes passions que nous, dit saint Pierre pour désabuser les chrétiens de cette fausse idée, qui nous fait rejeter l'exemple des saints comme disproportionné à notre état. C'étaient des saints, disons-nous, ce n'est pas comme nous. Que se passait-il donc alors? Saint Athanase était un homme appelé Athanase, accusé de plusieurs crimes, condamné en tel et tel concile pour tel et tel crime. Tous les évêques y consentent et le pape enfin. Que dit-on à ceux qui y résistent? qu'ils troublent la paix, qu'ils font schisme, etc.

4 sortes de personnes, zèle sans science, science sans zèle, ni science ni zèle, et zèle et science.

Les trois premiers le condamnent, les derniers l'absolvent et sont excommuniés de l'Église, et sauvent néanmoins l'Église.

Zèle, lumière.

599-*908* Mais est-il *probable* que la *probabilité* assure?

Différence entre repos et sûreté de conscience. Rien ne donne l'assurance que la vérité; rien ne donne le repos que la recherche sincère de la vérité.

600-*440* La corruption de la raison paraît par tant de différentes et extravagantes mœurs. Il a fallu que la vérité soit venue, afin que l'homme ne véquît plus en soi-même.

601-*907* Les casuistes soumettent la décision à la raison corrompue et le choix des décisions à la volonté corrompue, afin que tout ce qu'il y a de corrompu dans la nature de l'homme ait part à sa conduite.

602-*885* Est fait prêtre qui veut l'être, comme sous Jéroboam.

C'est une chose horrible qu'on nous propose la discipline de l'église d'aujourd'hui pour tellement bonne, qu'on fasse un crime de la vouloir changer. Autrefois elle était bonne infailliblement et on trouve qu'on a pu la changer sans péché. Et maintenant telle qu'elle est on ne la pourra souhaiter changée.

Il a bien été permis de changer la coutume de ne faire des prêtres qu'avec tant de circonspection qu'il n'y en avait presque point qui en fussent dignes, et il ne sera pas permis de se plaindre de la coutume qui en fait tant d'indignes.

603-*502* Abraham ne prit rien pour lui mais seulement pour ses serviteurs. Ainsi le juste ne prend rien pour soi du monde, ni des applaudissements du monde, mais seulement pour ses passions dont il se sert comme maître en disant à l'une : Va et viens, *sub te erit appetitus tuus* [142]. Ses passions ainsi dominées sont vertus; l'avarice, la jalousie, la colère, Dieu même se les attribue. Et ce sont aussi bien vertus que la clémence, la pitié, la constance qui sont aussi des passions. Il faut s'en servir comme d'esclaves et leur laissant leur aliment empêcher que l'âme n'y en prenne. Car quand les passions sont les maîtresses, elles sont vices et alors elles donnent à l'âme de leur aliment, et l'âme s'en nourrit et s'en empoisonne.

604-*871* Église, pape.
Unité — Multitude. En considérant l'église comme unité le pape qui en est le chef est comme tout; en la considérant comme multitude le pape n'en est qu'une partie. Les Pères l'ont considérée tantôt en une manière, tantôt en l'autre. Et ainsi ont parlé diversement du pape.
Saint Cyprien, *sacerdos dei* [143].
Mais en établissant une de ces deux vérités ils n'ont pas exclu l'autre.
La multitude qui ne se réduit pas à l'unité est confusion. L'unité qui ne dépend pas de la multitude est tyrannie.

Il n'y a presque plus que la France où il soit permis de dire que le concile est au-dessus du pape.

605-*36* L'homme est plein de besoins. Il n'aime que ceux qui peuvent les remplir tous. C'est un bon mathématicien dira(-t-)on, mais je n'ai que faire de mathématique; il me prendrait pour une proposition. C'est un bon guerrier : il me prendrait pour une place assiégée. Il faut donc un honnête homme qui puisse s'accommoder à tous mes besoins généralement.
606-*155* Un vrai ami est une chose si avantageuse même pour les plus grands seigneurs, afin qu'il dise du bien d'eux et qu'il les soutienne en leur absence. Même qu'ils doivent tout faire pour en avoir, mais qu'ils choisissent bien, car s'ils font tous leurs efforts pour des sots, cela leur sera inutile quelque bien qu'ils disent d'eux. Et même ils n'en diront pas de bien s'ils se trouvent les plus faibles, car ils n'ont pas d'autorité et ainsi ils en médiront par compagnie.
610-*30* (*Qu'on voie les discours de la 2, 4 et 5 du janséniste. Cela est haut et sérieux.*)

(*Je hais également le bouffon et l'enflé*). On ne ferait son ami de l'un ni l'autre.

On ne consulte que l'oreille parce qu'on manque de cœur.

611-*30* Sa règle est l'honnêteté.

Poète et non honnête homme.

610-*30* (*Après ma 8 je croyais avoir assez répondu.*)

611-*30* Beautés d'omission, de jugement.

607-*766* Fig.
Sauveur, père, sacrificateur, hostie, nourriture, roi, sage, législateur, affligé, pauvre, devant produire un peuple, qu'il devait conduire et nourrir, et introduire dans sa terre.
608-*766* J.-C. offices.
Il devait lui seul produire un grand peuple, élu, saint et choisi, le conduire, le nourrir, l'introduire dans le lieu de repos et de sainteté, le rendre saint à Dieu, en former le temple de Dieu, le réconcilier à Dieu, le sauver de la colère de Dieu, le délivrer de la servitude du péché qui règne visiblement dans l'homme, donner des lois à ce peuple, graver ces lois dans leur cœur, s'offrir à Dieu pour eux, se sacrifier pour eux, être une hostie sans tache, et lui-même sacrificateur, devant offrir lui-même son corps et son sang. Et néanmoins offrir pain et vin à Dieu.

Ingrediens mundum [144].

Pierre sur pierre.
Ce qui a précédé, ce qui a suivi, tous les juifs subsistants et vagabonds.

609-*736* Prophéties. *Transfixerunt* [145]. Zach. 12. 10
Qu'il devait venir un Libérateur qui écraserait la tête au démon, qui devait délivrer son peuple de ses péchés, *ex omnibus iniquitatibus* [146]. Qu'il devait y avoir un nouveau Testament qui serait éternel, qu'il devait y avoir une autre prêtrise selon l'ordre de Melchisedech, que celle-là serait éternelle, que le Christ

142. Gen., IV, 7 : « Iahvé dit à Caïn : le désir te sollicite mais *tu te soumettras ton désir.* »
143. Saint Cyprien, *lettre* 63 à Cécilius : « Car si nous sommes les *évêques de Dieu* et du Christ je ne vois pas quel autre guide nous devons suivre que Dieu et le Christ... » (traduction Bayard, Belles Lettres, Paris).
144. Hébr., X, 5 : « C'est pourquoi *en entrant dans le monde* il dit : Vous n'avez pas voulu de sacrifice ni d'oblation, mais vous m'avez formé un corps. »
145. Zach., XII, 10 : « ...Et ils regardent vers moi *qu'ils ont percé...* »
146. Ps. CXXIX, 8 : « Et lui-même rachètera Israël *de toutes ses iniquités.* »

devait être glorieux, puissant, fort, et néanmoins si misérable, qu'il ne serait point reconnu, qu'on ne le prendrait point pour ce qu'il est, qu'on le rebuterait, qu'on le tuerait, que son peuple qui l'aurait renié ne serait plus son peuple, que les idolâtres le recevraient et auraient recours à lui, qu'il quitterait Sion pour régner au centre de l'idolâtrie, que néanmoins les Juifs subsisteront toujours, qu'il devait être de Juda et qu'il n'y aurait plus de roi.

612-*219* Il est indubitable que l'âme soit mortelle ou immortelle; cela doit mettre une différence entière dans la morale, et cependant les philosophes ont conduit leur morale indépendamment de cela.

Ils délibèrent de passer une heure.

Platon pour disposer au christianisme.

613-*443* Grandeur, misère.
A mesure qu'on a de lumière on découvre plus de grandeur et plus de bassesse dans l'homme.
Le commun des hommes.
Ceux qui sont plus élevés.
Les philosophes.
Ils étonnent le commun des hommes.
Les chrétiens, ils étonnent les philosophes.
Qui s'étonnera donc de voir que la religion ne fait que connaître à fond ce qu'on reconnaît d'autant plus qu'on a plus de lumière.

614-*664* Figuratif.
Dieu s'est servi de la concupiscence des Juifs pour les faire servir à J.-C. (*qui portait le remède à la concupiscence*).

615-*663* Figuratif.
Rien n'est si semblable à la charité que la cupidité et rien n'est si contraire. Ainsi les juifs pleins de biens qui flattent leur cupidité étaient très conformes aux chrétiens et très contraires. Et par ce moyen ils avaient les deux qualités qu'il fallait qu'ils eussent d'être très conformes au Messie, pour le figurer, et très contraires pour n'être point témoins suspects.

616-*660* La concupiscence nous est devenue naturelle et a fait notre seconde nature. Ainsi il y a deux natures en nous, l'une bonne, l'autre mauvaise. Où est Dieu? où vous n'êtes pas et le royaume de Dieu est dans vous. Rabbins.

617-*492* Qui ne hait en soi son amour-propre et cet instinct qui le porte à se faire Dieu, est bien aveuglé. Qui ne voit que rien n'est si opposé à la justice et à la vérité. Car il est faux que nous méritions cela, et il est injuste et impossible d'y arriver, puisque tous demandent la même chose. C'est donc une manifeste injustice où nous sommes nés, dont nous ne pouvons nous défaire et dont il faut nous défaire.

Cependant aucune religion n'a remarqué que ce fût un péché, ni que nous y fussions nés, ni que nous fussions obligés d'y résister, ni n'a pensé à nous en donner les remèdes.

618-*479* S'il y a un Dieu il ne faut aimer que lui et non les créatures passagères. Le raisonnement des impies dans la *Sagesse* n'est fondé que sur ce qu'il n'y a point de Dieu. Cela posé, dit-il, jouissons donc des créatures. C'est le pis-aller. Mais s'il y avait un Dieu à aimer il n'aurait pas conclu cela mais bien le contraire. Et c'est la conclusion des sages: il y a un Dieu, ne jouissons donc pas des créatures.

Donc tout ce qui nous incite à nous attacher aux créatures est mauvais puisque cela nous empêche, ou de servir Dieu, si nous le connaissons, ou de le chercher si nous l'ignorons. Or nous sommes pleins de concupiscence, donc nous sommes pleins de mal, donc nous devons nous haïr nous-mêmes, et tout ce qui nous excite à autre attache qu'à Dieu seul.

619-*394* Tous leurs principes sont vrais, des pyrrhoniens, des stoïques, des athées, etc... mais leurs conclusions sont fausses, parce que les principes opposés sont vrais aussi.

620-*146* L'homme est visiblement fait pour penser. C'est toute sa dignité et tout son mérite; et tout son devoir est de penser comme il faut. Or l'ordre de la pensée est de commencer par soi, et par son auteur et sa fin.
Or à quoi pense le monde? jamais à cela, mais à danser, à jouer du luth, à chanter, à faire des vers, à courir la bague etc. et à se battre, à se faire roi, sans penser à ce que c'est qu'être roi et qu'être homme.

621-*412* Guerre intestine de l'homme entre la raison et les passions.
S'il n'y avait que la raison sans passions.
S'il n'y avait que les passions sans raison.
Mais ayant l'un et l'autre il ne peut être sans guerre, ne pouvant avoir paix avec l'un qu'ayant guerre avec l'autre.
Aussi il est toujours divisé et contraire à lui-même.

622-*131* Ennui.
Rien n'est si insupportable à l'homme que d'être dans un plein repos, sans passions, sans affaires, sans divertissement, sans application.

Il sent alors son néant, son abandon, son insuffisance, sa dépendance, son impuissance, son vide.
Incontinent il sortira du fond de son âme, l'ennui, la noirceur, la tristesse, le chagrin, le dépit, le désespoir.

623-*495* Si c'est un aveuglement surnaturel de vivre sans chercher ce qu'on est, c'en est un terrible de vivre mal en croyant Dieu.

624-*731* Prophéties.
Que J.-C. sera à la droite pendant que Dieu lui assujettira ses ennemis.
Donc il ne les assujettira pas lui-même.

625-214 Injustice.
Que la présomption soit jointe à la nécessité, c'est une extrême injustice.

626-*462* Recherche du vrai bien.
Le commun des hommes met le bien dans la fortune et dans les biens du dehors ou au moins dans le divertissement.
Les philosophes ont montré la vanité de tout cela et l'ont mis où ils ont pu.

627-*150* La vanité est si ancrée dans le cœur de l'homme qu'un soldat, un goujat, un cuisinier, un crocheteur se vante et veut avoir ses admirateurs et les philosophes mêmes en veulent, et ceux qui écrivent contre veulent avoir la gloire d'avoir bien écrit, et ceux qui les lisent veulent avoir la gloire de les avoir lus, et moi qui écris ceci ai peut-être cette envie, et peut-être que ceux qui le liront...

628-*153* Du désir d'être estimé de ceux avec qui on est.

L'orgueil nous tient d'une possession si naturelle au milieu de nos misères, erreur, etc. Nous perdons encore la vie avec joie pourvu qu'on en parle.

Vanité, jeu, chasse, visites, comédies, fausse perpétuité de nom.

629-*417* Cette duplicité de l'homme est si visible qu'il y en a qui ont pensé que nous avions deux âmes.
Un sujet simple leur paraissant incapable de telles et si soudaines variétés, d'une présomption démesurée à un horrible abattement de cœur.

630-*94* La nature de l'homme est tout nature, *omne animal.*

Il n'y a rien qu'on ne rende naturel. Il n'y a naturel qu'on ne fasse perdre.

631-*422* Il est bon d'être lassé et fatigué par l'inutile recherche du vrai bien, afin de tendre les bras au Libérateur.

632-198 La sensibilité de l'homme aux petites choses et l'insensibilité (aux) plus grandes choses, marque d'un étrange renversement.

633-*411* Malgré la vue de toutes nos misères qui nous touchent, qui nous tiennent à la gorge, nous avons un instinct que nous ne pouvons réprimer qui nous élève.

634-*97* La chose la plus importante à toute la vie est le choix du métier, le hasard en dispose.
La coutume fait les maçons, soldats, couvreurs. C'est un excellent couvreur, dit-on, et en parlant des soldats : ils sont bien fous, dit-on, et les autres au contraire : il n'y a rien de grand que la guerre, le reste des hommes sont des coquins. A force d'ouïr louer en l'enfance ces métiers et mépriser tous les autres on choisit. Car naturellement on aime la vertu et on hait la folie; ces mots mêmes décideront; on ne pèche qu'en l'application.
Tant est grande la force de la coutume que de ceux que la nature n'a fait qu'hommes on fait toutes les conditions des hommes.
Car des pays sont tout de maçons, d'autres tout de soldats, etc. Sans doute que la nature n'est pas si uniforme; c'est la coutume qui fait donc cela, car elle contraint la nature, et quelquefois la nature la surmonte et retient l'homme dans son instinct malgré toute coutume bonne ou mauvaise.

SÉRIE XXV

635-*13* On aime à voir l'erreur, la passion de Cléobuline parce qu'elle ne la connaît pas : elle déplairait si elle n'était trompée.

636-*42* Prince à un roi plaît pour ce qu'il diminue sa qualité.

637-*59* Éteindre le flambeau de la sédition : trop luxuriant.

L'inquiétude de son génie : trop de deux mots hardis.

638-*109* Quand on se porte bien on admire comment on pourrait faire si on était malade. Quand on l'est on prend médecine gaiement, le mal y résout; on n'a plus les passions et les désirs de divertissements et de promenades que la santé donnait et qui sont incompatibles avec les nécessités de la maladie. La nature donne alors des passions et des désirs conformes à l'état présent. Il n'y a que les craintes que nous nous donnons nous-mêmes, et non pas la nature, qui nous troublent parce qu'elles joignent à l'état où nous sommes les passions de l'état où nous ne sommes pas.

639-*109* La nature nous rendant toujours malheureux en tous états nos désirs nous figurent un état heureux parce qu'ils joignent à l'état où nous sommes les plaisirs de l'état où nous ne sommes pas et quand nous arriverions à ces plaisirs nous ne serions pas heureux pour cela parce que nous aurions d'autres désirs conformes à ce nouvel état.
Il faut particulariser cette proposition générale.

640-*182* Ceux qui dans de fâcheuses affaires ont toujours bonne espérance et se réjouissent des aventures heureuses, s'ils ne s'affligent également des mauvaises, sont suspects d'être bien aises de la perte de l'affaire et sont ravis de trouver ces prétextes d'espérance pour montrer qu'ils s'y intéressent et couvrir par la joie qu'ils feignent d'en concevoir celle qu'ils ont de voir l'affaire perdue.

641-*129* Notre nature est dans le mouvement, le repos entier est la mort.

642-*448* (Miton) voit bien que la nature est corrompue et que les hommes sont contraires à l'honnêteté, mais il ne sait pas pourquoi ils ne peuvent voler plus haut.

643-*159* Les belles actions cachées sont les plus estimables. Quand j'en vois quelques-unes dans l'histoire, comme page 184, elles me plaisent fort; mais enfin elles n'ont pas été tout à fait cachées puisqu'elles ont été sues et, quoiqu'on ait fait ce qu'on ait pu pour les cacher, ce peu par où elles ont paru gâte tout, car c'est là le plus beau de les avoir voulu cacher.

644-*910* Peut-ce être autre chose que la complaisance du monde qui vous fasse trouver les choses probables? Nous ferez-vous accroire que ce soit la vérité et que si la mode du duel n'était point, vous trouveriez probable qu'on se peut battre en regardant la chose en elle-même.

645-*312* La justice est ce qui est établi; et ainsi toutes nos lois établies seront nécessairement tenues pour justes sans être examinées, puisqu'elles sont établies.

646-*95* *Sentiment.* La mémoire, la joie sont des sentiments et même les propositions géométriques deviennent sentiments, car la raison rend les sentiments naturels et les sentiments naturels s'effacent par la raison.

647-*35* *Honnête homme.* Il faut qu'on n'en puisse (dire) ni il est mathématicien, ni prédicateur, ni éloquent mais il est honnête homme. Cette qualité universelle me plaît seule. Quand en voyant un homme on se souvient de son livre c'est mauvais signe. Je voudrais qu'on ne s'aperçût d'aucune qualité que par la rencontre et l'occasion d'en user, *ne quid nimis*, de peur qu'une qualité ne l'emporte et ne fasse baptiser; qu'on ne songe point qu'il parle bien, sinon quand il s'agit de bien parler, mais qu'on y songe alors.

648-*833* Miracles.
Le peuple conclut cela de soi-même, mais il vous en faut donner la raison.

Il est fâcheux d'être dans l'exception de la règle; il faut même être sévère et contraire à l'exception, mais néanmoins comme il est certain qu'il y a des exceptions de la règle il en faut juger sévèrement, mais justement.

649-*65* *Montaigne.* Ce que Montaigne a de bon ne peut être acquis que difficilement. Ce qu'il a de mauvais, j'entends hors les mœurs, pût être corrigé en un moment si on l'eût averti qu'il faisait trop d'histoires et qu'il parlait trop de soi.

650-*333* N'avez-vous jamais vu des gens qui pour se plaindre du peu d'état que vous faites d'eux vous étalent l'exemple de gens de condition qui les estiment? Je leur répondrai à cela : montrez-moi le mérite par où vous avez charmé ces personnes et je vous estimerai de même.

651-*369* La mémoire est nécessaire pour toutes les opérations de la raison.
652-14 Quand un discours naturel peint une passion ou un effet on trouve dans soi-même la vérité de ce qu'on entend, laquelle on ne savait pas qu'elle y fût, de sorte qu'on est porté à aimer celui qui nous la fait sentir, car il ne nous a point fait montre de son bien mais du nôtre. Et ainsi ce bien fait nous le rend aimable, outre que cette communauté d'intelligence que nous avons avec lui incline nécessairement le cœur à l'aimer.

653-*913* Probabilité.
Chacun peut mettre, nul ne peut ôter.

654-*939* Vous ne m'accusez jamais de fausseté sur Escobar parce qu'il est connu.

655-*377* Les discours d'humilité sont matière d'orgueil aux gens glorieux et d'humilité aux humbles. Ainsi ceux du pyrrhonisme sont matière d'affirmation aux affirmatifs. Peu parlent de l'humilité humblement, peu de la chasteté chastement, peu du pyrrhonisme en doutant. Nous ne sommes que mensonge, duplicité, contrariété et nous cachons et nous déguisons à nous-mêmes.

656-*372* En écrivant ma pensée elle m'échappe quelquefois; mais cela me fait souvenir de ma faiblesse que j'oublie à toute heure, ce qui m'instruit autant que ma pensée oubliée, car je ne tiens qu'à connaître mon néant.

657-*452* Plaindre les malheureux n'est pas contre la concupiscence, au contraire, on est bien aise d'avoir à rendre ce témoignage d'amitié et à s'attirer la réputation de tendresse sans rien donner.

658-*391* Conversation :
Grands mots à la religion : je la nie.
Conversation :
Le pyrrhonisme sert à la religion.

659-*911* Faut-il tuer pour empêcher qu'il n'y ait des méchants?
C'est en faire deux au lieu d'un, *Vince in bono malum.* Saint Aug.

660-*91* *Spongia Solis* [147].
Quand nous voyons un effet arriver toujours de même nous en concluons une nécessité naturelle, comme qu'il sera demain jour, etc. mais souvent la nature nous dément et ne s'assujétit pas à ses propres règles.
661-*81* L'esprit croit naturellement et la volonté aime naturellement de sorte qu'à faute des vrais objets il faut qu'ils s'attachent aux faux.
662-*521* La grâce sera toujours dans le monde et aussi la nature; de sorte qu'elle est en quelque sorte naturelle. Et ainsi toujours il y aura des Pélagiens et toujours des catholiques, et toujours combat.
Parce que la première naissance fait les uns et la grâce de la seconde naissance fait les autres.

147. « *L'Éponge du Soleil.* » M. Jasinski pense qu'il s'agit d'une pierre phosphorescente, ou *pierre de Bologne*, découverte en 1604, ne dégageant pas de chaleur, ce qui bouleverse la « coutume ». Cf. « Sur une Pensée de Pascal », in *Rev. Hist. Civilis.*, janv. 1942.

663-*121* La nature recommence toujours les mêmes choses, les ans, les jours, les heures, les espaces de même. Et les nombres sont bout à bout, à la suite l'un de l'autre; ainsi se fait une espèce d'infini et d'éternel. Ce n'est pas qu'il y ait rien de tout cela qui soit infini et éternel, mais ces êtres terminés se multiplient infiniment. Ainsi il n'y a ce me semble que le nombre, qui les multiplie, qui soit infini.

664-*94 bis* L'homme est proprement *omne animal* [148].

665-*311* L'empire fondé sur l'opinion et l'imagination règne quelque temps et cet empire est doux et volontaire. Celui de la force règne toujours. Ainsi l'opinion est comme la reine du monde mais la force en est le tyran.

666-*931* Sera bien condamné qui le sera par Escobar.
667-*25* Eloquence.
Il faut de l'agréable et du réel, mais il faut que cet agréable soit *(aussi réel)* lui-même pris du vrai.
668-*457* Chacun est un tout à soi-même, car lui mort le tout est mort pour soi. Et de là vient que chacun croit être tout à tous. Il ne faut pas juger de la nature selon nous mais selon elle.

669-*188* Il faut en tout dialogue et discours qu'on puisse dire à ceux qui s'en offensent : de quoi vous plaignez-vous?

670-*46* Diseur de bons mots, mauvais caractère.

671-*44* Voulez-vous qu'on croie du bien de vous, n'en dites pas.

672-*124* Non seulement nous regardons les choses par d'autres côtés, mais avec d'autres yeux; nous n'avons garde de les trouver pareilles.

673-*123* Il n'aime plus cette personne qu'il aimait il y a dix ans. Je crois bien : elle n'est plus la même ni lui non plus. Il était jeune et elle aussi; elle est tout autre. Il l'aimerait peut-être encore telle qu'elle était alors.

674-*359* Nous ne nous soutenons pas dans la

148. Eccli., XIII, 19 : « *Tout animal* aime son semblable; de même aussi tout homme aime ce qui lui est proche. »

vertu par notre propre force, mais par le contrepoids de deux vices opposés, comme nous demeurons debout entre deux vents contraires. Otez un de ces vices nous tombons dans l'autre.

675-*29* Style. Quand on voit le style naturel on est tout étonné et ravi, car on s'attendait de voir un auteur et on trouve un homme. Au lieu que ceux qui ont le goût bon et qui en voyant un livre croient trouver un homme sont tout surpris de trouver un auteur. *Plus poetice quam humane locutus es* [149].

Ceux-là honorent bien la nature qui lui apprennent qu'elle peut parler de tout, et même de théologie.

676-*937* Il faut que le monde soit bien aveugle s'il vous croit.

677-*873* Le pape hait et craint les savants qui ne lui sont pas soumis par vœu.

678-*358* L'homme n'est ni ange ni bête, et le malheur veut que qui veut faire l'ange fait la bête.

679-*894* *Prov.* Ceux qui aiment l'Eglise se plaignent de voir corrompre les mœurs, mais au moins les lois subsistent. Mais ceux-ci corrompent les lois. Le modèle est gâté.

680-*63* Montaigne.

Les défauts de Montaigne sont grands. Mots lascifs. Cela ne vaut rien malgré Mlle de Gournay. Crédule : gens sans yeux. Ignorant : quadrature du cercle, monde plus grand. Ses sentiments sur l'homicide volontaire, sur la mort. Il inspire une nonchalance du salut, sans crainte et sans repentir. Son livre n'étant pas fait pour porter à la piété il n'y était pas obligé, mais on est toujours obligé de n'en point détourner. On peut excuser ses sentiments un peu libres et voluptueux en quelques rencontres de la vie — 730.331 — mais on ne peut excuser ses sentiments tout païens sur la mort. Car il faut renoncer à toute piété si on ne veut au moins mourir chrétiennement. Or il ne pense qu'à mourir lâchement et mollement par tout son livre.

681-*353* Je n'admire point l'excès d'une vertu comme de la valeur si je ne vois en même temps l'excès de la vertu opposée : comme en Epaminondas qui avait l'extrême valeur et l'extrême bénignité, car autrement ce n'est pas monter c'est tomber. On ne montre pas sa grandeur pour être à une extrémité, mais bien en touchant les deux à la fois et remplissant tout l'entre-deux.

Mais peut-être que ce n'est qu'un soudain mouvement de l'âme de l'un à l'autre de ces extrêmes et qu'elle n'est jamais en effet qu'en un point, comme le tison de feu. Soit, mais au moins cela marque l'agilité de l'âme si cela n'en marque l'étendue.

682-*232* Mouvement infini.

Le mouvement infini, le point qui remplit tout, le moment de repos. Infini sans quantité, indivisible et infini.

683-*20* Ordre.

Pourquoi prendrai-je plutôt à diviser ma morale en 4 qu'en 6. Pourquoi établirai-je plutôt la vertu en 4, en 2, en 1. Pourquoi en *abstine et sustine* [150] plutôt qu'en suivre nature ou faire ses affaires particulières sans injustice comme Platon, ou autre chose.

Mais voilà, direz-vous, tout renfermé en un mot : oui mais cela est inutile si on ne l'explique. Et quand on vient à l'expliquer, dès qu'on ouvre ce précepte qui contient tous les autres ils en sortent en la première confusion que vous vouliez éviter. Ainsi quand ils sont tous renfermés en un ils y sont cachés et inutiles, comme en un coffre et ne paraissent jamais qu'en leur confusion naturelle. La nature les a tous établis, sans renfermer l'un en l'autre.

684-*21* Ordre. La nature a mis toutes ses vérités en soi-même. Notre art les renferme les unes dans les autres, mais cela n'est pas naturel. Chacune tient sa place.

685-*401* Gloire.

Les bêtes ne s'admirent point. Un cheval n'admire point son compagnon. Ce n'est pas qu'il n'y ait entre eux de l'émulation à la course, mais c'est sans conséquence, car étant à l'étable, le plus pesant et plus mal taillé n'en cède pas son avoine à l'autre, comme les hommes veulent qu'on leur fasse. Leur vertu se satisfait d'elle-même.

686-*368* Quand on dit que le chaud n'est que le mouvement de quelques globules et la lumière, le

149. Cf. Pétrone, XC : « *Tu as parlé en poète plus qu'en homme.* » Dans le *Satiricon*, Encolpe qui vient de subir une longue déclamation d'Eumolpe lui dit : « ...Il n'y a pas deux heures que tu me fréquentes, et tu as plus souvent employé la langue des dieux que celle des hommes. » (Trad. A. Ernout, éd. *Les Belles Lettres*, Paris, p. 94.)

150. Cf. Charron, *De la Sagesse*, II, VII, 4 : « Ce que le grand philosophe Epictète a très bien signifié, comprenant en deux mots toute la philosophie morale, *sustine* et *abstine*, *soutiens* les maux, c'est l'adversité : *abstiens-toi* des biens, c'est-à-dire des voluptés et de la prospérité. »

conatus recedendi [151], que nous sentons, cela nous étonne. Quoi! que le plaisir ne soit autre que le ballet des esprits! Nous en avons conçu une si différente idée et ces sentiments-là nous semblent si éloignés de ces autres que nous disons être les mêmes que ceux que nous leur comparons. Le sentiment du feu, cette chaleur qui nous affecte d'une manière toute autre que l'attouchement, la réception du son et de la lumière, tout cela nous semble mystérieux. Et cependant cela est grossier comme un coup de pierre. Il est vrai que la petitesse des esprits qui entrent dans les pores touchent d'autres nerfs, mais ce sont toujours des nerfs (touchés).

687-*144* J'avais passé longtemps dans l'étude des sciences abstraites et le peu de communication qu'on en peut avoir m'en avait dégoûté. Quand j'ai commencé l'étude de l'homme, j'ai vu que ces sciences abstraites ne sont pas propres à l'homme, et que je m'égarais plus de ma condition en y pénétrant que les autres en l'ignorant. J'ai pardonné aux autres d'y peu savoir, mais j'ai cru trouver au moins bien des compagnons en l'étude de l'homme et que c'est la vraie étude qui lui est propre. J'ai été trompé. Il y en a encore moins qui l'étudient que la géométrie. Ce n'est que manque de savoir étudier cela qu'on cherche le reste. Mais n'est-ce pas que ce n'est pas encore là la science que l'homme doit avoir, et qu'il lui est meilleur de s'ignorer pour être heureux.

688-*323* Qu'est-ce que le moi?

Un homme qui se met à la fenêtre pour voir les passants; si je passe par là, puis-je dire qu'il s'est mis là pour me voir? Non; car il ne pense pas à moi en particulier; mais celui qui aime quelqu'un à cause de sa beauté, l'aime-t-il? Non : car la petite vérole, qui tuera la beauté sans tuer la personne, fera qu'il ne l'aimera plus.

Et si on m'aime pour mon jugement, pour ma mémoire, m'aime-t-on? *moi?* Non, car je puis perdre ces qualités sans me perdre moi-même. Où est donc ce *moi*, s'il n'est ni dans le corps, ni dans l'âme? et comment aimer le corps ou l'âme, sinon pour ces qualités, qui ne sont point ce qui fait le moi, puisqu'elles sont périssables? car aimerait-on la substance de l'âme d'une personne, abstraitement, et quelques qualités qui y fussent? Cela ne se peut, et serait injuste. On n'aime donc jamais personne, mais seulement des qualités.

Qu'on ne se moque donc plus de ceux qui se font honorer pour des charges et des offices, car on n'aime personne que pour des qualités empruntées.

151. Cf. Descartes, *les Principes de la Philosophie*, IIIe partie, ch. 54 : « force qui anime... tous les corps qui se meuvent *en rond pour s'éloigner* des corps autour desquels ils se meuvent. » (1644, définition du *conatus recedendi*.)

689-*64* Ce n'est pas dans Montaigne mais dans moi que je trouve tout ce que j'y vois.

690-*506* Que Dieu ne nous impute pas nos péchés, c'est-à-dire toutes les conséquences et suites de nos péchés, qui sont effroyables, des moindres fautes, si on veut les suivre sans miséricorde.

691-*432* Le pyrrhonisme est le vrai. Car après tout les hommes avant Jésus-Christ ne savaient où ils en étaient, ni s'ils étaient grands ou petits. Et ceux qui ont dit l'un ou l'autre n'en savaient rien et devinaient sans raison et par hasard. Et même ils erraient toujours en excluant l'un ou l'autre.

Quod ergo ignorantes quæritis religio annuntiat vobis [152].

692-*915* Montalte.

Les opinions relâchées plaisent tant aux hommes qu'il est étrange que les leurs déplaisent. C'est qu'ils ont excédé toute borne. Et de plus il y a bien des gens qui voient le vrai et qui n'y peuvent atteindre, mais il y en a peu qui ne sachent que la pureté de la religion est contraire à nos corruptions. Ridicule de dire qu'une récompense éternelle est offerte à des mœurs escobartines.

693-*906* Les conditions les plus aisées à vivre selon le monde sont les plus difficiles à vivre selon Dieu; et au contraire : rien n'est si difficile selon le monde que la vie religieuse; rien n'est plus facile que de la passer selon Dieu. Rien n'est plus aisé que d'être dans une grande charge et dans de grands biens selon le monde; rien n'est plus difficile que d'y vivre selon Dieu, et sans y prendre de part et de goût.

694-*61* *Ordre.* — J'aurais bien pris ce discours d'ordre comme celui-ci : pour montrer la vanité de toutes sortes de conditions, montrer la vanité des vies communes, et puis la vanité des vies philosophiques, pyrrhoniennes, stoïques; mais l'ordre n'y serait pas gardé. Je sais un peu ce que c'est, et combien peu de gens l'entendent. Nulle science humaine ne le peut garder. Saint Thomas ne l'a pas gardé. La mathématique le garde, mais elle est inutile en sa profondeur.

695-*445* Le péché originel est folie devant les hommes, mais on le donne pour tel. Vous ne me

152. « *Ce que vous recherchez sans le connaître la Religion vous l'annonce.* » Cf. Act., XVII, 23. Saint Paul s'adresse aux Athéniens : « Car, en passant et voyant vos idoles, j'ai trouvé même un autel où il était écrit : Au Dieu inconnu. Or, ce que vous adorez sans le connaître, moi, je vous l'annonce. »

devez donc pas reprocher le défaut de raison en cette doctrine, puisque je la donne pour être sans raison. Mais cette folie est plus sage que toute la sagesse des hommes, *sapientius est hominibus* [153]. Car, sans cela, que dira-t-on qu'est l'homme? Tout son état dépend de ce point imperceptible. Et comment s'en fût-il aperçu par sa raison, puisque c'est une chose contre la raison, et que sa raison, bien loin de l'inventer par ses voies, s'en éloigne, quand on le lui présente?

696-*22* Qu'on ne dise pas que je n'ai rien dit de nouveau, la disposition des matières est nouvelle. Quand on joue à la paume c'est une même balle dont joue l'un et l'autre, mais l'un la place mieux.

J'aimerais autant qu'on me dise que je me suis servi des mots anciens. Et comme si les mêmes pensées ne formaient pas un autre corps de discours par une disposition différente, aussi bien que les mêmes mots forment d'autres pensées par leur différente disposition.

697-*383* Ceux qui sont dans le dérèglement disent à ceux qui sont dans l'ordre que ce sont eux qui s'éloignent de la nature et ils la croient suivre, comme ceux qui sont dans un vaisseau croient que ceux qui sont au bord fuient. Le langage est pareil de tous côtés. Il faut avoir un point fixe pour en juger. Le port juge ceux qui sont dans un vaisseau, mais où prendrons-nous un port dans la morale?

698-*119* *Nature s'imite*. La nature s'imite. Une graine jetée en bonne terre produit. Un principe jeté dans un bon esprit produit.

Les nombres imitent l'espace qui sont de nature si différente.

Tout est fait et conduit par un même maître.

La racine, les branches, les fruits, les principes, les conséquences.

699-*382* Quand tout se remue également rien ne se remue en apparence; comme en un vaisseau, quand tous vont vers le débordement nul n'y semble aller. Celui qui s'arrête fait remarquer l'emportement des autres, comme un point fixe.

700-*934* Généraux.

Il ne leur suffit pas d'introduire dans nos temples de telles mœurs, *templis inducere mores*. Non seulement ils veulent être soufferts dans l'église mais comme s'ils étaient devenus les plus forts ils en veulent chasser ceux qui n'en sont pas...

Mohatra. Ce n'est pas être théologien de s'en étonner.

Qui eût dit à vos généraux qu'un temps était si proche qu'ils donneraient ces mœurs à l'église universelle et appelleraient guerre le refus de ces désordres. *Et tanta mala pacem* [154].

701-*9* Quand on veut reprendre avec utilité et montrer à un autre qu'il se trompe il faut observer par quel côté il envisage la chose, car elle est vraie ordinairement de ce côté-là et lui avouer cette vérité, mais lui découvrir le côté par où elle est fausse. Il se contente de cela car il voit qu'il ne se trompait pas et qu'il y manquait seulement à voir tous les côtés. Or on ne se fâche pas de ne pas tout voir, mais on ne veut pas être trompé, et peut-être cela vient de ce que naturellement l'homme ne peut tout voir, et de ce que naturellement il ne se peut tromper dans le côté qu'il envisage, comme les appréhensions des sens sont toujours vraies.

702-*507* *Grâce*. Les mouvements de la grâce, la dureté de cœur, les circonstances extérieures.

703-*516* *Gloire*. Rom. 3. 27. gloire exclue. Par quelle loi? des œuvres? non, mais par la foi. Donc la foi n'est pas en notre puissance comme les œuvres de la loi et elle nous est donnée d'une autre manière.

704-*954* Venise.

Quel avantage en tirerez-vous si du besoin qu'en ont les princes et de l'horreur qu'en ont les peuples? S'ils vous avaient demandés et que pour l'obtenir ils eussent imploré l'assistance des princes chrétiens vous pourriez faire valoir cette (recherche). Mais que durant cinquante ans les princes s'y soient employés inutilement et qu'il ait fallu un aussi pressant besoin pour l'obtenir...

705-*180* Les grands et les petits ont mêmes accidents et même fâcherie, et même passion, mais l'un est au haut de la roue et l'autre près du centre et ainsi moins agité par les mêmes mouvements.

706-*870* *Lier et délier*. Dieu n'a pas voulu absoudre sans l'Eglise. Comme elle a part à l'offense il veut qu'elle ait part au pardon. Il l'associe à ce pouvoir comme les rois (et) les parlements; mais si elle absout ou si elle lie sans Dieu, ce n'est plus

153. I Cor., I, 25 : « Car ce qui est folie en Dieu est *plus sage que les hommes*, et ce qui est faiblesse en Dieu est plus fort que les hommes. »

154. Sag., XIV, 22 : « Et il ne leur suffit pas d'errer touchant la science de Dieu; mais vivant dans une grande lutte causée par l'ignorance, ils appellent *paix tant et de si grands maux.* »

l'Eglise : comme au parlement; car encore que le roi ait donné grâce à un homme si faut-il qu'elle soit entérinée; mais si le parlement entérine sans le roi ou s'il refuse d'entériner sur l'ordre du roi, ce n'est plus le parlement du roi, mais un corps révolté.

707-*898* Ils ne peuvent avoir la perpétuité et ils cherchent l'universalité et pour cela ils font toute l'Eglise corrompue afin qu'ils soient saints.

708-*877* *Papes.* Les rois disposent de leur empire, mais les papes ne peuvent disposer du leur.

709-*175* Nous nous connaissons si peu que plusieurs pensent aller mourir quand ils se portent bien et plusieurs pensent se porter bien quand ils sont proches de mourir ne sentant pas la fièvre prochaine ou l'abcès prêt à se former.

710-*24* Langage.

Il ne faut point détourner l'esprit ailleurs sinon pour le délasser mais dans le temps où cela est à propos; le délasser quand il le faut et non autrement. Car qui délasse hors de propos il lasse et qui lasse hors de propos délasse, car on quitte tout là. Tant la malice de la concupiscence se plaît à faire tout le contraire de ce qu'on veut obtenir de nous sans nous donner du plaisir qui est la monnaie pour laquelle nous donnons tout ce qu'on veut.

711-*301* *Force.* Pourquoi suit-on la pluralité? est-ce à cause qu'ils ont plus de raison? non, mais plus de force.

Pourquoi suit-on les anciennes lois et anciennes opinions? est-ce qu'elles sont les plus saines? non, mais elles sont uniques et nous ôtent la racine de la diversité.

712-*530* Une personne me disait un jour qu'il avait une grande joie et confiance en sortant de confession. L'autre me disait qu'il restait en crainte. Je pensais sur cela que de ces deux on en ferait un bon et que chacun manquait en ce qu'il n'avait pas le sentiment de l'autre. Cela arrive de même souvent en d'autres choses.

713-*923* Ce n'est pas l'absolution seule qui remet les péchés au sacrement de pénitence mais la contrition qui n'est point véritable si elle ne recherche le sacrement.

Ainsi ce n'est pas la bénédiction nuptiale qui empêche le péché dans la génération, mais le désir d'engendrer des enfants à Dieu qui n'est point véritable que dans le mariage.

Et comme un contrit sans sacrement est plus disposé à l'absolution qu'un impénitent avec le sacrement, ainsi les filles de Loth, par exemple, qui n'avaient que le désir des enfants, étaient plus pures sans mariage que les mariés sans désir d'enfant.

714-*944* *Pape.* Il y a contradiction, car d'un côté ils disent qu'il faut suivre la tradition et n'oseraient désavouer cela, et de l'autre ils diront ce qu'il leur plaira. On croira toujours ce premier, puisqu'aussi bien ce serait leur être contraire que de ne le pas croire.

715-*118* Talent principal qui règle tous les autres.

716-*215* Craindre la mort hors du péril, et non dans le péril, car il faut être homme.

717-*17* Les rivières sont des chemins qui marchent et qui portent où l'on veut aller.

718-*830* Les prophéties étaient équivoques : elles ne le sont plus.

719-*788* Je m'en suis réservé 7 000. J'aime ces adorateurs inconnus au monde et aux prophètes mêmes.

720-*912* Universel.

Morale et langage sont des sciences particulières mais universelles.

721-*917* Probabilité.

L'ardeur des saints à chercher le vrai était inutile si le probable est sûr.

La peur des saints qui avaient toujours suivi le plus sûr.

Sainte Thérèse ayant toujours suivi son confesseur.

722-*922* Probable.

Qu'on voie si on recherche sincèrement Dieu par la comparaison des choses qu'on affectionne.

Il est probable que cette viande ne m'empoisonnera pas.

Il est probable que je ne perdrai pas mon procès en ne sollicitant pas.

Probable.

Quand il serait vrai que les auteurs graves et les raisons suffiraient je dis qu'ils ne sont ni graves, ni raisonnables.

Quoi! un mari peut profiter de sa femme, selon Molina! La raison qu'il en donne est-elle raisonnable et la contraire de Lessius l'est-elle encore?

Oserez-vous ainsi, vous, vous jouer des édits du roi? ainsi en disant que ce n'est pas se battre en duel que d'aller dans un champ en attendant un homme.

Que l'Eglise a bien défendu le duel, mais non pas de se promener.
et aussi l'usure, mais non...
Et la simonie mais non...
Et la vengeance mais non...
Et les sodomites mais non...
Et le *quam primum* [155] mais non...

723-*69* 2 Infinis. Milieu.
Quand on lit trop vite ou trop doucement on n'entend rien.

724-*352* Ce que peut la vertu d'un homme ne se doit pas mesurer par ses efforts mais par son ordinaire.

725-*884 bis* Des pécheurs sans pénitence, des justes sans charité, un Dieu sans pouvoir sur les volontés des hommes, une prédestination sans mystère.

726-*876* Pape. Dieu ne fait point de miracles dans la conduite ordinaire de son Eglise. C'en serait un étrange si l'infaillibilité était dans un, mais d'être dans la multitude cela paraît si naturel, que la conduite de Dieu est cachée sous la nature, comme en tous ses autres ouvrages.

727-*904* Ils font de l'exception la règle. Les anciens ont donné l'absolution avant la pénitence? Faites-le en esprit d'exception. Mais de l'exception vous faites une règle sans exception; en sorte que vous ne voulez plus même que la règle soit en exception.

728-*31* Toutes les fausses beautés que nous blâmons en Cicéron ont des admirateurs et en grand nombre.

728-*31* Miracles, saint Thomas, t. III, l. VIII, ch. 20.

729-*931* Casuistes.
Une aumône considérable, une pénitence raisonnable.
Encore qu'on ne puisse assigner le juste, on voit bien ce qui ne l'est pas. Les casuistes sont plaisants de croire pouvoir interpréter cela comme ils font.

Gens qui s'accoutument à mal parler et à mal penser.

Leur grand nombre loin de marquer leur perfection marque le contraire.

L'humilité d'un seul fait l'orgueil de plusieurs.

SÉRIE XXVI

730-*754* *CC. homo existens (te deum facis).*

Scriptum est dii estis et non (potest solvi scriptura) [156].

CC. haec infirmitas non est ad (mortem) sed ad vitam [157].

Lazarus dormit, et deinde dixit Lazarus mortuus (est) [158].

731-*196* Ces gens manquent de cœur.

On n'en ferait pas son ami.

732-*38* Poète et non honnête homme.

733-*862* L'Eglise a toujours été combattue par des erreurs contraires. Mais peut-être jamais en même temps comme à présent, et si elle en souffre plus à cause de la multiplicité d'erreurs, elle en reçoit cet avantage qu'ils se détruisent.

155. Cf. Mascarenhas : « Un prêtre qui, sans aucune nécessité, mais par pure malice, dit la Messe en état de péché mortel, sans s'en confesser auparavant, n'est point obligé de satisfaire à ce que le Concile de Trente ordonne, de se confesser au plus tôt (*quam primum*) parce que le Concile ne parle que de ceux qui ont omis la confession par nécessité, et non pas de ceux qui l'ont omise par malice. »

156. Jn, x, 33-35 : « Les Juifs lui répondirent : Ce n'est pas pour une bonne œuvre que nous te lapidons, mais pour un blasphème, et parce que *étant homme tu te fais Dieu.* — Jésus leur répondit : *N'est-il pas écrit* dans votre loi : J'ai dit : *Vous êtes des dieux?* — Puisqu'elle a appelé dieux ceux à qui la parole de Dieu a été adressée (et *l'Ecriture ne peut être démentie*)... » — Cf. Recueil original, 916, page 99.

157. Jn, xi, 4 : « En entendant cela, Jésus dit : *Cette maladie n'est pas pour la mort*, mais pour la gloire de Dieu, afin que le Fils de Dieu en soit glorifié. »

158. Jn, xi, 11-14 : « ...il leur dit : *Lazare notre ami dort*;... Jésus leur dit ouvertement : *Lazare est mort*;... »

Elle se plaint des deux, mais bien plus des calvinistes à cause du schisme.

Il est certain que plusieurs des deux contraires sont trompés. Il faut les désabuser.

La foi embrasse plusieurs vérités qui semblent se contredire, temps de rire et de pleurer, etc. *responde ne respondeas*, etc.

La source en est l'union des deux natures en Jésus-Christ.

Et aussi les deux mondes. La création d'un nouveau ciel et nouvelle terre. Nouvelle vie, nouvelle mort.

Toutes choses doublées et les mêmes noms demeurant.

Et enfin les deux hommes qui sont dans les justes. Car ils sont les deux mondes, et un membre et image de Jésus-Christ. Et ainsi tous les noms leur conviennent de justes pécheurs, mort vivant, vivant mort, élu réprouvé, etc.

Il y a donc un grand nombre de vérités, et de foi et de morale qui semblent répugnantes et qui subsistent toutes dans un ordre admirable.

La source de toutes les hérésies est l'exclusion de quelques-unes de ces vérités.

Et la source de toutes les objections que nous font les hérétiques est l'ignorance de quelques-unes de nos vérités.

Et d'ordinaire il arrive que ne pouvant concevoir le rapport de deux vérités opposées, et croyant que l'aveu de l'une enferme l'exclusion de l'autre, ils s'attachent à l'une, ils excluent l'autre et pensent que nous, au contraire. Or l'exclusion est la cause de leur hérésie; et l'ignorance que nous tenons l'autre, cause leurs objections.

2. Exemple. Sur le sujet du Saint-Sacrement nous croyons que la substance du pain étant changée et transubstanciée en celle du corps de Notre Seigneur, Jésus-Christ y est présent réellement : voilà une des vérités. Une autre est que ce sacrement est aussi une figure de celui de la croix, et de la gloire, et une commémoration des deux. Voilà la foi catholique qui comprend ces deux vérités qui semblent opposées.

L'hérésie d'aujourd'hui ne concevant pas que ce sacrement contient tout ensemble et la présence de Jésus-Christ, et sa figure, et qu'il soit sacrifice, et commémoration de sacrifice, croit qu'on ne peut admettre l'une de ces vérités sans exclure l'autre, pour cette raison.

Ils s'attachent à ce point seul que ce sacrement est figuratif, et en cela ils ne sont pas hérétiques. Ils pensent que nous excluons cette vérité. Et de là vient qu'ils nous font tant d'objections sur les passages des Pères qui le disent. Enfin ils nient la présence et en cela ils sont hérétiques.

1. — Exemple. Jésus-Christ est Dieu et homme. Les Ariens ne pouvant allier ces choses qu'ils croient incompatibles, disent qu'il est homme, en cela ils sont catholiques; mais ils nient qu'il soit Dieu, en cela ils sont hérétiques. Ils prétendent que nous nions son humanité, en cela ils sont ignorants.

3. Exemple. Les indulgences.

C'est pourquoi le plus court moyen pour empêcher les hérésies est d'instruire de toutes les vérités, et le plus sûr moyen de les réfuter est de les déclarer toutes.

Car que diront les hérétiques?

Pour savoir si un sentiment est d'un Père...

734-*817* Titre.

D'où vient qu'on croit tant de menteurs qui disent qu'ils ont vu des miracles et qu'on ne croit aucun de ceux qui disent qu'ils ont des secrets pour rendre l'homme immortel ou pour rajeunir.

Ayant considéré d'où vient qu'on ajoute tant de foi à tant d'imposteurs qui disent qu'ils ont des remèdes jusques à mettre souvent sa vie entre leurs mains, il m'a paru que la véritable cause est qu'il y en a de vrais, car il ne serait pas possible qu'il y en eût tant de faux et qu'on y donnât tant de créance s'il n'y en avait de véritables. Si jamais il n'y eût remède à aucun mal et que tous les maux eussent été incurables il est impossible que les hommes se fussent imaginé qu'ils en pourraient donner et encore plus que tant d'autres eussent donné créance à ceux qui se fussent vantés d'en avoir. De même si un homme se vantait d'empêcher de mourir, personne ne le croirait parce que il n'y a aucun exemple de cela. Mais comme il y (a) eu quantité de remèdes qui se sont trouvés véritables par la connaissance même des plus grands hommes, la créance des hommes s'est pliée par là et cela s'étant connu possible on a conclu de là que cela était, car le peuple raisonne ordinairement ainsi : une chose est possible, donc elle est. Parce que la chose ne pouvant être niée en général puisqu'il y a des effets particuliers qui sont véritables, le peuple qui ne peut pas discerner quels d'entre ces effets particuliers sont les véritables il les croit tous. De même ce qui fait qu'on croit tant de faux effets de la lune c'est qu'il y en a de vrais comme le flux de la mer. Il en est de même des prophéties, des miracles, des divinations par les songes, des sortilèges, etc., car si de tout cela il n'y avait jamais rien eu de véritable on n'en aurait jamais rien cru et ainsi au lieu de conclure qu'il n'y a point de vrais miracles parce qu'il y en a tant de faux il faut dire au contraire qu'il y a certainement de vrais miracles puisqu'il y en a tant de faux et qu'il n'y en a de faux que par cette raison qu'il y en a de vrais. Il faut raisonner de la même sorte pour la religion car il ne serait pas possible que les hommes se fussent imaginé tant de fausses religions s'il n'y en avait une véritable. L'objection à cela c'est que les sauvages ont une religion, mais on répond à cela que c'est qu'ils ont ouï parler comme il paraît par le déluge, la circoncision, la croix de saint André, etc.

735-*818* Ayant considéré d'où vient qu'il y a tant de faux miracles, de fausses révélations, sortilèges, etc., il m'a paru que la véritable cause est qu'il y en a de vrais, car il ne serait pas possible qu'il y eût tant de faux miracles s'il n'y en avait de vrais, ni tant de fausses religions s'il n'y en avait une véritable, car s'il n'y avait jamais eu de tout cela il est comme impossible que les hommes se le fussent imaginé et encore plus impossible que tant d'autres l'eussent cru. Mais comme il y a eu de très grandes choses véritables et qu'ainsi elles ont été crues par de grands hommes, cette impression a été cause que presque tout le monde s'est rendu capable de croire aussi les fausses et ainsi au lieu de conclure qu'il n'y a point de vrais miracles puisqu'il y en a tant de faux il faut dire au contraire qu'il y a de vrais miracles puisqu'il y en a tant de faux et qu'il n'y en a de faux que par cette raison qu'il y en a de vrais et qu'il n'y a de même de fausses religions que parce que il y en a une vraie. L'objection à cela que les sauvages ont une religion, mais c'est qu'ils ont ouï parler de la véritable, comme il paraît par la croix de saint André, le Déluge, la circoncision, etc. Cela vient de ce que l'esprit de l'homme se trouvant plié de ce côté-là par la vérité devient susceptible par là de toutes les faussetés de cette...

736-*96* Lorsqu'on est accoutumé à se servir de mauvaises raisons pour prouver des effets de la nature on ne veut plus recevoir les bonnes lorsqu'elles sont découvertes. L'exemple qu'on en donna fut sur la circulation du sang pour rendre raison pourquoi la veine enfle au-dessous de la ligature.

737-*10* On se persuade mieux pour l'ordinaire par les raisons qu'on a soi-même trouvées que par celles qui sont venues dans l'esprit des autres.

738-*341* L'histoire du brochet et de la grenouille de Liancourt. Ils le font toujours et jamais autrement, ni autre chose d'esprit.

739-*864* La vérité est si obscurcie en ce temps et le mensonge si établi qu'à moins que d'aimer la vérité on ne saurait la connaître.

740-*583* Les (malins) sont gens qui connaissent la vérité mais qui ne la soutiennent qu'autant que leur intérêt s'y rencontre mais hors de là ils l'abandonnent.

741-*340* La machine d'arithmétique fait des effets qui approchent plus de la pensée que tout ce que font les animaux; mais elle ne fait rien qui puisse faire dire qu'elle a de la volonté comme les animaux.

742-*108* Quoique les personnes n'aient point d'intérêt à ce qu'elles disent il ne faut pas conclure de là absolument qu'ils ne mentent point car il y a des gens qui mentent simplement pour mentir.

743-*859* Il y a plaisir d'être dans un vaisseau battu de l'orage lorsqu'on est assuré qu'il ne périra point; les persécutions qui travaillent l'Église sont de cette nature.

744-*18* Lorsqu'on ne sait pas la vérité d'une chose il est bon qu'il y ait une erreur commune qui fixe l'esprit des hommes comme par exemple la lune à qui on attribue le changement des saisons, le progrès des maladies, etc., car la maladie principale de l'homme est la curiosité inquiète des choses qu'il ne peut savoir et il ne lui est pas si mauvais d'être dans l'erreur que dans cette curiosité inutile.

745-*18 bis* La manière d'écrire d'Epictète, de Montaigne et de Salomon de Tultie est la plus d'usage, qui s'insinue le mieux, qui demeure plus dans la mémoire et qui se fait le plus citer, parce qu'elle est toute composée de pensées nées sur les entretiens ordinaires de la vie, comme quand on parlera de la commune erreur qui est dans le monde que la lune est cause de tout, on ne manquera jamais de dire que Salomon de Tultie dit que lorsqu'on ne sait pas la vérité d'une chose il est bon qu'il y ait une erreur commune, etc. (qui est la pensée de l'autre côté).

746-*787* Sur ce que Josèphe ni Tacite, et les autres historiens, n'ont point parlé de Jésus-Christ.

Tant s'en faut que cela fasse contre, qu'au contraire cela fait pour. Car il est certain que Jésus-Christ a été et que sa religion a fait grand bruit et que ces gens-là ne l'ignoraient pas et qu'ainsi il est visible qu'ils ne l'ont celé qu'à dessein ou bien qu'ils en ont parlé et qu'on l'a supprimé, ou changé.

747-*589* Sur ce que la religion chrétienne n'est pas unique.

Tant s'en faut que ce soit une raison qui fasse croire qu'elle n'est pas la véritable, qu'au contraire c'est ce qui fait voir qu'elle l'est.

748-*239* Obj. Ceux qui espèrent leur salut sont heureux en cela, mais ils ont pour contrepoids la crainte de l'enfer. Resp. Qui a plus sujet de craindre l'enfer, ou celui qui est dans l'ignorance s'il y a un enfer, et dans la certitude de la damnation s'il y en a; ou celui qui est dans une certaine persuasion qu'il y a un enfer, et dans l'espérance d'être sauvé s'il est.

749-*456* Quel dérèglement de jugement par lequel il n'y a personne qui ne se mette au-dessus de tout le reste du monde, et qui n'aime mieux son propre bien et la durée de son bonheur et de sa vie que celle de tout le reste du monde.

750-*176* Cromwell allait ravager toute la chrétienté; la famille royale était perdue, et la sienne à jamais puissante sans un petit grain de sable qui se mit dans son uretère. Rome même allait trembler sous lui. Mais ce gravier s'étant mis là, il est mort, sa famille abaissée, tout en paix, et le roi rétabli.

751-*3* Ceux qui sont accoutumés à juger par le sentiment ne comprennent rien aux choses de raisonnement. Car ils veulent d'abord pénétrer d'une vue et ne sont point accoutumés à chercher les principes, et les autres au contraire qui sont accoutumés à raisonner par principes, ne comprennent rien aux choses de sentiment y cherchant des principes et ne pouvant voir d'une vue.

752-*866* Deux sortes de gens égalent les choses, comme les fêtes aux jours ouvriers, les chrétiens aux prêtres; tous les péchés entre eux, etc. Et de là les uns concluent que ce qui est donc mal aux prêtres l'est aussi aux chrétiens, et les autres que ce qui n'est pas mal aux chrétiens est permis aux prêtres.

753-*179* Quand Auguste eut appris qu'entre les enfants qu'Hérode avait fait mourir, au-dessous de l'âge de deux ans, était son propre fils, il dit qu'il était meilleur d'être le pourceau d'Hérode que son fils. Macrobe, livre II, *Sat.*, chap. IV.

754-*501* 1er Degré, être blâmé en faisant mal ou loué en faisant bien.

2e Degré. n'être ni loué, ni blâmé.

755-*258* *Unusquisque sibi deum fingit* [159].

Le dégoû(t)

756-*365* Pensée.

Toute la dignité de l'homme est en la pensée, mais qu'est-ce que cette pensée? qu'elle est sotte?

La pensée est donc une chose admirable et incomparable par sa nature. Il fallait qu'elle eût d'étranges défauts pour être méprisable, mais elle en a de tels que rien n'est plus ridicule. Qu'elle est grande par sa nature, qu'elle est basse par ses défauts.

757-*212* L'écoulement.

C'est une chose horrible de sentir s'écouler tout ce qu'on possède.

758-*857* Clarté. Obscurité.

Il y aurait trop d'obscurité si la vérité n'avait pas des marques visibles. C'en est une admirable d'être toujours dans une Église et assemblée visible. Il y aurait trop de clarté s'il n'y avait qu'un sentiment dans cette Église. Celui qui a toujours été est le vrai, car le vrai y a toujours été, et aucun faux n'y a toujours été.

759-*346* Pensée fait la grandeur de l'homme.

760-*568* Ob. Visiblement l'Écriture pleine de choses non dictées, du Saint-Esprit.

R. Elles ne nuisent donc point à la foi.

Ob. Mais l'Église a décidé que tout est du Saint-Esprit.

R. Je réponds deux choses : 1. que l'Église n'a jamais décidé cela, l'autre que quand elle l'aurait décidé cela se pourrait soutenir.

761-*568 bis* Il (y) a beaucoup d'esprits faux.

762-*568 bis* Denys a la charité, il était en place.

763-*568* Les prophéties citées dans l'Évangile vous croyez qu'elles sont rapportées pour vous faire croire? non, c'est pour vous éloigner de croire.

764-*11* Tous les grands divertissements sont dangereux pour la vie chrétienne; mais entre tous ceux que le monde a inventés, il n'y en a point qui soit plus à craindre que la comédie. C'est une représentation si naturelle et si délicate des passions, qu'elle les émeut et les fait naître dans notre cœur, et surtout celle de l'amour; principalement lorsqu'on *(le)* représente fort chaste et fort honnête. Car plus il paraît innocent aux âmes innocentes, plus elles sont capables d'en être touchées; sa violence plaît à notre amour-propre, qui forme aussitôt un désir de causer les mêmes effets, que l'on voit si bien représentés; et l'on se fait en même temps une conscience fondée sur l'honnêteté des sentiments qu'on y voit, qui ôtent la crainte des âmes pures, qui s'imaginent que ce n'est pas blesser la pureté, d'aimer d'un amour qui leur semble si sage.

Ainsi l'on s'en va de la comédie le cœur si rempli de toutes les beautés et de toutes les douceurs de l'amour et l'âme et l'esprit si persuadés de son innocence, qu'on est tout préparé à recevoir ses premières impressions, ou plutôt à chercher l'occasion de les faire naître dans le cœur de quelqu'un, pour recevoir les mêmes plaisirs et les mêmes sacrifices que l'on a vus si bien dépeints dans la comédie.

765-*39* Si la foudre tombait sur les lieux bas, etc., les poètes et ceux qui ne savent raisonner que

159. Sag., XV, 8 et 16 : « *Chacun se forge un dieu à soi-même.* »

sur les choses de cette nature manqueraient de preuves.

766-*8* Il y a beaucoup de personnes qui entendent le sermon de la même manière qu'ils entendent vêpres.

767-*306* Comme les duchés, et royautés, et magistratures sont réelles et nécessaires (à cause de ce que la force règle tout) il y en a partout et toujours, mais parce que ce n'est que fantaisie qui fait qu'un tel ou telle le soit, cela n'est pas constant, cela est sujet à varier, etc.

768-*345* La raison nous commande bien plus impérieusement qu'un maître car en désobéissant à l'un on est malheureux et en désobéissant à l'autre on est un sot.

769-*903* et *903 bis* *(State super vias et interrogate de semitis antiquis et ambulate in eis et dixerunt non ambulabimus, sed post cogitationes nostras ibimus* [160]*. Ils ont dit aux peuples : venez avec nous, suivons les opinions des nouveaux auteurs; la raison naturelle sera notre guide; nous serons comme les autres peuples qui suivent chacun sa lumière naturelle. Les philosophes ont)*

Toutes les religions et les sectes du monde ont eu la raison naturelle pour guide; les seuls chrétiens ont été astreints à prendre leurs règles hors d'eux-mêmes, et à s'informer de celles que Jésus-Christ a laissées aux anciens pour nous et retransmises aux fidèles. Cette contrainte lasse ces bons Pères. Ils veulent avoir comme les autres peuples la liberté de suivre leurs imaginations. C'est en vain que nous leurs crions comme les prophètes disaient autrefois aux Juifs; allez au milieu de l'église, informez-vous des voies que les anciens lui ont laissées et suivez ces sentiers. Ils ont répondu comme les Juifs : nous n'y marcherons point mais nous suivrons les pensées de notre cœur. Et ils ont dit : nous serons comme les autres peuples.

SÉRIE XXVII

770-*103* L'exemple de la chasteté d'Alexandre n'a pas tant fait de continents que celui de son ivrognerie a fait d'intempérants. Il n'est pas honteux de n'être pas aussi vertueux que lui, et il semble excusable de n'être pas plus vicieux que lui. On croit n'être pas tout à fait dans les vices du commun des hommes quand on se voit dans les vices de ces grands hommes. Et cependant on ne prend pas garde qu'ils sont en cela du commun des hommes. On tient à eux par le bout par où ils tiennent au peuple. Car quelque élevés qu'ils soient si sont-ils unis aux moindres des hommes par quelque endroit. Ils ne sont pas suspendus en l'air tous abstraits de notre société. Non, non s'ils sont plus grands que nous c'est qu'ils ont la tête plus élevée, mais ils ont les pieds aussi bas que les nôtres. Ils sont tous à même niveau et s'appuient sur la même terre, et par cette extrémité ils sont aussi abaissés que nous que les plus petits, que les enfants, que les bêtes.

771-*355* L'éloquence continue ennuie.

Les princes et rois jouent quelquefois. Ils ne sont pas toujours sur leurs trônes. Ils s'y ennuient. La grandeur a besoin d'être quittée pour être sentie. La continuité dégoûte en tout. Le froid est agréable pour se chauffer.

La nature agit par progrès. *Itus et reditus*, elle passe et revient, puis va plus loin, puis deux fois moins, puis plus que jamais, etc. AAa.

Le flux de la mer se fait ainsi aAaaAaa, le soleil semble marcher ainsi.

772-*58* Vous avez mauvaise grâce — excusez-moi s'il vous plaît; sans cette excuse je n'eusse point aperçu qu'il y eût d'injure.

Révérence parler, il n'y a rien de mauvais que leur excuse.

773-*135* Rien ne nous plaît que le combat mais non pas la victoire.

On aime à voir les combats des animaux, non le vainqueur acharné sur le vaincu. Que voulait-on voir sinon la fin de la victoire et dès qu'elle est arrivée on en est saoul. Ainsi dans le jeu, ainsi dans la recherche de la vérité. On aime à voir dans les disputes le combat des opinions mais de contempler la vérité trouvée? point du tout. Pour la faire remarquer avec plaisir il faut la faire voir naître de la dispute. De même dans les passions il y a du plaisir à voir deux contraires se heurter, mais quand l'une est maîtresse ce n'est plus que brutalité.

Nous ne cherchons jamais les choses, mais la recherche des choses. Ainsi dans les comédies les scènes contentes, sans crainte, ne valent rien, ni les extrêmes misères sans espérance, ni les amours brutaux, ni les sévérités âpres.

774-*497* Contre ceux qui sur la confiance de la

160. Cf. Jér., VI, 16 : « Le Seigneur dit ainsi : *Tenez-vous sur les voies* et regardez, et *interrogez des anciens sentiers* quelle est la bonne voie et *marchez-y*, et vous y trouverez un rafraîchissement pour vos âmes. *Et ils ont dit : nous n'y marcherons pas... —* » — XVIII, 12 : « Et ils ont dit : nous n'avons plus d'espoir, *nous suivrons nos pensées*, chacun de nous accomplira la dépravation de son cœur mauvais. »

miséricorde de Dieu demeurent dans la nonchalance sans faire de bonnes œuvres.

Comme les deux sources de nos péchés sont l'orgueil et la paresse Dieu nous a découvert deux qualités en lui pour les guérir, sa miséricorde et sa justice. Le propre de la justice est d'abattre l'orgueil, quelque saintes que soient les œuvres, et *non intres in judicium* [161], etc. et le propre de la miséricorde est de combattre la paresse en invitant aux bonnes œuvres selon ce passage : La miséricorde de Dieu invite à pénitence et cet autre des Ninivites : faisons pénitence pour voir si par aventure il aura pitié de nous. Et ainsi tant s'en faut que la miséricorde autorise le relâchement que c'est au contraire la qualité qui le combat formellement. De sorte qu'au lieu de dire : s'il n'y avait point en Dieu de miséricorde il faudrait faire toutes sortes d'efforts pour la vertu; il faut dire au contraire, que c'est parce qu'il y a en Dieu de la miséricorde qu'il faut faire toutes sortes d'efforts.

775-*899* *Contre ceux qui abusent des passages de l'Écriture et qui se prévalent de ce qu'ils en trouvent quelqu'un qui semble favoriser leur erreur.* — Le chapitre de Vêpres, le dimanche de la Passion, l'oraison pour le roi.

Explication de ces paroles : « Qui n'est pas pour moi est contre moi. » Et de ces autres : « Qui n'est point contre vous est pour vous. » Une personne qui dit : « Je ne suis ni pour ni contre »; on doit lui répondre...

776-*858* L'histoire de l'Église doit être proprement appelée l'histoire de la vérité.

777-*847* Une des antiennes des vêpres de Noël : *Exortum est in tenebris lumen rectis corde* [162].

778-*68* On n'apprend point aux hommes à être honnestes hommes, et on leur apprend tout le reste. Et ils ne se piquent jamais tant de savoir rien du reste comme d'être honnestes hommes. Ils ne se piquent de savoir que la seule chose qu'ils n'apprennent point.

779-*88* Les enfants qui s'effrayent du visage qu'ils ont barbouillé. Ce sont des enfants; mais le moyen que ce qui est si faible étant enfant soit bien fort étant plus âgé! on ne fait que changer de fantaisie. Tout ce qui se perfectionne par progrès périt aussi par progrès. Tout ce qui a été faible ne peut jamais être absolument fort. On a beau dire : il est crû, il est changé, il est aussi le même.

780-*62* Préface de la première partie.

Parler de ceux qui ont traité de la connaissance de soi-même, des divisions de Charron, qui attristent et ennuient. De la confusion de Montaigne, qu'il avait bien senti le défaut d'une droite méthode. Qu'il l'évitait en sautant de sujet en sujet, qu'il cherchait le bon air.

Le sot projet qu'il a de se peindre et cela non pas en passant et contre ses maximes, comme il arrive à tout le monde de faillir, mais par ses propres maximes et par un dessein premier et principal. Car de dire des sottises par hasard et par faiblesse c'est un mal ordinaire, mais d'en dire par dessein c'est ce qui n'est pas supportable et d'en dire de telles que celles-ci...

781-*242* Préface de la seconde partie.

Parler de ceux qui ont traité de cette matière.

J'admire avec quelle hardiesse ces personnes entreprennent de parler de Dieu.

En adressant leurs discours aux impies leur premier chapitre est de prouver la divinité par les ouvrages de la nature. Je ne m'étonnerais pas de leur entreprise s'ils adressaient leurs discours aux fidèles, car il est certain que ceux qui ont la foi vive dedans le cœur voient incontinent que tout ce qui est n'est autre chose que l'ouvrage du Dieu qu'ils adorent, mais pour ceux en qui cette lumière est éteinte et dans lesquels on a dessein de la faire revivre, ces personnes destituées de foi et de grâce, qui recherchant de toute leur lumière tout ce qu'ils voient dans la nature qui les peut mener à cette connaissance ne trouvent qu'obscurité et ténèbres, dire à ceux-là qu'ils n'ont qu'à voir la moindre des choses qui les environnent et qu'ils y verront Dieu à découvert et leur donner pour toute preuve de ce grand et important sujet le cours de la lune et des planètes et prétendre avoir achevé sa preuve avec un tel discours, c'est leur donner sujet de croire que les preuves de notre religion sont bien faibles et je vois par raison et par expérience que rien n'est plus propre à leur en faire naître le mépris. Ce n'est pas de cette sorte que l'Écriture qui connaît mieux les choses qui sont de Dieu en parle. Elle dit au contraire que Dieu est un Dieu caché et que depuis la corruption de la nature il les a laissés dans un aveuglement dont ils ne peuvent sortir que par J.-C., hors duquel toute communication avec Dieu est ôtée. *Nemo novit patrem nisi filius et cui filius voluit revelare* [163].

C'est ce que l'Écriture nous marque quand elle dit en tant d'endroits que ceux qui cherchent Dieu le trouvent. Ce n'est point de cette lumière qu'on parle comme le jour en plein midi. On ne dit point que ceux qui cherchent le jour en plein midi ou de l'eau dans la mer en trouveront et ainsi il faut bien que l'évidence de Dieu ne soit pas telle dans la nature. Aussi elle nous dit ailleurs : *vere tu es deus absconditus* [164].

161. Ps. CXLII, 2 : « *N'entre pas en jugement* avec ton serviteur, car aucun homme vivant n'est juste devant toi. »

162. Ps. CXI, 4 : « *Il s'est levé dans les ténèbres une lumière pour les hommes droits.* »

163. Mtt, XI, 27 : « *...Nul ne connaît le Père, sinon le Fils, et celui à qui le Fils le veut révéler.* »

164. Is., XLV, 15 : « En vérité tu es *un Dieu caché*, Dieu d'Israël... »

782-*266* Combien les lunettes nous ont-elles découvert d'êtres qui n'étaient point pour nos philosophes d'auparavant! On entreprenait franchement l'Écriture sainte sur le grand nombre des étoiles en disant : il n'y en a que 1 022, nous le savons.

Il y a des herbes sur la terre, nous les voyons; de la lune on ne les verrait pas. Et sur ces herbes des poils et dans ces poils de petits animaux mais après cela plus rien, ô présomptueux!
Les mixtes sont composés d'éléments et les éléments non; ô présomptueux voici un trait délicat.
Il ne faut pas dire qu'il y a ce qu'on ne voit pas. Il faut donc dire comme les autres, mais ne pas penser comme eux.

783-*357* Quand on veut poursuivre les vertus jusqu'aux extrêmes de part et d'autre, il se présente des vices qui s'y insinuent insensiblement dans leurs routes insensibles du côté du petit infini et il se présente des vices en foule du côté du grand infini de sorte qu'on se perd dans les vices et on ne voit plus les vertus. — On se prend à la perfection même.

784-*23* Les mots diversement rangés font un divers sens. Et les sens diversement rangés font différents effets.

785-*776* *Ne timeas, pusillus grex; Timore et tremore* [165].
Quid ergo, ne timeas, modo timeas.
Ne craignez point, pourvu que vous craigniez, mais si vous ne craignez pas, craignez.

Qui me recipit, non me recipit sed eum qui me misit.
Nemo scit neque filius [166].

786-*865* S'il y a jamais un temps auquel on doive faire profession des deux contraires c'est quand on reproche qu'on en omet un; donc les Jésuites et les jansénistes ont tort en les celant, mais les jansénistes plus, car les Jésuites en ont mieux fait profession des deux.

787-*843* M. de Condren. Il n'y a point, dit-il, de comparaison de l'union des saints à celle de la sainte Trinité.
J.-C. dit le contraire.

788-*486* La dignité de l'homme consistait dans son innocence à user et dominer sur les créatures, mais aujourd'hui à s'en séparer, et s'y assujettir.

789-*50* Les sens.
Un même sens change selon les paroles qui l'expriment. Les sens reçoivent des paroles leur dignité au lieu de la leur donner. Il en faut chercher des exemples.

790-*627* Je crois que Josué a le premier du peuple de Dieu ce nom. Comme Jésus-Christ le dernier du peuple de Dieu.

785-*776* *Nubes lucida obumbravit* [167].

Saint Jean devait convertir les cœurs des pères aux enfants, et J.-C. mettre la division; sans contradiction.

791-*777* Les effets *in communi* et *in particulari* [168].
Les semi-pélagiens errent en disant de *in communi* ce qui n'est vrai que *in particulari* et les calvinistes en disant *in particulari*, ce qui est vrai *in communi*, ce me semble.

SÉRIE XXVIII

792-*101* Je mets en fait que si tous les hommes savaient ce qu'ils disent les uns des autres il n'y aurait pas 4 amis dans le monde. Cela paraît par les querelles que causent les rapports indiscrets qu'on en fait quelquefois.

793-*737* De là je refuse toutes les autres religions.

Par là je trouve réponse à toutes les objections.

Il est juste qu'un Dieu si pur ne se découvre qu'à ceux dont le cœur est purifié.

De là cette religion m'est aimable et je la trouve déjà assez autorisée par une si divine morale, mais j'y trouve de plus.
Je trouve d'effectif que depuis que la mémoire des hommes dure, voici un peuple qui subsiste plus ancien que tout autre peuple.
Il est annoncé constamment aux hommes qu'ils sont dans une corruption universelle, mais qu'il viendra un Réparateur.
Que ce n'est pas un homme qui le dit, mais une infinité d'hommes, et un peuple entier, prophétisant le fait exprès durant 4 000 ans; les livres dispersés durant 400 ans.
Plus je les examine plus j'y trouve de vérité. Un

165. Lc, XII, 32 : « *Ne craignez point, petit troupeau.* » — Philipp., II, 12 : « Employez-vous à votre salut avec *crainte et tremblement.* »
166. Mc, IX, 36 (texte de Vatable) : « *Quiconque me reçoit, il ne me reçoit pas, mais celui qui m'a envoyé.* » — XIII, 32 : « *Nul ne sait... ni le Fils.* »

167. Mtt, XVII, 5 : « *Voici une nuée resplendissante qui les couvrit.* »
168. Cf. *Écrits sur la grâce* : « On peut considérer la justification soit dans ses effets *particuliers*, et alors on peut leur alléguer des causes (car la prière les obtient) et c'est ce qu'ont méconnu les calvinistes — soit en les prenant tous *en commun*, et alors ils n'ont aucune cause que la volonté divine, c'est ce qu'ont méconnu les pélagiens. »

peuple entier le prédit avant sa venue, un peuple entier l'adore après sa venue; et ce qui a précédé et ce qui a suivi; Et cette synagogue qui l'a précédé *(et ce nombre de juifs)* misérables et sans prophètes, qui le suivent et qui étant tous ennemis sont d'admirables témoins pour nous de la vérité de ces prophéties où leur misère et leur aveuglement est prédit. Enfin eux sans idoles ni roi.

Les ténèbres des juifs, effroyables et prédites. *Eris palpans in meridie* [169]. *Dabitur liber scienti litteras et dicet non possum legere* [170].

Le sceptre étant encore entre les mains du premier usurpateur étranger.

Le bruit de la venue de Jésus-Christ.

J'admire une première et auguste religion, toute divine dans son autorité, dans sa durée, dans sa perpétuité, dans sa morale, dans sa conduite, dans sa doctrine, dans ses effets et

Ainsi je tends les bras à mon Libérateur, qui ayant été prédit durant 4 000 ans est venu souffrir et mourir pour moi sur la terre dans les temps et dans toutes les circonstances qui en ont été prédites, et par sa grâce j'attends la mort en paix dans l'espérance de lui être éternellement uni et je vis cependant avec joie, soit dans les biens qu'il lui plaît de me donner, soit dans les maux qu'il m'envoie pour mon bien et qu'il m'a appris à souffrir par son exemple.

794-*393* C'est une plaisante chose à considérer de ce qu'il y a des gens dans le monde qui ayant renoncé à toutes les lois de Dieu de la nature, s'en sont fait eux-mêmes auxquelles ils obéissent exactement comme par exemple les soldats de Mahomet, etc., les voleurs, les hérétiques, etc., et ainsi les logiciens.

Il semble que leur licence doivent être sans aucunes bornes, ni barrières voyant qu'ils en ont franchi tant de si justes et de si saintes.

795-*160* L'éternuement absorbe toutes les fonctions de l'âme aussi bien que la besogne, mais on n'en tire pas les mêmes conséquences contre la grandeur de l'homme parce que c'est contre son gré et quoiqu'on se le procure néanmoins c'est contre son gré qu'on se le procure. Ce n'est pas en vue de la chose même c'est pour une autre fin. Et ainsi ce n'est pas une marque de la faiblesse de l'homme, et de sa servitude sous cette action.

Il n'est pas honteux à l'homme de succomber sous la douleur, et il lui est honteux de succomber sous le plaisir. Ce qui ne vient pas de ce que la douleur nous vient d'ailleurs, et que nous recherchons le plaisir. Car on peut rechercher la douleur et y succomber à dessein sans ce genre de bassesse. D'où vient donc qu'il est glorieux à la raison de succomber sous l'effort de la douleur, et qu'il lui est honteux de succomber sous l'effort du plaisir? c'est que ce n'est pas la douleur qui nous tente et nous attire; c'est nous-mêmes qui volontairement la choisissons et voulons la faire dominer sur nous, de sorte que nous sommes maîtres de la chose, et en cela c'est l'homme qui succombe à soi-même. Mais dans le plaisir c'est l'homme qui succombe au plaisir. Or il n'y a que la maîtrise et l'empire qui fasse la gloire, et que la servitude qui fasse honte.

796-*314* Dieu
a créé tout pour soi.
a donné puissance de peines et de biens pour soi.

Vous pouvez l'appliquer à Dieu ou à vous.

Si à Dieu l'Évangile est la règle.
Si à vous, vous tiendrez la place de Dieu.

Comme Dieu est environné de gens pleins de charité qui lui demandent les biens de la charité qui sont en sa puissance, ainsi

Connaissez-vous donc et sachez que vous n'êtes qu'un roi de concupiscence et prenez les voies de la concupiscence.

797-*310* Roi, et tyran.

J'aurai aussi mes pensées de derrière la tête.
Je prendrai garde à chaque voyage.

Grandeur d'établissement, respect d'établissement.

Le plaisir des Grands est de pouvoir faire des heureux.

Le propre de la richesse est d'être donnée libéralement.

Le propre de chaque chose doit être cherché. Le propre de la puissance est de protéger.

Quand la force attaque la grimace, quand un simple soldat prend le bonnet carré d'un premier président et le fait voler par la fenêtre.

798-*41* Épigrammes de Martial.

L'homme aime la malignité mais ce n'est pas contre les borgnes, ou les malheureux, mais contre les heureux superbes. On se trompe autrement, car la concupiscence est la source de tous nos mouvements, et l'humanité,

169. Deut., XXVIII, 29 : « *Et tu seras tâtonnant en plein midi.* »

170. Cf. Is., XXIX, 11 : « Et la vision d'eux tous sera pour vous comme le livre scellé; lorsqu'on le *donnera à un homme qui sait lire* on dira : lis ce livre; et *il répondra : Je ne puis*, car il est scellé. »

Il faut plaire à ceux qui ont les sentiments humains et tendres.

Celle des deux borgnes ne vaut rien, car elle ne les console pas et ne fait que donner une pointe à la gloire de l'auteur.

Tout ce qui n'est que pour l'auteur ne vaut rien. *Ambitiosa recidet ornamenta* [171].

SÉRIE XXIX

799-*612* Gen. 17. *Statuam pactum meum inter me et te foedere sempiterno ut sim deus tuus.*

Et tu ergo custodies pactum meum [172].

800-*532* L'Écriture a pourvu de passages pour consoler toutes les conditions et pour intimider toutes les conditions.

La nature semble avoir fait la même chose par ces deux infinis naturels et moraux. Car nous aurons toujours du dessus et du dessous, de plus habiles et de moins habiles, de plus élevés et de plus misérables, pour abaisser notre orgueil et relever notre abjection.

801-*660* *Fascinatio — Somnum Suum — figura hujus mundi* [173].

Eucharistie.

Comedes panem tuum — panem nostrum [174].

Inimici dei terram lingent [175]. Les pécheurs lèchent la terre, c'est-à-dire aiment les plaisirs terrestres.

L'ancien Testament contenait les figures de la joie future et le nouveau contient les moyens d'y arriver.

Les figures étaient de joie, les moyens de pénitence, et néanmoins l'agneau pascal était mangé avec des laitues sauvages, *cum amaritudinibus* [176].

Singularis sum ego donec transeam [177]. J.-C. avant sa mort était presque seul de martyr.

802-*122* Le temps guérit les douleurs et les querelles parce qu'on change. On n'est plus la même personne; ni l'offensant, ni l'offensé ne sont plus eux-mêmes. C'est comme un peuple qu'on a irrité et qu'on reverrait après deux générations. Ce sont encore les Français mais non les mêmes.

803-*386* Si nous rêvions toutes les nuits la même chose elle nous affecterait autant que les objets que nous voyons tous les jours. Et si un artisan était sûr de rêver toutes les nuits douze heures durant qu'(il) est roi, je crois qu'il serait presque aussi heureux qu'un roi qui rêverait toutes les nuits douze heures durant qu'il serait artisan.

Si nous rêvions toutes les nuits que nous sommes poursuivis par des ennemis et agités par ces fantômes pénibles, et qu'on passât tous les jours en diverses occupations comme quand on fait voyage on souffrirait presque autant que si cela était véritable et on appréhenderait le dormir comme on appréhende le réveil, quand on craint d'entrer dans de tels malheurs en effet. Et en effet il ferait à peu près les mêmes maux que la réalité.

Mais parce que les songes sont tous différents et que l'un même se diversifie, ce qu'on y voit affecte bien moins que ce qu'on voit en veillant, à cause de la continuité qui n'est pourtant pas si continue et égale qu'elle ne change aussi, mais moins brusquement, si ce n'est rarement comme quand on voyage et alors on dit : il me semble que je rêve; car la vie est un songe un peu moins inconstant.

804-*447* Dira(-t-)on que, pour avoir dit que la justice est partie de la terre, les hommes aient connu le péché originel? *Nemo ante obitum beatus* [178]. Est-ce à dire qu'ils aient connu qu'à la mort la béatitude éternelle et essentielle commençait?

805-*106* En sachant la passion dominante de chacun on est sûr de lui plaire, et néanmoins chacun a ses fantaisies contraires à son propre bien dans l'idée même qu'il a du bien, et c'est une bizarrerie qui met hors de gamme.

806-*147* Nous ne nous contentons pas de la vie que nous avons en nous et en notre propre être. Nous voulons vivre dans l'idée des autres d'une vie imaginaire et nous nous efforçons pour cela de paraître. Nous travaillons incessamment à embellir et conserver notre être imaginaire et négligeons le véritable. Et si nous avons ou la tranquillité ou la générosité,

171. La sentence d'Horace (*Épître aux Pisons*, v, 447-448) se trouve citée au nº CX : « *Il retranchera les ornements ambitieux.* »

172. Gen., XVII, 7 : « *Ainsi j'établirai mon alliance entre moi et toi*, et entre ta postérité après toi dans ses générations, *par un acte éternel*; *afin que je sois ton Dieu* et le Dieu de la postérité après toi. » — 9 : « Dieu dit encore à Abraham : « *Tu garderas mon alliance*, toi et ta postérité après toi dans ses générations. »

173. Sag., IV, 12 : « Car la *fascination* de la frivolité obscurcit le bien, et l'inconstance de la concupiscence renverse le sens qui est sans malice. » Cf. 386. — Ps. LXXV, 6 : « ...Ils ont dormi *leur sommeil*... » — I Cor., VII, 31 : « ...car elle passe *la figure de ce monde.* »

174. Deut., VIII, 9 : « ...terre d'huile et de miel où tu *manges ton pain* sans en manquer jamais. » — Lc, XI, 3 : « Donnez-nous aujourd'hui *notre pain* de chaque jour... »

175. Ps. LXXI, 9 : « Devant lui se prosternèrent les Éthiopiens, et ses *ennemis lècheront la poussière.* »

176. Ex., XII, 8 : « Et ils mangeront cette nuit-là les chairs rôties au feu avec des pains azymes et *avec des laitues sauvages.* »

177. Ps. CXL, 10 : « Les pécheurs tomberont dans son filet; pour *moi, je suis seul, jusqu'à ce que je passe.* »

178. Ovide, *Métam.*, III, 135 : « Il faut toujours attendre le dernier jour de l'homme, et *personne* ne peut être déclaré *heureux avant sa mort* et ses funérailles. » (Montaigne, *Essais*, I, 19.)

ou la fidélité nous nous empressons de le faire savoir afin d'attacher ces vertus-là à notre autre être et les détacherions plutôt de nous pour les joindre à l'autre. Nous serions de bon cœur poltrons pour en acquérir la réputation d'être vaillants. Grande marque du néant de notre propre être de n'être pas satisfait de l'un sans l'autre et d'échanger souvent l'un pour l'autre. Car qui ne mourrait pour conserver son honneur celui-là serait infâme.

807-*519* Joh. 8.
Multi crediderunt in eum.
Dicebat ergo Jesus, si manseritis vere mei discipuli eritis et veritas liberabit vos.
Responderunt semen Abrahae sumus et nemini servimus unquam [179].

Il y a bien de la différence entre les disciples et les vrais disciples. On les reconnaît en leur disant que la vérité les rendra libres. Car ils répondent qu'ils sont libres et qu'ils est en eux de sortir de l'esclavage du diable. Ils sont bien disciples, mais non pas vrais disciples.

808-*245* Il y a trois moyens de croire : la raison, la coutume, (l')inspiration. La religion chrétienne qui seule a la raison n'admet point pour ses vrais enfants ceux qui croient sans inspiration. Ce n'est pas qu'elle exclue la raison et la coutume, au contraire; mais il faut ouvrir son esprit aux preuves, s'y confirmer par la coutume, mais s'offrir par les humiliations aux inspirations, qui seules peuvent faire le vrai et salutaire effet, *ne evacuetur crux Christi* [180].

809-*230* Incompréhensible que Dieu soit et incompréhensible qu'il ne soit pas, que l'âme soit avec le corps, que nous n'ayons point d'âme, que le monde soit créé, qu'il ne soit pas, etc., que le péché originel soit et qu'il ne soit pas.

810-*193* *Quid fiet hominibus qui minima contemnunt majora non credunt* [181].

811-*741* Les deux plus anciens livres du monde sont Moïse et Job. L'un juif l'autre païen qui tous deux regardent J.-C. comme leur centre commun et leur objet, Moïse en rapportant les promesses de Dieu à Abraham, Jacob, etc. et ses prophéties, et Job. *Quis mihi det ut* etc. *Scio enim quod redemptor meus vivit* [182], etc.

812-*798* Le style de l'Evangile est admirable en tant de manières et entre autres en ne mettant jamais aucune invective contre les bourreaux et ennemis de Jésus-Christ. Car il n'y en a aucune des historiens contre Judas, Pilate, ni aucun des Juifs.

Si cette modestie des historiens évangéliques avait été affectée, aussi bien que tant d'autres traits d'un si beau caractère, et qu'ils ne l'eussent affecté que pour le faire remarquer ils — s'ils n'avaient osé le remarquer eux-mêmes — n'auraient pas manqué de se procurer des amis qui eussent fait ces remarques à leur avantage, mais comme ils ont agi de la sorte sans affectation et par un mouvement tout désintéressé ils ne l'ont fait remarquer à personne et je crois que plusieurs de ces choses n'ont point été remarquées jusqu'ici; et c'est ce qui témoigne la froideur avec laquelle la chose a été faite.

813-*895* Jamais on ne fait le mal si pleinement et si gaîment que quand on le fait par conscience.

814-*6* Comme on se gâte l'esprit on se gâte aussi le sentiment.

On se forme l'esprit et le sentiment par les conversations, on se gâte l'esprit et le sentiment par les conversations. Ainsi les bonnes ou les mauvaises le forment ou le gâtent. Il importe donc de tout de bien savoir choisir pour se le former et ne le point gâter. Et on ne peut faire ce choix si on ne l'a déjà formé et point gâté. Ainsi cela fait un cercle dont sont bienheureux ceux qui sortent.

815-*259* Le monde ordinaire a le pouvoir de ne pas songer à ce qu'il ne veut pas songer. Ne pensez point aux passages du Messie, disait le Juif à son fils. Ainsi font les nôtres souvent, ainsi se conservent les fausses religions et la vraie même à l'égard de beaucoup de gens.

Mais il y en a qui n'ont pas le pouvoir de s'empêcher ainsi de songer et qui songent d'autant plus qu'on leur défend. Ceux-là se défont des fausses religions et de la vraie même s'ils ne trouvent des discours solides.

179. Jn, VIII, 31-33 : « *Jésus disait donc* à ceux des Juifs qui *croyaient en lui :* Pour vous *si vous demeurez dans ma parole, vous serez vraiment mes disciples;* et vous connaîtrez la vérité et *la vérité vous rendra libres. Ils lui répondirent : Nous sommes la race d'Abraham, et nous n'avons jamais été esclaves de personne;* comment dis-tu toi : vous serez libres? »

180. I Cor., I, 17 : « *Afin que la croix du Christ ne soit pas désaffectée.* »

181. Ce texte est vraisemblablement de Pascal : « *Qu'arrivera-t-il aux hommes qui méprisent les petites choses, ne croient pas aux grandes?* »

182. Job, XIX, 23-25 : « *Qui me donnera que* mes paroles soient écrites? Qui me permettra qu'elles soient gravées en un livre, d'une greffe de fer, ou une lame de plomb, ou bien qu'elles soient gravées d'un burin ou d'un caillou? *Car je sais bien que mon Rédempteur vit*, et que je dois me relever de la terre au dernier jour. »

816-*240* J'aurais bientôt quitté les plaisirs, disent-ils, si j'avais la foi. Et moi je vous dis : vous auriez bientôt la foi si vous aviez quitté les plaisirs. Or c'est à vous à commencer. Si je pouvais je vous donnerais la foi. Je ne puis le faire ni partant éprouver la vérité de ce que vous dites, mais vous pouvez bien quitter les plaisirs et éprouver si ce que je dis est vrai.

817-*615* On a beau dire : il faut avouer que la religion chrétienne a quelque chose d'étonnant. C'est parce que vous y êtes né dira(-t-)on. Tant s'en faut je me roidis contre par cette raison-là même, de peur que cette prévention ne me suborne, mais quoi que j'y sois né je ne laisse pas de le trouver ainsi.

818-*782* La victoire sur la mort. Que sert à l'homme de gagner tout le monde s'il perd son âme. Qui veut garder son âme la perdra.

Je ne suis pas venu détruire la loi mais l'accomplir.

Les agneaux n'ôtaient point les péchés du monde mais je suis l'agneau qui ôte les péchés.

Moïse ne vous a point donné le pain du ciel.

Moïse ne vous a point tirés de captivité et ne vous a pas rendus véritablement libres.

819-*712* Les prophéties mêlées des choses particulières et de celles du Messie afin que les prophéties du Messie ne fussent pas sans preuve et que les prophéties particulières ne fussent pas sans fruit.

820-*561* Il y a deux manières de persuader les vérités de notre religion, l'une par la force de la raison, l'autre par l'autorité de celui qui parle.

On ne se sert point de la dernière mais de la première. On ne dit point : il faut croire cela car l'Écriture qui le dit est divine, mais on dit qu'il le faut croire par telle et telle raison, qui sont de faibles arguments, la raison étant flexible à tout.

SÉRIE XXX

821-*252* Car il ne faut pas se méconnaître, nous sommes automate autant qu'esprit. Et de là vient que l'instrument par lequel la persuasion se fait n'est pas la seule démonstration. Combien y a(-t-)il peu de choses démontrées? Les preuves ne convainquent que l'esprit, la coutume fait nos preuves les plus fortes et les plus crues. Elle incline l'automate qui entraîne l'esprit sans qu'il y pense. Qui a démontré qu'il sera demain jour et que nous mourrons, et qu'y a(-t-)il de plus cru? C'est donc la coutume qui nous en persuade. C'est elle qui fait tant de chrétiens, c'est elle qui fait les Turcs, les païens, les métiers, les soldats, etc. Il y a la foi reçue dans le baptême de plus aux chrétiens qu'aux païens. Enfin il faut avoir recours à elle quand une fois l'esprit a vu où est la vérité afin de nous abreuver et nous teindre de cette créance qui nous échappe à toute heure, car d'en avoir toujours les preuves présentes c'est trop d'affaire. Il faut acquérir une créance plus facile qui est celle de l'habitude qui sans violence, sans art, sans argument nous fait croire les choses et incline toutes nos puissances à cette croyance, en sorte que notre âme y tombe naturellement. Quand on ne croit que par la force de la conviction et que l'automate est incliné à croire le contraire ce n'est pas assez. Il faut donc faire croire nos deux pièces, l'esprit par les raisons qu'il suffit d'avoir vues une fois en sa vie et l'automate par la coutume, et en ne lui permettant pas de s'incliner au contraire. *Inclina cor meum deus* [183].

La raison agit avec lenteur et avec tant de vues sur tant de principes, lesquels il faut qu'ils soient toujours présents, qu'à toute heure elle s'assoupit ou s'égare manque d'avoir tous ses principes présents. Le sentiment n'agit pas ainsi; il agit en un instant et toujours est prêt à agir. Il faut donc mettre notre foi dans le sentiment, autrement elle sera toujours vacillante.

432-*194 bis* et *ter* (1.) *On doit avoir pitié des uns et des autres, mais on doit avoir pour les uns une pitié qui naît de tendresse, et pour les autres une pitié qui naît de mépris.*

(2.) *Il faut bien être dans la religion qu'ils méprisent pour ne les pas mépriser.*

(3.) *Cela n'est point du bon air.*

(4.) *Cela montre qu'il n'y a rien à leur dire non par mépris, mais parce qu'ils n'ont pas le sens commun. Il faut que Dieu les touche.*

(5.) *Les gens de cette sorte sont académistes, écoliers, et c'est le plus méchant caractère d'hommes que je connaisse.*

(6.) *Vous me convertirez.*

(7-22.) *Je ne prends point cela par bigoterie, mais par la manière dont le cœur de l'homme est fait, non par un zèle de dévotion et de détachement, mais par un principe purement humain et par un mouvement d'intérêt et d'amour-propre.*

(8.) *Il est sans doute qu'il n'y a point de bien sans la connaissance de Dieu ; qu'à mesure qu'on en approche on est heureux et que le dernier bonheur est de le connaître avec certitude ; qu'à mesure qu'on s'en éloigne on est malheureux et que le dernier malheur serait la certitude du contraire.*

183. Ps. CXVII, 36 : « *Incline mon cœur, ô Dieu,* vers tes témoignages. »

(9.) *C'est donc un malheur que de douter, mais c'est un devoir indispensable de chercher dans le doute et ainsi celui qui doute et qui ne cherche pas, est tout ensemble malheureux et injuste; que s'il est avec cela gai et présomptueux, je n'ai point de terme pour qualifier une si extravagante créature.*

(10.) N'est-ce pas assez qu'il se fasse des miracles en un lieu et que la providence paraisse sur un peuple.

(11.) Cependant il est certain que l'homme est si dénaturé qu'il y a dans son cœur une semence de joie en cela.

(12.) *Est-ce une chose à dire avec joie? C'est une chose qu'on doit donc dire tristement.*

(13.) *Le beau sujet de se réjouir et de se vanter la tête levée en cette sorte : Donc réjouissons-nous, vivons sans crainte et sans inquiétude et attendons la mort puisque cela est incertain et nous verrons alors ce qu'il arrivera de nous. Je n'en vois pas la conséquence*

(15.) *Est-ce courage à un homme mourant d'aller dans la faiblesse et dans l'agonie affronter un Dieu puissant et éternel?*

(14.) Le bon air va à n'avoir point de complaisance, et la bonne pitié à avoir complaisance pour les autres.

(16.) Que je serais heureux si j'étais en cet état qu'on eût pitié de ma sottise et qu'on eût la bonté de m'en tirer malgré moi.

(17.) *(N'en être pas fâché et ne pas aimer cela accuse tant de faiblesse d'esprit et tant de malice dans la volonté.)*

(18.) Quel sujet de joie de ne plus attendre que des misères sans ressources! quelle consolation dans le désespoir de tout consolateur!

(Mais si nous ne pouvons les toucher, ils ne seront pas inutiles.)

(19.) Mais ceux-là mêmes qui semblent les plus opposés à la gloire de la religion n'y seront pas inutiles pour les autres.

(20.) Nous en ferons le premier argument qu'il y a quelque chose de surnaturel car un aveuglement de cette sorte n'est pas une chose naturelle. Et si leur folie les rend si contraires à leur propre bien, elle servira à en garantir les autres par l'horreur d'un exemple si déplorable, et d'une folie si digne de compassion.

(21.) Est-ce qu'ils sont si fermes qu'ils soient insensibles à tout ce qui les touche? Éprouvons-les dans la perte des biens ou de l'honneur. Quoi? c'est un enchantement.

822-*593* Histoire de la Chine.

Je ne crois que les histoires dont les témoins se feraient égorger.

(Lequel est le plus croyable des deux, Moïse ou la Chine?)

Il n'est pas question de voir cela en gros; je vous dis qu'il y a de quoi aveugler et de quoi éclaircir.

Par ce mot seul je ruine tous vos raisonnements; mais la Chine obscurcit, dites-vous. Et je réponds : la Chine obscurcit, mais il y a clarté à trouver. Cherchez-la.

Ainsi tout ce que vous dites fait à un des desseins et rien contre l'autre. Ainsi cela sert et ne nuit pas.

Il faut donc voir cela en détail. Il faut mettre papiers sur table.

823-*217* C'est un héritier qui trouve les titres de sa maison. Dira(-t-)il peut-être qu'ils sont faux, et négligera(-t-)il de les examiner.

824-*522* La loi obligeait à ce qu'elle ne donnait pas; la grâce donne ce à quoi elle oblige.

825-*901* Semble réfuter. (?)

Humilibus dat gratiam; an ideo non dedit humilitatem [184]*?*

Sui eum non receperunt, quotquot autem non receperunt, an non erant sui [185]*?*

SÉRIE XXXI

826-*673* *Fac secundum exemplar quod tibi ostensum est in monte* [186].

La religion des Juifs a donc été formée sur la ressemblance de la vérité du Messie et la vérité du Messie a été reconnue par la religion des Juifs qui en était la figure.

Dans les Juifs la vérité n'était que figurée; dans le ciel elle est découverte.

Dans l'Église elle est couverte et reconnue par le rapport à la figure.

184. Jacq., IV, 6 et I Pet., V, 5 : « Dieu résiste aux orgueilleux et *fait grâce aux humbles.* » Pascal ajoute : « *Est-ce à dire qu'il n'a pas donné l'humilité?* »

185. Jn, I, 11 : « Il vint chez lui, et *les siens ne le reçurent pas.* » — Pascal ajoute : « *Mais tous ceux qui ne l'ont pas reçu, n'étaient-ils pas siens?* »

186. Ex., XXV, 40 : « Regarde et *fais selon le modèle qui t'a été montré sur la montagne.* »

La figure a été faite sur la vérité.
Et la vérité a été reconnue sur la figure.

827-*673* Saint Paul dit lui-même que des gens défendront les mariages, et lui-même en parle aux Cor. d'une manière qui est une ratière. Car si un prophète avait dit l'un et que saint Paul eût dit ensuite l'autre on l'eût accusé.

828-*304* Les cordes qui attachent le respect des uns envers les autres en général sont cordes de nécessité; car il faut qu'il y ait différents degrés, tous les hommes voulant dominer et tous ne le pouvant pas, mais quelques-uns le pouvant.

Figurons-nous donc que nous les voyons commencer à se former. Il est sans doute qu'ils se battront jusqu'à ce que la plus forte partie opprime la plus faible, et qu'enfin il y ait un parti dominant. Mais quand cela est une fois déterminé alors les maîtres qui ne veulent pas que la guerre continue ordonnent que la force qui est entre leurs mains succédera comme il leur plaît : les uns le remettent à l'élection des peuples, les autres à la succession de naissance, etc.

Et c'est là où l'imagination commence à jouer son rôle. Jusque-là la pure force l'a fait. Ici c'est la force qui se tient par l'imagination en un certain parti, en France des gentilhommes, en Suisse des roturiers, etc.

Or ces cordes qui attachent donc le respect à tel et à tel en particulier sont des cordes d'imagination.

829-*351* Ces grands efforts d'esprit où l'âme touche quel(que)fois sont choses où elle ne se tient pas; elle y saute seulement non comme sur le trône pour toujours, mais pour un instant seulement.

SECTION III. MIRACLES

SÉRIE XXXII

830-*app.* XIII Les points que j'ai à demander à M. l'abbé de Saint-Cyran sont ceux-ci principalement. Mais, comme je n'en ai point de copie, il faudrait qu'il prît la peine de renvoyer ce papier avec la réponse qu'il aura la bonté de faire.

1. S'il faut, pour qu'un effet soit miraculeux qu'il soit au-dessus de la force des hommes, des démons, des anges et de toute la nature créée.

Les théologiens disent que les miracles sont surnaturels ou dans leur substance, quoad substantiam, *comme la pénétration de deux corps, ou la situation d'un même corps en deux lieux et en même temps; ou qu'ils sont surnaturels dans la manière de les produire* quoad modum : *comme quand ils sont produits par des moyens qui n'ont nulle vertu naturelle de les produire : comme quand Jésus-Christ guérit les yeux de l'aveugle avec la boue et la belle-mère de Pierre en se penchant sur elle, et la femme malade du flux de sang, en touchant le bord de sa robe... Et la plupart des miracles qu'il nous a faits dans l'Évangile sont de ce second genre. Telle est aussi la guérison d'une fièvre, ou autre maladie faite en un moment, ou plus parfaitement que la nature ne porte, par l'attouchement d'une relique ou par l'invocation du nom de Dieu, de sorte que la pensée de celui qui propose ces difficultés est vraie et conforme à tous les théologiens, même de ce temps.*

2. S'il ne suffit pas qu'il soit au-dessus de la force naturelle des moyens qu'on y emploie; ma pensée étant que tout effet est miraculeux (lorsqu'il) surpasse la force naturelle des moyens qu'on y emploie. Ainsi j'appelle miraculeux la guérison d'une maladie faite par l'attouchement d'une sainte Relique, la guérison d'un démoniaque faite par l'invocation du nom de Jésus, etc., parce que ces effets surpassent la force naturelle des paroles par lesquelles on invoque Dieu et la force naturelle d'une relique *(qui)* ne peuvent guérir les malades et chasser les démons. Mais je n'appelle pas miracle de chasser les démons par l'art du diable; car, quand on emploie l'art du diable pour chasser le diable, l'effet ne surpasse pas la force naturelle des moyens qu'on y emploie; et ainsi il m'a paru que la vraie définition des miracles est celle que je viens de dire.

Ce que le diable peut faire n'est pas miracle, non plus que ce que peut faire une bête, quoique l'homme ne le puisse pas faire lui-même.

3. Si saint Thomas n'est pas contraire à cette définition, et s'il n'est pas d'avis qu'un effet, pour être miraculeux, doit surpasser la force de toute la nature créée.

Saint Thomas est de même opinion que les autres, quoiqu'il divise en deux la seconde espèce de miracles : miracles quoad subjectum, *et miracles* quoad ordinem naturae. *Il dit que les premiers sont ceux que la nature peut produire absolument, mais non dans un tel sujet, comme elle peut produire la vie, mais non dans un corps mort; et que les seconds sont ceux qu'elle peut produire dans un sujet, mais non par un tel moyen avec tant de promptitude, comme guérir en un moment et par un seul attouchement une fièvre ou une maladie, quoique non incurable.*

4. Si les hérétiques déclarés et reconnus peuvent faire de vrais miracles pour confirmer une erreur.
Il ne se peut jamais faire de vrais miracles par qui que ce soit, catholique ou hérétique, saint ou méchant, pour confirmer une erreur, parce que Dieu affirmerait et approuverait par son sceau l'erreur comme faux témoin, ou plutôt comme faux juge ; cela est assuré et constant.

5. Si les hérétiques connus et déclarés peuvent faire des miracles comme la guérison des maladies qui ne sont pas incurables; par exemple, s'ils peuvent guérir une fièvre pour confirmer une proposition erronée : le P. Lingendes prêche que oui.
(Il n'a pas été répondu à cette question.)

6. Si les hérétiques déclarés et connus peuvent faire des miracles qui soient au-dessus de toute la nature créée par l'invocation du nom de Dieu et par une sainte relique.
Ils le peuvent pour confirmer une vérité et il y en a des exemples dans l'histoire.

7. Si les hérétiques couverts, et qui ne se séparant pas de l'Église, sont néanmoins dans l'erreur, et qui ne se déclarent pas contre l'Église, afin de pouvoir plus facilement séduire les fidèles et fortifier leur parti, par l'invocation du nom de Jésus, ou par une sainte relique, peuvent faire des miracles qui soient au-dessus de la nature entière, ou même s'ils en peuvent faire qui ne soient qu'au-dessus de l'homme, comme de guérir sur-le-champ des maux qui ne sont pas incurables.
Les hérétiques couverts n'ont pas plus de pouvoir sur les miracles que les hérétiques déclarés ; rien n'étant couvert à Dieu, qui est le seul auteur et opérateur des miracles, quels qu'ils soient, pourvu qu'ils soient vrais miracles.

8. Si les miracles faits par le nom de Dieu, ou par l'interposition des choses divines, ne sont pas les marques de la vraie Église, et si tous les catholiques n'ont pas tenu l'affirmative contre les hérétiques.
Tous les catholiques en demeurent d'accord et surtout les auteurs jésuites. Il ne faut que lire Bellarmin. Lors même que les hérétiques ont fait des miracles, ce qui est arrivé quelquefois, quoique rarement, ces miracles étaient marques de l'Église, parce qu'ils n'étaient faits que pour confirmer la vérité que l'Église enseigne, et non l'erreur des hérétiques.

9. S'il n'est jamais arrivé que les hérétiques aient fait des miracles, et de quelle nature ils ont été.
Il y en a fort peu d'assurés ; mais ceux dont on parle sont miraculeux seulement quoad modum, *c'est-à-dire des effets naturels produits miraculeusement en une manière qui surpasse l'ordre de la nature.*

10. Si cet homme de l'Évangile qui chassait les démons au nom de J.-C. et dont J.-C. dit « qui n'est point contre nous est pour nous » était ami ou ennemi de J.-C., et ce qu'en disent les interprètes de l'Évangile. Je demande cela parce que le P. Lingendes prêcha que cet homme-là était contraire à J.-C.
L'Évangile témoigne assez qu'il n'était pas contraire à J.-C. et les Pères le tiennent, et presque tous les auteurs jésuites.

11. Si l'Antéchrist fera des signes au nom de J.-C. ou en son propre nom.
Comme il ne viendra pas au nom de J.-C., mais au sien propre, selon l'Évangile, ainsi il ne fera point des miracles au nom de J.-C., mais au sien et contre J.-C., pour détruire la foi et son Église ; à cause de cela ce ne seront pas de vrais miracles.

12. Si les oracles ont été miraculeux.
Les miracles des païens et des idoles n'ont été non plus miraculeux que les autres opérations des démons et des magiciens.

831-*810* Le second miracle peut supposer le premier; le premier ne peut supposer le second.

SÉRIE XXXIII

832-*803* 5. Miracles. Commencement.
Les miracles discernent la doctrine et la doctrine discerne les miracles.

Il y a de faux et de vrais. Il faut une marque pour les connaître, autrement ils seraient inutiles.
Or ils ne sont pas inutiles, et sont au contraire fondement.
Or il faut que la règle qu'il nous donne soit telle qu'elle ne détruise la preuve que les vrais miracles donnent de la vérité qui est la fin principale des miracles.

Moïse a en donné deux : que la prédiction n'arrive pas, Deut. 18, et qu'ils ne mènent point à l'idolâtrie, Deut. 13., et J.-C. une.

Si la doctrine règle les miracles, les miracles sont inutiles pour la doctrine.
Si les miracles règlent...

Objection à la règle.

Le discernement des temps : autre règle durant Moïse, autre règle à présent.

833-*487* Toute religion est fausse qui dans sa foi n'adore pas un Dieu comme principe de toutes choses et qui dans sa morale n'aime pas un seul Dieu comme objet de toutes choses.

834-*826* Raisons pourquoi on ne croit point.
Joh. 12. 37.
Cum autem tanta signa fecisset non credebant in eum. Ut sermo Isaiae impleretur. Excaecavit [187], etc.
Haec dixit Isaias quando vidit gloriam ejus et locutus est de eo [188].

Judaei signa petunt et graeci sapientiam quaerunt.
Nos autem Jesum Crucifixum [189].
Sed plenum signis, sed plenum sapientia.
Vos autem Christum, non crucifixum, et religionem sine miraculis et sine sapientia [190].

Ce qui fait qu'on ne croit pas les vrais miracles est le manque de charité. Joh. *sed vos non creditis quia non estis ex ovibus* [191].
Ce qui fait croire les faux est manque de charité 2. thess. 2.

Fondement de la religion.

C'est les miracles, quoi donc? Dieu parle(-t-)il contre les miracles, contre les fondements de la foi qu'on a en lui.

S'il y a un Dieu il fallait que la foi de Dieu fût sur la terre; or les miracles de J.-C. ne sont pas prédits par l'Antéchrist, mais les miracles de l'Antéchrist sont prédits par J.-C. Et ainsi si J.-C. n'était pas le Messie il aurait bien induit en erreur, mais l'Antéchrist ne peut bien induire en erreur.
Quand J.-C. a prédit les miracles de l'Antéchrist a-t-il cru détruire la foi de ses propres miracles?

Il n'y a nulle raison de croire en l'Antéchrist qui ne soit à croire en J.-C. mais il y en a en J.-C. qui ne sont pas en l'autre.

Moïse a prédit J.-C. et ordonné de le suivre. J.-C. a prédit l'Antéchrist et défendu de le suivre.
Il était impossible qu'au temps de Moïse on réservât sa créance à l'Antéchrist qui leur était inconnu, mais il est bien aisé au temps de l'Antéchrist de croire en J.-C. déjà connu.

187. Jn, XII, 37-40 : « *Encore qu'il eût fait tant de miracles* en leur présence, *ils ne croyaient point en lui, afin que s'accomplît la parole du prophète* (Isaïe), celle qu'il a dite : Seigneur, qui a cru (au messager) que nous faisons entendre? et à qui le bras du Seigneur a-t-il été révélé? — C'est pourquoi ils ne pouvaient pas croire, car Isaïe a dit encore : *Il a aveuglé* leurs yeux et endurci leurs cœurs; de peur qu'ils ne voient des yeux et qu'ils ne comprennent du cœur, et qu'ils ne se convertissent et que je ne les guérisse. »
188. Jn, XII, 41 : « *Isaïe dit cela quand il vit sa gloire et qu'il parla de lui.* »
189. I Cor., I, 22-23 : « *Car les Juifs demandent des miracles et les Grecs cherchent la sagesse; et nous nous prêchons le Christ crucifié...* »
190. Cf. Pascal qui ajoute : « *Mais plein de signes, mais plein de sagesse. Et vous un Christ non crucifié et une religion sans miracles et sans sagesse.* »
191. Jn, X, 26 : « *Mais vous ne croyez point : car vous n'êtes point de mes brebis.* »

835-*564* Les prophéties, les miracles mêmes et les preuves de notre religion ne sont pas de telle nature qu'on puisse dire qu'ils sont absolument convaincants, mais ils le sont aussi de telle sorte qu'on ne peut dire que ce soit être sans raison que de les croire. Ainsi il y a de l'évidence et de l'obscurité pour éclairer les uns et obscurcir les autres, mais l'évidence est telle qu'elle surpasse ou égale pour le moins l'évidence du contraire, de sorte que ce n'est pas la raison qui puisse déterminer à ne la pas suivre, et ainsi ce ne peut être que la concupiscence et la malice du cœur. Et par ce moyen il y a assez d'évidence pour condamner, et non assez pour convaincre, afin qu'il paraisse qu'en ceux qui la suivent c'est la grâce et non la raison qui fait suivre, et qu'en ceux qui la fuient c'est la concupiscence et non la raison qui fait fuir.

Vere discipuli, Vere Israelita, Vere liberi, Vere cibus [192].

Je suppose qu'on croit les miracles.

836-*855* Vous corrompez la religion ou en faveur de vos amis ou contre vos ennemis; vous en disposez à votre gré.

837-*823* S'il n'y avait point de faux miracles il y aurait certitude.
S'il n'y avait point de règle pour les discerner les miracles seraient inutiles et il n'y aurait point de raison de croire.
Or il n'y a pas humainement de certitude humaine, mais raison.

838-*671* Les Juifs qui ont — été appelés à dompter les nations et les rois ont été esclaves du péché et les chrétiens dont la vocation a été à servir et à être sujets sont les enfants libres.

839-*827* Jug. 13. 23. Si le Seigneur nous eût voulu faire mourir il ne nous eût pas montré toutes ces choses.

Ezéchias, Sennacherib.

Jérémie, Hananias faux prophète meurt le 7e mois.

3. mach. 3. le temple prêt à piller, secouru miraculeusement.

192. Jn, I, 47 : « Jésus vit venir à lui Nathanaël, et il dit de lui : voici *vraiment un Israélite* en qui il n'y a point d'artifice. » — VIII, 36 : « ...si donc le Fils vous met en liberté, vous *serez vraiment libres.* » — VI, 32 : « ...mais c'est mon Père qui vous donne *le vrai pain* du ciel. »

2. mach. 15.

3. Rois. 17. La veuve à Élie qui avait ressuscité l'enfant. Par là je connais que tes paroles sont vraies.

3. Rois. 18. Élie avec les prophètes de Baal.

Jamais en la contention du vrai Dieu, de la vérité de la religion il n'est arrivé de miracle du côté de l'erreur et non de la vérité.

840-*843* Ce n'est point ici le pays de la vérité; elle erre inconnue parmi les hommes. Dieu l'a couverte d'un voile qui la laisse méconnaître à ceux qui n'entendent pas sa voix; le lieu est ouvert au blasphème et même sur des vérités au moins bien apparentes. Si l'on publie les vérités de l'Évangile on en publie de contraires, et on obscurcit les questions, en sorte que le peuple ne peut discerner. Et on demande : qu'avez-vous qui vous fasse plutôt croire que les autres, quel signe faites-vous? Vous n'avez que des paroles et nous aussi. Si vous aviez des miracles, bien. Cela est une vérité que la doctrine doit être soutenue par les miracles dont on abuse pour blasphémer la doctrine. Et si les miracles arrivent on dit que les miracles ne suffisent pas sans la doctrine et c'est une autre vérité pour blasphémer les miracles.

J.-C. guérit l'aveugle-né et fit quantité de miracles au jour du sabbat par où il aveuglait les pharisiens qui disaient qu'il fallait juger des miracles par la doctrine.

Nous avons Moïse, mais celui-là nous ne savons d'où il est.

C'est ce qui est admirable que vous ne savez d'où il est et cependant il fait de tels miracles.

J.-C. ne parlait ni contre Dieu, ni contre Moïse.

L'Antéchrist et les faux prophètes prédits par l'un et l'autre testament parleront ouvertement contre Dieu et contre J.-C.

Qui n'est point contre, qui serait ennemi couvert, Dieu ne permettrait pas qu'il fît des miracles ouvertement.

Jamais en une dispute publique où les deux partis se disent à Dieu, à J.-C., à l'Église, les miracles ne sont du côté des faux chrétiens, et l'autre côté sans miracle.

Il a le diable. Joh. 10. 21. Et les autres disaient : le diable peut-il ouvrir les yeux des aveugles?

Les preuves que J.-C. et les apôtres tirent de l'Écriture ne sont pas démonstratives, car ils disent seulement que Moïse a dit qu'un prophète viendrait, mais ils ne prouvent pas par là que ce soit celui-là, et c'était toute la question. Ces passages ne servent donc qu'à montrer qu'on n'est pas contraire à l'Écriture et qu'il n'y paraît point de répugnance, mais non pas qu'il y ait accord. Or cela suffit : exclusion de répugnance avant miracles.

Il y a un devoir réciproque entre Dieu et les hommes. Il faut pardonner ce mot, *quod debui* [193]; « accusez-moi » dit Dieu dans Isaïe.

1. Dieu doit accomplir ses promesses, etc.

Les hommes doivent à Dieu de recevoir la religion qu'il leur envoie.

Dieu doit aux hommes de ne les point induire en erreur.

Or ils seraient induits en erreur si les faiseurs (de) miracles annonçaient une doctrine qui ne paraît pas visiblement fausse aux lumières du sens commun, et si un plus grand faiseur de miracles n'avait déjà averti de ne les pas croire.

Ainsi s'il y avait division dans l'Église et que les Ariens par exemple, qui se disaient fondés en l'Écriture comme les catholiques, eussent fait des miracles, et non les catholiques on eût été induit en erreur.

Car comme un homme qui nous annonce les secrets de Dieu n'est pas digne d'être cru sur son autorité privée et que c'est pour cela que les impies en doutent; aussi un homme qui pour marque de la communication qu'il a avec Dieu, ressuscite les morts, prédit l'avenir, transporte les mers, guérit les maladies, il n'y a point d'impie qui ne s'y rende; et l'incrédulité de Pharao et des Pharisiens est l'effet d'un endurcissement surnaturel.

Quand donc on voit les miracles et la doctrine non suspecte tout ensemble d'un côté il n'y a pas de difficulté, mais quand on voit les miracles et doctrine suspecte d'un même côté, alors il faut voir quel est le plus clair. J.-C. était suspect.

Barjésu aveuglé. La force de Dieu surmonte celle de ses ennemis.

Les exorcistes Juifs battus par les diables disant : « Je connais Jésus, et Paul, mais vous qui êtes-vous ? »

Les miracles sont pour la doctrine et non pas la doctrine pour les miracles.

Si les miracles sont vrais pourra(-t-)on persuader toute doctrine? non car cela n'arrivera pas.

Si angelus [194].

Règle.

Il faut juger de la doctrine par les miracles, il faut juger des miracles par la doctrine.

Tout cela est vrai mais cela ne se contredit pas.

193. Is., v, 4 : « *Qu'est-ce que j'aurais dû* faire de plus à ma vigne que je n'ai pas fait... »

194. Gal., I, 8 : « *Quand un ange* descendu du ciel vous annoncerait un autre Évangile que celui que nous avons annoncé, qu'il soit anathème. »

Car il faut distinguer les temps.

Que vous êtes aise de savoir les règles générales pensant par là jeter le trouble et rendre tout inutile. On vous en empêchera, mon Père, la vérité est une et ferme.

Il est impossible par le devoir de Dieu qu'un homme cachant sa mauvaise doctrine et n'en faisant paraître qu'une bonne et se disant conforme à Dieu et à l'Église fasse des miracles pour couler insensiblement une doctrine fausse et subtile. Cela ne se peut.

Et encore moins que Dieu qui connaît les cœurs fasse des miracles en faveur d'un tel.

841-*829* J.-C. dit que les Écritures témoignent de lui, mais il ne montre point en quoi.

Mêmes les prophéties ne pouvaient pas prouver J.-C. pendant sa vie, et ainsi on n'eût point été coupable de ne point croire en lui avant sa mort, si les miracles n'eussent pas suffi sans la doctrine, or ceux qui ne croyaient pas en lui encore vivant, étaient pécheurs, comme il le dit lui-même, et sans excuse. Donc il fallait qu'ils eussent une démonstration à laquelle ils résistassent; or ils n'avaient pas l'Écriture, mais seulement les miracles, donc ils suffisent quand la doctrine n'est pas contraire. Et on doit y croire.

Joh. 7. 40. Contestation entre les Juifs comme entre les chrétiens aujourd'hui.
Les uns croient en J.-C. et les autres ne le croient pas à cause des prophéties qui disaient qu'il devait naître de Bethléhem.
Ils devaient mieux prendre garde s'il n'en était pas; car, ses miracles étant convaincants, ils devaient bien s'assurer de ces prétendues contradictions de sa doctrine à l'Écriture, et cette obscurité ne les excusait pas, mais les aveuglait.
Ainsi ceux qui refusent de croire les miracles d'aujourd'hui pour une prétendue contradiction chimérique, ne sont pas excusés.
Le peuple qui croyait en lui sur ses miracles, les pharisiens leur disent : ce peuple est maudit qui ne sait pas la loi. Mais y a(-t-)il un prince ou un pharisien qui ait cru en lui, car nous savons que nul prophète ne sort de Galilée? Nicodème répondit : Notre loi juge (-t-)elle un homme devant que de l'avoir ouï.

842-*588* Notre religion est sage et folle, sage parce que c'est la plus savante et la plus fondée en miracles, prophéties, etc., folle parce que ce n'est point tout cela qui fait qu'on en est. Cela fait bien condamner ceux qui n'en sont pas, mais non pas croire ceux qui en sont. Ce qui les fait croire est la croix — *ne evacuata sit crux* [195].

195. « Afin que la croix *ne soit pas vaine.* »

Et ainsi saint Paul qui est venu en sagesse et signes dit qu'il n'est venu ni en sagesse ni en signes, car il venait pour convertir, mais ceux qui ne viennent que pour convaincre peuvent dire qu'ils viennent en sagesse et signes.

843-*836* Il y a bien de la différence entre n'être pas pour J.-C. et le dire, ou n'être point pour J.-C. et feindre d'en être. Les uns peuvent faire des miracles non les autres, car il est clair des uns qu'ils sont contre la vérité, non des autres. Et ainsi les miracles sont plus clairs.

844-*837* C'est une chose si visible qu'il faut aimer un seul Dieu qu'il ne faut pas de miracles pour le prouver.

845-*861* Bel état de l'Église quand elle n'est plus soutenue que de Dieu.

846-*808* J.-C. a vérifié qu'il était le Messie, jamais en vérifiant sa doctrine sur l'Écriture ou les prophéties, et toujours par ses miracles.

Il prouve qu'il remet les péchés par un miracle.

Ne vous esjouissez point de vos miracles, dit J.-C., mais de ce que vos noms sont écrits aux cieux.

S'ils ne croient point Moïse, ils ne croiront pas un ressuscité.

Nicodème reconnaît par ses miracles que sa doctrine est de Dieu. *Scimus quia venisti a deo magister, nemo enim potest facere quae tu facis nisi deus fuerit cum illo* [196]. Il ne juge pas des miracles par la doctrine, mais la doctrine par les miracles.

Les Juifs avaient une doctrine de Dieu comme nous en avons une de J.-C. Et confirmée par miracles et défense de croire à tous faiseurs de miracles; et de plus ordre de recourir aux grands prêtres et de s'en tenir à eux. Et ainsi toutes les raisons que nous avons pour refuser de croire les faiseurs de miracles, ils les avaient à l'égard de leurs prophètes. Et cependant ils étaient très coupables de refuser les prophètes à cause de leurs miracles et J.-C. Et n'eussent point été coupables s'ils n'eussent point vu les miracles. *Nisi fecissem peccatum non haberent* [197].
Donc toute la créance est sur les miracles.

La prophétie n'est point appelée miracle. Comme

196. Jn, III, 2 : « Nicodème vint la nuit à Jésus, et lui dit : *Maître, nous savons que vous êtes venu de Dieu* pour enseigner; *car nul ne pourrait faire les prodiges que vous faites, si Dieu n'était avec lui.* »
197. Jn, XV, 24 : « *Si je n'avais fait* parmi eux les œuvres que nul autre n'a faites, *ils n'auraient point de péché;* mais maintenant, et ils les ont vues, et ils ont haï et moi mon Père. »

saint Jean parle du 1. miracle en Cana, et puis de ce que Jésus-Christ dit à la Samaritaine qui découvre toute sa vie cachée, et puis guérit le fils d'un seigneur. Et saint Jean appelle cela le 2 signe.

847-*893* En montrant la vérité on la fait croire, mais en montrant l'injustice des maîtres on ne la corrige pas; on assure la conscience en montrant la fausseté, on n'assure pas la bourse en montrant l'injustice.

848-*806* Les miracles et la vérité sont nécessaires à cause qu'il faut convaincre l'homme entier en corps et en âme.

849-*665* La charité n'est pas un précepte figuratif. Dire que Jésus-Christ qui est venu ôter les figures pour mettre la vérité ne soit venu que mettre la figure de la charité pour ôter la réalité qui était auparavant, cela est horrible.

Si la lumière est ténèbres que seront les ténèbres?

850-*821* Il y a bien de la différence entre tenter et induire en erreur. Dieu tente mais il n'induit pas en erreur. Tenter est procurer les occasions qui n'imposant point de nécessité, si on n'aime pas Dieu, on fera une certaine chose. Induire en erreur est mettre l'homme dans la nécessité de conclure et suivre une fausseté.

851-*842*
Si tu es Christus dic nobis [198].
Opera quae ego facio in nomine patris mei.
Haec testimonium perhibent de me.
Sed vos non creditis, quia non estis ex ovibus meis.
Oves meae vocem meam audiunt [199].

J. 6. 30, *quod ergo tu facis signum, ut videamus et credamus tibi; non dicunt: quam doctrinam predicas* [200].

nemo potest facere signa, quae tu facis nisi deus fuerit cum illo.

2 mach. 14. 15.

Deus qui signis evidentibus suam portionem protegit [201].

Volumus signum videre de caelo tentantes eum [202] — luc. 11. 16.

Generatio prava signum quaerit, et non dabitur [203].

Et ingemiscens ait, quid generatio ipsa signum quaerit [204]. 8. 12. elle demandait signe à mauvaise intention. *Et non poterat facere* [205]. Et néanmoins il leur promet le signe de Jonas [206], de sa résurrection, le grand et l'incomparable.

Nisi videritis signa non creditis [207]. Il ne les blâme pas de ce qu'ils ne croient pas sans qu'il y ait de miracles, mais sans qu'ils en soient eux-mêmes les spectateurs.

L'Antéchrist. *In signis mendacibus*, dit saint Paul. 2 thess. 2.

Secundum operationem satanæ. In seductione iis qui pereunt eo quod charitatem veritatis non receperunt ut salvi fierent. Ideo mittet illis deus operationes erroris ut credant mendacio [208]. Comme au passage de Moïse : *tentat enim vos deus utrum diligatis eum* [209].

Ecce praedixi vobis vos ergo videte [210].

852-*835* Dans le vieux Testament quand on vous détournera de Dieu; dans le nouveau quand on vous détournera de J.-C.

Voilà les occasions d'exclusion à la foi des miracles marquées; il ne faut pas y donner d'autres exclusions.

S'ensuit-il de là qu'ils avaient droit d'exclure tous les prophètes qui leur sont venus? non. Ils eussent péché en n'excluant pas ceux qui niaient Dieu, et eussent péché d'exclure ceux qui ne niaient pas Dieu.

D'abord donc qu'on voit un miracle il faut ou se soumettre ou avoir d'étranges marques du contraire.

198. Jn, x, 24 : « Les Juifs donc l'entourèrent et lui dirent : Jusqu'à quand tiendras-tu notre esprit en suspens? *Si tu es le Christ, dis-le nous* ouvertement. »
199. Jn, x, 25-27 : « Jésus leur répondit : Je vous parle et vous ne croyez point : *les œuvres que je fais au nom de mon Père rendent témoignage de moi, mais vous ne croyez point, parce que vous n'êtes point de mes brebis. Mes brebis écoutent ma voix :* moi je les connais et elles me suivent. »
200. Jn, vi, 30 : « Ils lui repartirent : *Quel miracle donc fais-tu pour que nous voyions et que nous croyions en toi?* que fais-tu? » — Pascal ajoute : « *Ils ne disent pas : Quelle doctrine prêches-tu?* »
201. II Mach., xiv, 15 : « ...Ils (les Juifs) priaient celui qui constitua son peuple, afin de le conserver éternellement, et *qui protège son héritage par des miracles éclatants.* »
202. Lc, ii, 16 : « (Les Juifs dirent) *pour le tenter : Nous voulons voir un signe du ciel.* »
203. Matt., xii, 39 : « Jésus répondant leur dit : *Une génération méchante* et adultère *demande un miracle, et il ne lui sera donné* d'autre miracle que celui du prophète Jonas. »
204. Mc, viii, 12 : « *Mais gémissant* au fond du cœur *il dit : Pourquoi cette génération demande-t-elle un prodige?* En vérité, je vous le dis, il ne sera point accordé de prodige à cette génération. »
205. Mc, vi, 5 : « *Et il ne put faire là* (en son pays) aucun miracle, si ce n'est qu'il guérit quelques malades en leur imposant les mains. »
206. Cf. Mtt, xii, 40 : « Car comme Jonas fut trois jours et trois nuits dans le ventre du poisson, ainsi le Fils de l'homme sera dans le sein de la terre trois jours et trois nuits. »
207. Jn, iv, 48 : « Jésus lui dit donc : *Si vous ne voyez des miracles et des prodiges vous ne croyez point.* »
208. II Thess., ii, 9-10 : « Il viendra *par l'opération de Satan*, au milieu de toutes sortes de miracles, *de signes et* de prodiges *menteurs*, et avec *toute séduction d'iniquité pour ceux qui périssent, parce qu'ils n'ont pas reçu l'amour de la vérité* afin d'être sauvés. *C'est pourquoi Dieu leur enverra une opération d'erreur, de manière qu'ils croiront au mensonge...* »
209. Deut., xiii, 3. Cf. 854.
210. Matt., xxiv, 25 : « *Voilà que je vous l'ai prédit...* » — 33 : « *...lorsque vous verrez toutes ces choses...* »

Il faut voir s'ils nient en Dieu, ou Jésus-Christ ou l'Église.

853-*192* Reprocher à Miton de ne point se remuer quand Dieu le reprochera.

854-*839* Si vous ne croyez en moi croyez au moins aux miracles. Il les renvoie comme au plus fort.

Il avait été dit aux Juifs aussi bien qu'aux chrétiens qu'ils ne crussent pas toujours les prophètes; mais néanmoins les pharisiens et les scribes font grand état de ses miracles, et essayant de montrer qu'ils sont faux ou faits par le diable, étant nécessités d'être convaincus s'ils reconnaissent qu'ils sont de Dieu.

Nous ne sommes point aujourd'hui dans la peine de faire ce discernement; il est pourtant bien facile à faire. Ceux qui ne nient ni Dieu, ni Jésus-Christ ne font point de miracles qui ne soient sûrs.

Nemo facit virtutem in nomine meo et cito possit de me male loqui [211].

Mais nous n'avons point à faire ce discernement. Voici une religion sacrée, voici une épine de la couronne du sauveur du monde en qui le prince de ce monde n'a point puissance, qui fait des miracles par la propre puissance de ce sang répandu pour nous. Voici que Dieu choisit lui-même cette maison pour y faire éclater sa puissance.

Ce ne sont point des hommes qui font ces miracles par une vertu inconnue, et douteuse qui nous oblige à un difficile discernement. C'est Dieu même, c'est l'instrument de la passion de son fils unique, qui, étant en plusieurs lieux, choisit celui-ci et fait venir de tous côtés les hommes pour y recevoir ces soulagements miraculeux dans leurs langueurs.

855-*834* Joh. 6. 26. *non quia vidistis signum sed quia saturati estis* [212]. Ceux qui suivent J.-C. à cause de ses miracles honorent sa puissance dans tous les miracles qu'elle produit, mais ceux qui en faisant profession de le suivre pour ses miracles ne le suivent en effet que parce qu'il les console et les rassasie des biens du monde, ils déshonorent ses miracles quand ils sont contraires à leurs commodités.

Joh. 9. *non est hic homo a deo quia sabbatum non custodit. Alii : quomodo potest homo peccator haec signa facere* [213]. Lequel est le plus clair.

Cette maison est de Dieu, car il y fait d'étranges miracles.

Les autres : cette maison n'est point de Dieu, car on n'y croit pas que les 5 propositions soient dans Jansénius. Lequel est le plus clair? *Tu quid dicis, dico, quia propheta est, nisi esset hic a deo non poterat facere quidquam* [214].

856-*828* Contestations.

Abel, Caïn / Moïse, magiciens. / Elie, faux prophètes / Jérémie Ananias. / Michée, faux prophètes / J.-C. pharisiens / Saint Paul, Barjésu. / apôtres, exorcistes / Les chrétiens et les infidèles / les catholiques, les hérétiques / Elie, Enoch, Antéchrist /

Toujours le vrai prévaut en miracles. Les deux croix.

857-*819* Jer. 23. 32. les miracles des faux prophètes, en l'hébreu et Vatable. Il y a les légèretés.

Miracle ne signifie pas toujours miracles. 1. Roys. 14. 15. miracle signifie crainte et est ainsi en l'hébreu. De même en Job manifestement 33. 7. et encore Is. 21. 4. Jer. 44. 22.

Portentum signifie *simulachrum* [215]. Jer. 50. 38. et est ainsi en l'hébreu et en Vatable.

Is. 8. 18. J.-C. dit que lui et les siens seront en miracles.

858-*840* L'Église a trois sortes d'ennemis : les Juifs qui n'ont jamais été de son corps, les hérétiques qui s'en sont retirés, et les mauvais chrétiens qui la déchirent au-dedans. Ces trois sortes de différents adversaires la combattent d'ordinaire diversement, mais ici ils la combattent d'une même sorte.

Comme ils sont tous sans miracles et que l'Église a toujours eu contre eux des miracles, ils ont tous eu le même intérêt à les éluder. Et se sont tous servis de cette défaite qu'il ne faut pas juger de la doctrine par les miracles, mais des miracles par la doctrine. Il y avait deux partis entre ceux qui écoutaient J.-C., les uns qui suivaient sa doctrine pour ses miracles, les autres qui disaient... Il y avait deux partis au temps de Calvin. Il y a maintenant les Jésuites, etc.

211. Mc, IX, 38 : « Et Jésus dit : Ne l'empêchez point; car il n'y a *nul qui fasse vertu par mon nom, qui soudain puisse mal parler de moi.* »

212. Jn, VI, 26 : « Jésus leur répondit et dit : En vérité, en vérité, je vous le dis, vous me cherchez, *non parce que vous avez vu des miracles, mais parce que vous* avez mangé des pains et *avez été rassasiés.* »

213. Jn, IX, 16 : « Alors quelques-uns d'entre les pharisiens disaient : *Cet homme n'est point de Dieu, puisqu'il ne garde point le sabbat. Mais d'autres disaient : Comment un pécheur peut-il faire de tels miracles?* — Et il y avait division entre eux. »

214. Jn, IX, 17 : « Ils dirent donc encore à l'aveugle : *Et toi, que dis-tu* de celui qui t'a ouvert les yeux? *Il répondit : C'est un prophète.* » — 33 : « *Si celui-ci n'était pas Dieu, il ne pourrait rien faire.* »

215. Cf. Is., VIII, 18 : « Me voici, moi et les enfants que le Seigneur m'a donnés pour être un signe (*miraculum*) et un présage (*portentum*) dans Israël. »

SÉRIE XXXIV

859-*852* Injustes persécuteurs de ceux que Dieu protège visiblement.

S'ils vous reprochent vos excès ils parlent comme les hérétiques.

S'ils disent que la grâce de Jésus-Christ nous discerne ils sont hérétiques.

S'il se fait des miracles c'est la marque de leur hérésie.

Ezéchiel.
On dit : Voilà le peuple de Dieu qui parle ainsi.
Ezéchias.
Mes Révérends Pères, tout cela se passait en figure. Les autres religions périssent, celle-là ne périt point.
Les miracles sont plus importants que vous ne pensez. Ils ont servi à la fondation et serviront à la continuation de l'Eglise jusqu'à l'Antéchrist, jusqu'à la fin. Les deux témoins.
La synagogue était la figure et ainsi ne périssait point; et n'était que la figure, et ainsi est périe. C'était une figure qui contenait la vérité et ainsi elle a subsisté jusqu'à ce qu'elle n'a plus eu la vérité.
Il est dit : Croyez à l'Eglise; mais il n'est pas dit : Croyez aux miracles, à cause que le dernier est naturel et non pas le premier. L'un avait besoin de précepte, non pas l'autre.

En l'ancien Testament et au nouveau les miracles sont faits par l'attachement des figures, salut ou chose inutile, sinon pour montrer qu'il faut se soumettre aux créatures. / figure des sacrements.

860-*807* Toujours ou les hommes ont parlé du vrai Dieu, ou le vrai Dieu a parlé aux hommes.

861-*805* Les deux fondements : l'un intérieur, l'autre extérieur, la grâce, les miracles, tous deux surnaturels.

862-*883* Les malheureux qui m'ont obligé de parler du fond de la Religion.

863-*814* Montaigne contre les miracles.

Montaigne pour les miracles.

864-*884* Des pécheurs purifiés sans pénitence, des justes sanctifiés sans charité, tous les chrétiens sans la grâce de Jésus-Christ, Dieu sans pouvoir sur la volonté des hommes, une prédestination sans mystère, une rédemption sans certitude.

865-*832* Les miracles ne sont plus nécessaires à cause qu'on en a déjà, mais quand on n'écoute plus la tradition, quand on ne propose plus que le pape, quand on l'a surpris, et qu'ainsi ayant exclu la vraie source de la vérité qui est la tradition, et ayant prévenu le pape qui en est le dépositaire, la vérité n'a plus de liberté de paraître, alors les hommes ne parlent plus de la vérité. La vérité doit parler elle-même aux hommes. C'est ce qui arriva au temps d'Arius.

Miracles, sous Dioclétien
et sous Arius.

866 Perpétuité.
Votre caractère est-il fondé sur Escobar?

Peut-être avez-vous des raisons pour ne les pas condamner.
Il suffit que vous appreniez ce que je vous en adresse.

867-*875* Le pape serait-il déshonoré pour tenir de Dieu et de la tradition ses lumières, et n'est-ce pas le déshonorer de le séparer de cette sainte union, etc.

868-*890* Tertullien : *nunquam ecclesia reformabitur* [216].

869-*508* Pour faire d'un homme un saint il faut bien que ce soit la grâce et qui en doute ne sait ce que c'est que saint, et qu'homme.

870-*845* Les hérétiques ont toujours combattu ces trois marques qu'ils n'ont point.

871-*844 bis* Perpétuité — Molina — Nouveauté.

872-*813* Miracles.
Que je hais ceux qui font les douteux des miracles.
Montaigne en parle comme il faut dans les deux endroits. On voit en l'un combien il est prudent et néanmoins il croit en l'autre et se moque des incrédules.

Quoi qu'il en soit l'Eglise est sans preuve s'ils ont raison.

873-824 Ou Dieu a confondu les faux miracles ou il les a prédits. Et par l'un et l'autre il s'est élevé au-dessus de ce qui est surnaturel à notre égard, et nous y a élevés nous-mêmes.

874-*881* L'Eglise enseigne et Dieu inspire l'un et l'autre infailliblement. L'opération de l'Eglise ne sert qu'à préparer à la grâce, ou à la condamnation. Ce qu'elle fait suffit pour condamner, non pour inspirer.

216. « *Jamais l'Église ne sera réformée.* »

875-*820* *Omne regnum divisum* car J.-C. agissait contre le diable et détruisait son empire sur les cœurs dont l'exorcisme est la figuration pour établir le royaume de Dieu, et ainsi il ajoute : *in digito dei... regnum dei ad vos* [217].

Si le diable favorisait la doctrine qui le détruit, il serait divisé comme disait J.-C.
Si Dieu favorisait la doctrine qui détruit l'Eglise il serait divisé.

876-*300* Quand le fort armé possède son bien, ce qu'il possède est en paix.

877-*849* *Est et non est* [218] *:* sera(-t-)il reçu dans la foi même aussi bien que dans la morale, s'il est si inséparable dans les actes.

Quand saint Xavier fait des miracles.

Juges injustes, ne faites pas de ces lois sur l'heure; jugez par celles qui sont établies, et établies par vous-mêmes.
Vae qui conditis leges iniquas [219].
Pour affaiblir vos adversaires vous désarmez toute l'Eglise.
Vae qui conditis.
Saint Hilaire, misérables qui nous obligez à parler des miracles.
Miracles continuels faux.

S'ils disent qu'ils sont soumis au pape c'est une hypocrisie.
S'ils sont prêts à souscrire toutes ses constitutions cela ne suffit pas.
S'ils disent que notre salut dépend de Dieu ce sont des hérétiques.
S'ils disent qu'il ne faut pas tuer pour une pomme ils combattent la morale des catholiques.
S'il se fait des miracles parmi eux ce n'est point une marque de sainteté et c'est au contraire un soupçon d'hérésie.

La manière dont l'Eglise a subsisté est que la vérité a été sans contestation ou si elle a été contestée il y a eu le pape et sinon il y a eu l'Eglise.

878-*846* 1° Objection. Ange du ciel.
Il ne faut pas juger de la vérité par les miracles mais du miracle par la vérité.
Donc les miracles sont inutiles.
Or ils servent, et il ne faut point être contre la vérité.
Donc ce qu'a dit le P. Lingendes, que Dieu ne permettra point qu'un miracle puisse induire à erreur...
Lorsqu'il y aura contestants dans la même Eglise le miracle décide.

2. Objection.
Mais l'Antéchrist fera des signes.
Les magiciens de Pharao n'induisaient point à erreur.
Ainsi on ne pourra point dire à J.-C. sur l'Antéchrist : Vous m'avez induit à erreur, car l'Antéchrist les fera contre J.-C. et ainsi ils ne peuvent induire à erreur.
Ou Dieu ne permettra point de faux miracles, ou il en procurera de plus grands.

(Depuis le commencement du monde J.-C. subsiste, cela est plus fort que tous les miracles de l'Antéchrist.)

Si dans la même Eglise il arrivait des miracles du côté des errants, on serait induit à erreur.
Le schisme est visible, le miracle est visible, mais le schisme est plus marque d'erreur que le miracle n'est marque de vérité; donc le miracle ne peut induire à erreur.

Mais hors le schisme l'erreur n'est pas si visible que le miracle est visible, donc le miracle induirait à erreur.

Ubi est deus tuus [220]. Les miracles le montrent et sont un éclair.

879-*138* Hommes naturellement couvreurs et de toutes vocations, hormis en chambre.

880-*831* Les 5 propositions étaient équivoques, elles ne le sont plus.

881-*850* Les 5 propositions condamnées, point de miracle. Car la vérité n'était point attaquée, mais la Sorbonne, mais la bulle.

217. Cf. Lc, XI, 14-20 : « Or il chassait un démon et ce démon était muet; et lorsqu'il eut chassé le démon le muet parla et le peuple fut dans l'admiration. — Mais quelques-uns d'entre eux dirent : C'est par Béelzébub, prince des démons, qu'il chasse les démons. — Et d'autres pour le tenter lui demandaient un prodige dans le ciel. — Mais Jésus ayant vu leurs pensées, leur dit : *Tout royaume divisé* contre lui-même sera désolé, et la maison tombera sur la maison. Que si Satan est divisé contre lui-même, comment son royaume subsistera-t-il? car vous dites que c'est par Béelzébub que je chasse les démons. — Et moi si je chasse les démons par Béelzébub, vos fils par qui les chassent-ils? C'est pourquoi ils seront eux-mêmes vos juges. — Mais si c'est *par le doigt de Dieu* que je chasse les démons, c'est que *le royaume de Dieu est arrivé jusqu'à vous.* »
218. Cf. *Sommaire de la Harangue de MM. les Curés de Paris* contre les casuistes décrétant *cela est et n'est pas*, c'est permis et ce ne l'est pas, etc., « comme si l'école de Jésus-Christ était devenue tout à coup une école de Pyrrhoniens. »
219. Is., X, 1 : « *Malheur à ceux qui établissent des lois iniques...* »

220. Ps., XLI, 4 : « Mes larmes m'ont servi de pains le jour et la nuit : pendant qu'on me dit tous les jours : *où est ton Dieu?* »

Il est impossible que ceux qui aiment Dieu de tout leur cœur méconnaissent l'Eglise tant elle est évidente.
Il est impossible que ceux qui n'aiment pas Dieu soient convaincus de l'Eglise.

Les miracles ont une telle force qu'il a fallu que Dieu ait averti qu'on n'y pense point contre lui, tout clair qu'il soit qu'il y a un Dieu.
Sans quoi ils eussent été capables de troubler.
Et aussi tant s'en faut que ces passages, deut. 13, fassent contre l'autorité des miracles, que rien n'en marque davantage la force.
Et de même pour l'Antéchrist jusqu'à séduire les élus s'il était possible.

882-*222* Athées.
Quelle raison ont-ils de dire qu'on ne peut ressusciter? Quel est plus difficile de naître ou de ressusciter, que ce qui n'a jamais été soit, ou que ce qui a été soit encore? Est-il plus difficile de venir en être que d'y revenir. La coutume nous rend l'un facile, le manque de coutume rend l'autre impossible.
Populaire façon de juger.

Pourquoi une vierge ne peut-elle enfanter? une poule ne fait-elle pas des œufs sans coq? Quoi les distingue par dehors d'avec les autres? Et qui nous a dit que la poule n'y peut former ce germe aussi bien que le coq?

883-*946* Il y a tant de disproportion entre le mérite qu'il croit avoir, et la bêtise qu'on ne saurait croire qu'il se mécompte si fort.

884-*860* Après tant de marques de piété ils ont encore la persécution qui est la meilleure des marques de la piété.

885-*936* Il est bon qu'ils fassent des injustices, de peur qu'il ne paraisse que les molinistes ont agi avec justice, et ainsi il ne les faut pas épargner. Ils sont dignes d'en commettre.

886-*51* Pyrrhonien pour opiniâtre.

887-*78* Descartes inutile et incertain.

888-*52* Nul ne dit courtisan que ceux qui ne le sont pas, pédant qu'un pédant, provincial qu' (un) provincial, et je gagerais que c'est l'imprimeur qui l'a mis au titre des *lettres au provincial.*

889-*165* Pensées.
In omnibus requiem quaesivi [221].
Si notre condition était véritablement heureuse, il ne nous faudrait pas divertir d'y penser pour nous rendre heureux.

890-*436 bis* Toutes les occupations des hommes sont à avoir du bien et ils n'ont ni titre pour le posséder justement, ni force pour le posséder sûrement. De même la science, les plaisirs : nous n'avons ni le vrai ni le bien.

891-*804* Miracle.
C'est un effet qui excède la force naturelle des moyens qu'on y emploie. Et non-miracle est un effet qui n'excède pas la force naturelle des moyens qu'on y emploie. Ainsi ceux qui guérissent par l'invocation du diable ne font pas un miracle. Car cela n'excède pas la force naturelle du diable; mais...

892-*822* Abraham, Gédéon : signe au-dessus de la révélation.
Les juifs s'aveuglaient en jugeant des miracles par l'Ecriture.
Dieu n'a jamais laissé ses vrais adorateurs.
J'aime mieux suivre J.-C. qu'aucun autre parce qu'il a le miracle, prophétie, doctrine, perpétuité, etc.
Donatistes, point de miracle qui oblige à dire que c'est le diable.
Plus on particularise Dieu, J.-C., l'Eglise.

893-*573* Aveuglement de l'Ecriture.
L'Ecriture, disaient les Juifs, dit qu'on ne sait d'où le Christ viendra. Joh. 7. 27. et 21. 34. L'Ecriture dit que le Christ demeure éternellement et celui-ci dit qu'il mourra. Ainsi, dit saint Jean, ils ne croyaient point quoiqu'il eût tant fait de miracles, afin que la parole d'Isaïe fût accomplie : Il les a aveuglés, etc.

894-*844* Les trois marques de la religion : la perpétuité, la bonne vie, les miracles.
Ils détruisent la perpétuité par la probabilité, la bonne vie par leur morale, les miracles en détruisant ou leur vérité, ou leur conséquence.

Si on les croit l'Eglise n'aura que faire de perpétuité, sainteté, ni miracles.
Les hérétiques les nient, ou en nient la conséquence, eux de même, mais il faudrait n'avoir point de sincérité pour les nier, ou encore perdre le sens pour nier la conséquence.

895-*285* La religion est proportionnée à toutes sortes d'esprits. Les premiers s'arrêtent au seul établissement, et cette religion est telle que son seul établissement est suffisant pour en prouver la vérité. Les autres vont jusqu'aux apôtres, les plus instruits vont jusqu'au commencement du monde. Les anges la voient encore mieux et de plus loin.

221. Cf. *Ecclésiastique*, XXIV, 11 : « Et *en toutes choses j'ai cherché du repos.* »

896-*390* Mon Dieu que ce sont de sots discours. Dieu aurait-il fait le monde pour le damner, demanderait-il tant de gens si faibles, etc. Pyrrhonisme est le remède à ce mal et rabattra cette vanité.

897-*533* *Comminuentes cor* [222]. Saint Paul. Voilà le caractère chrétien. Albe vous a nommé, je ne vous connais plus. Corneille. Voilà le caractère inhumain Le caractère humain est le contraire.

898-*933* Ceux qui ont écrit cela en latin parlent en français.
Le mal ayant été fait de les mettre en français il fallait faire le bien de les condamner.

Il y a une seule hérésie qu'on explique différemment dans l'Ecole et dans le monde.

899-*844* Jamais on ne s'est fait martyriser pour les miracles qu'on dit avoir vus, car ceux que les Turcs croient par tradition, la folie des hommes va peut-être jusqu'au martyre, mais non pour ceux qu'on a vus.

900-*887* Les jansénistes ressemblent aux hérétiques par la réformation des mœurs, mais vous leur ressemblez en mal.

901-*841* Les miracles discernent aux choses douteuses, entre les peuples juif et payen, juif et chrétien, catholique *(et)* hérétique, calomniés et calomniateurs, entre les deux croix.
Mais aux hérétiques les miracles seraient inutiles car l'Eglise, autorisée par les miracles qui ont préoccupé la créance, nous dit qu'ils n'ont pas la vraie foi. Il n'y a pas de doute qu'ils n'y sont pas, puisque les premiers miracles de l'Eglise excluent la foi des leurs. Il y a ainsi miracle contre miracle, et premiers et plus grands du côté de l'Eglise.

902-*841* Ces filles étonnées de ce qu'on dit qu'elles sont dans la voie de perdition, que leurs confesseurs les mènent à Genève, qu'ils leur inspirent que J.-C. n'est point en l'Eucharistie, ni en la droite du Père. Elles savent que tout cela est faux, elles s'offrent donc à Dieu en cet état : *Vide si via iniquitatis in me est* [223]. Qu'arrive(-t-)il là-dessus? Ce lieu qu'on dit être le temple du diable Dieu en fait son temple. On dit qu'il en faut ôter les enfants, Dieu les y guérit. On dit que c'est l'arsenal de l'enfer, Dieu en fait le sanctuaire de ses grâces. Enfin on le menace de toutes les fureurs et de toutes les vengeances du ciel, et Dieu les comble de ses faveurs. Il faudrait avoir perdu le sens pour en conclure qu'elles sont donc en la voie de perdition.
On a sans doute les mêmes marques que saint Athanase.

903-*851* L'histoire de l'aveugle né.

Que dit saint Paul? dit-il le rapport des prophéties à toute heure? non, mais son miracle.

Que dit J.-C.? dit-il le rapport des prophéties? non, sa mort, ne les avait pas accomplies, mais il dit : *si non fecissem* [224], croyez aux œuvres.

Deux fondements surnaturels de notre religion toute surnaturelle, l'un visible, l'autre invisible.
Miracles avec la grâce, miracles sans grâce.

La synagogue qui a été traitée avec amour comme figure de l'Eglise et avec haine parce qu'elle n'en était que la figure a été relevée prête à succomber, quand elle était bien avec Dieu, et ainsi figure.

Les miracles prouvent le pouvoir que Dieu a sur les cœurs par celui qu'il exerce sur les corps.

Jamais l'Eglise n'a approuvé un miracle parmi les hérétiques.

Les miracles, appui de religion. Ils ont discerné les Juifs. Ils ont discerné les chrétiens, les saints, les innocents, les vrais croyants.

Un miracle parmi les schismatiques n'est pas tant à craindre, car le schisme qui est plus visible que le miracle marque visiblement leur erreur, mais quand il n'y a point de schisme et que l'erreur est en dispute le miracle discerne.

Si non fecissem quae alius non fecit [224].

Ces malheureux qui nous ont obligé de parler des miracles.

Abraham, Gédéon.
Confirmer la foi par miracles.

Judith, enfin Dieu parle dans les dernières oppressions.

Si le refroidissement de la charité laisse l'Eglise presque sans vrais adorateurs, les miracles en exciteront.

Ce sont les derniers effets de la grâce.

222. Cf. Ps. LI, 19 : « ...Vous ne dédaignerez pas, ô Dieu, *un cœur contrit et humilié.* »
223. Ps. CXXXVIII, 24 : « Et *voyez si une voie d'iniquité est en moi...* »

224. Jn, xv, 24 : « *Si je n'avais pas fait* parmi eux les œuvres que nul autre n'a faites... »

S'il se faisait un miracle aux Jésuites.

Quand le miracle trompe l'attente de ceux en présence desquels il arrive et qu'il y a disproportion entre l'état de leur foi et l'instrument du miracle, alors il doit les porter à changer, mais... etc. Autrement il y aurait autant de raison à dire que si l'Eucharistie ressuscitait un mort il faudrait se rendre calviniste que demeurer catholique, mais quand il couronne l'attente et que ceux qui ont espéré que Dieu bénirait les remèdes se voient guéris sans remèdes...

Impies.
Jamais signe n'est arrivé de la part du diable sans un signe plus fort de la part de Dieu, au moins sans qu'il eût été prédit que cela arriverait.

904-*927* La folle idée que vous avez de l'importance de votre compagnie vous a fait établir ces horribles voies. Il est bien visible que c'est ce qui vous a fait suivre celle de la calomnie, puisque vous blâmez en moi comme horribles les moindres impostures que vous excusez en vous, parce que vous me regardez comme un particulier et vous comme *Imago*.

Il paraît bien que vos louanges sont des folies pour les fables, comme le privilège de non damné.

Est-ce donner courage à vos enfants de les condamner quand ils servent l'Église.

C'est un artifice du diable de divertir ailleurs les armes dont ces gens-là combattaient les hérésies.

Vous êtes mauvais politiques.

905-*385* Pyrrhonisme.
Chaque chose est ici vraie en partie, fausse en partie. La vérité essentielle n'est point ainsi, elle est toute pure et toute vraie. Ce mélange la détruit et l'anéantit. Rien n'est purement vrai et ainsi rien n'est vray en l'entendant du pur vrai. On dira qu'il est vrai que l'homicide est mauvais : oui, car nous connaissons bien le mal et le faux. Mais que dira(-t-)on qui soit bon? La chasteté? Je dis que non, car le monde finirait. Le mariage? non, la continence vaut mieux. De ne point tuer? non, car les désordres seraient horribles, et les méchants tueraient tous les bons. De tuer? non, car cela détruit la nature. Nous n'avons ni vrai, ni bien que en partie, et mêlé de mal et de faux.

906-*916* Probabilité.
Ils ont quelques principes vrais, mais ils en abusent, or l'abus des vérités doit être autant puni que l'introduction du mensonge.

Comme s'il y avait deux enfers, l'un pour les péchés contre la charité, l'autre contre la justice.

907-*55* Vertu apéritive d'une clef, attractive d'un croc.

908-*262* Superstition et concupiscence.
Scrupules, désirs mauvais.
Crainte mauvaise.
Crainte, non celle qui vient de ce qu'on croit Dieu, mais celle de ce qu'on doute s'il est ou non. La bonne crainte vient de la foi, la fausse crainte du doute; la bonne crainte jointe à l'espérance, parce qu'elle naît de la foi et qu'on espère au Dieu que l'on croit; la mauvaise jointe au désespoir parce qu'on craint le Dieu auquel on n'a point eu foi. Les uns craignent de le perdre, les autres de le trouver.

909-*924* Gens sans paroles, sans foi, sans honneur, sans vérité, doubles de cœur, doubles de langue et semblables, comme il vous fut reproché autrefois, à cet animal amphibie de la fable, qui se tenait dans un état ambigu entre les poissons et les oiseaux.

Le Port-Royal vaut bien Voltigerod.
Autant que votre procédé est juste selon ce biais, autant il est injuste si on regarde la piété chrétienne.

Il importe aux rois et princes d'être en estime de piété et pour cela il faut qu'ils se confessent à vous.

910-*781* Les figures de la totalité de la rédemption comme que le soleil éclaire à tous, ne marquent qu'une totalité, mais les figures des exclusions, comme des Juifs élus à l'exclusion des gentils, marquent l'exclusion.

911-*781* J.-C. rédempteur de tous. Oui, car il a offert comme un homme qui a racheté tous ceux qui voudront venir à lui. Ceux qui mourront en chemin c'est leur malheur, mais quant à lui il leur offrait rédemption.

Cela est bon en cet exemple où celui qui rachète et celui qui empêche de mourir font deux, mais non pas en J.-C. qui fait l'un et l'autre. Non car J.-C. en qualité de rédempteur n'est pas peut-être maître de tous, et ainsi en tant qu'il est en lui il est rédempteur de tous.

912-*781* Quand on dit que J.-C. n'est pas mort pour tous, vous abusez d'un vice des hommes qui s'appliquent incontinent cette exception, ce qui est favoriser le désespoir au lieu de les en détourner pour favoriser l'espérance.

Car on s'accoutume ainsi aux vertus intérieures par ces habitudes extérieures.

SECTION IV. FRAGMENTS NON ENREGISTRÉS PAR LA COPIE

I. LE RECUEIL ORIGINAL

Il a été fait à Clermont par les soins du chanoine Louis Périer en 1710/1711. *Il a été déposé, broché, à l'abbaye de Saint-Germain-des-Prés le* 25 *septembre* 1711, *et relié après* 1731. *Il est à la B. N. depuis* 1795.
Nous connaissons grâce à lui, soit les papiers que Gilberte Périer n'avait pas jugé opportun de remettre aux copistes (cf. Pensées retranchées), *soit des brouillons des* Provinciales, *et quelques-uns oubliés par le copiste* [225].

LE MÉMORIAL

Sur le 3e *Recueil Guerrier (B. N. f. fr.* 13913, *pp.* 213/214), *la note suivante accompagne la copie du Mémorial : elle a été rédigée par le Père Guerrier en* 1732 : « *Peu de jours après la mort de M. Pascal, un domestique de la maison s'aperçut par hasard que dans la doublure du pourpoint de cet illustre défunt il y avait quelque chose qui paraissait plus épais que le reste, et ayant décousu cet endroit pour voir ce que c'était, il y trouva un petit parchemin plié et écrit de la main de M. Pascal, et dans ce parchemin un papier écrit de la même main : l'un était une copie fidèle de l'autre. Ces deux pièces furent aussitôt mises entre les mains de Mme Périer qui les fit voir à plusieurs de ses amis particuliers. Tous convinrent qu'on ne pouvait pas douter que ce parchemin, écrit avec tant de soin et avec des caractères si remarquables, ne fût une espèce de* Mémorial *qu'il gardait très soigneusement pour conserver le souvenir d'une chose qu'il voulait avoir toujours présente à ses yeux et à son esprit, puisque depuis huit ans il prenait soin de le coudre et découdre à mesure qu'il changeait d'habits.* »
Le Mémorial *a été publié dans le* Recueil d'Utrecht (1740).

913
L'an de grâce 1654.
Lundi 23 novembre, jour de saint Clément pape et martyr et autres au Martyrologe.
Veille de saint Chrysogone martyr et autres.
Depuis environ dix heures et demi du soir jusques environ minuit et demi.

Feu.

Dieu d'Abraham, Dieu d'Isaac, Dieu de Jacob, non des philosophes et des savants.
Certitude, certitude, sentiment, joie, paix.
(Dieu de Jésus-Christ).
Dieu de Jésus-Christ.
Deum meum et deum vestrum [226].
Ton Dieu sera mon Dieu.
Oubli du monde et de tout, hormis Dieu.
Il ne se trouve que par les voies enseignées dans l'Évangile.
Grandeur de l'âme humaine.
Père juste le monde ne t'a point connu, mais je t'ai connu.
Joie, joie, joie, pleurs de joie.
Je m'en suis séparé
Dereliquerunt me fontem aquae vivae [227].
Mon Dieu me quitterez-vous
Que je n'en sois pas séparé éternellement
Cette est la vie éternelle, qu'ils te connaissent seul vrai Dieu et celui que tu as envoyé J.-C.
Jésus-Christ

Jésus-Christ
Je m'en suis séparé, je l'ai fui, renoncé, crucifié
Que je n'en sois jamais séparé
Il ne se conserve que par les voies enseignées dans l'Évangile.
Renonciation totale et douce.
Etc.
Soumission totale à Jésus-Christ et à mon directeur.
Éternellement en joie pour un jour d'exercice sur la terre.
Non obliviscar sermones [228] *tuos. Amen.*

914-*882* Toutes les fois que les Jésuites surprendront le pape on rendra toute la chrétienté parjure.

Le pape est très aisé à être surpris à cause de ses affaires et de la créance qu'il a aux Jésuites, et les Jésuites sont très capables de surprendre à cause de la calomnie.

225. Nous croyons intéressant de signaler que l'on retrouve dans le *Recueil Original* à divers endroits des petits bouts de papier portant des titres. Sont-ils tous de la main de Pascal? nous ne saurions l'affirmer.
Figures particulières (page 15). *Misère de l'homme* (p. 21). *Figures* (p. 29). *Preuves de J.-C. par l'Écriture* (p. 39). *Fondement de la Religion et réponse aux objections* (p. 43). *Titres particuliers* (p. 47). *Connaissance de l'homme — et au verso :* 8-9 *— suite de connaissance de l'homme* (p. 47). *Preuves de J.-C. —* 19-20-21-32 (p. 49). *Vanité de l'homme* (p. 79).
Il se trouve également, page 20, des signes sténographiques qui restent à déchiffrer.

226. Ruth, I, 16 : « ...votre peuple est mon peuple et *votre Dieu mon Dieu.* »
227. Jér., II, 13 : « *...Ils m'ont abandonné, moi, source d'eau vive.* »
228. Ps. CXVIII, 16 : « Je méditerai sur vos justifications, *je n'oublierai pas vos paroles.* »

915-*902 bis* Sur le bruit des Feuillants je le fus voir, dit mon ancien ami; en parlant de dévotion il crut que j'en avais quelque sentiment.
Et que je pourrais bien être Feuillant.
Et que je pourrais faire fruit en écrivant surtout en ce temps-ci contre les novateurs.
Nous avons fait depuis peu contre notre chapitre général qui est qu'on signerait la bulle.
Qu'il souhaiterait que Dieu m'inspirât.

Mon père faudrait-il signer?

916-*920* 3. S'ils ne renoncent à la probabilité leurs bonnes maximes sont aussi peu saintes que les méchantes, car elles sont fondées sur l'autorité humaine. Et ainsi si elles sont plus justes elles seront plus raisonnables, mais non pas plus saintes — elles tiennent de la tige sauvage sur quoi elles sont entées.

Si ce que je dis ne sert à vous éclaircir, il servira au peuple.

Si ceux-là se taisent les pierres parleront.

Le silence est la plus grande persécution. Jamais les saints ne se sont tus. Il est vrai qu'il faut vocation, mais ce n'est pas des arrêts du Conseil qu'il faut apprendre si on est appelé, c'est de la nécessité de parler. Or après que Rome a parlé et qu'on pense qu'il a condamné la vérité, et qu'ils l'ont écrit, et que les livres qui ont dit le contraire sont censurés, il faut crier d'autant plus haut qu'on est censuré plus injustement et qu'on veut étouffer la parole plus violemment, jusqu'à ce qu'il vienne un pape qui écoute les deux parties et qui consulte l'antiquité pour faire justice.

Aussi les bons papes trouveront encore l'Église en clameurs.

L'Inquisition et la Société les deux fléaux de la vérité.

Que ne les accusez-vous d'Arianisme, car ils ont dit que J.-C. est Dieu; peut-être ils l'entendent non par nature comme il est dit : *dii estis* [229].

Si mes lettres sont condamnées à Rome ce que j'y condamne est condamné dans le ciel.

Ad tuum domine Jesu tribunal appello [230].

Vous-mêmes êtes corruptibles.

229. Jn, x, 34 : « Jésus leur répondit : N'est-il pas écrit en votre Loi : J'ai dit : *Vous êtes dieux?* »
230. Saint Bernard : « *J'en appelle à votre tribunal, Seigneur Jésus!* » dans une lettre à son cousin germain Robert que le pape Calixte II (1119) avait, par un rescrit, délié des vœux prononcés à Cîteaux, sans qu'il y ait eu débat contradictoire. (E. Vacandard, *Vie de saint Bernard*, I, p. 92.)

J'ai craint que je n'eusse mal écrit me voyant condamné, mais l'exemple de tant de pieux écrits me fait croire au contraire. Il n'est plus permis de bien écrire.

Tant l'Inquisition est corrompue ou ignorante.

Il est meilleur d'obéir à Dieu qu'aux hommes.

Je crains rien, je n'espère rien. Les évêques ne sont pas ainsi. Le Port-Royal craint, et c'est une mauvaise politique de les séparer. Car ils ne craindront plus et se feront plus craindre.

Je ne crains pas même vos censures; paroles, si elles ne sont fondées sur celles de la tradition.

Censurez-vous tout? quoi, même mon respect? non, donc dites quoi ou vous ne ferez rien si vous ne désignez le mal, et pourquoi il est mal. Et c'est ce qu'ils auront bien peine à faire.
Probab.
Ils ont plaisamment expliqué la sûreté, car après avoir établi que toutes leurs voies sont sûres, ils n'ont plus appelé sûr ce qui mène au ciel, sans danger de n'y pas arriver par là, mais ce qui y mène sans danger de sortir de cette voie.

917-*540* L'espérance que les chrétiens ont de posséder un bien infini est mêlée de jouissance effective aussi bien que de crainte, car ce n'est pas comme ceux qui espéreraient un royaume dont ils n'auraient rien étant sujets, mais ils espèrent la sainteté, l'exemption de l'injustice, et ils en ont quelque chose.

918-*459* Les fleuves de Babylone coulent et tombent, et entraînent.

O sainte Sion, où tout est stable et où rien ne tombe.
Il faut s'asseoir sur ces fleuves, non sous ou dedans, mais dessus, et non debout mais assis, pour être humble étant assis, et en sûreté étant dessus, mais nous serons debout dans les porches de Jérusalem.

Qu'on voit si ce plaisir est stable ou coulant; s'il passe, c'est un fleuve de Babylone.

LE MYSTÈRE DE JÉSUS

Cette méditation rédigée vraisemblablement par Pascal au début de 1655, *peut-être lors de son séjour à Port-Royal des Champs, n'avait pas été communiquée aux copistes. Elle a été publiée par Faugère en* 1844.

919-*553* et *791* Jésus souffre dans sa passion les tourments que lui font les hommes, mais dans l'agonie il souffre les tourments qu'il se donne à lui-même. *Turbare semetipsum* [231]. C'est un supplice d'une main non humaine mais toute-puissante, et il faut être tout-puissant pour le soutenir.

Jésus cherche quelque consolation au moins dans ses trois plus chers amis et ils dorment; il les prie de soutenir un peu avec lui, et ils le laissent avec une négligence entière ayant si peu de compassion qu'elle ne pouvait seulement les empêcher de dormir un moment. Et ainsi Jésus était délaissé seul à la colère de Dieu.

Jésus est seul dans la terre non seulement qui ressente et partage sa peine, mais qui la sache. Le ciel et lui sont seuls dans cette connaissance.

Jésus est dans un jardin non de délices comme le premier Adam où il se perdit et tout le genre humain, mais dans un de supplices où il s'est sauvé et tout le genre humain.

Il souffre cette peine et cet abandon dans l'horreur de la nuit.

Je crois que Jésus ne s'est jamais plaint que cette seule fois. Mais alors il se plaint comme s'il n'eût plus pu contenir sa douleur excessive. Mon âme est triste jusqu'à la mort.

Jésus cherche de la compagnie et du soulagement de la part des hommes.

Cela est unique en toute sa vie cé me semble, mais il n'en reçoit point, car ses disciples dorment.

Jésus sera en agonie jusqu'à la fin du monde. Il ne faut pas dormir pendant ce temps-là.

Jésus au milieu de ce délaissement universel et de ses amis choisis pour veiller avec lui, les trouvant dormants, s'en fâche à cause du péril où ils exposent non lui mais eux-mêmes, et les avertit de leur propre salut et de leur bien avec une tendresse cordiale pour eux pendant leur ingratitude. Et les avertit que l'esprit est prompt et la chair infirme.

Jésus les trouvant encore dormants sans que ni sa considération ni la leur les en eût retenus, il a la bonté de ne pas les éveiller et les laisse dans leur repos.

Jésus prie dans l'incertitude de la volonté du Père et craint la mort. Mais l'ayant connue il va au-devant s'offrir à elle. *Eamus processit* [232].

231 Jn, XI, 33 : « Quand Jésus vit (Marie) pleurant et les Juifs qui étaient venus avec elle, aussi pleurant, il frémit en son esprit et *s'émut soi-même.* »

232. Jn, XVIII, 4-5 : « Mais Jésus sachant tout ce qui devait lui arriver *s'avança* et leur demanda : Qui cherchez-vous? Ils lui répondirent : Jésus de Nazareth. »

Jésus a prié les hommes et n'en a pas été exaucé.

Jésus pendant que ses disciples dormaient a opéré leur salut. Il l'a fait à chacun des justes pendant qu'ils dormaient et dans le néant avant leur naissance et dans les péchés depuis leur naissance.

Il ne prie qu'une fois que le calice passe et encore avec soumission, et deux fois qu'il vienne s'il le faut.

Jésus dans l'ennui.

Jésus voyant tous ses amis endormis, et tous ses ennemis vigilants se remet tout entier à son père.

Jésus ne regarde pas dans Judas son inimitié mais l'ordre de Dieu qu'il aime, et la voit si peu qu'il l'appelle ami.

Jésus s'arrache d'avec ses disciples pour entrer dans l'agonie; il faut s'arracher de ses plus proches et des plus intimes, pour l'imiter.

Jésus étant dans l'agonie et dans les plus grandes peines, prions plus longtemps.

Nous implorons la miséricorde de Dieu, non afin qu'il nous laisse en paix dans nos vices, mais afin que Dieu nous en délivre.

Si Dieu nous donnait des maîtres de sa main, O qu'il leur faudrait obéir de bon cœur. La nécessité et les événements en sont infailliblement.

Console-toi. Tu ne me chercherais pas si tu ne m'avais trouvé.

Je pensais à toi dans mon agonie; j'ai versé telles gouttes de sang pour toi.

C'est me tenter plus que t'éprouver, que de penser si tu ferais bien, telle et telle chose absente. — Je la ferai en toi si elle arrive.

Laisse-toi conduire à mes règles. Vois comme j'ai bien conduit la Vierge et les saints qui m'ont laissé agir en eux.

Le Père aime tout ce que je fais.

Veux-tu qu'il me coûte toujours du sang de mon humanité sans que tu donnes des larmes.

C'est mon affaire que ta conversion; ne crains point et prie avec confiance comme pour moi.

Je te suis présent par ma parole dans l'Écriture, par mon esprit dans l'Église et par les inspirations, par ma puissance dans les prêtres, par ma prière dans les fidèles.

Les médecins ne te guériront pas, car tu mourras à la fin mais c'est moi qui guéris et rends le corps immortel.

Souffre les chaînes et la servitude corporelle. Je ne te délivre que de la spirituelle à présent.

Je te suis plus ami que tel et tel, car j'ai fait pour toi plus qu'eux et ils ne souffriraient pas ce que j'ai souffert de toi et ne mourraient pas pour toi dans le temps de tes infidélités et cruautés comme j'ai fait et comme je suis prêt à faire et fais dans mes élus — et au Saint Sacrement.

Si tu connaissais tes péchés tu perdrais cœur. Je le perdrai donc, Seigneur, car je crois leur malice sur votre assurance. Non car moi par qui tu l'apprends t'en peux guérir et ce que je te le dis est un signe que je te veux guérir. A mesure que tu les expieras tu les connaîtras et il te sera dit : Vois les péchés qui te sont remis.

Fais donc pénitence pour tes péchés cachés et pour la malice occulte de ceux que tu connais.

Seigneur je vous donne tout.

Je t'aime plus ardemment que tu n'as aimé tes souillures. *Ut immundus pro luto* [233].

Qu'à moi en soit la gloire et non à toi, ver et terre.

Témoigne à ton Directeur que mes propres paroles te sont occasion de mal et de vanité ou curiosité.

(Verso). La fausse justice de Pilate ne sert qu'à faire souffrir J.-C. Car il le fait fouetter par sa fausse justice et puis le tue. Il vaudrait mieux l'avoir tué d'abord. Ainsi les faux justes. Ils font de bonnes œuvres et de méchantes pour plaire au monde et montrer qu'ils ne sont pas tout à fait à J.-C., car ils en ont honte et enfin dans les grandes tentations et occasions ils le tuent.

Je vois mon abîme d'orgueil, de curiosité, de concupiscence. Il n'y a nul rapport de moi à Dieu, ni à J.-C. juste. Mais il a été fait péché pour moi. Tous vos fléaux sont tombés sur lui. Il est plus abominable que moi, et loin de m'abhorrer il se tient honoré que j'aille à lui et le secoure. Mais il s'est guéri lui-même et me guérira à plus forte raison.

Il faut ajouter mes plaies aux siennes et me joindre à lui et il me sauvera en se sauvant.

Mais il n'en faut pas ajouter à l'avenir.

Eritis sicut dii scientes bonum et malum [234]; tout le monde fait le Dieu en jugeant : cela est bon ou mauvais et s'affligeant ou se réjouissant trop des événements.

Faire les petites choses comme grandes à cause de la majesté de J.-C. qui les fait en nous et qui vit notre vie, et les grandes comme petites et aisées à cause de sa toute-puissance.

920-*957* Nous-mêmes n'avons point reçu de maximes générales. Si vous voyez nos constitutions à peine nous connaîtrez-vous : elles nous font mendiants et exclus des cours et cependant, etc., mais ce n'est pas les enfreindre, car la gloire de Dieu est partout.

Il y a diverses voies pour y arriver. Saint Ignace a pris les unes et maintenant d'autres. Il était meilleur ensuite de prendre le reste. Car cela eût effrayé de commencer par le haut. Cela est contre nature.

Ce n'est pas que la règle générale ne soit qu'il faut s'en tenir aux Institutions car on en abuserait; on en trouverait peu comme nous qui sachions nous élever sans vanité.

Unam sanctam [235].

Les jansénistes en porteront la peine.

Le P. Saint-Jure — Escobar.

Tanto viro [236].

Aquaviva 14 déc. 1621. Tanner. q. 2 dub. 5. n. 86.

Clément et Paul 5. Dieu nous protège visiblement.

Contre les jugements téméraires et les scrupules.

Sainte Thérèse 474.

Roman Rose.

Falso crimine [236]...

Subtilité pour être.

Toute la vérité d'un côté, nous l'étendons aux deux.

Deux obstacles : l'Évangile, lois de l'État; *a majori ad minus* [236]. *Junior* [236].

Point parler des vices personnels.

Belle lettre d'Aquaviva, 18 juin 1611.

Contre les opinions probables.

Saint Augustin. 282.

Et pour saint Thomas, aux lieux où il a traité exprès les matières.

Clemens placet [237]. 277.

Et nouveautés.

Et ce n'est pas une excuse aux supérieurs de ne l'avoir pas su car ils le devaient savoir, 279 — 194. 192.

Pour la morale 283. 288.

233. Cf. Horace, *Épitres*, liv. I, ép. 2, v, 26 : « (Ulysse) eut vécu la vie d'un chien immonde, d'une truie attachée à sa fange. » (E. Jovy, *Études pascaliennes*, VIII, Vrin, 1932.)

234. Gen., III, 5 : « *Vous serez comme des dieux, sachant le bien et le mal.* »

235. Cf. *Symbole de Nicée :* « (Je crois en l'Église) *une, sainte,* catholique et apostolique. » Allusion à la bulle *Unam sanctam* de Boniface VIII.

236. Références à des propositions de casuistes : « *De tel homme* », « *D'un faux crime* », « *Du plus au moins* », « *Le plus récent* ».

237. « *Clément* (le pape?) *admet.* »

La Société importe à l'Eglise 236.
En bien et en mal 156.
Acquoquiez a confessé les femmes. 360.

921-*518* Toute condition et même les martyrs ont à craindre par l'Ecriture.

La peine du purgatoire la plus grande est l'incertitude du jugement.

Deus absconditus [238].

922-*856* Sur le miracle.

Comme Dieu n'a pas rendu de famille plus heureuse, qu'il fasse aussi qu'il n'en trouve point de plus reconnaissante.

923-*905* Sur les confessions et absolutions sans marques de regret.

Dieu ne regarde que l'intérieur, l'Eglise ne juge que par l'extérieur. Dieu absout aussitôt qu'il voit la pénitence dans le cœur; l'Eglise, quand elle la voit dans les œuvres. Dieu fera une Eglise pure au-dedans, qui confonde par sa sainteté intérieure et toute spirituelle, l'impiété intérieure des superbes et des pharisiens. Et l'Eglise sera une assemblée d'hommes dont les mœurs extérieures soient si pures qu'elles confondent les mœurs des payens; s'il y en a d'hypocrites, non si bien déguisés qu'elle n'en reconnaisse point le venin, elle les souffre. Car encore qu'ils ne sont pas reçus de Dieu qu'ils ne peuvent tromper, ils le sont des hommes qu'ils trompent. Et ainsi elle n'est pas déshonorée par leur conduite, qui paraît sainte. Mais vous... vous voulez que l'Eglise ne juge (ni de l'intérieur parce que cela n'appartient qu'à Dieu, ni de l'extérieur, parce que Dieu ne s'arrête qu'à l'intérieur. Et ainsi lui ôtant tout choix des hommes, vous retenez dans l'Eglise les plus débordés et ceux qui la déshonorent si fort que les synagogues des Juifs et sectes des philosophes les auraient exclus comme indignes et les auraient abhorrés comme impies).

924-*498* Il est vrai qu'il y a de la peine en entrant dans la piété mais cette peine ne vient pas de la piété qui commence d'être en nous, mais de l'impiété qui y est encore. Si nos sens ne s'opposaient pas à la pénitence et que notre corruption ne s'opposât point à la pureté de Dieu il n'y aurait en cela rien de pénible. Pour nous nous ne souffrons qu'à proportion que le vice qui nous est naturel résiste à la grâce surnaturelle; notre cœur se sent déchiré entre ces efforts contraires, mais il serait bien injuste d'imputer cette violence à Dieu qui nous attire au lieu de l'attribuer au monde, qui nous retient. C'est comme un enfant que sa mère arrache d'entre les bras des voleurs doit aimer dans la peine qu'il souffre la violence amoureuse et légitime de celle qui procure sa liberté, et ne détester que la violence injurieuse et tyrannique de ceux qui le retiennent injustement. La plus cruelle guerre que Dieu pût faire aux hommes en cette vie est de les laisser sans cette guerre qu'il est venu apporter. Je suis venu apporter la guerre, dit-il, et pour instrument de cette guerre je suis venu apporter le fer et le feu. Avant lui le monde vivait dans cette fausse paix.

238. « *Dieu caché.* »

925-*520* La loi n'a pas détruit la nature, mais elle l'a instruite. La grâce n'a pas détruit la loi mais elle la fait exercer.

La foi reçue au baptême est la source de toute la vie du chrétien, et des convertis.

926-*582* On se fait une idole de la vérité même, car la vérité hors de la charité n'est pas Dieu, et est son image et une idole qu'il ne faut point aimer ni adorer, et encore moins faut-il aimer ou adorer son contraire, qui est le mensonge.

Je puis bien aimer l'obscurité totale, mais si Dieu m'engage dans un état à demi obscur, ce peu d'obscurité qui y est me déplaît, et parce que je n'y vois pas le mérite d'une entière obscurité il ne me plaît pas. C'est un défaut et une marque que je me fais une idole de l'obscurité séparée de l'ordre de Dieu. Or il ne faut adorer qu'en son ordre.

927-*505* Que me servirait.
Abominables.
Singlin.

Tout nous peut être mortel, même les choses faites pour nous servir, comme dans la nature les murailles peuvent nous tuer et les degrés nous tuer si nous n'allons avec justesse.

Le moindre mouvement importe à toute la nature, la mer entière change pour une pierre. Ainsi dans la grâce la moindre action importe pour ses suites à tout; donc tout est important.

En chaque action il faut regarder outre l'action, à notre état présent, passé, futur et des autres à quoi elle importe. Et voir les liaisons de toutes ces choses et lors on sera bien retenu.

928-*499* Œuvres extérieures.

Il n'y a rien de si périlleux que ce qui plaît à Dieu et aux hommes, car les états qui plaisent à Dieu et aux hommes ont une chose qui plaît à Dieu et une autre qui plaît aux hommes, comme la grandeur de sainte Thérèse; ce qui plaît à Dieu est sa profonde humilité dans ses révélations, ce qui plaît aux hommes sont ses lumières. Et ainsi on se tue d'imiter ses discours pensant imiter son état et partant d'aimer ce que Dieu aime, et de se mettre en l'état que Dieu aime.

Il vaut mieux ne pas jeûner et en être humilié, que jeûner et en être complaisant.
Pharisien, publicain.

Que me servirait de m'en souvenir si cela peut également me nuire et me servir, et que tout dépend de la bénédiction de Dieu qu'il ne donne qu'aux choses faites pour lui, et selon ses règles et dans ses voies.

La manière étant ainsi aussi importante que la chose, et peut-être plus, puisque Dieu peut du mal tirer du bien, et que sans Dieu on tire le mal du bien.

929-*555* Ne te compare point aux autres, mais à moi. Si tu ne m'y trouves pas dans ceux où tu te compares tu te compares à un abominable. Si tu m'y trouves, compare-t-y; mais qu'y compareras-tu? sera-ce toi ou moi dans toi? si c'est toi c'est un abominable, si c'est moi tu compares moi à moi. Or je suis Dieu en tout.

Je te parle et te conseille souvent parce que ton Conducteur ne te peut parler, car je ne veux pas que tu manques de Conducteur.

Et peut-être je le fais à ses prières. Et ainsi il te conduit sans que tu le voies.

Tu ne me chercherais pas si tu ne me possédais.
Ne t'inquiète donc pas.

(J'ai reçu de mademoiselle la présidente Pascal la somme de quatre cents livres.)

930-*513* Pourquoi Dieu a établi la prière?
1. Pour communiquer à ses créatures la dignité de la causalité.
2. Pour nous apprendre de qui nous tenons la vertu.
3. Pour nous faire mériter les autres vertus par travail.
Mais pour se conserver la primauté il donne la prière à qui il lui plaît.
Object : mais on croira qu'on tient la prière de soi.
Cela est absurde, car puisque ayant la foi on ne peut avoir les vertus. Comment aurait-on la foi? Y a(-t-)il pas plus de distance de l'infidélité à la foi que de la foi à la vertu?

Mérité, ce mot est ambigu.

Meruit habere redemptorem [239].

Meruit tam sacra membra tangere [240].

239. Cf. Office du Samedi Saint : « *Il a mérité d'avoir un Rédempteur.* »
240. Cf. Office du Vendredi Saint : « *Il a mérité de toucher des membres si sacrés.* »

Digna [241] *tam sacra membra tangere.*

Non sum dignus, qui manducat indignus [242].

Dignus est accipere [243].

Dignare me [244].

Dieu ne donne que suivant ses promesses.
Il a promis d'accorder la justice aux prières.
Jamais il n'a promis les prières, qu'aux enfants de la promesse.

Saint Augustin a dit formellement que les forces seront ôtées au juste.
Mais c'est par hasard qu'il l'a dit, car il pouvait arriver que l'occasion de le dire ne s'offrît pas. Mais ses principes font voir que l'occasion s'en présentant, il était impossible qu'il ne le dît pas ou qu'il dît rien de contraire. C'est donc plus d'être forcé à le dire l'occasion s'en offrant que de l'avoir dit, l'occasion s'en étant offerte. L'un étant de nécessité, l'autre de hasard. Mais les deux sont tout ce qu'on peut demander.

931-*550* *(J'aime tous les hommes comme mes frères, parce qu'ils sont tous rachetés.)*
J'aime la pauvreté parce qu'il l'a aimée. J'aime les biens parce qu'ils me donnent le moyen d'en assister les misérables. Je garde fidélité à tout le monde. Je (ne) rends point le mal à ceux qui m'en font, mais je leur souhaite une condition pareille à la mienne où l'on ne reçoit point de mal ni de bien de la part des hommes. J'essaye d'être juste, véritable, sincère et fidèle à tous les hommes et j'ai une tendresse de cœur pour ceux à qui Dieu m'a uni plus étroitement.
Et soit que je sois seul ou à la vue des hommes j'ai en toutes mes actions la vue de Dieu, qui les doit juger et à qui je les ai toutes consacrées.
Voilà quels sont mes sentiments.
Et je bénis tous les jours de ma vie mon Rédempteur qui les a mis en moi et qui d'un homme plein de faiblesse, de misère, de concupiscence, d'orgueil et d'ambition a fait un homme exempt de tous ces maux par la force de la grâce, à laquelle toute la gloire en est due, n'ayant de moi que la misère et l'erreur.

932-*191* Et celui-là se moquera de l'autre?
Qui se doit moquer? Et cependant celui-ci ne se moque pas de l'autre, mais en a pitié.

241. Cf. *Vexilla Regis :* « Digne... »
242. Lc, VII, 6 : « Le Centenier envoya ses amis (à Jésus) lui disant : Seigneur... *je ne suis pas digne* que tu entres sous mon toit. » — I Cor., XI, 29 : « *Car qui en mange* et en boit *indignement*, il mange et boit son jugement. »
243. Apoc., IV, 11 : « Seigneur notre Dieu tu es *digne de recevoir* gloire, honneur et puissance; car tu as créé toutes choses... »
244. Office de la Sainte Vierge : « *Juge-moi digne.* »

933-*460* Concupiscence de la chair, concupiscence des yeux, orgueil, etc.

Il y a trois ordres de choses. La chair, l'esprit, la volonté.

Les charnels sont les riches, les rois. Ils ont pour objet le corps.

Les curieux et savants, ils ont pour objet l'esprit.

Les sages, ils ont pour objet la justice.

Dieu doit régner sur tout et tout se rapporter à lui.

Dans les choses de la chair règne proprement sa concupiscence.

Dans les spirituels, la curiosité proprement.

Dans la sagesse l'orgueil proprement.

Ce n'est pas qu'on ne puisse être glorieux pour le bien ou pour les connaissances, mais ce n'est pas le lieu de l'orgueil, car en accordant à un homme qu'il est savant on ne laissera pas de le convaincre qu'il a tort d'être superbe.

Le lieu propre à la superbe est la sagesse, car on ne peut accorder à un homme qu'il s'est rendu sage et qu'il a tort d'être glorieux. Car cela est de justice.

Aussi Dieu seul donne la sagesse et c'est pourquoi : *qui gloriatur in domino glorietur* [245].

934-*580* La nature a des perfections pour montrer qu'elle est l'image de Dieu et des défauts pour montrer qu'elle n'en est que l'image.

935-*490* Les hommes n'ayant pas accoutumé de former le mérite, mais seulement le récompenser où ils le trouvent formé, jugent de Dieu par eux-mêmes.

936-*698* On n'entend les prophéties que quand on voit les choses arrivées, ainsi les preuves de la retraite et de la direction, du silence, etc., ne se prouvent qu'à ceux qui les savent et les croient.

Saint Joseph si intérieur dans une loi toute extérieure.

Les pénitences extérieures disposent à l'intérieure, comme les humiliations à l'humilité, ainsi les...

937-*104* Quand notre passion nous porte à faire quelque chose nous oublions notre devoir; comme on aime un livre on le lit lorsqu'on devrait faire autre chose. Mais pour s'en souvenir il faut se proposer de faire quelque chose qu'on hait et lors on s'excuse sur ce qu'on a autre chose à faire et on se souvient de son devoir par ce moyen.

938-*658* 20 V. Les figures de l'Evangile pour l'état de l'âme malade sont des corps malades. Mais parce qu'un corps ne peut être assez malade pour le bien exprimer il en a fallu plusieurs. Ainsi il y a le sourd, le muet, l'aveugle, le paralytique, le Lazare mort, le possédé : tout cela ensemble est dans l'âme malade.

939-*897* Le serviteur ne fait (que) ce que le maître fait, car le maître lui dit seulement l'action et non la fin. C'est pourquoi il s'y assujettit servilement et pèche souvent contre la fin. Mais J.-C. nous a dit la fin.

Et vous détruisez cette fin.

940-*790* J.-C. n'a pas voulu être tué sans les formes de la justice, car il est bien plus ignominieux de mourir par justice que par une sédition injuste.

941-*264* On ne s'ennuie point de manger, et dormir, tous les jours, car la faim renaît et le sommeil, sans cela on s'en ennuierait.

Ainsi sans la faim des choses spirituelles on s'en ennuie; faim de la justice, béatitude 8e.

942-*941* Fin. Est-on en sûreté? Ce principe est-il sûr? Examinons. Témoignage de soi nul. Saint Thomas.

943-*554* 24 Aa. Il me semble que J.-C. ne laissa toucher que ses plaies après sa résurrection. *Noli me tangere* [246]. Il ne faut nous unir qu'à ses souffrances.

Il s'est donné à communier comme mortel en la Cène, comme ressuscité aux disciples d'Emmaüs, comme monté au Ciel à toute l'Eglise.

944-*250* Il faut que l'extérieur soit joint à l'intérieur pour obtenir de Dieu; c'est-à-dire que l'on se mette à genoux, prie des lèvres, etc., afin que l'homme orgueilleux qui n'a voulu se soumettre à Dieu soit maintenant soumis à la créature. Attendre de cet extérieur le secours est être superstitieux; ne vouloir pas le joindre à l'intérieur est être superbe.

945-*661* La pénitence, seule de tous les mystères a été déclarée manifestement aux Juifs et par saint Jean précurseur, et puis les autres mystères pour marquer qu'en chaque homme comme au monde entier cet ordre doit être observé.

946-785 2. Considérer J.-C. en toutes les personnes, et nous-mêmes. J.-C. comme père en son père. J.-C. comme frère en ses frères. J.-C. comme pauvre en les pauvres. J.-C. comme riche en les riches. J.-C. comme docteur et prêtre en les prêtres. J.-C. comme souverain en les princes, etc. Car il est par sa

245. I Cor., I, 31 : « ...afin comme il est écrit, *que celui qui se glorifie, se glorifie dans le Seigneur.* »

246. Jn, XX 17 : « *Ne me touche pas.* »

gloire tout ce qu'il y a de grand étant Dieu et est par sa vie mortelle tout ce qu'il y a de chétif et d'abject. Pour cela il a pris cette malheureuse condition pour pouvoir être en toutes les personnes et modèle de toutes conditions.

947-*504* 25 Bb. autre motif : que la charité considère cela comme une privation de l'esprit de Dieu et une action mauvaise, à cause de la parenthèse ou interruption de l'esprit de Dieu en lui, et s'en repent en s'en affligeant.

Le juste agit par foi dans les moindres choses. Quand il reprend ses serviteurs il souhaite leur conversion par l'esprit de Dieu et prie Dieu de les corriger, et attend autant de Dieu que de ses répréhensions, et prie Dieu de bénir ses corrections et ainsi aux autres actions.

948-*668* On ne s'éloigne qu'en s'éloignant de la charité.

Nos prières et nos vertus sont abominables devant Dieu si elles ne sont les prières et les vertus de J.-C. Et nos péchés ne seront jamais l'objet de la (miséricorde) mais de la justice de Dieu s'ils ne sont (les péchés) de J.-C.

Il a adopté nos péchés et nous a (admis à son) alliance, car les vertus lui sont propres (et les) péchés étrangers, et les vertus nous (sont) étrangères et nos péchés nous sont propres.

Changeons la règle que nous avons prise jusqu'ici pour juger de ce qui est bon. Nous en avions pour règle notre volonté; prenons maintenant la volonté de Dieu : tout ce qu'il veut nous est bon et juste, tout ce qu'il ne veut pas (mauvais et injuste).

Tout ce que Dieu ne veut pas est défendu. Les péchés sont défendus par la déclaration générale que Dieu a faite qu'il ne les voulait pas. Les autres choses qu'il a laissées sans défense générale, et qu'on appelle par cette raison permises, ne sont pas néanmoins toujours permises, car quand Dieu en éloigne quelqu'une de nous et que par l'événement qui est une manifestation de la volonté de Dieu, il paraît que Dieu ne veut pas que nous ayons une chose, cela nous est défendu alors comme le péché, puisque la volonté de Dieu est que nous n'ayons non plus l'un que l'autre. Il y a cette différence seule entre ces deux choses qu'il est sûr que Dieu ne voudra jamais le péché, au lieu qu'il ne l'est pas qu'il ne voudra jamais l'autre. Mais tandis que Dieu ne la veut pas, nous la devons regarder comme péché tandis que l'absence de la volonté de Dieu qui est seule toute la bonté et toute la justice la rend injuste et mauvaise.

949-*930* Qu'on les a traités aussi humainement qu'il était possible de le faire pour se tenir dans le milieu entre l'amour de la vérité et le devoir de la charité.

Que la piété ne consiste pas à ne s'élever jamais contre ses frères. Il serait bien facile, etc.

C'est une fausse piété de conserver la paix au préjudice de la vérité.

C'est aussi un faux zèle de conserver la vérité en blessant la charité.

Aussi ils ne s'en sont pas plaint.

Leurs maximes ont leur temps et leur lieu.

La vanité va à s'élever de leurs erreurs.
Conformes aux Pères par leurs fautes.
Et aux martyrs par leur supplice.

Encore n'en désavouent-ils aucune.

Ils n'avaient qu'à prendre l'extrait et le désavouer.

Sanctificant praelium [247].

M. Bourseys. Pour le moins ne peuvent-ils pas désavouer qu'ils s'opposèrent à la condamnation.

950-*951* En sa bulle, *Cum ex apostolatus officio* par Paul IV, publiée en 1558.

Nous ordonnons, statuons, décrétons, définissons que tous et chacun de ceux qui se trouveront être — fourvoyés ou être — tombés en hérésie ou schisme, et de quelque qualité et condition qu'ils soient, laïques, ecclésiastiques, prêtres, évêques, archevêques, patriarches, primats, cardinaux, comtes, marquis, ducs, rois et empereurs, outre les sentences et peines susdites soient pour cela même sans aucun ministère de droit ou de fait privés en tout et pour tout, perpétuellement, de leurs ordres, évêchés, bénéfices, offices, royaume, empire, et incapables d'y rentrer jamais. Délaissons à la discrétion de la puissance séculière pour être punis, n'accordant autre grâce à ceux qui par une véritable pénitence reviendraient de leur égarement, sinon que par la bénignité et clémence du Saint Siège ils soient estimés mériter d'être reclus en un monastère pour y faire perpétuelle pénitence au pain et à l'eau, mais qu'ils demeurent toujours privés de toute dignité, ordre, prélature, comté, duché, royaume. Et que ceux qui les recéleront et défendront, seront pour cela même jugés excommuniés et infâmes, privés de tout royaume, duché, bien et possession, qui appartiendront de droit et de propriété à ceux qui s'en saisiront les premiers.

Si hominem excommunicatum interfecerunt, non eos homicidas reputamus, quod adversus excommunicatos

247. Cf. Mich., III, 5 : « Le Seigneur dit ces choses sur les prophètes qui séduisent mon peuple, qui mordent de leurs dents et prêchent la paix. Et si quelqu'un ne leur donne pas raison, ils prêchent la *guerre sainte* contre lui. »

zelo catholicae matris ardentes aliquem eorum trucidasse contigerit [248]. 23 q. 5. d'Urbain II.

951-950 *(Après les avoir bien tourmentés on vous renverra chez vous.)*

(C'est une aussi faible consolation que celle des appels comme d'abus. Car un grand moyen d'abus ôté

outre que la plupart n'auront pas le moyen de venir du fond du Périgord et d'Anjou, plaider au parlement de Paris;

outre qu'ils auront à toute heure des arrêtés du conseil pour défendre ces appels comme d'abus.)

(Car encore qu'ils ne puissent obtenir ce qu'ils ont demandé cette demande ne laisse pas de faire paraître leur puissance qui est d'autant plus grande qu'elle les a portés à demander une chose si injuste qu'il était visible qu'ils ne la pourront obtenir.

Cela ne fait donc que mieux connaître leur intention et la nécessité qu'il y a de ne pas autoriser par un enregistrement la bulle qu'ils veulent faire servir de base à ce nouvel établissement.)

(Ce n'est pas ici une bulle simple mais une base.

Au sortir du palais.)

121. Le pape défend au roi de marier ses enfants sans sa permission. 1294.

Scire te volumus [249]. 124. 1302.

La puérile.

952-956 *Clemens placentium* [250].

Nos généraux craignaient le déchet à cause des occupations extérieures. 208. 152. 150. à cause de la Cour 209. 203. 216. 218. à cause qu'on ne suivait pas les opinions les plus sûres et les plus autorisées. Saint Thomas, etc. 215. 218.

Stipendium contra Consti [251]. 218.

Femmes. 225. 228.

Princes et politique 227. 168. 177.

Probabilité. nouveauté 279. 156 — nouveauté, vérité.

Pour passer le temps et se divertir plus que pour aider les âmes. 158.

Opinions relâchées. 160. péché mortel en véniel. Contrition 102. politique 162. Anticipants ou 162.

Les commodités de la vie croissent aux Jésuites 166.

Biens apparents et faux qui les trompent. 192 ad. *(Et ce n'est pas une excuse aux supérieurs de n'avoir pas su les...)*

Le P. Lemoine, 10 000 écus, hors de sa province.

Voyez combien la prévoyance des hommes est faible. Toutes les choses d'où nos premiers généraux craignaient la perte de notre société, c'est par là qu'elle s'est accrue, par les grands, par la contrariété à nos constitutions, par la multitude des religieux, la diversité et nouveauté d'opinions, etc. 182. 157.

Politique 181.

Le premier esprit de la société éteint. 170. 171 ad 174. 183 ad 187. *non e piu quella* [252]. Vittelescus. 183. *(altri tempi altre cure* [253]*).*

Plaintes des généraux. Point de saint Ignace. Point de Laynez. Quelques-unes de Borgia et d'Aquaviva. Infinies de Mutius, etc.

Avez-vous l'idée qu'il faut de notre Société?

L'Eglise a subsisté si longtemps sans ces questions.

Les autres en font, mais ce n'est pas de même.

Quelle comparaison croyez-vous qu'il ait entre 20 000 séparés et 200 000 000 joints, qui périront l'un pour l'autre. Un corps immortel.

Nous nous soutenons jusqu'à périr, Lamy.

Nous poussons nos ennemis, P. Puys.

Tout dépend de la probabilité.

Le monde veut naturellement une religion, mais douce.

Il me prend envie de vous le montrer par une étrange supposition. Je vous dirai donc : quand Dieu ne nous soutiendrait pas par une providence particulière pour le bien de l'Eglise, je veux vous montrer qu'en parlant, même humainement, nous ne pouvons périr.

Accordez-moi ce principe et je vous prouverai tout. C'est que la Société et l'Eglise courent même fortune.

Sans ces principes on ne prouve rien.

On ne vit pas longtemps dans l'impiété ouverte, ni naturellement dans les grandes austérités.

Une religion accommodée est propre à durer.

On les cherche par libertinage.

Des particuliers qui ne veulent pas dominer par les armes je ne sais s'ils pouvaient mieux faire.

Rois, pape.

3 Reg. 246.

6 droit et de bonne foi à la dévotion.

248. « *S'ils donnent la mort à un excommunié, nous ne les réputons pas homicides, car c'est brûlants de zèle pour leur mère catholique contre les excommuniés, qu'ils sont conduits à tuer l'un d'eux.* »

249. « *Nous voulons que tu saches.* »

250. Cf. plus haut « *Clemens placet* ». Lecture douteuse.

251. « *Honoraires contre les Constitutions.* »

252. « *Il n'est plus le même.* »

253. « *Autres temps autres soins.* »

(231. *Jésuites consultés sur tout)*
(165. 166. 164. 165. *transplantés)*
6. 452. Rois nourriciers.
4. haïs à cause de leur mérite.
(Université.)
(3. *Reg.*)
Apol. Universe. 159. décret de Sorbonne.
les rois 241. 228.
Jésuites pendus 112.

La religion. Et la science. (?)

Jesuita omnis homo [254].

(Collèges — enfants à choisir.)

Collèges, parents, amis, enfants à choisir.
Constitutions.
253. pauvreté. ambition.
257. principalement les princes, les grands seigneurs qui peuvent nuire et servir.
12. Inutiles, rejetés / bonne mine. / Richesse, noblesse, etc.
Et quoi aviez-vous peur qu'on manquât à les recevoir plus tôt?
27.
47. donner son bien à la Société pour la gloire de Dieu. Lecl.
51. 52. Union de sentiments, decl. soumettre à la Société et ainsi garder l'uniformité. Or aujourd'hui cette uniformité est en la diversité. Car la Société le veut.
117. const. l'Evangile et saint Thomas. decl. quelque théologie accommodante.
65. rares savants pieux; nos anciens ont changé d'avis.
23. 74. mendier.
19. ne point donner aux parents, s'en reposer sur les conseillers donnés par le supérieur.
1. ne pas pratiquer l'examen. decl.
2. pauvreté entière, point de messes ni pour sermon ni par aumône compensatrice.
4. decl. de même autorité que les const.
fin. lire les const. chaque mois.
149. les déclarations gâtent tout.
154. Ni inciter à donner des aumônes perpétuelles, ni les demander en justice, ni tronc. Decl. *non tanquam Eleemozina* [255].
200. 4. Nous avertir de tout.
190. Const. ne veut pas troupe. decl. troupe interprété.

Un corps universel et immortel.

Affection pour la communauté grande et sans scrupule — dangereuse.

Par la religion nous serions tous riches, sans nos constitutions, aussi nous sommes pauvres.

Et par la vraie religion et sans elle nous sommes forts.

953-*958* [256].

Ep. 16. *Aquavivae. De formandis concionatoribus.*

p. 373. *Longe falluntur qui ad — irrigaturae.*	*(cette citation ne se trouve pas)* lire les Pères pour les conformer à son imagination au lieu de former sa pensée sur celle des Pères.

Ep. 1. *Mutii Vitelesci.*

p. 389. *Quamvis enim probe norim — et absolutum.*	*(celle-ci non plus — elles étaient* 373/389. *elles sont écrites toutes deux.)*
p. 390. *Dolet ac queritur — esse modestiam.*	modestie.
p. 392. *Lex ne dimidiata — reprehendit.*	la messe. Je ne sais ce qu'il dit.
p. 408. *Ita feram illam — etiam irrumpat.*	Politique.
p. 409. *Ad extremum pervelim — circumferatur.*	Par un malheur ou plutôt un bonheur singulier de la Société ce qu'un fait est attribué à tous.
p. 410. *Quaerimoniae — deprehendetis* p. 412.	Obéir aux évêques exactement, qu'il ne paraisse pas que nous prétendions nous mesurer à eux à l'exemple de St Xavier.
p. 412. *Ad haec si a litibus — aviditatis.*	testaments, procès.
p. 413. *Patris Borgiae — videbitur illam futuram.*	Ils augmentent, ils inventent même de fausses histoires.
p. 415. *Ita res domesticas — nunc dimittis*, etc.	

Ep. 2. *Mutii Vitelesci.*

p. 432. *Quarto nonullorum — quam ardentissime possum urgere.*	Probabilité, *tueri pius potest, probabilis est auctore non caret.*
p. 433. *Quoniam vero de loquendi licentia — aut rare plectatur.*	manque de punir les médisants.

254. Littéralement : « *Le Jésuite est tout homme* », c'est-à-dire qu'il sait se modifier selon les circonstances.
255. « *Pas en tant qu'aumône.* »

256. Notes de la main d'Arnaud, prises dans le recueil des Lettres des généraux de la Société de Jésus (Anvers, 1635). Les réflexions en français sont de Pascal.

Ep. 3. *Mutii Vitelesci.*	
p. 437. *Nec sane dubium — nihil jam detrimenti acceperit.*	que la Société ne se gâte.
p. 440. *Ardentissime Deum exoremus — operari non est gravatus et tu fili hois*, etc. Ezech. 37.	*(manque d'obéissance pour chercher leur réputation.)*
p. 441. *Secundum caput — tanti facimus.*	manque d'obéissance pour chercher leur réputation.
p. 442. *Haec profecto una si deficiet — qui haec molitur.*	manque d'obéissance, chercher l'appui des grands.
p. 443. *Ex hoc namque vitio — importunum praebeas.*	Ils font des choses indécentes et hors l'état de la Société et disent que les grands seigneurs les importunent pour cela mais ce sont eux qui les importunent de sorte qu'il faut ou les avoir pour ennemis si on les refuse, ou perdre la Société en l'accordant.
p. 443. *spectabit tertium caput — mutatus est color optimus.*	Chasteté.
p. 445. *De paupertate — non adversentur veritati.*	Pauvreté, relâchement d'opinions contraires à la Vérité.
p. 446. *Faxit Deus — atque si praetermitterentur.*	Vignes, etc.

954-925 Examiner le motif de la censure par les phénomènes; faire une hypothèse qui convienne à tous.

L'habit fait la doctrine.

(Vous confessez tant de gens qui ne se confessent qu'une fois l'an.)

(Je croyais qu'il y avait une opinion contre une opinion.)

(Quand on est si méchant qu'on n'en a plus aucun remords on ne pèche donc plus.)

(Vous persécutez donc M. Arnaud sans remords.)

Je me défie de cette doctrine car elle m'est trop douce, vu la malignité qu'on dit qui est en moi.

(Que ne choisissez-vous quelque grosse hérésie.)

Je me défie de leur union vu leurs contradictions particulières.

J'attendrai qu'ils s'accordent avant que de prendre parti. Pour un ami j'aurais trop d'ennemis. Je ne suis pas assez savant pour leur répondre.

(Je croyais bien qu'on fût damné pour n'avoir pas eu de bonnes pensées, mais pour croire que personne n'en a cela m'est nouveau.)

(A quoi sert cela pour consoler les justes et sauver le désespoir? non, car personne ne peut être en état de se croire juste.)

(M. Chamillard serait hérétique, ce qui est une fausseté manifeste car il a écrit pour M. Arnaud.)

En l'an 1647, la grâce à tous; en 1650 elle fut plus rare, etc.

(Grâce de M. Cornet, de M.)

Luther tout, hors le vrai.

S'il n'y avait point eu dans l'Eglise des occasions pareilles, mais j'en crois mon curé.

Si peu qu'elle incommode ils en font d'autres (grâces), car ils en disposent comme de leur ouvrage.

Un seul dit vrai.

(A chaque occasion chaque grâce ; à chaque personne grâce pour les grands, grâce pour les coquins.)

Enfin M. Chamillard en est si proche que s'il y a des degrés pour descendre dans le néant (cette grâce suffisante) est maintenant au plus proche.

(Plaisant d'être hérétique pour cela.)

Il n'y a personne qui n'y fut surpris, car on ne l'a jamais vue dans l'Ecriture, ni dans les Pères, etc.

Combien y a (-t-) il mon Père que c'est un article de foi? Ce n'est tout au plus que depuis les mots de pouvoir prochain. Et je crois qu'en naissant il a fait cette hérésie et qu'il n'est né que pour ce seul dessein.

(La censure défend seulement de parler ainsi de saint Pierre, et rien de plus. — Je leur ai bien de l'obligation.)

(Ce sont d'habiles gens. Ils ont craint que les lettres qu'on écrit aux provinciaux...)

(Ce n'était pas la peine pour un mot.)

(naïveté puérile.)

(loué sans être connu.)

(méchants créanciers.)

(je pense qu'ils sont sorciers.)

Luther *(tout hormis le vrai.)*

Membre hérétique.

Unam sanctam.

Les enluminures nous ont fait tort.

Une proposition est bonne dans un auteur et méchante dans un autre. Oui, mais il y a donc d'autres mauvaises propositions.

Il y a des gens qui défèrent à la censure, d'autres aux raisons, et tous aux raisons. Je m'étonne que vous n'ayez donc pris la voie générale au lieu de la particulière ou du moins que vous ne l'y avez jointe.

Pluralité de grâces.
Traducteurs jansénistes.

Saint Augustin en a le plus à cause des divisions de ses ennemis. Outre une chose qu'on peut considérer qui est une tradition sans interruption de 12000 papes, conciles, etc.

Il faut donc que M. Arnaud ait bien des mauvais sentiments pour infecter ceux qu'il embrasse.

La censure leur fait ce bien que quand on les censurera ils la combattront en disant qu'ils imitent les jansénistes.

Que je suis soulagé; nul français bon catholique...

Les litanies. Clément 8, Paul 5, Censure. Dieu nous protège visiblement.

L'homme est bien insensé. Il ne peut faire un ciron.

Au lieu de Dieu la grâce pour y aller.

955-929 *(Et on se dipose à chasser de l'Eglise ceux qui refusent cet aveu.)* Tout le monde déclare qu'elles le sont. M. Arnaud, et ses amis, proteste qu'il les condamne en elles-mêmes, et en quelque lieu où elles se trouvent, que si elles sont dans Jansénius il les y condamne.

Qu'encore même qu'elles n'y soient pas, si le sens hérétique de ces propositions que le pape a condamné se trouve dans Jansénius, qu'il condamne Jansénius.

Mais vous n'êtes pas satisfaits de ces protestations, vous voulez qu'il assure que ces propositions sont mot à mot dans Jansénius. Il a répondu qu'il ne peut l'assurer, ne sachant pas si cela est, qu'il les y a cherchées et une infinité d'autres sans jamais les y trouver. Ils vous ont prié vous et tous les autres de citer en quelles pages elles sont *(et)* jamais personne ne l'a fait. Et vous voulez néanmoins le retrancher de l'Eglise sur ce refus, quoiqu'il condamne tout ce qu'elle condamne, pour cette seule raison qu'il n'assure pas que des paroles ou un sens, est dans un livre où il ne l'a jamais trouvé, et où personne ne le lui veut montrer. En vérité, mon Père ce prétexte est si vain qu'il n'y eût peut-être jamais dans l'Eglise de procédé si étrange, si injuste et si tyrannique.

(L'Eglise peut bien obliger.)
(Clement 8.*)*
(Si quis dixerit [257]*.)*

Il ne faut pas être théologien pour voir que leur hérésie ne consiste qu'en l'opposition qu'ils vous font; je l'éprouve en moi-même, et on en voit la preuve générale en tous ceux qui vous ont attaqués.

Les curés de Rouen jansénistes.

Vœu de Caen.

Vous croyez vos desseins si honnêtes que vous en faites matière de vœu.

Il y a deux ans que leur hérésie était la bulle, l'année passée c'était intérieur. Il y a six mois que c'était *totidem* [257]*;* à présent c'est le sens.

Ne vois-je pas bien que vous ne voulez que les rendre hérétiques. Saint-Sacrement.

Je vous ai querellés en parlant pour les autres.

Vous êtes bien ridicules de tant faire de bruit pour les propositions. Ce n'est rien, il faut qu'on l'entende.

Sans noms d'auteurs, mais comme on savait votre dessein 70 s'opposèrent. Dater l'arrêt.

Afin que celui que vous n'aviez pu rendre hérétique sur ses propres paroles, etc.

(Qui m'en veut de montrer que tout cela est de vos auteurs jusqu'aux plus horribles.)

Car tout se sait.

(N'avez-vous que cela à répondre, et que cette manière de le prouver.)

Ou il sait que oui ou que non, ou il doute, ou pécheur ou hérétique.

Préface Villeloin.

Jansénius, Aurelius, Arnaud, Provinciales

(Un corps de réprouvés.)

257. « *Si quelqu'un dit* », début de la formule d'anathème.
258. « *Mot à mot.* »

(On ouvrirait tous les troncs de Saint-Merry, sans que vous en fussiez moins innocents.)

(Après Pélage.)
(Aussi cela n'est pas étrange. Faux droit. Baronius.)

(Pour moi j'aimerais mieux être imposteur que etc.)

Quelle raison en avez-vous? Vous dites que je suis janséniste, que le P. R. soutient les 5 p(ropositions). et qu'ainsi je les soutiens. 3 mensonges.

En ne considérant que les Payens.

Cette même lumière qui découvre les vérités surnaturelles les découvre sans erreur au lieu que la lumière qui etc.

Comment le sens de Jansénius serait-il dans des propositions qui ne sont point de lui.

Et je vous prie de ne venir pas me dire que ce n'est pas vous *(mais les Evêques)* qui faites agir tout cela. *(Je vous répondrais des choses qui ne plairaient ni à vous ni à d'autres.)* Epargnez-moi la réponse.

Ou cela est dans Jansénius ou non. Si cela y est le voilà condamné en cela, sinon pourquoi le voulez-vous faire condamner.

Que l'on condamne seulement une de vos propositions du père Escobar. J'irai porter d'une main Escobar, de l'autre la censure et j'en ferai un argument en forme.

Le pape n'a pas condamné deux choses, il n'a condamné que le sens des propositions.

Direz-vous qu'il ne l'a pas condamné? Mais le sens de Jansénius y est enfermé, dit le pape. Je vois bien que le pape l'a pensé à cause de vos *totidem*, mais il ne l'a pas dit sur peine d'excommunication.

Comment ne l'eût-il pas cru et les évêques de France aussi. Vous les disiez *totidem* et ils ne savaient pas que vous êtes en pouvoir de le dire encore que cela ne fût pas.

Imposteurs on n'avait pas vu ma 15e lettre.

956-*928* Diana.

C'est à quoi sert Diana.

11. Il est permis de ne point donner les bénéfices qui n'ont pas charge d'âmes aux plus dignes; le Concile de Trente semble dire le contraire. Mais voici comme il le prouve, car si cela était tous les prélats seraient en état de damnation. Car ils en usent tous de la sorte.

11. Le roi et le pape ne sont point obligés de choisir les plus dignes. Si cela était, le pape et les rois auraient une terrible charge.

21. Et ailleurs si cette opinion n'était pas vraie les pénitents et les confesseurs auraient bien des affaires, et c'est pourquoi j'estime qu'il faut la suivre dans la pratique.

(21. Si cette opinion était vraie touchant la restitution, O qu'il y aurait de restitutions à faire.)

Et en un autre endroit où il met les conditions nécessaires pour faire qu'un péché soit mortel, il y met tant de circonstances qu'à peine pèche(-t-)on mortellement et après l'avoir établi, il s'écrie : O que le joug du Seigneur est doux et léger.

11. Et ailleurs l'on n'est pas obligé de donner l'aumône de son superflu dans les communes nécessités des pauvres. Si le contraire était vrai il faudrait condamner la plupart des riches et de leurs confesseurs.

Ces raisons-là m'impatientaient lorsque je dis au Père : mais qui empêche de dire qu'ils le sont.

C'est ce qu'il a prévu aussi en ce lieu me répondit-il, ou après avoir dit — 22 — si cela était vrai les plus riches seraient damnés. Il ajoute : à cela Arragonius répond qu'ils le sont aussi et Bauny, jésuite ajoute, de plus, que leurs confesseurs le sont de même mais je réponds avec Valentia, autre jésuite, et d'autres auteurs qu'il y a plusieurs raisons pour excuser ces riches et leurs confesseurs.

J'étais ravi de ce raisonnement quand il me finit par celui-ci :

Si cette opinion était vraie pour la restitution, O qu'il y aurait de restitutions à faire!

O mon Père, lui dis-je, la bonne raison. — O, me dit le Père, que voilà un homme comme. — O, mon Père, répondis-je, sans vos casuistes qu'il y aurait de monde damné. *(O répliqua(-t-)il qu'on a tort de ne nous pas laisser en parler)* — O mon Père, que vous rendez large la voie qui mène au ciel! O qu'il y a de gens qui la trouvent! Voilà un...

957-*512* Elle est toute le corps de J.-C. en son patois, mais il ne peut dire qu'elle est tout le corps de J.-C.

L'union de deux choses sans changement, ne fait point qu'on puisse dire que l'une devient l'autre.

Ainsi l'âme étant unie au corps,
Le feu au bois sans changement.
Mais il faut changement qui fasse que la forme de l'une devienne la forme de l'autre.
Ainsi l'union du Verbe à l'humanité.

Parce que mon corps sans mon âme ne serait pas le corps d'un homme. Donc mon âme unie à quelque matière que ce soit fera mon corps.

Il ne distingue la condition nécessaire d'avec la condition suffisante, l'union est nécessaire mais non suffisante.

Le bras gauche n'est pas le droit.

L'impénétrabilité est une propriété du corps.

Identité *de numero*, au regard du même temps exige l'identité de la matière.

Ainsi si Dieu unissait mon âme à un corps à la Chine, le même corps *idem numero* serait à la Chine.

La même rivière qui coule là est *idem numero* que celle qui court en même temps à la Chine.

958-*75* Part 1. 1. 2. C. I. S.
(Conjecture, il ne sera pas difficile de faire descendre encore d'un degré et de la faire paraître ridicule.)

Qu'y a(-t-)il de plus absurde que de dire que des corps inanimés ont des passions, des craintes, des horreurs, que des corps insensibles sans vie, et même incapables de vie, aient des passions qui présupposent une âme au moins sensitive pour les recevoir. De plus que l'objet de cette horreur, fût le vide? Qu'y a(-t-)il dans le vide qui leur puisse faire peur? Qu'y a t'il de plus bas et de plus ridicule?
Ce n'est pas tout qu'ils aient en eux-mêmes un principe de mouvement pour éviter le vide. Ont-ils des bras, des jambes, des muscles, des nerfs?

959-*636* *Si* ne marque pas l'indifférence.
Malach.
Isaïe.
Isa. *si volueris* [259], etc.
In quacumque die [260].

960-*362 et 921* *(Qu'avez-vous gagné en m'accusant de railler des choses saintes? Vous ne gagnerez pas plus en m'accusant d'imposture.)*

(Je n'ai pas tout dit, vous le verrez bien.)

Je ne suis point hérétique. Je n'ai point soutenu les 5 propositions. Vous le dites et ne le prouvez pas. Je dis que vous avez dit cela et je le prouve.

Je vous ai dit que vous êtes des imposteurs et je le prouve. Et que vous ne le cachez pas insolemment. Brisacier, Meynier, d'Alby. Et que vous l'autorisez; *Elidere* [261].

Quand vous croyiez M. Puys ennemi de la Société il était indigne pasteur de son église, ignorant, hérétique, de mauvaise foi et mœurs; depuis il est digne pasteur de bonne foi et mœurs.

Calomnier, *haec est magna caecitas cordis* [262].

N'en pas voir le mal, *haec est major caecitas cordis* [263].
Le défendre au lieu de s'en confesser comme d'un péché, *tunc hominem concludit profunditas iniquitatis* [264], etc. — 230, prosper.
Les grands seigneurs se divisent dans les guerres civiles.
Et ainsi vous dans la guerre civile des hommes.

(Je veux vous le dire à vous-mêmes afin que cela ait plus de force.)

(Ceux qui examinent les livres, je suis sûr de leur approbation, mais ceux qui ne lisent que les titres et ceux-là sont le plus grand nombre, ceux-là pourraient croire sur votre parole. (Il faut) ne... pas — que des religieux fussent des imposteurs — on a déjà désabusé les nôtres par la force des citations. Il faut désabuser les autres par elidere.)

Ex senatus consultis et plebiscitis [265].
Demander des passages pareils.

Je suis bien aise que vous publiez la même chose que moi.
ex contentione [266], saint Paul.

Me causam fecit [267].

(Ce n'est pas que je ne voie combien vous êtes embarrassés, car si vous vouliez vous dédire cela serait fait, mais etc.)

Les saints subtilisent pour se trouver criminels et accuser leurs meilleures actions, et ceux-ci subtilisent pour excuser les plus méchantes.

Ne prétendez pas que ceci se passe en disputes. On ferait imprimer vos ouvrages entiers et en français; on en fera tout le monde juge.

Un bâtiment également beau par dehors, mais sur un mauvais fondement, les payens sages le bâtissaient et le diable trompe les hommes par cette ressemblance apparente fondée sur le fondement le plus différent.

Jamais homme n'a eu si bonne cause que moi, et jamais d'autres n'ont donné si belle prise que vous.

Les gens du monde ne croient pas être dans les bonnes voies.

259. Is., I, 19 : « *Si vous vouliez* et que vous m'écoutiez, vous consommeriez les biens de la terre. »
260. « *En n'importe quel jour.* »
261. « *Supprimer.* »
262. « *C'est le grand aveuglement du cœur.* »
263. « *C'est le pire aveuglement du cœur.* »
264. Saint-Prosper (?) : « *Alors l'abime de l'iniquité renferme l'homme.* »
265. Cf. note 108.
266. Tite, III, 9 : « Quant aux questions imprudentes, aux généalogies, *aux contentions*, aux disputes sur la loi, évitez-les... »
267. « *Il m'en a rendu compte.* »

Plus ils marquent de faiblesse en ma personne plus ils autorisent ma cause.

Vous dites que je suis hérétique. Cela est-il permis? Et si vous ne craignez pas que les hommes ne rendent point de justice ne craignez-vous pas que Dieu me la rende.

Vous sentirez la force de la vérité et vous lui cèderez.

Je prie qu'on me fasse la justice de ne plus les croire sur leur parole.

Il faudrait obliger le monde à vous croire sur peine de péché mortel. *Elidere* [268].

C'est péché de croire témérairement les médisances.

Non credebant temere calumniatori [269]. Saint Aug.

Fecitque cadendo undique me cadere [270] par la maxime de la médisance.

Il y a quelque chose de surnaturel en un tel aveuglement. *Digna necessitas* [271].

Je suis seul contre trente mille — point. Gardez-vous la Cour? Vous l'imposture, moi la vérité. — C'est toute ma force. Si je la perds je suis perdu, je ne manquerai pas d'accusateurs et de punisseurs. Mais j'ai la vérité et nous verrons qui l'emportera.

Je ne mérite pas de défendre la religion, mais vous ne méritez pas de défendre l'erreur. Et... j'espère que Dieu par sa miséricorde, n'ayant pas égard au mal qui est en moi et ayant égard au bien qui est en vous nous fera à tous la grâce que la vérité ne succombera pas entre mes mains et que le mensonge ne...

mentiris impudentissime [272].

230. extrême péché c'est de le défendre. *Elidere* [268].

340-*23*. l'heur des méchants.

doctrina sua noscetur vir [273].

66. *labor mendacii* [274].

268. « *Supprimer.* »
269. « *Ils ne croyaient pas, à la légère, le calomniateur.* »
270. « *Il m'a fait, en tombant de tous côtés, tomber moi-même.* »
271. Sag., XIX, 4 : « *Une juste nécessité* les conduisant, en effet, à cette fin. »
272. Cf. *Quinzième Provinciale : « Vous mentez effrontément.* »
273. Prov., XII, 8 : « *C'est par sa doctrine qu'on connaîtra l'homme.* »
274. Jer., IX, 5 : « Car ils ont entraîné leur langue à *mentir* et ont *travaillé* pour agir injustement. »

80. aumône.

fausse piété, double péché.

Elidere [268], Caramuel.

Vous me menacez.

Puisque vous n'avez touché que cela c'est approuver tout le reste.

961-*888* B. Vous ignorez les prophéties si vous ne savez que tout cela doit arriver, princes, prophètes, pape — et même les prêtres — et néanmoins l'église doit subsister.

Par la grâce de Dieu nous n'en sommes pas là, malheur à vous prêtres. Mais nous espérons que Dieu nous fera la miséricorde que nous n'en serons point.

1. Saint Pierre C. 2 faux prophètes — passés — images des futurs.

962-*902* Il faut bien, dit le Feuillant, que cela ne soit pas si certain, car la contestation marque l'incertitude.

Saint Athanase, saint Chrisostome.

La morale. Les infidèles.

Les jésuites n'ont pas rendu la vérité incertaine, mais ils ont rendu leur impiété certaine.

La contradiction a toujours été laissée pour aveugler les méchants, car tout ce qui choque la vérité ou la charité est mauvais. Voilà le vrai principe.

963-*940* Il est indifférent au cœur de l'homme de croire 3 ou 4 personnes en la Trinité, mais non pas etc. Et de là vient qu'ils s'échauffent pour soutenir l'un et non pas l'autre.

Il est bon de faire l'un mais il ne faut pas laisser l'autre, le même Dieu qui nous a dit etc.

Et ainsi qui ne croit que l'un et non pas l'autre ne le croit pas parce que Dieu l'a dit, mais parce que sa convoitise ne le dénie point et qu'il est bien aise d'y consentir et d'avoir ainsi sans peine un témoignage de sa conscience qui lui...

Mais c'est un témoignage faux.

964-*953* Lettre des établissements violents des jésuites partout.

Aveuglement surnaturel.

Cette morale qui a en tête un Dieu crucifié.

Voilà ceux qui ont fait vœu d'obéir *tanquam Christo*.

La décadence des Jésuites.

Notre religion qui est toute divine.

Un casuiste Miroüer.
Si vous le trouvez bon c'est bon signe.

C'est une chose étrange qu'il n'y a pas moyen de leur donner l'idée de la religion.

Un Dieu crucifié.

En détachant cette affaire punissable du schisme ils seront punis.

Mais quel renversement : les enfants en l'embrassant aiment les corrupteurs. Les ennemis les abhorrent.

Nous sommes les témoins.

Pour la foule des casuistes tant s'en faut que ce soit un sujet d'accusation contre l'Église que c'est au contraire un sujet de gémissement de l'Église.

Et afin que nous ne soyons point suspects.
Comme les Juifs qui portent les livres, qui ne sont point suspects aux gentils, ils nous portent leurs Constitutions.

965-*889* De sorte que s'il est vrai d'une part que quelques religieux relâchés et quelques casuistes corrompus, qui ne sont point membres de la hiérarchie, ont trempé dans ces corruptions, mais il est constant de l'autre que les véritables pasteurs de l'Église qui sont les véritables dépositaires de la parole divine, l'ont conservée immuable contre les efforts de ceux qui ont entrepris de la ruiner.

Et ainsi les fidèles n'ont aucun prétexte de suivre ces relâchements qui ne leur sont offerts que par les mains étrangères de ces casuistes, au lieu de la saine doctrine qui leur est présentée par les mains paternelles de leurs propres pasteurs. Et les impies et les hérétiques n'ont aucun sujet de donner ces abus pour des marques du défaut de la providence de Dieu sur son Église, puisque l'Église étant proprement dans le corps de la hiérarchie, tant s'en faut qu'on puisse conclure de l'état présent des choses, que Dieu l'ait abandonnée à la corruption, qu'il n'a jamais mieux paru qu'aujourd'hui, que Dieu la défend visiblement de la corruption.

Car si quelques-uns de ces hommes qui par une vocation extraordinaire ont fait profession de sortir du monde et de prendre l'habit de religieux, pour suivre dans un état plus parfait que le commun des chrétiens sont tomdés dans des égarements qui font horreur au commun des chrétiens et sont devenus entre nous ce que les faux prophètes étaient entre les Juifs, c'est un malheur particulier et personnel qu'il faut à la vérité déplorer, dont on ne peut rien conclure contre le soin que Dieu prend de son église puisque toutes ces choses sont si clairement prédites et qu'il a été annoncé depuis si longtemps que ces tentations s'élèveraient de la part de ces sortes de personnes, que quand on est bien instruit on voit plutôt en cela des marques de la conduite de Dieu que de son oubli à notre égard.

966-*926* Il faut ouïr les deux parties; c'est de quoi j'ai eu soin.

Quand on n'a ouï qu'une partie on est toujours de ce côté-là mais l'adverse fait changer; au lieu qu'ici le jésuite confirme.

Non ce qu'ils font, mais ce qu'ils disent.

Ce n'est que contre moi que l'on crie. Je le veux bien. Je sais à qui en rendre compte.

J.-C. a été pierre de scandale.

Condamnable, condamné.

Politique.

Nous avons trouvé deux obstacles au dessein de soulager les hommes, l'un des lois intérieures de l'Évangile, l'autre des lois extérieures de l'État et de la religion.

Les unes nous en sommes maîtres, les autres voici comment nous avons fait. *Amplianda, restringenda, a majori ad minus. Junior* [275].

Probable.

Ils raisonnent comme ceux qui montrent qu'il est nuit à midi.

Si d'aussi méchantes raisons que celles-ci sont probables, tout le sera.

1. raison. *Dominus actuum conjugalium.* Molin.
2. raison. *Non potest compensari* [276]. Less.

Opposer non des maximes saintes, mais des abominables.

Bauny brûleur de granges.

Mascarehnas, Concile de Trente pour les prêtres en péché mortel. *Quam primum* [277].

967-*896* C'est en vain que l'Église a établi ces mots d'anathèmes, hérésies, etc. on s'en sert contre elle.

968-*654* Différence entre le dîner et le souper.

275. « *Les amplifiant, les diminuant, du plus au moins.* » « *Le plus récent.* »

276. A la question d'Escobar « si une femme est tenue de restituer à son mari le gain qu'elle a reçu de l'adultère », Molina répond affirmativement, parce que « le mari est le *maître des actes conjugaux* de sa femme ». Lessius jugeait au contraire que « l'injustice ou l'adultère ne *peut être compensée avec de l'argent* ».

277. Cf. note 151.

En Dieu la parole ne diffère pas de l'intention car il est véritable, ni la parole de l'effet car il est puissant, ni les moyens de l'effet car il est sage. Bern. *Ult. serm. In missus* [278].

Aug. 5. *de Civit.* 10. Cette règle est générale. Dieu peut tout, hormis les choses lesquelles s'il les pouvait il ne serait pas tout puissant, comme mourir, être trompé, etc., mentir, etc.

Plusieurs évangélistes pour la confirmation de la vérité.

Leur dissemblance utile.

Eucharistie après la Cène. Vérité après figure.

Ruine de Jérusalem, figure de la ruine du monde. 40 ans après la mort de Jésus.

J. ne sait pas comme homme ou comme légat. Matt. 24-*36*.

J. condamné par les Juifs et Gentils.

Les Juifs et gentils, figurés par les deux fils. Aug. 20. *de Civit.* 29.

969-*514* Opérez votre salut avec crainte.

Pauvres de la grâce.

petenti dabitur [279]. Donc il est en notre pouvoir de demander; au contraire donc il n'y est pas, parce que l'obtention y est le prier n'y est pas. Car parce que le salut n'y est pas, et que l'obtention y étant la prière n'y est pas.

Le juste ne devrait donc plus espérer en Dieu, car il ne doit pas espérer, mais s'efforcer d'obtenir ce qu'il demande.

Concluons donc que puisque l'homme est incapable maintenant d'user de ce pouvoir prochain et que Dieu ne veut pas que ce soit par là qu'il ne s'éloigne pas de lui, ce n'est que par un pouvoir efficace qu'il ne s'éloigne pas.

Donc ceux qui s'éloignent n'ont pas ce pouvoir sans lequel on ne s'éloigne pas de Dieu et ceux qui ne s'éloignent pas ont ce pouvoir efficace.

Donc ceux qui ayant persévéré quelque temps dans la prière par ce pouvoir efficace cessent de prier manquent de ce pouvoir efficace.

Et partant Dieu quitte le premier en ce sens.

278. Saint Bernard, *Derniers Sermons*, sur le texte de saint Luc (I, 26) : « L'ange Gabriel *fut envoyé.* »

279. « *Il sera donné à qui demande.* »

II. LA SECONDE COPIE

C'est le double de la Copie 9203. *Gilberte Périer l'avait fait faire pour son usage personnel. Elle lui a permis de superviser la préparation de l'édition des Pensées qui se faisait à Paris. A partir de* 1667 *des cahiers des divers chapitres lui étaient adressés pour approbation. (ms B. N. f. fr.* 12449.*)*

970-*632* Sur Esdras.

fable : les livres ont été brûlés avec le temple, faux par les Mach : Jérémie leur donna la loi.

fable qu'il récita tout par cœur; Joseph et Esdras marquent qu'il lut le livre :

Baron. anno. 180. *nullus penitus haebraeorum antiquorum reperitur qui tradiderit libros periisse et per Esdram esse restitutos nisi in* 4 *Esdr* [280].

fable qu'il changea les lettres.

Philo, *in vita Moysi. Illa lingua ac caractere quo antiquitus scripta est lex sic permansit usque ad* 70 [281].

Josèphe dit que la loi estait en hébreu quand elle fut traduite par les 70.

Sous Antioche et Vespasien où l'on a voulu abolir les livres et où il n'y avait point de prophètes on ne l'a pu faire, et sous les Babyloniens où nulle persécution n'a été faite et où il y avait tant de prophètes, l'auraient-ils laissé brûler?

Josèphe se moque des Grecs qui ne souffriraient...

Tertul. *Perinde potuit abolefactam eam violentia cataclysmi, in spiritu rursus reformare : quemadmodum et hierosolymis babylonia expugnatione deleta, est omne instrumentum judaicae litteraturae per Esdram constat restauratum* [282]. Tert. I. 1. de cultu femin. c. 3.

Il dit que Noë a aussi bien pu rétablir en esprit le livre d'Enoch perdu par le déluge, que Esdras a pu rétablir les écritures perdues durant la captivité.

Θεὸς ἐν τῇ ἐπὶ Ναβουχοδόνοσορ αἰχμαλωσίᾳ τοῦ λαοῦ, διαφθαρεισῶν τῶν γραφῶν, ἐνέπνευσε Ἐσδρᾷ τῷ ἱερεῖ ἐκ τῆς φυλῆς Λευὶ τοὺς τῶν προγεγονότων προφητῶν πάντας ἀνατάξασθαι λόγους, καὶ ἀποκαταστῆσαι τῷ λαῷ τὴν διὰ Μωσέως νομοθεσίαν.

Il allègue cela pour prouver qu'il n'est pas incroyable que les 70 ayant expliqué les écritures saintes avec cette uniformité que l'on admire en eux Eusèb. I. 5. hist. c. 8 et il a pris cela de saint Irénée lib. 3 ch. 25.

280. Baronius, X-XVIII : « *Personne, au sein des anciens Hébreux, ne se trouve qui ait raconté que les livres aient péri et aient été reconstitués par Esdras, sauf au IV*e *livre d'Esdras.* »

281. Philon, liv. II : « *La langue et les lettres dans lesquelles fut anciennement écrite la loi demeurèrent les mêmes jusqu'au Septante.* »

282. Tertullien, liv. I, *De Cultu femin.*, c. 3 : (Noé) *a pu tout aussi bien rétablir en esprit le livre* (d'Enoch) *détruit par la violence du cataclysme, comme il est certain qu'Esdras a pu le faire pour l'ensemble des livres hébraïques détruits au cours de la prise de Babylone.* »

Saint Hilaire dans la préface sur les psaumes dit qu'Esdras a mis les psaumes en ordre.

L'origine de cette tradition vient du 14 ch du 4 livre d'Esdras.

Deus glorificatus est, et scripturae verae divinae creditae sunt, omnibus eamdem, et eisdem verbis et eisdem nominibus recitantibus ab initio usque ad finem uti et praesentes gentes cognoscerent quoniam per aspirationem dei interpretatae sunt scripturae. Et non esset mirabile deum hoc in eis operatum quando in ea captivitate populi quæ facta est a Nabuchodonosor corruptis scripturis *et post* 70 *annos judaeis descendentibus in regionem suam, et post deinde temporibus Artaxerxis persarum regis* inspiravit Esdrae sacerdoti tribus levi praeteritorum prophetarum omnes remorare sermones et restituere populo eam legem quae data est per Moysen [283].

971-*633* Contre la fable d'Esdras.
2 mach. 2.

Josèphe ant. 11. 1. Cyrus prit sujet de la prophétie d'Isaïe de relâcher le peuple. — Les Juifs avaient des possessions paisibles sous Cyrus en Babylone. Donc ils pouvaient bien avoir la loi.

Josèphe en toute l'histoire d'Esdras ne dit pas un mot de ce rétablissement.
4 Roys. — 17. 27.

972-*634* Si la fable d'Esdras est croyable, donc il faut croire que l'Écriture est Écriture sainte; car cette fable n'est fondée que sur l'autorité de ceux qui disent celle des 70, qui montre que l'Écriture est sainte.

Donc, si ce conte est vrai, nous avons notre compte par là; sinon nous l'avons d'ailleurs. Et ainsi ceux qui voudraient ruiner la vérité de notre religion, fondée sur Moïse, l'établissent par la même autorité par où ils l'attaquent. Ainsi, par cette providence, elle subsiste toujours.

973-*919* Ce sont les effets des péchés des peuples et des Jésuites : les grands ont souhaité d'être flattés; les Jésuites ont souhaité d'être aimés des grands. Ils ont tous été dignes d'être abandonnés à l'esprit du mensonge, les uns pour tromper, les autres pour être trompés. Ils ont été avares, ambitieux, voluptueux : *Coacervabunt sibi magistros* [284]. Dignes disciples de tels maîtres, *digni sunt*, ils ont cherché des flatteurs et en ont trouvé.

974-*949* Comme la paix dans les États n'a pour objet que de conserver les biens des peuples en assurance, de même la paix dans l'Église n'a pour objet que de conserver en assurance la vérité qui est son bien, et le trésor où est son cœur. Et comme ce serait aller contre la fin de la paix que de laisser entrer les étrangers dans un État pour le piller, sans s'y opposer, de crainte d'en troubler le repos (parce que la paix n'étant juste et utile que pour la sûreté du bien elle devient injuste et pernicieuse, quand elle le laisse perdre, et la guerre qui le peut défendre devient et juste et nécessaire); de même, dans l'Église, quand la vérité est offensée par les ennemis de la foi, quand on veut l'arracher du cœur des fidèles pour y faire régner l'erreur, de demeurer en paix alors, serait-ce servir l'Église, ou la trahir? serait-ce la défendre ou la ruiner? Et n'est-il pas visible que, comme c'est un crime de troubler la paix où la vérité règne, c'est aussi un crime de demeurer en paix quand on détruit la vérité? Il y a donc un temps où la paix est juste et un autre où elle est injuste. Et il est écrit qu' « il y a temps de paix et temps de guerre », et c'est l'intérêt de la vérité qui les discerne. Mais il n'y a pas temps de vérité, et temps d'erreur, et il est écrit, au contraire, que « la vérité de Dieu demeure éternellement »; et c'est pourquoi Jésus-Christ, qui dit qu'il est venu apporter la paix, dit aussi qu'il est venu apporter la guerre; mais il ne dit pas qu'il est venu apporter et la vérité et le mensonge. La vérité est donc la première règle et la dernière fin des choses.

III. L'ÉDITION DE PORT-ROYAL (1678)

975-*275* Les hommes prennent souvent leur imagination pour leur cœur; et ils croient être convertis dès qu'ils pensent à se convertir.

976-*19* La dernière chose qu'on trouve en faisant un ouvrage est de savoir celle qu'il faut mettre la première.

283. La traduction latine du texte d'Eusèbe est de Pascal. « Dieu a été glorifié, et les vraies écritures divines ont été crues, que tous récitaient dans les mêmes termes exactement depuis le début jusqu'à la fin, afin que les peuples présents connussent que ces Écritures ont été interprétées par l'inspiration de Dieu, et qu'il n'était pas étonnant que Dieu ait accompli en eux cette œuvre, puisque, dans la captivité du peuple *sous Nabuchodonosor, les Écritures étant détruites*, et soixante-dix ans plus tard les Juifs retournant dans leur pays, et ensuite au temps d'Artaxerxès, roi des Perses, il *inspira à Esdras, prêtre de la tribu de Lévi, l'idée de rappeler les prophéties anciennes et de restituer au peuple la loi qu'il avait donnée par Moïse.* »

284. Cf. II Tim., IV, 3 : « Car viendra un temps où les hommes ne supporteront plus la saine doctrine mais selon leurs désirs *ils se donneront en quantité des maîtres.* »

IV. LES PORTEFEUILLES VALLANT

Ce sont des manuscrits B. N. f. fr. 17040 *à* 17058. *Le Docteur Vallant était le médecin de la marquise de Sablé et des Périer. Ses manuscrits ont été confectionnés en* 1684. *Ils rassemblent les papiers laissés par la marquise* († 1678) *et des documents personnels. Le texte que nous reproduisons a été publié par Faugère en* 1844, *comme inédit de Pascal. En fait, il s'agit d'un texte rédigé par Nicole pour l'édition des* Pensées, *qui ne l'a pas retenu. Il s'est servi des fragments* 30 *et* 94. *Nicole les a développés à nouveau dans ses* Essais de Morale, *t. II.* De la grandeur, 1re *partie, chap. V.*

977-*320* Les choses du monde les plus déraisonnables deviennent les plus raisonnables à cause du dérèglement des hommes. Qu'y a-t-il de moins raisonnable que de choisir, pour gouverner un État, le premier fils d'une reine? L'on ne choisit pas pour gouverner un bateau celui des voyageurs qui est de meilleure maison. Cette loi serait ridicule et injuste; mais parce qu'ils le sont et le seront toujours, elle devient raisonnable et juste, car qui choisira-t-on? Le plus vertueux et le plus habile? Nous voilà incontinent aux mains, chacun prétend être ce plus vertueux et ce plus habile. Attachons donc cette qualité à quelque chose d'incontestable. C'est le fils aîné du roi; cela est net, il n'y a point de dispute. La raison ne peut mieux faire car la guerre civile est le plus grand des maux.

V. LE MANUSCRIT PÉRIER (1710)

C'était le manuscrit du chanoine Louis Périer (1651-1713), *dernier neveu de Pascal. L'original a été partiellement reproduit par le P. Desmolets* (1728) *et dom Clemencet (vers* 1750). *Il a disparu mais une copie, unique sans doute, a été faite au cours du XVIIIe siècle. Cette copie a permis à Condorcet, Bossut, Faugère, Sainte-Beuve, de publier des inédits.*
Retrouvée en 1944, *après avoir disparu en* 1869, *elle renferme des textes connus uniquement grâce à elle, notamment l'*Esprit géométrique.

978-*100* La nature de l'amour-propre et de ce *moi* humain est de n'aimer que soi et de ne considérer que soi. Mais que fera-t-il? Il ne saurait empêcher que cet objet qu'il aime ne soit plein de défauts et de misère; il veut être grand, il se voit petit; il veut être heureux, et il se voit misérable; il veut être parfait, et il se voit plein d'imperfections; il veut être l'objet de l'amour et de l'estime des hommes, et il voit que ses défauts ne méritent que leur aversion et leur mépris. Cet embarras où il se trouve produit en lui la plus injuste et la plus criminelle passion qu'il soit possible de s'imaginer; car il conçoit une haine mortelle contre cette vérité qui le reprend, et qui le convainc de ses défauts. Il désirerait de l'anéantir, et, ne pouvant la détruire en elle-même il la détruit, autant qu'il peut, dans sa connaissance et dans celle des autres; c'est-à-dire qu'il met tout son soin à couvrir ses défauts et aux autres et à soi-même, et qu'il ne peut souffrir qu'on les lui fasse voir ni qu'on les voie.

C'est sans doute un mal que d'être plein de défauts; mais c'est encore un plus grand mal que d'en être plein et de ne les vouloir pas reconnaître, puisque c'est y ajouter encore celui d'une illusion volontaire. Nous ne voulons pas que les autres nous trompent; nous ne trouvons pas juste qu'ils veuillent être estimés de nous plus qu'ils ne méritent : il n'est donc pas juste aussi que nous les trompions et que nous voulions qu'ils nous estiment plus que nous ne méritons.

Ainsi, lorsqu'ils ne découvrent que des imperfections et des vices que nous avons en effet, il est visible qu'ils ne nous font point de tort, puisque ce ne sont pas eux qui en sont cause, et qu'ils nous font un bien, puisqu'ils nous aident à nous délivrer d'un mal, qui est l'ignorance de ces imperfections. Nous ne devons pas être fâchés qu'ils les connaissent, et qu'ils nous méprisent, étant juste et qu'ils nous connaissent pour ce que nous sommes, et qu'ils nous méprisent, si nous sommes méprisables.

Voilà les sentiments qui naîtraient d'un cœur qui serait plein d'équité et de justice. Que devons-nous dire donc du nôtre, en y voyant une disposition toute contraire? Car n'est-il pas vrai que nous haïssons la vérité et ceux qui nous la disent, et que nous aimons qu'ils se trompent à notre avantage, et que nous voulons être estimés d'eux autres que nous ne sommes en effet?

En voici une preuve qui me fait horreur. La religion catholique n'oblige pas à découvrir ses péchés indifféremment à tout le monde; elle souffre qu'on demeure caché à tous les autres hommes; mais elle en excepte un seul, à qui elle commande de découvrir le fond de son cœur, et de se faire voir tel qu'on est. Il n'y a que ce seul homme au monde qu'elle nous ordonne de désabuser, et elle l'oblige à un secret inviolable, qui fait que cette connaissance est dans lui comme si elle n'y était pas. Peut-on s'imaginer rien de plus charitable et de plus doux? Et néanmoins la corruption de l'homme est telle qu'il trouve encore de la dureté dans cette loi; et c'est une des principales raisons qui a fait révolter contre l'Église une grande partie de l'Europe.

Que le cœur de l'homme est injuste et déraisonnable, pour trouver mauvais qu'on oblige de faire à l'égard d'un homme ce qu'il serait juste, en quelque sorte, qu'il fît à l'égard de tous les hommes! Car est-il juste que nous les trompions?

Il y a différents degrés dans cette aversion pour la vérité; mais on peut dire qu'elle est dans tous en quelque degré, parce qu'elle est inséparable de l'amour-propre. C'est cette mauvaise délicatesse qui oblige ceux qui sont dans la nécessité de reprendre les autres de choisir tant de détours et de tempéraments pour éviter de les choquer. Il faut qu'ils diminuent nos défauts, qu'ils fassent semblant de les excuser, qu'ils y mêlent des louanges et des témoignages d'affection et d'estime. Avec tout cela, cette médecine ne laisse pas d'être amère à l'amour-propre. Il en prend le moins qu'il peut, et toujours avec dégoût, et souvent même avec un secret dépit contre ceux qui la lui présentent.

Il arrive de là que, si on a quelque intérêt d'être aimé de nous, on s'éloigne de nous rendre un office qu'on sait nous être désagréable; on nous traite comme nous voulons être traités : nous haïssons la vérité, on nous la cache; nous voulons être flattés, on nous flatte; nous aimons à être trompés, on nous trompe.

C'est ce qui fait que chaque degré de bonne fortune qui nous élève dans un monde nous éloigne davantage de la vérité, parce qu'on appréhende plus de blesser ceux dont l'affection est plus utile et l'aversion plus dangereuse. Un prince sera la fable de toute l'Europe, et lui seul n'en saura rien. Je ne m'en étonne pas : dire la vérité est utile à celui à qui on la dit, mais désavantageux à ceux qui la disent, parce qu'ils se font haïr. Or, ceux qui vivent avec les princes aiment mieux leurs intérêts que celui du prince qu'ils servent; et ainsi, ils n'ont garde de lui procurer un avantage en se nuisant à eux-mêmes.

Ce malheur est sans doute plus grand et plus ordinaire dans les plus grandes fortunes; mais les moindres n'en sont pas exemptes, parce qu'il y a toujours quelque intérêt à se faire aimer des hommes. Ainsi la vie humaine n'est qu'une illusion perpétuelle; on ne fait que s'entre-tromper et s'entre-flatter. Personne ne parle de nous en notre présence comme il en parle en notre absence. L'union qui est entre les hommes n'est fondée que sur cette mutuelle tromperie; et peu d'amitiés subsisteraient, si chacun savait ce que son ami dit de lui lorsqu'il n'y est pas, quoiqu'il en parle alors sincèrement et sans passion.

L'homme n'est donc que déguisement, que mensonge et hypocrisie, et en soi-même et à l'égard des autres. Il ne veut donc pas qu'on lui dise la vérité. Il évite de la dire aux autres; et toutes ces dispositions, si éloignées de la justice et de la raison, ont une racine naturelle dans son cœur.

979-*945* Le jour du jugement.

C'est donc là, mon Père, ce que vous appelez le sens de Jansénius; c'est donc là ce que vous faites entendre et au pape et aux évêques!

Si les Jésuites étaient corrompus et qu'il fût vrai que nous fussions seuls, à plus forte raison devrions-nous demeurer.

Quod bellum firmavit, pax ficta non auferat [285].

Neque benedictione, neque maledictione movetur, sicut angelus Domini [286].

On attaque la plus grande des vertus chrétiennes, qui est l'amour de la vérité.

Si la signature signifie cela, qu'on souffre que je l'explique, afin qu'il n'y ait point d'équivoque : car il faut demeurer d'accord que plusieurs croient que signer marque consentement.

Si le rapporteur ne signait pas, l'arrêt serait invalidé; si la bulle n'était pas signée, elle serait valable; ce n'est donc pas...

« Mais vous pouvez vous être trompé? » Je jure que je crois que je puis m'être trompé; mais je ne jure pas que je crois que je me suis trompé.

On n'est pas coupable de ne pas croire et on sera coupable de jurer sans croire... de belles questions; il...

Je suis fâché de vous dire ici : je ne fais qu'un récit.

Cela, avec Escobar, les met au haut bout; mais ils ne le prennent pas ainsi : et témoignant le déplaisir de se voir entre Dieu et le pape...

980-*918 bis* Ils disent que l'Église dit ce qu'elle ne dit pas, et qu'elle ne dit pas ce qu'elle dit.

981-*918* Que serait-ce que les Jésuites sans la probabilité et que la probabilité sans les Jésuites?

Otez la *probabilité*, on ne peut plus plaire au monde; mettez la *probabilité*, on ne peut plus lui déplaire. Autrefois, il était difficile d'éviter les péchés, et difficile de les expier; maintenant, il est facile de les éviter par mille tours et facile de les expier.

982-*918 ter* Nous avons fait l'uniformité de la diversité, car nous sommes tous uniformes, en ce que nous sommes tous devenus uniformes.

VI. LES MANUSCRITS GUERRIER

Il y en a trois de la main du P. Pierre Guerrier. Les deux premiers dénommés gros in-4° *et* grand in-4° *sont dans les archives de la famille de Bellaigue de*

285. « *Ce que la guerre a confirmé qu'une fausse paix ne l'enlève point.* » — Cf. *Réponse des Curés de Paris...* (1er avril 1658.)

286. II Rois, XIV, 17 : « Car *comme est un ange de Dieu,* ainsi est mon Seigneur le roi, *qu'il ne s'émeut ni de la bénédiction, ni de la malédiction...* »

Bughas. La B. N. en a des copies: f. fr. 12988 *et* 15281. *Le troisième est le ms. B. N. f. fr.* 13913. *Les textes reproduits sont pris dans le* grand in-4° *et B. N. f. fr.* 12988.

983-*276* M. de Roannez disait : « Les raisons me viennent après, mais d'abord la chose m'agrée ou me choque sans en savoir la raison, et cependant cela me choque par cette raison que je ne découvre qu'ensuite. » Mais je crois, non pas que cela choquait par ces raisons qu'on trouve après, mais qu'on ne trouve ces raisons que parce que cela choque.

984-*216* Mort soudaine seule à craindre, et c'est pourquoi les confesseurs demeurent chez les grands.

985-*942* ... Or la probabilité est nécessaire pour les autres maximes, comme pour celle de Lamy et (du) calomniateur.

A fructibus eorum [287]... — Jugez de leur foi par leur morale.

La probabilité est peu sans les moyens corrompus, et les moyens ne sont rien sans la probabilité.

Il y a du plaisir d'avoir assurance de pouvoir bien faire et de savoir bien faire : « *Scire et posse* ». La grâce et la probabilité le donnent, car on peut rendre compte à Dieu, en assurance sur leurs auteurs.

986-*891* Il faut faire connaître aux hérétiques qui se prévalent de la doctrine des Jésuites que ce n'est pas celle de l'Église... la doctrine de l'Église; et que nos divisions ne nous séparent pas de l'unité.

987-*892* Si en différant nous condamnions, vous auriez raison. L'uniformité sans diversité inutile aux autres, la diversité sans uniformité ruineuse pour nous. — L'une nuisible au-dehors, l'autre au-dedans.

988-*488* ... Mais il est impossible que Dieu soit jamais la fin, s'il n'est le principe. On dirige sa vue en haut, mais on s'appuie sur le sable : et la terre fondra, et on tombera en regardant le ciel.

989-*935* *Les Jésuites.* — Les Jésuites ont voulu joindre Dieu au monde, et n'ont gagné que le mépris de Dieu et du monde. Car, du côté de la conscience, cela est évident; et, du côté du monde, ils ne sont pas de bons cabalistes. Ils ont du pouvoir, comme je l'ai dit souvent, mais c'est-à-dire à l'égard des autres religieux. Ils auront le crédit de faire bâtir une chapelle et d'avoir une station de jubilé, non de pouvoir faire avoir des évêchés, des gouvernements de place. C'est un sot poste dans le monde que celui de moines, qu'ils tiennent, par leur aveu même (P. Brisacier, *Bénédictins*). Cependant... vous ployez sous les plus puissants que vous, et vous opprimez de tout votre petit crédit ceux qui ont moins d'intrigue que vous dans le monde.

990-*948* En corrompant les évêques et la Sorbonne, s'ils n'ont pas eu l'avantage de rendre leur jugement juste, ils ont eu celui de rendre leurs juges injustes. Et ainsi quand ils en seront condamnés à l'avenir, ils diront *ad hominem* qu'ils sont injustes, et ainsi réfuteront leur jugement. Mais cela ne sert à rien. Car, comme ils ne peuvent pas conclure que les jansénistes sont bien condamnés, par cette seule raison qu'ils sont condamnés, de même ils ne pourront conclure alors qu'ils seront mal condamnés eux-mêmes parce qu'ils le seront par des juges corruptibles. Car leur condamnation sera juste, non parce qu'elle sera donnée par des juges toujours justes, mais par des juges justes en cela; ce qui se montrera par les autres preuves.

991-*952* Comme les deux principaux intérêts de l'Église sont la conservation de la piété des fidèles et la conversion des hérétiques, nous sommes comblés de douleur de voir les factions qui se font aujourd'hui pour introduire les erreurs les plus capables de fermer pour jamais aux hérétiques l'entrée de notre communion et de corrompre mortellement ce qui nous reste de personnes pieuses et catholiques. Cette entreprise qu'on fait aujourd'hui si ouvertement contre les vérités de la religion et les plus importantes pour le salut, ne nous remplit pas seulement de déplaisir, mais aussi de frayeur et de crainte, parce que, outre le sentiment que tout chrétien doit avoir de ces désordres, nous avons de plus l'obligation d'y remédier et d'employer l'autorité que Dieu nous a donnée pour faire que les peuples qu'il nous a commis, etc.

992-*946 bis* Annat. Il fait le disciple sans ignorance, et le maître sans présomption.

993-*909* Toute la société entière de leurs casuistes ne peut assurer la conscience dans l'erreur, et c'est pourquoi il est important de choisir de bons guides.

Ainsi, ils seront doublement coupables : et pour avoir suivi des voies qu'ils ne devaient pas suivre, et pour avoir ouï des docteurs qu'ils ne devaient pas ouïr.

287. Mtt, VII, 16 : « Vous les jugerez *à leurs fruits.* »

VII. PENSÉES INÉDITES

Elles ont été découvertes par M. Jean Mesnard, professeur à la Faculté des lettres de Bordeaux. Cf. Blaise Pascal, textes inédits, *recueillis et présentés par Jean Mesnard, extraits de l'édition du Tricentenaire (Bibliothèque européenne, Desclée de Brouwer).*

I. *En marge dans un opuscule des Papiers de Saint-Jean-d'Angély. (Bibl. Mazarine.)*
II. *Papier collé dans la Copie* 9203 *entre les pages* 154 *et* 155. *Etait attribué à Nicole, alors qu'il s'agit d'un autographe de Pascal.*
III *à* XV. *B. N. Coll. Joly de Fleury*, 2466, *f*os 247, 248, 249.

I

Ainsi les jésuites ou font embrasser les erreurs ou font jurer qu'on les a embrassées, et font tomber ou dans l'erreur ou dans le parjure, et pourrissent ou l'esprit ou le cœur.

II

Car quoiqu'il y eût environ deux mille ans qu'elles avaient été faites, le peu de générations qui s'étaient passées faisait qu'elles étaient aussi nouvelles aux hommes qui étaient en ce temps-là que nous le sont à présent celles qui sont arrivées il y a environ trois cents ans. Cela vient de la longueur de la vie des premiers hommes. En sorte que Sem, qui a vu Lamech, etc. Cette preuve suffit pour convaincre les personnes raisonnables de la vérité du Déluge et de la Création, et cela fait voir la Providence de Dieu, lequel, voyant que la Création commençait à s'éloigner, a pourvu d'un historien qu'on peut appeler contemporain, et a commis tout un peuple pour la garde de son livre. Et ce qui est encore admirable, c'est que ce livre a été embrassé unanimement et sans aucune contradiction, non seulement par tout le peuple juif, mais aussi par tous les rois et tous les peuples de la terre, qui l'ont reçu avec un respect et une vénération toute particulière.

III

Il est bon de porter les personnes renouvelées intérieurement par la grâce à faire des œuvres de piété et de pénitence proportionnées à leur portée, parce que l'un et l'autre sont conservés par la proportion qu'il y a entre la bonté des œuvres et l'esprit par lequel elles sont faites. Quand on contraint à des œuvres extraordinaires de piété et de pénitence celui qui n'est pas encore renouvelé intérieurement, on gâte l'un et l'autre. l'homme par sa malice corrompant les œuvres, et les œuvres accablant la débilité de l'homme, qui n'est pas capable de les porter. C'est un mauvais signe de voir une personne produire au-dehors dès l'instant de sa conversion. L'ordre de la charité est de s'enraciner dans le cœur avant que de produire de bonnes œuvres au-dehors.

IV

Quand notre passion nous porte à faire quelque chose, nous oublions notre devoir, comme : on aime un livre, on le lit, lorsqu'on devrait faire autre chose. Mais, pour s'en souvenir, il faut se proposer de faire quelque chose qu'on hait, et alors on s'excuse sur ce qu'on a autre chose à faire, et on se souvient de son devoir par ce moyen.

V

Je me sens une malignité qui m'empêche de convenir de ce que dit Montaigne, que la vivacité et la fermeté s'affaiblissent en nous avec l'âge. Je ne voudrais pas que cela fût. Je me porte envie à moi-même. Ce moi de vingt ans n'est plus moi.

VI

Le sommeil est l'image de la mort, dites-vous; et moi je dis qu'il est plutôt l'image de la vie.

VII

Aristote, qui a fait un *Traité de l'âme*, ne parle, selon Montaigne, que des effets de l'âme, ce qui n'est ignoré de personne; et ne dit rien de son essence, ni de son origine, ni de sa nature, et c'est ce qu'on en veut savoir.

VIII

On se retire et cache huit mois à la campagne, pour en vivre quatre avec éclat à la Cour.

IX

Nul plaisir n'a saveur pour moi, dit Montaigne, sans communication : marque de l'estime que l'homme fait de l'homme.

X

L'Écriture renvoie l'homme aux fourmis : grande marque de la corruption de sa nature. Qu'il est beau de voir le maître du monde renvoyé aux bêtes comme aux maîtres de la sagesse!

XI

Qui s'aperçoit d'avoir dit ou fait une sottise croit toujours que ce sera la dernière. Loin d'en conclure qu'il en fera bien d'autres, il conclut que celle-là l'empêchera d'en faire.

XII

Les philosophes de l'École parlent de la vertu et les rhéteurs de l'éloquence sans les connaître. Présentez aux uns un homme véritablement vertueux mais sans éclat, et aux autres un discours plein de beautés naturelles mais sans pointes : ils n'y entendront rien.

XIII

Je ne trouve rien de si aisé que de traiter de roman tout cela. Mais je ne trouve rien de plus difficile que d'y répondre.

XIV

Pourquoi Dieu ne se montre-t-il pas? — En êtes-vous digne? — Oui. — Vous êtes bien présomptueux, et indigne par là. — Non. — Vous en êtes donc indigne.

XV

Dieu est caché. Mais il se laisse trouver à ceux qui le cherchent. Il y a toujours eu des marques visibles de lui dans tous les temps. Les nôtres sont les prophéties. Les autres temps en ont eu d'autres. Toutes ces preuves s'entretiennent toutes. Si l'une est vraie, l'autre l'est. Ainsi, chaque temps, ayant eu celles qui lui étaient propres, a connu par celles-là les autres. Ceux qui ont vu le Déluge ont cru la Création, et ont cru le Messie à venir. Ceux qui ont vu Moïse ont cru le Déluge et l'accomplissement des prophéties. Et nous qui voyons l'accomplissement des prophéties devons croire le Déluge et la Création.

PROPOS ATTRIBUÉS A PASCAL

1000 M. Pascal disait de *ces auteurs qui, parlant de leurs ouvrages, disent:* « *Mon livre, mon commentaire, mon histoire*, etc. », *qu'ils sentent leurs bourgeois qui ont pignon sur rue, et toujours un chez moi à la bouche. Ils feraient mieux*, ajoutait cet excellent homme, *de dire :* « *Notre livre, notre commentaire, notre histoire*, etc. », *vu que d'ordinaire il y a plus en cela du bien d'autrui que du leur.* (Rapporté par De Vigneul-Marville.)

1001 *Je ne puis pardonner à Descartes : il voudrait bien, dans toute la philosophie, se pouvoir passer de Dieu; mais il n'a pu s'empêcher de lui donner une chiquenaude pour mettre le monde en mouvement; après cela, il n'a plus que faire de Dieu.* (Rapporté par Marguerite Périer.)

1002 1° On me demande si je ne me repens pas d'avoir fait les *Provinciales.* — Je réponds que, bien loin de m'en repentir, si j'avais à les faire présentement (1662), je les ferais encore plus fortes.

2° On me demande pourquoi j'ai nommé le nom des auteurs où j'ai pris toutes les propositions abominables que j'y ai citées. — Je réponds que si j'étais dans une ville où il y eût douze fontaines, et que je susse certainement qu'il y en a une qui est empoisonnée, je serais obligé d'avertir tout le monde de n'aller point puiser de l'eau à cette fontaine; et, comme on pourrait croire que c'est une pure imagination de ma part, je serais obligé de nommer celui qui l'a empoisonnée, plutôt que d'exposer toute une ville à s'empoisonner.

3° On me demande pourquoi j'ai employé un style agréable, railleur et divertissant. — Je réponds que si j'avais écrit d'un style dogmatique, il n'y aurait eu que les savants qui l'auraient lu, et ceux-là n'en avaient pas besoin, en sachant autant que moi là-dessus : ainsi, j'ai cru qu'il fallait écrire d'une manière propre à faire lire mes lettres par les femmes et les gens du monde, afin qu'ils connussent le danger de toutes ces maximes et de toutes ces propositions, qui se répandaient alors partout, et auxquelles on se laissait facilement persuader.

4° On me demande si j'ai lu moi-même tous les livres que je cite. — Je réponds que non : certainement, il aurait fallu que j'eusse passé ma vie à lire de très mauvais livres; mais j'ai lu deux fois Escobar tout entier; et, pour les autres, je les ai fait lire par mes amis; mais je n'en ai pas employé un seul passage sans l'avoir lu moi-même dans le livre cité, et sans avoir examiné la matière sur laquelle il est avancé, et sans avoir lu ce qui précède et ce qui suit, pour ne point hasarder de citer une objection pour une réponse, ce qui aurait été reprochable et injuste. (Rapporté par Marguerite Périer.)

1003 *Voilà une belle occupation pour M. Arnauld que de travailler à une logique! Les besoins de l'Eglise demandent tout son travail.* (Rapporté par l'abbé Pascal.)

1004 On lui a souvent ouï dire (à propos de l'instruction d'un prince) qu'*Il n'y avait rien à quoi il désirait plus de contribuer, s'il y était engagé et qu'il sacrifierait volontiers sa vie pour une chose si importante.* (Rapporté par Nicole.)

1005 Feu M. Pascal quand il voulait donner un exemple d'une rêverie qui pouvait être approuvée par entêtement proposait d'ordinaire l'opinion de Descartes sur la matière et sur l'espace. (Rapporté par Nicole.)

1006 *La piété chrétienne anéantit le moi humain, et la civilité humaine le cache, et le supprime.* (Rapporté dans *La Logique de Port-Royal.*)

1007 M. Pascal a écrit au dos de sa Bible : *Toutes les fausses beautés que nous trouvons dans saint Augustin ont des admirateurs et en grand nombre.* (Manuscrit 4333. Bibliothèque Nationale f. fr.)

1008 Feu M. Pascal appelait la philosophie cartésienne *le roman de la nature, semblable à peu près à l'histoire de Dom Quichot*... (Rapporté par Menjot.)

1009 M. le Maistre. Plaidoyers.

M. Pascal s'en railloit et disoit à M. le Maistre qu'il avoit pourtant bien escrit pour les bonnets du pallais qui n'y entendoient rien.

(B. N. n. acq. ms. 4333.)

1010 M. Paschal vouloit que toutes les façons de parler en vers fussent françoises et bonnes; qu'elles soient nobles et soustenues à la bonne heure : autrement c'est du galimathias.

(B. N. n. acq. ms. 4333.)

INDEX DES PENSÉES

Les numéros indiqués sont ceux des fragments.

TABLE DE CONCORDANCE

ÉDITIONS BRUNSCHVICG ET LAFUMA

Le premier chiffre (en italique) est celui de l'édition Brunschvicg.

1	512	*44*	671	*87*	506	*131*	622
2	511	*45*	557	*88*	779	*132*	49
3	751	*46*	670	*89*	419	*133*	13
4	513	*47*	555	*90*	506	*134*	40
5	534	*48*	515	*91*	660	*135*	773
6	814	*49*	509	*92*	125	*136*	43
7	510	*50*	789	*93*	126	*137*	478
8	766	*51*	886	*94*	630	*138*	879
9	701	*52*	888	*94 bis*	664	*139*	136
10	737	*53*	579	*95*	646	*140*	522
11	764	*54*	572	*96*	736	*141*	39
12	581	*55*	907	*97*	634	*142*	137
13	635	*56*	583	*98*	193	*143*	139
14	652	*57*	528	*99*	539	*144*	687
15	584	*58*	772	*100*	978	*145*	523
16		*59*	637	*101*	792	*146*	620
17	717	*60*	6	*102*	535	*147*	806
18	744	*61*	694	*103*	770	*148*	120
»	745	*62*	780	*104*	937	*149*	31
19	976	*63*	680	*105*	529	*150*	627
20	683	*64*	689	*106*	805	*151*	63
21	684	*65*	649	*107*	552	*152*	77
22	696	*66*	72	*108*	742	*153*	628
23	784	*67*	23	*109*	638	*154*	51
24	710	*68*	778	»	639	*155*	606
25	667	*69*	41	*110*	73	*156*	29
26	578	»	723	*111*	55	*157*	123
27	559	*70*	519	*112*	54	*158*	37
28	580	*71*	38	*113*	17	*159*	643
29	675	*72*	199	*114*	558	*160*	795
30	610	*73*	76	*115*	65	*161*	16
»	611	*74*	408	*116*	129	*162*	413
30 bis	610	*74 bis*	479	*117*	35	*163*	46
31	728	*75*	958	*118*	715	*163 bis*	197
32	585	*76*	553	*119*	698	*164*	36
33	586	*77*	1001	*120*	541	165	889
34	587	*78*	887	*121*	663	*165 bis*	70
35	647	*79*	84	*122*	802	*166*	138
36	605	*80*	98	*123*	673	167	10
37	195	»	99	*124*	672	*168*	134
38	732	*81*	661	*125*	124	*169*	133
39	765	*82*	44	*126*	78	*170*	132
40	527	*83*	45	*127*	24	*171*	414
41	798	*84*	551	*128*	79	172	47
42	636	*85*	531	*129*	641	*173*	561
43		*86*	196	*130*	415	*174*	403

174 bis	69
175	709
176	750
177	62
178	320
179	753
180	705
181	56
182	640
183	166
184	4
185	172
186	591
187	12
188	669
189	162
190	156
191	932
192	853
193	810
194	427
194 bis	432
194 ter	432
195	428
196	731
197	383
198	632
199	434
200	163
201	441
202	596
203	386
204	159
204 bis	293
205	68
206	201
207	42
208	194
209	361
210	165
211	151
212	757
213	152
214	625
215	716
216	984
217	823
218	164
219	612
220	409
221	161
222	882
223	227
224	168
225	157
226	150
227	2 et 3
228	244
229	429
230	809
231	420
232	682
233	418
234	577
235	206
236	158
237	154
238	153
239	748
240	816
241	387
242	781
243	463
244	3
245	808
246	11
247	5
248	7
249	364
250	944
251	219
252	821
253	183
254	187
255	181
256	179
257	160
258	755
259	815
260	504
»	505
261	176
262	908
263	574
264	941
265	185
266	782
267	188
268	170
269	167
270	174
271	82
272	182
273	173
274	530
275	975
276	983
277	423
278	424
279	588
280	377
281	155
282	110
283	298
284	380
285	895
286	381
287	382
288	394
289	482
290	402
291	9
292	20
293	51
294	60
295	64
296	59
297	86
298	103
299	81
300	876
301	711
302	88
303	554
304	828
305	50
306	767
307	87
308	25
309	61
310	797
311	665
312	645
313	94
314	796
315	89
316	95
317	80
317 bis	32
318	19
319	
320	977
»	30
321	465
322	104
323	688
324	101
325	525
326	66
327	83
328	93
329	96
330	26
331	533
332	58
333	650
334	97
335	92
336	91
337	90
338	14
339	111
339 bis	108
340	741
341	738
342	105
343	107
344	112
345	768
346	759
347	200
348	113
349	115
350	146
351	829
352	724
353	681
354	27
355	771
356	514
357	783
358	678
359	674
360	144
361	147
362	960
363	507
364	508
365	756
366	48
367	22
368	686
369	651
370	542
371	556
372	656
373	532
374	33
375	520
376	34
377	655
378	518
379	57
380	540
381	21
382	699
383	697
384	177
385	905
386	803
387	521
388	52
389	75
390	896
391	658
392	109
393	794
394	619
395	406
396	128
397	114
398	116
399	437
400	411
401	685
402	118
403	106
404	470
405	71
406	477

407	537	465	407	525	398	580	934
408	526	466	140	526	352	581	234
409	117	467	100	527	192	582	926
410	15	468	220	528	212	583	740
411	633	469	135	529	353	584	461
412	621	470	378	530	712	585	242
413	410	471	396	531	538	586	446
414	412	472	362	532	800	587	291
415	127	473	371	533	897	588	842
416	122	474	368	534	562	588 bis	458
417	629	475	374	535	422	589	747
418	121	476	373	536	99	590	480
419	464	477	421	537	351	591	565
420	130	478	395	538	358	592	204
421	405	479	618	539	356	593	822
422	631	480	370	540	917	594	481
423	119	481	359	541	357	595	203
424	404	482	360	542	426	596	1
425	148	483	372	543	190	597	207
426	397	484	376	544	460	598	218
427	400	485	564	545	271	599	209
428	466	486	788	546	416	600	321
429	53	487	833	547	189	601	243
430	149	488	988	548	417	602	8
430 bis	230	489	205	549	191	603	
431	430	490	935	550	931	604	425
432	691	491	214	551	213	605	284
433	215	492	617	552	560	606	421
434	131	493	216	553	919	607	287
435	208	494	450	554	943	608	289
436	28	495	623	555	929	609	286
436 bis	890	496	365	556	449	610	453
437	401	497	774	557	444	611	369
438	399	498	924	558	445	612	799
439	491	499	928	559	448	613	281
440	600	500	473	559 bis	440	614	280
441	471	501	754	560	431	615	817
442	393	502	603	560 bis	442	616	282
443	613	503	375	561	820	617	390
444	229	504	947	562	468	618	456
445	695	505	927	563	175	619	454
446	278	506	690	564	835	620	451
447	804	507	702	565	439	621	435
448	642	508	869	566	232	622	474
449	467	509	141	567	576	623	350
450	595	510	239	568	760	624	292
451	210	511	231	»	763	625	296
452	657	512	957	568 bis	761	626	290
453	211	513	930	»	762	627	790
454	74	514	969	569	313	628	436
455	597	515	546	570	223	629	295
456	749	516	703	571	502	630	384
457	668	517	202	572	457	»	492
458	545	518	921	573	893	631	452
459	918	519	807	574	472	632	970
460	933	520	925	575	566	633	971
461	145	521	662	576	594	634	972
462	626	522	824	577	469	635	277
463	142	523	226	578	236	636	959
464	143	524	354	579	536	637	342

638	305	*697*	312	*750*	592	*807*	860
639	314	*698*	936	*751*	228	*808*	846
640	311	*699*	319	*752*	315	*809*	302
641	495	*700*	500	*753*	337	*810*	831
642	274	*701*	317	*754*	730	*811*	184
643	275	*702*	297	*755*	318	*812*	169
644	392	*703*	294	*756*	344	*813*	872
645	238	*704*	589	*757*	261	*814*	863
646	573	*705*	240	*758*	255	*815*	568
647	245	*706*	335	*759*	102	*816*	224
648	252	*707*	385	*760*	593	*817*	734
649	254	*708*	333	*761*	488	*818*	735
650	217	*709*	336	*762*	262	*819*	857
651	575	*710*	332	*763*	306	*820*	875
652	349	*711*	484	*764*	307	*821*	850
653	248	*712*	819	*765*	241	*822*	892
654	968	*713*	489	*766*	607	*823*	837
655	283	*713 bis*	459	»	608	*824*	873
656	590	*714*	493	*767*	355	*825*	379
657	246	»	494	*768*	570	*826*	834
658	938	»	496	*769*	447	*827*	839
659	501	»	497	*770*	327	*828*	856
660	616	*715*	498	*771*	235	*829*	841
661	945	*716*	334	*772*	301	*830*	718
662	256	*717*	455	*773*	323	*831*	880
663	615	*718*	348	*774*	221	*832*	865
664	614	*719*	266	*775*	571	*833*	648
665	849	*720*	340	*776*	785	*834*	855
666	801	*721*	490	*777*	791	*835*	852
667	250	*722*	485	*778*	544	*836*	843
668	948	*723*	341	*779*	548	*837*	844
669	582	*724*	338	*780*	549	*838*	180
670	270	*725*	330	*781*	910	*839*	854
671	838	*726*	483	»	911	*840*	858
672	367	*727*	487	»	912	*841*	901
673	826	*727 bis*	345	*782*	818	»	902
»	827	*728*	258	*783*	433	*842*	851
674	247	*729*	346	*784*	547	*843*	840
675	503	*730*	324	*785*	946	*844*	894
676	475	*731*	624	*786*	300	»	899
677	265	*732*	328	*787*	746	*844 bis*	871
678	260	*733*	325	*788*	719	*845*	870
679	253	*734*	329	*789*	225	*846*	878
680	267	*735*	347	*790*	940	*847*	777
681	249	*736*	609	*791*		*848*	438
682	486	*737*	793	*792*	499	*849*	877
683	268	*738*	339	*793*	308	*850*	881
684	257	*739*	462	*794*	389	*851*	903
685	259	*740*	388	*795*	237	*852*	859
686	263	*741*	811	*796*	233	*853*	524
687	272	*742*	299	*797*	309	*854*	
688	476	*743*	304	*798*	812	*855*	836
689	288	*744*	550	*799*	303	*856*	922
690	279	*745*	273	*800*	316	*857*	758
691	276	*746*	264	*801*	310	*858*	776
692	269	*747*	222	*802*	322	*859*	743
693	198	*747 bis*	178	*803*	832	*860*	884
694	326	*747 ter*	366	*804*	891	*861*	845
695	343	*748*	331	*805*	861	*862*	733
696	171	*749*	391	*806*	848	*863*	443

864	739
865	786
866	752
867	285
868	598
869	517
870	706
871	604
872	569
873	677
874	567
875	867
876	726
877	708
878	85
879	67
880	516
881	874
882	914
883	862
884	864
884 bis	725
885	602
886	563
887	900
888	961
889	965
890	868
891	986
892	987
893	847
894	679
895	813
896	967
897	939
898	707
899	775
900	251
901	825
902	962
902 bis	915
903 et bis	769
904	727
905	923
906	693
907	601
908	599
909	993
910	644
911	659
912	720
913	653
914	363
915	692
916	906
917	721
918	981
918 bis	980
918 ter	982
919	973
920	916
921	960
922	722
923	713
924	909
925	954
926	966
927	904
928	956
929	955
930	949
931	729
932	666
933	898
934	700
935	989
936	885
937	676
938	543
939	654
940	963
941	942
942	985
943	787
944	714
945	979
946	883
946 bis	992
947	186
948	990
949	974
950	951
951	950
952	991
953	964
954	704
955	18
956	952
957	920
958	953

NOTICES DES PERSONNES CITÉES

Arnauld, Antoine, (1612-1694). « Le Grand Arnauld. » Il était le benjamin des vingt enfants du célèbre avocat Arnauld, dont dix seulement survécurent.

C'est Saint-Cyran qui, en 1638, lui conseilla de ne pas se faire religieux, comme il en avait le désir. Il soutint alors en Sorbonne, en 1639, 1640 et 1641, ses thèses de doctorat avec le plus grand éclat et reçut la prêtrise.

Son coup d'essai, avec *De la Fréquente Communion* (1643), suivie de la *Tradition de l'Église sur la pénitence*, fut un coup de maître. Au moment de la Fronde, alors que les Petites Écoles étaient prospères, il rédigea des traités pour les enfants et trouva un collaborateur dans un de leurs maîtres, Pierre Nicole. Ensuite nombreuses polémiques, à propos de l'*Augustinus*, notamment la *Seconde Lettre à un duc et pair* (10 juillet 1655), que certains critiques estiment être son chef-d'œuvre. Cet ouvrage, déféré à la Sorbonne, provoqua sa condamnation et son exclusion (15 février 1656). Ce fut alors l'aventure des *Provinciales* et des *Écrits des Curés de Paris* (1656-1659), dont il fut l'un des animateurs.

Recherché par la police, il s'ensevelit pendant douze ans dans une profonde retraite, grâce à la complicité de quelques protecteurs puissants comme la duchesse de Longueville, le duc de Luynes... Sorti de cette retraite, au moment de la Paix de l'Église (octobre 1668), il fut complimenté par le nonce Bargellini (13 octobre) : « Monsieur, vous .vez une plume d'or pour défendre l'Église de Dieu. » Louis XIV le reçut et lui adressa quelques paroles bienveillantes. Au cours de dix années de paix il compléta (avec Nicole) son ouvrage sur *la Perpétuité de la foi*, écrivit *la Concorde des Évangiles*. Il polémiqua avec le ministre Claude et les calvinistes.

Mais les maladresses des uns et les animosités des autres compromirent cette paix et, à la mort de la duchesse de Longueville (avril 1679), pour conserver sa liberté, il s'exila à Mons, puis à Bruxelles où il retrouva Nicole; mais Nicole devait bientôt revenir en France.

Le pape Innocent XI, ayant appris l'incertitude de son existence, l'autorise à dire la messe chez lui, après lui avoir proposé en vain de venir se réfugier à Rome. C'est l'affaire de la Régale qui fut la cause de son refus. Au cours de son exil il ne cessa de poursuivre ses polémiques avec les jésuites (*le Phantosme du Jansénisme*, 1686) et les calvinistes. Il eut des controverses avec Mallet (1680) à propos du *Nouveau Testament de Mons*, avec Malebranche (1684-1686), Bayle (1687), Richard Simon (1691). Errant de ville en ville, il fut rejoint en 1685 par le P. Du Guet et le P. Quesnel, qui demeura avec lui jusqu'à la fin.

Il meurt le 8 août 1694, après avoir reçu les derniers sacrements, assisté du curé de Sainte-Catherine de Bruxelles. Son cœur fut transporté à Port-Royal-des-Champs. A cette occasion Santeul composa une épitaphe qui le brouilla avec les jésuites. Boileau le considérait comme

« Le plus savant mortel qui jamais ait écrit ».

Ses œuvres éditées à Paris-Lausanne de 1775 à 1783 représentent 43 tomes en 38 volumes in-4°.

Arnauld, Simon, (1618-1699), dit de Briottes, marquis de Pomponne. Second fils d'Arnauld d'Andilly, ministre et secrétaire d'État en 1671, disgracié en 1679 et rappelé à la Cour en 1691. Il fut le seul à continuer la postérité des Arnauld. Son fils Nicolas Simon, deuxième marquis de Pomponne eut plusieurs enfants : les fils moururent jeunes et sa fille (1697-1746) épousa Jean-Joachim Rouault, marquis de Gamache († 1751) : elle n'eut pas d'enfant. Ainsi, en 1751, la famille de l'avocat Antoine Arnauld (1560-1619), qui avait eu vingt enfants, s'est éteinte.

C'est à Simon Arnauld, premier marquis de Pomponne que Gilberte Périer adresse, le 18 mars 1662, une lettre dans laquelle elle lui raconte les débuts des carrosses à cinq sols (2,50 francs 1963).

Auzout, Adrien, († 1691). Né à Rouen. Mathématicien. Il inventa un micromètre à fils mobiles, qui sert encore aux astronomes pour mesurer les diamètres apparents des corps célestes. Son appareil n'avait pas les inconvénients de ceux de Huyghens et de Malvasia de Bologne. En 1647 il fut mêlé à l'affaire Saint-Ange avec Hallé de Monflaines et Pascal. Il fréquenta l'Académie Mersenne-Le Pailleur (1635-1654) et celle de Montmor (1657-1664). Il tenait également un cercle où l'on s'appliquait au perfectionnement des télescopes. A la date du 9 novembre 1660. Huyghens note dans son *Journal :* « Esté à l'assemblée de M. de Montmor où j'appris à connaître MM. Auzout, Frenicle, Des Argnes, Pequet, Rohaut. » Il fut parmi les premiers membres de l'Académie des sciences (1666) et publia en 1667 un *Traité du micromètre*.

Azor, R.P. Jean, (1533-1551-1603). Espagnol. Professeur de théologie au Collège d'Alcala, auteur des *Institutiones morales,* 3 vol. in-folio, Rome, 1600.

Bagot, R.P. Jean, (1590-1664). Né à Rennes. Professeur de philosophie. Censeur de livres à Rome. Supérieur de la maison professe de Paris. Auteur de la *Defensio juris episcopalis* (1655) qui fut supprimée par l'Assemblée du Clergé. Ce sont ses disciples, les « bagotistes », qui provoquèrent le transfert des Petites Écoles de Paris à la campagne.

Baius, Michel de Bay, (1513-1589). Né dans le Hainaut, chancelier de Louvain (1575). Ses doctrines sur la grâce ont été condamnées par Pie V (1567) et Grégoire XIII (1579). Il se rétracta en 1580.

Barry, R.P. Paul de, (1585-1601-1661). Auteur de *l'Année sainte* et d'un grand nombre d'ouvrages ascétiques. Né à Lencate près de Narbonne, mort à Avignon. Il fut provincial de Lyon en 1652.

Baudry d'Asson, Antoine de Saint-Gilles, († 30 décembre 1668). Gentilhomme poitevin il fit trois ans de théologie en Sorbonne. Il savait le grec et avait des lettres. C'est M. Hillerin, ancien curé de Saint-Merry qui le décida à entrer à Port-Royal en 1647. Bénéficiaire d'un prieuré et de deux chapelles, il remit son prieuré aux chanoines réguliers de Sainte-Geneviève contre 800 livres de pension.

Après avoir été le menuisier de Port-Royal, il devint l'homme d'affaires des religieuses et dut souvent se déguiser pour déjouer les recherches de la police. En 1656, il s'occupa de la distribution des *Provinciales.* Il écrit dans son *Journal,* à la date du 21 janvier : « Aujourd'hui a commencé à paraître une lettre imprimée de huit pages in-4°, adressée à un provincial. Quelques-uns attribuent cette pièce, qui est fort recherchée, à M. Arnauld même, mais la plupart et plus vraisemblablement à M. Pascal, qui est son ami et a demeuré avec lui tous les jours passés. »

A la date du 3 avril 1656, à propos du miracle de la Sainte Épine, à l'occasion de la guérison de Marguerite Périer, il écrit : « Or elle l'est si parfaitement que M. de Rebours dit qu'il avait pris un œil pour l'autre. Son oncle, M. Pascal, que je vois tous les jours, me dit la même chose. »

La duchesse de Longueville voulant réparer les maux qu'elle avait causés pendant la Fronde, ce fut Saint-Gilles qui fit une juste répartition des aumônes pour ceux qui en avaient souffert. Il rendit des services aux religieuses pendant leur captivité; ayant leur procuration, il n'hésitait pas à risquer sa liberté pour les défendre.

M. de Saci l'assista à sa dernière heure. Il a laissé un *Journal de M. de Saint-Gilles* (d'avril 1655 à avril 1656 : B. Mazarine, ms. 4556; 2 août 1656 à septembre : B.N. f. fr. ms. 13896).

Bauny, R.P. Étienne, (1564-1649). Confesseur du cardinal de la Rochefoucauld. Ses ouvrages, *Summa casuum conscientiae* (1631), *Pratique du droit canon* (1633), *Theologia moralis* (1640), furent mis à l'index le 26 octobre 1640.

Beaupuis, Wallon de, (1621-1709). En 1646, les religieuses devant revenir à Port-Royal-des-Champs, les Messieurs décidèrent de ramener leurs écoliers à Paris. On leur offrit une maison dans le faubourg Saint-Jacques, au cul-de-sac de Saint-Dominique d'Enfer. Ce fut là l'origine des Petites Écoles. La direction en fut confiée à Wallon de Beaupuis, ecclésiastique de Beauvais, qui demeura à leur tête jusqu'à leur destruction.

Au cours de l'automne de 1653, quittant Paris, les Petites Écoles essaimèrent aux Granges de Port-Royal, au château des Trous près de Chevreuse, au Chesnay près de Versailles. C'est dans cette dernière que Wallon de B. s'installa, avec une trentaine d'élèves.

Le 12 mai 1660 les Petites Écoles, sur ordre du roi, furent irrévocablement détruites. On laissa vingt-quatre heures aux maîtres et aux élèves pour vider les lieux. C'est à ce moment-là que Pascal fit entrer son neveu Étienne Périer, élève au Chesnay depuis 1653, au Collège d'Harcourt (actuel lycée Saint-Louis), que dirigeait son ami M. Fortin. Louis et Blaise Périer étaient alors confiés à Wallon de B. Il logeait chez les Périer qui occupaient une maison sur les fossés de la Porte Saint-Marceau (près du n° 75 de la rue du Cardinal-Lemoine).

Il assista à la mort de Pascal. Il écrivit aussitôt à Godefroy Hermant et lui narra ses derniers instants. Hermant qui reproduit cette lettre dans ses *Mémoires* ajoute : « Ainsi mourut M. Pascal, l'un des plus beaux, des plus nobles et des plus puissants génies de notre siècle. »

Il fut ensuite (1664) supérieur du séminaire de Beauvais tant que vécut M. de Buzenval, son évêque.

Becan, R.P. Martin, (1561-1624). Né dans le Brabant. Professeur de théologie à Vienne. Auteur d'une *Summa theologiae.* Paris 1634.

Bellarmin, R.P. Robert, (1542-1560-1621). Cardinal. Canonisé en 1931. Auteur notamment des *Disputationes de controversiis fidei christianæ* (1613).

Beurrier, P. Paul, (1608-1696). Né à Chartres. Théologien. Chanoine régulier et abbé de Sainte-Geneviève (1626), Prêtre (1632), Curé de Saint-Étienne-du-Mont (1653), Général de la Congrégation de France (1675), premier assistant (1681), se retire en 1688.

Il est l'auteur d'une *Vie de sainte Geneviève* (1642), d'*Homélies, prônes et méditations sur les évangiles et principales fêtes* (1668).

En juillet et août 1662 il eut plusieurs entretiens avec Pascal pendant sa maladie et lui administra les derniers sacrements. Le 7 janvier 1665, l'archevêque de Paris, de Péréfixe, l'obligea de lui donner par écrit et signé de sa main une déclaration sur ce qui s'était passé à la maladie et à la mort de Pascal. L'archevêque jura qu'il ne ferait voir cet écrit qu'aux religieuses de Port-Royal. Un mois après il envoya M. Chamillart lui demander l'autorisation de le publier; le P. Beurrier refusa. L'archevêque le communiqua aux jésuites et en 1666 le P. Annat en donna un extrait dans son opuscule, *Lettre de M. Jansenius, Evesque d'Ipre, au pape Urbain VIII.*

Peu après paraissait une *Réfutation du nouveau livre du P. Annat,* dans laquelle était insérée une *Lettre d'un théologien* (Nicole ou de Lalanne) qui mettait les choses au point. Les polémiques persistèrent. Florin Périer ayant signalé au P. Beurrier que Gilberte Périer était fort touchée de l'abus que l'on faisait de sa déclaration, il lui adressa une lettre, le 12 juin 1671, dans laquelle il reconnaît qu'il a mal interprété le sujet de la dispute que Pascal avait eue avec les Messieurs de Port-Royal. Egalement, le 27 novembre 1673, il répond à une lettre d'Etienne Périer, en lui précisant que les bruits qu'il lui signale sont « contraires à la vérité ». Ces deux lettres ont été publiées pour la première fois dans le *Recueil d'Utrecht* (1740).

En outre, le 3e *Recueil Guerrier* (B.N. f. fr. 13913) reproduit une *Attestation* de Nicole au sujet de la prétendue rétractation de Pascal (p. 177) et les dépositions de MM. Nicole, Arnauld, Domat, de Roannez au sujet de cette prétendue rétractation. La lettre du 8 mars 1677 de Louis et Blaise Périer à leur mère préconise que de telles dépositions soient faites « par-devant notaire ».

Binet, R.P. Etienne, (1569-1590-1639). Provincial de France. Auteur de *la Dévotion à la glorieuse Vierge Marie,* Lyon, 1624.

Bourdelot, abbé, (1610-1685). De son nom Pierre Michon, né à Sens et mort à Paris, il était médecin, fils de chirurgien et descendait par sa mère de Théodore de Bèze. Après ses premières études médicales, il vint à Paris où il prit, en 1634, le nom de ses oncles maternels Jean et Edme Bourdelot.

En 1637 il est médecin de Henri II de Condé, auquel, en 1644, Pascal présenta sa machine d'arithmétique, « roue pascale ». En 1642 il est reçu docteur et vers 1645 il commence à tenir à l'Hôtel de Condé une sorte d'académie de savants et de lettrés, dont les réunions reprirent après son retour de Suède.

Il est appelé, en 1651, à la Cour de Suède pour donner ses soins à la reine Christine. En juin 1652, dans la lettre de Pascal à la reine qui accompagnait le don d'un exemplaire de sa machine, il est question d'un discours que Bourdelot devait lui communiquer et dans lequel était exposé l'histoire de son invention, les difficultés de sa réalisation et son mode d'emploi. Ce discours est perdu.

A la Cour de Suède, ses intrigues et les conseils qu'il donna à la reine de vivre selon la morale épicurienne aboutirent à des résultats fâcheux. Il fut alors disgracié. Cependant, pour le remercier des soins qu'il lui avait donnés, la reine obtint pour lui l'abbaye de Massay. Le pape Urbain VIII lui donna les dispenses nécessaires pour posséder des bénéfices, à condition d'exercer gratuitement la médecine; ce qu'il fit.

Brisacier, R.P. Jean de, (1603-1619-1668). Recteur des Collèges d'Aix et de Blois, recteur également à Rouen et Paris, il est l'auteur de : *le Jansénisme confondu dans l'avocat du sieur Callaghan,* qui fut censuré par l'archevêque de Paris, sur plainte de la Mère Angélique (1651).

Callaghan, Mac, († 1664). Irlandais. Curé de Cour-Cheverny, puis solitaire de Port-Royal.

Caramuel, Jean de Lobkovitz, (1606-1682). Cistercien espagnol. Docteur de Louvain (1638), évêque de Sutré (1657), puis de Vigevano (1675), est l'auteur d'une *Theologia moralis* (1652).

Carcavi, Pierre de, (1603-1684). Né à Lyon et inhumé à Saint-Merry à Paris. Conseiller au Parlement de Toulouse et au Grand Conseil, il fut alors le confident des études de Fermat. En 1648 il vendit ses charges pour régler les dettes de son père Jean de Carcavi, qui avait été receveur de décimes dans la généralité de Toulouse. Cette année-là il fit un voyage en Italie.

Il entra au service de Roger du Plessis, duc de Liancourt, et se mit à faire le commerce des livres rares, dans lequel il excella. Il fut le correspondant de Descartes après la mort de Mersenne, et Clerselier le remplaça lorsqu'il eut pris le parti de Roberval. Il était l'ami de Roberval, Pascal et Fermat. Il fut choisi par Pascal comme arbitre dans l'affaire de la Roulette (1658).

En 1663 Colbert lui confie les fonctions de garde de la Bibliothèque Royale, mais sans lui en conférer le titre. Il fut mêlé à de nombreuses acquisitions pour le Cabinet des manuscrits. Il met en ordre les papiers de Mazarin (536 volumes), de Mathieu Molé, etc. Il tira des fonds, dont il avait la garde, neuf volumes de notes, surtout relatives à l'antiquité. (Bibl. Sainte-Geneviève 2506-2514).

En 1665 Fermat lui lègue une partie de ses manuscrits. En 1666 il est membre de l'Académie des sciences, fondée par Colbert. En 1667 il vend au roi vingt volumes de manuscrits, tout ce qui lui reste de sa bibliothèque. En 1671 il se brouille avec Huyghens dont il avait été l'ami, car il avait disposé de sa calèche, croyant que, malade, il ne reviendrait pas à Paris. En 1674 il fut élu membre de la Société Royale de Londres, en même temps que Sluse et Huyghens.

Après la mort de Colbert, à l'avènement de Louvois, en raison de son âge et de son état maladif, il se démet de ses fonctions (1683). La garde de la Bibliothèque fut alors l'objet de sévères critiques. On lui demanda des explications sur « quelque mécompte » qui s'était produit dans le Cabinet des médailles, qu'il avait, quelques années auparavant, fait transférer rue Vivienne. On lui demanda également de justifier l'emploi de 17 274,15 livres (172 000 francs 1963) provenant de la vente des livres doubles.

Il adressa à Louvois, le 14 novembre 1683, un *mémoire* justificatif. Il signale qu'il est demeuré vingt-deux ans au service de Colbert, « de qui j'étais connu depuis plus de quarante ans comme homme d'honneur et de probité ». De plus, l'état de sa famille, sans biens, sans établissements est une marque publique de sa probité (Cf. Suzanne Solente, Paris 1954).

Cellot, R.P. Louis, (1588-1605-1658). Provincial de France (1656). Auteur de *De Hierarchia et Hierarchiis libri novem*, Reims, 1641.

Chanut, Pierre, (1600-1677). Descartes le considérait comme « un homme doué d'un esprit capable de tout » (lettre à Huyghens). Alors qu'il était ambassadeur à Stockholm, Pierre Petit lui adressa, le 10 novembre 1646, un procès-verbal des expériences sur le vide faites par Pascal à Rouen. En 1650 Descartes expire dans ses bras. Ensuite ambassadeur à La Haye, l'amour de la science et le souvenir de leur ami commun, Descartes, l'unissaient à Huyghens. Revenu en France en 1655, il entre au Consei du roi.

Christine de Suède, (1626-1689). Fille de Gustave-Adolphe († 1632) elle est reine à six ans, mais ne régna par elle-même qu'en 1644. Ne voulant pas se marier, elle désigne son cousin Charles-Gustave pour lui succéder. Elle prend le titre de roi en 1649.

A sa demande, Descartes vient à Stockholm pour lui donner des leçons de philosophie, mais il meurt peu de temps après son arrivée.

Mal conseillée, des difficultés surviennent. Elle songe à abdiquer, mais son chancelier Oxenstiern s'y oppose. Elle s'intéresse alors surtout aux sciences, aux lettres et aux arts. En juin 1652 Pascal lui adresse sa fameuse lettre et lui fait remettre un exemplaire de sa machine.

A la suite d'une conspiration qui échoue elle abdique (1654) et quitte la Suède. De passage à Innsbruck elle renonce au luthérianisme et à Rome elle reçoit la confirmation des mains du pape Alexandre VII. En 1656 elle séjourne en France. Elle est accueillie notamment au Collège des jésuites de Compiègne où se produit un incident rapporté dans la *Treizième Provinciale*.

En 1657, à la suite du meurtre de Monaldeschi, dont elle est directement responsable, Mazarin lui interdit de revenir à Paris. Elle retourne à Rome où une pension de 30 000 écus lui est assignée. A la mort de Charles-Gustave (1660) elle se rend en Suède où elle est obligée de signer une renonciation au trône. Elle revient alors à Rome pour s'y fixer définitivement (1668).

Comuck, R.P. Gilles de, (1571-1633). Né en Flandre, il enseigna la théologie à Louvain.

Cornet, Nicolas, (1592-1663). Grand maître de la Société de Navarre. Auteur des cinq propositions extraites de l'*Augustinus*. Bossuet prononça son oraison funèbre.

Crasset, R.P. Jean, (1618-1692). Prédicateur. Enseigna les humanités et la philosophie. Il fut directeur de la congrégation des Messieurs. Auteur des *Considérations pour tous les jours de l'année*.

Dalibray, Charles Vion, († 1655). Il est le frère de Mme Saintot. Très lié avec Faret, Saint-Amant, Benserade, Le Pailleur... Auteur d'*Œuvres poétiques*, Paris, 1653. Dans ses *vers héroïques* il adresse un sonnet à *M. Pascal le fils sur son instrument pour l'arithmétique* et des stances à l'occasion d'une expérience sur le vide. Il célèbre, à diverses reprises le cabaret du *Bel Air*, notamment dans un sonnet sur le mouvement de la Terre :

> Dans le fond d'une tasse on rencontre le vrai,
> Puisse-t-il donc toujours préparer la grillade
> La tranche de jambon avecques la salade
> Pour Pailleur, Benserade et le gros Dalibray.

Desargues, Gaspard, (1591-1662). Géomètre, ami de Descartes, Fermat, Pascal père et fils, qu'il eut souvent l'occasion de rencontrer aux assemblées de l'Académie du P. Mersenne.

Auteur d'un traité de perspective (*Manière universelle de M. Desargues, pour pratiquer la perspective...* par A. Bosse, Paris, 1648), il a introduit les principes rigoureux de la géométrie pour la pratiquer. Dans l'*Essay pour les Coniques*, Pascal a tiré de son *Brouillon project* un programme de travail en proposant le *théorème de l'Hexagone*.

A. Bosse, qui enseignait sa méthode de perspective dans ses cours à l'Académie de peinture, se vit interdire de les continuer le 30 octobre 1660. A la suite de cette décision Desargues se retira à Lyon. La tradition veut que Pascal soit venu le voir dans sa propriété de Condrieu, au Château Guillet, mais cette visite ne nous semble possible qu'en 1652-1653. Le fragment ms. 558 en serait un écho.

Descartes, René, (1596-1650). En 1640, avant d'avoir reçu l'*Essay* pour les Coniques de Pascal, dont le P. Mersenne lui annonçait l'envoi, il lui écrit : « Je ne trouve pas étrange qu'il y en ait qui démontrent les coniques plus aisément qu'Apollonius : mais on peut bien proposer d'autres choses, touchant les coniques, qu'un enfant de seize ans aurait de la peine à démêler. » L'ayant reçu il hausse les épaules. « Avant que d'en avoir lu la moitié, j'ai jugé qu'il avait appris de M. Desargues : ce qui m'a été confirmé, incontinent après, par la confession qu'il en fit lui-même. » Il n'était pas dans les habitudes de Descartes de faire des louanges.

Dans une lettre à Gilberte Périer du 25 septembre 1647, Jacqueline Pascal nous donne quelques détails sur les deux entrevues que Descartes eut avec Pascal. Le 23 septembre, après lui avoir expliqué le fonctionnement de la machine d'arithmétique, « on se mit sur le vide et M. Descartes, avec un grand sérieux, comme on lui contait une expérience et qu'on lui demanda ce qu'il croyait qui fut entré dans la seringue, dit que c'était de sa matière subtile; sur quoi mon frère lui répondit ce qu'il put... » Roberval prit ensuite la parole et l'entretien se termina sur un échange d'aménités. Le 24 septembre : « M. Descartes venait ici en partie pour consulter le mal de mon frère, sur quoi il ne lui dit pas pourtant grand-chose... Ils parlèrent de bien d'autres choses... mais je ne saurais qu'en dire, car pour hier je n'y étais pas... »

Quoi qu'il en soit, après le succès de l'expérience du Puy-de-Dôme, Descartes prétendit que c'était lui qui en avait donné l'idée à Pascal.

Desmarets, de Saint-Sorlin de Boisval, (1596-1676). Auteur de la comédie des *Visionnaires* (1637) et des *Délices de l'esprit* (1658). Il est fait allusion à lui dans le post-scriptum de la *Seizième Provinciale.*

Des Noyers, Pierre, (1607-1692). Secrétaire des commandements de la reine de Pologne, Marie de Gonzague. Dans une lettre du 24 juillet 1647 il informe le P. Mersenne des expériences sur le vide du P. Magni, capucin d'origine allemande, qu'il a exposées dans sa *Demonstratio ocularis* (12 juillet et 12 septembre 1647). Roberval, dans sa lettre du 20 septembre *(De vacuo)*, lui fait une narration des expériences faites par Pascal, à Rouen, au cours de l'automne 1646. Les publications de Magni contraignirent Pascal à ne pas retarder l'édition des *Expériences nouvelles touchant le vuide...* Paris, Pierre Margat, 1647.

Il est question dans la *Quinzième Provinciale* du P. Valérien, capucin, de la maison des comtes de Magnis. Dans une polémique qu'il eut avec les jésuites, il les avait traités de menteurs. Pascal reprend son apostrophe : « On n'a qu'à répondre, à chacun de vous, comme le Père Capucin, mentiris impudentissime. » (ms. 960.)

Diana, P. Antonin, (1586-1663). Théatin de Palerme. Auteur de *Cas de conscience* (1620-1656) et d'une *Somme,* éditée à Anvers (1656).

Discatillus, R.P. Jean de, (1585-1600-1653). Né à Naples. Il enseigna à Tolède et à Vienne. Auteur d'un *De justitia.*

Domat, Jean, (1625-1696). Fils de jurisconsulte, né à Clermont et mort à Paris. Le R.P. Sirmond, son oncle, le fit instruire au Collège de Clermont à Paris (actuel lycée Louis-le-Grand). Père de treize enfants, dont aucun ne fut élève des jésuites.

Jurisconsulte, avocat du roi, pendant près de trente ans au siège présidial de Clermont, ses conclusions, à peu d'exceptions près, furent toujours suivies.

Très lié avec Pascal. Il rédige une protestation à propos de sa prétendue rétractation. Gilberte Périer dut faire intervenir Nicolas Pavillon pour lui demander soit de détruire, soit de lui restituer les *Écrits sur le formulaire,* qu'il avait en sa possession. Il aurait assisté aux derniers moments de son ami.

En 1673 il eut une querelle avec les jésuites de Clermont qui voulaient diriger le collège de cette ville. L'affaire alla jusqu'au conseil du roi.

En 1683 le roi, à qui on avait communiqué quelques cahiers de l'ouvrage qu'il préparait, lui donna une pension de 2 000 livres, pour qu'il puisse continuer à poursuivre son travail à Paris. En 1685 il vend sa charge de Clermont. Il est l'auteur des *Lois civiles dans leur ordre naturel* (1689-1694), 3 tomes in-4°, et *le Droit public,* suite des lois civiles, paru après sa mort (1697).

Il a laissé, dans un Corps de droit — *Corpus juris civilis* de Justinien — sur un feuillet collé sur la garde de l'exemplaire, un portrait qu'il avait fait de Pascal jeune. M. Bernard Dorival estime que Domat a fait ce dessin après la mort de Pascal, en s'inspirant du portrait de François II Quesnel. Il est peut-être antérieur à 1683, date à laquelle il s'est installé à Paris.

Du Bois, Philippe Goibaud, (1626-1694). Né à Poitiers. D'origine modeste il ne fit point d'études. D'abord maître de danse auprès du duc de Guise, il se mit, à trente ans, à étudier la langue latine sous la direction de maîtres de Port-Royal.

Il fut l'ami du duc de Roannez et prit une part active à la préparation de l'édition des *Pensées.* On lit dans le manuscrit B.N. f. fr. 4333 : « Dubois a infiniment de l'esprit et est celuy, dit-on, qui approche le plus de M. Pascal et qui l'a le mieux imité. »

Il est l'auteur de la *Réponse à la lettre de M. Racine* contre M. Nicole (1666). Après la mort du duc de Guise, il se mit à traduire l'œuvre de saint Augustin (1676-1694) et des ouvrages de Cicéron (1691). Il fut reçu à l'Académie française en 1693. Dans la préface des sermons de saint Augustin (1694), il critiqua l'éloquence des prédicateurs, si éloignée de la simplicité évangélique. Dans le dernier ouvrage, sorti de sa plume, *Réflexions sur l'éloquence des prédicateurs* (1695), Arnauld le réfuta.

Elizalde, R.P. Michel de, († 1678). Auteur de *Forma verae religionis quaerendae et inveniendae liber unus,* Naples, 1662. Le R.P. Rapin, dans ses *Mémoires* (t. I, p. 215), estime que Pascal a pris l'idée de son *Apologie* dans ce livre, paru après sa mort.

Escobar, R.P. Antoine, (1589-1604-1669). Né à Valladolid. Auteur des *Problèmes sur toute la théologie morale* (1652-1662), *Petite somme des cas de conscience* (1626). Prédicateur et écrivain fécond.

Filliutius, R.P. Vincent, (1566-1584-1622). Il enseigna la théologie morale. Il fut casuiste du Saint-Office. Auteur de *Moralium questionum,* Lyon, 1622.

Fagundès, R.P. Estevan, († 1645). Théologien portugais, né à Viana. Auteur de *Questiones de christianis officiis et casibus conscientiae,* Lyon 1626.

Fermat, Pierre de, (1601-1665). Avocat, puis conseiller à la chambre des requêtes du Parlement de Toulouse (14 mai 1631).

Célèbre mathématicien, grand géomètre, correspondant de Descartes, Roberval, Mersenne, Pascal, Carcavi, Huyghens, Wallis, etc. Il a entrevu avec Descartes la géométrie analytique. Il partage avec Pascal l'invention du calcul des probabilités. L'invention du calcul différentiel que se sont disputée Newton et Leibniz lui est due en grande partie (Cf. d'Alembert, Lagrange, Laplace).

Il est l'auteur d'un théorème $a^m + b^m = c^m$, $m > 2$, pour des nombres entiers, dont la démonstration n'a pas encore été faite. Son fils Samuel a publié, *Varia opera mathematica,* D. Petri de Fermat, senatoris Tolesani. Toulouse, 1679, et ses lettres ont été éditées par les soins de Paul Tannery et Charles Henry, Paris, 1896.

Forton, Jacques, sieur de Saint-Ange Montcard. Originaire du Mans, prêtre de ce diocèse, docteur en théologie de Bourges, ci-devant profès de l'ordre des capucins de Paris et Rouen.

Tallemant raconte qu'il a provoqué l'interdiction par l'archevêque de Paris des assemblées du mercredi de l'Académie de la vicomtesse d'Auchy, à la suite d'une dispute qu'il eut avec de Lesclache sur des problèmes religieux. En 1645 il fut condamné aux dépens et débouté à l'occasion d'une affaire dont on ignore l'objet.

Il est l'auteur de *la Conduite du jugement naturel*, ouvrage de philosophie et de théologie, divisé en trois parties, qui furent publiées en 1637, 1641, 1645 et dédiées au chancelier Séguier, à la vicomtesse d'Auchy, à Jean d'Étampes, marquis de Valencay. Pour la 3e partie *(Méditations théologiques)* il eut quelques difficultés pour obtenir l'approbation de docteurs. Il serait également l'auteur d'un *Discours sur l'alliance de la raison et de la foy*, Paris, 1642, résumé de ses conférences, fait par ses élèves.

Contraint de sortir de l'ordre des capucins (vers 1637), le nonce en France lui accorda, après enquête, le 17 septembre 1639, la permission de passer le reste de ses jours comme prêtre séculier et de posséder des bénéfices. Par lettres patentes du roi du 6 février 1646, il est autorisé à prendre des bénéfices jusqu'à dix mille livres.

En février 1647, il songe à user de ce droit et sa candidature à la cure de Crosville (près Rouen) est reçue le 13 mars. Il fut mis en possession de cette cure le 12 avril, l'archevêque de Rouen ayant publié un mandement reconnaissant sa capacité et ses sentiments orthodoxes. C'est à la suite de ses entretiens, le 1er février avec Hallé de Monflaines et Adrien Auzout, et le 5 février avec Pascal qui s'était joint à eux, que son orthodoxie avait été mise en doute. Le *Récit de deux Conférences* (entretiens), dont les originaux, signés par les intéressés, figurent dans le manuscrit B.N. f. fr. 12449, avec pièces justificatives (pp. 559-598) nous documente sur la marche et les remous de cette affaire.

Le 21 décembre 1647, Saint-Ange décide de résigner sa cure de Crosville et de permuter avec celle de Sartrouville (diocèse de Paris) pour laquelle il avait obtenu, le 17 décembre, des lettres d'intronisation. Malgré l'opposition des habitants, il fut installé, de force, par Henri Pussort, oncle de Colbert, en juillet 1648.

Le registre des baptêmes est signé par lui du 30 juillet 1648 au 12 juin 1650. Une note du registre du 10 mai 1651 laisse entendre que depuis dix mois il est absent à la suite de procès et de contestations. On ignore la date et le lieu de son décès, comme on ignore la date de sa naissance.

Garasse, R.P. François, (1585-1601-1631). Né à Angoulême. Prédicateur. Auteur de *la Doctrine curieuse des beaux esprits de ce temps* (1623). Il a laissé des *Mémoires*.

Gassendi, Pierre, (1592-1655). Philosophe et astronome, né près de Digne et mort à Paris.

A seize ans il enseigne la rhétorique à Digne. En 1616, il emporte au concours la chaire de philosophie d'Aix. Il publie à Grenoble (1624), *Exercitationes paradoxicae adversus aristotelaeos...* Il distinguait l'Église, à laquelle il donne toute sa foi, et la philosophie scolastique, qu'il veut examiner selon les lumières naturelles. Il vient à Paris en 1624, où il entre en relation avec La Mothe Le Vayer, le P. Mersenne et Mydorge.

Il retourne à Digne où il poursuit ses études et remplit ses devoirs de chanoine. En 1629, controverse avec Robert Fludd contre l'astrologie : pour lui aucune connexion entre les phénomènes célestes et les événements humains. En 1632-1634, il correspond avec Galilée.

Il séjourne à Paris de 1641 à 1649. En 1647 il publie *De vita et moribus Epicuri libri octo*, Lyon, ouvrage dans lequel il réfute les dogmes de la philosophie épicurienne contraires à la foi chrétienne. En 1648, il vérifie avec Mersenne les expériences de Pascal sur le vide, dont il reconnaît l'exactitude. En 1649, querelle avec J.-B. Morin qui croit à l'immobilité de la Terre.

De retour à Paris en 1653, il descend à l'Hôtel de Montmor où il demeurera jusqu'à sa mort. Il donne en 1654 une *Histoire de l'Origine et des premiers progrès de l'Astronomie.*

Granado, R.P. Jacques, (1574-1588-1632). Né à Séville. Recteur du Collège de Grenade. Qualificateur du Saint-Office.

Guénégaud, Henri du Plessis († 1676) et Mme. Secrétaire d'État. Il épousa, le 23 février 1642, Isabelle de Choiseul, cousine germaine de Gilbert de Choiseul, évêque de Comminges († 1689). Elle tenait des assemblées à l'Hôtel de Nevers. On lit dans les *Mémoires* du R.P. Rapin, (Lyon-Paris, 1865 t. I, p. 218) : « Ce furent des mystères que tout ce qui se passa dans cet hôtel sur les intrigues de la cabale dont on n'a pu rien savoir au vray par l'habileté de cette dame qui avait l'art d'inspirer de la fidélité, de la discrétion et du silence à tous ceux qui l'approchaient. »

Le R.P. Daniel dans le *Premier entretien de Cléandre et d'Eudoxe* est mieux renseigné : « L'Hôtel de Nevers, aujourd'hui [1694] Hôtel de Conti, était alors le rendez-vous des personnes les plus polies et les plus spirituelles de Paris, que l'honnêteté, la politesse et la magnificence de Madame du Plessis Guénégaud, femme du Secrétaire d'État, y attirait. C'est sur elle que Port-Royal, où elle avait de grandes liaisons, jeta les yeux, pour faire la réputation des *Provinciales*, même avant qu'elles parussent... Elle leur fit elle-même la lecture de la *sixième Lettre* qu'on lui avait envoyée manuscrite... »

Elle est vraisemblablement la personne dont il est question dans la *Réponse du Provincial* aux deux premières lettres de son ami. C'était l'opinion de l'abbé Flottes (*cf. Nouvel éclaircissement d'un fait concernant les Provinciales*, Montpellier, 1858), alors que Sainte-Beuve pensait qu'il s'agissait de Madeleine de Scudéry.

Habert, Henri de Montmor, (1600-1679). Maître des requêtes, membre de l'Académie française. Dans sa maison, 7 rue Vieille-du-Temple, il réunissait, le samedi, les savants parisiens qui s'assemblaient antérieurement chez le P. Mersenne († 1648), et dont Le Pailleur († 1654) avait été le successeur. Ce n'est qu'au début de 1654 que commencèrent des réunions restreintes. Le 30 janvier 1654, G. Patin informe son ami Ch. Spon qu'il a dîné avec M. Gassendi chez M. de Montmor et il ajoute : « Il m'a fait promettre que je l'irais voir une fois la semaine. » Huyghens, au cours de son séjour à Paris en 1660-1661, se rendit souvent à ces assemblées, où il rencontra le duc de Roannez, Du Bois, Carcavi, Auzout, Roberval, de La Chaise, Petit, etc.

Ces réunions cessèrent au début de 1664. De Montmor fut en somme pour la création de l'Académie des sciences ce que Conrart fut pour l'Académie française.

Habert, Isaac, (1600-1668). Docteur de Sorbonne. Évêque de Vabres. Il rédigea la lettre des évêques à Innocent X (1651) pour lui demander de juger la doctrine de Jansénius.

Hardy, Claude, (?). Avocat au Parlement de Paris. Acheta une charge de conseiller au Châtelet et maître de comptes. Selon Leibniz, « grand géomètre et grand orientaliste ». On lui attribuait la connaissance de dix-sept langues.

Il fit imprimer en 1625 une traduction des questions d'Euclide, *Data Euclides*. Il traduisit des ouvrages d'Erasme, Petau, Varini... Grand ami de Descartes, il prit, avec Mydorge, parti pour lui, lors de sa querelle avec Fermat. Très lié avec Huet.

Il est venu le soir du 22 septembre 1647 chez les Pascal, rue Brisemiche, prendre un rendez-vous, pour le lendemain, pour Descartes. Il se mit d'accord avec Jacqueline Pascal, car Blaise, assistant à une cérémonie religieuse, était absent.

Le 23 septembre, il accompagna Descartes et il assista au premier entretien qu'il eut avec Pascal, en présence de Roberval (cf. lettre de Jacqueline à Gilberte Périer du 25 septembre 1647).

Henriquez, R.P. Henri, (1520-1600). Portugais. Un des premiers compagnons de saint Ignace de Loyola. Il séjourna quarante-cinq ans aux Indes. Auteur de *Grammaires* et *Vocabulaires* de langues asiatiques, toujours consultés.

Hobbes, Thomas, (1588-1679). Philosophe anglais. Son père, ministre anglican, lui apprend surtout les langues anciennes.

En 1602 à Oxford, et pendant cinq ans, il étudie la philosophie péripatéticienne, dont il retient surtout la dialectique serrée. Gouverneur du fils du duc de Devonshire, il voyage en Italie et en France; il se lie avec Galilée, Gassendi, Mersenne.

En 1640, pressentant la guerre civile, il vient se réfugier à Paris. En 1642, il publie le *De Cive* pour établir les droits de la couronne contre les parlementaires. En 1647, seconde édition, traduite par Sorbière.

Le 17 février 1648, il écrit une lettre au P. Mersenne sur *le Plein du vide* du P. Noël.

En 1651 paraît *le Leviathan*. Comme il assujettissait le pouvoir religieux à la royauté, il est traité d'impie par les théologiens anglicans, partisans du droit divin, qui avaient accompagné Charles II, réfugié en France. Ayant reçu l'ordre de ne plus paraître devant le roi, et ne se sentant pas en sécurité, il regagne l'Angleterre en 1653. Cromwell ne l'inquiéta pas et, à la restauration de Charles II (1660), celui-ci, à qui il avait enseigné les mathématiques, le traita convenablement. Ses *Œuvres complètes* parurent en 1668.

Dans le dossier *Raison des effets*, les vues de Pascal sur la force, le droit de l'épée, sont bien voisines de celles de Hobbes. Sa manière de tirer d'un principe ou d'une proposition toutes les conséquences qui en résultent et l'élimination qu'il fait des mots inutiles l'apparente au philosophe anglais. Il est à présumer qu'il a lu le *De Cive* dans l'édition donnée par Sorbière.

Hurtado, R.P. Gaspar, (?-1607-1647). Né à Mondejar. Doyen de la faculté d'Alcala. Professeur de théologie à Murcie, Madrid, Alcala.

Hurtado, Thomas, († 1659) né à Tolède. Clerc régulier mineur, professa la théologie à Rome. Auteur de *Resolutiones orthodoxo-morales...* (1655).

Hurtado de Mendoza, R.P. Pierre, (1578-1651). Espagnol, professeur de théologie et de philosophie.

Huyghens, Christian, (1629-1695). Né à La Haye. Second fils de Constantin Huyghens, homme universel, hollando-français selon Balzac. De 1645 à 1649 il étudie à l'Université de Leyde le droit et les mathématiques. Dès 1646, il connut Descartes; il correspond avec Mersenne qui le met au courant, en 1648, des expériences de Pascal.

En 1655, il vient en France et visite Rouen, Paris, Angers et Nantes. Il rencontre Chapelain, Conrart, Mylon, Gassendi... Il n'eut pas l'occasion de voir Pascal et plus tard il écrivait à Mylon : « Si l'on ne m'eut assuré, lorsque j'estois à Paris que ce dernier (Pascal) avoit entièrement abandonné l'estude des mathématiques, j'aurois tâché par tous les moyens de faire connoissance avec luy. » De retour en Hollande il garde le contact avec ses amis parisiens.

Au cours d'un second voyage à Paris (1660-1661), il revoit de nombreux savants, hommes de lettres et artistes. Il rencontre Pascal à deux reprises : le 5 décembre 1660 à un dîner chez le duc de Roannez, et le 13 décembre il note : « Le duc de Roanes me vint veoir et après Pascal. parlâmes de la force de l'eau raréfié dans leur canon et de voler. je leur montroy mes lunettes. » Le 9 et le 12 mars 1661, il se rend chez Pascal mais ne l'a point trouvé. C'était peut-être le moment de sa seconde retraite dont parle le P. Beurrier.

Le 6 janvier 1659, Pascal avait remercié Huyghens de lui avoir envoyé un *Horologium* et il lui offrait autant d'exemplaires du *traité de la Roulette* qu'il lui plairait de recevoir de la part de l'Anonyme. Ayant identifié l'anonyme, il adresse sa réponse à M. Pascal, Sieur d'Etfonville. Leur correspondance s'arrête là. En 1662, apprenant sa mort, il écrit à son frère : « Je suis très marry de la mort de l'incomparable M. Pascal, quoiqu'il y eust desia longtemps qu'il estoit mort pour la géométrie. »

Il revint en France de 1666 à 1683, académicien et pensionné du roi. A la suite de la persécution contre les protestants, il est contraint de rentrer définitivement dans sa patrie. Ce furent les années sombres de sa vie : mort de son père (1687), solitude, soucis matériels, maladie. Il correspond avec Huet, Leibniz et avec des réfugiés. Il meurt à La Haye le 8 juillet 1695.

Huyghens a été un exemple vivant d'une collaboration amicale de la France et de la Hollande intellectuelle. Bien que beaucoup de ses œuvres soient écrites en latin, il a écrit en français une de ses œuvres maîtresses : *le Traité de la lumière* (1689).

Jansénius, Corneille Jansen, (1585-1638). Très lié avec Du Vergier de Hauranne, avec qui il passa plusieurs années à Bayonne. Évêque d'Ypres (1636). Auteur de l'*Augustinus* (1640).

La Chaise, Jean Filleau de, (vers 1630-1693). Né à Poitiers. Il fut le secrétaire du duc de Roannez. Huyghens mentionne dans son *Journal de voyage* à Paris (1660-1661) qu'il a dîné, à diverses reprises, avec lui, chez le duc.

Il prit une part très importante à la préparation de l'édition des *Pensées*. Il rédigea en 1667 un *Discours sur les Pensées*, au cours duquel il dit rapporter, en soixante pages, les souvenirs d'un témoin qui assista à la *Conférence* que fit Pascal, vers octobre 1658, à ses amis de Port-Royal. Ainsi en suivant de près l'ordonnance des liasses de la *Copie des Pensées* (ms. 9203), il expose le plan et le dessein de l'*Apologie*. Il avait espéré que ce *Discours* servirait de préface à l'édition, mais Florin Périer s'y opposa. Il ne fut imprimé qu'en 1672, après la mort de Périer, et ne fut joint officiellement aux *Pensées* qu'à partir de l'édition de 1686. Il avait obtenu le privilège pour l'impression du *Discours* le 21 septembre 1670, après qu'il eût été examiné par M. de Mezeray, historiographe du roi.

Vers 1677 il avait composé deux traités : sur *les Preuves des livres de Moïse* et *Qu'il y a des démonstrations d'une autre espèce et aussi certaines que celles de la géométrie, et qu'on en peut donner de telles pour la religion chrétienne*.

A propos de ce dernier traité, Huet, futur évêque d'Avranches, s'est plaint de la fourberie de de la Chaise, qui avait copié ces démonstrations dans sa *Demonstratio evangelica*, parue en 1679, alors qu'elle était à l'impression chez Desprez depuis le début de 1677 (*lettre* de Du Bois, censeur, à Huet du 20 avril 1678). Comme l'a fait remarquer Ch. H. Boudhors, si de la Chaise avait du savoir, il ne manquait pas de savoir-faire. Il est l'auteur d'une *Histoire de Saint Louis* (Paris, 1688) qui eut du succès.

La Loubère, Antoine de, (1600-1664). Entré dans la Compagnie de Jésus en 1620, il professa au Collège de Toulouse les humanités, la rhétorique, l'hébreu, la théologie et les mathématiques. Comme il signait ses ouvrages en latin *Lalovera*, Pascal a traduit son nom en *Lallouère* ou Lalouère.

Il prit part au concours de la Roulette. Ayant proposé des solutions aux trois premières questions avec des erreurs, Pascal lui proposa trois nouveaux problèmes, mais ses calculs étaient « tellement faux que cela est visible à l'œil ». Il ne put donc prétendre aux prix. L'*Histoire de la Roulette* et les pièces qui la complètent nous renseignent à ce sujet.

Lambert, Michel, (1610-1696). Né à Vivonne, près de Poitiers. Il entra comme page de la musique de la chambre de Gaston d'Orléans. Très réputé comme professeur de chant; très demandé par les Compagnies, il promettait à tout le monde et ne venait jamais. Boileau le signale dans sa Satire III (v, 26-28). Il faisait partie du groupe Saintot, Dalibray, Le Pailleur, Benserade. Il était le gendre du cabaretier de Bel-Air. Lulli épousa sa fille. Il a composé la musique de beaucoup de chansons.

Étienne Pascal, grand amateur et même compositeur de musique, parle de la mort de sa femme dans une lettre à sa fille Gilberte (31 janvier 1643).

La Peyrère, Isaac de, (1594-1676). Célèbre par l'originalité de son esprit et libertin notoire. En 1656 il fit paraître en Hollande :

Preadamitae sive exercitatio super versibus 12, 13, 14, *capitis V, Espistolae D. Pauli ad Romanos quibus indicantur primi homines ante Adamum conditi.*

Emprisonné à Anvers, il échappe à l'Inquisition grâce au prince de Condé. (Lettres Guy Patin 18 novembre 1656.) Le pape ayant témoigné qu'il désirait le voir, il se rendit à Rome et abjura le calvinisme. Il a conté à Huyghens (*Journal*, 21 février 1661) son audience auprès du pape. Le Général des jésuites lui avait dit, en latin : « Moi-même et le Très Saint Père avons beaucoup ri en lisant ton livre. »

Pascal estimait extravagante l'hypothèse des Préadamites (ms. 575).

Layman, R.P. Paul, (1575-1594-1635). Né à Innsbruck. Canoniste distingué. Enseigna à Ingolstadt, Munich, Dilingue.

Laynez, R.P. Jacques, (1512-1565). Second Général de la Compagnie de Jésus (1558).

Le Moine, Alphonse, († 1659). Docteur de Sorbonne (1624), démissionnaire (1654).

Le Moyne, R.P. Pierre, (1602-1619-1672). Auteur de la *Dévotion aisée* (1652), *Galerie des femmes fortes* (1647), *Saint Louis* (1658).

Le Pailleur, († 1654). Ami intime d'Étienne Pascal. Fils d'un lieutenant de Meulan, il poursuivit ses études jusqu'en logique. Tallemant lui consacre une partie de son historiette sur la maréchale de Thémines. Commis de l'épargne il finit par se retirer chez le président L'Archer, son parent, parce qu'il ne pouvait souffrir les « pillauderies » dont il était témoin.

Il aimait la musique, le chant, la danse et composait pour rire des épitres burlesques. Il menait alors à Paris une vie débauchée. Il revient en Bretagne chez le comte de Saint-Brisse, homme de plaisir et danseur de ballets. Étant allé voir le maréchal de Thémines, gouverneur de la province, sa gaieté ayant conquis la maréchale, celle-ci lui demanda d'être l'intendant de son mari. Il n'accepta pas, car, dit Tallemant, « c'était la mer à boire que d'entreprendre de mettre de l'ordre dans cette maison ».

Le maréchal mourut à Paris où Le Pailleur était revenu avec lui. Il tient ensuite compagnie à la maréchale en Touraine. Puis, à Paris, il s'attacha à elle et lui tint compagnie, comme ami, pendant vingt-cinq ans : il ne recevait ni gages ni appointements.

Dès son enfance il s'intéressa aux mathématiques, qu'il apprit tout seul. Maucroix dans une épitre vante ses connaissances. Dalibray, son compagnon de plaisirs, lui adresse quelque deux cents sonnets, auxquels il répondit par une épitre sur la vanité des sciences :

Quittons donc là tous ces fatras,
Allons Dalibray de ce pas
Avec Lambert et Benserade
Chez le Bon-Puis faire grillade
C'est là que par un art divin
Dans une bouteille de vin
Nous étoufferons la mémoire
De la science et la gloire,

Le Bon-Puis, c'était le cabaretier de Bel-Air, proche du Luxembourg.

C'est en 1635 qu'Étienne Pascal vint, tout ému, lui faire part des recherches géométriques de son fils. Ils eurent souvent l'occasion de se rencontrer à l'Académie Mersenne. Au début de 1648, Blaise Pascal lui adresse une longue lettre pour lui exposer ses démêlés avec le P. Noël, et notamment les raisons pour lesquelles il n'a pas répondu à sa seconde lettre. Il communiqua cette lettre à Étienne Pascal qui se chargea de lui répondre.

Il est mort à Paris fin 1653 ou début 1654, ayant maintenu, depuis 1648, l'activité de l'Académie Mersenne, devenue l'Académie Parisienne, à laquelle Pascal soumit sa fameuse *Adresse*.

Lessius, R.P. Leonard Leys, (1554-1572-1623). Né à Brechet, près d'Anvers. Enseigna la philosophie à Douai et la théologie à Louvain (1585-1600). Auteur de *De justitia et jure* (1605), *De gratia efficaci* (1610), *De perfectionibus moribusque divinis* (1620).

Lugo, R.P. Jean de, (1583-1603-1660). Cardinal (1643). Ses œuvres ont été publiées à Lyon, 8 vol. in-f°.

Marca, Pierre de, (1594-1662). Président au Parlement de Pau. Évêque de Conserans (1642), sacré seulement en octobre 1648, à Toulouse (1652); nommé à Paris le 26 février 1662, il meurt le 29 juin. Il a rédigé avec le P. Annat le premier formulaire, le 2 juin 1655.

Mascarenhas, R.P. Emmanuel, (1604-1654). Jésuite portugais, auteur du *Tractatus de sacramentis in genere...* Paris, 1656.

Méré, Antoine Gombaud chevalier de, (1607-1684). Il avait trois frères (Charles, Josias, Benoît) et cinq sœurs. Angoumoisins de naissance, ils émigrèrent en Poitou, dans le fief de Baussay, domaine maternel, le seul qui soit demeuré en leur possession, à partir de 1637. Il entra au collège des jésuites de Poitiers en 1618 et en sortit vers 1627. Il est en relation avec Balzac avant 1630. Il participe à la reprise de Corbie le 11 novembre 1636.

C'est vraisemblablement à l'automne 1653 qu'il rencontre Pascal. Les deux problèmes de jeu qu'il lui posa (avec Mitton), vers cette époque, sont à l'origine de ses recherches sur la règle des partis (1654) en liaison avec Fermat. Celles-ci marquent la naissance du calcul des probabilités. Il revit sans doute Pascal à Paris, après septembre 1656, alors qu'il était aller saluer la reine Christine de Suède à Fontainebleau.

A-t-il conseillé à Pascal, comme on l'a supposé, le changement de front que l'on constate à partir de la *Quatrième Provinciale* (25 février 1656) au cours de laquelle il entame le procès des casuistes? Cela paraît peu probable car il aurait fallu que leur rencontre eut lieu moins d'un mois après la parution de la *Première Provinciale* (23 janvier 1656). A ce moment Pascal ne devait pas aisément dévoiler son anonymat.

Après la mort (1661) de son frère Josias de Plassac, il demeure de plus en plus à Baussay et ne revient à Paris que pour surveiller la publication de ses premières œuvres : les *Conversations* (1669), le *Discours de la justesse* (1671). Il voit Conrart, Ménage, Bourdelot, de la Chaise, du Bois. Il séjourne à nouveau à Baussay de 1673 à 1677, et publie encore trois *Discours* et les *Aventures de Renaud et d'Armide* (1678). En 1682 il donne deux tomes de *Lettres*. En 1683 il rend son Hommage au Roi, avec un retard d'au moins sept années : c'était une formalité prévue à l'occasion d'un héritage; elle servait à alimenter le trésor public.

Il meurt le 29 décembre 1684, alors qu'il jouait au piquet avec sa nièce. Dangeau écrit dans son *Journal* à la date du 23 janvier 1685 : « J'appris la mort du Chevalier de Méré; c'était un homme de beaucoup d'esprit, qui avoit fait des livres qui ne lui faisoient pas beaucoup d'honneur. »

Selon Sainte-Beuve, « le Chevalier est tout à fait un écrivain ».

Mersenne, Marin, (1588-1648). D'origine paysanne. Théologien, mathématicien, philosophe. Il fit ses premières études au Mans chez les Pères de l'Oratoire, puis chez les Jésuites, lors de la fondation du collège de La Flèche, où il se lia avec Descartes.

Religieux minime en 1611, il enseigne la philosophie à Nevers (1614-1620). Il publie en 1623 les *Questiones celeberrimae in Genesim*, en 1624 *l'Impiété des Déistes, Athées et Libertins combattue et renversée*, et en 1625 *la Vérité des sciences contre les Sceptiques et les Pyrrho-*

niens. Toujours ami fidèle de Descartes, il est son correspondant et son chargé d'affaires à Paris; il va, en 1629, le voir en Hollande.

En 1635 il fonde l'Académie Mersenne où la plupart des savants français et étrangers de cette époque se rencontrent. Étienne Pascal et son fils entrent ainsi en relations avec beaucoup d'entre eux. Il publie en 1636-1637 *l'Harmonie universelle*, traité théorique et pratique de la musique. Il fit aussi de nombreux traités plutôt pour le public que pour les savants.

En 1644, Huyghens le considère comme « l'entremetteur de tous les honnêtes gens ». Pour Baillet, l'auteur de *la Vie de Descartes*, il est « le centre de tous les gens de lettres ». Enfin de nos jours Paul Valéry le qualifie « d'agent de liaison entre les savants de différentes religions ».

Quelques mois avant sa mort il avait vérifié les expériences de Pascal sur le vide.

Meynier, R.P. Bernard, (1604-1682). Né à Clermont, Hérault. Prédicateur. Auteur de *Port-Royal et Genève d'intelligence contre le Très Saint Sacrement de l'autel* (1656).

Mitton, Damien, (vers 1618-1690). D'origine modeste et d'éducation sommaire. Jeunesse plutôt libertine de mœurs et de pensées. En 1646 son tempérament de joueur lui fait prendre le risque d'acheter 141 000 livres (1 410 000 francs 1963) la charge de Trésorier extraordinaire des guerres pour la Flandre, l'Artois et la Picardie.

Il se marie le 4 février 1653. Grand joueur, sa maison est fréquentée par des hôtes illustres, Loret dans *la Muse historique* du 11 décembre 1660 fait son éloge :

Homme qui de bon sens abonde
Qui sait tout à fait bien son monde.

Il serait, avec Méré, à l'origine des problèmes de jeu posés à Pascal.

Étant son ami, il est mentionné dans trois fragments : ms. 597-642-853. Ce dernier est de 1656-1657 et l'on peut lire dans le ms. 4333 BN. (fol. 366 V°) à propos des *Provinciales :* « On tient que Myton les corrigeait à Luxembourg. »

On lit dans le *Journal* de Huyghens à la date du 30 décembre 1660 : « Disné chez le d. de Roanes avec le chev. de Méré, inventeur des partis dans le jeu, M. Miton, esprits forts, du Bois, de la Chaise. »

Esprit fort : c'est bien à ce titre qu'il intéressait Pascal. Il fut retenu au lit, paralysé, pendant vingt ans. L'âge et la maladie firent renaître en lui des sentiments religieux.

E. Jovy (*Pascal inédit*, II, 1910) signale que divers documents le concernant, lettres d'anoblissement, congé militaire, testament sont passés en vente en 1910. On ignore leur acquéreur.

On a de lui trois *lettres à Méré*, quelques pages sur l'honnêteté dans les *Œuvres mêlées* de M. de Saint-Evremond, Paris, 1680, C Barbin, 6e partie. Également quelques-uns de ses bons mots sont rapportés dans un chapitre du *Portefeuille de M.D.F.* (M. de la Faille), Carpentras, 1694.

Thomas Corneille rééditant les *Remarques* de Vaugelas, en 1687, écrit dans la préface : « J'ai joint à tant de lumières celles que M. Mitton a bien voulu me prêter. Il juge si bien de toutes choses, il a le goût si fin et si délicat sur tout ce qui fait la beauté de notre langue, qu'on hasarde à suivre ce qu'il approuve... »

Molina, R.P. Louis, (1535-1553-1600). Espagnol, né à Cuenca. Enseigna pendant vingt ans la théologie à Evora, Portugal. Auteur de : *Accord du libre arbitre avec les dons de la grâce, la présence divine, la Providence, la prédestination et la réprobation* (1588).

Morin, Jean-Baptiste, (1585-1656). Né à Villefranche dans le Beaujolais, mort à Paris. Astrologue, il prit son doctorat en médecine à Avignon en 1613. Quelques années après, dans ses *Rêveries de l'astrologie judiciaire*, il avait prédit à Claude Dorin, évêque de Boulogne, qu'il serait menacé de mort ou de prison, ce qui se produisit.

En 1630 il occupe la chaire de mathématiques au Collège royal. En 1634 Richelieu nomme des commissaires, dont Étienne Pascal, pour juger de la méthode qu'il suivait pour déterminer les longitudes. Les commissaires accueillirent d'abord favorablement sa méthode, quoique incomplète, puis changeant d'opinion ils le traitèrent avec dureté car, malgré Gassendi et Bernier, il soutenait la théorie de l'immobilité de la terre.

Ses horoscopes le mirent en relation avec de hautes personnalités, certaines de ses prédictions s'étant révélées exactes.

En 1645, Mazarin lui accorde une pension de 2 000 livres et en 1647 il publie à Paris, *la Science des longitudes réduite à une exacte et facile pratique.* Il complète en somme, en le démontrant, ce qui avait été dit avant lui sur cette science.

Mydorge, Claude, (1585-1647). Né et mort à Paris. A son époque il était considéré comme l'un des premiers parmi les mathématiciens.

Conseiller au Châtelet, puis trésorier de France en la généralité d'Amiens. Il se contenta du titre, car sa fortune lui permettait de consacrer son temps aux sciences.

En 1625, il se lia avec Descartes et l'aida dans ses recherches. Il fit tailler d'excellents verres pour l'étude des propriétés et de la nature de la lumière, de la vision et de la réfraction. En 1630, il publia un examen des *Récréations mathématiques* du P. Leverchon. En 1637-1638, il avait pris parti pour Descartes contre Fermat, mais il contribua à leur réconciliation.

Il dépensa, au cours de sa vie, près de cent mille écus (3 000 000 de francs 1963) pour la fabrication de verres de lunettes, de miroirs ardents et de divers instruments de mathématiques.

Mylon, Claude, (?). Jurisconsulte à Paris et amateur de sciences. Le 2 mai 1657 il écrit à Huyghens : « Quoiqu'il soit très difficile d'aborder M. Pascal, et qu'il soit tout à fait retiré pour se donner entièrement à la dévotion, il n'a pas perdu de vue les mathématiques. » Il l'informe également que Pascal a parfois des conversations avec Carcavi « sur le sujet des jeux de hasard qu'il a le premier mis sur le tapis ».

En 1659, il remercie chaleureusement Pascal de lui avoir envoyé un exemplaire des *Écrits sur la Roulette.*

Nicolaï, R.P. Jean, (1594-1673). Dominicain, auteur d'une édition des œuvres de saint Thomas d'Aquin et d'une théorie sur la grâce.

Nicole, Pierre, (1625-1695). Nicole est né à Chartres. Il fit sa philosophie au Collège d'Harcourt (1642-1644) et sa théologie à la Sorbonne (1646-1649), mais il renonça à la licence et demeura clerc tonsuré toute sa vie. Il entre à Port-Royal où était sa tante Marie-des-Anges Suireau.

Dès 1646, il est à Paris maître aux Petites Écoles, où il enseigne les belles lettres et la philosophie. En 1653, il est aux Granges où Tillemont fut un de ses élèves. Son enseignement est surtout oral, mais plus tard il collaborera avec Arnauld pour *la Logique* (1659) et les *Grammaires* latine et grecque (1655).

De 1655 à 1668, il est aux côtés d'Arnauld au cours des luttes politico-religieuses de l'époque. Tour à tour, il attaque ou il se défend. Il est constamment obligé de se cacher; il se dissimule sous des noms d'emprunt et écrit sous divers pseudonymes : on en a relevé au moins huit sur la liste de ses ouvrages.

Il documente Pascal pour *les Provinciales* (1656-1657) et les traduit en latin (1658) sous le nom de Guillaume Wendrock. Il en fait des éditions en 1657 et 1659 en leur apportant, avec Saint-Amour, quelques corrections. Cet ouvrage avec les *Disquisitions* de Paul Irénée, acquittés à Bordeaux, sont condamnés par le Conseil du roi à être brûlés (1660).

Il collabore avec Arnauld aux *Justes plaintes* (1663) et en 1664 il publie un *Traité de la foi humaine,* contre de Perefixe et une *Apologie des religieuses.*

En 1664-1665, il donne dix *Lettres imaginaires* et en 1665-1666 les *Visionnaires,* huit nouvelles lettres où dans la première il traite le « poète de théâtre » d'empoisonneur public. Le *Nouveau Testament de Mons,* à la traduction duquel il a participé depuis plusieurs années ne paraîtra qu'en 1667, en Belgique. Contrairement à ce que l'on croit, il n'a pas participé à l'édition des *Pensées* de 1670, — il se cachait —, mais seulement à celle de 1678.

Après la Paix de l'Église (octobre 1668), ses travaux sont centrés sur la *Perpétuité de la foi,* 3 vol. (1669-1672-1676) qui avait été précédée, en 1664, de la *Petite perpétuité.* En 1670 paraît le *Traité de l'Éducation d'un Prince* (M. de Chanteresne) et en 1671 quatre volumes des *Essais de Morale* (Mombrigny) qui enchantèrent Mme de Sévigné. Elle écrit à sa fille, le 23 septembre 1671 : « Ne vous avais-je pas dit que c'était de la même étoffe que Pascal? » Pendant cette période il se déplace beaucoup hors de Paris.

En 1677, il a la malencontreuse idée d'adresser à Innocent XI une lettre pour dénoncer à nouveau « les monstrueuses erreurs des casuistes ». Il déchaîna ainsi la tempête, car Louis XIV n'approuvait pas ce réveil de « contestations assoupies ». A la mort de la duchesse de Longueville (1679), il s'enfuit en Belgique, mais il reviendra en 1680 à Chartres et enfin à Paris, en 1683, après en avoir reçu l'autorisation de M. de Harlay. Sa plume ne chôme pas. Il publie deux ouvrages contre les calvinistes (1684-1687), des *Réflexions morales sur les Épîtres et sur les Évangiles* (1687), un *Système de la Grâce générale* (1691), un *Traité de la prière* (1694), et une *Réfutation des quiétistes* (1695).

Nicole était de nature délicate, réservée et modérée. C'est un écrivain précis, méthodique, persuasif, mais son style est aride et monotone. « C'est un Pascal sans style », écrit Joubert.

Noël, R.P. Estienne, (1581-1660). Né en Lorraine et mort à La Flèche. Il entra jeune dans la Compagnie de Jésus et professa à La Flèche. Ensuite recteur de divers collèges, dont celui de Clermont à Paris. Physicien et ami de Descartes.

Le P. Noël ayant écrit à Pascal à propos de ses *Expériences nouvelles touchant le vide* (1647), Pascal lui répond le 29 octobre 1647. Dans une nouvelle lettre il reconnaît que Pascal dans sa réponse lui a soumis une objection qui lui a fait quitter ses premières idées. Mais en apportant cette seconde lettre à Pascal, le P. Talon lui laissa entendre qu'il n'y avait pas lieu de répondre et que l'on s'expliquerait « de bouche ». Il lui demandait de tenir cette lettre secrète.

Comme certains Pères avaient fait courir le bruit que Pascal n'avait pas répondu parce qu'il aurait trouvé dans cette lettre la ruine de ses sentiments, qu'il en aurait dissimulé les beautés de peur de découvrir sa honte, cela l'indisposa et il décida de ne pas poursuivre la discussion.

Ces bruits étant parvenus aux oreilles de Le Pailleur, Pascal lui explique dans une lettre du début de 1648 les raisons pour lesquelles il n'a pas répondu et ce qu'il pense des explications données dans la *seconde lettre* du P. Noël. Ce fut Étienne Pascal qui répondit vers avril-mai en paraphrasant la lettre de son fils à Le Pailleur. Il le fit d'une manière assez dure.

Il est permis toutefois de présumer que le P. Noël n'était peut-être pas responsable des bruits regrettables que quelques-uns de ses collègues, mal informés sur le débat en cours, avaient fait courir.

Nouet, R.P. Jacques, (1605-1623-1680). Né à Mayenne. Auteur de *l'Homme d'oraison* et de libelles contre *les Provinciales* et *les Écrits des Curés de Paris :* notamment le *Rabat-joie des Jansénistes...* (18 août 1656).

Palao, R.P. Ferdinand de Castro, (1581-1596-1633). Recteur du Collège de Medina.

Pascal, Étienne, (1588-1651). Fils de Martin Pascal, qui avait été trésorier de France à Riom, et de Marguerite Pascal de Mons.

Il avait trois frères et trois sœurs. Il épouse, vers la

fin de 1616 ou janvier 1617, Antoinette Bégon, dont il eut quatre enfants. Au moment de la naissance de Blaise (1623) il était conseiller élu pour le roi en l'élection d'Auvergne. Antoinette Bégon meurt en 1626, et cette même année il achète la charge de second président de la Cour des aides. Il était parmi les quarante habitants (sur environ deux mille) les plus imposés de Clermont.

En novembre 1631, il quitte cette ville pour venir à Paris, où il se consacrera à l'éducation de ses enfants et à des opérations financières.

En 1633, il vend sa maison de Clermont, sise rue des Grands-Grads et fait des emprunts (3 500 livres). En 1634, il vend sa charge à son frère Blaise. Il fréquente l'Académie Mersenne fondée en 1635. A cette époque, son horoscope, établi sans doute par J.-B. Morin, — découvert par Mlle d'Alverny — indique :

« M. Paschal excellent en mathématiques, musique, esprit prompt et subtil, entendu aux affaires. »

Il étudia en effet la conchoïde du cercle, connue désormais sous le nom de limaçon de Pascal. Il fit en outre partie d'une commission nommée par Richelieu pour examiner les solutions présentées par J.-B. Morin sur le problème des longitudes. Cependant le milieu qu'il fréquentait n'avait rien d'austère, puisque nous y trouvons Le Pailleur, Mme Saintot, Dalibray, Benserade.

En 1636-1637 il se rend en Auvergne avec Gilberte et Blaise et confie Jacqueline à Mme Saintot.

Guy Patin, dans une lettre du 7 avril, signale qu'à la date du 26 mars 1638, trois rentiers, Bourges, Chenu et Celoron, sont mis à la Bastille parce qu'ils ont menacé M. Cornuel, sur le bruit qu'on voulait arrêter les rentes sur l'Hôtel de ville. S'étant mêlé aux protestataires et craignant d'être arrêté, Étienne Pascal se cache d'abord à Paris, puis, après la guérison de sa fille Jacqueline, qui avait eu la petite vérole (septembre) et qu'il soigna lui-même, il se réfugia en Auvergne.

Jacqueline ayant obtenu sa grâce, il revient à Paris. Il est reçu, avec ses enfants, par Richelieu à Rueil, et il est nommé peu après « commissaire pour l'impôt et levée de tailles » en Haute Normandie.

Il séjourne à Rouen de janvier 1640 à septembre 1648. Il marie sa fille Gilberte à Florin Périer en 1641. En 1646, s'étant démis la cuisse à la suite d'une chute, il fut soigné par deux gentilshommes qui le mirent en relation avec M. Guillebert, curé de Rouville. Celui-ci, disciple de Saint-Cyran, lui conseilla de lire des livres de piété, notamment les *Lettres chrétiennes et spirituelles* de cet auteur, dont le tome I avait paru en 1645. A la suite de ces lectures, toute la famille se « convertit », c'est-à-dire qu'il fut décidé que l'on mènerait désormais une vie plus chrétienne. Gilberte et Florin Périer, qui séjournaient à Rouen à ce moment-là, se « convertirent » également.

C'est ainsi qu'en 1647, Étienne Pascal croit devoir intervenir dans la querelle avec Saint-Ange. En 1648, se substituant à son fils Blaise, il répond à la seconde *Lettre* du P. Noël.

Revenu à Paris, il s'installe rue de Touraine le 1er octobre 1648. De mai 1649 à septembre 1650, au moment des troubles de la Fronde, il est à Clermont avec Jacqueline et Blaise.

Il meurt à Paris le 24 septembre 1651. Il est inhumé en l'église de Saint-Étienne-des-Grès et son fils compose son épitaphe.

Pascal, Jacqueline, (1625-1661). Sa sœur Gilberte a écrit un *Mémoire* sur sa vie jusqu'à son entrée à Port-Royal.

Pour la décider à apprendre à lire, à sept ans, il a fallu accepter de le faire avec des livres de vers, et avant de savoir lire elle commença à en faire « qui n'étaient point mauvais ». Elle avait à Paris pour compagnes les filles de Mme Saintot, Anne et Catherine, qui avaient la même tournure d'esprit. En 1636, en l'absence de Gilberte, qui avec Blaise avait accompagné leur père en Auvergne, les trois filles composèrent une comédie de cinq actes en vers qu'elles jouèrent devant une grande compagnie. Au début de 1638, ayant envoyé à la reine un sonnet « sur le sujet de sa grossesse », Mme de Morangis l'emmena à Saint-Germain pour la présenter, et en attendant d'être reçue elle composa sur-le-champ deux épigrammes pour Mlle et Mme de Hautefort.

En septembre 1638 elle eut la petite vérole. « Elle guérit de son mal, mais elle en fut toute gâtée. » Sa bonne humeur n'en fut pas altérée et elle regardait ses creux « comme les gardiens de son innocence ».

En février 1639, elle tint le principal rôle dans une comédie, peut être *le Prince déguisé* de Scudéry, jouée par des enfants devant Richelieu, dont elle obtint la grâce de son père, compromis dans l'affaire des rentes de l'Hôtel de ville.

A Rouen, à la demande de Pierre Corneille, elle composa des stances sur la *Conception de la Vierge* et ainsi, à quinze ans (décembre 1640), elle obtint le prix de la Tour pour les Palinods. Malgré ses succès « elle n'avait nul attachement pour la gloire ». « Durant ce temps il se présenta plusieurs occasions de la marier; mais Dieu permit qu'il y ait toujours quelque empêchement. » Cependant elle n'avait aucune pensée pour la religion et estimait que l'on y pratiquait des choses peu raisonnables.

Fin 1646, elle fut confirmée par J.-P. Camus, ancien évêque de Belley. Elle se prépara à recevoir ce sacrement en lisant des traités de Saint-Cyran. Ces lectures de piété lui firent une si forte impression qu'à fin 1647 elle était disposée à renoncer au monde. Comme elle était alors à Paris avec son frère malade, ils allaient souvent entendre M. Singlin, ce qui la décida à se consacrer à Dieu. M. Guillebert la mena voir la Mère Angélique qui lui conseilla de consulter M. Singlin; celui-ci reconnut en elle de véritables marques de vocation.

Au retour d'Étienne Pascal à Paris, en mai 1648, son fils Blaise l'informa des dispositions de sa sœur. Ne voulant pas se séparer de sa fille pour toujours, il n'entra pas dans ses vues. Mais, sans s'engager à ne le point quitter, elle l'assura qu'elle ne lui donnerait jamais sujet de se plaindre de sa désobéissance. Elle décida alors de se retirer des compagnies, et cela lui fut facilité du fait que son père, changeant de quartier, alla s'installer rue de Touraine. De mai 1649 à novembre 1650 elle accompagna son père à Clermont, et chez sa sœur Gilberte elle mena une vie de recluse, dans une chambre isolée et sans feu. Elle avait déconseillé à Gilberte (*lettre IV*, 1648) d'aménager sa maison.

En 1651, elle composa un *Mystère sur la mort de Notre Seigneur*. Après la mort de son père, le 24 septembre, son frère lui demanda de demeurer encore un an avec lui. Elle dissimula sa réponse et le 4 janvier 1652 elle quitta le monde pour Port-Royal.

Quelques mois après elle eut des discussions avec son frère au sujet de sa dot. Elle ne se rendait pas compte des difficultés qu'il y avait à mobiliser la somme qu'elle désirait recevoir, car la succession d'Étienne Pascal se compliquait du fait qu'il fallait faire rentrer les sommes qu'il avait prêtées et rembourser ses emprunts. Tout ceci fut réglé lors d'un séjour de six mois que Pascal fit à Clermont de novembre 1652 à mai 1653. A la veille de sa profession de foi tout était réglé, et elle recevait plus qu'elle ne demandait.

Désormais Sœur Jacqueline de Sainte-Euphémie Pascal mène une vie de religieuse exemplaire. Elle est l'auteur d'une *Relation* sur les événements qui ont précédé sa profession, d'une *Relation* concernant la Mère Marie-Angélique, d'un *Règlement pour les enfants* (1657). Elle composa des *Vers* sur le miracle de la Sainte Épine (24 mars 1656).

Au début de la persécution de Port-Royal, le 22 août 1661, étant sous-prieure et maître des novices, elle dut répondre à un interrogatoire ordonné par l'archevêché. Ses réponses furent si édifiantes que celui qui l'interrogeait clôtura l'entretien par ces mots : « Ah! que cela est bien! Dieu en soit béni, ma fille. »

Mais une dernière épreuve l'attendait : la signature du formulaire. Cette formalité l'affligeait si fortement qu'elle pensait en mourir. Il s'agissait cependant d'un formulaire, rédigé par les vicaires généraux, qui distinguait le droit du fait. Ayant consulté Arnauld, elle se résigna à le signer avant qu'il ne fut cassé par le Conseil du roi (14 juillet) et condamné à Rome (1er août). Et elle meurt le 4 octobre 1661 à 36 ans.

Patrix, Pierre de, (1583-1671). D'une famille originaire du Languedoc, il est né à Caen et mort à Paris. Vers quarante ans, il entre au service de Gaston d'Orléans. Brillant causeur il se lie avec Voiture, Chaudebonne, Scarron, Blot.

En octobre 1654, il loue à Pascal sa maison de la rue des Francs-Bourgeois Saint-Michel (54, rue Monsieur-le-Prince). En 1657, il est capitaine de Limours, en 1660 écuyer de la duchesse d'Orléans. En 1661, il prend à sa charge les frais du service pour l'âme de Gaston d'Orléans (*Loret*, 27 mars 1661).

Huet admirait ses poésies de jeunesse. Il les supprima par la suite pour ne publier que *la Miséricorde de Dieu sur la conduite d'un pêcheur pénitent*, Blois, 1660. Serait-ce un résultat des entretiens qu'il eut avec son locataire?

Périer, Étienne, (1642-1680). Fils aîné de Florin Périer et de Gilberte Pascal, il naquit à Rouen et fut baptisé le 15 avril 1642.

Il commença ses études à Clermont. En 1653, il est élève aux Petites Écoles du Chesnay, près de Versailles, sous la direction de Wallon de Beaupuis. Le 12 mai 1660, au moment de leur fermeture brusquée et définitive, il est recueilli par son oncle. Pascal le fait alors rentrer au Collège d'Harcourt dont le recteur, M. Fortin, est son ami. Pascal allait partir quelques jours après pour faire un séjour à Bienassis (juin-septembre). A son retour, il est vraisemblable qu'Étienne devait de temps à autre lui servir de secrétaire.

Il fait ensuite ses études de droit à Orléans (1666-1669). A ce moment-là, il s'occupe activement de la préparation de l'édition des *Pensées*. En 1669, son père étant très malade, il compose, sur ses indications et celles de sa mère, la préface de l'ouvrage. Cette même année, il remplace son père comme conseiller à la Cour des aides de Clermont.

En 1673, il écrit au P. Beurrier pour lui demander de confirmer, à nouveau, l'inexactitude de certains bruits que l'on fait courir à propos de son oncle.

Après avoir refusé, vraisemblablement pour des raisons de consanguinité, un mariage avec une jeune fille qui lui apportait 40 à 50 000 écus (1 500 000 francs 1963) de dot, il épouse Mlle Lecourt, le 21 février 1678, dont la dot ne dépasse pas 45 000 livres (450 000 francs 1963).

Il meurt le 11 mai 1680, et avec lui toute descendance possible pour la famille d'Étienne Pascal, ses frères étant entrés dans les ordres et ses sœurs ne s'étant pas mariées. Sa femme reçut de la famille Périer, jusqu'à son remariage, une pension annuelle et viagère de 1 000 livres. Lorsqu'elle se remaria, le 19 mars 1691, avec M. de Cheyladet, sa dot lui fut remboursée.

Périer, Florin, (1605-1672). Fils de Jean Périer. Receveur et payeur des gages du Présidial de Clermont et de Jeanne Parrinet, cousine germaine d'Étienne Pascal.

Il aimait les mathématiques et, très jeune, il fut Conseiller à la Cour des aides et s'occupa avec succès de son transfert de Montferrand à Clermont.

En 1640, chargé d'une commission importante en Normandie, où Étienne Pascal était intendant, il la mena à bien. Il épousa Gilberte Pascal à Rouen le 13 juin 1641.

Le 15 novembre 1647, son beau-frère lui écrit pour lui demander de faire l'expérience sur le vide au Puy-de-Dôme. Ses occupations, notamment une commission qu'il fit à la demande de l'intendant du Bourbonnais, et l'attente de conditions météorologiques favorables ne lui permirent de la faire que le 19 septembre 1648. Il en adressa la relation à Pascal le 22 septembre : elle fut insérée dans le *Récit de la grande expérience de l'équilibre des liqueurs*, publié en octobre.

Après la mort d'Étienne Pascal, il achète, le 20 septembre 1652, le château de Bienassis, se trouvant trop à l'étroit dans sa maison de Clermont, qu'il avait renoncé à agrandir à la demande de Jacqueline et de Blaise (lettre à Gilberte du 5 novembre 1648).

Au moment de la préparation de l'édition des *Pensées* il n'accepta pas que le *Discours sur les Pensées* de Filleau en fut la préface. Il demanda à son fils Étienne (avril 1669) de la rédiger, étant déjà alité à cette époque.

Ayant rassemblé à son chevet et consulté tous les siens, il rédigea son testament (17 août 1669), dans lequel il réserva une part d'enfant aux pauvres de Clermont. Il était extrêmement généreux, et deux jours avant sa mort il prêtait 10 000 livres à un trésorier qui lui devait beaucoup d'argent et qui avait colporté sur lui des propos injurieux. Sans ce prêt ce trésorier était ruiné, les trésoriers venant d'être taxés par l'État pour cette somme.

Il mourut subitement le 23 février 1672, et l'on s'aperçut qu'il mettait une planche de bois dans son lit et qu'il portait une ceinture pleine de pointes.

Périer, Gilberte, (1620-1687). Fille d'Étienne Pascal et d'Antoinette Bégon. Elle était en fait l'aînée, car sa sœur Antoinette, née en décembre 1617, était morte après son baptême. Sa mère meurt en 1626. En 1632, elle est à Paris avec son père. En 1636, elle accompagne son père à Clermont pour un déplacement de quelques mois. Pendant son absence c'est Mme Saintot qui prend en charge Jacqueline.

En 1639, son père se cachant à Clermont, elle fait quelques difficultés pour autoriser sa sœur Jacqueline à jouer la comédie devant Richelieu.

Le 13 juin 1641 elle épouse à Rouen Florin Périer, son cousin, conseiller à la Cour des aides de Clermont. Sa dot est d'environ 21 000 livres (210 000 francs 1963). Fin 1646 elle vient à Rouen, avec son mari, où en 1647 elle eut une fille, Marie. A son retour à Clermont en 1648, elle retire à ses filles Jacqueline (née en 1644) et Marguerite (née en 1646) les colifichets dont leur grand-mère paternelle les avait parées.

Fin novembre 1651 — son fils Louis est né le 27 septembre —, elle se rend à Paris, avec Jacqueline et Marguerite (à cause des colifichets), pour commencer avec son frère le règlement de la succession paternelle. Elle assiste, le 4 janvier 1652, au départ secret de sa sœur Jacqueline pour Port-Royal. De novembre 1652 à mai 1653 elle reçoit son frère à Bienassis, acquis le 20 septembre 1652 pour la somme de 32 000 livres. Elle le reçut également en 1660 de juin à septembre.

Fin 1653 — son fils Blaise est baptisé le 26 juillet — elle conduit Étienne au Chesnay, et met en pension Jacqueline et Marguerite à Port-Royal. Elles devaient y rester jusqu'à leur expulsion, le 23 avril 1661.

A ce moment-là elle est déjà en séjour à Paris. Fin juin 1662, elle accueille chez elle, sur les fossés de la porte Saint-Marceau — vers le 75 de la rue du Cardinal-Lemoine — son frère malade, qui meurt le 19 août 1662.

Elle avait signé le 23 juillet un bail de 700 livres pour l'Hôtel Saint-Denis, pensant se rapprocher plus tard de lui. Ce bail fut résilié. En octobre 1662 elle s'installe rue Neuve, faubourg Saint-Marceau avec un bail de 600 livres. En 1663, le 5 août, très malade elle fait son testament.

Elle revient à Clermont, en décembre 1664, après avoir assuré la mise en ordre des papiers laissés par son frère et notamment fait faire les *Copies* B.N. 9203 et 12449. Elle emporte avec elle les originaux des *Pensées*. Louis et Blaise reviennent également avec elle, avec leur nouveau précepteur, M. de Rebergues (1664-1674), dont les gages sont de 400 livres.

Son mari meurt le 23 février 1672, et pendant des années elle se débat pour mettre de l'ordre dans la succession. En 1675, elle accompagne Louis et Blaise à Paris, où ils demeurent en étroites relations avec Arnauld et Nicole qui surveillent leurs études de théologie.

Après la mort de son fils Étienne, elle écrit le 27 octobre 1681 au docteur Vallant : « ...nous avons vendu la charge [d'Étienne]. Nous l'avons vendu pour rien... à un homme très riche qui nous paiera quand nous voudrons et plus tôt que nous ne voudrons. Je voudrais en avoir fait autant pour 50 ou 60 000 livres qui nous sont dues, pour lesquelles il faut continuellement faire des procédures et discuter des biens... »

Elle revient à Paris en 1686, à l'occasion d'une nouvelle édition des *Pensées*, dans laquelle figurera *la Vie de M. Pascal*, dont la parution avait été retardée jusque-là pour éviter des polémiques. Elle meurt le 25 avril 1687; elle est inhumée comme son frère en l'église de Saint-Étienne-du-Mont où son fils Blaise, diacre, décédé en 1684, repose également.

Gilberte Périer était une femme très instruite (Cf. Fléchier, *les Grands jours d'Auvergne*), connaissant plusieurs langues, s'occupant de morale, philosophie, théologie. Elle avait un véritable culte pour son frère. Sa vie fut très austère et il en fut de même pour ses filles qui, comme elle, par modestie, ne portèrent sur leurs robes « ni or, ni argent, ni ruban de couleur, ni frisure, ni dentelle » (Mémoire de Marguerite Périer).

Périer, Louis, (1651-1713). Il passa son enfance à Clermont. Enjoué et bouffon, il tournait en plaisanterie tout ce que l'on voulait lui apprendre, nous dit sa sœur Marguerite. En 1658, sa mère le confie à son frère qui le transforma de « jeune étourdi en garçon fort sérieux et fort appliqué ». Ses deux précepteurs, Wallon de Beaupuis (1661-1664) et de Rebergues (1664-1674), parachevèrent son éducation. Se destinant à la prêtrise, comme son plus jeune frère Blaise, leur mère les conduit à Paris où, de 1675 à 1678, ils firent leur théologie.

En 1677, les deux frères écrivent à leur mère que les Messieurs de Port-Royal, Arnauld et Nicole, estiment qu'il n'est pas encore opportun de publier sa *Vie de M. Pascal*. Cette même année il reçoit les ordres mineurs. En 1686, il est élu doyen du chapitre de Clermont et il accompagne, avec Marguerite, sa mère à Paris, où elle meurt le 25 avril 1687. En 1701, il est nommé chanoine de la cathédrale de Clermont.

En 1702, Marguerite et lui vendent la propriété de Bienassis 35 000 livres, dont 7 000 livres à titre de donation. Ils conservèrent néanmoins la jouissance de quelques pièces, dont « le cabinet de livres ». En

1707, ils achetèrent la maison Béchot, voisine de la cathédrale, 6 000 livres, sous déduction de 2 000 livres prêtées au père des venderesses par leur mère. Administrateur de l'Hôtel-Dieu il ne ménage ni sa bourse ni son temps pour soulager les pauvres.

Ayant consulté les docteurs de Sorbonne pour savoir s'il suffisait d'avoir une soumission de respect et de silence pour les condamnations portées par Rome à propos du fait et du droit dans l'affaire des cinq propositions, quarante docteurs décident que l'on peut se contenter d'un *silence respectueux*. Mais Clément XI, par brefs du 12 février 1702 à la chrétienté et du 13 février au roi condamne cette décision.

Louis Périer a fait pour son usage personnel un *manuscrit* dans lequel il a rassemblé des textes que n'avait pas retenus l'édition de Port-Royal. Il en a soumis, en 1711, trois cahiers à dom Touttée. L'original a été perdu vers le milieu du XVIIIe siècle, mais une *Copie* est venue jusqu'à nous.

Au cours de l'hiver 1710-1711 il procéda à la confection du *Manuscrit original des Pensées*, B.N. 9202. Il le porta à Paris et le déposa le 25 septembre 1711 à l'abbaye de Saint-Germain-des-Prés, qui le fit relier après 1731. En même temps, il remettait à l'Académie des sciences de Paris un exemplaire de la machine d'arithmétique de son oncle, en certifiant dans sa dédicace qu'elle a été vérifiée par Pascal lui-même.

Il meurt le 13 octobre 1713 et est enterré par « Messieurs les Chanoines dans la Chapelle, ditte de la mort, de l'Église Sainte-Croix ».

Périer, Marguerite, (1646-1733). Jacqueline (1644-1695) et Marguerite entrèrent comme pensionnaires à Port-Royal le 1er janvier 1654 et y demeurèrent jusqu'au moment de leur expulsion le 24 avril 1661. Entretemps il s'était produit le miracle de la Sainte Épine, dont Marguerite fut la bénéficiaire.

Depuis que M. Jean Mesnard a découvert une copie de la *déposition* faite par Pascal (8 juin 1656), lors de l'information requise par la Cour et Juridiction archiépiscopale et métropolitaine de Paris, nous sommes exactement informés sur l'origine du « mal à l'œil gauche » de sa nièce et sur l'état de son mal au moment du miracle. C'est une véritable notice chronologique sur les progrès du mal et sa disparition instantanée et totale.

Ce qu'il y a de surprenant dans cette déposition, c'est qu'elle est parfaitement confirmée par les *Vers*, composés par sa sœur Jacqueline de Sainte-Euphémie, *sur le miracle*. Même chronologie des consultations médicales, mêmes constatations avec même quelques précisions complémentaires. C'est évidemment parce qu'elle était versifiée que cette « déposition » n'a pas retenu l'attention des historiens qui pouvaient la croire fantaisiste.

Après la mort de Pascal, en 1664, Marguerite montra à un horloger de Paris, chez qui il se rendait parfois pour faire réparer sa montre, le portrait que venait de faire de lui François II Quesnel. L'horloger le reconnut, mais il ignorait le nom de son client.

Elle vécut ensuite, sans histoire, avec sa mère à Bienassis, loin du monde, passant son temps à des œuvres charitables. Elle accompagna sa mère à Paris en 1686 et assista, avec son frère Louis, à ses derniers moments.

A la mort de leur mère l'on peut estimer que les enfants Périer — Louis, Jacqueline, Marguerite — disposaient, tant en bien-fonds qu'en valeurs mobilières de 300 000 livres (3 millions de francs 1963). En 1733 cette fortune avait pour ainsi dire disparu.

De 1687 à 1695, date du décès de sa sœur Jacqueline, elle vit surtout à Paris, avec de brèves apparitions à Bienassis. En 1699, elle a un pied-à-terre rue Michel-le-Comte.

En 1702, elle vend Bienassis. En 1707, elle achète une maison derrière la cathédrale et l'aménage. Elle vit avec son frère Louis et leur principale occupation est le soulagement des indigents.

Après la mort de Louis (1713) elle disperse le « Cabinet de livres » de Bienassis. Elle donne à dom Jean Guerrier, prieur de Saint-Jean-d'Angély, la *Copie des Pensées* (ms. B. N. 9203) et de nombreux volumes ou opuscules qui proviennent en partie de la bibliothèque de Pascal. Également, en 1715, elle remet au P. Pierre Guerrier, de l'Oratoire, la *Seconde Copie* (ms. BN. 12449) et de très nombreux documents qu'il a enregistrés dans trois manuscrits (*grand in-4°*, *gros in-4°*, *ms. B.N.* 13913) dont les originaux ont disparu à la Révolution, ou après dans des incendies de châteaux. Il est regrettable qu'il n'ait pas enregistré les écrits mathématiques que la famille Périer avait communiqués à Leibniz et que celui-ci avait restitués en 1676.

En 1714, elle vend des domaines de Gerzat et de Cournon. En 1719, elle donne au Bureau des Pauvres une maison de Cournon. Alors qu'en 1715 ses recettes étaient de 4 754 livres, elles ne sont plus en 1721 que de 1 970 livres et il lui reste à peine 37 000 livres. Il est vrai qu'elle avait donné, avant de faire son testament (4 décembre 1720), environ 150 000 livres à divers hôpitaux et que la faillite d'un receveur de taille lui avait fait perdre 48 000 livres. A sa mort il ne restait plus que quelques arpents de vignes à Cournon et sa maison, à Clermont. Son testament fut l'occasion de procès.

[Cf. *Bulletin historique et scientifique de l'Auvergne*, E. Jaloustre, notices sur Marguerite Périer, vol. XXI, 1901, et sur Louis Périer, vol. XXVI, 1906.]

Perriquet, Marie, (1624-1669). Fille d'Étienne Perriquet, conseiller du roi et receveur général des gabelles du pays Lyonnais, et de Geneviève Garnier, apparentée à Michel Thevenot.

Elle avait des attaches avec le groupe du salon de Mlle de Scudéry, — Pellisson, Conrart, Isarn —, avec Pascal, avec quelques esprits forts. A la date du 8 décembre 1660, Huyghens note dans son *Journal :* « Conrart me vint voir, parla de Mlle Perriquet. » Il l'avait déjà rencontrée en 1655 et appréciait ses solides connaissances mathématiques.

Abandonnant les recherches de l'esprit, elle se mit sous la conduite de Vincent de Meur, un des fonda-

teurs des Missions étrangères, et s'associa à ses travaux apostoliques. Ainsi convertie, elle mourut en Bourgogne où elle avait la réputation d'un esprit fort.
[Cf. Ch. H. Boudhors, *Une amie inconnue de Pascal*, R.H.L., IV, 1928 et I, 1929.]

Pétau, R.P. Denys, (1583-1602-1652). Théologien et érudit. L'un des créateurs de la théologie positive. Auteur de *la Pénitence publique* (1644), réponse à *la Fréquente Communion* d'Arnauld.

Petit, Pierre, (1598-1677). Né à Montluçon, mort à Lagny-sur-Marne. Conseiller, ingénieur et géographe du roi. Il collabora, à l'automne de 1646, aux premières expériences sur le vide, que Pascal fit à Rouen. Il en adressa le procès-verbal à Chanut, ambassadeur de France à Stockholm. Il est l'auteur de diverses machines destinées à mesurer le diamètre des astres.

Pinthereau, R.P. Francois, (1604-1621-1664). Recteur du Collège de Caen. Auteur de « *les Impostures et les Ignorances du libelle intitulé la théologie morale des Jésuites* » (1644).

Pirot, R.P. Georges, (1599-1659). Auteur de l'*Apologie pour les casuistes contre les calomnies des jansénistes*, Paris, déc. 1657.

Ponce, R.P. Basile, († 1629). Augustin espagnol. Auteur de *De Matrimonio* et *De impedimentis Matrimonii*.

Rebours, Antoine de, (1592-1661). Né et mort à Paris. Il se retira à Port-Royal en 1640. Saint-Cyran le fit ordonner prêtre en 1642 et, chargé de la direction des religieuses, il fut leur confesseur jusqu'en 1661, date de son exclusion. Il se retira chez le président de Blancmesnil, dont il avait été précepteur. Pascal eut plusieurs entretiens avec lui, et si nous en jugeons, par la lettre qu'il a adressée à Gilberte le 26 janvier 1648, il semble que ses propos ont quelque peu surpris son interlocuteur et ne l'ont pas satisfait.

Réginaldus, R.P. Valère Regnauld, (1543-1573-1623). Né à Usie, mort à Dole. Professeur de théologie morale. Auteur de *De prudentia et ceteris in confessario requisitis*. Lyon 1610.

Roannez, Arthus Gouffier duc de, (1627-1696). Fils de Henri, marquis de Boissy et d'Anne-Marie Hennequin. A la mort de son grand-père, en 1642, il hérite du duché-paierie de Roannez. Entre 1640 et 1650, il est aux armées. Maréchal de camp en 1649, gouverneur du Poitou en 1651, il porte l'épée du roi, au sacre de Louis XIV (7 juin 1654).

Ce n'est qu'à l'automne de 1653 qu'il se lie avec Pascal et devient son ami intime. C'est vraisemblablement en 1655 qu'il entre en contact avec les Messieurs de Port-Royal et qu'il décide de ne pas se marier, alors que sa famille avait projeté de lui faire épouser Mlle de Mesmes, l'une des plus riches héritières du royaume.

Il avait l'esprit pratique et s'intéressait aux mathématiques et à la physique. En avril 1655, il invite Pascal à devenir actionnaire de la *Société de desséchement des marais poitevins*. A l'occasion du séjour à Paris de Huyghens (1660-1661), il s'empresse de faire sa connaissance. Ils se rencontrèrent aux assemblées de Montmor et le duc l'invita à plusieurs reprises à dîner chez lui. On peut relever dans *le Journal* de Huyghens les notes suivantes : « 13 novembre 1660 — Esté veoir le duc de Roanes, lui donnay l'invention de la Roulette aux horloges. 7 décembre 1660 — Disputé de la religion. Je lui dis mon invention pour le piston, de mettre la filasse plus haut. 12 mars 1661 — Adieu au duc de Roanes, qui m'apprit l'expérience du siphon à trois bouts. »

En 1662, avec Pascal, le marquis de Crenan et le marquis de Sourches, il lance l'affaire des *carrosses à cinq sols*. En 1662, il s'entretient avec Huyghens des perfectionnements à apporter aux carrosses et de certains petits moulins, dont en Hollande « on se sert pour hausser les eaux dans les jardins ».

De 1664 à 1670, il préside le comité chargé de préparer l'édition des *Pensées*.

Quelques mois avant le mariage de sa sœur Charlotte (29 avril 1667) avec François d'Aubusson de la Feuillade, il abandonna à son futur beau-frère, avec l'agrément du roi, son titre de duc de Roannez (coût pour cet anoblissement : 100 000 livres). Ce n'est donc pas Arthus Gouffier, mais François d'Aubusson qui obtint un privilège (15 mai 1667) « pour le temps et espace de cinquante années » en vue de la publication des *Ordonnances royales*.

Le texte de ce privilège figure à la B.N. F 23612 (958) et il a été enregistré sur le *Registre de la Communauté des libraires*, le 25 juin (ms 21945, f° 80) sous le seul nom de duc de Roanes.

Comme son ami Pascal, il vécut alors dans la solitude et l'on peut lire dans Saint-Simon : « Le duc de Roannez prit une manière d'habit ecclésiastique, sans être jamais entré dans les ordres et vécut dans une profonde retraite. »

Pascal a rapporté un de ses propos. Ms. 983.

Roannez, Charlotte de, (1633-1683). Le 4 août 1656, accompagnée de sa mère Mme de Boissy et de son frère, elle se rendit à Port-Royal pour baiser la Sainte Épine. Elle en fut tellement touchée qu'elle décida de se faire religieuse. Dès que le duc en fut informé, il s'empressa de l'emmener en Poitou pour la mettre à l'épreuve. Pascal ayant été informé de leur départ correspondit avec eux. Comme il n'était pour rien dans la décision qu'elle avait prise, il se contenta de l'encourager dans sa résolution. Nous avons seulement neuf extraits de lettres qui se situent entre septembre et décembre 1656.

De retour à Paris, et malgré l'opposition de sa mère, elle s'enfuit à Port-Royal, en juin 1657. Une lettre de cachet, appuyée par la force, la rendit à sa mère et pendant près de dix ans elle vécut chez elle, comme hors du monde. Ses soutiens, la Mère Angélique (1661), Pascal (1662), M. Singlin (1664), ayant disparu, elle finit sous l'empire de l'ennui et la pression de sa famille par se faire relever par le pape de son vœu de 1656. A deux reprises (1656 et 1663) et sans succès, le marquis d'Alluye avait demandé sa main. Elle devint, le 29 avril 1667, la femme de François d'Aubusson de la Feuillade.

Son mariage ne lui apporta que des tribulations et des chagrins. En 1671 elle fit son testament et légua 3 000 livres à Port-Royal. Après une douloureuse maladie elle mourut le 13 février 1683.

Quelques jours avant sa mort, elle décida que toutes les lettres qu'elle avait reçues de Port-Royal (et aussi de Pascal sans doute) fussent remises à quelque personne « pour la consoler ». Son mari s'y opposa et exigea qu'elles fussent brûlées; elle s'y résigna. C'est grâce à son frère que nous avons quelques extraits des lettres de Pascal. Certains passages ont été incorporés dans l'édition des *Pensées* de 1670.

Roberval, Gilles Personne de, (1602-1675). Mathématicien. Il assista comme Descartes au siège de La Rochelle. En 1627, il se lie avec Mersenne. En 1631, il occupe la chaire de philosophie au Collège de Maître Gervais. En 1633, à la suite d'un concours, il prend la chaire de mathématiques au Collège de France et l'occupa pendant quarante ans.

En 1636, faisant suite à l'*Harmonie universelle* de Mersenne, il publie un *Traité de mécanique des poids soutenus par des puissances sur les plans inclinés à l'horizon.* En 1638, il donne la solution de l'aire de la cycloïde. Il se querelle avec Descartes et Torricelli. Il se plaisait à cacher ses découvertes et ne les dévoilait que lorsqu'il s'agissait de justifier sa présence dans la chaire du Collège de France. C'est ainsi que Pascal, après avoir proposé dans sa *Première lettre circulaire* relative à la cycloïde six problèmes, apprit par Roberval qu'il avait déjà résolu les quatre premiers; il les retira donc de la compétition, mais sans le dire.

Il fut l'ami de Mersenne, de l'abbé Gallois, de J.-B. Morin et de Pascal. En 1645 il fut chargé de vendre la machine d'arithmétique et d'en enseigner l'usage. Il fut membre de l'Académie des Sciences lors de sa fondation (1666). Il avait un caractère ombrageux. « Le plus grand géomètre de Paris, écrit A. Arnauld, est l'homme le plus désagréable dans la conversation. »

Sa, R.P. Emmanuel, (1530-1545-1596). Théologien portugais. Auteur de *Aphorismi Confessoriorum,* contre l'autorité royale, qui fut mis à l'Index (1603).

Sablé, marquise de, (1599-1678). Madeleine de Souvré, cinquième enfant de Gilles et de Françoise de Bailleul, naquit sans doute à Tours. Mariée, en 1614, au marquis de Sablé, dont elle eut quatre ou cinq enfants. Son volage époux l'ayant ruinée, ils se séparèrent en 1622.

Veuve en 1640, elle fut mise en rapport avec Port-Royal par la princesse de Guéméné : elles furent à l'origine de l'ouvrage d'Arnauld sur *la Fréquente Communion.*

Politique, savante et précieuse, elle réunissait dans son salon les invités les plus divers. C'est là que prirent naissance, à partir de l'hiver 1658-1659, les *Maximes* de La Rochefoucauld, « fleurs » de son salon. Son péché mignon était la gourmandise. Les invités de ses soupers intimes célébraient « la table la plus délicate du royaume » (R.P. Rapin). Elle avait toujours un médecin attaché à sa personne — Pilet de la Mesnardière, Menjot et surtout Vallant — dans la crainte de maux imaginaires et de la contagion.

En 1653, elle fit construire un bâtiment à Port-Royal de Paris, à l'opposé du pavillon Guéméné. Elle n'occupa que le premier étage où elle s'installa en 1656. Elle eut M. Singlin comme directeur et Pascal venait souvent la voir. A la mort de Pascal (1662), elle perd l'un de ses plus chers amis, « ami si fidèle qui ne laisse point un semblable après lui » (*Lettre* de la Mère Agnès à Mme de Sablé).

Trois mois après sa mort (16 janvier 1678), l'abbé d'Ailly publiait ses *Maximes,* parmi lesquelles figurait un *écrit sur l'Amour,* à propos des dangers de la comédie. Comme cet écrit figurait dans les papiers laissés par Pascal et qu'il avait été enregistré dans la *Copie des Pensées* B.N. 9203 — Ms. 764 — on a cru, notamment Sainte-Beuve, qu'il était de lui. En fait, pour de multiples raisons, comme le pensait Victor Cousin, il est bien de la marquise.

Saci, Isaac Le Maistre de, (1613-1684). Fils d'Isaac Le Maistre, maître des requêtes, et de Catherine Arnauld, sœur du Grand Arnauld. Ordonné prêtre en 1649. Il est l'auteur, en 1654, des *Enluminures du fameux Almanach des PP. Jésuites.* Son entretien avec Pascal sur Epictète et Montaigne eut lieu en janvier 1655. En 1661, à la mort de Mazarin, il doit cesser ses fonctions de confesseur et se cacher. Après la mort de Singlin (1664), il se rend souvent chez Mme de Longueville où Arnauld et Nicole se cachaient, tout en préparant la version du *Nouveau Testament de Mons.* Il travaille à la traduction de l'*Ancien Testament.*

Le 13 mai 1666, sur la dénonciation de Desmarets de Saint-Sorlin il est mis à la Bastille, avec Fontaine et y demeura jusqu'à la Paix de l'Église (octobre 1668). En 1679, quinze jours après l'inhumation de Mme de Longueville, il reçut l'ordre de quitter les Granges. Il se retira à Pomponne et continua à traduire et à annoter *la Bible.* Il mourut à Pomponne et son corps fut transporté et inhumé à Port-Royal le 9 janvier 1684.

Saint-Amour, Louis Gorin de, (1619-1687). Théologien. Docteur de Sorbonne. Il fit partie de la députation envoyée à Rome pour demander la révision de la condamnation des cinq propositions extraites de l'*Augustinus.* Ce fut un échec. Ami et défenseur d'Arnauld, lors de son procès en Sorbonne. Comme lui il en fut exclu.

Il est l'auteur de corrections apportées aux éditions des *Provinciales* de 1657 et 1659. Il a publié un *Journal de ce qui s'est passé à Rome touchant les cinq propositions de* 1646 *jusqu'en* 1653, Paris, 1662. Par arrêt du Conseil d'État de 1684, ce livre fut brûlé par la main du bourreau.

Sainte-Beuve, Jacques de, (1613-1677). Docteur de la maison et société de Sorbonne. Perdit, à l'occasion de la condamnation d'Arnauld qu'il n'approuva pas, sa chaire de professeur royal de théologie qu'il avait occupée pendant onze ans. Il est l'auteur de *Cas de conscience*, 3 vol., que son frère Jérôme publia après sa mort.

Sainte-Marthe, Claude de, (1620-1690). Fils de François, seigneur de Chant-d'Oiseau, avocat au Parlement et de Marie Frubert. Après son ordination, il se retira à Port-Royal et fut confesseur des religieuses. Il rendit visite à Pascal plusieurs fois, au cours de sa dernière maladie. Après 1679, il fut obligé de se cacher au château de Corbeville à Orsay. Il correspondait avec la famille Périer et Le Camus, évêque de Grenoble, lui demandait conseil.

Saintot, Marguerite, (?). Fille de Nicolas Vion, seigneur d'Ouville, correcteur de comptes. En 1622, elle épouse Pierre Saintot, trésorier de France à Tours, dont elle eut deux filles, « que l'on met au rang des merveilles » (Épître de Le Pailleur à Dalibray). C'est à elle que Jacqueline Pascal est confiée lorsque Gilberte accompagne son père à Clermont en 1636. En février 1639, les petites Saintot jouèrent avec Jacqueline, Madeleine Bertaut et son frère devant Richelieu.

Sanchez, R.P. Thomas, (1550-1567-1610). Né à Cordoue. Enseigna la théologie. Auteur de *De sancto matrimonii sacramento* (1602) et de *Consilia seu opuscula moralia* (1634).

Séguier, Pierre III, (1588-1672). D'abord confiné à Paris au couvent des Chartreux, il fut rappelé par son oncle, le président Antoine, qui le destine à la magistrature. Successivement conseiller au Parlement, maître de requête, intendant de Guyenne, il occupe finalement, en survivance de son oncle, la charge de président à mortier (1624).

En 1633, Richelieu lui confie les sceaux; il est chancelier de France en 1635. Selon Tallemant, il était « homme du monde le plus avide de louanges ». En 1637 il fut mêlé au conflit entre Anne d'Autriche et le cardinal. En 1640, il réprime la révolte des nu-pieds de Normandie; Étienne Pascal faisait partie de sa suite comme « commissaire pour l'impôt ».

Il fut aussi dévoué à Mazarin qu'à Richelieu.

Il « soutint le courage » de Blaise Pascal, alors qu'il rencontrait de grandes difficultés pour réaliser sa machine d'arithmétique. Dans sa *Lettre dédicatoire* de 1645, Pascal lui exprime sa gratitude : « Cette même bouche qui prononce tous les jours des oracles sur le trône de la justice a daigné donner des éloges au coup d'essai d'un homme de vingt ans. » Il lui fait accorder, en 1649, un privilège à vie pour la construction et la vente de la machine, écartant ainsi tous les risques de la concurrence.

En décembre 1655, il préside à diverses reprises l'assemblée de la faculté en Sorbonne, à l'occasion du procès d'Arnauld, « pour faire que tout se passe sans bruit et dans l'ordre ».

Les Provinciales le mettent en fureur. On lit dans le *Journal* de Saint-Gilles, à la date du 2 février 1656 : « ...Lesquelles pièces choquent puissamment les adversaires et surtout M. le Chancelier qu'on me mande en avoir été saigné sept fois depuis cinq à six jours. »

Lors du procès de Fouquet, il présida la première audience et de nombreuses séances, à partir de 1662.

Il clôt sa carrière en participant à l'établissement des ordonnances de 1669-1670, qui réforment la justice civile et criminelle.

La France lui doit l'Académie française autant qu'à Richelieu : il la rendit sédentaire. Il coopéra également à la fondation de l'Académie des inscriptions et médailles (1663) et de l'Académie de peinture (1664).

Singlin, Antoine, (1607-1664). Conduit aux ordres sacrés par saint Vincent de Paul. Ordonné prêtre en 1633. Saint-Cyran, dont il fut le confesseur, le donne pour confesseur à Port-Royal. Ayant quitté l'hôpital de la Pitié, comme il était pauvre, il s'occupa d'éduquer des enfants, notamment les jeunes Bignon et Vitart qui formèrent le noyau des Petites Écoles (1637). Vers 1645, il commença ses prédications avec succès; il n'était pas éloquent, mais il avait le don de toucher et d'émouvoir ses auditeurs. Après la Fronde, de Retz le nomme Supérieur de Port-Royal et son grand vicaire pour tout le ressort de l'abbaye.

En 1654, il fait prendre à Pascal M. de Saci comme directeur. Au moment des *Provinciales*, il demeura modéré dans les controverses. Au printemps de 1661 un ordre de la Cour l'arrache à Port-Royal. Pour éviter l'exil en Basse-Bretagne, il se cache, avec M. de Saci, faubourg Saint-Marceau, chez ses amis Vitart.

Au printemps de 1664, la duchesse de Longueville étant devenue veuve (11 mai 1663), Singlin consacre ses dernières forces à la convaincre qu'elle doit garder sa place de princesse et ne pas se faire carmélite. Il l'invite à réparer le mal là où elle l'a fait et à édifier le prochain là où elle l'a scandalisé. Il fut inhumé à Port-Royal. [Cf. C. Gazier, *les Messieurs de Port-Royal.*]

Sirmond, R.P. Antoine, (1591-1608-1643). Né à Riom. Auteur de *la Défense de la vertu* (1641), critiqué par Arnauld (1641) et par J.-P. Camus, évêque de Belley (1643).

Sirmond, R.P. Jacques, (1559-1576-1651). Né à Riom. Confesseur de Louis XIII, secrétaire général du R.P. Acquaviva (1590-1608).

Sluse, René-François (1622-1685). Né à Visé, province de Liège. Il est inscrit à l'Université de Louvain de 1638 à 1642. En 1643, il est à Rome où il suit les cours de *la Sapience :* en octobre il est docteur en droit. Il y demeura huit ans étudiant les langues anciennes et orientales. Il s'intéresse aux mathématiques, surtout à la géométrie, à l'astronomie, à la physique. Le pape lui confie de temps à autre des textes orientaux à traduire.

Il revint à Liège en 1651, ayant obtenu un canonicat et un bénéfice. Reçu chanoine de Saint-Lambert de Liège, il commence sa résidence le 18 septembre 1653. Jusqu'à sa mort, il s'occupera des intérêts du chapitre, dont il devient, dès 1655, un des directeurs.

Les mathématiques occupent ses loisirs et, tout en se plaignant du peu d'encouragement qu'il reçoit dans sa patrie, il correspond avec les savants étrangers. De 1657 à 1668, sa correspondance avec Huyghens totalise soixante et une lettres. Il correspond avec Pascal de 1658 à 1660, ayant sans doute été mis en relation avec lui par Cosme Brunetti (le futur traducteur des *Provinciales*), qu'il avait connu à Rome. Les dix-neuf lettres qu'il lui a adressées permettent de conjecturer que Pascal lui en a écrit une douzaine, toutes perdues, car il n'en prenait pas des copies.

Pour le concours de la Roulette, il ne prétend pas au prix. Mais Pascal-Dettonville, en marge du concours, lui adresse cependant une lettre, au cours de laquelle il lui donne la solution de problèmes, promise « depuis un si long temps ».

En 1659, il publie son *Mesolabum*, problèmes sur le cercle, l'ellipse et l'hyperbole, dont il dévoila les constructions seulement dans son édition de 1668.

En 1669, Sorbière publie une controverse qu'il avait eue avec Le Laboureur qui prônait les *Avantages de la langue française sur la langue latine*, alors que Sluse s'ingéniait à montrer ceux du latin.

Le 16 avril 1674, il fut élu à l'unanimité membre de la Société Royale de Londres, en même temps que Carcavi et Huyghens.

Suarez, R.P. François, (1548-1564-1617). Né à Grenade. Il enseigna la philosophie et la théologie à Paris, Rome, Salamanque, Coïmbre. Auteur de *Defensio catholicæ fidei* (1613) sur la suprématie du pouvoir spirituel : cet ouvrage fut condamné par le Parlement de Paris. Auteur également de *De divina gratia* (1620).

Tanner, R.P. Adam, (1572-1590-1632). Originaire d'Innsbruck, il enseigna pendant vingt-deux ans la théologie à Munich. Ferdinand II le nomma chancelier de l'Université de Prague.

Thevenot, Melchisedech, (1620-1692). Né à Paris. Résident de France à Gênes, mécène, protecteur des savants il est l'inventeur du niveau à bulle d'air. Il s'intéressait à la civilisation orientale. Il est l'auteur de *Relations de divers voyages curieux*, Paris, 2 vol., 1696, dont des éditions partielles parurent de son vivant.

Lorsqu'en 1664 les assemblées cessèrent chez de Montmor, il reçut chez lui, pendant quelques mois, ceux qui s'y réunissaient, mais fin novembre il se retira dans sa propriété d'Issy pour y philosopher à son aise. Ces réunions perdaient du reste de leur intérêt étant donné l'imminence de la réalisation du projet de Colbert en vue de la création d'une Académie des Sciences (1666).

En 1682, il succéda à Carcavi, comme garde de la bibliothèque du roi. Il fut reçu à l'Académie des Sciences en 1685. Le R. P. Rapin laisse entendre, dans ses *Mémoires* que Pascal, « dans les premières années de sa jeunesse », avec Méré, Mitton et Thevenot, évoquait « le diable des enfers »; il ignorait que Pascal avait trente ans lorsqu'il fit la connaissance de Méré.

Valentia, R.P. Grégoire de, (1551-1565-1603). Né à Medina del Campo. Il enseigna la philosophie à Rome et la théologie à Dilinghem et à Ingolstadt, pendant vingt-quatre ans. Il occupa enfin la chaire de théologie au Collège romain.

Vasquez, R.P. Gabriel, (1551-1569-1604). Théologien espagnol. Il enseigna aux collèges d'Ocaña, de Madrid, d'Alcala. Auteur de *Commentarii et Disputationes* sur la Somme de saint Thomas (1598-1614).

Il est un des fondateurs avec Bellarmin et Suarez du congruisme : malgré la présence divine la liberté de l'homme est sauvegardée. La grâce « congrue » que Dieu accorde à l'homme est appropriée aux circonstances, au temps et à l'état d'âme de celui qui la reçoit.

Victoria, François (1480-1549). Né à Victoria en Navarre. Entra dans l'ordre de saint Dominique, étudia à l'Université de Paris. Il professa à Salamanque où il mourut.

Wallis, John, (1616-1793). « Doctor of Divinity » et mathématicien. Il professa les mathématiques à Oxford. Il est l'auteur de *Arithmetica infinitorum...* (1656) et il est considéré comme le prédécesseur immédiat de Newton.

Il prétendit au prix pour le concours de la Roulette, mais le jury, présidé par Carcavi, estima qu'il n'avait pas résolu les problèmes proposés, et de plus qu'il y avait chez lui des erreurs de méthode. Il était peu favorable à Descartes et aux savants français, sans doute à la suite des querelles qu'il eut avec Pascal, Fermat et d'autres géomètres.

Wren, Christopher, (1632-1723). Architecte de Saint-Paul de Londres. En 1657, il est professeur d'astronomie à Gresham College et en 1660 à All Soul's College d'Oxford. En 1673, il est architecte du roi, mais il fut privé de cette place par George Ier (avril 1718).

En 1680, il est président de la Société royale de Londres. En 1685 et en 1700, il occupe un siège au Parlement.

Il ne résolut pas les problèmes posés par Pascal sur la cycloïde, mais il la rectifia et détermina la longueur d'une arche. Pascal écrira à ce sujet : « Il n'y a rien de plus beau que ce qui a été envoyé par M. Wren; sa proposition est que la ligne de la roulette est quadruple de son axe. »

LEXIQUE THÉOLOGIQUE DES PROVINCIALES

Bénéfice. Revenu attaché à un titre ou à une dignité ecclésiastique.

Censure. Condamnation d'une proposition par la faculté de théologie, les évêques ou le pape.

Cordeliers. Nom donné aux Franciscains.

Droit (question de). Les cinq propositions attribuées à Jansenius sont-elles hérétiques?

Fait (question de). Jansenius a-t-il soutenu les cinq propositions?

Formulaire. Profession de foi antijanséniste à signer par les ecclésiastiques et les religieuses.

Grâce. Secours surnaturel accordé par Dieu aux hommes.

Grâce actuelle. Secours momentané.

Grâce efficace. Secours qui agit toujours quand l'homme coopère avec elle.

Grâce suffisante. Secours qui suffit pour agir en sauvegardant la liberté de l'homme qui peut lui résister.

Inquisition. Congrégation du Saint-Office qui juge de la pureté de la foi.

Jacobins. Nom donné aux Dominicains : leur premier couvent à Paris était situé rue Saint-Jacques.

Moines mendiants. Augustins, Carmes, Dominicains, Franciscains.

Molinisme. Doctrine sur la grâce de Molina.

Monothélisme. Hérésie attribuant au Christ une seule volonté.

Navarre. Collège de l'Université de Paris qui conférait le doctorat de théologie, comme la Sorbonne et le Collège d'Harcourt.

Pélagianisme. Doctrine de Pélage (Ve siècle) qui niait la nécessité de la grâce.

Pères de l'Église. Écrivains ecclésiastiques antérieurs au Ve siècle; par extension antérieurs au XIIIe siècle.

Positive. Partie de la théologie qui étudie les fondements historiques de la doctrine, par opposition à la théologie scolastique ou rationnelle.

Pouvoir prochain. Capacité immédiate d'agir.

Propositions. Les cinq propositions extraites par Nicolas Cornet de l'*Augustinus* :

I. Quelques commandements de Dieu sont impossibles aux hommes justes, lors même qu'ils veulent et s'efforcent de les accomplir, selon les forces qu'ils ont présentes; et la grâce leur manque par laquelle ils soient rendus possibles.

II. Dans l'état de nature corrompue, on ne résiste jamais à la grâce intérieure.

III. Pour mériter et démériter dans l'état de nature corrompue, la liberté qui exclut la nécessité n'est pas requise en l'homme, mais suffit la liberté qui exclut la contrainte.

IV. Les semi-Pélagiens admettaient la nécessité de la grâce intérieure prévenante, pour chaque acte en particulier, même pour le commencement de la fin, et ils étaient hérétiques, en ce qu'ils voulaient que cette grâce fut telle, que la volonté humaine put lui résister ou lui obéir.

V. C'est semi-pélagianisme de dire que J.-C. est mort, ou qu'il a répandu généralement son sang pour tous les hommes.

Régulier. Clergé soumis à une règle (les moines, les religieux).

Séculier. Qui n'est pas engagé par des vœux dans une communauté religieuse.

Simonie. Trafic des choses saintes.

Sorbonne. Collège de l'Université de Paris, avec faculté de théologie.

Téméraire. Qui s'écarte de l'enseignement commun et peut amener des conclusions contraires à la saine doctrine.

Thomiste. Partisan de la doctrine de saint Thomas d'Aquin.

DOCUMENTS

LA FAMILLE DE PASCAL

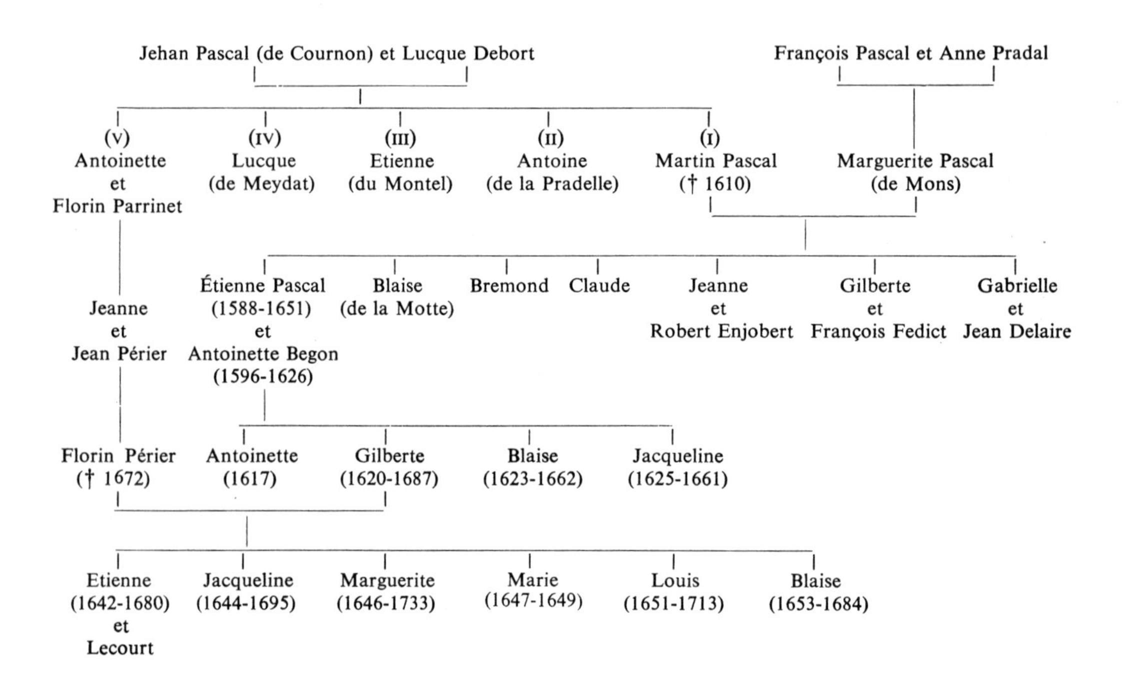

ACTE DE BAPTÊME[1]

27 juin 1623.

Le 27e jour de juin 1623, a esté baptisé Blaize Paschal, fils à noble Estienne Paschal, conseiller eslu pour le roy en l'election d'Auvergne, à Clairmont; et a noble damoizelle Anthoinette Begon; le parrin noble Blaize Paschal, conseiller du roy en la seneschaussée et siège presidial d'Auvergne, audit Clairmont, la marrine dame Anthoinette de Fontfreyde.

Au registre ont signé Paschal et Fontfreyde[2].

1. Extrait du registre des actes et baptêmes de la paroisse Saint-Pierre déposés à la mairie de Clermont-Ferrand. (Publié par J. Bouillet dans les *Tablettes historiques de l'Auvergne*... Clermont-Ferrand, imprimerie Perel, 1840, in 8°, t. I. p. 288.)

2. Le parrain était un de ses oncles et la marraine sa grand-mère maternelle.

TESTAMENT[3]

Fut présent en sa personne Blaise Pascal, escuier, demeurant ordinairement à Paris, hors et près la porte Saint-Michel, paroisse Saint-Cosme; de présent gisant au lit, malade de corps, en une chambre au second étage d'une maison sise à Paris, sur le fossé d'entre les portes Saint-Marcel et Saint-Victor, paroisse Saint-Étienne-du-Mont, en laquelle est demeurant M. Florin Périer, conseiller du Roi en sa cour des aides de Clermont-Ferrand, en Auvergne; toutefois, sain d'esprit, mémoire et entendement, comme il est apparu aux notaires sous-signés, par ses paroles, gestes et maintien; lequel, considérant qu'il n'y a rien de plus certain que la mort, ni chose plus incertaine que le jour et heure d'icelle, ne désirant en être prévenu sans tester, pour ces causes et autres à ce le mourant, a fait, dicté et nommé aux notaires soussignés son testament et ordonnance de dernière volonté, en la forme et manière qui ensuit :

Premièrement, comme bon chrétien, catholique, apostolique et romain, a recommandé et recommande son âme à Dieu, le suppliant que, par le mérite du précieux sang de notre Sauveur et Rédempteur Jésus-Christ, il lui plaise lui pardonner ses fautes et colloquer son âme, quand elle partira de ce monde, au nombre des bienheureux, implorant pour cet effet les intercessions de la glorieuse vierge Marie et de tous les saints et saintes du Paradis.

Item, veut et ordonne ses dettes estre payées et torts faits, si aucuns y a, réparés et amendés par le sieur son exécuteur testamentaire sous nommé.

Item, désire son corps mort être enterré en ladite église Saint-Étienne-du-Mont, de cette dite ville de Paris. Pour le regard des cérémonies de son convoi, service et enterrement, ensemble pour les messes, prières et aumônes à faire pour le repos de l'âme dudit sieur testateur, s'en remet et rapporte de tout à la discrétion et volonté de son dit exécuteur sous-nommé, et s'il étoit lors absent de cette ville de Paris, à la discrétion de damoiselle Gilberte Pascal, sa femme, sœur dudit sieur testateur.

Item, donne et lègue à Françoise Delfault, femme du sieur Pinel, la somme de douze cent livres, une fois payée.

Item, donne et lègue à Anne Polycarpe, femme de chambre de ladite damoiselle, la somme de mille livres, aussi une fois payée.

Item, donne et lègue à la nommée Edmée, servante de cuisine dudit sieur testateur, la somme de cent livres tournois de pension par chacun an, la vie durant d'icelle Edmée.

Item, donne et lègue à la nourrice qui a nourri de mamelle Étienne Périer, neveu dudit sieur testateur, la somme de trente livres de pension par chacun an, la vie durant d'icelle nourrice, demeurant en Normandie.

Item, donne et lègue à Blaise Bardout, filleul dudit sieur testateur, la somme de trois cents livres pour être employée à lui faire apprendre mestier, et, jusqu'à ce, demeurera ès mains dudit sieur exécuteur testamentaire, qui lui en fera intérêts.

Item, donne et lègue audit Etienne Périer, son neveu, la somme de deux mille livres, une fois payée.

Item, donne et lègue ledit sieur testateur à l'Hôpital général de cette ville de Paris un quart du droit appartenant audit sieur testateur, sur les carrosses publiques, établies depuis peu en cette dite ville de Paris, à la charge néanmoins de consentir, s'il y échet, qu'au lieu de la part appartenant de présent à M. le grand prévot[4] sur lesdites carrosses, il appartienne à l'avenir audit sieur grand prévot un sixième au total d'iceux, en telle sorte, qu'au lieu d'un pareil sixième qui appartient à présent audit sieur testateur au total desdits carrosses, il ne lui appartiendra plus qu'un sixième aux cinq sixièmes restants, et à condition de contribuer par ledit hôpital, à proportion aux mêmes frais, charges, clauses et conditions dont ledit sieur testateur est tenu.

Item, donne et lègue ledit sieur testateur, aux mêmes conditions que dessus, à l'hôpital général de la ville de Clermont en Auvergne un autre quart du même droit, si mieux n'aime ledit hôpital de Clermont, dans trois ans prochains du jour du décès dudit sieur testateur, prendre la somme de trois mille livres une fois payée pour ladite portion, laquelle, en ce faisant, retournera à ladite damoiselle, sœur dudit sieur testateur, qui ne pourra rien prétendre à la jouissance qu'aura eu ledit hôpital de ladite portion pendant ledit temps.

Item, donne et lègue ledit sieur testateur, aux conditions devant énoncées pour l'hôpital général de Paris, à Mre Jean Domat, avocat du Roi au présidial dudit Clermont, un autre quart du susdit droit pour en jouir sa vie durant, et après son décès, ledit quart retournera à ladite damoiselle.

Item, désire ledit sieur testateur qu'il soit fait restitution pour les deux tiers, dont il pourroit estre tenu à cause des biens de feu Monsieur son père des arrérages et intérêts reçus sans juste titre par le dit feu sieur son père et pour le total de ceux qui ont été ainsi reçus par ledit sieur testateur; le tout selon qu'il sera convenu et réglé, tant pour la somme que pour les personnes à qui elle doit être distribuée, par ledit sieur Florin Périer, ladite damoiselle, sa femme, et par ledit sieur Daumat, ce qui sera réglé dans six mois au plus tard par eux trois, ou au moins par ceux qui se trouveront en vie dans ledit temps, et exécuté par le dit sieur exécuteur testamentaire sous nommé, au plus tard dans un an après le décès dudit sieur testateur.

Et pour exécuter et accomplir ledit présent testament, ledit sieur testateur a nommé et élu ledit sieur Florin Périer, son beau-frère, qu'il prie en vouloir prendre la peine, révoquant par ledit sieur testateur, tous autres testaments et codicilles qu'il pourroit avoir faits auparavant cestui auquel seul il s'arrête, comme étant son

3. Minutes de Me Guneau. — Prosper Faugère : *Abrégé de la vie de Jésus-Christ*, par Blaise Pascal. Paris, Andrieux, 1846, in 8°. Collationné sur l'original par M. Jean Mesnard.

4. Le marquis de Sourches.

intention et dernière volonté. Ce fut ainsi fait, dicté et nommé par ledit sieur testateur, aux dits notaires, puis à lui par l'un d'iceux l'autre présent, lu et relu, qu'il a dit bien entendre, en ladite chambre, le troisième jour d'août seize cent soixante deux avant midi et a signé. Pascal. — Quarré. — Guneau.

BILLET D'ENTERREMENT [5]

Vous êtes priés d'assister au Convoi, Service et Enterrement de défunt Blaise Pascal, vivant Escuyer, fils de feu messire Estienne Pascal, conseiller d'État et Président en la Cour des Aydes de Clermont-Ferrand; décédé en la maison de M. Périer son beau-frère et Conseiller du Roy en ladite Cour des Aydes, sur les fossés de la porte Saint-Marcel, près les Pères de la doctrine chrétienne; qui se fera le lundy 21e jour d'aoust 1662 à dix heures du matin en l'Esglise de Saint-Estienne-du-Mont sa Paroisse et lieu de sa sépulture, où les Dames se trouveront s'il leur plaît.

5. Publié dans le *Journal de Paris* du 4 avril 1783, nº 94.
6. Saint-Etienne-du-Mont, Etat-civil de l'Hôtel de Ville de Paris. (Note 7019, de Rochebilière, B. N. ms. n. acq. f. 3621 et E. Jovy. *Pascal inédit*, T. I. p. 436.)
7. Copie de l'épitaphe qui est sur le tombeau de M. Pascal gravée sur une tombe de marbre, dans l'église de Saint-Etienne-du-Mont, à Paris. (B. N. f. fr. 12449, p. 919.)

ACTE D'INHUMATION [6]

Le lundy 21 d'aoust 1662 fut inhumé dans l'église deffunct Blaise Pascal, vivant Escuyer, fils de feu Me Etienne Pascal, conseiller d'Estat et président de la Cour des Aydes de Clermont-Ferrand. 50 prêtres. Reçu : 20 francs.

ÉPITAPHE [7]

Hic jacet Blasius Pascal Claromontanus, Stephani Pascal, in suprema apud Arvernos subsidiorum Curia Praesidis, filius, post aliquot annos in severiori secessu et divinae legis meditatione transactos feliciter et religiose in pace Christi vita functus, anno 1662, aetatis 39, die 19. Augusti. Optasset ille quidem prae paupertatis et humilitatis studio etiam his sepulchri honoribus carere, mortuusque etiamnum latere qui vivus semper latere voluerat. Verum ejus hac in parte votis cedere non potuit Florinus Perier, in eadem Subsidiorum Curia Consiliarius ac sorori Gilbertae Pascal matrimonio conjunctus, qui hanc ipse tabulam posuit, indicem sepulchri et suae in illum pietatis. Parcet tamen laudibus quas ille summopere semper aversatus est, et Christianos ad Christiana precum officia, et sibi, et defuncto profutura, cohortari satis habebit.

DÉPOSITION SUR LE MIRACLE DE LA SAINTE ÉPINE
(8 JUIN 1656)

Ce document a été découvert par M. Jean Mesnard dans les Recueils de Saint-Jean-d'Angély. *Ces recueils avaient été donnés par Marguerite Périer à son cousin dom Jean Guerrier, prieur de l'abbaye de Saint-Jean-d'Angély. Ils se trouvaient en 1830 au Grand Séminaire de La Rochelle. Pour remercier P. Faugère des services qu'il lui avait rendus, Mgr Villecourt les lui donna.*
Légués à la Bibliothèque Mazarine, ils y entrèrent en 1902. Ce n'est qu'en 1952 qu'on en a signalé l'existence.

Blaise Pascal, écuyer, demeurant en cette ville de Paris, au cloître Saint-Médéric, âgé de trente-deux ans ou environ, témoin produit à la requête et aux fins que dessus, après serment par lui fait de dire vérité.

A dit que vers la fin de l'année 1652, étant à Clermont en Auvergne chez le sieur Périer, son beau-frère, où il demeura jusqu'au mois de mai de l'année suivante 1653, il vit une des filles dudit sieur Périer, nommée Marguerite, qui est nièce et filleule dudit sieur déposant, âgée pour lors d'environ sept ans, à laquelle il arriva un mal à l'œil gauche, dont il ne connaissait point la nature, lequel mal consistait pour lors en quelques gouttes d'eau qui lui tombaient par le coin dudit œil gauche, proche du nez, qui en peu de temps devinrent plus fréquentes et plus épaisses, et qui enfin se convertirent en boue, ce qui obligea de faire visiter cet enfant par les sieurs de La Porte, médecin, et Coissette, chirurgien de ladite ville de Clermont, qui déclarèrent que c'était une fistule lacrymale qui ne pouvait être guérie que par le feu; qu'ensuite ils en envoyèrent la relation, faite par ledit sieur de La Porte, au sieur Thévenin, oculiste en cette ville, pour en avoir son avis; lequel ils reçurent quelque temps après, signé de lui, concluant à ce que c'était une fistule lacrymale, à laquelle il fallait appliquer le feu, et amener pour cet effet ledit enfant en cette ville. Qu'on résolut incontinent ce voyage, mais qu'il ne put être exécuté que quelque temps après, à cause de quelques affaires qui le retardèrent; que cependant le déposant revint en cette ville, et qu'au mois de décembre de ladite année 1653, ladite damoiselle Périer, sa sœur, y arriva avec ladite Marguerite Périer et logea chez ledit sieur déposant, où elle fit voir ladite malade aux sieurs Renaudot le jeune, médecin, Dalencé, chirurgien, et autres, qui dirent que cette fistule lacrymale serait difficile à guérir, ayant remarqué que la boue sortait non seulement par l'œil, mais encore par le nez, et d'autres accidents fâcheux, dont ils jugèrent ce mal ne pouvoir être guéri que par le feu, mais qu'il fallait pour cela attendre le printemps. Que ledit sieur déposant et ladite damoiselle Périer, sa sœur, s'informèrent si ce remède serait infaillible et qu'ils apprirent que non, et que ladite damoiselle malade ne pouvait guérir que par là, mais qu'il n'était aucunement sûr qu'elle en guérît; qu'il y en avait peu de ceux à qui, le mal étant si invétéré, ledit remède pût réussir, et que quelques-uns mêmes en meurent. Dit de plus ledit sieur déposant qu'il s'offrit cependant une personne qui promit de guérir ladite malade en six mois, sans feu, par le moyen de quelques eaux, laquelle proposition ils écoutèrent et mirent ladite malade entre les mains de cette personne, attendu que l'opération du feu proposée ne pouvait être exécutée qu'au printemps. Et pour cet effet ladite damoiselle Périer mère mit ladite malade, avec une autre sienne fille, en pension dans le monastère de Port-Royal, sis au faubourg Saint-Jacques à Paris, où ladite damoiselle Périer a sa sœur religieuse, appelée sœur Jacqueline Pascal, dite de Sainte-Euphémie, et qu'elle s'en retourna à Clermont. Dit aussi ledit sieur déposant qu'il voyait souvent ladite malade, sa nièce, dans ledit monastère, à laquelle l'usage de ces eaux était inutile et sans effet, et que, l'ayant mandé plusieurs fois audit sieur Périer, son beau-frère, il lui fit réponse que ce remède du feu était si violent et si peu certain qu'il ne pouvait se résoudre à l'éprouver quand sadite fille devrait être incommodée et porter ladite fistule toute sa vie, et qu'ainsi il désirait qu'on usât encore desdites eaux six autres mois, au bout desquels, le mal étant encore pire, et la puanteur telle qu'on avait été obligé de séparer la malade de ses compagnes, lesquelles ne la pouvaient souffrir, et les sieurs Renaudot l'aîné, médecin, Cressé, Dalencé et Guillard, chirurgiens, déclarant que tels remèdes ne servaient de rien, icelui déposant le manda audit sieur Périer père, qui néanmoins fit réponse qu'il désirait qu'on essayât encore autres six mois desdites simples remèdes. Mais enfin, ledit sieur déposant et ladite sœur Euphémie lui ayant fait savoir plusieurs fois, et encore au mois de juillet de l'année dernière 1655, que ces eaux étaient entièrement inutiles, ledit sieur Périer manda que l'on les lui ôtât et qu'on laissât ladite malade sans remèdes, aimant mieux que ladite fistule coulât toujours, comme à des personnes de sa connaissance qui en ont depuis quarante ans, que non pas d'exposer cet enfant à cette opération. Que, sur la lettre dudit sieur Périer, on ôta les eaux à ladite malade au mois d'août ensuivant, mais que le mal augmenta si fort qu'outre la puanteur et les autres accidents ordinaires, elle avait encore perdu l'odorat, et qu'il s'était formé une enflure au coin de l'œil de la grosseur d'une noisette avec dureté, et un sac plein de cette boue qui, quand on le pressait, se vidait par l'œil et le nez. Dit de plus que ledit sieur Dalencé ayant un jour remarqué qu'il n'en sortait pas autant par ces deux endroits que le sac en contenait, il considéra ce mal de plus près et remarqua qu'il en sortait aussi par la bouche, ce qu'il fit voir audit sieur Renaudot l'aîné et à plusieurs religieuses et pensionnaires. Dit de plus ledit sieur déposant qu'ayant demandé à ladite malade si elle ne sentait pas cette humeur qui lui tombait dans la gorge, elle dit qu'elle sentait bien qu'elle avalait quelque chose, mais que, avant que ledit sieur Dalencé lui eût expliqué, qu'elle ne savait ce que c'était, et qu'elle croyait que ce fût du sang. Que ledit sieur déposant manda audit sieur Périer toutes ces choses, et qu'il fallait nécessairement en venir à l'opération, que, cette fistule étant des plus malignes, il y avait à craindre d'étranges suites, que les plus habiles médecins et chirurgiens de cette ville assuraient que le mal menaçait, que le nez en pouvait tomber, et qu'elle en perdrait l'œil et peut-être la vie, qu'ils en avaient des exemples, et qu'ainsi le remède étant moindre que le mal, il fallait absolument s'y résoudre. Sur quoi ledit sieur Périer manda qu'il y était résolu, et qu'au printemps il viendrait pour cette opération, qu'on lui fit savoir quand il faudrait qu'il s'y rendît, et qu'il n'y manquerait pas, mais surtout qu'on ne fît rien qu'en sa présence. Que depuis, le mal s'accroissant toujours durant les mois de janvier, février et le commencement de mars dernier, ladite malade ne dormait presque plus, qu'elle avait une fièvre lente et qu'elle était dans une langueur qui l'avait obligée de rompre le Carême. Sur quoi ledit sieur déposant manda audit sieur Périer qu'il fallait qu'il vînt promptement pour faire appliquer ce remède; que ladite sœur Euphémie lui écrivit à peu près la même chose, et que sa lettre, qui est encore entre les mains dudit sieur Périer, est datée du XXIVe mars dernier. Que ce jour-là même, sur les trois heures de relevée, quelques heures après cette lettre écrite et envoyée à la poste, ladite malade fut guérie sur-le-champ par l'attouchement d'un reliquaire dans lequel il y a une épine de la couronne de Notre-Seigneur, comme ladite sœur Euphémie lui a raconté depuis; et qu'en effet, ayant vu ladite malade le mercredi depuis sa guérison, il la trouva parfaitement guérie, tant de la puanteur, de la tumeur, de la boue de l'œil, du nez et de la bouche, de la perte de l'odorat, de la peine à dormir, de la maigreur, du mauvais teint, de la faiblesse, et enfin entièrement saine et plus qu'il ne l'avait vue de sa vie. Ensuite de quoi il la fit voir le vendredi ensuivant, dernier jour dudit mois de mars, audit sieur Dalencé, qui l'assura que la guérison était parfaite et miraculeuse; que le mardi d'après, quatrième avril, ledit sieur Périer, qui était parti de Clermont sur la lettre dudit sieur déposant et de ladite sœur Euphémie, arriva à Paris [chez] ledit sieur déposant; auquel il apprit la merveilleuse guérison faite en un instant du mal invétéré depuis trois ans et demi qu'il venait faire traiter; et a ledit sieur déposant vu depuis ladite malade très souvent et même encore le jour d'hier, et toujours dans une pleine et parfaite santé, et est tout ce qu'il a dit savoir. Lecture à lui faite a persisté et signé ainsi.

Signé : PASCAL.

TABLE

ŒUVRES MATHÉMATIQUES

TRAITÉ DES CONIQUES

LA RÈGLE DES PARTIS

TRAITÉ DU TRIANGLE ARITHMÉTIQUE ET TRAITÉS CONNEXES

LES CARRÉS MAGIQUES

ADRESSE A L'ACADÉMIE PARISIENNE

LA ROULETTE ET TRAITÉS CONNEXES

DIMENSION DES LIGNES COURBES

ŒUVRES PHYSIQUES

LA MACHINE D'ARITHMÉTIQUE

LE VIDE, L'ÉQUILIBRE DES LIQUEURS ET LA PESANTEUR DE L'AIR

LETTRES

OPUSCULES

LES PROVINCIALES

LES ÉCRITS DES CURÉS DE PARIS

PENSÉES

Achevé d'imprimer en 2002 par l'Imprimerie-Reliure Maison Mame à Tours.
Dépôt légal : 2e tr. 1963. N° 1466.10 (02052031)

Imprimé en France

MICROCOSME, ÉCRIVAINS DE TOUJOURS

Ce n'est pas seulement le profil d'une œuvre éclairée par l'homme et son époque que cherche à esquisser cette collection, mais un dialogue toujours vivant entre les écrivains de toujours et les hommes d'aujourd'hui. Chacun des volumes, bien que d'un prix modique, est abondamment illustré.

PASCAL PIA
Apollinaire

V.-H. DEBIDOUR
Aristophane

J.-C. MARGOLIN
Bachelard

GAÉTAN PICON
Balzac

J.-M. DOMENACH
Barrès

ROLAND BARTHES
Roland Barthes

A. ARNAUD, G. EXCOFFON-LAFARGE Bataille

PASCAL PIA
Baudelaire

PH. VAN TIEGHEM
Beaumarchais

LUDOVIC JANVIER
Beckett

ALBERT BÉGUIN
Bernanos

E. R. MONEGAL
Borges

SARANE ALEXANDRIAN
Breton

MORVAN LEBESQUE
Camus

PIERRE GUENOUN
Cervantès

VICTOR-L. TAPIÉ
Chateaubriand

A. MICHEL, C. NICOLET
Cicéron

P.-A. LESORT
Claudel

ANDRÉ FRAIGNEAU
Cocteau

G. BEAUMONT, A. PARINAUD
Colette

GEORGES POULET
Benjamin Constant

LOUIS HERLAND
Corneille

SAMUEL S. DE SACY
Descartes

JEAN GATTÉGNO
Dickens

CHARLY GUYOT
Diderot

DOMINIQUE ARBAN
Dostoïevski

RAYMOND JEAN
Paul Éluard

J.-C. MARGOLIN
Érasme

MONIQUE NATHAN
Faulkner

VICTOR BROMBERT
Flaubert

PASCAL BRUCKNER
Fourier

JACQUES SUFFEL
Anatole France

O. MANNONI
Freud

CLAUDE MARTIN
Gide

CLAUDINE CHONEZ
Giono

CHRIS MARKER
Giraudoux

J.-A. HUSTACHE
Gœthe

NINA GOURFINKEL
Gorki

R. DE SAINT-JEAN
Julien Green

J.-P. COTTEN
Heidegger

FRANÇOIS CHATELET
Hegel

G.-A. ASTRE
Hemingway

GABRIEL GERMAIN
Homère

PIERRE GRIMAL
Horace

HENRI GUILLEMIN
Hugo

JEAN PARIS
Joyce

K. WAGENBACH
Kafka

M. GRIMAULT
Kierkegaard

ROGER VAILLANT
Laclos

BERNARD PINGAUD
La Fayette (Mme de)

PIERRE CLARAC
La Fontaine

MARCELIN PLEYNET
Lautréamont

EDMOND BARINCOU
Machiavel

CLAUDE FRIOUX
Maïakovski

HENRI GOUHIER
Maine de Biran

CHARLES MAURON
Mallarmé

GAÉTAN PICON
Malraux

PAUL GAZAGNE
Marivaux

A.-M. SCHMIDT
Maupassant

P.-H. SIMON
Mauriac

J.-J. MAYOUX
Melville

ROLAND BARTHES
Michelet

ALFRED SIMON
Molière

FRANCIS JEANSON
Montaigne

JEAN STAROBINSKI
Montesquieu

PIERRE SIPRIOT
Montherlant

J.-M. DOMENACH
Mounier

RAYMOND JEAN
Nerval

JEAN RICARDOU
Le Nouveau Roman

ALBERT BÉGUIN
Pascal

MICHEL AUCOUTURIER
Pasternak

SIMONE FRAISSE
Péguy

JACQUES CABAU
Edgar Poe

J.-L. BACKÈS
Pouchkine

CLAUDE MAURIAC
Proust

MANUEL DE DIÉGUEZ
Rabelais

J.-L. BACKÈS
Racine

PH. JACOTTET
Rilke

YVES BONNEFOY
Rimbaud

J.-B. BARRÈRE
Romain Rolland

DANIEL WILHELM
Romantiques allemands

CLAUDE BONNEFOY
Ronceraille

GILBERT GADOFFRE
Ronsard

GEORGE MAY
Rousseau

LUC ESTANG
Saint-Exupéry

F.-R. BASTIDE
Saint-Simon

FRANCIS JEANSON
Sartre

DIDIER RAYMOND
Schopenhauer

JEAN CORDELIER
Sévigné (Mme de)

JEAN PARIS
Shakespeare

GEORGES NIVAT
Soljénitsyne

GABRIEL GERMAIN
Sophocle

P.-F. MOREAU
Spinoza

CLAUDE ROY
Stendhal

PHILIPPE AUDOUIN
Les Surréalistes

J.-L. LAUGIER
Tacite

SOPHIE LAFFITE
Tchekhov

CLAUDE CUÉNOT
Teilhard de Chardin

J.-H. BORNECQUE
Verlaine

PAUL VIALLANEIX
Vigny

JACQUES PERRET
Virgile

RENÉ POMEAU
Voltaire

MONIQUE NATHAN
Virginia Woolf

MARC BERNARD
Zola